SINONIMI
e contrari

DIZIONARIO COMPATTO
DEI SINONIMI
E DEI CONTRARI

di Daniela Ratti e Grazia Biorci

ZANICHELLI

In redazione: Roberta Balboni, Enrico Lorenzi

Copertina: Anna Maria Zamboni (*progetto*), Exegi s.n.c. (*realizzazione*)

Elaborazione automatica dei testi, progetto grafico, composizione: Marco Brazzali, Roberto Cagol e Emanuela Betti Motter, Elisabetta Marin, Mara Tasin, I.CO.GE. Informatica s.r.l., Trento

Coordinamento della stampa e confezione: Massimo Rangoni, Giovanni Santi

Ristampe:
6 5 4 3 2 1   2005 2006 2007 2008 2009 2010

Per segnalazioni o suggerimenti relativi a quest'opera l'indirizzo a cui scrivere è:
    Zanichelli editore
    Redazioni lessicografiche
    Via Irnerio 34
    40126 Bologna
    fax 051 249782 (From abroad: +39 051 249782)
    e-mail: lineacinque@zanichelli.it
    sito web: www.zanichelli.it/dizionari

Stampa: Grafica Ragno, Tolara di Sotto, Ozzano Emilia (Bologna)

PRESENTAZIONE

Un dizionario dei sinonimi è un insieme organizzato di parole intercambiabili l'una con l'altra. Ogni parola del dizionario con i relativi sinonimi e contrari costituisce un microcampo semantico in cui le diverse parole sono in relazione tra loro per alcuni elementi di significato che hanno in comune e per altri che hanno in opposizione. La parte di significato comune consente la funzione di sinonimia in quanto rende le parole sostituibili l'una con l'altra; la parte di significato in opposizione limita questa sostituibilità in base al contesto in cui le parole compaiono: così *giovane e nuovo* funzionano come sinonimi se riferiti per es. al vino ma in un contesto in cui ci si riferisca a una persona *nuovo* non può sostituire *giovane*. Quando gli elementi di significato in opposizione di due o più parole prevalgono su quelli in comune si hanno gli antonimi o contrari: così *vecchio* è il contrario di *giovane* in quanto le due parole, pur avendo in comune la nozione di tempo, hanno in opposizione la quantità di tempo a cui si riferiscono.

Questo dizionario è stato realizzato con l'ausilio di una procedura automatizzata che ha consentito di verificare i reali rapporti di sinonimia o di antonimia. Le diverse accezioni dei sinonimi sono introdotte da un numero progressivo e contengono un numero variabile di sinonimi. Alcune brevi informazioni, racchiuse tra parentesi quadre, facilitano l'individuazione dei contesti in cui la sostituzione è possibile.

Nel caso di reggenza diversa, questa è indicata in carattere corsivo: per es. 'desiderio' quale possibile sostituto di 'aspirazione' è 'desiderio *di*' e, a sua volta, aspirazione è 'aspirazione *a*'. Le parentesi tonde racchiudono simboli che indicano di volta in volta il registro d'uso (*colto, familiare, volgare*, etc.), il linguaggio specializzato (*medico, chimico, tecnico*, etc.), alcune relazioni del sinonimo con il lemma (*generico, improprio, erroneo*).

I contrari sono individuati dall'abbreviazione CONTR. Tra i contrari oltre ai termini in opposizione assoluta fra di loro (come *bene-male, ricco-povero*) sono compresi anche termini che si contrappongono in relazione contraddittoria o correlativa (come *padre-figlio, braccialetto-anello*).

Il dizionario è arricchito da 70 inserti di *informazione, nomenclatura, classificazione*. Nelle schede di *informazione* si trovano alcune notizie che riguardano un lemma, ad es. al lemma *moneta* corrisponde una scheda che elenca le diverse monete del mondo; nelle schede di *nomenclatura* si trovano elencati i nomi dei fiori, degli animali etc.; nelle schede di *classificazione* si differenziano in modo ragionato i significati dei vari sinonimi.

Il nostro lavoro è stato orientato soprattutto a realizzare uno strumento agile, di buona leggibilità che, nel contempo, fornisca le informazioni necessarie affinché, di volta in volta, il lettore possa scegliere la parola adatta alla situazione o al contesto. Ringraziamo coloro che ci hanno aiutato in questa nostra fatica: grazie all'ing. Mauro Tavella per la creazione dell'algoritmo di raccolta dei sinonimi e dei contrari; grazie all'ing. Lucia Marconi per la creazione di tutte le procedure di confronto automatico con altri *corpora* della lingua, per la revisione automatica del dizionario e la costante collaborazione; grazie alla dott.ssa Claudia Rotando per la messa a punto degli inserti; grazie, infine, ai nostri figli a cui abbiamo sottratto tanto tempo e attenzioni.

Genova, marzo 1997   Daniela Ratti   Grazia Biorci

4

ABBREVIAZIONI

acrt.	accorciativo	*farm.*	farmacia,	*pl.*	plurale
agg.	aggettivo		farmacologia	*pleon.*	pleonastico
agr.	agricoltura	*ferr.*	ferrovia	*poet.*	poetico
analog.	analogo, analogia	*fig.*	figurato	*polit.*	politica
anat.	anatomia	*filos.*	filosofia	*pop.*	popolare
antifr.	antifrastico	*fis.*	fisica	*port.*	portoghese
anton.	antonomasia	*fot.*	fotografia	*pos.*	positivo
arald.	araldica	*fr.*	francese	*prep.*	preposizione
arch.	architettura	*gener.*	generale,	*pres.*	presente
arche.	archeologia		generico	*pron.*	pronome,
ass.	assoluto	*genov.*	genovese		pronominale
astron.	astronomia	*geogr.*	geografia	*prop.*	proposizione
autom.	automobilismo	*geol.*	geologia	*propr.*	propriamente
avv.	avverbio	*gerg.*	gergale	*psicol.*	psicologia
biol.	biologia	*giapp.*	giapponese	*pt.*	posta
bot.	botanica	*giorn.*	giornalismo	*q.c.*	qualcosa
bur.	burocratico	*impers.*	impersonale	*qc.*	qualcuno
celt.	celtico	*impr.*	improprio	*raff.*	rafforzativo
centr.	centrale	*indef.*	indefinito	*rec.*	reciproco
chim.	chimica	*ingl.*	inglese	*rel.*	relativo
chir.	chirurgia	*inter.*	interiezione	*relig.*	religione
cine	cinema	*interr.*	interrogativo	*rif.*	riferito
compl.	complemento	*intr.*	intransitivo	*rifl.*	riflessivo
cong.	congiunzione	*inv.*	invariabile	*rom.*	romano
contr.	contrario	*iperb.*	iperbole	*s.*	sostantivo
cuc.	cucina	*ipp.*	ippica	*scherz.*	scherzoso
dial.	dialettale	*iron.*	ironico	*sec.*	secolo
dimostr.	dimostrativo	*lat.*	latino	*sett.*	settentrionale
dir.	diritto	*lett.*	letterario	*sim.*	simile, simili
eccl.	ecclesiastico	*letter.*	letteratura	*sing.*	singolare
econ.	economia	*lig.*	ligure	*sost.*	sostantivale
edil.	edilizia	*ling.*	linguistica	*sp.*	spagnolo
elab.	elaborazione	*loc.*	locuzione	*spec.*	specialmente
	elettronica	*m.*	maschile	*spreg.*	spregiativo
elettr.	elettricità	*mar.*	marina	*stat.*	statistica
ell.	ellissi, ellittico	*mat.*	matematica	*teatr.*	teatro
enf.	enfatico	*mecc.*	meccanica	*tecnol.*	tecnologia
enol.	enologia	*med.*	medicina	*ted.*	tedesco
erron.	erroneo,	*merid.*	meridionale	*tel.*	telefonia
	erroneamente	*mil.*	militare	*temp.*	temporale
es.	esempio	*milan.*	milanese	*tess.*	tessile (tecnica)
escl.	esclamativo,	*min.*	mineraria (tecnica)	*tosc.*	toscano
	esclamazione	*mus.*	musica	*tr.*	transitivo
est.	estensione,	*nap.*	napoletano	*v.*	verbo
	estensivo	*neg.*	negativo,	*ven.*	Veneto
etc.	eccetera		negazione	*verb.*	verbale
euf.	eufemismo,	*num.*	numerale	*veter.*	veterinaria
	eufemistico	*part.*	participio	*vocat.*	vocativo
f.	femminile	*pass.*	passato	*volg.*	volgare
fam.	familiare	*pegg.*	peggiorativo	*zool.*	zoologia

a, A

abacà *s. f. inv.* **1** (*gener.*) pianta **2** fibra.

abat-jour *s. m.* lampada, lume.

abbàcchio *s. m.* agnello.

abbacinaménto *s. m.* **1** [*della vista*] appannamento, offuscamento, accecamento (*fig.*) **2** [*delle facoltà mentali*] appannamento, annebbiamento, ottenebrazione (*raro*).

abbacinànte *part. pres.; anche agg.* accecante, abbagliante CONTR. opaco, offuscato, scuro, buio.

abbacinàre *v. tr.* **1** [*gli occhi, la vista*] abbagliare, ferire (*fig.*) **2** [*qc.*] (*est.*) incantare, sbalordire, strabiliare **3** [*qc., la mente, etc.*] (*est.*) confondere.

abbadia *s. f.* V. *abbazia.*

abbagliànte A *part. pres.; anche agg.* [*rif. alla luce*] accecante, abbacinante, allucinante CONTR. opaco, offuscato, buio B *s. m.* (*gener.*) faro.

abbagliàre *v. tr.* **1** accecare (*fig.*), abbacinare **2** (*est.*) confondere, illudere, ingannare **3** (*est.*) stupire, affascinare, incantare CONTR. disingannare **4** [*detto di colore*] (*fig.*) sparare (*scherz.*).

abbàglio *s. m.* **1** svista, cantonata (*fig.*), errore, inganno **2** allucinazione.

abbaiàre *v. intr.* **1** latrare **2** [*detto di persona, etc.*] (*est.*) sbraitare, urlare, ragliare (*fig.*).

abbàio *s. m.* abbaiata.

abbandonàre A *v. tr.* **1** [*qc., qc.*] lasciare, piantare (*fam.*), mollare (*pop.*) CONTR. prendere **2** [*un'idea, etc.*] rinunciare a, distogliersi da, deporre, tralasciare (*raro*), trascurare, dimenticare **3** [*un'attività, etc.*] cedere (*est.*), chiudere, cessare CONTR. intraprendere **4** [*una carica, etc.*] abdicare a, ritirarsi da **5** [*un luogo*] andarsene da, distaccarsi da CONTR. tenere, invadere, occupare, conquistare, presidiare, impadronirsi **6** [*l'orgoglio*]

(*raro*) dimettere **7** [*un neonato*] (*raro*) esporre **8** [*una posizione*] recedere da, retrocedere da **9** [*i sogni, le speranze*] gettare, perdere, sacrificare B *v. rifl.* **1** cedere, crollare (*fig.*), lasciarsi andare CONTR. contenersi, controllarsi, padroneggiarsi, difendersi **2** darsi **3** cullarsi (*fig.*), indulgere **4** immergersi, sprofondarsi **5** [*alla miseria, etc.*] piombare in.

abbandonàto *part. pass.; anche agg.* **1** [*rif. a un luogo*] deserto, disabitato, spopolato CONTR. popolato, abitato, affollato, animato (*fig.*) **2** [*rif. a un luogo, a una persona*] disabitato, desolato, trascurato, incustodito CONTR. assistito, protetto **3** [*rif. a un membri*] (*est.*) reclinato, adagiato, rilassato CONTR. dritto, eretto **5** [*rif. a un progetto*] accantonato.

abbandóno *s. m.* **1** [*di una gara*] ritiro da **2** [*di qc.*] tradimento, ripudio **3** [*dei beni*] rinuncia a **4** [*rif. a una persona, a una casa, etc.*] incuria, trascuratezza, squallore, sciatteria, trasandatezza, desolazione **5** [*rif. a uno stato*] oblio, solitudine **6** [*rif. a un momento morale*] sfiducia, scoramento, avvilimento, cedimento (*fig.*) **7** (*est.*) rilassamento **8** (*est.*) effusione.

abbarbicàre A *v. intr.* allignare, attecchire, barbicare, radicare B *v. intr. pron.* (*anche fig.*) aggrapparsi, afferrarsi, appigliarsi, avvinghiarsi, attaccarsi, aderire (*est.*), radicarsi.

abbassaménto *s. m.* **1** riduzione, calo, diminuzione, attenuazione (*colto*) CONTR. aumento **2** [*della produzione, etc.*] riduzione, calo, diminuzione, rallentamento, decremento CONTR. aumento, incremento **3** [*dei prezzi*] riduzione, calo, ribasso CONTR. rincaro **4** [*della qualità*] (*fig.*) scadimento, peggioramento CONTR. miglioramento, innalzamento, elevamento **5** [*del terreno*] avvallamento CONTR. innalzamento, sollevamento.

abbassàre A *v. tr.* **1** [*una bandiera, etc.*] calare, tirare giù, ammainare

---

(*mar.*) CONTR. alzare, issare, elevare, innalzare, levare **2** [*la luce, il volume, etc.*] (*est.*) diminuire, attenuare, ridurre CONTR. alzare **3** [*la testa, le ginocchia*] (*est.*) piegare, chinare, inclinare CONTR. alzare, drizzare, rialzare **4** [*il livello*] appiattire, deprimere **5** [*il ritmo*] rallentare **6** [*i prezzi, le richieste*] ribassare, mitigare **7** [*le imposte*] (*est.*) calare, tirare giù, socchiudere CONTR. sollevare **8** [*il letto, etc.*] avvallare (*colto*) **9** [*qc.*] (*est.*) degradare CONTR. esaltare, idealizzare, nobilitare, insuperbire B *v. intr. pron.* **1** cedere CONTR. insuperbire, esaltarsi **2** [*detto di voce, di fiamma, etc.*] ridursi, diminuire, affievolirsi, calare, decrescere CONTR. alzarsi, aumentare, salire **3** [*detto di strada, etc.*] scendere, declinare, digradare, avvallarsi CONTR. alzarsi **4** [*detto di livello*] ridursi, peggiorare CONTR. innalzarsi, emergere, elevarsi C *v. rifl.* **1** piegarsi, appiattirsi, chinarsi, prostrarsi CONTR. drizzarsi, alzarsi **2** (*est.*) umiliarsi, degradarsi, disprezzarsi CONTR. millantarsi, elevarsi, lodarsi, gloriarsi, nobilitarsi **3** (*est.*) prostituirsi.

abbassàto *part. pass.; anche agg.* **1** inclinato CONTR. alzato, sollevato **2** [*rif. al prezzo*] diminuito, ridotto.

abbàsso A *avv.* sotto, giù, in basso, di sotto CONTR. sopra, in su B *inter.* giù, a morte CONTR. viva, evviva C *s. m. inv.* (*gener.*) imprecazione.

abbastànza *avv.* **1** parecchio, a sufficienza, sufficientemente, quanto basta, bastantemente, apprezzabilmente CONTR. poco, scarsamente, insufficientemente **2** parecchio, assai, alquanto, piuttosto, discretamente CONTR. poco, scarsamente.

abbàttere A *v. tr.* **1** [*alberi, etc.*] buttare giù, atterrare, tagliare **2** [*un regime, etc.*] rovesciare, destabilizzare CONTR. puntellare, rafforzare **3** [*costruzioni*] atterrare, demolire, distruggere, smantellare, diroccare, scalzare (*est.*), devastare CONTR. rialzare, drizzare, elevare, innalzare, fare, rifare, edificare, fabbricare, ricostruire **4** [*qc.*

moralmente] (*est.*) annientare (*fig.*), deprimere, avvilire, annichilire, prostrare, costernare (*colto*), disanimare (*raro*), demoralizzare, prosternare (*fig.*) **CONTR.** consolare, inorgoglire, motivare **5** [*qc. fisicamente*] uccidere, ammazzare, fare fuori, macellare **6** [*un argomento*] (*est.*) demolire, confutare **7** [*qc. con lo sguardo*] (*fig.*) fulminare **8** [*fisicamente*] debilitare, indebolire, infiacchire **B** *v. intr. pron.* **1** avvilirsi, demoralizzarsi, deprimersi, scoraggiarsi, disanimarsi, disperarsi, sgomentarsi (*tosc.*) **CONTR.** confortarsi, entusiasmarsi, esultare, gasarsi, imbaldanzirsi, rianimarsi, inorgoglirsi, rafforzarsi, ravvivarsi, ricrearsi, ridestarsi **2** schiantarsi, accasciarsi, cascare, crollare **3** [*detto di sassi, di pugni, etc.*] grandinare (*fig.*).

abbattiménto *s. m.* **1** [*di una costruzione, etc.*] demolizione, atterramento, smantellamento, annientamento (*raro*) **CONTR.** costruzione, edificazione **2** [*di un governo, etc.*] (*est.*) eliminazione, rovesciamento **3** [*fisico, morale*] (*est.*) indebolimento, prostrazione, sfinimento **CONTR.** vigore **4** [*morale*] (*est.*) scoraggiamento, avvilimento, scoramento, depressione (*fig.*), disperazione, sconforto **CONTR.** esaltazione, euforia, allegria.

abbattùto *part. pass.; anche agg.* **1** atterrato **CONTR.** costruito, eretto **2** (*anche fig.*) smantellato, distrutto, demolito **3** [*rif. all'animo*] avvilito, demoralizzato, depresso, scoraggiato, amareggiato, scontento, moscio, sconfortato, affranto, prostrato, disperato **CONTR.** esaltato, felice, contento, entusiasta.

abbazia o **badia**, **abbadia** *s. f.* **1** convento, monastero **2** (*gener.*) chiesa, tempio **3** (*erron.*) certosa.

abbecedàrio *s. m.* abbiccì, sillabario.

abbelliménto *s. m.* **1** decorazione, ornamento **2** [*tipo di*] guarnizione, fronzolo, svolazzo **3** miglioramento, arricchimento **CONTR.** imbruttimento, deturpamento, deturpazione **4** [*non vero, non reale*] (*est.*) artificio.

abbellire **A** *v. tr.* **1** migliorare, acconciare, agghindare, imbellire **CONTR.** imbruttire, peggiorare, deformare, deturpare, devastare, sfigurare, rendere brutto **2** [*l'aspetto fisico*] adornare,

guarnire, ornare, impreziosire, arricchire, ingemmare, fregiare (*raro*) **CONTR.** sguarnire **3** [*un racconto, etc.*] (*fig.*) colorire, condire, dorare, infiocchettare, infiorare **4** [*una stanza, una torta*] decorare **B** *v. rifl.* **1** adornarsi, ornarsi, fregiarsi (*raro*) **CONTR.** imbruttirsi, peggiorarsi **2** (*est.*) truccarsi, acconciarsi, restaurarsi (*scherz.*).

abbeveràre **A** *v. tr.* [*un terreno*] irrigare **B** *v. rifl.* bere, dissetarsi.

abbiènte **A** *agg.* agiato, benestante, facoltoso, ricco **CONTR.** povero, indigente, bisognoso, miserevole, mendicante, mendico (*lett.*) **B** *s. m. e f.* benestante.

abbiettaménte *avv.* V. abiettamente.

abbiètto *agg.* V. abietto.

abbiezióne *s. f.* V. abiezione.

abbigliaménto *s. m.* **1** vestiario, vestire **2** [*tipo di*] mise (*fr.*), costume, tenuta, toilette (*fr.*).

abbigliàre **A** *v. tr.* vestire (*est.*), bardare (*iron.*), ornare, agghindare, acconciare, infronzolare (*spreg.*), parare (*scherz.*) **B** *v. rifl.* **1** vestirsi **2** (*iron.*) pararsi, bardarsi (*scherz.*), conciarsi.

abbigliàto *part. pass.; anche agg.* (*dir.*) acconciato, agghindato, azzimato, leccato, adornato, vestito **CONTR.** nudo.

abbinaménto *s. m.* accoppiamento, appaiamento (*pop.*), unione, accostamento **CONTR.** spaiamento, separazione.

abbinàre *v. tr.* **1** unire, accoppiare, appaiare, congiungere **CONTR.** spaiare, sdoppiare **2** [*i colori, le pietanze*] (*est.*) unire, accompagnare, accostare **3** [*le idee*] (*est.*) ricollegare, associare.

abbindolàre *v. tr.* **1** raggirare, ingannare, imbrogliare, fregare (*pop.*), turlupinare (*colto*), infinocchiare (*volg.*) **2** [*qc. con le chiacchiere, etc.*] (*est.*) ammaliare, circuire, insidiare, incantare.

abbisognàre *v. intr.* **1** [*di q.c.*] bisognare, necessitare **2** [*q.c. a qc.*] occorrere, urgere.

abboccaménto *s. m.* **1** colloquio **2**

[*spec. con: andare, avere*] (*est.*) incontro, convegno, appuntamento.

abboccàre **A** *v. tr.* **1** [*un recipiente*] riempire **2** [*tubi, etc.*] congiungere, raccordare **B** *v. intr.* [*detto di tubi, etc.*] combaciare **C** *v. rifl. rec.* **1** (*est.*) incontrarsi **2** (*est.*) conversare, colloquiare, parlare, conferire.

abboccàto *agg.* [*rif. al vino*] amabile, dolce.

abboffàrsi *v. intr. pron.* V. abbuffarsi.

abbonàre (1) o **abbuonàre** *v. tr.* **1** defalcare, detrarre, scontare **2** [*la pena*] (*est.*) condonare, amnistiare **3** [*i peccati, i torti*] perdonare.

abbonàre (2) **A** *v. tr.* associare, iscrivere **B** *v. rifl.* **1** associarsi, iscriversi **2** fare un abbonamento.

abbondànte *part. pres.; anche agg.* **1** copioso, dovizioso, ricco **CONTR.** scarso, insufficiente, limitato, modesto, deficiente, manchevole, meschino **2** [*rif. a un pasto, a un guadagno*] ricco, lauto, generoso, cospicuo, grasso (*scherz.*) **CONTR.** scarso, insufficiente, limitato, modesto, frugale **3** ampio, grande **4** [*rif. a una persona*] opulento, grasso, pingue (*lett.*), formoso (*fig.*) **CONTR.** magro, snello **5** [*rif. a un abito*] ampio, grande, comodo, largo **CONTR.** stretto, fasciante, aderente **6** (*fig.*) gravido **7** [*rif. a un gruppo*] (*est.*) folto, grande **8** [*rif. al terreno*] (*fig.*) fertile.

abbondanteménte *avv.* copiosamente, molto, ampiamente, grandemente, largamente, doviziosamente, a profusione, con abbondanza, profusamente, riccamente, densamente, diffusamente, dirottamente, fecondamente, fittamente, fitto, lautamente **CONTR.** scarsamente, limitatamente, insufficientemente, esiguamente, poco, magramente, meschinamente (*est.*).

abbondànza *s. f.* **1** ricchezza, opulenza, dovizia, copia **CONTR.** scarsezza, scarsità, carenza, fame (*fig.*) **2** [*di mezzi, etc.*] larghezza, profusione, scialo **CONTR.** scarsezza, scarsità **3** [*rif. a uno stato*] ricchezza, opulenza, prosperità **CONTR.** miseria, povertà, stento, angustia **4** (*fig.*) mare, marea, pioggia, profluvio, diluvio **5** [*di parole, etc.*] ridondanza **6** [*di persone*] affluenza.

abbondàre *v. intr.* **1** [*di beni, di ricchezze*] ridondare, strapipare, sovrabbondare, traboccare, riboccare (*raro*) **CONTR.** difettare, mancare, scarseggiare **2** [*nelle capacità, etc.*] eccedere, sopravanzare **3** [*nel peso, etc.*] essere troppo, essere abbondante **4** [*in citazioni, etc.*] essere ridondante **5** [*detto di abito, etc.*] essere largo **6** [*detto di amicizia, etc.*] (*fig.*) prosperare, regnare.

abbonire *v. tr. e intr. pron.* acquietare, calmare, placare, tranquillizzare **CONTR.** eccitare.

abbòno *s. m.* V. *abbuono.*

abbordàbile *agg.* **1** [*rif. al prezzo*] accessibile, avvicinabile **CONTR.** inaccessibile, inavvicinabile **2** [*rif. a una persona*] (*fig.*) cordiale, affabile, aperto, alla mano **CONTR.** inavvicinabile, inarrivabile, scontroso, chiuso, burbero.

abbordàre *v. tr.* **1** avvicinare, accostare, attaccare bottone *con* **2** [*un argomento*] trattare, affrontare (*fig.*).

abborracciàre *v. tr.* raffazzonare, acciabattare.

abbottonatùra *s. f.* **1** chiusura **2** [*tipo di*] lampo, cerniera.

abbozzàre (1) *v. tr.* **1** delineare, tratteggiare, modellare, tracciare, imbastire, schizzare, dirozzare, formare (*est.*), impostare, iniziare, sbozzare, disgrossare **CONTR.** finire, terminare, concludere **2** [*un gesto, un saluto*] accennare.

abbozzàre (2) *v. intr.* pazientare, tirare via, lasciare perdere.

abbozzàto *part. pass.; anche agg.* accennato, impostato, sgrossato, schizzato, imbastito **CONTR.** rifinito, compiuto, finito, perfezionato.

abbòzzo *s. m.* **1** idea, schizzo, traccia, schema, scaletta, disegno, embrione (*fig.*), bozza **2** [*di saluto*] accenno, tentativo.

abbracciàre *A v. tr.* **1** stringere, allacciare, circondare, avviluppare (*raro*), avvinghiare **2** comprendere, includere, contenere **3** [*un'idea, etc.*] sposare (*fig.*), aderire *a*, accettare **4** cingere, contornare, racchiudere, capire (*raro*) *B v. rifl. rec.* avvinghiarsi,

stringersi, afferrarsi, allacciarsi, avvincersi.

abbràccio *s. m.* **1** stretta **2** [*sessuale*] amplesso (*colto*).

abbrancàre (1) *v. tr. e intr. pron.* **1** agguantare, acchiappare, afferrare, carpire, ghermire, impugnare **CONTR.** lasciare, mollare **2** (*gener.*) prendere.

abbrancàre (2) *v. tr.* raccogliere.

abbreviàre *A v. tr.* **1** accorciare, diminuire, ridurre, tagliare (*fig.*), decurtare (*colto*), raccorciare **CONTR.** estendere, prolungare, protrarre, allungare **2** [*un discorso, etc.*] sintetizzare, compendiare, riassumere, riepilogare, stringere (*fig.*) *B v. intr. pron.* accorciarsi **CONTR.** estendersi.

abbreviatùra *s. f.* **1** abbreviazione **2** (*est.*) sigla, acronimo.

abbreviazióne *s. f.* **1** abbreviatura **2** (*est.*) sigla, acronimo, simbolo.

abbronzàre *A v. tr.* scurire, abbrunire *B v. intr. pron.* **1** (*est.*) prendere il sole **CONTR.** schiarirsi, impallidire **2** scurirsi, dorarsi, abbrustolirsi (*fig.*), tingersi, arrostirsi (*fig.*), rosolarsi (*fig.*), colorirsi.

abbronzàto *part. pass.; anche agg.* colorito, dorato, bronzeo, bruno, scuro **CONTR.** pallido, bianco (*fam.*).

abbrunire *A v. tr.* **1** [*detto di ossido*] scurire **2** scurire, abbronzare *B v. intr.* scurirsi, abbronzarsi.

abbrustolimento *s. m.* torrefazione.

abbrustolire *A v. tr.* **1** arrostire, rosolare, tostare, torrefare (*raro*), dorare (*fig.*), bruciare (*est.*) **2** (*gener.*) cuocere *B v. intr. pron.* **1** (*est.*) abbronzarsi **2** (*est.*) bruciarsi, scottarsi.

abbrutire *A v. tr.* disumanizzare, disumanare (*colto*) **CONTR.** umanizzare, migliorare *B v. intr. pron.* **1** degradarsi, lasciarsi andare **2** inselvatichirsi.

abbuffàrsi o **abboffàrsi** *v. intr. pron.* **1** (*gener.*) mangiare **2** grufolare (*fig.*), ingozzarsi, rimpinzarsi, riempirsi.

abbuffàta *s. f.* scorpacciata, mangiata, strippata (*pop.*).

abbuiàre *A v. intr. pron.* [*in volto, etc.*] rabbuiarsi, incupirsi **CONTR.** schiarirsi

B v. intr. impers. annottare **CONTR.** albeggiare.

abbuonàre *v. tr.* V. *abbonare (1).*

abbuòno o **abbòno** *s. m.* sconto, riduzione, diminuzione.

abburattatùra *s. f.* stacciatura.

abdicàre *v. intr.* **1** [*a una carica*] dimettersi *da* **2** (*est.*) rinunciare, rifiutare *un*, cedere *un*, abbandonare.

abdicazióne *s. f.* rinuncia.

aberrazióne *s. f.* **1** perversione, deviazione, depravazione **2** abiezione, turpitudine.

abète *s. m.* (*gener.*) albero.

abiettaménte o **abbiettaménte** *avv.* bassamente, ignobilmente, vergognosamente, vilmente, indegnamente, spregevolmente, turpemente **CONTR.** dignitosamente,   decorosamente; (*est.*) coraggiosamente.

abiètto o **abbiètto** *agg.* ignobile, spregevole, infame, indegno, vile (*est.*), vigliacco (*est.*), basso **CONTR.** degno, nobile (*est.*), magnanimo.

abiezióne o **abbiezióne** *s. f.* **1** [*l'azione*] meschinità, infamia, bassezza (*fig.*), ignobiltà, viltà, aberrazione **CONTR.** nobiltà, dignità **2** [*qualità dell'animo*] (*neg.*) meschinità **3** [*rif. a uno stato*] avvilimento, degradazione (*fig.*), fango (*fig.*), melma (*est.*), vizio **CONTR.** decoro.

àbile *agg.* **1** adatto, idoneo, dotato *per* **CONTR.** incapace, inetto, inidoneo, inabile, maldestro **2** capace, competente, esperto *in*, accorto, oculato, industrioso (*fig.*), ingegnoso, maestro (*fig.*), valente, bravo *in*, destro *in* (*est.*), lesto (*est.*), diplomatico (*est.*) **CONTR.** incompetente, inesperto **3** [*rif. a un artista, a un artigiano*] scelto, provetto, finito **CONTR.** maldestro **4** (*neg.*) matricolato, consumato (*fig.*) **5** virtuoso (*fig.*), intelligente, fine.

abilità *s. f. inv.* **1** capacità, competenza, bravura, perizia, valentia, maestria, idoneità, sicurezza, sapienza **CONTR.** incapacità, incompetenza, inesperienza, imperizia, inettitudine, inefficienza, inabilità **2** destrezza, astuzia, sveltezza **3** [*rif. a un artista*] (*est.*) arte, virtuosità, tecnica, virtù,

8

virtuosismo (*fig.*), preziosità **4** (*est.*) diplomazia **5** (*est.*) ingegnosità, mano (*fig.*).

abilitàre A *v. tr.* (*est.*) autorizzare CONTR. inabilitare, scartare **B** *v. rifl.* acquisire l'idoneità.

abilménte *avv.* **1** bene, efficientemente, in modo competente, destramente, espertamente CONTR. male, goffamente, maldestramente **2** bene, accortamente, avvedutamente, astutamente, diplomaticamente CONTR. male, goffamente.

abisso *s. m.* **1** baratro, voragine, gorgo, dirupo, precipizio **2** (*est.*) inferno **3** [*tra stipendi, etc.*] (*est.*) divario, differenza, squilibrio **4** (*arald.*) cuore.

abitàcolo *s. m.* cabina.

abitànte A *s. m. e f.* **1** cittadino **2** cittadinanza, popolazione **B** *part. pres.; anche agg.* residente, domiciliato.

abitàre A *v. intr.* **1** stare, vivere, alloggiare, occupare *un* **2** stare, risiedere, permanere, domiciliarsi (*est.*) **3** stare, vivere, coabitare **4** alloggiare, essere, dimorare, soggiornare, albergare **5** (*est.*) popolare *un* **B** *v. tr.* **1** popolare **2** [*un posto, una casa*] occupare.

CLASSIFICAZIONE

Abitare

1 Avere come dimora una casa.
  occupare: *abito in quella casa;*
  stare: *abito in quella casa;*
  vivere: trascorrere l'esistenza, in relazione alla casa: *abito in quella casa;*
  alloggiare: *abitai in una vecchia casa.*
2 Stabilmente in un luogo: avere sede, domicilio, dimora fissa.
  risiedere: *abitiamo a Torino;*
  permanere: continuare a stare: *abito in quel luogo da molti anni;*
  stare: *abito a Roma da molto tempo;*
  domiciliarsi: (*est.*) *sono andato ad abitare a Roma.*
3 Con qc.
  coabitare: *abito con Maria;*
  stare: *sta con i genitori;*
  vivere.
4 Più o meno durevolmente in un luogo.
  dimorare: *abito in quell'albergo;*

soggiornare: *durante l'estate abito in Riviera;*
essere: *abito in quell'albergo;*
alloggiare: *abito nella casa del mio amico;*
albergare: (*raro*) *abito presso le suore.*
5 Essere presenti
  popolare: *molti animali abitano la foresta; tanti sogni abitano nel mio cuore.*

abitàto A *part. pass.; anche agg.* popolato CONTR. abbandonato, disabitato, deserto (*fig.*) **B** *s. m.* paese, città, villaggio.

abitazióne *s. f.* **1** casa, appartamento (*est.*), tetto (*fig.*) **2** alloggio, domicilio, residenza.

àbito *s. m.* **1** vestito, veste (*raro*) **2** (*est.*) mise (*fr.*), completo **3** [*morale*] (*fig.*) abitudine, contegno **4** (*est.*) aspetto **5** spoglia **6** [*spec. al pl.*] panno **7** roba (*pop.*).

abituàle *agg.* **1** consueto, solito, usuale, quotidiano, normale (*est.*), comune (*est.*), rituale (*est.*) CONTR. inconsueto, insolito, straordinario, anormale, infrequente **2** (*est.*) antico, usato, tradizionale, convenzionale (*est.*) **3** (*est.*) continuo, frequente **4** [*rif. a un cliente, etc.*] assiduo.

abitualménte *avv.* di solito, solitamente, comunemente, ordinariamente, normalmente, tradizionalmente CONTR. mai, di rado, raramente, eccezionalmente, straordinariamente, casualmente, talvolta.

abituàre A *v. tr.* **1** avvezzare, assuefare CONTR. disabituare, disassuefare, disavvezzare, divezzare, svezzare **2** [*i muscoli, etc.*] esercitare, indurire **3** (*est.*) rodare (*fig.*), adattare **4** [*un bambino, etc.*] educare, allenare **5** [*un animale*] addomesticare **6** [*la mente, l'intelligenza*] (*fig.*) coltivare **B** *v. rifl.* **1** assuefarsi, avvezzarsi, familiarizzarsi con, fare la bocca (*fam.*), fare il callo (*fam.*), incallirsi (*fig.*) CONTR. disabituarsi, disassuefarsi, disavvezzarsi, divezzarsi **2** adattarsi, conformarsi CONTR. ribellarsi **3** allenarsi, educarsi CONTR. disimparare.

abituàto *part. pass.; anche agg.* **1** avvezzo, addestrato, esercitato, allenato, uso (*lett.*) CONTR. disabituato, di-

savvezzo 2 (*est.*) acclimatato, ambientato **3** [*a una situazione*] assuefatto, adattato.

abitudinàrio A *agg.* metodico, consuetudinario CONTR. incostante, volubile, capriccioso **B** *s. m.* (*f. -a*) habitué (*fr.*).

abitùdine *s. f.* **1** consuetudine (*colto*), costume, usanza, uso, moda (*est.*), costumanza CONTR. desuetudine (*colto*), disabitudine **2** (*est.*) modo, vezzo, vizio, tic, mania **3** (*est.*) abito (*fig.*), contegno **4** familiarità, confidenza **5** (*est.*) quotidianità **6** [*di vita*] (*est.*) sistema, schema, norma, prassi.

abitùro *s. m.* **1** topaia, tugurio, stamberga, cimiciaio, tana, antro, catapecchia CONTR. reggia (*fig.*) **2** (*gener.*) casa.

abiùra *s. f.* **1** [*a una religione*] apostasia CONTR. conversione **2** [*a un credo, etc.*] rinuncia **3** [*a una dottrina*] (*est.*) sconfessione, ricusa, rifiuto, negazione, tradimento.

abiuràre *v. tr. e intr.* **1** rinnegare, ripudiare, sconfessare, negare **2** (*est.*) convertirsi.

ablazióne *s. f.* asportazione.

abnegazióne *s. f.* **1** dedizione, sacrificio, rinuncia **2** (*est.*) devozione, generosità CONTR. egoismo.

abnormeménte *avv.* **1** sproporzionatamente CONTR. normalmente, regolarmente **2** (*est.*) insolitamente CONTR. regolarmente.

abolire *v. tr.* eliminare, togliere, cancellare, annullare, sopprimere, depennare, levare, abrogare (*bur.*), cassare (*bur.*), proscrivere (*bur.*), revocare CONTR. istituire, sanzionare, creare, fondare.

abolizióne *s. f.* **1** [*di una legge, di una norma, etc.*] eliminazione, abrogazione, annullamento, cancellazione CONTR. emanazione, introduzione **2** [*della libertà, etc.*] soppressione, privazione.

abominàre *v. tr.* aborrire, odiare, detestare, esecrare, disprezzare, maledire CONTR. gradire, prediligere.

abominévole *agg.* odioso, detestabile, ripugnante, esecrabile, nefando, empio, indegno, obbrobrioso CONTR. ammirevole, piacevole (*est.*).

aborìgeno *A* s. m. (f. -a) **1** autoctono, indigeno CONTR. forestiero, straniero, allogeno (*colto*) **2** (*est.*) primitivo, selvaggio *B* agg. indigeno, autoctono, originario CONTR. forestiero, straniero.

aborrìre v. tr. e intr. detestare, odiare, esecrare, abominare, disprezzare, spregiare, disdegnare CONTR. prediligere.

abortìre v. intr. **1** interrompere una gravidanza **2** (*est.*) fallire, andare a vuoto, andare in fumo (*fig.*).

abòrto s. m. fallimento.

abràdere v. tr. escoriare, scorticare, spellare, raschiare.

abrasióne s. f. **1** scorticatura, spellatura (*pop.*), sbucciatura (*pop.*), escoriazione **2** raschiatura, cancellatura **3** (*geogr.*) erosione, corrosione.

abrogàre v. tr. revocare, annullare, abolire, cancellare, levare, sopprimere, cassare (*bur.*), invalidare CONTR. decretare, istituire, omologare, sanzionare, varare.

abrogazióne s. f. eliminazione, cancellazione, soppressione, annullamento, revoca, abolizione, cassazione (*bur.*) CONTR. attivazione, ratifica, introduzione.

abulìa s. f. indolenza, apatia, accidia (*lett.*), svogliatezza, passività, indifferenza CONTR. volontà, energia, attivismo, verve (*fr.*).

abulicaménte avv. accidiosamente, indolentemente, pigramente, oziosamente, svogliatamente, apaticamente CONTR. energicamente, vigorosamente.

abùlico agg. apatico, inerte, indolente, svogliato, pigro, passivo, irresoluto CONTR. volenteroso, attivo, risoluto, determinato, energico, dinamico, esuberante (*est.*).

abusàre v. intr. **1** eccedere, esagerare **2** approfittare, sfruttare *un*, profittare.

abusivaménte avv. illecitamente, illegalmente, irregolarmente, indebitamente, impropriamente, senza autorizzazione CONTR. lecitamente, debitamente, regolarmente.

abusìvo agg. illegale, pirata (*fig.*), illecito, irregolare (*est.*) CONTR. legale, regolare, lecito.

abùso s. m. **1** illegalità, ingiustizia, illecito, arbitrio **2** [*l'azione*] (*est.*) prepotenza, angheria, sopruso, violenza, rapina.

acàride s. m. (gener.) verme.

accadèmia s. f. **1** istituto **2** (gener.) scuola CONTR. università, media, liceo, elementare **3** associazione.

accademicaménte avv. astrattamente, retoricamente, oziosamente (*fig.*) CONTR. concretamente, realisticamente.

accadére v. intr. **1** succedere, avvenire, capitare, occorrere (*colto*), verificarsi, sopravvenire, sopraggiungere, toccare (*fam.*), essere (*raro*), andare (*fam.*), correre (*raro*), darsi, incogliere, intervenire, operarsi (*raro*), seguire **2** (*est.*) adempiersi, compiersi, effettuarsi.

accadùto s. m. fatto, avvenimento, evento, episodio, caso.

accalappiàre v. tr. **1** intrappolare, acchiappare **2** (*est.*) intrappolare, ingannare, circuire, irretire.

accalcàre *A* v. tr. gremire, riempire, affollare CONTR. diradare *B* v. intr. pron. affollarsi, stiparsi, ammassarsi, concentrarsi, assembrarsi (*raro*), assieparsi, addossarsi, ammontarsi (*raro*), raccogliersi, pigiarsi CONTR. diradarsi.

accaldàrsi v. intr. pron. **1** scaldarsi, scalmanarsi **2** [*in relazione di causa effetto*] (*est.*) sudare CONTR. infreddolirsi.

accaloràre *A* v. tr. [*detto di discussione, etc.*] (*fig.*) infiammare, riscaldare, scaldare *B* v. intr. pron. infiammarsi (*fig.*), eccitarsi, appassionarsi, infervorarsi, entusiasmarsi, incalorirsi (*fig.*), riscaldarsi (*fig.*), scaldarsi (*fig.*) CONTR. acquietarsi, frenarsi, controllarsi.

accampaménto s. m. **1** campo, bivacco, attendamento **2** (*est.*) tendopoli.

accampàre *A* v. tr. [*pretesti, etc.*] mettere avanti, addurre, avanzare *B* v. rifl. **1** attendarsi, mettere il campo, campeggiare (*fam.*), fare campeggio, mettere le tende **2** (*est.*) stabilirsi provvisoriamente, bivaccare.

accaniménto s. m. **1** ostinazione, tenacia, pervicacia, puntiglio, cocciutaggine CONTR. incostanza **2** (neg.) odio, furia, rabbia, furore, livore.

accanìrsi v. intr. pron. **1** [*su qc.*] infierire, incrudelire, perseguitare *un* **2** ostinarsi, impuntarsi, insistere, incaponirsi, incaparbirsi, invelenirsi, perdurare.

accanitaménte avv. ostinatamente, caparbiamente, aspramente, fieramente, disperatamente CONTR. blandamente, debolmente, fiaccamente.

accanìto part. pass.; anche agg. **1** [*rif. a una persona*] ostinato, pervicace, tenace, caparbio, testardo, puntiglioso (*est.*) CONTR. arrendevole, docile, remissivo **2** (*est.*) implacabile, furioso, spietato, rabbioso, arrabbiato CONTR. mite **3** [*rif. al rumore, alla pioggia*] assiduo, costante, insistente **4** [*rif. a un giocatore, etc.*] (*fig.*) incallito.

accànto avv. **1** accosto, presso, appresso, dappresso, nei pressi, vicino, dattorno CONTR. discosto, distante, lontano **2** accosto, di fianco, a lato.

accantonàre (1) v. tr. **1** serbare CONTR. buttare, gettare **2** [*denaro, etc.*] accumulare, ammucchiare CONTR. dilapidare, sperperare **3** [*un'idea, un progetto*] affossare (*fig.*), rinviare.

accantonàre (2) v. tr. [*le truppe, etc.*] alloggiare.

accantonàto part. pass.; anche agg. **1** [*rif. al denaro*] risparmiato, conservato, impiegato **2** [*rif. a un problema, a una questione*] rinviato, rimandato, procrastinato **3** [*rif. a un progetto*] abbandonato, riposto.

accaparràre *A* v. tr. **1** [*l'attenzione*] monopolizzare, impegnare, fagocitare (*fig.*) **2** [*cibo, merci*] rastrellare, requisire, incettare, sequestrare *B* v. intr. pron. assicurarsi, procacciarsi.

accapigliàrsi v. rifl. rec. azzuffarsi, litigarsi, bisticciarsi, acciuffarsi, scontrarsi, prendersi, bisticciare, lottare.

accapponare

accapponàre *A v. tr.* castrare *B v. intr. pron.* [*detto di pelle*] incresparsi.

accarezzàre *A v. tr.* **1** sfiorare, carezzare, palpare, lisciare, palpeggiare, trattare (*est.*) **2** (*gener.*) toccare **3** [*un'idea, etc.*] desiderare, vagheggiare **4** [*qc.*] lusingare, adulare, blandire, vezzeggiare CONTR. maltrattare **5** [*detto di fiume, di mare, etc.*] sfiorare, lambire *B v. rifl. rec.* **1** sfiorarsi **2** (*est.*) pomiciare (*fam.*).

accartocciàre *A v. tr.* piegare, arricciare (*est.*), increspare (*est.*) *B v. intr. pron.* **1** arrotolarsi **2** raggomitolarsi, contorcersi.

accasàre *A v. tr.* sposare, maritare, collocare (*iron.*) *B v. rifl.* sposarsi, maritarsi CONTR. dividersi, separarsi, divorziarsi.

accasciaménto *s. m.* avvilimento, prostrazione.

accasciàre *A v. tr.* demoralizzare, indebolire, prostrare, disanimare CONTR. consolare, rianimare *B v. intr. pron.* **1** afflosciarsi, cadere, disanimarsi (*est.*), cascare, crollare (*est.*), svolare CONTR. alzarsi **2** (*est.*) demoralizzarsi, abbattersi, deprimersi, avvilirsi, prostrarsi, scoraggiarsi, disperarsi CONTR. entusiasmarsi, imbaldanzirsi, inorgoglirsi.

accatastaménto *s. m.* ammucchiamento, ammassamento.

accatastàre *A v. tr.* ammassare, ammucchiare, accumulare, ammonticchiare, affastellare, conglobare CONTR. smucchiare *B v. intr. pron.* [*detto di pensieri, preoccupazioni*] affollarsi, ammucchiarsi, accumularsi.

accattàre *v. tr.* mendicare, elemosinare, pitoccare, questuare CONTR. regalare, dare.

accattivàre *A v. tr.* **1** conciliare, cattivare **2** procacciare, procurare *B v. intr. pron.* conquistarsi, guadagnarsi, conciliarsi, propiziarsi, ingraziarsi, cattivarsi, amicarsi, attirare, propiziare (*raro*).

accattóne *s. m.* (*f. -a*) mendicante, questuante, mendico, barbone, poveraccio, pezzente (*spreg.*), clochard (*fr.*) CONTR. nababbo, creso, miliardario.

accecaménto *s. m.* **1** abbacinamento **2** [*rif. alla mente*] (*fig.*) offuscamento, annebbiamento.

accecànte *part. pres.; anche agg.* [*rif. alla luce*] abbagliante, abbacinante, allucinante (*lett.*) CONTR. debole, fioco.

accecàre *A v. tr.* **1** privare della vista **2** [*detto di luce, etc.*] abbagliare **3** [*una lampada, etc.*] appannare, oscurare **4** [*detto di sentimento, etc.*] (*est.*) confondere **5** [*una tubatura, etc.*] (*est.*) chiudere, intasare, ostruire, ristoppare (*mar.*) *B v. intr.* diventare cieco *C v. rifl.* togliersi la vista.

accèdere *v. intr.* **1** [*alla magistratura, etc.*] entrare *in* **2** [*al volere altrui*] acconsentire, aderire.

acceleraménto *s. m.* accelerazione CONTR. decelerazione, rallentamento.

acceleràre *A v. tr.* **1** [*il passo, la marcia*] affrettare, allungare CONTR. frenare, rallentare **2** [*una pratica, etc.*] (*est.*) sveltire **3** [*un matrimonio, etc.*] affrettare CONTR. prorogare **4** [*la partenza*] precipitare *B v. intr.* aumentare la velocità CONTR. decelerare.

acceleràto (1) *agg.* [*rif. al polso*] alterato, frequente.

acceleràto (2) *s. m.* (*gener.*) treno.

accelerazióne *s. f.* **1** acceleramento CONTR. decelerazione, rallentamento **2** [*dell'attività*] (*est.*) ripresa.

accèndere *A v. tr.* **1** dare fuoco, attizzare, incendiare, infuocare, riattizzare CONTR. spegnere, estinguere **2** [*gli animi*] (*est.*) infiammare (*fig.*), infervorare, eccitare, entusiasmare, scaldare (*fig.*), avvampare (*raro*), riscaldare (*fig.*) CONTR. raffreddare **3** [*le passioni, etc.*] (*est.*) scatenare, destare, provocare, rinfocolare (*fig.*) **4** [*un motore, etc.*] attivare CONTR. disattivare *B v. intr. pron.* **1** infiammarsi, prendere fuoco, incendiarsi, infuocarsi CONTR. estinguersi, spegnersi **2** (*est.*) infiammarsi, eccitarsi, infervorarsi, entusiasmarsi, ribollire (*fig.*), scaldarsi (*fig.*) CONTR. intiepidirsi **3** (*est.*) arrossire CONTR. impallidire **4** [*detto di amore, etc.*] rinascere, rivivere, attizzarsi CONTR. estinguersi.

accennàre *A v. tr.* **1** indicare, additare, insegnare, designare (*colto*) **2** [*un argomento, etc.*] delineare, tratteggiare, schematizzare, abbozzare, sfiorare *B v. intr.* alludere, sottintendere *un*, fare un cenno, toccare *un* (*fig.*), riferirsi.

accennàto *part. pass.; anche agg.* abbozzato, schizzato, delineato CONTR. compiuto, terminato, finito.

accénno *s. m.* **1** cenno, segno **2** [*spec. con: fare un*] (*est.*) allusione, riferimento **3** (*est.*) abbozzo, traccia **4** (*est.*) tocco (*pop.*), barlume, indizio.

accensióne *s. f.* **1** avviamento, avvio, attivazione CONTR. disattivazione, spegnimento **2** [*rif. a un debito*] costituzione, apertura CONTR. estinzione.

accentàre *v. tr.* accentuare, mettere l'accento *su* **2** (*est.*) scandire.

accènto *s. m.* **1** intonazione, inflessione, espressione (*est.*) **2** cadenza, pronuncia **3** [*spec. con: porre l'*] attenzione **4** [*nel parlare*] nota (*fig.*), tono.

accentraménto *s. m.* **1** [*di persone*] addensamento, concentramento, concentrazione, ammassamento **2** [*del potere, etc.*] (*bur.*) centralizzazione CONTR. decentramento.

accentràre *A v. tr.* **1** riunire, raggruppare, concentrare, raccogliere, radunare CONTR. smistare **2** centralizzare CONTR. decentrare **3** [*l'attenzione*] polarizzare, attirare, monopolizzare CONTR. sviare *B v. intr. pron.* [*in un luogo*] radunarsi, raccogliersi, accumularsi CONTR. disperdersi, sfollare.

accentuàre *A v. tr.* **1** [*una frase, una parola*] accentare, scandire **2** [*una virtù, un difetto*] (*fig.*) sottolineare, calcare, marcare, evidenziare, mettere l'accento **3** [*il dolore, la gioia*] acuire, acutizzare, aumentare, intensificare, accrescere, alimentare (*fig.*) CONTR. calmare **4** [*l'effetto di q.c.*] esagerare, esasperare (*fig.*), raddoppiare CONTR. diminuire *B v. intr. pron.* **1** [*detto di malattia, etc.*] aggravarsi **2** [*detto di dolore, etc.*] acutizzarsi CONTR. attutirsi.

accentuazióne *s. f.* **1** [*di una caratteristica, etc.*] esaltazione, valorizzazione **2** [*di un fenomeno*] crescita.

accerchiàre *v. tr.* **1** circondare, attorniare, cingere, contornare (*raro*), circuire (*raro*) **2** (*est.*) assediare, bloccare.

accertaménto *s. m.* verifica, indagine, controllo, inchiesta (*est.*), prova (*est.*), verificazione (*raro*), rilevamento (*est.*), rilevazione (*est.*), esame (*est.*).

accertàre A *v. tr.* **1** appurare, assodare, verificare, controllare, chiarire (*est.*), constatare (*est.*), chiarificare (*raro*), provare (*est.*), acclarare **2** garantire, assicurare **B** *v. rifl.* sincerarsi, assicurarsi, chiarirsi (*est.*), convincersi (*est.*).

accéso *part. pass.; anche agg.* **1** ardente, rovente, caldo, infuocato CONTR. spento, slavato (*fig.*) **2** [*rif. a una persona, a un discorso*] (*fig.*) animato, infervorato, eccitato CONTR. spento, scialbo **3** [*rif. a un motore*] attivato, avviato CONTR. spento **4** [*rif. al colore*] vivo, intenso, sgargiante CONTR. spento, slavato, scialbo, pallido.

accessibile *agg.* **1** [*rif. a un luogo*] agibile, praticabile, raggiungibile CONTR. inaccessibile, impenetrabile, impervio, impraticabile **2** [*rif. a una persona*] abbordabile, disponibile, aperto, affabile, cordiale CONTR. schivo, scontroso, burbero **3** [*rif. al prezzo*] modico, modesto, basso CONTR. eccessivo, caro **4** [*rif. a un concetto*] (*est.*) comprensibile, facile CONTR. arduo, astruso, difficile, incomprensibile, bizantino (*fig.*).

accèsso *s. m.* **1** adito, entrata, ingresso, passaggio, porta **2** [*di gelosia, di rabbia*] crisi **3** [*di ira, etc.*] impulso, trasporto **4** [*di tosse, etc.*] attacco, convulsione, convulso.

accessoriaménte *avv.* secondariamente, non essenzialmente, in sovrappiù CONTR. principalmente, necessariamente (*est.*).

accessòrio A *agg.* **1** complementare, secondario, marginale, superfluo (*est.*) CONTR. primario, prioritario, necessario, essenziale, capitale, elementare, irrinunciabile (*est.*), centrale (*fig.*) **2** (*filos.*) accidentale **B** *s. m.* oggetto.

accètta *s. f.* **1** scure, ascia, mannaia **2** (*gener.*) arma.

accettàbile *agg.* **1** tollerabile, ammissibile, plausibile, sopportabile, vivibile CONTR. inaccettabile, intollerabile, inammissibile, insopportabile **2** [*rif. allo stipendio, alla paga*] discreto, passabile, sufficiente CONTR. insufficiente, magro **3** [*rif. all'esistenza*] (*est.*) onesto, decoroso, decente CONTR. inaccettabile, intollerabile, insopportabile.

accettabilménte *avv.* tollerabilmente, passabilmente.

accettàre *v. tr.* **1** [*un'idea, etc.*] fare proprio, assimilare, assumere, abbracciare, adottare (*fig.*) CONTR. rifiutare, contestare, discutere, sconfessare, confutare, controbattere, eccepire **2** [*un regalo, etc.*] ricevere, gradire CONTR. declinare, respingere, ricusare, devolvere, offrire **3** [*un patto, etc.*] siglare (*bur.*), omologare (*bur.*), sottoscrivere, starci (*fam.*) CONTR. protestare, disdire, impugnare **4** [*un parere, una proposta*] ammettere, approvare, concedere, prendere per buono (*fam.*) CONTR. respingere, ricusare, disapprovare **5** [*una situazione*] (*est.*) sopportare, digerire (*fig.*), tollerare CONTR. disapprovare **6** [*un consiglio*] (*est.*) seguire **7** [*la colpa*] (*est.*) riconoscere **8** [*qc.*] accogliere CONTR. emarginare, escludere, estromettere, proscrivere.

accettazióne *s. f.* **1** [*in un club, etc.*] ammissione, accoglimento (*raro*) CONTR. rifiuto, diniego **2** [*di un figlio, etc.*] riconoscimento (*est.*) **3** [*di un progetto, di un'idea*] approvazione (*est.*) **4** [*stato d'animo*] sopportazione, rassegnazione **5** [*in un ospedale, etc.*] (*est.*) entrata, ammissione.

accètto *agg.* gradito, caro a, amato CONTR. sgradito, importuno, inaccettabile (*est.*), malaccetto.

accettóre *s. m.* (*chim.*) acido CONTR. base, donatore.

accezióne *s. f.* [*di un vocabolo*] significato, senso, valore.

acchiappàre *v. tr.* **1** afferrare, agguantare, acciuffare, ghermire, catturare, abbrancare, accalappiare, pigliare CONTR. lasciare **2** (*gener.*) prendere **3** [*l'occasione*] agguantare, cogliere (*fig.*), non lasciarsi sfuggire.

àccia *s. f.* (*pl. -ce*) [*ricavata dalla canapa*] (*gener.*) filo.

acciabattàre *v. tr.* raffazzonare, rabberciare, abborracciare.

acciaccàto *part. pass.; anche agg.* malandato, malaticcio, malato, infermo CONTR. sano, integro.

acciaccatùra *s. f.* ammaccatura, schiacciatura, deformazione.

acciàcco *s. m.* (*pl. -chi*) **1** malessere, disturbo, malanno, malattia, infermità, incomodo (*raro*) **2** disgrazia, danno.

acciambellàrsi *v. rifl.* raggomitolarsi, accoccolarsi.

accidentàle *agg.* **1** casuale, fortuito, involontario CONTR. studiato, preordinato, premeditato **2** (*est.*) accessorio (*est.*), secondario **3** (*filos.*) occasionale, contingente CONTR. sostanziale.

accidentalità *s. f. inv.* contingenza, casualità.

accidentalménte *avv.* **1** casualmente, per caso, fortuitamente, incidentalmente, occasionalmente CONTR. apposta, volontariamente **2** (*filos.*) CONTR. essenzialmente.

accidènte *s. m.* **1** caso, combinazione, evenienza, imprevisto, evento **2** infortunio, disgrazia, sciagura, disastro **3** difficoltà, complicanza **4** (*med.*) colpo, malore, paralisi **5** [*detto in una imprecazione*] colpo, saetta.

accidènti *inter.* misericordia, perbacco, dannazione, cospetto.

accidia *s. f.* neghittosità (*colto*), ignavia, pigrizia, indolenza, svogliatezza, abulia, poltroneria CONTR. operosità, alacrità, solerzia, lena.

accidiosaménte *avv.* indolentemente, abulicamente, oziosamente, pigramente, svogliatamente CONTR. alacremente, energicamente, attivamente.

accidióso *agg.* neghittoso, infingardo, pigro, indolente, ignavo CONTR. alacre, solerte, industrioso, zelante.

acciglià re A *v. tr.* aggrottare, corrugare **B** *v. intr. pron.* corrucciarsi, annuvolarsi (*fig.*), rannuvolarsi (*fig.*), aggrondarsi, oscurarsi (*fig.*), immusonirsi.

accigliàto *part. pass.; anche agg.* [*in volto*] imbronciato, corrucciato, oscurato, serio, cupo, tetro CONTR. disteso, sereno (*est.*), gaio (*est.*), lieto (*est.*).

accingersi *v. rifl.* **1** apprestarsi, prepararsi, disporsi, apparecchiarsi (*lett.*), porsi (*raro*), appressarsi **2** (*est.*) iniziare *un*, cominciare *un*, incominciare *un*, intraprendere *un*, principiare *un*, prendere.

acciocché *cong.* affinché, perché.

acciuffàre *A v. tr.* **1** acchiappare, afferrare, agguantare, ghermire, pigliare CONTR. lasciare **2** (*gener.*) prendere **3** [*qc.*] arrestare, catturare **4** [*q.c.*] (*raro*) rubare *B v. rifl. rec.* accapigliarsi, azzuffarsi, prendersi.

acciùga *s. f.* (*pl. -ghe*) **1** (*zool.*) alice **2** (*gener.*) pesce.

acclamàre *v. tr. e intr.* **1** applaudire, inneggiare *a*, plaudire *a* CONTR. fischiare **2** (*est.*) celebrare *un*, lodare *un*, esaltare *un* **3** (*est.*) eleggere *un*, votare *un*, consacrare *un*, incoronare *un* (*fig.*), salutare *un* (*lett.*).

acclamazióne *s. f.* **1** applauso, ovazione CONTR. fischiata **2** proclamazione (*est.*).

acclaràre *v. tr.* chiarire, accertare, verificare, controllare.

acclimatàto *part. pass.; anche agg.* adattato, ambientato, abituato, assuefatto CONTR. disabituato.

acclùdere *v. tr.* **1** allegare, includere, annettere (*raro*) **2** (*gener.*) unire.

accoccolàrsi *v. rifl.* raggomitolarsi, accovacciarsi, acciambellarsi, rannicchiarsi, appollaiarsi, accucciarsi, acquattarsi, aggomitolarsi.

accodàre *A v. tr.* legare per la coda *B v. rifl.* mettersi in coda, seguire *un*, aggregarsi.

accogliènte *agg.* **1** [*rif. a una persona*] ospitale, cordiale, festoso CONTR. inospitale, scortese **2** [*rif. a un luogo*] confortevole, comodo, intimo CONTR. scomodo, disagevole.

accogliènza *s. f.* trattamento (*est.*), accoglimento (*raro*).

accògliere *v. tr.* **1** ospitare, ricevere, alloggiare, albergare (*raro*), ricoverare (*raro*), ricettare (*lett.*) CONTR. rifiutare, congedare, licenziare, mandare **2** [*un'idea altrui, etc.*] accettare, tollerare, approvare, sopportare CONTR. ri-

fiutare **3** [*detto di ambiente, etc.*] ospitare, includere, contenere **4** [*una richiesta*] esaudire **5** [*un regalo, etc.*] gradire CONTR. ricusare **6** [*qc. in un gruppo*] accettare, ammettere, dare il benvenuto CONTR. emarginare, escludere, estromettere, radiare, respingere, ributtare, ricacciare **7** [*un consiglio, un'idea*] (*fig.*) raccogliere.

accoglimènto *s. m.* **1** accoglienza **2** [*di una proposta, di un'idea*] accettazione, approvazione CONTR. rifiuto.

accòlito *s. m.* adepto, proselito, membro, seguace, iniziato, scagnozzo (*spreg.*).

accollàre *A v. tr.* addossare, affibbiare, appioppare (*fam.*), rifilare (*fam.*), attribuire, caricare, gravare, incaricare (*est.*) *B v. intr.* [*detto di vestito, etc.*] chiudere *C v. intr. pron.* assumersi, addossarsi, attribuirsi, avocarsi (*colto*), caricarsi, sobbarcarsi, assumere CONTR. rifiutarsi.

accoltellàre *v. tr. e rifl. rec.* pugnalare, sbudellare (*fam.*), ferire (*impr.*).

accomiatàre *A v. tr.* congedare, licenziare, dimettere (*bur.*), allontanare (*impr.*), fare uscire *B v. rifl.* congedarsi, licenziarsi, andarsene, salutarsi (*est.*).

accomodamènto *s. m.* **1** aggiustamento, transazione (*dir.*), compromesso (*est.*), arrangiamento **2** rappezzatura, rabberciatura **3** (*raro*) temperamento, attenuazione.

accomodànte *agg.* conciliante, condiscendente *a*, compiacente, adattabile, remissivo (*est.*) CONTR. inflessibile, rigido, irremovibile, arrogante (*est.*), permaloso.

accomodàre *A v. tr.* **1** riparare, aggiustare, riattare, arrangiare (*est.*), aggeggiare (*tosc.*), rabberciare, raccomodare, raggiustare CONTR. danneggiare, fracassare, guastare, rompere, sfasciare **2** (*est.*) adattare, adeguare **3** [*una stanza, etc.*] sistemare, riordinare, assestare, rassettare, restaurare, riassestare, rifare **4** [*una lite, una questione*] conciliare, riconciliare, comporre, contemperare **5** (*est.*) acconciare, addobbare, ornare, conciare (*iron.*), racconciare **6** [*un vestito, etc.*] adattare, rappezzare, rattoppare, rimediare CONTR. lacerare *B*

v. intr. servire, occorrere *C v. rifl.* **1** entrare, sedersi **2** aggiustarsi, sistemarsi, comporsi, conciarsi (*iron.*) **3** [*rispetto a una posizione fisica*] sistemarsi, raccogliersi.

accomodàto *part. pass.; anche agg.* acconciato, riparato, aggiustato CONTR. rotto, guastato, rovinato.

accomodatùra *s. f.* riparazione, aggiustatura, rappezzatura, rattoppatura CONTR. guasto, danno.

accompagnamènto *s. m.* seguito, scorta, corteo, corteggio (*lett.*), strascico (*iron.*), codazzo (*spreg.*).

accompagnàre *A v. tr.* **1** scortare, affiancare, andare insieme *a*, seguire (*est.*) **2** guidare, condurre, menare **3** [*un pacco, etc.*] corredare **4** [*i vini al cibo*] unire, accoppiare, abbinare, appaiare, guarnire (*est.*) **5** (*est.*) corteggiare *B v. rifl.* **1** unirsi **2** associarsi, andare *con* **3** circondarsi *di* **4** familiarizzare *con* **5** convivere *con*, accoppiarsi.

accompagnatóre *s. m.* (*f. -trice*) **1** [*di un viaggio, etc.*] guida, cicerone, assistente, steward (*ingl.*) **2** [*rif. a una persona*] cavaliere.

accomunamènto *s. m.* assimilazione, avvicinamento (*fig.*), aggregazione (*est.*), fusione (*est.*), unione (*est.*) CONTR. divisione, separazione.

accomunàre *A v. tr.* **1** unire, legare, accostare, avvicinare, congregare (*raro*) CONTR. distinguere, dividere **2** [*un'idea ad un'altra*] associare, assimilare, ricollegare *B v. rifl.* imbrancarsi, frequentarsi.

acconciaménte *avv.* convenientemente, adeguatamente, bene, debitamente, opportunamente, appropriatamente CONTR. male, inadeguatamente, sconvenientemente.

acconciàre *A v. tr.* **1** [*qc.*] sistemare, preparare, agghindare, abbigliare, abbellire, conciare (*iron.*), pettinare (*est.*), adornare CONTR. scapigliare **2** [*q.c.*] sistemare, preparare, rassettare, comporre CONTR. disordinare **3** (*raro*) accomodare, riparare, ricucire CONTR. fracassare *B v. rifl.* prepararsi, sistemarsi, abbellirsi, pettinarsi (*est.*), conciarsi (*iron.*), aggiustarsi, ornarsi.

acconciàto *part. pass.; anche agg.* **1** [*rif. a una persona*] agghindato, abbigliato, azzimato, leccato, pettinato **CONTR.** trasandato, trascurato, disordinato **2** [*rif. a cosa*] accomodato, riparato.

acconciatùra *s. f.* pettinatura.

accondiscéndere *v. intr.* **1** consentire, condiscendere, cedere, acconsentire, indulgere **CONTR.** ostinarsi **2** degnarsi *di* **3** arrendersi, conformarsi, inchinarsi (*fig.*) **4** [*a un desiderio*] esaudire *un*.

acconsentire A *v. intr.* **1** essere d'accordo, assentire, annuire, applaudire (*fig.*), approvare *un*, concordare *su*, plaudire (*fig.*) **CONTR.** dissentire, obiettare, discutere **2** accondiscendere, cedere, condiscendere, consentire, indulgere **CONTR.** rifiutarsi, proibire **3** (*raro*) favorire *un* **4** [*al volere altrui*] aderire, accedere (*raro*) **CONTR.** ricalcitrare **B** *v. tr.* concedere **CONTR.** rifiutare, negare.

accontentàre A *v. tr.* **1** contentare, appagare, compiacere, soddisfare, dilettare (*est.*), assecondare (*est.*) **CONTR.** scontentare, contrariare, indignare **2** [*un desiderio*] esaudire **3** [*un cliente*] (*est.*) sbrigare, servire **B** *v. intr. pron.* **1** contentarsi **2** essere soddisfatto, appagarsi, saziarsi.

accònto *s. m.* **1** anticipo, caparra **CONTR.** saldo **2** (*est.*) pegno, cauzione.

accoppiaménto *s. m.* **1** [*rif. a persone, ad animali*] unione, copula (*lett.*), coito (*colto*), scopata (*volg.*), chiavata (*volg.*) **2** [*di oggetti, di colori*] abbinamento, appaiamento, accostamento **CONTR.** spaiamento **3** congiunzione.

accoppiàre A *v. tr.* **1** abbinare, appaiare, accostare, accompagnare, avvicinare **CONTR.** spaiare, scompagnare, disaccoppiare **2** [*qc.*] congiungere **3** [*mentalmente*] associare, collegare **4** [*piante, animali*] incrociare, ibridare **5** (*gener.*) unire **B** *v. rifl. rec.* **1** unirsi, appaiarsi, accompagnarsi, congiungersi **CONTR.** separarsi, dividersi **2** sposarsi, maritarsi **CONTR.** dividersi, divorziarsi **3** [*detto di pianta*] incrociarsi, ibridarsi.

accoràre A *v. tr.* affliggere, addolora-

re, angosciare, infelicitare, rattristare, contristare, tormentare (*fig.*) **CONTR.** rallegrare **B** *v. intr. pron.* dispiacersi, deprimersi, addolorarsi, intristirsi, tormentarsi, angosciarsi, affliggersi, rattristarsi, torturarsi (*fig.*), rammaricarsi **CONTR.** rallegrarsi.

accoratamente *avv.* mestamente, tristemente, dolorosamente, sconsolatamente **CONTR.** allegramente, gioiosamente.

accoràto *part. pass.; anche agg.* **1** addolorato, afflitto, rattristato, sconfortato, sconsolato, mesto **CONTR.** contento, felice, gaio, gioioso, esultante **2** (*est.*) sentito, affettuoso **CONTR.** freddo, distaccato, distante.

accorciaménto *s. m.* riduzione, contrazione **CONTR.** allungamento.

accorciàre A *v. tr.* **1** contrarre, abbreviare, raccorciare, rimpicciolire, diminuire, ridurre, decurtare **CONTR.** allungare, estendere, prolungare **2** [*le piante*] tagliare, troncare, potare, cimare, spuntare, diradare **3** [*un testo scritto o orale*] contrarre, compendiare, riassumere **4** [*i capelli*] scorciare, sfumare **B** *v. intr. pron.* **1** ridursi, contrarsi, scorciarsi, diminuire **CONTR.** allungarsi, dilungarsi, estendersi **2** [*detto di giorno, di notte*] ridursi, abbreviarsi **CONTR.** allungarsi **3** [*detto di tessuto, etc.*] ritirarsi.

accordàbile *agg.* compatibile, conciliabile **CONTR.** inconciliabile, incompatibile.

accordàre A *v. tr.* **1** [*un premio, una grazia*] concedere, dare, attribuire, conferire, porgere (*est.*), regalare (*raro*) **2** [*un permesso, un passaggio*] consentire, lasciare, rilasciare **3** [*qc.*] conciliare, pacificare, mettere d'accordo, rappacificare, appaciare (*raro*), riconciliare, ravvicinare **4** [*strumenti musicali*] intonare, armonizzare, concertare **5** [*colori, oggetti tra loro*] intonare, armonizzare, uniformare, conformare, combinare **B** *v. rifl. rec.* **1** mettersi d'accordo, convenire, concordare, concertarsi (*raro*), aggiustarsi **CONTR.** contrastarsi **2** (*est.*) capirsi, conciliarsi **3** fare una convenzione, convenzionarsi **C** *v. intr. pron.* **1** [*detto di discorsi, etc.*] conformarsi, adeguarsi, adattarsi **2** [*detto di idee, etc.*] collegarsi.

accòrdo *s. m.* **1** [*tra persone*] concordia, unione, armonia, affiatamento, coesione (*fig.*), solidarietà, unità, alleanza (*est.*) **CONTR.** disaccordo, discordia, dissidio, contrasto, disarmonia, opposizione, collisione (*fig.*), dissapore, incompatibilità **2** patto, intesa, combine (*fr.*) **3** concerto, combutta, lega **4** [*nelle idee*] concerto, combutta, lega, rispondenza, conformità, concordanza, comunanza, convergenza, uniformità **5** armonia, armonizzazione **6** [*tra enti, tra stati, etc.*] concerto, combutta, lega, convenzione, trattato, capitolazione (*est.*) **7** [*commerciale, etc.*] conformità, contratto (*raro*), compromesso, transazione, aggiustamento, conciliazione **8** conformità.
♦ **d'accordo** *loc. avv.* concordemente **CONTR.** in disaccordo.

accòrgersi *v. intr. pron.* **1** notare *un*, avvertire *un*, intuire *un*, avvedersi, subodorare *un*, annusare *un* (*fig.*), trovare *un* (*fig.*), vedere *un* (*impr.*), capire *un*, comprendere *un* **2** (*est.*) persuadersi, convincersi.

accorgiménto *s. m.* **1** accortezza, cautela, precauzione, astuzia, avvertenza **2** provvedimento, espediente, trucco, stratagemma, via (*fig.*), artificio, arte (*fig.*).

accorpaménto *s. m.* unificazione, unione **CONTR.** scorporo, frazionamento (*est.*).

accorpàre *v. tr. e intr. pron.* unire, aggregare, annettere **CONTR.** frazionare, lottizzare, parcellizzare.

accórrere *v. intr.* correre, affluire, dirigersi, precipitarsi, rovesciarsi (*fig.*), concorrere (*lett.*), riversarsi **CONTR.** scappare, fuggire.

accorrùomo *inter.* V. uomo.

accortaménte *avv.* abilmente, avvedutamente, astutamente, oculatamente, scaltramente, diplomaticamente, giudiziosamente, sapientemente **CONTR.** ingenuamente, stoltamente.

accortézza *s. f.* **1** avvedutezza, sagacia, prontezza, oculatezza, circospezione, lungimiranza, attenzione, prudenza, destrezza, maestria (*est.*), diplomazia (*est.*), cautela, tatto (*fig.*), astuzia **CONTR.** sventatezza, ingenui-

accorto tà, dabbenaggine **2** [*l'azione*] avvertenza, accorgimento, tattica (*est.*).

accòrto *part. pass.; anche agg.* **1** oculato, attento, avveduto, prudente, cauto, lungimirante (*est.*), saggio, savio, maturo **CONTR.** malaccorto, irriflessivo, sprovveduto, indifeso, ingenuo, credulone **2** (*est.*) sagace, astuto, scaltro, dritto, furbo, volpino (*fig.*) **CONTR.** stolto, sciocco, idiota **3** (*est.*) abile, diplomatico (*fig.*), intelligente.

accostaménto *s. m.* **1** avvicinamento **CONTR.** allontanamento **2** accosto (*mar.*) **3** [*di colori, etc.*] unione, accoppiamento, abbinamento.

accostàre *A v. tr.* **1** avvicinare, appressare (*raro*), mettere vicino, raccostare, ravvicinare **CONTR.** discostare, distanziare **2** accoppiare, abbinare, congiungere, collegare, accomunare, unire, accozzare, combinare **3** (*est.*) confrontare, paragonare, raffrontare **4** [*la porta, la finestra*] socchiudere, appoggiare **5** [*qc.*] contattare, abbordare (*fig.*) **6** applicare **7** (*mar.*) poggiare *B v. intr.* dirigersi *C v. rifl.* **1** approssimarsi, avvicinarsi, stringersi (*est.*), rasentare un (*est.*) **CONTR.** allontanarsi, discostarsi, scostarsi, scansarsi **2** [*a un ideale, a un partito, etc.*] aderire **3** [*all'arte, alla scienza*] interessarsi di **4** (*est.*) rassomigliare, somigliare.

accòsto *A avv.* accanto, a lato *di*, vicino, presso *di* **CONTR.** distante, discosto *B prep.* accanto, a lato *di*, vicino, presso *di* **CONTR.** distante, discosto *C s. m.* **1** accostamento (*raro*) **2** (*mar.*) attracco, approdo.

accovacciàrsi *v. rifl.* accoccolarsi, rannicchiarsi, acquattarsi, appollaiarsi, accucciarsi, aggomitolarsi.

accozzàglia *s. f.* **1** [*di cose*] miscuglio, accozzame, congerie, ammasso **2** [*di persone*] torma, mucchio.

accozzàme *s. m.* accozzaglia, miscuglio, congerie, ammasso.

accozzàre *A v. tr.* agglomerare, accostare, ammassare, affastellare, raccozzare *B v. intr. pron.* [*detto di colori*] accordarsi, armonizzarsi.

accreditaménto *s. m.* accredito.

accreditàre *v. tr.* **1** [*qc.*] rendere cre-

dibile **CONTR.** infangare, screditare **2** [*un'ipotesi*] (*est.*) avvalorare, avallare, convalidare **3** (*banca*) bonificare, segnare a credito **CONTR.** addebitare.

accréscere *A v. tr.* **1** sviluppare, aumentare, incrementare, ingrandire, ampliare **CONTR.** impicciolire, impiccolire, diminuire **2** [*il dolore, etc.*] aggravare, acuire, acutizzare, accentuare, dilatare **CONTR.** estirpare, ovattare, placare **3** [*un episodio, un evento*] gonfiare, ingrossare **4** [*i prezzi*] moltiplicare, raddoppiare, maggiorare, rialzare, triplicare **5** [*i tempi, etc.*] allungare, estendere **6** [*una facoltà, etc.*] sviluppare, potenziare, alimentare (*fig.*), esaltare **7** [*la propria cultura, etc.*] arricchire *B v. intr. pron.* **1** aumentare, ingrossarsi **CONTR.** decrescere, diminuire **2** [*detto di prezzi, etc.*] moltiplicarsi, raddoppiarsi, salire **3** [*detto di tempi*] allungarsi.

accresciménto *s. m.* **1** ingrandimento, ampliamento, amplificazione (*raro*) **CONTR.** diminuzione **2** [*rif. all'età*] sviluppo, crescita **3** [*della produzione, etc.*] aumento, incremento, miglioramento (*est.*), moltiplicazione (*est.*) **CONTR.** diminuzione, calo **4** [*culturale, etc.*] arricchimento **CONTR.** impoverimento.

accucciàrsi *v. rifl.* rannicchiarsi, accoccolarsi, raggomitolarsi, accovacciarsi.

accudire *v. tr. e intr.* curare *un*, attendere *a*, dedicarsi *a*, occuparsi *di*, badare *a*, pensare *a* **CONTR.** trascurare.

accumulàre *A v. tr.* **1** ammassare, ammucchiare, accatastare, ammonticchiare, conglomerare (*est.*), conglobare (*est.*), addensare **CONTR.** disperdere, disseminare **2** radunare, immagazzinare, raccogliere (*est.*), collezionare, conservare **3** [*denaro*] risparmiare, accantonare **CONTR.** dissipare *B v. intr. pron.* accentrarsi, riunirsi, ammucchiarsi, raccogliersi **CONTR.** disperdersi.

accumulazióne *s. f.* **1** accumulo, ammassamento, ammucchiamento, affastellamento **CONTR.** sparpagliamento, dispersione **2** (*est.*) risparmio **CONTR.** sperpero.

accùmulo *s. m.* **1** accumulazione, ammasso, massa, congerie **CONTR.**

dispersione **2** (*est.*) sedimento.

accuratamènte *avv.* **1** attentamente, diligentemente, esattamente, con precisione, meticolosamente, finitamente, scrupolosamente, elaboratamente, perbene, religiosamente (*fig.*) **CONTR.** malamente, trascuratamente, superficialmente, negligentemente, sommariamente **2** (*est.*) elegantemente.

accuratézza *s. f.* diligenza, cura, meticolosità, precisione, esattezza, attenzione, scrupolosità, pignoleria, bravura, rigore, amore (*est.*), coscienziosità **CONTR.** sciatteria, svogliatezza.

accuràto *agg.* **1** [*rif. a un esame, a un'analisi, a un lavoro*] esatto, preciso, ordinato, rifinito **CONTR.** disordinato, affrettato, frettoloso, impreciso, sbrigativo, inaccurato, grossolano **2** [*rif. a una persona*] diligente, ligio, attento, scrupoloso, meticoloso, minuzioso **CONTR.** sbrigativo, negligente, distratto **3** [*rif. al comportamento*] diligente, premuroso (*fig.*).

accùsa *s. f.* **1** imputazione, incriminazione, addebito **2** (*est.*) critica, biasimo, rimprovero.

accusàre *A v. tr.* **1** incolpare, incriminare, imputare, considerare responsabile, querelare, dare la colpa *a*, denunciare **CONTR.** discolpare, scagionare, scolpare, condonare **2** (*est.*) denigrare, diffamare, tacciare (*raro*) **CONTR.** difendere, patrocinare **3** [*un dolore, etc.*] palesare, manifestare *B v. rifl.* esporsi, incolparsi, incriminarsi **CONTR.** difendersi, discolparsi, giustificarsi, scagionarsi, scolparsi.

acerbaménte *avv.* **1** aspramente, crudelmente, duramente, rigidamente, crudamente, acidamente **CONTR.** benignamente, bonariamente, benevolmente, delicatamente **2** prematuramente, anzitempo, immaturamente.

acèrbo *agg.* **1** verde **CONTR.** maturo **2** [*rif. a una persona*] (*fig.*) immaturo, giovane **CONTR.** tollerante, mite, clemente, dolce, gradevole **3** [*rif. al sapore*] agro, asprigno, acre **4** [*rif. all'atteggiamento*] (*fig.*) aspro, duro, crudo **5** [*rif. a una sensazione*] (*fig.*) doloroso **CONTR.** gradevole.

acetàto *s. m.* (*gener.*) fibra.

acidaménte *avv.* acerbamente, aspramente, malignamente **CONTR.** bonariamente, delicatamente, benevolmente.

acidificàre *v. tr.* inacidire, inacetire.

acidità *s. f. inv.* 1 [*rif. al gusto*] asprezza **CONTR.** dolcezza 2 [*rif. al carattere*] (*est.*) asprezza (*fig.*), acrimonia (*fig.*), mordacità (*fig.*), livore, malignità, causticità (*fig.*) **CONTR.** dolcezza 3 [*del vino*] spunto.

àcido A *agg.* 1 (*chim.*) corrosivo, caustico **CONTR.** basico, alcalino 2 [*rif. al sapore*] acre, agro, aspro, pungente (*est.*) **CONTR.** dolce 3 [*rif. a una persona*] (*fig.*) mordace, maligno, malevolo **CONTR.** dolce, mite, benigno 4 [*rif. all'atteggiamento*] brusco **CONTR.** benevolo **B** *s. m.* 1 (*gener.*) sostanza, composto 2 (*chim.*) accettore, aggressivo **CONTR.** base 3 [*rif. al sapore*] brusco.

àcino *s. m.* chicco, grano.

àcme *s. f.* apice, colmo, culmine, apogeo, vertice (*fig.*).

àcqua *s. f.* 1 pioggia 2 orina, pipì (*fam.*), piscia (*volg.*) 3 (*gener.*) liquido, elemento **CONTR.** aria, terra.

acquàio *s. m.* 1 lavandino, lavello 2 [*rif. a una persona vorace*] (*fig.*) fogna (*scherz.*).

acquamarina *s. f.* 1 (*gener.*) pietra, gemma 2 (*gener.*) colore.

acquarellàre *v. tr.* V. *acquerellare.*

acquarèllo *s. m.* V. *acquerello.*

acquattàre *v. tr. e rifl.* 1 accovacciare, rannicchiare, accoccolarsi 2 nascondere **CONTR.** mostrare.

acquavite *s. f.* grappa.

acquazzóne *s. m.* fortunale, tempesta, pioggia (*est.*), rovescio (*est.*).

acquerellàre o **acquarellàre** *v. tr.* (*gener.*) dipingere.

acquerèllo o **acquarèllo** *s. m.* 1 quadro, dipinto 2 pittura.

acquiescènte *agg.* arrendevole, docile, remissivo.

acquiescènza *s. f.* 1 arrendevolez-za, docilità, remissività **CONTR.** cocciutaggine, indocilità 2 (*neg.*) passività.

acquietàre A *v. tr.* 1 [*qc., un dolore, una situazione*] calmare, placare, sedare, sopire, quietare, mitigare, chetare, pacare **CONTR.** aumentare 2 [*qc.*] tranquillizzare, rabbonire, contentare, rappacificare, rasserenare, rassicurare, soddisfare **CONTR.** eccitare **B** *v. intr. pron.* 1 [*detto di persona, etc.*] calmarsi, ammansirsi, quietarsi, rabbonirsi, rasserenarsi, rassicurarsi **CONTR.** indignarsi, infuriarsi, accalorarsi 2 [*detto di vento, etc.*] calmarsi, mitigarsi, pacarsi **CONTR.** infuriarsi, incrudelire 3 rassegnarsi, persuadersi 4 [*detto di dolore, etc.*] attutirsi, sopirsi.

acquirènte *s. m. e f.* cliente, compratore **CONTR.** venditore.

acquisìre *v. tr.* 1 (*est.*) comprare, acquistare 2 [*una capacità, un diritto*] conseguire, ottenere **CONTR.** perdere 3 [*cognizioni, etc.*] apprendere **CONTR.** perdere.

acquisìto *part. pass.; anche agg.* 1 appreso, imparato **CONTR.** innato, congenito, istintivo 2 (*med.*) contratto.

acquistàre A *v. tr.* 1 procurarsi, acquisire, comprare, provvedere (*raro*) **CONTR.** vendere 2 (*gener.*) prendere 3 [*credito, merito, etc.*] procurarsi, acquisire, guadagnare, conquistare, ottenere 4 [*un negozio, un'azienda*] rilevare **CONTR.** disfarsi, vendere 5 [*un giocatore, un artista*] ingaggiare **CONTR.** licenziare **B** *v. intr.* 1 [*in bellezza*] migliorare, progredire 2 [*detto di spazio*] espandersi **C** *v. intr. pron.* 1 procacciarsi, procurarsi 2 [*il successo*] ottenere, cogliere, conquistarsi 3 [*l'amicizia, etc.*] conciliarsi (*est.*), cattivarsi, attirare, captare.

acquìsto *s. m.* 1 compra, spesa **CONTR.** smercio, vendita 2 [*spec. con: fare un*] shopping (*ingl.*) 3 (*sport*) ingaggio 4 (*est.*) guadagno.

acquitrìno *s. m.* palude, pantano, stagno.

àcre *agg.* 1 [*rif. al sapore*] pungente, piccante, agro, acido, acerbo, aspro, agro **CONTR.** dolce, gradevole 2 [*rif. a un odore*] pungente, piccante, penetrante, intenso, aspro **CONTR.** grade-vole 3 [*rif. all'atteggiamento*] brusco, mordente, caustico, maligno **CONTR.** dolce, gradevole, benevolo, affabile, affettuoso, gentile.

acrèdine *s. f.* (*est.*) acrimonia (*fig.*), asprezza (*fig.*), livore, astio, malignità, risentimento, agro **CONTR.** dolcezza, amabilità, affabilità.

acreménte *avv.* astiosamente, aspramente, crudelmente **CONTR.** affabilmente, amabilmente, amorevolmente, dolcemente.

acrimònia *s. f.* 1 acredine, asprezza, livore, rancore, astio, causticità, risentimento, mordacità, ostilità **CONTR.** benevolenza, affabilità, dolcezza 2 [*rif. al gusto della frutta acerba*] acredine, asprezza, acidità.

acrònimo *s. m.* sigla, simbolo, abbreviazione, abbreviatura.

acuìre A *v. tr.* 1 aumentare, accrescere, intensificare, accentuare, acutizzare, esacerbare, esasperare, inasprire, aggravare, approfondire (*lett.*), alimentare (*fig.*) **CONTR.** diminuire, lenire, ottundere 2 [*l'ingegno*] aguzzare, affinare, assottigliare 3 [*la situazione, etc.*] (*est.*) radicalizzare **B** *v. intr. pron.* 1 [*detto di malattia, etc.*] aggravarsi 2 [*detto di ingegno*] aguzzarsi 3 [*detto di situazione, etc.*] radicalizzarsi **CONTR.** sbollire 4 [*detto di dolore*] acutizzarsi, rincrudire **CONTR.** attutirsi.

acùleo *s. m.* 1 [*rif. alle piante*] spina 2 [*rif. agli insetti*] pungiglione 3 ago, punta 4 (*fig.*) tormento, assillo.

acùme *s. m.* ingegno, acutezza, perspicacia, arguzia, sagacia, finezza, sottigliezza (*fig.*), vivacità (*est.*), occhio (*fig.*) **CONTR.** stolidezza, stoltezza, stupidità.

acuminàre *v. tr.* aguzzare, appuntire, affinare (*est.*), affusolare (*est.*), affilare, assottigliare (*est.*), appuntare, arrotare.

acuminàto *part. pass.; anche agg.* appuntito, aguzzo, acuto, affilato (*est.*) **CONTR.** arrotondato, smussato.

acùstica *s. f.* 1 (*est.*) scienza, disciplina 2 [*rif. a un ambiente*] sonorità.

acutaménte *avv.* 1 argutamente, intelligentemente, sottilmente, sagacemente, astutamente, ingegnosamente CONTR. ottusamente, stoltamente, stupidamente **2** [*rif. al sentire*] intensamente, forte CONTR. piano, debolmente **3** stridulamente.

acutézza *s. f.* **1** acume, perspicacia, lucidità, chiarezza, astuzia, finezza, sottigliezza (*fig.*) CONTR. ottusità, rozzezza **2** [*rif. allo sguardo, etc.*] intensità, vivezza CONTR. opacità **3** [*rif. al suono*] altezza.

acutizzàre *A* *v. tr.* intensificare, accrescere, acuire, accentuare, aumentare, inasprire, alimentare (*fig.*) CONTR. sopire, mitigare *B* *v. intr. pron.* accentuarsi, acuirsi CONTR. attutirsi.

acùto *A* *agg.* **1** acuminato, aguzzo, appuntito CONTR. smussato, arrotondato **2** perspicace, sottile CONTR. ottuso **3** intenso, penetrante, pungente, forte **4** (*fig.*) vivo, intenso, cocente, bruciante CONTR. debole, fiacco **5** alto, stridulo, stridente, squillante CONTR. debole, fiacco, profondo, basso, fievole, fioco **6** forte, lancinante, straziante **7** (*arch.*) ogivale *B* *s. m.* **1** grido, strillo, urlo **2** (*gener.*) suono.

CLASSIFICAZIONE

Acuto

1 Con riferimento a matita, palo, etc.
  acuto: che termina a punta;
  aguzzo;
  acuminato;
  appuntito.
2 Con riferimento all'intelligenza, alle capacità intellettuali.
  sottile: che è in grado di entrare addentro ai problemi;
  perspicace: che sa penetrare con l'intelligenza all'interno dei problemi.
3 Con riferimento alla luce, all'odore, a q.c. che colpisce i sensi dell'uomo.
  intenso: che colpisce i sensi con forza;
  penetrante: che colpisce i sensi giungendo in profondità;
  pungente: che colpisce i sensi con forza provocando dolore, fastidio;
  forte: che colpisce con violenza i sensi.
4 Con riferimento a una esperienza vissuta.
  intenso: che colpisce i sensi con forza;
  bruciante: che brucia e duole;

cocente.
5 Con riferimento al suono, alla voce, a q.c. che colpisce l'udito.
  alto: che ha tono elevato;
  squillante: alto e chiaro;
  stridulo: che ha tono elevato e spiacevole;
  stridente: che ha tono elevato e spiacevole.
6 Con riferimento al dolore, a q.c. che colpisce l'animo.
  forte: di sofferenza violenta;
  lancinante: di sofferenza violenta simile a colpo di lancia;
  straziante: di sofferenza violenta simile ad una lacerazione.
7 Con riferimento a un angolo.
  ogivale: arco nell'arte gotica.

adagiàre *A* *v. tr.* **1** posare, appoggiare, poggiare **2** [*qc. o q.c. per terra*] (*est.*) deporre, distendere, sdraiare, coricare CONTR. drizzare, rialzare *B* *v. rifl.* **1** distendersi, stendersi, sedersi, coricarsi, posarsi **2** (*est.*) rilassarsi **3** [*nella noia, etc.*] (*est.*) indulgere *a*, cullarsi (*fig.*).

adagiàto *part. pass.; anche agg.* **1** coricato, disteso CONTR. dritto, eretto, sollevato, alzato **2** (*fig.*) abbandonato.

adàgio (1) *avv.* piano, lentamente, senza fretta, a rilento, a poco a poco, flemmaticamente CONTR. in fretta, rapidamente, presto, velocemente, celermente, fulmineamente, affrettatamente, frettolosamente (*fam.*), disperatamente, precipitosamente.

adàgio (2) *s. m.* sentenza, proverbio, massima, detto, motto, aforisma (*lett.*).

adattàbile *agg.* **1** [*rif. a cosa*] adeguabile, conformabile, riutilizzabile CONTR. inadeguato, inadattabile **2** [*rif. al carattere, etc.*] facile, alla mano CONTR. difficile, incontentabile **3** [*rif. a una persona*] accomodante, conciliante, remissivo (*est.*) CONTR. difficile, incontentabile.

adattabilità *s. f. inv.* flessibilità, duttilità CONTR. rigidità.

adattaménto *s. m.* **1** adeguamento, arrangiamento **2** (*est.*) riduzione **3** [*rif. a norme, etc.*] applicazione.

adattàre *A* *v. tr.* **1** adeguare, conformare, rendere adatto **2** [*una costruzione, etc.*] (*est.*) ristrutturare, aggiu-

stare, assestare, accomodare **3** [*un abito, etc.*] rielaborare, ridurre, arrangiare, modellare **4** [*a un nuovo ambiente*] (*est.*) rodare, abituare **5** [*una stanza ad altro uso*] adibire, destinare *B* *v. rifl.* **1** abituarsi, adeguarsi, conformarsi, uniformarsi, aggiustarsi **2** mimetizzarsi, plasmarsi, modellarsi **3** accordarsi, intonarsi, quadrare **4** rassegnarsi, assoggettarsi, condiscendere, piegarsi (*fig.*) CONTR. reagire *C* *v. intr. pron.* **1** addirsi, confarsi, prestarsi, calzare, fare (*fig.*), attagliarsi, convenire CONTR. disdire **2** [*detto di oggetto*] incastrarsi (*mecc.*).

adattàto *part. pass.; anche agg.* **1** trasformato **2** conveniente, conforme CONTR. sconveniente **3** (*est.*) abituato, ambientato, acclimatato, assuefatto.

adàtto *agg.* **1** adeguato, appropriato, idoneo, opportuno, propizio, debito, consono, atto (*colto*), conveniente, calzante, confacente *per* (*est.*), all'altezza, pari (*est.*) CONTR. inadeguato, inidoneo, inopportuno, sconveniente **2** [*rif. a una persona*] (*fig.*) idoneo, abile, destro *di* CONTR. inidoneo, inopportuno **3** fatto **4** degno.

addebitàre *v. tr.* **1** [*q.c. a qc.*] segnare a debito *di*, ascrivere, computare, attribuire, mettere in conto *di* CONTR. accreditare, segnare a credito **2** [*qc. di q.c.*] incolpare, imputare.

addèbito *s. m.* **1** attribuzione **2** accusa, imputazione.

addensaménto *s. m.* **1** agglomeramento, ammasso, accentramento **2** [*in un bosco*] infoltimento CONTR. diradamento.

addensàre *A* *v. tr.* **1** condensare, raddensare CONTR. dissolvere, liquefare, sciogliere **2** infittire, infoltire CONTR. diradare, rarefare **3** conglomerare, accumulare CONTR. dissipare *B* *v. intr. pron.* **1** condensarsi, assodarsi, rassodarsi, rapprendersi, agglomerarsi, coagularsi, cagliarsi CONTR. dissolversi, liquefarsi **2** [*detto di gente, di nuvole*] infittirsi, ammassarsi, affollarsi, infoltirsi, raccogliersi CONTR. diradarsi, rarefarsi.

addentàre *v. tr.* azzannare, mordere, morsicare.

addentràre *A* *v. tr.* immettere, fare

penetrare **B** *v. intr. pron.* **1** entrare all'interno, entrare dentro, penetrare, inoltrarsi, incunearsi, introdursi, entrare, internarsi (*raro*) **2** [*in un argomento*] (*est.*) approfondire *un*.

addéntro *avv.* **1** dentro, all'interno, interiormente, a fondo CONTR. superficialmente, esteriormente **2** (*fig.*) profondamente.

addestraménto *s. m.* **1** insegnamento, istruzione, preparazione, esercitazione, training (*ingl.*), tirocinio, pratica (*est.*), scuola (*fig.*) **2** [*rif. agli animali*] ammaestramento **3** (*sport*) allenamento **4** [*dei cavalli*] (*ipp.*) dressage, maneggio.

addestràre *A v. tr.* **1** allenare, esercitare **2** avviare, formare, educare (*est.*), istruire **3** [*animali da corsa*] (*sport*) dressare **4** [*animali*] ammaestrare, avvezzare **B** *v. rifl.* esercitarsi, allenarsi, impratichirsi.

addestràto *part. pass.; anche agg.* **1** allenato, esercitato, abituato, preparato, formato CONTR. disabituato, impreparato **2** [*rif. agli animali*] ammaestrato CONTR. selvatico (*est.*).

addétto *A agg.* preposto, assegnato, posto, incaricato *di*, destinato **B** *s. m.* (*f. -a*) incaricato, delegato (*est.*).

addiètro *avv.* **1** indietro CONTR. avanti **2** (*temp.*) prima, fa CONTR. avanti.

addìo *A inter.* arrivederci, ciao **B** *s. m.* **1** (*gener.*) saluto CONTR. arrivederci **2** commiato, distacco, separazione.

addirittùra *avv.* **1** nientemeno, perfino, persino **2** direttamente.

addirizzàre *v. tr. e rifl.* V. *addrizzare*.

addirsi *v. intr. pron.* confarsi, convenire, adattarsi, convenirsi, donare, prestarsi, attagliarsi, essere, stare bene CONTR. stare male.

additàre *v. tr.* **1** indicare, mostrare, accennare (*est.*), insegnare **2** [*qc. alla successione*] segnalare, designare **3** [*qc. alla riprovazione*] indicare, esporre.

addivenìre *v. intr.* venire, giungere, pervenire.

addizionàre *v. tr.* **1** (*mat.*) sommare, fare l'addizione, fare la somma

CONTR. sottrarre **2** (*est.*) aggiungere, unire CONTR. dedurre, defalcare, detrarre.

addizióne *s. f.* **1** (*mat.*) somma CONTR. sottrazione **2** aggiunta CONTR. defalco, detrazione.

addobbàre *A v. tr.* **1** [*q.c.*] ornare, adornare, decorare, guarnire, accomodare (*raro*) CONTR. sguarnire **2** [*qc.*] agghindare, vestire, parare (*iron.*), bardare (*scherz.*), infronzolare (*iron.*) **3** [*la casa*] arredare **B** *v. rifl.* **1** adornarsi, bardarsi (*scherz.*) **2** imbellettarsi.

addolcìre *A v. tr.* **1** dolcificare, edulcorare (*colto*), zuccherare, inzuccherare **2** [*un dolore, etc.*] diminuire, attenuare, temperare, lenire, mitigare, contemperare (*raro*), disacerbare, medicare (*fig.*), moderare, placare CONTR. esacerbare, esasperare, inacerbire **3** [*i costumi, etc.*] ingentilire, incivilire **4** [*i colori, etc.*] ammorbidire (*fig.*) **5** [*i metalli, etc.*] temprare **6** [*una persona*] consolare, pacificare CONTR. esacerbare, esasperare, inacidire, amareggiare **7** [*il carattere*] (*fig.*) raddolcire, smussare, mitigare (*raro*) **B** *v. intr. pron.* **1** [*detto di dolore, etc.*] calmarsi, mitigarsi, moderarsi, disacerbarsi CONTR. inacerbirsi **2** [*detto di persona, etc.*] ammorbidirsi, intenerirsi, raddolcirsi CONTR. inacidirsi.

addolcìto *part. pass.; anche agg.* **1** zuccherato, edulcorato **2** [*rif. al carattere, etc.*] calmato, quietato, sopito, mitigato CONTR. inasprito, esasperato.

addoloràre *A v. tr.* rattristare, amareggiare, affliggere, infelicitare, angosciare, dispiacere, angustiare, accorare, ferire (*fig.*), sconfortare, contristare, crocifiggere (*fig.*), crucciare, desolare (*raro*), funestare (*raro*), martirizzare (*fig.*), martoriare (*fig.*), rammaricare, affannare CONTR. confortare, consolare, dilettare, rallegrare **B** *v. intr. pron.* amareggiarsi, dispiacersi, intristirsi, accorarsi, affliggersi, rattristarsi, angustiarsi, dolersi, costare (*fig.*), contristarsi, desolarsi CONTR. consolarsi, deliziarsi, gioire, gongolare, rallegrarsi, fottersene (*volg.*).

addoloràto *part. pass.; anche agg.* amareggiato, affranto, afflitto, accorato, sconsolato, angosciato, triste, crucciato, dispiaciuto, rammaricato,

appassionato (*lett.*), devastato (*fig.*) CONTR. contento, felice, sereno, gaio, lieto, tranquillo, sollevato.

addòme *s. m.* ventre, pancia, trippa (*pop.*), epa (*colto*), buzzo (*scherz.*).

addomesticàre *v. tr.* **1** [*animali*] domare, ammansire, ammaestrare, mansuefare **2** [*qc.*] assuefare, abituare, avvezzare.

addomesticàto *part. pass.; anche agg.* **1** [*rif. agli animali*] domato, ammansito, ammaestrato, docile (*est.*), domestico (*est.*), ubbidiente (*est.*) CONTR. selvaggio, brado **2** [*rif. a una persona*] (*spreg.*) indottrinato, ubbidiente (*est.*) **3** [*rif. a elezioni, a nomine, etc.*] predisposto, truccato, viziato CONTR. regolamentare, regolare.

addormentàre *A v. tr.* **1** indurre al sonno, fare dormire, assopire, cullare (*est.*) CONTR. destare, svegliare **2** [*il dolore*] mitigare, calmare, placare **3** [*qc. con i farmaci*] (*est.*) narcotizzare, anestetizzare **B** *v. intr. pron.* prendere sonno, assopirsi (*est.*), sopirsi (*est.*), appisolarsi, cadere addormentato, dormire, fare un sonno CONTR. destarsi, ridestarsi, svegliarsi.

addormentàto *part. pass.; anche agg.* **1** assopito, intorpidito, sopito CONTR. sveglio **2** [*rif. a una persona*] tardo, lento, fiacco, stupido (*est.*) CONTR. sveglio, attivo, vivace, svelto, furbo, sbirro (*dial.*).

addossàre *A v. tr.* **1** [*q.c. a qc.*] accollare, affibbiare (*fam.*), appioppare (*fam.*), attribuire, rifilare (*fam.*) **2** [*qc. di q.c.*] incaricare, caricare, gravare **3** [*la responsabilità*] scaricare **4** [*q.c. al muro*] appoggiare **B** *v. intr. pron.* accollarsi, attribuirsi, sobbarcarsi, assumersi, prendersi, contrarre, caricarsi *di*, impegnarsi *a* (*est.*), assumere **C** *v. rifl.* **1** accalcarsi, ammassarsi **2** [*al muro, etc.*] appoggiarsi.

addòsso *avv.* **1** indosso, sulle spalle **2** troppo vicino *a*, sopra *a*, su *il un*.

addottrinàre *A v. tr.* **1** [*qc.*] erudire, convincere **2** [*q.c.a qc.*] insegnare **B** *v. rifl.* erudirsi, istruirsi.

addrizzàre o **addirizzàre** *A v. tr.* **1** alzare **2** [*qc.*] (*est.*) correggere, educare **B** *v. rifl.* alzarsi.

addùrre *v. tr.* **1** arrecare, cagionare **2** [*prove, etc.*] recare, portare, allegare, apportare, produrre, presentare, condurre, designare (*raro*), produrre come prova **3** [*esempi, scuse, etc.*] (*est.*) citare, accampare.

àde *s. m.* inferno, inferi, oltretomba, tartaro (*lett.*), orco (*raro*), averno (*lett.*) CONTR. paradiso, eden.

adeguàbile *agg.* **1** adattabile, conformabile, convertibile CONTR. inadeguabile, inadattabile **2** (*est.*) riutilizzabile.

adeguaménto *s. m.* **1** adattamento **2** [*dello stipendio, etc.*] allineamento (*fig.*).

adeguàre A *v. tr.* **1** [*q.c., qc.*] uguagliare, pareggiare, bilanciare, equiparare, controbilanciare, parificare, contemperare, commisurare, proporzionare **2** [*q.c.*] (*est.*) adattare, accomodare, aggiustare, conformare, uniformare, armonizzare **B** *v. rifl.* **1** adattarsi, allinearsi, conformarsi, uniformarsi, modellarsi, mimetizzarsi (*est.*) **2** accordarsi, armonizzarsi *con*, intonarsi (*est.*) **3** pareggiarsi *con* **4** (*est.*) soggiacere, rassegnarsi CONTR. contravvenire, ribellarsi.

adeguataménte *avv.* convenientemente, in modo adatto, acconciamente, appropriatamente, bene, proporzionatamente, debitamente, degnamente, idoneamente, proporzionalmente CONTR. inadeguatamente, male, sproporzionatamente, inopportunamente.

adeguatézza *s. f.* **1** conformità, congruenza, corrispondenza, pertinenza, giustezza, congruità, appropriatezza CONTR. inadeguatezza, incongruenza **2** idoneità.

adeguàto *part. pass.; anche agg.* **1** appropriato, opportuno, conveniente, adatto, idoneo, giusto *per*, pari *per*, indovinato *per*, proporzionato CONTR. inadatto, inadeguato, inopportuno, sproporzionato **2** (*est.*) conforme, consono, confacente, commisurato, conformato, corrispondente, calzante, provvidenziale.

adempiènte *part. pres.; anche agg.* ottemperante, ubbidiente CONTR. inadempiente, disubbidiente (*est.*).

adèmpiere A *v. tr.* **1** [*un compito, un dovere*] effettuare, compiere, espletare, eseguire, disimpegnare, compire (*raro*), completare (*est.*) CONTR. disattendere, mancare *a*, mandare in fumo **2** [*una promessa, un voto*] sciogliere, ottemperare, assolvere, soddisfare, onorare, osservare, esaudire **3** [*un difetto, etc.*] integrare, supplire *a* **B** *v. intr. pron.* **1** avvenire, accadere **2** compiersi, verificarsi, realizzarsi.

adempiménto *s. m.* **1** compimento, esecuzione, effettuazione, attuazione, realizzazione, coronamento CONTR. inadempimento (*raro*) **2** [*a un desiderio, a una richiesta*] soddisfazione **3** [*di una storia, etc.*] (*est.*) fine, epilogo, conclusione **4** [*di un obbligo*] osservanza, ubbidienza CONTR. inadempienza, inosservanza.

adèpto *s. m.* (*f. -a*) proselito, accolito, seguace, iniziato, aderente.

aderènte (1) *part. pres.; anche agg.* **1** unito, stretto CONTR. separato, distante **2** [*rif. a un abito*] stretto, fasciante CONTR. largo, lento, comodo.

aderènte (2) *s. m. e f.* seguace, adepto.

aderènza *s. f.* **1** (*med.*) connessione **2** (*bur.*) conformità, osservanza **3** conoscenza, relazione, appoggio (*fig.*), contatto, seguito (*fig.*) **4** rapporto.

aderire *v. intr.* **1** essere attaccato, appiccicarsi, combaciare *con*, combinare *con*, commettere *con* (*raro*) **2** [*detto di vestito, etc.*] fasciare *un*, calzare *un* **3** [*detto di rampicante, etc.*] abbarbicarsi, abbracciare *un* **4** [*a un ideale, a un partito, etc.*] partecipare, associarsi, iscriversi, condividere *un* (*est.*), seguire *un*, accostarsi, parteggiare *per* CONTR. discostarsi **5** [*a una richiesta*] acconsentire, attenersi, conformarsi, corrispondere **6** [*detto di pneumatico*] mordere *un* (*fig.*) **7** [*al volere altrui*] accedere (*raro*).

adescaménto *s. m.* allettamento, seduzione.

adescàre *v. tr.* allettare, attrarre, blandire (*est.*), ingannare, invischiare (*fig.*).

adesióne *s. f.* partecipazione, consenso, assenso CONTR. rifiuto, opposizione.

adesività *s. f. inv.* **1** vischiosità **2** tenacia, resistenza, tenacità.

adèsso *avv.* **1** presentemente, ora, in questo momento, subito, oggi, attualmente, correntemente, momentaneamente CONTR. allora **2** poco fa, or ora, ormai **3** tra poco.

ad hoc A *loc. avv.* appositamente **B** *loc. agg.* predisposto, preparato.

adiacènte *agg.* vicino, attiguo, contiguo, confinante, limitrofo, prossimo CONTR. distante, lontano, discosto (*lett.*).

adiacènza *s. f.* [*spec. al pl.*] vicinanza, prossimità, attiguità, contiguità.

adibire *v. tr.* **1** riservare, destinare **2** [*una stanza, un locale*] utilizzare, adattare.

àdipe *s. m.* grasso (*pop.*).

adiposità *s. f. inv.* pinguedine (*colto*), grassezza, obesità CONTR. magrezza, secchezza (*tosc.*), snellezza.

adipóso *agg.* grasso, pingue, obeso, corpulento CONTR. magro, snello, secco (*fam.*), esile (*lett.*).

adiràre A *v. tr.* irritare **B** *v. intr. pron.* arrabbiarsi, irarsi (*raro*), irritarsi, indignarsi, infuriarsi, alterarsi, infiammarsi (*fig.*), turbarsi (*impr.*), inquietarsi, stizzirsi, sdegnarsi, esasperarsi, incazzarsi (*volg.*), crucciarsi, imbestialirsi, incollerirsi, impermalirsi, inalberarsi, incavolarsi (*pop.*), imbizzarrirsi, indispettirsi, invelenire, rabbuiarsi (*fig.*), arrovellarsi (*est.*) CONTR. rabbonirsi, placarsi, tranquillizzarsi.

adiràto *part. pass.; anche agg.* **1** arrabbiato, irato, infuriato, rabbioso CONTR. placido, pacifico, calmo, quieto, tranquillo, rappacificato **2** (*est.*) irritato, esasperato, stizzito.

adire *v. tr.* rivolgersi.

àdito *s. m.* **1** accesso, passaggio, entrata **2** [*spec. con: dare*] opportunità, occasione (*fig.*), luogo.

adocchiàre *v. tr.* **1** mirare, sbirciare **2** (*gener.*) guardare.

adolescènte A *s. m. e f.* ragazzo, ragazza, fanciulla, fanciullo, ragazzina, ragazzino, giovinetto CONTR. uomo, adulto, bambino, bambina, bimba, bimbo, infante, lattante, neonato, pargolo, poppante, anziano, vecchio **B** agg. in erba (fig.), giovane **CONTR.** maturo, adulto.

adolescènza s. f. pubertà, giovinezza (est.) **CONTR.** maturità, infanzia, vecchiaia, senilità.

adombràre A v. tr. offuscare, oscurare, ottenebrare, annuvolare, coprire (impr.) **CONTR.** schiarire **B** v. intr. e intr. pron. **1** impennarsi, inalberarsi, rabbuiarsi (fig.), impermalosirsi **2** [detto di cavallo] impennarsi, inalberarsi, imbizzarrirsi.

adontàrsi v. intr. pron. risentirsi, offendersi, sdegnarsi, indignarsi (est.), aversene a male (fam.), impermalirsi, piccarsi.

adoperàre A v. tr. **1** usare, utilizzare, valersi di, servirsi di, adottare (est.), fare uso di, ricorrere a, godere di (est.) **2** [il cervello, etc.] impiegare, esercitare **3** (est.) maneggiare **4** [un prodotto, etc.] (est.) consumare **B** v. rifl. ingegnarsi di, impegnarsi, affannarsi, occuparsi di (est.), affaccendarsi, industriarsi di, sforzarsi di, prodigarsi, brigare, fare (impr.), aiutarsi (est.), affaticarsi, curarsi di, interessarsi, operare, prestarsi, procurare di, sbracarsi (fig.), sbracciarsi (fig.), dimenarsi (fig.), muoversi (fig.).

adorabilménte avv. affabilmente, amabilmente, amorosamente, deliziosamente **CONTR.** odiosamente, sgarbatamente.

adoràre A v. tr. **1** idolatrare, amare **CONTR.** odiare, detestare, esecrare **2** [la divinità] venerare, lodare, onorare, santificare **B** v. rifl. rec. amarsi **CONTR.** detestarsi, odiarsi.

adorazióne s. f. **1** culto, venerazione **CONTR.** disprezzo **2** amore.

adornàre A v. tr. **1** valorizzare, abbellire, guarnire, arricchire, impreziosire, addobbare, decorare, fregiare (raro), illuminare (est.), infiorare, ingemmare, inghirlandare, ornare, agghindare, acconciare **CONTR.** depauperare, sguarnire **2** [un discorso] abbellire, arricchire, condire (fig.) **B** v. rifl. **1** ornarsi, abbellirsi, addobbarsi, coronarsi, agghindarsi, imbellettarsi (est.) **2** (est.) fregiarsi di, vantarsi di.

adornàto part. pass.; anche agg. **1** abbigliato, agghindato, guarnito **CONTR.** disadorno, nudo **2** [rif. a casa] ornato, decorato **CONTR.** spoglio.

adottàre v. tr. **1** prendere in adozione **2** [un metodo, uno strumento] (est.) usare, utilizzare, adoperare, applicare **3** [un'idea, etc.] (est.) accettare, assumere, ammettere **4** [un provvedimento, etc.] (est.) attuare.

adulàre A v. tr. lusingare, blandire, incensare (fig.), corteggiare (est.), lisciare (fig.), accarezzare (fig.), vezzeggiare (est.), lodare, piaggiare (colto), carezzare (fig.), gonfiare (fig.), leccare (fig.), ungere (fig.) **CONTR.** denigrare, detrarre, oltraggiare, schernire **B** v. rifl. pavoneggiarsi.

adulatóre A s. m. (f. -trice) ruffiano (spreg.), piaggiatore (colto) **CONTR.** denigratore, detrattore **B** agg. piaggiatore, lusinghiero **CONTR.** denigratore, calunniatore.

adulatòrio agg. servile.

adulazióne s. f. **1** incensamento, piaggeria, servilismo, cortigianeria **CONTR.** denigrazione **2** (fig.) sviolinata (fam.), lisciata **CONTR.** scherno.

adulteràre v. tr. sofisticare, alterare, manomettere, cambiare, falsificare, contraffare, falsare, fatturare, manipolare, mistificare, corrompere (est.), guastare (est.).

adulteràto part. pass.; anche agg. **1** [rif. al cibo, a una bevanda, etc.] sofisticato, alterato, contraffatto, manomesso **CONTR.** genuino **2** (est.) falsificato.

adulterazióne s. f. contraffazione, sofisticazione, alterazione, falsificazione, manomissione (est.), danneggiamento (est.) **CONTR.** schiettezza, sincerità, genuinità.

adultèrio s. m. tradimento, fornicazione (lett.), tresca (spreg.), infedeltà.

adùlto A s. m. (f. -a) uomo **CONTR.** neonato, lattante, infante, poppante, pargolo, bimbo, bambino, bimba, bambina, ragazzino, giovinetto, adolescente, ragazzo, giovanotto, giovane, anziano, vecchio **B** agg. **1** sviluppato, cresciuto, grande, maturo **CONTR.** immaturo, imberbe, fanciullesco, bambinesco, infantile, adole-

scente, puerile **2** vecchio **CONTR.** giovane.

adunànza s. f. riunione, assemblea, consesso, consiglio, raduno, dieta (lett.).

adunàre A v. tr. **1** concentrare, radunare, riunire, raccogliere, ammassare, congregare, ridurre (raro), conferire (lett.) **CONTR.** disperdere **2** [detto di libro, di biblioteca] concentrare, comprendere, conglobare **B** v. intr. pron. riunirsi, radunarsi, concentrarsi, affollarsi, assembrarsi, congregarsi (est.), concorrere (colto), convenire, raccogliersi **CONTR.** disperdersi.

adunàta s. f. **1** riunione, raduno, convegno, raccolta **2** (est.) convocazione.

ad un tràtto loc. avv. V. tratto (1).

aèreo (1) agg. **1** etereo, immateriale, vaporoso **CONTR.** materiale **2** (est.) lieve, leggero **CONTR.** materiale, pesante, consistente **3** [rif. a un discorso] immateriale, inconsistente, vano (est.) **CONTR.** concreto, reale, consistente **4** (chim.) volatile.

aèreo (2) s. m. **1** apparecchio, aeroplano, jet (ingl.), aeromobile, idrovolante **2** (mil.) unità **3** (gener.) velivolo, veicolo.

aèrobus s. m. inv. **1** aeromobile **2** (gener.) aeroplano, apparecchio, velivolo, veicolo.

aeromòbile s. m. **1** aerobus **2** (gener.) aeroplano, apparecchio, aereo, velivolo, veicolo.

aeronàutica s. f. (pl. -che) aviazione.

aeroplàno s. m. **1** aereo, apparecchio, aeromobile, aerobus, jet (ingl.) **2** (gener.) velivolo, veicolo.

aeroreattóre s. m. aerogetto.

aerorimèssa s. f. hangar, aviorimessa.

àfa s. f. **1** calura, pesantezza, canicola (raro), caldo **CONTR.** freddo, fresco **2** (est.) noia, fastidio, tedio.

afèresi s. f. inv. (ling.) troncamento.

affàbile agg. **1** [rif. all'atteggiamento] amabile, cordiale, espansivo, amorevole, cortese (est.), gentile (est.), benevolo, amichevole, familiare, alla mano, umano, gioviale, socievole, ospitale **CONTR.** burbero, scortese, inavvicinabile, rozzo, intrattabile, zotico, disumano (*est.*), altezzoso, asciutto, insolente, ispido (*fig.*) **2** [*rif. al carattere, etc.*] abbordabile, accessibile (*fig.*), trattabile, democratico, facile, morbido (*fig.*) **CONTR.** arrogante, acre, scontroso, difficoltoso, rustico (*fig.*), terribile.

affabilità *s. f. inv.* **1** cordialità, espansività, giovialità, amabilità, cortesia, umanità, calore (*fig.*), piacevolezza, socievolezza, bonarietà, bonomia, comunicativa, familiarità (*est.*) **CONTR.** superbia, sufficienza, tracotanza, arroganza, austerità, acredine, acrimonia, bruschezza, condiscendenza, degnazione, disdegno **2** (*gener.*) qualità.

affabilménte *avv.* benevolmente, benignamente, gentilmente, bonariamente, adorabilmente, amabilmente, amorosamente, amichevolmente, cortesemente, confidenzialmente, cordialmente, giovialmente, simpaticamente **CONTR.** acremente, rudemente, sgarbatamente, burberamente, odiosamente, antipaticamente, indisponentemente, detestabilmente, disdegnosamente, sdegnosamente.

affaccendàre *v. tr.* impegnare *B v. intr. pron.* **1** adoperarsi, impegnarsi, affannarsi, dimenarsi (*fig.*), combattere (*fig.*), frullare (*fig.*), scalmanarsi **CONTR.** impigrirsi, impoltronirsi, respirare, rifiatare **2** brigare, intrallazzare.

affaccendàto *part. pass.; anche agg.* indaffarato, occupato, preso, sollecito (*est.*) **CONTR.** ozioso, sfaticato, sfaccendato.

🜚 **affacciàre** *A v. tr.* mostrare, fare vedere *B v. rifl.* **1** comparire, apparire, presentarsi **2** [*detto di idea, etc.*] venire in mente **3** [*detto di edificio, etc.*] (*est.*) essere rivolto, essere esposto, guardare, corrispondere, prospettare (*raro*).

affagottàre *v. tr. e rifl.* infagottare, insaccare, imbacuccare.

affamàre *v. tr.* **1** ridurre alla fame **CONTR.** rifocillare, satollare, sfamare, saziare, nutrire **2** prendere per il collo (*fig.*).

affamàto *A part. pass.; anche agg.* **1** (*anche fig.*) famelico, bramoso, avido, voglioso, desideroso, assetato **CONTR.** sazio, satollo, pago (*lett.*), rifocillato (*fam.*), sfamato **2** [*rif. a cose materiali, a denaro, etc.*] avido, assetato **CONTR.** noncurante, indifferente *B s. m.* (*f. -a*) povero.

affannàre *A v. intr.* ansimare *B v. tr.* addolorare *C v. rifl.* **1** angustiarsi, preoccuparsi, tribolare, angosciarsi, crocifiggersi (*fig.*) **CONTR.** compiacersi **2** prodigarsi, adoperarsi, impegnarsi, affaccendarsi, brigare, frullare (*scherz.*), sbracciarsi (*fam.*), scalmanarsi **CONTR.** oziare, poltrire **3** arrabattarsi, arrancare (*fig.*), affaticarsi **CONTR.** respirare, rifiatare.

affannàto *part. pass.; anche agg.* **1** ansante, agitato, concitato, esagitato **CONTR.** calmo, tranquillo, pacato, quieto **2** (*est.*) preoccupato, ansioso.

affànno *s. m.* **1** dispnea (*med.*), soffocamento **2** (*est.*) ansia, apprensione, angoscia, ansietà, angustia **CONTR.** serenità, calma, pace, quiete **3** (*est.*) ambascia, assillo, pena, cura (*raro*), fastidio, sollecitudine, peso (*fig.*) **4** [*verso il raggiungimento di q.c.*] (*fig.*) ansito, anelito **5** (*est.*) fatica.

affannosaménte *avv.* **1** angosciosamente, ansiosamente **CONTR.** pacatamente, tranquillamente, pacificamente **2** [*rif. al sentire*] angosciosamente, dolorosamente, penosamente **CONTR.** pacatamente, tranquillamente **3** [*rif. al parlare*] concitatamente, convulsamente, smaniosamente **CONTR.** pacatamente, tranquillamente, pacificamente.

affannóso *agg.* angoscioso.

affàre *s. m.* **1** faccenda, incombenza, servizio, negozio **2** [*commerciale*] (*est.*) operazione, contratto, business (*ingl.*), colpo (*fig.*) **3** faccenda, cosa, questione, fatto **4** aggeggio, roba, arnese **5** problema **6** (*dir.*) processo.

affarista *s. m. e f.* (*spreg.*) speculatore, trafficante, pescecane (*fig.*), faccendiere.

affascinànte *part. pres.; anche agg.* **1** [*rif. a una persona*] attraente, avvenente, seducente, fatale **CONTR.** ripugnante, ributtante, disgustoso, repellente **2** [*rif. a un romanzo, a una sto-*

ria] interessante, avvincente **CONTR.** noioso **3** (*est.*) invitante **4** bello, incantevole (*fig.*), suggestivo (*fig.*) **5** [*rif. alla voce*] suadente **6** [*rif. allo sguardo*] (*fig.*) assassino, ladro.

affascinàre (1) *v. tr.* attrarre, ammaliare, incantare, avvincere, conquistare (*est.*), abbagliare (*fig.*), inebriare (*est.*), estasiare, fare innamorare, fare presa *su*, fascinare, innamorare, intrigare, legare (*fig.*), rapire (*fig.*), sbalordire, trascinare, soggiogare, sedurre, illudere (*est.*), fare colpo, essere piacente **CONTR.** respingere, ributtare.

affascinàre (2) *v. tr.* affastellare.

affastellaménto *s. m.* accumulazione (*raro*), ammasso, congerie.

affastellàre *A v. tr.* ammucchiare, accatastare, ammassare, riunire, ammontare (*raro*), ammonticchiare, conglobare, radunare, accozzare **CONTR.** disperdere, dividere *B v. intr. pron.* ammonticchiarsi.

affaticàre *A v. tr.* stancare, spossare, sfiancare, indebolire, esaurire (*est.*), fiaccare, logorare, prostrare, sforzare (*fam.*) *B v. rifl.* **1** stancarsi, stinirsi, dannarsi (*fig.*), esaurirsi (*est.*), faticare, fiaccarsi, logorarsi **CONTR.** riposarsi, oziare **2** (*est.*) darsi da fare, adoperarsi, affannarsi, arrabattarsi, sbracarsi (*fig.*), scalmanarsi, sfiancarsi **3** (*est.*) sfacchinare, sgobbare, lavorare, fare **CONTR.** rifiatare.

affaticàto *part. pass.; anche agg.* stanco, spossato, estenuato, distrutto (*fig.*), indebolito (*est.*) **CONTR.** energico, forte, infaticabile, instancabile.

affàtto *avv.* **1** totalmente, completamente, pienamente, assolutamente, proprio **2** [*in frasi negative*] per niente, per nulla, niente.

affatturàre *v. tr.* fatturare, incantare.

affermàre *A v. tr.* **1** asserire, dire, sostenere, dichiarare, enunciare, attestare, certificare (*est.*), garantire (*est.*), proclamare **CONTR.** negare **2** (*raro*) confermare **3** gridare, pretendere **4** (*est.*) protestare **5** (*est.*) volere *B v. rifl.* **1** imporsi, sfondare (*fig.*), riuscire, emergere, distinguersi, rilucere (*fig.*), segnalarsi, consolidarsi, arrivare (*fig.*), farsi una posizione, diventare qualcuno, introdursi, realizzarsi, esprimersi, farsi strada **2** [*detto di moda, etc.*] attecchire (*fig.*) **3** proclamarsi.

affermativo *agg.* positivo, assertivo **CONTR.** negativo, contrario.

affermàto *part. pass.; anche agg.* **1** [*rif. a una persona*] arrivato (*fig.*), celebre, illustre, famoso, noto **CONTR.** fallito, mancato, sconosciuto **2** [*rif. alla verità, etc.*] dichiarato **CONTR.** negato.

affermazióne *s. f.* **1** asserzione **CONTR.** negazione **2** successo, vittoria (*est.*), trionfo, realizzazione **CONTR.** sconfitta, insuccesso **3** (*est.*) dichiarazione, testimonianza, attestazione, proclamazione **CONTR.** sconfessione **4** (*ling.*) proposizione.

afferràbile *agg.* espugnabile, conquistabile **CONTR.** inafferrabile, imprendibile, inespugnabile.

⸙afferràre A *v. tr.* **1** cogliere, prendere, acchiappare, acciuffare, agguantare, ghermire (*colto*), pigliare, abbrancare, carpire **CONTR.** lasciare **2** (*est.*) cogliere, impugnare saldamente, bloccare, stringere, impugnare, prendere saldamente **3** (*est.*) conquistare, impadronirsi *di*, impossessarsi *di* **4** [*con la mente*] (*est.*) capire, intuire, captare, raccapezzare (*raro*) **B** *v. rifl.* aggrapparsi, appigliarsi, attaccarsi, tenersi, abbarbicarsi (*est.*), agguantarsi, abbracciarsi, appiccarsi, prendersi.

affettàre (1) *v. tr.* ostentare.

affettàre (2) *v. tr.* **1** tagliare a fette **2** (*est.*) trucidare.

affettataménte *avv.* studiatamente, leziosamente, artificiosamente, ricercatamente, cerimoniosamente, complimentosamente, mellifluamente **CONTR.** semplicemente, schiettamente, naturalmente, genuinamente, alla buona.

affettàto (1) *part. pass.; anche agg.* **1** studiato, ricercato, manierato, ostentato, vezzoso, prezioso, artificioso, leccato (*fig.*) **CONTR.** disinvolto, semplice, naturale, spigliato, sciolto **2** [*rif. all'atteggiamento*] studiato, formale, manieroso, sforzato, patetico (*est.*) **CONTR.** disinvolto, semplice, naturale, spigliato, sciolto.

affettàto (2) *s. m.* salume.

affettazióne *s. f.* **1** sussiego, artificiosità **CONTR.** naturalezza, semplicità, spontaneità **2** leziosaggine, ricercatezza, preziosismo, smanceria, artificio.

affètto (1) *agg.* ammalato *di*, malato *di*.

affètto (2) *s. m.* amore, tenerezza, simpatia, amicizia, devozione (*est.*), affettuosità, affezione (*raro*), attaccamento, bene, carità (*lett.*), interesse (*est.*) **CONTR.** astio, animosità, malanimo, indifferenza.

affettuosaménte *avv.* amorosamente, premurosamente, dolcemente, teneramente, benevolmente, benignamente, amichevolmente, amorevolmente, calorosamente, carezzevolmente, cordialmente, espansivamente **CONTR.** freddamente, aridamente, ostilmente (*est.*), asciuttamente, astiosamente.

affettuosità *s. f.* **1** cordialità, affetto, espansività, giovialità, amicizia, effusione (*fig.*) **CONTR.** animosità, ostilità, malevolenza, degnazione **2** [*l'azione*] cordialità, premura, tenerezza.

affettuóso *agg.* **1** amoroso, caloroso, espansivo, tenero, dolce, caldo, carezzevole, cordiale, amorevole, socievole (*est.*) **CONTR.** freddo, distaccato, indifferente, ostile, astioso, duro (*est.*), acre (*fig.*) **2** [*rif. a un augurio, a un saluto, etc.*] caloroso, fervido, sentito, accorato **CONTR.** freddo, distaccato, indifferente, ostile.

affezionàre A *v. tr.* interessare **B** *v. intr. pron.* provare affetto *per*, attaccarsi, innamorarsi *di* (*est.*), legarsi (*fig.*).

affezionàto *part. pass.; anche agg.* **1** devoto, fedele, legato, appassionato *di* (*est.*) **CONTR.** ostile, nemico **2** [*a un'attività*] (*est.*) dedito, ligio **CONTR.** disinteressato, noncurante.

affezióne *s. f.* **1** affetto, amore, dedizione, amicizia, attaccamento **2** passione **3** malattia.

affiancàre *v. tr.* **1** aiutare, appoggiare, spalleggiare, sostenere, essere di aiuto *a*, essere di sostegno *a* **2** accompagnare, andare insieme *a*, unirsi *a*.

affiataménto *s. m.* **1** intesa, armo-

nia, concordia, accordo, coesione, unità (*fig.*), unione, comprensione **CONTR.** disaccordo, incomprensione **2** [*di qc. in un ambiente*] socializzazione, inserimento.

affiatàre A *v. tr.* mettere d'accordo, rendere affiatati, amalgamare (*fig.*), concertare (*raro*) **B** *v. rifl. rec.* intendersi (*est.*), comprendersi (*est.*), capirsi (*est.*), familiarizzarsi, fare amicizia, familiarizzare, fraternizzare, legare.

affibbiàre (1) *v. tr.* **1** appioppare (*fam.*), attribuire, accollare, addossare **2** [*una medicina, etc.*] somministrare, dare (*impr.*), propinare (*scherz.*) **3** [*q.c. di sgradevole*] rifilare (*pop.*), sbolognare **4** [*una persona sgradevole*] sbolognare, appiccicare (*fig.*) **5** [*un pugno, etc.*] appiccicare (*fig.*), sparare (*fig.*), assestare, ammollare (*pop.*), azzeccare (*fig.*).

affibbiàre (2) *v. tr.* allacciare.

affidàbile *agg.* **1** [*rif. a una persona*] attendibile, fidato, leale, onesto, serio **CONTR.** inaffidabile, disonesto, sleale, infido **2** [*rif. a un metodo*] serio, sicuro **CONTR.** inaffidabile, infido, insicuro.

affidabilità *s. f. inv.* **1** affidamento, fiducia, serietà, attendibilità **CONTR.** inaffidabilità **2** [*rif. a una macchina*] sicurezza, funzionalità **CONTR.** inaffidabilità.

affidaménto *s. m.* **1** [*spec. con: dare*] affidabilità, attendibilità, sicurezza, fiducia **2** [*spec. con: fare*] assegnamento **3** [*spec. in loc.: dare in*] custodia, consegna.

affidàre A *v. tr.* **1** consegnare, depositare, dare in deposito, lasciare, fidare (*raro*) **2** [*qc. a q.c.*] delegare, incaricare (*est.*) **3** [*un compito, etc.*] commettere, demandare, destinare (*est.*), raccomandare, rimettere, assegnare, commissionare **B** *v. rifl.* **1** appoggiarsi (*fig.*), raccomandarsi, ricorrere **2** rimettersi, consegnarsi **3** puntare *su*.

affievolire A *v. tr.* **1** indebolire, attenuare, attutire, diminuire **2** [*la luce*] velare, smorzare **3** [*la voce*] velare, infievolire, affiochire **4** [*i sentimenti*] (*fig.*) intiepidire, raffreddare **B** *v. intr. pron.* **1** attenuarsi, abbassarsi, indebolirsi, infievolirsi **2** [*detto di ispirazione, etc.*] venire meno, inaridirsi, esaurirsi **3** [*detto di sentimento*] (*fig.*) intiepidir-

affiggere

si, morire, raffreddarsi **4** [detto di ricordo] (fig.) sbiadire.

affiggere v. tr. attaccare, appendere, incollare, fissare, affissare (raro) **CONTR.** staccare.

affilàre A v. tr. **1** fare la punta a, arrotare, appuntare, appuntire, acuminare, molare, temperare, digrossare **2** [i lineamenti, il viso] (est.) assottigliare **3** [le capacità] (raro) eccitare, stimolare **B** v. intr. pron. assottigliarsi, dimagrire, affusolarsi **CONTR.** ingrassare.

affilàto part. pass.; anche agg. **1** appuntito, arrotato, tagliente, acuminato, molato (est.) **CONTR.** arrotondato, smussato **2** [rif. al viso] scarno, smunto, magro, patito (est.) **CONTR.** grasso, rotondo, grosso, paffuto, pingue.

affiliàre A v. tr. associare, iscrivere **B** v. rifl. associarsi, iscriversi.

affinaménto s. m. miglioramento, perfezionamento, evoluzione (est.), progresso (est.) **CONTR.** peggioramento.

affinàre A v. tr. **1** assottigliare, acuminare, affusolare (est.), appuntire **2** [l'ingegno, ecc.] acuire, educare, aguzzare (fig.) **3** [lo stile, ecc.] (est.) perfezionare, migliorare **4** [i modi, i costumi] (est.) ingentilire, sgrezzare, dirozzare, dissodare (fig.) **B** v. intr. pron. **1** dimagrire, assottigliarsi **CONTR.** ingrossarsi, ingrassare **2** [detto di stile, ecc.] (est.) migliorarsi, perfezionarsi **3** [detto di costumi, ecc.] ingentilirsi **4** [in una disciplina, ecc.] ferrarsi.

affinàto part. pass.; anche agg. **1** assottigliato **2** digrossato, migliorato, perfezionato **CONTR.** peggiorato, imbarbarito **3** [rif. ai modi, al gusto] raffinato, educato **CONTR.** rozzo, grossolano.

affinché cong. acciocché (lett.), perché, al fine di.

affine A agg. **1** analogo, simile, somigliante, similare **CONTR.** differente, dissimile, diverso, opposto, contrario **2** (est.) omogeneo **B** s. m. e f. consanguineo, parente (est.).

affinità s. f. inv. **1** analogia, somiglianza, conformità, omogeneità (est.) **CONTR.** differenza, diversità, dissomiglianza, dissonanza, divergenza **2** [di

idee] comunanza, convergenza, vicinanza, prossimità **3** [tra persone] (est.) simpatia, intesa, attrazione **4** relazione, rapporto **5** (est.) parentela, consanguineità.

affiochire A v. tr. affievolire, velare (fig.) **B** v. intr. diventare rauco.

affioraménto s. m. emersione, galleggiamento (est.) **CONTR.** affondamento, inabissamento.

affioràre v. intr. **1** spuntare, emergere, galleggiare, essere a pelo d'acqua **2** (est.) mostrarsi, apparire, fare capolino.

affissàre v. tr. attaccare, fissare, affiggere **CONTR.** togliere, staccare.

affisso s. m. **1** cartello, avviso, manifesto **2** (ling.) infisso.

affittàre v. tr. **1** [una casa, etc.] dare in affitto, locare, appigionare **2** [un oggetto, un veicolo] dare in affitto, noleggiare **3** [un terreno] dare in affitto **CONTR.** escomiare.

affitto s. m. **1** [spec. in loc.: dare in] locazione, noleggio **2** [spec. con: pagare l'] canone, pigione, nolo, fitto.

affittuàrio s. m. (f. -a) **1** inquilino, locatario, pigionante **CONTR.** locatore, padrone, proprietario **2** [di un podere] fittavolo.

affliggere A v. tr. rattristare, amareggiare, angustiare, addolorare, accorare, tormentare, martoriare (fig.), torturare (fig.), contristare, angosciare, crucciare, desolare, infelicitare, martirizzare (fig.), sconfortare, travagliare, preoccupare, deprimere, costernare, crocifiggere (fig.), flagellare (fig.), funestare (raro), inquietare, martellare (fig.), percuotere (fig.), cuocere (fig.), vessare **CONTR.** consolare, dilettare, divertire, esilarare, rallegrare, ricreare **B** v. intr. pron. accorarsi, addolorarsi, amareggiarsi, angustiarsi, dannarsi (fig.), compiangersi (est.), tormentarsi, penare, sconfortarsi, crucciarsi, contristarsi (colto), desolarsi, dolersi, inquietarsi, intristirsi, rammaricarsi, rattristarsi, rodersi **CONTR.** compiacersi, confortarsi, dilettarsi, gioire, giubilare, godere, gongolare, ricrearsi.

afflitto part. pass.; anche agg. amareg-

giato, sconsolato, addolorato, accorato, depresso, angosciato, tormentato, angustiato, ferito (est.), martoriato (fig.) **CONTR.** spensierato, felice, contento, gaio, sereno, tranquillo.

afflizióne s. f. **1** dispiacere, infelicità, dolore, tristezza, sofferenza, cruccio, spina (fig.) **CONTR.** gioia, felicità, tripudio **2** [tipo di] rammarico, compianto, contrizione **3** [rif. alla guerra, malattia] dispiacere, tribolazione, sventura, flagello.

afflosciàre A v. tr. sgonfiare, smontare **B** v. intr. pron. **1** cadere, accasciarsi, svenire (est.) **2** [detto di dolce, etc.] (est.) ammosciarsi, ammoscirsi, sgonfiarsi, smontarsi **CONTR.** gonfiarsi **3** abbattersi, avvilirsi, scoraggiarsi.

affluènza s. f. **1** [di persone] convergenza, afflusso, folla (est.), frequenza, concorso (raro) **2** abbondanza.

affluire v. intr. **1** confluire, riversarsi **CONTR.** defluire **2** [detto di gente, etc.] arrivare, accorrere, concorrere (lett.), convergere, giungere, piovere (fig.).

afflusso s. m. **1** [di persone] affluenza **2** [di liquidi] ondata **CONTR.** deflusso.

affogàre A v. tr. **1** annegare **2** (raro) soffocare **B** v. intr. **1** (gener.) morire [in un bicchiere d'acqua] (fig.) smarrirsi, perdersi **C** v. rifl. **1** annegarsi **2** (gener.) suicidarsi, uccidersi.

affollaménto s. m. **1** calca, folla, ressa, assembramento, mischia (est.) **2** [di turisti, etc.] (est.) frequenza.

affollàre A v. tr. **1** [un luogo, etc.] riempire, gremire, popolare, stipare, empire, accalcare, intasare, invadere **CONTR.** sfollare, evacuare, sgomberare **2** [uno scritto di errori] (est.) rimpinzare, inzeppare **3** [qc. di preoccupazioni] sovraccaricare **4** [detto di caldo, di stanchezza] opprimere, angosciare **B** v. intr. pron. **1** accalcarsi, accorrere in molti, assieparsi, assembrarsi, riunirsi, adunarsi, addensarsi, ammucchiarsi, radunarsi **2** (raro) affrettarsi.

affollàto part. pass.; anche agg. **1** pieno, zeppo, colmo, fitto, stipato, gremito **CONTR.** vuoto, deserto, abbandonato, romito (lett.), solitario **2** (fig.) gravato, oberato, oppresso **CONTR.** privo, mancante.

affondaménto *s. m.* **1** inabissamento, immersione CONTR. emersione, affioramento **2** (*est.*) naufragio.

affondàre *A v. tr.* **1** inabissare **2** immergere, riaffondare **3** [*q.c. nel terreno*] conficcare, piantare *B v. intr.* **1** [*detto di imbarcazione*] sommergersi, inabissarsi, fare naufragio, naufragare CONTR. galleggiare, stare a galla **2** [*detto di veicolo, etc.*] infossarsi **3** [*nei debiti, etc.*] (*fig.*) sprofondare.

affossàre *A v. tr.* **1** (*raro*) incavare **2** [*un progetto*] (*est.*) accantonare, seppellire (*fig.*), rinviare *B v. intr. pron.* avvallarsi, incavarsi, cedere (*est.*), formare un avvallamento, formare una fossa, deprimersi (*raro*) CONTR. rialzarsi.

affrancaménto *s. m.* liberazione, redenzione, riscatto, emancipazione CONTR. asservimento, assoggettamento.

affrancàre (1) *A v. tr.* emancipare, rendere indipendente, svincolare, redimere (*est.*), liberare, riscattare CONTR. schiavizzare *B v. rifl.* **1** liberarsi, emanciparsi **2** (*est.*) disinibirsi **3** [*dal vizio, etc.*] riscattarsi, redimersi.

affrancàre (2) *v. tr.* [*una lettera*] mettere il francobollo, bollare (*raro*).

affrancàto *part. pass.; anche agg.* **1** libero, liberato, emancipato CONTR. schiavo, sottomesso, soggiogato **2** [*rif. all'animo*] redento, sollevato (*gener.*) CONTR. sottomesso **3** (*pt.*) bollato.

affrànto *part. pass.; anche agg.* **1** [*rif. al fisico*] prostrato, spossato CONTR. vigoroso, forte, energico **2** [*rif. a uno stato d'animo*] (*est.*) disperato, addolorato, abbattuto, triste, devastato (*fig.*) CONTR. sereno, sollevato, felice.

affratellàre *A v. tr.* fare fraternizzare *B v. rifl. rec.* fraternizzare CONTR. inimicarsi.

affrescàre *v. tr.* **1** (*gener.*) dipingere **2** (*est.*) istoriare.

affrescatóre *s. m.* (*f. -trice*) **1** decoratore **2** (*est.*) pittore.

affrésco *s. m.* (*pl. -chi*) **1** [*tipo di*] pittura **2** [*di un'epoca, etc.*] (*est.*) scorcio, squarcio.

affrettàre *A v. tr.* **1** [*il passo*] accelerare CONTR. rallentare **2** [*il compimento di q.c.*] sollecitare, stimolare CONTR. dilazionare **3** [*le conclusioni, etc.*] anticipare *B v. intr. pron.* sbrigarsi, spicciarsi, volare (*fig.*), correre (*est.*), muoversi, precipitarsi, affollarsi (*lett.*) CONTR. dimorare, fermarsi, indugiare, soffermarsi.

affrettatamente *avv.* frettolosamente, in fretta, di furia CONTR. adagio, piano.

affrettàto *part. pass.; anche agg.* **1** sbrigativo, superficiale, frettoloso, spicciativo, spiccio CONTR. accurato, diligente **2** [*a un esame, a un'analisi, a un lavoro*] (*est.*) trascurato, malfatto, sciatto, impreciso, inaccurato CONTR. accurato, diligente, attento, minuzioso **3** [*rif. al passo*] rapido, veloce CONTR. lento, tardo, rallentato.

affrontàre *A v. tr.* **1** [*il pericolo, la morte*] sfidare, opporsi *a*, esporsi *a*, combattere, fare fronte *a*, fronteggiare CONTR. eludere, fuggire, scansare, deludere (*raro*) **2** [*qc.*] aggredire, assalire, investire **3** [*una gara sportiva*] disputare, giocare, correre (*fig.*) **4** [*un problema*] (*est.*) discutere, trattare, esaminare, abbordare (*fig.*) **5** [*un intervento chirurgico*] sottoporsi *a* **6** [*spese, costi, etc.*] abbordare (*fig.*), sostenere, subire *B v. rifl. rec.* scontrarsi, azzuffarsi, battersi, lottare *C v. intr. pron.* (*raro*) imbattersi in.

affrónto *s. m.* offesa, ingiuria, villania, onta (*raro*), oltraggio CONTR. complimento, gentilezza.

affumicàre *v. tr.* [*q.c. con il fumo*] (*est.*) annerire, scurire.

affusolàre *A v. tr.* **1** affinare, assottigliare, rastremare CONTR. ingrossare **2** acuminare, appuntire, aguzzare, appuntare *B v. intr. pron.* **1** dimagrire, affilarsi, assottigliarsi CONTR. ingrossarsi, ingrassare **2** [*detto di colonna*] rastremarsi.

aficionàdo *s. m. inv.* tifoso, simpatizzante, seguace, fautore, fan (*ingl.*), appassionato, cultore (*raro*).

àfide *s. m.* gorgoglione, pidocchio delle piante.

aforisma *s. m.* proverbio, adagio, massima, detto, motto, sentenza.

afrodisìaco *A agg.* erotico, eccitante *B s. m.* **1** eccitante, stimolante **2** (*gener.*) farmaco.

àgami *s. m. inv.* (*zool.*) trombettiere.

agènda *s. f.* **1** taccuino, notes (*fr.*), quaderno, rubrica, diario (*est.*) **2** [*di problemi, di incontri*] (*est.*) lista, elenco.

agènte *s. m.* **1** rappresentante, incaricato **2** [*di affari, etc.*] intermediario, mediatore **3** (*ling.*) attore **4** [*di polizia*] poliziotto, sbirro (*spreg.*), gendarme, questurino (*spreg.*), piedipiatti (*spreg.*).

agenzìa *s. f.* **1** [*di affari, etc.*] compagnia, società, impresa **2** [*rif. a una banca, etc.*] filiale, succursale, sportello (*fig.*).

agevolàre *v. tr.* **1** facilitare, semplificare, appianare CONTR. complicare, impossibilitare **2** [*qc.*] facilitare, favorire, aiutare (*est.*), appoggiare CONTR. ostacolare, contrastare, intralciare **3** [*la vita*] alleviare **4** [*i prezzi*] liberalizzare **5** [*la carriera, etc.*] secondare.

agevolàto *part. pass.; anche agg.* favorito, appoggiato, aiutato CONTR. ostacolato, impedito.

agevolazióne *s. f.* **1** facilitazione CONTR. complicanza, ostacolo **2** (*est.*) aiuto, favore, appoggio (*fig.*), spinta (*fig.*).

agévole *agg.* **1** (*anche fig.*) comodo, facile, semplice, piano CONTR. scomodo, difficile, complicato, arduo, duro (*est.*) **2** [*rif. a una persona*] mansueto, docile, trattabile CONTR. difficile, intrattabile, scontroso, burbero, aspro **3** [*rif. a un luogo*] comodo CONTR. scomodo, disagevole, malagevole, angusto, impervio, incomodo **4** [*rif. a un argomento*] semplice CONTR. arduo.

agevolménte *avv.* facilmente, comodamente, scorrevolmente CONTR. scomodamente, difficilmente, faticosamente, appena.

agganciaménto *s. m.* aggancio.

agganciàre *A v. tr.* **1** fermare, congiungere, collegare (*raro*), raccomandare CONTR. sganciare **2** attaccare, appendere, appiccare **3** [*una persona*] (*est.*) fermare, trattenere *B v. rifl.* afferrarsi, aggrapparsi.

aggeggiàre *A v. tr.* accomodare, aggiustare *B v. intr.* gingillarsi, trastullarsi, giocherellare, trafficare.

aggéggio *s. m.* **1** affare, roba **2** [*rif. a un regalo, etc.*] inezia, quisquilia, nonnulla.

aggettìvo *s. m.* **1** attributo **CONTR.** sostantivo, verbo **2** (*gener.*) categoria.

agghiacciànte *part. pres.; anche agg.* **1** [*rif. alla cosa in sé*] raccapricciante, spaventoso **CONTR.** piacevole, gradevole **2** [*rif. all'effetto che produce*] orrendo, terribile, efferato, tremendo, atroce **CONTR.** rasserenante.

agghiacciàre *A v. tr.* **1** congelare **2** [*qc. per raccapriccio*] (*est.*) raggelare, terrorizzare, spaventare, raccapricciare, sconcertare **3** [*l'entusiasmo, etc.*] (*fig.*) gelare, smorzare *B v. intr. e intr. pron.* gelarsi, congelarsi.

agghindàre *A v. tr.* abbellire, addobbare, adornare, acconciare, abbigliare, bardare (*scherz.*), infronzolare, ornare *B v. rifl.* adornarsi, leccarsi (*fig.*), lisciarsi (*iron.*), ordinarsi.

agghindàto *part. pass.; anche agg.* abbigliato, acconciato, adornato, azzimato, leccato **CONTR.** trasandato, trascurato, sciatto, spoglio, disadorno (*est.*).

aggiornaménto *s. m.* **1** [*professionale*] riqualificazione **2** [*dei testi scritti, etc.*] revisione **3** integrazione, supplemento, appendice, aggiunta **4** [*di una seduta, etc.*] rinvio, dilazione, proroga.

aggiornàre (1) *A v. tr.* **1** stabilire una nuova data *di per,* rimandare, differire, rinviare, prorogare **2** [*un libro, un lavoro, etc.*] rielaborare, rivedere, rendere aggiornato, modernizzare, rammodernare, innovare, rinnovare **3** [*qc.*] informare, rendere edotto, istruire, tenere al corrente **4** [*il personale*] (*est.*) riciclare, riqualificare *B v. rifl.* **1** tenersi al corrente, informarsi, ragguagliarsi **2** riqualificarsi, qualificarsi **3** modernizzarsi, rimodernarsi.

aggiornàre (2) *A v. intr. impers.* farsi giorno, fare giorno, albeggiare **CONTR.** annottare, fare notte *B v. tr.* (*raro*) rischiarare.

aggiràre *A v. tr.* **1** circondare **2** [*l'o-*

stacolo, etc.] schivare, evitare, scansare, girare **3** [*una persona*] (*est.*) raggirare, ingannare, circuire, infinocchiare (*volg.*) *B v. intr. pron.* **1** vagare, andare in giro, muoversi, girare **2** [*detto di costo, di spesa, etc.*] essere approssimativamente, essere all'incirca, approssimarsi, avvicinarsi **3** [*detto di sospetto, di dubbio*] aleggiare.

aggiudicàre *A v. tr.* **1** destinare, assegnare, attribuire, dare, concedere, conferire **2** [*in un'asta*] destinare, deliberare *B v. intr. pron.* [*la vittoria, etc.*] conquistarsi.

aggiudicazióne *s. f.* assegnazione, attribuzione.

aggiùngere *A v. tr.* **1** addizionare, sommare, assommare, unire (*impr.*) **CONTR.** togliere, decurtare, dedurre, defalcare, detrarre, diffalcare **2** [*un brano in un testo*] inserire, interpolare, innestare (*fig.*) **CONTR.** elidere, espungere **3** conglobare (*raro*), incorporare **4** integrare, completare, arricchire **5** aggregare, associare **6** [*q.c. nel discorso*] soggiungere *B v. intr. pron.* [*detto di malattia, disgrazia*] sopravvenire.

aggiùnta *s. f.* **1** [*di q.c.*] addizione, giunta **CONTR.** sottrazione, defalco, detrazione **2** [*di documenti, etc.*] integrazione **3** [*nei testi scritti*] supplemento, appendice, aggiornamento, inserimento **4** [*di una storia, di una situazione*] (*est.*) continuazione, prolungamento (*fig.*), frangia (*fig.*), coda **5** (*dir.*) codicillo.

aggiuntàre *v. tr.* congiungere, unire, collegare, ricongiungere.

aggiustaménto *s. m.* accomodamento, transazione (*dir.*), intesa, accordo (*est.*) **CONTR.** rottura.

aggiustàre *s. f.* **1** riparare, accomodare, aggeggiare (*tosc.*), raccomodare, racconciare, raggiustare **CONTR.** rompere, guastare, danneggiare, fracassare, sfasciare **2** [*una casa*] sistemare, ordinare, rassettare **3** [*un discorso, etc.*] (*est.*) adeguare, rettificare, adattare, correggere, contemperare **4** [*una lite*] (*est.*) conciliare **5** [*una situazione, etc.*] assestare, raddrizzare **6** [*un meccanismo, etc.*] (*est.*) regolare **7** [*un vestito, etc.*] rettificare, correggere, rappezzare, rat-

toppare, rimediare, riadattare *B v. rifl.* **1** conciarsi (*spreg.*), sistemarsi, acconciarsi (*raro*), prepararsi **2** [*in un luogo*] adattarsi, accomodarsi (*fam.*) *C v. rifl. rec.* accordarsi.

aggiustatùra *s. f.* **1** riparazione, rattoppo, accomodatura, rattoppatura **2** (*est.*) correzione, modifica.

agglomeraménto *s. m.* ammasso, mucchio, ammassamento, addensamento.

agglomeràre *A v. tr.* conglomerare, ammassare, ammucchiare, ammonticchiare (*est.*), conglobare, accozzare **CONTR.** smucchiare *B v. intr. pron.* [*detto di nuvole, etc.*] ammassarsi, addensarsi.

aggomitolàre *A v. tr.* raggomitolare **CONTR.** dipanare *B v. rifl.* rannicchiarsi, accovacciarsi, accoccolarsi.

aggradàre *v. intr.* piacere, garbare (*tosc.*).

aggranchire *v. tr. e intr.* **1** rattrappire, contrarre, anchilosare **CONTR.** distendere, rilassare **2** [*per il freddo, etc.*] intorpidire, intirizzire.

aggrappàre *A v. tr.* [*detto di ancora*] (*mar.*) mordere il fondo *B v. rifl.* **1** attaccarsi, afferrarsi, avvinghiarsi, appigliarsi, agguantarsi **CONTR.** staccarsi **2** [*detto di pianta, etc.*] abbarbicarsi, inerpicarsi, rampicare.

aggravaménto *s. m.* **1** [*di una situazione*] peggioramento, inasprimento, aggravio (*fig.*) **CONTR.** miglioramento **2** [*di una malattia*] peggioramento, inasprimento, aggravio (*fig.*), complicanza.

aggravàre *A v. tr.* **1** peggiorare, esacerbare, acuire, accrescere, approfondire (*lett.*) **CONTR.** migliorare **2** [*a parole*] esasperare, ingigantire (*fig.*) **3** [*la pena*] appesantire, caricare, sovraccaricare *B v. intr. pron.* **1** [*detto di malattia, etc.*] accentuarsi, complicarsi, acuirsi, peggiorare **CONTR.** migliorare **2** [*detto di situazione, etc.*] (*fig.*) inasprirsi, inacerbirsi, incancrenirsi.

aggràvio *s. m.* **1** onere, carico (*fig.*) **2** [*di una situazione*] (*est.*) inasprimento, aggravamento **CONTR.** miglioramento **3** [*delle tasse, etc.*] inasprimento **CONTR.** sgravio, alleggerimento, di-

minuzione *4* [*di una malattia*] (*est.*) inasprimento, aggravamento, peggioramento **CONTR.** miglioramento *5* (*est.*) incomodo, molestia.

aggraziataménte *avv.* con grazia, leggiadramente **CONTR.** goffamente, sgraziatamente, bruscamente (*est.*).

aggraziàto *part. pass.; anche agg. 1* [*rif. a un moto, a un movimento*] equilibrato, armonioso **CONTR.** disarmonico, sgraziato, irregolare *2* [*rif. all'aspetto*] (*fig.*) bello, avvenente, leggiadro, grazioso, elegante **CONTR.** brutto *3* [*rif. all'atteggiamento*] vezzoso, garbato, gentile, fine **CONTR.** sgraziato, ordinario, grossolano, volgare, rozzo.

aggredire *v. tr.* attaccare, assaltare, assalire, investire (*est.*), affrontare, sbranare (*fig.*) **CONTR.** fuggire.

aggregàre *A v. tr. 1* mettere insieme, unire, aggiungere **CONTR.** disaggregare, disgregare, decomporre *2* [*qc.*] congregare, associare (*est.*), iscrivere (*est.*) *3* conglobare, incorporare, accorpare, annettere *4* [*un paese*] annettere, federare *B v. rifl. 1* unirsi, associarsi, mettersi insieme *2* imbrancarsi (*scherz.*), accodarsi *3* confederarsi, federarsi *C v. intr. pron.* unirsi, ammassarsi.

aggregàto *s. m.* blocco, insieme, ammasso.

aggregazióne *s. f. 1* [*tra enti, etc.*] unione, associazione **CONTR.** disaggregazione *2* [*rif. all'azione*] unificazione, accomunamento **CONTR.** disgregazione.

aggressióne *s. f. 1* assalto, attacco, incursione *2* (*est.*) violenza.

aggressivaménte *avv.* minacciosamente, bellicosamente, violentemente **CONTR.** pacificamente, bonariamente.

aggressività *s. f. inv. 1* irruenza, violenza, prepotenza **CONTR.** mitezza *2* grinta, mordente (*fig.*), carattere (*est.*), combattività *3* [*verbale*] polemica.

aggressivo (1) *agg. 1* violento, litigioso, irruente, intemperante, prepotente, bellicoso, combattivo, polemico, rissoso, grintoso, sanguigno, eccitabi-

le **CONTR.** mite, tranquillo, remissivo, docile, mansueto *2* (*est.*) minaccioso *3* [*rif. a una malattia*] invasivo, devastante *4* (*chim.*) corrosivo.

aggressivo (2) *s. m. 1* (*gener.*) sostanza (*chim.*) *2* [*tipo di*] acido (*chim.*).

aggrinzàre *A v. tr. 1* corrugare, raggrinzare, aggrottare, increspare, aggrinzire *2* [*una pagina, etc.*] gualcire *B v. intr. pron.* incresparsi, corrugarsi **CONTR.** distendersi.

aggrinzire *v. tr., intr. e intr. pron.* increspare, aggrinzare.

aggrondàre *A v. tr.* aggrottare, corrugare, increspare **CONTR.** distendere *B v. intr. pron.* accigliarsi, corrucciarsi, rannuvolarsi (*fig.*), oscurarsi (*fig.*) **CONTR.** distendersi, rilassarsi, rabbonirsi.

aggrottàre *v. tr.* corrugare, increspare, raggrinzare, aggrondare, aggrinzare (*raro*), accigliare (*raro*) **CONTR.** distendere.

aggrovigliàre *A v. tr. 1* intricare, imbrogliare, intrecciare (*est.*), avviluppare, attorcigliare, ravviluppare, intrigare, aggrovigliolare **CONTR.** dipanare, districare *2* [*una situazione, etc.*] (*est.*) intricare, imbrogliare, complicare *B v. intr. pron.* (*anche fig.*) avvilupparsi, intricarsi, ingarbugliarsi, torcersi (*est.*), avvolgersi, imbrogliarsi, ravvilupparsi, avvolgersi.

aggrovigliolàre *v. tr. e intr. pron.* intrigare, intricare, aggrovigliare.

aggrumàre *A v. tr.* raggrumare, rapprendere, coagulare *B v. intr. pron.* raggrumarsi, rapprendersi.

agguagliàre *v. tr. e rifl.* commisurare, confrontare.

agguàglio *s. m.* ragguaglio.

agguantàre *A v. tr. 1* acchiappare, acciuffare, afferrare, ghermire, abbrancare, carpire *2* (*gener.*) prendere *B v. intr. pron.* afferrarsi, aggrapparsi, attaccarsi.

agguàto *s. m.* imboscata, tranello, inganno, insidia, rete (*fig.*).

agguerrito *part. pass.; anche agg. 1* bellicoso, belligerante, armato (*fig.*)

CONTR. pacifico, disarmato *2* [*rif. all'animo*] valoroso, forte, temprato **CONTR.** debole, pauroso, timido, vile *3* [*rif. a uno studioso*] preparato, ferrato, esperto (*est.*) **CONTR.** impreparato, sprovveduto, inesperto.

agiataménte *avv.* bene, riccamente, comodamente, confortevolmente, prosperamente **CONTR.** scomodamente, disagiatamente.

agiatézza *s. f. 1* benessere, prosperità, ricchezza, sovrabbondanza **CONTR.** povertà, miseria *2* comodità, lusso **CONTR.** angustia.

agiàto *agg. 1* [*rif. all'esistenza*] comodo **CONTR.** scomodo *2* [*rif. a una persona*] benestante, abbiente, facoltoso, ricco **CONTR.** povero, indigente, bisognoso, mendicante, mendico.

agibile *agg. 1* accessibile, praticabile, percorribile, transitabile **CONTR.** inagibile, inaccessibile, impraticabile *2* [*rif. a un luogo chiuso*] vivibile **CONTR.** inagibile, inaccessibile, impraticabile *3* (*lett.*) fattibile.

àgile *agg. 1* [*rif. al fisico*] svelto, destro, lesto, sciolto, snodato, snello, felino (*fig.*), scattante **CONTR.** impacciato, legato, impedito (*fam.*), lento, goffo *2* [*rif. alla mente*] disinvolto, vivace, pronto **CONTR.** impacciato, lento, ottuso *3* [*rif. a uno scritto*] fluente (*fig.*), scorrevole (*fig.*), facile, leggero **CONTR.** impacciato, legato●ento, ottuso, pesante, difficile, faticoso.

agilità *s. f. inv. 1* [*fisica*] lestezza, scioltezza, prontezza, goffaggine *2* [*intellettuale*] lestezza, prontezza, vivacità, disinvoltura, snellezza **CONTR.** ottusità *3* [*nello stile*] (*est.*) scorrevolezza, fluidità **CONTR.** pesantezza, gravezza.

agilménte *avv. 1* facilmente, scorrevolmente **CONTR.** difficoltosamente, goffamente *2* con agilità, scioltamente **CONTR.** goffamente.

àgio *s. m. 1* comodità, conforto, comfort (*ingl.*) **CONTR.** stento, disagio *2* opportunità, possibilità, occasione, facilità, campo (*fig.*) *3* [*spec. al pl.*] ricchezza, benessere, mollezza (*fig.*).

agire *v. intr. 1* fare, procedere, operare, entrare in azione *2* [*da uomo, etc.*] comportarsi, vivere, governarsi, portarsi *3* darsi da fare *4* funzionare *5* [*detto di comportamento, etc.*] influire *6* [*detto di fortuna, di caso*] giocare, intervenire.

agitàre *A v. tr.* *1* menare, muovere, scuotere, sbattere, sballottare, rimenare, squassare *2* [*una spada, etc.*] menare, brandire, vibrare *3* [*l'animo, etc.*] (*est.*) scaldare (*fig.*), turbare, commuovere, inquietare, emozionare, spaventare, impressionare, sommuovere (*fig.*), perturbare (*raro*), conturbare, eccitare, stravolgere, esagitare **CONTR.** calmare, rabbonire, rasserenare, rassicurare *4* [*la vita, etc.*] movimentare *5* [*detto di passione, etc.*] (*fig.*) scaldare, divorare *6* [*un liquido*] mescolare, frullare, sciabordare, cribrare, sciaguattare *7* [*le gambe, la coda*] dimenare, divincolare *8* [*le ali*] (*raro*) dibattere *9* [*la testa, etc.*] scrollare, crollare *B v. rifl.* *1* muoversi, dimenarsi, dibattersi, divincolarsi, gesticolare **CONTR.** calmarsi *2* smaniare, scalmanarsi, scatenarsi, non riuscire a stare fermo, scalpitare (*fig.*) *3* [*in un letto*] smaniare, contorcersi, rigirarsi, girarsi *4* (*est.*) ballare, danzare *5* (*est.*) eccitarsi, commuoversi, elettrizzarsi (*fig.*), esagitarsi, fremere, conturbarsi, inquietarsi, perturbarsi, scombussolarsi, rimescolarsi (*fig.*), scomporsi (*fig.*), ribollire (*fig.*) *6* [*per l'ansia*] (*est.*) palpitare, preoccuparsi, crucciarsi **CONTR.** rasserenarsi, rassicurarsi, tranquillizzarsi, ricomporsi *7* [*per ottenere q.c.*] (*est.*) dannarsi (*fig.*), arrovellarsi, arrabattarsi, combattere (*fig.*), sbattersi (*fam.*) *8* [*in un liquido*] (*est.*) guazzare, guizzare *C v. intr. pron.* *1* [*detto di onde, di alberi, etc.*] squassarsi *2* brulicare, ronzare, vorticare.

agitataménte *avv.* nervosamente, con agitazione **CONTR.** quietamente, tranquillamente, pacatamente.

agitàto *A part. pass.; anche agg.* *1* [*rif. a cosa*] mosso, inquieto, irrequieto, movimentato **CONTR.** fermo, inalterabile, immobile, stabile *2* [*rif. all'animo*] teso, turbato, emozionato, eccitato, affannato, sconvolto **CONTR.** quieto, rilassato, calmo, sereno, appagato *3* [*rif. a una persona*] eccitato, ansioso (*fig.*), apprensivo, nervoso, esaltato, esagitato, spiritato (*fig.*), smanioso, nevrotico **CONTR.** inalterabile, tranquillo, pacato, indifferente, distaccato, im-

passibile, flemmatico *4* [*rif. a un moto, a un movimento*] febbrile, convulso, concitato **CONTR.** quieto, calmo, pacato *5* [*rif. al mare*] mosso, tumultuoso, burrascoso, tempestoso **CONTR.** immobile, calmo *6* [*rif. al cuore*] spiritato (*fig.*), irregolare **CONTR.** tranquillo, pacato, regolare *B s. m.* (*f. -a*) pazzo, folle, alienato.

agitazióne *s. f.* *1* [*rif. a uno stato d'animo*] nervosismo, ansia, ansietà, apprensione, inquietudine, commozione, turbamento, alterazione, irrequietezza, eccitazione **CONTR.** serenità, calma, tranquillità *2* (*fig.*) febbre, bollore, ebollizione *3* [*in famiglia, etc.*] nervosismo, subbuglio, confusione, scompiglio, sconvolgimento (*fig.*), tempesta (*fig.*) *4* [*sociale, etc.*] (*raro*) tumulto, turbolenza *5* [*spec. con: mettere in*] allarme (*fig.*).

agnèllo *s. m.* (*f. -a*) *1* (*gener.*) mammifero *2* abbacchio (*roman.*).

agnizióne *s. f.* riconoscimento.

àgo *s. m.* (*pl. -ghi*) *1* [*rif. agli insetti*] aculeo, pungiglione *2* [*nell'orologio*] lancetta.

agognàre *A v. tr.* bramare, desiderare, concupire (*lett.*), vagheggiare (*lett.*), anelare, cercare (*est.*) *B v. intr.* ambire.

agóne *s. m.* [*presso i Romani*] gara, lotta, competizione.

agonizzàre *v. intr.* *1* essere in punto di morte, rantolare (*est.*), essere all'estremo, boccheggiare *2* [*detto di civiltà, etc.*] (*est.*) languire, essere sul finire, essere in declino.

agorà *s. f. inv.* piazza.

agrària *s. f.* (*gener.*) scienza, disciplina.

agrèste *agg.* campagnolo, campestre.

agrézza *s. f.* [*rif. al sapore*] asprezza, fortore (*raro*), agro **CONTR.** dolcezza, delicatezza.

agricolo *agg.* rurale, contadino, agreste **CONTR.** cittadino, urbano.

agricoltóre *s. m.* *1* contadino, coltivatore *2* (*est.*) colono, mezzadro *3* (*gener.*) lavoratore.

àgro (1) *A agg.* *1* [*rif. al sapore*] aspro, pungente, acido, acre, acerbo, asprigno (*est.*) **CONTR.** dolce, soave *2* [*rif. all'atteggiamento*] aspro, pungente, brusco, severo **CONTR.** dolce, soave, garbato, gradevole *B s. m.* *1* agrezza, asprezza *2* (*est.*) amarezza, tristezza *3* (*est.*) acredine (*fig.*), astio, livore.

àgro (2) *s. m.* campagna.

agrùme *s. m.* [*tipo di*] arancia, mandarino, limone, clementina, pompelmo, pomelo.

NOMENCLATURA

Agrumi
Agrume:
1) albero o arbusto, sempreverde, con fiori bianchi e profumati e frutti succosi, quali arancia, limone e sim.; 2) frutto.

arancio: agrume, con foglie coriacee ovali, fiori bianchi e profumati, frutto sferico dal colore caratteristico;

angostura: piccolo agrume, con foglie coriacee, fiori bianchi o rosa, corteccia aromatica di sapore amaro da cui si estrae un'essenza per liquori;

bergamotto: agrume simile all'arancio ma con frutto non commestibile, da cui si ricava un olio estratto dall'epicarpo dei frutti, usato in profumeria;

cedro: agrume con foglie grandi, fiori bianchi e frutto tondeggiante di colore giallo;

chinotto: agrume con frutti amari più piccoli dell'arancia;

limone: agrume, spinoso allo stato selvatico, con foglie coriacee, fiori bianchi, frutti gialli pallido;

mandarino: agrume con frutto sferico un poco schiacciato, a buccia aranciata, dolcissimo;

mandarancio: incrocio fra mandarino e arancio;

clementina: incrocio fra mandarino e arancio amaro;

pompelmo: agrume alto fino a 7 metri, con frutti gialli tondeggianti.

agucchiàre *v. tr. e intr.* cucire, lavorare con l'ago.

aguzzàre *A v. tr.* *1* acuminare, appuntire, affusolare, temperare, arrotare, assottigliare **2** [*l'appetito*] eccitare, stimolare **3** [*l'ingegno*] affinare, acuire **CONTR.** ottundere **B** *v. intr. pron.* **1** acuirsi **2** ingegnarsi *di.*

aguzzìno *s. m.* (*f. -a*) persecutore, torturatore, negriero (*fig.*), carceriere (*est.*), carnefice, cane (*fig.*), oppressore, schiavista (*est.*) **CONTR.** vittima.

agùzzo *agg.* **1** acuto, acuminato, appuntito **CONTR.** arrotondato, smussato, ottuso **2** [*rif. allo sguardo*] penetrante (*fig.*), intenso **CONTR.** ottuso, scialbo, inespressivo, smorto **3** [*rif. alla mente*] vivo, sottile **CONTR.** ottuso.

ah *inter.* [*di dolore*] ahi, ahimè, ohi, uhi.

àhi *inter.* ah, ohi, uhi.

ahimè *inter.* [*di dolore*] ah, ohimè.

àio *s. m.* (*f. -a*) precettore, istitutore, educatore, mentore (*colto*).

airóne *s. m.* **1** (*gener.*) uccello **2** garza.

aiutànte *s. m. e f.* assistente, collaboratore, coadiutore (*colto*), aiuto.

aiutàre **A** *v. tr.* **1** [*un infermo, etc.*] soccorrere, assistere, sostenere, sorreggere, essere di sostegno *a* **2** [*qc., gli interessi di qc.*] difendere, proteggere, salvaguardare **CONTR.** nuocere, rovinare **3** [*un processo, la vita*] favorire, agevolare, facilitare **CONTR.** pregiudicare, ostacolare, osteggiare, sabotare **4** [*il fisico, lo spirito*] (*est.*) ravvivare, rinvigorire **5** [*qc. nel lavoro, etc.*] coadiuvare, collaborare *con*, cooperare *con*, affiancare, concorrere *a*, contribuire *a*, essere di aiuto *a* **6** [*qc.*] suffragare, appoggiare, spalleggiare, fiancheggiare **CONTR.** perseguitare, reprimere **7** (*est.*) servire, fare il domestico, essere a servizio *di* **8** beneficare, fare del bene *a* **B** *v. rifl.* **1** ingegnarsi, industriarsi, adoperarsi, sforzarsi **2** (*raro*) difendersi.

aiutàto *part. pass.; anche agg.* **1** assistito, soccorso **CONTR.** trascurato, abbandonato **2** (*est.*) favorito, agevolato, protetto **CONTR.** ostacolato **3** (*est.*) sostenuto, appoggiato.

aiùto **A** *s. m.* **1** [*spec. con: prestare*] assistenza, soccorso **2** suffragio (*colto*), collaborazione, cooperazione, ausilio, apporto, concorso, contributo **3**

(*est.*) complicità, connivenza **4** favore, spinta (*fig.*), facilitazione, agevolazione, appoggio (*fig.*), interessamento **5** (*fig.*) bastone, braccio, sostegno **6** [*in denaro*] sussidio, sovvenzione **7** [*spec. con: correre in*] rinforzo, salvataggio **8** [*spec. con: dare un*] mano (*fig.*) **9** [*morale*] (*est.*) conforto, consolazione **10** [*rif. a una persona*] (*est.*) aiutante, assistente, coadiutore, collaboratore **B** *inter.* a me, accorruomo.

aizzàre *v. tr.* sobillare, fomentare, incitare, istigare, eccitare, infiammare (*fig.*), scatenare (*est.*), provocare, attizzare, sollevare (*fig.*) **CONTR.** pacare, pacificare, placare, raffrenare, reprimere.

àla *s. f.* **1** [*del cappello*] tesa, falda **2** [*di edifici*] lato, braccio, raggio, settore, reparto **3** [*di un partito, etc.*] fazione, gruppo **4** [*in loc.: sotto l'*] protezione, manto (*fig.*), egida (*fig.*) **5** (*est.*) anelito, slancio.

àlacre *agg.* **1** [*rif. a una persona*] solerte, operoso, zelante, volenteroso, attivo (*est.*), dinamico (*est.*) **CONTR.** lento, fiacco, apatico, pigro, indolente, inerte, inattivo, passivo, ignavo (*est.*), infingardo, scioperato **2** [*rif. all'ingegno*] fervido, vivace **CONTR.** lento, ottuso, tardo.

alacreménte *avv.* attivamente, operosamente, instancabilmente **CONTR.** accidiosamente, svogliatamente, indolentemente, lentamente, apaticamente, ciondoloni (*est.*), oziosamente, pigramente.

alacrità *s. f. inv.* **1** sveltezza, prontezza, solerzia, lena **CONTR.** neghittosità, indolenza, accidia, poltronaggine, poltroneria, fiacca, ignavia, infingardaggine **2** [*rif. alle capacità intellettuali*] vivacità, fervore, attività (*est.*), ardore (*fig.*) **CONTR.** lentezza, torpore.

alàno *s. m.* (*gener.*) cane.

à la page *loc. agg.* attuale, moderno, alla moda, in (*ingl.*) **CONTR.** antiquato, fuori moda, vieto (*colto*).

àlba *s. f.* **1** aurora, sorgere **CONTR.** tramonto, crepuscolo, occaso (*lett.*) **2** (*est.*) principio, inizio **CONTR.** fine.

albagìa *s. f.* vanagloria, protervia, superbia, alterigia, boria, arroganza

CONTR. umiltà, modestia, semplicità.

àlbatro *s. m.* diomedea.

albeggiàre **A** *v. intr. impers.* fare giorno, aggiornare (*raro*), farsi giorno **CONTR.** abbuiarsi, annottare **B** *v. intr.* **1** [*detto di neve, etc.*] risplendere **2** [*detto di cielo, di orizzonte*] imbiancarsi.

albergàre **A** *v. intr.* risiedere, abitare, dimorare, vivere **B** *v. tr.* **1** accogliere, ospitare **2** [*sentimenti*] (*est.*) racchiudere, nutrire (*fig.*).

albèrgo *s. m.* (*pl. -ghi*) **1** hôtel (*fr.*), pensione, motel (*ingl.*), locanda, ostello **2** [*spec. con: dare*] ricovero, asilo, rifugio, ospitalità **3** casa, dimora, alloggio **4** (*gener.*) edificio.

àlbero *s. m.* **1** (*gener.*) pianta **CONTR.** arbusto, arboscello, erba **2** (*mar.*) antenna **3** (*mecc.*) asse **4** (*est.*) ceppo **5** (*ling.*) grafo **6** (*poet.*) selva **7** [*tipo di*] olivo, quercia, olmo, ontano, pino, palma, betulla, ciliegio, pruno, pero, melo, arancio, limone, fico, abete, magnolia, cipresso, pesco, avellano, noce, leccio, rovere, nocciolo.

albicòcca *s. f.* (*pl. -che*) (*gener.*) frutto.

àlbo o **àlbum** *s. m.* **1** quaderno **2** raccoglitore.

albóre *s. m.* **1** chiarore **CONTR.** crepuscolo **2** [*della civiltà, etc.*] (*est.*) primordio, origine, principio, inizio.

àlbum *s. m. inv.* V. albo.

albùme *s. m.* bianco (*fam.*), chiara (*pop.*) **CONTR.** tuorlo.

alcalìno *agg.* basico **CONTR.** acido.

alcalòide *s. m.* [*tipo di*] eroina, morfina, cocaina, stricnina, chinina, nicotina.

alcolìsmo o **alcoolismo** *s. m.* **1** etilismo **2** [*l'effetto dell'*] ubriachezza.

alcoolìsmo *s. m.* V. alcolismo.

alcùno *agg. indef.* **1** [*in proposizione negativa*] punto (*tosc.*), nessuno **2** [*in frasi positive*] qualche.

aldilà *s. m. inv.* oltretomba, averno (*lett.*), inferi (*lett.*).

aleatòrio *agg.* **1** fortuito, casuale **2**

aleggiare

dubbio, incerto, rischioso, imprevedibile **CONTR.** certo, sicuro.

aleggiàre v. intr. **1** aggirarsi, svolazzare **2** (est.) alitare, sentirsi in aria, spirare.

alétta s. f. risvolto.

alginàto s. m. (gener.) fibra.

algorìtmo s. m. (elab.) programma.

alìce s. f. **1** (gener.) pesce **2** acciuga.

alienàre **A** v. tr. **1** vendere, dare ad altri, dare via, disfarsi di **2** [qc.] distaccare, disaffezionare **B** v. rifl. allontanarsi, straniarsi, estraniarsi.

alienàto **A** part. pass.; anche agg. squilibrato, spostato, matto, demente **CONTR.** equilibrato, savio (lett.) **B** s. m. (f. -a) pazzo, agitato.

alienazióne s. f. **1** compravendita, vendita, cessione, trasmissione (est.) **2** (filos.) estraniazione **CONTR.** appropriazione **3** (psicol.) demenza, follia, pazzia.

alièno **A** agg. **1** altrui (lett.), estraneo (est.), avulso (est.), forestiero (est.), straniero (est.) **CONTR.** proprio, attinente, spettante **2** (est.) altro, diverso, lontano (est.), extraterrestre (fig.) **CONTR.** proprio **3** contrario, avverso **CONTR.** favorevole, propenso, incline **B** s. m. (f. -a) **1** marziano, extraterrestre **2** diverso.

alimentàre **A** v. tr. **1** dare da mangiare, nutrire, allattare, cibare, imboccare, imbeccare (lett.), pascere, sfamare, saziare **2** (est.) imbeccare (lett.), introdurre nel becco **3** (est.) sfamare, mantenere, sostentare **4** nutrire **5** nutrire, pascere, arricchire **6** accrescere, sviluppare, potenziare, incrementare **7** accrescere, aumentare, acutizzare, acuire, accentuare **8** fomentare, favorire, coltivare, incitare, istigare **B** v. rifl. cibarsi, nutrirsi, sostentarsi, mantenersi (est.), mangiare, pascersi, sostenersi, vivere (est.) **C** agg. **1** commestibile, mangereccio, mangiabile, edule (colto) **2** nutritivo.

CLASSIFICAZIONE

Alimentare

1 Dare da mangiare a, nutrire.
  nutrire: alimentare per tenere in

vita e fare crescere: alimentare un vecchio;
  allattare: alimentare con il latte;
  cibare: alimentare, dare il cibo: alimentare i neonati, i malati;
  imboccare: alimentare qc. che non è in grado di farlo da solo, mettendogli il cibo in bocca: alimentare un bambino;
  imbeccare: (fig.),
  pascere: (lett.) alimentare, detto di esseri umani: alimentare i propri figli.
  sfamare: alimentare per eliminare la fame: lo ha alimentato per non farlo morire;
  saziare: alimentare sino a sazietà: lo ha alimentato a volontà.

2 Introdurre nel becco: nutrire riferito ad animali.
  imbeccare: la rondine alimenta i suoi rondinotti.

3 Fornire il necessario per vivere.
  mantenere: (est.) alimentare la famiglia;
  sostentare: (est.);
  sfamare: (fig.).

4 Fornire a una macchina il combustibile o l'energia necessari al suo funzionamento.
  nutrire: l'olio alimenta la fiamma.

5 Alimentare spiritualmente.
  nutrire: (fig.) alimentare la mente;
  arricchire:
  pascere: (fig.) alimentare la mente con la lettura.

6 Alimentare una facoltà.
  accrescere: (est.);
  sviluppare: devi alimentare la sua capacità nel disegno;
  potenziare:
  incrementare.

7 Alimentare il malessere, la speranza, etc..
  aumentare: (est.);
  accrescere: la sua lontananza alimenta la mia insoddisfazione;
  acutizzare:
  acuire:
  accentuare.

8 Mantenere vivo.
  fomentare: alimentare l'odio, la discordia, la passione;
  favorire:
  coltivare: (fig.);
  incitare: a;
  istigare: a.

alimentàri s. m. pl. cibo.

alimentazióne s. f. **1** nutrimento, nutrizione **2** vitto, cibo.

aliménto s. m. **1** cibo, vivanda **2** vitto, nutrimento **3** [per animali] mangime **4** incentivo, stimolo.

alìpede s. m. uccello, pennuto, augello (lett.).

alìquota s. f. parte, quota, percentuale.

alitàre v. intr. **1** (est.) respirare, fiatare **2** [detto di vento, etc.] soffiare, aleggiare, spirare.

àlito s. m. **1** anelito, fiato, respiro (poet.) **2** [di vento] folata, soffio, bava (fig.), buffo, refolo (lett.) **3** [di vita] anelito, palpito.

allacciaménto s. m. raccordo, collegamento.

allacciàre **A** v. tr. **1** [le vesti, le scarpe] stringere, affibbiare, legare **CONTR.** slacciare, slegare **2** [qc.] (est.) abbracciare, avviluppare, cingere **3** [i tubi, i fili, etc.] installare, collegare, raccordare, unire, congiungere, connettere, legare insieme, ricollegare, ricongiungere **B** v. rifl. rec. abbracciarsi, stringersi, congiungersi (raro).

alla chetichèlla loc. avv. nascostamente, furtivamente, segretamente, di soppiatto **CONTR.** smaccatamente, chiassosamente, clamorosamente.

alla fine loc. avv. V. fine (1).

allagaménto s. m. inondazione, alluvione.

allagàre v. tr. **1** inondare, sommergere **CONTR.** prosciugare **2** (est.) invadere, riempire.

all'altézza loc. agg. V. altezza.

alla màno loc. agg. V. mano.

allappàre v. tr. allegare.

allargaménto s. m. ampliamento, espansione, estensione, dilatazione, ingrandimento **CONTR.** restringimento, riduzione.

allargàre **A** v. tr. **1** ampliare, aumentare, espandere **CONTR.** restringere, stringere, ridurre **2** [il potere, il controllo] estendere **3** [le braccia, le ali] dispiegare, aprire, distendere **4** [le leggi, le regole, etc.] (est.) allentare, mitigare **5** (mus.) allentare **6** [la fama] propagare **7** [gli occhi] sbarrare, spalancare, dilatare **B** *v. intr. pron.* **1** ampliarsi CONTR. restringersi **2** [*detto di notizia*] ingigantirsi.

allargàto *part. pass.; anche agg.* **1** [*rif. allo spazio*] aperto, esteso, dilatato CONTR. stretto, ristretto, chiuso, ridotto **2** [*rif. a una stoffa*] steso, teso CONTR. piegato **3** (*mus.*) allentato.

allarmàre **A** *v. tr.* impaurire, inquietare, preoccupare CONTR. rassicurare **B** *v. intr. pron.* impaurirsi, inquietarsi CONTR. rassicurarsi, rinfrancarsi.

allàrme *s. m.* **1** [*spec. con: dare l'*] grido, segnale **2** suoneria, campanello, segnalazione **3** [*spec. con: essere in*] (*est.*) ansia, agitazione, apprensione.

allattàre **A** *v. tr.* dare il latte a, nutrire (*est.*), alimentare, allevare (*est.*) CONTR. slattare, smettere di allattare, divezzare, svezzare **B** *v. intr.* poppare.

all'avanguàrdia *loc. agg.* V. *avanguardia.*

alleànza *s. f.* **1** accordo, intesa **2** [*tra persone*] unione, amicizia, collaborazione CONTR. contrasto **3** (*est.*) convenzione, patto, trattato **4** (*est.*) lega, coalizione, blocco, trust (*ingl.*), confederazione.

alleàre **A** *v. tr.* unire, collegare **B** *v. rifl.* unirsi, associarsi, collaborare *con* (*est.*), confederarsi *con*, collegarsi, fare blocco CONTR. combattersi.

alleàto **A** *s. m.* (*f. -a*) **1** amico, compagno, socio CONTR. antagonista, avversario, nemico **2** (*est.*) difensore **B** *part. pass.; anche agg.* amico, compare CONTR. nemico.

allegàre (1) *v. tr.* **1** accludere, includere, corredare *di*, unire (*impr.*), annettere **2** [*prove, testimonianze*] citare, addurre, produrre.

allegàre (2) **A** *v. tr.* allappare **B** *v. intr.* [*detto di pianta, etc.*] attecchire.

alleggerimènto *s. m.* sgravio, diminuzione CONTR. aggravio.

alleggerìre **A** *v. tr.* **1** rendere leggero, sgravare, scaricare CONTR. appesantire, gravare, oberare **2** (*est.*) alleviare, attenuare, ridurre, diminuire, mitigare **3** (*est.*) derubare **4** [*un discorso, un testo*] sfrondare (*fig.*), semplificare **5** [*la vegetazione*] diradare, sfoltire **B**

---

v. rifl. **1** liberarsi, sbarazzarsi, scaricarsi, svuotarsi **2** [*degli abiti*] scoprirsi, spogliarsi.

allegorìa *s. f.* parabola, metafora (*colto*), simbolo.

allegòrico *agg.* simbolico, metaforico.

allegraménte *avv.* gioiosamente, gaiamente, felicemente, lietamente, briosamente, facetamente, festosamente, giocondamente, giovialmente, giulivamente, spassosamente, spensieratamente, ottimisticamente CONTR. accoratamente, tristemente, mestamente, lagnosamente (*fam.*), desolatamente (*est.*), cupamente, lacrimosamente, seriamente, gravemente, con atteggiamento scoraggiato, con pessimismo, pessimisticamente, drammaticamente, severamente (*est.*).

allegrézza *s. f.* allegria, gioia, contentezza, gaiezza, gaudio (*colto*), letizia, riso (*fig.*), ilarità CONTR. tristezza.

allegrìa *s. f.* **1** [*stato d'animo*] contentezza, gaiezza, gioia, esultanza, gaudio (*colto*), letizia, tripudio (*raro*), riso (*fig.*), allegrezza (*raro*) spensieratezza, buonumore, euforia CONTR. tristezza, sconforto, scontentezza, scontento, abbattimento, avvilimento, depressione, infelicità, mestizia, demoralizzazione, malinconia **2** [*rif. all'atteggiamento*] brio, vivacità, vitalità, esuberanza CONTR. tetraggine, severità, serietà, cupezza.

allégro (1) *agg.* **1** gioioso, lieto, contento, gaio, festoso, esuberante, giocoso, scherzoso, spensierato CONTR. triste, depresso, sconfortato, sconsolato, avvilito, preoccupato (*est.*), demoralizzato (*est.*), mortificato, angosciato, angustiato, crucciato, rattristato, imbronciato, lacrimoso (*fig.*), piagnucoloso (*est.*), stufo **2** [*rif. al colore*] vivace, brioso, brillante CONTR. triste, depresso, sconfortato, sconsolato, smorto, spento **3** [*rif. a un luogo*] ameno, ridente CONTR. triste, lugubre, cupo, desolato, funereo **4** (*scherz.*) brillo (*fam.*).

allégro (2) *s. m. sing.* (*gener.*) ritmo.

allenaménto *s. m.* **1** addestramento, preparazione, esercizio, esercitazione **2** (*est.*) fiato.

---

allenàre **A** *v. tr.* **1** (*sport*) addestrare, esercitare, preparare, rodare (*gerg.*) **2** [*gli animali*] ammaestrare **3** (*est.*) educare, formare, abituare, avvezzare **B** *v. rifl.* **1** (*sport*) esercitarsi, prepararsi, addestrarsi **2** (*est.*) educarsi, abituarsi.

allenàto *part. pass.; anche agg.* **1** abituato, avvezzo, addestrato CONTR. disabituato, impreparato **2** (*sport*) esercitato, preparato CONTR. impreparato, fuori allenamento.

allenatóre *s. m.* (*f. -trice*) istruttore, mister (*gerg.*).

allentàre **A** *v. tr.* **1** [*la cintura*] allargare, slacciare, rilasciare CONTR. comprimere, costringere **2** [*una vite, un cavo, etc.*] mollare, ammollare, svitare CONTR. stringere **3** [*la presa*] lasciare **4** [*i freni, la disciplina*] (*fig.*) allargare, mollare **5** [*il passo*] (*est.*) ritardare, rallentare **6** [*la sorveglianza*] (*est.*) attenuare, diminuire, mitigare, calmare **B** *v. intr. pron.* **1** [*detto di nodo*] sciogliersi **2** [*detto di disciplina, etc.*] indebolirsi, rilassarsi **3** [*detto di legame affettivo*] (*fig.*) indebolirsi, rilassarsi.

allentàto *part. pass.; anche agg.* **1** [*rif. a un abito*] allargato, slacciato, sbottonato, lento CONTR. stretto, teso **2** [*rif. alla tensione, etc.*] (*fig.*) mitigato, calmato, sopito, quietato, attenuato (*lett.*), diminuito CONTR. aumentato, cresciuto **3** [*rif. al passo*] rallentato CONTR. aumentato.

allestiménto *s. m.* **1** [*di q.c.*] preparazione, apparecchiatura (*raro*) **2** installazione **3** [*di forze*] (*est.*) apparato, dispiegamento.

allestìre *v. tr.* preparare, predisporre, organizzare, approntare, apprestare, apparecchiare, arrangiare, disporre, ammannire.

allettaménto *s. m.* **1** lusinga **2** tentazione, richiamo **3** seduzione, adescamento.

allettànte *part. pres.; anche agg.* invitante, attraente, stuzzicante, invogliante, convincente, lusinghiero (*est.*) CONTR. ripugnante, terrificante, disgustoso, antipatico, odioso, dissuasivo, schifo (*tosc.*).

allettàre (1) *v. tr.* attrarre, attirare, adescare, lusingare, tentare, invogliare, invitare, richiamare, trarre (*impr.*) **CONTR.** disgustare, indisporre, inorridire.

allettàre (2) *v. tr.* mettere a letto.

allevaménto *s. m.* (*est.*) cultura.

allevàre *v. tr.* **1** crescere, tirare su **2** (*est.*) nutrire, allattare, cibare **3** (*est.*) educare.

alleviàre *v. tr.* **1** calmare, attenuare, mitigare, disacerbare (*raro*) **2** (*est.*) alleggerire, sgravare, agevolare.

allibìre *v. intr.* impallidire, turbarsi, inorridire.

allibìto *part. pass.; anche agg.* turbato, attonito, sbalordito, impallidito (*propr.*), stupito.

allibratóre *s. m.* bookmaker.

allietàre A *v. tr.* rendere lieto, rallegrare, divertire, dilettare, ricreare, sollazzare, consolare (*est.*) **CONTR.** funestare, rattristare, contristare, immalinconire, incupire, tormentare, ossessionare, disturbare **B** *v. intr. pron.* **1** rallegrarsi **CONTR.** dispiacersi, rattristarsi, contristarsi, intristirsi, rammaricarsi **2** (*est.*) rasserenarsi, confortarsi, consolarsi **CONTR.** compiangersi, crucciarsi, dannarsi (*fig.*), macerarsi (*fig.*), rodersi (*fig.*), crocifiggersi (*fig.*).

allièvo *s. m.* (*f. -a*) **1** discepolo, alunno, scolaro, studente, apprendista, tirocinante, giovane, virgulto (*fig.*) **CONTR.** maestro, insegnante, docente, educatore, istruttore **2** discepolo, seguace.

alligatóre *s. m.* (*gener.*) loricato.

allignàre *v. intr.* **1** [*detto di pianta*] mettere radici, barbicare, barbificare, attecchire, prendere, fare **2** [*detto di idee, di moda, etc.*] (*est.*) radicare (*fig.*), dilagare, svilupparsi, proliferare, prendere piede, prosperare, crescere **3** [*detto di sentimenti*] trovarsi, esistere, essere presente, regnare (*fig.*).

all'impazzàta *loc. avv.* precipitosamente.

all'improvvìso *loc. avv.* V. *improvviso.*

all'incìrca *loc. avv.* approssimativamente, grossomodo, quasi.

allineaménto *s. m.* **1** schieramento **2** disposizione, ordinamento **3** [*a ordini altrui*] (*est.*) adeguamento **CONTR.** contestazione, ribellione, disaccordo.

allineàre A *v. tr.* mettere in riga, mettere in fila, schierare, ordinare **B** *v. rifl.* **1** schierarsi, mettersi in linea **2** adeguarsi, conformarsi, uniformarsi **CONTR.** ribellarsi.

all'ingròsso *loc. avv.* sommariamente.

all'intèrno *loc. prep.* V. *interno.*

allocàto *part. pass.; anche agg.* stivato, sistemato, posto.

allòcco *s. m.* (*pl. -chi*) **1** (*gener.*) uccello **2** gufo, barbagianni **3** [*rif. a una persona*] (*fig.*) minchione, babbeo, gonzo, bietolone, asino, bischero, ciucco **CONTR.** furbo, dritto, volpe (*fig.*).

allocuzióne *s. f.* **1** orazione, arringa, concione, catilinaria (*lett.*) **2** [*l'effetto dell'*] messaggio.

allòdola o **lòdola** *s. f.* (*gener.*) uccello.

alloggiaménto *s. m.* collocazione, disposizione.

allògeno *s. m.; anche agg.* (*f. -a*) forestiero, straniero **CONTR.** autoctono, aborigeno, indigeno, nativo.

alloggiàre A *v. tr.* **1** ospitare, accogliere, albergare, ricettare (*raro*) **2** [*sentimenti*] (*est.*) nutrire, coltivare **B** *v. intr.* **1** abitare, dimorare, risiedere, vivere (*est.*) **2** [*detto di cosa nella sua sede*] incastrare, sistemarsi.

allòggio *s. m.* **1** [*spec. con: avere, dare*] abitazione, casa, dimora, domicilio, ostello (*raro*), ospizio (*lett.*), albergo (*lett.*) **2** sede **3** [*spec. con: trovare*] asilo, riparo, rifugio **4** appartamento, quartiere (*tosc.*).

allontanaménto *s. m.* **1** [*tra due persone*] distacco, separazione, rottura (*fig.*), taglio (*fig.*) **CONTR.** avvicinamento **2** [*da un luogo*] espulsione, cacciata, ostracismo, estromissione **3** [*da una carica*] deposizione, destituzione, licenziamento **4** [*dei pensieri molesti*] (*est.*) sgombero (*fig.*), rimo-

zione, liberazione.

allontanàre A *v. tr.* **1** scostare, distanziare, discostare, levare (*est.*) **CONTR.** raccostare, ravvicinare, avvicinare, appressare **2** [*le persone tra loro*] separare, dividere, distaccare **CONTR.** ricongiungere **3** [*i pensieri spiacevoli*] cacciare, fugare, ricacciare, respingere, ributtare, mettere in fuga **4** [*una persona indesiderata*] (*est.*) cacciare, bandire, espellere, esiliare, emarginare, estromettere **5** [*qc. dalla propria casa*] accomiatare, licenziare, liquidare **6** [*qc. da una carica, da un lavoro*] licenziare, destituire, radiare, deporre (*fig.*), disarcionare (*fig.*), sbalzare (*fig.*) **CONTR.** richiamare **7** [*il pericolo*] scongiurare, cancellare (*fig.*), eliminare, esorcizzare **8** [*l'interesse*] deviare, disperdere **CONTR.** polarizzare, coinvolgere **9** [*qc.*] disaffezionare, disamorare, disinnamorare, disinteressare **10** [*q.c. nel tempo*] dilungare **11** [*qc. dal vizio*] (*fig.*) strappare, staccare **B** *v. rifl.* **1** andarsene, partire, dipartirsi, togliersi di mezzo **2** [*dall'ufficio, dal lavoro, etc.*] assentarsi, dileguarsi, sparire **3** [*dal proprio paese*] (*est.*) emigrare, espatriare, sfollare, esulare **4** [*in fretta*] scappare, sloggiare **5** [*da alcune persone, da situazioni*] isolarsi, estraniarsi, appartarsi, scansarsi, scostarsi, straniarsi, estromettersi, alienarsi **6** [*da un argomento, da un problema*] (*est.*) divagare, divergere (*fig.*), deviare (*fig.*), discostarsi (*fig.*) **7** [*da alcune persone*] (*est.*) discostarsi (*fig.*), distaccarsi, disamorarsi, disaffezionarsi, disinnamorarsi, dividersi **C** *v. intr. pron.* **1** [*detto di speranze*] declinare, passare **2** [*detto di sogni*] passare.

all'oppòsto *loc. avv.* V. *opposto.*

allóra A *avv.* **1** in quel momento **CONTR.** ora, adesso **2** (*est.*) in quel tempo, a quell'epoca, a quel tempo **3** (*raff.*) ebbene **B** *inter.* dunque, insomma **C** *cong.* dunque, così.

allorché *cong.* quando, qualora, allorquando.

allòro *s. m.* **1** (*bot.*) lauro **2** gloria.

allorquàndo *cong.* quando, allorché.

àlluce *s. m.* pollice (*fam.*).

allucinànte *agg.* **1** [*rif. alla luce*] abbagliante, accecante **CONTR.** debole,

fioco *2* assurdo, pazzesco, insensato, folle.

allucinazióne *s. f.* *1* visione, miraggio *2* abbaglio, travisamento, inganno *3* (*est.*) delirio, incubo.

allucinògeno *A* *agg.* [*rif. a sostanza*] stupefacente, narcotico (*est.*) *B* *s. m.* droga.

allùdere *v. intr.* *1* fare allusione, riferirsi, accennare *2* (*neg.*) sottintendere *un*, insinuare *un*.

allungaménto *s. m.* *1* prolungamento, estensione CONTR. accorciamento *2* [*rif. al tempo*] (*est.*) prolungamento, dilazione.

allungàre *A* *v. tr.* *1* [*la durata di q.c.*] prolungare, protrarre CONTR. accorciare, abbreviare *2* aumentare, accrescere, espandere *3* [*il vino, etc.*] (*est.*) annacquare, diluire, battezzare (*scherz.*), benedire (*scherz.*) *4* [*q.c. con la mano*] tendere, porgere *5* [*le gambe, etc.*] tendere, stendere, distendere *6* [*le braccia, etc.*] (*est.*) estendere, protendere *7* [*uno schiaffo, una pedata*] tirare, appioppare, rifilare *8* [*il passo*] aumentare, accelerare CONTR. diminuire, ritardare, decelerare *9* [*gli orecchi*] alzare, tendere *10* [*un abito*] CONTR. accorciare, scorciare *B* *v. rifl.* stendersi, sdraiarsi, coricarsi (*est.*), distendersi (*est.*), stirarsi CONTR. rannicchiarsi, rattrappirsi *C* *v. intr. pron.* *1* [*detto di ombra su q.c., etc.*] estendersi, protendersi *2* [*detto di tempi*] accrescersi, prolungarsi CONTR. scorciarsi, accorciarsi *3* [*in altezza*] crescere *4* [*su di un argomento*] dilungarsi *5* [*detto di pontile, etc.*] sporgere.

allungàto *part. pass.; anche agg.* *1* [*rif. al tempo*] esteso, prolungato CONTR. ristretto, accorciato *2* [*rif. alle membra*] (*fig.*) sdraiato, steso, disteso CONTR. dritto, alzato, sollevato *3* [*rif. a un segno, a un profilo*] lungo *4* [*rif. a una corda*] tirato, teso.

allusióne *s. f.* *1* accenno, riferimento, richiamo, cenno (*fig.*), commento (*est.*) *2* battuta, frecciata (*fig.*), stoccata (*fig.*).

allùso *part. pass.; anche agg.* tacito, sottinteso, implicito CONTR. esplicito, chiaro, lampante.

alluvióne *s. f.* *1* inondazione, allagamento *2* [*di richieste, etc.*] (*fig.*) diluvio, subisso.

àlma *s. f.* anima.

almanaccàre *v. tr. e intr.* *1* congetturare, lambiccarsi, arzigogolare, elucubrare (*colto*), rimuginare, scervellarsi (*fam.*), escogitare, fantasticare, filosofare, filosofeggiare, riflettere, sillogizzare (*raro*), ponzare, arrovellarsi (*fam.*) *2* (*gener.*) pensare.

almanàcco *s. m.* (*pl. -chi*) calendario, lunario, effemeride (*colto*), annuario (*raro*).

alóne *s. m.* *1* cerchio *2* (*fig.*) aureola, corona *3* [*di q.c.*] ombra.

alpàcca *s. f.* argentana, argentone.

alpinismo *s. m. sing.* (*gener.*) sport.

alquànto *A* *avv.* parecchio, abbastanza, piuttosto, molto *B* *pron.* [*spec. al pl.*] diverso, molto, parecchio *C* *agg. inv.* diverso, molto, parecchio.

altalenàre *v. intr.* *1* dondolarsi, oscillare *2* [*nella vita*] (*est.*) barcamenarsi.

altàna *s. f.* loggia, terrazza.

altàre *s. m.* [*spec. con: mettere su un*] (*fig.*) piedistallo.

alteraménte *avv.* disdegnosamente, altezzosamente, imperiosamente, orgogliosamente CONTR. semplicemente, umilmente, modestamente, democraticamente (*est.*).

alteràre *A* *v. tr.* *1* [*q.c. per l'azione di qc.*] adulterare, sofisticare, contraffare, mistificare, manipolare, falsificare, truccare, falsare, mutare (*impr.*), modificare (*impr.*), cambiare (*impr.*), trasformare (*impr.*), correggere (*est.*), distorcere, drogare, fatturare, imbastardire, inquinare, manomettere, travestire (*est.*), artefare *2* [*q.c. per l'azione del tempo*] guastare, sciupare, rovinare, peggiorare, deteriorare, deformare, corrompere, decomporre CONTR. conservare, mantenere *3* [*l'animo, etc.*] stravolgere, conturbare *B* *v. intr. pron.* *1* (*est.*) eccitarsi, turbarsi, adirarsi, infuriarsi, irritarsi, arrabbiarsi, irarsi, conturbarsi, commuoversi CONTR. calmarsi *2* sciuparsi, rovinarsi, mutarsi (*impr.*), corrodersi (*est.*) *3*

alteràto *part. pass.; anche agg.* *1* modificato, mutato, cambiato, deformato, manipolato (*est.*), sformato CONTR. uguale, invariato *2* [*rif. al cibo, a una bevanda, etc.*] adulterato, contraffatto, sofisticato CONTR. genuino, puro, naturale *3* [*rif. a un documento, a un quadro*] falsificato, truccato CONTR. autentico *4* (*fig.*) guasto, marcio, degenerato *5* (*fam.*) brillo (*scherz.*) *6* [*rif. a una persona*] (*fig.*) turbato, eccitato, sconvolto, stravolto CONTR. calmo, quieto, tranquillo, sereno.

alterazióne *s. f.* *1* cambiamento, mutamento, modifica, trasformazione (*est.*), mutazione (*raro*), degenerazione (*neg.*) *2* [*di alimenti, etc.*] sofisticazione, adulterazione, falsificazione *3* malessere, agitazione, febbre *4* [*stato di*] (*est.*) ubriachezza *5* [*della verità, etc.*] stravolgimento.

altercàre *v. intr.* litigare, bisticciare, disputare, questionare, contrastare, contendere.

altèrco *s. m.* (*pl. -chi*) diverbio, bisticcio, litigio, battibecco, disputa, piazzata, scontro, contesa, controversia, lite.

alterézza *s. f.* *1* (*pos.*) fierezza, dignità CONTR. umiltà, modestia *2* (*neg.*) alterigia, superbia, presunzione.

alterigia *s. f.* *1* superbia, disdegno, disprezzo, dispregio, spocchia, alterezza, presunzione, boria, prosopopea, sicumera (*colto*), immodestia, pomposità, albagia (*colto*), arroganza, burbanza (*colto*) CONTR. umiltà, modestia *2* [*rif. a un modo di fare*] degnazione, sufficienza, sussiego CONTR. servilismo, cortesia.

alternànza *s. f.* avvicendamento, rotazione, successione, vicenda (*raro*).

alternàre *A* *v. tr.* *1* intramezzare, inframmezzare, punteggiare *2* variare, avvicendare *B* *v. rifl. rec.* ruotare, avvicendarsi.

alternativa *s. f.* *1* avvicendamento *2* possibilità, scelta, bivio (*fig.*), soluzione (*est.*), dilemma (*est.*).

alternativo agg. altro, diverso, nuovo, originale, anticonformista CONTR. tradizionale, consueto, vecchio (fig.), usuale, solito, uguale, usato (lett.).

altèro agg. 1 [rif. al portamento] fiero, orgoglioso, nobile, maestoso, splendido, aristocratico CONTR. dimesso, umile, modesto 2 (lett.) aristocratico, altezzoso, borioso, superbo, spocchioso CONTR. dimesso, umile, modesto.

altézza s. f. 1 altitudine, livello, quota 2 (geogr.) latitudine 3 [rif. ai tessuti] larghezza 4 (est.) profondità, spessore 5 [rif. a una persona] statura 6 [rif. a un luogo] (est.) prossimità 7 [rif. al suono] (mus.) acutezza 8 (astron.) elevazione 9 [rif. all'animo] (est.) elevatezza, sublimità, nobiltà, levatura CONTR. bassezza, meschinità 10 (gener.) misura CONTR. lunghezza, larghezza.
◆ all'altezza loc. agg. adeguato, idoneo, adatto, pari CONTR. inidoneo, inadatto.

altezzosaménte avv. arrogantemente, ambiziosamente, superbamente, boriosamente, tronfiamente, alteramente CONTR. umilmente, modestamente, semplicemente, familiarmente, democraticamente (est.).

altezzóso agg. sprezzante, presuntuoso, borioso, altero, snob (ingl.) CONTR. modesto, semplice, umile, affabile.

alticcio agg. (pl. f. -ce) brillo, sbronzo, ubriaco, ebbro (lett.) CONTR. sobrio, lucido.

altisonànte agg. 1 tronfio, ridondante, ampolloso, retorico CONTR. piano, semplice, conciso (est.) 2 risonante, sonoro (fig.).

altitùdine s. f. altezza, quota, livello.

àlto A agg. 1 elevato, eminente, prominente, rialzato CONTR. basso, piccolo 2 [rif. al suono] elevato, forte, sonoro CONTR. basso, profondo, cupo, debole, fioco 3 [rif. al mare] profondo (fig.) 4 [rif. a una stoffa] largo 5 [rif. a una regione] settentrionale CONTR. basso, meridionale 6 [rif. all'animo] (est.) elevato, nobile, eccellente, sublime, profondo, insigne CONTR. umile, meschino, modesto 7 [rif. alle parole, alle idee] (est.) nobile, difficile, impegnativo CONTR. umile, modesto 8

[rif. al prezzo] caro, grande (est.) CONTR. basso, piccolo, modesto, modico, stracciato 9 [rif. a una persona] lungo (fam.) CONTR. basso, piccolo, tarchiato, nano B s. m. sing. cima, vetta.

altolocàto agg. [rif. a gente, quartiere, etc.] chic, raffinato, signorile, bene.

àlto màre loc. sost. V. mare.

altrettànto A avv. ugualmente, similmente, parimenti, nella stessa misura, tanto CONTR. viceversa B pron. la stessa cosa, la medesima quantità, la medesima misura.

altriménti avv. 1 diversamente, differentemente, in altro modo CONTR. ugualmente, allo stesso modo 2 in caso contrario, se no, oppure.

àltro agg. indef. 1 diverso, differente, distinto, separato CONTR. stesso, medesimo, simile, uguale, identico 2 diverso, nuovo, secondo, alternativo (est.) CONTR. simile, uguale, vecchio 3 restante, rimanente 4 [rif. a un giorno, a un mese, a un anno] prossimo, successivo, venturo, seguente, scorso, passato, precedente, antecedente 5 nuovo, successivo, secondo, novello 6 [rif. al mondo] alieno.
◆ senz'altro avv. decisamente.

altróve avv. via, in altro luogo, da un'altra parte CONTR. qui, qua.

altrùi agg. di altri, alieno (lett.) CONTR. proprio.

altruismo s. m. 1 generosità, disinteresse, bontà, umanità, filantropia (colto) CONTR. egoismo, egocentrismo, egotismo (raro) 2 (gener.) qualità.

altruìsta A agg. disinteressato, generoso, umano (est.) CONTR. egoistico, interessato, rapace (fig.), meschino B s. m. e f. benefattore, filantropo.

altruisticaménte avv. generosamente, filantropicamente CONTR. egoisticamente, individualisticamente.

altùra s. f. 1 colle, collina, monte, poggio 2 [rif. alla pesca] alto mare.

alùnno s. m. (f. -a) allievo, scolaro, discepolo, studente, discente (colto) CONTR. maestro, insegnante, docente.

alveàre s. m. arnia.

àlveo s. m. 1 [rif. ai fiumi] letto (pop.) 2 (med.) cavità 3 ventre, utero (raro).

alvèolo s. m. cavità.

àlvo s. m. intestino.

alzàre A v. tr. 1 [q.c. verso l'alto] sollevare, rialzare CONTR. sdraiare, coricare, deporre, distendere 2 [la bandiera, etc.] (est.) inalberare, issare CONTR. calare, ammainare 3 [una costruzione] costruire, erigere, edificare, sopraelevare, ergere CONTR. atterrare 4 [i prezzi] (est.) aumentare CONTR. calare, abbassare 5 [le braccia al cielo] tendere CONTR. abbassare 6 [la testa, le gambe] sollevare, rialzare CONTR. inclinare, reclinare 7 [il morale, lo spirito] sollevare CONTR. prostrare, deprimere 8 [le lodi alla divinità] elevare, levare, innalzare B v. intr. [detto di livello di acqua, etc.] aumentare C v. intr. pron. 1 [detto di prezzi, etc.] salire, crescere CONTR. crollare, cadere, abbassarsi 2 [detto di sole, di luna, etc.] sorgere, levarsi CONTR. declinare 3 [detto di panna, di dolce, etc.] salire, montare CONTR. smontarsi 4 [detto di temperatura] innalzarsi CONTR. diminuire 5 [detto di vento, etc.] levarsi, cominciare CONTR. finire D v. rifl. 1 sollevarsi, rizzarsi, drizzarsi, erigersi CONTR. flettersi, distendersi, prostrarsi, accasciarsi, posarsi, abbassarsi 2 [socialmente] (est.) elevarsi, emergere, assurgere 3 levarsi in volo, staccarsi 4 destarsi, levarsi CONTR. coricarsi.

alzàre il gómito loc. verb. V. gomito.

alzàre la crèsta loc. verb. V. cresta.

alzàre le màni loc. verb. V. mano.

alzàta s. f. [di mano, etc.] levata.

alzàto part. pass.; anche agg. ritto, sollevato, in piedi, levato CONTR. abbassato, adagiato, seduto, sdraiato, steso, coricato, inclinato.

amàbile agg. 1 affabile, piacevole, gradevole, cordiale, gioviale, grazioso CONTR. odioso, fastidioso, sgradevole, antipatico, asciutto (fig.), ispido (fig.) 2 (est.) soave, vago (lett.) CONTR. sgradevole, antipatico 3 [rif. al vino] dolce, abboccato (enol.) CONTR. aspro, secco.

amabilità s. f. inv. **1** cortesia, gentilezza, affabilità, cordialità, espansività, piacevolezza, socievolezza, garbo, grazia, simpatia CONTR. villania, scortesia, antipatia, insolenza **2** [rif. al vino, etc.] dolcezza, gradevolezza CONTR. asprezza, acredine **3** (gener.) qualità.

amabilménte avv. gentilmente, adorabilmente, cortesemente, affabilmente, amorosamente, garbatamente, giovialmente, gradevolmente, graziosamente, seducentemente CONTR. sgarbatamente, scortesemente, crudamente, acremente, detestabilmente.

amàca s. f. (pl. -che) (est.) branda.

amàlgama s. m. **1** composto, insieme **2** [di metalli] (chim.) lega **3** mescolanza, miscuglio **4** (est.) pasta.

amalgamàre A v. tr. **1** legare, unire, combinare, incorporare, mischiare, mescolare, impastare (est.) **2** [alcune persone tra loro] (est.) fondere (fig.), affiatare **B** v. intr. pron. **1** unirsi, combinarsi, legarsi, mescolarsi **2** [detto di componenti di équipe] fondersi, intendersi.

amalgamàto part. pass.; anche agg. [rif. al colore] fuso, unito, mescolato CONTR. diviso, separato.

amanita s. f. (gener.) fungo.

amànte A s. m. e f. **1** amico (euf.), compagno, compagna, amore, fiamma (fig.), uomo, donna, innamorata, innamorato, fidanzato, ganzo (spreg.), fidanzata, amica, amoroso **2** [dell'arte, etc.] amatore, estimatore, cultore CONTR. denigratore, detrattore **B** part. pres.; anche agg. appassionato, propenso, incline, patito.

amaraménte avv. dolorosamente, tristemente, crudelmente CONTR. dolcemente, piacevolmente, deliziosamente.

amaránto s. m. **1** (gener.) colore **2** rosso.

amàre A v. tr. **1** volere bene a CONTR. odiare, detestare, esecrare, malvolere **2** adorare, idolatrare, venerare (est.) **3** essere innamorato di, amare alla follia, impazzire (fig.) CONTR. disaffezionarsi **4** (est.) volere bene a, inte-

ressarsi a, avere caro, avere a cuore **5** (est.) gradire, prediligere, desiderare, preferire **B** v. rifl. rec. adorarsi CONTR. detestarsi, odiarsi.

CLASSIFICAZIONE

Amare

1 Desiderare il bene di qc; avere affetto per qc..
voler bene: a (loc.).

2 Amare con trasporto, fare oggetto di devozione.
adorare: (est.) amare la propria madre;
idolatrare: adorare incondizionatamente: amare la propria madre;
venerare: (est.) avere in grande reverenza, fare oggetto di amore e venerazione qc.: amare la propria madre.

3 Sentire e dimostrare un'attrazione sia affettiva che fisica verso qc..
essere innamorato: di;
amare alla follia: (loc.);
impazzire: per.

4 Sentire solidarietà, desiderio di qualcosa, provare predilezione per qualcosa: amare il prossimo; amare la propria città.
interessarsi: a;
aver caro;
avere a cuore;
voler bene: a;

5 Reagire positivamente a certe condizioni naturali o sociali: le piante tropicali amano il clima umido.
gradire: (est.);
desiderare;
preferire;
prediligere.

amareggiàre A v. tr. affliggere, addolorare, rattristare, crucciare, infelicitare, sconfortare, avvelenare (fig.), martirizzare (fig.), martoriare (fig.) CONTR. deliziare, rallegrare, addolcire **B** v. intr. pron. addolorarsi, affliggersi, intristirsi, rattristarsi, sconfortarsi, crucciarsi, esacerbarsi (est.), rincrescersi CONTR. deliziarsi, rallegrarsi.

amareggiàto part. pass.; anche agg. addolorato, afflitto, crucciato, infelice, abbattuto, depresso, rammaricato CONTR. lieto, gioioso, esultante, felice, sereno, allegro.

amarézza s. f. **1** dolore, tristezza, mestizia (raro), depressione (fig.), sco-

ramento, sconforto, rammarico, agro (fig.) CONTR. piacere, gioia, soddisfazione **2** livore, rancore **3** (est.) delusione.

amàro (1) agg. **1** [rif. al sapore] amarognolo CONTR. dolce, edulcorato, zuccherato **2** doloroso, penoso, triste, spiacevole, bruciante (fig.), sanguinoso (fig.) CONTR. dolce, piacevole, lieto, gioioso, soave **3** [rif. al destino] (est.) infausto, funesto, nero CONTR. piacevole, lieto, favorevole.

amàro (2) s. m. digestivo.

amarógnolo A agg. [rif. al sapore] amaro CONTR. dolciastro **B** s. m. sing. amaro CONTR. dolce.

amàto A part. pass.; anche agg. **1** caro, diletto, prediletto, adorato CONTR. odiato, detestabile **2** [rif. a un dono] accetto, benaccetto, gradito CONTR. sgradito, malaccetto **B** s. m. (f. -a) amore, sole (poet.), caro.

amatóre s. m. (f. -trice) **1** amante, estimatore, intenditore **2** (est.) collezionista.

ambàscia s. f. ansia, pena, dolore, fastidio, affanno (fig.), oppressione (fig.) CONTR. quiete, tranquillità.

ambasciàta s. f. **1** messaggio, notizia, avviso **2** (est.) commissione, incarico **3** [l'edificio in cui risiede] delegazione.

ambasciatóre s. m. (f. -trice) **1** messaggero, messo, nunzio, latore **2** rappresentante, delegato, inviato.

ambedùe agg. num. inv. e pron. entrambi.

ambientalismo s. m. ecologismo.

ambientalista s. m. e f. ecologista, verde (fig.).

ambientàre A v. tr. inquadrare, inserire, collocare **B** v. intr. pron. abituarsi, adattarsi.

ambientàto part. pass.; anche agg. abituato, adattato, acclimatato (est.), inserito CONTR. disabituato, spaesato.

ambiènte s. m. **1** luogo, sito (lett.), posto **2** stanza, locale, camera, vano **3** [tipo di] camera da letto, camerino, cella, cesso (volg.), soggiorno, sala, salotto, tinello, cucina, bagno, bugigattolo, dispensa (*fam.*), sgabuzzino, studio **4** (*est.*) classe, cerchia (*fig.*), ceto, giro (*fig.*), circolo (*fig.*) **5** [*in cui si vive*] (*fig.*) ambito, area, sfera, universo, mondo, realtà **6** [*in cui ci si muove*] terreno, territorio, paesaggio, sfondo, scenario **7** [*in cui ci si trova, etc.*] (*est.*) situazione, aria (*fig.*), clima (*fig.*).

ambiguaménte *avv.* equivocamente, oscuramente, enigmaticamente, misteriosamente, loscamente, elusivamente, fumosamente **CONTR.** chiaramente, schiettamente, lealmente, apertamente.

ambiguità *s. f. inv.* **1** equivocità **CONTR.** chiarezza **2** [*nell'interpretazione*] incertezza **CONTR.** chiarezza **3** [*nei testi di lettura*] enigmaticità, oscurità (*fig.*), tenebrosità (*fig.*), tortuosità (*fig.*) **4** (*est.*) enigma.

ambiguo *agg.* **1** oscuro, vago, evasivo, elusivo, enigmatico, misterioso, sfuggente, non chiaro **CONTR.** chiaro, certo, evidente, semplice, preciso, franco, inequivocabile **2** (*propr.*) non chiaro, incerto, dubbio, contraddittorio **CONTR.** certo, preciso, franco, inequivocabile **3** [*rif. a una persona*] non chiaro, losco, torbido, equivoco, sospetto **CONTR.** franco, schietto, leale, sincero, onesto, retto **4** [*rif. a un discorso*] non chiaro, tortuoso (*fig.*), coperto, velato (*fig.*) **CONTR.** chiaro, certo, semplice, preciso, franco, inequivocabile, schietto, leale, sincero, onesto, esplicito, perspicuo **5** [*rif. all'atteggiamento*] non chiaro, dolciastro (*fig.*) **CONTR.** chiaro, certo, semplice, franco, schietto, leale, sincero, onesto, retto.

ambire *v. tr. e intr.* desiderare *un*, bramare *un*, anelare *a*, volere *un*, aspirare *a*, cercare *un*, agognare *un*, vagheggiare *un*, invocare *un* (*est.*), pretendere *un* (*est.*), tendere *a*, invidiare *un* (*est.*), tenere.

àmbito *s. m.* **1** campo, settore, dominio, sfera, ordine (*est.*), terreno **2** [*spec. con: muoversi in un*] spazio, perimetro (*fig.*), raggio (*fig.*), limite **3** [*sociale*] cerchia, ambiente, orbita (*fig.*).

ambivalènte *agg.* contraddittorio, confuso, doppio.

ambizióne *s. f.* **1** desiderio, brama, velleità, aspirazione *a* **2** vanità, megalomania **3** pretesa **4** (*gener.*) sentimento.

ambiziosaménte *avv.* altezzosamente, superbamente, arrogantemente, boriosamente, tronfiamente **CONTR.** modestamente, umilmente, discretamente.

ambizióso *agg., s. m.* (*f. -a*) vanitoso.

ambulatòrio A *s. m.* ufficio, studio, consultorio **B** *agg.* ambulatoriale.

amèba *s. f.* (*gener.*) protozoo.

amenaménte *avv.* **1** piacevolmente, gaiamente, giocondamente **CONTR.** cupamente, tristemente **2** spiritosamente.

amenità *s. f. inv.* **1** [*rif. a un luogo*] dolcezza, piacevolezza, bellezza **CONTR.** cupezza, asprezza **2** arguzia, scherzo, battuta **3** [*rif. a un'affermazione*] sciocchezza, ridicolaggine, stupidaggine (*fam.*).

amèno *agg.* **1** [*rif. a un luogo*] allegro, piacevole, ridente **CONTR.** sgradevole, cupo, triste, lugubre **2** [*rif. a una persona*] ridente, gaio, lieto, divertente **CONTR.** cupo, serio, burbero, ombroso **3** [*rif. a un discorso, a una battuta*] (*est.*) allegro, divertente, faceto, esilarante, bizzarro **CONTR.** serio, lacrimoso, triste **4** [*rif. alla compagnia, alla lettura*] piacevole, divertente, gustoso **CONTR.** serio, impegnato.

ametista *s. f.* (*gener.*) gemma, pietra.

amiànto *s. m.* (*gener.*) fibra.

amica *s. f.* **1** girl-friend (*ingl.*), fidanzata, innamorata **2** (*est.*) amante.

amicàrsi *v. rifl.* ingraziarsi, accattivarsi, cattivarsi, conquistarsi, propiziarsi **CONTR.** inimicarsi, diventare nemico.

amichévole *agg.* **1** [*rif. al tono di voce*] confidenziale, fraterno, affettuoso, amico **CONTR.** nemico, ostile, malevolo **2** [*rif. a un augurio, a un saluto, etc.*] cordiale, affabile, gioviale, gentile **CONTR.** freddo, distaccato **3** [*rif. all'atteggiamento*] benevolo, amorevole, affettuoso **CONTR.** nemico, ostile, malevolo.

amichevolménte *avv.* cordialmente,

benevolmente, affettuosamente, affabilmente, confidenzialmente, cameratescamente, familiarmente, fraternamente **CONTR.** ostilmente, astiosamente, animosamente, con ostilità, sdegnosamente (*est.*).

amicizia *s. f.* **1** affetto, affezione (*raro*), simpatia, fratellanza, affettuosità (*est.*) **CONTR.** inimicizia, astio, animosità, antagonismo, attrito **2** familiarità, confidenza, intimità, cameratismo, solidarietà **3** alleanza, appoggio (*fig.*) **4** (*gener.*) relazione.

amico A *s. m.* (*f. -a*) **1** compagno, confidente, intimo, fratello (*fig.*), compare (*merid.*) **CONTR.** nemico, avversario **2** alleato, sostenitore, fautore, simpatizzante **3** conoscente **4** amante, innamorato, ganzo (*tosc.*), fidanzato, uomo, boy-friend (*ingl.*) **B** *agg.* **1** alleato, compare (*dial.*) **CONTR.** nemico, avversario **2** caro, diletto, affezionato, amichevole.

àmido *s. m.* [*per stirare*] salda, appretto.

ammaccàre A *v. tr.* sgualcire, gualcire, deformare, pestare (*est.*), rovinare, stropicciare (*est.*), schiacciare (*est.*) **B** *v. intr. pron.* deformarsi, sciuparsi.

ammaccàto *part. pass.; anche agg.* deformato, schiacciato, rovinato (*est.*), sformato, tocco (*raro*) **CONTR.** liscio, levigato.

ammaccatùra *s. f.* **1** deformazione, schiacciatura, acciaccatura, sciupatura **2** [*nelle gambe, nelle braccia*] (*est.*) contusione, ecchimosi, livido, lividore.

ammaestraménto *s. m.* **1** insegnamento, addestramento, indottrinamento, scuola (*fig.*) **2** lezione, esempio.

ammaestràre *v. tr.* **1** [*animali*] addestrare, allenare, addomesticare, domare, mansuefare **2** [*qc.*] istruire, erudire, formare (*est.*), guidare, indottrinare (*est.*), disciplinare (*est.*), ammonire (*est.*), educare.

ammaestràto *part. pass.; anche agg.* **1** addestrato, istruito **2** [*rif. agli animali*] addomesticato **CONTR.** selvatico **3** (*neg.*) (*est.*) indottrinato, educato.

ammainàre v. tr. calare, abbassare, tirare giù CONTR. issare, alzare.

ammalàre A v. tr. **1** infettare **2** (est.) corrompere, guastare **B** v. intr. pron. **1** contrarre una malattia **2** contagiarsi, infettarsi, contaminarsi.

ammalàto agg., s. m. (f. -a) **1** infermo, malato, indisposto, affetto da CONTR. sano, forte, vegeto **2** [in ospedale] degente, paziente.

ammaliàre v. tr. incantare, affascinare, stregare (scherz.), sedurre (est.), conquistare (est.), fare innamorare, fascinare, rapire (fig.), sbalordire, incatenare (fig.), legare (fig.), soggiogare, abbindolare (neg.), intrigare.

ammaliziàre v. intr. pron. scaltrirsi.

ammànco s. m. (pl. -chi) disavanzo, deficit (lat.), perdita, buco (fig.) CONTR. attivo.

ammanettàre A v. tr. **1** mettere le manette a **2** (est.) catturare, imprigionare, arrestare, portare in galera, fermare (impr.), impacchettare (fig.), legare **B** v. rifl. incatenarsi.

ammannìre v. tr. **1** allestire, apparecchiare **2** [una medicina, etc.] propinare.

ammansire A v. tr. rabbonire, addomesticare (est.), calmare, placare, domare (est.), chetare, mansuefare (raro) CONTR. invelenire, imbestialire **B** v. intr. pron. calmarsi, acquietarsi, placarsi, rabbonirsi CONTR. imbestialirsi, invelenirsi, impennarsi, inviperire.

ammansito part. pass.; anche agg. **1** [rif. agli animali] addomesticato, domato CONTR. selvatico **2** placato, calmato, rabbonito, rappacificato (est.) CONTR. irritato, inasprito, eccitato, inquieto (est.).

ammantàre A v. tr. **1** coprire, ricoprire, vestire, avvolgere, paludare, incappucciare **2** [la verità, la realtà] coprire (fig.), ricoprire (fig.), nascondere **3** [q.c. di umiltà, etc.] (fig.) vestire, avvolgere, rivestire **B** v. rifl. vestirsi, coprirsi, ricoprirsi **C** v. intr. pron. [detto di prati, di monti, etc.] ricoprirsi, rivestirsi.

ammantellàre v. tr. e rifl. intabarrare, imbacuccare.

ammassaménto s. m. **1** [di cose, costruzioni] raggruppamento, concentramento, concentrazione, agglomeramento, mucchio (raro), cumulo, accumulazione, accatastamento, ammucchiamento CONTR. sparpagliamento **2** [di persone] raggruppamento, concentramento, concentrazione, accentramento, assembramento, massa.

ammassàre A v. tr. **1** [oggetti] ammucchiare, accatastare, affastellare, ammonticchiare, conglobare (raro), raccogliere, conferire (raro), accozzare, conglomerare (raro), agglomerare CONTR. disseminare **2** [persone] adunare, radunare, concentrare, costringere (est.), raggruppare CONTR. disperdere **3** [denaro] accumulare, risparmiare **B** v. intr. pron. **1** [detto di persone] concentrarsi, accalcarsi, stiparsi, assieparsi, addossarsi (raro), raccogliersi, radunarsi, raggrupparsi, pigiarsi, agglomerarsi CONTR. dispersi **2** [detto di cose] ammontarsi, ammucchiarsi, ammonticchiarsi **3** [detto di nuvole, etc.] addensarsi, aggregarsi CONTR. disperdersi.

ammàsso s. m. **1** mucchio, catasta (fig.), congerie, montagna (fig.), cumulo, agglomeramento (raro), accozzaglia (spreg.), accozzame (spreg.), accumulo, affastellamento, addensamento **2** aggregato, massa.

ammattire v. intr. **1** impazzire, diventare matto, andare fuori di cervello (fam.) CONTR. rinsavire **2** [per q.c.] (fig.) impazzire, diventare pazzo, scervellarsi.

ammattonàre v. tr. lastricare, pavimentare.

ammazzàre A v. tr. **1** uccidere, assassinare, eliminare, abbattere, finire, fare fuori, fare la pelle (fam.), sacrificare, fare la festa (pop.), fare secco (pop.) **2** [modi di] scannare, trucidare, macellare, sbudellare, sventrare, strangolare **3** (est.) distruggere **B** v. rifl. **1** darsi la morte, togliersi la vita, uccidersi, suicidarsi, farla finita **2** [in un incidente d'auto, etc.] uccidersi, schiantarsi **3** [modi di] spararsi, avvelenarsi, impiccarsi, annegarsi, strangolarsi.

ammazzasètte s. m. inv. smargiasso, spaccone.

ammazzàto part. pass.; anche agg. stroncato (fam.), ucciso, assassinato.

ammènda s. f. **1** pena, multa, contravvenzione **2** [a un'offesa, a un danno] risarcimento, riparazione **3** [spec. con: chiedere] scusa.

amméttere v. tr. **1** [qc.] accogliere, ricevere, fare entrare, accettare CONTR. epurare, escludere, radiare, emarginare **2** [q.c.] autorizzare, permettere, consentire, legittimare **3** [la colpa] riconoscere, confessare, dichiarare CONTR. negare **4** (est.) supporre, immaginare, dare per scontato **5** [un'idea, etc.] approvare, adottare (fig.), assumere CONTR. confutare, contestare, contrastare, controbattere **6** [un candidato] approvare, passare CONTR. eliminare, bocciare **7** [un comportamento] tollerare, sopportare **8** [un errore] comportare (lett.) **9** [un'ipotesi] mettere, porre, concedere, convenire **10** [la pietà, l'amore] conoscere, concepire.

ammiccaménto s. m. nittitazione.

amministràre A v. tr. **1** governare, guidare, dirigere, gestire, curare (fig.), reggere (fig.), condurre, esercire (raro) **2** [una medicina, etc.] (est.) somministrare **3** [un sacramento] (relig.) officiare **4** [un patrimonio] (est.) maneggiare **5** [le proprie energie] dosare (fig.) **B** v. rifl. governarsi.

amministrazióne s. f. **1** governo, direzione, gestione, cura **2** contabilità **3** (spreg.) maneggio.

ammiràbile agg. ammirevole.

ammiràglio s. m. (f. -a) (gener.) militare.

ammiràre v. tr. **1** contemplare, osservare (impr.), guardare con meraviglia, guardare (impr.) **2** (est.) stimare, apprezzare, rispettare, idolatrare CONTR. deridere, disprezzare **3** (est.) vagheggiare, invidiare.

ammiràto part. pass.; anche agg. **1** (propr.) stimato, lodato, rispettato (est.) CONTR. disprezzato, disapprovato, biasimato, deriso, dileggiato **2** visto, contemplato.

ammiratóre s. m. (f. -trice) **1** fan (ingl.) **2** (raro) corteggiatore.

ammirazióne s. f. **1** stima, conside-

ammirévole

razione, apprezzamento, venerazione CONTR. disprezzo, scherno **2** [*spec. con: destare*] meraviglia, sensazione **3** [*spec. con: essere in*] contemplazione, vagheggiamento **4** (*est.*) invidia.

ammirévole *agg.* esemplare, mirabile, encomiabile (*est.*) CONTR. brutto, abominevole, orrendo, mostruoso, repellente CONTR. biasimevole, inqualificabile.

ammissibile *agg.* **1** accettabile, sopportabile, tollerabile, passabile CONTR. inammissibile, inaccettabile, insopportabile, intollerabile **2** (*est.*) possibile, probabile CONTR. impossibile, improbabile, inconcepibile **3** (*est.*) attendibile, credibile CONTR. incredibile, improponibile.

ammissióne *s. f.* **1** [*in un club, etc.*] accettazione, approvazione (*est.*), concessione (*est.*), entrata (*est.*) CONTR. esclusione, espulsione, estromissione **2** [*di colpa*] riconoscimento, confessione.

ammobiliàre *v. tr.* arredare, guarnire (*est.*), mobiliare (*raro*).

ammodernàre *v. tr.* **1** rinnovare, risistemare, rammodernare, modernizzare **2** [*una casa, etc.*] ristrutturare.

ammollàre (1) *A v. tr.* bagnare, inzuppare, intridere (*colto*), infradiciare, macerare *B v. intr. pron.* bagnarsi, inzupparsi, infradiciarsi.

ammollàre (2) *v. tr.* **1** [*un cavo, etc.*] allentare, mollare **2** [*uno schiaffo, un colpo*] affibbiare, appioppare.

ammollìre *A v. tr.* **1** ammorbidire, rendere mollo **2** (*fig.*) raddolcire, intenerire **3** (*est.*) infiacchire, indebolire, rammollire (*fig.*) *B v. intr. pron.* rammollirsi.

ammonimento *s. m.* **1** avvertimento, consiglio, avviso, avvertenza **2** ammonizione, rimprovero, richiamo, paternale.

ammonìre *v. tr.* **1** avvisare, avvertire, consigliare, esortare, ammaestrare **2** (*est.*) rimproverare, riprendere, correggere, sgridare, gridare, richiamare, rimbrottare **3** [*q.c. a qc.*] (*est.*) dire, rammentare, suggerire, raccomandare, predicare.

ammonizióne *s. f.* **1** ammonimento,

rimprovero, richiamo, monito CONTR. lode **2** esortazione, consiglio, avvertimento.

ammontàre *A v. tr.* affastellare, ammucchiare *B v. intr.* [*detto di cifra in denaro*] raggiungere *un*, sommare, assommare, ascendere (*fig.*) *C v. intr. pron.* accalcarsi, ammassarsi, ammonticchiarsi *D s. m. inv.* **1** quantità, portata, quanto **2** totale, spesa.

ammonticchiàre *A v. tr.* accatastare, ammucchiare, ammassare, accumulare, affastellare, agglomerare, radunare CONTR. disperdere *B v. intr. pron.* affastellarsi, ammucchiarsi, ammassarsi, ammontarsi.

ammorbaménto *s. m.* inquinamento, appestamento, avvelenamento.

ammorbàre *v. tr.* **1** [*detto di odore*] appestare, inquinare, avvelenare, impuzzare, impestare, corrompere CONTR. profumare **2** [*detto di malattia, etc.*] contaminare, contagiare, infettare.

ammorbidìre *A v. tr.* **1** rendere morbido, ammosciare (*dial.*), ammollire, rammollire, rammorbidire, macerare (*est.*) **2** [*il carattere*] (*fig.*) addolcire, mitigare, temperare, attenuare, contemperare **3** [*i colori, i toni, etc.*] (*est.*) sfumare *B v. intr. pron.* **1** rammollirsi, rammorbidirsi **2** (*fig.*) addolcirsi, intenerirsi.

ammosciàre *A v. intr. e v. tr.* ammoscire, ammorbidire *B v. intr. pron.* **1** afflosciarsi **2** [*detto di fiori, etc.*] avvizzirsi.

ammoscìre *A v. tr.* ammosciare (*dial.*) *B v. intr. pron.* **1** afflosciarsi **2** [*detto di fiori, etc.*] avvizzirsi.

ammucchiaménto *s. m.* accumulazione, ammassamento, accatastamento CONTR. sparpagliamento.

ammucchiàre *A v. tr.* **1** ammassare, accumulare, accatastare, affastellare, ammonticchiare, concentrare (*est.*), agglomerare (*est.*), ammontare (*raro*), conglobare, conglomerare, radunare, insaccare **2** (*est.*) risparmiare, accantonare *B v. intr. pron.* **1** [*detto di persone*] affollarsi, ammassarsi **2** [*detto di cose, etc.*] ammonticchiarsi, accumularsi.

ammucchiàta *s. f.* orgia.

ammutinàre *v. intr. pron.* insorgere, ribellarsi.

ammutolìre *A v. intr.* tacere, azzittirsi *B v. tr.* zittire.

amnistìa *s. f.* condono, perdono.

amnistiàre *v. tr.* **1** [*qc.*] graziare, perdonare **2** [*q.c. a qc.*] abbonare.

amóre *s. m.* **1** eros (*colto*) **2** [*tipo di*] passione, affetto, affezione, adorazione, tenerezza, trasporto, carità (*lett.*) CONTR. odio, malanimo **3** dedizione **4** pietà **5** (*gener.*) sentimento **6** [*per attività, per interessi*] predilezione **7** [*tra persone*] (*est.*) avventura, relazione **8** [*rif. a una persona*] (*est.*) amante, compagno, amato (*fig.*), bene, sole (*fig.*), fiamma (*fig.*), cuore (*fig.*) **9** accuratezza, zelo.

amoreggiàre *v. intr.* flirtare, filare (*fam.*), tubare (*fig.*), pomiciare (*fam.*), fare l'amore, parlarsi (*fam.*), limonare (*fam.*), andare (*fig.*).

amorévole *agg.* **1** affabile, amichevole, benevolo, affettuoso, premuroso CONTR. scortese, sgarbato, burbero, malevolo, ostile **2** [*in senso più intimo*] affettuoso, amoroso, carezzevole.

amorevolézza *s. f.* affettuosità, tenerezza.

amorevolménte *avv.* affettuosamente, benevolmente, benignamente, amorosamente, dolcemente, premurosamente, teneramente CONTR. scortesemente, sgarbatamente, acremente, rudemente, crudamente, cattivamente, aspramente, aridamente (*est.*).

amórfo *agg.* **1** informe CONTR. formato **2** [*rif. a una persona*] insulso, scialbo CONTR. brioso, vivace.

amorosaménte *avv.* amorevolmente, dolcemente, adorabilmente, amabilmente, affabilmente, affettuosamente, benignamente CONTR. brutalmente, freddamente, sprezzantemente.

amoróso *A agg.* affettuoso, amorevole, tenero, dolce, piacevole CONTR. freddo, ostile, scontroso, distaccato *B s. m.* (*f. -a*) innamorato, amante.

ampiaménte *avv.* **1** molto, assai, estesamente, copiosamente, largamente, abbondantemente, riccamente, diffusamente, grandemente **CONTR.** limitatamente, insufficientemente, scarsamente, poco, angustamente (*fig.*), strettamente **2** [*rif. al parlare*] diffusamente **CONTR.** laconicamente, asciuttamente (*fig.*), brevemente, concisamente, compendiosamente.

ampiézza *s. f.* **1** larghezza, estensione, grandezza **CONTR.** strettezza **2** [*di un fenomeno*] vastità **3** (*gener.*) dimensione **CONTR.** lunghezza, altezza.

àmpio *agg.* **1** [*rif. allo spazio*] largo, vasto, grande, esteso, spazioso, disteso (*est.*) **CONTR.** piccolo, stretto, ristretto, esiguo, angusto **2** [*rif. a un abito*] largo, comodo **CONTR.** piccolo, stretto, succinto **3** [*rif. a un recipiente*] capiente **CONTR.** piccolo **4** [*rif. a un discorso*] esteso, diffuso, prolisso, ampolloso **CONTR.** succinto, limitato, stringato, laconico, breve, asciutto (*fig.*), compendioso, riassuntivo **5** (*est.*) abbondante, ricco, copioso, generoso **6** [*rif. al significato*] (*lett.*) lato.

amplèsso *s. m.* **1** coito (*colto*), scopata (*volg.*), chiavata (*volg.*), copula, rapporto **2** abbraccio, stretta.

ampliaménto *s. m.* allargamento, ingrandimento, espansione, dilatazione, estensione, aumento, accrescimento (*raro*), potenziamento **CONTR.** restringimento, riduzione.

ampliàre A *v. tr.* **1** allargare, ingrandire **CONTR.** diminuire, rimpicciolire **2** [*la cultura, l'influenza*] (*est.*) accrescere, aumentare, potenziare, estendere, espandere, dilatare, incrementare, sviluppare **CONTR.** limitare, restringere **B** *v. intr. pron.* espandersi, allargarsi, svilupparsi, dilatarsi, estendersi, crescere, ingrandirsi **CONTR.** restringersi.

amplificàre *v. tr.* **1** [*un episodio*] esagerare, ingigantire, ingrandire, magnificare (*est.*) **2** [*un suono*] rendere più distinto, aumentare.

amplificazióne *s. f.* **1** [*di un locale, etc.*] allargamento, ampliamento, ingrandimento **2** [*di un suono*] aumento, intensificazione **CONTR.** diminuzione, riduzione **3** [*di un problema*] esagerazione, ingrandimento.

ampólla *s. f.* **1** vaso, bottiglia (*est.*) **2**

[*di vetro*] bolla **3** (*bot.*) rigonfiamento **4** (*gener.*) recipiente.

ampollosaménte *avv.* pomposamente, retoricamente, enfaticamente **CONTR.** stringatamente, concisamente, sinteticamente.

ampollosità *s. f. inv.* pomposità, enfasi, esagerazione (*est.*), gonfiezza (*raro*), sonorità (*fig.*) **CONTR.** sobrietà, semplicità.

ampollóso *agg.* magniloquente, altisonante, enfatico, gonfio (*fig.*), prolisso, retorico, tronfio, solenne, ampio **CONTR.** stringato, conciso, breve, semplice, scarno, disadorno.

amputàre *v. tr.* tagliare, recidere, resecare (*colto*), mozzare, staccare.

amputàto *part. pass.; anche agg.* mutilato, reciso (*est.*) **CONTR.** unito, saldato.

amputazióne *s. f.* troncamento, recisione, mutilazione.

amulèto *s. m.* talismano, portafortuna (*fam.*).

anabbagliànte *s. m.* faro.

anacorèta *s. m. e f.* eremita, asceta, santone (*pop.*).

anacronìstico *agg.* inattuale, sorpassato, obsoleto, antiquato, vieto **CONTR.** attuale, contemporaneo, odierno.

analfabèta *agg., s. m. e f.* illetterato, ignorante **CONTR.** colto, dotto, erudito, istruito.

analgèsico A *s. m.* **1** (*farm.*) antidolorifico, antalgico **2** (*est.*) sedativo (*farm.*), calmante, tranquillante (*farm.*), cachet (*fr.*) **3** (*gener.*) farmaco **B** *agg.* antidolorifico, anestetico, antinevralgico.

anàlisi *s. f. inv.* **1** scomposizione **CONTR.** sintesi, sunto **2** (*est.*) esame, studio, osservazione, indagine, ricerca **3** disamina, valutazione **4** psicoanalisi, psicoterapia.

analista *s. m. e f.* **1** ricercatore **2** psicoanalista, psicoterapeuta.

analiticaménte *avv.* approfonditamente, particolareggiatamente, minuziosamente **CONTR.** sinteticamente.

analizzàre *v. tr.* **1** [*un episodio, etc.*] esaminare, vagliare, scrutare (*est.*), considerare (*est.*), pesare (*fig.*), interpretare **2** [*una situazione*] (*est.*) indagare, investigare, esplorare **3** [*qc.*] (*psicol.*) psicanalizzare **4** [*un prodotto, un oggetto*] (*est.*) provare.

analogaménte *avv.* conformemente, similmente, allo stesso modo, ugualmente, corrispondentemente, parallelamente **CONTR.** diversamente, difformemente, contrariamente.

analogìa *s. f.* **1** somiglianza, affinità, prossimità **CONTR.** differenza, contrasto, diversità **2** [*rif. alle opinioni, etc.*] corrispondenza, equivalenza, parallelismo, coincidenza **3** (*est.*) relazione, attinenza, rapporto **4** [*rif. a un processo mentale*] assimilazione **5** [*mediante le parole*] richiamo.

analogicaménte *avv.* per analogia, conformemente, similmente, ugualmente, corrispondentemente **CONTR.** differentemente, contrariamente.

anàlogo *agg.* (*pl. m. -ghi*) **1** simile, affine, somigliante, similare **CONTR.** differente, dissimile, diverso, contrario, contrastante, contrapposto, discrepante, imparagonabile, ineguagliabile **2** (*est.*) pari, parallelo **3** (*lett.*) concorde, confacente.

anamnèsi *s. f. inv.* ricordo.

ànanas *s. m. inv.* **1** (*gener.*) frutto **2** ananasso (*fam.*).

ananàsso *s. m.* **1** (*gener.*) frutto **2** ananas.

anatèma *s. m. inv.* **1** scomunica **2** (*est.*) maledizione, invettiva.

anatematizzàre *v. tr.* maledire.

anatomizzàre *v. tr.* (*med.*) dissecare, sezionare, dissezionare.

ànatra o **ànitra** *s. f.* **1** (*gener.*) uccello, animale →uccelli, animali **2** [*tipo di*].

NOMENCLATURA

Anatre

Anatra: uccello acquatico con piedi palmati, becco largo e piatto, piumaggio variopinto su fondo grigio.
anatra domestica: anatra derivata dal germano reale ma diversa per

38

mole e colore;

anatra sposa: anatra dell'America settentrionale di elegante piumaggio;

anatra muta: anatra originaria dell'America meridionale, grossa e con piumaggio verde, con screziature bianche sulle ali, che emana odore di muschio e, nel maschio, invece del verso caratteristico emette solo una specie di soffio;

anatra muschiata;

anatra mandarina: anatra originaria dell'estremo oriente di piumaggio e forma elegante;

germano reale: anatra di grandi dimensioni tipica dei luoghi lagunari e paludosi, nidifica nel folto delle piante;

anatra selvatica.

ànca *s. f.* (*pl. -che*) fianco.

ancèlla *s. f.* **1** serva, schiava **2** (*est.*) cameriera, domestica, collaboratrice domestica, colf (*gerg.*).

ancestràle *agg.* antico, atavico, vecchio (*est.*).

ànche A *avv.* **1** ancora, di nuovo **2** ormai, finalmente **B** *cong.* **1** fino, pure, persino, inoltre, ancora **CONTR.** solo, solamente, esclusivamente **2** inoltre, e, ed **CONTR.** neanche, neppure.

♦ **quand'anche** *loc. cong.* ammesso che, se.

ancheggiàre *v. intr.* scullettare (*pop.*), dimenare i fianchi, ondeggiare (*impr.*).

anchilosàre A *v. tr.* aggranchire, rattrappire **B** *v. intr. pron.* rattrappirsi.

ancóra (1) A *avv.* **1** tuttora, anche ora, sempre, anche allora, a quel tempo **2** fino ad ora, finora, sino ad ora **3** nuovamente, di nuovo, un'altra volta, daccapo, di più, oltre, anche, inoltre, pure **4** anche, persino **B** *cong.* **1** anche, persino **2** sebbene, quantunque, ancorché.

àncora (2) *s. f.* (*est.*) peso, ormeggio.

ancoràre A *v. tr.* ormeggiare (*mar.*) **B** *v. rifl.* legarsi.

andaménto *s. m.* **1** svolgimento, evoluzione, sviluppo **2** [*degli avvenimenti*] (*fig.*) corso, piega **3** [*rif. a una*

macchina] regime, funzionamento **4** [*delle vendite, etc.*] (*fig.*) ritmo.

andàre A *v. intr.* **1** camminare, muoversi, marciare, ire (*poet.*) **CONTR.** venire, stare **2** [*in un luogo*] portarsi, dirigersi, recarsi, spostarsi, spingersi, trasferirsi, concorrere (*lett.*), correre, indirizzarsi, presentarsi, farsi **3** (*est.*) accadere, succedere, capitare **4** [*detto di meccanismo, etc.*] (*est.*) funzionare, lavorare **CONTR.** incantarsi, incepparsi **5** [*detto di fiume, di strada*] confluire, sboccare, sfociare **6** [*detto di sogno, di speranze*] (*est.*) scomparire, dileguarsi **7** [*detto di abito, etc.*] (*est.*) essere adatto, attagliarsi, stare bene **8** [*detto di oggetto, di merce*] (*est.*) costare **9** [*detto di situazione, etc.*] (*est.*) buttare (*fam.*), procedere **10** [*con qc.*] (*est.*) amoreggiare, accompagnarsi, flirtare **11** [*in relazione al gusto*] (*est.*) piacere, soddisfare **12** [*detto di strada*] (*est.*) condurre **13** [*detto di imbarcazione*] (*anche fig.*) (*est.*) navigare **14** [*in una direzione*] (*fig.*) prendere *un* **15** [*detto di temperatura*] (*fig.*) sbalzare **B** *v. intr. pron.* **1** [*nella forma: andarsene*] allontanarsi, partire, irsene (*lett.*) **2** [*nella forma: andarsene*] allontanarsi, uscire, assentarsi **3** [*nella forma: andarsene*] fuggire, sloggiare (*fam.*), svignarsela (*scherz.*), alzare i tacchi (*scherz.*), levare le tende (*fig.*), fare fagotto (*fig.*), squagliarsela (*scherz.*), sfollare, smammare (*pop.*), scomparire, dileguarsi, eclissarsi (*fig.*), sparire, salpare (*fig.*) **4** [*nella forma: andarsene*] (*est.*) avviarsi, accomiatarsi, congedarsi **5** [*nella forma: andarsene*] (*est.*) trasferirsi, emigrare **6** [*nella forma: andarsene*] licenziarsi, estromettersi **7** [*nella forma: andarsene*] abbandonare *un*, evacuare *un*, sbaraccare *un* **8** [*nella forma: andarsene da un posto a sedere*] schiodarsi (*fig.*), togliersi **9** [*nella forma: andarsene*] (*est.*) morire, defungere (*raro*), passare ad altra vita (*euf.*) **C** *s. m.* andatura.

andàre a lètto *loc. verb.* V. *letto.*

andatùra *s. f.* **1** passo, camminata **2** (*est.*) portamento, andare (*raro*), incedere **3** (*est.*) ritmo, cadenza.

andirivièni *s. m. inv.* **1** traffico, movimento, passaggio, passeggio **2** [*di strade, etc.*] (*fig.*) intrico, groviglio.

andrògino *s. m.; anche agg.* ermafrodito.

andròide *s. m. e f.* automa **CONTR.** umano.

andróne *s. m.* atrio, ingresso.

anèddoto *s. m.* episodio, fatterello, raccontino, racconto, favola (*est.*).

anelàre A *v. intr.* **1** ansimare, ansare **2** ambire, aspirare, tendere **B** *v. tr.* desiderare, bramare, vagheggiare, agognare.

anèlito *s. m.* **1** brama *di*, desiderio *di*, aspirazione, sogno *di* **2** affanno **3** alito, respiro **4** (*fig.*) ala (*poet.*), slancio.

anèllidi *s. m. pl.* **1** (*gener.*) animale **2** [*tipo di*]. →animali

anèllo *s. m.* **1** cerchio **2** (*gener.*) gioiello **CONTR.** collana, spilla, bracciale, orecchino **3** [*nuziale*] fede, vera (*pop.*) **4** [*di fumo*] voluta, spirale, spira **5** [*di una catena, etc.*] elemento, maglia **6** [*di un attrezzo*] occhio (*fig.*), foro **7** [*di peli, di piume, di squame*] collare (*est.*) **8** ghiera **9** [*per correre, etc.*] giro, circuito.

anèmone *s. m.* (*gener.*) fiore.

anestesia *s. f.* narcosi.

anestètico A *s. m.* **1** narcotico **2** (*est.*) antidolorifico, calmante, tranquillante, sedativo **3** (*gener.*) farmaco **B** *agg.* (*est.*) analgesico, antidolorifico, narcotico (*propr.*).

anestetizzàre *v. tr.* narcotizzare, addormentare (*fam.*).

anfibi *s. m. pl.* **1** (*gener.*) animale →animali **2** [*tipo di*].

NOMENCLATURA

Anfibi

Anfibi: vertebrati con pelle nuda e viscida, polmonati, che possono vivere sia in acqua sia in terra.

tritone: anfibio che può vivere sia sulla terra che nell'acqua, noto in numerose specie di cui alcune con caratteristiche livree nuziali;

salamandra: anfibio, con lunga coda, corpo giallo e nero, a macchie, bocca ampia, che vive negli ambienti umidi;

salamandra nera: salamandra più

piccola, di colore nero, che vive nella regione alpina ed è vivipara;

proteo: anfibio oviparo, con branchie persistenti, occhi rudimentali, arti ridotti, privo di pigmento; vive spec. nelle grotte del Carso e della Dalmazia;

raganella: anfibio senza coda, più piccolo della rana, verde chiaro, con dita terminate da ventosa, che conduce vita arborea;

ululone: anfibio senza coda simile a un piccolo rospo, con pelle verrucosa sul dorso, liscia e vivacemente colorata sul ventre; nel periodo della riproduzione emette un verso simile a un ululato;

rana: anfibio senza coda, a pelle liscia, denti nella mascella superiore e zampe posteriori atte al salto;

rospo: anfibio senza coda, dal corpo tozzo e dalla pelle spessa e verrucosa, ricca di ghiandole che secernono un liquido acre e irritante;

alite ostetrico: anfibio il cui maschio trattiene le uova, riunite in cordoni, attorno alle proprie cosce, fino alla nascita dei girini.

anfiteàtro s. m. **1** arena, stadio, circo (est.), teatro (est.), sferisterio **2** [di università, etc.] (est.) aula.

ànfora s. f. **1** (est.) vaso **2** (est.) conca **3** (est.) boccale **4** (gener.) contenitore, recipiente.

angariàre v. tr. fare angherie, tiranneggiare, opprimere, tormentare (fig.), torturare (fig.), vessare (colto), maltrattare, perseguitare, tartassare, crocifiggere (fig.), flagellare (fig.), soffocare (fig.).

angheria s. f. **1** prepotenza, prevaricazione, sopruso, soperchieria, abuso, sopraffazione **2** (est.) torto, ingiustizia **3** (raro) tassa.

angolatùra s. f. angolazione, prospettiva.

angolazióne s. f. angolatura.

àngolo s. m. **1** canto (tosc.), cantonata (raro) **2** [nel muro] spigolo **3** cantuccio (fam.) **4** (mat.) vertice **5** (sport) corner (ingl.).

angòscia s. f. **1** ansia, struggimento, ansietà, inquietudine CONTR. serenità, tranquillità, calma, placidità **2** tormento, affanno (fig.), pena, assillo, incubo

(est.), peso (fig.), oppressione (fig.), angustia (fig.), doglianza **3** (est.) disperazione (lett.), tribolazione **4** (gener.) sentimento.

angosciàre A v. tr. angustiare, affliggere, addolorare, tormentare (fig.), torturare (fig.), accorare, affollare (fig.), desolare, martirizzare (fig.), martoriare (fig.), ossessionare CONTR. rallegrare, divertire, rasserenare **B** v. intr. pron. affannarsi, angustiarsi, tormentarsi, travagliarsi, accorarsi, torturarsi, penare, tribolare, desolarsi, patire CONTR. divertirsi, rallegrarsi.

angosciàto part. pass.; anche agg. **1** tormentato, angustiato, crucciato, afflitto, addolorato (est.), disperato (est.) CONTR. lieto, allegro, contento, gaio, spensierato **2** ansioso, apprensivo, inquieto.

angosciosaménte avv. ansiosamente, affannosamente, penosamente, tormentosamente, dolorosamente CONTR. tranquillamente, serenamente, placidamente.

anguilla s. f. **1** [tipo di] ceca (tosc.), capitone **2** (gener.) pesce.

angùria s. f. **1** frutto **2** cocomero, melone d'acqua (merid.).

angustaménte avv. **1** ristrettamente CONTR. largamente, ampiamente **2** (fig.) meschinamente, miseramente CONTR. largamente, ampiamente, generosamente.

angùstia s. f. **1** [di mezzi] ristrettezza, povertà CONTR. abbondanza, agiatezza, benessere **2** [rif. alle capacità intellettuali] meschinità, grettezza **3** angoscia, affanno (fig.), preoccupazione **4** [rif. a una situazione] difficoltà, strettoia (fig.) **5** [di un luogo] strettezza (raro) CONTR. larghezza, vastità.

angustiàre A v. tr. angosciare, affliggere, torturare (fig.), addolorare, infelicitare, rattristare, travagliare, inquietare, martellare, premere, preoccupare, rammaricare (raro), cuocere (fig.), attanagliare **B** v. intr. pron. **1** angosciarsi, preoccuparsi, tormentarsi, affliggersi, addolorarsi, friggere (fig.), arrovellarsi, divorarsi, inquietarsi, macerarsi, patire, penare, rammaricarsi, rattristarsi **2** (est.) affannarsi,

arrancare (fig.).

angustiàto part. pass.; anche agg. angosciato, tormentato, crucciato, afflitto, oppresso, rammaricato CONTR. allegro, lieto, contento, sollevato, rincuorato.

angùsto agg. **1** [rif. a un luogo] stretto, breve, incomodo, disagevole, scomodo (est.) CONTR. ampio, esteso, largo, agevole (est.), aperto, enorme (est.), spazioso, lato (lett.) **2** [rif. alla mente] gretto, misero, meschino, limitato, ristretto CONTR. aperto.

ànima s. f. **1** spirito, psiche (colto), intimo (est.), alma (poet.), coscienza, interno CONTR. corpo, materia **2** (est.) vita **3** (est.) dedizione, forza, sentimento **4** vitalità **5** [di q.c.] essenza, nucleo **6** (fig.) armatura, ossatura, scheletro, telaio, intelaiatura **7** persona, individuo.

animàle A s. m. **1** bestia, belva, fiera CONTR. vegetale, umano **2** [tipo di] **B** agg. **1** bestiale, ferino CONTR. vegetale **2** animalesco, corporeo, istintivo CONTR. spirituale.

NOMENCLATURA

Animali

Animale: ogni organismo vivente capace di vita sensitiva e di movimenti spontanei.

Protozoi: animali unicellulari, spesso microscopici, diffusi ovunque, nelle acque e nel terreno, anche parassiti;

ameba: animale che muta continuamente di forma, per emissione di pseudopodi;

foraminifero: animale marino provvisto di un guscio calcareo, di forma varia e con uno o più fori per l'uscita degli pseudopodi; depositandosi sui fondi marini contribuisce a formare i fanghi abissali;

radiolario: animale marino, a volte in colonie con un'impalcatura di sostegno minerale, i cui depositi costituiscono la farina fossile;

vorticella: animale a forma di calice, con peduncolo che lo fissa al substrato;

Spugne: animali invertebrati acquatici con il corpo a forma di sacco sostenuto da un'impalcatura silicea, cornea, calcarea;

coppa di Nettuno: spugna di dimensioni eccezionali, a forma di calice, vivente nell'Oceano Pacifico;

spongia: spugna le cui impalcature scheletriche liberate delle parti molli sono vendute come spugne naturali;

verongia: spugna di forma cilindrica;

Celenterati: animali invertebrati acquatici con il corpo gelatinoso provvisto di tentacoli con cellule urticanti;

attinia: animale marino di aspetto simile a un fiore;

corallo: denominazione di varie specie di Celenterati, di piccolissime dimensioni, a forma di polipo, che formano vaste scogliere con i loro scheletri calcarei arborescenti;

gorgonia: animale a forma di polipo che vive in colonie cespugliose, vivacemente colorate, sui fondi dei mari caldi;

madrepora: ogni formazione calcarea costituita dall'ammasso degli scheletri esterni di celenterati a corpo polipoide; nei mari tropicali possono formare barriere, atolli, scogliere;

medusa: animale con il corpo a forma di ombrello, con la bocca circondata da tentacoli, di varie dimensioni e colori;

Anellidi: animali con il corpo cilindrico suddiviso in più segmenti;

arenicola: animale marino con branchie a forma di ciuffi sporgenti;

lombrico: animale ermafrodita che vive nei terreni umidi nutrendosi di sostanze contenute nel terriccio;

verme di terra: (*pop.*);

sanguisuga: animale di acqua dolce frequente sui fondi melmosi, che si nutre succhiando sangue dei vertebrati; un tempo usato per fare salassi;

mignatta: (*pop.*);

sanguetta: (*pop.*);

Platelminti: invertebrati vermiformi a corpo appiattito, spesso parassiti;

distoma: verme spesso parassita;

distoma cinese: distoma comune

nell'Asia sud-orientale parassita dell'uomo che ha come ospiti intermedi i pesci;

fasciola epatica: verme piatto a forma ovale, parassita delle pecore ed eccezionalmente anche dell'uomo;

planaria: verme con corpo appiattito, che vive nelle acque dolci;

policlade: verme marino con colori vivaci e corpo che spesso assomiglia a una larga foglia;

tenia: verme con capo munito di quattro ventose;

verme saginata: verme parassita dell'uomo che ha come ospite intermedio il bue;

verme solitario: verme parassita dell'uomo che ha come ospite intermedio il maiale;

Nematodi: invertebrati vermiformi fra cui si annoverano numerose specie parassite;

anguillula: verme parassita di animali e di vegetali;

ascaride: verme parassita intestinale, con corpo cilindrico di color rosa avorio, appuntito alle due estremità;

ossiuro: verme di piccole dimensioni, filiforme, parassita intestinale spec. dei bambini;

trichina: verme che vive nell'intestino dei mammiferi ove partorisce larve che vanno a formare cisti nei muscoli;

Artropodi: invertebrati con zampe articolate, corpo suddiviso in capo, torace e addome rivestito di chitina;

Aracnidi: artropodi privi di antenne, con sei paia di arti e capo saldato al torace, cui appartengono i ragni, gli scorpioni e gli acari;

acaro: animale parassita di animali e piante, con corpo non segmentato;

acaro della scabbia: acaro che provoca questa malattia nell'uomo;

zecca: acaro che si fissa sulla pelle di uomo o animali, da cui succhia sangue;

opilione: animale molto simile al ragno, ma con cefalotorace e addome riuniti in un unico corpo tondeggiante, con zampe esili e lunghissime, diffuso spec. nelle caverne;

*ragno: animale con corpo diviso in capotorace e addome uniti da un sottile peduncolo, otto zampe e ghiandole addominale il cui secreto, coagulando all'aria, forma il caratteristico filo;

scorpione: animale con addome che si prolunga in una falsa coda sormontata all'apice da un pungiglione ricurvo velenoso e chele robuste per catturare la preda;

Chilopodi: artropodi con corpo lungo e appiattito, un unico paio di arti per ogni segmento, lunghe antenne e ghiandole velenose connesse con l'apparato boccale;

centopiedi: animale con corpo lungo e appiattito diviso in numerosi segmenti ognuno dei quali porta un paio di arti;

scolopendra: animale a corpo appiattito diviso in anelli (ognuno fornito di un paio di arti), bruno, agile, dotato di veleno per paralizzare le prede;

*Crostacei: artropodi per lo più acquatici, con il corpo diviso in cefalotorace e addome, generalmente rivestito dal carapace, due paia di antenne, respirazione branchiale, arti in numero variabile, di cui il primo paio è trasformato in chele;

*Insetti: atropodi con tre paia di zampe e riproduzione ovipara;

Miriapodi: artropodi terrestri a corpo allungato e diviso in segmenti ciascuno con uno o due paia di zampe;

millepiedi: animale con corpo allungato, vermiforme, e tegumento scuro e lucido; comune nei luoghi umidi, terrosi e poco illuminati;

*Molluschi: invertebrati con il corpo molle, spesso protetto da una conchiglia secreta dal mantello

Bivalvi: classe di molluschi con la conchiglia formata da due valve e le branchie a lamelle;

Lamellibranchi;

Cefalopodi;

Gasteropodi: molluschi provvisti di conchiglia dorsale a spirale, capo distinto con occhi portati spesso da tentacoli e uno sviluppato piede carnoso che serve per la locomozione;

Echinodermi: invertebrati marini con corpo rivestito da dermascheletro;

echino: invertebrato marino con corpo provvisto di dermascheletro, planctonici allo stato larvale, viventi sul fondo allo stato adulto;

ofiura: invertebrato marino con corpo stellato a lunghe braccia sottili e flessibili e disco centrale pentagonale;

oloturia: invertebrato marino con corpo cilindrico a forma di sacco e bocca circondata da 20 tentacoli;

riccio di mare: invertebrato marino a forma più o meno sferica, con aculei mobili che hanno scopo difensivo e locomotorio;

stella di mare: invertebrato marino con corpo a forma di stella con cinque o più bracci;

Cordati: animali che presentano, almeno allo stadio embrionale, la corda dorsale;

anfiosso: invertebrato del fango marino con corpo allungato e trasparente, privo di occhi;

ascidia: invertebrato acquatico con corpo a forma di sacchetto provvisto di due aperture, che vive fisso sul fondo marino;

Vertebrati: animali con scheletro cartilagineo od osseo il cui asse è formato dalla colonna vertebrale;

*Anfibi: vertebrati con pelle nuda e viscida, scheletro osseo, larve acquatiche branchiate e adulti terrestri polmonati;

Ciclostomi: vertebrati acquatici con corpo cilindrico, viscido, privo di arti, con scheletro cartilagineo e bocca circolare a ventosa;

lampreda: pesce di acqua dolce, con corpo simile all'anguilla, bocca circolare a ventosa munita di dentelli cornei;

Mammiferi;

*Carnivori;

*Cetacei;

Insettivori;

pipistrello: mammifero con abitudini crepuscolari, capace di volare avendo gli arti anteriori foggiati ad ala;

riccio: mammifero che dorsalmente porta un rivestimento di aculei e che può avvolgersi a palla per difesa;

talpa: mammifero a vita sotterranea, con morbida pelliccia rasa,

occhi piccolissimi e zampe unghiute e robuste atte a scavare gallerie nel terreno;

toporagno: mammifero con muso foggiato a proboscide, feroce predatore notturno di piccoli animali;

vampiro: pipistrello americano che si nutre di insetti, frutta e talvolta anche di sangue, con grandi appendici laminari nella regione nasale che conferiscono al muso un aspetto orrendo;

Marsupiali;

canguro: mammifero australiano con arti posteriori sviluppatissimi atti al salto, la cui femmina è dotata di un marsupio ventrale o borsa in cui la prole completa il suo sviluppo;

koala: mammifero australiano, simile a un orsacchiotto, privo di coda, con piedi prensili muniti di forti unghioni con cui si arrampica sugli alberi;

opossum: mammifero con coda prensile, arti brevi, bellissima pelliccia grigio chiara;

vombato: mammifero che assomiglia a un orsacchiotto, con pelliccia ispida, oggi assai raro;

Monotremi;

echidna: mammifero australiano con muso sottile, unghie robustissime atte a scavare e aculei disseminati fra i peli del mantello;

ornitorinco: mammifero australiano con becco largo e depresso, piedi palmati, soffice pelliccia, che depone uova ma allatta la prole;

Maldentati;

armadillo: mammifero americano con testa e tronco protetti da un'armatura articolata formata di placche ossee rivestite da squame cornee disposte in modo da permettere l'avvolgimento a palla dell'animale in caso di pericolo;

bradipo: mammifero brasiliano grosso come un gatto, privo di coda, testa piccola e lunghi arti con formidabili unghie;

formichiere: mammifero sudamericano dal muso lungo e sottile, che si nutre di formiche catturate introducendo la lunga lingua vischiosa nell'interno dei formicai;

mirmecofago: mammifero asiatico

pangolino: mammifero asiatico

africano privo di denti, con corpo rivestito di robuste squame cornee embricate, forti artigli e lunghissima lingua vischiosa per catturare gli insetti;

Primati: mammiferi con arti plantigradi, muso con pochi peli o glabro, occhi rivolti in avanti, dentatura completa;

lemuride: scimmia con muso allungato e grandi occhi;

proscimmia: mammifero arboricolo, notturno, di piccole dimensioni con coda molto lunga e grandi occhi;

*scimmia: mammifero con corpo coperto di peli a eccezione della faccia, alluce opponibile e dentatura simile a quella dell'uomo;

uomo: mammifero della specie Homo sapiens, a stazione eretta, con differenziazione funzionale delle mani e dei piedi, pollice della mano opponibile, grande sviluppo del sistema nervoso, dotato di forte intelligenza e capace di linguaggio articolato;

*Roditori;

*Ungulati;

*Pesci cartilaginei;

*Pesci ossei;

*Rettili: vertebrati con corpo rivestito di squame cornee e talvolta forniti di dermascheletro osseo, a respirazione polmonare e riproduzione ovipara, ovovivipara o vivipara;

*Uccelli.

animalescaménte *avv.* **1** bestialmente, brutalmente, irrazionalmente **CONTR.** razionalmente **2** irragionevolmente, stupidamente **CONTR.** razionalmente, intelligentemente, ragionevolmente.

animalésco *agg.* (*pl. m. -chi*) animale, bestiale (*anche fig.*), ferino, brutale (*anche fig.*), primitivo **CONTR.** umano, nobile, dignitoso, spirituale.

animàre A *v. tr.* **1** vivacizzare, movimentare, ravvivare, elettrizzare (*fig.*), colorire (*fig.*), vivificare **2** [*qc.*] incoraggiare, esortare, sollecitare, imbaldanzire, invigorire, inorgoglire **3** confortare **4** [*un'iniziativa*] (*est.*) promuovere **5** [*una trasmissione*] (*fig.*) condurre **B** *v. intr. pron.* **1** scaldarsi, infervorarsi, appassionarsi, eccitarsi, elettrizzarsi, imbaldanzirsi **2** [*detto di atmosfera*] ravvivarsi, vivacizzarsi, rianimarsi, riscaldarsi (*fig.*) **3** rincuorarsi **4** [*detto di viso, etc.*] (*est.*) colorirsi, rischiarare.

animataménte *avv.* **1** vivacemente, briosamente, calorosamente, concitatamente **CONTR.** pacatamente **2** con fervore **CONTR.** indolentemente, pigramente.

animàto *part. pass.; anche agg.* **1** [*rif. a un essere*] vivo, vivente, sensibile **CONTR.** morto, inanimato, esanime **2** [*rif. a una città, a una piazza*] vivo (*fig.*), vivace, movimentato **CONTR.** desolato, abbandonato, deserto **3** [*rif. a un discorso*] brioso, frizzante (*fig.*), acceso (*fig.*), appassionato, infervorato **CONTR.** monotono, pesante, scialbo, noioso, piatto.

animazióne *s. f.* **1** vita (*fig.*), movimento **CONTR.** silenzio, mortorio (*pop.*) **2** [*parlare con*] vivacità, calore, brio **CONTR.** freddezza.

ànimo *A s. m.* **1** spirito **2** carattere, temperamento, indole, natura **3** umore **4** audacia, ardimento, coraggio, stomaco (*fig.*), cuore (*fig.*) **CONTR.** codardia, sgomento **5** [*spec. con: avere in*] intenzione, proposito, proponimento **6** (*est.*) seno (*fig.*), mente *B inter.* forza, coraggio.

animosaménte *avv.* **1** audacemente, arditamente, coraggiosamente **CONTR.** timidamente **2** ostilmente, astiosamente **CONTR.** amichevolmente, benevolmente.

animosità *s. f. inv.* astio, malanimo, odio, antipatia, avversione, ostilità, rancore, malevolenza **CONTR.** affettuosità, amicizia, affetto, benevolenza.

animóso *agg.* **1** ardito, audace, coraggioso, impetuoso, bravo **CONTR.** timido, timoroso, vile, vigliacco, codardo, pusillanime **2** [*rif. al comportamento*] ostile, astioso, rancoroso **CONTR.** benevolo, benigno, favorevole **3** [*rif. agli animali*] (*est.*) impetuoso, feroce (*est.*), focoso **4** [*rif. a persona*] (*fig.*) armigero (*lett.*).

ànitra *s. f.* V. *anatra*.

annacquàre *v. tr.* **1** [*il vino, etc.*] diluire, allungare, benedire (*scherz.*),

battezzare (*scherz.*) **2** [*uno scherzo, le parole*] (*fig.*) mitigare, moderare, temperare, attenuare **3** irrigare, bagnare.

annaffiàre o **innaffiàre** *v. tr.* dare l'acqua, bagnare, irrigare, irrorare, aspergere (*colto*).

annaspàre *v. intr.* **1** brancicare, brancolare, arrancare **2** (*est.*) confondersi, imbrogliarsi.

annebbiaménto *s. m.* **1** appannamento, offuscamento, oscuramento **2** [*rif. alle capacità intellettuali*] (*fig.*) ottenebrazione, stordimento, abbacinamento, ottenebramento, intontimento, obnubilamento, nebbia, accecamento.

annebbiàre *A v. tr.* (*anche fig.*) offuscare, appannare, oscurare, velare, intorbidare, ottenebrare **CONTR.** schiarire *B v. intr. pron.* **1** [*detto di mente*] intorpidirsi **2** [*detto di giorno, di sguardo*] offuscarsi, divenire nebbioso **3** [*detto di ricordo*] (*fig.*) appannarsi, sbiadire.

annebbiàto *part. pass.; anche agg.* **1** [*rif. al tempo atmosferico*] offuscato, appannato, coperto **CONTR.** sereno, chiaro, limpido **2** (*fig.*) oscurato, velato **CONTR.** trasparente **3** [*rif. alla mente*] appannato, vago, confuso.

annegàre *A v. tr.* **1** affogare **2** (*gener.*) uccidere *B v. rifl.* **1** affogarsi **2** (*gener.*) suicidarsi, uccidersi, morire, ammazzarsi **3** [*in q.c.*] (*fig.*) sprofondare, naufragare, perdersi.

annerire *A v. tr.* **1** scurire, rendere nero **2** [*i muri*] affumicare **3** [*le pentole*] sporcare *B v. intr. e intr. pron.* **1** [*detto di giorno, di tempo*] oscurarsi, diventare scuro, inscurirsi, imbrunire **2** [*detto di metallo*] diventare nero, scurirsi.

annèttere *v. tr.* **1** aggregare, sommare, assommare, incorporare, accorpare **2** [*una casa ad un'altra*] unire, congiungere **3** [*q.c. in una busta*] allegare, accludere.

annichilàre *v. tr. e rifl.* V. *annichilire*.

annichilire o **annichilàre** *A v. tr.* **1** annientare, distruggere, polverizzare, schiacciare **2** (*est.*) umiliare, abbattere, avvilire **3** (*est.*) raggelare, stupire *B v. rifl.* annullarsi, umiliarsi, prostrarsi,

annientarsi.

annidàre *A v. tr.* nascondere, occultare *B v. intr. pron.* **1** farsi il nido **2** (*est.*) essere nascosto, nascondersi, occultarsi.

annientaménto *s. m.* **1** [*rif. a persone*] eliminazione, sterminio (*est.*) **2** [*rif. a cose*] distruzione, demolizione, abbattimento **3** (*est.*) sconfitta.

annientàre *A v. tr.* **1** [*un esercito, etc.*] distruggere, sconfiggere, demolire, debellare, sgominare, incenerire (*fig.*), polverizzare (*fig.*), schiacciare (*fig.*), sterminare, disintegrare (*fig.*) **2** [*il vizio, il male, etc.*] (*fig.*) estinguere, estirpare, annullare **3** [*qc.*] (*est.*) abbattere, umiliare, prostrare, deprimere, avvilire, confondere, annichilire (*fig.*) *B v. rifl.* annullarsi, distruggersi, annichilirsi.

ànno *s. m.* (*est.*) stagione, fase, epoca **CONTR.** giorno, mese, settimana.

annodàre *A v. tr.* legare insieme, stringere, avviluppare, legare *B v. intr. pron.* **1** avvilupparsi **2** (*est.*) confondersi.

annoiàre *A v. tr.* **1** tediare, stancare, stufare, venire a noia **a 2** molestare, infastidire, scocciare, seccare, importunare, rompere (*volg.*), assordare (*fig.*), essere di troppo **3** [*detto di ospite*] (*est.*) molestare, puzzare (*fig.*) *B v. intr. pron.* seccarsi, stancarsi, stufarsi, tediarsi, scocciarsi, infastidirsi, scazzarsi (*volg.*), scoglionarsi (*volg.*).

annoiàto *part. pass.; anche agg.* tediato, seccato, stufo, scocciato, infastidito, stanco (*est.*) **CONTR.** interessato, attento, contento (*est.*), soddisfatto (*est.*), divertito.

annóso *agg.* vecchio, antico **CONTR.** nuovo, recente.

annotàre *v. tr.* **1** scrivere, registrare, fare delle annotazioni, notare (*raro*), segnare, rubricare (*raro*) **2** commentare, chiosare, glossare, fare delle note.

annotazióne *s. f.* **1** nota, appunto **2** [*in un documento*] (*colto*) postilla, glossa, chiosa **3** registrazione.

annottàre *v. intr. impers.* rabbuiarsi, abbuiarsi, fare notte, imbrunire, farsi buio, scurire **CONTR.** aggiornare, fare giorno, albeggiare.

annoveràre *v. tr.* **1** enumerare, computare, contare, calcolare, conteggiare **2** [*molti amici, etc.*] vantare, noverare **3** [*alcune possibilità*] includere, comprendere **4** [*q.c. a colpa di qc.*] ascrivere.

annualménte *avv.* ogni anno.

annuàrio *s. m.* (*raro*) almanacco.

annuìre *v. intr.* **1** dire di sì, assentire **2** acconsentire.

annullaménto *s. m.* **1** abrogazione, cancellazione, soppressione, revoca, risoluzione, abolizione, cassazione (*raro*), rescissione **CONTR.** sanzione, ratifica, convalida **2** [*dei debiti, etc.*] estinzione.

annullàre **A** *v. tr.* **1** [*una legge, una norma*] abrogare, abolire, revocare, cancellare, cassare, proscrivere, elidere, ritirare **CONTR.** emanare, promulgare **2** [*le speranze, i desideri*] (*fig.*) annientare, eliminare, distruggere, sopprimere, frustrare, polverizzare **3** [*l'effetto di q.c.*] (*est.*) neutralizzare **4** [*il biglietto del bus*] obliterare (*bur.*) **5** [*un contratto*] invalidare, infirmare, rescindere, sciogliere (*fig.*), risolvere **CONTR.** convalidare, omologare, sancire **6** [*il ricordo*] (*fig.*) estinguere, sommergere **7** [*un patto, un matrimonio*] disfare, mandare in fumo (*fig.*) **8** [*un debito*] estinguere **9** [*un impegno*] disdire **10** [*lo svantaggio*] (*sport*) risalire (*fig.*) **B** *v. rifl.* annientarsi, umiliarsi, prostrarsi, sottomettersi, annichilirsi **C** *v. rifl. rec.* elidersi, escludersi **D** *v. intr. pron.* [*detto di speranze, etc.*] svanire, sparire, confondersi.

annunciàre o **annunziàre** **A** *v. tr.* **1** [*q.c.*] comunicare, dichiarare, divulgare, notificare, segnalare **2** [*qc. di q.c.*] informare, avvertire, avvisare **3** [*qc. in un luogo*] presentare, fare entrare **4** [*le nozze, la nascita*] partecipare **5** [*l'inizio, la fine di q.c.*] segnare, preconizzare **6** [*la pioggia, il sole, etc.*] segnalare, recare, predire, promettere (*fig.*) **B** *v. intr. pron.* delinearsi, prospettarsi.

annunciatóre (1) *s. m.* (*f. -trice*) speaker (*ingl.*), presentatore.

annunciatóre (2) *agg.* (*f. -trice*) premonitore.

annùncio o **annùnzio** *s. m.* **1** comunicato, bando **2** [*tipo di*] informazione, dichiarazione, avvertimento (*est.*), avviso, partecipazione **3** [*in un giornale*] inserzione **4** (*est.*) presagio, indizio, sintomo **5** profezia.

annunziàre *v. tr. e intr. pron.* V. *annunciare*.

annùnzio *s. m.* V. *annuncio*.

annusàre *v. tr.* **1** odorare, fiutare, nasare **2** (*est.*) intuire, accorgersi *di*, immaginarsi, indovinare, avvertire.

annusàta *s. f.* [*di droga*] tiro, fiutata, sniffata (*gerg.*).

annuvolàre **A** *v. tr.* **1** [*il cielo*] rannuvolare, coprire **2** [*il viso, l'animo*] (*est.*) offuscare, adombrare, turbare **B** *v. intr. pron.* **1** rannuvolarsi, diventare nuvoloso, rabbuiarsi **2** (*est.*) rabbuiarsi, acciagliarsi, crucciarsi, corrucciarsi, turbarsi, immusonirsi, rabbuffarsi.

anomalìa *s. f.* **1** stranezza, anormalità **2** (*est.*) eccezione **CONTR.** regola **3** (*est.*) imperfezione, deficienza **4** [*nel comportamento, etc.*] irregolarità.

anòmalo *agg.* **1** inusitato, insolito **CONTR.** normale, comune, usuale, solito, ordinario **2** (*est.*) irregolare **CONTR.** regolare **3** eccezionale **CONTR.** normale.

anonimaménte *avv.* impersonalmente, senza rilievo.

anònimo **A** *agg.* **1** impersonale **CONTR.** originale, caratteristico, personale **2** (*est.*) banale, piatto **CONTR.** originale, caratteristico **3** ignoto, sconosciuto **CONTR.** noto, conosciuto **B** *s. m.* (*f. -a*) sconosciuto.

anoressìa *s. f.* disappetenza, inappetenza.

anormàle **A** *agg.* **1** irregolare **CONTR.** normale, comune, regolare, abituale, consueto **2** patologico, morboso, maniacale **CONTR.** normale, comune **B** *s. m. e f.* diverso.

anormalità *s. f. inv.* **1** anomalia, stranezza **CONTR.** normalità **2** eccezionalità **3** deficienza, imperfezione.

ànsa *s. f.* **1** [*rif. ai fiumi*] meandro, sinuosità, curva **2** [*rif. a un vaso, etc.*] maniglia **3** [*nel muro*] sporgenza, rientranza **4** [*di mare*] baia (*raro*).

ansànte *part. pres.; anche agg.* **1** affannato, ansimante, trafelato **2** (*lett.*) ansioso **CONTR.** calmo, tranquillo, rilassato.

ansàre *v. intr.* anelare, ansimare.

ànsia *s. f.* **1** [*spec. con: essere in*] angoscia, apprensione, inquietudine, agitazione, preoccupazione, tensione, trepidazione, ambascia, allarme (*fig.*), pensiero **2** [*spec. con: avere, provare*] angoscia, paura, affanno (*fig.*), struggimento (*fig.*), tremore (*fig.*), turbamento, oppressione (*fig.*) **CONTR.** serenità, tranquillità **3** suspense (*ingl.*) **4** [*di avere q.c.*] brama, smania **5** (*est.*) impazienza, fretta.

ansietà *s. f. inv.* tensione, nervosismo, affanno (*fig.*), angoscia, timore, agitazione **CONTR.** serenità, tranquillità.

ansimànte *part. pres.; anche agg.* ansante, trafelato **CONTR.** calmo, tranquillo, quieto.

ansimàre *v. intr.* **1** affannare, boccheggiare, rantolare, anelare, ansare, respirare (*impr.*) **2** [*detto di locomotiva, etc.*] sbuffare, soffiare.

ansiolìtico *s. m.* **1** sedativo, calmante, tranquillante (*farm.*) **CONTR.** stimolante **2** (*gener.*) farmaco.

ansiosaménte *avv.* affannosamente, angosciosamente, desiderosamente, impazientemente **CONTR.** tranquillamente, serenamente, placidamente, rilassatamente.

ansióso **A** *agg.* **1** apprensivo, emotivo **CONTR.** sereno, tranquillo **2** (*est.*) preoccupato, angosciato, inquieto, agitato, irrequieto, affannato (*fig.*), ansante (*fig.*) **CONTR.** calmo, rilassato, quieto **3** impaziente, desideroso, insofferente **CONTR.** tranquillo, paziente, calmo **B** *s. m.* (*f. -a*) (*psicol.*) nevrotico.

ànsito *s. m.* affanno, respiro, rantolo.

ànta *s. f.* **1** imposta, persiana, battente **2** sportello, porta.

antagonismo *s. m.* **1** contrasto, riva-

antagonista lità, competizione, discordia, opposizione, guerra (*fig.*), concorrenza **CONTR.** concordia, amicizia **2** (*est.*) gelosia.

antagonista **A** *s. m. e f.* **1** avversario, oppositore, rivale, concorrente, nemico, competitore **CONTR.** alleato, simpatizzante, socio **2** (*est.*) sfidante **B** *agg.* contrario, contrapposto, concorrente.

antàlgico o **antiàlgico** *s. m.* **1** (*farm.*) analgesico, antidolorifico, antinevralgico, antispastico, calmante, sedativo **2** (*gener.*) farmaco.

antàrtico **A** *agg.* meridionale, australe **CONTR.** settentrionale, artico, boreale **B** *s. m.* polo sud.

antecedènte **A** *agg.* **1** precedente, anteriore **CONTR.** seguente, successivo, posteriore **2** (*temp.*) scorso **CONTR.** prossimo **B** *s. m.* precedente, antefatto, fatto **CONTR.** seguito.

antecedenteménte *avv.* prima, anteriormente, precedentemente, avanti **CONTR.** dopo, poi, successivamente, in seguito, conseguentemente.

antecèdere *v. tr. e intr.* precedere.

antefàtto *s. m.* precedente, antecedente.

antenàto *s. m.* (*f. -a*) avo (*colto*), progenitore, ascendente, vecchio, padre **CONTR.** successore, discendente.

antènna *s. f.* (*mar.*) verga, randa, penna, picco, albero.

antepórre *v. tr.* **1** mettere al primo posto, dare la precedenza *a*, fare precedere **CONTR.** posporre **2** prediligere, preferire, scegliere (*est.*) **3** [*una prefazione*] premettere, preporre, mettere avanti.

anteriòre *agg.* **1** antecedente, precedente **CONTR.** posteriore, seguente, dietro **2** (*lett.*) primo.

anteriorménte *avv.* **1** prima, avanti, precedentemente, antecedentemente **CONTR.** dopo, poi, in seguito, dipoi **2** prima, avanti, davanti **CONTR.** dietro, posteriormente.

antesignàno *s. m.* (*f. -a*) precursore, avanguardia, anticipatore **CONTR.** seguace.

antiàlgico *s. m.* V. *antalgico.*

anticàglia *s. f.* **1** vecchiume, ciarpame, antichità (*euf.*) **2** [*rif. alle idee*] (*fig.*) anticume.

anticaménte *avv.* una volta, in passato, nei tempi antichi, originariamente **CONTR.** ora, oggi, al giorno d'oggi, attualmente.

anticàmera *s. f.* ingresso, atrio, vestibolo.

antichità *s. f. inv.* **1** preistoria (*fig.*), passato **CONTR.** attualità, modernità, novità **2** anticaglia (*spreg.*) **3** reperto, cimelio.

anticipàre *v. tr.* **1** [*i tempi*] affrettare **CONTR.** posticipare, differire, dilazionare, posporre, procrastinare, prolungare, prorogare, protrarre, tardare, ritardare, rimandare **2** [*un'epoca, un avvenimento*] preludere, precorrere **3** [*la primavera, etc.*] preavvertire, segnalare, preannunciare, preconizzare, preludere **4** [*denaro, etc.*] dare, dare in prestito, dare in anticipo, pagare in anticipo **5** [*q.c. in un discorso*] premettere **6** [*un'azione*] prevenire, precedere, prevedere **7** [*una notizia*] (*est.*) informare *di*, fare sapere **CONTR.** posticipare **B** *v. intr.* essere in anticipo, arrivare prima, fare prima del dovuto **CONTR.** tardare, ritardare.

anticipataménte *avv.* **1** prima, con anticipo, preventivamente **2** prematuramente, anzitempo, precocemente (*est.*).

anticipatóre *s. m.* (*f. -trice*) precursore, antesignano (*colto*), avanguardia **CONTR.** seguace.

anticipazióne *s. f.* **1** preavviso, preannuncio, preavvertimento, anticipo **2** (*ling.*) prolessi **CONTR.** posticipazione.

anticipo *s. m.* **1** [*di un racconto, di una notizia*] anticipazione **2** [*di denaro*] (*est.*) acconto, caparra, deposito, pegno, cauzione.

antico **A** *agg.* (*pl. m. -chi*) **1** vecchio, vetusto (*lett.*), annoso, secolare, arcaico, avito, ancestrale **CONTR.** moderno, nuovo, attuale, odierno **2** [*rif. alla mentalità*] arcaico, antiquato, passato, obsoleto, superato, sorpassato **CONTR.** moderno, nuovo, giovane

3 (*est.*) consueto, abituale **B** *s. m. sing.* vecchio **CONTR.** moderno, nuovo.

anticolèrico *s. m.* (*gener.*) vaccino, farmaco.

anticoncezionàle **A** *s. m.* **1** contraccettivo (*farm.*), antifecondativo **2** (*gener.*) farmaco **B** *agg.* contraccettivo, antifecondativo **CONTR.** fecondativo.

anticonformista **A** *agg.* libero, aperto, originale, alternativo, nuovo (*est.*) **CONTR.** conformista, tradizionale, solito, benpensante, borghese (*est.*) **B** *s. m. e f.* originale (*est.*), eccentrico **CONTR.** conformista, benpensante, borghese, conservatore.

anticongelànte *s. m.* antigelo.

anticonóscere *v. tr.* preconoscere (*lett.*), prevedere, presentire, presagire.

anticùme *s. m.* anticaglia (*spreg.*).

antidiftèrico *s. m.* (*gener.*) vaccino, farmaco.

antidogmàtico *agg.* liberale, aperto (*est.*) **CONTR.** dogmatico, rigoroso.

antidolorifico **A** *s. m.* **1** analgesico (*farm.*), anestetico (*farm.*), calmante, sedativo, antinevralgico (*farm.*), pillola (*est.*), cachet (*fr.*), antispasmodico (*farm.*), antispastico (*farm.*), antalgico (*farm.*) **2** (*gener.*) farmaco **B** *agg.* analgesico, antinevralgico, anestetico (*est.*).

antidoto *s. m.* rimedio, cura (*est.*).

antielmìntico *s. m.* **1** vermifugo (*farm.*) **2** (*gener.*) farmaco.

antifascista **A** *s. m. e f.* **1** democratico **CONTR.** fascista **2** (*est.*) partigiano **B** *agg.* democratico, libertario **CONTR.** fascista.

antifebbrile *s. m.* antipiretico, febbrifugo.

antifecondativo **A** *agg.* contraccettivo, anticoncezionale **CONTR.** fecondativo **B** *s. m.* **1** anticoncezionale, contraccettivo (*farm.*) **2** (*gener.*) farmaco.

antinevràlgico **A** *agg.* analgesico, antidolorifico **B** *s. m.* **1** antidolorifico (*farm.*), calmante, sedativo, pillola,

aperto

cachet (*fr.*), antalgico (*farm.*) **2** (*gener.*) farmaco.

antìopa *s. f.* (*gener.*) farfalla.

antipatìa *s. f.* **1** [*spec. con: provare, sentire*] avversione, intolleranza, fastidio, animosità CONTR. simpatia, attrattiva **2** [*spec. con: destare, essere*] odiosità, fastidiosità, sgradevolezza CONTR. amabilità **3** (*gener.*) sentimento.

antipaticaménte *avv.* sgradevolmente, spiacevolmente, odiosamente, fastidiosamente, indisponentemente CONTR. simpaticamente, gradevolmente, affabilmente.

antipàtico A *agg.* sgradevole, irritante, sgradito, detestabile, odioso, inviso CONTR. simpatico, spiritoso, gradevole, piacente, carino, amabile, caro, allettante, gustoso **B** *s. m.* (*f. -a*) CONTR. simpatico.

antipirètico *s. m.* antifebbrile, febbrifugo.

antipòlio *s. f. inv.* (*gener.*) farmaco, vaccino.

antiquàto *agg.* **1** [*rif. all'aspetto*] antico, arcaico, vecchio, vetusto (*lett.*) CONTR. moderno, giovane **2** [*rif. alla mentalità*] superato, obsoleto, sorpassato, inattuale, anacronistico, retrivo, retrogrado, borbonico CONTR. ardito (*est.*), nuovo, aperto, liberale, rivoluzionario **3** [*rif. a un abito*] inattuale, disusato, fuori moda CONTR. attuale, alla moda, à la page **4** [*rif. alla tecnologia*] vecchio CONTR. rivoluzionario, avanzato **5** [*rif. alle idee*] (*fig.*) rancido.

antispasmòdico *s. m.* **1** sedativo, calmante, antispastico (*farm.*), antidolorifico (*farm.*) **2** (*gener.*) farmaco (*est.*).

antispàstico *s. m.* **1** antispasmodico (*farm.*), calmante, sedativo, antidolorifico (*farm.*), antalgico (*farm.*) **2** (*gener.*) farmaco.

antistànte *agg.* prospiciente, di fronte CONTR. retrostante, dietro.

antitèsi *s. f. inv.* opposizione, opposto, negazione, contrario.

antitetànico *s. m.* (*gener.*) vaccino, farmaco.

antivaiolóso *s. m.* (*gener.*) vaccino, farmaco.

antivedére *v. tr.* (*lett.*) prevedere, presagire, presentire, preconoscere, profetare (*raro*), profetizzare.

antiveggènza *s. f.* preconoscenza, presentimento, preveggenza.

antologìa *s. f.* raccolta, scelta, miscellanea (*colto*), florilegio (*lett.*), poliantea (*lett.*), selezione, crestomazia (*lett.*), rassegna.

antracite *s. f.* (*gener.*) carbone, sostanza.

àntro *s. m.* **1** caverna, grotta, spelonca **2** (*est.*) tugurio, topaia, stamberga, catapecchia, abituro.

antropofagìa *s. f.* cannibalismo.

antropòfago *agg., s. m.* (*f. -a*) cannibale.

anturium *s. m.* (*gener.*) fiore.

ànzi A *avv.* prima **B** *cong.* al contrario, invece, all'opposto **C** *prep.* avanti di, prima di.

anziàno A *s. m.* (*f. -a*) **1** vecchio, vegliardo, nonno CONTR. giovane, adolescente, adulto, bambino, bambina, bimba, bimbo, infante, neonato, giovanotto, pargolo, poppante, ragazzino **2** veterano (*lat.*), senior (*ingl.*) CONTR. neofita **B** *agg.* **1** attempato, vecchio, stagionato (*scherz.*) CONTR. giovane, junior (*ingl.*) **2** senior, decano, veterano.

anzitèmpo *avv.* prematuramente, anticipatamente, prima del tempo, precocemente, immaturamente, acerbamente CONTR. tardivamente.

anzitùtto *avv.* prima di tutto, innanzitutto, per prima cosa, principalmente.

a pàrte *loc. avv.* V. *parte*.

apartheid *s. m. inv.* segregazione.

apatìa *s. f.* **1** [*stato d'animo*] abulia, indolenza, svogliatezza CONTR. vivacità, calore **2** [*rif. all'atteggiamento*] inattività, ignavia, passività, inoperosità, immobilismo CONTR. verve, zelo, mobilità, dinamicità, dinamismo, esuberanza.

apaticaménte *avv.* indolentemente,

abulicamente, indifferentemente, pigramente CONTR. alacremente, attivamente, fervorosamente, vigorosamente (*fig.*), energicamente (*fig.*), con curiosità (*est.*), vogliosamente (*est.*).

apàtico A *agg.* **1** abulico, inerte, indolente, passivo, svogliato, inattivo, fiacco CONTR. attivo, alacre, energico, volenteroso, dinamico **2** (*est.*) impassibile, indifferente CONTR. bramoso, desideroso, famelico **B** *s. m.* (*f. -a*) indifferente, indolente.

apatùra *s. f.* (*gener.*) farfalla.

àpe *s. f.* (*gener.*) insetto.

aperitìvo *s. m.* (*gener.*) bevanda.

apertaménte *avv.* **1** chiaramente, palesemente, manifestamente, pubblicamente CONTR. ambiguamente, oscuramente, implicitamente, elusivamente, biecamente, mascheratamente, slealmente, ipocritamente, ristrettamente **2** lealmente, francamente, sinceramente, schiettamente, liberamente, limpidamente CONTR. ambiguamente, oscuramente, implicitamente, chetamente, di nascosto, furtivamente, nascostamente, occultamente, riservatamente, segretamente, tacitamente.

apèrto *part. pass.; anche agg.* **1** [*rif. a un luogo*] largo, allargato, dilatato, spazioso CONTR. chiuso, limitato, stretto, angusto, ristretto, piccolo, ostruito **2** [*rif. a una persona*] (*fig.*) chiaro, franco, schietto, scoperto CONTR. ipocrita, sleale, perfido (*est.*) **3** [*rif. a un discorso*] (*est.*) chiaro, manifesto, palese, perspicuo CONTR. oscuro, velato, implicito, coperto, elusivo, enigmatico **4** [*rif. a un discorso, a una battuta*] (*fig.*) sagace, vivace, acuto **5** [*rif. a una persona*] intelligente, sensibile, caloroso (*fig.*), comprensivo, disponibile, abbordabile (*fig.*), accessibile (*fig.*) CONTR. chiuso, limitato, stupido, duro, castrato (*est.*), ritroso **6** [*rif. a un abito*] slacciato, sbottonato CONTR. chiuso **7** [*rif. alla mentalità*] libero, anticonformista, antidogmatico, elastico CONTR. chiuso, antiquato, conformista, dogmatico, oscurantista **8** [*rif. alla porta, etc.*] spalancato, schiuso CONTR. chiuso, serrato, sbarrato, sprangato **9** [*rif. alle mani, alle ali*] teso CONTR. chiuso **10** [*rif. allo* *spazio*] sgombro.

apertùra *s. f.* **1** fenditura, taglio, crepa, breccia, squarcio, spacco, pertugio, rotta (*est.*), spiraglio **2** varco, ingresso, entrata, imboccatura, porta (*est.*), passaggio **CONTR.** chiusura **3** (*est.*) foro, buco, orifizio **4** sfogo (*fig.*), strada, sbocco, uscita **5** [*di un'attività*] (*est.*) inizio **CONTR.** serrata, cessazione **6** (*est.*) inaugurazione, prima **7** [*rif. alla visione del mondo*] (*est.*) liberalità, disponibilità, generosità, larghezza **CONTR.** chiusura, settarismo, moralismo, limitatezza **8** [*rif. a un debito*] (*est.*) accensione, costituzione **CONTR.** chiusura, estinzione **9** [*musicale*] preludio, ouverture (*fr.*).

àpice *s. m.* **1** colmo, vertice, cima, punta, sommità, vetta, sommo **CONTR.** base **2** [*della carriera, etc.*] (*fig.*) colmo, top (*ingl.*), apogeo (*colto*), culmine (*colto*), acme, pieno **CONTR.** inizio, fondo.

aplomb *s. m. inv.* disinvoltura, spigliatezza, sicurezza **CONTR.** timidezza.

apocalisse *s. f.* (*est.*) catastrofe, disastro.

a pòco a pòco *loc. avv.* V. poco.

apòcope *s. f.* (*ling.*) troncamento.

apogèo *s. m.* **1** culmine, apice, vertice, top (*ingl.*), vetta, sommità, pieno, acme **CONTR.** fondo **2** (*astron.*) **CONTR.** perigeo.

apòllo *s. m.* (*gener.*) farfalla.

apoplessia *s. f.* paralisi.

apòria (1) *s. f.* (*gener.*) farfalla.

aporia (2) *s. f.* difficoltà (*est.*).

apostasia *s. f.* [*rif. a una religione*] abiura **CONTR.** conversione.

apostolàto *s. m.* missione, propaganda.

apòstolo *s. m.* **1** missionario, sacerdote **2** (*est.*) propugnatore, propagandista, fautore, difensore.

apostrofàre (1) *v. tr.* inveire, scagliarsi *su*.

apostrofàre (2) *v. tr.* (*ling.*) mettere l'apostrofo.

appaciàre *A v. tr.* conciliare, pacificare, accordare, raggiustare, riconciliare *B v. rifl. rec.* riconciliarsi.

appagaménto *s. m.* **1** soddisfazione **CONTR.** frustrazione, insoddisfazione **2** (*est.*) benessere, beatitudine **CONTR.** scontento.

appagàre *A v. tr.* **1** [*detto di risposte, etc.*] soddisfare, contentare, accontentare **2** [*un desiderio, una voglia*] soddisfare, contentare, accontentare, esaudire, placare, quietare, dissetare (*raro*), saziare (*raro*), sfogare (*raro*) **3** [*detto di spettacolo, etc.*] (*est.*) dilettare, gratificare *B v. rifl.* **1** contentarsi, soddisfarsi, accontentarsi, gratificarsi, essere soddisfatto **2** dissetarsi, pascersi, saziarsi.

appagàto *part. pass.; anche agg.* **1** pago (*lett.*), soddisfatto, contento, beato (*est.*) **CONTR.** insoddisfatto, scontento, frustrato (*psicol.*), represso, deluso, dispiaciuto **2** (*est.*) placato, quietato **CONTR.** agitato, inquieto **3** (*est.*) sfamato (*anche fig.*), realizzato.

appaiaménto *s. m.* abbinamento, accoppiamento, unione **CONTR.** spaiamento.

appaiàre *A v. tr.* accoppiare, abbinare, congiungere, mettere insieme, accompagnare **CONTR.** sdoppiare, dividere, separare, scompagnare *B v. rifl. rec.* accoppiarsi, unirsi, sposarsi *C v. intr. pron.* [*detto di colori, etc.*] accordarsi.

appàlto *s. m.* concessione.

appannàggio *s. m.* **1** dotazione, assegno, rendita **2** dote, prerogativa.

appannaménto *s. m.* **1** annebbiamento, offuscamento, oscuramento (*est.*) **CONTR.** limpidezza **2** [*delle facoltà mentali*] (*fig.*) annebbiamento, offuscamento, ottundimento, confusione, abbacinamento, ottenebramento, nebbia **CONTR.** lucidità.

appannàre *A v. tr.* **1** oscurare, velare, intorbidare **2** [*la mente*] (*est.*) annebbiare (*fig.*), confondere, accecare (*fig.*), ottundere, intorbidire (*fig.*) **3** [*la mente*] (*fig.*) offuscare *B v. intr. pron.* annebbiarsi, offuscarsi.

appannàto *part. pass.; anche agg.* **1** annebbiato, velato, offuscato (*fig.*)

CONTR. chiaro, limpido, trasparente, lucente, sfavillante, aureo **2** [*rif. alle capacità intellettuali*] (*fig.*) appassito, sfiorito, confuso, vago **CONTR.** fresco, pronto, all'erta.

apparàto *s. m.* **1** impianto **2** (*est.*) dispositivo, macchinario, congegno, apparecchio, meccanismo, macchina **3** [*nervoso, cellulare, etc.*] sistema **4** [*di forze*] dispiegamento, allestimento.

apparecchiàre *A v. tr.* approntare, preparare, allestire, disporre, predisporre, apprestare, ammannire *B v. rifl.* disporsi, prepararsi, accingersi.

apparecchiatùra *s. f.* **1** apparecchio, congegno, dispositivo, impianto, macchinario, macchina **2** [*di q.c.*] allestimento.

apparécchio *s. m.* **1** apparato, dispositivo, congegno, apparecchiatura, macchinario, strumento, diffusore, macchina **2** aereo, aeromobile, aerobus, aeroplano **3** (*gener.*) velivolo, veicolo.

apparènte *part. pres.; anche agg.* **1** [*rif. alla ricchezza, alla bellezza*] immaginario, irreale, fittizio, illusorio, ingannevole, falso (*est.*), finto (*est.*) **CONTR.** reale, vero, effettivo, certo, concreto **2** (*est.*) superficiale, esteriore, estrinseco **3** (*propr.*) visibile **CONTR.** invisibile, nascosto.

apparenteménte *avv.* a prima vista, esteriormente, superficialmente **CONTR.** realmente, effettivamente, sostanzialmente.

apparènza *s. f.* **1** sembianza, parvenza (*raro*), aspetto, vista, sembiante (*lett.*) **2** esteriorità, fumo (*fig.*), finta **CONTR.** sostanza, realtà, essenza **3** [*spec. con: salvare l'*] immagine, forma **4** (*fig.*) vernice, superficie, scorza **5** specie di (*lett.*), veste di (*fig.*) **6** [*spec. in loc.: fare bella, cattiva*] veduta (*fam.*), mostra.

apparire *v. intr.* **1** mostrarsi, comparire, affacciarsi, ricomparire, presentarsi, sbucare **CONTR.** sparire, dileguarsi, disparire, eclissarsi, fuggire, involarsi, volatilizzarsi, dissolversi **2** sembrare, parere, risultare, dimostrarsi, essere, figurare, passare **3** [*detto di astro*] sorgere, spuntare, balenare, nascere **4** [*detto di situazione, di evento*] insorgere, emergere, prospettarsi, delinearsi, affiorare, disegnarsi **5** occhieggiare, fare capolino.

appariscènte *agg.* vistoso, sgargiante, eclatante, smaccato, pacchiano, pretenzioso, teatrale *(fig.)*, caricato *(est.)*, pomposo *(est.)* **CONTR.** insignificante, spento, scialbo, modesto.

appariscènza *s. f.* vistosità, imponenza *(est.)* **CONTR.** modestia.

apparizióne *s. f.* **1** [*di una persona*] comparsa, ingresso **2** [*di un fenomeno*] manifestazione **CONTR.** scomparsa, sparizione **3** visione *(est.)*, evocazione, fantasma, spettro **4** [*rif. a una notizia, etc.*] *(est.)* pubblicazione, diffusione, divulgazione **5** [*di opere teatrali, etc.*] fioritura *(fig.)*.

appartaménto *s. m.* **1** quartiere *(tosc.)*, basso *(nap.)*, alloggio *(est.)*, abitazione *(est.)*, dimora *(est.)* **2** *(gener.)* casa.

appartàre *A v. tr.* isolare *B v. rifl.* **1** isolarsi, estraniarsi, rinchiudersi, ritirarsi, confinarsi, esiliarsi **2** allontanarsi, separarsi **3** nascondersi.

appartàto *part. pass.; anche agg.* **1** [*rif. a un luogo*] romito, segreto *(est.)*, nascosto *(est.)*, isolato, solitario **CONTR.** vicino, visibile **2** [*rif. a una persona*] isolato, solitario **CONTR.** socievole.

appartenènza *s. f.* **1** proprietà **2** *(bur.)* spettanza, attinenza, competenza, ragione *(est.)*, inerenza **CONTR.** estraneità.

appartenére *v. intr.* **1** spettare **2** convenire, confarsi **3** concernere un, riguardare un, competere **4** essere di proprietà di **5** [*a una famiglia, a un club, etc.*] fare parte di, essere.

appassionànte *part. pres.; anche agg.* entusiasmante, travolgente, trascinante, commovente *(est.)* noioso, monotono.

appassionàre *A v. tr.* entusiasmare, infervorare, avvincere, innamorare, turbare, commuovere, emozionare, incuriosire, interessare, scaldare *(fig.)*, esaltare *B v. intr. pron.* entusiasmarsi, accalorarsi *(fig.)*, infervorarsi, infiammarsi *(fig.)*, emozionarsi, animarsi, commuoversi, incuriosirsi, innamorarsi, scaldarsi *(fig.)*.

appassionataménte *avv.* ardente-

mente, focosamente, con ardore, passionalmente, con passione, impetuosamente, fervorosamente, freneticamente, follemente, entusiasticamente, devotamente **CONTR.** freddamente, indifferentemente, blandamente, stancamente *(est.)*.

appassionàto *A part. pass.; anche agg.* **1** [*rif. a un sentimento*] fervido, ardente, caldo, infuocato *(fig.)* **CONTR.** indifferente, freddo, tiepido, disinteressato **2** *(est.)* affezionato **3** [*rif. a un discorso*] animato, toccante, infervorato, entusiasmato **CONTR.** freddo, tiepido, distaccato, pacato **4** [*rif. a un moto, a un movimento*] frenetico, febbrile **5** [*rif. all'amore*] romantico, travolgente, sconvolgente, sviscerato **CONTR.** freddo **6** [*a un'attività*] fanatico, interessato, sollecito **CONTR.** indifferente, disinteressato **7** [*rif. a un saluto, a un commiato*] commosso, sentito, addolorato, accorato **CONTR.** freddo, tiepido, distaccato, lieto, sereno **8** [*rif. a un giudizio*] parziale **CONTR.** sereno, imparziale, obiettivo, spassionato *B s. m.* (*f. -a*) **3** aficionado, tifoso **2** cultore.

appassire *A v. intr.* **1** avvizzire, sfiorire, avvizzirsi, seccare *(est.)*, morire *(est.)* **CONTR.** sbocciare, fiorire, vegetare **2** [*detto di ispirazione, di amore*] *(est.)* indebolirsi, inaridirsi *(fig.)*, finire, venire meno, languire **CONTR.** sbocciare *B v. tr.* avvizzire, inaridire.

appassìto *part. pass.; anche agg.* **1** [*rif. a un fiore*] sciupato, sfiorito, avvizzito, secco, vizzo **CONTR.** fresco, fiorente, florido **2** [*rif. alle capacità intellettuali*] sciupato, appannato, spento, vago **CONTR.** fresco, florido **3** [*rif. a una persona*] *(fig.)* invecchiato **CONTR.** fiorente, florido, vigoroso, giovane **4** [*rif. alla pelle*] moscio, vecchio **CONTR.** fresco, florido, giovane.

appellàre *A v. tr.* denominare, chiamare *B v. intr. pron.* ricorrere.

appellatìvo *s. m.* **1** *(ling.)* nome, denominazione *(colto)* **2** epiteto *(colto)*, nomignolo *(fam.)*, soprannome **3** titolo.

appèllo *s. m.* **1** chiamata **2** proclama **3** *(est.)* implorazione, invito, richiamo, orazione.

appèna *A avv.* **1** faticosamente, sten-

tatamente, difficilmente, a fatica, a stento **CONTR.** agevolmente, facilmente **2** soltanto, poco, lievemente **CONTR.** sommamente **3** or ora *B cong.* tosto che, subito dopo che.

appèndere *A v. tr.* **1** attaccare, agganciare, sospendere, appiccare **2** [*q.c. al muro*] affiggere, fissare *B v. rifl.* attaccarsi, appiccarsi.

appendìce *s. f.* aggiunta, supplemento, aggiornamento, coda *(fig.)*.

appesantire *A v. tr.* **1** [*una borsa, etc.*] caricare, sovraccaricare, rendere pesante **CONTR.** alleggerire **2** [*qc. con un peso*] opprimere, gravare **CONTR.** sgravare **3** [*qc.*] ingrassare **4** [*la mente*] *(est.)* intorpidire **5** [*un panino, un toast*] *(est.)* farcire **6** [*la pena*] aggravare **7** [*un discorso, etc.*] rendere pesante **CONTR.** sfrondare *B v. intr. pron.* **1** ingrassarsi, imbolsire, diventare pesante **CONTR.** dimagrire, snellire **2** caricarsi, sovraccaricarsi, gravarsi, riempirsi **3** [*intellettualmente*] *(est.)* diventare lento, intorpidirsi.

appestaménto *s. m.* inquinamento, ammorbamento, avvelenamento, contaminazione.

appestàre *v. tr.* **1** ammorbare, infettare, contagiare, contaminare **CONTR.** disinfettare **2** [*l'aria*] avvelenare, impestare, impuzzire, inquinare, impuzzolentire, impuzzolire **CONTR.** profumare **3** *(est.)* corrompere, depravare, guastare.

appetìre *v. tr.* concupire *(lett.)*, bramare, desiderare.

appetìto *s. m.* **1** languore, fame *(fam.)* **CONTR.** inappetenza, disappetenza **2** *(est.)* desiderio, voglia, brama, cupidigia **3** istinto, inclinazione.

appetitosaménte *avv.* avidamente, bramosamente, gustosamente **CONTR.** svogliatamente, stancamente.

appetitóso *agg.* **1** stuzzicante, invogliante, attraente, stimolante **CONTR.** sgradevole, spiacevole, ripugnante, repellente **2** [*rif. al cibo, a una bevanda, etc.*] gustoso, saporito, ghiotto **CONTR.** insipido, disgustoso, nauseante **3** *(est.)* piacevole.

appezzaménto *s. m.* terreno, podere, campo, pezzo, pezza.

appianàre *A v. tr.* **1** [*il terreno*] spianare, livellare, pareggiare, piallare **CONTR.** increspare **2** [*la vita, un compito*] (*est.*) facilitare, rendere semplice, agevolare **CONTR.** complicare **3** [*una situazione*] risolvere **CONTR.** complicare *B v. intr. pron.* [*detto di difficoltà*] risolversi, chiarirsi.

appiattàre *A v. tr.* nascondere *B v. rifl.* latitare (*colto*), nascondersi.

appiattiménto *s. m.* livellamento.

appiattìre *A v. tr.* **1** schiacciare **2** [*il salario, etc.*] (*est.*) livellare, abbassare, uniformare, rendere simile *B v. rifl.* farsi piatto, schiacciarsi, abbassarsi.

appiccàre *A v. tr.* **1** appendere, sospendere, agganciare, attaccare **2** [*qc.*] appendere, impiccare *B v. rifl.* **1** attaccarsi, afferrarsi, appigliarsi, appendersi **2** impiccarsi, strangolarsi *C v. intr. pron.* **1** [*detto di fuoco*] prendere **2** [*detto di pianta*] attecchire **3** [*detto di malattia, di contagio*] trasmettersi.

appiccicàre *A v. tr.* **1** incollare, attaccare, saldare **CONTR.** staccare, scollare **2** [*uno schiaffo, un colpo*] (*est.*) appioppare, attribuire, affibbiare *B v. rifl.* attaccarsi, incollarsi, aderire **CONTR.** staccarsi.

appiccicóso *agg.* **1** viscoso, colloso **2** [*rif. a una persona*] importuno, noioso, piagnucoloso **CONTR.** discreto, riservato.

appiedàre *v. tr.* disarcionare, scavalcare (*raro*).

appigionàre *v. tr.* affittare, locare, dare in affitto.

appigliàrsi *A v. rifl.* [*detto di persona, etc.*] aggrapparsi, attaccarsi, afferrarsi, tenersi, avvinghiarsi *B v. intr. pron.* **1** [*detto di incendio, etc.*] appiccarsi, estendersi (*est.*) **2** [*detto di pianta*] abbarbicarsi, rampicare.

appiglio *s. m.* **1** presa, attacco, sostegno **2** (*est.*) cavillo, pretesto, scappatoia, scusa, occasione.

appiómbo (1) *avv.* perpendicolarmente, verticalmente **CONTR.** orizzontalmente.

appiómbo (2) *s. m. inv.* aplomb (*fr.*).

appioppàre *v. tr.* **1** [*un incarico spiacevole*] affibbiare, rifilare, accollare, addossare, propinare, attribuire, sbolognare (*fam.*) **2** [*uno schiaffo, un colpo*] assestare, allungare, appiccicare (*fig.*), mollare (*fam.*), vibrare, sparare (*fig.*), ammollare, somministrare, azzeccare (*raro*).

appisolàrsi *v. intr. pron.* addormentarsi, cadere addormentato, assopirsi, dormicchiare, sonnecchiare, dormire, fare un sonnellino, fare un sonno, sopirsi **CONTR.** svegliarsi.

applaudìre *v. tr. e intr.* **1** acclamare un, inneggiare a, plaudire a **CONTR.** deridere, fischiare **2** (*est.*) approvare un, consentire a, acconsentire a **3** elogiare, encomiare, esaltare, lodare, celebrare, osannare.

applàuso *s. m.* **1** plauso (*lett.*), acclamazione, ovazione **CONTR.** fischio, fischiata **2** (*est.*) lode, encomio, elogio **CONTR.** critica, disapprovazione.

applicàre *A v. tr.* **1** incollare, mettere (*impr.*) **2** [*un metodo*] usare, utilizzare, praticare, impiegare, adottare **3** [*la mente*] (*est.*) rivolgere **4** [*una legge*] mettere in atto, fare valere, attuare **5** [*una multa, una pena*] infliggere, attribuire, irrogare, infiggere **6** [*un sigillo*] apporre **7** (*est.*) accostare **8** [*la vernice, etc.*] passare, spalmare *B v. rifl.* dedicarsi, votarsi, darsi, coltivare *un*, consacrarsi, rivolgersi, attendere, fare, ingolfarsi *in* (*scherz.*), intendere (*raro*).

applicazióne (1) *s. f.* **1** attenzione, concentrazione, impegno, diligenza, serietà, zelo **2** [*di uno strumento, etc.*] uso **3** [*rif. a norme, etc.*] adattamento **4** [*di una legge, etc.*] attuazione.

applicazióne (2) *s. f.* decorazione, guarnizione, bordura, ornamento.

appoggiacàpo *s. m. inv.* appoggiatesta.

appoggiàre *A v. tr.* **1** [*qc. al suolo*] poggiare, porre, posare, deporre, adagiare, coricare, addossare **2** [*una porta, una finestra*] accostare **3** [*qc.*] (*est.*) favorire, spalleggiare, aiutare, agevolare, sostenere (*fig.*), proteggere, soccorrere, fiancheggiare, collaborare *con*, affiancare, coadiuvare, assecondare, assistere, confortare, difendere, essere di sostegno a, inco-

raggiare **4** [*una causa, etc.*] caldeggiare, suffragare, avvalorare, promuovere, raccomandare, patrocinare **5** [*un'ipotesi, etc.*] (*est.*) basare **CONTR.** demolire *B v. intr.* poggiare, reggersi *C v. rifl.* **1** sostenersi, reggersi, puntellarsi, addossarsi, posarsi **2** (*est.*) affidarsi, ricorrere, rivolgersi, raccomandarsi, contare, fare affidamento, fare assegnamento **3** [*detto di teoria, di prova*] (*fig.*) fondarsi, basarsi.

appoggiàto *part. pass.; anche agg.* sostenuto, aiutato, favorito, agevolato **CONTR.** ostacolato, impedito.

appòggio *s. m.* **1** sostegno, supporto, base, bracciolo (*est.*) **2** (*est.*) aiuto, favore, protezione, suffragio (*raro*), avallo **3** (*est.*) assistenza, amicizia, conforto **4** (*est.*) aderenza, entratura, spinta, raccomandazione (*fig.*), maniglia **5** (*est.*) facilitazione a, agevolazione **6** [*spec. con: venire in*] (*est.*) aiuto, rinforzo **7** [*spec. con: dare un*] mano (*fig.*).

appollaiàrsi *v. rifl.* **1** [*detto di uccelli*] accovacciarsi **2** [*detto di persona, etc.*] (*est.*) rannicchiarsi, accoccolarsi.

apporre *v. tr.* [*una firma*] applicare, porre sopra.

apportàre *v. tr.* **1** arrecare, causare, cagionare, portare, recare **2** [*un motivo, una prova*] produrre, addurre (*dir.*), citare.

appòrto *s. m.* **1** contributo, aiuto, collaborazione **2** [*di coraggio, etc.*] (*fig.*) iniezione.

appositaménte *avv.* apposta, intenzionalmente, di proposito **CONTR.** casualmente.

appòsito *agg.* appropriato, conveniente.

appòsta *A avv.* appositamente, deliberatamente, determinatamente, intenzionalmente, volontariamente, espressamente, volutamente, consapevolmente, ragionatamente, di proposito, meditatamente **CONTR.** accidentalmente, involontariamente, casualmente, fortuitamente *B agg.* apposito.

apprèndere (1) *v. tr.* **1** imparare, acquisire, istruirsi *su* **CONTR.** disimparare **2** (*est.*) conoscere, sapere **3** (*est.*)

comprendere, capire, percepire **4** (*est.*) udire, sentire.

apprèndere (2) *v. rifl.* attaccarsi, afferrarsi.

apprendiménto *s. m.* **1** assimilazione, appropriazione (*est.*) **2** (*est.*) comprensione.

apprendista *s. m. e f.* praticante, tirocinante, principiante, allievo, giovane, garzone (*gerg.*) CONTR. maestro, insegnante, docente.

apprendistàto *s. m.* tirocinio, training (*ingl.*), pratica, noviziato.

apprensióne *s. f.* agitazione, ansia, timore, preoccupazione, inquietudine, affanno (*fig.*), trepidazione, sospensione (*raro*), scrupolo, suspense (*ingl.*), allarme (*fig.*), pensiero CONTR. tranquillità, calma, serenità, imperturbabilità.

apprensivo *agg.* **1** ansioso CONTR. imperturbabile, calmo, tranquillo, quieto, sereno **2** (*est.*) agitato, inquieto, preoccupato, angosciato.

appréso *part. pass.; anche agg.* acquisito, contratto CONTR. innato, istintivo, congenito.

appressàre **A** *v. tr.* accostare, avvicinare CONTR. allontanare **B** *v. rifl.* **1** avvicinarsi, approssimarsi, venire CONTR. allontanarsi, scappare, fuggire **2** prepararsi, accingersi.

apprèsso **A** *avv.* **1** accanto, vicino, nelle vicinanze *di*, successivamente CONTR. lontano *da*, discosto *da*, distante *da* **2** dopo, poi, in seguito CONTR. prima *di*, innanzi **3** dietro, in coda, di seguito CONTR. davanti **B** *prep.* accanto, vicino, nelle vicinanze *di*, successivamente CONTR. lontano *da*, discosto *da*, distante *da* **C** *agg.* vicino, attiguo.

apprestàre **A** *v. tr.* **1** preparare, approntare, allestire, predisporre, disporre, apparecchiare, comporre **2** offrire, somministrare **B** *v. rifl.* accingersi, prepararsi, disporsi, porsi, principiare.

apprètto *s. m.* amido, salda.

apprezzàbile *agg.* **1** notevole, interessante CONTR. spregevole, insignificante, ordinario, dozzinale **2** (*est.*)

pregevole, valido, stimabile, encomiabile.

apprezzabilménte *avv.* abbastanza, parecchio, visibilmente CONTR. impercettibilmente.

apprezzaménto *s. m.* **1** valutazione, giudizio **2** stima, considerazione, ammirazione CONTR. spregio, disprezzo, svalutazione, dispregio **3** [*spec. con: esprimere, ricevere*] lode, encomio, gratificazione.

apprezzàre **A** *v. tr.* **1** stimare, ammirare, pregiare (*raro*), considerare, dare valore CONTR. disprezzare, denigrare, deridere, disistimare, odiare, dispregiare, schifare **2** gradire, gustare, avere caro CONTR. disdegnare, sdegnare **3** (*est.*) valutare, calcolare, quotare **4** (*est.*) encomiare, lodare **B** *v. rifl.* autostimarsi CONTR. disprezzarsi.

apprezzàto *part. pass.; anche agg.* lodato, stimato, valutato CONTR. irriso, vilipeso, disprezzato, stroncato.

approdàre *v. intr.* arrivare, attraccare, giungere a destinazione, giungere a riva.

approdo *s. m.* **1** attracco, accosto **2** [*rif. a un luogo*] (*est.*) banchina, porto, scalo **3** [*della carriera, etc.*] (*fig.*) destinazione, sbocco.

approfittàre *v. intr. e intr. pron.* **1** giovarsi, usufruire, avvantaggiarsi, servirsi **2** sfruttare *un*, abusare, profittare **3** (*fig.*) cogliere *un*, prendere la palla al balzo.

approfondire **A** *v. tr.* **1** [*un argomento*] scavare, sviscerare, addentrarsi *in* (*fig.*) **2** [*un'occasione*] acuire, aggravare **B** *v. rifl.* specializzarsi.

approfonditaménte *avv.* analiticamente, attentamente, minuziosamente, particolareggiatamente, capillarmente CONTR. superficialmente, sbrigativamente (*est.*).

approfondito *part. pass.; anche agg.* **1** studiato, sviluppato, analizzato CONTR. ignorato, trascurato **2** [*rif. al lavoro, allo studio*] esauriente CONTR. superficiale.

approntaménto *s. m.* confezione, preparazione.

approntàre *v. tr.* preparare, apprestare, allestire, predisporre, apparecchiare, provvedere *a*.

appropriàre *v. intr. pron.* **1** impossessarsi, impadronirsi, conquistare *un*, fare proprio *un*, attribuirsi *un*, prendere possesso, fare man bassa **2** [*di una carica, etc.*] investirsi, usurpare *un* **3** [*di un segreto, etc.*] impossessarsi, carpire *un*, rapinare *un*, rubare *un*.

appropriataménte *avv.* acconciamente, adeguatamente, convenientemente, in modo adatto, precisamente, opportunamente CONTR. inopportunamente, inadeguatamente.

appropriatézza *s. f.* giustezza, adeguatezza CONTR. inadeguatezza, scorrettezza.

appropriàto *part. pass.; anche agg.* adeguato, adatto, calzante, proprio, giusto, confacente, conforme, indovinato, opportuno, debito CONTR. inadatto, inopportuno, sconveniente, ingiusto, inadeguato.

appropriazióne *s. f.* **1** [*di una tecnica, di una lingua, etc.*] (*est.*) apprendimento **2** [*di beni altrui*] impadronimento CONTR. alienazione, cessione, espropriazione, esproprio.

approssimàre **A** *v. tr.* ravvicinare CONTR. allontanare **B** *v. rifl.* avvicinarsi, accostarsi, rasentare *un*, approssimarsi, avanzare, venire CONTR. allontanarsi **C** *v. intr. pron.* **1** [*detto di conto, di spesa*] aggirarsi, avvicinarsi **2** [*al termine, al bello*] volgersi.

approssimativaménte *avv.* **1** circa, quasi, all'incirca, grossolanamente, pressappoco CONTR. precisamente, esattamente, particolareggiatamente **2** (*est.*) genericamente, indeterminatamente, vagamente, indicativamente CONTR. precisamente, con precisione, esattamente, minuziosamente, cavillosamente **3** vagamente CONTR. compiutamente, impeccabilmente, rigorosamente, scrupolosamente, meticolosamente.

approssimativo *agg.* **1** approssimato, impreciso, vago, inesatto, superficiale, sommario, inaccurato, grossolano CONTR. preciso, esatto, certo, sicuro (*est.*) **2** (*mat.*) vicino al vero.

approssimato

approssimàto *part. pass.; anche agg.* impreciso, inesatto, approssimativo, superficiale CONTR. preciso, scrupoloso, esatto, certo.

approssimazióne *s. f.* **1** imprecisione, superficialità CONTR. precisione **2** (*mat.*) avvicinamento.

approvàre *v. tr.* **1** [*un'idea*] ammettere, accettare, accogliere, starci *a* (*fam.*) CONTR. disapprovare, condannare, confutare, deplorare, biasimare **2** [*un documento, etc.*] ratificare, convalidare, omologare, sottoscrivere, siglare, legalizzare, avallare, sanzionare, comprovare (*raro*) CONTR. infirmare **3** [*un'azione, una persona*] lodare, applaudire, elogiare, encomiare, plaudire *a* **4** acconsentire *a*, autorizzare **5** [*un progetto*] varare (*fig.*) **6** [*un candidato*] passare (*fig.*), promuovere, confermare **7** [*un bilancio*] (*est.*) votare.

approvazióne *s. f.* **1** assenso, benestare, autorizzazione, consenso, permesso, beneplacito CONTR. disapprovazione, dissenso **2** (*bur.*) ratifica, convalida, suffragio (*lett.*), sanzione, avallo **3** (*est.*) lode, elogio CONTR. riprovazione, censura **4** (*est.*) ammissione, accettazione, accoglimento.

approvvigionaménto *s. m.* rifornimento, provvista.

approvvigionàre *v. tr. e rifl.* rifornire.

appuntaménto *s. m.* impegno, convegno, incontro, abboccamento, rendez-vous (*fr.*).

appuntàre (1) *A v. tr.* **1** fissare, fermare, attaccare **2** affilare, appuntire, affusolare, acuminare **3** [*gli occhi, l'attenzione*] fissare, ficcare (*fig.*) *B v. intr. pron.* accentrarsi, concentrarsi.

appuntàre (2) *v. tr.* **1** (*est.*) registrare, rilevare, prendere appunti **2** [*qc.*] biasimare, riprendere.

appuntàto *s. m. e f.* (*gener.*) militare.

appuntìre *v. tr.* aguzzare, acuminare, affilare, temperare, affusolare, appuntare, affinare, fare la punta *a*.

appuntìto *part. pass.; anche agg.* aguzzo, acuminato, acuto, affilato (*est.*), tagliente (*est.*) CONTR. smussato, arrotondato, ottuso, spuntato.

appùnto (1) *avv.* **1** proprio, precisamente, esattamente **2** infatti CONTR. invece, al contrario, viceversa **3** già.

appùnto (2) *s. m.* **1** nota, annotazione **2** (*est.*) memoria, rimprovero **3** (*est.*) critica, biasimo.

appuràre *v. tr.* accertare, constatare, assodare, verificare, chiarire, controllare, chiarificare, provare (*est.*).

a prèsto *loc. inter.* V. *presto.*

aprìre *A v. tr.* **1** [*le imposte, etc.*] spalancare, disserrare, schiudere, dischiudere CONTR. chiudere, saldare, sbarrare, serrare, sigillare, sprangare **2** [*un'attività*] avviare, cominciare, iniziare CONTR. chiudere **3** [*una tomba, etc.*] scoperchiare CONTR. tappare **4** [*modi di*] spaccare, tagliare (*raro*), squarciare, crepare, scassinare, fendere **5** [*una fondazione, etc.*] fondare, istituire, attivare, inaugurare **6** [*la strada, etc.*] spianare, tracciare CONTR. chiudere, disattivare **7** [*un abito*] slacciare, sbottonare, sganciare **8** [*le ali*] dispiegare, allargare **9** [*le orecchie*] sturare CONTR. otturare **10** [*una lettera*] dissuggellare, dissigillare **11** [*un pacco*] slegare, sviluppare (*raro*), sballare, scartocciare, scartare CONTR. impaccare, impacchettare, involgere, legare **12** [*una trattativa*] intavolare CONTR. chiudere **13** [*un corteo*] (*est.*) precedere *B v. intr. pron.* **1** schiudersi, disserrarsi (*raro*) CONTR. chiudersi **2** creparsi, fendersi, spaccarsi, allargarsi, esplodere (*est.*), rompersi CONTR. saldarsi **3** [*detto di manifestazione, di mostra*] iniziare, incominciare **4** [*detto di fiore*] schiudersi, sbocciare, fiorire, dischiudersi **5** [*detto di possibilità*] prospettarsi **6** [*detto di giornata*] cominciare **7** [*detto di paesaggio*] distendersi **8** [*detto di orecchi*] sturarsi CONTR. otturarsi *C v. rifl.* confidarsi, sfogarsi, spiegarsi, confessarsi, esternarsi, sbottonarsi (*fig.*) CONTR. inibirsi, barricarsi (*fig.*).

àquila *s. f.* (*gener.*) uccello.

aquilóne *s. m.* **1** cervo volante **2** (*gener.*) gioco.

àra (1) *s. f.* altare.

àra (2) *s. f.* pappagallo.

arabescàre *v. tr.* ornare.

arabésco (1) *s. m.* (*pl. -chi*) **1** decorazione, fregio **2** ghirigoro, svolazzo.

arabésco (2) *agg.* (*pl. m. -chi*) arabo.

aràcnidi *s. m. pl.* **1** (*gener.*) animale **2** [*tipo di*] ragno, scorpione, zecca, tarantola.

aragósta *A s. f.* (*gener.*) crostaceo *B agg.* [*rif. a colore*] rosso.

aràldo *s. m.* banditore, messaggero, messo.

arància *s. f.* (*pl. -ce*) (*gener.*) agrume, frutto.

aràncio (1) *s. m.* **1** (*gener.*) albero **2** cedrangolo, melangolo.

aràncio (2) *s. m.* **1** (*gener.*) colore **2** arancione.

arancióne *A agg.* [*rif. a colore*] arancio *B s. m.* **1** (*gener.*) colore **2** arancio.

aràre *v. tr.* **1** dissodare, solcare **2** (*est.*) coltivare, lavorare la terra.

arbitrariaménte *avv.* senza autorizzazione, illegittimamente, illegalmente, irregolarmente, gratuitamente, infondatamente, soggettivamente, ingiustificatamente CONTR. legittimamente, regolarmente.

arbitrarietà *s. f. inv.* illegittimità.

arbitràrio *agg.* **1** irregolare, illegittimo, illecito, aleatorio, gratuito (*est.*) CONTR. regolare, legittimo, lecito, giusto **2** (*est.*) opinabile CONTR. indiscutibile.

arbitràto *s. m.* mediazione.

arbitrio *s. m.* **1** autorità, potere **2** abuso, prepotenza, ingiustizia **3** capriccio, volontà, piacimento, discrezione (*euf.*).

arboscèllo *s. m.* **1** arbusto CONTR. albero, erba **2** (*gener.*) pianta.

arbùsto *s. m.* **1** arboscello CONTR. albero, erba **2** (*gener.*) pianta **3** [*tipo di*] mortella, mirto, ginestra.

àrca *s. f.* (*pl. -che*) **1** sarcofago, sepolcro, tomba **2** cassa, madia, cassapanca **3** (*gener.*) mobile.

arcàico *agg.* **1** antico, primitivo, primordiale, primigenio CONTR. moderno, recente, attuale, contemporaneo

2 [*rif. all'atteggiamento*] (*euf.*) vecchio, antiquato, disusato, out (*ingl.*) **CONTR.** giovane, alla moda.

arcanaménte *avv.* misteriosamente, occultamente, segretamente **CONTR.** palesemente, chiaramente.

arcàno *A agg.* misterioso, occulto, ignoto, segreto **CONTR.** noto, palese, manifesto, evidente *B s. m.* segreto, mistero, enigma (*est.*).

arcàta *s. f.* arco.

archètipo *s. m.* prototipo, originale.

archibùgio *s. m.* **1** fucile, schioppo **2** (*gener.*) arma.

architettàre *v. tr.* **1** ideare, inventare, escogitare, fabbricare (*fig.*), mulinare (*fig.*), pensare **2** [*inganni*] tessere (*fig.*), ordire (*fig.*), macchinare (*fig.*), tramare, covare (*fig.*), premeditare.

architètto *s. m.* (*f. -a*) **1** ideatore, inventore, creatore (*fig.*) **2** (*gener.*) artista.

architettùra *s. f.* **1** (*est.*) struttura, composizione, forma **2** (*est.*) edificio, costruzione.

archiviàre *v. tr.* **1** mettere da parte **2** classificare.

arcignaménte *avv.* burberamente, severamente, duramente **CONTR.** benevolmente, dolcemente, teneramente.

àrco (1) *s. m.* (*pl. -chi*) **1** arcata, volta (*est.*) **2** curva **3** [*di tempo*] periodo, intervallo, tratto **4** ghiera.

àrco (2) *s. m.* (*pl. -chi*) (*gener.*) arma.

arcolàio *s. m.* bindolo.

arcuàre *A v. tr.* **1** piegare, curvare, flettere, rendere arcuato **CONTR.** drizzare **2** [*la schiena, le ciglia*] piegare, curvare, inarcare *B v. rifl.* incurvarsi, flettersi, piegarsi **CONTR.** drizzarsi.

arcuàto *part. pass.; anche agg.* curvo, storto, piegato **CONTR.** diritto, retto.

ardènte *part. pres.; anche agg.* **1** infuocato, bollente, caldo **CONTR.** spento, freddo, gelido **2** [*rif. all'animo*] impetuoso, passionale, focoso, appassionato, veemente, fiero **CONTR.** freddo, impassibile, distaccato, indifferente,

glaciale **3** [*rif. all'emozione*] cocente, intenso, forte **CONTR.** debole, leggero **4** [*rif. al fuoco*] acceso **CONTR.** spento **5** [*rif. allo sguardo*] brillante, luminoso **CONTR.** spento, distaccato, glaciale.

ardenteménte *avv.* appassionatamente, fervidamente, focosamente, impetuosamente, violentemente, passionalmente, devotamente, fervorosamente, fortemente, freneticamente **CONTR.** freddamente, indifferentemente, debolmente, blandamente.

árdere *A v. tr.* **1** bruciare, incendiare, dare fuoco a **2** [*detto di sole, etc.*] (*est.*) inaridire, seccare, cuocere (*fig.*), incenerire (*fig.*) **CONTR.** gelare **3** [*l'animo*] (*fig.*) struggere, infiammare, divorare **4** [*una salma, etc.*] cremare *B v. intr.* **1** essere acceso, fiammeggiare **2** [*a causa dell'ira, dell'amore, etc.*] (*fig.*) ribollire, bollire, bruciare, struggersi, vibrare **3** [*detto di lotta, etc.*] infierire, imperversare, divampare, fervere **4** [*detto di sole, di luce, etc.*] brillare, risplendere, scintillare.

ardèsia *s. f.* lavagna.

ardiménto *s. m.* coraggio, audacia, ardire, animo, cuore (*fig.*), valore (*est.*) **CONTR.** sgomento, paura, timore, pavidità, codardia.

ardimentosaménte *avv.* arditamente, intrepidamente, coraggiosamente, audacemente, valorosamente **CONTR.** timorosamente, vigliaccamente, codardamente.

ardire *A v. intr.* avere il coraggio *di*, attentarsi *a*, arrischiarsi *a*, presumere *di B v. tr.* osare *C s. m.* **1** coraggio, audacia, ardimento, baldanza, temerità (*colto*) **CONTR.** paura, timore **2** (*est.*) presunzione, sfacciataggine **CONTR.** timidezza.

arditaménte *avv.* coraggiosamente, audacemente, valorosamente, animosamente, intrepidamente, ardimentosamente, strenuamente, temerariamente **CONTR.** timorosamente, vigliaccamente, codardamente, dubbiosamente (*est.*).

ardìto *part. pass.; anche agg.* **1** audace, animoso, impavido, intrepido, temerario, coraggioso, spavaldo, baldanzoso **CONTR.** timido, timoroso, pauroso, vi-

le, vigliacco, codardo **2** (*est.*) disinvolto (*euf.*), insolente, sfacciato, presuntuoso **CONTR.** impacciato, cauto, prudente, riflessivo **3** [*rif. a un pensiero*] nuovo, originale, libero, avventato (*est.*) **CONTR.** antiquato, conformista.

ardóre *s. m.* **1** calore, arsura (*fig.*) **CONTR.** freddo **2** [*negli animali*] estro **3** (*est.*) entusiasmo, fervore, foga, zelo, alacrità **CONTR.** indolenza (*raro*) **4** [*stato d'animo*] (*est.*) passione, veemenza, impeto, intensità **CONTR.** tiepidezza.

àrduo *agg.* **1** difficile, duro, ostico, difficoltoso, problematico, complicato, complesso, faticoso, grave, scabroso (*est.*) **CONTR.** agevole, semplice, facile, chiaro **2** [*rif. a un pendio, a un sentiero, etc.*] impervio, disagevole, ripido **CONTR.** agevole, piano, accessibile, praticabile.

àrea *s. f.* **1** superficie, spazio, estensione **2** (*est.*) zona, settore, luogo, regione **3** (*est.*) piazza, terreno **4** [*politica, culturale*] ambiente, raggruppamento, schieramento **5** [*mineralogica*] bacino, giacimento **6** [*di un medico, etc.*] zona, condotta, comprensorio.

arèna (1) *s. f.* **1** anfiteatro, circo **2** (*est.*) teatro, politeama.

arèna (2) o **réna** *s. f.* **1** sabbia **2** (*gener.*) terra **3** (*med.*) renella.

arenàre *v. intr. pron.* (*anche fig.*) finire in un pantano, incagliarsi, insabbiarsi **CONTR.** liberarsi.

àrgano *s. m.* palanco.

argentàre *v. tr.* placcare (*impr.*).

argentière *s. m.* **1** (*gener.*) artigiano **2** gioielliere.

argentino (1) *agg.* [*rif. a suono*] chiaro, squillante.

argentino (2) *agg., s. m.* (*f. -a*) dell'Argentina.

argènto *s. m. sing.* **1** (*gener.*) metallo, minerale **CONTR.** oro, ferro, rame **2** silver (*ingl.*).

argìlla *s. f.* **1** creta **2** (*gener.*) terra.

arginàre *v. tr.* **1** [*la fuoriuscita di liquidi*] arrestare, tamponare **2** [*un fe-*

nomeno] delimitare, circoscrivere, chiudere **3** [*gli impulsi, etc.*] (*est.*) frenare, inibire, ostacolare, controllare, trattenere.

àrgine *s. m.* **1** diga, chiusa **2** (*est.*) terrapieno, riva, scarpata **3** [*rif. ai fiumi, etc.*] spalla (*fig.*) **4** [*al vizio, etc.*] (*fig.*) freno, riparo, barriera.

àrgo *s. m.* (*gener.*) gas.

argomentàre A *v. tr.* **1** discutere, ribattere, confutare **2** (*est.*) congetturare, presumere **3** (*est.*) dedurre, inferire, concludere **B** *v. intr.* discutere, disquisire, dissertare, disputare.

argomentazióne *s. f.* **1** dissertazione, discussione **2** ragione, prova, dimostrazione **3** ragionamento, raziocinio **4** (*est.*) esposizione.

argoménto *s. m.* **1** ragionamento, prova, ragione **2** contenuto, tema, oggetto, assunto, soggetto, tesi, punto (*fig.*), proposito, lemma (*raro*), leitmotiv (*ted.*), senso (*est.*) **3** [*in loc., spec. al pl.: dare*] motivo, pretesto, scusa, occasione **4** giustificazione, attenuante **5** testimonianza, indizio.

arguìre *v. tr.* **1** dedurre, desumere, intuire, inferire (*colto*), evincere (*colto*), fare inferenze, concludere **2** presumere, congetturare, supporre, opinare, pensare.

argutaménte *avv.* acutamente, spiritosamente, sottilmente, finemente, maliziosamente **CONTR.** ottusamente, stupidamente, grossolanamente.

argùto *agg.* **1** acuto, sottile, mordace, ironico, faceto, umoristico, frizzante, spiritoso, malizioso (*est.*), satirico (*est.*) **CONTR.** pedante, monotono, pesante, serio, severo **2** [*rif. allo sguardo*] penetrante, espressivo **CONTR.** spento, scialbo, ottuso, insulso.

argùzia *s. f.* **1** acume, sagacia, sale (*fig.*) **CONTR.** stupidità **2** (*est.*) mordacità, umorismo **3** [*l'azione*] battuta, detto, motto, facezia, lazzo, amenità, divertissement (*fr.*), barzelletta, frizzo, spiritosaggine **CONTR.** stupidaggine.

àrìa (1) *s. f.* **1** atmosfera (*est.*), aura (*poet.*), etere **CONTR.** terra, acqua **2** (*est.*) vento, brezza **3** (*fig.*) atmosfera, clima, ambiente **4** peto, flatulenza

(*colto*), scoreggia (*volg.*) **5** (*est.*) motivo, melodia, canto, canzone **6** (*gener.*) elemento.

àrìa (2) *s. f.* espressione, cipiglio, cera, sembiante (*fig.*), aspetto, atteggiamento.

aridaménte *avv.* freddamente, indifferentemente, grettamente **CONTR.** calorosamente, affettuosamente, amorevolmente, generosamente, fecondamente.

aridità *s. f. inv.* **1** [*rif. al clima*] secchezza, siccità, arsura **CONTR.** umidità, umidezza **2** (*est.*) povertà (*fig.*), meschinità, insensibilità **CONTR.** sensibilità, ricchezza.

àrido A *agg.* **1** secco, brullo, assetato, asciutto, disidratato **CONTR.** umido, bagnato, zuppo, madido **2** [*rif. a un luogo*] (*est.*) desolato **3** (*anche fig.*) sterile, infecondo **CONTR.** fecondo, fertile **4** [*rif. all'animo*] povero, insensibile **CONTR.** sensibile, sentimentale **5** [*rif. allo spirito*] (*fig.*) sterile, avaro **CONTR.** generoso **B** *s. m. sing.* secco, asciutto.

arieggiàre *v. tr.* **1** rassomigliare, ricordare, richiamare **2** imitare.

ariète *s. m.* **1** montone **2** (*gener.*) animale.

a rilènto *loc. avv.* adagio **CONTR.** prontamente.

arìnga *s. f.* (*pl. -ghe*) **1** salacca **2** (*gener.*) pesce.

arìsta *s. f.* resta.

aristocraticaménte *avv.* nobilmente, raffinatamente, finemente **CONTR.** villanamente, rozzamente, grossolanamente.

aristocràtico A *agg.* **1** nobile, patrizio **CONTR.** plebeo **2** sdegnoso, altero, superbo, snob (*ingl.*) **CONTR.** umile, semplice, alla mano **B** *s. m.* (*f. -a*) nobile **CONTR.** borghese, plebeo, popolano.

aristocrazìa *s. f.* **1** nobiltà, patriziato **CONTR.** borghesia, plebe, volgo, popolo **2** (*gener.*) governo **3** (*est.*) signorilità, raffinatezza, eleganza.

aritmètica *s. f.* (*pl. -che*) (*est.*) matematica, calcolo.

aritmeticaménte *avv.* matematicamente, rigorosamente **CONTR.** vagamente, imprecisamente.

àrma *s. f.* (*pl. -i*) [*tipo di*].

NOMENCLATURA

Armi

Armi: le armi sono classificate in cinque gruppi: il primo gruppo comprende le armi provviste di lama; al secondo gruppo appartengono le armi con cui si lancia, manualmente, un corpo offensivo; il terzo gruppo comprende le armi che servono a percuotere; al quarto gruppo appartengono le armi che utilizzano la forza propellente di un esplosivo per il lancio dei proiettili e al quinto gruppo le armi che dispongono di un motore proprio.

Armi con lame:
  armi bianche:
  alabarda: arma medioevale formata con una lunga asta terminante con una punta e una lama perpendicolari tra di loro;
  ascia: arma formata da una corta e robusta asta e una lama spessa e tozza inserita perpendicolarmente nel manico;
  accetta;
  mannaia;
  scure;
  tomahawk: ascia corta con manico di legno usata dai pellerossa;
  baionetta: arma formata da una lama innestata sulla canna di un'arma da fuoco;
  partigiana: baionetta francese del '700;
  fioretto: arma con lama sottile e flessibile usata nello sport della scherma;
  giambia: arma a forma di lungo coltello con il manico ricurvo usato nello Yemen;
  picca: arma formata da un'asta di legno con un'aguzza punta di ferro;
  pugnale: arma a lama corta a due tagli con un manico di vari materiali;
  sciabola: arma da punta e taglio spesso ricurva;
  scimitarra: arma da taglio ricurva usata in Oriente;
  spada: arma da punta e da taglio usata nello sport della scherma;

daga: spada a due tagli;

gladio: antica spada romana a doppio taglio;

stocco: spada corta e robusta per colpire di punta;

tridente: arma a tre punte usata dai gladiatori nel circo in epoca romana.

Armi da lancio:

arco: arma formata da un elemento flessibile tenuto curvo da una corda. Serve a lanciare frecce;

balestra: arma per il lancio di frecce formata da un arco ricurvo fissato a un fusto di legno;

balista: balestra usata nel mondo militare greco-romano;

boomerang: arma capace di tornare al punto di lancio se fallisce il bersaglio, tipica degli indigeni australiani;

giavellotto: arma costituita da un'asta con la punta metallica;

falarica: giavellotto di grosse dimensioni usato anche come arma incendiaria;

lancia: asta con un'estremità appuntita;

zagaglia: asta usata da popolazioni primitive.

Armi da botta:

clava: arma costituita da un grosso bastone ingrossato a una estremità;

mazza: arma in ferro con la testa a coste o a sfera, usata nel Medioevo;

mazza ferrata: mazza con il manico in legno.

Armi da fuoco:

pistola automatica: arma con i proiettili inseriti in un caricatore;

rivoltella: arma con i proiettili inseriti in un tamburo;

archibugio: arma ad avancarica con palle di piombo;

trombone: archibugio con la canna allargata verso la bocca;

fucile: arma a canna lunga d'acciaio;

schioppo: (*pop.*);

fucile a ripetizione:

carabina: fucile di precisione a una canna con l'anima rigata;

doppietta: fucile da caccia a due canne;

fucile automatico;

fucile pneumatico;

lupara: fucile da caccia a canne mozze;

moschetto: fucile corto e leggero impiegato da reparti speciali dell'esercito;

spingarda: fucile di piccolo calibro;

mitra: arma automatica leggera a ripetizione;

mitragliatrice leggera: arma simile a un fucile automatico da usare con un cavalletto;

mitragliatrice pesante: mitragliera da usarsi con un supporto a treppiede;

mitragliera: grossa mitragliatrice;

bombarda: arma con una bocca da fuoco per il tiro curvo, a canna liscia;

cannone: arma con una bocca da fuoco con una canna che ne consente l'impiego su tiro teso;

colubrina: arma con una bocca da fuoco con forte portata;

mortaio: arma con una canna lunga impiegata dall'artiglieria;

obice: arma impiegata nel tiro anticarro.

Armi autopropulse:

missile: arma a forma allungata con testata esplosiva, usata nello spazio aereo autoguidata o teleguidata;

razzo;

siluro: grosso proiettile subacqueo che può essere lanciato da navi, sottomarini e aerei e che esplode al contatto con un altro corpo.

armàdio *s. m.* **1** [*tipo di*] guardaroba, armoire (*fr.*), credenza, dispensa **2** (*gener.*) mobile **3** [*rif. a una persona*] (*fig.*) gigante.

armamentàrio *s. m.* arsenale (*fig.*), attrezzatura, equipaggiamento.

armàre A *v. tr.* **1** fornire di armi **CONTR.** disarmare, sguarnire **2** (*mil.*) fortificare, rinforzare, corazzare, guarnire, munire **3** (*mil.*) mobilitare **4** (*est.*) equipaggiare **B** *v. rifl.* **1** prendere le armi **2** [*detto di pazienza, di coraggio*] munirsi, provvedersi, fornirsi, premunirsi.

armàto A *part. pass.; anche agg.* **1** (*anche fig.*) equipaggiato, corredato, munito **CONTR.** disarmato, privo, sfornito, indifeso, inerme **2** (*est.*) preparato

CONTR. impreparato **3** (*fig.*) agguerrito, armigero (*lett.*) **CONTR.** impreparato **B** *s. m.* soldato.

armatùra *s. f.* **1** corazza, lorica (*lett.*), usbergo (*lett.*), piastra (*lett.*) **2** (*est.*) riparo, difesa **3** [*di q.c.*] (*est.*) struttura, intelaiatura, ossatura, scheletro (*fig.*), telaio, anima (*fig.*).

armeggiàre *v. intr.* **1** trafficare, brigare, arrabattarsi **2** tramare, intrigare **3** combattere, guerreggiare.

armeggióne *s. m.* faccendiere, maneggione.

armènto *s. m.* mandria, gregge, branco, torma.

armìgero A *agg.* armato, bellicoso, animoso **CONTR.** mansueto, pacifico **B** *s. m.* guerriero, soldato, militare **CONTR.** civile, borghese.

armistizio *s. m.* **1** tregua, pace (*est.*) **2** sospensione, pausa, sosta.

armoire *s. f. inv.* **1** armadio **2** (*gener.*) mobile.

armonia (1) *s. f.* **1** equilibrio, simmetria, proporzione **CONTR.** sproporzione, disarmonia **2** [*tra persone*] (*est.*) accordo, concordia, affiatamento, pace, serenità **CONTR.** disaccordo, discordia **3** coerenza, concordanza, rispondenza, conformità, coincidenza **4** [*fisica*] (*est.*) accordo, grazia, bellezza, avvenenza, leggiadria **5** [*rif. a un'opera d'arte*] unità, organicità.

armonia (2) *s. f.* **1** intonazione **2** (*est.*) musica, melodia.

armònica *s. f.* (*pl. -che*) (*mus.*) tonalità.

armonicaménte *avv.* armoniosamente, melodicamente **CONTR.** disarmonicamente, male.

armònico *agg.* **1** [*rif. allo sviluppo, etc.*] armonioso, proporzionato **CONTR.** sproporzionato **2** [*rif. allo stile, al metodo*] omogeneo, equilibrato, organico, unitario **CONTR.** disomogeneo, incoerente **3** [*rif. al suono*] ritmico, concorde, intonato **CONTR.** disarmonico, stonato, discordante **4** [*rif. al sapore del vino*] (*enol.*) armonioso, gradevole.

armoniosaménte *avv.* armonicamente, melodiosamente **CONTR.** male, disarmoniosamente, sgraziatamente.

armonióso agg. **1** [rif. al fisico] armonico, proporzionato, aggraziato, avvenente, bello **CONTR.** sproporzionato, sgraziato, brutto, irregolare **2** [rif. allo stile, al metodo] equilibrato, coerente **CONTR.** irregolare, squilibrato, incoerente **3** [rif. alla voce] melodioso, soave, dolce **CONTR.** stonato **4** [rif. a uno scritto, a un discorso] (fig.) rotondo, pieno **CONTR.** povero, lacunoso.

armonizzàre A v. tr. **1** mettere in armonia, equilibrare, conciliare **2** [strumenti musicali] (mus.) arrangiare, accordare, intonare, strumentare, concertare **3** [il gusto, l'atteggiamento] conformare, adeguare **4** [i colori] fondere, saldare, coordinare, combinare **B** v. intr. pron. [detto di colori, etc.] essere in armonia, intonarsi a, concordare, conciliarsi **CONTR.** discordare, dissonare **C** v. rifl. [all'ambiente, etc.] mettersi in sintonia, adeguarsi.

armonizzazióne s. f. accordo.

arnése s. m. **1** attrezzo, strumento, utensile, ordigno **2** oggetto, roba (fam.), affare (pop.), cosa **3** [tipo di] scopa, ramazza, randa, fuso.

aròma s. m. **1** fragranza (colto), profumo, olezzo (lett.), fragore (colto), bouquet (fr.) **CONTR.** puzzo, puzza, fetore, lezzo (tosc.), tanfo **2** (gener.) odore.

aromatizzàre v. tr. condire con aromi, profumare, speziare, drogare, odorare (raro).

arpóne s. m. arpione.

arrabattàrsi v. intr. pron. arrangiarsi, ingegnarsi, industriarsi, armeggiare, affannarsi, sforzarsi, faticare, affaticarsi, agitarsi (fig.), destreggiarsi, barcamenarsi, darsi da fare, prodigarsi **CONTR.** impoltronirsi, oziare.

arrabbiàre A v. intr. **1** [detto di cani, di gatti, etc.] divenire idrofobo **2** [detto di persona] morire (fig.) **B** v. intr. pron. adirarsi, irarsi (raro), incollerirsi, alterarsi, infuriarsi, irritarsi, stizzirsi, inquietarsi, spazientirsi, indispettirsi, corrucciarsi, incazzarsi (volg.), andare in collera, andare su tutte le furie,

arrovellarsi (est.), esasperarsi, imbestialirsi, impennarsi, impermalirsi, incavolarsi (pop.), indignarsi, invelenirsi, inviperire, avvelenarsi, scaldarsi (fig.), perdere le staffe (fig.) **CONTR.** tranquillizzarsi, rasserenarsi, scazzarsi (volg.).

arrabbiatamónte avv. **1** rabbiosamente, furiosamente, iratamente, irritatamente, collericamente **CONTR.** pacatamente, pacificamente, tranquillamente **2** approssimativamente **CONTR.** scrupolosamente.

arrabbiàto part. pass.; anche agg. **1** adirato, furioso, infuriato, indiavolato, stizzito **CONTR.** calmo, tranquillo, quieto, pacifico, placido, sereno **2** [rif. a un giocatore, etc.] accanito, pertinace **CONTR.** indifferente, distaccato, disinteressato **3** [rif. a un cane] rabbioso, idrofobo **CONTR.** calmo, tranquillo, quieto, mansueto.

arraffàre v. tr. **1** carpire, rubare, trafugare, fare man bassa (scherz.) **CONTR.** dare **2** (gener.) prendere.

arrampicàrsi v. intr. pron. inerpicarsi, scalare un, salire (impr.), salire con fatica, rampicare **CONTR.** scendere.

arrampicàta s. f. **1** salita **CONTR.** discesa **2** (sport) scalata, ascensione.

arrampicatóre s. m. (f. -trice) **1** scalatore **2** (est.) arrivista.

arrancàre v. intr. **1** muoversi a fatica, claudicare (est.), zoppicare (est.) **2** (gener.) camminare **3** [nella vita] (est.) affannarsi, angustiarsi, annaspare (fig.).

arrangiaménto s. m. **1** compromesso (est.), accomodamento **2** [di un brano musicale] (mus.) adattamento, riduzione, trascrizione.

arrangiàre A v. tr. **1** sistemare, rabberciare, accomodare, adattare **2** (mus.) armonizzare, strumentare **3** [il pranzo, etc.] (est.) cucinare, allestire, rimediare (scherz.) **4** [qc.] sistemare, cucinare, malmenare, maltrattare **B** v. intr. pron. **1** ingegnarsi, destreggiarsi, industriarsi, sbrogliarsi, districarsi, difendersi **2** barcamenarsi, arrabattarsi, vivacchiare, sopravvivere.

arrecàre v. tr. **1** recare, addurre, apportare, portare, importare (raro) **2**

[gioia, danno, etc.] procurare, provocare, causare, cagionare.

arredaménto s. m. mobilio, mobilia.

arredàre v. tr. ammobiliare, mobiliare (raro), guarnire (est.), addobbare (est.), ornare (est.), attrezzare (impr.), equipaggiare (impr.).

arrèdo s. m. **1** mobile **2** suppellettile.

arrèndersi v. intr. pron. **1** capitolare, rinunciare, rassegnarsi, cedere, piegarsi, desistere, crollare (fig.), darsi per vinto, disarmare **CONTR.** fronteggiare, impuntarsi, incaparbirsi, incaponirsi, intestardirsi, intestarsi, ostinarsi, perdurare, piccarsi **2** costituirsi (dir.), consegnarsi, darsi **CONTR.** difendersi, lottare **3** [a una richiesta, etc.] accondiscendere.

arrendévole agg. **1** cedevole, malleabile, plasmabile, condiscendente, conciliante, flessibile **CONTR.** accanito, duro, inflessibile, caparbio, cocciuto, ostinato, incaponito, pertinace, pervicace, puntiglioso, fissato, autoritario (est.), imperioso, grintoso, indocile, indomito, riottoso **2** [rif. a un materiale] flessibile, duttile, morbido, pieghevole **CONTR.** duro, rigido, resistente.

arrendevolézza s. f. **1** [rif. al carattere] flessibilità (fig.), acquiescenza, duttilità (fig.), condiscendenza, compiacenza (colto) **CONTR.** durezza, rigidità (fig.), remissività, quiescenza (colto) **CONTR.** durezza, rigidità, caparbietà, cocciutaggine, fermezza **2** (gener.) remissività, quiescenza (colto), qualità.

arrendevolménte avv. remissivamente, docilmente, compiacentemente, condiscendevolmente **CONTR.** ostinatamente, caparbiamente, cocciutamente, testardamente, irremovibilmente, intransigentemente, incorreggibilmente.

arrestàre A v. tr. **1** fermare, arginare, trattenere, bloccare **CONTR.** innescare **2** [una pratica, etc.] (fig.) incagliare, inchiodare, insabbiare, paralizzare **3** [il pianto, etc.] (est.) inibire, reprimere **4** [il flusso di q.c.] interrompere **5** [qc.] imprigionare, incarcerare, acciuffare, catturare, ammanettare (est.), mettere in galera, prendere (impr.) **B** v. rifl. **1** fermarsi, bloccarsi, immobilizzarsi, restare **CONTR.** procedere, proseguire **2** interrompersi **3** sostare, indugiare CONTR. marciare **C** v. intr. pron. **1** incepparsi, insabbiarsi, incagliarsi **2** [detto di economia, di sviluppo] (fig.) ristagnare, languire **3** [detto di motore, di meccanismo] incepparsi, incantarsi.

arrèsto s. m. **1** [di attività] fermata, blocco, cessazione, stallo, paralisi CONTR. ripresa **2** (est.) sosta, intervallo, interruzione **3** (est.) indugio, ritardo, ristagno **4** [di una persona] cattura, fermo.

arretraménto s. m. **1** regresso, retrocessione CONTR. avanzata, avanzamento **2** (mil.) ritirata, ripiegamento.

arretràre v. intr. **1** indietreggiare, retrocedere, ritirarsi, rinculare, recedere CONTR. avanzare **2** [detto di acque, etc.] ritrarsi, regredire, ritirarsi.

arretratézza s. f. sottosviluppo, ignoranza (est.), inciviltà (est.), barbarie (fig.) CONTR. progresso, sviluppo.

arretràto (1) part. pass.; anche agg. **1** [rif. alla civiltà] sottosviluppato, depresso CONTR. civile, progredito, moderno, avanzato, sviluppato **2** [rif. alla mentalità] retrivo, borbonico, retrogrado, barbaro, primordiale CONTR. civile, progredito, moderno, avanzato.

arretràto (2) s. m. **1** faccenda, conto **2** somma.

arricchiménto s. m. **1** accrescimento CONTR. impoverimento, depauperamento **2** [di un libro, etc.] integrazione **3** abbellimento, miglioramento CONTR. peggioramento.

arricchíre A v. tr. **1** [qc., un conto, etc.] rendere ricco, impinguare, rimpinguare CONTR. depauperare, immiserire, impoverire, dissanguare (fig.) **2** impreziosire, adornare, valorizzare, abbellire, nobilitare, ornare **3** incrementare, sviluppare, integrare, migliorare, accrescere, aggiungere, aumentare **4** [q.c. con servizi, etc.] dotare **5** [l'animo] nutrire CONTR. inaridire, isterilire **B** v. rifl. diventare ricco, impinguarsi, ingrassarsi, avvantaggiarsi CONTR. immiserirsi, impoverirsi, depauperarsi, dissanguarsi (fig.), diventare povero.

arricciàre v. tr. e intr. pron. **1** arricciolare, ondulare, increspare, inanellare CONTR. lisciare **2** [la fronte, etc.] raggrinzare, corrugare CONTR. distendere **3** [un foglio, etc.] piegare, accartocciare.

arricciolàre v. tr. arricciare, inanellare, rendere ricciuto.

arridere v. intr. [detto di fortuna, etc.] ridere (fig.), favorire un.

arringa s. f. (pl. -ghe) allocuzione (colto), orazione, concione.

arringàre v. tr. perorare, concionare, parlare a, predicare.

arrischiàre A v. tr. **1** rischiare, azzardare, mettere a repentaglio, mettere in pericolo, giocare (fig.) **2** (ass.) tentare, osare **B** v. rifl. **1** azzardarsi, sbilanciarsi, cimentarsi, avventurarsi, provare, ardire, attentarsi, esporsi **2** osare, permettersi.

arrivàre A v. intr. **1** giungere a destinazione, capitare, sopraggiungere, giungere, venire, spuntare CONTR. partire, congedarsi, scappare, fuggire, perdersi **2** spingersi, avvicinarsi **3** [modi di] approdare, atterrare, sbarcare **4** [detto di gente, etc.] affluire, piovere (fig.) **5** [in un luogo] essere, trovarsi **6** [da un luogo] provenire **7** [detto di strada, di fiume, etc.] finire, sboccare **8** [a una soluzione] (fig.) pervenire **9** [in un concorso, etc.] (est.) classificarsi **10** (est.) essere capace, diventare qualcuno, farsi una posizione, sfondare (fig.), affermarsi, salire (fig.), riuscire **11** [detto di situazione] (est.) maturarsi **B** v. tr. [lo scopo] toccare **C** v. intr. pron. [nella forma: arrivarci] (est.) capire, comprendere.

arrivàto part. pass.; anche agg. affermato, noto, famoso, celebre, illustre CONTR. fallito, sconosciuto.

arrivedérci A inter. ciao (fam.), salve, addio (tosc.), a presto **B** s. m. inv. (gener.) saluto CONTR. addio.

arrivista s. m. e f. arrampicatore.

arrivo s. m. **1** venuta, avvento (colto), comparsa (est.), ingresso (est.) CONTR. partenza, dipartita (lett.) **2** (sport) traguardo CONTR. start **3** [di una carriera] (est.) traguardo, meta.

arroccàre A v. tr. coprire, proteggere **B** v. rifl. chiudersi.

arrogànte A agg. tracotante, sfacciato, sfrontato, spudorato, insolente, presuntuoso, superbo, baldanzoso, strafottente CONTR. umile, affabile, modesto, semplice, conciliante, cortese, accomodante, deferente **B** s. m. e f. altezzoso, tracotante.

arrogantemènte avv. prepotentemente, presuntuosamente, altezzosamente, ambiziosamente, con alterigia, superbamente, sfrontatamente, autoritariamente, sdegnosamente, spavaldamente CONTR. umilmente, semplicemente.

arrogànza s. f. tracotanza, iattanza (colto), protervia (colto), superbia, presunzione, prepotenza (est.), sfrontatezza (est.), impertinenza (est.), baldanza (est.), burbanza (colto), disdegno, insolenza (est.), spavalderia (est.), petulanza (est.), alterigia, albagia (lett.), sicumera (colto), dispotismo (est.) CONTR. umiltà, modestia, affabilità, garbo, cortesia, gentilezza.

arrogàre v. intr. pron. **1** pretendere **2** vantare.

arrossàre v. tr. tingere di rosso.

arrossíre v. intr. **1** diventare rosso, imporporarsi, accendersi (fig.), colorarsi, colorirsi, infiammarsi (fig.), avvampare CONTR. impallidire, sbiancare, sbianchire, diventare pallido **2** (est.) vergognarsi.

arrostíre A v. tr. **1** rosolare, abbrustolire, tostare, cuocere, bruciare (est.) **2** [detto di clima] seccare, inaridire **B** v. intr. pron. [al sole] bruciarsi, rosolarsi (fig.), abbronzarsi (est.).

arròsto A agg. inv. arrostito, allo spiedo, bruciato (est.) **B** s. m. [rif. alle carni] roast beef (ingl.) CONTR. bollito, lesso.

arrotàre v. tr. **1** affilare, molare, assottigliare, aguzzare, acuminare **2** [una superficie] levigare, lisciare [detto di veicolo, etc.] investire, urtare **4** [i denti] digrignare.

arrotàto part. pass.; anche agg. **1** [rif. a una lama, a un coltello] affilato, molato, tagliente (est.), arrotondato **2** [rif. a una superficie] levigato CONTR. ruvido, scabro **3** [da veicolo con ruote] urtato, investito.

arrotolare

arrotolàre *v. tr.* avvolgere, avvoltolare, avviluppare, impacchettare, fasciare, involgere, rotolare (*fam.*) CONTR. srotolare.

arrotondàre *v. tr.* **1** smussare, ottundere (*raro*) **2** [*una cifra numerica*] (*est.*) accrescere **3** [*lo stipendio, etc.*] completare.

arrotondàto *part. pass.; anche agg.* **1** smussato CONTR. acuminato, affilato, aguzzo, appuntito, pungente, arrotato, acuto **2** [*rif. a una persona*] ingrassato CONTR. snellito, dimagrito.

arrovellàrsi *v. rifl.* **1** lambiccarsi, scervellarsi, tormentarsi, angustiarsi, almanaccare **2** arrabbiarsi, irritarsi, incazzarsi (*volg.*), adirarsi, incavolarsi (*volg.*) **3** (*est.*) agitarsi, sforzarsi.

arroventàre *v. tr. e intr. pron.* **1** infiammare, infuocare, scaldare CONTR. raffreddare **2** [*detto di discussione*] inasprirsi.

arroventàto *part. pass.; anche agg.* **1** infuocato, rovente, caldo CONTR. freddo, gelido **2** [*rif. al viso*] (*fig.*) rosso.

arruffàre A *v. tr.* **1** [*un filato, etc.*] rabbuffare, disordinare, scompigliare, mettere in disordine, ingarbugliare, intricare (*raro*), ravviluppare (*raro*) CONTR. sbrogliare **2** [*i capelli*] rabbuffare, scarmigliare, intrecciare, scapigliare, spettinare, scarruffare CONTR. pettinare **3** [*una situazione*] (*est.*) scompaginare, imbrogliare, confondere, complicare CONTR. ordinare **B** *v. rifl. e intr. pron.* spettinarsi, scarmigliarsi.

arruffataménte *avv.* disordinatamente CONTR. ordinatamente, precisamente, articolatamente.

arruffiànare A *v. tr.* sedurre **B** *v. intr. pron.* incensare *un* (*fig.*), blandire *un*.

arruffìo *s. m.* disordine, scompiglio, viluppo CONTR. ordine.

arruggìnire A *v. tr.* **1** ossidare **2** [*la mente, le capacità*] (*est.*) intorpidire, indebolire **B** *v. intr.* ossidarsi, diventare rugginoso, fare la ruggine **C** *v. intr. pron.* **1** ossidarsi **2** perdere in agilità.

arruolàre *v. tr.* assoldare, reclutare, ingaggiare, assumere, coscrivere (*mil.*) CONTR. scartare.

arsenàle *s. m.* **1** (*est.*) cantiere **2**

(*est.*) armamentario, attrezzatura, strumentario.

arsènico *s. m.* (*gener.*) veleno.

àrso *part. pass.; anche agg.* bruciato, riarso, secco, asciutto, disidratato CONTR. umido, bagnato, fresco (*est.*).

arsùra *s. f.* **1** calore, calura **2** (*est.*) siccità, aridità CONTR. umidità **3** secchezza, sete (*fig.*), bruciore (*fig.*), ardore (*raro*).

àrte *s. f.* **1** maestria, abilità **2** mestiere, professione, lavoro **3** [*spec. con: avere, possedere*] (*est.*) dote, genio, talento **4** (*est.*) astuzia, accorgimento **5** [*tipo di*] scultura, poesia, pittura, musica, politica.

artefàre *v. tr.* falsare, alterare.

artefàtto *part. pass.; anche agg.* **1** artificiale, innaturale CONTR. naturale, genuino **2** [*rif. all'atteggiamento*] (*fig.*) falso, fittizio, artificioso CONTR. genuino, vero, spontaneo, istintivo.

artéfice *s. m.* artista, autore, creatore, ideatore (*est.*), inventore (*est.*), padre (*fig.*), demiurgo (*colto*).

artèria *s. f.* via, strada.

àrtico A *agg.* boreale, settentrionale CONTR. antartico, australe, meridionale **B** *s. m.* polo nord CONTR. polo sud.

articolàre A *v. tr.* **1** pronunciare, sillabare, scandire **2** [*un libro in capitoli*] scindere, frazionare, distinguere, separare, suddividere **3** [*un arto*] muovere **4** [*un giudizio, etc.*] (*est.*) proferire **B** *v. intr. pron.* **1** snodarsi **2** [*detto di opera, di legge, etc.*] suddividersi, distinguersi.

articolataménte *avv.* in modo suddiviso CONTR. confusamente, arruffatamente.

articolàto *part. pass.; anche agg.* **1** [*rif. a un meccanismo*] snodato **2** [*rif. alle idee*] (*fig.*) complesso, multiforme CONTR. semplice, chiaro **3** [*rif. a un discorso*] (*fig.*) chiaro, scorrevole CONTR. confuso, farraginoso.

articolazióne *s. f.* **1** (*anat.*) giuntura, legamento **2** [*in un oggetto*] collegamento, snodo **3** [*di parole*] pronuncia, scansione **4** [*tra idee*] collegamento, connessione.

articolista *s. m. e f.* **1** giornalista **2** (*gener.*) scrittore.

articolo *s. m.* **1** [*di giornale*] testo, pezzo, trafiletto (*giorn.*), scritto, servizio (*fig.*), reportage (*fr.*) **2** (*gener.*) testo, pezzo, trafiletto (*giorn.*), scritto, pubblicazione **3** [*nei documenti*] testo, pezzo, trafiletto (*giorn.*), scritto, comma (*bur.*) **4** [*di dizionario*] (*ling.*) lemma, voce, entrata, esponente **5** [*di abbigliamento*] oggetto, capo **6** (*est.*) merce, roba, mercanzia, prodotto.

artificiàle *agg.* **1** innaturale CONTR. naturale, casalingo (*est.*) **2** [*rif. all'atteggiamento*] (*fig.*) artificioso, artefatto, falso, costruito, caricato, ostentato, manieroso CONTR. vero, genuino, spontaneo, semplice, schietto, connaturato **3** [*rif. ai capelli, alla barba, etc.*] finto, posticcio **4** [*rif. a un materiale*] sintetico CONTR. naturale, vero.

artificialménte *avv.* innaturalmente, artificiosamente CONTR. naturalmente.

artificio o **artifizio** *s. m.* **1** espediente, trucco, stratagemma, pretesto, gioco (*est.*), astuzia, inganno, accorgimento, trovata **2** preziosismo, abbellimento **3** [*nel modo di fare*] ricercatezza, affettazione, artificiosità CONTR. spontaneità, naturalezza.

artificiosaménte *avv.* **1** innaturalmente, artificialmente, affettatamente CONTR. spontaneamente, schiettamente, autenticamente, naturalmente, genuinamente **2** ingannevolmente, fintamente CONTR. semplicemente, con semplicità **3** macchinosamente CONTR. semplicemente, linearmente.

artificiosità *s. f. inv.* artificio, ricercatezza, affettazione CONTR. spontaneità, semplicità, naturalezza, autenticità, immediatezza.

artificióso *agg.* **1** studiato, costruito, affettato, artefatto, artificiale, innaturale, stentato CONTR. spontaneo, naturale, genuino, vero, semplice, schietto, immediato **2** (*est.*) falso, irreale, teatrale CONTR. spontaneo, naturale **3** [*rif. a un metodo*] ingegnoso CONTR. rozzo.

artifizio *s. m.* V. artificio.

artigiàno A *s. m.* **1** (*gener.*) lavoratore **2** [*tipo di*] argentiere, orafo, meccanico, pittore CONTR. impiegato, professionista, contadino **B** *agg.* **1** casalingo, domestico **2** (*propr.*) manufatto.

⚘ **artigliàre** *v. tr.* **1** ghermire CONTR. mollare **2** (*gener.*) prendere.

artista *s. m. e f.* **1** artefice, maestro, autore **2** [*tipo di*] attore, pittore, scultore, musicista, architetto, poeta, scrittore **3** attore, attrice, divo **4** (*spreg.*) commediante.

artisticaménte *avv.* raffinatamente, finemente, elegantemente CONTR. rozzamente, grossolanamente.

àrto *s. m.* **1** membro **2** [*tipo di*] braccio, gamba.

artròpodi *s. m. pl.* **1** (*gener.*) animale **2** [*tipo di*]. →animali

arzigogolàre *v. intr.* **1** almanaccare, cavillare, fantasticare **2** (*gener.*) pensare.

arzigògolo *s. m.* **1** ghirigoro **2** sofisma (*colto*), cavillo, sottigliezza, sofisticheria.

ascendènte A *s. m.* **1** avo, antenato, progenitore CONTR. discendente **2** [*su qc.*] (*est.*) influenza, autorità, credito, prestigio **B** *agg.* ascensionale, crescente.

ascendènza *s. f.* antenati, avi, progenitori CONTR. discendenza.

ascèndere A *v. intr.* **1** [*verso l'alto*] (*anche fig.*) salire, innalzarsi, elevarsi, montare (*fam.*) CONTR. discendere **2** [*detto di debito*] ammontare, assommare **3** [*detto di pensiero, etc.*] risalire **B** *v. tr.* [*una vetta, etc.*] scalare, conquistare (*est.*).

ascensióne *s. f.* **1** ascesa, salita CONTR. discesa **2** [*di una montagna*] (*sport*) scalata, arrampicata.

ascèsa *s. f.* **1** salita, ascensione (*colto*), volo (*fig.*) CONTR. discesa **2** (*est.*) successo, avanzamento (*fig.*), scalata (*fig.*) **3** [*di una montagna*] ascensione (*colto*), scalata (*fig.*).

ascèta *s. m.* monaco, cenobita, eremita, santone (*pop.*), anacoreta CONTR. gaudente, viveur (*fr.*), pascià (*fig.*).

àscia *s. f.* **1** scure, accetta, mannaia **2** (*gener.*) arma.

ascìsc *s. m. inv.* V. *hascisc*.

asciugacapélli *s. m. inv.* fohn (*ted.*).

asciugamàno *s. m.* salvietta, tovaglia (*merid.*).

asciugàre A *v. tr.* **1** prosciugare, essiccare, inaridire, disidratare, disseccare, seccare CONTR. bagnare, infradiciare, inzuppare, inumidire, irrorare, impregnare **2** [*qc. di q.c.*] prosciugare (*fig.*), privare **3** [*il sudore*] forbire (*colto*), detergere **B** *v. intr. pron.* [*detto di corso d'acqua, etc.*] disseccarsi, seccarsi (*raro*), prosciugarsi, essiccarsi, inaridirsi **C** *v. rifl.* detergersi, forbirsi (*colto*) CONTR. inzupparsi, impregnarsi.

asciugàto *part. pass.; anche agg.* asciutto, prosciugato, secco, seccato CONTR. bagnato, umido.

asciuttaménte *avv.* **1** concisamente, laconicamente CONTR. ampiamente, diffusamente **2** bruscamente, seccamente CONTR. calorosamente, affettuosamente.

asciuttézza *s. f.* **1** [*rif. al modo di fare*] sobrietà CONTR. svenevolezza **2** [*nel parlare*] stringatezza CONTR. prolissità, verbosità.

asciùtto A *agg.* **1** secco, asciugato, prosciugato, disidratato CONTR. bagnato, umido, zuppo, fradicio, madido, imbevuto, impregnato, intriso, inzuppato **2** [*rif. al terreno*] disidratato, riarso, arso, assetato, arido, sterile CONTR. bagnato, umido, zuppo, fradicio, fertile, ricco, produttivo **3** [*rif. al fisico*] (*fig.*) snello, magro, smilzo CONTR. grasso, grosso, corpulento **4** [*rif. a un discorso*] (*fig.*) laconico, conciso CONTR. ampio, prolisso, verboso **5** [*rif. all'atteggiamento*] (*fig.*) secco, schietto, brusco, perentorio CONTR. affabile, amabile, gentile **B** *s. m. sing.* secco, secchezza CONTR. bagnato.

ascoltàre *v. tr.* **1** udire, sentire, intendere (*fam.*) **2** (*est.*) origliare, spiare **3** stare attento, prestare attenzione **4** [*una richiesta*] (*est.*) esaudire **5** ubbidire *a*, dare retta *a*, dare ascolto *a* **6** [*la musica*] (*fig.*) assaporare, gustare.

ascoltatóre *s. m.* (*f. -trice*) **1** uditore (*raro*) CONTR. parlatore **2** spettatore.

ascólto *s. m.* **1** [*dei programmi televisivi*] gradimento, audience (*ingl.*) **2** [*spec. in loc.: dare*] retta, udienza.

ascòrbico *agg.* vitamina C.

ascrivere *v. tr.* attribuire, imputare, addebitare, computare (*fig.*), assegnare, annoverare, ricondurre (*fig.*), riferire.

asèttico *agg.* **1** sterilizzato, disinfettato, pulito, terso CONTR. infetto, sporco **2** [*rif. all'atteggiamento*] (*fig.*) neutro, freddo, sterile CONTR. caldo, passionale.

asfaltàre *v. tr.* incatramare.

asfissiàre A *v. tr.* **1** soffocare, gasare **2** [*a*] (*est.*) assillare, molestare, dare fastidio *a*, seccare, infastidire, rompere (*pop.*) **B** *v. rifl.* (*gener.*) suicidarsi **C** *v. intr.* morire soffocato.

asilo *s. m.* **1** rifugio, ricovero, ospizio (*lett.*), albergo (*lett.*), alloggio (*est.*), riparo, ricetto (*lett.*) **2** (*est.*) ospitalità **3** (*est.*) protezione **4** [*per bambini*] kindergarten (*ted.*), scuola materna.

asimmetria *s. f.* sproporzione, disarmonia, irregolarità CONTR. simmetria, proporzione.

àsino *s. m.* **1** (*gener.*) mammifero **2** somaro, ciuco (*tosc.*), ciuccio (*merid.*) **3** [*rif. a una persona*] (*fig.*) gonzo, allocco, babbeo, minchione (*pop.*), bietolone **4** ignorante CONTR. dottore.

àsola *s. f.* occhiello.

aspèrgere *v. tr.* spruzzare, irrorare, cospargere, annaffiare, bagnare, sbruffare, cospargere di liquido.

asperità *s. f. inv.* **1** [*rif. a una superficie*] ruvidezza, asprezza, scabrosità CONTR. levigatezza **2** [*del vivere, etc.*] (*est.*) impedimento, difficoltà.

aspettàre A *v. tr.* **1** attendere **2** (*est.*) desiderare, bramare, sospirare (*fig.*) **3** (*ass.*) fermarsi, stare fermo, trattenersi, indugiare, traccheggiare **B** *v. intr. pron.* **1** attendersi, prevedere **2** attendersi, sperare, ripromettersi.

aspettativa *s. f.* **1** attesa **2** (*est.*) speranza.

aspètto *s. m.* **1** [*rif. a persone, a cose*] apparenza, sembianza, sembiante (*lett.*) **2** [*rif. a costruzioni, a montagne*] configurazione, conformazione (*fig.*) **3** [*rif. alla salute di qc.*] (*est.*) cera (*fig.*), colorito (*fig.*), faccia, viso, volto, fisionomia, espressione, aria (*fig.*) **4** [*rif. a una persona*] (*est.*) figura, fisico, costituzione **5** [*in loc.: sotto l'aspetto di*] (*est.*) specie, abito, foggia, forma **6** (*est.*) immagine, look (*ingl.*) **7** (*raro*) apparenza, vista, sguardo **8** (*est.*) lato, prospettiva.

àspide *s. m.* **1** vipera **2** (*gener.*) rettile.

aspirànte A *s. m. e f.* candidato **B** *agg.* che aspira.

aspiràre A *v. intr.* desiderare *un*, tendere, bramare *un*, ambire *a un*, mirare, anelare, vagheggiare *un*, concorrere (*est.*), volere *un* (*est.*), pretendere *un* (*est.*), puntare, tirare, riguardare (*raro*) **B** *v. tr.* **1** inspirare, introdurre aria nei polmoni, inalare, risucchiare **2** fiutare, sniffare.

aspirazióne *s. f.* **1** desiderio *di*, anelito (*colto*), brama (*colto*), sogno *di* (*fig.*), ideale *di* (*est.*), scopo *di* (*est.*), vocazione **2** pretesa *di* (*colto*), velleità *di*, ambizione *di*.

asportàre *v. tr.* **1** togliere, levare **2** [*un dente, etc.*] estrarre, estirpare, eliminare, sradicare, strappare, cavare **3** [*qc. da una casa, etc.*] (*est.*) prelevare, trafugare, rubare.

asportazióne *s. f.* (*chir.*) ablazione, prelievo, estrazione.

aspraménte *avv.* **1** bruscamente, crudelmente, duramente, astiosamente, acerbamente, acidamente, acremente, causticamente, crudamente, rudemente CONTR. benignamente, dolcemente, soavemente, amorevolmente, teneramente, deliziosamente, idilliacamente **2** accanitamente, ostinatamente CONTR. debolmente, fiaccamente.

asprèzza *s. f.* **1** [*rif. a una superficie*] ruvidezza, scabrosità, asperità CONTR. levigatezza, liscezza (*raro*), morbidezza (*est.*) **2** [*rif. al carattere*] (*est.*) durezza, severità, rigore, rudezza, crudeltà, ferocia CONTR. dolcezza,

mitezza, bonarietà, bonomia **3** [*rif. all'atteggiamento*] (*fig.*) acrimonia, acredine, acidità, causticità CONTR. amabilità **4** [*rif. al clima*] (*fig.*) inclemenza (*est.*), crudezza, rigidezza, rigidità (*raro*) CONTR. mitezza, amenità **5** [*rif. al sapore*] agrezza (*raro*), fortore (*raro*), bruschezza, agro CONTR. delicatezza, dolcezza.

asprigno *agg.* [*rif. al sapore*] aspro, agro, acre, acerbo (*est.*) CONTR. dolciastro, dolce, gradevole.

àspro *agg.* **1** [*rif. al sapore*] agro, acido, asprigno, selvatico (*est.*), acerbo CONTR. piacevole, gradevole, dolce **2** [*rif. a una superficie*] ruvido, scabro CONTR. liscio, piano, levigato **3** [*rif. al terreno*] scosceso, malagevole, brullo (*est.*), selvaggio (*est.*) CONTR. liscio, piano, agevole, comodo **4** [*rif. a un odore*] acre, pungente, forte CONTR. piacevole, gradevole **5** [*rif. all'atteggiamento*] burbero, scostante CONTR. amabile, cortese, mite **6** [*rif. al suono*] sgradevole, stridulo CONTR. gradevole, soave, melodioso **7** [*rif. al dolore*] duro, crudo, crudele **8** [*rif. al clima*] rigido, freddo, inclemente CONTR. piacevole, mite, caldo **9** [*rif. allo sguardo*] duro, freddo CONTR. languido.

assaggiàre *v. tr.* **1** degustare, assaporare, gustare, sentire **2** [*una pietanza, etc.*] mangiare poco *di*, mangiucchiare, spilluzzicare, piluccare, spiluccare CONTR. divorare **3** [*una bevanda*] (*est.*) delibare, libare **4** [*la bontà, la qualità di q.c.*] degustare, provare, saggiare, sperimentare, misurare.

assàggio *s. m.* **1** degustazione **2** campione, saggio, pezzo.

assài *avv.* **1** abbastanza, parecchio, sufficientemente, a sufficienza CONTR. insufficientemente **2** molto, tanto, notevolmente, vistosamente, ampiamente, considerevolmente, davvero, estremamente, moltissimo, enormemente, grandemente, forte, gravemente CONTR. poco, scarsamente.

assalire *v. tr.* **1** attaccare, aggredire, caricare, investire, affrontare, scagliarsi *su*, avventarsi *su*, assaltare, insultare (*est.*), inveire *su* **2** (*ass.*) guerreggiare, combattere **3** [*detto di idea, di pensiero, etc.*] (*fig.*) impadronirsi

di, invadere.

assaltàre *v. tr.* attaccare, aggredire, assalire, oppugnare (*raro*).

assàlto *s. m.* **1** attacco, aggressione, carica, offensiva, incursione **2** [*di invidia, di maldicenza*] (*fig.*) attacco, morso.

assaporàre *v. tr.* **1** [*una pietanza, etc.*] gustare, assaggiare, degustare, saggiare (*raro*) **2** [*una bibita, etc.*] centellinare, sorseggiare, libare **3** [*la musica, etc.*] (*est.*) ascoltare, godere CONTR. patire.

assaporire *v. tr.* condire, insaporire, speziare, drogare (*est.*).

assassinàre *v. tr.* **1** uccidere, ammazzare, trucidare, scannare, fare fuori (*fam.*), fare la pelle *a* (*pop.*) **2** [*la reputazione*] (*est.*) danneggiare, sciupare, rovinare.

assassinàto *part. pass.; anche agg.* ucciso, stroncato, ammazzato.

assassinio *s. m.* **1** omicidio, uccisione, soppressione **2** (*est.*) violenza **3** (*gener.*) delitto, crimine, reato.

assassino A *s. m.* (*f. -a*) **1** omicida, killer (*ingl.*), sicario, boia CONTR. vittima **2** (*gener.*) criminale, delinquente **B** *agg.* **1** malvagio, criminale CONTR. buono, onesto **2** [*rif. allo sguardo*] (*fig.*) seducente, affascinante CONTR. disgustoso, repellente **3** [*rif. all'istinto*] omicida.

àsse (1) *s. f.* **1** tavola **2** (*mecc.*) albero.

àsse (2) *s. f.* (*mat.*) linea.

assecondàre *v. tr.* **1** compiacere, accontentare, secondare, soddisfare, favorire, appoggiare, sostenere CONTR. contrariare, contrastare **2** [*una richiesta*] condiscendere *a*, indulgere *a*, cedere *a* **3** [*un'idea, etc.*] caldeggiare **4** [*un ritmo musicale*] seguire.

assediàre *v. tr.* **1** cingere d'assedio, accerchiare, attorniare, circondare, bloccare (*est.*) **2** [*qc.*] (*est.*) importunare, infastidire, assillare, molestare, dare fastidio *a*, tormentare (*fig.*).

assèdio *s. m.* blocco, stretta (*fig.*).

assegnaménto *s. m.* **1** assegnazione, attribuzione **2** [*spec. con: fare*] affidamento, fiducia *in*, speranza *in* **3** rendita, provento.

assegnàre *v. tr.* **1** attribuire, dare, dispensare **CONTR.** incamerare, prendere, togliere **2** ripartire, distribuire, dividere **3** [*un termine, una scadenza*] stabilire, fissare **4** [*un incarico*] destinare, affidare, conferire **5** [*un bene, etc.*] (*dir.*) aggiudicare **6** [*una punizione*] infliggere **7** [*una colpa*] ascrivere, imputare **8** [*un dipendente statale*] destinare, mandare, comandare **9** [*q.c. per testamento*] lasciare, legare.

assegnàto *part. pass.; anche agg.* addetto, preposto **CONTR.** estraneo.

assegnazióne *s. f.* **1** assegnamento (*raro*), attribuzione, aggiudicazione (*bur.*), conferimento **2** (*est.*) concessione **3** (*est.*) nomina **4** (*est.*) ripartizione, spartizione.

assègno *s. m.* **1** chèque (*fr.*) **2** appannaggio.

assemblàre *v. tr.* montare **CONTR.** scomporre.

assemblèa *s. f.* **1** riunione, adunanza, consesso **2** consulta, consiglio, giunta **3** seduta **4** (*est.*) pubblico.

assemblearménte *avv.* collettivamente, collegialmente **CONTR.** singolarmente, individualmente.

assembraménto *s. m.* **1** affollamento, ammassamento, riunione, raduno **2** (*est.*) ressa, calca, folla.

assembràre (1) **A** *v. intr.* somigliare, parere *un*, sembrare *un* **B** *v. tr.* paragonare, confrontare.

assembràre (2) **A** *v. tr.* radunare **CONTR.** disperdere **B** *v. intr. pron.* affollarsi, accalcarsi, adunarsi, riunirsi, convenire, radunarsi **CONTR.** dispersdersi.

assennataménte *avv.* giudiziosamente, avvedutamente, prudentemente, saggiamente, equilibratamente, sapientemente, saviamente, sensatamente, seriamente **CONTR.** dissennatamente, imprudentemente, balordamente, fatuamente, follemente, irragionevolmente.

assennatézza *s. f.* avvedutezza, prudenza, cautela, responsabilità,

giudizio, senno, criterio, cervello (*fig.*) **CONTR.** sventatezza, stupidità, imprudenza, dissennatezza, spensieratezza.

assennàto *agg.* giudizioso, sensato, savio, prudente, cauto, avveduto, saggio, quadrato (*fig.*), benpensante **CONTR.** avventato, dissennato, imprudente, incauto, sconsiderato, sprovveduto, ingenuo (*est.*), bislacco (*est.*), capriccioso, demente (*est.*), farneticante, folle, matto, imprevedibile, mentecatto (*spreg.*), pazzo (*spreg.*), picchiato (*fam.*), svitato (*fam.*), scriteriato, spostato, toccato (*fam.*), vaneggiante, tocco, visionario, strampalato.

assènso *s. m.* **1** consenso, approvazione, autorizzazione, beneplacito, benestare **CONTR.** dissenso, disapprovazione **2** [*a una proposta*] (*est.*) adesione.

assentàrsi *v. intr. pron.* **1** allontanarsi, andarsene, partire, andare via **CONTR.** presenziare **2** (*est.*) ritirarsi.

assènte **A** *agg.* **1** mancante, lontano (*est.*) **CONTR.** presente, compartecipe **2** (*fig.*) distratto, svagato, disattento, estraneo (*est.*) **CONTR.** attento, concentrato **B** *s. m. e f.* defunto, estinto, morto.

assentìre *v. intr.* **1** annuire, dire di sì **CONTR.** dissentire, controbattere, obiettare, ribattere **2** acconsentire *a*, permettere *di un*, autorizzare *un*, consentire *di*.

assènza *s. f.* **1** mancanza, privazione, carenza, penuria **CONTR.** abbondanza **2** (*est.*) lontananza **CONTR.** vicinanza, presenza.

asserire *v. tr.* **1** affermare, dichiarare, sentenziare, dire, proclamare **2** confermare, attestare, testimoniare, giurare, certificare, garantire, assicurare, sacramentare (*scherz.*) **3** [*detto di legge, di tradizione*] pretendere, volere.

asserragliàre **A** *v. tr.* circondare **B** *v. rifl.* barricarsi.

assertivo *agg.* affermativo **CONTR.** negativo.

asserviménto *s. m.* **1** [*rif. all'azione*] assoggettamento **CONTR.** affran-

camento **2** [*l'effetto dell'*] schiavitù, dipendenza, sottomissione.

asservìre *v. tr. e rifl.* assoggettare, sottomettere, piegare, soggiogare, plagiare, opprimere (*est.*), incatenare (*fig.*), infeudare (*raro*) **CONTR.** emancipare.

asserzióne *s. f.* **1** affermazione **CONTR.** negazione **2** (*est.*) dichiarazione, testimonianza.

assestaménto *s. m.* adattamento, sistemazione.

assestàre **A** *v. tr.* **1** accomodare, adattare, sistemare, regolare, comporre, aggiustare **CONTR.** disordinare, dissestare, rompere **2** [*uno schiaffo, un pugno*] (*est.*) affibbiare, appioppare (*fam.*), dare, rifilare, azzeccare (*raro*), mollare (*pop.*), menare (*pop.*), vibrare, inferire (*raro*), infliggere **3** [*un veicolo*] rodare **B** *v. rifl.* sistemarsi.

assetàto *part. pass.; anche agg.* **1** [*rif. al terreno*] disidratato, riarso (*est.*), arido (*est.*), asciutto (*est.*), secco (*est.*) **CONTR.** umido, bagnato, zuppo **2** [*rif. a una persona*] bramoso, desideroso, voglioso, cupido, affamato **CONTR.** sazio, soddisfatto, satollo.

assettàre *v. tr. e rifl.* rassettare, riordinare **CONTR.** disordinare.

assètto *s. m.* **1** ordine, sistemazione **CONTR.** sconvolgimento **2** (*est.*) equipaggiamento, tenuta **3** [*di un natante, di un velivolo*] disposizione.

assicuràre **A** *v. tr.* **1** giurare, garantire, asserire, dichiarare, accertare, attestare, certificare, promettere, confermare, spergiurare, sacramentare **2** dare sicurezza **3** [*q.c. con un nodo*] fermare, legare, raccomandare **4** proteggere, preservare **5** (*est.*) procacciare, procurare **B** *v. rifl.* **1** accertarsi, controllare, verificare, chiarirsi, sincerarsi **2** cautelarsi, garantirsi, puntellarsi, mettersi al sicuro, premunirsi **3** [*la fama, etc.*] meritare, procacciarsi **4** reggersi, sostenersi, attaccarsi.

assicurazióne *s. f.* **1** [*spec. con: dare*] garanzia **2** [*spec. con: fare un'*] promessa.

assideràre **A** *v. tr.* congelare **B** *v. intr. pron.* congelarsi.

assidere v. intr. pron. sedersi.

assiduaménte avv. **1** continuamente, costantemente, incessantemente **CONTR.** saltuariamente, sporadicamente, di tanto in tanto **2** con cura **CONTR.** negligentemente.

assiduità s. f. inv. **1** costanza, continuità, frequenza **CONTR.** incostanza, discontinuità, infrequenza **2** (est.) pazienza, perseveranza.

assiduo agg. **1** [rif. allo studio, alle cure] continuo, costante, indefesso, incessante **CONTR.** discontinuo, incostante, interrotto, occasionale **2** [rif. a uno studioso] pertinace, accanito, tenace **CONTR.** incostante, volubile, mutevole, negligente, svogliato **3** [rif. a una persona] insistente (iron.), martellante (fig.) **CONTR.** negligente, svogliato **4** [rif. a un cliente, etc.] abituale, fedele **CONTR.** occasionale.

assième A avv. insieme, con B s. m. insieme.

assiepàre A v. tr. circondare, chiudere, invadere, ostruire B v. intr. pron. affollarsi, accalcarsi, ammassarsi, stiparsi **CONTR.** disperdersi.

assillànte part. pres.; anche agg. insistente, incessante, tormentoso (est.), fastidioso (est.) **CONTR.** discreto, riservato, gradevole (est.), piacevole (est.).

assillàre v. tr. **1** molestare, assediare (fig.), tormentare, asfissiare (fig.), scocciare (fam.), infastidire, dare fastidio a, martellare (fig.), assillare, torturare (fig.), attanagliare (fig.), opprimere **2** (est.) incitare, esortare.

assillo (1) s. m. **1** ossessione, tormento, tarlo (fig.), chiodo (fig.), pungolo (fig.), aculeo (fig.), incubo (fig.) **2** inquietudine, affanno (fig.), angoscia, cura, dubbio, dilemma.

assillo (2) s. m. **1** (zool.) tafano **2** (gener.) insetto.

assimilàre v. tr. **1** rendere simile, uguagliare, parificare, equiparare **2** [il cibo] (biol.) assorbire, digerire, incorporare **3** accomunare, paragonare, confrontare, assomigliare, avvicinare (fig.) **4** [le idee, etc.] fare proprio, accettare, imbeversi di (fig.).

assimilazióne s. f. **1** accomunamento, avvicinamento **2** apprendimento **3** [rif. a un processo] analogia (est.).

assiòma s. m. postulato, proposizione.

assisa s. f. livrea, uniforme.

assistènte s. m. e f. **1** aiutante, collaboratore, aiuto **2** accompagnatore **3** [di volo] hostess (ingl.), steward.

assistènza s. f. **1** aiuto, soccorso, ausilio (lett.) **2** [di un medico, etc.] (est.) cura **3** cooperazione, appoggio (fig.), sostegno, protezione (bur.), patrocinio **4** (est.) cooperazione, sorveglianza, vigilanza, controllo, governo **5** [spec. con: fare] (est.) beneficenza **6** (est.) cooperazione, consulenza **7** [spec. con: assicurare l'] presenza.

assistere A v. tr. **1** soccorrere, aiutare, curare, essere di aiuto a **2** beneficare, patrocinare (dir.), coadiuvare, appoggiare, sostenere **3** custodire, vedere, vegliare, tutelare, guardare (fam.) B v. intr. presenziare, partecipare, essere presente, essere spettatore, intervenire (est.).

assistito A part. pass.; anche agg. **1** aiutato, soccorso **CONTR.** trascurato, abbandonato **2** [da un avvocato] difeso, patrocinato B s. m. (f. -a) [di un avvocato] cliente.

assito s. m. **1** palco, tavolato, impalcato **2** tramezzo.

asso s. m. campione, primatista (est.) **CONTR.** schiappa (pop.), scarpa (fig.), mezza cartuccia.

associàre A v. tr. accomunare, abbinare, accoppiare **2** aggregare, confederare, congregare, federare **3** affiliare, iscrivere **4** [un'idea a un'altra] concatenare, mettere in relazione, connettere, ricollegare, collegare **5** [elementi tra loro] (est.) fondere, mescolare B v. rifl. **1** mettersi insieme, allearsi, accompagnarsi, aggregarsi, congregarsi, confederarsi, fondersi, unirsi, federarsi, collegarsi, imbrancarsi, intrupparsi **CONTR.** dissociarsi **2** iscriversi, aderire, convenzionarsi, affiliarsi, abbonarsi **3** [al dolore, alla gioia] (est.) condividere, partecipare.

associàto s. m. (f. -a) **1** socio, iscritto, membro **2** [di università] (est.)

professore.

associazióne s. f. **1** organizzazione, società, lega, aggregazione, congregazione, compagnia, corporazione, federazione, confederazione **2** (est.) accademia, collegio **3** (biol.) linkage (ingl.) **4** [tra idee] collegamento.

assodàre A v. tr. **1** consolidare, indurire, rendere duro, rassodare, irrobustire **CONTR.** rammollire **2** (est.) accertare, appurare, verificare, constatare, chiarire, provare, stabilire B v. intr. pron. addensarsi, condensarsi, rassodarsi, indurirsi, consolidarsi, rapprendersi **CONTR.** rammollirsi, sciogliersi, liquefarsi.

assoggettaménto s. m. **1** [rif. all'azione] asservimento **CONTR.** affrancamento, liberazione **2** [l'effetto dell'] dipendenza, sottomissione.

assoggettàre A v. tr. sottomettere, soggiogare, asservire, sottoporre, plagiare, infeudare (raro) **CONTR.** emancipare B v. rifl. sottomettersi, adattarsi, rassegnarsi (est.).

assoldàre A v. tr. **1** arruolare, reclutare, ingaggiare, assumere **CONTR.** congedare, licenziare **2** (est.) pagare, retribuire, prezzolare, salariare.

assolutaménte avv. **1** categoricamente, tassativamente, decisamente, nettamente, matematicamente **CONTR.** relativamente **2** ad ogni costo, in ogni caso **3** affatto, totalmente, completamente, pienamente, interamente, del tutto **CONTR.** parzialmente.

assolutismo s. m. **1** tirannia, dispotismo, autocrazia **2** (gener.) governo **3** [rif. al comportamento] autoritarismo, prepotenza, arroganza **CONTR.** liberalità.

assolutista agg. **1** [rif. a un regime politico] dittatoriale, tirannico, dispotico, assoluto, intollerante (est.) **CONTR.** democratico, liberale, libertario **2** [rif. a una persona] (fam.) intollerante (est.), prepotente, autoritario **CONTR.** libertario, tollerante, docile, mite.

assoluto A agg. **1** illimitato, incondizionato **CONTR.** limitato, relativo **2** [rif. all'ordine, etc.] deciso, perentorio, autoritario, categorico, tassativo, imperativo **CONTR.** relativo, indeterminato, impreciso **3** [rif. alla verità, etc.]

universale, generale CONTR. relativo **4** totale, completo, intero CONTR. relativo, incompleto **5** (*est.*) esclusivo **6** [*rif. a un giudizio, alla verità*] (*filos.*) dogmatico, indiscutibile CONTR. discutibile **7** [*rif. a un regime politico*] autoritario, dispotico, assolutista, tirannico CONTR. democratico, liberale **B** *s. m. sing.* infinito.

assoluzióne *s. f.* **1** [*da accusa*] proscioglimento CONTR. condanna **2** [*dei peccati*] remissione **3** (*est.*) perdono, grazia.

assòlvere *v. tr.* **1** (*relig.*) rimettere i peccati *a*, perdonare CONTR. condannare, dannare **2** (*dir.*) dichiarare innocente, prosciogliere, liberare (*est.*) **3** [*qc. dagli obblighi*] dispensare, esentare, esonerare, esimere CONTR. costringere **4** [*un compito, un impegno*] adempiere *a*, soddisfare, ottemperare *a*, compiere, compire, espletare.

assomigliàre **A** *v. intr.* somigliare, sembrare *un*, parere *un*, avvicinarsi, ricordare *un*, puzzare *di* (*fig.*), rassomigliare, tirare *da* (*pop.*) CONTR. differenziarsi, differire, dissomigliare, distare, diversificarsi **B** *v. tr.* paragonare, assimilare CONTR. diversificare.

assommàre **A** *v. tr.* **1** (*mat.*) sommare, aggiungere, fare la somma, fare l'addizione **2** unire, riunire, annettere **B** *v. intr.* [*detto di debito*] ammontare, ascendere (*fig.*) **C** *v. intr. pron.* riunirsi, concentrarsi.

assopire **A** *v. tr.* **1** addormentare, chetare (*est.*), tranquillizzare (*est.*) CONTR. destare, svegliare **2** [*il dolore, etc.*] calmare, lenire, mitigare **B** *v. intr. pron.* **1** addormentarsi, cadere addormentato, appisolarsi, dormire, sopirsi CONTR. destarsi, ridestarsi **2** [*detto di sentimento, etc.*] (*est.*) sopirsi, calmarsi, placarsi, quietarsi.

assopito *part. pass.; anche agg.* **1** addormentato CONTR. sveglio **2** (*est.*) placato, sedato CONTR. eccitato, scosso.

assorbire *v. tr.* **1** (*biol.*) assimilare, digerire, incorporare **2** succhiare, inghiottire, bere **3** [*detto di terreno, etc.*] imbeversi *di*, impregnarsi *di*, tirare, ricevere **4** [*il personale, etc.*] riassorbire **5** [*il tempo*] (*est.*) impegnare, occupare **6** [*gli insegnamenti, etc.*]

(*est.*) comprendere, imparare (*fam.*) **7** [*l'energia, etc.*] (*est.*) consumare, esaurire, fagocitare (*fig.*), risucchiare (*fig.*).

assorbito *part. pass.; anche agg.* (*fig.*) preso, intento, impegnato, occupato CONTR. distratto, distaccato, disinteressato.

assordàre **A** *v. intr.* diventare sordo **B** *v. tr.* (*est.*) infastidire, annoiare.

assórgere *v. intr.* V. *assurgere*.

assortiménto *s. m.* **1** [*di merci*] varietà, scelta, disponibilità (*est.*), gamma, ricchezza (*est.*) **2** stock (*ingl.*), quantità, provvista.

assòrto *agg.* **1** intento, concentrato CONTR. distratto **2** (*fig.*) pensieroso, meditabondo, cogitabondo, raccolto CONTR. spensierato, svagato.

assottigliàre **A** *v. tr.* **1** affilare, affusolare, affinare, arrotare, limare, acuminare, digrossare, rastremare CONTR. ispessire **2** [*le scorte, etc.*] ridurre, scemare, diminuire **3** [*l'ingegno*] aguzzare, acuire **B** *v. intr. pron.* **1** dimagrire, affinarsi, affilarsi, affusolarsi, rastremarsi (*colto*) CONTR. diventare più spesso **2** [*detto di scorte, etc.*] ridursi, diminuire, scemare, attenuarsi.

assottigliàto *part. pass.; anche agg.* **1** [*rif. al fisico*] snellito, dimagrito CONTR. grasso, grosso, ingrassato **2** [*rif. allo spirito*] (*fig.*) affinato, digrossato, ingentilito CONTR. ottuso, rozzo.

assuefàre **A** *v. tr.* abituare, avvezzare, esercitare, educare, addomesticare, indurire (*est.*) CONTR. disabituare, disavvezzare, divezzare **B** *v. rifl.* abituarsi, avvezzarsi, fare la bocca (*scherz.*), fare il callo (*pop.*), incallirsi (*fig.*) CONTR. disabituarsi, disavvezzarsi, divezzarsi.

assuefàtto *part. pass.; anche agg.* abituato, adattato, avvezzo, acclimatato (*est.*) CONTR. disabituato, disavvezzo.

assùmere **A** *v. tr.* **1** [*il comando, un impegno*] accettare, accollarsi, addossarsi CONTR. rifiutare **2** [*il personale, etc.*] prendere, ingaggiare, assoldare, scritturare, reclutare, impiegare, arruolare CONTR. congedare, defenestrare, dimettere, licenziare, deporre,

destituire, detronizzare, epurare **3** [*una posizione*] prendere, adottare, avere, rivestire, tenere **4** [*un obbligo*] prendere, contrarre, gravarsi *di* CONTR. disdire **5** [*la responsabilità di q.c.*] (*est.*) ammettere **B** *v. intr. pron.* accollarsi, addossarsi, prendersi, avocarsi (*colto*), contrarre CONTR. demandare.

assùnto *s. m.* **1** tesi, argomento (*est.*), tema (*est.*), proposito **2** impegno, incarico, incombenza.

assunzióne *s. f.* **1** [*una carica*] elevazióne (*raro*) CONTR. deposizione **2** [*in un posto di lavoro*] scritturazione (*cine*), ingaggio (*sport*), chiamata (*fig.*) CONTR. licenziamento.

assurdaménte *avv.* illogicamente, irragionevolmente, irrazionalmente, incoerentemente, inconcepibilmente, balordamente, impensabilmente, paradossalmente CONTR. logicamente, ragionevolmente, congruentemente, plausibilmente, prevedibilmente, credibilmente, ovviamente.

assurdità *s. f. inv.* **1** [*l'azione*] (*est.*) pazzia, follia CONTR. logica, congruenza, ragionevolezza, buonsenso **2** illogicità, irrazionalità, insensatezza, assurdo **3** [*rif. a una pretesa*] esosità, irragionevolezza, esorbitanza.

assùrdo **A** *agg.* illogico, insensato, incoerente, sconclusionato, irrazionale, paradossale, impossibile, pazzesco, folle, allucinante, insostenibile (*est.*), inattuale (*est.*), improbabile (*est.*), impensabile (*est.*), inverosimile (*est.*) CONTR. logico, sensato, ovvio, coerente, razionale, probabile, plausibile, verosimile, attuabile (*est.*) **B** *s. m.* follia, insensatezza, assurdità.

assùrgere o **assórgere** *v. intr.* **1** alzarsi, sollevarsi, sorgere (*lett.*) **2** [*agli onori, etc.*] (*fig.*) elevarsi, innalzarsi, salire.

àsta (1) *s. f.* **1** barra, pertica, sbarra, stelo **2** (*gener.*) bastone **3** verga, pene, fallo **4** (*est.*) lancia.

àsta (2) *s. f.* licitazione (*bur.*), vendita all'incanto.

astenérsi *v. rifl.* **1** esimersi, rinunciare *a*, desistere, rifiutare *di* CONTR. partecipare **2** non dare il voto, praticare l'astensione dal voto **3** frenarsi, trattenersi, contenersi, guardarsi, riguardarsi, tenersi **4** privarsi *di*, digiunare, fare astinenza.

astensióne *s. f.* **1** rinuncia **CONTR.** accettazione, partecipazione **2** (*est.*) mortificazione, privazione.

asterisco *s. m.* (*pl. -chi*) **1** stella **2** (*est.*) richiamo.

àstice *s. m.* **1** (*gener.*) crostaceo **2** lupicante, lombardo.

astinènza *s. f.* **1** privazione, rinuncia **2** (*est.*) dieta, digiuno **3** (*est.*) castità, continenza, austerità, temperanza **CONTR.** incontinenza, intemperanza.

àstio *s. m.* rancore, malanimo, acrimonia, livore, ruggine (*fig.*), animosità, acredine (*fig.*), odio, invidia (*est.*), veleno (*fig.*), rabbia (*est.*), ostilità, malvolere, agro (*fig.*) **CONTR.** affetto, amicizia, simpatia.

astiosaménte *avv.* animosamente, acremente, aspramente, crudelmente **CONTR.** amichevolmente, affettuosamente, benevolmente.

astióso *agg.* malevolo, ostile, animoso, rancoroso, velenoso (*fig.*), invidioso (*est.*) **CONTR.** affettuoso, benevolo.

astràrre A *v. intr.* prescindere **CONTR.** considerare **B** *v. tr.* distogliere **C** *v. rifl.* (*est.*) estraniarsi **CONTR.** immedesimarsi.

astrattaménte *avv.* accademicamente, idealmente **CONTR.** concretamente, realisticamente, fisicamente.

astrattézza *s. f.* indeterminatezza **CONTR.** concretezza.

astràtto A *agg.* **1** immateriale, incorporeo **CONTR.** reale, materiale, corporeo **2** [*rif. a un pensiero*] ideale, speculativo, concettuale, teorico **CONTR.** realistico, concreto **3** [*rif. a un discorso*] generico, indeterminato, generale **CONTR.** preciso, esatto, determinato **4** (*neg.*) (*est.*) irreale, utopistico **CONTR.** realistico **5** [*rif. a un concetto*] (*est.*) astruso **CONTR.** reale **B** *s. m. sing.* **CONTR.** reale, concreto, sodo (*pop.*).

astrazióne *s. f.* (*est.*) utopia, fantasticheria, sogno (*fig.*) **CONTR.** concretezza.

àstro *s. m.* **1** stella, lampada (*lett.*) **2** [*tipo di*] pianeta, satellite, sole **3** [*rif. a una persona*] (*est.*) star (*ingl.*), vedette (*fr.*) **4** (*est.*) gemma.

astrologàre *v. intr.* fantasticare, congetturare.

astronomìa *s. f.* (*gener.*) scienza, disciplina.

astrusaménte *avv.* incomprensibilmente, oscuramente **CONTR.** chiaramente, elementarmente, comprensibilmente.

astrùso *agg.* **1** oscuro, contorto, incomprensibile, indecifrabile, inintelligibile, difficile, ostico, sottile **CONTR.** semplice, chiaro, comprensibile, evidente, palese, accessibile, facile **2** (*est.*) sottile, astratto **3** (*lett.*) recondito.

astùccio *s. m.* **1** [*tipo di*] scatola, custodia, fodero, guaina, busta **2** (*gener.*) contenitore.

astutaménte *avv.* scaltramente, accortamente, abilmente, furbamente, maliziosamente, sagacemente, avvedutamente, acutamente, furbescamente, machiavellicamente **CONTR.** ingenuamente, semplicemente, stupidamente, candidamente.

astùto *agg.* accorto, scaltro, furbo, marpione, lesto, dritto (*fam.*), sveglio, svelto, perspicace, ingegnoso, malizioso, diplomatico (*fig.*), felino (*fig.*), volpino (*fig.*) **CONTR.** sciocco, stolto, citrullo, ingenuo, tardo, inetto, candido, fesso, imbecille, indifeso.

astùzia *s. f.* **1** [*qualità intellettuale*] scaltrezza, furbizia, malizia, destrezza, furberia, acutezza (*raro*), finezza, ingegno **CONTR.** ingenuità, stupidità, dabbenaggine **2** [*l'azione*] stratagemma, accorgimento, artificio, espediente, arte **3** [*nell'agire*] abilità, tattica, accortezza, politica (*fig.*).

atàvico *agg.* ancestrale, avito.

atelier *s. m. inv.* **1** laboratorio, studio, bottega, ufficio **2** (*est.*) sartoria, boutique (*fr.*).

atenèo *s. m.* università, studio (*lett.*).

àteo A *agg.* miscredente **CONTR.** osservante, credente, bigotto (*est.*) **B** *s. m.* (*f. -a*) laico (*est.*) **CONTR.** credente, cristiano.

atipicità *s. f. inv.* irregolarità.

atlèta *s. m. e f.* **1** sportivo, ginnasta, campione (*est.*) **CONTR.** scarpa (*pop.*), schiappa (*pop.*) **2** (*fig.*) fusto (*fam.*) **CONTR.** mezza cartuccia.

atlètico *agg.* **1** sportivo **CONTR.** pigro (*est.*), indolente **2** gagliardo, vigoroso, aitante **CONTR.** gracile.

atmosfèra *s. f.* **1** aria, aura (*poet.*) **2** (*est.*) condizione, sfondo (*fig.*), situazione (*fig.*), clima (*fig.*) **3** (*est.*) poesia, romanticismo, illusione.

atòmico *agg.* **1** nucleare **2** (*fig.*) straordinario, travolgente **CONTR.** insignificante, modesto.

atomizzàre *v. tr.* nebulizzare.

àtrio *s. m.* **1** ingresso, hall (*ingl.*), anticamera, vestibolo, entrata (*est.*), androne **2** (*anat.*) orecchietta.

atróce *agg.* **1** orribile, terribile, feroce, efferato, orrendo, agghiacciante, crudele (*est.*), sadico (*est.*), barbaro (*est.*) **CONTR.** dolce, mite, gradevole, umano, soave **2** [*rif. a un assassinio*] terribile, crudele (*est.*), sanguinario **3** [*rif. a una persona*] malvagio, spietato, disumano **CONTR.** dolce, mite, gradevole, umano, benevolo, clemente **4** [*rif. al dolore*] dilaniante.

atroceménte *avv.* crudelmente, orribilmente, terribilmente, efferatamente, barbaramente, orrendamente **CONTR.** dolcemente, blandamente.

atrocità *s. f. inv.* **1** crudeltà, ferocia, spietatezza **2** [*l'azione*] crimine, delitto, misfatto, nefandezza, scelleratezza, scellerataggine, turpitudine.

atrofizzàre A *v. tr.* [*i muscoli, la mente*] fossilizzare (*fig.*), mummificare (*fig.*), indebolire, intorpidire **B** *v. intr. pron.* (*fig.*) mummificarsi, fossilizzarsi.

àtropo *s. m.* (*gener.*) farfalla.

attaccabottóni *s. m. inv.* seccatore, scocciatore (*fam.*), rompiscatole (*pop.*), rompiballe (*volg.*).

attaccaménto *s. m.* affetto, unione (*est.*), legame (*est.*), affezione, dedizione (*est.*), devozione (*est.*) **CONTR.** indifferenza.

attaccàre A *v. tr.* **1** [*un quadro, un*

abito, etc.] appendere, agganciare, affiggere, affissare (*raro*), appuntare, appiccare **CONTR.** staccare **2** [*q.c.*] appiccicare, incollare, ingommare, fermare, saldare **CONTR.** scollare **3** connettere, collegare, legare, ricollegare, ricongiungere, unire **CONTR.** disaggregare, distaccare, isolare **4** [*qc., le idee, etc.*] osteggiare, criticare, avversare, combattere, oppugnare **5** [*una lite, etc.*] cominciare, iniziare, ingaggiare **6** [*una malattia, un morbo*] (*est.*) trasmettere, diffondere **7** [*qc.*] assalire, aggredire, assaltare, caricare, sbranare, graffiare **B** *v. intr.* radicare, attecchire, barbicare, barbificare, prendere (*fam.*) **C** *v. intr. pron.* **1** [*detto di fogli, etc.*] appiccicarsi, incollarsi, congiungersi, unirsi, saldarsi **CONTR.** staccarsi **2** [*detto di malattia, etc.*] trasmettersi **D** *v. rifl. rec.* punzecchiarsi, prendersi **E** *v. rifl.* **1** aggrapparsi, appigliarsi, avvinghiarsi, afferrarsi, agguantarsi, appendersi, appiccarsi, assicurarsi, abbarbicarsi **CONTR.** distaccarsi, disancorarsi **2** [*a una persona*] affezionarsi, innamorarsi, legarsi **CONTR.** disaffezionarsi, disamorarsi, disinnamorarsi.

attàcco *s. m.* (*pl. -chi*) **1** giunzione, raccordo **2** [*di gelosia, di rabbia*] accesso, crisi **3** (*mil.*) accesso, assalto, aggressione, offensiva, carica **4** (*est.*) critica **5** [*musicale*] inizio, avvio, ouverture (*fr.*) **6** (*est.*) appiglio, occasione, pretesto **7** [*di invidia, di maldicenza*] (*fig.*) assalto, morso.

attagliàrsi *v. intr. pron.* **1** [*detto di abito*] stare, andare, adattarsi, tornare (*fam.*) **2** [*detto di comportamento, etc.*] addirsi, confarsi, convenire.

attanagliàre *v. tr.* opprimere, assillare, angustiare.

attànte *s. m. e f.* (*ling.*) soggetto **CONTR.** oggetto, attore.

attardàrsi *v. intr. pron.* fare tardi, trattenersi, indugiare, dimorare (*lett.*).

attecchìre *v. intr.* **1** attaccare, allignare, barbicare, barbificare, radicare, mettere radici, fare, prosperare, svilupparsi, pigliare, prendere, allegare, appiccarsi (*raro*) **2** [*detto di moda, etc.*] (*est.*) diffondersi, propagarsi, affermarsi, crescere (*fig.*), imporsi.

atteggiaménto *s. m.* **1** piglio, porta-

mento, postura (*fig.*), maniera (*colto*), espressione, modo, posa, aria (*fig.*), maschera **2** (*est.*) comportamento, contegno, condotta.

atteggiàre A *v. tr.* **1** [*la propria vita, etc.*] improntare, impostare **2** [*il viso, etc.*] comporre, disporre **B** *v. rifl.* **1** comportarsi, improntarsi **2** volere sembrare *un*, fingersi *un*, erigersi, fare finta di essere *un*, impancarsi, posare, volere apparire *un*, comporsi.

attempàto *agg.* anziano, vecchio, stagionato (*scherz.*) **CONTR.** giovane.

attendaménto *s. m.* accampamento, tendopoli, bivacco (*est.*), campeggio (*est.*).

attendàrsi *v. intr. pron.* accamparsi, mettere le tende, bivaccare, campeggiare, fare campeggio, mettere il campo.

attèndere A *v. tr.* **1** aspettare **2** sperare (*est.*) **3** (*est.*) indugiare **B** *v. intr.* **1** [*a un bambino, etc.*] accudire *un*, interessarsi di, occuparsi di, badare **2** [*a un lavoro, agli studi*] interessarsi di, applicarsi, dedicarsi, votarsi, esercitare *un*, intendere (*raro*) **CONTR.** disattendere, distogliersi **C** *v. intr. pron.* sperare, aspettarsi.

attendìbile *agg.* **1** affidabile **CONTR.** inattendibile, inaffidabile **2** [*rif. a una notizia*] (*est.*) credibile, ammissibile, fondato **CONTR.** incredibile, infondato.

attendibilità *s. f. inv.* credibilità, affidabilità, credito, serietà, affidamento, plausibilità, ragionevolezza **CONTR.** inattendibilità.

attenére A *v. intr.* riferirsi **B** *v. rifl.* basarsi su (*fig.*), seguire *un*, osservare *un*, fondarsi su, rifarsi, richiamarsi, riallacciarsi, conformarsi, aderire, stare, tenersi **CONTR.** derogare, discostarsi.

attentaménte *avv.* **1** diligentemente, accuratamente, scrupolosamente, meticolosamente, con precisione, approfonditamente, con cautela, zelantemente, con attenzione, coscienziosamente, metodicamente, rigorosamente **CONTR.** distrattamente, superficialmente **2** fissamente, fisso **CONTR.** superficialmente.

attentàre A *v. intr.* minacciare (*est.*) **B**

v. intr. pron. ardire, arrischiarsi, osare.

attènto *agg.* **1** intento, concentrato **CONTR.** disattento, distratto, sbadato, annoiato (*est.*) **2** [*rif. a un esame, a un'analisi, a un lavoro*] accurato **CONTR.** affrettato, negligente **3** diligente, sollecito, premuroso, gentile (*est.*) **CONTR.** assente, distaccato, disorientato, frastornato, sconcertato **4** oculato, accorto, prudente, cauto, circospetto **CONTR.** imprudente, incauto, malaccorto, dimentico **5** [*rif. a una persona*] curioso **CONTR.** disattento, distratto.

attenuànte A *s. f.* scusa, giustificazione, scusante, argomento (*est.*) **CONTR.** aggravante **B** *agg.* scusante **CONTR.** aggravante.

attenuàre A *v. tr.* **1** [*la voce, etc.*] affievolire, diminuire, abbassare, attutire **CONTR.** aumentare **2** [*la luce*] affievolire, diminuire, abbassare, smorzare, spegnere **CONTR.** aumentare **3** [*i colori, i toni, etc.*] ammorbidire (*fig.*), sfumare, annacquare **4** [*la pressione, il ritmo*] alleggerire, allentare, rallentare **5** [*l'entusiasmo, etc.*] (*fig.*) intiepidire, raffreddare **6** [*le parole, le espressioni*] moderare, addolcire (*fig.*), rammorbidire (*fig.*) **7** [*il dolore, etc.*] sopire, mitigare, calmare, sedare, lenire, alleviare, blandire **CONTR.** intensificare, inacerbire, incrudire **B** *v. intr. pron.* **1** [*detto di voce*] diminuire, affievolirsi, indebolirsi, ridursi **CONTR.** aumentare **2** [*detto di tempo, di scorte*] diminuire, ridursi, decrescere, calare, assottigliarsi **CONTR.** aumentare **3** [*detto di salita*] digradare **4** [*detto di dolore, etc.*] ridursi, calmarsi, smorzarsi, scemare, svanire **CONTR.** inacerbirsi, intensificarsi, radicalizzarsi **5** [*detto di ricordo, etc.*] smorzarsi, impallidire (*fig.*) **6** [*detto di entusiasmo, etc.*] ridursi, intiepidirsi (*fig.*), raffreddarsi (*fig.*), languire **7** [*detto di ritmo*] rallentarsi.

attenuàto *part. pass.; anche agg.* **1** attutito, calmato, sopito **CONTR.** aumentato, accresciuto **2** [*rif. al rumore*] ovattato **CONTR.** indebolito **3** [*rif. al colore*] impallidito **4** [*rif. alla tensione, etc.*] allentato, diminuito, spento, alleviato **CONTR.** accresciuto, aumentato.

attenuazióne *s. f.* **1** [*della luce, della voce, etc.*] diminuzione, abbassamento, calo **CONTR.** aumento **2** [*delle* *pretese, etc.*] (*est.*) temperamento, moderazione **CONTR.** inasprimento **3** [*di un'epidemia, etc.*] (*est.*) regressione.

attenzióne *s. f.* **1** applicazione, concentrazione, impegno, interessamento **2** diligenza, cura, accuratezza, scrupolosità **CONTR.** sbadataggine, negligenza, distrazione **3** riguardo, avvertenza, accortezza, precauzione **4** [*l'azione*] riguardo, premura, gentilezza, cortesia, pensiero, sollecitudine **5** [*spec. con: porre l'*] accento (*fig.*), interesse.

atterraménto *s. m.* abbattimento, smantellamento, demolizione **CONTR.** innalzamento.

atterràre *A v. tr.* **1** [*un albero, etc.*] abbattere, rovesciare, scalzare **CONTR.** puntellare **2** [*un edificio, etc.*] diroccare, demolire, distruggere, disfare **CONTR.** drizzare, edificare **3** [*qc.*] (*est.*) umiliare, avvilire, sottomettere, mortificare, prostrare **4** [*qc. con lo sguardo*] fulminare (*fig.*) *B v. intr.* arrivare, toccare terra, prendere terra **CONTR.** involarsi, partire.

atterràto *part. pass.; anche agg.* (*anche fig.*) abbattuto, demolito, distrutto (*est.*) **CONTR.** rialzato.

atterrire *A v. tr.* terrorizzare, terrificare, spaventare, impaurire, inorridire, intimidire, intimorire, sbigottire *B v. intr. pron.* impaurirsi, spaventarsi, inorridire, sbigottirsi.

atterrito *part. pass.; anche agg.* terrorizzato, spaventato, impaurito, sbigottito, sgomento **CONTR.** rincuorato, sollevato, rianimato.

attésa *s. f.* **1** aspettativa **2** (*est.*) speranza.

attestàre (1) *v. tr.* **1** affermare, asserire, dire, giurare, assicurare, riaffermare, garantire, confermare **2** dimostrare, testimoniare, certificare, protestare, provare, fare fede.

attestàre (2) *v. tr.* [*le truppe, etc.*] schierare.

attestàto *s. m.* **1** certificato, documento, dichiarazione, atto, attestazione **2** [*di fede, etc.*] (*est.*) testimonianza, manifestazione.

attestazióne *s. f.* **1** affermazione, te-stimonianza, dichiarazione **2** [*di gratitudine, etc.*] dimostrazione, segno, protesta (*est.*) **3** (*est.*) certificato, attestato, documento.

attiguità *s. f. inv.* prossimità, vicinanza, adiacenza **CONTR.** lontananza, distanza.

attiguo *agg.* contiguo, adiacente, confinante, limitrofo, vicino **CONTR.** lontano, distante, distaccato.

àttimo *s. m.* **1** istante, momento, minuto, secondo **CONTR.** eternità **2** [*spec. in loc.: in un*] (*fig.*) baleno, lampo **3** [*spec. con: per un*] pelo (*fig.*).

attinènte *agg.* pertinente, concernente, riguardante, relativo **CONTR.** estraneo, alieno.

attinènza *s. f.* **1** connessione *con*, rapporto, relazione, legame *con* **CONTR.** estraneità **2** (*est.*) analogia, vicinanza **3** [*con*] (*bur.*) riferimento, riguardo, rispetto **4** (*bur.*) appartenenza, spettanza, pertinenza, competenza, inerenza **5** parentela.

attingere *v. tr.* **1** ricavare, ottenere, derivare, trarre, procurarsi, raccogliere, procacciarsi **2** [*il vino, etc.*] ricavare, spillare.

attiràre *A v. tr.* **1** attrarre, richiamare, chiamare, trarre, avvicinare a sé, fare venire **CONTR.** respingere **2** attrarre, tentare, allettare, invitare **CONTR.** respingere **3** [*l'amicizia, la simpatia*] cattivarsi, acquistarsi, procurarsi, ottenere, guadagnare, accattivarsi **CONTR.** disamorare **4** [*detto di oggetto, di evento*] incuriosire, interessare, intrigare, piacere, solleticare (*fig.*) **5** [*l'attenzione, etc.*] accentrare, polarizzare **CONTR.** distogliere **6** [*i capitali*] (*econ.*) drenare (*fig.*) *B v. intr. pron.* captare, conciliarsi, cattivarsi.

attitùdine *s. f.* predisposizione, idoneità, talento, stoffa (*fig.*), bernoccolo *per* (*fig.*), inclinazione, propensione, tendenza, facilità, disposizione, vocazione, istinto *per* (*est.*), spirito *per* (*est.*), ingegno (*est.*), senso (*est.*) **CONTR.** incapacità, inettitudine, imperizia.

attivaménte *avv.* laboriosamente, operosamente, alacremente, dinamicamente, efficientemente, fattivamen-te **CONTR.** accidiosamente, apaticamente, pigramente, ciondoloni (*est.*), indolentemente.

attivàre *v. tr.* **1** avviare, accendere **CONTR.** disattivare, inattivare, bloccare **2** [*un'attività*] iniziare, incominciare, aprire.

attivàto *part. pass.; anche agg.* **1** acceso, avviato **CONTR.** spento **2** [*rif. a una pratica, a un documento*] (*bur.*) avviato.

attivazióne *s. f.* **1** accensione, avviamento, innesco **CONTR.** disattivazione, spegnimento, disinnesco **2** [*di una legge, di una norma*] attuazione **CONTR.** abolizione, abrogazione, cancellazione.

attivismo *s. m.* dinamismo, energia, zelo **CONTR.** abulia, indolenza, inattività, passività.

attività *s. f. inv.* **1** opera **2** (*est.*) fervore, dinamismo, alacrità, solerzia **CONTR.** inerzia, pigrizia **3** (*est.*) lavoro, professione, impiego, occupazione **4** esercizio, funzione **5** (*est.*) bottega (*fam.*), impresa, negozio **6** esercizio, pratica **7** [*spec. con: lasciare l'*] (*fig.*) scena.

attivo (1) *agg.* **1** alacre, operoso, solerte, zelante (*est.*) **CONTR.** inattivo, abulico, apatico, addormentato (*fig.*), inerte, inoperoso, pigro, indolente, neghittoso, ozioso, inefficiente, passivo, scioperato (*fig.*), vagabondo (*fig.*), parassita (*fig.*) **2** (*est.*) efficiente, energico, dinamico, scattante, pronto, vivace (*est.*), sveglio (*est.*) **3** [*rif. a una persona matura*] giovanile **4** [*in politica*] militante.

attivo (2) *s. m.* (*econ.*) credito, profitto **CONTR.** ammanco, deficit, disavanzo.

attizzàre *A v. tr.* **1** accendere, ravvivare, riaccendere, riattizzare **2** (*est.*) destare, istigare, aizzare, provocare, suscitare, fomentare, rinfocolare *B v. intr. pron.* rinfocolarsi, accendersi.

àtto (1) *agg.* adatto, idoneo, conveniente **CONTR.** inadatto.

àtto (2) *s. m.* **1** azione, passo **2** [*gentile*] gesto, moto, pensiero, comportamento **3** (*est.*) mossa, movenza, movimento, cenno **4** (*dir.*) documento, attestato, certificato **5** [*di fede, etc.*] (*est.*) manifestazione, dimostrazione, prova, dichiarazione, espressione.

attònito *agg.* sorpreso, stupefatto, stupito, meravigliato, allibito, intontito, sbigottito, muto (*fig.*) **CONTR.** imperturbabile, freddo.

attòrcere *v. tr., rifl. e intr. pron.* girare, avvoltolare, contorcere.

attorcigliàre A *v. tr.* avvolgere, torcere, contorcere, aggrovigliare, intrecciare **B** *v. rifl. e intr. pron.* avvolgersi.

attòre *s. m.* **1** artista (*fam.*), commediante (*spreg.*), divo (*est.*), star (*ingl.*) **2** (*ling.*) agente, soggetto **CONTR.** attante, oggetto **3** [*tipo di*] comico.

attorniàre A *v. tr.* **1** circondare, cingere, contornare, fasciare (*fig.*), girare **2** (*est.*) accerchiare, assediare **3** (*est.*) corteggiare, circuire **B** *v. rifl.* circondarsi.

attòrno A *avv.* all'intorno, nei pressi, nelle vicinanze, in giro **B** *prep.* intorno, nei pressi, nelle vicinanze.

attossicàre *v. tr.* intossicare, avvelenare.

attraccàre *v. tr. e intr.* (*mar.*) approdare, ormeggiare, giungere a riva **CONTR.** partire, salpare.

attràcco *s. m.* (*pl. -chi*) (*mar.*) approdo, accosto.

attraènte *part. pres.; anche agg.* **1** seducente, affascinante, piacente, bello, gradevole **CONTR.** repellente, ributtante, ripugnante, terrificante, brutto, sgradevole **2** [*rif. al comportamento*] seducente, invitante, allettante, invogliante, provocante **3** [*rif. a un romanzo, a una storia*] avvincente, suggestivo **CONTR.** noioso, piatto **4** [*rif. a un progetto*] convincente **5** [*rif. a un luogo*] incantevole, piacevole **CONTR.** brutto, sgradevole **6** [*rif. a una pietanza*] appetitoso **CONTR.** ripugnante **7** [*rif. allo sguardo*] (*fig.*) ladro.

attràrre *v. tr.* **1** [*l'attenzione*] attirare, polarizzare, calamitare **CONTR.** distogliere **2** [*qc.*] (*est.*) attirare, sedurre, allettare, affascinare, trascinare (*fig.*), avvincere, stregare (*fig.*), innamorare, adescare, interessare, rapire (*fig.*), solleticare (*fig.*), dilettare **CONTR.** respingere **3** [*qc. verso di sé*]

attirare, trarre, tirare, fare venire **CONTR.** respingere.

attrattiva *s. f.* **1** fascino, seduzione, incanto, malia, vaghezza (*lett.*) **CONTR.** antipatia **2** [*spec. con: avere l'*] vezzo (*raro*), dote (*fig.*).

attraversàre A *v. tr.* **1** [*una strada, etc.*] traversare, incrociare, intersecare **2** [*un valico, un ponte, etc.*] oltrepassare, passare, superare, varcare, valicare, trapassare, saltare **3** [*le acque, il mare*] fendere, solcare **4** [*un corso d'acqua*] guadare, traghettare **5** [*una città, un paese, etc.*] percorrere, visitare **6** [*molte esperienze, etc.*] (*fig.*) passare attraverso **7** [*la vita, gli anni, etc.*] (*est.*) vivere, trascorrere **B** *v. rifl. rec.* incrociarsi, intersecarsi.

attrazióne *s. f.* **1** lusinga, richiamo (*est.*) **2** fascino, incanto, malia, seduzione **3** interesse **4** [*rif. a uno spettacolo*] numero **5** [*tra persone*] (*est.*) affinità tra, simpatia tra, intesa tra **CONTR.** repulsione, schifo, ribrezzo.

attrezzàre A *v. tr.* **1** corredare, equipaggiare, fornire di equipaggiamento, rifornire **2** [*una casa, etc.*] (*est.*) arredare **B** *v. rifl.* equipaggiarsi, fornirsi del necessario, rendersi attrezzato, corredarsi, procurarsi *un*.

attrezzatùra *s. f.* equipaggiamento, armamentario (*fig.*), strumentario, arsenale (*fig.*), corredo, servizio, set (*ingl.*).

attrézzo *s. m.* arnese, strumento, utensile, congegno (*est.*).

attribuìre A *v. tr.* **1** [*un titolo, una carica*] dare, assegnare, conferire, concedere, accordare **2** [*un incarico*] appioppare (*fam.*), affibbiare, accollare, addossare **3** [*la colpa, etc.*] imputare, ascrivere, addebitare **4** [*la fama, il merito, etc.*] appiccicare (*fig.*), aggiudicare, applicare (*fig.*) **5** [*il successo, l'insuccesso*] ricondurre, riferire **B** *v. intr. pron.* accollarsi, addossarsi, sobbarcarsi, appropriarsi, avocarsi (*colto*).

attribùto (1) *s. m.* qualità, caratteristica, proprietà.

attribùto (2) *s. m.* aggettivo.

attribuzióne *s. f.* **1** assegnazione, conferimento, aggiudicazione, asse-

gnamento (*raro*) **2** addebito **3** [*spec. al pl.*] potere, facoltà.

attrìce *s. f.* artista (*fam.*), star.

attristàre A *v. tr.* rattristare **CONTR.** confortare **B** *v. intr. pron.* rattristarsi **CONTR.** giubilare, rallegrarsi.

attrito *s. m.* **1** strofinio, sfregamento, logorio **2** (*est.*) dissapore, contrasto, dissidio, discordia **CONTR.** concordia, simpatia, amicizia.

attuàbile *agg.* realizzabile, effettuabile, fattibile, eseguibile **CONTR.** inattuabile, impossibile, irrealizzabile, assurdo.

attuabilità *s. f.* realizzabilità.

attuàle *agg.* **1** presente, odierno, contemporaneo, corrente, vigente, recente (*est.*) **CONTR.** inattuale, antico, antiquato, borbonico, anacronistico, arcaico (*iperb.*), defunto (*fam.*), obsoleto (*colto*), superato, vieto (*colto*), rancido (*fig.*) **2** (*est.*) moderno **2** [*rif. a un abito*] à la page, alla moda **CONTR.** inattuale, antiquato, obsoleto (*colto*), fuori moda.

attualità *s. f. inv.* novità, modernità **CONTR.** antichità, vecchiume.

attualménte *avv.* **1** oggi, adesso, ora, al momento, presentemente, al giorno d'oggi **CONTR.** anticamente **2** nei tempi moderni, oggigiorno, correntemente.

attuàre A *v. tr.* **1** effettuare, realizzare, eseguire, creare, fare, perpetrare **2** avviare, iniziare **3** [*un metodo, etc.*] adottare, applicare (*est.*), esperire (*est.*), sperimentare **4** [*un desiderio*] concretizzare, concretare **B** *v. intr. pron.* [*detto di sogni, di speranze*] avverarsi, concretarsi, concretizzarsi, realizzarsi, materializzarsi, incarnarsi (*fig.*).

attuazióne *s. f.* **1** [*di q.c.*] esecuzione, realizzazione, effettuazione **2** [*di un desiderio, etc.*] adempimento, coronamento **3** [*di una legge, etc.*] applicazione **4** [*spec. con: mandare q.c. a*] effetto.

attutìre A *v. tr.* **1** [*la voce, la luce, i passi*] diminuire, attenuare, smorzare, affievolire, ovattare **CONTR.** aumentare **2** [*il dolore, etc.*] diminuire, calmare, quietare, mitigare **B** *v. intr. pron.* calmarsi, smorzarsi, diventare più lieve, acquietarsi, mitigarsi, quietarsi, sopirsi **CONTR.** acutizzarsi, acuirsi, accentuarsi.

attutito *part. pass.; anche agg.* [*rif. al suono*] attenuato, ovattato, basso, fievole, spento (*est.*) **CONTR.** forte, sonoro.

audàce *agg.* **1** ardito, animoso, intrepido, coraggioso, temerario, valoroso, prode, spavaldo, impavido, bravo **CONTR.** pauroso, vile, vigliacco, timoroso, codardo, pusillanime **2** (*fig.*) sicuro, imprudente, insolente **CONTR.** insicuro, prudente **3** [*rif. alle parole, alle idee*] originale, stravagante, avanzato, azzardato, innovativo **CONTR.** tradizionale, sorpassato **4** [*rif. al comportamento*] osé (*fr.*), provocante, piccante, spinto **CONTR.** pudico, sobrio, controllato.

audaceménte *avv.* arditamente, coraggiosamente, animosamente, valorosamente, intrepidamente, azzardatamente, ardimentosamente, strenuamente, temerariamente **CONTR.** pavidamente, codardamente, vigliaccamente, dubbiosamente (*est.*).

audàcia *s. f.* **1** ardire, ardimento, coraggio, animo (*est.*), temerarietà, temerità (*raro*), cuore (*fig.*), prodezza **CONTR.** pavidità, viltà, vigliaccheria, pusillanimità **2** (*est.*) sfacciataggine, insolenza, impertinenza, spavalderia **CONTR.** timidezza, timore.

audience *s. f. inv.* [*rif. a un programma televisivo*] ascolto.

auditóre *s. m.* (*f. -trice*) V. uditore.

augèllo *s. m.* uccello, pennuto, alipede (*poet.*).

auguràre A *v. tr.* auspicare, desiderare, sperare **B** *v. intr.* presagire *un*, pronosticare *un*.

àugure *s. m.* indovino, auspice (*lett.*).

augùrio *s. m.* **1** auspicio, voto **CONTR.** maledizione **2** presagio, responso, pronostico.

àula *s. f.* **1** sala, stanza **2** [*di università, etc.*] (*est.*) anfiteatro **3** [*nella scuola*] (*est.*) classe.

aumentàre A *v. tr.* **1** ingrandire, ampliare, espandere, amplificare, allargare, estendere, allungare, ingrossare **CONTR.** decrescere, diminuire, impicciolire, impiccolire **2** [*la produttività*] incrementare, moltiplicare **CONTR.** limitare, rallentare, calare, contrarre **3** [*il tenore di vita*] alzare, elevare, migliorare **CONTR.** abbassare **4** [*il malessere, le speranze*] accrescere, acutizzare, acuire, accentuare, alimentare **CONTR.** acquietare, placare, attenuare, mitigare, attutire **5** [*un episodio, etc.*] dilatare, inigantire, esagerare, gonfiare **6** [*gli sforzi*] intensificare, potenziare **7** [*i prezzi, la pena, etc.*] alzare, maggiorare, raddoppiare, rialzare, rincarare **CONTR.** decurtare, ribassare, ridurre, defalcare, condonare, diminuire, scontare, diminuire il prezzo **8** [*il lessico, etc.*] sviluppare, arricchire **9** [*la voce, la luce*] alzare **B** *v. intr.* **1** crescere **2** accrescersi, moltiplicarsi **3** estendersi, ingrandirsi **CONTR.** impicciolirsi **4** ingrossarsi, ingrassare **CONTR.** dimagrire, ridursi **5** [*detto di sentimento, etc.*] consolidarsi **CONTR.** calare, attenuarsi, languire **6** [*detto di temperatura*] innalzarsi **CONTR.** ridursi, abbassarsi **7** [*detto di prezzi, etc.*] lievitare (*fig.*), risalire (*fig.*) **CONTR.** calare, abbassarsi, scemare.

aumentàto *part. pass.; anche agg.* **1** incrementato, ingrandito, cresciuto, moltiplicato **CONTR.** diminuito **2** [*rif. al passo*] affrettato **CONTR.** rallentato **3** [*rif. alla tensione, etc.*] (*fig.*) cresciuto **CONTR.** allentato, attenuato, placato.

auménto *s. m.* **1** crescita, sviluppo, incremento, moltiplicazione (*est.*) **CONTR.** diminuzione, calo, attenuazione **2** [*di una costruzione, etc.*] ampliamento, accrescimento, ingrandimento, amplificazione **3** [*di produttività, etc.*] incremento, miglioramento, ripresa **CONTR.** decremento **4** [*dei prezzi*] rialzo, rincaro **CONTR.** riduzione, sconto, abbassamento.

àura *s. f.* **1** aria, brezza **2** (*est.*) atmosfera **3** (*est.*) credito, reputazione.

àureo *agg.* **1** dorato **2** (*est.*) brillante, luminoso, splendente **CONTR.** opaco, appannato, scuro **3** (*lett.*) pregevole, nobile **CONTR.** spregevole, volgare.

auréola *s. f.* **1** corona, diadema **2** alone.

auriga *s. m.* (*pl. -ghi*) cavaliere.

auròra *s. f.* (*est.*) alba **CONTR.** tramonto, occaso (*lett.*).

ausilio *s. m.* **1** [*spec. con: prestare*] aiuto, assistenza **2** collaborazione, cooperazione **3** complicità, connivenza **4** [*morale*] conforto, consolazione **5** [*in denaro*] sovvenzione, sussidio.

auspicàre *v. tr.* **1** augurare, sperare **2** pronosticare.

àuspice *s. m.* indovino, augure (*lett.*).

auspicio *s. m.* **1** pronostico, responso, vaticinio, presagio **2** (*est.*) divinazione **3** (*est.*) augurio, voto **4** (*est.*) favore, protezione.

austeraménte *avv.* **1** gravemente, seriamente, solennemente, rigidamente, severamente **CONTR.** benignamente, bonariamente **2** (*est.*) seriamente **CONTR.** beffardamente, buffamente, comicamente, scherzosamente **3** semplicemente **CONTR.** fastosamente, mondanamente.

austerità *s. f. inv.* **1** [*rif. al comportamento*] rigidezza, rigore, severità, fermezza **CONTR.** frivolezza **2** [*clima di*] restrizione, astinenza (*est.*), limitazione **3** [*rif. all'atteggiamento*] gravezza, gravità, solennità, imponenza **CONTR.** cordialità, affabilità **4** moderazione, frugalità, sobrietà **5** (*econ.*) austerity (*ingl.*), economia (*est.*).

austèrity *s. f. inv.* austerità, economia (*est.*) **CONTR.** scialo.

austèro *agg.* **1** [*rif. a una persona*] rigido, severo **CONTR.** benigno, indulgente, tollerante, corrivo **2** [*rif. all'aspetto*] (*est.*) grave, solenne **CONTR.** benigno **3** [*rif. al comportamento*] (*est.*) rigoroso, castigato, sobrio, temperante **CONTR.** scherzoso, giocoso, gaio, beffardo, buffo **4** [*rif. all'atteggiamento*] (*est.*) sostenuto, contegnoso **CONTR.** semplice, modesto, mondano **5** [*rif. allo stile*] (*est.*) spartano, essenziale, povero, disadorno **CONTR.** mondano, splendido, magnifico, sontuoso, ridondante.

austràle *agg.* meridionale, antartico **CONTR.** boreale, settentrionale.

autenticaménte *avv.* **1** genuinamente **CONTR.** artificiosamente **2** realmente, veramente **CONTR.** ipocritamente, fintamente, falsamente, ingannevolmente.

autenticàre *v. tr.* *1* dichiarare autentico, vidimare (*bur.*), convalidare (*bur.*) *2* legalizzare.

autenticità *s. f. inv.* *1* verità **CONTR.** falsità *2* [*rif. all'atteggiamento*] spontaneità **CONTR.** artificiosità *3* [*rif. agli alimenti*] genuinità, sincerità (*est.*) *4* [*rif. a un dipinto, a una creazione*] originalità.

autèntico *agg.* *1* vero, reale **CONTR.** falso, finto, fasullo, falsato *2* [*rif. a un documento, a un quadro*] (*est.*) originale, autografo **CONTR.** falso, alterato, falsificato, contraffatto, riprodotto, imitato, rifatto *3* [*rif. a una persona*] sincero, genuino, schietto, spontaneo (*est.*) **CONTR.** falso, fasullo, menzognero, mendace *4* [*rif. a un motivo, a una ragione*] sincero, genuino, valido **CONTR.** fasullo, falsato, fittizio.

autista *s. m. e f.* conducente.

àuto *s. f. inv.* *1* automobile, autovettura, vettura, macchina *2* (*gener.*) automezzo, autoveicolo, veicolo.

autoaffermàrsi *v. rifl.* realizzarsi.

autobiografia *s. f.* *1* memoria (*pl.*), ricordo (*pl.*), rimembranza (*lett.*) *2* memoriale.

autobótte *s. f.* *1* cisterna *2* (*gener.*) autoveicolo, veicolo.

àutobus *s. m. inv.* *1* bus, filobus (*erron.*), celere (*fam.*), pullman (*ingl.*) *2* (*gener.*) veicolo.

autocàrro *s. m.* *1* camion, autosnodato, autotreno, truck (*ingl.*) *2* (*gener.*) autoveicolo, automezzo.

autocommiseràrsi *v. rifl.* compatirsi, compiangersi, piangere su sé stessi.

autocontròllo *s. m.* self-control (*ingl.*), disciplina (*est.*), freddezza (*fig.*).

autocrazia *s. f.* *1* tirannia, assolutismo, dispotismo *2* (*gener.*) governo.

autòctono *A agg.* *1* [*rif. a una persona*] indigeno, aborigeno, originario **CONTR.** allogeno *2* [*rif. agli usi, ai costumi*] locale *B s. m.* (*f. -a*) indigeno,

aborigeno, nativo **CONTR.** allogeno, immigrato (*est.*), forestiero, straniero.

auto da fé *loc. sost.* rogo.

autogòl *s. m. inv.* autorete.

autògrafo *A agg.* [*rif. a un documento, a un quadro*] originale, autentico **CONTR.** apografo *B s. m.* *1* originale *2* firma.

autoingannàrsi *v. rifl.* illudersi **CONTR.** disilludersi.

autòma *s. m.* robot (*ceco*), androide (*colto*).

automaticaménte *avv.* *1* meccanicamente, macchinalmente *2* inconsciamente, inconsapevolmente, involontariamente **CONTR.** volontariamente, coscientemente, di proposito.

automàtico (1) *agg.* *1* meccanico **CONTR.** manuale *2* [*rif. a un moto, a un movimento*] istintivo, inconscio, involontario **CONTR.** volontario, intenzionale.

automàtico (2) *s. m.* (*gener.*) bottone.

automatizzàre *v. tr.* *1* informatizzare *2* meccanizzare *3* motorizzare.

automèzzo *s. m.* *1* autoveicolo, mezzo *2* [*tipo di*] auto, macchina, autovettura, vettura, automobile, autotreno, autosnodato, autocarro, truck (*ingl.*) *3* (*gener.*) veicolo.

automòbile *s. f.* *1* macchina, auto, autovettura, vettura *2* (*gener.*) autoveicolo, automezzo, veicolo.

automobilismo *s. m. sing.* (*gener.*) sport.

autonomaménte *avv.* da solo, individualmente, personalmente, emancipatamente, indipendentemente **CONTR.** pedissequamente.

autonomia *s. f.* *1* indipendenza, libertà **CONTR.** subordinazione, schiavitù, soggezione, sottomissione, sudditanza *2* (*est.*) emancipazione **CONTR.** dipendenza *3* (*est.*) autosufficienza **CONTR.** dipendenza.

autònomo *agg.* libero, indipendente, autosufficiente (*est.*) **CONTR.** dipendente, vincolato, soggetto.

autóre *s. m.* (*f. -trice*) *1* creatore, ideatore, artefice, inventore, padre (*fig.*) *2* scrittore *3* artista.

autorévole *agg.* *1* [*rif. a una persona*] competente, esperto, stimato (*est.*) **CONTR.** incompetente *2* (*est.*) importante, influente, potente **CONTR.** insignificante, irrilevante, trascurabile *3* [*rif. all'atteggiamento*] grave, serio, fermo.

autorevolézza *s. f.* autorità, prestigio, importanza, influenza, competenza (*est.*).

autoriméssa *s. f.* garage (*fr.*), rimessa.

autorità *s. f. inv.* *1* potere, arbitrio *2* dominio, dominazione, egemonia, signoria, sovranità, supremazia **CONTR.** servaggio *3* [*spec. con: avere*] ascendente, influenza (*fig.*), peso (*fig.*), forza (*est.*), potenza *4* credito, stima, importanza, prestigio *5* [*rif. a una persona*] (*est.*) personaggio, big (*ingl.*), leader (*ingl.*), personalità, principe (*fig.*), maestro, gigante (*fig.*) *6* [*rif. all'atteggiamento*] (*est.*) autorevolezza, gravità *7* potestà, facoltà *8* veste (*fig.*), titolo, diritto.

autoritariaménte *avv.* imperiosamente, arrogantemente, dittatorialmente, imperativamente, prepotentemente, dispoticamente, duramente **CONTR.** democraticamente, liberalmente.

autoritàrio *agg.* *1* [*rif. a una persona*] prepotente, assolutista **CONTR.** arrendevole, mite *2* [*rif. a un governo*] dispotico, tirannico, dittatoriale, oppressivo, fascista **CONTR.** democratico, liberale *3* [*rif. all'atteggiamento*] imperioso, deciso, assoluto (*est.*) **CONTR.** tollerante, conciliante.

autoritarismo *s. m.* dispotismo, regime (*est.*).

autorizzàre *v. tr.* *1* dare l'autorizzazione *di a*, permettere, concedere, approvare, assentire, ammettere, dare il permesso *di*, consentire **CONTR.** proibire *2* abilitare, legittimare *3* [*un comportamento, etc.*] ratificare, giustificare, avallare.

autorizzazióne *s. f.* *1* permesso, benestare, beneplacito **CONTR.** proibizione, divieto *2* approvazione, assenso,

autosnodato consenso CONTR. rifiuto **3** (*bur.*) licenza, concessione, patente.

autosnodàto *s. m.* **1** camion, autocarro, autotreno **2** (*gener.*) automezzo, autoveicolo.

autostimàrsi *v. rifl.* apprezzarsi CONTR. disprezzarsi.

autostràda *s. f.* (*gener.*) strada.

autosufficiènte *agg.* autonomo, indipendente CONTR. dipendente.

autosufficiènza *s. f.* autonomia, indipendenza CONTR. dipendenza.

autotrèno *s. m.* **1** camion, autocarro, autosnodato **2** (*gener.*) automezzo, autoveicolo.

autoveicolo *s. m.* **1** automezzo **2** [*tipo di*] automobile, autovettura, macchina, auto, vettura, autocarro, autobotte, pullman, truck (*ingl.*), autosnodato, autotreno, celere.

autovettùra *s. f.* **1** vettura, automobile, autoveicolo, macchina, auto, automezzo **2** (*gener.*) veicolo.

avallàre *v. tr.* **1** garantire, accreditare, suffragare, confermare, sostenere, dare garanzie **2** (*est.*) autorizzare, approvare, condiscendere.

avàllo *s. m.* **1** garanzia **2** sostegno, consenso, benestare, approvazione, appoggio (*fig.*).

avance *s. f. inv.* proposta, profferta.

avanguàrdia *s. f.* punta (*fig.*), precursore, antesignano (*colto*), anticipatore CONTR. retroguardia.
♦ **all'avanguardia** *loc. agg.* leader (*ingl.*), modello CONTR. desueto.

avanspettàcolo *s. m.* varietà, rivista.

avànti A *avv.* **1** [*rif. allo spazio*] innanzi, davanti CONTR. dietro, indietro **2** [*rif. al tempo*] prima, in precedenza, anteriormente, antecedentemente CONTR. addietro, dopo, successivamente, in seguito **B** *inter.* marsc' **C** *prep.* **1** [*rif. allo spazio*] innanzi, davanti CONTR. dietro, indietro **2** [*rif. al tempo*] prima, in precedenza, anteriormente, antecedentemente CONTR. addietro, dopo, successivamente, in seguito.

avanzaménto *s. m.* **1** progresso, miglioramento, perfezionamento, profitto CONTR. arretramento **2** (*mil.*) conquista **3** promozione, ascesa (*fig.*), avanzata (*raro*) CONTR. retrocessione.

avanzàre (1) A *v. intr.* **1** camminare, muoversi, andare avanti, procedere, inoltrarsi, incedere, marciare, proseguire, puntare, muovere (*tosc.*) CONTR. retrocedere, recedere, indietreggiare, retrocedere, rinculare, ripiegare **2** camminare, sopravanzare, avvicinarsi, approssimarsi **3** [*detto di civiltà, di cultura, etc.*] (*est.*) crescere, progredire, migliorare, farsi strada CONTR. imbarbarirsi **4** [*detto di carriera*] (*est.*) progredire, migliorare CONTR. arretrare **B** *v. tr.* **1** [*una richiesta*] proporre, porgere, presentare **2** [*un concorrente*] superare, vincere **3** [*qc. nella carriera*] promuovere **4** [*un diritto*] accampare **5** [*un reclamo, una denuncia*] sporgere **6** [*una tesi, una proposta*] azzardare.

avanzàre (2) A *v. tr.* [*una somma di denaro*] essere creditore **B** *v. intr.* [*detto di cibo, di denaro, etc.*] rimanere, restare, residuare.

avanzàta *s. f.* **1** avanzamento (*raro*), progresso, promozione CONTR. retrocessione, arretramento, regresso **2** (*mil.*) avanzamento (*raro*), conquista CONTR. ritirata.

avanzàto *part. pass.; anche agg.* **1** [*rif. alla tecnologia*] progredito, evoluto, perfezionato CONTR. arretrato, antiquato **2** [*rif. alle idee*] innovativo, moderno, audace, rivoluzionario (*fig.*) CONTR. antiquato, tradizionale, conservatore, borbonico, retrogrado **3** [*rif. a un paese, a un'area*] progredito, moderno CONTR. depresso, arretrato **4** [*rif. a un giorno, a un mese, a un anno*] inoltrato **5** [*rif. a cosa*] residuo, rimanente.

avànzo *s. m.* **1** resto, residuo, rimanenza **2** (*est.*) scarto, rifiuto, scoria **3** (*est.*) rottame, carcassa, rudere, relitto **4** [*di un tessuto*] scampolo, ritaglio.

avaria *s. f.* **1** danno, guasto **2** [*tipo di*] lesione, rottura.

avariàre A *v. tr.* guastare **B** *v. intr. pron.* guastarsi, marcire, passare (*fig.*), deteriorarsi.

avarizia *s. f.* **1** spilorceria, taccagne-

ria, tirchieria, parsimonia CONTR. generosità **2** [*di animo*] grettezza, meschinità, piccineria CONTR. liberalità.

avàro *agg.* **1** tirchio, taccagno, spilorcio, parco, stretto, gretto, sordido CONTR. prodigo, magnanimo, generoso, largo, magnifico, liberale, munifico **2** (*pos.*) parsimonioso **3** [*rif. all'animo*] arido (*fig.*), meschino, gretto, povero CONTR. magnanimo, generoso, liberale.

avellàno *s. m.* **1** nocciolo **2** (*gener.*) albero.

avèllo *s. m.* sarcofago, sepolcro, tomba.

avère *v. tr.* **1** possedere, essere provvisto *di*, essere fornito *di*, tenere (*merid.*), essere in possesso *di*, detenere (*colto*) CONTR. essere **2** disporre *di*, fruire *di*, essere dotati *di*, godere *di* **3** [*una sensazione*] provare, ricevere, riportare **4** [*abiti, scarpe, etc.*] portare, indossare, vestire, calzare **5** (*est.*) giudicare, reputare **6** [*un sentimento*] provare, sentire, nutrire (*fig.*) **7** essere costituito da **8** [*una posizione*] occupare **9** [*un dono, etc.*] portare, recare **10** [*successo, etc.*] conseguire, ottenere **11** [*una posizione*] assumere.

avèri *s. m. pl.* beni, sostanza, ricchezza, patrimonio.

avèrno *s. m.* orco (*raro*), inferi (*colto*), oltretomba, ade (*lett.*), aldilà CONTR. paradiso.

aviazióne *s. f.* aeronautica.

a vicènda *loc. avv.* V. *vicenda* (*2*).

avidaménte *avv.* ingordamente, bramosamente, cupidamente, con cupidigia, voracemente, appetitosamente, golosamente, desiderosamente, ghiottamente CONTR. moderatamente, svogliatamente.

avidità *s. f. inv.* brama, cupidigia, desiderio, bramosia, concupiscenza, sete (*fig.*), fame (*fig.*), smania (*est.*), ingordigia, esosità.

àvido *agg.* **1** desideroso, bramoso, voglioso, smanioso, affamato, assetato CONTR. sazio, satollo, soddisfatto **2** [*rif. all'atteggiamento*] cupido (*lett.*), venale, ingordo (*fig.*), rapace (*fig.*), famelico, egoistico CONTR. soddisfatto, indifferente, sdegnoso, distaccato, sprezzante, misurato **3** (*est.*) goloso, ghiotto.

aviorimèssa *s. f.* hangar (*ingl.*).

avito *agg.* antico, atavico, vecchio.

àvo *s. m.* antenato, ascendente (*colto*), progenitore (*lett.*) **CONTR.** discendente.

avocàre *A v. tr.* incamerare *B v. intr. pron.* rivendicare, assumersi, accollarsi, attribuirsi.

avùlso *part. pass.; anche agg.* **1** estraneo *a*, alieno **CONTR.** partecipe *a* **2** separato **CONTR.** unito *a* **3** [*rif. a un discorso*] estraneo **CONTR.** pertinente.

avvalérsi *v. intr. pron.* servirsi, valersi, giovarsi, usufruire, usare *un*, fruire, profittare.

avvallaménto *s. m.* **1** depressione **CONTR.** sporgenza **2** rientranza, infossamento, abbassamento, cedimento **CONTR.** rilievo **3** (*est.*) fossa, buca, cunetta, fosso, incavo, lama.

avvallàre *A v. tr.* incavare, abbassare, deprimere *B v. intr. pron.* affossarsi, cedere, formare una fossa, formare un avvallamento, abbassarsi, franare, incavarsi, deprimersi, infossarsi.

avvaloràre *v. tr.* suffragare, dare valore *a*, convalidare, comprovare, confermare, accreditare, appoggiare, corroborare, confortare, rinforzare **CONTR.** demolire, contraddire.

avvampàre *A v. tr.* **1** bruciare, strinare **2** [*gli animi*] (*fig.*) accendere, infiammare *B v. intr.* **1** [*in viso, nel corpo*] arrossire, infiammarsi (*fig.*), infuocarsi (*fig.*) **2** [*detto di fuoco*] divampare.

avvantaggiàre *A v. tr.* privilegiare **CONTR.** pregiudicare *B v. rifl.* **1** approfittare, trarre profitto, procurarsi un vantaggio, profittare **2** (*est.*) ingrassarsi (*fig.*), arricchirsi.

avvedérsi *v. intr. pron.* accorgersi, avvertire *un*, rendersi conto, capire *un*, comprendere *un*.

avvedutaménte *avv.* **1** accortamente, abilmente, astutamente **CONTR.** ingenuamente **2** oculatamente, assennatamente, saggiamente, sensata-

mente, prudentemente, giudiziosamente, guardingamente, cautamente **CONTR.** avventatamente, temerariamente, imprudentemente, azzardatamente, dissennatamente, inavvedutamente.

avvedutézza *s. f.* accortezza, assennatezza, oculatezza, saggezza, prudenza, cautela, malizia, lungimiranza, sapienza, sagacia, cervello (*fig.*) **CONTR.** sconsideratezza, imprudenza, sventatezza, semplicioneria.

avvedùto *part. pass.; anche agg.* accorto, assennato, saggio, savio, giudizioso, responsabile, sensato, oculato, prudente, cauto, previdente, lungimirante, diplomatico (*est.*) **CONTR.** imprudente, incauto, ingenuo, avventato, sconsiderato, irresponsabile.

avvelenaménto *s. m.* inquinamento, ammorbamento, appestamento, contaminazione.

avvelenàre *A v. tr.* **1** [*l'ambiente, l'aria, etc.*] rendere velenoso, inquinare, appestare, infettare, contaminare, ammorbare, contagiare, rovinare **CONTR.** decontaminare, disintossicare, ripulire **2** [*un essere vivente*] intossicare, uccidere **3** [*il cibo*] guastare, corrompere **4** [*l'animo*] (*est.*) turbare, amareggiare, attossicare (*fig.*) **5** [*un'amicizia, etc.*] (*est.*) uccidere, guastare *B v. rifl.* **1** prendere veleno **2** (*gener.*) (*est.*) uccidersi, suicidarsi, ammazzarsi *C v. intr. pron.* arrabbiarsi, infuriarsi.

avvenènte *agg.* **1** bello, leggiadro, aggraziato, armonioso, piacevole **CONTR.** brutto, mostruoso, goffo, rozzo, deforme **2** (*est.*) suadente, affascinante, seducente, sexy (*ingl.*).

avvenènza *s. f.* bellezza, leggiadria, grazia, armonia, fascino **CONTR.** bruttezza.

avveniménto *s. m.* **1** fatto, evento, vicenda, avventura, accaduto, episodio, caso, circostanza (*est.*), scena (*est.*), cosa · **2** (*est.*) caso, performance (*ingl.*), happening (*ingl.*), manifestazione.

avvenìre *A v. intr.* **1** accadere, succedere, toccare (*fam.*), occorrere, sopraggiungere, sopravvenire, verificarsi, adempiersi, compiersi, effettuarsi, essere, capitare, darsi (*fam.*), correre

(*raro*), svolgersi, maturarsi (*est.*), seguire, incogliere **2** avverarsi *B s. m. inv.* futuro, domani **CONTR.** passato, ieri, presente, oggi *C agg.* futuro, prossimo.

avventàre *A v. tr.* lanciare, scagliare, scaraventare *B v. rifl.* scagliarsi, lanciarsi, gettarsi, spingersi, colpire *un*, caricare *un*, assalire *un*, buttarsi.

avventataménte *avv.* sconsideratamente, imprudentemente, senza riflettere, incautamente, irriflessivamente, irresponsabilmente, rischiosamente **CONTR.** avvedutamente, cautamente, prudentemente, con cautela, dopo aver fatto le proprie valutazioni, guardingamente, sensatamente.

avventatézza *s. f.* imprudenza, sconsideratezza, incoscienza, leggerezza, precipitazione **CONTR.** prudenza, sapienza.

avventàto *part. pass.; anche agg.* **1** imprudente, incosciente, sconsiderato, corrivo, impulsivo, sventato, precipitoso, superficiale (*est.*) **CONTR.** prudente, cauto, circospetto, riflessivo, assennato, avveduto, oculato **2** [*rif. alle idee*] (*fig.*) temerario, ardito **CONTR.** prudente, cauto **3** [*rif. a un'impresa*] (*fig.*) azzardato, rischioso.

avvènto *s. m.* venuta, arrivo **CONTR.** partenza.

avventóre *s. m.* (*f. -trice*) cliente, frequentatore.

avventùra *s. f.* **1** avvenimento, vicenda, episodio (*est.*) **2** (*est.*) vicissitudine, peripezia, traversia, tribolazione, impresa, esperienza **3** (*est.*) caso, sorte **4** (*est.*) amore, flirt (*ingl.*), fiammata (*fig.*), relazione.

avventuràre *A v. tr.* azzardare, arrischiare *B v. rifl.* **1** azzardarsi, arrischiarsi, cimentarsi, rischiare, esporsi, imbarcarsi (*fig.*), ingolfarsi (*fig.*), osare **2** [*in un luogo*] spingersi, inoltrarsi.

avventurièro *s. m.* (*f. -a*) **1** girovago, giramondo **2** (*est.*) mercenario **3** (*est.*) impostore, imbroglione, pirata, filibustiere **4** (*est.*) giocatore.

avventuróso *agg.* **1** rischioso, pericoloso, azzardato **2** [*rif. a un romanzo, a una storia*] (*est.*) interessante,

avvincente 3 [*rif. a un viaggio*] (*fig.*) movimentato.

avveràrsi v. *intr. pron.* realizzarsi, verificarsi, compiersi, succedere, avvenire, attuarsi, concretarsi, concretizzarsi.

avversaménte *avv.* sfavorevolmente CONTR. favorevolmente.

avversàre v. *tr.* 1 contrastare, osteggiare, attaccare, opporsi, combattere, perseguitare, contrariare (*est.*), odiare, contrapporsi a CONTR. patrocinare, difendere, incoraggiare 2 [*un'idea, etc.*] contrastare, osteggiare, attaccare, opporsi, combattere, disdegnare (*raro*), oppugnare CONTR. propugnare.

avversàrio A *s. m.* (*f. -a*) 1 antagonista, oppositore, nemico (*est.*) CONTR. amico, alleato, seguace, simpatizzante, sostenitore, tifoso 2 (*bur.*) controparte 3 (*sport*) sfidante, rivale, competitore, concorrente B *agg.* contrario, avverso, nemico, ostile CONTR. amico, favorevole (*est.*).

avversióne *s. f.* 1 ostilità, antipatia, animosità, malevolenza CONTR. benevolenza, simpatia 2 intolleranza, insofferenza, fastidio 3 ripugnanza, disgusto, schifo, repulsione.

avversità *s. f. inv.* 1 calamità, disgrazia, disastro 2 impedimento, contrattempo, contrarietà 3 malasorte, sfortuna, disdetta, iella (*fam.*), scalogna (*pop.*) CONTR. buonasorte.

avvèrso *agg.* 1 contrario, sfavorevole, ostile, alieno, nemico, avversario CONTR. disposto, incline, devoto (*fig.*), solidale (*est.*) 2 [*rif. al destino*] (*fig.*) perverso, crudele, sfortunato, infelice CONTR. favorevole, fausto, propizio.

avvertènza *s. f.* 1 attenzione, precauzione, cautela, accortezza CONTR. noncuranza, disattenzione, sconsideratezza, inavvertenza 2 consiglio, ammonimento, avvertimento 3 indicazione, dettame, istruzione 4 [*rif. a un modo di fare*] attenzione, accorgimento, cura.

avvertimento *s. m.* 1 avvertenza, suggerimento, consiglio, raccomandazione, ammonimento, ammonizione, avviso, annuncio (*est.*), monito 2

(*est.*) intimidazione, minaccia (*colto*) 3 (*est.*) dettame, istruzione.

avvertìre v. *tr.* 1 [*qc.*] avvisare, informare, preavvertire, mettere in guardia 2 [*q.c. a qc.*] annunciare, comunicare, fare conoscere, fare sapere, premettere 3 ammonire, minacciare (*est.*), suggerire, consigliare, esortare, raccomandare, rammentare 4 intuire, intendere, percepire, scoprire, captare, fiutare (*fig.*), sentire, accorgersi *di*, avvedersi *di*, annusare (*fig.*), notare 5 [*qc. circa l'uso di q.c.*] istruire.

avvertitaménte *avv.* intenzionalmente, di proposito CONTR. inavvertitamente, per sbaglio.

avvezzàre A v. *tr.* abituare, assuefare, educare, allenare, addestrare, addomesticare CONTR. disabituare, disassuefare, disavvezzare, divezzare B v. *rifl.* abituarsi, educarsi, assuefarsi, fare la bocca a (*pop.*) CONTR. disabituarsi, disassuefarsi, disavvezzarsi, divezzarsi.

avvèzzo *agg.* 1 educato, abituato, assuefatto, rotto (*pop.*) CONTR. disavvezzo, disabituato 2 (*est.*) esercitato, allenato, uso (*lett.*).

avviaménto *s. m.* 1 [*di un motore, etc.*] accensione, attivazione, avvio 2 preparazione, tirocinio, istruzione, training (*ingl.*), introduzione 3 [*di un'attività*] (*est.*) principio, inizio, partenza CONTR. termine, conclusione, fine.

avviàre A v. *tr.* 1 [*un lavoro*] iniziare, intraprendere, dare l'avvio *a*, cominciare, incominciare CONTR. concludere, smettere, finire 2 [*qc.*] instradare, indirizzare, incamminare, addestrare, convogliare, dirigere, guidare, orientare 3 [*un'attività*] attuare, aprire, impiantare, piantare, impostare, imprendere, promuovere, riaprire 4 [*il motore, etc.*] attivare, innescare, mettere in moto 5 [*un discorso*] ingaggiare, intavolare, introdurre 6 [*una relazione affettiva*] (*fig.*) imbastire B v. *rifl.* 1 mettersi in moto, incamminarsi, muoversi, partire, muovere (*tosc.*), dirigersi CONTR. fermarsi 2 andare via, uscire, andarsene 3 [*a una carriera, etc.*] indirizzarsi, prepararsi, orientarsi (*fig.*), incanalarsi (*fig.*), instradarsi (*fig.*), puntare (*fig.*).

avviàto *part. pass.; anche agg.* 1 indirizzato, orientato 2 [*rif. al motore*] acceso, attivato CONTR. spento 3 [*rif. a un'impresa*] solido (*fig.*) CONTR. nuovo.

avvicendaménto *s. m.* 1 rotazione, turnover (*ingl.*), turno, alternanza, alternativa, cambio (*est.*) 2 [*delle stagioni, etc.*] (*est.*) successione, ritmo (*fig.*).

avvicendàre A v. *tr.* variare, alternare B v. *rifl. rec.* ruotare, alternarsi, variare.

avvicinaménto *s. m.* 1 accostamento, approssimazione CONTR. allontanamento, distacco (*est.*) 2 [*tra idee*] (*est.*) convergenza, accostamento, accomunamento, assimilazione 3 [*tra persone*] (*est.*) ravvicinamento, riconciliazione, pacificazione CONTR. allontanamento.

avvicinàre A v. *tr.* 1 portare verso di sé, ravvicinare, appressare (*raro*) CONTR. allontanare, discostare, distaccare, distanziare 2 [*oggetti, colori, etc.*] accomunare, mettere vicino, accoppiare, accostare, unire 3 accomunare, collegare, assimilare, paragonare 4 [*qc.*] abbordare, contattare CONTR. allontanare, scostare 5 [*le imposte*] socchiudere CONTR. scostare B v. *rifl.* 1 accostarsi, approssimarsi, avanzare, arrivare CONTR. distaccarsi, scansarsi, scostarsi 2 [*al muro, etc.*] accostarsi, rasentare *un* CONTR. discostarsi C v. *intr. pron.* 1 (*est.*) assomigliare, ricordare, sembrare, somigliare 2 [*detto di conto, di spesa*] (*est.*) aggirarsi, approssimarsi, essere all'incirca 3 [*detto di tempo, di crisi, etc.*] prepararsi, appressarsi 4 [*al termine, al bello*] (*est.*) volgersi.

avvilènte *part. pres.; anche agg.* deprimente, triste, scoraggiante.

avvilimento *s. m.* 1 abbattimento, depressione (*fig.*), sconforto, scoraggiamento, scoramento, sfiducia (*est.*), tristezza (*est.*), prostrazione, mortificazione (*est.*), abbandono (*fig.*), disperazione (*est.*), demoralizzazione CONTR. euforia, allegria, contentezza, soddisfazione, baldanza, esultanza 2 (*est.*) degradazione, umiliazione, abiezione.

avvilire A v. *tr.* 1 scoraggiare, abbattere, deprimere, demoralizzare, frustrare, atterrare (*fig.*), prostrare, annichilire (*fig.*), annientare (*fig.*), contristare, costernare, disanimare, esanimare (*raro*), sbigottire, scorare **CONTR.** entusiasmare, rassicurare, ravvivare, riaccendere, riconfortare, ricreare **2** umiliare, mortificare **CONTR.** elevare, esaltare **3** invilire (*raro*), degradare, svilire, prostituire (*est.*) **CONTR.** nobilitare **B** *v. intr. pron.* **1** abbattersi, demoralizzarsi, deprimersi, disperarsi, scoraggiarsi, disanimarsi, accasciarsi (*fig.*), perdersi d'animo, smarrirsi, contristarsi, esanimarsi (*raro*), sbigottirsi, scorarsi **CONTR.** confortarsi, entusiasmarsi, esaltarsi, gongolare, rassicurarsi, ravvivarsi, rianimarsi, riconfortarsi **2** degradarsi, prostrarsi, umiliarsi, diminuirsi, invilirsi (*raro*), prostituirsi (*est.*) **CONTR.** gloriarsi, imbaldanzirsi, innalzarsi, inorgoglirsi, diventare baldanzoso.

avvilito *part. pass.; anche agg.* **1** abbattuto, depresso, sconfortato, demoralizzato, scoraggiato, sfiduciato **CONTR.** allegro, felice, contento, esaltato, entusiasta, soddisfatto, pago (*lett.*) **2** (*est.*) prostrato, disperato, triste, malinconico **3** mortificato, umiliato.

avviluppàre **A** *v. tr.* **1** avvolgere, avvoltolare, fasciare, involtare, ravviluppare, ravvolgere, ravvoltolare, inviluppare, arrotolare **CONTR.** dispiegare, sballare, sfasciare **2** aggrovigliare, intrecciare, impigliare, annodare, intricare **3** [*qc.*] stringere, abbracciare, cingere (*raro*), avvincere, allacciare **B** *v. intr. pron.* **1** aggrovigliarsi, avvolgersi, annodarsi **2** ingarbugliarsi, imbrogliarsi, intricarsi, impigliarsi, intrecciarsi **C** *v. rifl.* ravvolgersi, ravvoltolarsi, coprirsi.

avvinazzàre *v. tr. e rifl.* ubriacare, sborniare, sbronzare.

avvincènte *part. pres.; anche agg.* attraente, affascinante, suggestivo, avventuroso, interessante, trascinante, entusiasmante **CONTR.** sgradevole, repellente, ripugnante.

avvìncere **A** *v. tr.* **1** legare, avviluppare **2** (*est.*) attrarre, appassionare, rapire (*fig.*), sedurre, incantare, affascinare, stregare, interessare, trascinare (*fig.*) **B** *v. rifl.* stringersi, abbracciarsi.

avvinghiàre **A** *v. tr.* abbracciare, stringere **B** *v. rifl.* stringersi, abbarbicarsi, aggrapparsi, attaccarsi, appigliarsi, abbracciarsi, avvolgersi, avviticchiarsi.

avvìo *s. m.* **1** inizio, principio, attacco, esordio **CONTR.** conclusione, termine, fine, cessazione **2** [*di un motore, etc.*] accensione, avviamento **CONTR.** spegnimento **3** (*sport*) via, start (*ingl.*), partenza.

avvisàre *v. tr.* **1** [*qc. di q.c.*] informare, avvertire, prevenire **2** [*q.c. a qc.*] fare sapere, segnalare, annunciare, notificare, indicare, comunicare **3** (*est.*) ammonire, consigliare, minacciare, esortare, mettere in guardia **4** [*qc. circa l'uso di q.c.*] (*est.*) informare, istruire.

avvisàto *part. pass.; anche agg.* informato, edotto.

avvisatóre *s. m.* (*f. -trice*) segnalatore.

avvìso *s. m.* **1** avvertimento, consiglio, ammonimento **2** annuncio, comunicato, editto (*raro*), bando (*est.*), proclama (*raro*) **3** messaggio, informazione, ambasciata **4** (*est.*) diffida, minaccia, intimidazione, monito **5** indicazione, segnalazione (*est.*), segnale (*est.*), cartello (*est.*), affisso **6** inserzione **7** (*est.*) opinione, parere, sentenza, idea, tesi.

avvistàre *v. tr.* (*gener.*) vedere.

avvitàre *v. tr.* stringere, fermare, invitare (*raro*) **CONTR.** svitare.

avviticchiàre *v. intr. pron.* avvolgersi, avvinghiarsi.

avvizzìre **A** *v. tr.* **1** appassire, invecchiare, sfiorire **2** [*la vena poetica, etc.*] (*est.*) inaridirsi, intristire, languire **B** *v. intr.* seccare, inaridire **C** *v. intr. pron.* **1** ammoscirsi, ammosciarsi, appassire **2** invecchiare.

avvizzìto *part. pass.; anche agg.* **1** [*rif. a un fiore*] appassito, sfiorito, secco, vizzo **CONTR.** fresco **2** [*rif. alla pelle*] sciupato, moscio, rugoso **CONTR.** fresco, levigato.

avvocàto *s. m.* (*f. -essa*) **1** legale, leguleio (*spreg.*), procuratore (*spec.*), azzeccagarbugli (*iron.*), patrocinatore (*colto*), difensore (*est.*), consulen-

te (*est.*), protettore (*est.*) **2** (*gener.*) professionista.

avvòlgere **A** *v. tr.* **1** avvoltolare, arrotolare (*est.*), rotolare (*est.*) **2** [*q.c. con carta e altro*] fasciare, impacchettare, imballare, incartare, legare (*est.*), foderare **CONTR.** sballare, sfasciare, spacchettare **3** [*detto di neve, etc.*] coprire, ammantare, ricoprire, rivestire **4** [*detto di nebbia, etc.*] avviluppare, circondare, cingere **5** [*qc.*] coprire, infagottare, ravviluppare (*raro*), ravvolgere, inviluppare (*raro*) **6** [*una ferita*] bendare **7** [*una bottiglia, etc.*] involvere (*raro*), involtare, involgere **8** [*l'amo da pesca, etc.*] impigliare, attorcigliare **B** *v. rifl.* **1** ravvolgersi, ravviluparsi, ricoprirsi, avvilupparsi, infagottarsi, bendarsi, fasciarsi, chiudersi, cingersi (*lett.*) **2** raggomitolarsi **C** *v. intr. pron.* **1** [*detto di filo*] attorcigliarsi, aggrovigliarsi, impigliarsi **2** [*detto di pianta rampicante*] avvinghiarsi, avviticchiarsi.

avvoltóio *s. m.* **1** (*gener.*) predatore, predone **2** uccello **3** [*rif. a una persona*] (*fig.*) predatore, vampiro, sfruttatore, squalo, sanguisuga.

avvoltolàre **A** *v. tr.* **1** avvolgere, arrotolare, avviluppare, involgere, ravvolgere **2** [*q.c.*] incartare, fasciare, impacchettare **3** [*un filo*] attorcere **B** *v. rifl.* ravvolgersi, ravvoltolarsi.

aziènda *s. f.* ditta, impresa, industria (*est.*), fabbrica (*est.*), casa (*est.*), baracca (*scherz.*).

azionàre *v. tr.* manovrare.

azióne (1) *s. f.* **1** atto, gesto **2** operazione, impresa, opera, colpo (*fig.*) **3** operato, condotta **4** iniziativa, mossa (*fig.*), manovra, passo (*fig.*), tentativo, intervento **5** episodio, evento, fatto, cosa **6** efficacia **7** combattimento **8** [*spec. con: assistere a un'*] scena, situazione **9** [*nei romanzi, etc.*] svolgimento, trama **10** (*est.*) prassi **11** gioco, ruolo.

azióne (2) *s. f.* titolo di credito.

azzannàre *v. tr.* **1** addentare, mordere, morsicare **2** (*est.*) denigrare, criticare.

azzardàre **A** *v. tr.* **1** osare, tentare, provare **2** [*la vita, etc.*] arrischiare, mettere a repentaglio, rischiare **3** [*do-

azzardatamente

mande, etc.] fare, avanzare **B** *v. intr. pron.* **1** arrischiarsi, avventurarsi, cimentarsi **2** osare, permettersi.

azzardataménte *avv.* temerariamente, rischiosamente, audacemente CONTR. prudentemente, cautamente, avvedutamente.

azzardàto *part. pass.; anche agg.* **1** [*rif. a un'azione*] audace, incauto, imprudente, avventato, avventuroso (*est.*) CONTR. cauto, prudente **2** [*rif. all'atteggiamento*] audace, osé (*fr.*) CONTR. pudico, timoroso.

azzàrdo *s. m.* pericolo, rischio.

azzeccagarbùgli *s. m. inv.* avvocato, leguleio (*spreg.*).

azzeccàre *v. tr.* **1** [*l'obiettivo*] centrare, beccare (*fam.*), colpire nel segno (*ass.*), colpire, fare centro (*ass.*), raggiungere **2** [*un colpo*] affibbiare, appioppare, assestare, vibrare, menare **3** [*le risposte*] imbroccare, indovinare, infilare (*fig.*).

azzimàre **A** *v. tr.* leccare (*fig.*), ornare **B** *v. rifl.* leccarsi (*fig.*), ornarsi.

azzimàto *part. pass.; anche agg.* leccato, acconciato, agghindato, abbigliato, ordinato (*est.*), lindo CONTR. sciatto, trascurato, trasandato, sporco (*est.*).

azzittire **A** *v. tr.* chetare, fare tacere **B** *v. intr. e intr. pron.* ammutolire, tacere.

azzoppàre **A** *v. tr.* rendere zoppo, rendere claudicante **B** *v. intr. pron.* storpiarsi.

azzuffàrsi *v. rifl. rec.* accapigliarsi, bisticciarsi, litigarsi, affrontarsi, scontrarsi, combattere, lottare, prendersi, acciuffarsi, picchiarsi, guerreggiare, incontrarsi.

azzùrro **A** *agg.* blu (*fr.*), celeste, ceruleo, cilestrino, turchino **B** *s. m.* **1** (*gener.*) colore **2** blu, celeste.

b, B

babàco *s. m.* (*pl. -chi*) (*gener.*) frutto.

babbèo *A s. m.* (*f. -a*) minchione (*pop.*), gonzo, allocco (*est.*), bietolone (*fam.*), asino (*fig.*), sempliciotto, bischero (*tosc.*), ciuccio (*merid.*), ciuco (*fig.*) *B agg.* sempliciotto, grullo, sciocco, coglione (*volg.*), gonzo, minchione (*pop.*) **CONTR.** furbo, scaltro, marpione.

bàbbo *s. m.* papà, padre **CONTR.** figlio, figlia.

babèle *s. f. inv.* pandemonio, parapiglia, confusione, disordine, casino (*pop.*), bordello (*pop.*), bailamme (*fam.*), baraonda, cagnara (*fam.*), babilonia (*fam.*).

babilònia *s. f. inv.* putiferio, pandemonio, parapiglia, casino (*pop.*), confusione, bailamme (*fam.*), cagnara (*fam.*), babele, mercato (*fig.*).

baby *A s. m. e f. inv.* bimbo, bambino, marmocchio, infante, bebè *B agg.* piccolo, neonato.

baby-sitter *s. f. inv.* bambinaia, nurse (*ingl.*).

baccanàle *s. m.* baldoria, orgia, gozzoviglia, stravizio (*est.*).

baccàno *s. m.* rumore, chiasso, fracasso, frastuono, strepito, confusione, casino (*pop.*), cagnara (*scherz.*), clamore (*colto*), cancan **CONTR.** silenzio, tranquillità, pace.

baccèllo *s. m.* **1** (*gener.*) legume **2** fava.

bacchétta *s. f.* canna, verga (*raro*).

bacchettàre *v. tr.* **1** vergare (*raro*) **2** (*gener.*) percuotere, battere.

bacchettóne *s. m.* (*f. -a*) baciapile, bigotto.

bacheròzzo *s. m.* **1** (*gener.*) verme, lombrico, insetto **2** scarafaggio, blatta, piattola (*dial.*).

bacheròzzolo *s. m.* (*gener.*) verme, lombrico.

baciapìle *s. m. e f.* bigotto, fariseo (*est.*), santone (*raro*).

baciàre *v. tr.* **1** dare baci, sbaciucchiare (*est.*) **2** [*detto di fiume, di mare, etc.*] lambire, sfiorare, bagnare.

bacìle *s. m.* **1** catino **2** (*gener.*) recipiente.

bacìllo *s. m.* microbo, batterio.

bacinèlla *s. f.* **1** catino **2** (*gener.*) recipiente.

bacìno *s. m.* **1** (*anat.*) pelvi **2** [*rif. al terreno*] conca, concavità **3** [*di acqua, etc.*] serbatoio, cisterna **4** (*est.*) lago **5** [*mineralogico*] area, zona, giacimento **6** [*navale*] cantiere.

bàco *s. m.* (*pl. -chi*) **1** bombice, verme, bruco, larva (*est.*), lombrico **2** (*gener.*) insetto **3** (*fig.*) tormento, tarlo.

badàre *v. intr. e tr.* **1** sorvegliare *un*, custodire *un*, vigilare *su un*, curare *un*, controllare *un*, vegliare *su un*, prendersi cura *di*, avere cura *di*, guardare *un*, osservare *un*, pensare *a*, tenere *un* (*est.*), accudire *un*, fare attenzione *a*, tenere d'occhio **2** [*agli studi, etc.*] interessarsi *di*, dedicarsi *a*, occuparsi *di*, attendere *a* **CONTR.** disinteressarsi.

badìa *s. f.* V. *abbazia*.

bàffo (1) *s. m.* [*di inchiostro, etc.*] macchia, sgorbio.

bàffo (2) *s. m.* [*spec. al pl.*] mustacchio (*raro*).

bagàglio *s. m.* **1** borsa (*est.*), valigia (*est.*), equipaggio **2** [*di esperienza, etc.*] (*fig.*) patrimonio, corredo.

bagàscia *s. f.* prostituta, meretrice (*colto*), sgualdrina, puttana (*volg.*), battona (*volg.*), troia (*tosc.*), zoccola (*merid.*), vacca (*volg.*), ragazza squillo (*euf.*), mondana, mignotta (*roman.*), sacerdotessa di Venere (*euf.*), scrofa (*volg.*), baldracca (*volg.*), etera (*colto*).

bagatèlla *s. f.* V. *bagattella*.

bagattèlla o **bagatèlla** *s. f.* sciocchezza, quisquilia, nonnulla, minuzia, inezia, bubbola.

baggianàta *s. f.* castroneria, scemenza, cazzata (*volg.*), minchiata (*volg.*), cretinata (*pop.*), corbelleria, fesseria.

bagliòre *s. m.* baleno, chiarore, lucicchio, luce, splendore, barbaglio, sfolgorio, lampada (*lett.*).

bagnàre *A v. tr.* **1** aspergere, inzuppare (*colto*), spruzzare (*raro*), docciare, inondare, infradiciare, inumidire (*est.*) **CONTR.** asciugare, seccare **2** irrorare, annaffiare, dare l'acqua *a* **3** aspergere, irrorare, irrigare, annacquare (*dial.*) **CONTR.** deidratare, disidratare, dissecare, essiccare **4** inzuppare (*colto*), ammollare, imbevere (*raro*), impregnare (*raro*), intridere (*raro*), intingere, idratare **CONTR.** inaridire, prosciugare **5** imperlare **6** (*est.*) festeggiare bevendo, inaugurare **7** (*est.*) toccare, passare *per*, lambire, baciare (*fig.*), costeggiare, attraversare, sfiorare (*fig.*) *B v. intr. pron.* **1** [*le labbra*] inumidirsi, umettarsi **2** infradiciarsi, inzupparsi, ammollarsi, impregnarsi **CONTR.** disseccarsi, essiccarsi, inaridirsi *C v. rifl.* fare il bagno.

Bagnare

1 Spargere liquido su q.c. o qc..

   spruzzare: spargere una sostanza liquida a spruzzi, a piccole gocce;

   aspergere: (*colto*) spruzzare leggermente; spruzzare ritualmente d'acqua benedetta i fedeli o l'altare;

   docciare: (*raro*) versare l'acqua su qc. a guisa di doccia;

   inondare: (*fig.*) bagnare abbondantemente: *le lacrime le bagnavano il viso;*

   inzuppare: bagnare completamente q.c. o qc.;

   infradiciare: inzuppare d'acqua: *la pioggia bagna il fieno;*

   inumidire: bagnare poco.

2 Spargere liquido sulle piante.
irrorare: bagnare piante con acqua o con liquidi antiparassitari;
innaffiare: bagnare le piante con acqua, a modo di pioggia;
annaffiare;
dare l'acqua: *a.*
3 Dare acqua al terreno.
irrigare: bagnare il terreno per assicurare il normale sviluppo delle piante;
irrorare;
aspergere: (*colto*);
annacquare: (*dial.*).
4 Bagnare un solido, panni, cibi secchi, etc..
ammollare: rendere molle q.c. bagnandolo in un liquido: *oggi devo bagnare il baccalà;*
inzuppare: bagnare q. c. in un liquido: *bagnare un biscotto nel latte.*
imbevere: (*raro*) inzuppare q.c. in un liquido;
impregnare;
intridere: (*raro*) inzuppare q.c. in un liquido riducendola in pasta;
intingere: bagnare leggermente q.c. in un liquido;
idratare: (*est.*) far imbevere d'acqua q.c..
5 Bagnare la fronte, etc..
imperlare: cospargere di gocce simili a perle: *il sudore mi bagna il viso.*
6 Festeggiare q.c..
festeggiare bevendo: *ho bagnato la mia laurea;*
inaugurare: compiere il rito dell'inaugurazione bevendo: *ho bagnato la mia nuova macchina.*
7 Toccare, lambire, detto di mari e corsi d'acqua: *il Po bagna Torino.*
toccare: (*fig.*);
passare: *per, attraverso;*
lambire;
baciare: (*fig.*);
costeggiare;
attraversare;
sfiorare: (*fig.*).

bagnàto A *part. pass.; anche agg.* **1** fradicio, inzuppato, zuppo, madido **CONTR.** arido, arso, asciugato, asciutto, essicato, disidratato, riarso, prosciugato **2** [*rif. al sudore*] (*fam.*) sudato **B** *s. m. sing.* asciutto.

bàgno *s. m.* **1** immersione **2** (*est.*) nuotata **3** doccia **4** ritirata (*euf.*), toilette (*fr.*), gabinetto, cesso (*pop.*), toeletta **5** (*gener.*) locale, ambiente, stanza, vano.

bagordàre *v. intr.* fare bagordi, gozzovigliare, bisbocciare, gavazzare (*raro*), straviziare, fare baldoria, fare bisboccia, fare follie, fare gozzoviglie.

bagórdo *s. m.* crapula (*lett.*), baldoria, bisboccia, stravizio, gozzoviglia (*colto*).

bàia *s. f.* **1** rada, golfo, cala, ansa, seno (*raro*), porto (*est.*) **2** (*gener.*) insenatura.

bailàmme *s. m.* putiferio, babele (*fig.*), babilonia (*fig.*), casino (*pop.*), bordello (*pop.*), cagnara (*fam.*), disordine, confusione, baraonda.

baiòcco *s. m.* (*pl. -chi*) soldo, denaro, moneta.

bàita *s. f.* **1** rifugio, malga, chalet **2** (*gener.*) casa.

balaùstra *s. f.* **1** parapetto, ringhiera **2** (*est.*) davanzale.

balbettàre A *v. intr.* **1** tartagliare, balbutire (*lett.*), incespicare, intopparsi, incepparsi, intaccare, impuntare (*raro*) **CONTR.** scandire **2** impappinarsi, ingarbugliarsi **3** cominciare a parlare, cinguettare (*fig.*) **4** (*est.*) mormorare **B** *v. tr.* **1** farfugliare, dire confusamente **2** [*una lingua straniera*] (*fig.*) biascicare, masticare **3** sillabare.

balbettìo *s. m.* ciangottio.

balbutire *v. intr. e tr.* balbettare, tartagliare, incespicare, impappinarsi, incepparsi, parlare a stento **CONTR.** scandire.

balcóne *s. m.* **1** davanzale (*est.*), poggiolo (*lig.*), terrazzo, terrazza (*raro*), verone (*lett.*), loggia **2** (*est.*) palco.

baldànza *s. f.* spavalderia, sicurezza, ardire, esuberanza, fierezza, coraggio, imprudenza (*est.*), temerarietà (*est.*), temerità (*raro*), arroganza (*est.*), esultanza **CONTR.** scoraggiamento, avvilimento, timidezza, insicurezza.

baldanzosaménte *avv.* spavaldamente, senza esitazione, con sicurezza, coraggiosamente **CONTR.** timida-

mente, pavidamente, codardamente.

baldanzóso *agg.* **1** ardito, arrogante, spavaldo, temerario **CONTR.** timido, pauroso, pavido, codardo (*est.*), sospettoso **2** (*est.*) esuberante **CONTR.** timido.

baldòria *s. f.* **1** bisboccia, festa **2** (*neg.*) gozzoviglia, stravizio, baccanale (*lett.*), crapula (*colto*), bagordo **3** (*est.*) baraonda, chiasso.

baldràcca *s. f.* (*pl. -che*) sgualdrina, mondana (*euf.*), mignotta (*roman.*), puttana (*volg.*), troia (*tosc.*), zoccola (*merid.*), vacca (*volg.*), scrofa (*volg.*), sacerdotessa di Venere (*euf.*), ragazza squillo (*euf.*), meretrice (*colto*), prostituta, etera (*lett.*), bagascia (*genov.*), battona (*volg.*).

balenàre *v. intr.* **1** lampeggiare, brillare, luccicare, baluginare, sfolgorare, raggiare **2** [*detto di idee, etc.*] (*est.*) manifestarsi all'improvviso, apparire, comparire, sorgere all'improvviso, folgorare (*fig.*) **3** [*detto di spada, di stella*] guizzare.

balenìo *s. m.* **1** scintillio, luccichio, barbaglio, lampeggio **2** guizzo, raggio.

baléno *s. m.* **1** lampo, fulmine (*est.*), folgore (*est.*) **2** [*rif. alla luce*] bagliore, barbaglio, riverbero, luccichio **3** [*rif. al tempo*] (*est.*) attimo, istante, momento, minuto.

bàlia (1) *s. f.* nutrice, bambinaia.

balìa (2) *s. f.* possesso.

bàlla *s. f.* **1** involto, pacco, collo, sacco **2** (*est.*) frottola, fandonia, bugia, invenzione, panzana (*fam.*), storia, fola, menzogna, bomba (*fig.*), bubbola, falsità **3** (*est.*) sbornia, sbronza, ubriacatura.

ballàre A *v. intr.* **1** danzare, piroettare, volteggiare, fare quattro salti (*fam.*), ballonzolare, dimenarsi **2** saltare, saltellare, salterellare **3** [*per l'ansia*] muoversi (*impr.*), agitarsi, fremere **4** [*detto di oggetto, etc.*] ondeggiare, oscillare, traballare, tentennare **5** [*detto di abito, etc.*] essere largo, essere sproporzionato **6** [*detto di imbarcazione*] rullare, beccheggiare **B** *v. tr.* [*un tango, un valzer, etc.*] eseguire, danzare.

CLASSIFICAZIONE

Ballare
v. intr.
1 Muovere i piedi andando o saltando a tempo misurato di suono o di voce.
danzare: ballare seguendo un ritmo musicale;
piroettare: danzare facendo piroette;
volteggiare: (*est.*) danzare cambiando continuamente direzione, eseguendo giravolte e sim. attorno a q.c.;
fare quattro salti: fig. fam.;
ballonzolare: ballare a salti, ballare alla buona, in famiglia;
dimenarsi: ballare malamente senza seguire il ritmo.
2 (*est.*) ballare per la gioia, manifestare tale sentimento in modo vivace e rumoroso.
saltare;
saltellare: saltare a salti piccoli e frequenti;
salterellare: saltare a salti piccoli e frequenti.
3 Ballare dal nervoso, per l'ansia.
muoversi;
agitarsi: muoversi con forza e irrequietezza;
fremere: ballare per l'ansia;
4 Di un oggetto.
ondeggiare: essere malfermo: *il vaso ballava ad ogni scossa rischiando di cadere;*
oscillare;
traballare;
tentennare: (*raro*).
5 Essere largo, sproporzionato, detto di capi di vestiario: *la giacca gli balla addosso.*
essere largo;
essere sproporzionato.
6 Di nave, mezzo di trasporto, etc..
rollare: oscillare intorno all'asse longitudinale, detto di aereo e natante;
beccheggiare.
v. tr.
1 Riferito a una danza: *ballare un valzer.*
eseguire;
danzare.

ballàta *s. f.* **1** canzone **2** romanza.

ballerina *s. f.* **1** danzatrice **2** (*est.*) dama, partner (*ingl.*) **3** (*zool.*) cutrettola.

ballerino (1) *agg.* instabile (*est.*), precario (*est.*) CONTR. stabile (*est.*).

ballerino (2) *s. m.* **1** (*est.*) danzatore, boy (*ingl.*) **2** partner (*ingl.*).

ballétto *s. m.* **1** ballo **2** corpo di ballo.

bàllo *s. m.* **1** danza, balletto **2** ricevimento, veglione **3** (*gener.*) festa **4** [*tipo di*] liscio.

ballonzolàre *v. intr.* **1** saltellare, salterellare, balzellare, ballare **2** barcollare, traballare, oscillare, ondeggiare.

ballòtta *s. f.* **1** caldallessa **2** (*gener.*) castagna.

baloccàre A *v. tr.* trastullare, divertire, svagare **B** *v. rifl.* **1** giocare, divertirsi, spassarsela, giocherellare **2** gingillarsi, trastullarsi, perdere tempo, cincischiare.

balòcco *s. m.* (*pl. -chi*) giocattolo, gioco (*est.*).

balordàggine *s. f.* **1** [*qualità intellettuale*] (*neg.*) dabbenaggine, semplicioneria, stupidaggine CONTR. buonsenso, saggezza, sensatezza **2** [*l'azione*] stupidaggine, sciocchezza.

balordaménte *avv.* **1** scioccamente, stupidamente CONTR. assennatamente, saviamente, giudiziosamente **2** assurdamente, insensatamente.

balórdo A *agg.* **1** sciocco, svitato, suonato, sconclusionato, stravagante, svanito, fesso, gonzo, tonto, farneticante, picchiato, coglione (*volg.*) CONTR. acuto, sobrio, dritto (*fam.*), sensato, ragionevole **2** [*rif. a cosa*] malfatto, mal riuscito **3** [*rif. al tempo atmosferico*] brutto, incerto **B** *s. m.* (*f. -a*) malavitoso.

bàlsamo *s. m.* **1** pomata, crema, unguento **2** [*per lo spirito*] (*est.*) ristoro, conforto.

baluginàre *v. intr.* **1** balenare, guizzare, lampeggiare, scintillare **2** [*detto di idee, etc.*] (*est.*) balenare, lampeggiare, presentarsi all'improvviso, apparire rapidamente.

balzàre A *v. intr.* **1** guizzare **2** [*per l'emozione*] saltare, sussultare, trasalire, sobbalzare, scattare **3** [*agli occhi*] (*est.*) risaltare, essere evidente **4** [*contro qc.*] gettarsi **5** [*a cavallo, in*

bicicletta] montare *a in*, inforcare *un* **6** [*da una sedia, etc.*] sbalzare **B** *v. tr.* ribaltare.

balzellàre *v. intr.* saltellare, salterellare, ballonzolare.

balzellóni *avv.* a saltelli, a piccoli balzi.

bàlzo (1) *s. m.* **1** salto **2** scatto, slancio **3** [*del cuore*] trasalimento, sussulto.

bàlzo (2) *s. m.* prominenza.

bambinàia *s. f.* balia, nutrice (*raro*), baby-sitter (*ingl.*), nurse (*ingl.*).

bambinàta *s. f.* ragazzata.

bambinescaménte *avv.* **1** infantilmente, puerilmente, fanciullescamente CONTR. seriamente (*est.*) **2** ingenuamente, innocentemente CONTR. maliziosamente.

bambinésco *agg.* (*pl. m. -chi*) **1** fanciullesco, puerile, infantile CONTR. adulto, maturo **2** (*spreg.*) ingenuo.

bambino A *s. m.* (*f. -a*) **1** bimbo, fanciullo, marmocchio (*scherz.*), pargolo (*lett.*), pupo (*roman.*), creatura (*merid.*), innocente (*est.*) CONTR. vecchio, anziano, adulto, uomo, adolescente, giovanotto, giovane, poppante, neonato **2** bebè, infante, lattante, neonato, pupo, baby (*ingl.*) **3** figlio, rampollo, figliolo **4** [*rif. a una persona matura*] (*spreg.*) ragazzo **B** *agg.* **1** baby, giovane, neonato **2** inesperto, semplice.

bàmbola *s. f.* **1** bambolotto **2** fantoccio **3** [*rif. a una donna*] vamp (*ingl.*), pupa.

bambolòtto *s. m.* **1** bambola **2** fantoccio.

bambù *s. m. inv.* **1** (*gener.*) canna **2** giunco.

banàle *agg.* **1** [*rif. a cosa*] trito, comune, ordinario, scontato, ovvio, triviale, convenzionale CONTR. originale, eccentrico, stravagante, strabiliante, strano, capriccioso (*est.*) **2** [*rif. a una persona, a una cosa*] insignificante, insipido, insulso, piatto, scialbo, inespressivo, mediocre (*est.*), impersonale, anonimo CONTR. originale, eccentrico, stravagante, strano, capric-

banalità *cioso* (*est.*), incomparabile **3** [*rif. a un problema, a una questione*] prosaico **4** [*rif. a una persona*] conformista **CONTR.** estroso.

banalità *s. f. inv.* **1** ovvietà, quotidianità, normalità, convenzionalità **CONTR.** originalità, eccentricità, stranezza, eccezionalità, rarità **2** volgarità, trivialità, mediocrità **CONTR.** raffinatezza, eleganza.

banalizzàre *v. tr.* **1** rendere pedestre, spoetizzare, dissacrare **2** volgarizzare, semplificare, elementarizzare.

banalménte *avv.* pedestremente, impersonalmente, in maniera scontata, piattamente, comunemente, usualmente, ordinariamente, prosaicamente (*scherz.*) **CONTR.** con originalità, eccentricamente, estrosamente, genialmente, originalmente, sorprendentemente, straordinariamente, strepitosamente.

banàna *s. f.* (*gener.*) frutto.

bànca *s. f.* (*pl. -che*) **1** (*gener.*) sedile **2** banco.

bancàle *s. m.* banco.

bancaròtta *s. f.* fallimento, rovina (*est.*).

banchettàre A *v. intr.* mangiare, pranzare, desinare, pasteggiare **B** *v. tr.* (*raro*) convitare.

banchétto *s. m.* simposio (*lett.*), pranzo, convivio (*lett.*), convito.

banchìna *s. f.* approdo, molo, calata.

bànco *s. m.* (*pl. -chi*) **1** panca **2** (*gener.*) sedile **3** [*da lavoro*] bancone, tavolo (*est.*).

bancóne *s. m.* banco, tavolo (*est.*).

banconòta *s. f.* biglietto.

band *s. f. inv.* banda.

bànda (1) *s. f.* lato, parte, fianco (*fig.*), faccia, camarilla (*sp.*).

bànda (2) *s. f.* **1** [*di malviventi*] (*spreg.*) manica (*fig.*), cricca, ghenga, congrega, gang, cosca, combriccola **2** [*musicale*] complesso, musica, band (*ingl.*), fanfara **3** [*di amici*] brigata.

bànda (3) *s. f.* **1** fascia, striscia **2** [*rif. a un nastro, a un disco*] (*elab.*) pista **3** [*rif. alla radio*] canale.

bandièra *s. f.* **1** [*tipo di*] stendardo, vessillo, pavese, gonfalone **2** (*est.*) insegna, simbolo, segno, emblema.

bandire *v. tr.* **1** [*un concorso*] indire, promulgare **2** proclamare, pubblicare, notificare (*bur.*), preconizzare (*lett.*) **3** [*qc. da un luogo*] esiliare, confinare, scacciare, cacciare, allontanare, espellere, sfrattare, sloggiare, proscrivere, rimpatriare **4** [*ogni dubbio*] fugare, eliminare, togliere.

bandita *s. f.* riserva.

banditésco *agg.* (*pl. m. -chi*) [*rif. a un'azione*] criminale, criminoso, delittuoso.

bandito *s. m.* fuorilegge, malvivente, brigante, masnadiero (*lett.*), canaglia, manigoldo, gaglioffo, predone (*est.*), pirata (*est.*), gangster (*ingl.*), criminale, bravo (*lett.*) **CONTR.** galantuomo.

banditóre *s. m.* (*f. -trice*) **1** araldo, messaggero **2** [*di idee*] promotore, diffusore, propagandista.

bàndo *s. m.* **1** avviso, annuncio **2** editto, decreto, proclama, disposizione **3** esilio, cacciata, confino.

bàndolo *s. m.* capo, inizio, filo.

bandóne *s. m.* latta.

bar *s. m. inv.* pub (*ingl.*), caffè, posto, caffetteria, locale.

bàra *s. f.* sarcofago, feretro, catafalco.

baràcca *s. f.* (*pl. -che*) **1** stamberga (*spreg.*), capanna (*est.*), casupola (*est.*), casetta (*est.*), tenda (*est.*), favela (*port.*), catapecchia **2** [*per la caccia*] capanno, casotto **3** (*est.*) ricovero **4** [*spec. in loc.: tirare avanti la*] famiglia, azienda.

baraónda *s. f.* **1** confusione, disordine, caos, pandemonio, subbuglio, casino (*pop.*), bolgia (*fig.*), trambusto, rivoluzione (*fig.*), putiferio, babele (*fig.*), bailamme (*fam.*) **CONTR.** ordine, tranquillità, pace **2** chiasso, schiamazzo **3** (*est.*) baldoria.

baràre *v. intr.* ingannare, truffare, im-

brogliare.

bàratro *s. m.* precipizio, abisso, burrone, strapiombo, forra, voragine, dirupo.

barattàre *v. tr.* scambiare, cambiare, permutare, cedere, commerciare (*est.*), convertire.

baràtto *s. m.* **1** scambio, permuta **2** (*est.*) commercio **3** (*est.*) compravendita.

baràttolo *s. m.* **1** (*gener.*) contenitore, recipiente **2** latta, lattina, vaso (*est.*).

bàrba (1) *s. f.* **1** pizzo **2** [*rif. alle piante*] (*bot.*) radice **3** (*fig.*) noia, lagna (*fam.*), solfa (*fam.*), pizza (*fam.*), canzone.

bàrba (2) *s. m.* **1** zio **2** (*est.*) anziano.

barbagiànni *s. m. inv.* **1** (*gener.*) uccello **2** gufo, allocco.

barbàglio (1) *s. m.* bagliore, lampo, baleno.

barbàglio (2) *s. m.* lampeggìo, balenìo.

barbaraménte *avv.* **1** brutalmente, crudelmente, ferocemente, atrocemente, efferatamente, empiamente **CONTR.** elegantemente, signorilmente **2** selvaggiamente, rozzamente, incivilmente **CONTR.** civilmente.

barbàrie *s. f. inv.* **1** inciviltà, rozzezza **CONTR.** civiltà **2** ferocia, crudeltà, brutalità **3** (*est.*) arretratezza, notte (*fig.*), ignoranza.

bàrbaro A *agg.* **1** [*rif. a una persona*] selvaggio, primitivo, primordiale, selvatico, vandalo (*est.*) **CONTR.** civile, evoluto **2** [*rif. a un gesto, a un comportamento*] (*fig.*) selvaggio, feroce, crudele, atroce, spietato, efferato, inumano, disumano **CONTR.** buono, gentile, mite **3** [*rif. alla civiltà*] arretrato, incivile, rozzo **CONTR.** evoluto, incivilito, raffinato **B** *s. m.* (*f. -a*) **1** selvaggio, cannibale (*fig.*) **2** [*secondo i romani*] straniero, forestiero **CONTR.** indigeno.

barbicàre *v. intr. e intr. pron.* radicare, attaccare, attecchire, barbificare, allignare, crescere (*est.*) **CONTR.** seccare (*est.*).

barbificàre *v. intr.* attecchire, attaccare, barbicare, radicare, allignare.

barbitùrico *s. m.* **1** sonnifero, narcotico **2** (*est.*) sedativo, calmante **3** (*gener.*) farmaco.

barbóne (1) *s. m.* (*f. -a*) **1** vagabondo, clochard (*fr.*) **2** mendicante, accattone, mendico, questuante, straccione, pezzente CONTR. nababbo, miliardario, signore, creso.

barbóne (2) *s. m.* (*gener.*) cane.

barbosaménte *avv.* noiosamente, tediosamente, uggiosamente CONTR. brillantemente, vivacemente.

barbugliàre *v. intr.* **1** borbottare, farfugliare, dire confusamente, biascicare CONTR. scandire **2** [*detto di liquido*] bollire.

bàrca *s. f.* (*pl. -che*) **1** (*gener.*) imbarcazione, galleggiante, natante **2** [*tipo di*] →nave, imbarcazione **3** [*di sciocchezze, etc.*] (*est.*) cumulo, mucchio.

NOMENCLATURA

Barca

Barca: imbarcazione di dimensioni modeste, per trasporto di persone e cose.

barchino: barca piccola a fondo piatto per cacciare in palude;

cimba: barca, imbarcazione a uso dell'equipaggio di bastimento ormeggiato;

barcone: barca a fondo piatto per ponti di barche; barca di grosse dimensioni;

bastarda: barca di grosse dimensioni delle tonnare;

chiozzotta: barca di grosse dimensioni a vela da trasporto in uso a Chioggia;

ciarmotta: barca di grosse dimensioni da carico usato sul Tevere, piatto, con poppa e prua molto elevate;

gatto: barca di grosse dimensioni che un tempo era tenuto armato nei laghi in caso di guerra;

pontone: barca di grosse dimensioni con solida coperta;

pontone: barca a fondo piatto con cui si gettano i ponti;

chiatta: barca grossa a fondo piatto da canali o fiumi;

bettolina: chiatta grossa per trasporto di materiali e di merci;

gabarra: barca da carico a fondo piatto;

burchio: barca a remi, a vela, a alzaia a fondo piatto per navigare sui fiumi, canali e lagune;

burchiello: barca piccola da trasporto di passeggeri e merci sui fiumi;

cofano: barca veneta per caccia palustre;

gondola: barca lunga, piatta, tipica della laguna veneta;

peata: barca a fondo piatto della laguna veneta;

sandalo: barca a fondo piatto usata per il trasporto in Veneto;

bracozzo: barca grande da pesca, caratterizzata dalla colorazione delle vele;

bilancella: barca piccola da pesca;

gozzo: barca da pesca o da trasporto piccola a remi a vela;

canga: barca leggera a vela e a remi usata sul Nilo;

carabo: barca a remi greco-romana;

carabo: barca a vela in uso nel medioevo;

manaide: barca a scafo lungo e sottile;

margherotta: barca veneta lunga e sottile con sei rematori;

motobarca: barca provvista di motore;

portolato: barca a motore che raggiunge i pescherecci al largo e porta i pesci a riva;

sandalo: barca a sponde basse per la caccia alla spingarda;

sambuco: barca di piccolo cabotaggio usata sulle coste dell'Africa orientale;

pirobarca: barca a vapore;

palischermo: barca usata nelle tonnare, posta sui lati lunghi della camera della morte;

palandra: barca grossa a vela con fondo piatto;

corallina: barca dei pescatori di corallo;

galleggiante: barca grossa senza propulsione generalmente usato per il trasporto o deposito in porti, canali;

tender: barca usata da uno yacht per i collegamenti con la costa.

barcamenàrsi *v. intr. pron.* **1** destreggiarsi, arrangiarsi, cavarsela, ingegnarsi, arrabattarsi **2** tergiversare, oscillare (*fig.*), altalenare (*fig.*).

barcollaménto *s. m.* vacillamento, ondeggiamento.

barcollànte *part. pres.; anche agg.* vacillante, malfermo, ondeggiante CONTR. fermo, saldo.

barcollàre *v. intr.* **1** vacillare, ondeggiare, traballare, tentennare, ballonzolare, essere malfermo, oscillare **2** (*est.*) traballare, perdere stima.

barcóne *s. m.* **1** chiatta, barca **2** (*gener.*) imbarcazione.

bàrda *s. f.* sella.

bardàre **A** *v. tr.* **1** [*un cavallo*] sellare, imbrigliare, mettere i finimenti **2** [*qc.*] (*est.*) abbigliare, addobbare, agghindare, infronzolare **B** *v. rifl.* abbigliarsi, pararsi (*scherz.*), addobbarsi.

barèlla *s. f.* lettiga, portantina.

bargiglio *s. m.* barbiglio.

barile *s. m.* **1** botte **2** fusto, bidone.

barilòtto *s. m.* botte, botticella.

barlùme *s. m.* **1** raggio **2** [*di intelligenza, etc.*] (*fig.*) raggio, spiraglio, accenno, parvenza, indizio, filo, minimo.

bàro *s. m.* **1** [*al gioco*] truffatore **2** impostore, mistificatore, imbroglione, lestofante.

bàrra *s. f.* **1** sbarra, spranga, stanga, asta, verga **2** lineetta.

barràre *v. tr.* **1** sbarrare, barricare, chiudere CONTR. aprire **2** (*est.*) cancellare, depennare.

barricàre **A** *v. tr.* **1** fortificare, costruire delle barricate **2** (*est.*) sbarrare, barrare, chiudere, rinchiudere **B** *v. rifl.* **1** trincerarsi, rinchiudersi, asserragliarsi, chiudersi CONTR. aprirsi **2** fortificarsi.

barricàta *s. f.* **1** blocco, sbarramento **2** (*est.*) riparo.

barrièra *s. f.* **1** sbarramento **2** [*tipo di*] muro, argine, muraglia, palizzata, steccato, reticolato **3** limite, confine **4** riparo, protezione **5** (*est.*) scoglio (*fig.*), impedimento, difficoltà.

barròccio *s. m.* **1** carretto **2** (*gener.*) veicolo.

barùffa *s. f.* zuffa, tafferuglio, battibecco, litigio, diverbio, lite, litigata.

barzellétta *s. f.* battuta, facezia, arguzia, freddura.

basaménto *s. m.* base, fondamenta.

basàre A *v. tr.* **1** collocare, appoggiare, poggiare, piantare **2** (*est.*) mettere alla base *di*, impostare, imperniare, centrare, incentrare, fondare, incardinare (*raro*) **B** *v. intr. pron.* **1** imperniarsi, appoggiarsi, poggiare, fondarsi, incentrarsi, consistere, posare, reggersi, stare **2** [*su un'ipotesi*] (*est.*) attenersi *a*, richiamarsi *a*, rifarsi *a*, riallacciarsi *a*, partire *da* (*fig.*) **C** *v. rifl.* fare assegnamento.

basàto *part. pass.; anche agg.* fondato.

bàsco (1) *s. m.* (*pl.* -chi) (*gener.*) cappello.

bàsco (2) A agg. (*pl. m.* -chi) dei Paesi Baschi **B** *s. m. sing.* (*gener.*) lingua.

bàse (1) *s. f.* **1** sostegno, fondamento, supporto, appoggio, basamento, piedistallo, impalcatura, pilastro, piede (*fig.*), fondo, sedere (*fig.*), culo (*volg.*), fondamenta, impianto (*est.*) **CONTR.** vertice, sommità, tetto, vetta, apice **2** principio, premessa, presupposto **3** [*di un pensiero, etc.*] (*est.*) centro, essenza **4** (*est.*) causa, origine **5** insediamento, postazione **6** fondo tinta **7** (*ling.*) radice.

bàse (2) *s. f.* **1** (*gener.*) sostanza **2** composto, donatore **CONTR.** acido, accettore.

baseball *s. m. inv.* (*gener.*) sport.

basétte *s. f. pl.* favoriti, fedine.

bàsico agg. (*chim.*) alcalino **CONTR.** acido.

basilàre agg. **1** fondamentale, principale, essenziale, vitale, necessario, centrale, sostanziale **CONTR.** complementare, secondario **2** (*est.*) centrale, primario, prioritario, precipuo **CONTR.** secondario **3** (*est.*) elementare.

basilarménte avv. fondamentalmente, essenzialmente.

basilica *s. f.* (*pl.* -che) **1** duomo, cattedrale **2** (*gener.*) tempio, chiesa.

bàsket *s. m. sing.* **1** (*sport*) pallacanestro **2** (*gener.*) sport.

bassaménte avv. **1** vilmente, meschinamente, abiettamente, spregevolmente, vergognosamente, turpemente, ignobilmente, indegnamente, volgarmente **CONTR.** nobilmente, elevatamente, dignitosamente **2** sottovoce, a voce bassa **CONTR.** forte, ad alta voce.

bassézza *s. f.* **1** piccolezza **CONTR.** altezza **2** [*qualità dell'animo*] (*neg.*) grettezza, meschinità, abiezione **CONTR.** sublimità, nobiltà, elevatezza **3** [*l'azione*] (*est.*) viltà, indegnità.

bàsso (1) agg. **1** piccolo, nano **CONTR.** alto, rialzato, fondo **2** [*rif. a un nastro*] stretto **CONTR.** alto **3** [*rif. al suono*] profondo, sommesso, cupo, impercettibile, fievole, fioco, soffocato, ovattato, attutito, debole **CONTR.** alto, acuto **4** [*rif. alla condizione*] (*est.*) infimo **CONTR.** alto **5** [*rif. al prezzo*] (*est.*) contenuto, economico, modico, accessibile, stracciato (*fig.*) **CONTR.** alto, rialzato, elevato **6** [*rif. all'animo*] (*est.*) meschino, vile, immorale, spregevole **CONTR.** elevato, eccelso, eletto, sublime **7** [*rif. allo stipendio, alla paga*] (*est.*) piccolo, scarso **CONTR.** alto, dignitoso **8** [*rif. a una persona*] piccolo, nano **CONTR.** alto, lungo **9** [*rif. a una pianta*] nano.

bàsso (2) *s. m.* **1** abitazione **2** (*gener.*) casa.

bassòtto (1) agg. basso.

bassòtto (2) *s. m.* (*gener.*) cane.

bassùra *s. f.* buca.

bastànte *part. pres.; anche agg.* bastevole.

bastanteménte avv. sufficientemente, abbastanza **CONTR.** insufficientemente, inadeguatamente, scarsamente.

bastàre *v. intr.* **1** essere sufficiente **2** (*est.*) occorrere **3** [*nel tempo*] resistere, durare.

bastiménto *s. m.* **1** nave, vapore, piroscafo, vascello **2** (*gener.*) imbarcazione.

bastióne *s. m.* **1** muraglia, mura, fortificazione **2** (*est.*) riparo.

bastonàre *v. tr.* **1** battere, manganellare, legnare (*fam.*), randellare

(*scherz.*), pestare (*fam.*), bussare (*raro*), suonare (*fig.*) **2** (*gener.*) colpire, picchiare.

bastonàta *s. f.* **1** legnata, randellata, manganellata **2** (*gener.*) percossa, botta **3** (*est.*) colpo (*fig.*), disgrazia, batosta (*fig.*).

bastonatùra *s. f.* pestaggio, pestata (*raro*).

bastóne *s. m.* **1** legno, canna **2** [*tipo di*] randello, clava, mazza, asta, sbarra (*raro*), batacchio (*raro*) **3** (*est.*) aiuto, sostegno.

batàcchio *s. m.* **1** battente, battaglio, battiporta **2** (*gener.*) bastone.

batòsta *s. f.* **1** colpo, sconfitta (*fig.*), bastonata (*fig.*), disgrazia **2** (*raro*) colpo, percossa, botta.

battage *s. m. inv.* [*pubblicitario*] campagna.

battàglia *s. f.* **1** scontro, combattimento, lotta, zuffa **2** conflitto, guerra (*est.*), campagna **3** [*verbale*] (*est.*) contrasto, controversia (*lett.*), tenzone, lite.

battagliàre *v. intr.* **1** guerreggiare, combattere, lottare **2** litigare, bisticciare, polemizzare.

battaglièro agg. **1** [*rif. all'animo*] bellicoso, combattivo, grintoso, guerriero, pugnace (*lett.*), fiero **CONTR.** pacifico, mite, mansueto **2** [*rif. a una persona*] polemico, litigioso **CONTR.** pacifico, mite, mansueto.

battàglio *s. m.* **1** [*di una porta*] battiporta, battente, picchiotto (*raro*) **2** [*di una campana*] batacchio.

battèllo *s. m.* (*gener.*) barca, imbarcazione, natante, galleggiante. →nave, imbarcazione

NOMENCLATURA

Battello

Battello: imbarcazione per vari usi.
   battello a vapore: battello usato spec. in laguna o lago, per passeggeri;
   vaporetto: battello a vapore piccolo, usato come mezzo pubblico di trasporto su lagune e sim. o comunque su brevi tragitti;

aliscafo: battello veloce con carena idroplana;

battana: battello piccolo a fondo piatto usato nelle lagune;

gommone: battello pneumatico grosso, con motore fuoribordo;

schifo: battello anticamente al servizio di una nave grande, per i marinai;

scafa: battello fluviale rozzo usato per traghettare persone o cose;

maona: battello di circa trenta tonnellate a una vela per piccolo cabotaggio;

spola: battello piccolo che fa la spola;

sommergibile: battello atto a navigare in superficie e in immersione;

showboat: battello attrezzato a teatro nel diciannovesimo secolo frequente sui grandi fiumi dell'America del Nord;

tender: battello usato da uno yacht per i collegamenti con la costa;

pilotina: battello che guida le navi nei porti;

paranzella: battello a vela latina e senza fiocco.

battènte (1) part. pres.; anche agg. [rif. alla pioggia] insistente, incessante.

battènte (2) s. m. **1** imposta, persiana, scuro **2** [di una porta] battaglio, batacchio, battiporta, picchiotto **3** anta, sportello.

bàttere A v. tr. **1** pestare, percuotere, colpire, picchiare, bussare (raro), bastonare, suonare (fig.), punire, conciare, menare (fam.), flagellare (raro), vergare (raro), bacchettare **2** [una strada, etc.] (est.) percorrere, frequentare, perlustrare **3** [qc., q.c.] (est.) vincere, superare, sbaragliare, debellare, sconfiggere **4** [la musica, il tempo] scandire, marcare **5** [i cereali, etc.] pestare, tritare, schiacciare, trebbiare **6** [qc. sul tempo] distanziare, distaccare **7** [il cuoio, etc.] martellare, lavorare a caldo **8** [una moneta] coniare B v. intr. **1** [detto di pioggia, etc.] cadere con violenza **2** [alla porta] bussare **3** [detto di cuore, di polso] palpitare, pulsare, saltellare (fig.) **4** prostituirsi, fare la vita, puttaneggiare (fam.) **5** [detto di ore] scoccare, rintoccare **6** [detto di persona insistente] martellare (fig.), insistere, persistere **7** urtare, cozzare **8** iniziare il gioco **9** [detto di sole] picchiare (fig.), dar-

deggiare C v. intr. pron. [per un'idea, etc.] lottare, combattere D v. rifl. rec. duellare, fare un duello, affrontarsi, gareggiare, misurarsi, confrontarsi, incontrarsi, menarsi, percuotersi, combattersi.

battèrio s. m. microbo, germe, bacillo.

battezzàre A v. tr. **1** dare il battesimo **2** (est.) denominare a, chiamare, nominare **3** inaugurare, festeggiare bevendo **4** [il vino, etc.] (est.) annacquare, allungare B v. intr. pron. ricevere il battesimo.

battibécco s. m. (pl. -chi) **1** diverbio, alterco, bisticcio, discussione, baruffa, lite **2** (est.) schermaglia.

batticuòre s. m. **1** palpitazione, cardiopalmo **2** (est.) trepidazione, paura, timore **3** (est.) spavento **4** (est.) commozione.

battipòrta s. m. battente, batacchio, battaglio, picchiotto.

bàttito s. m. [del cuore] pulsazione, palpitazione, palpito.

battóna s. f. prostituta, etera (lett.), bagascia (genov.), troia (tosc.), sgualdrina, vacca (volg.), zoccola (merid.), mondana (euf.), meretrice (colto), baldracca (volg.), scrofa (volg.), ragazza squillo (euf.), sacerdotessa di Venere (euf.), puttana (volg.), mignotta (roman.).

battùta s. f. **1** colpo, percossa **2** (raro) tocco, rintocco **3** arguzia, motto, trovata, uscita (fig.), facezia, lazzo, frizzo, scherzo, barzelletta, frecciata (fig.), spiritosaggine, stoccata (fig.), allusione, piacevolezza, amenità, sortita (fig.), boutade (fr.), freddura, gag (ingl.) **4** (mus.) cadenza, ritmo **5** [eseguita dalla polizia, etc.] caccia, ricerca, pattugliamento, rastrellamento **6** caccia.

bàva (1) s. m. (pesca) finale, setale.

bàva (2) s. f. [di vento, etc.] schiuma, alito, buffo.

bavèlla s. f. [ricavata dalla seta] (gener.) filo.

bàvero s. m. collo.

bazàr s. m. inv. **1** (est.) emporio, magazzino **2** mercato.

bàzza (1) s. f. mento.

bàzza (2) s. f. fortuna, benedizione.

bazzècola s. f. inezia, minuzia, piccolezza, sciocchezza, quisquilia, stupidaggine, nonnulla, miseria (fig.), carabattola.

bazzicàre v. tr. e intr. frequentare, praticare, girare (est.).

beàre v. tr. e intr. pron. **1** dilettare, estasiare, deliziare **2** compiacere.

beataménte avv. felicemente, tranquillamente, serenamente, celestialmente, spensieratamente CONTR. mestamente, tristemente.

beatificàre v. tr. santificare, canonizzare.

beatitùdine s. f. **1** felicità, pace, serenità, appagamento CONTR. infelicità, insoddisfazione, tristezza **2** [rif. a uno stato] estasi (fig.).

beàto A agg. **1** felice, lieto, radioso, sereno (est.), spensierato (est.) CONTR. infelice, sfortunato, triste (est.), miserabile **2** (est.) appagato **3** [rif. al sentire religioso] benedetto, santo B s. m. (f. -a) santo CONTR. dannato.

bebè s. m. inv. infante (lett.), neonato, lattante, poppante, pupo (fam.), bambino, baby (ingl.).

beccamòrti s. m. inv. becchino.

beccàre A v. tr. **1** [detto di insetto, etc.] morsicare, pungere **2** (impr.) colpire, ferire **3** (est.) sorprendere, pescare (fig.), scoprire, cogliere sul fatto **4** [una ricompensa] riuscire ad ottenere, carpire, strappare **5** [il bersaglio] cogliere, azzeccare **6** [qc.] catturare, prendere, pizzicare (scherz.) **7** (est.) mangiucchiare, mangiare B v. intr. pron. **1** [una malattia] prendersi, pigliarsi, buscarsi **2** [un'offesa] ricevere C v. rifl. rec. bisticciare, litigarsi.

beccheggiàre v. intr. oscillare, ballare, rollare, dondolare.

becchino s. m. beccamorti (spreg.), necroforo (lett.).

bécco (1) s. m. (pl. -chi) **1** rostro **2** [rif. agli esseri umani] (est.) bocca.

bècco (2) s. m. (fam.) cornuto.

befàna s. f. **1** epifania **2** (spreg.) strega CONTR. maliarda.

bèffa s. f. **1** burla, gioco, bidone (fig.), celia, canzonatura **2** [nei confronti di qc.] derisione, dileggio, scherno.

beffardaménte avv. ironicamente, scherzosamente, in modo canzonatorio, sarcasticamente CONTR. seriamente, austeramente.

beffàrdo agg. **1** [rif. all'atteggiamento] derisore, ironico, schernitore CONTR. serio, severo, austero **2** [rif. a un discorso] (est.) derisorio, canzonatorio, sardonico CONTR. serio, austero **3** cinico, sprezzante.

beffàre v. tr. e intr. pron. **1** dileggiare, deridere, burlare, canzonare, beffeggiare, schernire, coglionare (volg.), irridere, farsi beffe, motteggiare, prendere per i fondelli (fam.), sbeffare, sbertucciare (scherz.) **2** ingannare, raggirare, turlupinare, prendere in giro, imbrogliare, illudere, gabbare, giocare.

beffeggiàre v. tr. beffare, canzonare, dileggiare, deridere, schernire, farsi beffe di, coglionare (volg.); sbeffare, sfottere (volg.).

bèga s. f. **1** contrasto, dissidio, litigio **2** grana (fam.), guaio, rogna (pop.).

belino s. m. minchia (merid.), cazzo (volg.), pisello (fam.), pene.

bellaménte avv. **1** elegantemente, garbatamente, con buone maniere CONTR. sgarbatamente, malamente, in malo modo **2** tranquillamente, serenamente CONTR. nervosamente.

bellétta s. f. mota, melma, fango, fanghiglia.

bellétto s. m. **1** cosmetico, trucco, vernice (scherz.) **2** [tipo di] ombretto, fard (ted.), rossetto, mascara.

bellézza s. f. **1** splendore, grazia, avvenenza, fascino, armonia, leggiadria, vaghezza, bello CONTR. bruttezza, bruttizia, schifo, sconcezza **2** [rif. a un luogo] (est.) amenità **3** [della natura] (est.) sorriso **4** [rif. a una persona] (fig.) splendore, schianto, sole.

bellico agg. militare, guerresco CONTR. pacifico, civile.

bellicosaménte avv. aggressivamente, in modo battagliero CONTR. pacificamente.

bellicosità s. f. inv. combattività.

bellicóso agg. **1** [rif. a una persona] combattivo, battagliero, aggressivo, rissoso, grintoso, violento (est.), guerriero CONTR. pacifico, mansueto, mite, condiscendente, remissivo **2** (est.) armigero (fig.).

belligerànte A agg. combattente, guerreggiante CONTR. neutrale, in pace **B** s. m. guerriero, soldato, combattente.

bellimbùsto s. m. damerino, ganimede, zerbinotto, gagà.

bèllo A agg. **1** carino, grazioso, piacevole, delizioso, gradevole, tenero (est.), leggiadro, vago (poet.), avvenente, attraente, incantevole, affascinante, meraviglioso, stupendo, magnifico CONTR. brutto, sgradevole, orrendo (iperb.), orrido **2** aggraziato, armonioso, ben fatto CONTR. malfatto, brutto, deforme **3** elegante CONTR. sciatto, goffo **4** soave CONTR. sgradevole, spiacevole **5** sereno CONTR. nuvoloso, tempestoso **6** vistoso, cospicuo **7** felice CONTR. infelice **B** s. m. bellezza.

Bello
Bello: che per le sue qualità esercita un'impressione di gradimento, di piacere estetico, di ammirazione.
  carino: che risulta gradito alla vista;
  grazioso;
  piacevole;
  delizioso: che provoca piacere;
  gradevole: che possiede tutti i requisiti per risultare gradito;
  tenero: (est.) che è bello e delicato e suscita tenerezza;
  leggiadro: che è al tempo stesso bello, aggraziato e gentile;
  vago: (poet.);
  avvenente: che risulta gradito per bellezza e leggiadria;
  attraente: che è seducente e gradevole;
  incantevole: che incanta, rapisce di

ammirazione;
  affascinante: che attrae ed incanta col fascino;
  meraviglioso: straordinariamente bello al punto da suscitare meraviglia;
  stupendo: straordinariamente bello al punto da suscitare stupore;
  magnifico: straordinariamente bello in maniera fastosa e sontuosa, al di fuori del comune.
Con riferimento a persona (est.).
  aggraziato: che è pieno di grazia e di garbo;
  armonioso: che è ben proporzionato in ogni sua parte;
  ben fatto: che è ben proporzionato in ogni sua parte.
  elegante: che mostra grazia e semplicità unite a una gradevole accuratezza.
Con riferimento a sensazione.
  soave: che riesce grato, dolce e piacevole ai vari sensi.
Con riferimento al tempo atmosferico.
  sereno: cielo sgombro di nuvole e privo di vento.
Con riferimento a patrimonio, denaro.
  vistoso: che è notevole e ingente;
  cospicuo: che è notevole e ingente e pertanto merita considerazione.
Con riferimento a un giorno, a un evento etc..
  felice: che dà gioia e serenità.

bélva s. f. **1** fiera **2** [rif. a una persona] (fig.) mostro, bestia **3** (gener.) animale.

benaccètto agg. gradito, grato CONTR. malaccetto, sgradito.

benché cong. anche se, quantunque, sebbene, nonostante.

bènda s. f. fascia, garza, pezza (fam.).

bendàre A v. tr. **1** coprire di bende, fasciare, avvolgere CONTR. sbendare, sfasciare **2** coprire gli occhi **B** v. rifl. **1** coprirsi gli occhi CONTR. sbendarsi **2** fasciarsi, avvolgersi CONTR. sfasciarsi.

bène A avv. **1** perfettamente, egregiamente, onestamente, giustamente, correttamente, rettamente, educatamente, degnamente, civilmente, urbanamente, cortesemente, elegantemente, con sicurezza, acconciamente, debitamente, convenientemente, adeguatamente, lodevolmente **CONTR.** male, ingiustamente, disonestamente, malamente, svantaggiosamente **2** perfettamente, in forze, in salute, agiatamente, riccamente **CONTR.** male, poveramente, pietosamente (fam.) **3** perfettamente, egregiamente, efficacemente, esattamente, brillantemente, abilmente, perbene **CONTR.** male, malamente, difettosamente, imperfettamente **B** agg. inv. [rif. a gente, quartiere, etc.] (est.) ricco, altolocato, chic, raffinato, signorile **C** s. m. **1** amore, affetto **2** oggetto **3** beneficio **4 CONTR.** male **D** inter. bravo.

benedétto part. pass.; anche agg. **1** [rif. a un giorno, a un evento] fortunato, fausto **CONTR.** maledetto, sfortunato **2** [rif. a una persona] beato, santo **CONTR.** maledetto.

benedire v. tr. **1** consacrare, santificare **2** lodare, esaltare, ringraziare, essere grato (est.), augurare bene (est.) **CONTR.** maledire, bestemmiare **3** [detto di divinità] proteggere, tutelare **4** [il vino] annacquare, allungare, diluire.

benedizióne s. f. **1** grazia **CONTR.** maledizione **2** [rif. a una persona] (est.) fortuna, gioia, consolazione **3** [rif. a una vincita, etc.] (est.) pacchia, manna.

beneficàre v. tr. fare del bene a, aiutare, assistere, soccorrere, giovare a, gratificare (est.), proteggere.

beneficènza s. f. **1** carità, assistenza **2** [in denaro, etc.] carità, elemosina, elargizione.

beneficiàre v. intr. godere, usufruire.

benefìcio o **benefìzio** s. m. **1** vantaggio, guadagno **2** (est.) interesse, utilità, giovamento **3** (est.) sconto **4** servigio, ufficio (bur.) **5** bene **6** (est.) salubrità.

benefìzio s. m. V. beneficio.

beneplàcito s. m. assenso, consenso, autorizzazione, approvazione, benestare **CONTR.** divieto, opposizione.

benèssere s. m. sing. **1** salute, energia **CONTR.** malessere **2** agiatezza, agio **CONTR.** stento, angustia, care-

stia, povertà **3** [morale] appagamento, gioia, serenità **CONTR.** malessere **4** [rif. a un'epoca] (est.) civiltà.

benestànte A agg. agiato, abbiente, facoltoso, ricco **CONTR.** indigente, povero, bisognoso, mendicante, mendico **B** s. m. e f. abbiente, ricco.

benestàre s. m. sing. **1** consenso, autorizzazione, approvazione, assenso, beneplacito, avallo **CONTR.** divieto, opposizione, disapprovazione **2** tranquillità.

benevolènza s. f. **1** simpatia, comprensione, benignità, favore, grazia, predilezione (est.) **CONTR.** malevolenza, avversione, acrimonia, animosità, malanimo, livore **2** indulgenza, clemenza, interesse.

benevolménte avv. benignamente, affabilmente, bonariamente, amorevolmente, amichevolmente, favorevolmente, affettuosamente, graziosamente, mitemente, umanamente **CONTR.** astiosamente, animosamente, arcignamente, acerbamente, acidamente, causticamente, mordacemente, calunniosamente, diabolicamente (fig.), maleficamente.

benèvolo agg. **1** benigno, affabile, disponibile, amichevole, amorevole, mite (est.) **CONTR.** malevolo, acido (fig.), acre (fig.), astioso, caustico, mordace (est.) **2** [rif. all'atteggiamento] (est.) clemente, indulgente, amico **CONTR.** cattivo, inquisitorio, atroce, inclemente, crudo **3** [rif. al linguaggio, etc.] (est.) amichevole, affettuoso **CONTR.** inquisitorio, caustico, salace, tagliente (fig.), velenoso (fig.).

bengòdi s. m. inv. cuccagna.

bèni s. m. pl. sostanza, ricchezza, patrimonio, averi.

beniamìno s. m. (f. -a) favorito, protetto.

benignaménte avv. benevolmente, affabilmente, amorevolmente, amorosamente, affettuosamente, cortesemente, graziosamente, umanamente, favorevolmente, indulgentemente, compassionevolmente, misericordiosamente, mitemente **CONTR.** malignamente, malvagiamente, cattivamente, crudelmente, ferocemente, acerbamente (fig.), aspramente, austera-

mente, maliziosamente (est.).

benignità s. f. inv. benevolenza, bontà, mitezza, indulgenza, clemenza **CONTR.** malevolenza, ostilità.

benigno agg. **1** benevolo, comprensivo, cortese (est.) **CONTR.** malvagio, maligno, birbone (est.), cattivo, crudele, feroce, animoso, acido (fig.), rio (lett.) **2** [rif. a un'opinione, a un giudizio] propizio, favorevole, indulgente, clemente **CONTR.** sfavorevole, duro, austero.

benissimo avv. eccellentemente, magnificamente, meravigliosamente, egregiamente, ottimamente, perfettamente **CONTR.** malissimo, pessimamente, terribilmente.

benpensànte A agg. **1** assennato, moderato **CONTR.** malpensante, anticonformista, rivoluzionario **2** [rif. alle parole, alle idee] conformista, tradizionalista, conservatore, borghese **B** s. m. e f. borghese, conservatore, conformista **CONTR.** anticonformista, rivoluzionario.

benvenùto s. m. (gener.) saluto **CONTR.** congedo.

benvolére v. tr. amare, prediligere **CONTR.** malvolere.

benzedrìna s. f. (chim.) amfetamina.

benzòlo s. m. benzene.

beóne s. m. (f. -a) ubriacone.

beòta A agg. idiota, tonto, sciocco **CONTR.** intelligente, sveglio, savio **B** s. m. e f. stupido, imbecille.

berciàre v. intr. vociare, sbraitare, ragliare (fig.), gridare, urlare.

bére A v. tr. **1** (gener.) ingerire, inghiottire **CONTR.** mangiare **2** [modi di] tranguiare, ingurgitare, sorbire, sorseggiare, centellinare, tracannare, trincare, sbevazzare, alzare il gomito, ubriacarsi, scolare **3** [detto di terreno, etc.] assorbire, imbeversi di, impregnarsi di, idratarsi (ass.) **4** (ass.) brindare **5** [detto di animali] abbeverarsi (ass.) **6** [detto di motore, etc.] (est.) consumare **B** v. intr. pron. credere ingenuamente.

CLASSIFICAZIONE

Bere

Bere: inghiottire un liquido.

inghiottire: mandare giù cibo o bevanda nell'esofago;

ingerire: mandare giù cibo o bevanda dalla bocca allo stomaco;

sorbire: bere lentamente;

sorseggiare: bere a piccoli sorsi;

centellinare: bere a piccoli sorsi, gustando;

ingurgitare: bere in fretta;

trangugiare: bere ingordamente;

tracannare: bere in un fiato, ingordamente;

trincare: bere con avidità rif. a bevande alcoliche;

sbevazzare: bere molto, con avidità, in modo sregolato;

alzare il gomito: bere molto rif. a bevande alcoliche;

ubriacarsi: bere molto rif. a bevande alcoliche da diventare ubriaco;

scolare: bere tutto il contenuto di un fiasco, di una bottiglia;

brindare: bere rif. a festeggiare;

abbeverarsi: bere rif. a animali o a persona;

assorbire: bere rif. al terreno;

imbeversi: bere rif. al terreno;

idratarsi: bere rif. alla pelle;

consumare: bere rif. a un motore o a un meccanismo.

berlina (1) s. f. 1 (gener.) automobile 2 carrozza.

berlina (2) s. f. (est.) scherno, derisione.

bernòccolo s. m. 1 gonfiore, bitorzolo, protuberanza, bozza 2 (est.) attitudine a, inclinazione, vocazione a, propensione a.

berrétto s. m. cappello, copricapo.

bersàglio s. m. obiettivo, meta, segno (est.), fine.

bersò s. m. inv. pergolato, pergola.

bèrta (1) s. f. burla, beffa.

bèrta (2) s. f. maglio, battipalo.

bèrta (3) s. f. 1 cannone 2 (gener.) arma.

bestèmmia s. f. 1 imprecazione, maledizione, moccolo (tosc.), invettiva,

sproloquio CONTR. preghiera, giaculatoria 2 (relig.) eresia.

bestemmiàre v. tr. 1 imprecare, smoccolare (pop.), offendere con bestemmie, sacramentare (pop.), maledire CONTR. benedire, lodare, pregare 2 (est.) biasicare, dire confusamente 3 (est.) dire a sproposito, dire assurdità, sproloquiare.

bèstia s. f. 1 animale, belva 2 [rif. a una persona malvagia] (fig.) belva, mostro 3 [rif. a una persona ignorante] (fig.) somaro 4 [rif. a una persona incapace] cane.

bestiàle agg. 1 animalesco, animale, ferino CONTR. umano 2 (est.) brutale, selvaggio, inumano, crudele, disumano, sanguinario CONTR. delicato, mite 3 (fam.) sovrumano, incredibile CONTR. insignificante.

bestialità s. f. inv. 1 ferocia, spietatezza, crudeltà, ferinità CONTR. umanità, mitezza, gentilezza 2 [rif. a un'espressione detta] eresia (fig.), sciocchezza, stupidaggine, sproposito.

bestialmente avv. brutalmente, in modo animalesco, ferocemente, crudelmente, animalescamente CONTR. umanamente, dolcemente, cristianamente.

béttola s. f. osteria, bistrot (fr.), mescita.

betùlla s. f. (gener.) albero, pianta.

bevànda s. f. 1 bibita, drink (ingl.), roba, beveraggio (spreg.) 2 [tipo di] cocktail (ingl.), digestivo, aperitivo, cappuccino, spremuta, succo, pozione, tisana, vino.

beveràggio s. m. bibita, bevanda, intruglio (spreg.).

biancheria s. f. lingeria, teleria, bianco.

bianchézza s. f. 1 biancore, candore CONTR. nerezza (raro), negrezza 2 (est.) pallore.

bianco (1) A agg. (pl. m. -chi) 1 candido, niveo, latteo, eburneo CONTR. nero, scuro 2 [rif. ai capelli, alla barba, etc.] canuto 3 [rif. al viso] (est.) pallido CONTR. abbronzato 4 pallido, immacolato, pulito CONTR. sporco, sozzo **B** s. m. (pl. -chi) 1 (gener.) colo-

re CONTR. nero 2 biancheria 3 intonaco.

biànco (2) s. m. (pl. -chi) 1 albume, chiara (fam.) CONTR. tuorlo 2 [parte dell'occhio] sclerotica, sclera.

biancóre s. m. 1 bianchezza (raro), candore CONTR. nerezza, negrezza 2 lucore (colto), chiarore.

biascicàre v. tr. 1 masticare, ruminare, masticare malamente, mangiare lentamente 2 (est.) balbettare, farfugliare, borbottare, bestemmiare, barbugliare, dire confusamente, smozzicare CONTR. scandire 3 [una lingua straniera] (est.) masticare, parlare con difficoltà.

biasimàre v. tr. 1 criticare, disapprovare, riprovare, deplorare, condannare, vituperare, censurare, sindacare, stigmatizzare (fig.), flagellare (fig.), marchiare (fig.), detestare (est.) CONTR. approvare, decantare, lodare, elogiare, encomiare 2 [qc.] (est.) riprendere, rimproverare, rampognare, correggere 2 (est.) compiangere.

biasimàto part. pass.; anche agg. criticato, disapprovato, condannato, stigmatizzato CONTR. ammirato, lodato, celebrato, decantato, elogiato.

biasimévole agg. deplorevole, riprovevole, disprezzabile (est.) CONTR. ammirevole, mirabile, encomiabile, ineccepibile, irreprensibile, rispettabile, onorato (est.).

biasimevolménte avv. deplorevolmente CONTR. lodevolmente, encomiabilmente, meritoriamente.

biàsimo s. m. critica, riprovazione, censura, condanna, disapprovazione, rimprovero, appunto (fig.), riprensione, accusa (est.) CONTR. elogio, lode, encomio, complimento, suffragio (est.), incensamento.

bibita s. f. bevanda, drink (ingl.), beveraggio (spreg.).

bicchière s. m. 1 vetro (raro), cristallo 2 [tipo di] calice, coppa, boccale 3 [di q.c.] (est.) cicchetto 4 (gener.) recipiente, contenitore, stoviglie.

bici s. f. inv. bicicletta.

biciclétta s. f. 1 bici (ell.) 2 (gener.) veicolo.

bicìpite *s. m.* muscolo.

bidonàre *v. tr.* intrappolare, fregare (*fam.*), imbrogliare, raggirare, truffare, frodare.

bidóne *s. m.* **1** barile **2** latta, fusto **3** [*della spazzatura*] pattumiera (*est.*) **4** (*est.*) truffa, imbroglio, beffa, scherzo.

biecaménte *avv.* loscamente CONTR. apertamente, serenamente.

bièco *agg.* (*pl. m. -chi*) **1** [*rif. allo sguardo*] torvo, losco, sinistro, malevolo, minaccioso, obliquo, traverso CONTR. diretto, schietto **2** [*rif. a una persona*] sinistro, minaccioso, turpe, brutto, ignobile, infame, rio (*lett.*) CONTR. schietto.

biennalménte *avv.* ogni due anni.

bietolóne *s. m.* minchione (*volg.*), babbeo, gonzo, allocco (*fig.*), asino (*fig.*), ciuccio (*merid.*), ciuco (*fig.*) CONTR. volpe (*fig.*).

bifólco *s. m.* **1** contadino **2** (*est.*) cafone, buzzurro, villano CONTR. gentiluomo, signore.

🔹**biforcàre** *v. intr. pron.* dividersi in due, ramificarsi (*fig.*), diramarsi (*fig.*), bipartirsi, dividersi (*impr.*).

biforcazióne *s. f.* bivio, diramazione, divisione, crocevia.

big *s. m. inv.* personalità, autorità, personaggio, leader (*ingl.*), colosso (*fig.*), gigante (*fig.*).

bigàtto *s. m.* (*gener.*) verme.

bighellonàre *v. intr.* oziare, ciondolare, girovagare, vagabondare, gironzolare, girellare, dondolarsi (*fig.*), poltrire.

bighellóne *s. m.* (*f. -a*) ciondolone, fannullone.

bigiàre *v. tr.* [*la scuola*] (*fig.*) marinare, salare, saltare, bruciare, bucare, disertare.

biglietteria *s. f.* (*est.*) cassa, sportello.

bigliétto *s. m.* **1** scontrino, talloncino, ticket (*ingl.*) **2** banconota **3** messaggio **4** cedola.

bigòtto *A* *s. m.* (*f. -a*) baciapile

(*spreg.*), fariseo (*fig.*), santone (*raro*) *B* *agg.* [*rif. all'atteggiamento*] fariseo, ipocrita CONTR. franco.

bilància *s. f.* stadera (*merid.*).

bilanciaménto *s. m.* **1** compensazione **2** equilibrio CONTR. sbilanciamento.

bilanciàre *A* *v. tr.* **1** porre in equilibrio, centrare CONTR. sbilanciare **2** [*lo stipendio*] controbilanciare, pareggiare, uniformare, livellare, parificare, equiparare, adeguare, compensare **3** [*l'effetto di q.c.*] equilibrare, neutralizzare **4** [*le idee, etc.*] (*est.*) considerare, soppesare *B* *v. rifl.* equilibrarsi, reggersi.

bilàncio *s. m.* **1** rendiconto, resoconto **2** (*est.*) valutazione, esame **3** budget (*ingl.*).

bilateralménte *avv.* tra due parti CONTR. unilateralmente.

bile *s. f.* **1** fiele **2** (*est.*) collera, stizza, rabbia **3** (*est.*) invidia, livore.

biliàrdo *s. m.* (*gener.*) sport, gioco.

bilióso *agg.* collerico, iroso, irascibile, iracondo CONTR. mite, tranquillo, calmo, quieto.

bìmbo *s. m.* **1** bambino, fanciullo, pargolo (*lett.*), ragazzino CONTR. adolescente, adulto, uomo, vecchio, anziano **2** figlio **3** infante, lattante, neonato, poppante, baby (*ingl.*), marmocchio (*scherz.*), pupo.

bimensìle *agg.* quindicinale.

bimestralménte *avv.* ogni due mesi.

binàre *v. tr.* [*detto di lettera alfabetica*] (*ling.*) geminare, raddoppiare, rafforzare.

biografìa *s. f.* **1** vita, storia **2** (*fig.*) ritratto, profilo.

biologìa *s. f.* scienza, disciplina.

biològico *agg.* organico, vitale.

bióndo *A* *agg.* [*tipo di*] platino, oro, cenere CONTR. bruno, castano *B* *s. m.* [*rif. al colore*] (*impr.*) giallo.

biopsìa *s. f.* prelievo.

biosfèra *s. f.* ecologia, ecosistema.

bipartìre *v. intr. pron.* diramarsi, biforcarsi, dividersi, ramificarsi, dividersi in due.

birba *s. f.* monello.

birbànte *s. m.* furfante, canaglia, briccone, mariolo, discolo, birbone.

birbanterìa *s. f.* birbonata, birboneria, bricconata.

birbonàta *s. f.* bricconata, marachella.

birbóne *A* *agg.* **1** maligno, cattivo (*est.*) CONTR. benigno, buono (*est.*) **2** [*rif. alla fame, al freddo, etc.*] intenso, forte *B* *s. m.* birbante, furfante, briccone, monello, brigante.

biro *s. f. inv.* (*gener.*) penna.

birro (1) *agg.* V. *sbirro (1)*.

birro (2) *s. m.* (*f. -a*) V. *sbirro (2)*.

bisàccia *s. f.* sacca, sacco, zaino (*est.*), borsa.

bisbètico *A* *agg.* **1** lunatico, imprevedibile CONTR. bonario, pacato, mansueto **2** (*est.*) scontroso **3** (*est.*) stizzoso **4** (*est.*) nevrotico, difficile, puntiglioso *B* *s. m.* (*f. -a*) nevrotico.

bisbigliàre *A* *v. intr.* **1** parlare sottovoce, sussurrare, parlottare, confabulare, parlare piano, dire sottovoce CONTR. urlare, gridare, sbraitare, ruggire **2** fare pettegolezzi, spettegolare, sparlare, malignare **3** frusciare, rumoreggiare, fare rumore *B* *v. tr.* mormorare, sussurrare.

bisbìglio (1) *s. m.* **1** sussurro, mormorio CONTR. urlo **2** (*gener.*) rumore, suono.

bisbìglio (2) *s. m.* **1** brusio, sussurrio CONTR. grido **2** (*gener.*) rumore, suono.

bisbòccia *s. f.* (*pl. -ce*) **1** baldoria, gozzoviglia, bagordo, festa, crapula (*lett.*) **2** (*est.*) mangiata.

bisbocciàre *v. intr.* fare bisboccia, fare baldoria, gozzovigliare, bagordare, gavazzare, straviziare, fare bagordi, fare gozzoviglie.

bischero *s. m.* (*f. -a*) **1** pirla, minchione, babbeo, allocco (*fig.*), stupido **2** (*est.*) pisello (*fam.*), cazzo (*pop.*), pene, uccello (*fig.*).

biscòtto *s. m.* dolce, pasticcino.

bislàcco *agg.* (*pl. m. -chi*) **1** strambo, strano, stravagante, eccentrico, tocco, lunatico **CONTR.** sensato, assennato **2** (*est.*) illogico, assurdo, surreale.

bisognàre *v. intr.* **1** abbisognare, necessitare, avere necessità **2** occorrere, essere necessario, servire, essere utile **3** convenire, importare.

bisógno *s. m.* **1** necessità, urgenza, esigenza **2** necessità, occorrenza, uopo **3** [*spec. con: trovarsi nel*] strette **4** [*della felicità, etc.*] (*est.*) richiesta, ricerca, pretesa **5** miseria, indigenza, povertà, ristrettezza **6** (*est.*) desiderio, voglia.

bisognóso A *agg.* **1** [*rif. a una persona*] povero, indigente, misero, disagiato **CONTR.** abbiente, agiato, benestante **2** (*est.*) carente, mancante **B** *s. m.* (*f. -a*) povero.

bisso *s. m.* (*gener.*) stoffa.

bisticciàre A *v. intr.* litigare, altercare, battagliare, accapigliarsi, beccarsi, questionare, cozzare (*fig.*), sbranarsi (*fig.*) **B** *v. rifl. rec.* litigarsi, accapigliarsi, azzuffarsi, prendersi.

bisticcio *s. m.* litigio, alterco, battibecco, diverbio, lite, zuffa, scontro.

bistrattàre *v. tr.* maltrattare, strapazzare, malmenare, offendere, trattare male, umiliare, scardassare (*scherz.*).

bistrot *s. m. inv.* taverna, cantina, bettola, mescita.

bisùnto *agg.* unto, sudicio.

bitòrzolo *s. m.* bernoccolo, protuberanza (*colto*), sporgenza, gonfiore, bozza.

bitumàre *v. tr.* **1** incatramare **2** [*un'imbarcazione*] (*mar.*) calafatare.

bivaccàre *v. intr.* **1** attendarsi, accamparsi **2** (*est.*) sistemarsi alla meglio.

bivàcco *s. m.* (*pl. -chi*) **1** stazionamento **2** (*est.*) accampamento, campo, attendamento.

bivio *s. m.* **1** biforcazione, diramazione, incrocio, crocevia **2** (*est.*) alternativa, scelta.

bizantino *agg.* **1** raffinato, sofisticato **CONTR.** semplice, rozzo **2** [*rif. alla mente*] sottile, cavilloso, pedante **CONTR.** semplice, rozzo, piano.

bìzza *s. f.* capriccio.

bizzarraménte *avv.* estrosamente, curiosamente, stranamente, strambamente, in modo stravagante, in modo originale, originalmente, capricciosamente, eccentricamente, fantasticamente, fantasiosamente **CONTR.** normalmente, comunemente, regolarmente (*est.*), equilibratamente.

bizzarria *s. f.* **1** stranezza, stravaganza, eccentricità, estrosità, fantasia, stramberia **2** (*est.*) capriccio **3** (*est.*) fissazione.

bizzàrro *agg.* **1** stravagante, originale, estroso, curioso, matto, fantasioso, capriccioso, imprevedibile, pazzo, strano, strambo, paradossale, tocco **CONTR.** normale, comune, ordinario **2** (*est.*) cervellotico **3** [*rif. a un gesto, a un comportamento*] (*est.*) pazzo, strambo, buffo (*euf.*), ameno **CONTR.** conformista.

bizzóso *agg.* **1** capriccioso **CONTR.** pacifico, tranquillo, posato **2** stizzoso, collerico **3** [*rif. al cavallo*] focoso **CONTR.** posato, docile, mansueto.

blandaménte *avv.* **1** carezzevolmente, delicatamente, dolcemente, teneramente, soavemente (*fig.*) **CONTR.** ardentemente, caldamente, fieramente, ferreamente, appassionatamente, accanitamente, veementemente, efficacemente, corposamente (*fig.*) **2** debolmente **CONTR.** fortemente, crudamente, duramente, atrocemente.

blandire *v. tr.* **1** lusingare, adulare, corteggiare, incensare (*fig.*), leccare (*fig.*), lisciare (*fig.*), piaggiare (*colto*), arruffianarsi (*pop.*), adescare (*est.*), ungere (*fig.*), tenere buono **2** (*fig.*) coccolare, cullare, carezzare, accarezzare **CONTR.** crocifiggere, maltrattare **3** [*qc.*] placare, rasserenare, rabbonire, calmare **CONTR.** provocare **4** [*un dolore*] mitigare, lenire, attenuare.

blàndo *agg.* **1** moderato, contenuto, limitato **CONTR.** energico, brusco, caustico, violento, cocente (*fig.*), radicale **2** (*est.*) debole, fiacco **3** [*rif. al suono*] (*est.*) leggero, delicato, gentile, dolce **CONTR.** forte.

blasonàto *agg.; anche s. m.* nobile.

blasóne *s. m.* stemma, scudo, insegna.

blastòma *s. m.* tumore, cancro (*fam.*), neoplasma (*med.*), neoplasia (*med.*).

blateràre *v. intr.* **1** (*spreg.*) chiacchierare a vanvera, sproloquiare, farfugliare, cianciare, ciarlare, cicalare **2** (*est.*) urlare, strillare.

blàtta *s. f.* **1** scarafaggio, bacherozzo (*roman.*), piattola (*dial.*) **2** (*gener.*) insetto.

blenorragia *s. f.* (*med.*) gonorrea, scolo.

bleu *agg.* V. *blu.*

blindàre *v. tr.* corazzare, fortificare.

bloccàre A *v. tr.* **1** fermare, arrestare, paralizzare, immobilizzare **CONTR.** sbloccare, attivare **2** [*un'azione, etc.*] impedire, ostacolare, vietare, proibire, osteggiare, frenare, impossibilitare **3** [*una strada, il traffico*] chiudere, serrare, sbarrare **4** [*un animale, una persona*] prendere saldamente, afferrare, tenere **5** (*est.*) imprigionare, mettere in prigione **6** accerchiare, isolare, assediare, cingere, circondare **7** fissare con chiodi, inchiodare **8** [*qc. nel traffico*] imbottigliare **9** [*qc. nei movimenti*] impacciare **10** [*un motore, etc.*] inceppare, grippare **11** [*la strada, etc.*] ingombrare, ingorgare, intasare **12** [*una lettera, una persona*] intercettare **13** [*gli slanci*] raffreddare **14** [*una pratica, un'indagine*] congelare, insabbiare **15** [*un'azione, una malattia*] prevenire **16** [*qc.*] fermare, inibire, castrare (*fig.*) **CONTR.** incentivare **B** *v. intr. pron.* **1** fermarsi, arrestarsi, frenarsi, interrompersi, immobilizzarsi **CONTR.** sbloccarsi, procedere **2** [*detto di persona*] impuntarsi, chiudersi, inibirsi **CONTR.** disinibirsi, effondersi **3** [*detto di motore, di meccanismo*] impuntarsi, piantarsi, non funzionare più, incepparsi, gripparsi, impazzire (*fig.*), incantarsi, inchiodarsi, ingolfarsi **CONTR.** partire **4** [*detto di imbarcazione*] incagliarsi **5** [*detto di strada*] ingorgarsi, intasarsi **6** [*detto di pratica, etc.*] insabbiarsi (*fig.*) **C** *v. rifl. rec.* neutralizzarsi, elidersi.

blòcco (1) *s. m.* (*pl. -chi*) **1** [*di un'at-*

tività] arresto, fermata, sospensione **2** [*dell'attività produttiva*] paralisi, stallo, serrata **3** [*in una tubatura, etc.*] ostruzione **4** (*est.*) scoglio (*fig.*), difficoltà, ostacolo (*fig.*), limite **5** [*rif. alla mente*] (*fig.*) chiusura, preclusione, inibizione **6** [*a fare q.c.*] freno (*fig.*), divieto, tabù, proibizione, veto **7** barricata **8** assedio.

blòcco (2) *s. m.* (*pl. -chi*) **1** massa, aggregato **2** masso, sasso, macigno (*est.*) **3** [*di merci*] stock (*ingl.*), partita, gruppo, insieme **4** [*tra partiti, tra paesi, etc.*] unione, alleanza **5** taccuino.

blu o **bleu A** *agg.* azzurro, celeste, cilestrino, turchino **B** *s. m.* **1** (*gener.*) colore **CONTR.** rosso, giallo **2** [*tipo di*] celeste, turchese, azzurro, turchino.

bluàstro *agg.* [*rif. alla pelle*] livido.

blùsa *s. f.* camicia.

bòa *s. m. inv.* **1** serpente **2** (*est.*) sciarpa.

boàro *s. m.* V. *bovaro.*

boàto *s. m.* rombo, tuono, rimbombo.

bobina *s. f.* rotolo, rocchetto, cilindro.

bócca *s. f.* (*pl. -che*) **1** (*est.*) fauci, labbra, becco (*scherz.*) **2** imboccatura, entrata, imbocco **3** sbocco **4** [*rif. ai fiumi*] foce.

boccàle (1) *s. m.* **1** brocca **2** [*per il vino, etc.*] bicchiere, coppa, tazza **3** anfora **4** (*gener.*) recipiente, contenitore, stoviglie.

boccàle (2) o **buccàle** *agg.* orale.

boccàta *s. f.* **1** [*di liquidi*] sorsata, sorso **2** [*di aria, di fumo, etc.*] tirata, tiro **3** [*di cibo*] morso, boccone.

bòcce *s. f. pl.* (*gener.*) gioco.

boccheggiàre *v. intr.* **1** ansimare, respirare affannosamente, respirare (*impr.*) **2** agonizzare, rantolare.

bòccia *s. f.* (*pl. -ce*) **1** sfera, palla **2** bottiglia.

bocciàre A *v. tr.* respingere, ricusare, non approvare, non promuovere, trombare (*volg.*), disapprovare, segare (*fig.*) **B** *v. intr.* scontrarsi, urtare, colpire (*impr.*).

boccino *s. m.* [*rif. al gioco delle bocce*] pallino.

bòccio *s. m.* bocciolo, germoglio.

bocciòlo *s. m.* boccio, germoglio.

boccóne *s. m.* **1** [*di cibo*] morso, pezzo, boccata **2** (*est.*) umiliazione, mortificazione.

body *s. m. inv.* guaina, corsetto (*raro*).

bofonchiàre *v. intr.* **1** borbottare, farfugliare **2** mugugnare (*genov.*), mugolare (*dial.*), brontolare **3** (*gener.*) parlare.

bòia (1) *agg.* **1** [*rif. alla fame, al freddo, etc.*] intenso **2** [*rif. al mondo*] tristo, malvagio, cattivo.

bòia (2) *s. m. inv.* **1** carnefice, giustiziere, assassino (*spreg.*) **CONTR.** vittima **2** (*est.*) delinquente, criminale.

boiàta *s. f.* **1** [*rif. a uno spettacolo*] schifezza, porcata (*volg.*), porcheria, merda (*volg.*), cacca (*volg.*) **2** [*l'azione*] cattiveria, crudeltà, infamia.

boicottàggio *s. m.* ostruzionismo.

boicottàre *v. tr.* ostacolare, danneggiare **CONTR.** favorire, incoraggiare.

bòlgia *s. f.* (*pl. -ge*) **1** confusione, baraonda, caos (*fig.*), casino (*pop.*), bordello (*pop.*), disordine, mercato (*fig.*) **2** [*dantesca*] girone, fossa.

bólla (1) *s. f.* **1** (*med.*) galla, vescica **2** [*nel vetro*] occlusione **3** [*di vetro*] ampolla **4** [*nel viso*] brufolo, foruncolo, pustola.

bólla (2) *s. f.* **1** fattura, ricevuta **2** sigillo.

bollàre *v. tr.* **1** timbrare, marchiare, etichettare, segnare, contrassegnare, vidimare, marcare, vistare, affrancare **2** (*est.*) infamare, diffamare, disonorare, stigmatizzare.

bollàto *part. pass.; anche agg.* **1** (*pt.*) affrancato **2** tacciato, diffamato.

bollènte *part. pres.; anche agg.* **1** rovente, ardente, infuocato, caldo **CONTR.** freddo, gelido, ghiaccio **2** [*rif. allo spirito*] ardente, focoso, passionale **CONTR.** calmo, pacato, posato.

bollétta (1) *s. f.* **1** ricevuta, fattura **2**

(*est.*) conto **3** [*spec. con: essere in*] povertà.

bollétta (2) *s. f. inv.* miseria, lastrico.

bollettino *s. m.* **1** comunicato **2** giornale, periodico, gazzettino, notiziario.

bollire A *v. intr.* **1** gorgogliare, borbogliare, barbugliare **2** avere caldo, sudare **3** [*per l'ansia, per la rabbia, etc.*] (*fig.*) ardere, fremere, ribollire, gonfiare, fervere **B** *v. tr.* lessare, cuocere.

bollito A *part. pass.; anche agg.* [*rif. a una pietanza*] lesso **B** *s. m.* lesso (*fam.*) **CONTR.** arrosto.

bóllo *s. m.* marca, contrassegno, marchio, timbro, sigillo (*raro*), suggello (*lett.*).

bollóre *s. m.* **1** ebollizione **2** [*rif. a uno stato d'animo*] (*est.*) eccitazione, esaltazione, agitazione, fervore, calore (*fig.*).

bolscevismo *s. m.* comunismo, marxismo.

bólso *agg.* fiacco, floscio (*fig.*), spossato, debole **CONTR.** vigoroso, energico, forte, vitale.

bómba A *s. f.* **1** ordigno, granata, esplosivo **2** (*gener.*) arma **3** balla, fandonia, panzana **4** [*giornalistica, etc.*] scoop (*ingl.*) **B** *agg. inv.* [*rif. a una notizia*] clamoroso, sensazionale, esplosivo **CONTR.** insignificante, modesto.

bombardàre *v. tr.* **1** [*qc. con le parole*] martellare (*fig.*) **2** (*gener.*) colpire.

bombétta *s. f.* (*gener.*) cappello.

bómbice *s. m.* **1** (*zool.*) baco, verme, bruco **2** (*gener.*) insetto.

bombolóne *s. m.* krapfen (*ted.*).

bonàccia *s. f.* (*pl. -ce*) **1** [*rif. al clima*] calma **CONTR.** tempesta, bufera, procella (*lett.*), burrasca **2** (*est.*) quiete, tranquillità.

bonaccióne *agg., s. m.* (*f. -a*) pacioccone.

bonariaménte *avv.* **1** benevolmente, affabilmente, indulgentemente, dolcemente, tranquillamente, con atteggiamento accondiscendente, con atteggiamento comprensivo, con atteggiamento disponibile **CONTR.** nervosamente, bruscamente, aggressivamente, acerbamente, acidamente (*fig.*), cattivamente, diabolicamente (*fig.*), maleficamente **2** (*est.*) benevolmente **CONTR.** austeramente, con severità, impietosamente, severamente, sprezzantemente.

bonarietà *s. f. inv.* bonomia, affabilità, cordialità **CONTR.** severità, asprezza.

bonàrio *agg.* **1** mite, indulgente, semplice (*est.*) **CONTR.** bisbetico, indiavolato (*fig.*), intrattabile, scontroso, stizzoso **2** [*rif. a un ordine, a un comando*] amichevole **CONTR.** imperativo, minaccioso **3** [*rif. al tono di voce*] amichevole, fraterno **CONTR.** mordace, mordente, pungente, tagliente.

bonbon *s. m. inv.* **1** caramella, confetto, chicca **2** pasticcino.

bonificàre *v. tr.* **1** sanare, risanare, depurare, pulire, ripulire **2** rendere fertile, rendere coltivabile **3** [*una somma di denaro*] drenare, essiccare, prosciugare **4** dragare, sminare **5** (*econ.*) accreditare, eseguire un bonifico **6** [*un quartiere, etc.*] (*est.*) moralizzare.

bonomìa *s. f.* bonarietà, affabilità, cordialità, mitezza **CONTR.** severità, asprezza.

bontà *s. f. inv.* **1** gentilezza, cortesia, carità, dolcezza, mansuetudine, mitezza (*raro*), generosità (*est.*), altruismo (*est.*), benignità, delicatezza, magnanimità, pietà (*est.*), sensibilità, umanità, finezza (*est.*), cuore (*fig.*), buono (*fam.*) **CONTR.** cattiveria, malvagità, crudeltà, perfidia **2** (*gener.*) qualità **3** [*rif. agli alimenti*] prelibatezza, gustosità **CONTR.** schifezza, schifo **4** [*l'azione*] gentilezza, cortesia, carità, favore **5** [*rif. a un metodo, a un rimedio*] valore, validità.

bookmaker *s. m. inv.* allibratore.

boom *s. m. inv.* popolarità, successo (*est.*).

bòra *s. f.* **1** borea **2** (*gener.*) vento.

borbogliàre *v. intr.* **1** gorgogliare, bollire, farfugliare **2** (*est.*) brontolare, mormorare.

borbònico A *agg.* [*rif. alla mentalità*] retrivo, retrogrado, antiquato, arretrato **CONTR.** attuale, evoluto, avanzato **B** *s. m.* (*f. -a*) oscurantista.

borbottàre *v. intr. e tr.* **1** parlare confusamente, mormorare, biascicare, parlottare, farfugliare, sussurrare, barbugliare, masticare, gorgogliare, rumoreggiare **2** brontolare, mugugnare (*genov.*), lamentarsi, lagnarsi, mugolare, bofonchiare.

borbottìo *s. m.* brusio, brontolio, gorgoglio, mormorio, chiacchiericcio.

borbottóne *s. m.; anche agg.* (*f. -a*) brontolone.

bordàre *v. tr.* orlare, profilare, orlare.

bordatùra *s. f.* **1** orlo, orlatura **2** bordo, profilo **3** [*di peli, di piume, di squame*] (*est.*) collare.

bordèllo *s. m.* **1** postribolo (*colto*), lupanare (*lett.*), casino, casa di tolleranza **2** fracasso, subbuglio, babele (*fam.*), bailamme (*fam.*), bolgia (*fig.*), confusione, casotto (*pop.*).

bòrdo *s. m.* **1** [*di un'imbarcazione*] fianco **2** [*degli abiti, etc.*] orlo, bordatura, bordura, profilo, contorno (*raro*) **3** margine, limite **4** [*del letto*] ciglio, sponda **5** [*di una ferita*] margine, labbro.

bordùra *s. f.* **1** bordo, orlo, profilo **2** guarnizione, decorazione, applicazione.

bòrea *s. f. inv.* **1** tramontana, bora **2** (*gener.*) vento **3** settentrione, nord.

boreàle *agg.* artico **CONTR.** antartico, australe.

borghése A *agg.* **1** [*rif. al comportamento*] benpensante, conformista, conservatore **2** [*rif. all'abito*] civile **CONTR.** militare, talare **B** *s. m. e f.* **1** cittadino, civile **CONTR.** militare, soldato, armigero **2** conservatore, conformista, benpensante **CONTR.** anticonformista, rivoluzionario **3 CONTR.** nobile, aristocratico, popolano, plebeo.

borghesìa *s. f.* ceto medio **CONTR.** nobiltà, aristocrazia, patriziato, popolo, volgo, plebe, proletariato, classe operaia.

bórgo *s. m.* **1** villaggio, villa (*lett.*), paese, terra (*poet.*) **2** quartiere, sob-

borgo, rione.

bòria *s. f.* burbanza (*raro*), superbia, vanagloria, alterigia, presunzione, tracotanza, millanteria, sicumera (*colto*), spocchia, prosopopea, protervia, orgoglio, albagia (*colto*) **CONTR.** umiltà, semplicità.

boriosaménte *avv.* superbamente, ambiziosamente, altezzosamente, tronfiamente **CONTR.** umilmente, modestamente, mitemente, timidamente.

borióso *agg.* **1** [*rif. a una persona*] immodesto, vanitoso, tronfio, gonfio (*fig.*), altero, vanaglorioso **CONTR.** umile, modesto, semplice, dimesso **2** [*rif. all'atteggiamento*] (*est.*) altero, spocchioso, altezzoso, tracotante, orgoglioso **CONTR.** umile, modesto, semplice, dimesso **3** (*est.*) presuntuoso, saccente **4** [*rif. allo sguardo*] sprezzante, sufficiente **CONTR.** umile.

bórsa *s. f.* **1** [*tipo di*] sporta, sacca, borsetta, valigia, bisaccia, zaino, busta **2** tasca **3** bagaglio **4** (*est.*) rigonfiamento, gonfiore **5** (*med.*) compenso.

borsaiòlo *s. m.* **1** ladro **2** (*gener.*) criminale.

borseggiàre *v. tr.* rubare.

borsellino *s. m.* portamonete.

borsétta *s. f.* (*gener.*) borsa.

boscàglia *s. f.* bosco, macchia, selva, foresta, giungla (*raro*).

boscaiòlo *s. m.* **1** taglialegna **2** guardaboschi.

bòsco *s. m.* (*pl. -chi*) macchia, boscaglia, selva, foresta, giungla (*raro*).

boss *s. m. inv.* **1** capo, direttore, principale, capoccia (*fam.*), capporione (*fam.*) **2** [*nel lavoro*] padrone **3** [*della mafia*] padrino **4** [*in un progetto malavitoso*] (*fig.*) cervello.

bòtta *s. f.* **1** colpo **2** [*tipo di*] bastonata, legnata, randellata, pacca **3** scoppio, rumore, botto **4** (*est.*) cozzo, impatto, urto **5** (*est.*) sconfitta, batosta (*fig.*), danno.

bótte *s. f.* barile, barilotto, botticella.

bottéga *s. f.* (*pl. -ghe*) **1** negozio, emporio, spaccio, vendita, rivendita **2** officina (*raro*), laboratorio, atelier (*fr.*), studio **3** (*est.*) attività **4** [*tipo di*] salsamenteria, salumeria.

bottegàio *s. m.* (*f. -a*) **1** commerciante, negoziante **2** [*tipo di*] salumaio, droghiere, pizzicagnolo, salumiere.

botticèlla *s. f.* botte, barilotto.

bottìglia *s. f.* **1** boccia, ampolla (*raro*) **2** (*gener.*) contenitore, recipiente.

bottiglierìa *s. f.* cantina (*est.*), mescita, fiaschetteria, enoteca (*colto*).

bottìno (1) *s. m.* preda, spoglia, refurtiva, malloppo.

bottìno (2) *s. m.* fogna, merda (*volg.*).

bòtto *s. m.* **1** botta, rumore, schiocco, tonfo **2** [*di un'arma da fuoco*] detonazione (*colto*), sparo.

bottóne *s. m.* [*tipo di*] automatico.

bouquet *s. m. inv.* **1** [*di fiori*] mazzo **2** [*del vino*] aroma, profumo.

boutade *s. f. inv.* battuta, frizzo.

boutique *s. f. inv.* **1** atelier (*fr.*), sartoria **2** (*gener.*) negozio.

bovàro o **boàro** *s. m.* vaccaro, mandriano, buttero (*tosc.*), cowboy (*ingl.*).

bòve *s. m.* V. *bue.*

box *s. m. inv.* **1** garage (*fr.*) **2** [*per bambini*] recinto.

boxe *s. f. inv.* **1** pugilato **2** (*gener.*) sport.

boxeur *s. m. inv.* pugile.

boy *s. m. inv.* **1** fattorino, ragazzo **2** ballerino.

boy-friend *s. m. inv.* amico, fidanzato, ragazzo **CONTR.** girl-friend.

bòzza (1) *s. f.* protuberanza, bitorzolo, bernoccolo.

bòzza (2) *s. f.* **1** [*di una lettera, etc.*] minuta **2** schizzo, abbozzo.

bozzétto *s. m.* studio, schizzo.

braccàre *v. tr.* **1** incalzare, inseguire, pedinare, ricercare, cercare **2** (*est.*) stanare **3** (*est.*) perseguitare.

bracciàle *s. m.* **1** braccialetto **2** (*gener.*) gioiello **3** fascia.

braccialétto *s. m.* **1** bracciale **2** (*gener.*) gioiello **CONTR.** collana, spilla, anello, orecchino.

bràccio (1) *s. m.* (*pl. -a*) **1** (*gener.*) arto **2** (*est.*) aiuto, sostegno **3** [*della legge, etc.*] (*est.*) potere.

bràccio (2) *s. m.* [*del fiume, etc.*] diramazione, ramo **2** [*in un carcere, in un ospedale*] raggio, reparto, settore, ala.

bracciòlo *s. m.* appoggio.

bràcco *s. m.* (*pl. -chi*) (*gener.*) cane.

bracconière *s. m.* cacciatore.

bràche *s. f. pl.* V. *braghe.*

bracière *s. m.* caldano.

bradicardìa *s. f.* brachicardia.

bràdo *agg.* **1** [*rif. agli animali*] libero, selvaggio **CONTR.** addomesticato **2** [*rif. all'esistenza*] primitivo, rozzo **CONTR.** civile.

bràghe o **bràche** *s. f. pl.* **1** calzoni, pantaloni **2** (*gener.*) indumento.

bràma *s. f.* **1** bramosia, desiderio, voglia, sete (*fig.*), fame (*fig.*), appetito (*fig.*), ansia, smania, frenesia **2** anelito *a*, aspirazione, ambizione, sospiro (*fig.*) **3** (*est.*) avidità, concupiscenza.

bramàre *v. tr.* desiderare, sospirare, aspirare *a*, vagheggiare, ambire *a*, volere, smaniare *per*, agognare, concupire (*lett.*), sognare, cercare, appetire (*colto*), avere voglia *di*, anelare, incapricciarsi *di* (*est.*).

bramosaménte *avv.* avidamente, vogliosamente, cupidamente, appetitosamente, desiderosamente, golosamente, impazientemente **CONTR.** svogliatamente, distaccatamente.

bramosìa *s. f.* **1** brama, desiderio, cupidigia, sete (*fig.*) **2** (*est.*) avidità, concupiscenza.

bramóso *agg.* **1** desideroso, voglioso, assetato, affamato, smanioso, vago (*lett.*), ghiotto **CONTR.** indifferente, distaccato, apatico **2** cupido, avido, famelico.

brànca *s. f.* (*pl. -che*) **1** [*rif. agli animali*] zampa, rampa (*raro*), gamba (*est.*) **2** [*rif. agli esseri umani*] mano, grinfia **3** [*della scienza, etc.*] ramo, settore, campo, dominio, parte.

brancàta *s. f.* **1** manata, manciata, pugno, mannello **2** [*di persone*] pugno, manipolo.

brancicàre *v. tr.* **1** palpeggiare, palpare **2** annaspare.

brànco *s. m.* (*pl. -chi*) **1** [*di animali*] mandria, armento, gregge, torma, stormo (*raro*) **2** [*di persone*] gruppo, raggruppamento, masnada (*spreg.*), ciurma (*spreg.*), clan (*ingl.*), tribù (*scherz.*).

brancolàre *v. intr.* annaspare.

brànda *s. f.* **1** (*est.*) letto **2** (*est.*) amaca.

brandèllo *s. m.* **1** pezzo, frammento, briciola, brano, parte, lembo **2** parte.

brandìre *v. tr.* **1** impugnare, stringere, tenere in mano saldamente, impugnare saldamente **2** [*una spada, etc.*] vibrare, agitare, muovere con forza.

brando *s. m.* spada, gladio (*lett.*).

bràno *s. m.* **1** pezzo, brandello **2** [*di un'opera artistica*] passo, passaggio, pagina, frammento, squarcio, stralcio, punto.

branzino *s. m.* **1** spigola (*sett.*), ragno (*tosc.*) **2** (*gener.*) pesce.

bravaménte *avv.* coraggiosamente, risolutamente, con forza **CONTR.** malamente, debolmente, vigliaccamente (*est.*).

bravàta *s. f.* **1** spacconata, prodezza, smargiassata, guasconata **2** prepotenza.

bràvo (1) **A** *agg.* **1** abile, capace, competente, esperto, valido **CONTR.** cattivo, incapace, inesperto **2** [*moralmente*] serio, virtuoso, morale, dabbene **CONTR.** cattivo, disonesto **3** [*rif. all'animo*] coraggioso, valoroso, prode, audace, animoso, indomito, invitto **CONTR.** pavido, pauroso **4** [*rif. a un bambino*] (*fam.*) buono, calmo, quieto **CONTR.** cattivo **5** (*est.*) degno **B** *inter.* bene.

bràvo (2) *s. m.* canaglia, bandito.

bravùra *s. f.* **1** abilità, capacità, perizia, competenza, valentia (*colto*), facilità **2** (*est.*) precisione, accuratezza **3** (*fig.*) virtuosismo.

break A *s. m. inv.* interruzione, intervallo, pausa, fermata, sosta **B** *inter.* stop (*ingl.*), pausa.

breakfast *s. m. inv.* colazione.

bréccia (1) *s. f.* (*pl. -ce*) apertura, varco, crepa, falla, fenditura, rotta (*raro*).

bréccia (2) *s. f.* (*pl. -ce*) ghiaia, pietrisco.

brefotròfio *s. m.* ospizio, orfanotrofio.

bretèlla *s. f.* **1** [*rif. all'abbigliamento*] spallina **2** [*in una strada, etc.*] raccordo, collegamento.

brève (1) *agg.* **1** (*temp.*) spiccio, fugace, rapido **CONTR.** lungo **2** (*est.*) passeggero, transitorio, temporaneo **CONTR.** duraturo **3** (*est.*) spiccio, limitato, effimero, caduco **CONTR.** duraturo **4** [*rif. a un discorso*] (*est.*) ridotto, conciso, laconico, stringato, succinto, sintetico, compendioso **CONTR.** lungo, ampio, ampolloso, prolisso, diffuso **5** [*rif. a una via, a un viottolo*] corto **6** [*rif. a un luogo*] piccolo, stretto, angusto (*lett.*) **CONTR.** esteso, largo **7** [*rif. a una risposta*] reciso, brusco **CONTR.** lungo.

brève (2) *s. m.* **1** documento **2** statuto.

breveménte *avv.* **1** in breve, velocemente, rapidamente, alla svelta, fugacemente, in un attimo, istantaneamente, fuggevolmente **CONTR.** lungamente, a lungo **2** [*rif. al parlare*] concisamente, stringatamente, succintamente **CONTR.** ampiamente, largamente, facondamente, diffusamente, estesamente, dettagliatamente **3** in conclusione, per concludere.

brevità *s. f. inv.* **1** rapidità, velocità **CONTR.** lentezza **2** (*est.*) vanità, fugacità **CONTR.** durevolezza **3** [*rif. a un discorso, etc.*] sinteticità (*est.*), concisione, stringatezza, compendiosità, laconicità **CONTR.** lungaggine.

brézza *s. f.* **1** zefiro, aura (*lett.*), aria **CONTR.** bufera **2** (*gener.*) vento.

bricconàta *s. f.* marachella, birbonata.

briccóne A *s. m.* birbante, birbone, discolo, monello, brigante, mariolo **B** *agg.* malvagio, disonesto, gaglioffo **CONTR.** buono, onesto.

briciola *s. f.* **1** [*di pane*] mollica **2** [*di q.c.*] (*est.*) inezia, nonnulla **3** [*di q.c.*] (*est.*) brandello, frammento, scheggia, pezzo **4** [*di intelligenza, etc.*] (*fig.*) filo, minimo, goccia, granello, grano.

briga *s. f.* (*pl. -ghe*) impegno, cruccio, impiccio, fastidio, noia, preoccupazione.

brigànte *s. m.* **1** bandito, fuorilegge, malvivente, mascalzone, masnadiero, malfattore, canaglia **2** (*scherz.*) briccone, birbone, mariolo, monello.

brigàre *v. intr.* **1** darsi da fare, trafficare, adoperarsi, armeggiare, affaccendarsi, ingegnarsi, affannarsi, sforzarsi **2** manovrare, intrigare, intrallazzare.

brigàta *s. f.* **1** squadra, compagnia, comitiva, banda, ghenga, famiglia **2** [*complesso organico di q.c.*] (*mil.*) squadra, gruppo, unità.

brìglia *s. f.* redini.

brillànte (1) *agg.* **1** scintillante, splendente, rilucente, lucente **CONTR.** opaco, smorto, spento **2** (*est.*) luminoso, limpido, solare, raggiante **3** [*rif. a una persona*] brioso, gioioso, gaio, allegro, fantasioso, frizzante (*fig.*), spumeggiante (*fig.*), effervescente (*fig.*), mondano, spiritoso, vivace **CONTR.** smorto, spento, grigio, noioso **4** [*rif. al lavoro, allo studio*] positivo, geniale, promettente, indovinato, interessante **CONTR.** noioso **5** [*rif. al futuro, alla carriera*] aureo, roseo **CONTR.** sfortunato **6** [*rif. allo sguardo*] luminoso, ardente **CONTR.** spento, fosco **7** [*rif. al colore*] (*est.*) vivace **CONTR.** spento, fosco.

brillànte (2) *s. m.* **1** diamante **2** (*gener.*) gemma, pietra (*error.*).

brillanteménte *avv.* **1** vivacemente, spiritosamente, briosamente, piacevolmente **CONTR.** barbosamente (*fam.*), tediosamente, noiosamente **2** con buon esito, bene.

brillantézza *s. f.* vivacità, spigliatez-

za, smalto (*fig.*).

brillàre A *v. intr.* **1** splendere, luccicare, balenare, risplendere, sfavillare, scintillare, ardere (*fig.*), sfolgorare, fulgere, dardeggiare (*fig.*), folgorare, irradiare, lampeggiare, raggiare, rutilare (*lett.*) **2** (*est.*) primeggiare, eccellere, risaltare, evidenziarsi, spiccare, emergere (*fig.*), rilucere (*fig.*), elevarsi (*fig.*), ergersi (*fig.*), segnalarsi, distinguersi, fare faville (*fig.*) **3** [*detto di occhi, etc.*] (*est.*) ridere **4** [*detto di stelle*] (*est.*) tremolare **B** *v. tr.* [*una mina, etc.*] saltare, esplodere, fare esplodere.

brillìo *s. m.* sfavillìo, tremolìo.

brillo *agg.* **1** alticcio, ubriaco, sbronzo **CONTR.** sobrio **2** (*est.*) alterato, allegro.

brina *s. f.* pruina (*poet.*).

brinàta *s. f.* gelo, gelata.

brindàre *v. intr.* fare un brindisi, bere, libare (*lett.*), festeggiare un (*est.*), fare festa (*est.*), festeggiare bevendo (*est.*).

brio *s. m. inv.* **1** [*rif. a una persona*] vivacità, allegria, gaiezza, esuberanza, vitalità, verve (*fr.*), spigliatezza (*est.*), spirito, estro (*est.*) **2** [*in una situazione*] vivacità, allegria, animazione.

briosaménte *avv.* brillantemente, vivacemente, con brio, gaiamente, piacevolmente, spiritosamente, allegramente, animatamente **CONTR.** noiosamente, pedantemente.

briòso *agg.* **1** vivace, allegro, gaio, festoso, scherzoso, esuberante, fantasioso, brillante, estroso, fresco, spumeggiante, frizzante **CONTR.** amorfo, monotono, noioso **2** [*rif. al vino*] spumeggiante, frizzante **3** [*rif. a un discorso*] animato, interessante, vivace **CONTR.** noioso, pedante.

brìvido *s. m.* tremito, fremito, tremore, sussulto.

bròcca (1) *s. f.* (*pl. -che*) **1** boccale, vaso, caraffa (*gener.*) recipiente, contenitore.

bròcca (2) *s. f.* (*pl. -che*) (*bot.*) germoglio, messa, pollone.

brocchière *s. m.* scudo.

bròglio *s. m.* pastetta (*fam.*).

bróncio *s. m.* [*spec. con: avere il*] muso, grugno (*scherz.*), luna (*fig.*).

brontolàre A *v. intr.* **1** borbottare, mugugnare (*genov.*), lagnarsi, lamentarsi, protestare **2** [*detto di acqua, etc.*] gorgogliare, borbogliare **3** [*detto di tuono, etc.*] rumoreggiare **B** *v. tr.* **1** [*qc.*] rimproverare, rimbrottare, sgridare **2** [*q.c.*] dire sottovoce, mormorare, bofonchiare, farfugliare.

brontolio *s. m.* **1** borbottio, mormorio **2** rumorio **3** ronzio **4** (*gener.*) rumore **5** ronzio.

brontolóne *s. m.; anche agg.* (*f. -a*) borbottone.

brónzeo *agg.* **1** bruno, abbronzato **2** [*rif. al carattere, etc.*] inflessibile, duro, impenetrabile.

brónzo *s. m.* **1** campana **2** statua, scultura.

brucàre *v. tr.* **1** pascere, mordere (*est.*), rodere (*est.*) **2** (*gener.*) mangiare.

bruciacchiàre *v. tr.* bruciare.

bruciànte *part. pres.; anche agg.* **1** cocente, scottante **2** [*rif. alla sconfitta, al dolore*] doloroso, amaro (*fig.*), acuto (*fig.*).

bruciàre A *v. tr.* **1** infiammare, incendiare, dare fuoco a **2** [*detto di sole, etc.*] seccare, inaridire, scottare **3** [*una ferita*] (*est.*) cauterizzare, cicatrizzare **4** [*un record*] (*est.*) vincere, superare **5** [*il cibo, etc.*] (*est.*) cuocere troppo, tostare, carbonizzare, abbrustolire, arrostire **6** [*un cadavere*] incenerire, cremare **7** [*le energie, etc.*] esaurire, consumare **8** [*detto di acido*] incenerire, cremare, corrodere, intaccare **9** [*la pelle*] infiammare, ustionare, irritare, pelare (*scherz.*) **10** [*la scuola*] disertare, marinare, bigiare (*gerg.*), bucare (*fig.*) **11** [*un abito*] (*est.*) strinare, bruciacchiare, avvampare **B** *v. intr.* **1** ardere, fiammeggiare **2** [*di febbre*] essere molto caldo, scottare, fervere (*lett.*) **3** produrre bruciore, frizzare, prudere, pizzicare **4** (*est.*) rincrescere, fare male, dispiacere **5** [*di amore, etc.*] (*fig.*) ardere, struggersi, vibrare **C** *v. intr. pron.* ustionarsi, scottarsi, strinarsi, prendere fuoco, ar-

rostirsi, abbrustolirsi **D** *v. rifl.* **1** darsi fuoco, incendiarsi **2** (*gener.*) suicidarsi **3** (*est.*) fallire, rovinarsi, sprecarsi, perdersi **4** (*est.*) compromettersi.

bruciàto A *part. pass.; anche agg.* **1** arso **2** [*rif. al colore*] scuro **3** [*rif. all'esistenza*] rovinato, fallito **B** *s. m. sing.* [*rif. a odore, a terreno*] strinato, arso.

bruciatùra *s. f.* **1** ustione, scottatura **2** [*l'effetto della*] (*est.*) sfregio, cicatrice.

brucióre *s. m.* **1** irritazione, infiammazione, fuoco (*fig.*) **2** fitta, trafittura, dolore **3** arsura, sete.

brùco *s. m.* (*pl. -chi*) **1** verme, baco, larva (*est.*), bombice **2** (*gener.*) insetto.

brùfolo *s. m.* bolla, foruncolo, comedone (*colto*), pustola.

brulicàre *v. intr.* **1** fervere, pulsare, agitarsi **2** formicolare, pullulare, essere colmo, essere gremito, essere pieno.

brulichio *s. m.* formicolio (*fig.*), confusione.

brùllo *agg.* **1** [*rif. a un luogo*] arido, riarso, desolato, deserto CONTR. fiorente, rigoglioso, verde, ricco di vegetazione **2** (*est.*) tetro **3** [*rif. al terreno*] (*fig.*) scabro, pietroso, aspro CONTR. coltivato.

brùma *s. f.* nebbia, foschia.

brumóso *agg.* nebbioso, fosco, caliginoso CONTR. terso, chiaro, limpido.

brùno A *agg.* **1** scuro, nero CONTR. chiaro, pallido **2** [*rif. ai capelli, alla barba, etc.*] castano CONTR. chiaro, biondo **3** [*rif. al colorito*] abbronzato, bronzeo, olivastro CONTR. chiaro, pallido, slavato **B** *s. m.* **1** [*rif. ai capelli, agli occhi*] scuro, marrone, castano **2** [*rif. agli abiti*] scuro **3** lutto **4** (*est.*) oscurità, tenebra.

brùsca *s. f.* spazzola.

bruscaménte *avv.* **1** aspramente, sgarbatamente, burberamente, villanamente, scortesemente, seccamente, freddamente, asciuttamente, crudamente CONTR. bonariamente, dolcemente, carezzevolmente, garbatamente, delicatamente, aggraziata-

mente, giovialmente (*est.*) **2** (*temp.*) improvvisamente, inaspettatamente, repentinamente, d'improvviso CONTR. lentamente, a poco a poco, gradatamente, progressivamente.

bruschézza *s. f.* **1** [*rif. ai modi di fare*] sgarbatezza, secchezza (*fig.*), recisione (*fig.*) CONTR. dolcezza, affabilità, cordialità, espansività **2** [*rif. al sapore*] asprezza CONTR. dolcezza.

brùsco (1) *s. m.* (*pl. -chi*) (*bot.*) pungitopo.

brùsco (2) *s. m.* (*pl. -chi*) festuca, granello, bruscolo (*dial.*).

brùsco (3) A *agg.* (*pl. m. -chi*) **1** [*rif. al sapore*] acido, agro, acre, pungente CONTR. dolce, melato **2** [*rif. all'atteggiamento*] asciutto, freddo, sbrigativo, rude, sgarbato, burbero, ruvido, crudo CONTR. dolce, melato, garbato, gentile, manieroso, caldo, delicato, carezzevole, suadente **3** (*temp.*) improvviso, inatteso, subitaneo, rapido CONTR. lento, graduale **4** [*rif. a una risposta*] asciutto, breve, spicciativo, secco CONTR. garbato, gentile, blando, elegante (*fig.*) **B** *s. m. sing.* [*rif. al sapore*] acido, spunto (*dial.*).

brùscolo *s. m.* brusco, festuca, granello.

brusìo *s. m.* **1** mormorio, bisbiglio, borbottio, rumorio, fruscio, gorgoglio, ronzio, cicaleccio, cicalio, chiacchiericcio **2** (*gener.*) suono.

brutàle *agg.* **1** feroce, violento, crudele, spietato, bestiale, animalesco CONTR. umano, mite, gentile, dolce, garbato **2** (*euf.*) villano.

brutalità *s. f. inv.* crudeltà, ferocia, violenza, efferatezza, disumanità, barbarie CONTR. sensibilità, delicatezza, gentilezza.

brutalizzàre *v. tr.* tormentare, martoriare, straziare.

brutalménte *avv.* barbaramente, selvaggiamente, crudelmente, bestialmente, ferocemente, animalescamente, crudamente, disumanamente CONTR. umanamente, amorosamente, gentilmente.

bruttézza *s. f.* sgradevolezza, spiacevolezza, brutto CONTR. bellezza, vaghezza, avvenenza.

brùtto A *agg.* 1 [*rif. all'aspetto*] sgradevole, orribile, orrendo, deforme (*est.*) CONTR. bello, carino, grazioso, aggraziato, ammirevole, armonioso, piacente, attraente, avvenente, fatale 2 [*rif. a un odore*] disgustoso, schifoso CONTR. buono, gradevole 3 [*rif. a una malattia*] preoccupante, maligno 4 [*rif. al contenuto*] negativo, bieco, turpe, sozzo, osceno CONTR. buono, interessante, suggestivo 5 [*rif. al tempo atmosferico*] nuvoloso, piovoso, balordo, ladro (*fig.*) CONTR. bello, sereno 6 [*rif. a un'opera teatrale, etc.*] infelice CONTR. bello, fortunato B *s. m. sing.* bruttezza.

bruttùra *s. f.* [*rif. a oggetti*] schifezza, porcheria, sudiciume (*est.*), sozzura (*est.*).

bùbbola (1) *s. f.* 1 menzogna, fandonia, panzana, balla, storia 2 bagatella, inezia 3 storia.

bùbbola (2) *s. f.* 1 (*zool.*) upupa 2 (*gener.*) uccello.

bùbbola (3) *s. f.* 1 mazza di tamburo, fuliggine (*lig.*) 2 (*gener.*) fungo.

bubbóne *s. m.* piaga.

bùca *s. f.* (*pl. -che*) 1 cavità, avvallamento, incavo, depressione, bassura, fossa, fosso, infossamento 2 (*est.*) tana, nascondiglio 3 (*est.*) cava 4 scavo.

bucaiòlo *s. m.* omosessuale, gay (*ingl.*), pederasta, finocchio (*volg.*), buliccio (*genov.*), cinedo (*lett.*), checca (*roman.*), frocio (*roman.*), invertito.

bucanière *s. m.* pirata, corsaro, filibustiere.

bucàre A *v. tr.* 1 perforare, forare, trapassare, bucherellare, traforare, trapanare, trivellare, crivellare 2 pungere, ferire 3 [*la scuola*] (*fig.*) saltare, bigiare, marinare, bruciare, disertare B *v. rifl.* drogarsi, fare uso di droghe, farsi (*gerg.*), siringarsi, iniettarsi droga, forarsi, perforarsi.

buccàle *agg.* V. *boccale (2).*

bùccia *s. f.* (*pl. -ce*) 1 [*rif. agli alberi*] tegumento, scorza, corteccia 2 [*rif. ai rettili, etc.*] tegumento, pelle, epidermide 3 [*rif. alla frutta*] (*bot.*) scorza, esocarpo, epicarpo 4 [*rif. ai formaggi, ai salumi, etc.*] tegumento, crosta,

pellicola, membrana, superficie (*est.*) 5 (*gener.*) rivestimento 6 (*est.*) pelle, vita.

bùccola *s. f.* 1 (*gener.*) gioiello 2 orecchino.

bucherellàre *v. tr.* bucare, fare dei piccoli buchi, foracchiare, crivellare, forare, sforacchiare.

bùco *s. m.* (*pl. -chi*) 1 pertugio, foro, falla, apertura, crepa, orifizio (*anat.*) 2 (*est.*) tana, stambugio, bugigattolo, topaia (*spreg.*) 3 (*est.*) mancanza, lacuna 4 (*est.*) ammanco, debito, disavanzo 5 [*rif. alla droga*] (*est.*) iniezione 6 (*est.*) vuoto.

budèlla *s. f. pl.* visceri, frattaglia, intestini, interiora.

budget *s. m. inv.* 1 bilancio 2 (*est.*) cifra, somma.

bùe o **bòve** *s. m.* (*pl. buoi*) 1 (*gener.*) mammifero 2 manzo (*pop.*).

bùfala *s. f.* 1 svista, errore 2 bugia, frottola, balla, panzana, menzogna, carota (*fig.*) CONTR. verità.

bufèra *s. f.* 1 tempesta, tormenta, burrasca, temporale, ciclone (*est.*), uragano (*est.*), turbine (*est.*), fortunale (*colto*) CONTR. bonaccia, brezza, buffo 2 (*est.*) sconvolgimento.

buffaménte *avv.* ridicolmente, comicamente CONTR. seriamente, austeramente.

bùffo (1) *agg.* 1 comico, ridicolo, divertente, esilarante, spassoso CONTR. serio, severo 2 (*est.*) bizzarro, strambo, strano CONTR. austero.

bùffo (2) *s. m.* [*di vento, etc.*] folata, alito, bava, refolo (*lett.*) CONTR. bufera.

buffonàta *s. f.* pagliacciata, commedia (*fig.*), farsa (*fig.*).

buffóne *s. m.* burattino, pagliaccio.

buffonerìa *s. f.* buffonata, buffonaggine.

bugìa (1) *s. f.* menzogna, frottola, fandonia, panzana (*fam.*), favola (*fig.*), balla (*volg.*), storia, ciancia, carota (*fig.*), chiacchiera, falsità, inganno CONTR. verità.

bugìa (2) *s. f.* candeliere, portacandele.

bugiardaménte *avv.* falsamente, mendacemente, fintamente, calunniosamente CONTR. sinceramente.

bugiàrdo A *agg.* mendace, menzognero, falso, insincero, ipocrita CONTR. sincero, schietto, leale, franco B *s. m.* (*f. -a*) impostore, simulatore.

bugigàttolo *s. m.* 1 stanzino, ripostiglio, sgabuzzino, sottoscala 2 buco, topaia (*fig.*), stambugio (*spreg.*), stamberga (*spreg.*) 3 (*gener.*) stanza, ambiente, vano.

bùio A *agg.* 1 oscuro, nero CONTR. luminoso, chiaro 2 (*est.*) cupo, tetro B *s. m. inv.* 1 oscurità, tenebra CONTR. chiaro, sole, luce 2 (*est.*) notte 3 (*est.*) ignoranza.

buliccio *s. m.* omosessuale, bucaiolo (*tosc.*), frocio (*volg.*), gay (*ingl.*), recchione (*merid.*), finocchio (*fig.*), checca (*roman.*), pederasta (*colto*), cinedo (*lett.*), diverso, invertito.

bulimìa *s. f.* polifagia.

buonafède *s. f. sing.* 1 sincerità, onestà CONTR. malafede, disonestà 2 (*est.*) ingenuità.

buonasòrte *s. f. sing.* fortuna CONTR. malasorte, avversità, iella.

buondì *inter.* buongiorno, salve, ciao.

buongiórno *inter.* buondì, salve, ciao.

buòno (1) A *agg.* 1 [*rif. a una persona*] mite, mansueto, pacifico, quieto, docile, tranquillo CONTR. cattivo, disonesto, ingiusto, scellerato, briccone (*est.*), birbone (*est.*), tristo, rio (*lett.*) 2 [*rif. all'animo*] umano, sensibile, gentile, cortese, delicato, magnanimo, pietoso, santo CONTR. cattivo, birbone (*est.*), barbaro, malvagio, disumano, crudele, diabolico, perfido, terribile, assassino 3 (*fam.*) valido, bravo CONTR. brutto, disastroso 4 [*rif. al sapore*] gradevole, saporito, gustoso CONTR. cattivo 5 [*rif. agli affari*] vantaggioso, favorevole, propizio CONTR. cattivo 6 [*rif. a una sostanza*] gradevole CONTR. nocivo B *s. m. sing.* bontà.

buòno (2) *s. m.* (*f. -a*) (*ingl.*) ticket.

buonsènso s. m. sing. discernimento, senno, giudizio, cervello (*fig.*), sensatezza CONTR. assurdità, balordaggine, dissennatezza.

buonumóre s. m. allegria, giovialità, gaiezza CONTR. malumore, scontentezza, scontento, insoddisfazione.

burattino s. m. **1** marionetta, fantoccio, pupo, pupazzo **2** [*rif. a una persona*] (*fig.*) marionetta, fantoccio, buffone, pagliaccio.

buràtto s. m. setaccio, crivello, vaglio.

burbànza s. f. boria, arroganza, superbia, presunzione, alterigia, tracotanza, sicumera (*colto*) CONTR. umiltà, semplicità, spontaneità, naturalezza.

burbanzóso agg. borioso.

burberaménte avv. con atteggiamento accigliato, severamente, bruscamente, arcignamente CONTR. affabilmente, gentilmente, garbatamente, carezzevolmente.

bùrbero agg. **1** [*rif. a una persona*] severo, scostante, freddo, scontroso, rude, sgarbato CONTR. affabile, carezzevole, manieroso, amorevole, agevole (*tosc.*), alla mano, ameno **2** [*rif. all'atteggiamento*] aspro, brusco, ruvido CONTR. affabile, manieroso, amorevole.

burino s. m. buzzurro.

bùrla s. f. beffa, celia, scherzo, gioco, motteggio, tiro (*fig.*), ciancia, canzonatura.

burlàre A v. tr. beffare, prendere in giro, canzonare, sfottere (*volg.*), deridere, schernire, prendere per i fondelli (*pop.*), coglionare (*volg.*), minchionare (*volg.*), motteggiare **B** v. intr. pron. ridersi, farsi beffe.

burlescaménte avv. giocosamente, scherzosamente, ironicamente CONTR. seriamente.

burlésco agg. (*pl. m. -chi*) giocoso, scherzoso, faceto, ironico, satirico CONTR. serio.

burlóne s. m.; *anche* agg. (*f. -a*) mattacchione.

buròcrate s. m. **1** funzionario **2** (*spreg.*) passacarte.

burocraticaménte avv. con burocrazia, fiscalmente, pedantemente CONTR. elasticamente (*fig.*).

burocrazia s. f. formalismo, fiscalismo, pedanteria, lungaggine.

burràsca s. f. (*pl. -che*) temporale, bufera, tempesta, uragano (*est.*), ciclone (*est.*), turbolenza, procella (*lett.*) CONTR. bonaccia.

burrascosaménte avv. tempestosamente, tormentosamente, convulsamente CONTR. con calma, tranquillamente, pacatamente.

burrascóso agg. **1** [*rif. al tempo atmosferico*] tempestoso, nuvoloso CONTR. calmo, sereno, quieto **2** [*rif. a una riunione, a un'assemblea*] agitato, turbolento CONTR. tranquillo, pacifico.

burróne s. m. precipizio, baratro, strapiombo, dirupo, forra, scarpata, vallone, orrido.

bus s. m. inv. **1** autobus, filobus (*erron.*), celere (*fam.*) **2** (*gener.*) veicolo.

buscàre A v. tr. **1** [*la mancia, un regalo*] procacciarsi, procurarsi, ottenere, guadagnarsi **2** [*uno schiaffo*] ricevere, prendersi **3** [*una malattia*] (*fam.*) prendersi **B** v. intr. pron. beccarsi, prendersi, pigliarsi, rimediare (*scherz.*).

business s. m. inv. affare, operazione.

bussàre A v. intr. battere alla porta, battere, picchiare **B** v. tr. percuotere, battere, bastonare, legnare, randellare, manganellare, pestare.

bùsta s. f. **1** (*gener.*) custodia, involucro, contenitore **2** astuccio, borsa **3** plico.

bustarèlla s. f. tangente, mazzetta.

bùsto s. m. **1** tronco, torace, petto, torso **2** scultura **3** (*est.*) corsetto, guaina, guêpière (*fr.*).

buttàre A v. tr. **1** tirare, lanciare, scagliare, gettare, scaraventare, proiettare **2** (*est.*) gettare via, sciupare, sprecare, dissipare, disperdere, dilapidare CONTR. prendere, accantonare, racimolare **3** [*detto di pianta, di sorgente, etc.*] gettare, generare, mettere, produrre **4** [*gas, sangue, etc.*] emettere **5** [*q.c., qc. a terra*] rovesciare **6** [*qc. in prigione*] sbattere, schiaffare **7** [*una carta sul tavolo*] tirare, giocare **8** [*cose vecchie*] gettare via, cacciare, disfarsi **B** v. intr. **1** [*detto di situazione*] andare **2** [*detto di tempo, etc.*] tendere, volgersi **C** v. rifl. **1** scagliarsi, lanciarsi, gettarsi, tuffarsi, slanciarsi, piombare, avventarsi, irrompere, saltare, precipitarsi **2** tentare, provarci, osare **3** dedicarsi completamente, impegnarsi a fondo, impegolarsi.

bùttero (1) s. m. bovaro, mandriano, vaccaro, cowboy (*ingl.*).

bùttero (2) s. m. cicatrice.

bùtto s. m. virgulto, germoglio.

bùzzo s. m. pancia, ventre, addome, trippa (*pop.*).

buzzùrro s. m. (*f. -a*) cafone, bifolco, villano CONTR. signore, gentiluomo.

c, C

cabaret *s. m. inv.* varietà, rivista.

cabina *s. f.* **1** [*in un veicolo*] abitacolo **2** [*in un'imbarcazione*] camera **3** [*in un impianto sportivo, etc.*] spogliatoio.

cabotàre *v. intr.* costeggiare.

cacàre o **cagàre A** *v. intr.* defecare, evacuare, svuotarsi, andare di corpo, liberarsi (*euf.*), espellere **B** *v. tr.* dimenticare, trascurare, negligere (*colto*).

càcca *s. f.* (*pl. -che*) **1** feci, escrementi, merda (*volg.*) **2** [*rif. a uno spettacolo, a un'azione*] (*fig.*) schifezza, boiata (*pop.*), scemenza, stronzata (*volg.*) **3** [*in loc.: trovarsi nella*] (*fig.*) merda (*volg.*), melma.

cacchióne *s. m.* (*gener.*) verme.

càccia (1) *s. f.* (*pl. -ce*) **1** (*est.*) cacciagione, selvaggina **2** battuta, uccellagione (*raro*) **3** [*di qc.*] (*est.*) ricerca.

càccia (2) *s. m. inv.* (*gener.*) aereo.

cacciagióne *s. f.* caccia, selvaggina, preda (*est.*).

cacciàre A *v. tr.* **1** inseguire, cercare **2** [*qc. da un luogo*] sbattere, mandare via, allontanare, scacciare, espellere, esiliare, bandire **CONTR.** chiamare, avvicinare **3** [*qc. da una casa*] sloggiare, sfrattare **4** [*qc. da un paese, etc.*] respingere, ributtare, ricacciare (*fig.*) **5** [*qc. da una carica*] estromettere, sbalzare (*fig.*), sbalestrare (*fig.*), defenestrare, epurare **6** [*qc. da un lavoro*] licenziare **7** [*qc. di vecchio*] buttare, eliminare **8** [*un grido, etc.*] emettere, gettare, lanciare **9** [*i pensieri spiacevoli*] fugare, rimuovere, eliminare, ricacciare **10** [*un dente, etc.*] estrarre, cavare **11** [*qc. in un luogo*] mettere, spingere, ficcare, conficcare **12** [*qc. in un luogo*] sbattere, mettere **13** riporre, mettere **B** *v. intr.* andare a caccia **C** *v. rifl.* ficcarsi, mettersi, introdursi, infilarsi, intromettersi, entrare, ingolfarsi, intrufolarsi.

CLASSIFICAZIONE

Cacciare
v. tr.
1 Inseguire per catturare o uccidere.
 inseguire: correre dietro a qc. o q.c. per fermarla;
 cercare: svolgere una attività fisica o psicologica diretta a trovare q.c. o qc.
2 Allontanare a forza qc.
 mandare via;
 allontanare: mandare via;
 scacciare: mandare via bruscamente;
 sbattere: mandare via sgarbatamente;
 estromettere: mandare via qc. da una carica o ufficio;
 espellere: estromettere qc. da una società, da un partito, etc. per decisione disciplinare;
 sbalzare: estromettere improvvisamente da una carica, ufficio, sede e sim.;
 sbalestrare: estromettere qc. da una carica o ufficio destinandolo ad una sede lontana;
 defenestrare: estromettere qc. da carica o ufficio e sim. in modo brusco e inatteso;
 epurare: estromettere qc. spec. per motivi politici;
 esiliare: mandare via qc. da un luogo, mandarlo in esilio;
 bandire: esiliare, mettere al bando;
 sloggiare: mandare via da un alloggio o da un luogo;
 sfrattare: sloggiare di casa da parte dell'autorità giudiziaria;
 respingere: (*est.*) mandare via qc. da sé;
 ributtare: (*est.*);
 licenziare: mandare via qc. da un posto di lavoro.
3 Gettare via q.c..
 buttare: gettare via q.c.: *ho cacciato tutti gli abiti vecchi;*
 eliminare;
4 Mandare fuori.
 emettere: mandare fuori;
 gettare: *emettere un grido di dolore;*
 lanciare.
5 Mandare fuori o allontanare da sé.
 fugare: *ho allontanato dalla mia testa tutti i pensieri molesti;*
 bandire;
 rimuovere;
 eliminare;
 ricacciare: mandare fuori qc. da un luogo;
6 Cacciare fuori;
 estrarre: cacciare fuori;
 cavare.
7 Mettere dentro rif. a un oggetto.
 mettere: porre q.c. dentro;
 spingere: (*est.*) esercitare una pressione per far entrare q.c. in un muro, etc.: *ho cacciato dentro quel chiodo;*
 ficcare: mettere dentro con forza;
 conficcare: ficcare.
8 Mettere dentro rif. a una persona.
 mettere;
 sbattere: mettere qc. in un luogo, in malo modo: *l'hanno cacciato in prigione.*
9 Mettere da una parte.
 mettere: q.c. in un luogo;
 riporre: mettere q.c. in un luogo: *dove ho riposto la mia borsa?;*
 sbattere: riporre q.c. senza alcuna attenzione, in maniera casuale e disordinata: *caccia pure lì la tua giacca.*
v. intr.
1 Andare a caccia.

cacciàta *s. f.* allontanamento, espulsione, estromissione, ostracismo (*colto*), bando, esilio.

cacciatóre *s. m.* (*f. -trice*) (*est.*) bracconiere.

cachemire *s. m. inv.* (*gener.*) filato, lana.

cachet *s. m. inv.* **1** pastiglia, pasticca, pillola, confetto, compressa **2** (*est.*) antinevralgico, analgesico, antidolorifico, calmante **3** [*rif. a un attore, etc.*] ingaggio, compenso **4** [*per i capelli*] tinta, tintura.

caciàra *s. f.* casino (*pop.*), confusione, gazzarra, fracasso CONTR. silenzio, calma, tranquillità.

càcio *s. m.* formaggio.

cacofonicaménte *avv.* stridulamente CONTR. melodicamente, melodiosamente, musicalmente.

cadaùno *agg. e pron. indef.* ciascuno, ognuno.

cadàvere *s. m.* **1** salma, spoglia, corpo, morto (*fam.*) **2** [*di un animale*] carcassa, carogna.

cadavèrico *agg.* [*rif. al colorito*] cereo, terreo, smunto, emaciato, smorto CONTR. rubicondo, florido.

cadènte *part. pres.; anche agg.* **1** cascante, vacillante CONTR. saldo, fermo **2** [*rif. alla pelle*] floscio, molle, cascante CONTR. teso, fresco, florido **3** [*rif. a cosa*] (*est.*) malandato CONTR. saldo.

cadènza *s. f.* **1** accento, inflessione, calata, intonazione (*est.*), parlata **2** ritmo, andatura, battuta.

cadenzàre *v. tr.* scandire.

cadenzàto *part. pass.; anche agg.* ritmico.

cadére *v. intr.* **1** [*a terra*] cascare, rovinare, scivolare, accasciarsi, ruzzolare, sdrucciolare, afflosciarsi, stramazzare, capitombolare, crollare CONTR. levarsi, alzarsi **2** [*in una depressione*] sprofondare, piombare, precipitare **3** [*detto di vento, di pioggia, etc.*] scendere, calare, colare, piovere, scrosciare **4** [*detto di abito, etc.*] (*est.*) ricadere, pendere **5** [*in una trappola*] incorrere **6** [*detto di speranze, di sogni*] infrangersi, naufragare (*fig.*), finire **7** (*est.*) peccare, fallire, errare, sbagliare **8** (*est.*) morire, perire, soccombere **9** [*detto di festa, di ricorrenza*] (*est.*) ricorrere, capitare (*fig.*), venire (*fig.*) **10** [*detto di intonaco*] venire giù, staccarsi **11** [*a proposito*] (*fig.*) tornare.

caducità *s. f. inv.* **1** provvisorietà, fugacità, instabilità, vanità, illusorietà, fragilità (*est.*) CONTR. stabilità, durevolezza, perennità (*raro*), eternità **2** provvisorietà, fugacità.

cadùco *agg.* (*pl. m. -chi*) **1** fugace, effimero, labile, fragile CONTR. immorta-

le, eterno, imperituro (*lett.*), incancellabile, indelebile, indimenticabile **2** (*est.*) transitorio, temporaneo, temporale CONTR. perpetuo, perenne **3** (*est.*) breve CONTR. duraturo.

cadùta *s. f.* **1** [*di una persona*] capitombolo, ruzzolone, volo (*fig.*) **2** [*dei prezzi, etc.*] crollo, calo CONTR. aumento, crescita **3** [*di una città*] (*est.*) capitolazione, resa **4** [*di un governo, etc.*] rovesciamento **5** [*di un muro, etc.*] crollo, rovina **6** [*rif. a una rappresentazione*] fiasco, insuccesso.

caffè *s. m. inv.* **1** [*rif. al luogo*] bar, caffetteria, posto, locale **2** [*rif. alla bevanda*] espresso.

caffellàtte *s. m.* cappuccino.

caffetterìa *s. f.* caffè, bar, locale.

cafóne A *agg.* villano, zotico, rozzo, maleducato, incivile, ignorante, becero, screanzato (*est.*) educato, gentile, fine **B** *s. m.* (*f. -a*) contadino, bifolco, buzzurro, villano CONTR. gentiluomo, signore.

cafonerìa *s. f.* maleducazione, villania, scortesia (*est.*), inurbanità (*colto*) CONTR. signorilità, finezza, gentilezza.

cafonescaménte *avv.* villanamente, rozzamente, maleducatamente, ignorantemente, sgarbatamente, zoticamente, volgarmente CONTR. educatamente, garbatamente, urbanamente.

cagàre *v. intr.* V. cacare.

cagionàre *v. tr.* causare, generare, produrre, arrecare, recare, addurre, apportare, suscitare, indurre, determinare, fare, originare, portare, procurare, provocare, importare (*raro*), partorire (*lett.*).

cagióne *s. f.* causa, ragione, motivo.

cagionévole *agg.* debole, fragile, gracile, delicato, malaticcio, malsano CONTR. sano, vigoroso, forte.

cagionevolézza *s. f.* [*rif. alla salute*] precarietà, fragilità, debolezza CONTR. vigore, forza.

cagliàre A *v. tr.* coagulare, quagliare (*dial.*), rapprendere CONTR. sciogliere, liquefare **B** *v. intr. pron.* coagularsi, rapprendersi, solidificarsi, raggrumar-

si, stringersi, addensarsi, condensarsi, quagliare (*dial.*) CONTR. liquefarsi.

cagnàra *s. f.* babele (*fig.*), babilonia (*fig.*), bailamme (*fam.*), casino (*pop.*), gazzarra, baccano, frastuono, chiassata, chiasso CONTR. tranquillità, pace, silenzio.

caìcco *s. m.* (*pl. -chi*) (*gener.*) barca, imbarcazione.

càio *s. m.* individuo, persona CONTR. tizio, sempronio.

càla *s. f.* **1** rada, baia, golfo, porto (*est.*) **2** (*gener.*) insenatura.

calabróne *s. m.* (*gener.*) insetto.

calafatàre *v. tr.* incatramare, bitumare.

calamità *s. f. inv.* catastrofe, disastro, sciagura, sventura, disgrazia, incidente, rovina, avversità, peste (*fig.*), pestilenza (*fig.*), cataclisma (*fig.*), flagello (*fig.*) CONTR. fortuna.

calamitàre *v. tr.* richiamare, attrarre.

calamitosaménte *avv.* rovinosamente, disastrosamente, funestamente CONTR. felicemente, fortunatamente.

calamitóso *agg.* disastroso, catastrofico, rovinoso, tragico.

calànca *s. f.* cala.

calàre A *v. tr.* **1** [*una serranda, etc.*] abbassare, mandare giù, tirare giù, scendere CONTR. alzare, tirare su **2** [*i prezzi*] decurtare, ribassare CONTR. aumentare, maggiorare, moltiplicare, rialzare, elevare, raddoppiare, crescere **3** [*la vela, etc.*] ammainare CONTR. issare, drizzare, salpare **4** [*le visite*] diradare, diminuire CONTR. aumentare, incrementare, raddoppiare **B** *v. intr.* **1** [*detto di astro*] tramontare, coricarsi CONTR. sorgere, levarsi **2** [*detto di terreno, etc.*] discendere, digradare, degradare CONTR. salire **3** [*detto di luce, di voce*] scemare, abbassarsi, attenuarsi CONTR. aumentare **4** [*detto di prezzi, etc.*] diminuire, scendere, decrescere, ribassare CONTR. crescere, innalzarsi **5** [*detto di visite, etc.*] diradarsi **6** [*detto di interesse, di passione*] declinare, scomparire CONTR. destarsi, ingrandirsi, ingrossarsi, consolidarsi **7** [*detto di capelli sugli occhi*]

cadere *C v. rifl.* **1** discendere CONTR. issarsi **2** [*nella parte di qc.*] immedesimarsi, compenetrarsi.

calàta (1) *s. f.* **1** discesa, pendio CONTR. erta, salita **2** [*dei barbari, etc.*] invasione **3** [*in un porto*] banchina.

calàta (2) *s. f.* inflessione, cadenza, pronuncia, parlata.

calàzio *s. m.* orzaiolo (*fam.*).

càlca *s. f.* (*pl. -che*) affollamento, folla, ressa, assembramento, mischia, stretta (*est.*).

calcàgno *s. m.* tallone.

calcàre *v. tr.* **1** pigiare, pressare, comprimere, schiacciare, calpestare, pestare, premere **2** (*est.*) esagerare, accentuare, drammatizzare **3** [*la stessa strada*] (*anche fig.*) (*est.*) percorrere, ripercorrere **4** [*un disegno*] copiare, ricalcare **5** evidenziare, marcare, sottolineare **6** (*est.*) opprimere, gravare, caricare.

calcestrùzzo *s. m.* beton.

calciàre *v. intr.* scalciare.

càlcio *s. m.* **1** pedata **2** (*gener.*) percossa, colpo **3** (*est.*) ingiuria, insulto **4** (*sport*) pallone (*est.*), football (*ingl.*) **5** (*gener.*) sport, gioco.

càlco *s. m.* (*pl. -chi*) modello, impronta, copia.

calcolàre *v. tr.* **1** contare, computare, misurare, conteggiare, quantificare, quantizzare **2** (*est.*) considerare, valutare, apprezzare, prevedere, soppesare, congetturare, ipotizzare, ponderare, giudicare, stimare, pesare **3** considerare, annoverare, comprendere **4** (*raro*) scandagliare.

calcolataménte *avv.* **1** interessatamente, opportunisticamente CONTR. disinteressatamente **2** [*rif. all'agire, al comportarsi*] razionalmente CONTR. incontrollatamente.

calcolatóre (1) *agg.* (*f. -trice*) interessato, accorto CONTR. disinteressato, ingenuo (*est.*).

calcolatóre (2) *s. m.* computer (*ingl.*), elaboratore, ordinatore (*raro*).

càlcolo *s. m.* **1** conto, computo, conteggio, operazione **2** (*est.*) matematica, aritmetica **3** (*est.*) misurazione, valutazione, stima **4** (*est.*) previsione, congettura, ipotesi **5** [*rif. al comportamento*] (*est.*) interesse, freddezza, cinismo CONTR. disinteresse **6** [*con*] premeditazione, intenzione, riflessione CONTR. temerità, sconsideratezza, leggerezza.

caldaménte *avv.* entusiasticamente, calorosamente CONTR. freddamente, blandamente, distaccatamente, con freddezza.

caldàna *s. f.* vampa, calore, vampata.

caldàno *s. m.* braciere, scaldino.

caldarròsta *s. f.* bruciata.

caldeggiàre *v. tr.* **1** [*qc.*] appoggiare, raccomandare, sostenere, favorire, assecondare, incoraggiare **2** [*una proposta, etc.*] perorare, appoggiare, sostenere, promuovere CONTR. sconsigliare.

càldo A *agg.* **1** bollente, infuocato, arroventato, rovente CONTR. freddo, gelido, glaciale, ghiaccio **2** ardente **3** ardente, focoso CONTR. freddo, glaciale, aspro, brusco, distaccato **4** appassionato, passionale, intenso **5** affettuoso, cordiale, caloroso, fervido **6** intenso, luminoso, vivido CONTR. spento, freddo **7** torrido, equatoriale **8** intenso, faticoso, duro **9** vellutato, morbido, carezzevole **B** *s. m.* calore, afa (*est.*), calura CONTR. freddo, gelo.

CLASSIFICAZIONE

Caldo

Caldo:

1 Che ha una temperatura superiore a quella del corpo umano, considerato come termine di paragone;

2 Che comunica calore;

3 Fig. che si entusiasma, si appassiona, etc. con facilità;

4 Fig. di colore vivo, acceso, brillante;

5 Fig. che è caratterizzato da conflitti, tensioni, etc., producendo quindi una temperatura emotiva elevata;

6 Fig. che ha un suono profondo e gradevole e comunica sensazioni di calore.

1

bollente: che è caldissimo come

acqua che bolle;

infuocato: che è caldissimo come fuoco;

arroventato: che è caldissimo, reso rovente come ferro incandescente;

rovente: così caldo da rosseggiare.

1 Con riferimento al clima.

torrido:

equatoriale: caldissimo.

2

ardente: che brucia emanando un grande calore.

3 Con riferimento al carattere.

ardente: che è impetuoso e passionale come se bruciasse;

focoso: che è impetuoso, veemente e passionale come se bruciasse.

3 Con riferimento ai sentimenti.

appassionato: che è pieno di passione e comunica calore;

passionale: che subisce profondamente la passione;

intenso: che si manifesta con calore, forza ed energia.

3 Con riferimento a un augurio, o un saluto.

affettuoso: che dimostra calore, affetto;

cordiale;

caloroso;

fervido.

4 Con riferimento a colore.

intenso: che è molto carico, vivace;

luminoso;

vivido.

5 Con riferimento a un giorno difficile e pesante.

intenso: che colpisce i sensi con forza;

faticoso: che richiede fatica;

duro: spiacevole, doloroso. **6** Con riferimento alla voce.

vellutato: di suono armonioso che comunica cordialità, affetto;

morbido;

carezzevole.

caldùra *s. f.* calura, canicola.

calendàrio *s. m.* almanacco, lunario, effemeride (*colto*).

calèsse *s. m.* **1** vettura **2** (*gener.*) veicolo.

calibràre *v. tr.* **1** misurare **2** soppesare.

càlibro *s. m.* **1** diametro **2** [*rif. a una*

persona] (*est.*) levatura, livello (*fig.*), valore **3** [*rif. a avvenimenti, etc.*] (*fig.*) portata, peso.

càlice s. m. **1** coppa (*erron.*) **2** (*gener.*) bicchiere, vaso.

calìgine s. f. fuliggine (*dial.*).

caliginóso *agg.* brumoso, nebuloso, fosco **CONTR.** limpido, chiaro, terso, trasparente.

càlle s. f. **1** (*gener.*) vicolo, vico **2** strada, via.

calligrafìa s. f. (*est.*) scrittura, grafia, scritto.

càlma s. f. **1** [*in un luogo*] quiete, tranquillità, pace, silenzio (*fig.*) **CONTR.** subbuglio, caciara, caos, casino **2** [*rif. all'anima*] serenità, equilibrio **CONTR.** nervosismo, smarrimento, stordimento, stress (*ingl.*), apprensione, angoscia, affanno, eccitazione, impazienza, irrequietezza **3** [*rif. al comportamento*] flemma, pacatezza, posatezza, placidità, lentezza (*est.*) **CONTR.** violenza, veemenza, stizza, collera, concitazione **4** [*rif. all'atteggiamento*] pazienza **CONTR.** agitazione, fretta, frettolosità **5** [*rif. al mare, etc.*] quiete, bonaccia **CONTR.** procella (*lett.*), tempesta **6** [*spec. con: aver bisogno di*] requie, riposo, tregua, distensione.

calmànte s. m. **1** (*farm.*) sedativo, tranquillante, analgesico, anestetico, ansiolitico, antidolorifico, antinevralgico, antispasmodico, antispastico, antalgico, pillola (*est.*), cachet (*fr.*) **CONTR.** stimolante, tonico **2** (*gener.*) barbiturico, farmaco.

calmàre **A** v. tr. **1** [*un dolore fisico, morale*] placare, acquietare, smorzare, sedare, attutire, attenuare, sopire, allentare, alleviare, lenire, mitigare, blandire, addormentare (*fig.*), estinguere (*est.*), molcere (*raro*) **CONTR.** accentuare, esacerbare, inasprire, ridestare, destare, inacerbire **2** [*qc.*] placare, acquietare, rabbonire, ammansire, abbonire, distendere, confortare, rasserenare, rilassare, tranquillizzare, pacificare, quietare, chetare, conciliare, consolare, pacare, raddolcire, rappacificare, rassicurare **CONTR.** agitare, eccitare, elettrizzare, esagitare, esasperare, imbestialire, inacidire, indispettire, innervosire, in-

quietare, irritare, istigare, ossessionare, preoccupare, provocare, confondere, conturbare, impensierire **3** [*una situazione*] smorzare, rasserenare **CONTR.** incrudire, movimentare **B** v. *intr. pron.* **1** [*detto di persona, etc.*] tranquillizzarsi, distendersi, rassicurarsi, addolcirsi, quietarsi, chetarsi, rabbonirsi, ammansirsi, confortarsi, farsi animo, raddolcirsi, rasserenarsi, sbollire (*fig.*), scazzarsi (*volg.*) **CONTR.** rabbuiarsi, conturbarsi, corrucciarsi, agitarsi, eccitarsi, elettrizzarsi, esagitarsi, esasperarsi, imbestialirsi, inacidirsi, inalberarsi, incattivirsi, incavolarsi, incazzarsi, incollerirsi, indignarsi, indispettirsi, inquietarsi, invasarsi, irritarsi, preoccuparsi, infuriarsi, scaldarsi, scalmanarsi, spazientirsi, corrugarsi, alterarsi, sbattersi **2** [*detto di dolore, etc.*] acquietarsi, assopirsi (*fig.*), attutirsi, smorzarsi, attenuarsi, mitigarsi, diminuire **CONTR.** esacerbarsi, inacerbirsi, inasprirsi **3** [*detto di mare, di tempesta, etc.*] placarsi, pacarsi **CONTR.** divampare, infuriare, scatenarsi.

calmàto *part. pass.; anche agg.* **1** [*rif. a un evento naturale*] quietato, sopito, mitigato, placato **2** [*rif. a una persona*] (*fig.*) addolcito, ammansito **CONTR.** esasperato, irritato **3** [*rif. alla tensione*] allentato, attenuato.

càlmo *agg.* **1** [*rif. al carattere, etc.*] tranquillo, posato, quieto, sereno, paziente, mite, flemmatico, placido, pacifico, pacato, bravo **CONTR.** agitato, affannato, ansioso, apprensivo, ansante, ansimante, bollente (*fig.*), veemente (*fig.*), nevrotico (*fig.*), irritabile, suscettibile, convulso, concitato, esagitato, febbrile, frenetico, indiavolato (*fig.*), infuriato, iracondo, nevrastenico (*psicol.*), rabbioso, rissoso, eccitabile, impulsivo, sanguigno **2** (*est.*) disteso, riposato **CONTR.** ansante, ansimante **3** [*rif. al mare*] liscio, piatto **CONTR.** infuriato, mosso, burrascoso, tempestoso, impetuoso **4** [*rif. a uno stato d'animo*] tranquillo, sereno **CONTR.** esagitato, infuriato, alterato, adirato, bilioso (*fig.*), arrabbiato, collerico, cattivo, focoso, impaziente, irascibile, nervoso.

càlo s. m. **1** [*dei prezzi, etc.*] contrazione, caduta, abbassamento, ribasso, disvalore **CONTR.** aumento, rialzo **2** [*della produzione*] contrazione, cadu-

ta, rallentamento, decremento **CONTR.** aumento, crescita, espansione **3** [*della vista, etc.*] diminuzione, attenuazione, riduzione **CONTR.** crescita, accrescimento **4** [*culturale, etc.*] ristagno, crisi, decadenza, regressione **CONTR.** sviluppo.

calóre s. m. **1** calura, canicola, bollore (*fig.*), caldo, arsura **CONTR.** freddo, gelo **2** [*del sole, della luce*] (*est.*) riverbero **3** [*nella donna in menopausa*] (*est.*) caldana, vampa **4** (*est.*) fervore, ardore, passione, entusiasmo, veemenza, foga **CONTR.** indifferenza, apatia, indolenza **5** (*est.*) effusione, cordialità, affabilità, espansività, giovialità, espansione **CONTR.** freddezza, degnazione, tiepidezza, distacco **6** [*sessuale*] (*est.*) fregola, eccitazione, voglia.

calorìfero s. m. termosifone **CONTR.** frigorifero.

calorosaménte *avv.* cordialmente, animatamente, entusiasticamente, vivacemente, festosamente, affettuosamente, caldamente, espansivamente **CONTR.** freddamente, con freddezza, gelidamente, asciuttamente, distaccatamente (*est.*), aridamente.

caloróso *agg.* **1** [*rif. al carattere, etc.*] aperto, caldo, fervido, affettuoso, espansivo, cordiale, gioioso, dolce **CONTR.** freddo, distaccato, indifferente, tiepido **2** [*rif. al sorriso*] aperto (*fig.*), luminoso, smagliante **CONTR.** freddo, stentato.

calòtta s. f. **1** campana **2** copertura **3** (*anat.*) volta.

calpestàre v. tr. **1** pestare, schiacciare, premere, calcare **2** [*le norme, le usanze*] (*est.*) violare, disprezzare, vilipendere **3** [*qc.*] (*est.*) umiliare, offendere, maltrattare, opprimere.

calùgine s. f. **1** [*rif. agli animali*] lanugine **2** [*rif. a persone*] peluria.

calùnnia s. f. maldicenza, mormorazione, detrazione (*raro*), diffamazione, denigrazione, infamia (*est.*) **CONTR.** elogio.

calunniàre v. tr. diffamare, denigrare, infamare, screditare, detrarre, infangare (*fig.*), macchiare (*fig.*), dire male **CONTR.** lodare, gloriare, glorificare, incensare, raccomandare.

calunniatóre A *s. m.* (*f. -trice*) sicofante (*lett.*), malalingua (*fam.*), detrattore (*colto*), linguaccia (*fam.*), denigratore, diffamatore **CONTR.** celebratore, esaltatore **B** *agg.* denigratore, diffamatore, maldicente.

calunniosaménte *avv.* falsamente, bugiardamente **CONTR.** sinceramente, benevolmente.

calunnióso *agg.* diffamatorio.

calùra *s. f.* calore, afa, canicola, caldo, arsura **CONTR.** frescura.

càlvo *agg., s. m.* (*f. -a*) pelato.

calzànte (1) *part. pres.; anche agg.* appropriato, adeguato, adatto, indovinato, giusto **CONTR.** inadatto, sconveniente.

calzànte (2) *s. m.* calzascarpe.

calzàre (1) A *v. tr.* infilare, indossare, portare, mettersi, avere, mettere **CONTR.** scalzare, sfilare **B** *v. intr.* **1** [*detto di atteggiamento, etc.*] convenire **2** [*detto di indumento*] tornare, adattarsi, aderire **3** [*detto di conti, etc.*] tornare, quadrare.

calzàre (2) *s. m.* calzatura, scarpa.

calzascàrpe *s. m. sing.* calzante.

calzatùra *s. f.* scarpa, calzare (*lett.*).

calzino *s. m.* calzerotto.

calzolàio *s. m.* ciabattino, scarparo (*spreg.*).

calzóne *s. m.* pantalone.

calzóni *s. m. pl.* **1** pantaloni, braghe (*pop.*) **2** [*corti*] shorts (*ingl.*) **3** (*gener.*) indumento.

camaleónte *s. m.* (*gener.*) sauro.

camarilla *s. f.* cricca, banda, combriccola, ganga, cosca, combutta.

cambiàle *s. f.* pagherò, tratta.

cambiaménto *s. m.* **1** mutamento **CONTR.** status quo (*lat.*) **2** [*tipo di*] mutazione, trasformazione, variazione, modifica, evoluzione, metamorfosi, modificazione, alterazione (*est.*), rivolgimento, innovazione **3** [*di governo, etc.*] (*est.*) rivoluzione, rovesciamento **4** [*nella storia, nella vita*] (*est.*) cambio, svolta (*fig.*), passaggio (*fig.*), capovolgimento (*fig.*), inversione (*fig.*) **5** [*di sede*] (*est.*) trasferimento **6** [*di idee, di pensieri*] (*est.*) ripensamento, conversione **7** (*biol.*) mutazione.

cambiàre A *v. tr.* **1** cangiare (*lett.*), mutare, modificare, variare, trasformare, ricambiare, riformare **2** sostituire, scambiare, permutare, barattare, tramutare, convertire, commutare **3** [*pagina*] voltare, rivoltare **4** [*la rotta*] (*anche fig.*) invertire **5** alterare, adulterare, contraffare **6** correggere, rettificare **7** [*la realtà*] travisare, falsare, svisare **8** [*le carte, etc.*] rovesciare, girare **B** *v. intr.* divenire, diventare, mutarsi, modificarsi, tramutarsi, trasformarsi, evolversi **C** *v. rifl.* **1** correggersi, convertirsi **2** svestirsi, variare l'abito, vestirsi.

cambiàto *part. pass.; anche agg.* mutato, modificato, trasformato, alterato (*est.*) **CONTR.** uguale.

cambiavalùte *s. m. e f. inv.* cambiamonete.

càmbio *s. m.* **1** mutamento **2** [*di persona*] (*est.*) cambiamento, avvicendamento **3** [*di una casa, etc.*] permuta, scambio.

camèlide *s. m.* [*tipo di*] lama, cammello, vigogna, dromedario.

càmera (1) *s. f.* **1** stanza, locale, ambiente, vano **2** [*in un'imbarcazione*] cabina **3** camera da letto.

càmera (2) *s. f.* (*polit.*) parlamento, senato.

cameratescaménte *avv.* amichevolmente, confidenzialmente, familiarmente **CONTR.** ostilmente.

cameratésco *agg.* (*pl. m. -chi*) amichevole, cordiale **CONTR.** ostile.

cameratìsmo *s. m.* amicizia, solidarietà, cordialità, familiarità (*est.*) **CONTR.** ostilità, freddezza.

camerièra *s. f.* **1** ancella (*lett.*) **CONTR.** padrona, signora **2** (*est.*) ragazza, colf, domestica, collaboratrice domestica **CONTR.** padrona, signora.

camerière *s. m.* **1** (*gener.*) servitore, servo, lacchè (*lett.*), domestico **CONTR.** padrone, signore **2** (*gener.*) lavoratore.

camerìno *s. m.* **1** spogliatoio, toilette (*fr.*), toeletta (*fr.*), tolette (*raro*) **2** gabinetto **3** (*gener.*) ambiente, vano, stanza, locale.

camìcia *s. f.* **1** blusa **2** (*est.*) rivestimento, involucro **3** (*gener.*) indumento.

camìno *s. m.* focolare.

càmion *s. m. inv.* **1** autocarro, autotreno (*est.*), autosnodato (*est.*) **2** (*gener.*) veicolo.

camionàbile A *agg.* [*rif. a una strada*] camionale **B** *s. f.* (*gener.*) via, strada.

camionàle A *agg.* [*rif. a una strada*] camionabile **B** *s. f.* strada.

cammèllo *s. m.* (*gener.*) camelide.

camminàre *v. intr.* **1** andare, incedere, muoversi, deambulare (*lett.*), marciare, spostarsi, errare, arrancare, ire (*lett.*) **2** passeggiare, gironzolare, andare in giro, vagare, errabondare, girare **3** [*a destra, a sinistra*] tenersi **4** [*detto di veicolo, etc.*] (*est.*) andare, funzionare **5** [*detto di civiltà*] (*est.*) progredire, avanzare, migliorare **6** [*detto di lavoro, di attività*] procedere, proseguire.

camminàta *s. f.* **1** passeggiata, scampagnata (*est.*), giro, scarpinata (*fam.*) **2** andatura (*est.*), portamento, incedere.

cammìno *s. m.* **1** percorso, strada, sentiero, tragitto, pista, direzione, viaggio, giro, traccia (*lett.*) **2** [*del fiume, etc.*] (*est.*) corso **3** [*rif. a un'imbarcazione*] (*est.*) rotta.

campàgna (1) *s. f.* **1** villa (*lett.*), contado (*raro*) **CONTR.** città **2** terra **3** (*est.*) podere, tenuta.

campàgna (2) *s. f.* **1** [*delle mele, etc.*] (*est.*) stagione **2** (*mil.*) spedizione, guerra, battaglia **3** [*pubblicitaria*] propaganda, battage (*fr.*).

campagnòlo A *agg.* rustico, villereccio, rurale, contadino, agreste **CONTR.** cittadino, urbano, civile (*est.*) **B** *s. m.* (*f. -a*) **CONTR.** cittadino.

campàna *s. f.* **1** bronzo (*colto*) **2** calotta **3** (*est.*) versione, interpretazione.

campanèllo *s. m.* **1** sonaglio **2** (*est.*) suoneria, allarme.

campànula *s. f.* (*gener.*) fiore.

campàre **A** *v. intr.* **1** vivere, esistere, essere vivo **2** vivacchiare, sopravvivere, vegetare (*fig.*) **B** *v. tr.* sostentare, nutrire.

campeggiàre *v. intr.* **1** [*sullo sfondo*] risaltare, distaccarsi, spiccare, grandeggiare, distinguersi **2** accamparsi, fare campeggio, attendarsi, soggiornare (*est.*).

campéggio *s. m.* camping (*ingl.*), attendamento (*raro*).

campèstre *agg.* agreste, campagnolo.

camping *s. m. inv.* campeggio.

campióne (1) *s. m.* (*f. -essa*) **1** (*sport*) asso, primatista, recordman (*ingl.*), atleta, re (*fig.*) CONTR. schiappa (*scherz.*), scarpa (*spreg.*), mezza cartuccia **2** (*est.*) eroe, difensore, paladino, cavaliere **3** tipo (*est.*), tomo (*scherz.*).

campióne (2) *s. m.* modello, esemplare, prototipo, esempio, mostra, saggio, assaggio, provino (*est.*).

càmpo *s. m.* **1** podere, terreno, appezzamento **2** piana **3** orto **4** accampamento, bivacco **5** stadio **6** [*in un'opera pittorica*] sfondo, fondo **7** piazza, piazzale **8** settore, dominio, ambito, branca, ramo, sfera, regione **9** [*spec. con: avere*] agio, opportunità.

camposànto *s. m.* necropoli (*archeol.*), cimitero.

camuffaménto *s. m.* **1** travestimento, mascheramento **2** (*est.*) maschera.

camuffàre **A** *v. tr.* mascherare, truccare, travestire, trasformare **B** *v. rifl.* **1** travestirsi, mascherarsi, truccarsi **2** (*est.*) nascondersi, fingersi, mimetizzarsi.

canàglia *s. f.* **1** furfante, farabutto, mascalzone, lestofante, manigoldo, gaglioffo, bandito, birbante, malfattore, brigante, carogna, bravo (*lett.*) stronzo (*volg.*) CONTR. galantuomo **2** feccia, ciurma (*fig.*), ciurmaglia, marmaglia, plebaglia CONTR. gente per-

bene.

canagliàta *s. f.* vigliaccata, stronzata (*volg.*), cattiveria, carognata (*pop.*), scelleratezza.

canàle *s. m.* **1** naviglio **2** condotto, condotta, tubo **3** [*formato da un'erosione*] condotto, solco **4** (*est.*) passaggio **5** (*fig.*) tramite, mezzo, via, veicolo **6** (*anat.*) vaso **7** [*rif. alla radio*] banda.

canàlicolo *s. m.* (*anat.*) condotto, meato, orifizio.

canalizzàre **A** *v. tr.* incanalare, convogliare **B** *v. intr. pron.* incanalarsi.

canalóne *s. m.* **1** gola, vallone **2** [*formato da un'erosione*] solco.

cànapa *s. f.* **1** (*gener.*) pianta **2** (*est.*) erba, droga, marijuana **3** (*gener.*) fibra, filato, tessuto, stoffa.

canapè (1) *s. m. inv.* divano, sofà, ottomana (*raro*).

canapè (2) *s. m. inv.* tartina, tramezzino.

canarino (1) *s. m.* **1** (*gener.*) uccello **2** [*rif. a una persona*] (*est.*) spia.

canarino (2) *agg.* [*rif. a colore*] giallo.

cancàn *s. m. inv.* baccano, casino (*pop.*).

cancellàbile *agg.* delebile CONTR. incancellabile.

cancellàre *v. tr.* **1** depennare, cassare, obliterare (*raro*) CONTR. promulgare **2** [*una legge, un impegno*] disdire, annullare, eliminare, abrogare, abolire, invalidare, sopprimere, proscrivere, revocare **3** [*qc. dalla mente*] (*est.*) scordare, obliare CONTR. imprimere, memorizzare **4** [*i pensieri spiacevoli*] (*est.*) rimuovere, allontanare, fugare CONTR. conficcare **5** [*q.c. da un testo*] espungere **6** [*qc. da una categoria*] radiare CONTR. iscrivere, immatricolare **7** [*i ricordi, etc.*] (*fig.*) distruggere, uccidere **8** [*un errore con un rigo*] barrare.

cancellàta *s. f.* inferriata, cancello.

cancellàto *part. pass.; anche agg.* dimenticato, scordato, obliato (*lett.*).

cancellatùra *s. f.* abrasione, raschiatura.

cancellazióne *s. f.* **1** annullamento, eliminazione, abrogazione, soppressione, revoca, abolizione CONTR. attivazione, emanazione **2** [*da un albo professionale, etc.*] eliminazione CONTR. iscrizione **3** [*di un reato*] prescrizione (*bur.*).

cancèllo *s. m.* **1** cancellata **2** (*est.*) grata.

càncro (1) *s. m.* **1** (*med.*) tumore, neoplasma, neoplasia, blastoma **2** (*est.*) ossessione, fissazione, mania.

càncro (2) *s. m.* **1** granchio **2** (*gener.*) crostaceo **3** (*astron.*) costellazione.

candeggiàre *v. tr.* imbiancare, sbiancare, sbianchire, scolorire.

candeggina *s. f.* varechina, liscivia.

candéla *s. f.* cero, moccolo.

candelàbro *s. m.* candeliere, portacandele.

candelière *s. m.* portacandele, bugia, candelabro.

candidaménte *avv.* ingenuamente, innocentemente, sinceramente, naturalmente, semplicemente, schiettamente, spontaneamente CONTR. astutamente, furbescamente, falsamente, ipocritamente.

candidàto *s. m.* (*f. -a*) concorrente, aspirante.

càndido *agg.* **1** bianco, immacolato, niveo, latteo, eburneo **2** [*rif. a una persona*] (*fig.*) ingenuo, innocente, sincero, puro, semplice, trasparente, semplicione, sempliciotto CONTR. scaltro, furbo, sveglio, astuto, smaliziato.

candire *v. tr.* dolcificare.

candóre *s. m.* **1** biancore, bianchezza **2** (*est.*) purezza, innocenza, ingenuità, semplicità, freschezza, sempliceneria, inconsapevolezza (*est.*) CONTR. malizia, furbizia **3** trasparenza (*fig.*), onestà.

càne (1) **A** *s. m.* **1** (*gener.*) animale, mammifero →carnivori, animali **2** [*tipo di*] **3** [*rif. a una persona*] (*est.*)

aguzzino, sgherro **4** [*rif. a un medico, etc.*] (*est.*) incapace, scarparo (*fig.*), scarpa, schiappa, bestia (*fig.*) **B** agg. inv. **1** malvagio, tristo **CONTR.** felice, bello **2** [*rif. alla fame, al freddo, etc.*] forte, intenso, tremendo.

NOMENCLATURA

Cani

Cane: mammifero domestico dei Carnivori, onnivoro, con un odorato eccellente, un pelame di vario colore, la pupilla rotonda. Ha dimensioni, forma del muso e attitudini variabili secondo la razza. La nostra classificazione è in base alle loro attitudini prevalenti. Si deve, però, tenere presente che tutti i cani in realtà possono fungere anche solo da compagni dell'uomo.

Cane di utilità:
da caccia:
airedale terrier: cane molto robusto, con pelo corto e ruvido.
bassotto: cane da tana con pelo raso, arti cortissimi, corpo molto allungato, forte e muscoloso;
bracco: cane con pelo generalmente corto e fitto, bianco, talora a macchie di vario colore;
cirneco: cane da cerca siciliano di piccola taglia con pelo raso sulla testa e sugli arti, semilungo sul tronco e sulla coda;
cocker: cane da cerca e da riporto di piccola taglia, forte, vivace, con lunghe orecchie pendenti;
épagneul breton: épagneul più piccolo, di pelo bianco e marrone o bianco e rossiccio;
épagneul: cane a pelo lungo;
fox-terrier: cane da tana di piccola taglia, forte, veloce e resistente, a pelo liscio, o ruvido, con muso dal profilo rettangolare, spec. usato nella caccia alla volpe;
grifone: cane da ferma simile allo spinone, ma di solito più piccolo e con mantello più scuro;
pointer: cane da ferma, robusto ed elegante, dal mantello bianco macchiato di nero o di marrone;
segugio: cane da seguito con testa allungata, orecchie ampie e pendenti, corpo snello e asciutto, pelo corto;
setter: cane da ferma, di grossa taglia, elegante, con orecchie pen-

denti e lungo pelo setoso;
spinone: cane da ferma con pelo abbondante, duro e ispido;

da difesa:
airedale terrier: cane molto robusto, con pelo corto e ruvido;
boxer: cane con mantello fulvo e testa tozza;
dobermann: cane da guardia con corpo snello, pelo corto lucido e muso appuntito;
pastore: denominazione di un elevato numero di razze canine spec. da gregge e da difesa:
cane lupo;
pastore belga: pastore dal lungo pelo nero;
pastore bergamasco: pastore dal lungo pelo a riccioli;
pastore maremmano: pastore dal pelo totalmente candido;
pastore tedesco: pastore dal pelo fulvo e marrone con coda bionda;

da gregge:
collie: cane da pastore scozzese, dal portamento elegante, con pelo lungo variamente colorato e coda lunga;
pastore: denominazione di un elevato numero di razze canine spec. da gregge e da difesa:
cane lupo;
pastore belga: pastore dal lungo pelo nero;
pastore bergamasco: pastore dal lungo pelo a riccioli;
pastore tedesco: pastore dal pelo fulvo e marrone con coda bionda;

da guardia:
alano: cane a pelo raso e muso tozzo, dalle orecchie corte e diritte, di statura imponente;
danese: alano tedesco;
boxer: cane con mantello fulvo e testa tozza;
chow chow: cane di aspetto leonino con lingua violacea, di media mole e di pelame folto e ruvido;
mastino: cane, massiccio, fortissimo, con testa larga, dorso muscoloso;
molosso: mastino napoletano;
pastore: denominazione di un elevato numero di razze canine spec. da gregge e da difesa;

cane lupo;
pastore belga: pastore dal lungo pelo nero;
pastore bergamasco: pastore dal lungo pelo a riccioli;
pastore tedesco: pastore dal pelo fulvo e marrone con coda bionda;
schnauzer: cane con pelo ispido e barba rigida;
terranova: cane grosso e robusto, con pelo lungo e ondulato, orecchie pendenti e lunga coda;

da slitta:
husky: cane grande e robusto, occhi azzurri o verdi, in grado di trainare la slitta;

da soccorso:
San Bernardo: cane molto grosso, con pelo lungo o corto, testa grossa e mantello bianco a chiazze marroni, in grado di dare aiuto agli uomini dispersi nella neve;

Cane da competizione:
da combattimento:
bulldog: cane tozzo e massiccio, a pelo raso e con accentuato prognatismo della mandibola;
mastino: cane massiccio, fortissimo, con testa larga, dorso muscoloso;
molosso: mastino napoletano.

da corsa:
levriero: cane con forme snelle ed eleganti e zampe alte e sottili;
levriero afgano;
levriero russo;

Cane da compagnia:
barbone: cane con pelame arricciato, di colori diversi;
carlino: cane con corpo robusto, pelo corto, bruno e lucente, orecchie piccole, testa rotonda e massiccia con maschera nera sul muso;
chihuahua: cane di lusso messicano, di taglia piccolissima, con occhi grandi e larghe orecchie;
pechinese: cane di piccole dimensioni, di lusso con pelo lungo e setoso;
spaniel: cane di piccola statura, a muso rincagnato, orecchie pendenti e lungo pelame ondulato;
terrier: cane piccolo e robusto, un tempo utilizzato per la caccia, oggi

prevalentemente da compagnia; **volpino:** cane piccolo e intelligente, con muso allungato, coda arrotolata, pelame lungo e fitto; **yorkshire terrier:** cane di lusso, di piccole dimensioni, dal caratteristico pelo fluente, con mantello gener. a due colori, molto vivace ed elegante.

càne (2) s. m. 1 (gener.) attrezzo 2 [per estrarre i denti] pinza, tenaglia 3 [di un'arma da fuoco] meccanismo.

canèstro s. m. cesta, cesto, cestino, paniere, corba, gerla.

cangiànte part. pres.; anche agg. iridescente CONTR. opaco.

cangiàre A v. tr. cambiare, variare, mutare B v. intr. trasformarsi, mutare.

canicola s. f. calore, calura, afa.

canino s. m. (gener.) dente.

cànna s. f. 1 [tipo di] bambù, giunco 2 (gener.) pianta 3 [dell'organo] tubo 4 bastone, bacchetta, pertica 5 spinello, droga.

cannèlla (1) agg. [rif. a colore] marrone.

cannèlla (2) s. f. spina, spinotto.

cannèlla (3) s. f. (gener.) spezie.

cannibale s. m. e f. 1 antropofago 2 barbaro.

cannóne A s. m. 1 (gener.) arma 2 [rif. a una persona] (fig.) portento, fenomeno B agg. inv. [rif. a una persona] grasso, obeso, enorme CONTR. magro (est.), secco, snello.

canòa s. f. 1 piroga 2 (gener.) barca, imbarcazione.

cànone s. m. 1 norma, criterio, modulo (est.) 2 affitto, pigione, fitto 3 tassa, tributo.

canonizzàre v. tr. 1 santificare, beatificare 2 (est.) ufficializzare.

canòro agg. melodioso.

canottièra s. f. maglia, top (ingl.).

canovàccio s. m. 1 strofinaccio 2 [di un romanzo, di un film] trama, intreccio, scenario.

cantalùpo s. m. 1 frutto 2 melone, popone (dial.).

cantàre A v. intr. 1 canterellare, canticchiare, gorgheggiare 2 (est.) fare la spia, soffiare (fig.), parlare, confessare, chiacchierare, zufolare (fig.), vuotare il sacco (fig.), parlare troppo 3 [detto di animale] cinguettare, fischiare, gracidare, fischiettare B v. tr. 1 [una canzone] intonare, modulare 2 [qc.] (est.) celebrare, magnificare, lodare, esaltare C s. m. poema.

canteràle s. m. canterano.

canteràno s. m. cassettone, comò, canterale (raro).

canterellàre v. tr. e intr. 1 canticchiare, intonare, gorgheggiare 2 (gener.) cantare.

canticchiàre v. tr. e intr. cantare, canterellare, intonare, gorgheggiare.

cantière s. m. 1 [navale] arsenale, bacino, squero (ven.) 2 (est.) officina 3 [di idee] (fig.) laboratorio, fucina.

cantilèna s. f. filastrocca, litania.

cantina s. f. 1 celliere (raro), palmento 2 (est.) scantinato, ripostiglio 3 bottiglieria, enoteca, degustazione, fiaschetteria 4 osteria, taverna, bistrot (fr.), mescita.

cànto (1) s. m. 1 melodia, canzone, aria, motivo 2 gorgheggio 3 (gener.) suono 4 poema, ode, poesia, lirica, carme.

cànto (2) s. m. 1 angolo, cantuccio 2 [rif. alla direzione] lato.

cantonàta s. f. 1 angolo, spigolo 2 errore, equivoco, abbaglio, sbaglio, gaffe (fr.), svista, granchio (fig.).

cantonière s. m. casellante.

cantóre s. m. (f. -trice) 1 celebratore, esaltatore CONTR. denigratore 2 poeta.

cantùccio s. m. 1 angolo, canto (tosc.), nascondiglio 2 (est.) ripostiglio.

canùto agg. 1 bianco 2 (est.) vecchio (fig.).

canzonàre v. tr. beffeggiare, deridere, burlare, beffare, dileggiare, irride-

re, schernire, sbeffare, coglionare (volg.), minchionare (volg.), motteggiare, prendersi gioco di, punzecchiare (fig.), scherzare (dial.).

canzonatòrio agg. beffardo, derisorio, irrispettoso, schernitore, ironico.

canzonatùra s. f. beffa, burla, satira, scherno.

canzóne s. f. 1 canto, melodia, aria, motivo 2 poesia, lirica 3 (fig.) minestra, zuppa, barba.

càos s. m. sing. 1 (est.) disordine, confusione, baraonda, pandemonio, bolgia, casino (pop.), scompiglio, fiera, trambusto, turbinio, parapiglia CONTR. calma, ordine 2 (est.) nulla.

caoticaménte avv. disordinatamente, confusamente CONTR. ordinatamente, disciplinatamente, metodicamente, sistematicamente.

caòtico agg. disordinato, confuso, indisciplinato (est.) CONTR. ordinato, disciplinato, regolato, classificato, regolare (est.), metodico (est.), sistematico.

capàce agg. 1 [rif. a un recipiente] capiente, largo 2 [rif. a una persona] abile, destro, esperto, competente, idoneo, bravo, valido CONTR. incapace, inetto, inesperto, impotente, inabile, inidoneo, maldestro 3 (est.) dotato, intelligente 4 (est.) industrioso.

capacità (1) s. f. inv. 1 competenza, bravura, talento, stoffa (fig.), perizia, abilità, misura (fig.), efficienza, valore (est.) CONTR. incapacità, incompetenza, inefficienza, dappocaggine, inidoneità, inabilità 2 [di guarire, etc.] virtù, potenza (lett.), potere (est.), prerogativa, facoltà, proprietà 3 idoneità 4 possibilità, facilità 5 mezzo, dote.

capacità (2) s. f. inv. 1 portata, capienza, tenuta 2 [di guarire, etc.] forza.

capacitàre A v. tr. convincere, persuadere CONTR. dissuadere B v. rifl. convincersi, rendersi conto, persuadersi, spiegarsi, credere, concepire, comprendere.

capànna s. f. 1 capanno, casupola, baracca, casetta, catapecchia (spreg.) CONTR. reggia 2 (gener.) ricovero, casa.

capànno s. m. **1** casotto, capanna, baracca **2** gabbiotto.

caparbiaménte avv. accanitamente, testardamente, ostinatamente, cocciutamente, puntigliosamente, tenacemente CONTR. arrendevolmente, con atteggiamento accondiscendente, condiscendevolmente.

caparbietà s. f. inv. ostinazione, testardaggine, cocciutaggine, pervicacia (colto), durezza, puntiglio, pertinacia (colto), insistenza CONTR. incostanza, arrendevolezza.

capàrbio agg. **1** ostinato, testardo, cocciuto, pervicace, puntiglioso, monolitico, tetragono, duro CONTR. arrendevole, docile, condiscendente, flessibile, cedevole **2** (est.) accanito, persistente, insistente, tenace.

capàrra s. f. **1** anticipo, acconto **2** (est.) deposito, cauzione.

capatìna s. f. corsa (fig.), salto (fig.), visita.

capéllo s. m. **1** [spec. al pl.] capigliatura, chioma **2** [spec. in loc.: non spostare di un] (fig.) pelo.

capèstro s. m. **1** [per animali] laccio, cappio, cavezza **2** [per gli uomini] forca **3** [rif. all'abito dei frati] cordone.

capiènte agg. [rif. a un recipiente] capace, largo, ampio CONTR. piccolo, stretto.

capiènza s. f. **1** [di un recipiente] capacità, portata, tenuta **2** [rif. a un locale, etc.] ricettività.

capigliatùra s. f. chioma, zazzera, capello, criniera (scherz.).

capillarménte avv. minuziosamente, approfonditamente, precisamente CONTR. genericamente, sommariamente.

capire A v. tr. **1** comprendere, cogliere (fig.), afferrare (fig.), captare, fiutare (fig.), accorgersi di, avvedersi di, inquadrare, vedere (fig.), leggere (fig.), percepire, centrare (fig.), cogliere nel segno (fig.), decifrare (est.), decodificare (est.), penetrare (fig.), interpretare, arrivarci (fig.), conoscere (est.), distinguere, realizzare (fig.), sentire (est.), raccapezzarsi di (est.), intuire, mangiare la foglia (fig.)

CONTR. fraintendere **2** comprendere, concepire, giustificare, scusare, digerire (fig.), considerare **3** (est.) udire, apprendere, imparare, ricavare **4** (est.) gustare, godere **B** v. intr. **1** essere intelligente **2** (lett.) abbracciare, contenere, racchiudere **C** v. rifl. rec. intendersi, comprendersi, affiatarsi, andare d'accordo, accordarsi, comunicare.

capitàle (1) s. f. metropoli.

capitàle (2) s. m. **1** patrimonio **2** [spec. con: costare un] esagerazione, patrimonio **3** padronato CONTR. proletariato, classe operaia.

capitàle (3) agg. **1** [rif. alla pena] mortale **2** vitale, primario, essenziale, fondamentale, principale, irrinunciabile CONTR. secondario, accessorio, complementare.

capitanàre v. tr. condurre, essere a capo di, comandare, guidare, dirigere, governare.

capitàno s. m. (f. -a) **1** capo **2** (est.) caposquadra **3** [di un'imbarcazione] comandante **4** (gener.) militare.

capitàre A v. intr. **1** [in un luogo] trovarsi, ritrovarsi, venire **2** [all'improvviso] arrivare CONTR. fuggire **3** [in buone mani, etc.] (est.) incappare, cascare (fig.) **4** [a proposito] (fig.) cadere, sopraggiungere, piovere, giungere, tornare **5** [detto di evento inspettato] intervenire, sopravvenire **6** [detto di guaio, etc.] (raro) finire, incogliere **7** [detto di opportunità, di occasione] (fig.) presentarsi, offrirsi **8** [detto di festa, di ricorrenza] cadere (fig.) **B** v. intr. impers. succedere, accadere, avvenire, verificarsi, essere, toccare, occorrere, andare (fig.).

capitolàre v. intr. **1** arrendersi, cedere, piegarsi, sottomettersi, mollare (pop.) **2** (est.) rinunciare, rassegnarsi.

capitolazióne s. f. **1** cedimento, resa, caduta (fig.) **2** accordo, convenzione.

capitombolàre v. intr. ruzzolare, cadere.

capitómbolo s. m. **1** caduta, ruzzolone **2** fallimento, crollo (fig.), crac.

capitóne s. m. **1** anguilla (est.) **2**

(gener.) pesce.

càpo (1) s. m. **1** capoccia, zucca (scherz.), testa (iron.), cresta (fig.), cocuzza (scherz.) **2** (est.) intelligenza, cranio (fig.), cervello (fig.) **3** (est.) capoccia, zucca (scherz.), boss (ingl.), direttore, capitano, padrone, caposquadra (fig.), leader (ingl.), principale, superiore, caporione (spreg.), comandante, demiurgo (colto), dirigente CONTR. suddito, vassallo (colto), subordinato, subalterno, dipendente **4** bandolo, cima, inizio, estremo **5** (geogr.) promontorio, punta.

càpo (2) s. m. [di abbigliamento, etc.] pezzo, articolo, oggetto, vestito.

capòc s. m. inv. V. kapok.

capòcchia s. f. [di spillo] testa.

capòccia (1) s. m. inv. **1** capo, caposquadra, sorvegliante CONTR. gregario **2** [di malviventi] (spreg.) boss, caporione.

capòccia (2) s. f. (pl. -ce) testa, zucca (scherz.).

capocciàta s. f. testata, zuccata (scherz.), craniata (scherz.).

capolavóro s. m. (fig.) meraviglia, gioiello, monumento CONTR. schifo (fam.).

caporàle s. m. (f. -essa) (gener.) militare.

caporióne s. m. capoccia, boss (ingl.), capo CONTR. gregario.

caposàldo s. m. base, fondamento.

caposcuòla s. m. e f. iniziatore.

caposquàdra s. m. inv. capo, capoccia, capitano (est.) CONTR. subalterno, gregario.

capostìpite s. m. padre, fondatore.

capotàre v. intr. V. cappottare.

capottàre v. intr. V. cappottare.

capovèrso s. m. comma.

capovòlgere A v. tr. **1** rovesciare, ribaltare, rivoltare **2** [l'ordine sociale, etc.] sovvertire, sconvolgere, rivoluzionare, trasformare, invertire, mutare, volgere, rovesciare (fig.), ribaltare (*fig.*), rivoltare (*fig.*) **B** *v. intr. pron.* **1** rovesciarsi **2** [*detto di veicolo*] cappottare.

capovolgiménto *s. m.* rovesciamento, inversione, ribaltamento, cambiamento (*est.*).

càppa (1) *s. f.* mantello.

càppa (2) *s. f.* camino.

cappèlla (1) *s. f.* **1** [*tipo di*] chiesa **2** sacrario, tabernacolo, edicola.

cappèlla (2) *s. f.* svista, errore.

cappèllo *s. m.* **1** copricapo, berretto **2** [*tipo di*] cilindro, staio (*raro*), tuba (*raro*), feltro, paglietta, bombetta, basco, coppola, fez, colbacco **3** [*a uno scritto, a un discorso*] (*est.*) preambolo, introduzione.

càppio *s. m.* **1** nodo **2** capestro.

cappottàre o **capottàre, capotàre** *v. intr.* rovesciarsi, capovolgersi.

cappòtto *s. m.* mantello, paltò, pastrano.

cappuccino (1) *s. m.* **1** (*gener.*) bevanda **2** caffellatte.

cappuccino (2) *s. m.* (*gener.*) frate.

càpra *s. f.* (*gener.*) mammifero.

capriccio *s. m.* **1** idea, fantasia, ghiribizzo, grillo (*fig.*), estro, uzzolo (*tosc.*), sfizio, sghiribizzo, pizzicore (*fig.*), prurito (*fig.*), voglia, velleità, tentazione **2** [*di un bambino*] idea, fantasia, bizza, puntiglio **3** (*est.*) idea, fantasia, piacere, gusto **4** (*est.*) arbitrio, volontà **5** bizzarria, stranezza **6** (*mus.*) scherzo.

capricciosaménte *avv.* **1** irragionevolmente, bizzarramente **CONTR.** ragionevolmente, equilibratamente **2** estrosamente, eccentricamente **CONTR.** ordinariamente, normalmente, comunemente.

capriccióso *agg.* **1** bizzoso, lunatico, viziato, incontentabile, imprevedibile, incostante **CONTR.** assennato, savio, saggio, logico (*est.*), metodico (*est.*), abitudinario **2** (*pos.*) estroso, bizzarro, sfizioso, strano, eccentrico **CONTR.** banale, ordinario **3** [*rif. al tempo atmosferico*] mutevole, incerto **CONTR.** sereno **4** [*rif. al cavallo*] bizzoso.

captàre *v. tr.* **1** cogliere, avvertire, intuire, fiutare (*fig.*), capire, afferrare, indovinare **2** [*l'odore*] sentire **3** [*l'amicizia, l'attenzione*] cogliere, cattivarsi, propiziarsi, attirarsi, acquistarsi **4** [*segnali radiofonici*] intercettare, ricevere.

capziosaménte *avv.* cavillosamente, pretestuosamente **CONTR.** chiaramente, semplicemente.

capziosità *s. f. inv.* **1** [*rif. a un ragionamento*] cavillosità, sottigliezza, sofisticheria **2** cavillo, sofisma.

capzióso *agg.* cavilloso, sofistico, artificioso **CONTR.** semplice, chiaro.

carabàttola o **scarabàttola** *s. f.* **1** cianfrusaglia **2** bazzecola.

carabina *s. f.* **1** fucile (*est.*) **2** (*gener.*) arma.

carabinière *s. m.* cerbero (*est.*).

caracollàre *v. intr.* volteggiare.

caràffa *s. f.* **1** brocca **2** (*gener.*) vaso, recipiente, contenitore.

caràmbola *s. f.* [*fra automobili*] urto, scontro.

caramèlla (1) *s. f.* dolce, bonbon (*fr.*), chicca.

caramèlla (2) *s. f.* monocolo.

caràttere (1) *s. m.* **1** natura, indole, personalità, temperamento, animo, pasta (*fig.*), umore (*est.*), stampo (*fig.*), ingegno, scorza (*fig.*) **2** (*est.*) mordente (*fig.*), grinta, aggressività **3** [*nel fare, nel trattare*] (*est.*) tratto, maniera, stile, tono **4** [*rif. a problemi, etc.*] natura, ordine.

caràttere (2) *s. m.* **1** lettera, iniziale, finale **2** (*est.*) scrittura **3** [*tironiano*] (*raro*) nota.

caratteristica *s. f.* (*pl. -che*) qualità, proprietà, particolarità, peculiarità, specialità, singolarità, specificità, prerogativa, privilegio (*est.*), attributo, requisito, genio, particolare (*est.*).

caratteristicaménte *avv.* originalmente, tipicamente, peculiarmente **CONTR.** genericamente.

caratteristico *agg.* **1** particolare, peculiare, tipico, classico, proprio, speci-

fico, personale, distintivo, pretto **CONTR.** anonimo, impersonale, comune, normale **2** (*est.*) singolare.

caratterizzàre **A** *v. tr.* **1** distinguere, differenziare, diversificare **2** [*il temperamento di qc.*] distinguere, descrivere, delineare **3** [*il comportamento, etc.*] rappresentare, contrassegnare, qualificare, contraddistinguere, informare, rivelare, manifestare, definire, individuare, permeare (*fig.*), improntare **B** *v. rifl.* distinguersi.

carboidràto *s. m.* (*chim.*) glucide.

carbóne *s. m.* **1** [*tipo di*] torba, lignite, litantrace, antracite, carbon coke **2** [*malattia dei cereali*] (*bot.*) fuliggine **3** (*gener.*) sostanza.

carbònio *s. m.* (*gener.*) elemento, fibra.

carbonizzàre *v. tr.* bruciare.

carcàme *s. m.* **1** [*di animale*] carcassa, carogna **2** [*rif. a una macchina, etc.*] relitto, rottame **3** [*rif. a una persona*] (*fig.*) catorcio.

carcàssa *s. f.* **1** scheletro, cadavere, carogna, carcame **2** [*rif. a una macchina, etc.*] carcame, relitto, avanzo, rottame **3** [*rif. a una persona*] (*fig.*) relitto, cencio, rudere **4** intelaiatura, ossatura, guscio.

carceràre *v. tr.* imprigionare, rinchiudere.

carceràrio *agg.* penitenziario.

carceràto *s. m.* (*f. -a*) prigioniero, recluso, detenuto, forzato, galeotto, ergastolano (*est.*).

carcerazióne *s. f.* reclusione, detenzione, prigionia, segregazione.

càrcere *s. m. e f.* **1** prigione, penitenziario, galera, gattabuia (*scherz.*), gabbia (*fig.*), reclusorio (*raro*), bagno penale, collegio (*euf.*) **2** (*gener.*) istituto.

carcerière *s. m.* (*f. -a*) **1** secondino, custode **2** (*est.*) aguzzino.

cardàre *v. tr.* pettinare, scardassare.

càrdine *s. m.* (*est.*) base, fondamento.

cardiopàlmo *s. m.* batticuore.

carènte agg. 1 mancante, digiuno, insufficiente, incompleto, scarso, lacunoso, imperfetto, manchevole CONTR. completo, sufficiente, intero, perfetto, totale 2 [rif. a una persona] bisognoso.

carènza s. f. 1 mancanza, scarsità, penuria, assenza, insufficienza CONTR. abbondanza, eccedenza 2 (est.) incompletezza 3 (est.) vuoto, lacuna.

carestìa s. f. 1 penuria, scarsezza, necessità (est.) 2 miseria, fame, povertà CONTR. ricchezza, prosperità, benessere.

carézza s. f. 1 tocco CONTR. schiaffo 2 (est.) moina, lusinga, smanceria 3 (est.) premura, riguardo.

carezzàre v. tr. 1 accarezzare, sfiorare, lambire, lisciare CONTR. picchiare 2 (est.) palpare, vellicare, palpeggiare 3 (est.) blandire, lusingare, vezzeggiare, coccolare, adulare, coltivare (fig.) CONTR. maltrattare.

carezzévole agg. [rif. a un gesto, a un comportamento] piacevole, amorevole, dolce, soave, affettuoso CONTR. burbero, sgarbato, brusco, ruvido (fig.), violento (est.).

carezzevolménte avv. in modo suadente, in modo lusinghiero, blandamente, dolcemente, garbatamente, affettuosamente, languidamente, lusinghevolmente, soavemente CONTR. bruscamente, burberamente, sgarbatamente, rudemente.

càrica s. f. (pl. -che) 1 mansione, dignità (est.), ufficio, funzione, grado (est.), titolo (est.), onore (est.), seggio (fig.) 2 [morale] (fig.) slancio, spinta, stimolo 3 [di polizia, etc.] assalto, attacco, urto.

caricàre A v. tr. 1 appesantire, gravare, sovraccaricare, oberare CONTR. scaricare, sgravare 2 [i toni, i contrasti] aggravare, esagerare, calcare (fig.), esasperare CONTR. sdrammatizzare 3 attaccare, assalire, avventarsi su 4 [qc.] (est.) gasare (gerg.), esaltare, montare (fam.) 5 [q.c.] porre, sistemare, collocare 6 [q.c. a qc.] (est.) accollare, addossare 7 [un panino, etc.] inzeppare, colmare, farcire 8 [q.c. su di un'imbarcazione] imbarcare CONTR. sbarcare B

v. rifl. 1 appesantirsi, gravarsi CONTR. sgravarsi, scaricarsi 2 [di impegni] accollarsi, addossarsi CONTR. sgravarsi, scaricarsi 3 (est.) montarsi la testa, esaltarsi (gerg.), gasarsi, montarsi.

caricàto part. pass.; anche agg. 1 artificiale, costruito CONTR. semplice, spontaneo, naturale 2 (est.) vistoso, smaccato, appariscente CONTR. semplice, modesto 3 esagerato CONTR. spontaneo.

caricatùra s. f. 1 macchietta 2 (est.) satira.

càrico A s. m. (pl. -chi) 1 peso, fardello 2 (est.) onere, impegno, responsabilità, aggravio 3 (est.) preoccupazione, molestia, tormento, croce (fig.) 4 (raro) incarico 5 [spec. in loc.: far] colpa CONTR. discarico, discolpa 6 [rif. a una persona] palla al piede (scherz.), zavorra 7 [rif. a un asino, a un mulo] soma 8 [di botte, etc.] (fig.) fracco, sacco 9 (elettr.) potenza B agg. 1 colmo (fig.), ricco (fig.), onusto (lett.), grave (lett.) CONTR. vuoto, sgombro, privo, scarico 2 [rif. al colore] intenso, violento CONTR. tenue, sfumato 3 [rif. al caffè, al sugo, etc.] (est.) denso, concentrato, forte CONTR. leggero 4 oppresso da, gravato CONTR. libero.

carino agg. 1 [rif. all'aspetto] grazioso, piacevole, leggiadro, delicato, bello CONTR. sgraziato, brutto, sgradevole, laido 2 [rif. all'atteggiamento] gentile CONTR. antipatico, sgarbato.

cariocinèsi s. f. inv. (biol.) mitosi.

carità s. f. inv. 1 pietà, compassione CONTR. egoismo, disumanità 2 (gener.) sentimento 3 [spec. con: fare la, vivere di, etc.] beneficenza, elemosina 4 [l'azione] (est.) cortesia, favore, bontà 5 (est.) affetto, amore.

caritatévole agg. pietoso, compassionevole, misericordioso, generoso, pio (est.) CONTR. egoistico, interessato, venale.

caritatevolménte avv. cristianamente, con carità, umanamente, filantropicamente, misericordiosamente CONTR. egoisticamente, disumanamente, inumanamente, impietosamente, empiamente.

carlino s. m. (gener.) cane.

càrme s. m. poema, poesia, ode, lirica, canto.

carmìnio s. m. 1 rosso 2 (gener.) colore.

carnagióne s. f. 1 incarnato, pelle, carne (est.) 2 (est.) colorito, cera (fig.).

càrne s. f. 1 polpa, ciccia (scherz.) 2 (est.) carnagione 3 (est.) corpo CONTR. spirito.

carnéfice s. m. 1 boia (spreg.), giustiziere CONTR. vittima 2 (est.) oppressore, aguzzino 3 (est.) torturatore.

carneficina s. f. strage, massacro, eccidio, macello, ecatombe.

carnevalàta s. f. buffonata.

carnicino s. m. 1 rosso 2 (gener.) colore.

carnivori s. m. pl. 1 (gener.) animale, mammifero →animali 2 [tipo di].

NOMENCLATURA

Carnivori

Carnivori: mammiferi con dentatura completa con grandi canini atti a lacerare e molari taglienti.

*cane: carnivoro domestico onnivoro, con odorato eccellente, pelame di vario colore, pupilla rotonda; ha dimensioni, forma del muso e attitudini variabili secondo la razza;

gatto: carnivoro domestico esistente in un gran numero di razze, con corpo flessuoso, capo tondeggiante, occhi fosforescenti e unghie retrattili;

gatto selvatico: carnivoro vivente nelle foreste, più grande del gatto domestico, con mantello folto a striature nere, occhi gialli, abile arrampicatore;

icneumone: carnivoro africano, affine alle manguste, astuto, prudente, che aggredisce piccoli animali e spec. i serpenti;

coyote: carnivoro americano simile al lupo, dal folto pelo grigio, che emette un caratteristico latrato lamentoso;

lupo delle praterie;

lupo: carnivoro con tronco robusto e pelo corto che varia di colore con le stagioni, passando dal bruno scuro al grigio chiaro;

sciacallo: carnivoro affine al lupo, di colore rosso fulvo, attivo di notte, che si nutre anche di carogne;

iena: carnivoro con testa massiccia, tronco più sviluppato anteriormente, odore sgradevolissimo;

moffetta: carnivoro di piccole dimensioni, con pelliccia nera striata di bianco, fornito di ghiandole dalle quali può spruzzare contro i nemici un liquido denso, di odore sgradevolissimo;

giaguaro: carnivoro dell'America tropicale con pelame fulvo a macchie ocellate;

tigre: carnivoro dell'Asia, snello ed elegante, giallastro a strisce scure;

leopardo: carnivoro di grosse dimensioni, giallastro a rosette nere, che si arrampica sugli alberi nelle foreste dell'Africa e dell'Asia;

pantera;

leone asiatico;

pantera nera: leopardo nero frequente nelle isole della Sonda;

gattopardo: carnivoro con forme eleganti e mantello giallastro macchiato di nero;

ozelot: gattopardo americano;

lince: carnivoro europeo abile predatore, con pelo morbidissimo e orecchie a punta sormontate da un ciuffo di peli;

leone: carnivoro di grosse dimensioni, tipico delle boscaglie africane, con criniera sul collo e sulle spalle del maschio, coda nuda terminata da un fiocco, unghie retrattili;

puma: carnivoro americano di forme snelle, con capo piccolo, colorazione fulva, cacciatore abilissimo, corre, salta e si arrampica sugli alberi;

coguaro;

ghepardo: carnivoro con pelame raso, chiaro con macchie nere, diffuso in Africa e in Asia: ottimo cacciatore e corridore velocissimo;

orso: carnivoro plantigrado;

  orso bianco: orso polare ottimo nuotatore, con le dita riunite da una membrana;

  orso bruno: orso europeo e asiatico, con pelame folto e ispido, corpo tozzo e forte, ottimo corridore e arrampicatore;

procione: carnivoro nordamericano, di piccole dimensioni, con abitudini notturne, pelliccia grigia e coda bianca e nera;

panda: carnivoro delle montagne dell'Himalaia, simile a un grosso gatto, con una pelliccia delicatissima e pregiata, nera sul ventre e ruggine sul dorso;

panda gigante: panda bianco e nero, grande quanto un orso e con coda brevissima;

faina: carnivoro bruno scuro, con macchia bianca sul petto: agile predatore spec. di volatili;

lontra: carnivoro con pelliccia a pelo corto di colore bruno scuro, corpo lungo e zampe corte palmate, agilissimo nuotatore e cacciatore di pesci;

puzzola: carnivoro predatore di forme snelle, con zampe corte e unghiute, pelliccia rugginosa sul dorso e nera sul ventre, capace di emettere, per difesa, gas puzzolenti;

martora: carnivoro europeo dalla pelliccia bruno giallognola;

donnola: carnivoro di piccole dimensioni con lungo corpo flessuoso, corte zampe e pelliccia rossiccia sul dorso, bianca sulla gola e sul ventre;

tasso: onnivoro con corte zampe dalle unghie solidissime, pelo foltissimo grigio e bianco sul capo con due strisce nere;

volpe: carnivoro di medie dimensioni, con muso allungato e denti taglienti, tronco snellissimo, brevi zampe robuste e pelliccia di diversi colori a seconda dell'habitat;

visone: carnivoro molto amante dell'acqua;

mangusta: carnivoro di piccole dimensioni con corpo allungato, arti brevi, unghie ben sviluppate, cacciatore di serpenti;

zibellino: mammifero carnivoro di piccole dimensioni, siberiano, snello, con arti corti e mantello scuro;

zibetto: carnivoro africano con muso aguzzo, mantello scuro a macchie, una criniera sul dorso e caratteristiche ghiandole anali;

furetto: carnivoro di piccole dimensioni, bianco con occhi rossi, addomesticato per la caccia ai conigli selvatici;

ermellino: carnivoro con lungo corpo flessuoso, dalla pelliccia rossiccia d'estate e candida in inverno e la punta della coda sempre nera;

tricheco: carnivoro pinnipede artico goffo e tozzo, con pelle spessa,

grosse setole sul labbro, canini di avorio molto sporgenti nei maschi;

foca: carnivoro adattato alla vita acquatica, con arti foggiati a pinna, testa tondeggiante, lunghi baffi attorno al muso, mancanza di padiglioni auricolari;

otaria: carnivoro pinnipede dell'emisfero australe che, a differenza delle foche, ha padiglioni auricolari e può usare le zampe posteriori per la locomozione.

carnivoro s. m. predatore, rapace.

càro A agg. **1** amato, diletto, prediletto, adorato **2** [rif. a cosa] (est.) importante, prezioso, speciale **CONTR.** insignificante, irrilevante **3** [rif. a una persona] (est.) piacevole, simpatico, amabile, gentile, garbato, cortese **CONTR.** antipatico, sgradevole, rude **4** [rif. a un dono] gradito, accetto **CONTR.** sgradito, malaccetto, inviso **5** [rif. al prezzo] costoso, dispendioso, salato (fig.), pepato (fig.) **CONTR.** conveniente, economico, accessibile, vantaggioso **B** s. m. (f. -a) amato **C** avv. a prezzo elevato.

carógna s. f. **1** [di un animale] carcassa, cadavere, carcame **2** [rif. a una persona] (est.) stronzo (volg.), vigliacco, mascalzone, farabutto, delinquente, canaglia.

carognàta s. f. canagliata, vigliaccata, stronzata (volg.), cattiveria, infamia.

carosèllo s. m. [di pensieri, etc.] (fig.) giostra, ridda, vortice.

caròta s. f. **1** (gener.) pianta **2** (est.) bugia, frottola, fandonia, panzana, menzogna **3** [campione di roccia] (min.) nucleo, testimone.

carovàna s. f. brigata, comitiva.

càrpa s. f. (gener.) pesce.

carpire v. tr. **1** estorcere, appropriarsi di, impadronirsi di, impossessarsi di, spillare (fig.), beccare (fig.), sottrarre, rubare, rapinare, afferrare, abbrancare, arraffare (fam.), sgraffignare (scherz.), fregare (pop.), agguantare, cavare, involare (fig.), prendere, frodare **CONTR.** dare **2** [il posto, un diritto] usurpare, strappare (fig.) **3** [la fiducia, etc.] ghermire (fig.), riuscire ad ottenere.

carreggiàbile agg. [rif. a una strada] carrozzabile.

carrétto s. m. **1** barroccio **2** (gener.) veicolo.

carrièra s. f. **1** impiego, professione **2** [spec. con: fare] fortuna, strada (fig.) **3** [spec. con: intraprendere la] (fig.) via **4** [rif. all'andatura] (est.) corsa, velocità.

càrro s. m. **1** timone **2** (gener.) vettura, veicolo.

carròzza s. f. **1** diligenza, landò (raro), cocchio, equipaggio (lett.), landau (fr.) **2** (gener.) vettura, veicolo.

carrozzàbile A agg. [rif. a una strada] carreggiabile **B** s. f. (gener.) via.

carrùggio o **carùggio** s. m. **1** vico, vicolo **2** (gener.) strada.

càrta s. f. **1** (est.) foglio, pagina **2** (geogr.) mappa, pianta **3** (est.) pezza (fig.), documento, tessera **4** [delle vivande] (est.) lista, menù **5** [di uno stato, di un ente, etc.] costituzione, statuto.

càrte s. f. pl. **1** (gener.) gioco **2** [tipo di].

NOMENCLATURA

Giochi di carte
baccarà, bazzica, boston, bridge, briscola, briscolone, canasta, canastone, faraone, pinnacolo, poker, ramino, scala quaranta, scopa, scopone, sette e mezzo, tressette.

carteggiàre v. tr. grattare, raschiare.

cartèllo (1) s. m. **1** avviso, manifesto, affisso **2** insegna, targa.

cartèllo (2) s. m. trust (ingl.), raggruppamento, pool (ingl.), coalizione.

cartellóne s. m. **1** manifesto **2** tabellone.

cartòccio s. m. involto, pacco, fagotto.

cartùccia s. f. (pl. -ce) **1** munizione, proiettile, pallottola **2** [di una penna, etc.] refill (ingl.), ricambio.

cartuccièra s. f. giberna.

carùggio s. m. V. carruggio.

càsa s. f. **1** (gener.) edificio, fabbricato, costruzione, abitazione **2** [tipo di] **3** magione (lett.) **4** (est.) ditta, azienda, società **5** (est.) casato, stirpe, dinastia **6** [rif. agli animali] nido, tana, covo **7** (est.) famiglia **8** (est.) dimora, albergo (lett.), alloggio, tetto.

CLASSIFICAZIONE

Casa
Casa: le case possono essere classificate in base a differenti caratteristiche. Nella nostra classificazione si è tenuto conto di parametri singoli o loro combinazioni quali la classe, l'aspetto, le dimensioni, l'epoca di costruzione, il contesto, la posizione, l'ambientazione, la collocazione geografica, i materiali costruttivi, la forma.

1 Costruzione adibita ad abitazione per una o più famiglie:
- **abituro:** casa misera;
- **catapecchia:** casa molto misera e cadente;
- **capanna:** (est.) casa misera;
- **reggia:** (fig.) casa lussuosa;
- **casupola:** casa modesta, piccola;
- **casamento:** casa grande, popolare;
- **caverna:** (fig.) casa sudicia, malsana;
- **cimiciaio:** (fig.) casa sporca, disordinata;
- **ghetto:** (est.) casa sporca, misera e angusta;
- **spelonca:** (fig.) casa squallida, triste;
- **stamberga:** casa sporca, misera e squallida;
- **tugurio:** casa sporca, vecchia e malsana;
- **topaia:** (fig.) casa sporca, vecchia e malsana;
- **palazzina:** casa signorile, per lo più con giardino;
- **villa:** casa signorile, spesso fuori città, con ampio giardino o parco;
- **villetta:** villa di piccole dimensioni;
- **villetta a schiera;**
- **villetta prefabbricata;**
- **villino;**
- **villino unifamiliare;**
- **chalet:** piccola villa in legno o pietra, con tetto acuminato;
- **dacia:** piccola villa russa di campagna;
- **cottage:** villetta di campagna in Inghilterra;
- **bungalow:** villino a un piano con grandi verande;
- **casale:** (centr.) casa di campagna;
- **cascina:** casa colonica destinata all'abitazione degli agricoltori, al ricovero degli animali di allevamento, al deposito di mangime e attrezzi, con locali in cui si producono burro e formaggio;
- **casolare:** casa di campagna;
- **maso:** casa rurale e podere in Alto Adige;
- **isba:** casa o capanna rurale della steppa russa costruita con tronchi d'albero e ricoperta di paglia o frasche;
- **igloo:** casa eschimese a cupola costruita con blocchi di neve pressata;
- **trullo:** casa in pietra di forma tonda e tetto conico, tipica della penisola salentina: i trulli di Alberobello;
- **tucul:** casa africana con pianta circolare, pareti cilindriche e tetto conico di paglia;

2 Abitazione
- **appartamento:** abitazione di una o più persone, formata da uno o più locali, sita in una costruzione che comprende altri locali;
- **basso:** abitazione seminterrata, con ingresso a livello stradale;
- **mansarda:** (est.) abitazione ottenuta dalla disposizione particolare del tetto, ottenuta spezzando le falde in due parti a diversa pendenza, in modo da permettere l'utilizzazione del sottotetto.

casàle s. m. casolare.

casalinga s. f. (pl. -ghe) **1** (gener.) donna **2** massaia.

casalingo agg. (pl. m. -ghi) **1** domestico **2** (est.) intimo **3** [rif. al cibo, a una bevanda, etc.] (est.) modesto, semplice, naturale, artigiano, casereccio **CONTR.** sofisticato, artificiale **4** [rif. al carattere, etc.] semplice, umile **CONTR.** mondano.

casaménto s. m. **1** caseggiato **2** (gener.) edificio, fabbricato, costruzione.

casàta s. f. casato, famiglia, dinastia, stirpe, lignaggio, ceppo (fig.), schiatta (colto), progenie (colto).

casàto *s. m.* casata, famiglia, lignaggio, stirpe, casa (*fig.*), nome (*fig.*), cognome (*fig.*), dinastia.

cascànte *part. pres.; anche agg.* **1** [*rif. alla pelle*] cadente, floscio, moscio, flaccido, vizzo CONTR. fresco, teso, compatto **2** [*rif. al fisico*] (*est.*) moscio, debole, fiacco CONTR. vigoroso, energico, forte.

cascàre *v. intr.* **1** cadere, ruzzolare, rovinare, scivolare, accasciarsi, abbattersi, sdrucciolare, precipitare, piombare, stramazzare, crollare CONTR. alzarsi **2** [*in una persona molesta, in un pericolo*] (*est.*) incorrere, incappare, capitare CONTR. scapolare.

cascàta *s. f.* cateratta (*raro*), rapida.

cascìna *s. f.* fattoria, casolare, cascinale.

cascinàle *s. m.* cascina, fattoria, casolare.

càsco (1) *s. m.* (*pl. -chi*) elmo.

càsco (2) *s. m.* (*pl. -chi*) [*di banane*] ramo.

caseggiàto *s. m.* **1** casamento **2** (*gener.*) edificio.

casellànte *s. m. e f.* cantoniere.

casellàrio *s. m.* schedario.

caseréccio *agg.* (*pl. f. -ce*) [*rif. al cibo, a una bevanda*] casalingo, naturale, semplice.

casèrma *s. f.* (*gener.*) edificio.

casétta *s. f.* **1** casupola, baracca, capanna **2** (*est.*) tenda.

casìno *s. m.* **1** casotto (*pop.*), bordello, postribolo, lupanare (*lett.*), casa di tolleranza **2** [*rif. al rumore*] baccano, pandemonio, putiferio (*pop.*), caciara (*fig.*), cagnara, trambusto CONTR. calma, organizzazione **3** [*rif. a una situazione*] casotto (*pop.*), caos, disordine, confusione, baraonda (*fig.*), bolgia (*fig.*), mercato (*fig.*), fiera, scompiglio (*fig.*), rivoluzione, parapiglia (*fig.*), babele (*fig.*), babilonia (*pop.*), bailamme, chiassata, chiasso, disorganizzazione, vespaio, finimondo, guazzabuglio, cancan **4** (*est.*) sfacelo **5** [*spec. con: essere in un, trovarsi in*

un] (*est.*) pasticcio, guaio.

càso *s. m.* **1** fato, sorte, destino **2** accidente, avventura, combinazione, coincidenza **3** avvenimento, vicenda, fatto, evento, accaduto **4** possibilità, eventualità, evenienza, probabilità, ipotesi **5** opportunità, circostanza, contingenza, situazione.
♦ **per caso** *loc. avv.* accidentalmente, casualmente, fortuitamente, incidentalmente CONTR. intenzionalmente, volutamente.

casolàre *s. m.* cascina, casale, cascinale, fattoria (*est.*).

casomài o **càso mài** *cong.* semmai, eventualmente, nel caso che.

casòtto *s. m.* **1** capanno, baracca **2** casino, bordello (*pop.*), lupanare (*lett.*) **3** (*est.*) disordine, confusione.

càssa *s. f.* **1** (*est.*) sportello, biglietteria **2** madia, arca **3** [*di merci*] collo.

cassapànca *s. f.* (*pl. -che*) **1** arca **2** (*gener.*) mobile.

cassàre *v. tr.* **1** cancellare, depennare, espungere, obliterare **2** [*una legge, una norma*] cancellare, annullare, abolire, abrogare, revocare, invalidare CONTR. promulgare, emanare **3** [*qc. da una categoria*] radiare **4** [*un contratto*] rescindere.

cassazióne *s. f.* (*bur.*) revoca, abrogazione, annullamento.

cassettièra *s. f.* (*gener.*) mobile.

cassettóne *s. m.* **1** comò, canterano **2** [*del soffitto*] lacunare (*spec.*).

càsta *s. f.* **1** ceto, classe, strato (*fig.*) **2** (*est.*) categoria, ordine.

castàgna *s. f.* **1** (*gener.*) frutto **2** marrone.

castagnétta *s. f.* castagnola, petardo, mortaretto.

castagnòla *s. f.* castagnetta, petardo, mortaretto.

castaménte *avv.* puramente, pudicamente, innocentemente, illibatamente, onestamente CONTR. lussuriosamente, impudicamente, dissolutamente, lascivamente, immondamente, libidinosamente.

castàno **A** *agg.* bruno, marrone CONTR. biondo **B** *s. m.* bruno.

castellétto *s. m.* (*banca*) fido, credito.

castèllo *s. m.* **1** maniero (*lett.*) **2** (*gener.*) casa **3** (*edil.*) impalcatura, ponteggio.

castigàre *v. tr.* **1** punire CONTR. graziare **2** [*modi di*] picchiare, fustigare **3** penalizzare **4** [*un testo*] (*est.*) criticare, purgare (*fig.*), correggere, emendare.

castigataménte *avv.* sobriamente, misuratamente, decentemente, morigeratamente CONTR. immoralmente, smodatamente.

castigàto *part. pass.; anche agg.* **1** pudico, casto, moderato, misurato, austero (*est.*) CONTR. smodato, intemperante, sfrenato, esagerato, dissoluto, osceno (*est.*), osé **2** [*rif. allo stile*] misurato CONTR. artefatto **3** [*rif. al linguaggio, etc.*] pudico, misurato CONTR. scurrile, volgare, sboccato, spudorato.

castìgo *s. m.* (*pl. -ghi*) **1** punizione, pena, penitenza, lezione, condanna CONTR. premio **2** (*est.*) vendetta **3** croce (*fig.*), dannazione, flagello, maledizione.

castità *s. f. inv.* **1** purezza, illibatezza **2** [*rif. a una donna*] (*est.*) onore **3** astinenza, continenza CONTR. libidine, lussuria, incontinenza **4** (*gener.*) virtù.

càsto *agg.* **1** puro, illibato, verecondo, morigerato, sobrio CONTR. impuro, corrotto, licenzioso, scandaloso, lascivo, vizioso, dissoluto, impudico, sconcio, spinto, invereconde, procace, libidinoso, lubrico, lussurioso **2** [*rif. allo stile*] castigato, semplice CONTR. artefatto.

castràre *v. tr.* **1** evirare, mutilare, menomare, accapponare **2** (*est.*) frenare, bloccare, inibire, tarpare le ali *a* (*fig.*).

castràto **A** *part. pass.; anche agg.* **1** sterilizzato **2** (*psicol.*) frustrato, represso CONTR. forte, aperto **B** *s. m.* evirato.

castroneria *s. f.* cretinata, cretineria, sciocchezza, corbelleria, fesseria, sproposito, baggianata (*fam.*), cazzata (*volg.*), minchiata (*merid.*), puerilità.

casual *agg.* giovanile, disinvolto CONTR. formale.

casuàle *agg.* **1** accidentale, fortuito, occasionale, aleatorio, contingente (*filos.*) CONTR. preparato, preordinato, previsto, deliberato, voluto, meditato **2** (*est.*) involontario.

casualità *s. f. inv.* accidentalità, fatalità, contingenza.

casualménte *avv.* **1** accidentalmente, fortuitamente, per caso, incidentalmente, provvidenzialmente CONTR. appositamente, apposta, di proposito, intenzionalmente **2** (*est.*) occasionalmente CONTR. abitualmente.

casùpola *s. f.* casetta, baracca, capanna, catapecchia (*spreg.*), stamberga (*spreg.*).

cataclisma *s. m.* **1** inondazione, diluvio **2** [*sociale, etc.*] (*est.*) sconvolgimento, disastro, sciagura, rovina, calamità.

catafàlco *s. m.* (*pl. -chi*) bara.

catalogàre *v. tr.* **1** censire, registrare, schedare, inserire in inventario **2** (*est.*) elencare, enumerare.

catalogazióne *s. f.* **1** classificazione, schedatura **2** (*est.*) elenco **3** (*est.*) censimento.

catàlogo *s. m.* (*pl. -ghi*) **1** inventario, elenco, lista, indice (*est.*), listino **2** indice (*est.*), listino **3** indice (*est.*) **4** listino.

catapécchia *s. f.* **1** casupola, abituro, stamberga, baracca, capanna, antro (*fig.*) CONTR. reggia **2** (*gener.*) casa.

cataplàsma *s. m. inv.* impiastro.

catapultàre *v. tr.* gettare, lanciare, scagliare.

cataràtta *s. f.* V. *cateratta*.

catàrro *s. m.* muco, escreato (*colto*), moccio (*scherz.*), moccico (*pop.*).

catàsta *s. f.* ammasso, cumulo, mucchio, montagna (*fig.*), insieme, tumulo (*raro*).

catàstrofe *s. f.* disastro, calamità, sciagura, disgrazia, rovina, tragedia, dramma, apocalisse (*lett.*), finimondo.

catastroficaménte *avv.* **1** disastrosamente, rovinosamente CONTR. felicemente, fortunatamente **2** (*est.*) pessimisticamente CONTR. ottimisticamente.

catastròfico *agg.* tragico, disastroso, rovinoso, calamitoso, esiziale (*colto*) CONTR. fortunato, fausto, felice.

catechismo *s. m.* dottrina.

catechizzàre *v. tr.* indottrinare.

catechizzàto *part. pass.; anche agg.* indottrinato CONTR. libero, indipendente.

catecùmeno *s. m.* (*f. -a*) novizio, proselito (*est.*).

categoria *s. f.* **1** tipo, genere, classe, stampo (*spreg.*), ordine (*est.*) **2** casta **3** (*sport*) serie **4** (*ling.*) verbo, sostantivo, aggettivo.

categoricaménte *avv.* assolutamente, nettamente, recisamente, indubbiamente, perentoriamente CONTR. relativamente, dubbiosamente, con incertezza.

categòrico *agg.* **1** (*filos.*) imperativo, perentorio, tassativo, assoluto CONTR. relativo, discutibile **2** [*rif. a una risposta*] netto, reciso, risoluto, deciso CONTR. incerto, vago.

catèna *s. f.* **1** serie, successione, sequela, fila, sfilza, schiera (*fig.*), concatenazione (*est.*) **2** collana, monile **3** [*per animali*] collare **4** legame, vincolo **5** schiavitù, oppressione, giogo (*fig.*) **6** ordito **7** [*di monti*] dorsale **8** (*arch.*) tirante.

catenàccio *s. m.* chiavistello.

cateràtta o **cataràtta** *s. f.* **1** cascata, rapida **2** [*di un canale, di un condotto, etc.*] chiusura, chiusa, diga.

catèrva *s. f.* **1** [*di cose, di persone*] massa, miriade, subisso (*fig.*), valanga (*fig.*), mucchio, monte (*fig.*), moltitudine, profluvio (*fig.*), profusione **2** [*di persone, di animali*] reggimento, stuolo, turba.

cateterizzàre *v. tr.* siringare.

catilinària *s. f.* allocuzione, orazione.

catinèlla *s. f.* **1** catino, conca **2** (*gener.*) vaso, recipiente.

catino *s. m.* **1** conca, catinella (*est.*), bacile, bacinella **2** (*gener.*) vaso, recipiente.

catòrcio *s. m.* carcame, relitto.

càttedra *s. f.* **1** stallo, seggio, trono, pulpito **2** (*est.*) disciplina, insegnamento.

cattedràle *s. f.* **1** basilica, duomo **2** (*gener.*) chiesa, tempio.

cattivaménte *avv.* perfidamente, malamente, crudelmente, malignamente, malvagiamente CONTR. bonariamente, benignamente, amorevolmente.

cattivàre A *v. tr.* conciliare, accattivare **B** *v. intr. pron.* **1** [*l'amicizia, etc.*] accattivarsi, conquistarsi, guadagnarsi, procurarsi, acquistarsi, attirarsi **2** [*l'attenzione*] captare, attirare **3** [*qc.*] propiziarsi, amicarsi, ingraziarsi, conquistare, conciliarsi, imbonire (*est.*).

cattivèria *s. f.* **1** [*qualità dell'animo*] (*neg.*) malvagità, perfidia, malignità, durezza, perversità, scellerataggine, crudeltà, iniquità, sadismo (*fig.*) CONTR. bontà, umanità (*est.*) **2** [*l'azione*] maldicenza, stronzata (*volg.*), scelleratezza, boiata (*pop.*), canagliata, vigliaccata, carognata.

cattività *s. f. inv.* prigionia, reclusione, schiavitù, servitù (*est.*).

cattivo A *agg.* **1** [*rif. a una persona*] malvagio, perfido, perverso, scellerato, reo, rio (*lett.*) CONTR. buono, benevolo, umano **2** [*rif. a un bambino*] turbolento, sgarbato, birbone (*est.*) CONTR. buono, benevolo, bravo, quieto, calmo **3** [*rif. a una malattia*] pericoloso, nocivo, maligno CONTR. benigno **4** [*rif. a una persona*] inefficiente, inabile, incapace CONTR. buono, benevolo, umano, benigno **5** [*rif. a una situazione*] negativo, sfavorevole **6** [*rif. al sapore*] spiacevole, sgradevole, disgustoso CONTR. buono, benevolo, gustoso **7** [*rif. agli affari*] svantaggioso CONTR. buono, discreto, fruttifero **8** [*rif. a una insinuazione, etc.*] (*fig.*) venefico **9** [*rif. a un aiuto, a una cura*] pessimo, scarso, insufficiente CONTR. impareggiabile **10** [*rif. all'ambiente*] (*anche fig.*) insano, malsano, insalubre **B** *s. m. sing.* **1** CONTR. buono **2** [*in un frutto, etc.*] marcio.

cattòlico A *s. m.* (*f. -a*) (*gener.*) credente, cristiano CONTR. laico **B** agg. CONTR. protestante.

cattùra s. f. **1** arresto, sequestro, fermo, rastrellamento **2** [rif. a un animale] presa.

catturàre v. tr. **1** prendere, acchiappare, pigliare, beccare (fig.), acciuffare, pescare (fig.), pizzicare (fig.) CONTR. lasciare **2** arrestare, imprigionare, fermare, sequestrare, portare in galera, ammanettare (est.) **3** [la selvaggina] predare.

càule s. m. fusto, gambo, stelo.

càusa (1) s. f. **1** principio, origine, fonte (fig.), sorgente (fig.), radice (fig.), madre (fig.), germe (fig.), seme (fig.), base, movente, matrice (fig.), motore (fig.) CONTR. effetto **2** cagione (colto), motivo, ragione, pretesto (est.), occasione (est.) CONTR. conseguenza.

càusa (2) s. f. processo, vertenza.

causàre v. tr. **1** provocare, originare, generare, produrre, cagionare, dare origine, occasionare, motivare, partorire (fig.) CONTR. patire, subire **2** [dolore, gioia, etc.] procurare, recare (fig.), portare (fig.), arrecare, apportare, fruttare (fig.) **3** [sacrifici, etc.] implicare, determinare, costare (fig.) **4** [una reazione] scatenare, innescare, sviluppare **5** [una situazione] creare **6** [paura] incutere **7** fare.

causticaménte avv. **1** aspramente **2** sarcasticamente, ironicamente CONTR. dolcemente, benevolmente.

causticità s. f. inv. acidità, asprezza, mordacità (fig.), velenosità (fig.), acrimonia, malignità.

càustico agg. **1** [rif. all'atteggiamento] (fig.) corrosivo, pungente, mordace, acre CONTR. benevolo, mite, blando, melato (spreg.) **2** [rif. a un discorso, a una battuta] (fig.) corrosivo, sarcastico, salace, satirico CONTR. melato (spreg.) **3** (chim.) corrosivo, acido CONTR. basico.

cautaménte avv. guardingamente, prudentemente, avvedutamente CONTR. avventatamente, azzardatamente, imprudentemente, imprevidentemente, temerariamente, incautamente.

cautèla s. f. **1** prudenza, circospezione, accortezza, avvedutezza, previdenza (raro) CONTR. sbadataggine, temerarietà, temerità **2** precauzione, accorgimento, riguardo, provvedimento, prevenzione **3** assennatezza, avvertenza **4** rispetto.

cautelàre A v. tr. **1** salvaguardare, proteggere, difendere, preservare **2** garantire **B** v. rifl. premunirsi, proteggersi, garantirsi, salvaguardarsi, tutelarsi, assicurarsi, difendersi, guardarsi (fig.) **C** agg. cautelativo, preventivo, precauzionale.

cautelarménte avv. prudenzialmente, preventivamente, cautelativamente.

cautelativaménte avv. prudenzialmente, cautelarmente, preventivamente.

cauterizzàre A v. tr. bruciare, cicatrizzare, guarire **B** v. intr. pron. cicatrizzarsi.

càuto agg. **1** prudente, assennato, attento, avveduto, accorto, ponderato, sospettoso (est.), circospetto, saggio CONTR. incauto, ardito, avventato, azzardato, temerario, sconsiderato, sventato, corrivo, improvvido, imprudente, impulsivo **2** (est.) vecchio.

cauzióne s. f. **1** anticipo, acconto, caparra **2** (est.) garanzia, pegno.

càva s. f. **1** fossa, buca **2** grotta.

cavalcàre v. tr. **1** montare **2** fare la monta.

cavalcatùra s. f. (est.) cavallo.

cavalcavìa s. m. inv. ponte.

cavalière s. m. **1** auriga (lett.) **2** gentiluomo, galantuomo **3** accompagnatore **4** eroe, campione **5** difensore, paladino.

cavalierescaménte avv. nobilmente, generosamente, gentilmente, educatamente, lealmente CONTR. rozzamente, ignobilmente.

cavallerésco agg. (pl. m. -chi) **1** [rif. all'animo] nobile, generoso, leale CONTR. scortese, ignobile, sleale **2** [rif. ai modi] (est.) nobile, gentile, cortese CONTR. scortese, rozzo.

cavallétta s. f. **1** (gener.) insetto **2** locusta.

cavàllo s. m. **1** destriero (lett.), corsiero (lett.) **2** (gener.) mammifero **3** (est.) cavalcatura **4** [tipo di] puledro, stallone **5** [dei pantaloni] sella.

cavallóne s. m. onda, flutto, maroso, frangente.

cavàre (1) v. tr. **1** [un dente] togliere, estrarre, levare, rimuovere, estirpare, strappare, sradicare, asportare **2** [denaro, etc.] (est.) ottenere, ricavare, spillare, guadagnare, carpire, trarre.

cavàre (2) v. intr. pron. **1** [nella forma: cavarsela] sbrogliarsi, districarsi, riuscire, barcamenarsi, destreggiarsi, maneggiarsi (raro), farla franca **2** [nella forma: cavarsela] difendersi, salvarsi, liberarsi.

cavatàppi s. m. inv. cavaturaccioli.

cavèrna s. f. grotta, antro, spelonca, cavità.

cavernicolo s. m.; anche agg. (f. -a) troglodita.

cavétto s. m. **1** filo **2** [in un'imbarcazione, in una macchina] guscio.

cavézza s. f. capestro.

càvia agg. inv. sperimentale.

cavillàre v. intr. sottilizzare, arzigogolare, sofisticare, ragionare (impr.).

cavillo s. m. **1** sottigliezza, sofisma, pedanteria, minuzia, formalismo, sofisticheria, arzigogolo, capziosità **2** pretesto, appiglio (fig.), scusa, tergiversazione.

cavillosaménte avv. **1** capziosamente, pretestuosamente, sottilmente, sofisticamente CONTR. chiaramente, semplicemente **2** diligentemente CONTR. superficialmente, approssimativamente.

cavillosità s. f. inv. pedanteria, pignoleria, meticolosità, capziosità.

cavillóso agg. **1** [rif. a un discorso, a un modo] capzioso, sofistico, sottile, concettoso, pretestuoso, tortuoso, bizantino (fig.), curialesco (spreg.) CONTR. semplice, piano, lineare **2** [rif. a una persona] (est.) noioso, pedante, meticoloso CONTR. spiccio.

cavità *s. f. inv.* **1** grotta, caverna, buca, fossa, concavità, incavo, infossamento, rientranza **2** lago **3** (*est.*) vuoto, lacuna **4** (*med.*) seno, alveo, alveolo.

càvo (1) *s. m.* cima, gomena (*mar.*), fune, corda.

càvo (2) **A** *agg.* **1** vuoto **2** incavato, infossato, profondo CONTR. prominente, sporgente **B** *s. m.* incavatura, concavità.

cavolàia *s. f.* (*gener.*) farfalla.

cazzàta *s. f.* cretineria, cretinata, castroneria, baggianata.

càzzo *s. m.* pene, fallo, verga, membro, bischero (*tosc.*), pirla (*milan.*), pisello (*fam.*), uccello (*pop.*), minchia (*merid.*), belino (*genov.*).

cazzòtto *s. m.* pugno, uppercut (*ingl.*), colpo.

cèca o **cièca** *s. f.* (*pl. -che*) **1** anguilla **2** (*gener.*) pesce.

cèce *s. m.* (*gener.*) legume.

cecità *s. f. inv.* **1** (*est.*) ottusità, limitatezza, ristrettezza, meschinità **2** (*est.*) ignoranza, notte (*fig.*).

cèdere **A** *v. intr.* **1** capitolare, arrendersi, indietreggiare, desistere, ritirarsi, crollare (*fig.*), mollare (*pop.*), disarmare, abbandonare CONTR. fronteggiare, lottare, opporsi, resistere **2** [*a una richiesta*] capitolare, commuoversi (*ass.*), condiscendere, accondiscendere, acconsentire, assecondare, consentire **3** deprimersi, esaurirsi **4** [*detto di suolo*] piegarsi, avvallarsi, curvarsi, affossarsi, abbassarsi **5** [*detto di persona*] concedersi, darsi, abbandonarsi **6** sottomettersi, rassegnarsi, soggiacere, inchinarsi, darsi per vinto CONTR. disubbidire, impuntarsi, incaparbirsi, incaponirsi, intestardirsi, irrigidirsi, piccarsi, ricalcitrare **7** lasciare il posto **8** [*detto di cuore*] sfiancarsi **B** *v. tr.* **1** (*gener.*) dare CONTR. prendere, tenere **2** consegnare, passare (*fig.*) **3** restituire, rendere **4** [*modi di*] barattare, scambiare, vendere, commerciare, trasferire.

cedévole *agg.* **1** [*rif. a cosa*] duttile, malleabile, flessibile, plasmabile, pieghevole CONTR. duro, resistente, rigido, consistente **2** [*rif. al carattere, etc.*] arrendevole, docile CONTR. duro,

rigido, inflessibile, ostinato, caparbio, incaponito **3** (*est.*) soffice.

cedevolézza *s. f.* **1** [*rif. ai materiali*] malleabilità, flessibilità, duttilità **2** [*rif. al carattere*] debolezza, docilità, mollezza **3** [*rif. a una poltrona, etc.*] (*est.*) morbidezza.

cedimènto *s. m.* **1** franamento, sfaldamento, crollo, avvallamento **2** capitolazione, resa, ripiegamento **3** [*rif. a un momento*] (*est.*) abbandono **4** (*est.*) collasso **5** [*dei tessuti cutanei, etc.*] rilassamento.

cèdola *s. f.* (*est.*) biglietto, scontrino, talloncino.

cèdro *s. m.* (*gener.*) albero.

cèfalo *s. m.* **1** muggine **2** (*gener.*) pesce.

cefalòpodi *s. m. pl.* (*gener.*) mollusco.

cèffo *s. m.* **1** figuro, individuo **2** (*est.*) muso, grugno.

ceffóne *s. m.* schiaffo, sberla, percossa, manrovescio, sganascione (*fam.*).

celàre **A** *v. tr.* **1** occultare, nascondere **2** [*q.c.*] imboscare **3** [*un sentimento*] mascherare, dissimulare CONTR. esteriorizzare, esternare, ostentare, palesare, mostrare **4** [*una notizia*] tacere CONTR. divulgare, propagandare, propagare, propalare **5** [*una macchia, un buco*] ricoprire, coprire **6** [*la realtà*] (*fig.*) velare **B** *v. rifl.* **1** nascondersi CONTR. mostrarsi, manifestarsi, palesarsi **2** [*alla vista, etc.*] sottrarsi, negarsi CONTR. prodursi, esporsi **3** (*est.*) rinchiudersi, rintanarsi, rimpiattarsi, segregarsi.

celataménte *avv.* nascostamente, di nascosto, occultamente, segretamente, mascheratamente (*fig.*) CONTR. chiaramente, palesemente, manifestamente, patentemente, dichiaratamente, visibilmente.

celàto *part. pass.; anche agg.* **1** nascosto, coperto CONTR. manifesto, evidente, lampante, chiaro, dichiarato, ostentato, sfoggiato **2** (*est.*) occulto (*lett.*), segreto **3** [*rif. a un sentimento*] (*est.*) sordo CONTR. ostentato.

celebràre **A** *v. tr.* **1** magnificare, esaltare, glorificare, onorare, acclamare, divinizzare, mitizzare, osannare, ap-

plaudire, lodare, decantare, gloriare, innalzare, cantare (*fig.*), inneggiare *a* **2** [*una ricorrenza*] festeggiare, solennizzare, santificare **3** [*una cerimonia sacra*] compiere, officiare, ufficiare, eseguire **4** [*qc., eventi*] commemorare, evocare, ricordare, rievocare **5** [*un processo*] compiere, tenere **6** [*un matrimonio*] contrarre, stipulare, rogare (*dir.*) **B** *v. intr. pron.* [*detto di processo, di festa, etc.*] svolgersi, tenersi.

celebràto *part. pass.; anche agg.* lodato, decantato, onorato CONTR. biasimato, criticato, disonorato, vilipeso.

celebratóre *s. m.* (*f. -trice*) **1** cantore (*lett.*) **2** esaltatore CONTR. calunniatore, denigratore, detrattore, diffamatore.

celebrazióne *s. f.* **1** rievocazione, evocazione **2** glorificazione CONTR. denigrazione **3** cerimonia, manifestazione **4** ricorrenza, festa (*est.*).

cèlebre *agg.* **1** famoso, illustre, insigne, noto, popolare, rinomato CONTR. ignoto, sconosciuto **2** (*est.*) affermato, arrivato CONTR. ignoto, sconosciuto **3** [*rif. a un'azione*] (*fig.*) memorabile, glorioso **4** (*neg.*) (*spreg.*) famigerato, matricolato.

celebrità *s. f. inv.* **1** fama, rinomanza, notorietà, popolarità, gloria **2** (*est.*) star (*ingl.*), personaggio, personalità, divo.

celenteràti *s. m. pl.* **1** (*gener.*) animale **2** [*tipo di*]. →animali

cèlere (1) *agg.* rapido, svelto, pronto, veloce, immediato CONTR. lento.

cèlere (2) *s. m. sing.* **1** bus, autobus **2** (*gener.*) autoveicolo.

cèlere (3) *s. f.* polizia.

celerità *s. f. inv.* **1** velocità, rapidità, prontezza, immediatezza, prestezza (*raro*) **2** prestezza (*raro*).

celerménte *avv.* rapidamente, prontamente, velocemente, presto, speditamente, immediatamente, forte CONTR. lentamente, adagio.

celèste (1) **A** *agg.* ceruleo, azzurro, blu CONTR. diabolico (*fig.*), infernale **B** *s. m.* **1** (*gener.*) colore **2** (*est.*) blu, azzurro, turchino.

celèste (2) agg. divino, soprannaturale, sublime, empireo (lett.) CONTR. terreno, mondano.

celestiàle agg. divino, paradisiaco.

celestialménte avv. beatamente, paradisiacamente, ineffabilmente, divinamente CONTR. diabolicamente.

cèlia s. f. burla, scherzo, beffa, motteggio (colto).

cèlibe agg.; anche s. m. scapolo.

cèlla s. f. (gener.) stanza, vano, ambiente.

cellière s. m. 1 cantina 2 credenza.

cementàre v. tr. consolidare, rinsaldare.

cementàto part. pass.; anche agg. [rif. all'amicizia, etc.] (fig.) consolidato, saldato, stretto CONTR. rotto, spezzato, infranto.

céna s. f. pasto, desinare (raro).

cenàre v. intr. (gener.) pasteggiare, mangiare.

céncio s. m. 1 drappo, panno, strofinaccio, straccio, pezza 2 [rif. a una persona] (spreg.) straccio, carcassa, rudere.

cénere agg. [rif. ai capelli, alla barba, etc.] biondo.

cennamèlla o **ciaramèlla** s. f. zampogna, cornamusa, piva (dial.).

cénno s. m. 1 gesto, accenno, segno 2 [spec. con: fare] accenno, menzione, riferimento, rimando, allusione, parola 3 [di q.c.] (est.) indizio, traccia, tocco 4 (est.) gesto, atto, comportamento 5 [di gentilezza, di cortesia] (est.) manifestazione 6 (est.) indicazione, notizia.

cenobìta s. m. 1 asceta, eremita 2 (gener.) monaco.

censiménto s. m. 1 schedatura 2 (est.) catalogazione, descrizione.

censìre v. tr. 1 fare un censimento di, rilevare (est.), contare, catalogare (est.), noverare (lett.) 2 [nei registri di imposta] registrare, iscrivere 3 (est.) tassare.

cènso s. m. (est.) patrimonio, ricchezza.

censùra s. f. 1 controllo 2 (est.) critica, biasimo, sferza (fig.), condanna CONTR. lode, approvazione, elogio, consenso 3 (bur.) eccezione 4 [nel pubblico impiego] sanzione.

censuràre v. tr. 1 [un libro, un film, etc.] rivedere, controllare, correggere, purgare (fig.), tagliare (fig.) 2 [qc.] criticare, biasimare, disapprovare, riprendere, frustare (fig.) 3 [un comportamento, etc.] riprovare, condannare, fustigare (fig.), sindacare, stigmatizzare, deplorare.

centellinàre v. tr. 1 bere a piccoli sorsi, sorseggiare, sorbire 2 (gener.) bere 3 (est.) gustare, assaporare, degustare.

centogàmbe s. m. inv. 1 centopiedi, millepiedi 2 (gener.) verme.

centopièdi s. m. inv. 1 (gener.) verme 2 millepiedi, centogambe.

centràle (1) agg. 1 [rif. al territorio] mediano CONTR. periferico 2 [rif. al problema, a un argomento] principale, fondamentale, essenziale, basilare, primario, precipuo, capitale CONTR. secondario, accessorio, complementare.

centràle (2) s. f. [di una banca, etc.] (est.) direzione CONTR. succursale, filiale.

centralizzàre v. tr. accentrare CONTR. decentrare.

centralizzazióne s. f. accentramento, concentramento CONTR. decentramento.

centràre v. tr. 1 [il bersaglio] colpire, fare centro, raggiungere, prendere, cogliere 2 (est.) imbroccare, azzeccare, indovinare, capire, cogliere nel segno (fig.), inquadrare, colpire nel segno (fig.) 3 [un argomento] incentrare, basare 4 [una ruota, etc.] equilibrare, bilanciare.

centrattàcco s. m. (pl. -chi) [rif. al calcio] centravanti.

cèntro s. m. 1 cuore, nucleo (fig.) 2 [di un problema, etc.] nocciolo (fig.), essenza, focus (colto), fondamento, base, chiave (fig.), fulcro (fig.) 3 [di

interesse, etc.] polo 4 [di un fenomeno, di un terremoto] (est.) epicentro 5 [nella pallacanestro] (sport) pivot (fr.) 6 [nel calcio] (anche fig.) gol 7 [della notte, di festa] cuore, pieno 8 [spec. con: andare in] (est.) città CONTR. periferia, suburbio, sobborgo, dintorni.

centromediàno s. m. [rif. al calcio] centrosostegno, libero.

centuplicàre v. tr. moltiplicare, ingigantire.

céppo s. m. 1 tronco, ciocco, albero (est.) 2 (est.) famiglia, discendenza, stirpe, casata, schiatta (colto), prosapia (lett.), lignaggio (colto), dinastia 3 (est.) schiavitù.

céra s. f. colorito, carnagione, incarnato, aspetto, viso, aria.

ceràmica s. f. (pl. -che) [tipo di] vaso.

cèrbero s. m. (est.) gendarme, carabiniere.

cercàre A v. tr. 1 [qc., la selvaggina] ricercare, cacciare, braccare, inseguire, andare in cerca di 2 frugare, rovistare 3 investigare, indagare, informarsi di 4 (est.) procurare, procacciare 5 [una meta, etc.] perseguire 6 domandare, chiedere, mendicare 7 desiderare, ambire, agognare, bramare **B** v. intr. [usato con la prep. di e il verbo all'infinito] tentare, sforzarsi, vedere (fig.), studiare (fig.), guardare (fig.).

cérchia s. f. 1 cinta 2 recinto, recinzione 3 [di amici, etc.] (est.) gruppo, clan (celt.) 4 [rif. alla gente che si frequenta] (est.) ambiente, ambito, giro (fig.).

cerchiàre v. tr. contornare.

cérchio s. m. 1 circonferenza CONTR. quadrato, rettangolo, triangolo 2 [di luce, di fumo, etc.] anello 3 [di persone] corona 4 alone 5 [di amici, etc.] circolo, gruppo 6 (fam.) tondo 7 [di luce, etc.] zona.

cereàle s. m. 1 [tipo di] frumentone, frumento, grano, granoturco, granone, riso, mais 2 (gener.) pianta.

cerebràle agg. mentale, intellettuale, spirituale (est.) CONTR. emotivo, passionale, istintivo.

cerebralménte *avv.* logicamente, razionalmente **CONTR.** impulsivamente, spontaneamente, d'istinto, emotivamente.

cèreo *agg.* **1** [*rif. al viso*] pallido, terreo, emaciato, cadaverico, giallo (*est.*) **CONTR.** roseo, rubicondo, florido (*est.*) **2** [*rif. a un materiale*] molle, plasmabile.

cerimònia *s. f.* **1** (*relig.*) rito, funzione, liturgia (*est.*) **2** celebrazione, festa, commemorazione **3** (*est.*) uso.

cerimoniàle A *s. m.* rituale, rito (*est.*) **B** *agg.* rituale.

cerimònie *s. f. pl.* convenevoli, storie, complimenti.

cerimoniosaménte *avv.* ossequiosamente, galantemente, complimentosamente, affettatamente (*est.*) **CONTR.** familiarmente, spontaneamente.

cèrnia *s. f.* (*gener.*) pesce.

cernièra *s. f.* **1** (*gener.*) abbottonatura, chiusura **2** lampo.

céro *s. m.* candela.

certaménte *avv.* **1** sicuramente, sì, davvero, eccome, naturalmente, sicuro **2** sicuramente, evidentemente, realmente, chiaramente, innegabilmente, indubbiamente, decisamente, immancabilmente, incontrovertibilmente, matematicamente, inconfutabilmente **CONTR.** con incertezza, discutibilmente, dubbiosamente, dubbiamente.

certézza *s. f.* **1** sicurezza, convinzione, convincimento **CONTR.** incertezza, dubbio, sospetto (*est.*), esitazione **2** evidenza, certo.

certificàre *v. tr.* attestare, dichiarare, asserire, documentare, testimoniare, garantire, constatare, assicurare, affermare, precisare, chiarire, dare garanzie.

certificàto *s. m.* attestato, documento, atto, attestazione.

cèrto (1) A *agg.* **1** sicuro, indubitabile, positivo (*est.*) **CONTR.** discutibile, incerto, opinabile **2** evidente, chiaro, indiscutibile, indubbio, inoppugnabile **CONTR.** discutibile, indeterminato, am-

biguo, equivoco, aleatorio, apparente, dubbio **3** (*est.*) vero, reale **CONTR.** ambiguo, dubbio **4** definito, fermo, determinato **CONTR.** approssimativo, approssimato **B** *avv.* eccome, sicuramente, sicuro, sì **CONTR.** no **C** *s. m. sing.* certezza, noto (*raro*) **CONTR.** incertezza.

cèrto (2) *agg. e pron. indef.* alcuno, qualche, alquanto.

certósa *s. f.* monastero, convento, abbazia.

certùno *pron. indef.* [*spec. al pl.*] alcuno, taluno, certe persone.

cerùleo *agg.* celeste, cilestrino, azzurro.

cervèllo *s. m.* **1** (*est.*) intelletto, intelligenza, ingegno, cranio (*scherz.*), testa **2** (*est.*) senno, criterio, buonsenso, avvedutezza, assennatezza **3** [*di una banda, etc.*] (*est.*) testa, capo, boss (*ingl.*).

cervellòtico *agg.* **1** bizzarro, strano, illogico, strampalato, stravagante **CONTR.** logico, sensato, piano, lineare **2** (*est.*) macchinoso, sofisticato, contorto.

cervice *s. f.* collo.

cesellàre *v. tr.* **1** incidere, sbalzare, intagliare, tornire, miniare **2** (*est.*) perfezionare, rifinire, limare, elaborare, levigare, curare.

cessàre A *v. intr.* **1** smettere, desistere, mollare (*fam.*), ristare **2** [*detto di dolore, etc.*] finire, concludersi, esaurirsi, passare **3** [*detto di lavoro*] interrompersi **4** [*detto di ira, etc.*] sbollire (*fig.*) **5** [*un'attività*] (*est.*) ritirarsi, sbaraccare (*fam.*) **6** [*detto di ricordo, etc.*] finire, perire, morire **B** *v. tr.* **1** compiere, concludere, terminare, compire, finire **2** [*il lavoro, le ostilità*] porre fine a, sospendere, interrompere **3** [*un'attività*] chiudere, abbandonare.

cessazióne *s. f.* fine, interruzione, arresto (*raro*), rottura, troncamento (*raro*), conclusione, chiusura **CONTR.** inizio, apertura, avvio.

cessióne *s. f.* **1** [*di un diritto, di un titolo, etc.*] vendita, trasferimento, alienazione, passaggio, trasmissione

CONTR. appropriazione **2** (*est.*) rinuncia *a.*

cèsso *s. m.* **1** gabinetto (*fam.*), latrina, ritirata (*est.*), toilette (*fr.*), servizi, bagno (*euf.*), toeletta **2** (*gener.*) ambiente, vano, stanza, locale.

césta *s. f.* **1** canestro, paniere **2** [*con manici*] sporta **3** [*per pescare*] nassa **4** [*da portare sulla schiena*] gerla.

cestinàre *v. tr.* buttare via, gettare via.

cestìno *s. m.* cesto, canestro, paniere.

césto (1) *s. m.* **1** canestro, paniere **2** [*con manici*] sporta **3** [*per pescare*] nassa **4** [*da portare sulla schiena*] gerla **5** [*nel basket*] canestro.

césto (2) *s. m.* [*di foglie*] cespuglio.

cetàcei *s. m. pl.* **1** (*gener.*) animale, mammifero →animali **2** [*tipo di*].

Cetacei

Cetacei: mammiferi acquatici con corpo a forma di pesce e pinna caudale orizzontale, pelle nuda, arti posteriori mancanti e con pinne al posto degli arti anteriori

orca: mammifero di grandi dimensioni, con denti conici, appuntiti, comune nei mari freddi, voracissimo, aggredisce anche le balene;

narvalo: mammifero artico di grandi dimensioni con due soli denti di cui, nei maschi, uno si sviluppa fino oltre due metri e sporge orizzontale e diritto davanti al capo;

balena: mammifero enorme dei mari freddi, con corpo pisciforme, pelle liscia e nera, arti anteriori a forma di pinna, pinna codale orizzontale e fanoni in luogo dei denti;

balenottera: mammifero simile alla balena, da cui si distingue per il corpo più snello, la testa più piccola, la presenza della pinna dorsale e delle tipiche pieghe longitudinali sulla gola e sul petto;

capodoglio: mammifero tozzo, con capo enorme;

capidoglio:

delfino: mammifero marino con corpo pisciforme con pinna dorsale triangolare, capo piccolo con muso stretto che si prolunga in un rostro, di colore bruno verde sul dorso e biancastro sul ventre;

focena: mammifero simile al delfino, più piccolo, con muso arrotondato.

cèto *s. m.* *1* classe, casta, rango, ordine, strato (*fig.*) *2* (*est.*) ambiente *3* [*rif. alla posizione socio-economica*] (*est.*) stato.

chalet *s. m. inv.* *1* (*gener.*) casa *2* (*est.*) baita, cottage (*ingl.*), villino.

champagne *s. m. inv.* spumante.

chance *s. f. inv.* possibilità, opportunità.

charme *s. m. inv.* sex appeal (*ingl.*), fascino, grazia.

chécca *s. f.* (*pl. -che*) omosessuale, bucaiolo (*tosc.*), recchione (*merid.*), buliccio (*genov.*), cinedo (*lett.*), pederasta, finocchio (*volg.*), gay (*ingl.*), frocio (*roman.*), invertito, diverso.

chèla *s. f.* tenaglia, pinza.

chèque *s. m. inv.* assegno.

chetaménte *avv.* *1* silenziosamente, quietamente, tranquillamente CONTR. chiassosamente, rumorosamente *2* subdolamente, ipocritamente CONTR. francamente, apertamente.

chetàre A *v. tr.* *1* quietare, acquietare, calmare, placare, sedare, ammansire, assopire, pacare, rabbonire, pacificare, tranquillizzare *2* ridurre al silenzio, fare stare zitto B *v. intr. pron.* *1* quietarsi, calmarsi, placarsi, rasserenarsi, rabbonirsi *2* (*est.*) tacere, zittirsi.

chewing-gum *s. m. inv.* cicca (*fam.*), gomma (*fam.*).

chiàcchiera *s. f.* *1* ciancia, ciarla, parola (*est.*), ciacola (*ven.*) *2* diceria, pettegolezzo, mormorazione, rumore (*fig.*), voce *3* [*spec. al pl.*] chiacchierata, discorso, conversazione *4* parlantina, loquacità, loquela, facondia (*colto*) *5* (*est.*) bugia.

chiacchieràre *v. intr.* *1* parlare, conversare, discorrere, dialogare, parlottare, confabulare, colloquiare, ciarlare, cianciare (*iron.*), cinguettare (*fig.*), comunicare, cicalare (*scherz.*), scambiare due parole *2* [*detto di una persona*] mormorare, spettegolare *su*, malignare *su*, criticare *un*, sparlare,

pettegolare *su 3* [*su q.c.*] ridire *un* (*est.*), fare la spia, cantare (*fig.*), garrire (*fig.*).

chiacchieràta *s. f.* conversazione, dialogo, discorso, chiacchiera, cicalata (*spreg.*), ciacolata (*ven.*).

chiacchiericcio *s. m.* chiacchierio, brusio, borbottio.

chiacchierino *agg., s. m. e f.* ciarliero.

chiacchierio *s. m.* chiacchiericcio, cicaleccio (*fig.*), parlottio, vocio, ciangottio (*fig.*), cicalio (*fig.*), cinguettio (*fig.*).

chiacchieróne A *agg.* ciarliero, facondo, loquace CONTR. taciturno, silenzioso, laconico, muto B *s. m.* (*f. -a*) pettegolo.

chiàma *s. f.* chiamata, convocazione.

chiamàre A *v. tr.* *1* [*qc.*] battezzare, soprannominare, dare il nome *a 2* [*una via, una chiesa, etc.*] intitolare *3* [*q.c.*] appellare, definire, denominare *4* [*qc.*] invitare, convocare, attirare, interpellare, fare venire, radunare (*est.*), raccogliere (*fig.*) *5* [*aiuto*] invocare, sollecitare, richiedere, gridare *6* [*qc. in giudizio*] (*dir.*) citare *7* svegliare, destare *8* [*qc. a una carica*] nominare, designare, eleggere *9* (*est.*) telefonare *10* [*una parola*] tradurre, dire *11* [*un defunto*] evocare *12* [*un dipendente statale*] destinare, distaccare (*fig.*) B *v. intr. pron.* avere per nome, avere per cognome, soprannominarsi, denominarsi, avere come appellativo, avere il nome C *v. rifl.* dichiararsi, definirsi, riconoscersi, reputarsi.

chiamàta *s. f.* *1* appello, invito, ordine (*est.*), chiama (*raro*), convocazione *2* [*al lavoro*] (*est.*) designazione, assunzione, indicazione *3* (*relig.*) vocazione.

chiàppa (1) *s. f.* natica, gluteo, mela (*scherz.*).

chiàppa (2) *s. f.* presa.

chiàra *s. f.* albume, bianco (*pop.*).

chiaraménte *avv.* *1* evidentemente, esplicitamente, palesemente, manifestamente, espressamente, nettamente, perspicuamente, distintamente, patentemente, nitidamente, visibil-

mente CONTR. ambiguamente, celatamente, enigmaticamente, equivocamente, ermeticamente, oscuramente, arcanamente, misteriosamente, imperscrutabilmente, astrusamente, inintelligibilmente, cavillosamente *2* certamente, sicuramente *3* (*anche fig.*) schiettamente, francamente, apertamente, limpidamente CONTR. ambiguamente, celatamente, oscuramente, loscamente, nebbiosamente, offuscatamente, torbidamente *4* incisivamente CONTR. nebbiosamente, elusivamente, evasivamente, indistintamente.

chiarézza *s. f.* *1* limpidezza, nitidezza, trasparenza (*est.*), chiaro (*fam.*) *2* [*rif. alle capacità intellettuali*] lucidità, acutezza CONTR. confusione *3* [*in un rapporto*] franchezza, schiettezza CONTR. ambiguità, indefinitezza, indeterminatezza, equivocità *4* [*in un discorso, in un testo*] perspicuità (*colto*), semplicità, facilità, comprensibilità, linearità (*colto*) CONTR. tenebrosità, difficoltà, enigmaticità, oscurità *5* [*nello stile*] nitore, eleganza.

chiarificàre A *v. tr.* *1* [*il vino, etc.*] rendere chiaro, schiarire, purificare, depurare, distillare, epurare (*raro*), rischiarare *2* (*est.*) rendere chiaro, chiarire, esplicare, spiegare, delucidare, illustrare *3* (*est.*) appurare, accertare, verificare B *v. intr. pron.* [*detto di vino, etc.*] decantare, depurarsi.

chiarificazione *s. f.* chiarimento, spiegazione, precisazione.

chiariménto *s. m.* *1* chiarificazione, spiegazione, delucidazione, precisazione, lume (*fig.*), risoluzione *2* [*in un testo scritto*] (*est.*) nota *3* distinguo.

chiarire A *v. tr.* *1* spiegare, precisare, delucidare, esemplificare, illustrare, specificare, commentare, chiosare, parafrasare, rettificare, acclarare, illuminare CONTR. ingarbugliare, complicare *2* verificare, appurare, accertare, assodare, risolvere, stabilire, definire, dimostrare *3* volgarizzare, divulgare, rendere noto *4* [*il vino, etc.*] chiarificare, depurare, rendere chiaro, purificare *5* [*un equivoco*] (*fig.*) dipanare, districare, mettere in chiaro B *v. intr. pron.* [*detto di situazione*] appianarsi CONTR. ingarbugliarsi C *v. rifl.* accertarsi, assicurarsi.

chiàro A agg. *1* luminoso, lucente, splendente **CONTR.** buio, scuro, plumbeo *2* [*rif. al colore*] tenue, pallido **CONTR.** scuro, cupo, bruno *3* [*rif. all'aria, all'acqua, etc.*] limpido, trasparente, nitido **CONTR.** torbido, appannato *4* [*rif. al comportamento*] schietto, sincero, onesto, aperto **CONTR.** ambiguo, enigmatico, falso *5* [*rif. a un rifiuto, a una risposta*] netto, deciso **CONTR.** alluso, celato *6* [*rif. al linguaggio, etc.*] intelligibile, lampante, evidente, certo, diretto, esplicito, dichiarato, inequivocabile **CONTR.** chiuso, elusivo, ambiguo, enigmatico, falso *7* (*est.*) piano, lineare **CONTR.** misterioso, oscuro *8* [*rif. a un discorso*] lucido, perspicuo, comprensibile, esplicito **CONTR.** elusivo, ambiguo, enigmatico, falso, astruso, capzioso, concettoso, macchinoso, fumoso, articolato, confuso, difficoltoso, impenetrabile *9* [*rif. a una persona*] illustre, insigne, celebre, valoroso (*lett.*) **CONTR.** oscuro, ignoto, sconosciuto *10* [*rif. a un concetto*] evidente, certo, indiscutibile, innegabile **CONTR.** ambiguo, oscuro, arduo *11* [*rif. al cielo*] sereno, terso, nitido **CONTR.** annebbiato, brumoso, caliginoso, nebuloso **B** *s. m.* *1* chiarezza, luminosità **CONTR.** buio *2* [*rif. a un colore*] **CONTR.** scuro.

chiaróre *s. m.* *1* luce, luminosità, biancore (*raro*), albore (*lett.*), lucore (*poet.*) *2* (*est.*) bagliore.

chiassàta *s. f.* *1* strepito, casino (*pop.*), cagnara (*fig.*), gazzarra, schiamazzo *2* scenata, piazzata, litigata.

chiàsso (1) *s. m.* *1* rumore, baccano, frastuono, strepito, clamore **CONTR.** silenzio *2* (*est.*) schiamazzo, baldoria, baraonda, mercato (*fig.*), cagnara (*pop.*), casino *3* [*rif. a una notizia*] scalpore, scandalo, putiferio.

chiàsso (2) *s. m.* *1* vicolo, vico *2* (*gener.*) via, strada.

chiassosaménte *avv.* *1* rumorosamente, clamorosamente, fragorosamente **CONTR.** silenziosamente, alla chetichella, chetamente *2* vistosamente, sfarzosamente **CONTR.** modestamente, con atteggiamento taciturno.

chiassóso *agg.* *1* rumoroso, sguaiato **CONTR.** silenzioso, silente (*lett.*) *2* [*rif. a un abito*] vistoso, sfacciato, sgargiante **CONTR.** sobrio, serio, modesto, dimesso *3* [*rif. a un evento*] (*est.*) eclatante, strepitoso, clamoroso.

chiàtta *s. f.* *1* barcone, zattera, pontone (*est.*) *2* (*gener.*) barca, imbarcazione.

chiavàre *v. tr.* *1* trombare (*volg.*), scopare (*volg.*), fottere (*fam.*), andare a letto (*volg.*), montare, possedere sessualmente (*volg.*), fare all'amore, sbattere (*volg.*), fare l'amore *2* chiudere, serrare, inchiodare *3* imbrogliare, ingannare, fregare (*fam.*) *4* trombare (*volg.*).

chiavàta *s. f.* *1* amplesso (*colto*), scopata (*pop.*), copula, coito, accoppiamento *2* inganno, truffa.

chiàve A *s. f.* *1* (*est.*) risoluzione *2* (*fig.*) mezzo, via, strumento *3* (*est.*) centro, perno, fulcro *4* [*spec. al pl., rif. a un'azienda*] (*est.*) controllo **B** *agg. inv.* determinante, decisivo, risolutivo.

chiàvica *s. f.* (*pl. -che*) fogna.

chiavistèllo *s. m.* catenaccio, paletto.

chiàzza *s. f.* macchia, pezza.

chic *agg.* elegante, raffinato, distinto **CONTR.** inelegante, dozzinale, grossolano, comune, ordinario **B** *s. m. inv.* eleganza.

chicca *s. f.* (*pl. -che*) *1* caramella, confetto, bonbon (*fr.*) *2* (*est.*) perla.

chicchera *s. f.* *1* tazza *2* (*gener.*) recipiente, contenitore, stoviglie.

chicchessìa *pron. indef. sing.* *1* chiunque, tutti, qualsiasi *2* [*in frasi negative*] nessuno.

chicco *s. m.* (*pl. -chi*) *1* [*di caffè*] seme (*pop.*) *2* [*di polvere*] granello *3* [*di uva*] grano, acino.

chièdere A *v. tr.* *1* [*q.c.*] domandare, informarsi di, cercare *2* [*qc.*] interrogare *3* [*modi di*] richiedere, esigere, pretendere, reclamare *4* [*modi di*] postulare, implorare, impetrare, invocare, supplicare, pregare, sollecitare, intercedere, raccomandarsi *5* [*modi di*] elemosinare, mendicare, pitoccare *6* [*la felicità, la salute*] (*est.*) desiderare, ricercare **B** *v. intr. pron.* domandarsi, interrogarsi.

chiérica *s. f.* tonsura.

chiérico *s. m.* *1* ecclesiastico *2* (*est.*) sagrestano.

chièsa *s. f.* *1* [*tipo di*] cappella, santuario, abbazia, duomo, basilica, cattedrale, sinagoga, moschea *2* (*gener.*) edificio, tempio *3* (*est.*) parrocchia *4* (*est.*) clero.

chimèra *s. f.* fantasticheria, illusione, utopia, speranza (*est.*), visione (*est.*), miraggio (*fig.*).

chimericaménte *avv.* utopisticamente, illusoriamente, fantasticamente **CONTR.** realisticamente, concretamente, realmente.

chimèrico *agg.* *1* fantastico, immaginario, irreale, utopistico **CONTR.** vero, reale, concreto *2* [*rif. alla speranza, a un tentativo*] fantastico, illusorio, stravagante, fallace.

chìmica *s. f.* (*gener.*) scienza, disciplina.

china (1) *s. f.* pendio, pendenza, discesa, declivio (*colto*), clivo (*raro*) **CONTR.** salita, erta.

china (2) *s. f.* (*gener.*) inchiostro.

chinàre A *v. tr.* piegare, curvare, abbassare, inclinare, inchinare, incurvare, reclinare, rovesciare **B** *v. rifl.* *1* piegarsi, curvarsi, abbassarsi, inchinarsi *2* (*est.*) umiliarsi, sottomettersi, rassegnarsi, ubbidire, ossequiare.

chincaglierìa *s. f.* cianfrusaglia, paccottiglia (*spreg.*), ciarpame (*spreg.*), spazzatura (*spreg.*).

chinìna *s. f.* (*gener.*) alcaloide.

chiocciàre *v. intr.* (*est.*) gracchiare, gracidare.

chiòcciola *s. f.* lumaca.

chiodìno *s. m.* (*gener.*) fungo.

chiòdo *s. m.* *1* mania, ossessione, fissazione, assillo, incubo, tormento, pungolo, pallino (*fig.*) *2* debito.

chiòma *s. f.* *1* capigliatura, zazzera (*scherz.*), criniera (*scherz.*), capello (*est.*) *2* [*rif. alla stella cometa*] coda.

chiòsa *s. f.* annotazione, nota, postilla, commento.

chiosàre v. tr. **1** annotare, fare delle chiose, fare delle annotazioni, postillare, glossare, fare delle note, rivedere **2** (est.) commentare, spiegare, esplicare, chiarire.

chiòsco s. m. (pl. -chi) edicola.

chiòstro s. m. claustro (colto).

chiozzòtta s. f. (gener.) barca, imbarcazione.

chiromànte s. m. e f. indovino.

chissà avv. forse, probabilmente, eventualmente **CONTR.** indubbiamente.

chiùdere A v. tr. **1** serrare, sbarrare, sprangare, sigillare, barrare, barricare, chiavare, piombare, bloccare **CONTR.** aprire, spalancare, dischiudere, disserrare, dissigillare, dissuggellare **2** [tutto intorno] serrare, recintare, assiepare, cingere, recingere, circondare, circoscrivere **3** [una persona] rinchiudere, confinare, limitare, imprigionare, incarcerare **4** [un lavoro] abbandonare, terminare, concludere, sospendere, cessare, finire, ultimare **5** [un debito] estinguere **6** [un buco] otturare, tappare, turare, mettere il tappo, coprire **CONTR.** forare **7** [la luce, la televisione] disattivare, spegnere **8** [un abito] accollare **9** [una tubatura, etc.] ostruire, occludere, accecare (fig.) **B** v. intr. pron. **1** (anche fig.) serrarsi, bloccarsi, tapparsi, segregarsi, arroccarsi **CONTR.** aprirsi **2** [detto di cielo, di espressione, etc.] (est.) incupirsi, oscurarsi, rannuvolarsi **3** [detto di ferita, etc.] rimarginarsi, cicatrizzarsi, risarcirsi (raro) **4** [detto di rapporto, etc.] concludersi, finire, terminare **C** v. rifl. **1** [in un abito] avvolgersi **2** nascondersi, ritirarsi, barricarsi **3** raccogliersi **CONTR.** effondersi, esternarsi, confessarsi **4** inibirsi.

chiùnque A pron. indef. sing. chicchessia, tutti, qualsiasi **B** pron. indef. rel. sing. qualunque persona che.

chiùsa s. f. **1** sbarramento, argine, diga, cateratta **2** [in un discorso, in un testo] chiusura, conclusione, fine.

chiusìno s. m. tombino.

chiùso A part. pass.; anche agg. **1** serrato, sbarrato, sprangato **CONTR.** aperto, spalancato, allargato, proteso

(fig.) **2** [rif. al carattere, etc.] introverso, taciturno, riservato **CONTR.** aperto, loquace, ciarliero **3** [rif. alla mente] limitato, ottuso, settario **CONTR.** aperto **4** [rif. al linguaggio, etc.] (fig.) inaccessibile, impenetrabile, inavvicinabile **CONTR.** aperto, chiaro, comprensibile **B** s. m. sing. recinto.

chiusùra s. f. **1** [di un'attività, etc.] fine, cessazione, serrata **CONTR.** apertura **2** [di un vestito] abbottonatura, cerniera, lampo **3** [di una collana] fermezza **4** [di una porta] serratura **5** [di un dente] (med.) otturazione **6** [rif. a una tubatura] otturamento **7** [di un organo] (med.) occlusione **8** [di canali, di serbatoi, etc.] (raro) chiusa, cateratta, diga **9** [verso un accordo, etc.] (fig.) limite, blocco, ostacolo, preclusione **10** [rif. alla visione del mondo] (est.) limitatezza, settarismo **CONTR.** apertura, sensibilità, comunicativa, liberalità, disponibilità, lungimiranza **11** [di un discorso, di un testo, etc.] (est.) chiusa, conclusione **CONTR.** prefazione, introduzione **12** [verso altri] scontrosità, introversione.

choccàre v. tr. V. scioccare.

ciabattìno s. m. (f. -a) calzolaio, scarparo (merid.).

ciàcola s. f. **1** ciarla, chiacchiera **2** pettegolezzo, diceria.

ciacolàta s. f. cicalata (fig.), chiacchierata, conversazione, discorso.

ciància s. f. (pl. -ce) **1** chiacchiera, ciarla, parola (est.) **2** fandonia, bugia, pettegolezzo **3** (raro) scherzo, burla **4** pettegolezzo.

cianciàre v. intr. blaterare, ciarlare, straparlare, spettegolare, parlottare, chiacchierare, sparlare, gracchiare (fig.), gracidare (fig.), cicalare (fig.), pettegolare, ciàngottare.

cianfrusàglia s. f. chincaglieria, paccottiglia (spreg.), carabattola.

ciangottàre v. intr. **1** cinguettare **2** parlottare, cianciare.

ciangottìo s. m. **1** balbettio **2** parlottio, chiacchierio, mormorio, cinguettio **3** [rif. agli uccelli] cinguettio, pigolio.

ciàno s. m. **1** fiordaliso **2** (gener.) fiore.

cianùro s. m. (gener.) veleno.

ciào inter. arrivederci, salve, buongiorno, buondì, addio (tosc.).

ciaramèlla s. f. V. cennamella.

ciàrla s. f. **1** ciancia, chiacchiera, ciacola (sett.) **2** pettegolezzo, diceria, maldicenza **3** (est.) loquacità, parlantina, loquela.

ciarlàre v. intr. chiacchierare, parlottare, confabulare, spettegolare, cianciare, gracidare (fig.), gracchiare (fig.), cicalare (scherz.), blaterare, sparlare, cinguettare (fig.), garrire (iron.), parlare, pettegolare.

ciarlièro agg. chiacchierone, facondo, loquace, verboso **CONTR.** taciturno, silenzioso, chiuso, introverso, muto.

ciarpàme s. m. **1** scarto, rifiuto **2** (est.) vecchiume, anticaglia, paccottiglia, chincaglieria, immondizia (fig.).

ciascùno A agg. indef. sing. ogni, ognuno **B** pron. indef. sing. ogni persona, tutti, ognuno.

cibàre A v. tr. **1** alimentare, nutrire, sfamare, imboccare, dare da mangiare **2** (est.) allevare, sostenere **B** v. rifl. mangiare, nutrirsi, alimentarsi, sostenersi, pascersi (lett.).

cibo s. m. **1** alimento, nutrimento **2** (est.) viveri, vettovaglie **3** vivanda, pietanza, piatto, roba (fam.) **4** vitto, alimentazione, nutrizione **5** [per animali] mangime **6** [morale] (fig.) pane.

cibòrio s. m. **1** (est.) tabernacolo **2** (est.) pisside **3** (gener.) custodia.

cicàla s. f. (gener.) insetto.

cicalàre v. intr. cinguettare (fig.), gracidare (fig.), cianciare, ciarlare, chiacchierare, blaterare, spettegolare, confabulare, parlottare.

cicalàta s. f. chiacchierata, ciacolata (sett.), discorso, conversazione.

cicalèccio s. m. parlottio, vocio, chiacchierio, cicalio, brusio.

cicalìo s. m. cicaleccio, chiacchierio, brusio, parlottio, vocio.

cicatrice s. f. **1** segno **2** (erron.) taglio, morsicatura, bruciatura, graffio **3** (est.) sfregio.

cicatrizzàre *A v. tr. e intr.* rimarginare, cauterizzare, sanare, guarire, bruciare **CONTR.** piagare *B v. intr. pron.* rimarginarsi, cauterizzarsi, rigenerarsi, chiudersi, risanarsi, saldarsi, sanarsi, guarire, risarcirsi (*raro*).

cicca (1) *s. f. (pl. -che)* **1** mozzicone **2** (*est.*) sigaretta.

cicca (2) *s. f. (pl. -che)* chewing-gum (*ingl.*), gomma (*fam.*).

cicchètto *s. m.* **1** rimbrotto, rimprovero **2** [*di vino, etc.*] bicchiere.

ciccia *s. f. (pl. -ce)* carne, polpa.

ciceróne *s. m.* guida, accompagnatore.

ciclamino *A agg.* [*rif. a colore*] viola *B s. m. (gener.)* fiore.

ciclismo *s. m. sing. (gener.)* sport.

ciclo (1) *s. m.* **1** fase, periodo **2** [*rif. a una malattia*] (*est.*) decorso **3** [*di conferenze, etc.*] serie, gruppo.

ciclo (2) *s. m.* bicicletta.

ciclóne *s. m.* **1** uragano, tifone **2** (*est.*) tempesta, burrasca, bufera, temporale **3** [*rif. a una persona*] (*fig.*) turbine.

ciclòpe *s. m.* (*est.*) gigante, titano, colosso, mastodonte.

ciclòpico *agg.* gigantesco, titanico, enorme, smisurato, colossale **CONTR.** piccolo, minuscolo.

cièca *s. f. (pl. -che)* V. ceca.

ciecaménte *avv.* **1** offuscatamente **2** sconsideratamente **CONTR.** consapevolmente **3** pedissequamente.

cièco *agg.* (*pl. m. -chi*) **1** non vedente (*euf.*) **2** [*rif. a vicolo, a strada*] (*anche fig.*) chiuso, senza sbocco.

cièlo *s. m.* **1** firmamento, volta celeste (*poet.*), etere (*lett.*) **CONTR.** terra **2** (*est.*) eden (*lett.*), empireo (*colto*), paradiso, eccelso (*lett.*) **CONTR.** inferno, tartaro **3** (*est.*) soffitto.

cifra (1) *s. f.* **1** numero **2** [*in un'operazione mat.*] risultato **3** [*in una divisione*] (*mat.*) quoziente **4** [*in una addizione*] (*mat.*) totale, somma **5** [*di cui disporre*] somma, budget (*ingl.*).

cifra (2) *s. f.* sigla, monogramma.

cifràre *v. tr.* **1** siglare **2** [*un messaggio*] trascrivere, codificare, tradurre in codice.

ciglio (1) *s. m.* orlo, bordo, margine, sponda, estremità.

ciglio (2) *s. m.* **1** pelo **2** (*est.*) sopracciglio **3** (*est.*) sguardo, occhio.

cigna *s. f.* V. cinghia.

cigolàre *v. intr.* gemere, gracidare (*fig.*), rumoreggiare, stridere, scricchiolare.

cilestrino *agg.* ceruleo, azzurro, blu.

ciliègia *s. f. (gener.)* frutto.

ciliègio *s. m.* (*gener.*) albero, pianta.

cilindro *s. m.* **1** tuba (*raro*), staio (*raro*) **2** (*gener.*) cappello **3** rullo **4** bobina.

cima (1) *s. f.* **1** sommità, vertice, colmo, apice, culmine, top (*ingl.*) **CONTR.** fondo **2** vetta, cresta, monte **3** capo, punta, estremità, estremo **4** [*di una freccia, di una lancia, etc.*] cuspide **5** [*rif. a una persona*] (*est.*) talento, genio.

cima (2) *s. f.* cavo, fune, gomena (*mar.*), corda.

cima (3) *s. f.* [*pietanza a base di carne*] (*tosc.*) tasca.

cimàre *v. tr.* **1** [*una pianta*] pareggiare, spuntare, potare **2** [*un tessuto*] pareggiare **3** [*i capelli, la barba, etc.*] accorciare **4** [*qc.*] sbarbare, tosare, radere.

cimèlio *s. m.* **1** antichità, reliquia **2** (*est.*) ricordo **3** [*rif. a una persona*] (*fig.*) mummia, dinosauro.

cimentàre *A v. tr.* **1** saggiare, provare **2** (*est.*) mettere alla prova, sperimentare *B v. rifl.* **1** esporsi, avventurarsi, arrischiarsi, azzardarsi **2** confrontarsi, provarsi, mettersi alla prova, provarci.

ciménto *s. m.* **1** sfida, prova, tentativo **2** (*est.*) rischio, pericolo, repentaglio **3** (*est.*) partita.

cimice *s. f. (gener.)* insetto.

cimiciàio *s. m.* topaia, tugurio, spelonca, stamberga, abituro, porcile.

cimitèro *s. m.* (*archeol.*) necropoli (*colto*), camposanto (*fam.*).

cimósa o **cimóssa** *s. f.* vivagno.

cimóssa *s. f.* V. cimosa.

cincischiàre *A v. tr.* **1** [*un abito, etc.*] gualcire, stropicciare, rovinare **2** tagliuzzare *B v. intr.* perdere tempo, baloccarsi, trastullarsi, oziare, poltrire *C v. intr. pron.* sgualcirsi, rovinarsi.

cinèdo *s. m.* omosessuale, bucaiolo (*tosc.*), bulìccio (*genov.*), recchione (*merid.*), checca (*roman.*), invertito, finocchio (*volg.*), anormale, diverso, frocio (*roman.*), gay (*ingl.*), pederasta.

cinema *s. m. inv.* **1** cinematografo **2** (*est.*) schermo.

cinematogràfico *agg.* fantastico, favoloso, strabiliante, inverosimile (*est.*) **CONTR.** reale, vero.

cinematògrafo *s. m.* cinema.

cingere *A v. tr.* **1** stringere, recingere, attorniare, circondare, racchiudere, contornare, circoscrivere, accerchiare, chiudere, bloccare (*est.*) **2** [*qc. con una coperta*] avvolgere, avviluppare, fasciare **3** [*qc. con le braccia*] stringere, allacciare, abbracciare, serrare **4** [*qc. con alloro, etc.*] coronare, incoronare, inghirlandare **5** indossare (*poet.*) *B v. rifl.* **1** incappellarsi, inghirlandarsi **2** avvolgersi.

cinghia o **cigna** *s. f.* cintura, cinta, cintola.

cinguettàre *v. intr.* **1** [*detto di uccelli*] cantare, garrire **2** [*detto di persona*] (*est.*) cicalare (*scherz.*), chiacchierare, parlottare, ciarlare **3** (*est.*) balbettare, ciangottare (*fig.*), farfugliare.

cinguettìo *s. m.* **1** [*rif. agli uccelli*] pigolio **2** ciangottio, parlottio, chiacchierio.

cìnico *agg.* **1** disincantato, disilluso, sprezzante, indifferente, insensibile **CONTR.** sentimentale, sensibile **2** spregiudicato, beffardo **CONTR.** rispettoso, riguardoso, ossequioso.

cinismo *s. m.* **1** disincanto **2** indifferenza, insensibilità, freddezza **CONTR.**

città

sensibilità, compassione *3* sfrontatezza, impudenza, spregiudicatezza *4* (*est.*) calcolo.

cinta *s. f. 1* cerchia, muraglia (*est.*), mura (*est.*) *2* (*est.*) recinto *3* cintola, cinghia, cintura.

cintola *s. f.* cintura, cinta, cinghia.

cintùra *s. f. 1* cintola, cinghia, cinta *2* [*di un abito, etc.*] vita *3* [*di verde, etc.*] (*est.*) zona, fascia *4* [*della città*] (*est.*) hinterland (*ted.*), periferia, suburbio.

ciòcca *s. f. 1* [*di uva, etc.*] pigna (*dial.*), racemo (*lett.*) *2* [*di capelli*] ciuffo.

ciòccia *s. f.* mammella, zinna (*merid.*), tetta, poppa (*tosc.*), puppa (*tosc.*).

ciòcco *s. m.* (*pl. -chi*) ceppo, tronco.

cioccolatino *s. m.* dolce.

cioè *avv.* ovvero, ossia, ovverosia (*raro*).

ciondolàre *v. intr. 1* dondolarsi, dondolare, oscillare, pencolare *2* bighellonare, vagabondare, deambulare (*colto*), oziare (*est.*), poltrire (*est.*) *3* (*est.*) tentennare, vacillare, ondeggiare *4* [*detto di stoffa, etc.*] penzolare, pendere, ricadere.

ciòndolo *s. m.* (*gener.*) gioiello.

ciondolóne *s. m.* (*f. -a*) bighellone.

ciondolóni *avv. 1* penzoloni *2* negligentemente, trascuratamente, oziosamente CONTR. alacremente, attivamente.

ciononostànte *avv.* tuttavia, malgrado ciò, nondimeno.

ciòtola *s. f. 1* scodella, tazza, coppa *2* (*gener.*) recipiente, stoviglie.

ciòttolo *s. m.* sasso, pietra, pietrisco.

cipiglio *s. m. 1* sguardo, occhiata *2* (*est.*) espressione, viso, aria (*fig.*).

cippo *s. m. 1* stele, colonna, pilastro, erma (*lett.*) *2* (*est.*) confine.

ciprèsso *s. m.* (*gener.*) albero.

cipria *s. f. 1* polvere *2* (*gener.*) trucco, cosmetico.

circa *A avv. 1* quasi, pressappoco, suppergiù, pressoché, approssimativamente CONTR. precisamente, esattamente *2* (*temp.*) verso *B prep.* a proposito di, intorno a, rispetto a, relativamente, per quanto riguarda.

circo *s. m.* (*pl. -chi*) anfiteatro, arena, sferisterio (*colto*).

circolàre *A v. intr. 1* passare, girellare, passeggiare, vagabondare, transitare, girare, andare intorno, andare in giro *2* (*est.*) muoversi, spostarsi, viaggiare, andare via, allontanarsi *3* [*detto di traffico*] (*fig.*) fluire, scorrere *4* [*detto di notizia, etc.*] propagarsi, diffondersi *5* [*detto di paura, di sospetto*] propagarsi, serpeggiare *B agg.* rotondo, tondo *C s. f.* (*gener.*) documento.

circolarménte *avv.* in tondo, in giro.

circolazióne *s. f. 1* movimento, spostamento (*est.*), giro (*est.*) *2* [*di aria, etc.*] flusso *3* [*rif. ai veicoli*] (*est.*) traffico.

cìrcolo *s. m. 1* cerchio, circonferenza, tondo *2* club (*ingl.*), ambiente, ritrovo.

circondàre *A v. tr. 1* cingere, recingere, recintare, chiudere, delimitare, serrare *2* [*detto di colline, di alberi, etc.*] incoronare, inghirlandare, abbracciare, contornare, coronare *3* [*militarmente*] accerchiare, attorniare, bloccare, aggirare *4* [*detto di folla, etc.*] assediare, assiepare, asserragliare, stringere *5* [*qc. di affetto*] (*fig.*) ricoprire, colmare, avvolgere *B v. rifl.* attorniarsi, accompagnarsi con (*est.*).

circonferènza *s. f. 1* cerchio, circolo, tondo *2* perimetro, periferia (*raro*).

circonvenìre *v. tr.* raggirare, turlupinare, imbrogliare, fregare (*fam.*).

circoscrìvere *v. tr. 1* limitare, delimitare, cingere, racchiudere, restringere, chiudere *2* [*un'epidemia*] (*est.*) limitare, delimitare, contenere, arginare, frenare, localizzare, isolare.

circoscrizióne *s. f.* provincia, distretto.

circospètto *agg.* [*rif. a un modo di fare*] sospettoso, cauto, attento, prudente, guardingo CONTR. imprudente, avventato, incauto, sconsiderato, corrivo, temerario.

circospezióne *s. f. 1* cautela, prudenza, precauzione, accortezza, oculatezza *2* (*est.*) riserbo, riservatezza.

circostànza *s. f. 1* contingenza, congiuntura, situazione, occorrenza, condizione (*est.*), evenienza, caso, occasione, momento (*est.*), volta (*fig.*), frangente, contesto, emergenza *2* (*est.*) avvenimento, fatto *3* avvenimento, prossimità, vicinanza.

circostanziàre *v. tr.* precisare, particolareggiare, descrivere (*impr.*).

circuìre *v. tr. 1* ingannare, insidiare, irretire, abbindolare, raggirare, imbrogliare, infinocchiare (*volg.*), accalappiare (*fig.*), aggirare (*fig.*) *2* (*raro*) ingannare, attorniare, accerchiare.

circùito *s. m. 1* giro, anello *2* [*di gara*] tracciato, percorso, pista.

circumnavigazióne *s. f.* periplo.

cirro *s. m. 1* viticcio *2* ricciolo *3* (*gener.*) nuvola.

cirrocùmulo *s. m.* (*gener.*) nuvola.

cirrostràto *s. m.* nuvola.

cistèrna *s. f. 1* bacino, serbatoio, pozzo *2* (*gener.*) barca, imbarcazione *3* (*est.*) autobotte.

cistifèllea *s. f.* (*anat.*) colecisti.

citàre *v. tr. 1* nominare, menzionare, mentovare (*lett.*), evocare, rievocare, rammentare *2* [*una chiacchiera, etc.*] riportare, riferire *3* [*le prove, i motivi, etc.*] allegare, addurre, produrre come prova, apportare, recare *4* (*dir.*) querelare, chiamare, convocare *5* [*qc. a modello, a esempio*] (*est.*) indicare, mostrare.

citazióne *s. f. 1* (*bur.*) precetto, ingiunzione, intimazione *2* [*al merito*] menzione *3* [*in un testo scritto*] segnalazione, richiamo, rimando, riferimento, nota.

citrùllo *A agg.* tonto, sciocco, stupido CONTR. scaltro, furbo, sveglio, astuto *B s. m.* (*f. -a*) sempliciotto, stupido, sciocco, stolto, coglione (*volg.*), ciuccio, ciuco.

città *s. f. inv. 1* urbe (*lett.*), provincia (*est.*), terra (*poet.*) CONTR. campagna, paese *2* centro, abitato *3* (*est.*)

cittadinanza, collettività, popolazione.

cittadinànza s. f. *1* collettività, popolazione, città (*est.*) *2* (*est.*) abitante (*pl.*).

cittadìno A s. m. (f. *-a*) *1* abitante *2* (*est.*) abitante, membro *3* (*est.*) civile, borghese *B* agg. urbano, civico, municipale, comunale CONTR. campagnolo, villereccio, contadino, rurale.

ciùcca s. f. (*pl. -che*) ubriacatura, sbronza, sbornia.

ciùccio (1) s. m. *1* asino, ciuco, somaro *2* [*rif. a una persona*] (*iron.*) gonzo, babbeo, citrullo (*pop.*), minchione (*fig.*), bietolone *3* (*est.*) ignorante.

ciùccio (2) s. m. succhiotto, ciucciotto.

ciùco s. m. (*pl. -chi*) *1* asino, somaro, ciuccio (*merid.*) *2* [*rif. a una persona*] (*iron.*) gonzo, allocco, citrullo, bietolone, minchione, babbeo *3* [*rif. a una persona*] (*est.*) ignorante *4* [*rif. a una persona*] (*est.*) facchino.

ciùffo s. m. [*di capelli*] ciocca.

ciùrma s. f. *1* equipaggio *2* (*est.*) marmaglia, gentaglia, ciurmaglia, canaglia, feccia (*fig.*) *3* (*est.*) branco.

ciurmàglia s. f. ciurma, plebaglia, gentaglia, marmaglia, canaglia.

civètta s. f. *1* [*rif. a una donna*] fraschetta *2* [*rif. alla stampa*] locandina.

civettàre v. intr. *1* corteggiare *un*, fare la corte *a*, flirtare, puttaneggiare *2* lasciarsi corteggiare.

cìvico agg. *1* urbano, cittadino, comunale, municipale CONTR. rurale *2* (*est.*) civile, sociale.

civìle A agg. *1* civico, urbano CONTR. campagnolo, rurale *2* [*rif. a una persona*] urbano, educato, corretto, cortese, gentile, garbato, piacevole CONTR. screanzato, incivile, barbaro, arretrato, selvaggio, vandalo (*est.*) *3* [*rif. a una popolazione*] evoluto, progredito CONTR. incivile, barbaro, arretrato *4* [*rif. alla condizione*] (*est.*) decoroso, onorevole CONTR. brado, primitivo, primordiale *5* [*rif. all'abito*] borghese CONTR. militare *B* s. m. e f. cittadino (*est.*), borghese CONTR. sol-

dato, armigero.

civilizzàre A v. tr. incivilire, dirozzare, ingentilire, umanizzare CONTR. imbarbarire *B* v. rifl. incivilirsi, ingentilirsi, migliorarsi (*est.*).

civilizzàto part. pass.; anche agg. dirozzato, ingentilito, incivilito CONTR. grezzo, rozzo, grossolano, sottosviluppato (*fig.*).

civilizzazióne s. f. civiltà.

civilménte avv. *1* educatamente, urbanamente, cortesemente, bene, compitamente, correttamente, garbatamente CONTR. incivilmente, sgarbatamente, scortesemente, villanamente, zoticamente *2* (*fig.*) urbanamente CONTR. barbaramente, rozzamente, selvaggiamente.

civiltà s. f. inv. *1* civilizzazione CONTR. inciviltà, barbarie *2* progresso, sviluppo, benessere *3* cultura *4* (*est.*) educazione, urbanità, creanza, gentilezza, correttezza, costumatezza CONTR. inciviltà, zoticaggine, villania, inurbanità *5* (*est.*) realtà, società, mondo (*fig.*).

clamóre s. m. *1* frastuono, strepito, baccano *2* [*rif. a avvenimenti, etc.*] (*est.*) scandalo, chiasso, scalpore, risonanza.

clamorosaménte avv. chiassosamente, rumorosamente, fragorosamente, straordinariamente, strepitosamente, in modo eclatante, in modo sensazionale, drammaticamente CONTR. alla chetichella, silenziosamente, tacitamente.

clamoróso agg. [*rif. a un avvenimento*] eclatante, rumoroso, chiassoso CONTR. insignificante, modesto.

clan s. m. inv. *1* famiglia, tribù, branco, gruppo *2* (*spreg.*) famiglia, cerchia, cricca, congrega *3* (*sport*) società, scuderia (*fig.*), squadra.

clandestinaménte avv. furtivamente, nascostamente, segretamente CONTR. legittimamente, regolarmente.

clandestìno A agg. *1* [*rif. a una situazione*] segreto, nascosto, occulto, illegale, illecito *2* [*rif. a idee, a scritti*] illegale, illecito CONTR. legale, lecito, regolare *B* s. m. (f. *-a*) irregolare, profugo.

claque s. f. inv. tifoseria, seguito.

clàsse (1) s. f. *1* [*rif. a una persona*] ceto, casta, strato (*fig.*), ambiente (*est.*), condizione (*est.*) *2* [*rif. a una gerarchia*] rango, ordine, categoria *3* [*rif. a piante, ad animali*] genere, specie, gruppo, famiglia *4* [*rif. all'età*] generazione *5* [*spec. con: avere*] (*est.*) eleganza, stile, tono, linea *6* numero, serie.

clàsse (2) s. f. *1* lezione *2* (*est.*) aula.

clàssico A agg. *1* tradizionale CONTR. eccentrico, estroso, originale *2* (*est.*) tipico, esemplare, caratteristico CONTR. originale *3* [*rif. alla moda*] collaudato CONTR. nuovo *B* s. m. (f. *-a*) *1* artista, autore, poeta *2* (*gener.*) scrittore.

classificàre A v. tr. *1* etichettare, contraddistinguere, distinguere, ordinare, dividere, archiviare *2* [*qc., q.c.*] valutare, giudicare *B* v. rifl. *1* etichettarsi, definirsi *2* (*sport*) qualificarsi, entrare in graduatoria, piazzarsi, arrivare (*fig.*).

classificàto part. pass.; anche agg. *1* ordinato, distribuito CONTR. disordinato, caotico *2* (*sport*) piazzato.

classificazióne s. f. *1* [*di dati, di libri, etc.*] spoglio, catalogazione, organizzazione, ordinamento, schedatura, scelta *2* [*degli animali, dei vegetali*] tassonomia (*biol.*) *3* [*rif. a persone*] valutazione, graduatoria *4* spoglio.

claudicàre v. intr. essere zoppo, zoppicare, vacillare, arrancare.

clàusola s. f. *1* condizione, restrizione *2* [*tipo di*] nota, postilla, codicillo *3* [*in un discorso*] (*est.*) inciso.

clàustro s. m. chiostro.

clàva s. f. *1* mazza, randello *2* (*gener.*) bastone, arma.

clavària s. f. (*gener.*) fungo.

cleménte agg. *1* misericordioso, indulgente, pietoso, generoso, benevolo, benigno CONTR. inclemente, duro, rigido, inflessibile, implacabile, acerbo, atroce, crudo, inesorabile *2* [*rif. al clima*] mite CONTR. inclemente, rigido.

clementeménte avv. indulgentemente, umanamente **CONTR.** rigidamente, fermamente.

clementina s. f. **1** mandarancio **2** (gener.) frutto, agrume.

clemènza s. f. indulgenza, generosità, misericordia, benignità, pietà, benevolenza **CONTR.** severità, inclemenza.

clericàle A agg. ecclesiastico, sacerdotale **CONTR.** laico, secolare **B** s. m. e f. **CONTR.** anticlericale.

clèro s. m. (fig.) chiesa.

cliènte s. m. e f. **1** [di un negozio] compratore, acquirente, signore (est.), signora (est.) **2** [di un luogo pubblico] avventore, frequentatore.

clientelismo s. m. favoritismo.

clima s. m. **1** tempo (fam.), temperatura (est.) **2** [in politica, etc.] condizione, atmosfera (fig.), situazione, ambiente, sfondo (fig.), aria (fig.).

climax o **klimax** s. m. inv. gradazione.

clinica s. f. (pl. -che) casa di cura, ospedale (est.).

clinico A s. m. (pl. -chi) medico, dottore, ospedaliero **B** agg. inv. [rif. all'occhio] esperto.

clipeo s. m. (gener.) scudo.

clistère s. m. enteroclisma.

clivo s. m. china, pendio, colle (est.).

cloàca s. f. (pl. -che) fogna, porcile.

clochard s. m. inv. barbone, vagabondo, mendicante (est.), accattone (est.).

club s. m. inv. circolo, ritrovo, società.

coabitàre v. intr. **1** convivere **2** [detto di idee, di situazioni, etc.] (est.) coesistere.

coadiutóre s. m. (f. -trice) aiutante, aiuto, collaboratore, socio (est.).

coadiuvàre v. tr. **1** collaborare con, cooperare con, concorrere con, contribuire con **2** (est.) assistere, aiutare, appoggiare.

coagulàre v. tr. rapprendere, solidificare, raggrumare, cagliare, quaglia-

re, ispessire, aggrumare, stringere, rappigliare (raro) **CONTR.** liquefare, diluire, disciogliere, disfare, dissolvere **B** v. intr. pron. rapprendersi, rassodarsi, indurirsi, cagliarsi, condensarsi, raggrumarsi, ispessirsi, addensarsi, stringersi, legarsi, rappigliarsi (raro) **CONTR.** disciogliersi, liquefarsi.

coalizióne s. f. **1** lega, alleanza, unione **2** schieramento, cartello, trust (ingl.), holding (ingl.).

coartàre v. tr. **1** forzare, costringere, obbligare, sforzare, violentare, fare violenza a, imporre con la forza **2** (est.) restringere, comprimere.

coartazióne s. f. costrizione.

coattivaménte avv. forzatamente, coercitivamente, obbligatoriamente, forzosamente **CONTR.** spontaneamente, liberamente, volontariamente.

coàtto agg. imposto, forzato, obbligato **CONTR.** libero, volontario.

coazióne s. f. violenza, costrizione, coercizione, imposizione.

còca s. f. (pl. -che) **1** (gener.) droga **2** cocaina, neve (gerg.).

cocaina s. f. **1** coca, neve (gerg.) **2** (gener.) droga, alcaloide, stupefacente.

cocainismo s. m. cocainomania.

còcchio s. m. **1** carrozza **2** (gener.) veicolo.

cocciniglia s. f. (gener.) insetto.

cocciutàggine s. f. **1** (neg.) ostinazione, testardaggine, accanimento, caparbietà, pervicacia, rigidezza (est.), insistenza (est.), indocilità **CONTR.** acquiescenza, mitezza, arrendevolezza, docilità **2** caparbietà, pervicacia, rigidezza **2** (est.), insistenza (est.).

cocciutaménte avv. caparbiamente, ostinatamente, testardamente, tenacemente **CONTR.** arrendevolmente, docilmente.

cocciùto agg. caparbio, testardo, ostinato, pervicace, pertinace, fissato **CONTR.** condiscendente, remissivo, arrendevole, conciliante.

còcco (1) s. m. (pl. -chi) (gener.)

frutto.

còcco (2) s. m. (pl. -chi) **1** (gener.) fungo **2** (bot.) ovolo.

còcco (3) s. m. (pl. -chi) uovo.

coccodrillo s. m. (gener.) loricato, anfibio.

coccolàre A v. tr. vezzeggiare, carezzare, blandire, cullare, viziare, lisciare, covare (scherz.) **B** v. rifl. crogiolarsi.

cocènte part. pres.; anche agg. **1** ardente, rovente, bruciante **CONTR.** freddo **2** [rif. al dolore, a una delusione] intenso, acuto (fig.), lancinante **CONTR.** blando, lieve **3** [rif. alla passione] violento, veemente, irruente.

còcker s. m. inv. (gener.) cane.

còcktail s. m. inv. **1** drink (ingl.), bevanda **2** (est.) rinfresco, ricevimento, party (ingl.), festa **3** mescolanza, miscela, insieme.

cocòmero s. m. **1** (gener.) frutto **2** anguria, melone d'acqua.

cocùzza s. f. **1** (bot.) zucca, cucurbita **2** (est.) testa, capo.

còda s. f. **1** [di un oggetto] estremità **2** [in una lettera, etc.] (est.) appendice, prolungamento, continuazione, aggiunta **3** [rif. a avvenimenti, etc.] (est.) conseguenza, strascico (fig.), postumo [di persone] (est.) fila, colonna, riga, teoria **5** [rif. alla stella cometa] scia, chioma (fig.).

codardaménte avv. vigliaccamente, vilmente, paurosamente, pavidamente **CONTR.** audacemente, coraggiosamente, arditamente, ardimentosamente, baldanzosamente, eroicamente.

codardia s. f. viltà, vigliaccheria, pusillanimità, pavidità **CONTR.** coraggio, ardimento, animo, eroismo.

codàrdo agg. vigliacco, pusillanime, imbelle, vile, pavido, pauroso **CONTR.** coraggioso, impavido, intrepido, baldanzoso, animoso, ardito, audace, prode (poet.).

codàzzo s. m. seguito, accompagnamento, corteo, strascico (fig.), contorno.

codésto *A agg. dimostr.* questo, quello *B pron. dimostr.* quello.

codicillo *s. m.* postilla, aggiunta, nota, clausola (*est.*).

codificàre *v. tr.* **1** cifrare, tradurre in codice, trascrivere **CONTR.** decifrare, decodificare **2** [*le regole, le norme*] ratificare, sanzionare **3** [*un programma*] (*elab.*) compilare.

codificazióne *s. f.* codifica.

codino (1) *s. m.* treccia.

codino (2) *s. m.; anche agg.* reazionario, oscurantista.

coercitivaménte *avv.* coattivamente, forzatamente, obbligatoriamente, forzosamente **CONTR.** liberamente, volontariamente.

coercitivo *agg.* repressivo, costrittivo, forzato **CONTR.** libero, spontaneo.

coercizióne *s. f.* coazione, costrizione, pressione (*est.*), violenza, oppressione.

coerènte *agg.* **1** [*rif. a un discorso*] congruente, lineare, rigoroso **CONTR.** incoerente, assurdo, discontinuo **2** (*est.*) omogeneo, uguale, unitario **CONTR.** incoerente, discontinuo, disunito **3** [*rif. a un ragionamento*] (*est.*) conseguente, logico, organico, sistematico **CONTR.** incoerente, contraddittorio, incongruente, irragionevole, sconclusionato **4** [*rif. allo stile, al metodo*] (*est.*) equilibrato, armonioso **CONTR.** incoerente **5** (*est.*) conforme.

coerenteménte *avv.* conseguentemente, senza contraddizioni, congruentemente **CONTR.** incoerentemente, incongruentemente, illogicamente (*est.*), contraddittoriamente.

coerènza *s. f.* **1** [*tra elementi*] coesione **2** [*nelle idee, nello stile*] uniformità, omogeneità (*fig.*), armonia (*est.*), equilibrio (*est.*), congruenza, corrispondenza, concordanza **CONTR.** incoerenza, disarmonia, disomogeneità **3** [*del pensiero, discorso*] (*est.*) logica, razionalità, linearità, consequenzialità, ordine, senso **CONTR.** squilibrio, irrazionalità, illogicità, incongruenza **4** [*rif. all'atteggiamento*] (*est.*) rigore, costanza **CONTR.** incostanza, superficialità.

coesióne *s. f.* **1** [*tra elementi*] consistenza, compattezza, coerenza **2** [*tra persone*] (*est.*) unione, accordo, affiatamento **3** [*nei pensieri, nei discorsi*] (*est.*) continuità, congruenza, consequenzialità, logica.

coesistènza *s. f.* concomitanza, contemporaneità.

coesistere *v. intr.* **1** [*detto di idee, di situazioni, etc.*] esserci, coabitare (*fig.*), convivere (*fig.*) **2** [*detto di qualità, etc.*] esserci, convivere (*fig.*), unirsi.

coèvo *agg.* contemporaneo.

cofanètto *s. m.* **1** scatola **2** (*gener.*) contenitore.

cogitabóndo *agg.* meditabondo, pensieroso, assorto, raccolto **CONTR.** spensierato, svagato.

cogitàre *v. intr.* pensare, riflettere, meditare.

cògliere *v. tr.* **1** [*un frutto, un fiore*] prendere, raccogliere, staccare dall'albero **2** [*un'idea, etc.*] (*est.*) afferrare (*fig.*), intendere, capire, intuire, trovare (*fig.*), comprendere **3** [*un bersaglio*] beccare (*fam.*), centrare, colpire **4** [*qc.*] beccare (*fam.*), sorprendere, pizzicare (*fig.*) **5** [*l'occasione*] prendere, afferrare (*fig.*), acchiappare (*fig.*), impadronirsi *di*, approfittare *di* **6** [*il successo*] (*est.*) acquistarsi, procurarsi, raggiungere, ottenere, conquistare **7** [*un segnale*] captare, intercettare, indovinare (*est.*) **8** [*detto di malore, etc.*] sopraggiungere *a*.

coglionàre *v. tr.* burlare, deridere, minchionare (*volg.*), canzonare, beffeggiare, schernire, beffare, sbeffare, dileggiare, irridere, sfottere.

coglióne (1) *agg., s. m. e f.* sciocco, babbeo, fesso, grullo, balordo **CONTR.** furbo, scaltro, dritto.

coglióne (2) *s. m.* testicolo, didimo (*lett.*), palla (*pop.*).

cognitivo *agg.* conoscitivo.

cognizióne *s. f.* **1** conoscenza, consapevolezza, coscienza **2** nozione, notizia **3** (*est.*) conoscenza, competenza, scienza.

cognóme *s. m.* **1** patronimico (*colto*)

2 nome, casato.

coincidènza *s. f.* **1** [*di opinioni, etc.*] identità, consonanza, corrispondenza, analogia, omogeneità, armonia (*est.*) **2** [*di fatti, di eventi*] simultaneità, concomitanza, sincronia **3** (*est.*) combinazione, caso.

coincidere *v. intr.* **1** [*detto di situazioni, di idee*] corrispondere *a*, collimare, combaciare, convergere, quadrare, combinare, commettere (*colto*) **CONTR.** divergere, discostarsi, contrastare **2** essere identico *a*, identificarsi.

cointeressàre *v. tr.* interessare, coinvolgere.

cointeressènza *s. f.* partecipazione.

coinvòlgere *A v. tr.* **1** tirare in ballo (*fig.*), implicare, compromettere, intricare (*fig.*) **2** trascinare, imbarcare (*scherz.*), mobilitare **3** cointeressare, interessare **CONTR.** estromettere, allontanare, escludere, eccettuare *B v. rifl.* implicarsi, invischiarsi.

coinvolgiménto *s. m.* interesse, partecipazione.

còito *s. m.* accoppiamento, amplesso, copula (*lett.*), scopata (*volg.*), chiavata (*volg.*), rapporto.

colà *avv.* là, in quel luogo **CONTR.** costì, qui.

colàre *A v. tr.* **1** [*q.c. con il setaccio*] filtrare, scolare, sgocciolare, vagliare, setacciare, distillare, passare, gocciolare **2** [*il metallo, il gesso*] fondere *B v. intr.* **1** [*detto di liquido, etc.*] cadere, fluire, stillare, scorrere, uscire, gocciolare, grondare, fuoriuscire, gemere **2** [*detto di contenitore*] perdere **3** [*detto di cera, di burro*] struggersi, squagliarsi, fondersi, liquefarsi, filare.

colàta *s. f.* **1** [*di liquidi*] flusso, getto, gettata **2** [*di metalli in fonderia*] fusione **3** [*di fango*] smottamento.

colazióne *s. f.* **1** breakfast (*ingl.*), prima colazione **2** pranzo **3** (*gener.*) pasto.

colbàcco *s. m.* (*pl. -chi*) (*gener.*) cappello.

còlf *s. f. inv.* collaboratrice domestica, domestica, donna, ragazza, cameriera (*est.*), ancella (*scherz.*), fantesca (lett.), donna di servizio **CONTR.** signora, padrona.

collaboràre v. intr. **1** [con qc.] coadiuvare un, aiutare un, appoggiare un, allearsi **2** [a fare q.c.] cooperare, concorrere, contribuire, partecipare.

collaboratóre s. m. (f. -trice) assistente, aiutante, aiuto, coadiutore, socio (est.).

collaborazióne s. f. **1** cooperazione **2** contributo, concorso, alleanza, aiuto, partecipazione, apporto, ausilio, concerto (colto).

collàna s. f. **1** monile, vezzo, catena, collier (fr.), girocollo **CONTR.** anello, braccialetto, orecchino **2** (gener.) gioiello **3** [di ordine cavalleresco] collare **4** [rif. a libri, etc.] collezione, raccolta, serie.

collàre s. m. **1** [di peli, di piume, di squame] anello, bordatura (est.) **2** [per animali] (est.) catena **3** [di ordine cavalleresco] (est.) collana.

collàsso s. m. **1** mancamento, cedimento, svenimento **2** (gener.) malore **3** [l'azione] crisi.

collateralménte avv. parallelamente, di fianco.

collaudàre v. tr. provare, verificare.

collaudàto part. pass.; anche agg. **1** sperimentato, provato, verificato **2** [rif. a una situazione] noto, conosciuto **CONTR.** nuovo **3** (est.) classico **CONTR.** nuovo.

collazionàre v. tr. confrontare, paragonare, comparare, raffrontare, riscontrare.

collazióne s. f. confronto, comparazione, riscontro, raffronto.

còlle (1) s. m. **1** altura, collina, dosso, clivo (poet.), poggio **2** [di sabbia] duna.

còlle (2) s. m. passo.

collèga s. m. e f. (pl. m. -ghi) compagno.

collegaménto s. m. **1** rapporto, connessione, correlazione, nesso, contatto (est.), concatenazione **2** [tra idee] associazione **3** [tra elementi, tra tubi, etc.] congiunzione, allacciamento,

giunzione (est.), articolazione, linea **4** [di strade] svincolo, raccordo, bretella (fig.) **5** [tra persone, tra cose, tra fatti] (fig.) ponte, trait d'union (fr.) **6** [tra luoghi] comunicazione, passaggio.

collegàre A v. tr. **1** connettere, agganciare, associare, unire, congiungere, accostare, avvicinare, innestare, accoppiare, aggiuntare, cucire, raccordare, attaccare **CONTR.** scollegare, disarticolare, disgiungere **2** [un meccanismo, etc.] agganciare, allacciare, installare, collocare **3** [le idee] (est.) connettere, associare, mettere in relazione, ricollegare, coordinare, riunire **4** [qc.] unire, avvicinare, mettere in comunicazione, alleare **CONTR.** dividere **B** v. rifl. **1** congiungersi, unirsi, appaiarsi, allearsi, associarsi, confederarsi **2** [per telefono, per tv, per radio] mettersi in comunicazione, prendere la linea, comunicare, connettersi, riconnettersi, ricollegarsi **C** v. intr. pron. accordarsi.

collegiàle A agg. collettivo **B** s. m. e f. convittore.

collegialménte avv. collettivamente, insieme, assemblearmente **CONTR.** singolarmente, individualmente.

collègio s. m. **1** istituto, convitto **2** [tipo di] educandato (raro), orfanotrofio **3** [di professionisti] associazione, congregazione, consesso **4** (est.) penitenziario, gattabuia (scherz.), prigione, carcere, galera **5** [di medici] consulto.

còllera s. f. rabbia, ira, sdegno, furore, furia, stizza, bile (fig.), esasperazione (est.) **CONTR.** calma.

collericaménte avv. iratamente, arrabbiatamente, rabbiosamente **CONTR.** pacatamente, tranquillamente, pacificamente.

collèrico agg. bilioso, iroso, irascibile, iracondo, rabbioso, stizzoso, nevrastenico, bizzoso **CONTR.** tranquillo, pacato, calmo.

collètta s. f. questua.

collettivaménte avv. collegialmente, globalmente, assemblearmente, tutti insieme, complessivamente, coralmente, cumulativamente **CONTR.** separatamente, individualmente, singolarmente.

collettività s. f. inv. **1** comunità, società **CONTR.** individuo, singolo **2** (est.) cittadinanza, città **3** comune.

collettivizzàre v. tr. socializzare, statalizzare, nazionalizzare, statizzare (raro) **CONTR.** privatizzare.

collettivo A agg. **1** pubblico, comune **CONTR.** individuale, privato **2** comune, unanime, generale **CONTR.** individuale **B** s. m. insieme, gruppo.

collètto s. m. **1** collo **2** [rif. alla carne bovina] spalla.

collezionàre v. tr. **1** fare una collezione **2** (est.) accumulare, raccogliere, riunire, radunare.

collezióne s. f. **1** raccolta **2** [di libri] serie, collana.

collezionista s. m. e f. amatore.

collìdere v. intr. scontrarsi, cozzare, sbatacchiare, picchiare.

collier s. m. inv. **1** collana, monile, vezzo, girocollo **2** (gener.) gioiello.

collimàre v. intr. **1** coincidere, combaciare, corrispondere a, concordare, quadrare, combinare, commettere (colto), soddisfare un (est.), riscontrare **2** (est.) essere esatto.

collina s. f. **1** altura, colle, rilievo, poggio, dosso **CONTR.** pianura, montagna **2** [di sabbia] duna.

collisióne s. f. **1** urto, scontro, cozzo, investimento **2** [tra idee] (est.) contrasto, conflitto (fig.) **CONTR.** accordo.

còllo (1) s. m. [di merci] pacco, balla, plico, cassa, involto, sacco.

còllo (2) s. m. **1** cervice, gola (est.) **2** [degli abiti, etc.] colletto, bavero.

collocaménto s. m. **1** sistemazione, collocazione, posa **CONTR.** dislocamento **2** lavoro, impiego, occupazione.

collocàre A v. tr. **1** sistemare, piazzare, porre, situare, disporre, basare, deporre, installare, posare, mettere, dislocare, ubicare, posizionare, caricare, ambientare (est.) **2** [qc. in un lavoro] (est.) sistemare, impiegare, inquadrare **3** [una fanciulla] accasare, maritare, sposare **4** [una pianta a dimora] piazzare, piantare **5** [il capi-

collocato *tale*] impiegare, investire, depositare **B** *v. rifl.* mettersi, disporsi, sistemarsi, porsi, piazzarsi, piantarsi **C** *v. intr. pron.* [*detto di avvenimento storico*] inquadrarsi, situarsi, inserirsi.

collocàto *part. pass.; anche agg.* (*lett.*) sito.

collocazióne *s. f.* **1** sistemazione, disposizione, posizione, allogamento **CONTR.** dislocamento **2** installazione, posa **3** [*di q.c.*] (*est.*) posto, sede **4** (*est.*) sistemazione, collocamento, lavoro, impiego, occupazione.

colloquiàre *v. intr.* **1** parlare, dialogare, conversare, chiacchierare, discorrere, abboccarsi **2** (*est.*) trattare, parlamentare.

collòquio *s. m.* **1** conversazione, dialogo, discorso, discussione, abboccamento **CONTR.** soliloquio, monologo **2** (*est.*) esame.

collòso *agg.* **1** viscoso, appiccicoso, tenace **2** [*rif. a un liquido*] (*est.*) denso, gelatinoso **CONTR.** fluido.

colmàre **A** *v. tr.* **1** riempire, ricolmare, empire (*raro*) **CONTR.** svuotare, incavare **2** [*l'aria, l'ambiente*] impregnare, pervadere, saturare **3** [*un locale*] caricare, stivare, gremire **4** [*un panino, un toast, etc.*] imbottire, inzeppare **5** [*la mente*] compenetrare **6** [*qc. di cibo*] rimpinzare **7** [*qc. di affetto, etc.*] (*fig.*) coprire, ricoprire, circondare **B** *v. intr. pron.* **1** riempirsi, ricolmarsi **CONTR.** svuotarsi **2** [*di persone*] popolarsi **3** [*di muffa, di neve, etc.*] coprirsi **4** [*di fumo, di odori, etc.*] impregnarsi.

cólmo **A** *agg.* **1** pieno, strapieno, zeppo, traboccante, rigurgitante **CONTR.** vuoto, privo, mancante **2** (*est.*) carico, gravido, pregno **3** [*rif. al fumo, a un pregiudizio*] (*est.*) saturo, impregnato, pervaso **CONTR.** privo **4** [*rif. alla gente*] (*est.*) affollato, gremito **CONTR.** deserto **B** *s. m.* **1** culmine, apice, punta, cima, sommità, sommo **CONTR.** fondo, base **2** [*della felicità, etc.*] culmine, apice, punta, pieno, acme, estremo, saturazione, pienezza.

colombàia *s. f.* piccionaia.

colombina *s. f.* (*gener.*) fungo.

colómbo *s. m.* **1** (*gener.*) uccello **2** piccione, palombaccio.

colònia (1) *s. f.* **1** possedimento, stabilimento, dominio (*est.*) **2** [*di esseri viventi*] gruppo, comunità.

colònia (2) *s. f.* contratto agricolo.

colònia (3) *s. f.* (*gener.*) profumo.

colonizzàre *v. tr.* **1** conquistare **2** (*est.*) popolare.

colònna *s. f.* **1** pilastro **2** stele, cippo, obelisco, erma (*raro*) **3** [*di persone*] (*est.*) fila, coda (*fig.*) **4** (*mil.*) schiera, formazione **5** [*di numeri, etc.*] (*est.*) fila, elenco.

colonnèllo *s. m.* (*f. -a*) (*gener.*) militare.

colòno *s. m.* (*f. -a*) (*est.*) contadino, agricoltore, coltivatore.

coloràre **A** *v. tr.* **1** tingere, colorire, tinteggiare, verniciare **2** (*est.*) pitturare, dipingere **3** [*la pelle*] pigmentare **B** *v. intr. pron.* **1** [*detto di volto*] imporporarsi, arrossire, ravvivarsi **2** [*i capelli*] tingersi **3** [*il viso*] (*raro*) dipingersi.

colorazióne *s. f.* (*est.*) tinta, colore, sfumatura.

colóre *s. m.* **1** tinta, colorazione, tono **2** colorito, incarnato **3** tinta, vernice, pittura, patina **4** [*nelle carte da gioco*] seme **5** (*est.*) idea, partito, opinione **6** [*tipo di*].

NOMENCLATURA

Colori

Colore: l'impressione che la luce, variamente riflessa dalla superficie dei corpi, produce sull'occhio, dipendente dalla lunghezza d'onda delle radiazioni elettromagnetiche emesse dal corpo colorato e ricevute dall'occhio.

bianco:
  argento;
  avorio;
  gesso;
  ghiaccio;
  latte;
  neve;
  panna;
  sporco.

nero:
  bruno;
  corvino;
  ebano;
  morello.

grigio: colore formato principalmente da una mescolanza di bianco e nero;
  antracite;
  cenere;
  cenerino;
  cenerognolo;
  cinereo;
  ferro;
  fumo di Londra;
  grafite;
  grigioverde;
  madreperla;
  perla.

giallo:
  albicocca;
  ambra;
  banana;
  biondo;
  cachi;
  cadmio;
  canarino;
  cannella;
  citrino;
  crema;
  cromo;
  limone;
  ocra;
  oro;
  paglierino;
  sabbia;
  senape;
  topazio;
  uovo;
  zafferano.

rosso:
  amaranto;
  aragosta;
  cardinale;
  carminio;
  carnicino;
  ciliegia;
  cinabro;
  cocciniglia;
  corallo;
  cremisi;
  geranio;
  granata;
  incarnato;
  lacca;
  magenta;
  mattone;
  minio;
  mogano;

porpora;
ramato;
rosa;
rubino;
salmone;
sangue;
scarlatto;
tango;
tizianesco;
vermiglio.

blu:
 acquamarina;
 azzurro;
 azzurrognolo;
 glauco;
 blu cinese;
 blu di Prussia;
 blu elettrico;
 blu petrolio;
 bluette;
 celeste;
 celestino;
 ceruleo;
 cilestrino;
 cobalto;
 oltremare;
 oltremarino;
 pavone;
 turchese;
 turchino;
 turchinetto;
 zaffiro.

marrone: colore formato da una mescolanza di rosso, giallo e blu in diverse proporzioni;
avana;
beige;
biscotto;
caffè;
cammello;
castagna;
castano;
castoro;
cioccolato;
cuoio;
écrù;
mogano;
nocciola;
ruggine;
seppia;
tabacco;
terra di Siena;
testa di moro.

verde: colore formato principalmente da una mescolanza di giallo e blu;
acido;
acqua;

bandiera;
bottiglia;
erba;
giada;
mare;
mela;
menta;
oliva;
pisello;
pistacchio;
salvia;
smeraldo;
verdazzurro;
verdemare;
verderame;
verdone;
veronese.

arancione: colore formato principalmente da una mescolanza di rosso e giallo;
becco d'oca;
carota.

viola: colore formato principalmente da una mescolanza di rosso e blu;
ametista;
ciclamino;
fucsia;
glicine;
lacca di garanza;
lilla;
malva;
melanzana;
pervinca;
violaceo;
violetto.

colorire *A v. tr.* **1** colorare, tingere, pitturare, dipingere **2** [*il racconto*] (*est.*) abbellire, vivacizzare, animare *B v. intr. pron.* **1** arrossire, animarsi, imporporarsi, ravvivarsi CONTR. impallidire, sbiancare **2** dorarsi, abbronzarsi **3** dipingersi, truccarsi.

colorito (1) *s. m.* **1** colore CONTR. pallore **2** (*est.*) incarnato, carnagione **3** (*est.*) aspetto, cera (*fig.*).

colorito (2) *agg.* florido, abbronzato CONTR. slavato, pallido, smunto.

colossàle *agg.* enorme, gigantesco, titanico, ciclopico CONTR. minimo, minuscolo, piccolo, insignificante (*est.*).

colòsso *s. m.* **1** gigante, titano, ciclope, mastodonte CONTR. nano, pigmeo, lillipuziano **2** [*rif. a una persona*] (*est.*) personalità, big (*ingl.*).

cólpa *s. f.* **1** errore, fallo, peccato **2** mancanza, manchevolezza (*fam.*), imprudenza, negligenza, imperizia **3** responsabilità CONTR. discarico, discolpa **4** (*est.*) delitto, sacrilegio, reato, misfatto, crimine **5** [*spec. con: essere in*] torto, difetto **6** (*fig.*) macchia, magagna.

colpabilità *s. f. inv.* colpevolezza.

colpévole *A agg.* [*rif. a una persona*] responsabile, reo, delinquente CONTR. innocente *B s. m. e f.* reo, responsabile CONTR. innocente.

colpevolézza *s. f.* colpabilità (*raro*) CONTR. innocenza.

colpevolizzàre *A v. tr.* **1** fare sentire colpevole **2** incolpare, incriminare *B v. rifl.* sentirsi colpevole.

colpire *v. tr.* **1** bastonare, percuotere, battere, picchiare, legnare **2** (*est.*) impressionare, toccare, fare impressione, fare presa **3** (*est.*) ferire (*fig.*), ingiuriare, offendere **4** [*qc. con lo sguardo*] (*fig.*) gelare, fulminare, dardeggiare **5** [*un obiettivo militare*] cogliere, beccare, centrare (*fam.*), raggiungere, bombardare, prendere CONTR. fallire **6** (*est.*) azzeccare, imbroccare, indovinare **7** avventarsi su, urtare, cozzare, bocciare (*fam.*), scontrare **8** [*detto di calamità, etc.*] (*fig.*) flagellare.

colpito *part. pass.; anche agg.* **1** investito, urtato, leso CONTR. illeso **2** (*fig.*) impressionato, commosso.

cólpo *s. m.* **1** percossa, botta, battuta **2** [*di mano*] pugno, schiaffo, pacca, sberla, manata, scapaccione, cazzotto **3** [*dato con il piede, con la zampa*] pedata, calcio, zampata **4** [*di un'arma, di un arnese*] puntata, bastonata, stoccata, fendente, pugnalata, coltellata, sciabolata, frustata **5** [*rif. al suono*] scoppio, esplosione **6** [*di un'arma da fuoco*] sparo, fucilata **7** (*est.*) urto, cozzo **8** [*spec. con: venire un, prendere un*] accidente, paralisi **9** [*spec. con: subire un, prendere un*] (*fig.*) batosta, stangata **10** (*sport*) lancio **11** [*giornalistico*] (*est.*) scoop (*ingl.*) **12** [*spec. con: fare*] (*fig.*) impressione **13** azione, impresa, vincita, affare **14** (*est.*) rapina **15** [*in una imprecazione*] (*fig.*) accidente, saetta.

coltellàta *s. f.* **1** (*gener.*) colpo **2** pugnalata (*est.*), stilettata.

coltèllo *s. m.* **1** (*gener.*) arma **2** (*est.*) lama, temperino, pugnale **3** (*gener.*) posata **CONTR.** forchetta, cucchiaio.

coltivàre *v. tr.* **1** [*il terreno*] lavorare la terra, fertilizzare, arare, piantare **2** [*una disciplina, etc.*] (*est.*) applicarsi *a*, dedicarsi *a*, seguire, studiare **3** [*la mente, etc.*] (*est.*) educare, crescere, abituare, esercitare, curare **4** [*sentimenti, speranze*] (*fig.*) nutrire, alloggiare, fomentare, carezzare, cullare.

coltivatóre *s. m.* (*f. -trice*) contadino, agricoltore, colono (*est.*).

coltivazióne *s. f.* cultura.

cólto *agg.* **1** [*rif. a una persona*] dotto, erudito, istruito, sapiente **CONTR.** ignorante, analfabeta, illetterato, incolto, somaro (*fig.*) **2** (*est.*) educato, raffinato.

coltóre *s. m.* (*f. -trice*) V. cultore.

cóltre *s. f.* **1** coperta, imbottita **2** [*di neve, etc.*] (*fig.*) tappeto, manto, strato.

coltùra *s. f.* V. cultura.

comandànte *s. m.* superiore, capitano, capo **CONTR.** subordinato, subalterno.

comandàre *v. tr.* **1** [*un'azienda, un paese*] dirigere, essere a capo *di*, avere funzioni direttive, essere il capo, avere autorità, capitanare, guidare, governare, reggere **CONTR.** ubbidire *a* **2** dominare, avere il predominio *su*, avere in pugno [*il silenzio, etc.*] ordinare, imporre, ingiungere, dettare, decretare, intimare, esigere, volere, richiedere **4** (*est.*) prescrivere, consigliare, raccomandare **5** [*un dipendente statale*] mandare, distaccare, destinare (*bur.*), trasferire, inviare, assegnare.

comàndo *s. m.* **1** ingiunzione, imposizione, intimazione, prescrizione, ordine, disposizione, mandato, precetto (*raro*), consegna **CONTR.** supplica, preghiera, invito **2** guida, governo, potere, dominio, timone (*fig.*) **3** (*bur.*) distacco, trasferimento **4** (*mil.*) quartiere.

comàre *s. f.* madrina **CONTR.** figlioccio.

combaciàre *v. intr.* **1** aderire, collimare, commettere (*raro*), combinare, quadrare **CONTR.** divergere, discordare, differire **2** [*detto di idee*] coincidere, corrispondere, concordare, convergere **3** [*detto di tubi, etc.*] abboccare.

combattènte A *s. m. e f.* **1** guerriero, belligerante (*colto*) **2** (*est.*) soldato, militare, milite B *part. pres.; anche agg.* belligerante.

combàttere A *v. intr.* **1** lottare, battagliare, scontrarsi, guerreggiare, azzuffarsi, contrapporsi **CONTR.** fuggire **2** [*per una causa*] lottare, battagliare, scontrarsi, battersi, armeggiare, affaccendarsi, agitarsi, operare **3** (*est.*) gareggiare **4** (*est.*) divincolarsi, dibattersi B *v. tr.* **1** attaccare, affrontare, assalire, guerreggiare (*raro*) **CONTR.** difendere **2** [*una malattia, etc.*] (*est.*) attaccare, affrontare, opporsi, fronteggiare (*raro*), osteggiare, prevenire **3** [*le idee, etc.*] (*est.*) opporsi, avversare, contrastare (*raro*), oppugnare **CONTR.** difendere, patrocinare, propugnare, proteggere **4** [*una gara*] (*est.*) disputare C *v. rifl. rec.* **1** battersi, gareggiare **2** farsi la guerra **CONTR.** allearsi, confederarsi.

combattiménto *s. m.* **1** lotta, scontro, duello, battaglia, conflitto, azione **2** (*sport*) incontro, competizione, match (*ingl.*).

combattività *s. f. inv.* **1** bellicosità **CONTR.** rassegnazione **2** aggressività **CONTR.** mansuetudine **3** (*est.*) ostinazione.

combattivo *agg.* **1** [*rif. al carattere, etc.*] battagliero, bellicoso, grintoso, guerriero, aggressivo **CONTR.** remissivo, docile, mite **2** [*rif. a una persona*] ribelle, polemico **CONTR.** remissivo, docile, mite, mansueto, pacifico.

combinàre A *v. tr.* **1** unire, accostare **CONTR.** dividere, disunire, scombinare **2** [*in maniera armoniosa*] accordare, armonizzare **3** (*chim.*) fondere, amalgamare, mescolare, mischiare **4** [*un incontro, etc.*] concordare, concertare, stabilire **5** [*una riunione, etc.*] (*est.*) organizzare, preparare **6** [*un affare*] (*est.*) concludere, trattare **7** [*l'utile con il dilettevole, etc.*] accordare, conciliare, mettere d'accordo, fare coincidere **8** concludere, fare (*impr.*),

compicciare, risolvere B *v. intr.* coincidere, collimare, combaciare, corrispondere *a*, commettere (*colto*), aderire *a* C *v. rifl.* sistemarsi, vestirsi, prepararsi D *v. intr. pron.* **1** [*detto di colori, etc.*] amalgamarsi, unirsi, fondersi, conciliarsi **2** (*chim.*) reagire.

combinazióne *s. f.* **1** (*chim.*) sintesi, reazione **2** [*di fatti, di eventi*] coincidenza, caso, accidente **3** [*rif. ad abiti, etc.*] insieme, mise (*fr.*) **4** [*di colori, etc.*] insieme, mescolanza **5** (*tel.*) selezione.

combine *s. f. inv.* accordo.

combrìccola *s. f.* **1** [*di malviventi*] (*neg.*) banda, congrega, cricca (*neg.*), combutta, manica, camarilla **2** [*di amici, etc.*] ganga, compagnia, comitiva, ghenga (*scherz.*), gruppo, gang (*scherz.*), conventicola (*scherz.*).

combùtta *s. f.* **1** combriccola, cricca, ganga, lega (*est.*), camarilla **2** [*spec. con: fare*] complotto, accordo, conciliabolo.

cóme A *avv.* **1** siccome, poiché **2** in qualità di **3** (*temp.*) quando, appena che **4** quasi B *cong.* appena, non appena, quando C *s. m. inv.* modalità.

comedóne *s. m.* brufolo.

comfort o **confòrt** *s. m. inv.* comodità, conforto, agio **CONTR.** disagio.

comicaménte *avv.* umoristicamente, spassosamente, ridicolmente, buffamente **CONTR.** seriamente, austeramente.

comicità *s. f. inv.* **1** umorismo, spirito, humour (*ingl.*) **2** (*est.*) divertimento **CONTR.** drammaticità.

còmico A *agg.* **1** buffo, divertente, esilarante, ridicolo **CONTR.** serio, severo **2** umoristico **CONTR.** serio, severo **3** farsesco **CONTR.** tragico, drammatico B *s. m.* (*f. -a*) (*gener.*) attore.

Comico

Comico: relativo alla commedia e pertanto che muove al riso ed è fonte di divertimento.

1 In senso generale.

buffo: che può muovere al riso

perché bizzarro e insolito; **ridicolo:** che muove al riso perché goffo, strano, grottesco o insulso; **esilarante:** che muove al riso, all'allegria perché divertente; **divertente:** che può muovere al riso con attività piacevoli atte a ricreare fisicamente e spiritualmente. **2** Con riferimento a discorso. **umoristico:** detto o scritto con arguzia e intelligenza per suscitare il riso. **3** Con riferimento ad opera teatrale. **farsesco:** che è relativo alla farsa, a vicende paradossali, pertanto muove al riso.

comics *s. m. pl.* fumetto, striscia, strip (*ingl.*).

cominciàre A *v. tr.* **1** iniziare, incominciare, principiare, fare per la prima volta **CONTR.** terminare, concludere **2** [*un lavoro, un'attività*] avviare, aprire, intraprendere, imprendere, riaprire, promuovere **CONTR.** smettere, cessare, completare, compiere **3** [*un discorso*] intavolare, attaccare **4** [*una lite, una disputa*] ingaggiare **CONTR.** smettere **5** [*l'anno scolastico*] inaugurare **6** [*a fare q.c.*] accingersi, mettersi, darsi, procedere **7** procedere **B** *v. intr.* **1** avere inizio, incominciare **CONTR.** finire **2** decorrere, partire **3** [*detto di giornata*] aprirsi, nascere (*fig.*) **4** [*detto di ora legale*] iniziare, scattare **5** [*detto di vento, etc.*] alzarsi **6** [*detto di amicizia, etc.*] instaurarsi **CONTR.** finire, morire **7** [*detto di principiante*] esordire.

comitiva *s. f.* compagnia, brigata, combriccola, gruppo, ghenga, squadra.

comiziànte *s. m. e f.* oratore, parlatore.

còmma *s. m. inv.* **1** voce, articolo **2** capoverso.

commèdia *s. f.* **1** recita **CONTR.** tragedia, dramma **2** (*est.*) farsa, finzione, buffonata, pagliacciata.

commediànte *s. m. e f.* **1** teatrante, istrione, guitto, artista, attore **2** (*est.*) simulatore, fariseo (*fig.*).

commemoràre *v. tr.* rievocare, ricordare, celebrare, festeggiare, rammentare **CONTR.** dimenticare, obliare.

commemorazióne *s. f.* **1** rievocazione, ricordo **2** (*est.*) cerimonia.

commensàle *s. m. e f.* convitato.

commentàre *v. tr.* **1** criticare, giudicare, sindacare **2** [*un libro, etc.*] chiarire, interpretare, spiegare, annotare, delucidare, chiosare (*colto*), esplicare, postillare (*raro*), fare delle annotazioni, fare delle note, illustrare, glossare (*colto*).

commènto *s. m.* **1** critica, osservazione, allusione (*est.*) **2** [*rif. a fatti, a eventi*] interpretazione, esposizione, giudizio **3** [*nei testi scritti*] trafiletto, nota, glossa (*lett.*), esegesi (*colto*), chiosa.

commercialista *s. m. e f.* consulente.

commerciànte *s. m. e f.* **1** trafficante (*spreg.*), mercante, negoziante, bottegaio, venditore (*est.*) **2** [*tipo di*] orefice, pizzicagnolo.

commerciàre A *v. tr.* vendere, barattare, spacciare, esportare, smerciare, cedere, fare importazioni *di*, importare, esitare (*raro*) **B** *v. intr.* negoziare, trafficare, mercanteggiare.

commèrcio *s. m.* **1** traffico, scambio, vendita, baratto, compravendita **2** [*di onorificenze, etc.*] traffico, mercato, mercimonio **3** [*delle bianche, etc.*] tratta.

commèssa *s. f.* ordine, ordinazione, richiesta.

commèsso *s. m.* (*f. -a*) garzone, fattorino, ragazzo.

commestibile *agg.* mangereccio, mangiabile.

comméttere A *v. tr.* **1** congiungere, unire, incastrare **2** [*un'azione*] compiere, eseguire, fare, compire (*raro*), perpetrare (*colto*) **3** [*q.c.*] affidare, consegnare, fidare (*raro*) **4** ordinare, richiedere, commissionare **B** *v. intr.* combaciare, collimare, combinare, coincidere, aderire, corrispondere.

commiàto *s. m.* **1** congedo, licenza, saluto, addio **2** (*est.*) partenza.

commiseràre *v. tr.* **1** compassionare, compatire, compiangere **CONTR.** invidiare **2** deplorare.

commiserazióne *s. f.* **1** compassione, compatimento, pietà **2** (*est.*) pena, compianto.

commissariàto *s. m.* polizia, questura (*est.*).

commissionàre *v. tr.* **1** [*q.c. a qc.*] ordinare, richiedere, commettere (*colto*), prenotare (*est.*) **2** [*qc. a q.c.*] delegare, incaricare **3** [*un compito, un impegno*] demandare, affidare.

commissióne (1) *s. f.* **1** compito, incombenza, incarico, impegno **2** ambasciata **3** giunta, delegazione.

commissióne (2) *s. f.* **1** provvigione, percentuale, compenso **2** compra.

commisuràre A *v. tr.* adeguare, proporzionare, agguagliare (*raro*) **B** *v. rifl.* paragonarsi, confrontarsi.

commisuràto *part. pass.; anche agg.* **1** proporzionato **CONTR.** sproporzionato, smisurato **2** (*est.*) confacente, adeguato **CONTR.** sproporzionato, smisurato.

commòsso *part. pass.; anche agg.* **1** turbato, emozionato, toccato, intenerito, impietosito, impressionato (*est.*), colpito, scosso **CONTR.** impassibile, indifferente, freddo, imperturbabile **2** (*est.*) emozionato, eccitato **3** [*rif. a un saluto, a un commiato*] appassionato **CONTR.** freddo, distaccato.

commovènte *part. pres.; anche agg.* emozionante, patetico, compassionevole, pietoso, appassionante (*est.*), lacrimoso, toccante.

commoventeménte *avv.* pateticamente.

commozióne *s. f.* emozione, turbamento, batticuore (*fig.*), eccitazione, esaltazione, palpitazione, rapimento, agitazione, intenerimento, effetto (*fam.*).

commuòvere A *v. tr.* **1** impietosire, intenerire, turbare, agitare, emozionare, appassionare, toccare (*fig.*), eccitare, muovere (*fig.*), scuotere (*fig.*), imbarazzare, impressionare, trascinare (*fig.*), sconvolgere, ferire (*fig.*), rammollire (*fig.*), scaldare (*fig.*) **2** (*est.*) piegare, persuadere, convincere **B** *v. intr. pron.* **1** turbarsi, impietosirsi, intenerirsi, emozionarsi, agitarsi (*fig.*), alterarsi, appassionarsi, palpitare...

tare, rammollirsi (*fig.*), scaldarsi (*fig.*) CONTR. irrigidirsi, resistere, impietrirsi, incallirsi 2 (*est.*) piegarsi, convincersi, cedere.

commutàre *v. tr.* 1 cambiare, scambiare, trasformare, mutare, tramutare, permutare 2 [*un congegno, etc.*] trasformare, convertire, invertire.

comò *s. m. inv.* 1 cassettone, canterano 2 (*gener.*) mobile.

comodaménte *avv.* 1 agiatamente, riccamente, confortevolmente CONTR. scomodamente, difficoltosamente, faticosamente, difficilmente 2 agevolmente, facilmente, senza fatica, tranquillamente CONTR. scomodamente, difficoltosamente, faticosamente.

comodino *s. m.* (*gener.*) mobile.

comodità *s. f. inv.* 1 agio, comfort (*ingl.*), conforto CONTR. scomodità, disagio 2 agiatezza, lusso, mollezza CONTR. povertà 3 [*rif. all'uso*] funzionalità, praticità, facilità 4 opportunità, convenienza.

còmodo A *agg.* 1 agevole, facile CONTR. scomodo, incomodo, disagevole, malagevole 2 [*rif. a un abito*] ampio, largo, abbondante CONTR. stretto, attillato 3 [*rif. a una casa, a un'abitazione*] funzionale, accogliente, ospitale, confortevole CONTR. scomodo, disagiato 4 [*rif. a cosa*] utile CONTR. inutile 5 [*rif. a una persona*] pigro 6 [*rif. a un tipo di vita*] agiato, gradevole CONTR. scomodo, aspro (*fig.*), faticoso, disagiato B *s. m.* 1 convenienza, utile, tornaconto, interesse, vantaggio 2 opportunità, utilità.

compàgna *s. f.* donna, amante, sposa, moglie, ragazza, partner (*ingl.*), fidanzata, convivente, concubina, amica.

compagnia *s. f.* 1 frequentazione (*raro*) CONTR. solitudine, isolamento 2 brigata, squadra, combriccola, comitiva (*scherz.*), cricca, ganga, ghenga 3 (*mil.*) brigata, squadra, reparto, drappello 4 società, ditta, impresa, agenzia 5 [*di religiosi*] confraternita, congregazione 6 associazione 7 (*est.*) scorta, seguito.

compàgno A *s. m.* (*f. -a*) 1 amico, alleato, socio, compare (*neg.*), fratello (*fig.*) 2 amico, uomo, partner (*ingl.*),

amante, amore, marito, sposo, ragazzo, convivente B *agg.* simile, pari.

comparàbile *agg.* confrontabile, paragonabile CONTR. incomparabile.

comparàre A *v. tr.* confrontare, paragonare, raffrontare, equiparare, collazionare (*colto*), riscontrare, contrapporre, ragguagliare, ravvicinare (*fig.*) B *v. rifl.* paragonarsi, raffrontarsi.

comparazióne *s. f.* confronto, paragone, raffronto, collazione (*colto*), ragguaglio (*raro*).

compàre A *s. m.* 1 compagno, socio, amico 2 [*nel crimine*] (*spreg.*) complice, correo, connivente 3 [*in gergo mafioso*] padrino B *agg.* amico, alleato.

comparire *v. intr.* 1 apparire, mostrarsi, presentarsi, spuntare, affacciarsi, giungere inaspettatamente, venire CONTR. sparire, scomparire, disparire, eclissarsi, dileguarsi, involarsi, squagliarsela 2 sembrare, parere 3 fare bella mostra, fare figura, distinguersi, essere appariscente, figurare 4 [*detto di pubblicazione*] apparire, uscire 5 [*dalle parole, dalle azioni, etc.*] balenare, trasparire, emergere, insorgere 6 [*in un catalogo, elenco*] figurare, risultare, esserci.

comparizióne *s. f.* (*dir.*) comparsa, presentazione.

compàrsa *s. f.* 1 [*di qc.*] apparizione, arrivo (*est.*), ingresso CONTR. scomparsa, sparizione 2 [*rif. a un fenomeno*] comparizione (*raro*), apparizione, manifestazione CONTR. sparizione 3 (*dir.*) presentazione, esposto.

compartecipàre *v. intr.* partecipare, condividere.

compartécipe *agg.* partecipe, solidale, unito CONTR. lontano, assente.

compartire *v. tr.* distribuire, dividere.

compassataménte *avv.* distaccatamente, contegnosamente, compostamente CONTR. spigliatamente, disinvoltamente, sguaiatamente.

compassàto *agg.* misurato.

compassionàre *v. tr.* commiserare, compiangere, compatire CONTR. invidiare.

compassióne *s. f.* 1 compatimento, commiserazione, pietà, pena CONTR. cinismo, freddezza, durezza 2 misericordia, carità, indulgenza, cuore (*fig.*) CONTR. inclemenza.

compassionévole *agg.* 1 [*rif. a una persona*] misericordioso, caritatevole, pietoso CONTR. crudele, spietato, disumano 2 [*rif. alla condizione*] commovente, miserevole.

compassionevolménte *avv.* 1 pietosamente, indulgentemente, benignamente, misericordiosamente, umanamente CONTR. spietatamente, crudelmente, duramente, perfidamente 2 pietosamente, miserevolmente, pateticamente, infelicemente, lacrimevolmente.

compatibile *agg.* 1 [*rif. al lavoro, allo studio*] conciliabile, accordabile CONTR. incompatibile, contrastante 2 [*rif. all'errore*] perdonabile, giustificabile.

compatibilménte *avv.* se in accordo CONTR. intollerabilmente (*est.*).

compatiménto *s. m.* 1 compassione, commiserazione, compianto 2 pietà, pena, indulgenza.

compatire A *v. tr.* 1 commiserare, compiangere, compassionare CONTR. invidiare, criticare, disprezzare 2 giustificare, tollerare, sopportare, scusare, comprendere, perdonare 3 (*neg.*) deplorare B *v. rifl.* autocommiserarsi, compiangersi, piangere su sé stessi C *v. rifl. rec.* tollerarsi, sopportarsi, comprendersi.

compattézza *s. f.* 1 consistenza, solidità, corpo (*fig.*), coesione CONTR. mollezza 2 [*rif. a una superficie*] levigatezza 3 [*rif. al metallo*] tenacità, tenacia 4 [*tra persone*] (*est.*) concordia, unanimità, solidarietà CONTR. discordia.

compàtto *agg.* 1 [*rif. a un materiale*] denso, spesso, sodo, consistente, concentrato CONTR. disunito, diviso 2 [*rif. a un gruppo*] monolitico, serrato CONTR. disunito, sparpagliato 3 [*rif. alle idee*] unanime, concorde CONTR. disunito, contrastante, opposto 4 [*rif. a una stoffa*] fitto, unito 5 [*rif. alla pelle*] sodo CONTR. cascante, flaccido.

compendiàre *v. tr.* riassumere, sintetizzare, condensare, abbreviare, accorciare, riepilogare, sunteggiare, restringere, ridurre, ricapitolare CONTR. allungare, estendere.

compèndio s. m. **1** riassunto, sommario, sunto, estratto, riepilogo, sintesi **2** (est.) somma, complesso.

compendiosaménte avv. stringatamente, succintamente CONTR. largamente, ampiamente, prolissamente, facondamente.

compendiosità s. f. inv. stringatezza, concisione, brevità CONTR. lungaggine, verbosità, prolissità.

compendióso agg. [rif. a uno scritto] breve, succinto, conciso, stringato, laconico, sintetico CONTR. lungo, ampio, diffuso, prolisso.

compenetràre A v. tr. **1** permeare **2** [la mente, etc.] (fig.) pervadere, colmare, occupare B v. rifl. **1** [nella parte di qc.] entrare nella parte, immedesimarsi, calarsi, confondersi **2** [rispetto a un problema] investirsi, impegnarsi **3** riflettere C v. rifl. rec. fondersi.

compensàre v. tr. **1** [qc.] pagare, gratificare, rimunerare, retribuire, ricompensare, remunerare **2** [qc. relativamente ai danni subiti] (anche fig.) indennizzare, risarcire, ripagare **3** [le spese] pareggiare, bilanciare, equilibrare, controbilanciare **4** [le mancanze, gli errori] sopperire a, supplire a, rimediare a.

compensazióne s. f. **1** [dei danni] risarcimento, indennizzo **2** [tra dare e avere] equilibrio, pareggio, bilanciamento **3** [morale] (est.) rivalsa, rivincita **4** (fig.) surrogato.

compènso s. m. **1** retribuzione, paga, rimunerazione, ricompensa, riconoscimento, gratifica, stipendio, mercede (lett.), borsa, cachet (fr.), commissione (est.), pagamento **2** risarcimento, riparazione, indennizzo.

cómpera s. f. V. compra.

comperàre v. tr. V. comprare.

competènte agg. **1** esperto, capace, abile, bravo, provetto CONTR. incompetente, inesperto, inetto **2** (est.) erudito, ferrato CONTR. ignorante **3** (est.) autorevole.

competenteménte avv. con competenza, espertamente CONTR. incompetentemente, ingenuamente (est.).

competènza s. f. **1** [rif. a una persona] cognizione, padronanza, capacità, abilità, valentia, bravura, pratica, autorevolezza CONTR. incompetenza, inesperienza (est.), incapacità **2** (bur.) ragione, pertinenza, appartenenza, attinenza, inerenza.

compètere v. intr. **1** (sport) gareggiare, misurarsi, rivaleggiare, lottare, concorrere, confrontarsi, emulare un **2** contrastarsi, disputare un, questionare, litigare, contendere **3** convenire, concernere un, riguardare un, spettare, appartenere, essere di competenza di, toccare, stare, incombere (fig.).

competitivaménte avv. concorrenzialmente.

competitóre s. m. (f. -trice) **1** concorrente **2** oppositore, rivale, avversario, antagonista.

competizióne s. f. **1** antagonismo, rivalità, concorrenza **2** (sport) gara, partita, incontro, torneo, derby (ingl.), match (ingl.) **3** confronto, lotta, duello, disputa, sfida, combattimento, contesa **4** prova, concorso.

compiacènte part. pres.; anche agg. **1** condiscendente, accomodante, conciliante, remissivo CONTR. rigido, intransigente, restio **2** (est.) cortese CONTR. scontroso, difficile, scortese.

compiacenteménte avv. arrendevolmente, in modo condiscendente, in modo conciliante CONTR. rigidamente.

compiacènza s. f. **1** compiacimento, soddisfazione, piacere, gioia **2** cortesia, degnazione, condiscendenza, arrendevolezza (raro).

compiacére A v. tr. accontentare, contentare, secondare, assecondare, soddisfare CONTR. contrastare, contraddire, disapprovare, contestare B v. intr. condiscendere C v. intr. pron. **1** dilettarsi, bearsi, deliziarsi, crogiolarsi, divertirsi, sollazzarsi, godere, pascersi CONTR. seccarsi, scocciarsi, annoiarsi, affliggersi, crucciarsi, preoccuparsi, affannarsi, rattristarsi (fig.), lagnarsi, lamentarsi, rammaricarsi **2** congratularsi, rallegrarsi, complimentarsi, felicitarsi **3** degnarsi, gradire

CONTR. sdegnarsi **4** gloriarsi, pavoneggiarsi.

compiaciménto s. m. soddisfazione, gradimento, compiacenza (raro), piacere, gioia.

compiàngere A v. tr. **1** compatire, commiserare, compassionare, lacrimare (lett.) CONTR. complimentarsi, congratularsi, felicitarsi, rallegrarsi **2** deplorare, biasimare, disapprovare **3** [una situazione, etc.] lamentare, querelarsi di B v. intr. pron. dolersi, rincrescersi, affliggersi CONTR. compiacersi, allietarsi, gioire, esultare C v. rifl. piangere su sé stessi, autocommiserarsi, compatirsi.

compiànto A part. pass.; anche agg. **1** pianto, commiserato **2** defunto B s. m. (f. -a) **1** cordoglio, afflizione, pena **2** commiserazione, compatimento.

compicciàre v. tr. combinare, risolvere.

cómpiere A v. tr. **1** [un lavoro, etc.] terminare, compire, realizzare, concludere, finire, ultimare, completare, cessare CONTR. iniziare, principiare, avviare, cominciare, sbozzare, originare **2** [un'azione, un compito] eseguire, fare, effettuare, espletare, operare **3** [un rito, etc.] eseguire, celebrare, officiare **4** [il proprio dovere] adempiere, assolvere **5** [un'azione criminosa] perpetrare, commettere **6** fare, effettuare B v. intr. pron. avverarsi, realizzarsi, verificarsi, effettuarsi, adempiersi, avvenire, accadere, farsi, concludersi.

compilàre v. tr. **1** [un programma] comporre, scrivere, tradurre, codificare **2** [un documento] redigere, stendere **3** [un modulo, etc.] empire, riempire.

compiménto s. m. **1** conclusione, termine, epilogo, esito (colto), fine **2** adempimento, effettuazione, realizzazione, maturità.

compire v. tr. **1** [un lavoro, etc.] compiere, terminare, realizzare, concludere, finire, ultimare, completare, cessare **2** [un'azione, un compito] fare, eseguire, espletare **3** [il proprio dovere] adempiere, assolvere **4** [un'azione criminosa] commettere, perpetrare.

compitaménte *avv.* educatamente, urbanamente, cortesemente, civilmente, gentilmente **CONTR.** sguaiatamente, maleducatamente, sgarbatamente.

compitàre *v. tr.* sillabare, leggere (*impr.*).

compitézza *s. f.* urbanità, creanza, educazione, gentilezza, cortesia, garbo **CONTR.** villania, scortesia, maleducazione.

cómpito *s. m.* **1** incarico, mansione, funzione, ministero (*raro*), mestiere, lavoro, dovere, missione, incombenza, commissione **2** parte, ruolo **3** [*di scuola*] tema, composizione, esercizio, elaborato.

compiutaménte *avv.* completamente, pienamente, del tutto, interamente, integralmente, esaurientemente, finitamente **CONTR.** approssimativamente, parzialmente.

compiutézza *s. f.* **1** completezza **2** [*in un'opera d'arte*] unità, organicità **CONTR.** disorganicità **3** [*in un lavoro*] perfezione **4** [*della giovinezza*] pienezza.

compiùto *part. pass.; anche agg.* **1** concluso, finito, terminato **2** eseguito, fatto **CONTR.** disatteso **3** perfetto, riuscito **CONTR.** abbozzato, accennato, imperfetto, mancante, difettoso.

compleànno *s. m.* (*raro*) natale, natalizio, genetliaco.

complementàre *agg.* accessorio, secondario, marginale **CONTR.** capitale, basilare, fondamentale, determinante, essenziale, centrale (*fig.*).

complessióne *s. f.* personale, fisico, corporatura, costituzione.

complessità *s. f. inv.* **1** difficoltà, tortuosità (*fig.*) **CONTR.** semplicità, facilità, linearità **2** molteplicità, pluralità, varietà.

complessivaménte *avv.* in generale, globalmente, nell'insieme, collettivamente, in tutto, cumulativamente, generalmente **CONTR.** in particolare, particolarmente, parzialmente.

complessivo *agg.* generale, globale, totale **CONTR.** parziale, individuale, particolare, specifico.

complèsso (1) *s. m.* **1** (*mus.*) banda, orchestra **2** organizzazione, corpo, organismo **3** stabilimento **4** compendio.

complèsso (2) *s. m.* ossessione, mania, turba.

complèsso (3) *agg.* **1** articolato, multiforme, composito **CONTR.** semplice, elementare **2** [*rif. a un concetto*] (*est.*) complicato, difficile, arduo **CONTR.** lineare, piano, facile **3** (*est.*) macchinoso, tortuoso.

completaménte *avv.* totalmente, assolutamente, pienamente, radicalmente, affatto, del tutto, compiutamente, integralmente, interamente, esaurientemente **CONTR.** parzialmente, frammentariamente, incompletamente.

completaménto *s. m.* compimento, ultimazione.

completàre **A** *v. tr.* **1** aggiungere **CONTR.** togliere, sottrarre **2** [*un lavoro, etc.*] (*est.*) terminare, ultimare, finire, adempiere, espletare, compiere, compire (*raro*) **CONTR.** iniziare, cominciare, intraprendere, imbastire, impostare **3** [*lo stipendio, etc.*] arrotondare **4** [*un lavoro, un'opera*] integrare, perfezionare, rifinire **B** *v. intr. pron.* **1** integrarsi **2** concludersi.

completézza *s. f.* integrità, totalità, compiutezza **CONTR.** incompletezza.

complèto (1) *agg.* **1** [*rif. a un esame, a un'analisi, a un lavoro*] intero, esauriente, perfetto (*est.*) **CONTR.** carente, frammentario, lacunoso, manchevole, incompleto, mutilo [*rif. alla fiducia*] totale, assoluto, incondizionato, illimitato **CONTR.** parziale, relativo **3** [*rif. a un luogo*] pieno **CONTR.** vuoto **4** tutto.

complèto (2) *s. m.* **1** abito, mise (*fr.*), toilette (*fr.*), tenuta, insieme **2** [*da tavola, etc.*] set (*ingl.*), servizio.

complicànza *s. f.* **1** complicazione, difficoltà, ostacolo, accidente **CONTR.** agevolazione **2** [*in una malattia*] aggravamento, peggioramento **CONTR.** miglioramento.

complicàre **A** *v. tr.* **1** [*una situazione, etc.*] rendere difficile, intricare (*fig.*), imbrogliare (*fig.*), arruffare (*fig.*), aggrovigliare (*fig.*) **CONTR.** semplificare, facilitare, agevolare, rendere semplice, appianare, sbrogliare, dipanare **2** [*una spiegazione, etc.*] confondere, rendere complicato **CONTR.** semplificare, rendere semplice, elementarizzare, chiarire **3** [*il cammino in senso fig.*] intralciare, impicciare **CONTR.** facilitare, agevolare **B** *v. intr. pron.* **1** [*detto di malattia, etc.*] aggravarsi, peggiorare **CONTR.** guarire, risolversi **2** [*detto di situazione*] (*fig.*) imbrogliarsi, confondersi, intorbidarsi, intricarsi, ingarbugliarsi.

complicataménte *avv.* macchinosamente, in modo complesso **CONTR.** semplicemente, linearmente.

complicàto *part. pass.; anche agg.* **1** complesso, difficile, arduo, difficoltoso **CONTR.** facile, semplice, semplificato, agevole **2** (*est.*) macchinoso, tortuoso, involuto, intricato **CONTR.** agevole, piano, liscio, comprensibile.

complicazióne *s. f.* **1** difficoltà, impedimento, intralcio, imprevisto **2** disguido **3** [*di una malattia*] complicanza **4** imbroglio, intrico.

còmplice *s. m. e f.* connivente, correo, compare, socio.

complicità *s. f. inv.* **1** (*neg.*) connivenza, correità, favoreggiamento **CONTR.** estraneità **2** aiuto, ausilio **3** partecipazione **4** [*delle tenebre, etc.*] favore, protezione.

complimentàre **A** *v. tr.* **1** elogiare, encomiare, lodare, fare i complimenti a **CONTR.** insultare, ingiuriare, commiserare, insolentire, motteggiare **2** ossequiare, riverire **CONTR.** oltraggiare **B** *v. intr. pron.* congratularsi, felicitarsi, rallegrarsi, compiacersi, fare i complimenti **CONTR.** compiangere, commiserare.

compliménti *s. m. pl.* cerimonie, smanceria, convenevoli.

compliménto *s. m.* omaggio, lode, elogio, encomio **CONTR.** affronto, biasimo, ingiuria, insulto, lagnanza, insolenza.

complimentosaménte *avv.* **1** cerimoniosamente, ossequiosamente, affettatamente **CONTR.** familiarmente, disinvoltamente, semplicemente, naturalmente **2** gentilmente, educatamente, cortesemente **CONTR**. sgarbatamente, maleducatamente, sarcasticamente, ingiuriosamente (*est.*).

complimentóso agg. cerimonioso.

complottàre v. intr. **1** cospirare, congiurare, tramare, intrigare **2** (*est.*) parlottare, confabulare.

complòtto s. m. congiura, cospirazione, combutta, macchinazione, conciliabolo.

componènte s. m. **1** elemento, ingrediente, costituente **2** [*di un partito, etc.*] membro, iscritto, effettivo.

componiménto s. m. **1** composizione, elaborato **2** [*di scuola*] tema.

compórre A v. tr. **1** [*q.c. insieme*] combinare, unire, riunire, montare, raggiustare, saldare (*est.*) **CONTR**. decomporre, scomporre, sfare **2** [*una composizione*] fare, scrivere, redigere, produrre, compilare, creare, concepire, intessere (*fig.*), elaborare **3** [*i capelli, il vestito*] assestare, acconciare, accomodare, ravviare, ordinare **4** [*l'espressione del viso*] atteggiare **5** [*qc.*] conciliare, pacificare, riconciliare, accordare **6** [*una lite, una questione*] fare, definire **7** [*una tavola, i fiori, etc.*] disporre, apprestare **8** [*una società*] formare, costituire **CONTR**. sciogliere **9** [*un'ipotesi, una teoria*] (*fig.*) fabbricare, costruire **B** v. rifl. **1** [*nel volto*] atteggiarsi **2** [*nel corpo*] accomodarsi, rassettarsi, raccogliersi **C** v. intr. pron. consistere *in*, constare, essere formato *da*, essere fatto.

comportaménto s. m. **1** condotta, contegno, operato, vita, tenore, strada **2** modo, atteggiamento, maniera **3** pensiero, atto, cenno, gesto.

comportàre A v. tr. **1** implicare, presupporre, sottintendere, includere, racchiudere, significare **2** [*sacrifici, etc.*] prevedere, richiedere, volere (*fig.*), costare (*fig.*), essere necessario, portare (*fig.*), importare **3** [*una reazione, etc.*] implicare, presupporre, provocare **4** [*un errore, etc.*] permettere, consentire, concedere, ammettere **B** v. intr. pron. agire, muoversi, atteggiarsi, portarsi, funzionare (*fig.*), procedere, contenersi, vivere, condursi.

composizióne s. f. **1** architettura, creazione, struttura, opera **2** componimento, scritto, testo, tema, compito **3** (*est.*) redazione **4** [*di una squadra*] schieramento, formazione.

compostaménte avv. educatamente, correttamente, ordinatamente, dignitosamente, contegnosamente, compassatamente **CONTR**. sguaiatamente.

compostézza s. f. **1** contegno, correttezza, decoro, grazia **2** (*est.*) dignità, modestia.

compósto A s. m. **1** amalgama, insieme **2** [*di metalli*] (*chim.*) lega **3** miscuglio, mescolanza, preparazione, preparato **4** (*est.*) pasta **5** [*tipo di*] acido (*chim.*), base, etere **B** agg. corretto, ordinato.

cómpra o **cómpera** s. f. spesa, acquisto, commissione (*est.*), shopping (*ingl.*) **CONTR**. vendita.

compràre o **comperàre** v. tr. **1** procurarsi, acquistare, acquisire, prendere **CONTR**. vendere, donare, regalare, cedere **2** [*qc.*] (*est.*) corrompere, prezzolare.

compratóre s. m. (*f. -trice*) acquirente, cliente **CONTR**. venditore.

compravéndita s. f. commercio, scambio, baratto, alienazione, vendita.

comprèndere A v. tr. **1** [*il significato di q.c.*] capire, intendere **2** [*un comportamento, etc.*] concepire, immaginare, persuadersi *di* **3** [*q.c. con l'intuito*] dedurre, avvedersi, intuire, realizzare, arrivarci (*ass.*), accorgersi *di*, capacitarsi *di*, conoscere, distinguere, discernere, cogliere (*fig.*) **4** [*gli insegnamenti, etc.*] apprendere, assorbire (*fig.*), digerire (*fig.*) **5** essere intelligente (*ass.*) **6** [*un errore altrui*] compatire, giustificare, scusare, perdonare **7** [*la musica, la poesia*] (*fig.*) gustare **8** [*detto di preventivo, etc.*] contemplare, considerare, prevedere, calcolare, contenere, includere **CONTR**. escludere, eliminare, eccettuare **9** [*detto di casa, di offerta, etc.*] constare *di*, consistere *di in*, essere formato *da*, risultare *di* **10** [*detto di quartiere, di proprietà*] racchiudere, abbracciare, incorporare **11** [*detto di libro, di biblioteca*] (*raro*) annoverare, adunare **B** v. rifl. rec. **1** capirsi, in-

tendersi, affiatarsi, andare d'accordo **2** compatirsi.

comprensibile agg. **1** intelligibile, intuibile, facile, evidente, trasparente, piano, accessibile **CONTR**. incomprensibile, impenetrabile, inaccessibile, enigmatico, indecifrabile, astruso, involuto, inesplicabile, inintelligibile, inafferrabile, chiuso (*est.*), duro (*fig.*), complicato **2** sopportabile, giustificabile, tollerabile **CONTR**. insopportabile, intollerabile, ingiustificabile.

comprensibilità s. f. inv. chiarezza, semplicità, facilità.

comprensibilménte avv. **1** evidentemente, nettamente **CONTR**. astrusamente, incomprensibilmente, ermeticamente, inesplicabilmente, inspiegabilmente **2** logicamente **CONTR**. illogicamente.

comprensióne s. f. **1** intelligenza **2** apprendimento **3** [*della realtà*] percezione **4** condiscendenza, tolleranza, benevolenza **5** [*tra persone*] intesa, affiatamento **CONTR**. incomprensione.

comprensivo agg. **1** [*rif. a una persona*] tollerante, indulgente, disponibile, aperto, benigno **CONTR**. intransigente, intollerante, rigido **2** [*rif. al prezzo*] inclusivo **CONTR**. esclusivo.

comprensòrio s. m. condotta, zona, area.

comprèssa s. f. pasticca, pastiglia, pillola, cachet (*fr.*).

compressióne s. f. **1** pressione **2** repressione.

comprimere v. tr. **1** pressare, premere, calcare, schiacciare, pigiare, stringere, frangere, rullare **2** [*gli impulsi, etc.*] (*fig.*) costringere, reprimere, raffrenare, frenare, mantenere nei limiti, soffocare, limitare, dominare, coartare (*lett.*) **CONTR**. allentare **3** [*un discorso, un testo*] condensare (*fig.*), restringere.

comprométto s. m. **1** [*tra parti*] accordo, transazione, accomodamento, arrangiamento **2** ripiego, rimedio **3** [*commerciale*] preliminare.

comprométtere A v. tr. **1** [*una relazione, etc.*] pregiudicare, incrinare, intaccare, minare, rischiare (*est.*) **CONTR**. difendere, tutelare, salvaguardare, salvare **2** [*qc.*] danneggiare, coinvolgere, implicare, inguaiare, nuocere a **3** [*la fama di qc.*] danneggiare, oscurare (*fig.*) **B** *v. rifl.* **1** esporsi, impegnarsi, impegolarsi, pregiudicarsi, inguaiarsi, sbilanciarsi, rischiare **2** insudiciarsi (*fig.*), insozzarsi (*fig.*), disonorarsi, bruciarsi (*fig.*), rovinarsi.

comproprietà *s. f. inv.* proprietà.

comprovàre *v. tr.* **1** provare, avvalorare, confermare, dimostrare, convalidare, documentare CONTR. negare, confutare, contraddire **2** approvare, ratificare.

computàre *v. tr.* **1** calcolare, conteggiare, numerare, contare **2** annoverare, conglobare **3** [*la colpa, etc.*] ascrivere, addebitare.

computer *s. m. inv.* calcolatore, ordinatore, elaboratore.

còmputo *s. m.* calcolo, conto, conteggio, misurazione (*est.*).

comunàle *agg.* municipale, cittadino, civico.

comunànza *s. f.* [*di idee, etc.*] affinità, comunione, accordo (*est.*).

comùne (1) A *agg.* **1** collettivo, pubblico, popolare, generale, sociale CONTR. individuale, privato, esclusivo **2** [*rif. a un'opinione, etc.*] abituale, corrente, usuale CONTR. speciale, originale, anomalo, anormale, bizzarro, eccezionale, formidabile, prodigioso, inenarrabile, meraviglioso **3** [*rif. a cosa*] dozzinale, banale, ordinario, qualunque CONTR. bizzarro, meraviglioso, particolare, caratteristico, elegante, chic (*fr.*), curioso, eccentrico, peculiare, pregevole, ragguardevole, raro, singolare **B** *s. f.* comunità, collettività.

comùne (2) *s. m.* municipio.

comuneménte *avv.* **1** abitualmente, di solito, generalmente, solitamente, usualmente, convenzionalmente, universalmente, correntemente, naturalmente CONTR. insolitamente, inconsuetamente, peculiarmente, eccezionalmente, straordinariamente, sorprendentemente **2** banalmente, ordinariamente CONTR. peculiarmente, bizzarramente, capricciosamente, con originalità, eccentricamente.

comunicàre A *v. tr.* **1** [*una notizia,*

etc.] passare, segnalare, annunciare, fare conoscere, riportare, propagare, diffondere, dire **2** [*qc. di q.c.*] informare, avvisare, avvertire, mettere al corrente di **3** [*dolore, gioia, etc.*] esprimere **4** [*una sensazione*] passare, trasmettere, infondere, trasfondere, ispirare **5** [*una convinzione*] (*fig.*) inculcare, imprimere **6** (*dir.*) contestare, notificare **7** [*un matrimonio, etc.*] partecipare **B** *v. intr.* **1** [*detto di persona, etc.*] conversare, chiacchierare, parlare, conferire **2** [*modi di*] entrare in comunicazione, collegarsi, telefonare **3** [*modi di*] corrispondere, essere in corrispondenza **4** [*detto di persone*] capirsi, intendersi **5** [*detto di stanze, etc.*] essere comunicanti, essere uno accosto all'altro **6** [*detto di strada, di fiume, etc.*] sfociare, sboccare **7** (*relig.*) dare l'eucarestia **C** *v. intr. pron.* **1** [*detto di incendio, etc.*] propagarsi, trasmettersi, diffondersi **2** (*relig.*) ricevere l'eucarestia.

comunicativa *s. f.* socievolezza, affabilità, espansività, cordialità, estroversione (*raro*) CONTR. introversione, chiusura.

comunicàto *s. m.* annuncio, avviso, bollettino, informazione, notizia, comunicazione.

comunicazióne *s. f.* **1** segnalazione, messaggio, notizia, comunicato **2** (*est.*) segnalazione, lettera, missiva, partecipazione, nota **3** [*di calore, etc.*] segnalazione, trasmissione, diffusione **4** [*di una notizia, etc.*] diffusione, divulgazione, propalazione **5** [*tra luoghi*] passaggio, collegamento **6** [*a un congresso, etc.*] (*est.*) intervento, presentazione.

comunióne *s. f.* **1** [*di idee*] unione, comunanza **2** (*relig.*) eucarestia.

comunismo *s. m.* bolscevismo, socialismo, marxismo.

comunità *s. f. inv.* **1** collettività, società **2** gruppo, colonia **3** [*di religiosi*] ordine, confraternita, congregazione **4** (*spreg.*) setta **5** comune.

comunitàrio *agg.* (*anton.*) europeo.

comùnque A *avv.* in ogni modo, in ogni caso, tanto **B** *cong.* tuttavia, malgrado ciò.

con *prep.* assieme, insieme a.

conàto *s. m.* tentativo, sforzo.

cónca *s. f.* (*pl. -che*) **1** catino, catinella, vaso (*est.*), anfora (*est.*), vasca **2** (*gener.*) recipiente **3** bacino, valle.

concatenàre *v. tr.* **1** connettere, ricollegare **2** [*un'idea ad un'altra*] connettere, ricollegare, associare.

concatenazióne *s. f.* **1** connessione, relazione, catena, rapporto, legame, collegamento **2** [*di eventi*] legame, sequela **3** legame.

concavità *s. f. inv.* **1** cavità, rientranza **2** (*est.*) bacino, lago.

còncavo *agg.* cavo CONTR. convesso.

concèdere A *v. tr.* **1** dare, largire (*lett.*), dispensare, offrire, elargire, erogare, prestare, regalare **2** [*un'intervista, etc.*] accordare, rilasciare CONTR. negare, rifiutare **3** [*un bacio, una parola*] autorizzare, permettere, ammettere CONTR. proibire **4** [*q.c. desiderato*] contentare, esaudire **5** [*un errore, etc.*] permettere, ammettere, comportare (*raro*) **6** [*q.c. in una discussione*] consentire, accettare **7** [*un incarico, un lavoro*] dare, conferire, attribuire, aggiudicare CONTR. negare **8** [*aiuto, assistenza*] dare, porgere CONTR. negare **B** *v. rifl.* [*sessualmente*] darsi, cedere, donarsi CONTR. opporsi, resistere, negarsi.

concentraménto *s. m.* **1** raggruppamento, ammassamento **2** (*bur.*) accentramento, centralizzazione.

concentràre A *v. tr.* **1** [*truppe, capitali*] raccogliere, ammassare, riunire, adunare, raggruppare, ammucchiare, accentrare, immagazzinare CONTR. sparpagliare, dividere, frazionare, disseminare, diradare, decentrare, dislocare, disperdere **2** [*una sostanza*] condensare, restringere, addensare CONTR. diluire, allungare, stemperare **3** [*l'attenzione*] (*fig.*) polarizzare, porre, dirigere **B** *v. intr. pron.* ammassarsi, riunirsi, adunarsi, accalcarsi, stiparsi, concorrere (*lett.*), raccogliersi CONTR. diradarsi, disperdersi **C** *v. rifl.* **1** riflettere, pensare, raccogliersi, fare mente locale (*fig.*) CONTR. deconcentrarsi, distrarsi, divagare **2** impegnarsi, immergersi (*fig.*), tuffarsi (*fig.*).

concentràto (1) *part. pass.; anche agg.* **1** [*rif. al cibo, a una bevanda,* *etc.*] denso, ristretto, forte, carico **CONTR.** lungo **2** [*rif. a un gruppo*] fitto, compatto, unito **CONTR.** sparso, sparpagliato **3** [*rif. alla passione*] intenso, profondo **4** [*rif. a una persona*] fisso, intento, attento **CONTR.** assente, distratto.

concentràto (2) *s. m.* **1** conserva **2** [*di sciocchezze, etc.*] (*fig.*) cumulo, mucchio.

concentrazióne *s. f.* **1** [*di persone, di cose*] riunione, accentramento, ammassamento **2** [*rif. alla mente*] applicazione, attenzione, impegno, raccoglimento **CONTR.** disattenzione.

concepìbile *agg.* immaginabile **CONTR.** inconcepibile.

concepiménto *s. m.* concezione.

concepìre *v. tr.* **1** generare, procreare, fare nascere **2** [*un'idea, un progetto*] (*est.*) produrre, congegnare, ideare, immaginare, progettare, disegnare (*fig.*), creare, comporre, pensare **3** [*un sentimento*] sentire **4** comprendere, capire, capacitarsi *di*, convincersi *di* **5** [*la pietà, l'amore*] conoscere, ammettere.

concernènte *part. pres.; anche agg.* riguardante, relativo, attinente, pertinente.

concèrnere *v. tr.* riguardare, interessare, spettare *a*, riferirsi *a*, appartenere *a*, competere *a*, essere di competenza *di*.

concertàre A *v. tr.* **1** (*mus.*) accordare, affiatare, armonizzare **2** combinare, organizzare, preparare, stabilire, predisporre **3** [*un inganno contro qc.*] (*fig.*) ordire, tramare, macchinare **B** *v. rifl. rec.* convenire, accordarsi.

concèrto *s. m.* **1** pezzo, sonata **2** orchestra **3** accordo, collaborazione.

concessióne *s. f.* **1** dono, grazia, favore, privilegio **2** autorizzazione, permesso **3** (*est.*) assegnazione, licenza, appalto **4** (*est.*) ammissione **5** [*in favore di altri*] (*est.*) rinuncia.

concètto *s. m.* **1** pensiero, idea, principio, nozione **2** opinione, stima, giudizio **3** concezione, visione, rappresentazione **4** [*rif. a un romanzo, etc.*] leitmotiv (*ted.*), tema.

concettóso *agg.* **1** [*rif. allo stile*] involuto, difficile, macchinoso, ricercato, cavilloso **CONTR.** semplice, facile, piano, chiaro **2** (*est.*) ingegnoso.

concettuàle *agg.* teorico, astratto, speculativo, conoscitivo.

concettualménte *avv.* ideologicamente.

concezióne *s. f.* **1** invenzione, ideazione, disegno, concetto **2** [*della vita, etc.*] visione, pensiero, idea, immagine, concepimento.

conchìglia *s. f.* guscio.

conchiùdere *v. tr. e intr. pron.* V. *concludere.*

conciàre A *v. tr.* **1** sottoporre a concia, lavorare (*impr.*) **2** sistemare, acconciare, accomodare **3** (*est.*) condire (*fig.*), insudiciare, sporcare, danneggiare (*impr.*) **4** sistemare, condire (*fig.*), maltrattare, battere, cucinare (*fig.*) **5** [*una pietra*] squadrare, rifinire **B** *v. rifl.* **1** abbigliarsi, acconciarsi, agghindarsi, accomodarsi **2** sporcarsi, insudiciarsi **3** [*senza soldi, etc.*] ridursi, ritrovarsi.

conciliàbile *agg.* compatibile, accordabile, adattabile **CONTR.** contrastante, incompatibile.

conciliàbolo *s. m.* combutta, complotto, cospirazione.

conciliànte *part. pres.; anche agg.* accomodante, condiscendente, arrendevole, compiacente, adattabile (*est.*), malleabile **CONTR.** arrogante, autoritario, intransigente, inflessibile, rigido, rancoroso, ostinato, cocciuto, polemico, litigioso, puntiglioso, stizzito.

conciliàre A *v. tr.* **1** [*qc.*] pacificare, calmare, appaciare (*lett.*), rabbonire, rappaciare, concordare (*raro*) **CONTR.** urtare, irritare, contrariare, esasperare, esacerbare, disunire, dividere **2** [*il sonno, etc.*] procurare, favorire **CONTR.** allontanare, disturbare, guastare, interrompere **3** [*la simpatia, l'amicizia*] cattivare, accattivare, procacciare **4** [*l'utile con il dilettevole, etc.*] accordare, combinare, armonizzare **5** [*una lite, etc.*] comporre, temperare, contemperare, accomodare, aggiustare, raggiustare **B** *v. intr. pron.* **1**

cattivarsi, accattivarsi, acquistarsi, conquistarsi, procurarsi, attirarsi, propiziarsi **CONTR.** urtarsi, scontrarsi **2** [*detto di colori, etc.*] accordarsi, armonizzarsi, combinarsi **CONTR.** discordare **3** [*detto di idee*] conformarsi, concordare **C** *v. rifl. rec.* rappaciarsi, pacificarsi, riconciliarsi, intendersi **D** *s. m.* (*gener.*) partecipante.

conciliàto *part. pass.; anche agg.* rappacificato, rabbonito, quietato **CONTR.** inasprito, esacerbato.

conciliazióne *s. f.* pace, pacificazione, riconciliazione, riavvicinamento, accordo.

concimàre *v. tr.* dare il concime, fertilizzare, ingrassare, stabbiare, sovesciare (*agr.*).

concime *s. m.* fertilizzante.

concionàre *v. tr. e intr.* arringare *un*, parlare *a*, predicare *un*, perorare *un*.

concióne *s. f.* orazione, arringa, allocuzione, discorso, sermone (*scherz.*), sproloquio (*spreg.*).

concisaménte *avv.* **1** brevemente, stringatamente, succintamente, sinteticamente **CONTR.** ampiamente, ampollosamente, prolissamente, verbosamente, distesamente, estesamente **2** laconicamente, asciuttamente, in poche parole.

concisióne *s. f.* stringatezza, essenzialità, brevità, compendiosità (*colto*), laconicità (*colto*) **CONTR.** prolissità, verbosità, loquela, lungaggine.

concìso *agg.* **1** [*rif. a uno scritto, a un discorso*] breve, stringato, sintetico, succinto, compendioso **CONTR.** altisonante, ampolloso, prolisso, verboso, retorico **2** [*rif. a un discorso*] laconico, scabro, asciutto, serrato (*est.*), nervoso (*est.*) **CONTR.** altisonante, ampolloso, prolisso, verboso, retorico.

concitataménte *avv.* affannosamente, freneticamente, convulsamente, animatamente, euforicamente (*est.*) **CONTR.** pacatamente, tranquillamente, impassibilmente.

concitàto *part. pass.; anche agg.* agitato, esagitato, eccitato, frenetico, convulso, affannato, furioso (*est.*) **CONTR.** calmo, quieto, rilassato, tranquillo.

concitazióne s. f. eccitazione, esaltazione, foga, impeto, nervosismo (*est.*) **CONTR.** calma, tranquillità.

conclúdere o **conchiúdere** A v. tr. **1** [*un lavoro, etc.*] portare a termine, ultimare, finire, terminare, espletare, compiere, compire, effettuare, fare, realizzare, concretizzare **CONTR.** cominciare, incominciare, abbozzare **2** [*un patto, etc.*] stipulare, stringere (*est.*), firmare **CONTR.** annullare **3** [*un accordo*] (*est.*) stabilire, decidere **4** [*un discorso*] chiudere, riepilogare (*raro*) **CONTR.** premettere, intavolare **5** [*una relazione affettiva*] (*fig.*) troncare **6** [*un argomento*] (*fig.*) liquidare **7** [*un affare, etc.*] (*est.*) combinare, definire, pattuire, trattare **8** [*un'attività*] cessare **CONTR.** iniziare **9** [*un ciclo di studi, etc.*] (*fig.*) coronare **10** [*un racconto, etc.*] (*fig.*) quagliare, venire al dunque, venire al sodo (*fam.*) **CONTR.** avviare **11** [*q.c. a livello mentale*] dedurre, arguire, desumere, constatare, inferire, rilevare **B** v. intr. pron. **1** [*detto di anno, di mese, etc.*] finire, compiersi, scadere, completarsi **CONTR.** iniziare, principiare, incominciare **2** [*detto di trattative, etc.*] finire, terminare, chiudersi, risolversi **3** [*detto di festa, di incontro, etc.*] (*est.*) riuscire **4** [*detto di situazione*] (*fig.*) sboccare.

conclusióne s. f. **1** epilogo, esito, fine, definizione, terminazione (*raro*) **CONTR.** avvio, preliminare **2** [*spec. con: arrivare a una*] deduzione, risoluzione, decisione **3** [*di un discorso, di un testo, etc.*] riepilogo, somma **CONTR.** premessa **4** [*di un sogno*] coronamento **5** [*spec. con: portare a*] compimento, adempimento **6** [*di un'attività, etc.*] scioglimento, cessazione, chiusura **CONTR.** avviamento **7** [*di una lettera, di un romanzo, etc.*] epilogo, finale, chiusa **CONTR.** introduzione, prefazione, proemio, prologo, esordio **8** [*di un'arringa, etc.*] perorazione **9** [*rif. a una fase, etc.*] stretta **10** [*in loc.: arrivare alla*] porto (*fig.*).

conclusivo agg. **1** finale, ultimo **CONTR.** iniziale, preliminare **2** (*est.*) definitivo, decisivo, risolutivo.

conclúso part. pass.; anche agg. **1** compiuto, terminato, finito **CONTR.** pendente (*fig.*) **2** (*est.*) definito, deciso, risolto **3** [*rif. ad un affare*] concordato, deciso, definito.

comcomitànza s. f. coincidenza, contemporaneità, coesistenza, simultaneità, sincronia.

concordànza s. f. consonanza, corrispondenza, armonia, conformità, coerenza, accordo, convergenza, vicinanza (*fig.*), unione (*fig.*), uniformità (*est.*), somiglianza (*est.*) **CONTR.** dissonanza, contrasto, discordanza, disarmonia, discrepanza, divergenza, contrapposizione.

concordàre A v. tr. **1** [*un incontro, etc.*] combinare, stabilire, fissare **2** [*un prezzo, etc.*] prestabilire, stabilire, pattuire, fissare, patteggiare (*raro*), contrattare, mettersi d'accordo su **3** [*opinioni, etc.*] mettere d'accordo, conciliare, fare quadrare, equilibrare **CONTR.** confutare, contrastare **B** v. intr. **1** dire di sì, consentire, convenire, essere d'accordo, acconsentire (*raro*) **2** [*detto di idee, etc.*] convergere, collimare, combaciare, corrispondere, accordarsi, conciliarsi, armonizzarsi, intonarsi (*fig.*), riscontrare, quadrare (*fam.*) **CONTR.** discordare, divergere, discostarsi.

concòrde agg. **1** [*rif. all'opinione, al giudizio*] unanime, uniforme, omogeneo, compatto **CONTR.** discorde, discordante, discrepante **2** [*rif. a un modello, etc.*] conforme, confacente, convergente (*est.*) **3** [*rif. al suono*] analogo, armonico **CONTR.** disarmonico **4** [*rif. a un moto, a un movimento*] simultaneo, sincrono.

concordeménte avv. d'accordo, congiuntamente, coralmente, unanimemente **CONTR.** discordemente, contraddittoriamente, contrariamente.

concòrdia s. f. **1** affiatamento, accordo, unione, pace, armonia **CONTR.** discordia, antagonismo, attrito **2** [*nelle idee*] compattezza, unanimità, unità.

concorrènte A s. m. e f. **1** avversario, competitore, rivale, antagonista **2** [*in un concorso*] candidato **3** [*in una competizione*] partecipante **B** part. pres.; anche agg. contrastante, opposto, antagonista, rivale.

concorrènza s. f. competizione, antagonismo, rivalità, lotta (*est.*).

concorrenzialménte avv. competitivamente, in concorrenza.

concórrere v. intr. **1** [*detto di persone*] affluire, convergere, riversarsi, concentrarsi, accorrere, adunarsi, confluire, andare **CONTR.** allontanarsi, sparpagliarsi, disperdersi **2** [*in una gara, etc.*] competere, gareggiare, rivaleggiare, emulare un **3** [*a un'impresa, etc.*] partecipare, cooperare, contribuire, coadiuvare, collaborare, aiutare un **4** (*est.*) aspirare **5** [*a un fine*] (*fig.*) cospirare.

concórso s. m. **1** [*per un posto di lavoro*] prova, esame, selezione **2** (*sport*) gara, competizione **3** [*rif. a canzoni, a libri, etc.*] (*est.*) rassegna, festival **4** collaborazione, partecipazione, cooperazione, aiuto **5** [*di persone*] convergenza, affluenza **6** affluenza.

concretaménte avv. **1** realmente, effettivamente, praticamente, realisticamente **CONTR.** astrattamente, idealisticamente, chimericamente, accademicamente (*est.*), ideologicamente, immaginariamente, simbolicamente (*est.*) **2** (*est.*) tangibilmente, materialmente, fisicamente.

concretàre A v. tr. realizzare, concludere, attuare, concretizzare, effettuare, eseguire, fare, materializzare **B** v. intr. pron. concretizzarsi, attuarsi, avverarsi, realizzarsi, incarnarsi (*fig.*).

concretézza s. f. **1** [*rif. a un progetto, etc.*] consistenza, validità **2** realismo, praticità **3** realtà, tangibilità **CONTR.** astrazione.

concretizzàre A v. tr. attuare, realizzare, effettuare, eseguire, concludere, concretare, materializzare **B** v. intr. pron. concretarsi, attuarsi, realizzarsi, avverarsi, materializzarsi **CONTR.** disperdersi.

concrèto A agg. **1** solido **CONTR.** apparente, astratto, chimerico, irreale, illusorio, fallace **2** tangibile, reale, toccabile, corporeo **CONTR.** etereo, incorporeo **3** [*rif. all'esperienza, etc.*] pratico, realistico, effettivo, positivo, specifico (*est.*) **CONTR.** ideale, idealistico **4** (*spreg.*) prosaico **5** [*rif. a una persona*] razionale **CONTR.** vanesio **B** s. m. inv. reale, sodo (*pop.*) **CONTR.** astratto.

concubina s. f. **1** compagna, convivente **2** (*gener.*) donna.

concupire v. tr. desiderare, bramare, agognare, appetite (*colto*), smaniare per, volere **CONTR.** disprezzare.

concupiscènte agg. cupido, famelico, lussurioso, rapace (*fig.*).

concupiscènza s. f. brama, avidità, cupidigia, bramosia, lussuria.

condànna s. f. *1* riprovazione, biasimo, disapprovazione, censura, deplorazione (*raro*) **CONTR.** lode, elogio *2* (*dir.*) pena **CONTR.** assoluzione *3* [*rif. a una disgrazia, a q.c. da fare, etc.*] (*est.*) dannazione, castigo.

condannàre v. tr. *1* dichiarare colpevole, punire, castigare **CONTR.** compatire, assolvere, perdonare, graziare, riabilitare *2* biasimare, deplorare (*colto*), disapprovare, censurare, riprovare, detestare, marchiare (*fig.*) **CONTR.** elogiare, approvare, lodare, encomiare, esaltare *3* [*un malato*] (*est.*) dare per spacciato, dichiarare inguaribile, definire senza speranza *4* [*qc. a lavorare, etc.*] (*est.*) obbligare, costringere *5* [*qc. alla pena eterna*] dannare.

condannàto A *part. pass.; anche agg. 1* spacciato *2* biasimato, criticato **CONTR.** lodato *3* costretto, obbligato **CONTR.** libero, redento B *s. m.* (f. *-a*) dannato.

condensàre A v. tr. *1* concentrare, addensare, stringere, comprimere, ispessire, raddensare, raggrumare **CONTR.** diluire, stemperare, disciogliere, dissolvere, volatilizzare *2* [*un concetto, etc.*] (*est.*) riassumere, sintetizzare, compendiare, riepilogare, ridurre, schematizzare, ricapitolare **CONTR.** particolareggiare B v. intr. pron. addensarsi, rassodarsi, assodarsi, rapprendersi, coagularsi, ispessirsi, cagliarsi, raggrumarsi **CONTR.** sciogliersi, liquefarsi.

condensazióne s. f. (*chim.*) solidificazione **CONTR.** liquefazione.

condiménto s. m. *1* sugo, salsa, intingolo *2* [*tipo di*] spezie, droga.

condire v. tr. *1* [*una pietanza*] insaporire, assaporire (*raro*), pepare (*est.*) *2* [*una storia, un racconto*] (*est.*) abbellire, ornare, adornare, infiorare (*fig.*) *3* [*qc.*] (*est.*) conciare, sistemare *4* [*uno scritto di errori*] (*est.*) inzeppare, costellare.

condiscendènte *part. pres.; anche agg.* arrendevole, conciliante, accomodante, compiacente, remissivo **CONTR.** caparbio, cocciuto, irremovibile, inflessibile, testardo, rigido (*fig.*), incontentabile, bellicoso (*fig.*).

condiscendènza s. f. *1* arrendevolezza, comprensione, indulgenza, remissività *2* [*rif. all'atteggiamento*] compiacenza, degnazione, sufficienza **CONTR.** gentilezza, affabilità.

condiscéndere v. intr. *1* acconsentire, accondiscendere, cedere, piegarsi **CONTR.** dissentire, opporsi *2* (*est.*) compiacere *un*, avallare *un*, secondare *un*, esaudire *un*, assecondare *un* **CONTR.** osteggiare, ostacolare, contrastare *3* adattarsi, conformarsi.

condiscendevolménte *avv.* arrendevolmente, in modo accomodante, in modo conciliante **CONTR.** ostinatamente, caparbiamente.

condividere v. tr. *1* spartire, dividere *2* [*le idee, i sentimenti*] (*est.*) partecipare a, aderire a, prendere parte a, associarsi a, avere in comune, compartecipare, unirsi a **CONTR.** disinteressarsi, fregarsene.

condizionàre v. tr. *1* subordinare *2* [*qc.*] dominare, influenzare, sottomettere *3* vincolare, permeare *4* limitare, controllare.

condizióne s. f. *1* vincolo, clausola, limitazione, riserva, patto, impegno, termine (*bur.*) *2* [*per essere assunti, etc.*] requisito, titolo *3* [*dei lavoratori, etc.*] situazione, stato *4* (*est.*) circostanza, clima (*fig.*), atmosfera (*fig.*), partito (*fig.*) *5* [*economica, sociale*] posizione, scalino (*fig.*), grado, classe, livello, piano.

condolérsi v. intr. pron. dispiacersi **CONTR.** felicitarsi, rallegrarsi.

condonàre v. tr. *1* [*la pena, etc.*] rimettere, abbonare, detrarre, diminuire **CONTR.** aumentare *2* [*la colpa, gli errori*] giustificare, perdonare, scusare, dimenticare (*est.*) *3* [*qc. da un obbligo*] esonerare, esentare, dispensare, esimere **CONTR.** obbligare, costringere.

condóno s. m. *1* remissione, perdono *2* [*tipo di*] indulto, grazia, amnistia.

condótta s. f. *1* azione, comportamento, contegno, atteggiamento, operato, strada (*fig.*), stile (*est.*), vita (*est.*) *2* (*raro*) governo, direzione *3* [*dell'acqua, del gas, etc.*] canale, conduttura, tubazione *4* [*di un medico, etc.*] zona, area, comprensorio.

condótto (1) s. m. *1* canale, tubo, via, conduttura *2* (*anat.*) meato, orifizio, canalicolo.

condótto (2) agg. [*rif. a medico*] comunale.

conducènte A s. m. e f. autista, conduttore B *part. pres.; anche agg.* che conduce.

conducibilità s. f. inv. (*fis.*) conduttività.

condùrre A v. tr. *1* [*persone, animali*] portare, guidare, trascinare, scortare, accompagnare, recare, menare, addurre (*raro*), trarre, convogliare, ridurre (*raro*) *2* [*un veicolo*] portare, guidare, pilotare, governare, manovrare *3* [*un'azienda, etc.*] dirigere, amministrare, gestire, sovrintendere, capitanare, essere a capo *di*, reggere *4* [*uno spettacolo, etc.*] dirigere, animare, presentare, portare avanti *5* [*l'acqua, l'elettricità, etc.*] (*est.*) trasportare, incanalare *6* [*qc. al delitto, all'ira*] indurre, istigare, spingere, portare (*fig.*), trascinare (*fig.*) *7* [*un'esistenza*] svolgere, trascorrere, passare, vivere B v. intr. *1* [*detto di strada, di via, etc.*] terminare, sfociare, sboccare, finire, andare, portare a *2* (*sport*) essere il primo C v. rifl. comportarsi, contenersi, governarsi D v. intr. pron. procedere, recarsi.

conduttùra s. f. condotta, tubazione, condotto, linea (*est.*).

conduzióne s. f. gestione, governo (*est.*).

confabulàre v. intr. *1* bisbigliare, parlottare, mormorare, sussurrare **CONTR.** urlare, gridare *2* (*est.*) complottare *3* chiacchierare, conversare, ciarlare, discorrere, cicalare (*scherz.*), parlare, favolare (*lett.*).

confacènte *part. pres.; anche agg. 1* adatto, appropriato, commisurato, proporzionato, adeguato, opportuno (*est.*) **CONTR.** inadatto, inadeguato, inidoneo, sproporzionato *2* analogo, concorde.

confàrsi v. intr. pron. 1 [detto di atteggiamento, di modi] addirsi, attagliarsi, convenire, essere, appartenere (est.) CONTR. sconvenire, disdire 2 [alla situazione] addirsi, adattarsi, fare al caso, rispondere (fig.), essere adatto 3 [nelle espressioni: a me, a te, a noi si confà] giovare, fare, conferire CONTR. nuocere 4 [detto di abito, etc.] donare.

confederàre A v. tr. associare, federare CONTR. dividere, dissociare B v. rifl. unirsi, collegarsi, associarsi, aggregarsi, allearsi, federarsi CONTR. dissociarsi, combattersi.

confederazióne s. f. 1 unione, alleanza, lega 2 associazione 3 stato.

conferènza s. f. 1 simposio (colto), convegno, congresso, riunione, meeting (ingl.), convention (ingl.), dieta (lett.) 2 orazione, discorso, lettura, lezione.

conferenzière s. m. oratore.

conferiménto s. m. attribuzione, assegnazione.

conferire A v. tr. 1 [un'onorificenza] dare, largire, attribuire, concedere, accordare, assegnare, aggiudicare, distribuire CONTR. togliere, negare 2 [coraggio, etc.] infondere, imporre 3 [oggetti] dare, adunare, radunare, ammassare B v. intr. 1 [detto di persone] abboccarsi, parlare, trattare, ragionare, discutere, comunicare 2 [alla salute, etc.] confarsi, donare, giovare.

confèrma s. f. 1 convalida, dimostrazione, prova, riscontro, sanzione (raro) 2 [di una nomina] (bur.) ratifica 3 dichiarazione (raro) CONTR. smentita, disdetta.

confermàre A v. tr. 1 [quanto già detto, etc.] riaffermare, raffermare, affermare, ribadire, ridire, asserire, ripetere CONTR. modificare, smentire, negare, contraddire, confutare 2 [l'adesione a q.c., etc.] riconfermare, assicurare, garantire 3 [una disposizione, etc.] ratificare, omologare, sanzionare CONTR. annullare 4 [un'ipotesi, un'affermazione] comprovare, attestare, avvalorare, dimostrare, provare, avallare, riprovare CONTR. infirmare 5 [un'ipotesi, etc.] convalidare, confortare (fig.), rafforzare, corroborare

(fig.) 6 [un vincolo, un'amicizia] consacrare, sancire, suggellare CONTR. rescindere 7 [un candidato] approvare B v. rifl. consolidarsi, stabilizzarsi, rafforzarsi C v. intr. pron. [detto di opinione, etc.] acquistare credito, ribadirsi.

confessàre A v. tr. 1 [la propria colpa, etc.] ammettere, dichiarare, riconoscere, incolparsi di CONTR. negare, ricusare 2 [i propri sentimenti, etc.] palesare, manifestare, rivelare, riferire, raccontare, svelare, dire, confidare CONTR. tacere, nascondere, occultare 3 (relig.) dire i propri peccati 4 [detto di incriminato] cantare (fig.) 5 [la propria fede] palesare, manifestare, professare 6 ammettere B v. rifl. 1 riconoscersi, giudicarsi 2 (relig.) dire i propri peccati, fare la confessione 3 aprirsi (fig.), confidarsi, rivelarsi CONTR. chiudersi.

confessióne s. f. 1 [di colpa] ammissione, riconoscimento, dichiarazione (est.) 2 [di un segreto] confidenza, rivelazione, palesamento (raro) 3 [sacramento] (relig.) penitenza 4 culto, fede, religione, credo.

confètto s. m. 1 pasticca, pastiglia, pillola, cachet (fr.) 2 dolce, bonbon (fr.), chicca.

confezionàre v. tr. 1 [la merce, etc.] impacchettare, incartare, preparare, imballare, involtare, fare un pacchetto, impaccare 2 [un capo di abbigliamento] realizzare, cucire, fare, fabbricare, eseguire, lavorare (raro).

confezióne s. f. 1 imballo, involucro, imballaggio 2 [di dolci, etc.] produzione, preparazione 3 [di pacchi, etc.] approntamento.

conficcàre A v. tr. 1 ficcare, piantare, introdurre, interrare, affondare, configgere, incuneare, infiggere (raro), cacciare, infilare, incastrare, ficcare dentro, inserire, mettere, ricacciare, spingere CONTR. schiodare, disincastrare, sfilare, sbarbare 2 [q.c. nella mente] (est.) inculcare, inchiodare (fig.), imprimere, fissare (fig.), stampare (fig.) CONTR. cancellare, togliere, levare B v. intr. pron. 1 ficcarsi, piantarsi, configgersi, penetrare CONTR. togliersi, levarsi 2 [nella testa, nel cuore, etc.] (fig.) ficcarsi, piantarsi.

conficcàto part. pass.; anche agg. piantato CONTR. divelto.

confidàre A v. intr. 1 fidare, sperare, contare, credere, immaginare (est.), supporre (est.) CONTR. diffidare, temere, disperare, dubitare 2 dare credito a, fidarsi di, fare affidamento su, fare assegnamento su, puntare su B v. intr. pron. sfogarsi, aprirsi, parlare, sbottonarsi (fig.), confessarsi, esternarsi, espandersi (raro) CONTR. tacere, celare, nascondersi C v. tr. 1 [un segreto] rivelare, confessare, svelare, raccontare, riferire, palesare, ridire, manifestare CONTR. tacere, nascondere, occultare 2 [q.c.] (raro) consegnare.

confidènte A s. m. e f. 1 amico 2 (spreg.) spia, delatore, informatore, sicofante (lett.) B agg. fiducioso CONTR. diffidente (est.), sospettoso (est.).

confidènza s. f. 1 familiarità, dimestichezza, intimità, amicizia, abitudine (raro) 2 (est.) rivelazione, segreto, confessione, indiscrezione 3 sicurezza, fiducia, speranza.

confidenziàle agg. 1 [rif. al tono di voce] amichevole, familiare, domestico (est.), intimo CONTR. formale, freddo, distaccato 2 [rif. a una notizia] riservato, segreto 3 [rif. a un augurio, a un saluto, etc.] cordiale CONTR. formale, freddo, distaccato.

confidenzialménte avv. 1 amichevolmente, cameratescamente, familiarmente, affabilmente, fraternamente CONTR. formalmente, distaccatamente, freddamente 2 segretamente, riservatamente, ufficiosamente CONTR. pubblicamente, palesemente, solennemente.

configgere A v. tr. conficcare, inchiodare, ficcare, piantare, fissare, incastrare, fissare con chiodi, infiggere, rificcare CONTR. togliere, estrarre B v. intr. pron. conficcarsi, ficcarsi, piantarsi CONTR. uscire, venire fuori.

configuràre A v. tr. 1 [q.c. con la mente] raffigurare, supporre 2 [detto di caratteristiche] (est.) rappresentare, delineare, definire, descrivere 3 [un calcolatore] (elab.) dimensionare B v. intr. pron. 1 [detto di situazione, etc.] presentarsi, mostrarsi 2 [detto di *cose*] conformarsi **C** v. rifl. immedesimarsi, identificarsi.

configurazióne s. f. aspetto, conformazione.

confinànte A part. pres.; anche agg. limitrofo, adiacente, attiguo, contiguo, vicino **B** s. m. e f. vicino.

confinàre A v. tr. **1** [qc. in un luogo] mandare al confino, esiliare, proscrivere, bandire CONTR. chiamare, invitare **2** [qc. in casa, etc.] relegare, chiudere, segregare, imprigionare, incarcerare, isolare, rinchiudere **B** v. rifl. isolarsi, rinchiudersi, estraniarsi, appartarsi, rintanarsi, ritirarsi CONTR. uscire, venire fuori, partecipare.

confine s. m. **1** frontiera **2** limite, termine, margine, limitare **3** (est.) sbarra, pietra, cippo, barriera.

confino s. m. esilio, bando.

confisca s. f. (pl. -che) requisizione, espropriazione, sequestro, esproprio.

confiscàre v. tr. espropriare, sequestrare, requisire, incamerare, ritirare, sottrarre, trattenere, congelare (fig.).

conflitto s. m. **1** guerra, battaglia, combattimento, lotta **2** opposizione, disaccordo, divergenza, discordanza, dissenso, contrasto, collisione.

confluire v. intr. **1** [detto di acque, di fiume] immettersi, gettarsi, sfociare, sboccare, affluire, rifluire, versarsi, incanalarsi, andare CONTR. diramarsi, defluire **2** [detto di persone] concorrere, convenire (raro), raccogliersi **3** [detto di idee, etc.] (fig.) incontrarsi, convergere CONTR. divergere **4** [detto di elementi, etc.] fondersi, congiungersi, unirsi.

confóndere A v. tr. **1** mescolare, ingarbugliare, scompigliare, complicare, disordinare, arruffare, imbrogliare, sovvertire, rimestare, rimescolare, pasticciare CONTR. contrassegnare, contraddistinguere, ordinare, schierare **2** [i nomi, etc.] (est.) scambiare, sbagliare CONTR. distinguere, riconoscere, azzeccare **3** [la mente, una persona] (est.) ottenebrare (fig.), disorientare, sbalordire, scombussolare, stordire (fig.), frastornare, ottundere, sbalestrare (fig.), abbacinare (fig.), sconcertare, imbarazzare, sconvolge-

re, sorprendere, accecare (fig.) CONTR. calmare, confortare, quietare, rincuorare, incoraggiare **4** [la vista] (est.) ottenebrare (fig.), offuscare, abbagliare, appannare **5** [qc. in senso morale] mettere in imbarazzo, annientare (fig.), distruggere (fig.) **6** [le idee, i concetti] disorganizzare, scompaginare (fig.), intorbidare (fig.) CONTR. delucidare, districare, sceverare **B** v. intr. pron. **1** [detto di suoni, etc.] fondersi, mescolarsi, non distinguersi CONTR. distinguersi **2** [detto di persona, etc.] vergognarsi, turbarsi, smarrirsi, scoraggiarsi, essere meravigliato, meravigliarsi, annullarsi, tremare (fig.) CONTR. rinfrancarsi **3** [con un interesse] compenetrarsi in, dedicarsi a **4** [detto di situazione, etc.] complicarsi, imbrogliarsi (fig.), ingarbugliarsi (fig.), intorbidarsi (fig.), intricarsi (fig.) **5** [nel parlare] impaperarsi, impappinarsi **6** [con l'ambiente] fondersi, frammischiarsi, mimetizzarsi CONTR. distaccarsi, evidenziarsi **7** [nel parlare] equivocarsi, annodarsi (fig.) **8** disorientarsi, annaspare (fig.), perdersi CONTR. orientarsi, orizzontarsi, raccapezzarsi.

conformàbile agg. adeguabile, adattabile.

conformàre A v. tr. **1** modellare, plasmare, formare, foggiare, sagomare **2** [q.c. alla situazione] adeguare, adattare, uniformare CONTR. differenziare, diversificare **3** [i colori, gli oggetti] contemperare, accordare, armonizzare **4** [la vita, il comportamento] modellare, informare **B** v. rifl. **1** [alla situazione, etc.] adeguarsi, adattarsi, uniformarsi, allinearsi, condiscendere, abituarsi, seguire un, attenersi, rassegnarsi, accondiscendere, aderire, consentire, modellarsi, ottemperare CONTR. dissentire, opporsi, ribellarsi, rifiutarsi, differenziarsi, diversificarsi, contravvenire, differire, disubbidire, offendere **2** [a un esempio] ispirarsi **C** v. intr. pron. **1** [detto di colori, di cose, etc.] conciliarsi, intonarsi, accordarsi CONTR. discordare **2** [detto di cose] strutturarsi, configurarsi, plasmarsi.

conformàto part. pass.; anche agg. **1** adeguato **2** (est.) proporzionato.

conformazióne s. f. figura, forma, corporatura, struttura, aspetto, configurazione.

confórme A agg. **1** simile, fedele CONTR. difforme, diverso, dissimile **2** (est.) concorde, coerente, congruente CONTR. contrario, sedizioso **3** (est.) appropriato, adeguato, giusto, consono, adattato (est.) **4** (est.) omogeneo **5** (sport) regolamentare **B** avv. conformemente, in conformità, corrispondentemente, concordemente, secondo CONTR. diversamente, difformemente, differentemente, contrariamente.

conformeménte avv. analogamente, analogicamente, corrispondentemente, congruentemente CONTR. diversamente, differentemente, contrariamente, contro.

conformismo s. m. perbenismo, convenzionalità.

conformista A agg. **1** [rif. all'atteggiamento] convenzionale, banale, consuetudinario CONTR. anticonformista, aperto, spregiudicato, ardito (est.), sovversivo, bizzarro, estroso, alternativo **2** [rif. alle parole, alle idee] benpensante, borghese **B** s. m. e f. borghese, benpensante, qualunquista CONTR. anticonformista, ribelle, rivoluzionario.

conformità s. f. inv. **1** armonia, concordanza, corrispondenza, rispondenza, accordo, adeguatezza, affinità, congruenza, aderenza, vicinanza (fig.), uniformità **2** osservanza, fedeltà, ossequio, ottemperanza **3** (bur.) senso (pl.).

confòrt s. m. inv. V. comfort.

confortànte part. pres.; anche agg. consolante, ristoratore, rasserenante, rilassante, corroborante (est.) CONTR. deludente, spaventoso.

confortàre A v. tr. **1** sostenere, animare, consolare, rincuorare, calmare, rasserenare, sollevare (fig.), alleviare, tranquillizzare, rassicurare, risollevare, tirare su CONTR. confondere, sconfortare, rattristare, addolorare, immalinconire, contristare, crucciare, demoralizzare, disanimare, attristare **2** (est.) ricreare, ristorare, rinvigorire, vivificare, rigenerare (fig.), corroborare CONTR. indebolire, fiaccare **3** [una tesi, etc.] sostenere, confermare, ribadire, avvalorare, appoggiare, rafforzare, rinforzare **4** [qc. nello studio, etc.]

animare, sorreggere (*fig.*), incoraggiare **B** *v. intr. pron.* tranquillizzarsi, consolarsi, rasserenarsi, calmarsi, incoraggiarsi, farsi animo, allietarsi, ricrearsi **CONTR.** affliggersi, disperarsi, rattristarsi, abbattersi, avvilirsi, contristarsi, disanimarsi, esanimarsi, demoralizzarsi, dannarsi.

confortàto *part. pass.; anche agg.* sollevato, rassicurato, rianimato, rincuorato, rifocillato **CONTR.** sconfortato, scoraggiato, devastato (*fig.*), impaurito (*est.*), inconsolabile (*est.*).

confortévole *agg.* **1** [*rif. alle parole*] consolante, rasserenante **2** [*rif. a una casa, a un'abitazione*] comodo, accogliente, ospitale **CONTR.** scomodo, disagevole.

confortevolménte *avv.* comodamente, agiatamente **CONTR.** scomodamente, disagiatamente.

confòrto (1) *s. m.* **1** aiuto, sollievo, sostegno, ausilio, appoggio (*fig.*), consolazione, balsamo (*fig.*) **CONTR.** tortura **2** (*est.*) esortazione, incitamento.

confòrto (2) *s. m.* comfort (*ingl.*), agio, comodità, ristoro **CONTR.** scomodità.

confratèrnita *s. f.* **1** [*di religiosi*] congrega, congregazione, ordine, comunità **2** setta **3** gruppo **4** [*di artigiani, etc.*] corporazione **5** [*di amici, etc.*] congrega, parrocchia (*scherz.*), compagnia.

confrontàbile *agg.* comparabile, paragonabile.

confrontàre A *v. tr.* comparare, paragonare, assimilare (*colto*), raffrontare, collazionare (*colto*), rapportare, contrapporre, equiparare, accostare (*fig.*), raccostare (*fig.*), ravvicinare (*fig.*), assembrare, ragguagliare (*raro*), uguagliare (*est.*) **B** *v. rifl.* **1** misurarsi, cimentarsi, competere, gareggiare, battersi, rivaleggiare, contrapporsi a **2** (*est.*) consigliarsi, chiedere consiglio, consultarsi **3** paragonarsi, raffrontarsi, equipararsi, commisurarsi, emulare *un*.

confrónto *s. m.* **1** paragone, raffronto, comparazione, collazione, parallelo, riscontro, ragguaglio (*raro*), rapporto (*est.*) **2** gara, competizione.

confusaménte *avv.* **1** caoticamente, disordinatamente **CONTR.** ordinatamente, precisamente, sistematicamente **2** vagamente, con incertezza, indistintamente, fumosamente (*fig.*), disorganicamente, nebbiosamente (*fig.*) **CONTR.** articolatamente, distintamente, lucidamente; nitidamente (*fig.*).

confusióne *s. f.* **1** caos, disordine, baraonda, casino (*pop.*), bolgia (*fig.*), pandemonio (*fam.*), scompiglio, agitazione, baccano, casotto (*fam.*), subbuglio, fiera (*fig.*), caciara (*dial.*), babele (*fig.*), rivoluzione (*fig.*), putiferio, parapiglia, promiscuità (*est.*), babilonia (*fig.*), bailamme, bordello (*pop.*), brulichio **CONTR.** ordine **2** malinteso **3** incoerenza **4** (*est.*) imbarazzo, stordimento, sbigottimento, smarrimento, sbalordimento, disorientamento **5** [*rif. alla mente*] (*fig.*) appannamento, nebbia, ubriachezza **CONTR.** nitidezza, chiarezza, limpidezza **6** [*di idee, etc.*] (*fig.*) turbinio, turbine, tempesta **7** [*insieme disordinato*] (*est.*) mescolanza, zuppa (*fig.*), viluppo **8** [*tra persone, tra cose, etc.*] scambio.

confùso *agg.* **1** disordinato, caotico **CONTR.** ordinato **2** [*rif. a idee, a scritti*] informe, nebuloso (*fig.*), indefinito, oscuro (*fig.*), farraginoso **CONTR.** chiaro, nitido, distinto, lucido, stampato (*fig.*) **3** [*rif. a una persona*] stordito, disorientato, impacciato, sconcertato (*est.*) **CONTR.** lucido, sicuro, tranquillo **4** [*rif. all'emozione*] tumultuoso (*fig.*), contraddittorio, ambivalente.

confutàre *v. tr.* controbattere, contraddire, ribattere, contestare, obiettare, eccepire, oppugnare (*raro*), argomentare, invalidare, abbattere (*fig.*), rintuzzare, respingere, demolire (*fig.*), impugnare, infirmare, negare, discutere **CONTR.** comprovare, approvare, confermare, ammettere, accettare, concordare, corroborare.

congedàre A *v. tr.* **1** licenziare, accomiatare, salutare, fare uscire **CONTR.** ricevere, accogliere, convocare **2** (*mil.*) dimettere, riformare, smobilitare **CONTR.** reclutare, coscrivere **3** mandare via, licenziare **CONTR.** assumere, ingaggiare, assoldare **B** *v. rifl.* **1** accomiatarsi, licenziarsi, andarsene **CONTR.** presentarsi, arrivare **2** (*mil.*) andare in congedo.

congèdo *s. m.* **1** commiato **CONTR.** benvenuto **2** saluto **3** (*mil.*) licenza, permesso.

congegnàre *v. tr.* **1** [*un piano, etc.*] ideare, concepire, inventare, ordire, organizzare **2** costruire, strutturare, mettere insieme, fabbricare, incastrare **CONTR.** disfare, scomporre.

congégno *s. m.* apparecchio, dispositivo, strumento, apparecchiatura, apparato, macchina, macchinario, ordigno, utensile, attrezzo, meccanismo, organo.

congelàre A *v. tr.* **1** gelare, surgelare (*erron.*), raffreddare (*impr.*), solidificare (*est.*), agghiacciare (*raro*) **CONTR.** scongelare **2** [*qc.*] assiderare, paralizzare, ghiacciare **CONTR.** riscaldare, scaldare **3** [*un'iniziativa, etc.*] (*est.*) bloccare, fermare, frenare, interrompere, sospendere **CONTR.** sbloccare **4** [*i beni, un patrimonio*] (*est.*) bloccare, trattenere, immobilizzare, confiscare **5** [*qc. per la paura, l'emozione*] agghiacciare (*raro*), raggelare **B** *v. intr. pron.* **1** gelarsi, gelare, ghiacciarsi, ghiacciare, assiderarsi **2** [*per l'emozione, per la paura*] (*fig.*) gelarsi, irrigidirsi, agghiacciare, raggelare **CONTR.** scaldarsi, riscaldarsi.

congènito *agg.* innato, connaturato, intrinseco, istintivo **CONTR.** contratto, acquisito.

congèrie *s. f. inv.* accozzaglia, ammasso, mucchio, accumulo, accozzame, fascio, affastellamento (*est.*).

congettùra *s. f.* ipotesi, teoria (*est.*), calcolo (*est.*), supposizione, presupposizione, presunzione (*colto*), presupposto.

congetturàre A *v. tr.* **1** supporre, ipotizzare, calcolare, presumere, ritenere, figurarsi, credere, presupporre, immaginare, arguire, opinare, pensare, escogitare, elucubrare, almanaccare **2** (*est.*) desumere, dedurre, argomentare **B** *v. intr.* fare delle congetture, fare delle ipotesi, astrologare, fantasticare, ragionare (*pop.*), riflettere.

congiùngere A *v. tr.* **1** [*fili, tubi, etc.*] collegare, unire, agganciare, saldare (*est.*), raccordare, commettere, fare combaciare, ricollegare, giungere (*colto*), connettere, legare, abboccare **CONTR.** staccare, distaccare, disunire **2** [*i pezzi di q.c.*] accostare, aggiuntare, accoppiare, appaiare, abbinare, incollare (*est.*), cucire (*est.*) **CONTR.** staccare **3** [*una proprietà a un'altra*] annettere **CONTR.** disgiungere, separare **4** [*un paese a un altro*] collegare, allacciare **CONTR.** isolare **5** [*una pianta ad altra*] (*agr.*) innestare **6** [*qc. in matrimonio*] maritare, sposare **B** *v. intr. pron.* **1** unirsi, legarsi, collegarsi, attaccarsi, allacciarsi, saldarsi **CONTR.** separarsi, disgiungersi, staccarsi, dissolversi, distaccarsi, disunirsi **2** [*detto di fiumi, di strade, etc.*] confluire, convergere, mischiarsi **CONTR.** separarsi, diramarsi **C** *v. rifl. rec.* **1** [*detto di familiari, etc.*] riunirsi **2** accoppiarsi, sposarsi, maritarsi (*erron.*) **CONTR.** dividersi, divorziare, dividersi.

congiungiménto *s. m.* riunione, unione **CONTR.** scioglimento.

congiuntaménte *avv.* insieme, concordemente, unitamente, contemporaneamente (*temp.*) **CONTR.** disgiuntamente.

congiùnto A *s. m.* (*f. -a*) parente, consanguineo, prossimo (*raro*), familiare **B** *agg.* consanguineo.

congiuntùra (1) *s. f.* **1** circostanza, contingenza, occasione **2** [*rif. a un'epoca*] crisi, difficoltà, depressione, recessione, impoverimento.

congiuntùra (2) *s. f.* congiunzione, giuntura, snodo.

congiunzióne *s. f.* **1** giunzione, congiuntura, collegamento **2** accoppiamento.

congiùra *s. f.* trama, complotto, cospirazione, macchinazione.

congiuràre *v. intr.* complottare, cospirare, tramare, intrigare.

conglobàre *v. tr.* **1** conglomerare, aggregare, riunire, agglomerare **CONTR.** dividere, separare, distinguere **2** incorporare, aggiungere, unire, inglobare **3** sommare, computare **4** accumulare, ammassare, ammucchiare, adunare, radunare, affastellare, accatastare, raccogliere.

conglomeràre *v. tr.* conglobare, riunire, accumulare, ammassare, agglomerare, ammucchiare, addensare

CONTR. disgregare, scomporre, sgretolare.

congratulàrsi *v. intr. pron.* rallegrarsi, felicitarsi, complimentarsi, compiacersi, encomiare *un*, osannare *un* **CONTR.** condolersi, rammaricarsi.

congratulazióne *s. f.* complimento, felicitazione, rallegramento.

congrèga *s. f.* (*pl. -ghe*) **1** combriccola, banda, clan (*celt.*), parrocchia **2** setta **3** [*di religiosi*] confraternita, ordine.

congregàre A *v. tr.* **1** adunare, radunare, riunire **2** (*est.*) associare, aggregare, accomunare **B** *v. intr. pron.* **1** associarsi **2** riunirsi, radunarsi, adunarsi.

congregazióne *s. f.* **1** [*di professionisti, etc.*] associazione, corporazione, collegio **2** [*di religiosi*] confraternita, ordine, comunità, compagnia **3** setta.

congrèsso *s. m.* convegno, conferenza, simposio, meeting (*ingl.*), convention (*ingl.*), riunione.

congruènte *agg.* **1** coerente, logico, conseguente **CONTR.** incongruente, incoerente, contraddittorio **2** (*est.*) conforme.

congruenteménte *avv.* **1** coerentemente, conformemente **CONTR.** incongruentemente, illogicamente, assurdamente **2** proporzionatamente.

congruènza *s. f.* **1** coerenza, coesione, logica (*est.*), consequenzialità **CONTR.** incongruenza, incoerenza, assurdità **2** conformità, adeguatezza, proprietà **CONTR.** inadeguatezza **3** equilibrio.

congruità *s. f. inv.* adeguatezza **CONTR.** incongruità.

coniàre *v. tr.* **1** [*una moneta*] battere, foggiare, imprimere **2** [*uno slogan*] (*est.*) creare, inventare.

cònio *s. m.* **1** [*strumento*] punzone, torsello **2** [*rif. a una moneta*] tipo, impronta.

coniugàre (1) A *v. rifl.* **1** sposarsi **2** maritarsi, andare in sposa **B** *v. tr.* sposare, maritare.

coniugàre (2) A *v. intr. pron.* [*detto di verbo, etc.*] (*ling.*) flettersi, declinarsi **B** *v. tr.* [*un verbo*] (*ling.*) flettere, declinare.

còniuge *s. m. e f.* **1** consorte **2** moglie, sposa, signora **3** marito, sposo.

connaturàto *part. pass.; anche agg.* innato, congenito, immanente (*filos.*), insito, radicato **CONTR.** artificiale, acquisito.

connessióne *s. f.* **1** collegamento, nesso, attinenza, relazione, concatenazione, correlazione, rapporto, riferimento **2** snodo, articolazione, raccordo **3** (*med.*) aderenza.

connèttere A *v. tr.* **1** collegare, attaccare, combinare, unire, congiungere, cucire (*est.*), allacciare, legare, incastrare, raccordare, riconnettere **CONTR.** dividere, staccare, separare, disgiungere **2** [*le idee*] collegare, associare, concatenare **3** riconnettere, mettere in comunicazione **CONTR.** isolare, sconnettere, disconnettere **B** *v. intr.* avere facoltà intellettive, ragionare, pensare **C** *v. intr. pron.* (*tel.*) collegarsi, mettersi in comunicazione, prendere la linea, riconnettersi, ricollegarsi.

connivènte A *s. m. e f.* complice, compare, socio, correo **B** *agg.* complice.

connivènza *s. f.* (*neg.*) complicità, correità, favoreggiamento, aiuto, favore, ausilio (*colto*) **CONTR.** estraneità.

connùbio *s. m.* **1** matrimonio **2** unione.

conoscènte *s. m. e f.* amico, conoscenza.

conoscènza *s. f.* **1** cognizione, nozione, notizia (*est.*) **2** (*colto*) gnoseologia **3** cultura, istruzione, scienza **4** [*di un lavoro, di una lingua, etc.*] esperienza, pratica, padronanza, possesso (*fig.*) **5** conoscente **6** [*spec. con: perdere la*] (*est.*) senso, coscienza **7** (*fig.*) aderenza, entratura, maniglia.

conóscere A *v. tr.* **1** [*q.c. con l'intelletto*] apprendere **CONTR.** ignorare **2** [*una notizia, etc.*] sapere, venire a sapere, essere ben informato (*est.*) **3** [*q.c. con l'intuito*] intuire, capire, comprendere, intendere **4** [*le differenze, etc.*] identificare, discernere, percepire, distinguere **5** [*una lingua straniera, un argomento*] (*est.*) padroneggiare, parlare **6** [*qc.*] (*est.*) familiarizzare *con*, frequentare, incontrare **7** [*qc.*] (*est.*) identificare, ravvisare, riconoscere, avere già visto **8** [*la pietà, l'amore, etc.*] (*est.*) ammettere, concepire, nutrire (*fig.*) **9** [*qc. come stupido, serio*] stimare, giudicare, reputare, considerare **B** *v. rifl. rec.* **1** frequentarsi, avere rapporti **2** fare la conoscenza **3** incontrarsi **4** avere rapporti, fare l'amore **C** *v. rifl.* considerarsi, riconoscersi.

conoscitivo *agg.* cognitivo, teorico, concettuale.

conoscitóre *s. m.* (*f. -trice*) intenditore, specialista, padrone (*fig.*).

conosciùto A *part. pass.; anche agg.* **1** risaputo, sperimentato, collaudato **2** [*rif. a una persona, a una situazione*] noto, familiare **CONTR.** ignorato, inesplorato, segreto **3** [*rif. a una persona*] rinomato, noto, popolare, insigne **CONTR.** anonimo, sconosciuto, ignoto **B** *s. m. sing.* noto **CONTR.** ignoto.

conquista *s. f.* **1** [*di un luogo, di una città*] presa, occupazione (*est.*) **2** [*di un popolo*] sottomissione **3** [*della civiltà*] (*est.*) avanzata, avanzamento, scoperta, invenzione **CONTR.** retrocessione.

conquistàbile *agg.* espugnabile, afferrabile **CONTR.** inconquistabile, inespugnabile, imprendibile, invincibile.

conquistàre A *v. tr.* **1** [*un territorio, etc.*] impadronirsi *di*, impossessarsi *di*, invadere, occupare, sottomettere (*est.*), colonizzare (*est.*), appropriarsi *di* **CONTR.** perdere, abbandonare **2** [*una fortezza, una città*] espugnare **3** [*il successo, la fama*] ottenere, conseguire, raggiungere, acquistare (*fig.*) **4** [*l'amicizia, etc.*] procurarsi, cattivarsi, guadagnarsi **5** [*la ricchezza, etc.*] guadagnare, cogliere (*fig.*), afferrare (*fig.*) **6** [*qc.*] fare innamorare, sedurre, affascinare, innamorare, fascinare, incantare, ammaliare, soggiogare (*fig.*) **7** [*una vetta*] ascendere, scalare, vincere (*fig.*) **B** *v. intr. pron.* **1** [*l'amicizia, etc.*] guadagnarsi, accattivarsi, cattivarsi, aggiudicarsi, acquistarsi **2** [*qc.*] amicarsi, propiziarsi, ingraziarsi, conciliarsi.

conquistàto *part. pass.; anche agg.* [*rif. a un luogo*] invaso, occupato **CONTR.** liberato.

conquistatóre *s. m.* (*f. -trice*) seduttore, dongiovanni, donnaiolo (*spreg.*).

consacràre A *v. tr.* **1** [*un sacerdote, un beato*] ordinare al sacerdozio, ungere, benedire, ordinare, definire come sacro, sacrare, santificare **2** [*qc. re, capo, etc.*] acclamare, legittimare, confermare **3** [*la propria forza, vita*] (*est.*) offrire, donare, spendere, riservare, dare **4** [*un diritto, etc.*] (*est.*) legittimare, sancire, sanzionare, convalidare **5** [*una chiesa, etc.*] dedicare, destinare, intitolare **CONTR.** sconsacrare **B** *v. rifl.* **1** darsi, dedicarsi, votarsi, offrirsi, sacrificarsi, servire *un* **2** [*allo studio, etc.*] immergersi *in*, applicarsi, intendere (*raro*), impegnarsi a fondo *in*.

consacrazióne *s. f.* (*est.*) offerta.

consanguineità *s. f. inv.* (*est.*) parentela, affinità, prossimità **CONTR.** estraneità.

consanguineo A *s. m.* (*f. -a*) parente, congiunto, prossimo (*raro*), affine, familiare **CONTR.** estraneo **B** *agg.* parente, congiunto.

consapévole *agg.* **1** conscio, cosciente, responsabile (*est.*) **CONTR.** inconsapevole, incosciente, stranito **2** edotto, informato **CONTR.** ignaro.

consapevolézza *s. f.* **1** (*gener.*) sentimento **2** [*della propria colpa, etc.*] coscienza, nozione, cognizione **CONTR.** inconsapevolezza **3** [*del dovere*] (*est.*) senso.

consapevolménte *avv.* **1** apposta, consciamente, coscientemente, deliberatamente **CONTR.** inconsapevolmente, incoscientemente, involontariamente, macchinalmente **2** coscientemente **CONTR.** incoscientemente, ciecamente (*est.*).

consciaménte *avv.* consapevolmente, coscientemente **CONTR.** inconsciamente, istintivamente.

cònscio A *agg.* consapevole, cosciente, responsabile (*est.*) **CONTR.** incosciente, inconsapevole, irresponsabile **B** *s. m. sing.* (*psicol.*) **CONTR.** inconscio.

consecutivaménte *avv.* **1** di seguito, senza interruzione **CONTR.** a intervalli **2** (*temp.*) continuativamente **CONTR.** saltuariamente.

consecutivo *agg.* seguente, successivo.

conségna (1) *s. f.* **1** custodia, affidamento **2** (*est.*) recapito, rimessa.

conségna (2) *s. f.* ordine, direttiva, comando.

consegnàre A *v. tr.* **1** [*un pacco, etc.*] recapitare, portare, depositare, rimettere, commettere (*colto*), recare **CONTR.** ricevere, prendere **2** [*q.c., etc.*] lasciare (*est.*), dare in deposito, affidare, dare, confidare (*lett.*), raccomandare (*raro*) **3** [*un documento*] rilasciare (*bur.*) **4** devolvere, cedere **CONTR.** trattenere **5** [*le dimissioni*] presentare, rassegnare (*bur.*) **6** [*qc.*] (*dir.*) estradare **7** (*mil.*) punire, deferire **B** *v. rifl.* **1** costituirsi (*dir.*), arrendersi **2** affidarsi, darsi.

conseguènte *part. pres.; anche agg.* **1** coerente, congruente, logico **CONTR.** incoerente, illogico, contraddittorio **2** seguente, successivo **3** (*mat.*) proveniente, derivante.

conseguenteménte *avv.* **1** quindi, di conseguenza **2** coerentemente, logicamente **CONTR.** illogicamente, incongruentemente **3** poi, successivamente, dopo **CONTR.** prima, antecedentemente.

conseguènza *s. f.* **1** risultato, effetto, prodotto **CONTR.** causa, sorgente **2** (*fig.*) coda, strascico, seguito **3** risvolto (*fig.*), ripercussione.

conseguire A *v. tr.* **1** ottenere, raggiungere, conquistare, avere **CONTR.** fallire, mancare **2** [*consensi, successo, etc.*] (*fig.*) prendere, mietere, raccogliere, riscuotere **3** [*vittorie*] realizzare, totalizzare, riportare **4** [*un titolo, etc.*] acquisire **5** [*un sogno*] realizzare, soddisfare **B** *v. intr.* risultare, scaturire, seguire, provenire, dipendere, discendere, derivare.

consènso *s. m.* **1** autorizzazione, assenso, benestare, permesso, approvazione, avallo (*bur.*), beneplacito **CONTR.** dissenso, disapprovazione, sconfessione **2** (*est.*) plauso, lode, elogio **CONTR.** critica, censura **3** (*est.*)

adesione, seguito, favore, plebiscito (*fig.*).

consentìre *A* v. intr. **1** [*a una richiesta, etc.*] accondiscendere, acconsentire, assentire, corrispondere **2** [*a una decisione*] conformarsi, convenire, concordare, piegarsi, applaudire CONTR. dissociarsi, discordare, dissentire, contraddire *B* v. tr. **1** [*un passaggio, un lavoro*] accordare, cedere CONTR. negare **2** [*un bacio, una parola*] concedere, permettere CONTR. proibire **3** [*un errore*] riconoscere, ammettere **4** [*detto di situazione*] comportare **5** [*usato con la cong. che e il verbo al congiuntivo*] autorizzare, lasciare, volere (*est.*) CONTR. impedire, ostacolare, vietare.

consequenzialità s. f. inv. coesione, logica, congruenza, coerenza (*est.*) CONTR. incoerenza, illogicità.

consèrva s. f. concentrato.

conservàre *A* v. tr. **1** [*q.c. per gli assenti*] serbare, riservare **2** [*un documento, etc.*] serbare, riporre, custodire CONTR. buttare via, perdere, smarrire **3** [*l'onore, etc.*] (*est.*) preservare, salvaguardare, tutelare, salvare, proteggere, difendere **4** [*odio, amore, etc.*] (*fig.*) portare **5** [*un patrimonio, etc.*] (*est.*) accumulare CONTR. dilapidare **6** [*una posizione militare*] difendere, mantenere **7** mantenere *B* v. rifl. **1** stare, tenersi, mantenersi CONTR. invecchiare, rovinarsi, sciuparsi, decadere **2** riguardarsi, serbarsi, preservarsi *C* v. intr. pron. [*nel tempo*] resistere, durare, mantenersi CONTR. guastarsi, deteriorarsi, alterarsi.

conservàto part. pass.; anche agg. [*rif. al denaro*] accantonato, risparmiato CONTR. sciupato, dilapidato, sperperato.

conservatóre *A* s. m. (f. *-trice*) borghese, benpensante CONTR. rivoluzionario, anticonformista *B* agg. **1** oscurantista, retrivo, tradizionalista CONTR. innovativo, rivoluzionario, avanzato **2** (*est.*) tradizionalista, moderato, benpensante, borghese CONTR. radicale.

conservazióne s. f. **1** mantenimento **2** difesa.

consèsso s. m. adunanza, riunione, assemblea, consiglio, collegio, dieta (*colto*).

consideràre *A* v. tr. **1** [*i pro e i contro, etc.*] giudicare, valutare, guardare, calcolare, misurare (*fig.*), soppesare (*fig.*), pesare, ponderare (*fig.*), bilanciare (*fig.*), osservare, studiare, esaminare, vagliare, analizzare, riguardare CONTR. trascurare, sorvolare, tralasciare **2** (*ass.*) fare attenzione, pensare, meditare **3** [*le possibilità degli eventi*] prevedere, contemplare, comprendere, prendere in considerazione **4** [*qc. stupido, serio, etc.*] giudicare, valutare, reputare, stimare, ritenere, conoscere, tenere **5** [*qc.*] valutare, stimare, apprezzare, pregiare CONTR. disistimare **6** (*est.*) constatare **7** [*il numero dei commensali, etc.*] (*est.*) contare, conteggiare **8** [*le circostanze, etc.*] (*est.*) capire **9** [*di fare q.c., etc.*] guardare (*fig.*), vedere (*fig.*) *B* v. rifl. ritenersi, reputarsi, stimarsi, credersi, sentirsi, valutarsi, conoscersi, contarsi.

considerazióne s. f. **1** riflessione, ripensamento, pensiero **2** stima, credito, riguardo, rispetto, ammirazione, venerazione, reputazione, conto, apprezzamento CONTR. spregio, disprezzo **3** opinione, giudizio, nota, rilievo (*fig.*).

considerévole agg. **1** importante, grande, rilevante, vistoso, cospicuo, notevole, rispettabile, sostanzioso, ragguardevole, notabile CONTR. esiguo, piccolo, trascurabile **2** [*rif. a una persona*] importante, grande, insigne, stimabile CONTR. insignificante.

considerevolménte avv. notevolmente, grandemente, molto, assai, sensibilmente CONTR. poco, scarsamente.

consigliàre *A* v. tr. **1** [*q.c.*] raccomandare, suggerire, indicare, proporre, dire, insegnare, predicare (*est.*) CONTR. sconsigliare **2** [*qc.*] ammonire, avvisare, dare consigli, avvertire (*est.*) **3** [*una medicina, etc.*] raccomandare, prescrivere **4** [*q.c.*] ispirare, imbeccare (*fig.*), imboccare (*fig.*), esortare, incitare, incoraggiare, istigare, sollecitare, pungolare (*fig.*), persuadere, indurre CONTR. dissuadere **5** [*q.c.*] comandare, dettare *B* v. intr. pron. consultarsi, informarsi di, confrontarsi con, domandare consigli a, domandare suggerimenti a, consultarsi.

consiglière s. m. (f. *-a*) **1** delegato **2** mentore, guida.

consiglio (1) s. m. **1** parere, avviso, suggerimento **2** [*spec. con: trarre, chiedere*] ispirazione, lume (*fig.*), consulenza **3** esortazione, ammonimento, insegnamento, avvertenza, raccomandazione, ammonizione, avvertimento, monito **4** (*est.*) ispirazione, lume (*fig.*), riparo **5** risoluzione, partito.

consiglio (2) s. m. assemblea, adunanza, consesso, consulta.

consistènte part. pres.; anche agg. **1** ingente, cospicuo, grande CONTR. insignificante **2** [*rif. a un materiale*] solido, compatto CONTR. aereo, molle, cedevole, floscio **3** [*rif. a una testimonianza, a una ricerca*] valido CONTR. inconsistente, inefficace.

consistenteménte avv. corposamente, massicciamente CONTR. debolmente, scarsamente, leggerissimamente.

consistènza s. f. **1** [*rif. a un minerale, etc.*] solidità, coesione, compattezza CONTR. friabilità **2** [*rif. a un tessuto, etc.*] resistenza, grana, spessore **3** [*rif. a una salsa, etc.*] densità, corposità CONTR. inconsistenza **4** [*rif. a un patrimonio, etc.*] (*est.*) valore, peso, entità CONTR. esiguità, esilità **5** [*rif. a un'ipotesi, etc.*] fondatezza, solidità, validità CONTR. astrattezza, fallacia, labilità.

consìstere v. intr. **1** comporsi di, constare di, essere fatto di da, essere di, essere formato di da, comprendere un, risultare di **2** fondarsi su, basarsi su, risiedere in, stare **3** vertere su, riguardare un.

consolànte part. pres.; anche agg. confortante, rasserenante, ristoratore, confortevole.

consolàre *A* v. tr. rasserenare, confortare, incoraggiare, rincuorare, placare, rassicurare, rianimare, riconfortare, calmare, risollevare (*fig.*), disacerbare (*lett.*), sollevare (*fig.*), sostenere (*fig.*), addolcire (*fig.*), rallegrare, allietare (*est.*) CONTR. affliggere, addolorare, rattristare, sconfortare, abbattere, scorare, scoraggiare, contristare, deprimere, sgomentare, accasciare (*fig.*), demoralizzare, crucciare, desolare, disanimare, immalinconire **B** v. intr. pron. **1** confortarsi, incoraggiarsi, riconfortarsi, rincuorarsi **CONTR.** rattristarsi, addolorarsi, crucciarsi **2** allietarsi, rallegrarsi, rasserenarsi, risollevarsi, rianimarsi, ricrearsi.

consolazióne s. f. conforto, sollievo, aiuto, ausilio (lett.), benedizione (fig.).

consolidàre A v. tr. **1** [un edificio, etc.] rafforzare, rinsaldare, rinforzare, potenziare, rendere solido **CONTR.** indebolire **2** [una salsa, etc.] solidificare, assodare, indurire, rassodare **CONTR.** sciogliere **3** [una posizione, etc.] (est.) rafforzare, rinsaldare, rinforzare, migliorare, stabilizzare **CONTR.** indebolire, destabilizzare **4** [un vincolo affettivo] rinvigorire, cementare (fig.), sancire **CONTR.** indebolire **B** v. intr. pron. **1** irrobustirsi, rafforzarsi **CONTR.** indebolirsi **2** [detto di liquido, etc.] solidificarsi, rassodarsi, assodarsi, indurirsi **CONTR.** sciogliersi **3** [nel prestigio] (est.) affermarsi, confermarsi, stabilizzarsi, potenziarsi, crescere, aumentare **CONTR.** indebolirsi, diminuire, calare **4** [detto di sospetto, etc.] prendere corpo (fig.), rinsaldarsi.

consolidàto A part. pass.; anche agg. **1** (fig.) cementato **2** stabile, sicuro, durevole **CONTR.** instabile, insicuro **3** [rif. a un debito] a lunga scadenza **B** s. m. sing. debito (est.).

consonànza s. f. **1** corrispondenza, concordanza, coincidenza, parallelismo **CONTR.** dissonanza **2** rima.

cònsono agg. adatto, conforme, corrispondente, proporzionato, adeguato **CONTR.** difforme, dissimile, diverso.

consòrte A s. m. e f. **1** coniuge **2** moglie, sposa, signora, donna **3** marito, sposo **B** agg. inv. principe consorte.

constàre A v. intr. consistere in, essere formato di da, comporsi, essere costituito di da, essere, essere fatto, comprendere un, essere formato da **B** v. intr. impers. risultare, essere noto, sapere, sapersi, essere a conoscenza.

constatàre o **costatàre** v. tr. **1** appurare, assodare, verificare, accertare, prendere atto, toccare con mano (fig.) **CONTR.** presupporre **2** riscontra-

re, rilevare, notare, concludere, osservare, considerare, riconoscere **3** (est.) certificare, provare, stabilire.

consuèto A agg. **1** solito, quotidiano, abituale, usuale, ordinario, rituale (est.) **CONTR.** inconsueto, insolito, straordinario, infrequente, inusitato, strano **2** (est.) naturale, normale, regolare **CONTR.** strano, anormale, fantastico **3** (est.) usato, familiare **4** (fig.) antico, tradizionale **CONTR.** alternativo **5** (est.) frequente **B** s. m. sing. solito.

consuetudinàrio agg. abitudinario, metodico **CONTR.** volubile, incostante.

consuetùdine s. f. **1** abitudine, costume, usanza, tradizione, uso, sistema, prassi, regola, pratica, norma, legge **CONTR.** desuetudine, disabitudine **2** quotidianità.

consulènte s. m. e f. **1** avvocato, commercialista **2** (gener.) professionista.

consulènza s. f. assistenza, consiglio.

consùlta s. f. **1** consiglio, assemblea, dieta (colto) **2** consultazione.

consultàre A v. tr. **1** [un esperto, etc.] interrogare, interpellare, sentire, consigliarsi con, informarsi da **2** [un documento, etc.] (est.) esaminare, scartabellare, spulciare (scherz.), studiare, disaminare (colto), scorrere, sfogliare **B** v. intr. pron. informarsi, consigliarsi, confrontarsi, discutere.

consultazióne s. f. consulto, consulta.

consùlto s. m. **1** esame, visita **2** consultazione **3** [di medici, etc.] collegio.

consultòrio s. m. ambulatorio.

consumàre (1) A v. tr. **1** [q.c.] sciupare, intaccare, guastare, rovinare, logorare, corrodere, smangiare, erodere, rodere, dilavare **2** [un patrimonio] sciupare, intaccare, distruggere, dissipare, sperperare, sprecare, disperdere, macinare (fig.), perdere **CONTR.** risparmiare, economizzare **3** [il tempo] mettere, impiegare, utilizzare, trascorrere, passare **4** mangiare, bere, divorare **5** [l'energia] distruggere, assorbire **CONTR.** preservare **6** [le risorse, etc.] distruggere, prodigare, bruciare (fig.), usare, adoperare **7** [le ca-

pacità, etc.] (est.) impoverire, immiserire, ottundere **8** [un abito, etc.] finire **9** [q.c.] esaurire, rifinire (tosc.) **B** v. intr. pron. **1** esaurirsi, distruggersi, logorarsi, sfinirsi, indebolirsi, deperire **CONTR.** irrobustirsi, risollevarsi **2** [detto di patrimonio, di amore] esaurirsi, finire, terminare, essere in fondo, andare ad esaurimento, dissiparsi, morire (fig.) **3** [per rabbia, per pena, etc.] rodersi, crucciarsi, penare, divorarsi, distruggersi (fig.), struggersi (fig.) **4** [detto di tessuti, etc.] sfibrarsi, marcire, corrodersi, disfarsi.

consumàre (2) v. tr. [un delitto] compiere.

consumàto part. pass.; anche agg. **1** logorato, sciupato, rovinato, consunto **CONTR.** nuovo, intatto **2** (lett.) distrutto, esausto **3** [rif. a una risorsa, a un bene] esaurito, prosciugato **4** [rif. a una persona] esperto, abile, pratico, provetto, competente **CONTR.** ingenuo, novello.

consùmo s. m. **1** uso, impiego, utilizzo, utilizzazione **2** (est.) logorio **3** [spec. al pl.] sperpero, spreco.

consuntivo A agg. finale, conclusivo **CONTR.** preventivo **B** s. m. rendiconto **CONTR.** preventivo.

consùnto part. pass.; anche agg. **1** [rif. a una stoffa] liso, logoro, frusto, logorato, consumato **CONTR.** nuovo, intatto **2** [rif. a una persona] (lett.) esausto, spossato **CONTR.** forte, vigoroso.

consunzióne s. f. **1** deperimento, logoramento **2** [costante e continua] logorio **3** usura, degrado.

contabilità s. f. inv. amministrazione.

contadinésco agg. (pl. m. -chi) **1** campagnolo **2** (spreg.) grossolano, villano.

contadìno A s. m. (f. -a) **1** agricoltore, coltivatore, colono, bifolco (spreg.), cafone (spreg.), villano (spreg.), bovaro **CONTR.** impiegato, artigiano, professionista **2** (gener.) lavoratore **B** agg. rurale, agricolo, rustico, villereccio **CONTR.** cittadino, urbano.

contàdo s. m. villa, campagna.

contagiàre A v. tr. **1** [q.c.] contaminare, infettare, attaccare il contagio a **2**

[*qc. con un vizio*] corrompere, guastare, fuorviare, depravare CONTR. redimere 3 [*l'aria*] (*est.*) appestare, ammorbare, avvelenare CONTR. sanare, purificare, disinfettare, disinfestare B *v. intr. pron.* contaminarsi, infettarsi, ammalarsi.

contàgio *s. m.* 1 infezione, trasmissione (*est.*) 2 epidemia.

contagióso *agg.* infettivo.

contaminàre A *v. tr.* 1 [*l'ambiente*] guastare, appestare, ammorbare, inquinare, sporcare, impestare, avvelenare, infestare, insozzare, insudiciare (*impr.*), lordare (*impr.*), deturpare CONTR. decontaminare, pulire, purificare, disinfestare, disinquinare, espurgare, lavare 2 [*un essere vivente*] appestare, ammorbare, contagiare, infettare 3 [*un ragazzo, etc.*] (*est.*) guastare, contagiare, depravare, corrompere, viziare CONTR. redimere, mondare 4 [*un luogo sacro*] (*est.*) profanare B *v. intr. pron.* 1 contagiarsi, infettarsi, ammalarsi 2 inquinarsi, sporcarsi, insozzarsi, lordarsi CONTR. disinquinarsi.

contaminàto *part. pass.; anche agg.* 1 [*rif. all'aria, all'acqua, etc.*] inquinato, infetto CONTR. puro, sano, sterilizzato 2 [*rif. all'animo*] corrotto CONTR. puro, sano, semplice 3 [*rif. al nome, alla dignità*] disonorato, violato, profanato CONTR. puro, intatto.

contaminazióne *s. f.* 1 inquinamento, appestamento, avvelenamento CONTR. disinfezione, decontaminazione 2 (*raro*) infezione 3 [*dell'innocenza*] profanazione, corruzione, offesa.

contàre (1) A *v. tr.* 1 fare di conto 2 [*q.c., qc.*] calcolare, conteggiare, computare, considerare, tenere conto *di*, valutare (*est.*) CONTR. escludere 3 [*molti amici, ammiratori*] noverare, annoverare, vantare 4 [*una popolazione, etc.*] stimare, censire 5 [*i libri, le bottiglie*] numerare, etichettare 6 [*gli aiuti, etc.*] (*est.*) limitare, lesinare B *v. intr.* 1 proporsi, fare conto di, prevedere, riproporsi, pensare 2 [*molto, poco, etc.*] valere, importare, servire 3 [*su una persona, etc.*] fare affidamento, confidare in, sperare in, appoggiarsi *a* (*fig.*), fare assegnamento, puntare, credere *in*, fare conto su CONTR. diffidare *di* C *v. rifl.* valutarsi, ritenersi,

stimarsi, considerarsi.

contàre (2) *v. tr.* raccontare, descrivere, riferire, narrare, dire.

contattàre *v. tr.* prendere contatto, avvicinare, accostare, incontrare (*est.*), entrare in contatto *con* CONTR. allontanare.

contàtto *s. m.* 1 vicinanza, aderenza 2 collegamento, relazione, legame, rapporto.

conteggiàre *v. tr.* 1 contare, computare, calcolare, annoverare CONTR. escludere 2 (*est.*) valutare, considerare.

contéggio *s. m.* calcolo, computo.

contégno *s. m.* 1 atteggiamento, comportamento, condotta, strada (*fig.*) 2 stile, portamento, modo, abito (*fig.*), abitudine 3 decoro, dignità, compostezza.

contegnosaménte *avv.* riservatamente, compassatamente, compostamente, dignitosamente CONTR. sguaiatamente, sgarbatamente, villanamente.

contegnóso *agg.* 1 formale, sostenuto CONTR. spigliato, disinvolto, espansivo, sguaiato (*est.*) 2 (*est.*) riservato 3 (*est.*) austero, grave.

contemperàre *v. tr.* 1 [*il carattere, i modi*] mitigare, addolcire (*fig.*), moderare, temperare, conciliare, raddolcire (*fig.*), ammorbidire (*fig.*), correggere CONTR. esacerbare, inasprire, esasperare 2 [*un discorso, etc.*] conformare, adeguare, accomodare, aggiustare.

contemplàre A *v. tr.* 1 [*qc., un panorama, etc.*] ammirare, rimirare, osservare, guardare, scrutare, guardare con meraviglia, vagheggiare (*lett.*), mirare (*lett.*) CONTR. disdegnare 2 [*una decisione, etc.*] meditare 3 [*un imprevisto, etc.*] (*est.*) prevedere, considerare, comprendere, noverare CONTR. escludere B *v. rifl.* mirarsi, guardarsi.

contemplativaménte *avv.* misticamente, spiritualmente CONTR. materialmente.

contemplàto *part. pass.; anche agg.* 1 ammirato, visto 2 previsto.

contemplazióne *s. f.* 1 meditazione 2 ammirazione, osservazione 3 estasi.

contemporaneaménte *avv.* 1 simultaneamente, nel contempo, contestualmente CONTR. prima, dopo 2 congiuntamente, insieme CONTR. separatamente, disgiuntamente.

contemporaneità *s. f. inv.* simultaneità, concomitanza, coesistenza, sincronia.

contemporàneo A *agg.* 1 attuale, odierno CONTR. passato, arcaico, anacronistico (*est.*) 2 (*temp.*) simultaneo, sincrono B *s. m.* (*f. -a*) coetaneo, coevo.

contèndere A *v. tr.* [*un premio, etc.*] contrastare, disputare B *v. intr.* 1 competere, gareggiare, rivaleggiare 2 litigare, questionare, altercare, polemizzare CONTR. rappacificarsi C *v. rifl. rec.* disputarsi, litigarsi, contrastarsi CONTR. rappacificarsi.

contenére A *v. tr.* 1 [*detto di recipiente, etc.*] comprendere, racchiudere, accogliere, includere, abbracciare (*fig.*), ricevere (*fig.*), capire (*raro*), tenere 2 [*la passione, l'ira, etc.*] reprimere, trattenere, dominare, frenare, raffrenare, vincere (*fig.*), moderare, raffreddare (*fig.*) CONTR. sfogare, manifestare, sfrenare, scatenare 3 [*le spese*] contrarre (*fig.*), limitare, tenere nei limiti, ridurre, restringere 4 [*un'epidemia, etc.*] controllare, circoscrivere CONTR. propagare 5 [*detto di cuore, di animo*] rinchiudere, nascondere B *v. rifl.* 1 padroneggiarsi, dominarsi, vincersi, governarsi, controllarsi, regolarsi CONTR. abbandonarsi, scattare 2 trattenersi, frenarsi, limitarsi, moderarsi, astenersi, raffrenarsi, reprimersi, rattenersi, restringersi (*fig.*) CONTR. eccedere, esagerare, esorbitare, sbilanciarsi, sbottare, scapricciarsi, scatenarsi, imperversare, sbrigliarsi C *v. intr. pron.* comportarsi, condursi.

contenitóre *s. m.* 1 [*per liquidi*] recipiente 2 [*tipo di*] scatola, barattolo, astuccio, latta, lattina, anfora, cofanetto, boccale, bottiglia, brocca, bicchiere, coppa, orcio, giara, coppo, pattumiera, pitale, scodella, urna, tazza, chicchera, caraffa, busta.

contentàre *A v. tr.* **1** accontentare, soddisfare, compiacere, acquietare **CONTR.** scontentare, dispiacere, contrariare **2** [*un desiderio*] appagare, esaudire **CONTR.** deludere *B v. intr. pron.* **1** essere soddisfatto, accontentarsi, appagarsi, soddisfarsi, saziarsi **2** (*est.*) accontentarsi, limitarsi.

contentézza *s. f.* gioia, allegria, felicità, soddisfazione, gaiezza, letizia, gaudio, spensieratezza, allegrezza, euforia, ottimismo, ilarità **CONTR.** scontentezza, tristezza, avvilimento, depressione, disperazione, malcontento, disappunto.

contènto *agg.* **1** felice, allegro, lieto, raggiante, giocondo, beato **CONTR.** abbattuto, accorato, addolorato, avvilito, afflitto, rattristato, dispiaciuto, angosciato, angustiato, annoiato, crucciato, demoralizzato, depresso, disgustato, frustrato (*psicol.*), infelice, rammaricato, sconsolato, stufo **2** (*est.*) entusiasta, esultante **3** soddisfatto, appagato, pago, quietato (*fig.*).

contenùto (1) *part. pass.; anche agg.* **1** [*rif. allo stile*] moderato, sobrio, misurato **CONTR.** smodato, esagerato, sfrenato, eccessivo, intemperante **2** [*rif. all'emozione*] blando **CONTR.** smodato, esagerato, sfrenato, eccessivo **3** (*est.*) limitato **CONTR.** smisurato **4** [*rif. al suono*] sommesso, basso **5** [*rif. all'atteggiamento*] modesto **CONTR.** espansivo, cordiale.

contenùto (2) *s. m.* argomento, materia, tema, oggetto, senso (*fig.*).

contésa *s. f.* **1** disputa, controversia, alterco, lite, litigio, lotta, polemica, diatriba (*colto*) **2** torneo, competizione.

contestàre *v. tr.* **1** [*una tesi, etc.*] confutare, criticare, contraddire, controbattere, demolire (*fig.*), dissacrare, controvertere (*raro*), contrapporre (*est.*), oppugnare (*raro*), rifiutare, negare **CONTR.** accettare, ammettere **2** [*una multa, etc.*] (*bur.*) notificare, comunicare, intimare **3** [*qc.*] disubbidire a **CONTR.** compiacere **4** [*un comportamento, etc.*] (*est.*) disapprovare, dissentire *da*, polemizzare *con su* **5** [*un giudizio, etc.*] (*est.*) reclamare *per*, protestare *per* **6** [*una sentenza, etc.*] (*dir.*) infirmare, impugnare.

contestazióne *s. f.* ribellione, opposizione **CONTR.** allineamento.

contèsto *s. m.* situazione, circostanza, occasione.

contestualménte *avv.* contemporaneamente, simultaneamente **CONTR.** precedentemente, posteriormente.

contiguità *s. f. inv.* vicinanza, prossimità, adiacenza.

contìguo *agg.* **1** adiacente, attiguo, vicino, confinante, limitrofo **CONTR.** separato, lontano, distante **2** (*est.*) successivo.

continènte (1) *s. m.* terraferma.

continènte (2) *agg.* morigerato, parco, temperante **CONTR.** incontinente, sfrenato, smodato.

continènza *s. f.* **1** [*nel bere, etc.*] temperanza **CONTR.** incontinenza, intemperanza **2** [*sessuale*] astinenza, castità.

contingènte (1) *s. m.* **1** quantità **2** gruppo.

contingènte (2) *agg.* (*filos.*) accidentale, casuale, occasionale **CONTR.** necessario.

contingènza *s. f.* **1** accidentalità, casualità, caso **2** occasione, circostanza, momento, congiuntura.

continuaménte *avv.* senza sosta, ininterrottamente, sempre, incessantemente, costantemente, assiduamente **CONTR.** mai, a intervalli, irregolarmente (*est.*).

continuàre *A v. tr.* [*il lavoro, etc.*] proseguire, prolungare, riprendere, protrarre, seguitare **CONTR.** smettere, interrompere, sospendere, cessare, troncare, finire, mollare *B v. intr.* **1** [*detto di dolore, di pioggia, etc.*] perseverare, persistere, permanere, insistere, perdurare, durare, procedere, seguitare, seguire, proseguire **CONTR.** cessare **2** (*est.*) vivere, resistere *C v. intr. impers.* [*detto di situazione*] perpetuarsi, protrarsi, trascinarsi.

continuativaménte *avv.* senza sosta, ininterrottamente, senza interruzione, incessantemente **CONTR.** a intervalli, episodicamente.

continuazióne *s. f.* **1** proseguimento, prosecuzione **2** seguito **3** aggiunta, coda (*fig.*), strascico (*fig.*), prosieguo.

continuità *s. f. inv.* **1** costanza, assiduità **2** [*nel pensiero, etc.*] filo (*fig.*), legame **CONTR.** discontinuità, incoerenza **3** [*in un discorso*] coesione **4** [*di fatti, di eventi, etc.*] successione.

contìnuo *A agg.* **1** incessante, costante, persistente **CONTR.** discontinuo, interrotto, incostante **2** (*est.*) ininterrotto, perpetuo, perenne, eterno **CONTR.** temporaneo, transitorio, effimero **3** assiduo, abituale **CONTR.** incostante **4** [*rif. a un'azione*] (*est.*) frequente **CONTR.** tronco (*fig.*), saltuario **5** [*rif. alla pioggia*] martellante **6** [*rif. allo stile, al metodo*] unitario **CONTR.** discontinuo, incostante *B s. m.* prosieguo, prolungamento.

cónto (1) *s. m.* **1** calcolo, computo **2** considerazione, valutazione, previsione, stima **3** nota, bolletta, lista **4** [*spec. con: dare*] ragione, soddisfazione.

cónto (2) *s. m.* racconto, novella.

contòrcere *A v. tr.* **1** torcere, attorcigliare, attorcere **2** [*la bocca, etc.*] distorcere **CONTR.** raddrizzare *B v. rifl.* torcersi, dimenarsi, dibattersi, divincolarsi, agitarsi, ripiegarsi **CONTR.** raddrizzarsi, distendersi.

contornàre *v. tr.* **1** circondare, cerchiare, recingere, steccare **2** [*una tovaglia, etc.*] circondare, profilare **3** [*detto di colline, di monti, etc.*] accerchiare, attorniare, cingere, incorniciare, inghirlandare, guarnire, abbracciare, inquadrare.

contórno *s. m.* **1** perimetro **2** [*del viso*] profilo, linea **3** margine, bordo **4** [*di persone*] seguito, corteggio, codazzo.

contòrto *part. pass.; anche agg.* **1** [*rif. a una cosa*] storto, attorcigliato, ritorto **2** [*rif. allo stile*] astruso, oscuro (*fig.*), fumoso (*fig.*), involuto **CONTR.** semplice, piano, lineare.

contraccambiàre *A v. tr.* **1** [*un dono, etc.*] ricambiare, rendere, restituire, corrispondere, scambiare **2** [*un favore, etc.*] ripagare, ricompensare, pagare *B v. rifl. rec.* [*un dono, gli auguri, etc.*] scambiarsi, ricambiarsi.

contraccàmbio s. m. corrispondenza, reciprocità.

contraccettivo A s. m. **1** (gener.) farmaco **2** anticoncezionale, antifecondativo **B** agg. antifecondativo, anticoncezionale CONTR. fecondativo.

contràda s. f. terra, paese, lido (lett.).

contraddire A v. tr. e intr. **1** (un'opinione, etc.) confutare, ribattere, contestare, controbattere, controvertere (raro), oppugnare (raro), impugnare (raro) CONTR. corroborare, ratificare, avvalorare, comprovare **2** (qc.) replicare, rimbeccare, contrastare, contrariare (est.) **3** (la realtà, etc.) (est.) smentire, negare, deludere **4** (un'affermazione) smentire, negare, rinnegare CONTR. confermare, riconfermare **B** v. rifl. (detto di testimone) disdirsi.

contraddistinguere v. tr. **1** caratterizzare, contrassegnare, distinguere, differenziare, diversificare, individualizzare, personalizzare, individuare CONTR. mescolare, confondere, uniformare **2** (qc. o q.c. col nome) chiamare, classificare (est.), segnare.

contraddittoriaménte avv. incoerentemente, incongruentemente, illogicamente CONTR. coerentemente, concordemente.

contraddittorietà s. f. inv. incoerenza, illogicità, incongruenza.

contraddittòrio A agg. **1** (rif. a un pensiero) ambivalente, ambiguo, confuso, incongruente, tumultuoso (est.) CONTR. coerente, congruente, logico, conseguente **2** (est.) discorde **B** s. m. discussione.

contraddizióne s. f. **1** incoerenza, incongruenza, difformità, controsenso **2** contrasto, opposizione.

contraffàre A v. tr. **1** (qc.) copiare, imitare, parodiare, scimmiottare **2** (un dipinto, etc.) falsificare, rifare **3** (un alimento) adulterare, sofisticare, fatturare **4** (una firma, etc.) falsare, simulare **5** (est.) alterare, modificare, cambiare **B** v. rifl. travestirsi, mascherarsi.

contraffàtto part. pass.; anche agg. **1** (rif. al cibo, a una bevanda, etc.) alterato, adulterato, sofisticato CONTR. genuino **2** (rif. a un documento, a una firma, etc.) falsificato CONTR. autentico, vero **3** (rif. alla voce) alterato, truccato (fig.) CONTR. autentico, vero **4** (rif. a un documento, a un quadro) imitato, riprodotto, copiato CONTR. autentico, vero.

contraffazióne s. f. **1** falsificazione, adulterazione, sofisticazione **2** (est.) imitazione, copia CONTR. originale.

contrappórre A v. tr. **1** (qc.) opporre, mettere uno di fronte all'altro, mettere contro, mettere in concorrenza **2** (q.c.) confrontare, paragonare, comparare **B** v. rifl. **1** paragonarsi, confrontarsi **2** avversare, combattere.

contrapposizióne s. f. contrasto, disarmonia CONTR. concordanza.

contrappósto A part. pass.; anche agg. contrario, opposto, antagonista CONTR. simile, analogo **B** s. m. sing. opposto.

contrariaménte avv. **1** diversamente, al contrario, viceversa, inversamente CONTR. analogamente, analogicamente, conformemente, concordemente **2** sfavorevolmente.

contrariàre v. tr. **1** (qc., un sentimento, etc.) contrastare, avversare, contraddire, ostacolare, intralciare CONTR. contentare, facilitare, favorire, assecondare, secondare, privilegiare **2** (qc.) indisporre, infastidire, irritare, seccare, disturbare, deludere, scontentare, indispettire CONTR. soddisfare, appagare, accontentare, conciliare.

contrarietà s. f. inv. **1** avversità, contrattempo, disavventura, impedimento, inciampo, intoppo, fastidio **2** (est.) scossa, danno.

contràrio A agg. **1** contrapposto, opposto, nemico, avversario, antagonista, inverso CONTR. affine, analogo, conforme **2** (rif. al destino) avverso, alieno, ostile CONTR. propizio **3** (rif. a una risposta) negativo CONTR. affermativo, positivo **4** (rif. a una persona) riluttante, restio, ribelle, renitente CONTR. favorevole, disposto, inclinato, devoto, incline, propenso **B** s. m. opposto, rovescio, negazione, antitesi, inverso (fam.).

contràrre A v. tr. **1** (i muscoli, le gambe, etc.) aggranchire, rattrappire, tendere, irrigidire CONTR. stendere, distendere, dilatare **2** (un discorso, un testo) accorciare, rimpicciolire **3** (le spese) limitare, ridurre, contenere, diminuire CONTR. aumentare, accrescere **4** (le ciglia, il volto, etc.) raggrinzare, increspare, corrugare CONTR. stendere, distendere **5** (un impegno) assumersi, addossarsi, assumere, prendere CONTR. assolvere, liberarsi da **6** (un'amicizia) intrecciare (fig.) **7** (il matrimonio) stipulare, celebrare, rogare **8** (debiti) fare CONTR. saldare **9** (gli occhi) restringere, stringere, strizzare **10** (una malattia) prendersi **B** v. intr. pron. **1** (detto di tempo, etc.) accorciarsi, restringersi, stringersi CONTR. distendersi, dilatarsi **2** (detto di muscoli del viso) (ling.) raggrinzarsi, corrugarsi **3** (detto di stella, di fiamma, etc.) (est.) guizzare **4** (detto di muscoli) rattrappirsi, irrigidirsi.

contrassegnàre v. tr. **1** marchiare, etichettare, bollare, segnare, marcare, notare **2** distinguere, denotare, caratterizzare, contraddistinguere, differenziare, diversificare, dividere CONTR. confondere, uniformare.

contrasségno s. m. **1** bollo, marchio, marca, timbro, nota, segno **2** ricevuta.

contrastànte part. pres.; anche agg. **1** divergente, discordante, discrepante, discorde, concorrente (est.) CONTR. analogo, compatto, compatibile, conciliabile **2** (est.) disarmonico.

contrastàre A v. tr. **1** (qc., q.c.) avversare, ostacolare, osteggiare, contrariare, intralciare, combattere CONTR. compiacere, facilitare, agevolare, secondare, assecondare, fiancheggiare **2** (il successo, etc.) disputare (raro), contendere CONTR. favorire **3** proibire, precludere, impedire **4** (un testamento, etc.) impugnare **5** (il nemico, etc.) fronteggiare **6** controbattere, ribattere **B** v. intr. **1** resistere, opporsi, lottare CONTR. condiscendere **2** litigare, altercare, questionare, discutere, discordare, dissentire, divergere (fig.), essere in disaccordo, contraddire, protestare CONTR. convenire, concordare, coincidere, identificarsi **3** (detto di colori) (fig.) dissonare, cozzare, stridere **C** v. rifl. rec. **1** disputarsi, contendersi CONTR. accordarsi, intendersi, comprendersi **2** gareggiare, competere, lottare.

contràsto s. m. **1** disaccordo, conflitto, collisione, divergenza, discordia, dissapore, attrito (*fig.*), dissidio, dissenso, tensione CONTR. alleanza, accordo **2** conflitto, collisione, diverbio, discussione, screzio, bega **3** gara, lotta, battaglia **4** opposizione **5** antagonismo, rivalità **6** disaccordo, difformità, disarmonia, contrapposizione, contraddizione CONTR. analogia, concordanza.

contrattàre v. tr. [*il prezzo, etc.*] negoziare, mercanteggiare, trattare, discutere, intavolare trattative, concordare, patteggiare, pattuire.

contrattazióne s. f. **1** trattativa, negoziato **2** (*est.*) discussione.

contrattèmpo s. m. **1** impedimento, inciampo, inconveniente, intoppo, disguido, imprevisto, fregatura (*fam.*) **2** contrarietà, avversità.

contràtto A s. m. **1** accordo, patto, convenzione **2** scritta, scrittura **3** (*est.*) affare **B** *part. pass.; anche agg.* acquisito, preso.

contrattùra s. f. spasmo, contrazione, rigore (*raro*).

contravvenire v. intr. trasgredire *un*, violare *un*, infrangere *un*, disattendere, disubbidire, offendere *un*, eludere *un*, derogare *da*, oltraggiare *un* (*fig.*), non seguire *un* CONTR. ubbidire, osservare, conformarsi, adeguarsi, ottemperare.

contravventóre s. m. (*f. -trice*) trasgressore.

contravvenzióne s. f. **1** violazione, infrazione **2** (*est.*) ammenda, multa, sanzione.

contrazióne s. f. **1** [*di un muscolo*] spasmo, contrattura, crampo (*fam.*) **2** [*della produzione, etc.*] diminuzione, calo, riduzione CONTR. espansione, incremento **3** restringimento, ritiro, accorciamento.

contribuire v. intr. partecipare, cooperare, collaborare, concorrere, prendere parte, aiutare, coadiuvare CONTR. sabotare, ostacolare, osteggiare.

contribùto s. m. **1** apporto, aiuto, collaborazione **2** [*di coraggio, etc.*] (*fig.*) iniezione **3** [*in una riunione*] intervento, discorso.

contristàre A v. tr. affliggere, rattristare, addolorare, infelicitare, corrucciare, travagliare, avvilire, accorare, turbare, crucciare, crocifiggere (*fig.*), tribolare (*raro*) CONTR. consolare, allietare, rallegrare, sollevare, confortare, dilettare **B** v. intr. pron. rattristarsi, corrucciarsi, affliggersi, addolorarsi, turbarsi, avvilirsi, crucciarsi, sconfortarsi, pentirsi CONTR. rallegrarsi, allietarsi, confortarsi, gioire, esultare, gongolare, dilettarsi.

contrito agg. compunto.

contrizióne s. f. **1** pentimento, rammarico, afflizione **2** ravvedimento.

cóntro A avv. in modo contrario **B** prep. ostilmente, in opposizione CONTR. conformemente, favorevolmente.

controbàttere v. tr. **1** replicare, ribattere, rispondere, confutare, ridire, ribadire, controvertere, obiettare (*raro*), contestare CONTR. assentire, convenire, approvare, ammettere, confermare, accettare **2** [*qc.*] contraddire, rimbeccare, rintuzzare, contrastare.

controbilanciàre v. tr. **1** [*gli stipendi, etc.*] compensare, equilibrare, bilanciare, equiparare, adeguare (*est.*) CONTR. sbilanciare, differenziare **2** [*i vizi, i meriti, etc.*] compensare, pareggiare, uguagliare, sopperire a (*est.*).

controfigùra s. f. sostituto.

controindicàto *part. pass.; anche agg.* dannoso, nocivo, pericoloso (*est.*).

controllàre A v. tr. **1** esaminare, vagliare, guardare (*impr.*) CONTR. tralasciare **2** [*i bambini, etc.*] vigilare, badare, vegliare, sorvegliare CONTR. trascurare **3** [*la situazione, etc.*] dominare, governare, dirigere, padroneggiare **4** [*le passioni, etc.*] dominare, domare, arginare (*fig.*), limitare (*est.*), frenare (*est.*), contenere, disciplinare, moderare, imbrigliare (*fig.*) CONTR. sfogare **5** [*un giocatore nel calcio*] (*sport*) marcare **6** [*qc.*] piantonare **7** [*qc.*] (*est.*) condizionare **8** [*un luogo*] rastrellare, ispezionare, fare una ispezione a **9** [*la fondatezza di q.c.*] verificare, accertare, appurare, acclarare, assicurarsi di **10** [*un prodotto alimentare*] testare, provare **11** [*un testo scritto*] rivedere, revisionare, spulcia-

re (*fig.*), riguardare, ripassare **12** [*l'operato, la condotta*] sindacare, censurare CONTR. disinteressarsi *di* **B** v. rifl. dominarsi, padroneggiarsi, vincersi, sorvegliarsi, frenarsi, trattenersi, limitarsi, reprimersi, contenersi, disciplinarsi, moderarsi, essere padrone di sé stesso, governarsi, raffrenarsi, regolarsi, tenersi CONTR. abbandonarsi, lasciarsi andare, emozionarsi, sbilanciarsi, accalorarsi.

controllàto *part. pass.; anche agg.* temperante, sobrio, moderato, temperato CONTR. sfrenato, intemperante, audace (*est.*), libero (*est.*), immediato, inconsulto.

contròllo s. m. **1** esame, verifica, accertamento, riscontro, riprova, test (*ingl.*) **2** [*di un luogo*] ispezione, perlustrazione, visita, sopralluogo, rastrellamento (*est.*) **3** [*di un meccanismo*] esame, revisione, verificazione, regolazione **4** vigilanza, assistenza, sorveglianza **5** [*di sé stessi*] dominio, padronanza, possesso, self-control (*ingl.*) **6** [*spec. con: porre un*] censura, freno (*fig.*), limitazione **7** ritegno, equilibrio, disciplina.

contropàrte s. f. avversario, oppositore, sfidante.

controproducènte agg. dannoso.

controsènso s. m. incongruenza, contraddizione.

controstòmaco A avv. **1** controvoglia, svogliatamente, malvolentieri, di malavoglia CONTR. volentieri, golosamente, ingordamente **2** con ripugnanza, con nausea **B** s. m. nausea, vomito, schifo.

controvèrsia s. f. contesa, alterco, diverbio, lite, questione, dibattito, battaglia (*fig.*), scaramuccia, dibattimento, diatriba (*colto*), vertenza (*bur.*).

controvèrtere A v. tr. contestare, contraddire, controbattere, criticare **B** v. intr. dissentire, polemizzare.

controvòglia avv. **1** malvolentieri, di malavoglia, svogliatamente, di malanimo, controstomaco, forzatamente CONTR. volentieri, con piacere, ghiottamente, ingordamente, golosamente **2** faticosamente CONTR. volentieri, instancabilmente.

convertìbile

contumèlia *s. f.* ingiuria, offesa, insulto.

conturbàre *A v. tr.* turbare, agitare, eccitare, esagitare, alterare, perturbare, sconvolgere, scombussolare, sconcertare, inquietare, scioccare, disturbare, impressionare **CONTR.** calmare, rasserenare, quietare, placare **B** *v. intr. pron.* rimescolarsi, agitarsi (*fig.*), eccitarsi, turbarsi, perturbarsi, esagitarsi, crucciarsi, dannarsi, scombussolarsi, sconcertarsi, alterarsi, sconvolgersi **CONTR.** calmarsi, quietarsi, placarsi, rasserenarsi.

contusióne *s. f.* **1** ammaccatura, lesione **2** (*est.*) ecchimosi, livido (*fam.*), lividore (*raro*).

convàlida *s. f.* **1** conferma, ratifica, approvazione **2** [*di una nomina*] (*bur.*) sanzione, ratifica **CONTR.** annullamento **3** [*di un sospetto, etc.*] conferma, conforto, riprova, sostegno (*fig.*) **CONTR.** smentita.

convalidàre *v. tr.* **1** [*un'ipotesi, etc.*] avvalorare, accreditare, confermare, rafforzare, corroborare, comprovare **CONTR.** invalidare, inficiare, indebolire, affievolire **2** [*un atto, un documento*] avvalorare, accreditare, approvare, dichiarare valido, sanzionare, ratificare, omologare, legittimare, autenticare, consacrare (*fig.*), sancire, giustificare **CONTR.** invalidare, inficiare, infirmare, annullare, rescindere.

convégno *s. m.* **1** incontro, abboccamento **2** appuntamento **3** congresso, meeting, conferenza, simposio **4** adunata, raduno, riunione, convention (*ingl.*).

convenévoli *s. m. pl.* cerimonie, complimenti, storie, smanceria.

conveniènte *part. pres.; anche agg.* **1** adatto, adeguato, giusto, idoneo, atto (*lett.*), proporzionale, adattato (*est.*) **CONTR.** sconveniente, inadatto, inadeguato, inconveniente, intempestivo **2** [*rif. a un discorso, a un modo*] (*est.*) lecito, decente, proprio **CONTR.** sconveniente, inadatto, inadeguato, intempestivo **3** [*rif. al prezzo*] economico, onesto, equo **CONTR.** sconveniente, inadeguato, caro, costoso.

convenientemente *avv.* **1** adeguatamente, appropriatamente, bene, debitamente, acconciamente, opportu-

namente, decentemente, degnamente, dovutamente, idoneamente **CONTR.** male, indecorosamente **2** vantaggiosamente, fruttuosamente, con convenienza, in modo economico **CONTR.** sconvenientemente, deplorevolmente **3** favorevolmente, felicemente.

conveniènza *s. f.* **1** comodità, interesse, comodo, tornaconto, utilità **2** [*nella spesa*] risparmio **3** [*tra le parti*] equilibrio, simmetria, corrispondenza **4** decoro, decenza.

convenire *A v. intr.* **1** [*detto di prezzo, etc.*] essere conveniente, essere appropriato, essere vantaggioso, essere a poco prezzo, essere a buon mercato **2** [*detto di persone*] incontrarsi, convergere, assembrarsi, trovarsi, adunarsi, raccogliersi **CONTR.** dividersi, sparpagliarsi, disperdersi **3** [*detto di fiumi, di strade, etc.*] incontrarsi, convergere, confluire, riunirsi **CONTR.** dividersi **4** [*su un programma, etc.*] concordare, essere d'accordo, concertarsi, accordarsi, intendersi **CONTR.** discordare, dissentire **5** [*detto di atteggiamento, etc.*] essere conveniente, essere appropriato, confarsi, addirsi, appartenere, adattarsi, calzare (*fig.*), competere, attagliarsi, fare al caso **CONTR.** sconvenire, disdire **6** [*detto di affare, etc.*] essere vantaggioso, giovare **7** [*che q.c. è vero*] consentire, ammettere, riconoscere **B** *v. intr. impers.* bisognare, essere necessario, essere utile, essere il caso **C** *v. intr. pron.* confarsi, addirsi **D** *v. tr.* **1** [*una data, etc.*] fissare, pattuire, stabilire, prestabilire, designare **CONTR.** disdire **2** [*qc.*] (*dir.*) citare, convocare.

conventìcola *s. f.* gang (*scherz.*), combriccola.

convention *s. m.* convegno, conferenza, simposio, meeting (*ingl.*), congresso, riunione.

convènto *s. m.* monastero, abbazia, certosa.

convenzionàle *agg.* **1** [*rif. a un discorso*] (*spreg.*) scontato, conformista, formale, banale, trito **CONTR.** innovativo, nuovo, inconsueto, insolito, estroso **2** [*rif. alle armi*] tradizionale, abituale, usuale **CONTR.** innovativo, nuovo.

convenzionalità *s. f. inv.* **1** conformismo **2** banalità, ovvietà.

convenzionalménte *avv.* **1** per convenzione, tradizionalmente **CONTR.** originalmente **2** comunemente, usualmente.

convenzionàre *A v. tr.* pattuire, prestabilire **B** *v. rifl.* fare una convenzione, accordarsi, associarsi (*est.*).

convenzióne *s. f.* **1** contratto, accordo, patto, trattato **2** (*est.*) alleanza **3** (*est.*) capitolazione **4** regola, termine (*lett.*), norma.

convergènte *part. pres.; anche agg.* concorde, simile, identico **CONTR.** divergente, diverso, differente.

convergènza *s. f.* **1** accordo, concordanza, unità, unione **2** [*tra idee*] affinità, corrispondenza, avvicinamento (*fig.*) **3** [*di persone*] concorso, affluenza.

convèrgere *A v. intr.* **1** [*in un luogo*] confluire, concorrere (*lett.*), convenire, dirigersi, affluire, congiungersi, unirsi, incontrarsi **2** [*detto di scopo, di interessi, etc.*] (*est.*) concordare, coincidere, combaciare, identificarsi (*fig.*) **CONTR.** divergere **3** (*est.*) mirare (*fig.*), avere come obiettivo, puntare (*fig.*) **B** *v. tr.* [*lo sguardo, gli occhi*] dirigere.

conversàre *A v. intr.* chiacchierare, discorrere, dialogare, parlare, ragionare, confabulare, abboccarsi, colloquiare, comunicare, intrattenersi (*est.*) **CONTR.** tacere **B** *s. m.* conversazione.

conversazióne *s. f.* chiacchierata, colloquio, dialogo, discorso, ragionamento (*est.*), chiacchiera, cicalata (*fam.*), ciacolata (*ven.*), sermone (*raro*), conversare.

conversióne *s. f.* **1** (*relig.*) ravvedimento **CONTR.** abiura **2** trasformazione, cambiamento.

convèrso (1) *agg.* mutato, trasformato.

convèrso (2) *s. m.; anche agg.* (*f. -a*) (*est.*) laico.

convertìbile *agg.* adattabile, adeguabile, conformabile.

convertire A v. tr. 1 [rotta, indirizzo, etc.] cambiare, mutare 2 [la moneta in oro, etc.] cambiare, mutare, trasformare, tramutare, commutare, scambiare, permutare, barattare, sostituire 3 [qc. di q.c.] (est.) persuadere, convincere 4 [qc. al bene, etc.] (fig.) indurre, volgere CONTR. depravare 5 [qc. a un'idea religiosa] evangelizzare B v. rifl. 1 (relig.) abiurare, farsi un, tramutarsi in, persuadersi di (est.) CONTR. dubitare 2 ravvedersi, pentirsi CONTR. ostinarsi, persistere 3 cambiarsi, trasformarsi.

convèsso agg. curvo, rilevato CONTR. infossato, incavato.

convincènte part. pres.; anche agg. attraente, allettante, interessante, persuasivo, seducente, suggestivo CONTR. dissuasivo, debole (fig.).

convincere A v. tr. 1 [qc. a fare q.c.] persuadere, indurre, disporre CONTR. dissuadere 2 [qc. di q.c.] capacitare 3 piegare (fig.), disarmare (fig.), commuovere 4 convertire, evangelizzare, addottrinare 5 [detto di lavoro, etc.] soddisfare B v. rifl. 1 accorgersi, riconoscere, accertarsi (est.) CONTR. dissuadersi 2 persuadersi, capacitarsi, concepire 3 [a una richiesta] (fig.) commuoversi.

convincimènto s. m. 1 convinzione, certezza, sicurezza 2 opinione, credenza, idea, principio (est.), pensiero.

convinto part. pass.; anche agg. persuaso, certo.

convinzióne s. f. 1 convincimento, certezza, sicurezza, persuasione (est.) CONTR. scetticismo, sospetto 2 opinione, credenza, principio (est.), idea, pensiero (est.), sentimento (est.).

convitàre v. tr. invitare, banchettare (raro).

convitàto s. m. (f. -a) commensale.

convito s. m. simposio (lett.), pranzo, convivio (colto), banchetto.

convitto s. m. collegio, istituto, educandato (raro).

convivènte s. m. e f. compagna, compagno, concubina.

convivere v. intr. 1 [detto di persone]

accompagnarsi a, coabitare, mettersi insieme CONTR. dividersi 2 [detto di idee, di situazioni, etc.] coesistere.

convivio s. m. banchetto, convito, pranzo, simposio (lett.).

convocàre v. tr. 1 riunire, radunare, chiamare, invitare, raccogliere, fare venire CONTR. congedare 2 [un'assemblea] indire CONTR. sciogliere 3 (dir.) citare, convenire (raro).

convocazióne s. f. 1 invito, chiamata, chiama (raro) 2 (est.) riunione, adunata.

convogliàre v. tr. 1 [qc., il traffico, etc.] instradare, dirigere, indirizzare, condurre, avviare CONTR. disperdere 2 [le acque, etc.] incanalare, inalveare, canalizzare, immettere CONTR. deviare 3 (est.) trascinare, portare, trasportare 4 (est.) scortare 5 deviare, dirottare.

convulsaménte avv. concitatamente, freneticamente, febbrilmente, affannosamente, istericamente, incontrollatamente, burrascosamente (est.) CONTR. pacatamente, tranquillamente, misuratamente.

convulsióne s. f. [di risa, di tosse, etc.] convulso, accesso.

convùlso A agg. 1 febbrile, frenetico, agitato, concitato CONTR. calmo, quieto, tranquillo, rilassato 2 [rif. allo stile] (est.) scomposto, disordinato CONTR. pacato 3 [rif. al riso, al pianto, etc.] (est.) nevrotico CONTR. calmo B s. m. sing. [di risa, di tosse, etc.] convulsione, accesso.

cooperàre v. intr. collaborare, concorrere, contribuire, aiutare, coadiuvare, cospirare (fig.) CONTR. ostacolare, avversare, contrariare, intralciare, opporsi.

cooperazióne s. f. 1 collaborazione, aiuto, assistenza, ausilio (colto) 2 [con] concorso.

coordinàre v. tr. 1 ordinare, disporre, regolare, organizzare, preparare CONTR. scoordinare 2 [alcune persone tra loro] collegare, mettere in relazione, associare, saldare (fig.) 3 [i colori, etc.] (fig.) armonizzare 4 [più persone] fare lavorare.

copàle o **coppàle** s. f. (gener.) vernice.

copèrta s. f. 1 panno, plaid (ingl.), trapunta, coltre, imbottita 2 fodera 3 rivestimento 4 [di un'imbarcazione] tolda.

copertaménte avv. nascostamente, di nascosto, misteriosamente, velatamente, segretamente CONTR. palesemente, evidentemente, smaccatamente.

copèrto (1) A part. pass.; anche agg. 1 [rif. a un discorso] velato, celato, nascosto, ambiguo CONTR. scoperto, schietto, sincero, aperto, dichiarato 2 [rif. al cielo] velato, nuvoloso, offuscato, annebbiato, oscurato, fosco (lett.) CONTR. sereno, limpido 3 [rif. a un luogo chiuso] riparato, protetto, difeso, porticato (est.) CONTR. aperto 4 [con indumenti] imbottito, imbacuccato, vestito CONTR. scoperto, denudato, nudo, spogliato, svestito B s. m. sing. riparo, sicuro.

copèrto (2) s. m. [a tavola] posto.

copertóne s. m. 1 telo 2 pneumatico.

copertùra s. f. 1 involucro, rivestimento, veste (fig.) 2 [di una casa, etc.] tetto 3 [di un oggetto sferico] calotta 4 [nei dolci] glassa, ghiaccia 5 [contro i rischi] garanzia, protezione, difesa 6 [rif. a una spia] (est.) travestimento.

còpia (1) s. f. sing. larghezza, profusione, abbondanza, ricchezza, dovizia, quantità (est.).

còpia (2) s. f. 1 duplicato, calco CONTR. originale 2 contraffazione, imitazione, falso 3 riedizione, rifacimento, riproduzione, facsimile.

copiàre v. tr. 1 ricopiare, ritrarre, esemplare 2 [un gesto, etc.] (est.) imitare, emulare, scimmiottare, simulare, parodiare 3 [un'opera artistica] ricopiare, plagiare, contraffare, scopiazzare CONTR. inventare 4 [un disegno] ricopiare, calcare, ricalcare 5 [un testo scritto] trascrivere 6 [un documento] riprodurre, duplicare.

copiàto part. pass.; anche agg. 1 [rif. a un'opera d'arte] riprodotto, ritratto CONTR. originale 2 [rif. a un gesto, un comportamento] (est.) imitato 3 simulato, contraffatto (est.).

copiosaménte avv. abbondantemente, ampiamente, molto, larga- mente, riccamente, doviziosamente, lautamente, profusamente **CONTR.** scarsamente, esiguamente, poco, magramente, meschinamente.

copióso agg. **1** abbondante, ampio, ricco, dovizioso, numeroso (est.) **CONTR.** scarso, povero, insufficiente, meschino (spreg.) **2** [rif. a una quantità, a un numero] (est.) largo **CONTR.** meschino (spreg.) **3** [rif. a un pasto] abbondante, ricco, lauto **CONTR.** frugale.

còppa (1) s. f. **1** bicchiere, calice, boccale **2** tazza, ciotola, scodella **3** (gener.) recipiente, contenitore, stoviglie.

còppa (2) s. f. (gener.) salume.

coppàle s. f. V. copale.

còppia s. f. paio.

còppo s. m. **1** tegola **2** giara, ziro, orcio **3** (gener.) contenitore, recipiente.

còppola s. f. (gener.) cappello.

copricàpo s. m. cappello, berretto.

coprìre A v. tr. **1** [qc. o q.c. con stoffa] ricoprire, avvolgere, rivestire, foderare, vestire **CONTR.** scoprire, togliere, svestire, denudare, spogliare, snudare **2** [un difetto, etc.] (est.) offuscare, occultare, velare, nascondere, mascherare, celare, dissimulare, adombrare, mimetizzare **CONTR.** svelare, rivelare, manifestare, denunciare, esporre **3** [la ritirata] (est.) proteggere, difendere, arroccare (raro) **4** [qc. di baci, di elogi, etc.] (fig.) ricolmare, riempire, colmare **5** [una distanza] (est.) percorrere **6** [detto di vegetazione, di neve] avvolgere, ammantare **7** [una carica] (est.) ricoprire, occupare, tenere, esercitare **8** [un debito] (est.) soddisfare, pareggiare, pagare, onorare, estinguere **9** [un suono] (est.) superare **10** [una femmina] montare **11** [un buco, etc.] tappare, chiudere **CONTR.** scoprire, dischiudere, aprire, scoperchiare **12** [il cielo] annuvolare **B** v. rifl. **1** vestirsi, ricoprirsi, ripararsi, imbaccuccarsi, avvilupparsi, rivestirsi, velarsi, infagottarsi **CONTR.** scoprirsi, svestirsi, denudarsi **2** [dai colpi, etc.] pararsi **3** [contro eventuali rischi] pararsi, premunirsi, garantirsi **C** v. intr.

pron. [di muffa, di neve, etc.] colmarsi, ammantarsi, riempirsi.

còpula s. f. accoppiamento, coito, scopata (volg.), chiavata (volg.), amplesso (colto).

coràggio A s. m. **1** ardimento, audacia, animo, cuore (fig.), fegato (fig.), forza (est.), sangue (fig.) **CONTR.** viltà, vigliaccheria, codardia, fifa **2** (est.) decisione **3** (est.) impudenza, sfacciataggine, ardire **CONTR.** timore, timidezza **4** [rif. all'atteggiamento] fierezza, baldanza, grinta **CONTR.** sgomento, scoraggiamento, sfiducia, pusillanimità **5** [l'azione] valore, eroismo **6** [nei confronti di q.c. di disgustoso] animo, stomaco (fig.) **B** inter. animo.

coraggiosaménte avv. valorosamente, animosamente, arditamente, audacemente, ardimentosamente, baldanzosamente, bravamente, intrepidamente, impavidamente, strenuamente, stoicamente, eroicamente, fieramente, gloriosamente, prodemente, virilmente **CONTR.** codardamente, vigliaccamente, vilmente, pavidamente, abiettamente, paurosamente.

coraggióso agg. **1** audace, ardito, intrepido, impavido, animoso, fiero **CONTR.** codardo, pavido, pauroso, pusillanime, vile, imbelle **2** (est.) bravo **3** (est.) prode **4** [rif. a un'azione] eroico, valoroso **5** [rif. all'animo] (fig.) robusto.

coràllo A s. m. **1** (gener.) celenterato **2** (erron.) perla **B** agg. inv. rosso.

coralménte avv. concordemente, unanimemente, insieme, collettivamente **CONTR.** singolarmente, individualmente.

coràzza s. f. armatura, scudo.

corazzàre v. tr. **1** [una fortezza, etc.] (mil.) fortificare, rafforzare, armare, blindare, schermare **2** [qc.] proteggere, difendere, premunire.

còrba s. f. canestro.

corbelleria s. f. castroneria (pop.), baggianata, puerilità, sciocchezza, scemenza, stupidaggine, fesseria.

còrda s. f. **1** fune, gomena, cavo (mar.), cima **2** [di uno strumento musicale] nervo, minugia.

cordàti s. m. pl. **1** (gener.) animale **2** [tipo di]. →animali

cordiàle (1) agg. **1** [rif. a una persona] gioviale, caloroso, affabile, affettuoso, amichevole, amabile, espansivo, socievole **CONTR.** sgarbato, scostante, freddo, gelido, glaciale, indifferente **2** (est.) ospitale, accogliente **3** (fig.) abbordabile, accessibile **4** [rif. a un sentimento] caldo, sentito **CONTR.** freddo, gelido, indifferente, contenuto **5** [rif. a un augurio, a un saluto, etc.] amichevole, confidenziale **CONTR.** freddo, gelido, indifferente, contenuto.

cordiàle (2) s. m. **1** tonico **2** (gener.) farmaco.

cordialità s. f. inv. **1** calore, giovialità, espansività, affabilità, amabilità, affettuosità, ospitalità, disponibilità, cameratismo, bonarietà, bonomia, comunicativa **CONTR.** sussiego, suscettibilità, superbia, sufficienza, tracotanza, degnazione, disdegno, secchezza, austerità, bruschezza, freddezza **2** (gener.) qualità.

cordialménte avv. amichevolmente, calorosamente, affabilmente, gentilmente, cortesemente, festosamente, affettuosamente, sinceramente, espansivamente, giovialmente **CONTR.** freddamente, distaccatamente, sdegnosamente.

cordicèlla s. f. filo.

cordòglio s. m. **1** dolore, pena, compianto **2** lutto.

cordóne s. m. **1** laccio, legaccio **2** [nell'abito del frate] capestro.

còre s. m. V. cuore.

coricàre A v. tr. **1** sdraiare, distendere, adagiare, posare, deporre, appoggiare **CONTR.** alzare, sollevare, rizzare, rialzare, issare **2** mettere a letto **CONTR.** alzare **B** v. rifl. **1** stendersi, sdraiarsi, allungarsi, adagiarsi, giacersi, distendersi **CONTR.** alzarsi, rizzarsi, sollevarsi, drizzarsi **2** andare a letto, mettersi a letto **CONTR.** alzarsi **C** v. intr. pron. [detto di astro] tramontare, declinare, calare, alzarsi **CONTR.** alzarsi, sorgere, spuntare.

coricàto part. pass.; anche agg. adagiato, sdraiato, steso **CONTR.** alzato, ritto.

cornamùsa s. f. zampogna, cennamella (raro), píva (dial.).

còrner *s. m. inv.* angolo.

corniцióne *s. m.* gronda, grondaia.

coróna *s. f.* **1** aureola, diadema **2** [*di fiori*] ghirlanda, serto (*colto*) **3** aureola, alone (*est.*) **4** cerchio **5** (*est.*) trono, regno.

coronaménto *s. m.* conclusione, realizzazione, attuazione, adempimento.

coronàre *A v. tr.* **1** incoronare, inghirlandare, indiademare **2** [*detto di capelli, etc.*] (*est.*) cingere, circondare, incorniciare (*fig.*) **3** [*qc. poeta, campione, etc.*] (*est.*) premiare, onorare, esaltare, glorificare, osannare **4** [*un ciclo di studi, etc.*] (*est.*) finire, concludere **CONTR.** iniziare, cominciare **5** [*un sogno*] (*est.*) realizzare *B v. rifl.* **1** incoronarsi, inghirlandarsi **2** fregiarsi, adornarsi.

còrpo (1) *s. m.* **1** oggetto, cosa, materia, solido **CONTR.** spirito, anima **2** [*spec. con: avere*] massa, spessore **3** consistenza, solidità, compattezza **4** [*rif. agli esseri viventi*] fisico, costituzione, persona (*est.*), scorza (*fig.*), carne (*fig.*), organismo (*est.*), struttura **5** salma, cadavere.

còrpo (2) *s. m.* insieme, raccolta, pacchetto, complesso.

corporàle *agg.* corporeo.

corporaturà *s. f.* **1** figura, conformazione, fisico, silhouette (*fr.*), membratura, ossatura, costituzione, personale, complessione (*raro*), persona (*est.*) **2** (*est.*) misura, taglia.

corporazióne *s. f.* associazione, società, congregazione, confraternita, organizzazione.

corpòreo *agg.* **1** materiale, reale, concreto **CONTR.** incorporeo, immateriale, evanescente, invisibile, etereo, astratto **2** (*fig.*) fisico **CONTR.** astratto, spirituale, intellettuale.

corposaménte *avv.* massicciamente, consistentemente, densamente **CONTR.** flebilmente, blandamente.

corpulènto *agg.* **1** obeso, adiposo, massiccio **CONTR.** asciutto, snello, secco (*fam.*) **2** (*est.*) voluminoso.

corredàre *A v. tr.* **1** dotare, munire,

equipaggiare, fornire, rifornire, attrezzare, provvedere **CONTR.** privare, sguarnire, sfornire **2** guarnire, ornare *B v. rifl.* equipaggiarsi, munirsi, rifornirsi, provvedersi, attrezzarsi, fornirsi **CONTR.** privarsi.

corredàto *part. pass.; anche agg.* dotato, munito, fornito, equipaggiato, provvisto, armato (*est.*) **CONTR.** sfornito, sguarnito, privo.

corrèdo *s. m.* **1** vestiario **2** bagaglio, equipaggiamento, attrezzatura, dotazione, equipaggio.

corrèggere *A v. tr.* **1** modificare, cambiare, variare, mutare **2** [*qc.*] (*est.*) ammonire, rimproverare, castigare, riprendere, redarguire, richiamare, biasimare, educare (*est.*), raddrizzare (*fig.*), rieducare, addrizzare (*fig.*), migliorare **CONTR.** guastare **3** [*un difetto, etc.*] sanare, guarire, curare, contemperare **CONTR.** peggiorare **4** [*un meccanismo, etc.*] riparare, aggiustare, rettificare, rivedere, revisionare, rabberciare, ritoccare **5** [*un testo scritto*] censurare, depurare, limare (*fig.*), digrossare (*fig.*), perfezionare **6** [*una legge*] (*dir.*) censurare, emendare, rivedere, riformare *B v. rifl.* **1** modificarsi, ravvedersi, migliorarsi, cambiarsi, emendarsi, raddrizzarsi, migliorarsi, perfezionarsi **CONTR.** peggiorare, peggiorarsi, imbastardirsi **2** [*rispetto ad un errore*] riprendersi.

correggìbile *agg.* emendabile **CONTR.** incorreggibile.

correità *s. f. inv.* (*neg.*) complicità, connivenza, concorso di colpa **CONTR.** estraneità.

correlazióne *s. f.* rapporto, collegamento, connessione, nesso.

corrènte (1) *part. pres.; anche agg.* **1** attuale, presente, vigente **CONTR.** scaduto **2** [*rif. a un'opinione, etc.*] comune, usuale, diffuso **3** [*rif. all'acqua*] fluente **CONTR.** stagnante **4** [*rif. a uno scritto*] fluente, sciolto, scorrevole, disinvolto **CONTR.** impacciato, ostico, difficoltoso, lento.

corrènte (2) *s. f.* **1** [*politica, culturale*] movimento **2** [*tipo di*] romanticismo **3** [*spec. con: seguire la*] scia **4** [*di aria*] riscontro.

correntemènte *avv.* **1** comunemen-

te, normalmente, usualmente, generalmente **CONTR.** raramente, talvolta **2** speditamente, fluidamente **CONTR.** stentatamente, difficoltosamente **3** adesso, presentemente, attualmente.

còrreo *s. m.* (*f. -a*) complice, connivente, compare, socio **CONTR.** estraneo.

córrere *A v. intr.* **1** andare, affrettarsi, precipitarsi, muoversi, scappare, galoppare (*fig.*), filare, schizzare (*scherz.*), slanciarsi, volare (*fig.*), sgambettare (*scherz.*), scorrazzare, accorrere, indirizzarsi **CONTR.** fermarsi **2** [*detto di liquido, etc.*] fluire, scorrere, fuoriuscire **CONTR.** stagnare, ristagnare **3** [*detto di tempo, etc.*] (*est.*) fluire, trascorrere, passare, decorrere **CONTR.** fermarsi **4** [*detto di fama, etc.*] circolare, diffondersi, propagarsi, risuonare (*fig.*) **5** [*detto di sguardo, etc.*] dirigersi **6** (*sport*) gareggiare **7** [*detto di strada, etc.*] (*est.*) andare, snodarsi, stendersi **8** [*detto di distanza*] intercorrere, frapporsi **9** [*detto di avvenimenti*] avvenire, accadere *B v. tr.* **1** [*la strada, etc.*] percorrere **2** [*il rischio*] (*est.*) affrontare **3** [*una gara*] (*est.*) disputare.

corresponsabilizzàre *v. tr.* responsabilizzare **CONTR.** eccettuare, deresponsabilizzare.

correttamènte *avv.* **1** giustamente, bene, esattamente, perfettamente **CONTR.** con errori, scorrettamente, erroneamente, impropriamente **2** onestamente, irreprensibilmente, rettamente, lealmente, compostamente, civilmente, educatamente, ineccepibilmente **CONTR.** scorrettamente, impropriamente, disonestamente.

correttézza *s. f.* **1** onestà, giustezza (*raro*), legalità, plausibilità **CONTR.** scorrettezza, disonestà, slealtà **2** civiltà, educazione, compostezza, urbanità, decoro (*fig.*), pulizia (*fig.*), fair play **CONTR.** maleducazione, inciviltà **3** (*gener.*) qualità.

corrètto *part. pass.; anche agg.* **1** rettificato, modificato **2** [*rif. a un compito, a un ragionamento*] esatto, giusto **CONTR.** scorretto, inesatto **3** [*rif. a una persona*] onesto, retto, incorruttibile, morale, onorato, probo **CONTR.** scorretto, disonesto **4** [*rif. al comportamento*] onesto, educato, civile, irreprensibile, ineccepibile, sportivo (*fig.*) CONTR. scorretto, incivile, disdicevole, pirata (*fig.*) **5** (*est.*) legittimo, regolare.

correzióne *s. f.* revisione, rettifica, modifica, variazione, aggiustatura, modificazione, emendamento (*bur.*), riforma.

corridóio *s. m.* galleria.

corrièra *s. f.* **1** (*gener.*) veicolo **2** pullman (*ingl.*).

corrière *s. m.* messo, messaggero, latore, portatore.

corrimàno *s. m.* ringhiera.

corrispondènte (1) *part. pres.; anche agg.* **1** [*rif. alla paga, etc.*] consono, proporzionato, adeguato CONTR. inadeguato, sproporzionato **2** (*fig.*) parallelo.

corrispondènte (2) *s. m. e f.* giornalista.

corrispondenteménte *avv.* conformemente, analogamente, analogicamente, in conformità CONTR. diversamente, differentemente.

corrispondènza (1) *s. f.* **1** concordanza, uguaglianza, identità, coincidenza, somiglianza, parallelismo, conformità, analogia, consonanza, coerenza (*est.*), riscontro, vicinanza, adeguatezza, equilibrio, convenienza, convergenza, equivalenza CONTR. discordanza, discrepanza, differenza, dislivello **2** [*di sentimenti, etc.*] concordanza, contraccambio, reciprocità **3** [*tra spazi*] (*mat.*) trasformazione.

corrispondènza (2) *s. f.* posta.

corrispóndere *A v. intr.* **1** [*detto di cifra, di idee, etc.*] coincidere, equivalere, concordare, collimare, combinare, combaciare, commettere (*raro*), tornare (*fam.*), valere, equivalersi, quadrare, riscontrare (*raro*) CONTR. discordare **2** [*alle attese, etc.*] rispondere, essere all'altezza di, soddisfare *un*, esaudire *un*, incontrare *un* (*fig.*) CONTR. tradire, differire, deludere **3** scrivere, essere in corrispondenza **4** [*detto di persona, etc.*] comunicare **5** [*a una richiesta, etc.*] aderire, consentire **6** [*detto di edificio, etc.*] affacciarsi, guardare **7** [*detto di dolore, etc.*] diffondersi *B v. tr.* **1** [*l'attenzione*] con-

traccambiare, ricambiare, ricompensare, ripagare (*fig.*) **2** [*denaro per q.c.*] versare, retribuire, elargire, pagare *C v. intr. pron.* equivalersi, essere corrispondenti.

corrìvo *agg.* **1** (*est.*) facile, tollerante, condiscendente CONTR. austero, cauto, riservato **2** avventato, sconsiderato, precipitoso **3** credulone, sempliciotto CONTR. diffidente, circospetto.

corroboránte *A part. pres.; anche agg.* [*rif. a una sostanza*] tonico, confortante (*est.*) *B s. m.* **1** stimolante, ricostituente, tonico **2** (*gener.*) farmaco.

corroboràre *A v. tr.* **1** [*qc. fisicamente*] tonificare, rigenerare, rinvigorire, ritemprare, rinforzare, ricostituire, ristorare, fortificare (*fig.*) CONTR. debilitare, indebolire, infiacchire **2** [*qc. moralmente*] rinfrancare, confortare, sollevare, incoraggiare CONTR. sconfortare, deprimere **3** [*una testimonianza*] confermare, avvalorare, convalidare, dimostrare, rinsaldare CONTR. contraddire, invalidare, confutare *B v. rifl.* fortificarsi, ritemprarsi, irrobustirsi, ricostituirsi CONTR. debilitarsi, indebolirsi, infiacchirsi.

corródere *A v. tr.* **1** [*detto di acido, etc.*] consumare, intaccare, smangiare, mangiare, rodere, bruciare (*fig.*), mordere (*fig.*) **2** [*detto di acqua, di vento, etc.*] sgretolare, degradare, erodere (*fig.*), sfaldare, scavare, rosicare, rosicchiare, disgregare **3** [*detto di potere, etc.*] consumare, intaccare, logorare *B v. intr. pron.* **1** consumarsi, sgretolarsi, sfaldarsi CONTR. mantenersi **2** (*est.*) alterarsi, guastarsi, putrefarsi, decomporsi.

corrómpere *A v. tr.* **1** [*l'aria, etc.*] alterare, inquinare, guastare, contaminare, intossicare, contagiare, ammorbare, appestare, avvelenare, infettare, ammalare (*fig.*) CONTR. sanare, purificare, purgare, depurare, espurgare, mondare **2** [*un corpo*] decomporre **3** [*un luogo*] (*est.*) deturpare, lordare CONTR. ripulire, lavare **4** [*qc.*] (*est.*) traviare, viziare, pervertire, depravare, sedurre, fuorviare, demoralizzare, diseducare CONTR. correggere, nobilitare, elevare, redimere, edificare, educare, raddrizzare **5** [*un alimento*] (*est.*) alterare, falsificare, falsare **6** [*qc. con doni, denaro*] comprare, sbruffare (*raro*) **7** [*i costumi*] (*est.*)

imbarbarire, imbastardire CONTR. moralizzare *B v. intr. pron.* **1** [*detto di cibo, etc.*] deteriorarsi, alterarsi, guastarsi, decomporsi, putrefarsi, imputridirsi, marcire, inquinarsi **2** [*detto di persona, etc.*] degenerare (*est.*), depravarsi, fuorviarsi, imbastardirsi, deviare, imbarbarirsi, pervertirsi, viziarsi CONTR. raddrizzarsi, sanarsi, mondarsi.

corrosióne *s. f.* **1** erosione, abrasione **2** [*morale*] rodimento.

corrosìvo *A agg.* **1** (*anche fig.*) caustico, acido, mordente, pungente, irritante (*chim.*) **2** (*fig.*) aggressivo *B s. m.* acido.

corrottaménte *avv.* viziosamente, dissolutamente CONTR. rettamente, onestamente.

corrótto *part. pass.; anche agg.* **1** putrefatto, marcio, fradicio, guasto CONTR. intatto, sano, integro **2** [*rif. a una persona*] imbarbarito, degenerato, depravato, immorale, deviato, pervertito, debosciato, degenere CONTR. integro, casto, onesto, incorruttibile **3** (*est.*) disonesto **4** [*rif. all'aria, all'acqua, etc.*] contaminato, infetto CONTR. puro **5** [*rif. al cibo*] rancido, marcio.

corrucciàre *A v. tr.* contristare, rattristare CONTR. rallegrare *B v. intr. pron.* **1** sdegnarsi, irritarsi, arrabbiarsi, stizzirsi, esasperarsi, crucciarsi, risentirsi, contristarsi CONTR. placarsi, calmarsi, rabbonirsi **2** [*anche visivamente*] accigliarsi, annuvolarsi (*fig.*), rabbuiarsi (*fig.*), aggrondarsi, imbronciarsi, immusonirsi, rannuvolarsi (*fig.*) CONTR. rasserenarsi, distendersi.

corrucciàto *part. pass.; anche agg.* **1** accigliato, imbronciato, serio CONTR. sereno, disteso **2** [*in volto*] (*fig.*) oscurato.

corrùccio *s. m.* sdegno.

corrugàre *A v. tr.* aggrottare, aggrondare, increspare, raggrinzare, arricciare, aggrinzare, accigliare, contrarre CONTR. distendere *B v. intr. pron.* **1** contrarsi, aggrinzarsi, raggrinzarsi CONTR. distendersi **2** indispettirsi, turbarsi CONTR. calmarsi.

corruttóre *A s. m.* (*f. -trice*) seduttore *B agg.* [*rif. ad un ambiente*] malsano, inquinato.

corruzióne *s. f.* **1** degenerazione, dissoluzione, disfacimento, marcescenza, decomposizione, disgregazione, putridume **2** [*morale*] degenerazione, dissoluzione, depravazione, dissolutezza, subornazione (*colto*), contaminazione.

córsa *s. f.* **1** jogging (*ingl.*) **2** (*est.*) scappata, capatina, volata (*fig.*), volo (*fig.*), viaggio **3** [*rif. all'andatura*] carriera, velocità **4** carriera.

corsàro *A s. m.* pirata, filibustiere, bucaniere *B agg. inv.* [*rif. al comportamento*] pirata, scorretto.

corsétto *s. m.* body (*ingl.*), busto.

corsìa *s. f.* **1** [*di un ospedale*] settore **2** tappeto.

corsièro *s. m.* cavallo, destriero (*lett.*).

córso (1) *A agg., s. m.* (*f. -a*) della Corsica *B s. m.* (*gener.*) lingua.

córso (2) *s. m.* **1** [*del fiume, etc.*] cammino **2** [*dei pensieri, etc.*] filo **3** [*della vita, etc.*] svolgimento, andamento, parabola, direzione, procedimento **4** (*gener.*) strada, via.
♦ **in corso** *loc. agg.* in via di.

◦ **cortéccia** *s. f.* (*pl. -ce*) **1** (*erron.*) scorza, buccia **2** (*est.*) crosta **3** (*est.*) pelle.

corteggiàre *v. tr.* **1** adulare, lusingare, blandire, ossequiare **2** seguire, attorniare, accompagnare **3** vagheggiare, vezzeggiare, fare la corte *a*, civettare *con*, flirtare *con*.

corteggiatóre *s. m.* (*f. -trice*) ammiratore, innamorato.

cortéggio *s. m.* accompagnamento, corteo, seguito, scorta, contorno.

cortèo *s. m.* **1** corteggio, scorta, seguito, accompagnamento, strascico (*fig.*), codazzo (*scherz.*) **2** processione, fila, sfilata, teoria (*colto*).

cortése *agg.* **1** cavalleresco **2** gentile, garbato, civile, educato, urbano, buono, affabile, premuroso, socievole **CONTR.** scortese, sgarbato, arrogante, insolente, aspro (*fig.*), maleducato, villano, rozzo, zotico, grossolano **3** benigno, compiacente, generoso.

corteseménte *avv.* educatamente, civilmente, urbanamente, compitamente, garbatamente, bene, cordialmente, amabilmente, affabilmente, benignamente, complimentosamente, galantemente, graziosamente **CONTR.** scortesemente, sgarbatamente, maleducatamente, villanamente, ineducatamente, disdegnosamonte.

cortesìa *s. f.* **1** gentilezza, attenzione, affabilità, garbo, creanza, amabilità, liberalità, bontà, distinzione, signorilità, piacevolezza, deferenza, compiacenza, urbanità, socievolezza, compitezza **CONTR.** insolenza, scortesia, villania, zoticaggine, sussiego, sufficienza, arroganza, alterigia **2** [*l'azione*] (*est.*) gentilezza, attenzione, servizio, servigio, favore, piacere, carità, grazia, regalo **CONTR.** insolenza, villanata, scorrettezza, sgarberia, sgarbo.

cortigiàna *s. f.* etera.

cortigianerìa *s. f.* servilismo, adulazione.

cortigianésco *agg.* (*pl. m. -chi*) **1** adulatorio **2** (*est.*) cerimonioso, simulato.

cortigiàno *A s. m.* (*f. -a*) parassita, satellite, ruffiano (*volg.*) *B agg.* [*rif. ad un atteggiamento*] adulatorio, piaggiatore.

cortìna *s. f.* **1** sipario, tenda **2** velo.

córto *agg.* **1** (*temp.*) breve **CONTR.** lungo **2** [*rif. a un discorso, a uno scritto*] breve, ridotto, succinto, limitato, laconico **CONTR.** lungo, prolisso **3** (*fig.*) scarso, insufficiente **4** [*rif. alla mente*] ottuso **CONTR.** acuto.

córvo *s. m.* (*gener.*) uccello.

còsa *s. f.* **1** entità, oggetto, arnese, corpo **2** fatto, avvenimento, azione **3** affare, problema, lavoro, roba **4** opera, prodotto **5** discorso **6** motivo **7** situazione **8** mestruazione.
♦ **cosa nostra** *loc. sost.* mafia.

còsa nòstra *loc. sost.* V. *cosa.*

còsca *s. f.* (*pl. -che*) ganga, cricca, banda, famiglia (*est.*), camarilla.

cosciènte *agg.* conscio, consapevole **CONTR.** incosciente, inconsapevole, irresponsabile.

coscienteménte *avv.* **1** consciamente, consapevolmente, responsabilmente **CONTR.** automaticamente, inconsapevolmente, involontariamente **2** con coscienza, coscienziosamente, onestamente, rettamente **CONTR.** disonestamente.

cosciènza *s. f.* **1** anima, sensibilità, sentimento, cuore (*fig.*) **2** lealtà, onestà **CONTR.** disonestà **3** (*est.*) discernimento, scrupolo, impegno, responsabilità, coscienziosità **CONTR.** irresponsabilità, incoscienza **4** cognizione, consapevolezza **5** [*spec. con: perdere la*] senso, conoscenza.

coscienziosaménte *avv.* scrupolosamente, attentamente, seriamente, diligentemente, responsabilmente, onestamente, coscientemente **CONTR.** negligentemente, superficialmente, distrattamente.

coscienziosità *s. f. inv.* serietà, scrupolosità, diligenza, precisione, accuratezza, coscienza.

coscienzióso *agg.* serio, scrupoloso, diligente, meticoloso, zelante **CONTR.** negligente, irresponsabile, distratto.

coscritto (1) *part. pass.; anche agg.* contenuto, limitato **CONTR.** aperto, ampio.

coscritto (2) *s. m.* recluta.

coscrivere *v. tr.* **1** (*mil.*) arruolare, reclutare **CONTR.** riformare, congedare **2** (*est.*) ingaggiare **CONTR.** licenziare.

così *A avv.* **1** in questo modo **CONTR.** in altro modo **2** tanto, talmente **3** similmente, parimenti *B cong.* **1** allora, dunque, perciò, pertanto **2** [*con valore avversativo*] nonostante, sebbene **3** a tal punto.

cosicché o **così che** *cong.* perciò, di modo che, sicché.

cosmètico *A s. m.* **1** belletto, trucco **2** [*tipo di*] ombretto, crema, fard (*ingl.*), rimmel (*ingl.*), mascara (*ingl.*), lozione, rossetto *B agg.* [*rif. a un prodotto*] estetico.

còsmo *s. m.* universo, spazio, mondo, creato.

cosmonàuta *s. m. e f.* astronauta.

cosmonàve *s. f.* astronave.

cospàrgere *v. tr.* **1** disseminare, diffondere, spargere **2** [*l'acqua*] spruzzare, aspergere, nebulizzare **3** [*il burro, etc.*] spalmare **4** costellare, ricoprire **5** [*lo zucchero, etc.*] spolverizzare, polverizzare.

cospàrso *part. pass.; anche agg.* **1** sparso, disseminato, ricoperto, costellato **2** (*est.*) spalmato, steso.

cospètto *A s. m.* presenza *B inter.* dannazione, accidenti, diavolo.

cospìcuo *agg.* ingente, abbondante, considerevole, rispettabile, ragguardevole, rilevante, ricco, sostanzioso, consistente, splendido, bello CONTR. scarso, piccolo, trascurabile, irrisorio.

cospiràre *v. intr.* **1** complottare, congiurare, tramare, intrigare, tentare di nuocere **2** [*a un fine*] (*est.*) concorrere, cooperare.

cospirazióne *s. f.* congiura, complotto, macchinazione, intrigo, trama, conciliabolo.

còsta *s. f.* **1** fianco, lato **2** litorale, riva, lido, proda **3** terraferma.

costà *avv.* lì, là, costì.

costànte *A agg.* **1** [*rif. all'andamento*] durevole, stabile, immutabile, invariabile, lineare, regolare, invariato, immutato CONTR. incostante, instabile, variabile, momentaneo **2** [*rif. a una persona*] assiduo, accanito, perseverante, tenace, pertinace CONTR. incostante, instabile, variabile, volubile, mutevole **3** [*rif. al rumore, alla pioggia*] ininterrotto, continuo, incessante, martellante CONTR. variabile **4** [*rif. a un gesto*] sistematico **5** (*mat.*) invariato, fisso *B s. f.* (*mat.*) elemento.

costanteménte *avv.* **1** assiduamente, continuamente, perseverantemente CONTR. raramente, mai **2** (*temp.*) durevolmente, stabilmente, invariabilmente, saldamente CONTR. irregolarmente, incostantemente **3** (*est.*) regolarmente.

costànza *s. f.* fermezza, perseveranza, continuità, assiduità, stabilità, fedeltà, tenacia, pertinacia, pervicacia, volontà, resistenza, coerenza CONTR. incostanza, volubilità, discontinuità, instabilità.

costàre *A v. tr.* [*un sacrificio*] causare, provocare, esigere, comportare, implicare, richiedere *B v. intr.* **1** avere il prezzo di, venire (*fig.*), andare (*fig.*), essere, stare (*fam.*) **2** essere costoso, valere **3** (*est.*) pesare (*fig.*), rincrescere, dispiacere, addolorarsi.

costatàre *v. tr.* V. constatare.

costeggiàre *v. tr.* **1** [*detto di fiume, etc.*] bagnare, fiancheggiare **2** [*detto di imbarcazione*] navigare lungo, cabotare **3** [*un'isola, un paese*] (*impr.*) girare.

costellàre *v. tr.* **1** cospargere, disseminare, spruzzare, ricoprire **2** [*uno scritto di errori*] riempire, lardellare (*scherz.*), inzeppare, condire (*fig.*).

costellàto *part. pass.; anche agg.* sparso, disseminato, ricoperto, cosparso.

costernàre *v. tr.* sbigottire, sgomentare, sconfortare, desolare, avvilire, affliggere, scoraggiare, abbattere, deprimere, demoralizzare CONTR. animare, confortare, incoraggiare, rinfrancare.

costernazióne *s. f.* sbigottimento, smarrimento, sconforto, scoraggiamento.

costì *avv.* lì, costà, in codesto luogo, in questo luogo CONTR. colà, là, in altro luogo.

costièro *agg.* litoraneo.

costituènte *s. m.* elemento, ingrediente, componente.

costituìre *A v. tr.* **1** [*una società, una scuola*] fondare, istituire, creare, impiantare, organizzare, erigere (*fig.*) CONTR. sciogliere **2** [*qc. a rappresentante*] eleggere, nominare CONTR. destituire **3** [*un insieme*] formare, comporre **4** [*un esempio, etc.*] rappresentare, essere *B v. rifl.* **1** (*dir.*) consegnarsi, arrendersi, presentarsi (*est.*) **2** [*a giudice, etc.*] erigersi, nominarsi **3** [*detto di organismo*] organizzarsi *C v. intr. pron.* formarsi.

costituzionalménte *avv.* **1** fisicamente **2** in base alla costituzione.

costituzióne (1) *s. f.* **1** istituzione, formazione **2** [*rif. a una persona*] struttura, corporatura, corpo, complessione (*raro*), tempra (*est.*), taglia,

aspetto, fibra **3** [*rif. a un debito*] accensione, apertura.

costituzióne (2) *s. f.* carta, statuto.

còsto *s. m.* **1** prezzo, importo **2** [*dei preziosi, etc.*] valore, valuta (*raro*) **3** (*est.*) sacrificio, fatica, rischio.

costosaménte *avv.* a caro prezzo, salatamente CONTR. economicamente, poco.

costóso *agg.* **1** caro, dispendioso, prezioso, salato (*fig.*) CONTR. economico, conveniente, redditizio **2** (*fig.*) faticoso, laborioso.

costrétto *part. pass.; anche agg.* **1** forzato, obbligato, sottomesso, condannato, sottoposto CONTR. libero **2** (*fig.*) represso, frenato.

costrìngere *v. tr.* **1** [*qc. a fare, dire q.c.*] coartare, obbligare, indurre, forzare, condannare, vincolare, sforzare, violentare (*fig.*), impegnare, imporre con la forza, ridurre (*est.*) CONTR. condonare, disobbligare, esentare **2** [*il riso, il pianto, etc.*] coartare, reprimere, frenare, moderare CONTR. sfogare, sciogliere, mollare **3** [*q.c. in un luogo angusto*] legare, comprimere, pressare, stipare, ammassare, serrare, racchiudere.

costrittìvo *agg.* coercitivo, opprimente, obbligatorio (*est.*), vessatorio CONTR. facoltativo.

costrizióne *s. f.* violenza, coazione, coercizione.

costruìre *v. tr.* **1** [*q.c.*] produrre, fabbricare, fare, lavorare, formare (*raro*), creare CONTR. disfare, distruggere **2** [*un palazzo, una torre*] (*est.*) edificare, erigere, alzare, elevare, ergere, innalzare, drizzare, gettare le fondamenta di CONTR. demolire, diroccare, devastare **3** [*un sistema, una teoria*] congegnare, ideare, fondare, comporre.

costruìto *part. pass.; anche agg.* **1** innaturale, artificiale CONTR. naturale, semplice **2** (*est.*) artificioso, caricato, affettato, manierato CONTR. semplice **3** [*rif. a un edificio, a una costruzione*] edificato CONTR. abbattuto, demolito, smantellato, devastato.

costrùtto *s. m.* **1** frase, espressione **2** senso, significato **3** costruzione.

costruzióne s. f. **1** opera, costrutto, architettura (*est.*) **2** [*tipo di*] edificio, fabbricato, palazzo, motel, casa, palagio (*poet.*), diga, casamento, immobile **3** (*est.*) fabbricazione, edificazione, innalzamento, elevazione **CONTR.** demolizione, diroccamento, distruzione, abbattimento.

costumànza s. f. usanza, uso (*est.*), abitudine.

costumatézza s. f. creanza, educazione, civiltà, urbanità **CONTR.** scostumatezza, maleducazione, inciviltà.

costùme s. m. **1** tradizione, usanza, uso, moda, rito **2** [*di vita*] abitudine (*est.*), consuetudine (*fig.*), norma, stile **3** abbigliamento, veste.

cotàle A agg. indef. tale, siffatto **B** pron. indef. un tale, una certa persona.

cotolétta s. f. milanese.

cotóne s. m. (*gener.*) fibra, filato, tessuto, stoffa.

còtta (1) s. f. **1** sbornia **2** innamoramento, infatuazione, sbandata (*fig.*).

còtta (2) s. f. tunica.

cottage s. m. inv. **1** villino, chalet (*fr.*) **2** (*gener.*) casa.

còtto (1) part. pass.; anche agg. **1** innamorato **2** [*rif. a una pietanza*] **CONTR.** crudo.

còtto (2) s. m. sing. terracotta, mattone.

covàre A v. tr. **1** [*le uova*] incubare, custodire, scaldare, riscaldare **2** [*qc.*] (*est.*) custodire, nutrire, curare, proteggere, difendere, coccolare **CONTR.** trascurare **3** [*un piano*] (*est.*) preparare, architettare, meditare **4** [*l'odio, etc.*] (*est.*) incubare, nutrire, dissimulare **5** [*una malattia*] avere in incubazione **B** v. intr. **1** essere latente **CONTR.** apparire, essere evidente, manifestarsi **2** (*est.*) poltrire, indugiare.

covàta s. f. **1** nidiata **2** (*scherz.*) prole.

covile s. m. **1** covo, tana, nido, nascondiglio **2** giaciglio, letto.

cóvo s. m. **1** tana, nido, rifugio, covile, nascondiglio, casa **2** (*est.*) giaciglio, letto, cuccia **3** [*di delinquenti etc.*]

(*fig.*) tana, nido, ricetto, sentina, ricettacolo.

cowboy s. m. inv. buttero (*tosc.*), vaccaro, mandriano, bovaro.

còzza s. f. mitilo (*colto*), muscolo, peocio (*ven.*), pidocchio di mare.

cozzàre A v. intr. **1** [*contro qc., q.c.*] battere, urtare, picchiare, intruppare (*raro*), collidere (*lett.*), sbattere, scontrare **2** [*detto di colori, etc.*] (*fig.*) litigare, bisticciare, divergere, contrastare, discordare **CONTR.** armonizzare **B** v. tr. **1** urtare, colpire **2** [*detto di toro, etc.*] incornare.

còzzo s. m. **1** impatto, collisione, urto, scontro **2** botta, colpo.

crac s. m. inv. [*economico*] crack, fallimento, tracollo, capitombolo (*fig.*), crollo (*fig.*), rovina (*fig.*), rovescio.

crack (1) s. m. inv. crac, rovina, fallimento, tracollo.

crack (2) s. m. inv. (*gener.*) droga.

cràmpo s. m. spasmo, contrazione.

craniàta s. f. capocciata, testata, zuccata.

crànio s. m. **1** capo, testa, zucca (*scherz.*), teschio **2** (*est.*) mente, cervello, intelligenza **3** [*rif. a una persona*] (*est.*) genio.

cràpa s. f. zucca (*scherz.*), testa.

cràpula s. f. bisboccia, baldoria, bagordo, gozzoviglia, orgia, stravizio.

creànza s. f. educazione, cortesia, gentilezza, civiltà, urbanità, garbo, compitezza, costumatezza (*raro*) **CONTR.** maleducazione, villania, inciviltà.

creàre v. tr. **1** [*un essere vivente*] generare, procreare, fare nascere, partorire **CONTR.** distruggere **2** [*q.c.*] fare, realizzare, attuare **CONTR.** distruggere **3** [*un candidato*] eleggere, nominare **4** [*un poema, una moda, etc.*] (*est.*) concepire (*fig.*), coniare (*fig.*), inventare, ideare **5** [*un ente, un'istituzione*] formare, costituire, istituire, fondare, impiantare, costruire (*fig.*), erigere **CONTR.** distruggere, abolire, sciogliere **6** [*scandalo, confusione*] (*est.*) produrre, suscitare, provocare, causare,

determinare **7** [*un campione di boxe, etc.*] (*est.*) foggiare, plasmare **8** [*un poema, una canzone*] (*est.*) comporre **9** [*un risultato, un'idea*] (*fig.*) germinare, germogliare (*raro*).

creatività s. f. inv. fantasia, inventiva, immaginazione, estrosità, ingegnosità, ingegno (*est.*).

creativo A agg. **1** [*rif. alla mente*] fantasioso, geniale **2** [*rif. al linguaggio, etc.*] fecondo, fertile **B** s. m. (f. -a) artista.

creàto s. m. universo, mondo, cosmo.

creatóre s. m. (f. -trice) **1** artefice, autore, padre, demiurgo (*colto*) **2** (*est.*) architetto (*colto*), ideatore, inventore **3** [*di un'istituzione, etc.*] (*est.*) fondatore, iniziatore, istitutore **4** [*per antonomasia*] Dio.

creatùra s. f. **1** individuo, uomo, essere **2** bambino, figlio, figliolo.

creazióne s. f. **1** realizzazione, produzione, invenzione, ideazione, composizione (*est.*), progettazione **2** [*di un istituto, etc.*] formazione, istituzione, fondazione **CONTR.** chiusura **3** [*rif. agli abiti, ai gioielli, etc.*] (*est.*) modello.

credènte A s. m. e f. **1** [*secondo la dottrina cristiana*] cristiano, devoto (*est.*) **CONTR.** laico, ateo **2** [*secondo la dottrina cattolica*] cristiano, cattolico, devoto (*est.*) **3** [*secondo le religioni*] devoto **CONTR.** infedele **B** part. pres.; anche agg. devoto, pio, religioso **CONTR.** ateo, miscredente, sacrilego (*est.*).

credènza (1) s. f. **1** opinione, convinzione, persuasione, teoria, convincimento **2** superstizione, pregiudizio **3** [*secondo la*] tradizione, leggenda.

credènza (2) s. f. **1** madia, armadio, celliera, dispensa **2** (*gener.*) mobile.

crédere A v. tr. **1** ritenere, reputare, giudicare, stimare, capacitarsi di, pensare, parere **2** sospettare, presumere, immaginare, supporre, presupporre, congetturare, opinare, figurarsi, temere (*fig.*) **3** [*di essere qc., etc.*] (*raro*) lusingarsi di, pretendere **B** v. intr. **1** confidare, sperare, fidare, contare su **2** (*ass.*) avere fede, essere credente **3** [*a quanto si racconta*] (*est.*) stare, dare retta **C** v. rifl. considerarsi, ritenersi, sentirsi, valutarsi, presumersi, stimarsi, giudicarsi, reputarsi, immaginarsi, supporsi, vedersi (*fig.*).

credìbile *agg.* plausibile, verosimile, probabile, possibile, attendibile, immaginabile, ammissibile **CONTR.** incredibile, impossibile, improbabile.

credibilità *s. f. inv.* attendibilità, plausibilità, ragionevolezza.

credibilménte *avv.* verosimilmente, plausibilmente **CONTR.** assurdamente.

crédito *s. m.* **1** considerazione, stima, attendibilità, reputazione (*pos.*), aura (*poet.*), fiducia **CONTR.** discredito, disistima **2** (*est.*) ascendente, autorità, influenza **3** (*banca*) attivo, fido, castelletto (*fig.*) **CONTR.** debito.

crèdo *s. m. inv.* **1** fede, confessione, religione **2** idea, ideologia, ideale.

credulità *s. f. inv.* dabbenaggine **CONTR.** diffidenza, astuzia.

credulóne A *agg.* ingenuo, corrivo, sempliciano, sempliciotto, semplice, sprovveduto, grullo, minchione (*pop.*) **CONTR.** scettico, diffidente, accorto, disincantato **B** *s. m.* (*f. -a*) sciocco, sempliciotto.

crèma *s. f.* **1** panna (*est.*) **2** mousse (*fr.*) **3** pomata, balsamo, pasta **4** (*gener.*) cosmetico **5** [*per le scarpe, etc.*] tintura, vernice **6** [*della società*] (*est.*) panna (*fig.*), élite (*fr.*), fiore (*fig.*) **CONTR.** schiuma, feccia.

cremàre *v. tr.* [*un cadavere*] bruciare, incenerire, ardere.

crèmisi A *agg.* rosso **B** *s. m. inv.* **1** (*gener.*) colore **2** rosso.

crèpa *s. f.* **1** apertura, breccia, spaccatura, fenditura, buco, taglio, incrinatura, venatura, spacco, fessura, lesione **2** [*tra persone*] (*est.*) dissapore, screzio, dissidio.

crepàre A *v. intr.* **1** schiantarsi, schiattare (*fam.*), scoppiare (*fam.*), morire, tirare le cuoia (*scherz.*), rendere l'anima a Dio, passare a miglior vita (*euf.*), defungere (*lett.*), chiudere gli occhi (*euf.*), esalare l'ultimo respiro, passare ad altra vita (*euf.*), perire **CONTR.** nascere **2** [*dal ridere*] schiantare, schiattare (*fam.*), scoppiare (*fam.*), sbellicarsi, smascellarsi **B** *v. tr.* **1** fen-

dere, squarciare, rompere, spaccare, aprire **2** [*le stoviglie*] scheggiare **C** *v. intr. pron.* **1** fendersi, aprirsi, rompersi, spaccarsi, squarciarsi **2** [*detto di pelle, etc.*] screpolarsi **3** [*detto di stoviglie, etc.*] incrinarsi.

crepàto *part. pass.; anche agg.* morto, defunto **CONTR.** vivo, vegeto.

crepatùra *s. f.* spaccatura, fenditura, fessura, incrinatura, rima (*raro*).

crêpe (1) *s. m. inv.* (*tess.*) crespo.

crêpe (2) *s. f. inv.* frittella.

crepitàre *v. intr.* **1** [*detto di pioggia, etc.*] rumoreggiare, tamburellare, picchiettare, scrosciare, grandinare (*fig.*) **2** [*detto di fuoco, etc.*] rumoreggiare, scoppiettare, scricchiolare, friggere (*fig.*), sfrigolare, crocchiare **3** [*spec. di foglie*] frusciare, stormire.

crepùscolo *s. m.* **1** (*est.*) tramonto, sera **CONTR.** albore, alba **2** [*della civiltà, etc.*] (*fig.*) tramonto, declino **CONTR.** inizio, fioritura.

créscere A *v. tr.* **1** [*i prezzi, le tasse*] rincarare **CONTR.** calare, contrarre, restringere, ribassare **2** [*bambini, animali, etc.*] tirare su, allevare, formare, nutrire (*est.*), educare (*est.*) **3** [*le piante*] tirare su, coltivare **4** [*la produzione*] moltiplicare, aumentare, sviluppare **CONTR.** calare **5** [*il tenore di vita*] migliorare **CONTR.** diminuire **6** [*l'affetto, etc.*] aumentare, intensificare **CONTR.** diminuire **B** *v. intr.* **1** [*detto di organismo, di persona*] svilupparsi, formarsi **2** [*in altezza*] alzarsi, allungarsi **CONTR.** diminuire, calare, rimpicciolirsi, impicciolirsi, restringersi, impiccolirsi **3** [*in peso*] aumentare di peso, ingrassare **CONTR.** diminuire, calare **4** [*in senso intellettuale*] maturare, migliorare, progredire, evolversi **CONTR.** peggiorare, regredire **5** [*detto di prezzi, etc.*] aumentare, dilatarsi, gonfiarsi, lievitare (*fig.*), salire (*fig.*), rincarare **CONTR.** diminuire, decrescere **6** [*detto di possibilità, etc.*] moltiplicarsi **CONTR.** mancare **7** [*detto di azienda, etc.*] estendersi, espandersi, ingrandirsi, allargarsi, ingrossarsi, ampliarsi **8** [*detto di nota musicale*] (*mus.*) stonare **9** [*detto di fama, etc.*] aumentare, consolidarsi **10** [*detto di panna, etc.*] montare **11** [*detto di cibo, etc.*] avanzare, rimanere, sovrab-

bondare **12** [*detto di pianta*] prosperare, germogliare, allignare, attecchire, radicare, barbicare, vegetare, proliferare, fiorire, germinare **13** [*detto di livello di acqua, etc.*] alzarsi, aumentare **CONTR.** calare.

créscita *s. f.* **1** [*rif. alle piante*] fioritura **2** [*rif. a un bambino*] fioritura, sviluppo **3** [*del capitale*] sviluppo, accrescimento, aumento, ingrandimento, incremento, potenziamento **4** [*dei prezzi*] rincaro **CONTR.** calo, diminuzione, caduta **5** [*di un fenomeno*] accentuazione.

cresciùto *part. pass.; anche agg.* **1** aumentato, incrementato, moltiplicato, ingrossato **CONTR.** diminuito, allentato **2** adulto **CONTR.** piccolo.

cresimàre A *v. tr.* dare la cresima a, consacrare con la cresima **B** *v. intr. pron.* ricevere la cresima.

crèso *s. m.* nababbo, miliardario, pascià, signore **CONTR.** clochard (*fr.*), barbone, accattone, mendicante, disgraziato, miserabile, pezzente, poveraccio, diseredato.

crèspa *s. f.* grinza, ruga, piega, solco.

crèspo A *agg.* increspato **B** *s. m.* (*gener.*) tessuto.

crèsta *s. f.* **1** [*rif. ai pennuti*] pennacchio **2** (*est.*) capo, testa **3** [*di monti*] crinale, dorsale **4** (*est.*) sporgenza, rilievo **5** [*dell'onda, etc.*] (*est.*) sommità, cima, vetta.
♦ **alzare la cresta** *loc. verb.* insuperbire, ringalluzzire.

crestomazìa *s. f.* selezione, miscellanea (*colto*), antologia, florilegio (*lett.*), scelta.

crèta *s. f.* **1** argilla **2** (*gener.*) terra.

cretinàta *s. f.* stupidaggine, stronzata (*volg.*), cretineria (*raro*), cazzata (*volg.*), scemenza, castroneria, baggianata (*pop.*), puerilità.

cretinerìa *s. f.* **1** stolidezza, stupidità, stoltezza, imbecillaggine **2** [*l'azione*] scempiaggine, scemenza, sciocchezza, cretinata, cazzata (*volg.*), stronzata (*volg.*), castroneria, puerilità.

cretìno A *agg.* deficiente, imbecille, idiota, sciocco, stupido, dissennato, fesso **CONTR.** marpione, furbo, scaltro,

cribrare

sveglio **B** s. m. (f. -a) idiota, imbecille, sciocco, stupido, stolto.

cribràre v. tr. **1** vagliare **2** agitare.

cricca s. f. (pl. -che) banda, camarilla, combriccola, ganga, combutta, cosca, compagnia, gruppo, clan, manica (fig.), lobby (est.).

cricket s. m. inv. (gener.) sport, gioco.

criminàle A s. m. e f. **1** delinquente, malvivente, fuorilegge, bandito, gangster (ingl.), malavitoso **2** [tipo di] assassino, boia (est.), borsaiolo **B** agg. [rif. a un'azione] delittuoso, criminoso, banditesco, assassino, nefando, empio.

criminalità s. f. inv. delinquenza.

criminalménte avv. criminosamente, delittuosamente, malvagiamente, scelleratamente CONTR. rettamente, onestamente.

crimine s. m. **1** delitto, reato, misfatto, colpa, nefandezza, atrocità, turpitudine **2** [tipo di] omicidio, assassinio **3** delitto.

criminosaménte avv. criminalmente, delittuosamente, scelleratamente, malvagiamente CONTR. onestamente, innocentemente.

criminóso agg. [rif. a un'azione] criminale, delittuoso, banditesco, scellerato CONTR. onesto, retto, giusto.

crinàle s. m. sommità, cresta, dorsale.

crinièra s. f. chioma, capigliatura, zazzera (scherz.).

crisantèmo s. m. (gener.) fiore.

crisi s. f. inv. **1** accesso, attacco, collasso **2** [economica] congiuntura, recessione, ristagno, calo, impoverimento (est.) **3** [morale] depressione, difficoltà.

cristallino agg. **1** limpido, trasparente, luminoso CONTR. opaco, fosco **2** [rif. alla coscienza] (fig.) limpido, puro, onesto CONTR. torbido **3** [rif. alla voce] squillante, sonoro, chiaro.

cristallizzàre A v. tr. **1** pietrificare **2** [la situazione, etc.] (est.) immobilizzare, mummificare **B** v. intr. pron. immobilizzarsi, fossilizzarsi (fig.), mummificarsi (fig.).

cristàllo s. m. **1** gemma **2** [tipo di] lente, bicchiere, specchio **3** (erron.) vetro **4** strass.

cristianaménte avv. **1** umanamente, caritatevolmente **2** (est.) umanamente CONTR. crudelmente, bestialmente, spietatamente.

cristiàno A s. m. (f. -a) **1** [per i cattolici] credente, cattolico CONTR. ateo, laico **2** [per i non cattolici] credente **B** agg. **1** [rif. ad un comportamento] buono, caritatevole, amorevole **2** (est.) conveniente, adeguato, decoroso.

critèrio s. m. **1** principio, norma, regola **2** metro, metodo, canone, misura, parametro, ordine **3** discernimento, cervello, raziocinio (fig.), senno, senso, assennatezza (fam.).

critica s. f. (pl. -che) **1** valutazione, giudizio **2** biasimo, censura, accusa, disapprovazione, attacco (fig.), appunto (fig.), riprensione, sferza (fig.) CONTR. applauso, consenso, encomio, incensamento **3** commento, recensione, esegesi (colto).

criticàbile agg. discutibile.

criticàre v. tr. **1** [qc. o l'operato di qc.] sindacare, censurare, disapprovare, chiacchierare di CONTR. compatire, lodare, premiare, esaltare, decantare, gloriare **2** [q.c., qc.] giudicare, valutare **3** [q.c.] contestare, discutere, eccepire, oppugnare, obiettare, ridire, controvertere **4** [qc.] riprendere, biasimare, pettinare (fig.), azzannare (fig.), attaccare, sferzare (fig.), pungere (fig.) CONTR. leccare, lisciare **5** [un testo scritto] recensire, stroncare (fig.), demolire (fig.), esaminare, commentare, rivedere, castigare (fig.).

criticàto part. pass.; anche agg. condannato, biasimato, disapprovato, stroncato CONTR. celebrato, lodato, decantato.

critico (1) agg. [rif. a una situazione] difficile, pericoloso, esplosivo (fig.), grave CONTR. facile.

critico (2) s. m. esegeta (colto), recensore, saggista.

crivellàre v. tr. **1** bucherellare, sforacchiare, forare, bucare, fare dei piccoli

buchi **2** trafiggere, trapassare **3** vagliare, setacciare.

crivèllo s. m. setaccio, buratto, vaglio.

crocchiàre v. intr. crepitare, scricchiolare.

cróce s. f. **1** crocifisso **2** (est.) pena, castigo, penitenza, tortura, punizione, maledizione **3** (est.) tormento, tribolazione, fardello (fig.), cruccio, carico (fig.) **4** (gener.) decorazione, onorificenza.

crocevìa s. m. inv. **1** incrocio, crocicchio **2** [tipo di] bivio, trivio, quadrivio, biforcazione.

crocicchio s. m. crocevia, incrocio, quadrivio.

crocièra s. f. **1** traversata **2** (gener.) viaggio.

crocifiggere A v. tr. **1** mettere in croce, torturare (est.), martirizzare (est.), immolare (est.) **2** (est.) tormentare, affliggere, travagliare, contristare, addolorare, angariare CONTR. consolare, lenire, confortare, blandire **B** v. rifl. mortificarsi, macerarsi, martirizzarsi (fig.), affannarsi, immolarsi CONTR. rallegrarsi, allietarsi, confortarsi, consolarsi.

crocifisso s. m. croce.

cròco s. m. (pl. -chi) **1** (bot.) zafferano **2** (gener.) fiore.

crogiolàre A v. tr. rosolare **B** v. intr. pron. **1** compiacersi, bearsi, deliziarsi, dilettarsi, godersela, cullarsi (fig.), coccolarsi **2** [al sole] rosolarsi.

croissant s. m. inv. cornetto.

crollàre A v. tr. **1** [il capo, etc.] tentennare, scuotere, scrollare, agitare **2** [q.c.] scrollare, agitare, crosciare **B** v. intr. **1** [detto di edificio, di albero, etc.] cadere, sprofondare, schiantarsi, piombare, cascare, sfasciarsi, abbattersi, precipitare, franare, rovinare, disfarsi (raro) CONTR. sorgere, ergersi **2** [detto di persone] accasciarsi, stramazzare CONTR. sollevarsi, alzarsi **3** [per il sonno] (est.) cadere, sprofondare in, abbandonarsi a, cedere a CONTR. sollevarsi, svegliarsi **4** [per il dolore] arrendersi a, piegarsi (fig.) CONTR. riprendersi.

cròllo *s. m.* **1** caduta **2** [*del terreno*] cedimento, franamento, sfaldamento, frana (*est.*) **3** scossa (*fig.*), scotimento **4** [*di un regime*] (*fig.*) rovesciamento **5** [*economico, morale*] rovescio, rovina, tracollo, crac, fallimento, capitombolo (*fig.*), naufragio (*fig.*).

cronaca *s. f.* (*pl. -che*) narrazione, cronistoria, resoconto, storia (*est.*), descrizione, reportage (*fr.*).

cronistòria *s. f.* cronaca, racconto, descrizione, relazione, resoconto.

cronologicaménte *avv.* in ordine di tempo.

cronometràre *v. tr.* misurare (*impr.*).

crosciàre *v. intr.* **1** scrosciare **2** stridere **3** [*detto di applausi, etc.*] esplodere, scoppiare **4** crollare, franare.

cròsta *s. f.* **1** (*est.*) scorza, buccia, corteccia, vernice, superficie, pelle **2** [*nella testa di un neonato*] (*med.*) lattime **3** gromma, gruma, incrostazione **4** [*rif. ai crostacei*] guscio.

crostàceo *s. m.* **1** (*gener.*) animale →animali **2** [*tipo di*].

NOMENCLATURA

Crostacei

Crostacei: artropodi con il corpo diviso in cefalotorace e addome generalmente rivestito dal carapace.

granchio: crostaceo generalmente commestibile, con ampio cefalotorace, addome ridotto, e cinque paia di arti ambulacrali, di cui il primo con grosse chele;

canocchia: crostaceo marino di piccole dimensioni commestibile, di forma allungata e un po' appiattita con due arti terminanti in una chela spinosa;

cicala di mare: (*pop.*);

squilla;

scillaro;

galatea: crostaceo marino con torace grande, addome ridotto e ripiegato, chele e antenne ben sviluppate;

grancevola: crostaceo marino con superficie dorsale spinosa e cuoriforme, arti molto lunghi e chele piccole; ricercata per le sue carni;

scampo: crostaceo marino roseo, con grosse chele, antenne sottili e carni pregiate;

aragosta: crostaceo marino di grosse dimensioni commestibile, privo di chele, con lunghe antenne e corazza spinosa di color rosso violaceo;

astice: crostaceo marino di grosse dimensioni commestibile, con corpo color turchino scuro a chiazze e forti chele;

lupicante;

longobardo: (*dial.*);

gambero: crostaceo marino o d'acqua dolce con corpo allungato, addome terminante a ventaglio e grosse chele;

astaco: gambero di fiume;

gamberetto: crostaceo marino o fluviale di piccole dimensioni, le cui prime tre paia di arti sono munite di chele;

lepade: crostaceo marino fornito di lungo peduncolo che lo fissa a un sostegno sommerso;

balano: crostaceo marino con sei paia di zampe a forma di cirro che sporgono da una nicchia calcarea conica;

paguro: crostaceo con addome molle e ricurvo che l'animale infila nella conchiglia vuota di un gasteropode, mimetizzandosi poi con attinie o spugne;

bernardo l'eremita;

porcellana: crostaceo di piccole dimensioni di color rosso giallastro con chele setolose;

pidocchio della carpa: crostaceo fluviale bianco e trasparente parassita specialmente delle carpe;

porcellino delle cantine: crostaceo di piccole dimensioni che vive prevalentemente nelle cantine dal momento che lo disturba la luce;

porcellino muraiolo: crostaceo di piccole dimensioni che vive prevalentemente tra vecchi muri e sotto le pietre dal momento che lo disturba la luce.

crostino *s. m.* tartina.

crucciàre A *v. tr.* amareggiare, contristare, affliggere, tormentare (*fig.*), preoccupare, irritare, travagliare, rattristare, addolorare, inquietare, esasperare, infastidire, indispettire, seccare, impensierire, rammaricare (*raro*) CONTR. confortare, sollevare, consolare, rallegrare, lenire, rasserenare, placare **B** *v. intr. pron.* amareggiarsi, rattristarsi, corrucciarsi, affliggersi,

dannarsi (*fig.*), rammaricarsi, tormentarsi, dolersi, contristarsi, conturbarsi, travagliarsi, macerarsi, risentirsi, agitarsi (*fig.*), adirarsi, inquietarsi, seccarsi, imbronciarsi, immusonirsi, consumarsi (*fig.*), divorarsi (*fig.*), annuvolarsi (*fig.*), ingrugnarsi CONTR. compiacersi, allietarsi, consolarsi, placarsi, distendersi, rallegrarsi, divertirsi.

crucciàto *part. pass.; anche agg.* addolorato, amareggiato, preoccupato, inquieto, angosciato, angustiato CONTR. sereno, contento, allegro.

crùccio *s. m.* preoccupazione, tormento, spina (*fig.*), croce (*fig.*), afflizione, fastidio, pensiero, seccatura, rodimento, rimorso (*est.*), briga (*raro*), cura (*lett.*).

cruciàle *agg.* decisivo, risolutivo, determinante, culminante CONTR. insignificante, secondario.

crudaménte *avv.* acerbamente, aspramente, brutalmente, bruscamente, rudemente, realisticamente CONTR. amabilmente, amorevolmente, blandamente (*est.*), garbatamente.

crudèle *agg.* **1** [*rif. all'animo*] spietato, feroce, brutale, fiero, inumano, disumano, duro, reo, terribile CONTR. umano, compassionevole, mite, buono, benigno **2** [*rif. a un delitto*] bestiale, atroce, selvaggio, barbaro, efferato **3** [*rif. al dolore*] bestiale, atroce, aspro **4** [*rif. a una persona*] inesorabile, implacabile, terribile, tirannico, sanguinario CONTR. umano, compassionevole, mite, buono, benigno **5** [*rif. a una malattia, a una pena, etc.*] doloroso, penoso, tormentoso **6** [*rif. al destino*] infausto, avverso CONTR. felice.

crudelménte *avv.* **1** spietatamente, brutalmente, bestialmente, barbaramente, malvagiamente, aspramente, acremente, astiosamente, atrocemente, cattivamente, disumanamente, efferatamente, ferocemente, sanguinosamente, freddamente, impietosamente CONTR. compassionevolmente, cristianamente, umanamente, pietosamente **2** dolorosamente, penosamente, acerbamente, amaramente CONTR. dolcemente, benignamente.

crudeltà s. f. inv. *1* malvagità, bestialità, brutalità, ferocia, disumanità, spietatezza, perversità (fig.), inclemenza, asprezza, ferinità, efferatezza, implacabilità, inesorabilità, sadismo CONTR. umanità, bontà *2* [l'azione] bestialità, atrocità, boiata (pop.), cattiveria, infamia *3* [rif. a un'epoca] barbarie.

crudezza s. f. *1* [rif. al carattere] rigore, asprezza, durezza *2* [rif. al clima] rigore, rigidezza, inclemenza, rigidità *3* [di parole, di immagini, etc.] realismo, scabrosità (est.).

crudo agg. *1* acerbo CONTR. mite, benevolo, indulgente *2* [rif. al clima] rigido, inclemente CONTR. mite, caldo, temperato *3* [rif. al suono] spiacevole, sgradevole *4* [rif. all'atteggiamento] (fig.) aspro, brusco, spietato, inumano CONTR. benevolo, umano, clemente, pietoso *5* [rif. a un discorso] realistico, nudo (fig.) CONTR. benevolo, sdolcinato *6* [rif. alla seta] grezzo *7* [rif. a una pietanza] CONTR. cotto, lesso.

cruentemente avv. sanguinosamente CONTR. pacificamente.

cruento agg. *1* sanguinoso *2* [rif. a un delitto] feroce, efferato *3* (est.) violento *4* (est.) tragico.

crusca s. f. (pl. -che) *1* semola *2* (est.) efelide, lentiggine.

csar s. m. inv. V. zar.

cubito s. m. gomito.

cucchiaio s. m. (gener.) posata CONTR. coltello, forchetta.

cuccia s. f. (pl. -ce) giaciglio, covo, letto.

cucco s. m. *1* cuculo *2* (gener.) uccello.

cucina s. f. *1* gastronomia *2* (gener.) ambiente, stanza, locale, vano.

cucinare v. tr. *1* fare da mangiare (ass.), preparare, cuocere, rifare, soffriggere *2* [qc.] (est.) conciare per le feste (scherz.), maltrattare, conciare *3* [un articolo, etc.] (est.) arrangiare.

cucire v. tr. *1* lavorare con l'ago, agucchiare, ricucire CONTR. scucire, disfare *2* [modi di] impunturare, trapuntare, ricamare, rammendare, rattoppa-

re, rappezzare, imbastire, trapungere *3* [un abito, etc.] (med.) confezionare *4* [una ferita] suturare *5* [parti tra loro] (est.) unire, collegare, congiungere, connettere CONTR. disunire, scollegare.

cuculo s. m. (gener.) uccello.

cucurbita s. f. *1* zucca, cocuzza (merid.) *2* (gener.) pianta.

culinaria s. f. gastronomia.

culinario agg. gastronomico.

cullare A v. tr. *1* [un bambino] dondolare, ninnare, addormentare (est.), indurre al sonno *2* (est.) coccolare, vezzeggiare, blandire, lusingare *3* [un sogno] (fig.) coltivare, custodire B v. rifl. *1* dondolarsi, oscillare *2* [nelle illusioni, etc.] (est.) adagiarsi, illudersi, crogiolarsi, abbandonarsi.

culminante part. pres.; anche agg. cruciale, decisivo, determinante CONTR. insignificante, trascurabile, secondario.

culmine s. m. *1* cima, vetta, sommità *2* [della carriera, etc.] (fig.) acme, apice, top (colto), apogeo, vertice (colto) *3* [della felicità, etc.] acme, colmo, massimo, pienezza *4* [di una festa, della notte] pieno, cuore.

culo s. m. *1* deretano, posteriore, sedere, didietro, fondoschiena *2* [di un oggetto] base *3* [spec. in loc.: avere] (est.) fortuna *4* [spec. in loc.: farsi il] mazzo (fig.).

culto s. m. *1* religione, confessione *2* (est.) rito *3* adorazione, venerazione, rispetto.

cultore o **coltore** s. m. (f. -trice) amante, estimatore, studioso (est.), aficionado (sp.), appassionato.

cultura o **coltura** s. f. *1* istruzione, educazione, formazione (est.) CONTR. ignoranza, incultura *2* sapienza, conoscenza, scienza, erudizione, dottrina *3* civiltà *4* [dei prodotti agricoli] (agr.) coltivazione.

culturalmente avv. per tradizione, tradizionalmente.

cumulativamente avv. complessivamente, in totale, globalmente, collettivamente CONTR. individualmente,

singolarmente, separatamente (est.).

cumulo (1) s. m. *1* ammasso, catasta, insieme, ammassamento, tumulo (raro), mucchio *2* [di sciocchezze, etc.] barca (fig.), concentrato.

cumulo (2) s. m. (gener.) nuvola.

cunetta s. f. avvallamento, depressione, fossa, fosso.

cuocere A v. tr. *1* cucinare *2* [modi di] arrostire, bollire, abbrustolire, tostare, friggere *3* [detto di sole, di fiamma, etc.] (est.) inaridire, pelare (scherz.) *4* [detto di pensiero, etc.] (est.) molestare, infastidire, affliggere, angustiare B v. intr. *1* ardere *2* (est.) dispiacere, addolorare C v. intr. pron. *1* (est.) scottarsi *2* (est.) tormentarsi, risentirsi, indispettirsi *3* (est.) innamorarsi.

cuoio s. m. pelle, pellame.

cuore o **core** s. m. *1* bontà, compassione, generosità *2* (est.) ardimento, coraggio, audacia, animo, fegato (fig.) *3* (est.) intimo, coscienza *4* (est.) amore, vita *5* (est.) seno, petto *6* [della terra] viscere, interno *7* [di un frutto, di un problema] centro, nucleo, nocciolo *8* [di una festa, della notte] pieno, culmine *9* (arald.) abisso.

cupamente avv. tetramente, tristemente CONTR. allegramente, amenamente, lietamente, luminosamente (est.).

cupezza s. f. tetraggine, tristezza, opacità (fig.) CONTR. amenità, allegria.

cupidamente avv. bramosamente, avidamente, desiderosamente CONTR. svogliatamente, pigramente, sobriamente (est.).

cupidigia s. f. *1* avidità, ingordigia, bramosia, concupiscenza *2* (est.) desiderio, appetito, voglia.

cupido agg. *1* avido, desideroso, bramoso, assetato (fig.) CONTR. indifferente, temperante, moderato, misurato *2* ingordo, rapace (fig.), concupiscente, famelico, lussurioso.

cupo agg. *1* profondo [rif. a un luogo] buio, oscuro, fosco, nero CONTR. radioso, chiaro, ameno, ridente *3* [rif.

al colore] scuro CONTR. chiaro, sgargiante **4** [*rif. a una situazione*] tetro, funereo CONTR. allegro, gioioso, spensierato **5** [*rif. a una persona*] introverso, pensieroso, taciturno CONTR. ridente, allegro, gioioso, spensierato **6** [*in volto*] (*est.*) serio, accigliato, torvo CONTR. allegro, sereno, disteso **7** [*rif. al suono*] basso, indistinto CONTR. alto, limpido, cristallino.

cùra *s. f.* **1** premura, sollecitudine **2** (*est.*) preoccupazione, affanno (*fig.*), pena, assillo, cruccio **3** diligenza, accuratezza, zelo, scrupolosità, studio (*lett.*) CONTR. trasandatezza, trascuratezza, sbadataggine, sciatteria, disimpegno **4** [*di una casa, di un patrimonio*] direzione, amministrazione, governo **5** [*rif. a un modo di fare*] attenzione, riguardo, avvertenza **6** trattamento, medicina (*fig.*), terapia, rimedio, ricetta (*fig.*), antidoto (*est.*) **7** [*dei bambini*] tutela, sorveglianza **8** [*di un edificio, etc.*] manutenzione **9** pensiero, scrupolo **10** [*del medico, etc.*] assistenza **11** [*in una casa, etc.*] ordine, pulizia.

curàre A *v. tr.* **1** medicare, fasciare **2** [*qc.*] (*est.*) sanare, guarire **3** [*un malato*] badare, guardare, assistere (*fig.*), covare, custodire, vegliare, accudire, occuparsi *di* CONTR. trascurare, dimenticare, negligere, malmenare **4** [*gli interessi, etc.*] badare, guardare, amministrare, gestire, coltivare, provvedere *a*, governare, seguire **5** [*la situazione, etc.*] rimediare, riparare **6** [*un'edizione*] cesellare, correggere, rifinire **7** [*usato con la prep. di e il verbo all'infinito*] trattare, procurare **8** [*la voce*] impostare *B* v. rifl. avere cura di sé, lisciarsi CONTR. trascurarsi *C* v. intr. pron. **1** premurarsi, studiarsi, adoperarsi, preoccuparsi CONTR. impiparsi, infischiarsi, sorvolare, ignorare **2** impicciarsi, occuparsi.

curativo *agg.* **1** terapeutico, medicinale **2** medico.

curàto (1) *part. pass.; anche agg.* rifinito, leccato (*spreg.*).

curàto (2) *s. m.* (*erron.*) parroco.

curialésco *agg.* (*pl. m. -chi*) **1** cavilloso, pedante CONTR. semplice, lineare, piano **2** [*rif. a un concetto*] tortuoso.

curiosaménte *avv.* **1** bizzarramente, stranamente, insolitamente, singolarmente **2** [*rif. al guardare, all'osservare*] con curiosità, con interesse CONTR. disinteressatamente, distrattamente.

curiosàre *v. intr.* ficcanasare, spiare (*ass.*), origliare, frugare, nasare (*scherz.*), interessarsi *di*, indagare *su* CONTR. disinteressarsi.

curiosità *s. f. inv.* **1** interesse CONTR. disinteresse, estraniazione **2** [*spec. con: destare*] interesse, scalpore (*fig.*) **3** [*spec. con: essere una*] sfizio, stranezza, tentazione (*est.*).

curióso A *agg.* **1** attento CONTR. indifferente, distratto **2** [*rif. a una persona*] indiscreto, invadente, indelicato CONTR. discreto, riservato **3** [*rif. al carattere, etc.*] bizzarro, strano, estroso CONTR. ordinario, comune **4** [*rif. a cosa*] nuovo (*est.*), originale, insueto CONTR. ordinario, comune *B s. m.* (*f. -a*) ficcanaso.

curricolo *s. m.* curriculum vitae.

curry *s. m. inv.* (*gener.*) droga (*fam.*), spezie.

cùrva *s. f.* **1** arco, parabola **2** gobba, incurvatura, curvatura **3** [*in una strada*] svolta, tornante, gomito **4** [*rif. ai fiumi*] ansa **5** [*del corpo*] sinuosità.

curvàre A *v. tr.* **1** [*la testa, le ginocchia*] piegare, flettere, chinare CONTR. drizzare **2** [*la schiena*] inarcare, arcuare **3** [*le spalle, un oggetto*] incurvare CONTR. raddrizzare, rettificare *B*

v. intr. [*detto di strade, di fiumi, etc.*] svoltare, voltare, girare, volgere, divergere, sterzare *C* v. rifl. **1** chinarsi, flettersi, piegarsi, inarcarsi, inchinarsi, ripiegarsi CONTR. drizzarsi **2** (*est.*) umiliarsi, cedere *D* v. intr. pron. diventare gobbo, ingobbire, incurvarsi.

curvatùra *s. f.* gobba, piega, curva.

cùrvo *agg.* **1** arcuato, storto, piegato, convesso, torto CONTR. diritto, retto **2** [*rif. a una persona*] storto, piegato, ingobbito, ricurvo CONTR. eretto, dritto.

cuscino *s. m.* guanciale.

cùspide *s. f.* punta, cima.

custòde *s. m. e f.* **1** guardiano, vigilante, portinaio, portiere, usciere, sorvegliante **2** (*est.*) carceriere, secondino, guardia **3** [*delle tradizioni*] tutore, depositario.

custòdia *s. f.* **1** sorveglianza, vigilanza **2** [*spec. con: dare in*] affidamento, deposito, consegna **3** tutela, salvaguardia **4** astuccio, scatola, busta **5** ciborio, reliquiario **6** [*di un'arma*] fodero, fondina.

custodire *v. tr.* **1** [*un segreto*] conservare, serbare **2** [*l'innocenza, etc.*] tutelare, salvaguardare, preservare, proteggere, curare (*fig.*), difendere, salvare **3** [*qc.*] badare, guardare, covare (*fig.*), cullare (*fig.*), assistere CONTR. trascurare **4** [*un prigioniero*] vigilare, sorvegliare, piantonare **5** [*gli animali*] nutrire, governare **6** [*un pacco, un oggetto*] tenere.

cutàneo *agg.* epidermico.

cùte *s. f.* pelle, epidermide (*erron.*), derma (*colto*), tegumento (*est.*), epitelio (*med.*).

cutréttola *s. f.* **1** (*zool.*) ballerina **2** (*gener.*) uccello.

czar *s. m. inv.* V. *zar.*

d, D

dabbàsso *avv.* giù, in basso **CONTR.** su, in alto.

dabbenàggine *s. f.* semplicioneria, ingenuità, balordaggine, dappocaggine (*est.*), puerilità **CONTR.** astuzia, accortezza, destrezza.

dabbène *agg.* probo, onesto, serio, bravo, rispettabile, pulito (*est.*) **CONTR.** disonesto, immorale, vizioso.

daccàpo o **da càpo** *A avv.* **1** di nuovo, ancora, un'altra volta **2** dal principio, dall'inizio **CONTR.** di seguito *B s. m. sing.* ripetizione.

d'accòrdo *loc. avv.* V. *accordo*.

dàcia *s. f.* **1** villino **2** (*gener.*) casa.

dàlia *s. f.* (*gener.*) fiore.

dall'inìzio *loc. avv.* V. *inizio*.

dàlmata (1) *agg., s. m.* (*f. -a*) della Dalmazia.

dàlmata (2) *s. m.* (*gener.*) cane.

dàma (1) *s. f.* **1** donna, signora **2** [*nel gioco di carte*] regina **3** [*nella danza*] ballerina **4** fidanzata.

dàma (2) *s. f.* **1** (*est.*) scacchiera **2** (*gener.*) gioco.

damerìno *s. m.* ganimede, zerbinotto, bellimbusto, figurino, gagà **CONTR.** straccione, sbrindellone.

danàro *s. m.* V. *denaro*.

danaróso *agg.* facoltoso, ricco, agiato, abbiente, benestante **CONTR.** povero, indigente, misero.

danése (1) *A agg., s. m. e f.* della Danimarca *B s. m.* (*gener.*) lingua.

danése (2) *s. m.* (*gener.*) cane.

dannàre *A v. tr.* condannare, punire, castigare **CONTR.** graziare, assolvere, riabilitare, salvare, redimere *B v. rifl.* **1** andare all'inferno, perdersi **CONTR.** salvarsi, redimersi **2** tormentarsi, affliggersi, crucciarsi, disperarsi, dolersi, conturbarsi, travagliarsi **CONTR.** allietarsi, rallegrarsi, rasserenarsi, consolarsi, confortarsi **3** affaticarsi, agitarsi.

dannàto *A part. pass.; anche agg.* [*rif. a un giorno, a un evento*] disgraziato, infelice, nefasto, maledetto **CONTR.** felice, fortunato *B s. m.* (*f. -a*) **1** disgraziato, miserabile, diseredato **2** **CONTR.** beato.

dannazióne *A s. f.* **1** perdizione **CONTR.** redenzione **2** (*relig.*) condanna, castigo, maledizione **3** (*est.*) tormento, pena *B inter.* diavolo, accidenti, cospetto.

danneggiaménto *s. m.* **1** danno, rottura, lesione **2** manomissione **3** adulterazione **4** (*est.*) menomazione.

danneggiàre *A v. tr.* **1** [*q.c.*] sciupare, guastare, fracassare, manomettere **CONTR.** accomodare, aggiustare, riparare, rifare **2** [*le stoviglie, etc.*] incrinare **CONTR.** restaurare **3** [*un abito, etc.*] assassinare (*fig.*), conciare (*fig.*) **4** [*una pietanza, etc.*] assassinare (*fig.*), deteriorare **5** [*la reputazione di qc.*] assassinare (*fig.*), pregiudicare, rovinare **CONTR.** salvaguardare, proteggere **6** [*qc.*] nuocere *a*, ledere, fare del male *a*, ferire, vulnerare (*raro*), fregare (*pop.*) **7** [*la salute, etc.*] pregiudicare, rovinare, compromettere **CONTR.** giovare *a* **8** [*la carriera, etc.*] nuocere *a*, sabotare, boicottare, ostacolare **CONTR.** giovare *a* **9** [*gli interessi*] (*fig.*) offendere, toccare **10** [*la pelle, gli occhi, etc.*] irritare *B v. rifl.* rovinarsi *C v. intr. pron.* **1** ferirsi **2** [*detto di oggetto*] guastarsi, rompersi.

dànno *s. m.* **1** lesione, rottura, avaria, maltrattamento (*est.*), danneggiamento, scempio (*est.*) **CONTR.** accomodatura **2** [*morale*] perdita, incerto, scossa (*fig.*), pacca (*fig.*), botta (*fig.*), contrarietà **3** [*spec. con: a mio, a tuo, etc.*] svantaggio, scapito, detrimento, discapito, pregiudizio **CONTR.** tornaconto, utilità **4** (*est.*) dispiacere, dolore **5** fregatura (*pop.*) **6** rovina **7** (*raro*) acciacco.

dannosaménte *avv.* producendo danno, pericolosamente, svantaggiosamente, nocivamente, funestamente, perniciosamente.

dannosità *s. f. inv.* pericolosità, nocività **CONTR.** salubrità.

dannóso *agg.* **1** nocivo, rovinoso, pernicioso, deleterio **CONTR.** innocuo, inoffensivo, utile **2** controindicato **3** insalubre **4** negativo **5** nemico **6** svantaggioso **CONTR.** vantaggioso, lucroso.

dànza *s. f.* **1** ballo **2** intrigo, imbroglio, impiccio.

danzàre *A v. intr.* **1** ballare, fare quattro salti, piroettare, volteggiare **2** (*est.*) saltare, ondeggiare, oscillare **3** [*detto di pensieri nella testa*] (*est.*) agitarsi *B v. tr.* [*un tango, un valzer*] fare, eseguire, ballare.

danzatóre *s. m.* (*f. -trice*) ballerino.

dappertùtto o **da per tùtto** *avv.* ovunque, dovunque, in ogni parte, in tutti i luoghi.

dappocàggine *s. f.* inettitudine, incapacità, dabbenaggine (*est.*), stupidità **CONTR.** capacità.

dappòco o **da pòco** *agg. inv.* inetto.

dapprèsso o **da prèsso** *avv.* presso, accanto, vicino, a lato, di fianco, dattorno **CONTR.** lontano, distante, via.

dapprìma o **da prima** *avv.* in un primo tempo, in un primo momento, sul principio, inizialmente, sulle prime, dapprincipio **CONTR.** poi, in seguito, successivamente, finalmente.

dapprincìpio o **da princìpio** *avv.* in principio, in origine, inizialmente, dapprima, in un primo tempo **CONTR.** poi, in seguito, dopo, successivamente.

dardeggiàre *A v. intr.* **1** [*detto di astri*] risplendere, lampeggiare, sfavillare, splendere, raggiare, brillare, luccicare, scintillare, fulgere **CONTR.** offuscarsi, oscurarsi, annebbiarsi, appannarsi **2** [*sopra q.c., qc.*] (*fig.*) battere, picchiare **B** v. tr. saettare, colpire.

dàrdo s. m. saetta (*fig.*), fulmine (*fig.*), strale (*lett.*), freccia, telo (*lett.*).

dàre A v. tr. **1** [*modi di*] cedere, donare, devolvere, offrire, regalare, elargire CONTR. prendere, pigliare, ricevere **2** [*un permesso*] accordare, concedere CONTR. negare **3** [*un pacco, etc.*] (*est.*) consegnare, portare **4** porgere **5** [*un premio, etc.*] distribuire, attribuire, conferire, assegnare, aggiudicare, destinare CONTR. carpire, levare, togliere **6** [*una somma di denaro*] anticipare, sborsare, erogare, prestare CONTR. prendere, pigliare, carpire, intascare, riscuotere, derubare, incamerare, arraffare **7** [*un ordine*] impartire **8** [*un pugno, un calcio*] affibbiare, assestare, tendere a **3** [*detto di finestra,* vibrare CONTR. ricevere **9** [*il tempo*] dedicare, consacrare (*fig.*), spendere (*fig.*) **10** [*un utile*] fruttare (*fig.*), rendere **11** [*una medicina, etc.*] somministrare, propinare, prescrivere **12** [*un'allergia, uno stimolo*] procurare, provocare, suscitare **13** [*una punizione*] infliggere **14** [*un'informazione*] trasmettere, fornire CONTR. nascondere, celare, tacere **B** v. intr. **1** [*contro q.c. o q.c.*] colpire, urtare **2** [*sul triste, pedante, etc.*] volgere a, tendere a **3** [*detto di finestra, etc.*] affacciarsi, guardare **4** [*detto di fiume, di strada, etc.*] sboccare, sfociare, gettarsi, finire **5** [*detto di previsione*] indovinare **C** v. rifl. **1** [*al nemico*] cedere, consegnarsi, arrendersi, sottomettersi CONTR. resistere, fronteggiare, ribellarsi **2** [*allo studio, alla musica*] dedicarsi, applicarsi, consacrarsi, votarsi, impegnarsi *in*, interessarsi *di*, occuparsi *di*, immergersi *in* CONTR. disinteressarsi, trascurare **3** [*detto di persona, etc.*] offrirsi, proporsi, concedersi, abbandonarsi, promettersi (*raro*), proferirsi, donarsi **4** prestarsi **D** v. rifl. rec. **1** [*gli auguri*] scambiarsi, farsi **2** [*nella forma: darsele*] picchiarsi, menarsi, suonarsele, venire alle mani **E** v. intr. pron. **1** [*a fare q.c.*] cominciare, iniziare CONTR. cessare, desistere **2** [*uno scopo, una scadenza*] stabilirsi **F** v. intr. impers. [*detto di caso, di sorte, etc.*] avvenire, accadere, verificarsi.

dattórno avv. vicino, dappresso, accanto CONTR. lontano, discosto, distante.

davànti avv. **1** di fronte, di faccia, dirimpetto, dinanzi, innanzi CONTR. didietro, dietro, posteriormente, appresso **2** avanti, anteriormente, in prima posizione.

davanzàle s. m. **1** balcone, verone (*est.*) **2** balaustra.

davvéro avv. **1** veramente, certamente, realmente, sul serio, effettivamente, invero (*lett.*) CONTR. per scherzo **2** molto, assai, oltremodo (*lett.*) **3** (*lett.*) pure.

deambulàre v. intr. camminare, passeggiare, ciondolare, vagabondare.

debellàre v. tr. sconfiggere, sbaragliare, sgominare, annientare, vincere, battere, distruggere.

debilitàre A v. tr. indebolire, spossare, prostrare, stancare, snervare, estenuare, fiaccare, stremare, esaurire, infiacchire, abbattere, sfibrare, svigorire, esanimare (*raro*), rammollire CONTR. corroborare, rinforzare, irrobustire, rinvigorire, fortificare, tonificare **B** v. intr. pron. infiacchirsi, indebolirsi, sfinirsi, deperire, spossarsi, perdere le forze, stancarsi, esaurirsi, sfibrarsi, sfiancarsi, snervarsi, fiaccarsi, rammollirsi CONTR. corroborarsi, rafforzarsi, irrobustirsi, rinvigorirsi.

debilitàto part. pass.; anche agg. indebolito, esaurito, estenuato, stanco, stremato, sfinito CONTR. forte, vigoroso, energico, gagliardo.

debilitazióne s. f. debolezza, esaurimento, indebolimento, sfinitezza, spossamento (*raro*), spossatezza CONTR. forza, salute.

debitaménte avv. opportunamente, convenientemente, bene, acconciamente, nel modo dovuto, adeguatamente, dovutamente CONTR. indebitamente, abusivamente, inadeguatamente.

débito (1) s. m. **1** [*nel bilancio*] deficit, disavanzo, buco (*fig.*) CONTR. credito **2** (*est.*) pendenza, obbligo, obbligazione, impegno **3** [*spec. con: fare un, avere un*] (*fig.*) chiodo (*fam.*).

débito (2) agg. **1** [*rif. al modo, al tempo*] opportuno, adatto, appropriato, giusto CONTR. indebito, inopportuno **2** [*rif. a un provvedimento*] oppor-

tuno, appropriato, giusto, necessario CONTR. ingiusto, immeritato.

débole A agg. **1** [*rif. al suono*] tenue, blando, fievole, fioco, sommesso, rauco CONTR. acuto, alto **2** [*rif. al fisico*] delicato, fragile, gracile, cagionevole, macilento, malaticcio, languido CONTR. forte, gagliardo, vigoroso, vegeto, potente, robusto, resistente, quadro (*fig.*) **3** [*rif. a un argomento*] basso, esiguo, inconsistente CONTR. convincente, persuasivo, valido, efficace, icastico (*lett.*), incisivo **4** [*rif. al carattere, etc.*] (*fig.*) influenzabile, volubile, labile CONTR. agguerrito, energico, fiero, temprato, quadrato (*fig.*) **5** [*rif. al colore*] tenue, pallido CONTR. forte, intenso, vivace, vivo **6** [*rif. al portamento*] cascante, instabile **7** [*rif. all'emozione*] tiepido CONTR. ardente **8** [*rif. all'atteggiamento*] fiacco, molle, languido CONTR. forte, vigoroso **9** [*rif. a una persona*] impotente, inutile CONTR. forte, gagliardo, vigoroso **10** [*rif. alle idee*] vuoto **11** [*rif. alla luce*] scarso CONTR. intenso, accecante, allucinante **B** s. m. **1** [*morale*] debolezza, vizio (*est.*) **2** (*est.*) simpatia, inclinazione, predilezione, preferenza CONTR. antipatia.

debolézza s. f. **1** [*rif. alla struttura, alla salute*] fragilità, gracilità, cagionevolezza CONTR. forza, vitalità **2** [*rif. allo stato fisico*] fiacchezza, debilitazione, esaurimento, stanchezza, sfinitezza, spossamento, prostrazione, deperimento, spossatezza, estenuazione CONTR. vigore, vigoria, nerbo **3** [*rif. al carattere*] insicurezza, instabilità, mollezza, cedevolezza CONTR. fermezza **4** (*est.*) errore, difetto **5** (*est.*) vanità **6** debole, vizio **7** [*di argomenti*] fragilità, tenuità, vaghezza, esiguità CONTR. solidità.

debolménte avv. fiaccamente, stancamente, senza forza, senza vigore, senza energia, esilmente, fievolmente, flebilmente, fragilmente, languidamente CONTR. accanitamente, ardentemente, aspramente, bravamente, con forza, decisamente, determinatamente, energicamente, forte, fieramente, efficacemente, incisivamente, vigorosamente, infaticabilmente, efficientemente, consistentemente (*est.*), acutamente (*fig.*), intensamente, grandemente, fortemente, tenacemente, gagliardamente.

debosciàto A *s. m.* (*f. -a*) libertino, degenerato **B** *agg.* degenerato, dissoluto, depravato, corrotto **CONTR.** morale, probo, retto, virtuoso.

debuttànte *agg., s. m. e f.* esordiente, principiante.

debuttàre *v. intr.* **1** (*teatr.*) esordire, prodursi, presentarsi **2** [*in un'attività*] principiare, incominciare, iniziare **CONTR.** cessare, finire, concludere.

debùtto *s. m.* **1** esordio **CONTR.** congedo **2** (*est.*) inizio, principio.

decadènza *s. f.* **1** declino, decadimento, tramonto, declinare **CONTR.** sviluppo **2** estinzione **3** [*dei costumi, etc.*] (*est.*) scadimento, regresso, calo, impoverimento, depauperamento, immiserimento.

decadére *v. intr.* **1** [*detto di costumi, etc.*] scadere, degenerare, tralignare, imbarbarirsi, invilirsi, peggiorare (*raro*), rovinare **CONTR.** rifiorire, avanzare, progredire, risorgere **2** [*detto di moda, di tradizione, etc.*] tramontare (*fig.*), andare in disuso, essere in declino, languire (*fig.*) **CONTR.** rinascere **3** [*detto di persona*] indebolirsi, svigorirsi, perdere tono, deperire, sfiorire (*fig.*), invecchiare **CONTR.** rifiorire, ringiovanire, fiorire, conservarsi **4** immiserirsi.

decadiménto *s. m.* **1** decadenza, regresso (*est.*), impoverimento, depauperamento, immiserimento **CONTR.** miglioramento **2** dissoluzione, degenerazione.

decalcomanìa *s. f.* calcomania.

decàno *agg.* anziano, senior (*ingl.*) **CONTR.** giovane, junior (*ingl.*).

decantàre (1) *v. tr.* elogiare, lodare, celebrare, magnificare, vantare, esaltare, gloriare, osannare, glorificare, millantare (*est.*) **CONTR.** biasimare, criticare, denigrare, disapprovare, disprezzare, condannare, detrarre (*raro*), vilipendere.

decantàre (2) A *v. tr.* **1** [*il vino, etc.*] (*chim.*) fare sedimentare, defecare, distillare, filtrare, purificare **2** [*le passioni, etc.*] (*est.*) fare sedimentare **B** *v. intr.* finire sul fondo, depositare, depurarsi.

decantàto *part. pass.; anche agg.* loda-

to, celebrato, esaltato, osannato **CONTR.** biasimato, criticato, disprezzato, vilipeso.

decapitàre *v. tr.* **1** ghigliottinare **2** (*gener.*) giustiziare, punire con la morte.

decèdere *v. intr.* morire, perire, spirare, schiantare, trapassare, passare a miglior vita (*euf.*), spegnersi (*fig.*), estinguersi, chiudere gli occhi, esalare l'ultimo respiro **CONTR.** nascere.

decedùto *part. pass.; anche agg.* defunto, morto, crepato (*pop.*) **CONTR.** vivo, vivente.

deceleràre *v. tr. e intr.* rallentare **CONTR.** accelerare.

decelerazióne *s. f.* rallentamento **CONTR.** acceleramento, accelerazione.

decènte *agg.* **1** [*rif. allo stipendio, alla paga*] decoroso, conveniente, dignitoso **CONTR.** indecente, sconveniente, inaccettabile **2** [*rif. a un esame, a un'analisi, a un lavoro*] passabile, accettabile **CONTR.** indecente, inaccettabile **3** [*rif. all'atteggiamento*] morale, pudico, morigerato **CONTR.** indecente, sconveniente, procace, lascivo, osceno.

decenteménte *avv.* **1** decorosamente, dignitosamente, convenientemente **CONTR.** indecentemente **2** pudicamente, castigatamente, morigeratamente **CONTR.** licenziosamente, impudicamente, sconciamente, scostumatamente.

decentraménto *s. m.* spostamento **CONTR.** centralizzazione, accentramento.

decentràre *v. tr.* **1** allontanare dal centro **CONTR.** centralizzare **2** (*est.*) sparpagliare, dislocare, smistare **CONTR.** concentrare, accentrare.

decènza *s. f.* **1** (*est.*) decoro, convenienza, dignità, misura **CONTR.** sconcezza **2** pudore **CONTR.** impudenza, indecenza.

decèsso *s. m.* morte, trapasso (*lett.*).

decidere A *v. tr.* **1** stabilire, scegliere, deliberare, decretare, disporre, optare, pensare, prefiggere, destinare **2** [*una causa*] concludere, dirimere, giu-

dicare **3** [*una data, etc.*] definire, fissare, determinare **4** [*detto di tribunale*] (*dir.*) sentenziare **B** *v. intr.* essere determinante, essere decisivo **C** *v. intr. pron.* determinarsi, risolversi, indursi, volere, persuadersi (*est.*) **CONTR.** titubare, esitare, tentennare, tergiversare.

decifràre *v. tr.* **1** [*un codice, etc.*] interpretare, decodificare, tradurre, leggere (*impr.*) **CONTR.** codificare **2** [*i sentimenti altrui*] (*est.*) interpretare, capire, indovinare, intuire, intendere, riconoscere, penetrare (*fig.*).

decimàre *v. tr.* falcidiare, sterminare.

decisaménte *avv.* **1** risolutamente, senza esitazione, energicamente, fermamente, fortemente, francamente, nettamente, recisamente **CONTR.** debolmente, flebilmente, insensibilmente **2** certamente, veramente, indubitamente, senz'altro.

decisióne *s. f.* **1** deliberazione, scelta, risoluzione, definizione, soluzione, partito (*fig.*), iniziativa (*est.*), conclusione (*est.*), pensiero, passo (*fig.*) **2** (*dir.*) pronuncia, giudizio, decreto, disposizione, provvedimento, deliberato (*bur.*), sentenza **3** [*rif. all'atteggiamento*] energia, determinazione, coraggio, fermezza, saldezza, vigore, risolutezza, recisione (*fig.*) **CONTR.** titubanza, timidezza, irresolutezza, esitazione.

decisivo *agg.* **1** risolutivo **CONTR.** provvisorio, incerto, dubbio **2** (*est.*) cruciale, culminante **3** conclusivo, definitivo, finale, ultimo **4** determinante, chiave **CONTR.** provvisorio, incerto, dubbio.

deciso *part. pass.; anche agg.* **1** [*rif. a un problema, a una questione*] definito, concluso, risolto **CONTR.** indefinito, sospeso, dubbio, fluttuante **2** (*est.*) determinato **3** [*rif. a una legge*] fissato, deliberato **4** [*rif. al carattere, etc.*] risoluto, energico, sicuro, autoritario, imperioso, dispotico, assoluto **CONTR.** indefinito, indeciso, incerto, diviso, irresoluto, dubbioso, esitante, perplesso, influenzabile, fluttuante (*fig.*) **5** [*rif. a una risposta*] chiaro, netto **CONTR.** indefinito, sospeso, dubbio, indeciso, incerto, evasivo **6** [*rif. a un segno, a un profilo*] nitido, preciso **CONTR.** indefinito, nebuloso.

declamàre v. tr. e intr. **1** [un poema, etc.] recitare, porgere un CONTR. conversare, discorrere, chiacchierare **2** dire ad alta voce, dire, pronunciare, pronunciare ad alta voce, parlare.

declassàre v. tr. **1** [qc.] degradare, squalificare, retrocedere CONTR. promuovere, qualificare **2** [q.c.] (econ.) deprezzare.

declinàre A v. intr. **1** [detto di giorno, di luce, etc.] scemare, volgere al termine **2** [detto di speranze] allontanarsi CONTR. aumentare, crescere, rifiorire **3** [detto di sole, di astro] tramontare, coricarsi (fig.), calare, morire (fig.) CONTR. alzarsi, innalzarsi, elevarsi, sorgere **4** [detto di terreno, etc.] abbassarsi, digradare, essere in declivio, pendere, piegarsi, discendere CONTR. salire **5** [detto di successo] scadere, diminuire **6** [detto di moda] invecchiare, passare, recedere **B** v. tr. **1** [un invito] disdegnare, ricusare, respingere, rifiutare CONTR. accettare **2** [la responsabilità] evitare, eludere CONTR. accettare **3** [le proprie generalità] dichiarare, dire CONTR. celare, nascondere, tacere **4** [un verbo] (ling.) flettere, coniugare **C** v. intr. pron. (ling.) flettersi, coniugarsi **D** s. m. sing. tramonto, decadenza.

declìno s. m. **1** decadenza, tramonto (fig.), fine, crepuscolo (fig.) CONTR. sorgere **2** (est.) scadimento, discesa (fig.), peggioramento, impoverimento, depauperamento, immiserimento.

declìvio s. m. china, pendio, pendenza, discesa CONTR. salita.

decodificàre v. tr. **1** interpretare, decifrare, tradurre CONTR. codificare **2** (est.) interpretare, capire.

decollàre (1) v. intr. levarsi in volo, partire, involarsi (raro).

decollàre (2) v. tr. decapitare.

decoloràre v. tr. **1** imbiancare, imbianchire (raro) **2** [i capelli] schiarire.

decompórre A v. tr. **1** scomporre, scindere, dividere, disgregare, sezionare, suddividere, disaggregare, separare CONTR. aggregare, comporre, ricomporre, attaccare, legare, mescolare, unire **2** [un corpo] (est.) corrompere, alterare, imputridire CONTR. sa-

nare, risanare **3** (mat.) scomporre **B** v. intr. pron. **1** (chim.) disgregarsi, disciogliersi, dissolversi CONTR. attaccarsi, legarsi, unirsi **2** [detto di materia organica] alterarsi, corrompersi, putrefarsi, guastarsi, infradiciarsi, corrodersi, imputridire, marcire.

decomposizióne s. f. disfacimento, corruzione, dissoluzione, sfacelo.

deconcentràre v. rifl. distrarsi, distogliersi, perdere la concentrazione, estraniarsi, divagare, fare divagazioni, fantasticare CONTR. concentrarsi, raccogliersi, impegnarsi.

decontaminàre v. tr. ripulire, disinfettare CONTR. contaminare, avvelenare, infettare.

decontaminazióne s. f. disinfezione CONTR. contaminazione, inquinamento.

decoràre v. tr. **1** fregiare, addobbare, adornare, guarnire, impreziosire, ornare, abbellire CONTR. imbruttire, deturpare, spogliare, sguarnire **2** [modi di] fregiare, tappezzare, intarsiare (est.), stuccare, martellare **3** [qc.] insignire, onorare CONTR. destituire, degradare.

decorativaménte avv. in modo ornamentale, prestigiosamente, rappresentativamente.

decoratóre s. m. (f. -trice) [tipo di] pittore, affrescatore, stuccatore.

decorazióne s. f. **1** abbellimento, guarnizione, ornamento, rifinitura **2** [tipo di] fregio, arabesco, bordura, incisione, applicazione **3** medaglia, croce, onorificenza.

decòro s. m. **1** dignità, convenienza, proprietà CONTR. sconcezza, abiezione **2** correttezza, educazione, urbanità **3** compostezza, contegno, decenza **4** (est.) onore, prestigio, lustro, splendore (fig.), gloria **5** ornamento.

decorosaménte avv. **1** dignitosamente, decentemente, onoratamente, onorevolmente CONTR. indecorosamente, indecentemente **2** degnamente, nobilmente CONTR. indecorosamente, indecentemente, abiettamente.

decoróso agg. **1** dignitoso, onorevole, nobile CONTR. sconveniente, ina-

datto, inadeguato **2** accettabile, civile, decente CONTR. inadatto, inadeguato, indecente.

decórrere v. intr. **1** [detto di tempo, etc.] trascorrere, correre **2** [detto di impegno, di legge, etc.] cominciare, avere effetto, diventare effettivo CONTR. finire, terminare.

decórso s. m. sviluppo, evoluzione, svolgimento, ciclo (est.).

decòtto s. m. pozione, tisana.

decreménto s. m. diminuzione, calo, riduzione, abbassamento, rallentamento (fig.) CONTR. aumento, incremento, espansione.

decrepitézza s. f. senilità, vecchiezza, vecchiaia CONTR. freschezza, giovinezza, gioventù.

decréscere v. intr. scemare, scendere, attenuarsi, languire, calare, abbassarsi, diminuire CONTR. crescere, accrescersi, aumentare, salire, montare, svilupparsi.

decretàre v. tr. **1** stabilire, statuire, decidere, deliberare, disporre, fissare, sancire, ordinare, comandare, determinare, sanzionare CONTR. abrogare, annullare, revocare **2** emanare, promulgare.

decréto s. m. provvedimento, ordinanza, bando, editto (raro), decisione, disposizione, delibera, legge (est.), sanzione (raro).

decurtàre v. tr. tagliare, abbreviare, ridurre, diminuire, detrarre, sottrarre, defalcare, calare, accorciare, limitare (est.) CONTR. accrescere, aumentare, aggiungere, incrementare, allungare.

dèdalo s. m. labirinto, meandro (colto), intrico, groviglio.

dedicàre A v. tr. **1** [una via, etc.] consacrare, intitolare, sacrare (raro) **2** [un libro] intestare **3** offrire, donare, dare **4** [il proprio tempo] (est.) mettere **B** v. rifl. **1** [all'arte, etc.] votarsi, consacrarsi, darsi CONTR. disinteressarsi, disimpegnarsi **2** [alla lettura] immergersi in, sprofondarsi in **3** [a un hobby, etc.] coltivare un, interessarsi di, occuparsi di, volgersi **4** [a uno sport, etc.] lanciarsi in (fig.), tuffarsi in (fig.), fare un, impegnarsi a fondo **5** [allo studio] applicarsi un **6** [a un *bambino, etc.*] badare, attendere, accudire *un*, pensare **CONTR.** trascurare.

dedicàto *part. pass.; anche agg.* **1** [*rif. a una via, a una scuola, a un monumento*] intitolato, intestato **2** [*rif. allo studio, alla ricerca, etc.*] intento **3** [*rif. a una persona*] devoto, votato.

dèdito *agg.* [*a un'attività*] incline, propenso, affezionato, ligio, devoto **CONTR.** disinteressato, indifferente.

dedizióne *s. f.* **1** abnegazione, devozione, sacrificio (*est.*) **2** attaccamento, amore, affezione, anima (*fig.*), passione, sentimento (*fam.*).

dedùrre *v. tr.* **1** [*una conclusione, etc.*] inferire (*colto*), concludere, arguire, desumere, argomentare, ricavare, immaginare (*est.*), comprendere, derivare, trarre, congetturare, evincere (*colto*), ragionare, fare inferenze, opinare, pensare, trovare, supporre, rilevare **CONTR.** indurre **2** [*una cifra*] detrarre, defalcare, sottrarre, levare, togliere, diminuire, scalare **CONTR.** aggiungere, addizionare, sommare, unire.

deduttivaménte *avv.* per inferenza **CONTR.** intuitivamente, istintivamente.

deduzióne *s. f.* **1** conclusione, inferenza (*colto*), ragionamento **CONTR.** induzione **2** sottrazione, detrazione, defalco **CONTR.** aggiunta.

defalcàre *v. tr.* **1** detrarre, decurtare, sottrarre, dedurre, diminuire, levare, togliere, diffalcare (*raro*), falcidiare (*raro*) **CONTR.** aggiungere, sommare, addizionare, aumentare **2** abbonare, scontare.

defàlco *s. m.* (*pl. -chi*) deduzione, detrazione, sottrazione **CONTR.** addizione, aggiunta.

defatigàre *v. tr.* sfiancare.

defecàre *A* *v. intr.* evacuare, cacare (*volg.*), svuotarsi, andare di corpo, liberarsi (*euf.*) *B* *v. tr.* (*chim.*) purificare, decantare, filtrare **CONTR.** inquinare, intorbidare.

defenestràre *v. tr.* cacciare, deporre, destituire, licenziare **CONTR.** assumere, insediare.

deferènte *part. pres.; anche agg.* ossequioso, rispettoso, riverente, remissi-

vo (*est.*) **CONTR.** arrogante, insolente, spocchioso.

deferenteménte *avv.* rispettosamente **CONTR.** irrispettosamente, irriverentemente.

deferènza *s. f.* ossequio, rispetto, cortesia, riguardo, venerazione (*est.*), umiltà (*est.*), riverenza **CONTR.** villania, irriverenza.

deferire *v. tr.* [*qc. a giudizio, etc.*] inviare, rimettere, sottoporre, consegnare, trasferire.

defezióne *s. f.* diserzione, tradimento.

deficiènte *A* *agg.* **1** mancante, lacunoso, difettoso, insufficiente **CONTR.** sufficiente, abbondante **2** [*rif. a una persona*] cretino, imbecille **CONTR.** furbo, intelligente, perspicace *B* *s. m. e f.* **1** idiota, oligofrenico **2** idiota, stupido, imbecille, sciocco.

deficiènza *s. f.* **1** penuria, insufficienza, mancanza **CONTR.** superfluità, sovrabbondanza **2** insufficienza, lacuna, incompletezza **3** (*est.*) imperfezione, anomalia **4** idiozia, anormalità.

deficit *s. m. inv.* **1** [*di bilancio*] (*econ.*) disavanzo, ammanco, perdita, debito (*est.*) **CONTR.** attivo **2** [*fisico*] difetto, handicap (*ingl.*).

definibile *agg.* determinabile, spiegabile, descrivibile **CONTR.** indefinibile, indescrivibile, inenarrabile, ineffabile, inesprimibile.

definire *A* *v. tr.* **1** [*un accordo, le competenze*] determinare, precisare, delineare, stabilire **2** [*i confini*] determinare, delimitare, limitare **3** [*una lite, una questione*] decidere, risolvere, terminare, sistemare, concludere, comporre, dirimere, regolare, saldare (*fig.*), stabilizzare **CONTR.** iniziare, avviare **4** [*q.c., qc.*] chiamare, caratterizzare, etichettare, qualificare, denominare **5** [*un concetto, un'idea*] specificare, spiegare, descrivere, chiarire, puntualizzare, mettere in chiaro **6** [*detto di caratteristiche*] (*est.*) configurare, individualizzare *B* *v. rifl.* chiamarsi, etichettarsi, descriversi, classificarsi, qualificarsi.

definitivaménte *avv.* per sempre **CONTR.** provvisoriamente, temporaneamente.

definitivo *agg.* **1** conclusivo, finale, ultimo **CONTR.** iniziale **2** risolutivo, decisivo, determinante **CONTR.** provvisorio, transitorio.

definito *part. pass.; anche agg.* **1** deciso **CONTR.** indefinito, indeterminato, indistinto **2** [*rif. a un problema, a una questione*] concluso, risolto, terminato **CONTR.** indefinito, sospeso **3** [*rif. a un argomento*] spiegato, delineato **CONTR.** indefinito **4** certo, determinato.

definizióne *s. f.* **1** [*di una lite, etc.*] risoluzione, decisione, conclusione **2** [*di un vocabolo*] spiegazione **3** [*di un progetto*] formulazione **4** [*dei confini, etc.*] determinazione.

deflagrànte *part. pres.; anche agg.* esplosivo.

deflagràre *v. intr.* **1** esplodere, scoppiare **2** [*detto di guerra, di malattia, etc.*] (*est.*) scoppiare, manifestarsi violentemente.

deflagrazióne *s. f.* esplosione, detonazione, scoppio.

deflèttere *v. intr.* [*da un proposito*] desistere, recedere, rinunciare a, mollare (*fam.*), rimuoversi (*raro*) **CONTR.** insistere, ostinarsi, persistere, perseverare.

defloràre *v. tr.* **1** sverginare **2** (*est.*) stuprare, violentare, disonorare, fare violenza a.

defluire *v. intr.* **1** [*detto di liquido, etc.*] scorrere, fluire, scendere, ritirarsi **CONTR.** confluire, affluire **2** [*detto di persone*] (*est.*) uscire **CONTR.** affluire, entrare.

deflùsso *s. m.* scorrimento, uscita **CONTR.** afflusso.

deformàre *A* *v. tr.* **1** [*il fisico, il viso, etc.*] alterare, sformare, sciupare, deturpare, guastare, imbruttire **CONTR.** abbellire **2** [*un libro, un pacco, etc.*] ammaccare, schiacciare, slabbrare **3** [*la verità, un documento*] falsare, svisare, travisare, fraintendere *B* *v. intr. pron.* schiacciarsi, stringersi, ammaccarsi, imbarcarsi.

deformàto *part. pass.; anche agg.* **1** [*rif. a cosa*] ammaccato, sformato **CONTR.** integro, plasmato, modellato **2** [*rif. al fisico*] sciupato, deturpato **CONTR.** in-

tegro *3* [*rif. alla verità, etc.*] alterato, falsato, frainteso.

deformazióne *s. f.* *1* acciaccatura, ammaccatura, schiacciatura *2* [*della realtà*] travisamento, stravolgimento *3* (*est.*) difetto, imperfezione.

defórme *agg.* *1* [*rif. a una persona*] malformato, malfatto, storpio, sciancato CONTR. avvenente, bello, proporzionato, ben fatto, plasmato *2* (*est.*) brutto, mostruoso, turpe CONTR. avvenente, bello, proporzionato *3* [*rif. al suono, alla voce*] sgraziato, sgradevole CONTR. grazioso.

defraudàre *v. tr.* privare, derubare, frodare, truffare CONTR. regalare, dare, donare.

defùngere *v. intr.* morire, andarsene, crepare (*pop.*), tirare le cuoia (*fam.*) CONTR. nascere.

defùnto *A part. pass.; anche agg.* *1* morto, deceduto, crepato (*spreg.*) CONTR. vivo, vivente *2* (*fig.*) finito, passato, dimenticato CONTR. attuale *B s. m.* (*f. -a*) morto, assente (*euf.*), estinto.

degeneràre *v. intr.* *1* [*detto di persona, di cosa*] guastarsi, corrompersi, deteriorarsi, andare a finire male, peggiorare CONTR. evolversi *2* [*detto di discussione, di scherzo*] passare i limiti, essere esagerato *3* [*detto di persona, etc.*] corrompersi, andare a finire male, pervertirsi, dirazzare *4* [*detto di pianta*] (*bot.*) tralignare, imbastardirsi, inselvatichire *5* [*detto di tessuti*] (*biol.*) incancrenire *6* [*detto di incontro sportivo*] scadere, trasformarsi *7* [*detto di costumi, di civiltà*] decadere CONTR. evolversi.

degeneràto *A part. pass.; anche agg.* *1* [*rif. a una persona*] perverso, depravato, corrotto, degenere, pervertito, vizioso, debosciato, sadico CONTR. probo, onesto, retto *2* [*rif. a una materia organica*] alterato, marcio, peggiorato (*est.*) *B s. m.* (*f. -a*) libertino.

degenerazióne *s. f.* *1* corruzione, decadimento *2* alterazione, trasformazione.

degènere *agg.* *1* degenerato, corrotto, pervertito, snaturato *2* (*est.*) indegno.

degènte *A s. m. e f.* ricoverato, amma-

lato, malato, paziente, infermo *B agg.* [*in ospedale*] ammalato, malato, ricoverato.

deglutire *v. tr.* inghiottire, ingollare.

degnaménte *avv.* *1* adeguatamente, bene, convenientemente CONTR. indegnamente, inadeguatamente, male *2* decorosamente, rispettabilmente CONTR. indegnamente, inadeguatamente, disonorevolmente *3* meritatamente, giustamente CONTR. immeritatamente, ingiustamente.

degnàre *A v. tr.* giudicare degno, ritenere meritevole *B v. intr. pron.* compiacersi, accondiscendere CONTR. disdegnare, negare.

degnazióne *s. f.* condiscendenza, sufficienza, sussiego, superbia, alterigia, compiacenza CONTR. affabilità, cordialità, calore, affettuosità.

dégno *agg.* *1* meritevole CONTR. indegno, immeritevole *2* (*est.*) giusto, retto, bravo CONTR. ignobile, abietto, inqualificabile *3* [*a una carica, a un ufficio*] adatto, idoneo, preparato CONTR. indegno, inadatto, inadeguato, impreparato.

degradàre *A v. tr.* *1* [*un militare, etc.*] destituire, declassare, squalificare, retrocedere CONTR. promuovere, decorare, insignire *2* [*qc.*] svilire, umiliare, avvilire, demoralizzare, deprimere, invilire, abbassare CONTR. esaltare, elevare, innalzare *3* [*detto di agenti atmosferici*] inquinare, corrodere *B v. intr.* [*detto di terreno, etc.*] calare, pendere, essere in declivio, discendere CONTR. salire, alzarsi *C v. rifl.* *1* diminuirsi, umiliarsi, abbassarsi (*fig.*), avvilirsi, svalutarsi CONTR. elevarsi, nobilitarsi, migliorarsi, riabilitarsi *2* abbrutirsi *3* (*fig.*) insudiciarsi *D v. intr. pron.* *1* [*detto di prodotto alimentare*] scadere, deteriorarsi *2* [*detto di ambiente*] sporcarsi.

degradazióne *s. f.* *1* [*rif. a un prodotto, etc.*] degrado, scadimento *2* [*morale*] avvilimento, abiezione *3* (*chim.*) demolizione.

degràdo *s. m.* deterioramento, degradazione, scadimento, consunzione (*raro*).

degustàre *v. tr.* assaggiare, assaporare, saggiare (*raro*), gustare, goder-

si, delibare (*lett.*), centellinare (*est.*).

degustazióne *s. f.* *1* assaggio *2* (*est.*) cantina, mescita, enoteca.

deidratàre *v. tr.* disidratare, essiccare CONTR. idratare, bagnare.

deificàre *v. tr.* *1* divinizzare, idealizzare, mitizzare, santificare *2* esaltare, glorificare, magnificare CONTR. denigrare, disprezzare, screditare, umiliare, vilipendere.

delatóre *s. m.* (*f. -trice*) spia, confidente, sicofante (*lett.*), informatore.

delazióne *s. f.* denunzia, spiata.

delèbile *agg.* cancellabile CONTR. indelebile.

dèlega *s. f.* (*pl. -ghe*) procura, mandato, incarico (*est.*).

delegàre *v. tr.* *1* [*qc. a fare q.c.*] incaricare, deputare, designare, investire, dare mandato *a 2* [*q.c. a qc.*] (*est.*) affidare, demandare, commissionare *3* votare, nominare, scegliere, eleggere.

delegàto *A s. m.* (*f. -a*) *1* addetto *2* ambasciatore, inviato *3* consigliere *B agg.* incaricato.

delegazióne *s. f.* *1* rappresentanza *2* [*tipo di*] commissione, giunta *3* [*rif. a un edificio*] (*est.*) ambasciata.

deletèrio *agg.* nocivo, dannoso.

delfino (1) *s. m.* successore, erede.

delfino (2) *s. m.* (*gener.*) cetaceo.

delibàre *v. tr.* assaggiare, degustare, libare (*lett.*), godersi (*est.*).

delìbera *s. f.* deliberazione, decreto, provvedimento, disposizione, ordinanza, legge (*est.*).

deliberàre *A v. tr.* *1* decidere, determinare, decretare, stabilire, statuire, imporre, ingiungere, sancire, prescrivere, votare (*est.*), risolvere (*est.*) *2* (*est.*) discutere, considerare, pensare *3* [*q.c. in un'asta*] destinare, aggiudicare *B v. intr.* [*su q.c.*] provvedere, disporre.

deliberataménte *avv.* apposta, volontariamente, consapevolmente, intenzionalmente, di proposito CONTR. involontariamente.

deliberàto *A part. pass.; anche agg.* **1** [*rif. a una legge*] deciso, decretato, stabilito **2** [*rif. a un proposito, a un'azione*] volontario, voluto, intenzionale **CONTR.** involontario, casuale *B s. m.* decisione, deliberazione, disposto (*bur.*).

deliberazióne *s. f.* **1** decisione, determinazione, risoluzione, proposito (*est.*) **2** disposizione, delibera, deliberato (*bur.*).

delicataménte *avv.* **1** garbatamente, gentilmente, educatamente, blandamente, mollemente, idilliacamente **CONTR.** sgarbatamente, indelicatamente, bruscamente, seccamente, rozzamente, acerbamente, acidamente **2** con cura, con riguardo, discretamente **CONTR.** sgarbatamente, rozzamente, grossolanamente, grezzamente, insistentemente.

delicatézza *s. f.* **1** fragilità **CONTR.** forza **2** [*rif. alla costituzione fisica*] gracilità **CONTR.** robustezza **3** [*rif. al modo di fare*] squisitezza, finezza, raffinatezza **CONTR.** scorrettezza, scortesia, sgarberia, sgarbo, asprezza **4** [*qualità dell'animo*] tatto (*fig.*), sensibilità, gentilezza, bontà, sentimento (*fam.*) **CONTR.** rozzezza **5** (*est.*) discrezione, riserbo **6** [*nei confronti altrui*] tenerezza, dolcezza, riguardo **CONTR.** violenza, brutalità **7** [*rif. all'aria, al profumo*] (*raro*) sottigliezza, freschezza **8** [*rif. a un argomento*] scabrosità **9** [*rif. alle linee, ai colori*] morbidezza.

delicàto *agg.* **1** [*rif. al tocco*] leggero **CONTR.** brusco, grossolano, indelicato, pesante **2** [*rif. all'atteggiamento*] gentile, garbato **CONTR.** brusco, grossolano, indelicato, sgradevole **3** [*rif. all'aspetto*] grazioso, carino, fine **CONTR.** brutto, rozzo **4** [*rif. a una sensazione*] (*est.*) dolce, soave, tenero **CONTR.** brusco, sgradevole, forte **5** [*rif. al vetro, al cristallo, etc.*] fragile **6** [*rif. al suono*] blando, ovattato, flebile, fievole **CONTR.** forte **7** [*rif. all'atteggiamento*] (*lett.*) molle **CONTR.** bestiale **8** [*rif. all'animo*] buono, sensibile **CONTR.** grossolano, insensibile, rozzo, spartano **9** [*rif. allo stile*] raffinato, elegante **CONTR.** indelicato **10** [*rif. al fisico*] (*est.*) diafano, cagionevole, gracile, debole, minuto (*est.*) **CONTR.** forte, gagliardo, vigoroso **11** [*rif. a un argomento*] (*est.*) problematico, sca-

broso **CONTR.** agevole **12** [*rif. a una pietanza*] gustoso, squisito **13** [*al tatto*] morbido.

delikatessen *s. f. pl.* squisitezza, prelibatezza.

delimitàre *v. tr.* **1** [*detto di muro, di monti, etc.*] circoscrivere, racchiudere, circondare, restringere **2** [*un fenomeno, un'epidemia*] arginare, localizzare, limitare **3** [*l'influenza, il potere*] definire, determinare, fissare.

delineàre *A v. tr.* **1** [*un profilo, un carattere*] tratteggiare **2** [*q.c. a grandi linee*] (*est.*) accennare, abbozzare, schizzare, imbastire (*fig.*), sbozzare (*fig.*), modellare (*fig.*) **3** [*la realtà, la situazione*] disegnare, definire, descrivere, indicare, prospettare, rappresentare, caratterizzare, configurare, mostrare **4** [*detto di contorno, di tratto*] profilare *B v. intr. pron.* **1** [*q.c. sullo sfondo*] apparire, profilarsi **2** [*detto di situazione*] prospettarsi, disegnarsi (*fig.*), annunciarsi, trasparire (*fig.*), prendere corpo (*fig.*).

delineàto *part. pass.; anche agg.* **1** [*rif. alla personalità*] (*fig.*) definito, preciso **CONTR.** indefinito **2** [*rif. a un segno, a un profilo*] sagomato **CONTR.** indefinito.

delinquènte *A s. m. e f.* fuorilegge, malfattore, malvivente, teppista, farabutto, furfante, gaglioffo, criminale, boia, carogna, gangster (*ingl.*), malavitoso, assassino *B part. pres.; anche agg.* colpevole, criminale, disonesto **CONTR.** onesto, probo, retto.

delinquere *v. intr.* peccare.

deliquio *s. m.* svenimento, mancamento, smarrimento, mancanza (*raro*).

delirànte *part. pres.; anche agg.* **1** irragionevole, frenetico, esaltato **CONTR.** logico, ragionevole, equilibrato **2** [*rif. a un discorso*] farneticante, vaneggiante, sconclusionato **CONTR.** logico.

deliràre *v. intr.* **1** sragionare, vaneggiare, farneticare, vagellare (*tosc.*), fantasticare **CONTR.** ragionare **2** esaltarsi, impazzire, entusiasmarsi, eccitarsi.

delirio *s. m.* **1** eccitazione, insania (*est.*) **2** esaltazione, entusiasmo **3**

(*raro*) allucinazione, desiderio.

delitto *s. m.* **1** crimine, reato, colpa **2** (*est.*) omicidio, assassinio, uccisione **3** (*est.*) misfatto, scelleraggine, nefandezza, atrocità, scelleratezza, turpitudine.

delittuosaménte *avv.* criminosamente, criminalmente, illecitamente, illegalmente **CONTR.** onestamente, rettamente, innocentemente.

delittuóso *agg.* criminale, criminoso, scellerato, nefando, banditesco **CONTR.** onesto, retto.

delizia *s. f.* **1** [*per gli occhi*] diletto, gioia, felicità, piacere, incanto **CONTR.** schifezza, porcheria **2** [*rif. a una persona*] (*fig.*) perla, gioiello, portento, prodigio **3** [*rif. a una persona amata*] felicità, gioia, amore.

deliziàre *A v. tr.* **1** dilettare, procurare delizia *a*, dare piacere *a*, fare piacere *a*, piacere *a* **CONTR.** amareggiare, addolorare, rattristare, esasperare, dispiacere, esacerbare **2** svagare, divertire, ricreare, sollazzare **CONTR.** annoiare, molestare, infastidire, seccare, scocciare, tediare **3** (*est.*) lusingare **CONTR.** annoiare *B v. intr. pron.* dilettarsi, bearsi, ricrearsi, sollazzarsi, godere, compiacersi, crogiolarsi **CONTR.** amareggiarsi, addolorarsi, rattristarsi, annoiarsi, infastidirsi, irritarsi, seccarsi, scocciarsi.

deliziosaménte *avv.* soavemente, adorabilmente, squisitamente, gradevolmente, paradisiacamente **CONTR.** amaramente, aspramente, odiosamente.

deliziòso *agg.* **1** incantevole, gradevole, simpatico, grazioso, piacevole **CONTR.** sgradevole, repellente, tremendo (*fam.*) **2** [*rif. a una pietanza*] squisito **CONTR.** tremendo (*fam.*), pessimo, disgustoso.

dèlta *s. m. inv.* foce.

delucidàre *v. tr.* chiarire, spiegare, illustrare, commentare, chiarificare (*fig.*) **CONTR.** confondere, ingarbugliare.

delucidazióne *s. f.* **1** spiegazione, chiarimento, illustrazione **2** (*est.*) informazione.

deludènte *part. pres.; anche agg.* **1** in-

sufficiente, scarso **CONTR.** soddisfacente, promettente, positivo **2** (*est.*) disastroso (*iperb.*), negativo **CONTR.** confortante.

delùdere *v. tr.* **1** [*le aspettative, etc.*] disattendere, non rispettare le aspettative, disilludere, tradire le speranze, smentire, mortificare, frustrare, eludere **CONTR.** corrispondere *a* **2** [*qc.*] tradire, disingannare, ingannare, gabbare **CONTR.** illudere, incantare, lusingare **3** [*detto di comportamento, etc.*] contrariare, disturbare, mettere in imbarazzo, contraddire.

delusióne *s. f.* **1** disillusione, disinganno **CONTR.** illusione **2** fregatura (*fam.*), tradimento, insuccesso (*est.*) **3** [*sentimentale*] amarezza, disappunto, frustrazione **CONTR.** soddisfazione.

delùso *part. pass.; anche agg.* inappagato, insoddisfatto, frustrato, mortificato **CONTR.** appagato, soddisfatto.

demagogicaménte *avv.* populisticamente, con demagogia.

demandàre *v. tr.* **1** [*q.c. a qc.*] commissionare, rimettere, affidare **2** [*qc. a fare q.c.*] delegare, deputare, dare un'incombenza *a* **CONTR.** incaricarsi, assumersi.

demènte *A agg.* **1** alienato, dissennato, mentecatto, squilibrato, folle, matto **CONTR.** intelligente, assennato, savio **2** stupido, idiota, fesso, imbecille *B s. m. e f.* folle, matto, pazzo.

demènza *s. f.* **1** follia, alienazione, insania, pazzia, idiozia **2** scemenza, imbecillità, stupidità, stoltezza **CONTR.** saggezza, saviezza.

demilitarizzàre *v. tr.* smilitarizzare **CONTR.** militarizzare.

demistificàre *v. tr.* ridimensionare **CONTR.** mistificare.

demiùrgo *s. m.* (*pl. -ghi*) **1** creatore, artefice **2** capo, organizzatore.

democraticaménte *avv.* **1** liberalmente **CONTR.** autoritariamente, dittatorialmente, dispoticamente, prepotentemente, tirannicamente **2** [*rif. all'agire, al comportarsi*] (*fig.*) semplicemente, alla buona, alla mano **CONTR.** prepotentemente, alteramente, altezzosamente, superbamente, imperativamente.

democràtico *A agg.* **1** [*rif. a un regime politico*] libero **CONTR.** assolutista, assoluto, dittatoriale, repressivo, tirannico, oppressivo, fascista, vessatorio **2** [*rif. a una persona*] tollerante **CONTR.** assolutista, tirannico, autoritario, dispotico **3** (*est.*) affabile, alla mano *B s. m.* (*f. -a*) antifascista.

democrazia *s. f.* **1** (*est.*) libertà **CONTR.** tirannide, dittatura **2** (*gener.*) governo.

demolìre *v. tr.* **1** [*un edificio, etc.*] buttare giù, distruggere, rovesciare, scalzare, abbattere, spianare, atterrare, smantellare, diroccare, disfare, radere **CONTR.** costruire, rafforzare, edificare, erigere, fabbricare, innalzare, fare, elevare **2** [*qc., una teoria, etc.*] (*est.*) annientare, screditare (*fig.*), diffamare, criticare, contestare, confutare, stroncare (*fig.*), rovinare (*fig.*) **CONTR.** rafforzare, avvalorare, lodare, elogiare, esaltare, appoggiare, confermare.

demolìto *part. pass.; anche agg.* **1** [*rif. a un edificio, a una costruzione*] distrutto, abbattuto, atterrato, smantellato **CONTR.** costruito **2** [*rif. a idee, a scritti*] distrutto, stroncato **CONTR.** lodato, stimato **3** [*rif. al nome, alla dignità*] rovinato.

demolizióne *s. f.* **1** abbattimento, distruzione, annientamento, atterramento, diroccamento **CONTR.** costruzione, innalzamento **2** [*rif. al prestigio, etc.*] (*fig.*) degradazione.

dèmone *s. m.* **1** spirito, genio **2** [*del gioco, etc.*] passione.

demònio *s. m.* **1** diavolo, lucifero **2** [*rif. a un bambino*] (*fig.*) terremoto, peste.

demoralizzànte *part. pres.; anche agg.* deprimente, mesto **CONTR.** entusiasmante, eccitante, esaltante.

demoralizzàre *A v. tr.* **1** avvilire, deprimere, scoraggiare, frustrare, abbattere, accasciare, sfiduciare, buttare giù (*fig.*), costernare, disanimare, esanimare (*raro*) **CONTR.** consolare, entusiasmare, esaltare, animare, rianimare, confortare, riconfortare, rincuorare, incoraggiare, sollevare, risollevare, ricreare **2** corrompere, degradare, pervertire **CONTR.** nobilitare *B v. intr. pron.* abbattersi, avvilirsi, deprimer-

si, scoraggiarsi, accasciarsi (*fig.*), disperarsi, disanimarsi, perdersi d'animo, esanimarsi (*raro*), sgonfiarsi (*fig.*) **CONTR.** entusiasmarsi, esaltarsi, rianimarsi, confortarsi, riconfortarsi, rincuorarsi, incoraggiarsi, ricrearsi, risollevarsi.

demoralizzàto *part. pass.; anche agg.* abbattuto, avvilito, scoraggiato, smontato, sfiduciato, depresso **CONTR.** allegro, contento, rianimato.

demoralizzazióne *s. f.* sconforto, scoraggiamento, scoramento, avvilimento, depressione (*fig.*) **CONTR.** entusiasmo, allegria.

demotivàre *v. tr.* disincentivare **CONTR.** motivare, incentivare.

demotivazióne *s. f.* disinteresse (*est.*) **CONTR.** spinta, stimolo.

denàro o **danàro** *s. m.* **1** quattrino, soldo, baiocco (*scherz.*), ricchezza, grana (*fam.*), possibilità, oro, palanca **2** (*est.*) moneta, valuta.

denaturàre *v. tr.* falsare, snaturare.

denigràre *A v. tr.* **1** diffamare, screditare, calunniare, sparlare *di*, vituperare, ingiuriare, infamare, detrarre, accusare (*est.*) **CONTR.** encomiare, esaltare, incensare, lodare, onorare, adulare, celebrare **2** [*il lavoro altrui*] svalutare, deprezzare, sottovalutare, sabotare (*fig.*) **CONTR.** decantare, elogiare, apprezzare **3** [*la reputazione altrui*] (*fig.*) macchiare, oscurare *B v. rifl.* svilirsi **CONTR.** lodarsi, incensarsi, innalzarsi, vantarsi, vanagloriarsi.

denigratóre *A s. m.* (*f. -trice*) calunniatore, diffamatore, detrattore, linguaccia (*fam.*), malalingua (*fam.*) **CONTR.** adulatore, cantore (*lett.*), celebratore, esaltatore, amante, fautore *B agg.* diffamatore **CONTR.** adulatore, piaggiatore, lodatore.

denigratòrio *agg.* **1** diffamatorio, infamante **CONTR.** elogiativo, laudativo (*lett.*) **2** (*est.*) oltraggioso.

denigrazióne *s. f.* calunnia **CONTR.** adulazione, celebrazione.

denominàre *A v. tr.* **1** chiamare, definire, nominare, soprannominare, battezzare (*fig.*), appellare (*lett.*) **2** [*una via, una piazza, etc.*] intitolare, dare il nome *a* **3** [*detto di nome, di* *cartello, etc.*] (*est.*) indicare **B** v. intr. pron. chiamarsi, avere il nome, prendere il nome, avere come appellativo.

denominazióne s. f. **1** nome **2** appellativo, titolo, epiteto.

denotàre v. tr. **1** indicare, significare, essere un indizio *di*, manifestare, esprimere, palesare, rivelare **2** contrassegnare, essere elemento identificativo *di*.

densaménte avv. **1** fittamente, corposamente, foltamente **2** abbondantemente, molto **CONTR.** scarsamente, poco.

dènso agg. **1** [*rif. al cibo, a una bevanda, etc.*] concentrato, forte, carico **CONTR.** leggero **2** [*rif. al fumo, alla nebbia*] spesso, fitto **CONTR.** rado, rarefatto **3** (*fig.*) pieno, ricco, grasso **4** [*rif. alle schiere armate*] compatto, serrato **5** [*rif. a un bosco, a una foresta*] (*lett.*) folto **CONTR.** rado **6** [*rif. a un liquido*] oleoso, colloso **CONTR.** leggero, fluido.

dènte s. m. [*tipo di*] molare, incisivo, canino, premolare.

dèntice s. m. (*gener.*) pesce.

dentista s. m. e f. **1** odontoiatra **2** (*est.*) odontotecnico.

déntro A avv. **1** internamente, intimamente, all'interno, parte interna, addentro **CONTR.** fuori, esternamente **2** interiormente, nel cuore (*fig.*), nell'intimo **CONTR.** esternamente, esteriormente **B** prep. in.

denudàre A v. tr. **1** spogliare, svestire, scoprire, snudare (*lett.*) **CONTR.** vestire, rivestire, coprire, ricoprire **2** [*il piede*] scalzare **3** [*l'animo*] (*est.*) palesare, manifestare **CONTR.** celare, nascondere, occultare **B** v. rifl. **1** svestirsi, spogliarsi **CONTR.** vestirsi, rivestirsi, coprirsi, ricoprirsi, imbacuccarsi **2** (*est.*) mostrarsi, scoprirsi.

denudàto part. pass.; anche agg. (anche fig.) svestito, spogliato, nudo **CONTR.** coperto, vestito.

denùncia s. f. V. denunzia.

denunciàre o **denunziàre** v. tr. **1** sporgere denuncia, accusare, incriminare, querelare (*dir.*) **CONTR.** scagionare, discolpare, scolpare **2** [*un furto,*

etc.] notificare (*bur.*), rivelare, riferire, segnalare, dichiarare **CONTR.** celare, nascondere, occultare, coprire **3** [*un segreto, etc.*] rendere noto, rendere di pubblico dominio **CONTR.** nascondere, coprire **4** [*un contratto*] disdire, impugnare.

denùnzia o **denùncia** s. f. **1** delazione, spiata (*est.*), rapporto **2** querela **3** disdetta **4** [*di una nascita*] (*est.*) registrazione.

denunziàre v. tr. V. denunciare.

denutrito part. pass.; anche agg. macilento, magro, patito, emaciato, deperito **CONTR.** grasso, pasciuto, robusto.

depauperaménto s. m. **1** impoverimento, immiserimento **CONTR.** arricchimento **2** [*culturale, etc.*] decadenza, declino, decadimento, scadimento.

depauperàre A v. tr. **1** impoverire, immiserire, rendere povero, dissanguare (*fig.*), stremare (*fig.*) **CONTR.** arricchire **2** [*un ambiente, etc.*] impoverire, rendere povero **CONTR.** impreziosire, valorizzare, adornare **3** [*un terreno*] impoverire, rendere povero, isterilire **CONTR.** nutrire **B** v. intr. pron. **1** deteriorarsi, scadere, peggiorare **2** [*detto di terreno, etc.*] impoverirsi **CONTR.** arricchirsi.

depennàre v. tr. **1** [*una cifra, un nome, etc.*] cancellare, abolire, cassare, espungere (*colto*), barrare **CONTR.** scrivere **2** [*qc. dall'albo professionale*] eliminare, togliere, radiare **CONTR.** iscrivere, inserire.

deperiménto s. m. **1** esaurimento, debolezza, consunzione (*raro*), spossatezza (*est.*) **CONTR.** salute, vigore **2** [*rif. alle sostanze alimentari*] deterioramento.

deperire v. intr. **1** [*detto di persona, etc.*] debilitarsi, perdere le forze, indebolirsi, consumarsi, svigorirsi, esaurirsi, dimagrire, distruggersi (*fig.*), decadere (*raro*), intristire, patire, rovinarsi **CONTR.** irrobustirsi, rafforzarsi, rinvigorirsi, rifiorire **2** [*detto di cibo, di cosa, etc.*] deteriorarsi, scadere, guastarsi, sciuparsi **CONTR.** migliorare.

deperito part. pass.; anche agg. **1** patito, dimagrito, denutrito **CONTR.** forte, vigoroso, robusto **2** (*est.*) esaurito.

depilàre v. tr. sbarbare, rasare, radere, pelare.

depistàre v. tr. sviare, deviare, dirottare.

dépliant s. m. inv. pieghevole, manifesto.

deploràre v. tr. **1** [*una situazione, un evento*] lamentare, rammaricarsi *di*, piangere (*fig.*), querelarsi **CONTR.** rallegrarsi **2** [*il comportamento*] disapprovare, biasimare, condannare, censurare, riprovare **CONTR.** elogiare, approvare, lodare, esaltare **3** [*qc.*] compiangere, commiserare, compatire **CONTR.** invidiare.

deplorazióne s. f. riprovazione, condanna **CONTR.** lode.

deplorévole agg. biasimevole, riprovevole, inqualificabile, spiacevole, indegno (*est.*), disprezzabile **CONTR.** lodevole, encomiabile, stimabile.

deplorevolménte avv. biasimevolmente, indegnamente, sconvenientemente **CONTR.** lodevolmente, convenientemente, encomiabilmente, meritoriamente.

depórre A v. tr. **1** adagiare, mettere giù, depositare, appoggiare, coricare, collocare, posare, porre, ricollocare, scaricare (*est.*) **CONTR.** alzare, sollevare **2** [*qc. da una carica, da un ufficio*] disarcionare (*fig.*), defenestrare, dimettere, destituire, rimuovere, allontanare, detronizzare **CONTR.** assumere, insediare, reintegrare, installare, eleggere **3** [*un'idea, un sentimento*] desistere *da*, abbandonare, rinunciare *a*, liberarsi *di*, lasciare **CONTR.** tenere, conservare **4** [*la giacca, etc.*] (*est.*) levarsi **B** v. intr. fare una testimonianza, testimoniare.

depositàre A v. tr. **1** dare in deposito, affidare, consegnare **CONTR.** ritirare, prelevare **2** posare, deporre, porre, collocare **CONTR.** prendere, sollevare **3** [*q.c. a terra*] lasciare cadere, scaricare **4** [*un brevetto*] registrare **B** v. intr. sedimentare, posare, decantare **C** v. intr. pron. finire sul fondo, sedimentarsi.

depositàrio s. m. (f. -a) custode.

depòsito s. m. **1** magazzino **2** [*del vino, etc.*] sedimento, fondo, posatura **3** [*di denaro*] anticipo, caparra, pegno, versamento (*est.*) *4* custodia *5* serbatoio.

deposizióne *s. f.* *1* [*da una carica, etc.*] allontanamento, rimozione, destituzione **CONTR.** assunzione, chiamata *2* (*dir.*) dichiarazione, testimonianza.

depravàre *A v. tr. 1* [*qc.*] corrompere, fuorviare, pervertire, viziare, contaminare, intossicare (*fig.*), appestare (*fig.*), contagiare (*fig.*), infettare (*fig.*) **CONTR.** correggere, elevare, raddrizzare, moralizzare, convertire *2* [*il gusto estetico, etc.*] (*fig.*) guastare, inquinare *B v. intr. pron.* corrompersi, pervertirsi **CONTR.** elevarsi.

depravàto *A part. pass.; anche agg. 1* corrotto, dissoluto, vizioso, pervertito, immorale, degenerato, debosciato, guasto (*fig.*), infetto (*fig.*) **CONTR.** retto, onesto, probo, integro, puro, virtuoso *2* [*rif. a una persona*] (*est.*) sadico *B s. m.* (*f. -a*) pervertito.

depravazióne *s. f.* corruzione, perversione, dissolutezza, immoralità, vizio (*est.*), aberrazione.

depredàre *v. tr. 1* razziare, saccheggiare, predare (*raro*), devastare (*est.*) **CONTR.** dare *2* [*detto di fisco iniquo, etc.*] derubare, spogliare (*fig.*), rapinare, tassare **CONTR.** dare, restituire, rendere *3* [*un negozio, etc.*] svaligiare.

depredazióne *s. f. 1* saccheggio, razzia, rapina *2* (*est.*) devastazione.

depressióne *s. f. 1* avvallamento, buca, cunetta, fosso, lama, incavatura *2* [*rif. a uno stato d'animo*] (*est.*) avvilimento, sconforto, abbattimento, amarezza, umiliazione, malumore, malinconia, scoraggiamento, scoramento, scontentezza, prostrazione, sfiducia, tristezza, mortificazione, melanconia, demoralizzazione **CONTR.** euforia, contentezza, allegria, entusiasmo, ottimismo *3* [*economica*] (*econ.*) recessione, congiuntura, crisi **CONTR.** ricchezza.

deprèsso *part. pass.; anche agg. 1* abbattuto, amareggiato, avvilito, demoralizzato, scoraggiato, smontato (*fig.*), sfiduciato, sconfortato, scontento, prostrato, moscio, afflitto **CONTR.** allegro, contento, felice, entusiasta, esaltato *2* [*rif. al paese, area*]

sottosviluppato, arretrato **CONTR.** avanzato, progredito.

deprezzaménto *s. m.* svalutazione, svalorizzazione (*fam.*) **CONTR.** valorizzazione.

deprezzàre *A v. tr. 1* (*econ.*) diminuire il valore, declassare, ribassare *2* [*qc., un lavoro*] sminuire, denigrare, disprezzare, svilire **CONTR.** magnificare, esaltare, valorizzare *3* [*un oggetto*] disprezzare, svilire, sottovalutare **CONTR.** magnificare *B v. intr. pron. 1* scadere *2* [*detto di terra, di casa, etc.*] svalutarsi *C v. rifl.* sottovalutarsi, sminuirsi, svilirsi.

deprimènte *part. pres.; anche agg.* demoralizzante, triste, mesto **CONTR.** entusiasmante, esaltante, eccitante, euforizzante, inebriante.

deprimere *A v. tr. 1* [*qc., l'animo, etc.*] demoralizzare, scoraggiare, sconfortare, frustrare, avvilire, opprimere, umiliare, annientare (*fig.*), abbattere (*fig.*), affliggere, costernare, disanimare, rattristare, incupire (*fig.*), prostrare, esanimare, sfiduciare, smontare (*fig.*), buttare giù (*fig.*), degradare **CONTR.** sollevare, rianimare, consolare, eccitare, esaltare, corroborare, rincuorare, incoraggiare, dilettare, riconfortare, entusiasmare, inebriare, infervorare *2* [*un terreno, etc.*] abbassare, avvallare **CONTR.** sollevare, alzare *B v. intr. pron. 1* [*detto di persona, di animo, etc.*] abbattersi, demoralizzarsi, accorarsi, intristirsi, scoraggiarsi, avvilirsi, accasciarsi (*fig.*), incupirsi, rattristarsi, disperarsi, disanimarsi, esanimarsi, estenuarsi, sgasarsi (*gerg.*), smontarsi **CONTR.** entusiasmarsi, esaltarsi, eccitarsi, rianimarsi, rincuorarsi, incoraggiarsi, risollevarsi, riconfortarsi, gasarsi *2* [*detto di terreno, etc.*] avvallarsi, incavarsi, affossarsi, cedere **CONTR.** alzarsi.

depuràre *A v. tr. 1* [*un terreno, ambiente*] bonificare, disinfettare, ripulire **CONTR.** infettare *2* [*il vino, etc.*] filtrare, passare, chiarificare, chiarire, epurare **CONTR.** intorbare, intorbidare *3* [*l'aria, etc.*] purificare, disinquinare, disintossicare **CONTR.** inquinare, corrompere, guastare *4* [*l'olio, etc.*] filtrare, raffinare, espurgare *5* [*un testo scritto*] (*est.*) purgare, correggere, perfezionare *B v. intr. pron.* [*detto di liquido*] purificarsi, filtrarsi, purgarsi,

schiarirsi, decantare **CONTR.** inquinarsi, sporcarsi. ➤

deputàre *v. tr. 1* delegare, incaricare, destinare, dare un'incombenza *a*, dare un incarico *a*, inviare, demandare *2* eleggere, nominare, proporre, designare.

deputàto *s. m.* (*f. -a*) parlamentare, onorevole.

deragliàre *v. intr.* deviare, uscire dai binari, andare fuori dalle rotaie.

dèrby *s. m. inv.* gara, competizione, partita.

deresponsabilizzàre *v. tr.* liberare, esimere **CONTR.** corresponsabilizzare.

deretàno *s. m.* culo (*pop.*), sedere, posteriore, fondoschiena (*euf.*).

deridere *v. tr. 1* schernire, dileggiare, mettere in ridicolo, beffare, beffeggiare, scherzare, sfottere (*volg.*), canzonare, burlare, irridere, ridicoleggiare, coglionare (*volg.*), minchionare (*dial.*), motteggiare, dissacrare, ironizzare *su*, ridicolizzare, sbeffare **CONTR.** applaudire, onorare *2* screditare, disprezzare, sottovalutare, spregiare **CONTR.** ammirare, apprezzare, pregiare, rispettare.

derisióne *s. f.* dileggio, scherno, motteggio (*colto*), beffa, irrisione, spregio, ironia.

deriso *part. pass.; anche agg.* irriso, schernito, dileggiato (*lett.*) **CONTR.** ammirato, lodato, stimato, onorato.

derisóre *agg.* beffardo, canzonatorio **CONTR.** rispettoso.

derisòrio *agg.* beffardo, canzonatorio, irrisorio, irrispettoso **CONTR.** rispettoso.

derivànte *part. pres.; anche agg.* conseguente.

derivàre *A v. tr. 1* trarre, ricavare, attingere *2* [*un'idea, etc.*] trarre, dedurre, desumere, ispirarsi *a*, mutuare *B v. intr. 1* [*detto di fiume, acque, etc.*] provenire, scaturire, originarsi, nascere, procedere, sgorgare, uscire, avere origine **CONTR.** sfociare, sboccare *2* provenire, essere il risultato *di*, essere il prodotto *di*, essere conseguente *a*, seguire *un*, conseguire (*raro*), dipendere **3** [*detto di deduzione logica, etc.*] scaturire, risultare **4** [*detto di stirpe, teoria*] provenire, diramarsi, discendere **5** [*detto di odore*] emanare, venire **6** [*detto di comportamento, etc.*] avere origine, prendere le mosse, partire (*fig.*), muovere (*fig.*).

derivàto *A part. pass.; anche agg.* proveniente, tratto, originato *B s. m.* (*gener.*) sostanza.

derivazióne *s. f.* **1** origine, provenienza, emanazione (*fig.*) **2** (*est.*) diramazione (*fig.*), ramo.

dèrma *s. m. inv.* cute, pelle, tegumento (*colto*), epidermide (*erron.*).

dèroga *s. f.* (*pl. -ghe*) eccezione, trasgressione.

derogàre *v. intr.* **1** [*a una legge, a una norma, etc.*] contravvenire a, discostarsi, eludere *un*, sottrarsi a, infrangere *un* CONTR. osservare, attenersi, ubbidire **2** [*a un patto, a una promessa, etc.*] mancare, violare *un* CONTR. ottemperare.

derubàre *v. tr.* **1** [*qc. di q.c.*] depredare, alleggerire, rapinare, spogliare, privare CONTR. dare, donare, elargire, regalare, rendere, restituire **2** [*q.c.*] rubare, fregare (*pop.*), portare via **3** [*un segreto, etc.*] carpire, sottrarre **4** [*qc. nell'acquisto di q.c.*] frodare **5** [*qc. dei suoi diritti*] defraudare.

désco *s. m.* (*pl. -chi*) **1** tavola, tavolo **2** (*raro*) sgabello.

descritto *part. pass.; anche agg.* raccontato, riportato, esposto, narrato.

descrivere *A v. tr.* **1** [*un evento, un episodio*] narrare, raccontare, illustrare, contare (*raro*), esporre, riferire, relazionare, circostanziare **2** [*detto di pittura, poesia, etc.*] esprimere, rappresentare, spiegare, raffigurare **3** [*qc. come serio, etc.*] delineare, dipingere, ritrarre, tratteggiare, definire **4** [*qc., q.c.*] (*est.*) caratterizzare, disegnare (*fig.*), tracciare (*fig.*), configurare **5** [*il funzionamento di q.c.*] (*est.*) dimostrare *B v. rifl.* definirsi, dipingersi (*fig.*), raffigurarsi.

descrivìbile *agg.* spiegabile, definibile, determinabile.

descrizióne *s. f.* **1** [*di fatti, di eventi, etc.*] racconto, resoconto, esposizione, narrazione, rendiconto, rassegna, relazione, cronistoria, cronaca **2** [*di un luogo, di una via, etc.*] (*est.*) spiegazione, illustrazione **3** [*di una persona, di una cosa*] (*fig.*) ritratto, quadro, profilo, fotografia, pittura **4** (*est.*) censimento.

desèrto *A agg.* **1** [*rif. a un luogo*] disabitato, vuoto, spopolato CONTR. affollato, frequentato, trafficato, popoloso, gremito, colmo, pieno **2** [*rif. al terreno*] incolto, desolato, povero (*est.*) CONTR. coltivato **3** (*est.*) abbandonato **4** solitario, romito (*lett.*) *B s. m.* nulla.

desiàre *v. tr.* desiderare.

desideràre *v. tr.* **1** desiare (*lett.*), bramare, sognare, vagheggiare, sospirare, aspettare, accarezzare, avere voglia *di*, anelare *a*, mirare *a*, ambire, agognare, aspirare *a*, smaniare *per*, amare (*est.*), piacere (*est.*), gradire (*est.*) CONTR. rifiutare, ricusare, paventare, disprezzare, respingere **2** concupire (*lett.*), appetire (*colto*) **3** chiedere, volere, cercare, esigere, richiedere, pretendere, invocare **4** (*est.*) augurare **5** (*est.*) rimpiangere, invidiare.

desidèrio *s. m.* **1** [*di raggiungere una meta*] aspirazione *a*, anelito *a*, volontà (*est.*), ambizione (*est.*) **2** [*non realizzabile*] desio (*lett.*), velleità, sogno **3** [*di vendetta, etc.*] avidità, brama, cupidigia, smania, bramosia **4** [*di q.c.*] desio (*lett.*), avidità, voglia, appetito, uzzolo (*tosc.*) **5** (*est.*) brama, tentazione **6** [*nell'assenza di qc., q.c.*] desio (*lett.*), vaghezza, struggimento, delirio (*raro*) **7** [*di affetto, etc.*] (*est.*) bisogno, esigenza **8** [*spec. al pl., secondo, contro*] piacere, talento (*lett.*) **9** [*spec. in loc.: voler togliersi il*] (*est.*) soddisfazione.

desiderosaménte *avv.* cupidamente, bramosamente, vogliosamente, avidamente, ansiosamente, impazientemente CONTR. svogliatamente, indifferentemente, pigramente.

desideróso *agg.* **1** bramoso, voglioso, assetato, affamato, cupido, avido, ghiotto CONTR. indifferente, svogliato, apatico, noncurante **2** (*est.*) ansioso, impaziente, smanioso.

designàre *v. tr.* **1** soprannominare, chiamare, etichettare **2** [*qc., q.c. con un gesto*] additare, indicare, segnalare, mostrare, accennare **3** [*qc. a una carica, etc.*] proporre, preporre, scegliere, investire, nominare, votare, eleggere, delegare, destinare, deputare, istituire (*raro*) **4** [*una data, etc.*] convenire, stabilire, fissare **5** [*q.c., qc. come prova*] portare, addurre **6** [*qc. a un futuro*] predestinare.

designazióne *s. f.* **1** indicazione **2** elezione, nomina, chiamata (*fig.*).

desinàre *A v. intr.* pranzare, banchettare, mangiare *B s. m. inv.* **1** pasto, rancio **2** cena, pranzo.

desinènza *s. f.* (*ling.*) terminazione, uscita CONTR. radice, tema.

desìo o **disìo** *s. m.* desiderio, voglia, rimpianto (*est.*).

desìstere *v. intr.* **1** cedere, recedere, mollare (*fam.*), disarmare (*fig.*), retrocedere, tirare i remi in barca (*fig.*) CONTR. insistere, perseverare, persistere, proseguire **2** [*da una vendetta, da un proposito*] rinunciare, astenersi, tralasciare **3** (*ass.*) ritirarsi, arrendersi, darsi per vinto **4** [*detto di vento, etc.*] cessare, smettere, finire, restare (*lett.*), terminare, ristare (*lett.*) **5** [*da un'idea, etc.*] deflettere, rimuoversi, deporre *un*.

desolàre *A v. tr.* **1** [*un luogo*] devastare, saccheggiare, distruggere, spogliare, guastare, rovinare CONTR. risparmiare **2** [*qc.*] affliggere, sconfortare, costernare, tormentare (*fig.*), rattristare, addolorare, angosciare CONTR. confortare, consolare, rincuorare, incoraggiare, rianimare, risollevare *B v. intr. pron.* affliggersi, addolorarsi, disanimarsi, sconfortarsi, angosciarsi, rattristarsi CONTR. confortarsi, consolarsi, rincuorarsi, rianimarsi.

desolataménte *avv.* **1** tristemente, sconsolatamente, mestamente, inconsolabilmente CONTR. vivacemente, allegramente **2** squallidamente.

desolàto *part. pass.; anche agg.* **1** [*rif. a una casa, a un'abitazione*] devastato, abbandonato, disabitato, squallido CONTR. animato, vivace, allegro **2** [*rif. a un luogo*] incolto, arido, brullo, deserto **3** [*rif. a una persona*] dispiaciuto, sconsolato, afflitto, triste, affranto, addolorato, costernato CONTR. vivace, allegro, felice **4** [*rif. a uno stato d'ani-*

mo] funereo **CONTR.** allegro, felice.

desolazióne *s. f.* **1** devastazione, squallore, abbandono, trascuratezza **2** [*rif. a uno stato d'animo*] (*est.*) disperazione, tristezza.

dèspota *s. m.* tiranno.

destabilizzàre *v. tr.* [*l'ordine sociale, etc.*] indebolire, abbattere, scuotere, turbare (*fig.*), rovinare **CONTR.** consolidare, stabilizzare, rafforzare.

destàre *A v. tr.* **1** interrompere il sonno, svegliare, ridestare, risvegliare, fare alzare, chiamare (*est.*) **CONTR.** addormentare, assopire **2** [*passioni, paura, etc.*] (*est.*) suscitare, provocare, scatenare, indurre, infondere, mettere **CONTR.** smorzare, spegnere, sopire, placare, calmare **3** [*una fiamma*] accendere, ravvivare, attizzare **CONTR.** smorzare, spegnere **4** [*una persona, l'attenzione di qc.*] accendere, eccitare, stimolare, scuotere *B v. intr. pron.* **1** ridestarsi, svegliarsi, risvegliarsi, alzarsi (*est.*) **CONTR.** addormentarsi, assopirsi **2** [*dall'illusione*] (*est.*) svegliarsi, aprire gli occhi (*fig.*), disingannarsi **CONTR.** dormire **3** [*detto di passione, etc.*] (*est.*) nascere, palesarsi **CONTR.** spegnersi, calare, tramontare **4** [*detto di popolo*] insorgere.

destinàre *v. tr.* **1** decidere, fissare, stabilire, deliberare **2** [*un dipendente, etc.*] distaccare, chiamare, comandare, designare, deputare **3** [*una lettera, etc.*] inviare, indirizzare, mandare **4** [*una chiesa, etc.*] consacrare **5** [*le parole*] rivolgere, dirigere **6** [*una carica*] assegnare, dare, affidare, aggiudicare **7** [*un avvenire*] preparare, predeterminare, predestinare **8** [*una stanza, etc.*] riservare, adibire, adattare **9** [*una somma di denaro, etc.*] devolvere.

destinazióne *s. f.* **1** meta **2** indirizzo **3** approdo.

destino *s. m.* **1** caso, fato, sorte, fortuna **2** [*astrologico*] (*fig.*) stella, pianeta **3** (*est.*) necessità.

destituire *v. tr.* rimuovere, deporre, degradare, licenziare, allontanare, dimettere, sospendere, defenestrare (*fig.*), detronizzare, esonerare, dispensare, liquidare, silurare (*fig.*), esautorare, spodestare, giubilare

---

CONTR. assumere, riassumere, insediare, promuovere, eleggere.

destituzióne *s. f.* rimozione, allontanamento, deposizione, licenziamento.

destraménte *avv.* abilmente **CONTR.** maldestramente, goffamente.

destreggiàrsi *v. intr. pron.* **1** barcamenarsi (*fam.*), arrangiarsi, cavarsela (*fam.*), arrabattarsi, maneggiarsi (*raro*), ingegnarsi **2** (*est.*) tergiversare, schermirsi.

destrézza *s. f.* **1** prontezza, lestezza, scioltezza **CONTR.** goffaggine, impaccio **2** abilità, ingegnosità, sicurezza, perizia **CONTR.** imperizia **3** [*rif. alle capacità intellettuali*] astuzia, accortezza, scaltrezza, ingegno **CONTR.** ingenuità, semplicioneria, dabbenaggine.

destrièro *s. m.* cavallo, corsiero (*lett.*).

dèstro (1) *A agg.* **1** [*di mano, di mente*] lesto, agile **CONTR.** goffo, lento, impacciato **2** [*rif. a una persona*] abile, capace **CONTR.** goffo, lento, impacciato, sprovveduto **3** (*lett.*) adatto **4** propizio, favorevole **5** [*rif. alle parti del corpo*] diritto **CONTR.** sinistro, mancino *B s. m.* diritto **CONTR.** sinistro, mancino.

dèstro (2) *s. m.* occasione, opportunità.

destròsio *s. m.* zucchero, glucosio (*chim.*).

desuèto *agg.* disusato, obsoleto **CONTR.** leader, all'avanguardia.

desuetùdine *s. f.* disabitudine **CONTR.** abitudine, consuetudine.

desùmere *v. tr.* **1** [*una notizia, un dato*] derivare, trarre, ricavare **2** arguire, dedurre, concludere, congetturare, estrapolare, intuire, inferire (*colto*), evincere (*colto*), fare inferenze.

detèctor *s. m.* rilevatore.

detenère *v. tr.* **1** [*il potere, il comando*] avere, possedere, essere in possesso di, essere padrone di, tenere **CONTR.** rinunciare, cedere **2** [*una carica, etc.*] (*sport*) occupare **3** [*qc.*] incarcerare, imprigionare, tenere in prigione **CONTR.** scarcerare, rilasciare.

---

detentóre *A s. m.* (*f. -trice*) possessore, proprietario *B agg.* **CONTR.** aspirante.

detenùto *A s. m.* (*f. -a*) recluso, carcerato, prigioniero, galeotto, forzato *B agg.* **1** posseduto **2** prigioniero.

detenzióne *s. f.* **1** possesso **2** carcerazione, segregazione, prigionia, reclusione **CONTR.** libertà.

detèrgere *A v. tr.* **1** lavare, pulire **CONTR.** imbrattare, impataccare, impiastrare, impiastricciare, macchiare **2** [*un oggetto d'argento*] lucidare, lustrare, forbire (*colto*) **3** [*le mani, etc.*] tergere, lavare **CONTR.** sporcare, insozzare, insudiciare, lordare **4** [*una ferita*] medicare, pulire, nettare, ripulire **5** [*la fronte, il sudore*] (*est.*) asciugare **6** [*il viso*] (*est.*) struccare **7** [*le verdure*] mondare *B v. rifl.* **1** lavarsi, pulirsi, nettarsi, ripulirsi **CONTR.** sporcarsi, insozzarsi, insudiciarsi, imbrattarsi **2** (*est.*) asciugarsi **3** (*est.*) struccarsi.

deterioraménto *s. m.* scadimento, degrado, peggioramento, deperimento **CONTR.** miglioramento.

deterioràre *A v. tr.* **1** peggiorare, rovinare, alterare, danneggiare, guastare **CONTR.** migliorare, sanare **2** [*un paesaggio*] deturpare *B v. intr. pron.* **1** [*detto di cibo, etc.*] degradarsi, rovinarsi, avariarsi, alterarsi, guastarsi, scadere, marcire, deperire **CONTR.** conservarsi **2** [*detto di etica, etc.*] corrompersi (*fig.*), degenerare **CONTR.** migliorarsi, progredire **3** [*detto di situazione, etc.*] degradarsi, depauperarsi, peggiorare **CONTR.** rifiorire **4** [*detto di meccanismo, etc.*] rompersi.

determinàbile *agg.* definibile **CONTR.** indefinibile.

determinànte *part. pres.; anche agg.* **1** decisivo, chiave **CONTR.** secondario, complementare **2** (*est.*) risolutivo, definitivo **3** (*est.*) cruciale, culminante.

determinàre *A v. tr.* **1** [*una data, etc.*] definire, fissare, precisare, specificare, stabilire **2** [*un confine, etc.*] definire, fissare, delimitare, misurare **3** [*la causa, etc.*] localizzare, individuare, distinguere, valutare **4** decidere, deliberare, decretare **5** provocare, cagionare, suscitare, causare, creare (*fig.*), produrre **6** [*il futuro, etc.*] influenzare, influire *su 7* [*la spesa*] quantificare, quantizzare, quotare *8* [*qc. a fare q.c.*] convincere, indurre, persuadere *B v. intr. pron.* risolversi, decidersi, prefiggersi, indursi, proporsi, disporsi.

determinataménte *avv.* con determinazione, risolutamente, apposta **CONTR.** fiaccamente, debolmente, indeterminatamente.

determináto *part. pass.; anche agg. 1* [*rif. a una data, a un appuntamento*] stabilito, definito, fissato, disposto, certo **CONTR.** incerto, dubbio *2* [*rif. all'atteggiamento*] fisso, deciso, risoluto **CONTR.** abulico, dubbioso, malsicuro, fluttuante (*fig.*), ondeggiante (*fig.*), diviso *3* certo, specifico, particolare **CONTR.** astratto, indeterminato, vago.

determinazióne *s. f. 1* volontà, risoluzione, risolutezza, fermezza, saldezza **CONTR.** indecisione, incertezza *2* [*nei confini, etc.*] definizione *3* risoluzione, deliberazione, decisione *4* volontà, volere.

deterrènte *A s. m.* proibizione, freno, ostacolo, inibizione **CONTR.** spinta, stimolo *B agg.* minaccioso.

detestàbile *agg.* odioso, esecrabile, abominevole, insopportabile, antipatico, inviso **CONTR.** amato, gradito, piacevole, simpatico.

detestabilménte *avv.* esecrabilmente, odiosamente, sgradevolmente **CONTR.** amabilmente, affabilmente.

detestàre *A v. tr. 1* odiare, esecrare, aborrire, disprezzare, abominare, maledire, malvolere (*raro*) **CONTR.** adorare, amare, benedire, gradire, lodare, prediligere, idolatrare, venerare *2* [*un comportamento, etc.*] biasimare, condannare, riprovare **CONTR.** stimare, approvare *B v. rifl. rec.* odiarsi, non sopportarsi, non potersi soffrire **CONTR.** adorarsi, amarsi.

detonazióne *s. f. 1* scoppio, esplosione, deflagrazione *2* (*est.*) botto, schiocco.

detràrre *v. tr. e intr. 1* [*una cifra, etc.*] dedurre, decurtare, defalcare, togliere, sottrarre, levare, eliminare, scalare, trarre (*est.*), trattenere (*est.*) **CONTR.** aggiungere, addizionare, sommare, unire *2* [*anni di pena, etc.*] scontare, condonare, abbonare, diminuire *3* [*qc.*] denigrare, diffamare, calunniare **CONTR.** decantare, elogiare, esaltare, incensare, lodare.

detrattóre *s. m.* (*f. -trice*) calunniatore, denigratore, malalingua (*fam.*), linguaccia (*fam.*), diffamatore **CONTR.** adulatore, celebratore, estimatore.

detrazióne *s. f. 1* sottrazione, deduzione, defalco, sconto **CONTR.** aggiunta, addizione *2* calunnia, maldicenza, diffamazione **CONTR.** lode.

detriménto *s. m.* danno, scapito, discapito, svantaggio **CONTR.** vantaggio, utile, giovamento.

detrito *s. m. 1* frammento, residuo, scoria, resto *2* frantumi *3* [*di costruzioni*] maceria.

detronizzàre *v. tr. 1* [*un regnante*] deporre, deporre dal trono, destituire, spodestare **CONTR.** incoronare, insediare *2* [*un dipendente*] (*est.*) destituire, spodestare, licenziare **CONTR.** assumere.

dettagliataménte *avv.* particolareggiatamente, minuziosamente **CONTR.** genericamente, sommariamente, stringatamente, brevemente.

dettagliàto *part. pass.; anche agg.* particolareggiato, circostanziato.

dettàme *s. m. 1* legge, regola, precetto *2* avvertimento, avvertenza, istruzione.

dettàre *v. tr. 1* imporre, comandare, intimare, ingiungere, stabilire *2* pronunciare ad alta voce, dire *3* [*detto di coscienza, etc.*] suggerire, consigliare, mostrare (*fig.*).

détto *A s. m. 1* motto, proverbio, sentenza, adagio, aforisma, parola (*est.*) *2* (*est.*) facezia, arguzia *B part. pass.; anche agg. 1* nominato, suddetto *2* fissato, stabilito.

deturpaménto *s. m. 1* deturpazione, imbruttimento **CONTR.** abbellimento *2* scempio, devastazione *3* sciupatura, sfregio.

deturpàre *A v. tr. 1* [*un volto*] rovinare, sciupare, sfigurare, sfregiare, imbruttire **CONTR.** decorare, abbellire, imbellire, guarnire, ornare, infiorare *2* [*un luogo*] rovinare, devastare, contaminare *3* [*un libro, etc.*] sciupare, deformare, macchiare (*est.*), insudiciare, insozzare, sformare, sconciare, guastare, deteriorare *4* [*un vestito, etc.*] macchiare (*est.*), insudiciare, insozzare *B v. rifl.* imbruttirsi.

deturpàto *part. pass.; anche agg. 1* deformato, sciupato *2* [*rif. al viso*] sfigurato, devastato, sfregiato **CONTR.** bello, fresco.

deturpazióne *s. f. 1* deturpamento, imbruttimento **CONTR.** abbellimento *2* scempio, devastazione *3* sfregio, sciupatura.

devastàre *v. tr. 1* [*una città*] distruggere, saccheggiare, depredare, mettere a ferro e fuoco, mettere a soqquadro, spogliare *2* [*un luogo*] deturpare, rovinare, guastare, desolare, sinistrare **CONTR.** abbellire, arricchire *3* [*il viso*] deturpare, imbruttire, sfigurare, sfregiare, imbellire *4* [*qc., l'animo di qc.*] sconvolgere, abbattere (*fig.*) **CONTR.** confortare, ricreare, risollevare.

devastàto *part. pass.; anche agg. 1* distrutto, rovinato **CONTR.** costruito *2* [*rif. al viso*] sfigurato, deturpato **CONTR.** bello *3* [*dal dolore, dalla paura*] affranto, addolorato, abbattuto **CONTR.** confortato, sollevato *4* [*rif. a una casa, a un'abitazione*] (*lett.*) desolato, squallido, saccheggiato.

devastazióne *s. f. 1* distruzione *2* deturpamento, deturpazione *3* (*est.*) depredazione, sterminio, saccheggio, sacco *4* [*morale*] (*fig.*) sconvolgimento *5* [*di un paesaggio*] desolazione.

deviàre *A v. intr. 1* scartare, svoltare, sbandare *2* [*dalla norma, etc.*] allontanarsi, distogliersi, discostarsi, scostarsi **CONTR.** incanalarsi *3* [*detto di strade, opinioni, etc.*] divergere *4* [*dalla retta via*] tralignare, dirazzare, corrompersi, pervertirsi *5* [*detto di treno*] deragliare *6* [*detto di strada, fiume, etc.*] volgere, piegare, voltare *B v. tr. 1* [*il traffico*] allontanare, fare cambiare direzione, dirigere altrove, mandare da un'altra parte, sviare, indirizzare, convogliare, fare cambiare strada a, dirottare (*est.*), depistare *2* [*qc. dalla retta via*] allontanare, fuorviare, traviare, distogliere *3* [*il discorso*] indirizzare diversamente *4* [*un corso d'acqua*] inalveare, incanalare.

deviàto *part. pass.; anche agg.* corrotto, pervertito, dissoluto.

deviatóio *s. m. (ferr.)* scambio.

deviazióne *s. f.* **1** spostamento, scarto, scartata **2** *(est.)* errore, sbandata *(fig.)* **3** [*in un discorso*] *(fig.)* digressione, divagazione **4** [*morale*] *(est.)* perversione, aberrazione **5** [*ideologico*] *(fig.)* slittamento.

devòlvere *v. tr.* **1** [*denaro*] elargire, erogare, donare, regalare, offrire, dare con munificenza **CONTR.** ricevere, accettare **2** [*un patrimonio*] trasmettere, passare, consegnare, destinare, trasferire **3** *(gener.)* dare.

devotaménte *avv.* **1** religiosamente, piamente, con devozione, misticamente **CONTR.** empiamente, sacrilegamente, irreligiosamente, indifferentemente **2** ardentemente, appassionatamente **CONTR.** indifferentemente, freddamente.

devòto **A** *agg.* **1** [*a un'attività*] dedicato, votato, dedito **CONTR.** contrario, avverso **2** affezionato, fidato, sincero, rispettoso, ligio, fido, fedele, riverente **CONTR.** contrario, avverso, sprezzante **3** [*rif. al sentire religioso*] fedele, riverente, pio, credente, osservante, pietoso *(est.)*, religioso, praticante **CONTR.** sprezzante, empio, sacrilego **B** *s. m. (f. -a)* **1** credente **2** seguace.

devozióne *s. f.* **1** [*verso la divinità*] dedizione, venerazione, riverenza **2** ossequio, sottomissione, abnegazione, fedeltà *(est.)*, affetto, attaccamento **3** dedizione, pietà, religiosità.

dì *s. m. inv.* giorno, giornata.

diabolicaménte *avv.* **1** perversamente, malvagiamente, perfidamente, spietatamente **CONTR.** benevolmente, bonariamente **2** *(propr.)* **CONTR.** celestialmente, divinamente.

diabòlico *agg.* **1** infernale, orrendo, orribile **CONTR.** celeste, divino, santo **2** [*rif. all'animo*] maligno, perverso, perfido **CONTR.** buono.

diadèma *s. m.* corona, ghirlanda *(est.)*, aureola.

diàfano *agg.* **1** trasparente **CONTR.** opaco **2** [*rif. all'aspetto*] *(fig.)* etereo, evanescente, vaporoso **CONTR.** forte, robusto **3** [*rif. al viso*] *(est.)* emacia-

to, pallido **CONTR.** rubicondo **4** [*rif. alle mani, alle membra*] delicato, esile, gracile **CONTR.** forte, robusto.

diagnosticàre *v. tr.* individuare.

diagonàle **A** *agg.* trasversale, obliquo, traverso **CONTR.** diritto, verticale **B** *s. f. (gener.)* linea, riga.

diagonalménte *avv.* trasversalmente, di traverso, obliquamente **CONTR.** orizzontalmente, verticalmente.

dialèttica *s. f. (pl. -che)* **1** logica **2** *(est.)* parlantina *(fam.)*, loquacità, facondia *(colto)*, loquela, eloquenza.

dialètto *s. m.* vernacolo.

dialogàre *v. intr.* parlare, chiacchierare, conversare, discorrere, discutere, colloquiare **CONTR.** tacere.

diàlogo *s. m. (pl. -ghi)* conversazione, colloquio, discussione, chiacchierata, discorso.

diamànte *s. m.* **1** brillante **CONTR.** smeraldo, rubino, zaffiro **2** *(gener.)* pietra, gemma, minerale.

diametralménte *avv.* radicalmente, del tutto, totalmente **CONTR.** per nulla.

diàmetro *s. m. (est.)* calibro, misura.

diàrio *s. m.* **1** agenda, taccuino *(est.)*, quaderno **2** [*di bordo*] giornale, registro **3** memoria, memoriale.

diàtriba *s. f.* polemica, contesa, discussione, controversia.

diàvolo **A** *s. m.* **1** lucifero, demonio, maligno **CONTR.** dio **2** [*rif. a un bambino*] *(fig.)* demonio, peste, terremoto **B** *agg.* diabolico, perfido *(est.)*, cattivo *(est.)* **C** *inter.* cospetto, dannazione, perbacco.

dibàttere **A** *v. tr.* **1** discutere, esaminare, vagliare *(fig.)*, trattare *(est.)* **2** [*le ali, etc.*] agitare, scuotere **B** *v. rifl.* **1** dimenarsi, divincolarsi, contorcersi, agitarsi, guizzare *(est.)*, sbattersi *(fam.)* **2** combattere, lottare.

dibattiménto *s. m.* **1** dibattito, discussione **2** disputa, controversia.

dibàttito *s. m.* **1** discussione, dibattimento **2** disputa, controversia.

dicastèro *s. m.* ministero.

dicerìa *s. f.* **1** chiacchiera, ciarla, pettegolezzo, mormorazione, rumore *(fig.)*, voce *(fig.)*, ciacola *(ven.)* **2** *(est.)* frottola, leggenda.

dichiaràre **A** *v. tr.* **1** [*le proprie idee, etc.*] manifestare, rivelare, enunciare, esporre, palesare, svelare, dire, esibire, professare, esplicitare, fare professione *di*, mostrare, gridare *(fig.)*, spiegare **CONTR.** tacere, coprire, celare, nascondere, occultare, velare **2** [*il reddito*] denunciare **3** [*la propria innocenza*] proclamare, sostenere **4** [*la propria innocenza*] riconoscere, confessare, ammettere **5** [*la verità, etc.*] asserire, affermare, testimoniare, assicurare, giurare, certificare **6** annunciare, notificare **7** [*qc. erede dei propri beni*] riconoscere, nominare **8** [*lo sciopero*] proclamare, indire **9** [*le proprie generalità*] declinare **10** [*qc. re della festa, etc.*] eleggere, incoronare *(fig.)* **11** [*qc. colpevole, etc.*] giudicare, sentenziare **B** *v. rifl.* **1** [*colpevole, innocente*] professarsi, proclamarsi, protestarsi **2** professarsi, chiamarsi, riconoscersi, dirsi, qualificarsi **3** *(ass.)* rivelarsi, mostrarsi **4** eleggersi, nominarsi, incoronarsi.

dichiaratamente *avv.* esplicitamente, manifestamente, palesemente, evidentemente **CONTR.** oscuramente, celatamente, di nascosto.

dichiaràto *part. pass.; anche agg.* **1** esplicito, palese, manifesto, chiaro, evidente **CONTR.** coperto, celato, occulto **2** [*rif. al vincitore, etc.*] giudicato, proclamato **3** [*rif. a una persona*] nominato **4** [*rif. alla verità, etc.*] affermato, giurato **CONTR.** negato.

dichiarazióne *s. f.* **1** affermazione, asserzione, annuncio **2** [*di amore, di fede, etc.*] attestazione, attestato, confessione, protesta, atto, testimonianza, professione **3** [*in tribunale, etc.*] *(bur.)* deposizione.

dicitùra *s. f.* iscrizione, stampigliatura, scritta.

didatticaménte *avv.* pedagogicamente.

didiètro **A** *avv.* dietro **CONTR.** davanti **B** *s. m. inv.* sedere, culo *(volg.)*, fondoschiena *(euf.)*, posteriore **C** *agg. inv.* posteriore.

dìdimo *s. m.* coglione (*volg.*), testicolo, palla (*pop.*).

dielèttrico *agg.; anche s. m.* isolante.

dièta (1) *s. f. 1* regime (*est.*) *2* (*scherz.*) digiuno, astinenza.

dièta (2) *s. f.* adunanza, conferenza, consesso, consulta.

diètro A *avv. 1* nella parte posteriore, didietro, appresso, indietro **CONTR.** davanti, dinanzi, avanti, di faccia, di fronte, dirimpetto, anteriormente, innanzi *2* (*temp.*) dopo **CONTR.** anteriormente **B** *prep. 1* dopo *2* di là da *3* al seguito, appresso *4* alle spalle *5* conforme, secondo **C** *agg.* retrostante **CONTR.** antistante, anteriore.

difàtti *cong.* infatti.

difèndere A *v. tr. 1* [*q.c., qc.*] tutelare, proteggere, salvaguardare, cautelare, tenere le parti *di* **CONTR.** compromettere, danneggiare, avversare, combattere, contrastare, osteggiare *2* [*una posizione militare*] (*mil.*) premunire, presidiare, tenere *3* [*un segreto, etc.*] (*est.*) guardare (*fig.*), custodire (*fig.*), covare (*fig.*) *4* [*qc.*] (*est.*) guardare (*fig.*), vegliare *5* [*un luogo, una costruzione*] (*est.*) corazzare, munire *6* [*qc.*] scagionare, scusare, scolpare, discolpare **CONTR.** accusare, incolpare *7* [*gli occhi, etc.*] riparare, coprire, schermare, parare (*dir.*) **CONTR.** esporre *8* [*gli ideali, una causa*] patrocinare, propugnare, sostenere, perorare *9* [*l'ordine, la disciplina*] conservare, mantenere **CONTR.** perturbare *10* [*la specie*] salvare, preservare *11* [*qc.*] (*est.*) appoggiare, aiutare *12* [*il corpo dal freddo, etc.*] isolare **B** *v. rifl. 1* proteggersi, preservarsi, riguardarsi, cautelarsi, garantirsi, guardarsi le spalle, guardarsi, premunirsi, salvaguardarsi, pararsi, salvarsi, aiutarsi **CONTR.** abbandonarsi, esporsi *2* scolparsi, scagionarsi, giustificarsi, scusarsi, discolparsi **CONTR.** accusarsi, incolparsi, confessare *3* (*fam.*) cavarsela, arrangiarsi **CONTR.** arrendersi, cedere *4* [*dalle passioni*] resistere *a 5* [*dal sole, etc.*] (*est.*) proteggersi, pararsi, schermirsi, ripararsi.

difendìbile *agg.* [*rif. a una teoria*] sostenibile.

difensóre *s. m.* (*f.* difenditrice) *1* [*dei deboli*] sostenitore, protettore, patrocinatore, propugnatore, avvocato, tutore, alleato, apostolo *2* [*delle dame*] campione, cavaliere, paladino *3* [*della libertà*] (*est.*) paladino, guardiano.

difésa *s. f. 1* tutela, protezione *2* (*est.*) prevenzione *3* discarico, discolpa *4* [*dell'ambiente, etc.*] mantenimento, conservazione, salvaguardia, presidio (*fig.*) *5* (*fig.*) riparo, muro, diga, scudo, armatura, egida *6* (*est.*) copertura, schermo *7* [*spec. con: venire in*] soccorso *8* [*spec. con: assumere la*] (*bur.*) patrocinio *9* perorazione.

diféso *part. pass.; anche agg. 1* munito, fortificato **CONTR.** indifeso *2* protetto, riparato, coperto **CONTR.** aggredito *3* [*da un avvocato*] patrocinato, assistito.

difettàre *v. intr. 1* mancare, scarseggiare, essere carente, peccare (*fig.*) **CONTR.** abbondare, sovrabbondare, eccedere, esorbitare, traboccare *2* essere difettoso, avere dei difetti.

difètto *s. m. 1* mancanza, insufficienza, pecca (*fam.*), imperfezione, fallo, manchevolezza, neo (*fig.*), debolezza (*fig.*), magagna (*fam.*) **CONTR.** pregio, virtù *2* (*est.*) colpa, peccato, vizio *3* [*fisico*] deficit, deformazione, handicap (*ingl.*).

difettosaménte *avv.* imperfettamente **CONTR.** perfettamente, bene.

difettóso *agg. 1* malfatto, imperfetto, inesatto, deficiente, incompleto, mutilo, manco (*lett.*), scadente (*est.*), fallito **CONTR.** compiuto, perfetto *2* [*rif. al fisico*] malfatto, malformato **CONTR.** bello, proporzionato.

diffalcàre *v. tr.* defalcare **CONTR.** aggiungere.

diffamàre *v. tr.* screditare, denigrare, calunniare, infamare, disonorare, demolire (*fig.*), sparlare *di*, detrarre, ingiuriare, accusare, bollare (*fig.*) **CONTR.** elogiare, encomiare, esaltare, incensare, lodare, onorare, riabilitare.

diffamatóre A *s. m.* (*f. -trice*) denigratore, detrattore, calunniatore, malalingua (*fam.*), linguaccia (*fam.*) **CONTR.** celebratore, esaltatore **B** *agg.* denigratore **CONTR.** elogiatore.

diffamatòrio *agg.* denigratorio, infamante, oltraggioso, offensivo, maligno (*est.*), insolente (*est.*) **CONTR.** elogiativo, laudativo (*lett.*).

diffamazióne *s. f.* maldicenza, calunnia, mormorazione, detrazione (*raro*).

differènte *agg. 1* diverso, dissimile, disuguale, difforme **CONTR.** uguale, identico, equivalente, equipollente, affine, analogo, simile, somigliante, pari, convergente (*est.*), similare *2* divergente *3* vario *4* altro, secondo.

differenteménte *avv. 1* altrimenti, diversamente, difformemente, discordemente, viceversa **CONTR.** analogicamente, similmente, conformemente, corrispondentemente *2* (*est.*) variamente, in modi diversi **CONTR.** ugualmente.

differènza *s. f. 1* diversità, disuguaglianza, divario, dissomiglianza **CONTR.** somiglianza, uguaglianza *2* [*di idee, etc.*] discordanza, divergenza, difformità, discrepanza **CONTR.** vicinanza, analogia, affinità, corrispondenza *3* [*di bilancio, etc.*] disavanzo, scarto *4* [*di stipendio, etc.*] dislivello, squilibrio, abisso (*fig.*) *5* [*di trattamento*] (*est.*) discriminazione, disparità, distinzione *6* (*mat.*) sottrazione **CONTR.** somma.

differenziàre A *v. tr. 1* distinguere, caratterizzare, contraddistinguere, contrassegnare (*est.*) **CONTR.** uguagliare, equiparare, pareggiare, identificare, livellare, massificare, parificare *2* (*est.*) fare una distinzione, discriminare, separare, sceverare *3* [*le attività*] diversificare, variare **B** *v. intr. pron.* [*nelle opinioni*] essere diverso, distinguersi, discostarsi, differire, divergere **CONTR.** conformarsi, assomigliare, uguagliarsi **C** *v. rifl.* diversificarsi, dissomigliare.

differenziazióne *s. f.* diversificazione, variazione **CONTR.** livellamento.

differiménto *s. m.* rimando, rinvio, proroga, sospensione (*est.*).

differìre A *v. tr.* rimandare, procrastinare, dilazionare, ritardare, aggiornare, rimettere, spostare, rinviare, dilatare, prorogare, mettere tempo in mezzo, posporre, posticipare, traccheggiare, protrarre, prolungare, dilungare, indugiare **CONTR.** anticipare **B** *v. intr.* differenziarsi, distinguersi, di-

diga

versificarsi, dissomigliare, divergere, distaccarsi (*fig.*), distare (*fig.*), discordare, dissentire **CONTR.** somigliare, assomigliare, rassomigliare, conformarsi, corrispondere, combaciare.

difficile *A agg. 1* [*rif. alle parole, alle idee*] complicato, complesso, arduo, impegnativo, ostico, astruso, concettoso, involuto, difficoltoso, alto **CONTR.** facile, liscio, elementare, intelligibile *2* [*rif. a un viaggio, a un cammino*] faticoso, duro **CONTR.** facile, agevole *3* [*rif. a un argomento*] sgradevole, scabroso (*fig.*), spinoso (*fig.*) **CONTR.** facile, liscio, elementare, agevole, agile *4* [*rif. a un pendio, a un sentiero, etc.*] faticoso, malagevole, disagevole, impervio **CONTR.** facile *5* [*rif. a una situazione*] faticoso, scomodo, critico **CONTR.** facile *6* improbabile **CONTR.** facile *7* [*rif. a un problema, a una questione*] spinoso, grosso, pesante, grave **CONTR.** facile, agevole, agile *8* [*rif. a una persona*] intrattabile, bisbetico, permaloso, nevrotico, scontroso **CONTR.** facile, accessibile, compiacente, adattabile *B s. m. sing.* difficoltà **CONTR.** facile.

difficilménte *avv. 1* stentatamente, faticosamente, appena, difficoltosamente **CONTR.** agevolmente, facilmente, comodamente *2* poco probabilmente, improbabilmente **CONTR.** probabilmente, spesso, frequentemente.

difficoltà *s. f. inv. 1* complessità, enigmaticità **CONTR.** semplicità *2* [*nei testi scritti, etc.*] gravezza, durezza, pesantezza, scabrosità (*est.*) **CONTR.** facilità, chiarezza *3* asperità (*colto*), ostacolo, complicazione, inconveniente, blocco (*fig.*), barriera (*fig.*), disagio, intoppo, intralcio, inciampo, accidente, scoglio (*fig.*), impasse (*fr.*), complicanza, impedimento, strettoia (*fig.*), groppo (*raro*) *4* [*con*] fatica, sforzo *5* [*finanziario*] congiuntura, crisi, penuria *6* [*nel vivere, etc.*] angustia, tribolazione, traversia *7* [*spec. con: fare*] (*est.*) obiezione *8* aporia.

difficoltosaménte *avv. 1* stentatamente, faticosamente, difficilmente, problematicamente **CONTR.** agilmente, comodamente *2* [*rif. al parlare*] stentatamente **CONTR.** correntemente, fluidamente, scioltamente, scorrevolmente *3* [*rif. al vivere*] stentatamente, problematicamente **CONTR.**

mollemente.

difficoltóso *agg. 1* [*rif. a un'impresa*] difficile, complicato, arduo, stentato **CONTR.** facile, piano, chiaro *2* [*rif. a una persona*] difficile, scontroso, suscettibile **CONTR.** facile, chiaro, affabile, gentile *3* [*rif. all'esistenza*] problematico, tormentoso **CONTR.** facile, rilassato *4* [*rif. a una decisione*] tormentato **CONTR.** facile, piano, chiaro *5* [*rif. a uno scritto*] pesante (*fig.*), ostico **CONTR.** facile, piano, chiaro, corrente, fluente, fluido, scorrevole.

diffida *s. f.* avviso, ingiunzione, intimazione.

diffidàre *A v. intr.* sospettare, dubitare, temere *un*, non fidarsi, non avere fiducia *in* **CONTR.** confidare, contare *B v. tr. 1* [*q.c. a qc.*] ingiungere, intimare *2* (*est.*) proibire.

diffidènte *part. pres.; anche agg. 1* sospettoso, ombroso **CONTR.** corrivo, credulone, semplicione, confidente (*est.*) *2* dubbioso, scettico, incredulo *3* sfiduciato.

diffidènza *s. f. 1* sfiducia, sospetto **CONTR.** fiducia *2* scetticismo, incredulità **CONTR.** credulità.

diffóndere *A v. tr. 1* [*luce, calore, etc.*] spandere, propagare, emanare, spargere, irradiare, distribuire, irraggiare, emettere, effondere (*lett.*), espandere, raggiare **CONTR.** attirare, attrarre *2* [*una notizia*] trasmettere, diramare, pubblicizzare, propagandare, mandare in onda, pubblicare, radiotrasmettere, radiodiffondere, reclamizzare, ridire, propalare *3* [*una malattia*] trasmettere, veicolare, attaccare *4* [*l'allegria, etc.*] comunicare, infondere *5* [*una notizia scientifica*] divulgare, volgarizzare *6* [*odio, amore, etc.*] predicare, disseminare (*fig.*), seminare (*fig.*) *7* [*una moda, un costume*] (*est.*) introdurre, esportare *B v. intr. pron. 1* [*detto di nebbia, di calore, etc.*] spargersi, propagarsi, spandersi, effondersi, irradiarsi, raggiare **CONTR.** dissiparsi *2* [*detto di notizia, etc.*] trapelare, circolare, rimbalzare (*fig.*), correre (*fig.*), filtrare (*fig.*), diramarsi (*fig.*), girare (*fig.*), volare (*fig.*) *3* [*nel parlare, etc.*] (*est.*) dilungarsi *a*, soffermarsi *a 4* [*detto di malattia, etc.*] comunicarsi *5* [*detto di dolore, etc.*] propagarsi, irradiarsi, corrispondere *6*

[*detto di paura, di scontento, etc.*] (*fig.*) serpeggiare, dilagare *7* [*detto di moda, di fenomeno*] imperversare, svilupparsi, attecchire (*fig.*), estendersi (*fig.*), espandersi *8* [*in scuse, etc.*] profondersi *9* [*detto di arte, di commercio*] fiorire (*fig.*), proliferare, prolificare.

diffórme *agg.* ineguale, differente, diverso **CONTR.** conforme, consono, uguale, uniforme.

difformeménte *avv.* diversamente, differentemente **CONTR.** similmente, analogamente.

difformità *s. f. inv. 1* differenza, diversità **CONTR.** uniformità *2* [*rispetto a q.c.*] contrasto, incoerenza, contraddizione.

diffusaménte *avv. 1* abbondantemente, ampiamente, largamente, estesamente, distesamente, estensivamente **CONTR.** succintamente *2* [*rif. al parlare*] prolissamente, particolareggiatamente, lungamente **CONTR.** brevemente, con poche parole, asciuttamente.

diffusióne *s. f. 1* [*di notizie, di idee, etc.*] propagazione, divulgazione, propalazione, volo (*fig.*) *2* [*di una malattia, etc.*] propagazione, trasmissione, comunicazione *3* [*di un fenomeno, etc.*] dilatazione, espansione, proliferazione *4* [*di liquidi*] spargimento *5* [*di un gas*] dispersione, emanazione *6* [*di solidi*] disseminazione, sparpagliamento *7* [*di un prodotto*] spaccio, vendita, smercio *8* [*spec. in loc.: fare opera di*] (*est.*) pubblicità, propaganda *9* [*di testi scritti, etc.*] pubblicazione, apparizione, stampa.

diffùso *part. pass.; anche agg. 1* [*rif. al suono, alla luce, etc.*] esteso, ampio, sparso, moltiplicato **CONTR.** forte *2* [*rif. a uno scritto, a un discorso*] (*fig.*) minuzioso, prolisso **CONTR.** compendioso, stringato, breve, succinto *3* [*rif. a una notizia*] moltiplicato, divulgato *4* [*rif. al panico, alla paura, etc.*] moltiplicato, disseminato *5* [*rif. a una legge*] (*dir.*) promulgato.

diffusóre *A s. m. 1* apparecchio *2* [*rif. a una persona*] (*raro*) propagandista, propagatore, banditore *B agg.* distributore.

dìga *s. f.* (*pl. -ghe*) *1* argine

digerire
2 (*gener.*) struttura, costruzione **3** muro, difesa, freno **4** [*di un canale, etc.*] chiusa, cateratta, chiusura.

digerire *v. tr.* **1** [*il cibo*] assimilare, assorbire, elaborare, smaltire (*est.*) CONTR. rigettare, vomitare **2** [*un concetto*] (*est.*) assimilare, assorbire, elaborare, accettare, capire, comprendere, impadronirsi *di* CONTR. respingere, rifiutare **3** [*una situazione*] (*est.*) tollerare, sopportare CONTR. respingere, rifiutare.

digestivo (1) *s. m.* **1** amaro **2** (*gener.*) bevanda.

digestivo (2) *agg.* (*med.*) gastrico.

digiunàre *v. intr.* **1** fare astinenza CONTR. mangiare, divorare, pappare, gozzovigliare, nutrirsi, rifocillarsi, satollarsi, saziarsi **2** (*est.*) astenersi.

digiùno A *agg.* **1** privo, carente, mancante CONTR. fornito, provvisto **2** affamato CONTR. sfamato, sazio, satollo, pieno (*fig.*) **B** *s. m.* **1** astinenza, dieta **2** astinenza, privazione.

dignità *s. f. inv.* **1** decoro CONTR. abiezione **2** orgoglio, fierezza, alterezza **3** [*nel comportamento, etc.*] contegno, compostezza, decenza **4** onore, prestigio **5** carica, titolo.

dignitosaménte *avv.* **1** decentemente, decorosamente, onoratamente, onorevolmente **2** nobilmente, elevatamente, fieramente, signorilmente CONTR. abiettamente, bassamente, ignobilmente, vigliaccamente, turpemente **3** compostamente, contegnosamente.

dignitóso *agg.* **1** [*rif. a una persona*] fiero, orgoglioso, nobile CONTR. abietto, basso, vile, volgare **2** [*rif. al lavoro, allo studio*] decente, decoroso, onorevole CONTR. misero **3** [*rif. al portamento*] distinto CONTR. scomposto, animalesco **4** [*rif. all'atteggiamento*] raccolto.

digradàre *v. intr.* **1** [*detto di terreno, etc.*] ... in declivio, declinare, ... bassarsi, calare CONTR. ...si, innalzarsi, salire **2** \[*suono, etc.*] (*est.*) ca- ... enuarsi, sfumare, di- ... mentare, rafforzar-

digressióne *s. f.* deviazione, divagazione, parentesi (*fig.*), inciso (*fig.*), sbavatura (*fig.*).

digrignàre *v. tr.* [*i denti*] fare stridere, arrotare.

digrossàre A *v. tr.* **1** [*q.c.*] limare, finire, rifinire, perfezionare, sgrossare, affilare, assottigliare, sbozzare **2** [*qc.*] perfezionare, dirozzare, raffinare, istruire, educare, ingentilire, correggere CONTR. involgarire, imbarbarire **B** *v. rifl.* raffinarsi, ingentilirsi, perfezionarsi CONTR. involgarirsi, imbarbarirsi.

digrossàto *part. pass.; anche agg.* **1** assottigliato, affinato **2** affinato, educato, raffinato CONTR. peggiorato, grezzo.

dilagàre *v. intr.* **1** [*detto di acque, etc.*] straripare, tracimare, spargersi, espandersi CONTR. stagnare, inalvearsi **2** [*detto di moda, di corruzione, etc.*] (*est.*) diffondersi, propagarsi, prendere piede, effondersi, allignare (*fig.*), imperversare (*fig.*) CONTR. finire.

dilaniànte *part. pres.; anche agg.* straziante, atroce, tremendo, acuto.

dilaniàre A *v. tr.* **1** fare a pezzi, sbranare, smembrare, strappare, stracciare, lacerare, sbrindellare, maciullare, sfracellare **2** [*detto di gelosia, di rimorso, etc.*] (*fig.*) straziare, tormentare, torturare **B** *v. rifl. rec.* tormentarsi, ferirsi.

dilapidàre *v. tr.* dissipare, buttare via, scialacquare, sperperare, sprecare, spendere, disperdere, buttare, divorare (*fig.*) CONTR. conservare, economizzare, risparmiare, lesinare, accantonare.

dilapidatóre *s. m.* (*f. -trice*) dissipatore, scialacquatore.

dilatàre A *v. tr.* **1** ampliare, ingrandire, allargare, gonfiare, estendere, accrescere, aumentare, ingrossare, espandere CONTR. contrarre, diminuire, limitare, sgonfiare **2** [*un appuntamento, etc.*] (*est.*) differire, rimandare **3** [*una notizia, etc.*] (*est.*) diffondere, divulgare, propagare **4** [*gli occhi*] (*est.*) sbarrare, spalancare **5** [*le vele, etc.*] (*est.*) distendere **6** [*un gas*] (*chim.*) rarefare **B** *v. intr. pron.* **1** espandersi, allargarsi, estendersi, ampliarsi, svilupparsi, crescere, ingrossarsi, ingrandirsi, gon-

fiarsi, proliferare, distendersi, ramificarsi (*fig.*) CONTR. contrarsi, diminuire, restringersi, limitarsi, ridursi, sgonfiarsi **2** [*detto di gas*] (*chim.*) espandersi, rarefarsi.

dilatàto *part. pass.; anche agg.* **1** aperto, allargato CONTR. ristretto, stretto **2** [*rif. all'occhio*] vitreo (*fig.*), inespressivo, sbarrato.

dilatazióne *s. f.* **1** ampliamento, allargamento, estensione CONTR. riduzione **2** [*di un fenomeno, etc.*] espansione, diffusione, amplificazione.

dilavàre *v. tr.* **1** erodere, consumare **2** [*i colori*] scolorire, sbiadire.

dilazionàre *v. tr.* **1** differire, rinviare, procrastinare, prorogare, ritardare, indugiare, prolungare, protrarre, spostare CONTR. anticipare, accelerare, affrettare **2** [*una situazione*] strascicare **3** [*un pagamento*] (*est.*) rateizzare, rateare.

dilazióne *s. f.* **1** rinvio, rimando, proroga, aggiornamento (*est.*), prolungamento (*est.*), allungamento (*est.*) **2** tregua, sospensione **3** (*est.*) rateizzazione.

dileggiàre *v. tr.* deridere, beffeggiare, schernire, vilipendere, scherzare, sfottere (*volg.*), beffare, canzonare, prendere in giro, irridere, prendersi gioco *di*, coglionare (*volg.*), motteggiare, minchionare (*volg.*), ironizzare *su* CONTR. onorare, esaltare, lodare.

dileggiàto *part. pass.; anche agg.* deriso, schernito, irriso CONTR. lodato, ammirato, stimato, onorato.

dilèggio *s. m.* **1** derisione, scherno, irrisione, ironia CONTR. plauso **2** beffa, motteggio.

dileguàre A *v. tr.* [*un dubbio*] disperdere, dissipare, fare scomparire, fugare **B** *v. intr. e intr. pron.* **1** [*detto di odore*] svanire, sparire, sfumare, scomparire, dissolversi, disperdersi, dissiparsi, perdersi, volatilizzarsi, svaporarsi **2** [*detto di persona, etc.*] sparire, scomparire, allontanarsi, evadere, fuggire, andarsene, scappare, involarsi (*fig.*), togliersi di mezzo (*fam.*), disparire (*lett.*) CONTR. apparire, comparire, mostrarsi, riapparire, ricomparire **3** [*detto di illusioni, etc.*] svanire, sparire, sfumare, scomparire, dissolversi, spegnersi (*fig.*), rientrare, andare (*fig.*).

dilèmma *s. m.* **1** problema **2** (*est.*) scelta, alternativa **3** (*est.*) dubbio, assillo.

dilettàre *A v. tr.* divertire, rallegrare, deliziare, sollazzare, svagare, allietare, appagare, accontentare, ricreare, dare piacere *a*, attrarre, interessare, fare piacere *a*, lusingare, piacere *a*, giovare *a* (*est.*), procurare delizia **CONTR.** contristare, affliggere, annoiare, rattristare, infastidire, molestare, deprimere, opprimere, seccare, scocciare, tediare, funestare *B v. intr. pron.* compiacersi, crogiolarsi, deliziarsi, divertirsi, godere, gioire, provare piacere, rallegrarsi, sollazzarsi, bearsi, interessarsi, pascersi, ricrearsi **CONTR.** affliggersi, annoiarsi, contristarsi, rattristarsi, infastidirsi, deprimersi, seccarsi, scocciarsi, tediarsi.

dilettévole *agg.; anche s. m. sing.* piacevole.

dilètto (1) *A part. pass.; anche agg.* amato, caro, prediletto, beneamato **CONTR.** odiato, inviso *B s. m.* (*f. -a*) amato.

dilètto (2) *s. m.* **1** gioia, delizia, gaudio (*colto*), vaghezza (*lett.*), piacere, godimento **CONTR.** sofferenza, patimento, tortura (*fig.*), dolore **2** divertimento, svago, sollazzo.

diligènte *part. pres.; anche agg.* **1** [*rif. a una persona*] meticoloso, scrupoloso, attento, ligio, coscienzioso, volenteroso, zelante, studioso **CONTR.** negligente, superficiale, sbrigativo, distratto, disattento (*lett.*), dimentico, pigro **2** [*rif. al lavoro, allo studio*] accurato, preciso, esatto **CONTR.** superficiale, sbrigativo, affrettato, frettoloso.

diligenteménte *avv.* accuratamente, scrupolosamente, meticolosamente, con precisione, attentamente, coscienziosamente, zelantemente, precisamente, esattamente, fedelmente, pazientemente, puntualmente **CONTR.** negligentemente, sbadatamente, distrattamente, frettolosamente.

diligènza (1) *s. f.* impegno, attenzione, accuratezza, applicazione, cura, scrupolosità, precisione, sollecitudine, coscienziosità, zelo, scrupolo, responsabilità (*est.*), puntualità (*est.*),

studio (*lett.*) **CONTR.** incuria, disimpegno, superficialità, sbadataggine, disattenzione.

diligènza (2) *s. f.* **1** carrozza **2** (*gener.*) veicolo.

diluire *v. tr.* **1** [*q.c. in un liquido*] sciogliere, stemperare, disciogliere, liquefare, dissolvere **CONTR.** concentrare, condensare, coagulare, rapprendere, rassodare, ispessire **2** [*il vino con l'acqua, etc.*] allungare, benedire (*scherz.*), annacquare, mischiare **3** [*un racconto, etc.*] allungare **CONTR.** riassumere, sintetizzare, ricapitolare.

dilungàre *A v. tr.* [*un appuntamento, etc.*] allontanare, procrastinare, differire, rimandare, prolungare **CONTR.** avvicinare *B v. intr. pron.* **1** [*parlando*] parlare troppo, diffondersi, andare per le lunghe (*fam.*), parlare a lungo **2** [*detto di pontile, etc.*] distendersi, allungarsi, prolungarsi **CONTR.** accorciarsi **3** [*dal tema del discorso*] (*fig.*) discostarsi **CONTR.** avvicinarsi **4** [*in un posto*] indugiare.

diluviàre *v. intr.* piovere, piovere a dirotto, grandinare (*est.*).

dilùvio *s. m.* **1** alluvione, cataclisma, inondazione **2** [*di q.c.*] (*fig.*) abbondanza, marea, pioggia, profusione.

dimagràre *v. tr.* dimagrire **CONTR.** ingrassare.

dimagrire *v. intr.* **1** affusolarsi, assottigliarsi, diminuire, diventare magro, affilarsi, affinarsi, dimagrare **CONTR.** impinguarsi, ingrossarsi, ingrassare, imbolsire, aumentare di peso, appesantirsi, diventare bolso, diventare grosso **2** deperire, emaciarsi.

dimagrito *part. pass.; anche agg.* **1** assottigliato, snellito **CONTR.** ingrossato, ingrassato **2** (*est.*) deperito.

dimenàre *A v. tr.* agitare, menare, scuotere, muovere, dondolare, scrollare, divincolare **CONTR.** fermare *B v. rifl.* **1** contorcersi, dibattersi, agitarsi, divincolarsi **CONTR.** fermarsi, stare fermo, stare immobile **2** sculettare (*scherz.*), ballare **3** (*est.*) affaccendarsi, adoperarsi **CONTR.** poltrire.

dimensionàre *v. tr.* **1** [*un computer*] configurare **2** misurare.

dimensióne *s. f.* **1** misura, mole, ta-

glio, formato, ingombro **2** [*rif. a una persona*] misura, proporzione **3** [*di un fenomeno*] portata, pezzatura **4** [*tipo di*] quantità, taglia, volume, estensione, grandezza, ampiezza, grossezza.

dimenticànza *s. f.* **1** negligenza, trascuratezza, distrazione, sbadataggine, disattenzione, inavvertenza **2** errore, omissione **3** [*spec. con: cadere nella*] oblio, silenzio.

dimenticàre *A v. tr.* **1** scordare, obliare **CONTR.** ricordare, rimembrare, commemorare, rammentare **2** [*le offese*] perdonare, condonare **3** [*q.c.*] smarrire, abbandonare, lasciare **CONTR.** trovare, ritrovare **4** [*i doveri, gli amici, etc.*] (*est.*) trascurare, omettere, tralasciare, ignorare, cacare (*volg.*) **CONTR.** curare, interessarsi **5** [*una lingua straniera, etc.*] disimparare **CONTR.** memorizzare, imparare *B v. intr. pron.* scordarsi **CONTR.** ricordarsi, rammentarsi.

dimenticàto *part. pass.; anche agg.* **1** scordato, obliato, cancellato, trascurato **2** (*fig.*) defunto.

diméntico *agg.* (*pl. m. -chi*) **1** immemore (*lett.*), smemorato **2** noncurante, trascurato **CONTR.** diligente, interessato **3** (*est.*) distratto **CONTR.** attento **4** (*est.*) ingrato **CONTR.** riconoscente.

dimessaménte *avv.* **1** modestamente, semplicemente, umilmente **CONTR.** sfacciatamente, spudoratamente, superbamente **2** (*est.*) sciattamente, squallidamente **CONTR.** pomposamente, sfarzosamente, spettacolosamente.

dimésso *part. pass.; anche agg.* **1** [*rif. all'atteggiamento*] umile, modesto, sottomesso **CONTR.** altero, fiero, maestoso, borioso, tracotante, gonfio **2** [*rif. a un abito*] sciatto, trasandato, inelegante **CONTR.** chiassoso, sfacciato.

dimestichézza o **domestichézza** *s. f.* **1** [*con qc.*] familiarità, confidenza, intimità **2** [*con q.c.*] esperienza, pratica **CONTR.** inesperienza.

diméttere *A v. tr.* **1** [*qc. da un luogo*] accomiatare, fare uscire, congedare, rilasciare, scarcerare **CONTR.** ricoverare, accettare **2** [*qc. da una carica*] destituire, esonerare, licenziare, de-

porre CONTR. assumere, riassumere, insediare **3** [*l'orgoglio, etc.*] (*fig.*) abbandonare **B** v. rifl. abdicare a, dare le dimissioni, licenziarsi, lasciare il posto di lavoro, rinunciare a, ritirarsi **CONTR.** iscriversi, occuparsi.

dimezzàre v. tr. **1** dividere **CONTR.** duplicare, doppiare, prolungare **2** diminuire.

diminuire A v. tr. **1** [*i prezzi*] abbassare, limitare, calare, moderare, ribassare **CONTR.** gonfiare, aumentare, maggiorare, moltiplicare, triplicare, raddoppiare, rialzare **2** [*un dolore, etc.*] attenuare, affievolire, attutire, mitigare, addolcire (*fig.*), scemare **CONTR.** aumentare, intensificare, acuire, accentuare, rincrudire **3** [*una cifra, etc.*] dedurre, detrarre, defalcare, togliere, sottrarre **CONTR.** aumentare, maggiorare, moltiplicare, triplicare, raddoppiare **4** [*un vestito, etc.*] rimpicciolire, rimpiccolire, impicciolire, impiccolire **CONTR.** ingrandire, ingrossare, ampliare **5** [*uno stipendio*] decurtare, assottigliare, dimezzare, contrarre **CONTR.** aumentare, maggiorare, moltiplicare, triplicare, raddoppiare **6** [*i tempi*] accorciare, abbreviare **CONTR.** allungare, dilatare **7** [*le visite*] diradare, rallentare **CONTR.** intensificare **8** [*una persona*] (*raro*) invilire, disprezzare **9** [*una colonna*] rastremare, restringere **10** [*la voce, la luce*] abbassare, attenuare, affievolire, attutire **11** [*una pena, il castigo*] alleggerire, scontare, condonare **CONTR.** accrescere, raddoppiare **12** [*la pressione, etc.*] allentare **CONTR.** accentuare **13** [*un episodio, un evento*] minimizzare **CONTR.** gonfiare, enfatizzare, ingigantire **14** [*la produzione, etc.*] ridurre **CONTR.** incrementare, potenziare, sviluppare, accrescere, raddoppiare **B** v. intr. **1** [*detto di prezzi*] decrescere, calare, abbassarsi **CONTR.** aumentare, salire, alzarsi **2** [*detto di peso*] assottigliarsi, dimagrire **CONTR.** ingrassare **3** [*detto di dolore, etc.*] attenuarsi, calmarsi **CONTR.** esacerbarsi **4** [*detto di sentimento, etc.*] attenuarsi, languire **CONTR.** intensificarsi, accrescersi **5** [*detto di prestigio, etc.*] decrescere, calare, declinare **CONTR.** consolidarsi, moltiplicarsi **6** [*detto di tempi, etc.*] accorciarsi, restringersi **CONTR.** dilatarsi **7** [*detto di luce, suono, etc.*] attenuarsi, digradare **CONTR.** crescere **8** [*detto di dimensione, etc.*] im-

piccolirsi, impicciolirsi **CONTR.** ingrandirsi, ingrossarsi **9** [*detto di vento, di temporale, etc.*] (*est.*) rallentare **CONTR.** rinforzare **C** v. rifl. umiliarsi, degradarsi, avvilirsi, disprezzarsi, svalutarsi, sottovalutarsi **CONTR.** sopravvalutarsi, stimarsi, esaltarsi, vantarsi, lodarsi.

diminuito part. pass.; anche agg. **1** [*fil. alla tensione, etc.*] attenuato, allentato **CONTR.** cresciuto, aumentato, incrementato, ingrandito **2** [*rif. alla velocità*] rallentato **CONTR.** aumentato, incrementato **3** [*rif. al prezzo*] abbassato **CONTR.** cresciuto, aumentato, incrementato, ingrandito.

diminuzióne s. f. **1** [*della produzione, etc.*] calo, riduzione, decremento, contrazione, rallentamento, regressione **CONTR.** aumento, sviluppo, potenziamento **2** [*della vista, etc.*] abbassamento, attenuazione, minorazione, perdita (*est.*) **CONTR.** accrescimento **3** [*dei prezzi, etc.*] sconto, ribasso, abbuono **CONTR.** aumento **4** [*delle tasse, etc.*] alleggerimento, sgravio **CONTR.** aggravio **5** [*dei capelli, delle visite, etc.*] diradamento.

dimòra s. f. **1** soggiorno, permanenza **2** [*spec. con: avere*] domicilio, alloggio, sede, residenza, riparo, albergo (*lett.*), ospizio (*lett.*) **3** (*est.*) appartamento, casa, tetto.

dimoràre v. intr. **1** abitare, risiedere, alloggiare, albergare, sostare, stare, vivere **2** attardarsi, tardare, soffermarsi, trattenersi, indugiare, ritardare **CONTR.** affrettarsi, sbrigarsi, spicciarsi.

dimostràre A v. tr. **1** [*affetto, stima, etc.*] manifestare, esternare, estrinsecare, esprimere, palesare, mostrare, professare, dire **CONTR.** celare, coprire, nascondere, occultare **2** [*la verità, una tesi, etc.*] confermare, provare, attestare, documentare, comprovare, corroborare, riprovare **3** concludere, estrapolare **4** (*ass.*) manifestare, partecipare ad una manifestazione, scendere in piazza, manifestare **5** [*il funzionamento di q.c.*] chiarire, spiegare, insegnare, descrivere, indicare **B** v. rifl. palesarsi, professarsi, apparire, mostrarsi **C** v. intr. pron. risultare, riuscire, rivelarsi.

dimostrazióne s. f. **1** [*di affetto, fe-

de, etc.*] attestazione, manifestazione, prova, atto, espressione, professione, conferma, segno **2** [*di abilità, etc.*] (*est.*) attestazione, saggio, esibizione **3** spiegazione, ragionamento (*raro*), argomentazione, ragione **4** attestazione.

d'improvviso loc. avv. V. improvviso.

dinamicaménte avv. **1** attivamente, vivacemente, energicamente, operosamente **CONTR.** fiaccamente, pigramente, svogliatamente **2** in relazione al movimento.

dinamicità s. f. inv. mobilità, vivacità **CONTR.** inerzia, immobilismo, apatia.

dinàmico agg. [*rif. a una persona*] attivo, energico, alacre, vitale, giovanile **CONTR.** statico, apatico, abulico, pigro, neghittoso, scioperato.

dinamismo s. m. solerzia, attivismo, energia (*est.*), attività (*est.*), lena **CONTR.** lentezza, torpore, torpidezza, sonnolenza, poltronaggine, apatia.

dinànzi o **dinnànzi A** avv. **1** davanti, dirimpetto, di fronte **CONTR.** dietro **2** (*temp.*) davanti, prima **CONTR.** dopo **B** prep. davanti a, di fronte a.

dinastìa s. f. casa, casata, famiglia, schiatta (*colto*), lignaggio, ceppo (*fig.*), casato, stirpe, progenie (*colto*).

diniègo s. m. (pl. -ghi) rifiuto, negazione **CONTR.** accettazione.

dinnànzi avv. e prep. V. dinanzi.

dinosàuro s. m. **1** [*tipo di*] triceratopo, deinosuco, struziomimo, gliptodonte, mastodonte, notosauro, placodo, tirannosauro **2** (*gener.*) sauro **3** [*rif. a una persona antiquata*] (*fig.*) cimelio, mummia.

dintórni s. m. pl. **1** hinterland (*ted.*), suburbio, periferia **CONTR.** centro **2** paraggi, vicinanze.

dintórno avv. **1** intorno, in giro, da ogni parte **CONTR.** lontano, distante **2** (*fam.*) intorno, vicino, nelle vicinanze.

dìo s. m. (f. dea) creatore, essere supremo, divinità (*est.*), nume (*lett.*), eccelso (*lett.*) **CONTR.** diavolo, lucifero.

dipanàre v. tr. 1 [una matassa] districare, sciogliere, disfare, sbrogliare, snodare, svolgere CONTR. ingarbugliare, aggrovigliare, imbrogliare, aggomitolare, raggomitolare 2 [un problema] (est.) chiarire, spiegare CONTR. ingarbugliare, complicare.

dipartiménto s. m. 1 ufficio 2 (bur.) ministero.

dipartire v. intr. pron. 1 partire, allontanarsi 2 (est.) morire 3 [detto di strade, etc.] avere inizio CONTR. unirsi.

dipartita s. f. 1 partenza CONTR. arrivo 2 scomparsa, morte.

dipendènte A s. m. e f. 1 subalterno, sottoposto, subordinato CONTR. superiore, capo 2 salariato, stipendiato, impiegato, lavoratore, operaio CONTR. padrone 3 (spreg.) servitore, servo, lacchè, uomo 4 (iron.) suddito, vassallo B part. pres.; anche agg. 1 schiavo CONTR. indipendente, libero, autonomo, autosufficiente 2 soggetto, subalterno, subordinato 3 [rif. a una proposizione] (ling.) subordinato CONTR. principale.

dipendènza s. f. 1 schiavitù, assoggettamento, asservimento CONTR. superiorità, signoria, sovranità 2 subordinazione, soggezione, inferiorità CONTR. autosufficienza, autonomia, indipendenza 3 (gener.) rapporto, relazione.

dipèndere v. intr. 1 [detto di cosa, etc.] derivare, discendere, provenire, trarre origine, originarsi, scaturire, conseguire, procedere, nascere (fig.) 2 [detto di persona, etc.] sottostare, soggiacere, essere soggetto, ubbidire, essere sottoposto CONTR. dirigere, governare 3 essere legato, essere condizionato 4 [detto di incombenza, turno] stare, toccare.

dipìngere A v. tr. 1 [un muro, una costruzione] affrescare, pitturare, verniciare, tinteggiare, colorare, colorire, dare una mano di vernice, inverniciare, ridipingere 2 [modi di] affrescare, ritrarre, istoriare, disegnare, effigiare, acquerellare 3 [il viso] truccare, tingere (iron.), imbellettare CONTR. struccare 4 [una situazione] (fig.) ritrarre, rappresentare, descrivere, illustrare, tratteggiare B v. rifl. 1 truccarsi, tingersi, imbellettarsi CONTR. struccar-

si 2 descriversi, rappresentarsi, disegnarsi (fig.), raffigurarsi, ritrarsi (fig.) C v. intr. pron. colorirsi, colorarsi CONTR. scolorirsi, scolorarsi.

dipìnto s. m. 1 quadro, tela, pittura 2 [tipo di] tempera, acquerello, olio, pastello, ritratto, paesaggio, natura morta.

diplòma s. m. licenza.

diplomàre A v. tr. licenziare, promuovere (impr.) B v. intr. pron. licenziarsi.

diplomaticaménte avv. 1 abilmente, accortamente, con tatto CONTR. grossolanamente, rozzamente 2 (propr.) per via diplomatica.

diplomàtico (1) agg. abile, accorto, astuto, avveduto, fine, prudente CONTR. rozzo, grossolano, sfacciato, imprudente.

diplomàtico (2) s. m. dolce, pasta.

diplomazìa s. f. accortezza, prudenza, abilità, garbo, misura, tattica (est.), maestria.

dipòi avv. poi, in seguito, successivamente, dopo, più tardi, posteriormente CONTR. prima, anteriormente, precedentemente.

diradaménto s. m. 1 [di un bosco, etc.] sfoltimento CONTR. infoltimento, addensamento 2 [di un'abitudine, etc.] rallentamento, diminuzione.

diradàre A v. tr. 1 [la vegetazione] sfoltire, alleggerire, schiarire (fig.) CONTR. addensare, infittire, ispessire 2 [le visite, etc.] diminuire, accorciare (fig.), rallentare, rarefare (raro), calare, ridurre CONTR. concentrare, intensificare, moltiplicare, raddoppiare B v. intr. pron. 1 [detto di vegetazione, di nebbia] sfoltirsi, rarefarsi, ridursi, calare CONTR. addensarsi, infittirsi, ispessirsi, aumentare, infoltirsi, intensificarsi 2 [detto di gente, etc.] sfollare CONTR. moltiplicarsi, concentrarsi, raddoppiarsi, accalcarsi.

diradàto part. pass.; anche agg. 1 rarefatto, rado, sfoltito CONTR. folto, fitto, spesso 2 [rif. al ritmo, a una serie] (est.) rallentato CONTR. fitto.

diramàre A v. tr. 1 [una notizia, un ordine] diffondere, propagare, trasmettere, divulgare, fare circolare, inviare,

spedire (est.), emanare, spargere (fig.), mandare in onda CONTR. ricevere 2 [una pianta] sfoltire B v. intr. e intr. pron. 1 [detto di notizia, di ordine, etc.] diffondersi, spargersi, trasmettersi 2 [detto di fiume, di strada, etc.] ramificarsi, biforcarsi, bipartirsi CONTR. confluire, unificarsi, congiungersi 3 [detto di stirpe, di teoria, etc.] discendere, derivare.

diramazióne s. f. derivazione, braccio (fig.), biforcazione, bivio.

dirazzàre v. intr. degenerare, tralignare, decadere, deviare CONTR. migliorare, progredire.

dire A v. tr. 1 (ass.) esprimersi, parlare CONTR. tacere 2 [un discorso] pronunciare, proferire 3 [la verità, etc.] affermare, asserire, dichiarare, attestare, confessare, scodellare (scherz.) CONTR. smentire, celare 4 [un'opinione, un segreto] manifestare, esporre, narrare, raccontare, spiegare, formulare, rivelare, enunciare, ridire, vociferare CONTR. nascondere 5 [di fare q.c.] consigliare, suggerire, proporre, dettare, ammonire, esortare 6 [le generalità] declinare (bur.) 7 [una notizia, etc.] comunicare 8 [q.c. in un'altra lingua] tradurre, chiamare (est.) 9 [un sentimento] simboleggiare, significare, dimostrare 10 [bugie, etc.] contare 11 [una poesia, etc.] porgere, declamare, recitare 12 [detto di scrittori] affermare, scrivere, sostenere B v. intr. impers. essere noto, correre voce C v. rifl. dichiararsi, mostrarsi, professarsi D s. m. inv. quanto si dice.

direttaménte avv. 1 senza intermediari, personalmente CONTR. indirettamente, inversamente (mat.) 2 subito, immediatamente, addirittura CONTR. più tardi 3 [rif. al moto, al movimento] dirittamente, in linea retta, frontalmente CONTR. obliquamente, trasversalmente.

direttiva s. f. 1 indirizzo, orientamento 2 disposizione, regola, istruzione, ordine, consegna.

diretto (1) part. pass.; anche agg. 1 [rif. a una persona, a un discorso] immediato, franco, chiaro, esplicito, schietto CONTR. indiretto, subdolo, bieco (fig.), obliquo (fig.) 2 [rif. alla direzione] diritto, rettilineo (est.).

dirètto (2) *s. m.* *1* (*gener.*) treno *2* pugno.

direttóre *s. m.* (*f. -trice*) capo, maestro, guida, boss (*ingl.*), principale, dirigente.

direzióne *s. f.* *1* rotta, senso *2* lato, parte, via, cammino *3* [*della vita, etc.*] (*est.*) indirizzo, tendenza, orientamento, corso, condotta *4* guida, governo, dirigenza, egemonia, cura, amministrazione, maneggio (*raro*), timone (*fig.*) *5* (*scherz.*) tramontana, testa *6* [*di una banca, etc.*] centrale.

dirigènte *s. m. e f.* *1* superiore, principale, capo (*est.*), responsabile CONTR. subordinato, subalterno, suddito (*scherz.*), vassallo (*spreg.*) *2* [*tipo di*] quadro, direttore, amministratore delegato, presidente CONTR. impiegato, operaio.

dirigènza *s. f.* *1* [*di un'azienda*] direzione *2* direzione, guida.

dirigere *A v. tr.* *1* [*qc., q.c. in un luogo*] guidare, condurre, portare *2* [*q.c. su un obiettivo*] convergere, convogliare, concentrare *3* [*lo sguardo, l'attenzione*] indirizzare, rivolgere (*est.*), volgere, tendere, puntare *4* [*qc. allo studio, etc.*] (*est.*) incanalare, incamminare, avviare, orientare *5* [*una lettera, un pacco*] mandare, spedire, destinare *6* [*un'industria, etc.*] gestire, amministrare, controllare, avere funzioni direttive CONTR. dipendere, sottostare, sottomettersi *7* [*uno stato, etc.*] governare, reggere *8* [*i lavori*] sorvegliare, sovrintendere *a 9* [*una spedizione*] guidare, comandare, capitanare *10* [*il traffico, etc.*] incanalare, incamminare, disciplinare, regolare, instradare *11* [*un'assemblea, etc.*] egemonizzare, avere in pugno, presiedere *12* [*gli operai, etc.*] fare lavorare *13* [*un veicolo*] manovrare *14* [*gli occhi*] torcere, girare *B v. rifl.* *1* avviarsi, incamminarsi, andare, recarsi, accorrere, correre, sfrecciare, andare verso, navigare, accostare *2* drizzarsi, piegarsi *3* [*detto di strade, etc.*] convergere, piegare (*fig.*) *4* [*detto di traffico, di persone*] incanalarsi *5* indirizzarsi, rivolgersi, volgersi, orientarsi, tendere.

dirimere *v. tr.* [*una discussione*] risolvere, decidere, porre fine *a*, definire, troncare (*fig.*) CONTR. avviare, incominciare, iniziare.

dirimpètto *avv.* dinanzi, davanti, di fronte CONTR. dietro.

dirittaménte *avv.* *1* rettamente, giustamente, onestamente CONTR. disonestamente *2* (*est.*) direttamente.

diritto (1) o **dritto (1)** *agg.* *1* retto (*fig.*), giusto, leale *2* retto, verticale, eretto CONTR. arcuato, curvo, diagonale, obliquo, torto, pendente *3* rivolto, proteso.

diritto (2) *s. m.* *1* scienza giuridica *2* (*est.*) potere, facoltà, veste (*fig.*), titolo (*fig.*), autorità *3* (*est.*) procedura *4* [*di successione, etc.*] tassa *5* (*gener.*) scienza, disciplina *6* tutte le ragioni CONTR. dovere.

diritto (3) o **dritto (3)** *avv.* [*rif. ai verbi di movimento, etc.*] difilato, direttamente.

diritto (4) *s. m.* V. *dritto (3)*.

dirittùra *s. f.* rigore, rettitudine, onestà, probità, moralità, giustizia (*est.*) CONTR. disonestà.

dirizzàre *v. tr. e rifl.* V. *drizzare*.

diroccaménto *s. m.* smantellamento, demolizione CONTR. costruzione.

diroccàre *v. tr.* demolire, distruggere, abbattere, smantellare, atterrare, spianare, radere CONTR. costruire, edificare, erigere, fabbricare.

dirómpere *A v. tr.* frantumare, spezzare *B v. intr.* [*in lacrime, etc.*] prorompere, scoppiare *C v. intr. pron.* [*contro q.c., di onde*] frangersi.

dirottaménte *avv.* abbondantemente, smoderatamente, in modo incontenibile, irrefrenabilmente CONTR. moderatamente, modicamente, misuratamente.

dirottàre *A v. tr.* *1* [*il traffico*] convogliare, deviare *2* [*un aereo, un'imbarcazione, etc.*] fare deviare, fare cambiare direzione, fare cambiare strada *3* [*qc.*] depistare, fuorviare *4* [*l'attenzione*] (*est.*) fuorviare, sviare, distogliere *B v. intr.* cambiare rotta.

dirozzàre *A v. tr.* *1* [*qc.*] incivilire, sgrezzare, raffinare, civilizzare, digrossare, educare, ingentilire, affina-

re, istruire, dissodare (*fig.*), scaltrire (*est.*) CONTR. imbarbarire *2* [*un oggetto*] sbozzare, abbozzare, sgrossare, disgrossare *B v. rifl.* incivilirsi, migliorarsi, raffinarsi, istruirsi, ingentilirsi CONTR. imbarbarirsi.

dirozzàto *part. pass.; anche agg.* incivilito, ingentilito, civilizzato.

dirupàre *v. intr. pron.* franare, precipitarsi.

dirùpo *s. m.* precipizio, burrone, baratro, forra, abisso.

disàbile *s. m. e f.* minorato, portatore di handicap.

disabitàto *part. pass.; anche agg.* deserto, spopolato, vuoto, desolato, abbandonato CONTR. abitato, popolato, popoloso.

disabituàre *A v. tr.* divezzare, svezzare, disassuefare, disavvezzare CONTR. abituare, assuefare, avvezzare *B v. rifl.* disimparare, perdere l'abitudine, disassuefarsi, disavvezzarsi, divezzarsi CONTR. abituarsi, assuefarsi, avvezzarsi, educarsi.

disabituàto *part. pass.; anche agg.* disavvezzo CONTR. abituato, avvezzo, acclimatato, ambientato, assuefatto, allenato, addestrato, uso (*lett.*).

disabitùdine *s. f.* desuetudine CONTR. abitudine, consuetudine.

disaccoppiàre *v. tr.* scompagnare CONTR. accoppiare, unire.

disaccòrdo *s. m.* *1* [*tra idee, etc.*] contrasto, discordanza, discrepanza, disarmonia, dissonanza CONTR. unità, unione, armonia, accordo, affiatamento *2* [*rif. a una proposta*] dissenso, opposizione CONTR. allineamento *3* conflitto, dissapore, discordia, lotta, screzio, dissidio, incomprensione.

disacerbàre *A v. tr.* lenire, addolcire (*fig.*), alleviare, mitigare, raddolcire (*fig.*) CONTR. esacerbare, esasperare, inasprire, irritare *B v. intr. pron.* addolcirsi, mitigarsi, placarsi CONTR. esacerbarsi, inasprirsi, irritarsi, esasperarsi.

disadórno *agg.* *1* sguarnito, spoglio, nudo (*est.*), povero, squallido CONTR. adornato, agghindato *2* [*rif. allo stile*] sobrio, austero, spartano, severo

CONTR. ampolloso, ridondante, ricco.

disaffezionàre A v. tr. disamorare, disinnamorare, alienare (fig.), allontanare (fig.), disinteressare, distaccare (fig.) **CONTR.** interessare, affezionare B v. intr. pron. staccarsi, disamorarsi, disinteressarsi, allontanarsi (fig.), disinnamorarsi, distaccarsi (fig.), estraniarsi **CONTR.** affezionarsi, attaccarsi, amare, interessarsi.

disagévole agg. 1 scomodo **CONTR.** accogliente, confortevole, comodo, facile 2 [rif. a una situazione] difficile, arduo **CONTR.** facile 3 [rif. a un pendio, a un sentiero, etc.] difficile, arduo, scosceso, ripido, erto **CONTR.** facile, agevole 4 [rif. a un luogo] angusto, impraticabile **CONTR.** accogliente, confortevole.

disaggregàre v. tr. disgregare, disunire, separare, scindere, decomporre **CONTR.** aggregare, attaccare, congiungere, unire.

disaggregazióne s. f. scomposizione **CONTR.** aggregazione, unificazione.

disagiataménte avv. 1 poveramente, miseramente **CONTR.** agiatamente, confortevolmente 2 scomodamente **CONTR.** agiatamente, confortevolmente.

disagiàto part. pass.; anche agg. povero **CONTR.** agiato.

disàgio s. m. 1 fastidio, imbarazzo, disappunto, molestia, sofferenza, malessere, vergogna **CONTR.** agio 2 privazione **CONTR.** comfort (ingl.) 3 privazione, difficoltà, fatica 4 scomodità.

disàmina s. f. 1 esame, analisi 2 (est.) ragionamento.

disaminàre v. tr. consultare con attenzione, verificare attentamente, esaminare, consultare.

disamoràre A v. tr. disinnamorare, disaffezionare, allontanare (fig.), raffreddare (fig.), distaccare (fig.) **CONTR.** affezionare, attirare, sedurre B v. intr. pron. staccarsi, disilludersi, disincantarsi, disaffezionarsi, disinnamorarsi, raffreddarsi, estraniarsi, allontanarsi (fig.) **CONTR.** affezionarsi, innamorarsi, attaccarsi, legarsi, invaghirsi, incapricciarsi.

disancoràre A v. tr. (est.) sciogliere **CONTR.** ancorare B v. rifl. (anche fig.) (est.) liberarsi, sciogliersi, staccarsi **CONTR.** ancorarsi, attaccarsi, legarsi.

disanimàre A v. tr. demoralizzare, deprimere, scoraggiare, abbattere, accasciare, avvilire, sconfortare, scorare, sfiduciare, sbigottire, sgomentare, prostrare **CONTR.** incoraggiare, animare, rianimare, confortare, consolare, rincuorare, sollevare, risollevare B v. intr. pron. scoraggiarsi, abbattersi, avvilirsi, sgomentarsi, perdersi d'animo, demoralizzarsi, deprimersi, desolarsi, accasciarsi, sconfortarsi, sfiduciarsi, sbigottirsi, disperarsi, scorarsi, perdersi **CONTR.** incoraggiarsi, rianimarsi, confortarsi, consolarsi, rincuorarsi, risollevarsi, inorgoglirsi, ravvivarsi, infervorarsi.

disappeténza s. f. inappetenza, anoressia (med.) **CONTR.** appetito, fame.

disapprovàre v. tr. 1 [qc., q.c.] non approvare, biasimare, criticare, condannare, sconfessare, respingere, compiangere (est.) **CONTR.** approvare, elogiare, lodare, decantare, esaltare, accettare 2 [un comportamento, etc.] non approvare, riprovare, deplorare, lamentare **CONTR.** approvare, elogiare, lodare 3 [uno spettacolo] censurare, contestare, fischiare **CONTR.** decantare 4 [un candidato] bocciare **CONTR.** promuovere.

disapprovàto part. pass.; anche agg. criticato, biasimato **CONTR.** ammirato, lodato.

disapprovazióne s. f. riprovazione, biasimo, critica, condanna, riprensione **CONTR.** approvazione, benestare, consenso, assenso, suffragio, applauso.

disappùnto s. m. 1 delusione **CONTR.** soddisfazione 2 disagio, imbarazzo 3 malumore, rabbia **CONTR.** contentezza.

disarcionàre v. tr. 1 sbalzare di sella, scavalcare, appiedare 2 [un funzionario] (est.) rimuovere, deporre, allontanare **CONTR.** insediare.

disarmàre A v. tr. 1 privare delle armi, sguarnire **CONTR.** armare, guarnire 2 [qc.] (est.) convincere, persuadere, fiaccare, indebolire **CONTR.** mobilitare, eccitare, inasprire B v. intr. 1

smobilitare 2 [detto di persona, etc.] arrendersi, cedere, desistere, darsi per vinto **CONTR.** armarsi, opporsi, resistere.

disarmàto part. pass.; anche agg. (anche fig.) indifeso, inerme, nudo **CONTR.** agguerrito, armato.

disarmonìa s. f. 1 sproporzione, asimmetria **CONTR.** armonia, simmetria 2 [tra persone] disaccordo, contrasto, discordia, contrapposizione, incomprensione **CONTR.** armonia, accordo 3 [tra idee, colori, etc.] discordanza, dissonanza **CONTR.** coerenza, concordanza.

disarmonicaménte avv. sgraziatamente, sgradevolmente **CONTR.** armonicamente, melodicamente, melodiosamente.

disarmónico agg. 1 [rif. al suono] discordante, contrastante, stonato **CONTR.** aggraziato, armonico, concorde, equilibrato 2 (est.) sgradevole **CONTR.** equilibrato 3 [rif. a una costruzione, etc.] (est.) sproporzionato, sgraziato **CONTR.** equilibrato 4 [rif. a un moto, a un movimento] (est.) inelegante **CONTR.** equilibrato, ritmico.

disarmoniosaménte avv. sgraziatamente, sgradevolmente **CONTR.** armoniosamente.

disarticolàre v. tr. 1 [un arto] slogare, snodare, lussare (med.), storcere 2 [un oggetto] (est.) scomporre, disunire **CONTR.** legare, collegare.

disassuefàre A v. tr. disabituare, svezzare, disavvezzare, divezzare **CONTR.** abituare, avvezzare B v. rifl. disabituarsi, disavvezzarsi, divezzarsi **CONTR.** abituarsi, avvezzarsi.

disàstro s. m. 1 tragedia, catastrofe, calamità, sciagura, cataclisma, apocalisse (fig.) 2 avversità, accidente, sfortuna 3 [economico] fallimento, rovina 4 [rif. a una persona] pianto, tormento, lagna.

disastrosaménte avv. calamitosamente, catastroficamente, rovinosamente **CONTR.** fortunatamente, felicemente.

disastróso agg. 1 tremendo, terribile, spaventoso, rovinoso, catastrofico **CONTR.** fortunato, felice 2 [rif. all'esi-

to] (*est.*) deludente **CONTR.** positivo, buono.

disattèndere *v. tr.* contravvenire *a*, deludere, tradire, non osservare, non seguire, non fare attenzione *a*, non fare caso *a* **CONTR.** osservare, seguire, rispondere, attendere, adempiere.

disattènto *agg.* **1** distratto, svagato, sbadato, assente **CONTR.** attento, interessato **2** (*est.*) negligente **CONTR.** diligente.

disattenzióne *s. f.* **1** [*l'azione*] sbadataggine, sbaglio, svista, dimenticanza, errore, distrazione, inavvertenza **2** sbadataggine, noncuranza **CONTR.** scrupolo, scrupolosità, serietà, avvertenza, concentrazione, diligenza.

disattèso *part. pass.; anche agg.* **1** inosservato, trascurato **CONTR.** compiuto **2** (*est.*) insoddisfatto.

disattivàre *v. tr.* **1** [*un ordigno*] scaricare, disinnescare, inattivare **CONTR.** caricare, innescare **2** [*un'attività*] smobilitare, eliminare, chiudere **CONTR.** aprire, attivare, iniziare, riattivare **3** [*un motore, etc.*] spegnere **CONTR.** accendere.

disattivazióne *s. f.* disinnesco **CONTR.** attivazione, accensione, innesco.

disavànzo *s. m.* **1** deficit, debito, ammanco, perdita, buco (*fig.*) **CONTR.** attivo **2** [*di bilancio, etc.*] differenza, scarto **CONTR.** attivo.

disavventùra *s. f.* **1** contrarietà, incidente, infortunio **2** (*est.*) disgrazia.

disavvezzàre *A v. tr.* disabituare, disassuefare **CONTR.** abituare, assuefare, avvezzare *B v. rifl.* disassuefarsi, disabituarsi **CONTR.** abituarsi, avvezzarsi, assuefarsi.

disavvézzo *agg.* disabituato **CONTR.** abituato, assuefatto, avvezzo, uso (*lett.*).

disboscàre *v. tr.* smacchiare (*raro*).

disbrigàre *A v. tr.* sbrigare, risolvere, terminare, espletare, eseguire, fare **CONTR.** avviare, impostare *B v. rifl.* liberarsi, sbrogliarsi, districarsi.

discàpito *s. m.* **1** scapito, danno, detrimento, svantaggio, perdita **CONTR.** vantaggio, guadagno **2** discredito.

discàrico *s. m.* (*pl. -chi*) discolpa, giustificazione, difesa **CONTR.** carico, colpa.

discendènte *A s. m. e f.* **1 CONTR.** antenato, avo, progenitore **2** (*est.*) figlio (*fig.*), epigono (*colto*) **CONTR.** ascendente *B agg.* derivante.

discendènza *s. f.* **1** figliolanza, prole, progenie (*colto*) **CONTR.** ascendenza **2** origine, stirpe, famiglia, nascita, sangue (*fig.*), schiatta (*colto*), lignaggio, seme (*fig.*), ceppo (*fig.*), razza **3** linea.

discèndere *A v. intr.* **1** [*detto di terreno, di strada*] declinare, scendere, venire giù, calare, degradare, essere in declivio, scoscendere (*poet.*) **CONTR.** ascendere, montare **2** [*detto di persona, di teoria, etc.*] provenire, nascere, trarre origine, derivare, diramarsi (*fig.*), rampollare (*raro*) **3** [*detto di astro*] declinare, tramontare **CONTR.** sorgere, nascere **4** [*in mezzo a q.c.*] immergersi, calarsi **5** [*da un mezzo*] sbarcare, smontare **6** [*detto di conseguenza*] dipendere, procedere, conseguire, risultare, essere conseguente *B v. tr.* [*una scala, un pendio*] scendere.

discènte *s. m. e f.* scolaro, alunno **CONTR.** docente, insegnante.

discépolo *s. m.* **1** alunno, allievo, scolaro, giovane, studente **CONTR.** educatore, insegnante, maestro **2** seguace, imitatore.

discèrnere *v. tr.* **1** distinguere, vedere chiaramente, distinguere con gli occhi, comprendere, capire **CONTR.** confondere **2** [*qc.*] conoscere, ravvisare, riconoscere **CONTR.** scambiare **3** [*il bello dal brutto, etc.*] distinguere, selezionare, scegliere, scindere, dividere, separare, sceverare **CONTR.** mescolare, mischiare.

discerniménto *s. m.* criterio, giudizio, ragione, senno, coscienza, sagacia, buonsenso **CONTR.** dissennatezza.

discésa *s. f.* **1** china, pendio, declivio **CONTR.** salita **2** [*dei barbari, etc.*] calata, invasione **3** [*rif. alla civiltà, etc.*] (*fig.*) declino **4** [*l'azione*] scesa (*ra-*

ro) **CONTR.** scalata, ascesa, ascensione, arrampicata.

dischiùdere *A v. tr.* **1** [*gli occhi, la bocca*] aprire, schiudere, socchiudere **CONTR.** chiudere, serrare **2** [*il proprio cuore*] (*est.*) manifestare, palesare, disserrare (*lett.*) **CONTR.** celare, coprire, nascondere, occultare *B v. intr. pron.* **1** disserrarsi (*raro*), aprirsi **2** [*detto di fiori*] sbocciare.

disciògliere *A v. tr.* **1** [*una sostanza*] sciogliere, diluire, stemperare, dissolvere, fondere, squagliare **CONTR.** condensare, coagulare, solidificare **2** [*un nodo*] slegare, disgiungere, disfare, districare **CONTR.** legare, stringere **3** [*una compagnia*] (*est.*) sciogliere, sperdere, sbandare **CONTR.** congiungere, unire, ricostituire *B v. intr. pron.* **1** [*detto di materia, etc.*] decomporsi, sciogliersi, liquefarsi, sfarsi, squagliarsi, struggersi, fondersi **CONTR.** coagularsi, rapprendersi, rassodarsi, solidificarsi **2** [*detto di gruppo*] sfarsi, disperdersi *C v. rifl.* liberarsi, svincolarsi.

disciplina *s. f.* **1** controllo, freno, autocontrollo **2** (*est.*) ubbidienza **3** insegnamento, cattedra **4** (*est.*) materia, scienza **5** [*tipo di*] astronomia, medicina, fisica, matematica, ingegneria, biologia, filosofia, agraria, economia, informatica, diritto, psicologia, chimica, acustica, glottologia.

disciplinàre *A v. tr.* **1** [*il traffico, i prezzi, etc.*] ordinare, regolare, dirigere, controllare, moderare, normalizzare, regolamentare **CONTR.** liberalizzare **2** (*raro*) ammaestrare, educare, abituare alla disciplina *B v. rifl.* controllarsi, regolarsi **CONTR.** liberarsi *C agg.* punitivo.

disciplinataménte *avv.* **1** ordinatamente **CONTR.** caoticamente, disordinatamente **2** ubbidientemente.

disciplinàto *part. pass.; anche agg.* **1** ubbidiente, osservante, docile, rispettoso, sottomesso, subordinato **CONTR.** disubbidiente, indisciplinato, discolo **2** [*rif. al traffico*] ordinato, regolato **CONTR.** caotico, disordinato.

discolo *A agg.* indisciplinato, disubbidiente, insolente **CONTR.** disciplinato, ubbidiente, docile *B s. m.* (*f. -a*) birbante, monello, mariolo, briccone.

discólpa s. f. discarico, giustificazione, difesa CONTR. colpa, carico.

discolpàre A v. tr. giustificare, scolpare, scagionare, difendere, scusare CONTR. denunciare, accusare, incriminare, incolpare, tacciare B v. rifl. difendersi, giustificarsi, scolparsi, scagionarsi, scusarsi CONTR. accusarsi, incolparsi, confessare.

disconnèttere v. tr. sconnettere, scollegare, separare CONTR. connettere, unire.

disconoscènte part. pres.; anche agg. ingrato.

disconóscere v. tr. sconfessare, negare, misconoscere, ignorare, fingere di non conoscere (est.), rinnegare CONTR. conoscere, riconoscere.

disconoscimènto s. m. ripudio CONTR. riconoscimento.

discontinuità s. f. inv. 1 irregolarità CONTR. costanza, continuità, assiduità, linearità 2 incoerenza 3 instabilità, incostanza, mobilità.

discontinuo agg. 1 disgiunto, interrotto CONTR. assiduo, continuo, regolare, persistente, incessante, ininterrotto, unitario 2 ineguale, incostante, variabile, mutevole, mobile CONTR. continuo, coerente, indefesso, instancabile 3 (est.) saltuario CONTR. periodico.

discordànte part. pres.; anche agg. 1 contrastante, opposto, divergente, discrepante CONTR. concorde 2 [rif. al suono] disarmonico CONTR. armonico.

discordànza s. f. 1 disaccordo, disarmonia, discrepanza, diversità, differenza, incoerenza (est.), eterogeneità (est.), dissonanza CONTR. simmetria, concordanza, corrispondenza 2 dissenso, conflitto, screzio.

discordàre v. intr. 1 [nelle opinioni, etc.] dissentire, non essere d'accordo con, differire, contrastare con, essere di diverso parere, essere in conflitto con, essere in disaccordo con, dissociarsi, essere diverso, distare (fig.) CONTR. combaciare, conciliarsi, concordare, corrispondere 2 [detto di cose, di colori, etc.] dissonare, non armonizzare, stonare, cozzare (fig.)

CONTR. armonizzarsi, intonare, legare.

discòrde agg. contrastante, contraddittorio, opposto, incompatibile (est.) CONTR. concorde, unanime.

discordeménte avv. 1 differentemente, diversamente CONTR. similmente 2 disomogeneamente (est.) CONTR. concordemente, unanimemente.

discòrdia s. f. disaccordo, disarmonia, dissidio, contrasto, malumore, antagonismo, divergenza, attrito (fig.), guerra (fig.), zizzania CONTR. concordia, unione, armonia, accordo, compattezza.

discórrere v. intr. 1 parlare, dialogare, conversare, chiacchierare, ragionare, trattare, dissertare, colloquiare, confabulare, discutere, favellare, novellare, scambiare due parole 2 essere fidanzati, flirtare.

discorsivaménte avv. in forma colloquiale, semplicemente, familiarmente CONTR. solennemente, ufficialmente.

discórso s. m. 1 [tra persone] colloquio, conversazione, dialogo, ragionamento (fam.), chiacchierata, chiacchiera, cicalata, ciacolata (ven.), sermone (raro), cosa (fam.), roba (fam.) 2 [di fronte al pubblico] conferenza, orazione (iron.), intervento, presentazione, concione, contributo (est.).

discostàre A v. tr. distanziare, scostare, rimuovere, allontanare CONTR. accostare, avvicinare B v. rifl. e intr. pron. 1 scostarsi, allontanarsi, scansarsi CONTR. accostarsi, avvicinarsi 2 differenziarsi, distare (fig.) 3 [dal tema del discorso] divergere (fig.), divagare, deviare (fig.), dilungarsi (est.) 4 [dalle leggi, etc.] derogare, non attenersi a, non rispettare un CONTR. attenersi a, aderire a.

discòsto A avv. lontano, distante CONTR. accanto, appresso, dattorno, presso, accosto B agg. lontano, distante, remoto (fig.), distaccato CONTR. adiacente, vicino.

discreditàre A v. tr. screditare, sputtanare (volg.) CONTR. magnificare B v. rifl. screditarsi, sputtanarsi (volg.).

discrédito s. m. 1 disistima CONTR. credito, stima 2 [spec. con: tornare a] discapito, disonore.

discrepànte part. pres.; anche agg. divergente, discordante, contrastante, diverso (est.) CONTR. concorde, analogo, simile, uguale.

discrepànza s. f. divario, divergenza, discordanza, differenza, disaccordo, dissonanza, lontananza (est.) CONTR. corrispondenza, somiglianza, concordanza.

discretaménte avv. 1 [rif. all'agire, al comportarsi] delicatamente, con riguardo, in modo riservato, educatamente, moderatamente, prudentemente CONTR. sfacciatamente, maleducatamente, grossolanamente, impudentemente, sfrontatamente, indiscretamente, insolentemente, ambiziosamente (est.) 2 abbastanza, sufficientemente, passabilmente CONTR. male, insufficientemente.

discréto agg. 1 [rif. a una persona] moderato, ragionevole, equo, onesto CONTR. tronfio, vanaglorioso, vanesio, vanitoso 2 [rif. a una persona] (est.) riservato, fidato, verecondo, educato, riguardoso CONTR. appiccicoso, invadente, assillante, insistente, curioso, indelicato, indiscreto, ingombrante 3 [rif. a un esame, a un'analisi, a un lavoro] accettabile, passabile, sufficiente CONTR. cattivo, pessimo 4 [rif. all'atteggiamento] raccolto.

discrezióne s. f. 1 riservatezza, ritegno, modestia, pudore CONTR. sfacciataggine 2 delicatezza, tatto (fig.), misura (fig.), moderazione, prudenza (est.) CONTR. indiscrezione, insistenza 3 (est.) arbitrio, piacimento 4 [rif. al prezzo] modicità.

discriminàre v. tr. 1 fare una distinzione, distinguere CONTR. confondere, mescolare 2 differenziare.

discriminazióne s. f. differenza, distinzione.

discussióne s. f. 1 dialogo, colloquio, dibattito, dibattimento (raro), diatriba (colto) 2 (est.) dissertazione, argomentazione, disquisizione 3 (est.) contrasto, litigio, disputa, diverbio, scontro, battibecco, schermaglia, polemica, contraddittorio 4 (est.) negoziato, contrattazione 5 [spec. con:

porre in] questione.

discùtere *v. tr. e intr.* **1** dialogare, dibattere, disquisire, parlare, argomentare, dissertare, conferire, discorrere, favellare (*lett.*), ragionare (*fam.*), parlamentare, consultarsi **2** [*un'opinione, un'idea*] criticare, confutare, dubitare, mettere in dubbio, contrastare, vagliare (*est.*) **CONTR.** accettare, ammettere, approvare **3** litigare, questionare, polemizzare, contendere (*ass.*), vociferare **CONTR.** acconsentire, intendersi **4** [*il prezzo, le condizioni*] contrattare, trattare, negoziare, patteggiare.

discutibile *agg.* **1** opinabile, problematico **CONTR.** assoluto, categorico, certo, indubbio, incontestabile, indiscutibile, indubitabile, irrefutabile **2** (*est.*) incerto, dubbio **CONTR.** certo, indubbio **3** (*spreg.*) riprovevole.

discutibilménte *avv.* in modo criticabile, in modo opinabile, in modo riprovevole, in modo incerto **CONTR.** indiscutibilmente, innegabilmente, certamente, inconfutabilmente, incontrastabilmente.

disdegnàre *v. tr.* **1** disprezzare, spregiare, sdegnare, aborrire, avversare, odiare **CONTR.** apprezzare, pregiare, onorare **2** [*un invito*] respingere, rifiutare, ricusare, declinare.

disdégno *s. m.* alterigia, superbia, arroganza, disprezzo, sprezzo, dispregio, spregio **CONTR.** affabilità, cordialità.

disdegnosaménte *avv.* sdegnosamente, sprezzantemente, alteramente, superbamente **CONTR.** affabilmente, cortesemente, gentilmente, umilmente.

disdétta *s. f.* **1** sfortuna, malasorte, sventura, avversità **2** smentita, ritrattazione, denunzia, revoca **CONTR.** conferma **3** (*dir.*) licenza.

disdicévole *agg.* sconveniente, scorretto **CONTR.** lodevole, encomiabile, corretto, glorioso (*fam.*).

disdire (1) *A v. tr.* **1** [*un impegno, etc.*] revocare, annullare, cancellare, rifiutare **CONTR.** confermare, convenire, fissare, prenotare, assumere **2** [*un'affermazione*] ritirare, ritrattare, smentire (*est.*), contraddire **CONTR.**

confermare, riconfermare **3** [*un contratto*] sciogliere, denunciare, rescindere **CONTR.** accettare, concludere *B v. rifl.* [*detto di testimone*] contraddirsi.

disdire (2) *v. intr. e intr. pron.* essere disadatto, non convenire, non andare bene, sconvenire **CONTR.** adattarsi, convenire.

disdòro *s. m.* vergogna, disonore, ignominia, infamia **CONTR.** vanto, onore, prestigio, lustro.

diseducàre *v. tr.* **1** corrompere, guastare **CONTR.** educare, edificare **2** (*est.*) viziare.

disegnàre *A v. tr.* **1** delineare, tracciare, schizzare, tratteggiare, scarabocchiare (*spreg.*) **2** (*est.*) dipingere, ritrarre, illustrare, effigiare **3** [*un personaggio, etc.*] (*est.*) descrivere, rappresentare **4** [*una vacanza, etc.*] (*est.*) progettare, proporsi, pensare **5** [*un'impresa*] (*est.*) progettare, ideare, concepire, elaborare **6** [*una costruzione, una casa*] progettare, fare un progetto di *B v. intr. pron.* [*detto di avvenire, etc.*] delinearsi, dipingersi, apparire, profilarsi.

diségno *s. m.* **1** illustrazione, schizzo, abbozzo **2** [*di una casa, etc.*] pianta **3** [*di un tessuto*] (*fig.*) motivo **4** (*est.*) studio, progetto **5** (*est.*) proposito, intenzione, proponimento, proposta **6** [*di un romanzo, di un film, etc.*] (*fig.*) intreccio, ordito, schema, reticolo (*raro*) **7** (*est.*) strategia, concezione, pensiero.

diseguaglianza *s. f.* V. *disuguaglianza.*

diseguàle *agg.* V. *disuguale.*

diserbànte *s. m.; anche agg.* erbicida.

diseredàto *A s. m.* (*f. -a*) poveraccio, disgraziato, dannato (*fig.*) **CONTR.** creso, nababbo, pascià, miliardario *B part. pass.; anche agg.* disgraziato, povero, misero.

disertàre *v. tr.* **1** [*la scuola*] (*gerg.*) marinare, bigiare, bucare, saltare, bruciare **2** (*ass.*) tradire.

diserzióne *s. f.* defezione.

disfaciménto *s. m.* **1** decomposizione, corruzione, dissoluzione **2** rovina, sfacelo.

disfàre *A v. tr.* **1** distruggere, smantellare, scomporre, sfasciare, scassare, demolire, guastare, rovinare, rompere, atterrare **CONTR.** costruire, erigere, fare, ricostruire, riattare, rifare **2** [*la cera, il burro, etc.*] sciogliere, squagliare, fondere, spappolare, struggere, disciogliere, liquefare **CONTR.** coagulare, condensare, rassodare, solidificare **3** [*un piano, un patto*] annullare **CONTR.** concludere **4** [*una matassa, etc.*] dipanare, districare, sbrogliare, snodare **5** [*un pacco, etc.*] sballare, scartocciare, sviluppare (*raro*), sfare **CONTR.** fare **6** [*un abito*] scucire, sdrucire **CONTR.** tessere, cucire **7** [*una famiglia, etc.*] (*fig.*) distruggere, dissolvere, buttare all'aria **CONTR.** ricostituire *B v. intr. pron.* **1** [*detto di costruzione, etc.*] sgretolarsi, disgregarsi, crollare, distruggersi, rompersi **2** [*detto di cera, di burro, etc.*] spappolarsi, dissolversi, sciogliersi, liquefarsi, fondersi, struggersi, consumarsi **CONTR.** condensarsi, rassodarsi, solidificarsi **3** [*per amore, etc.*] (*fig.*) struggersi, consumarsi **4** [*detto di abito, etc.*] scucirsi *C v. rifl.* liberarsi, sbarazzarsi, privarsi, rinunciare *a*, eliminare *un*, gettare via *un*, alienare *un*, dare via *un*, buttare *un* **CONTR.** prendere, acquistare.

disfàtta *s. f.* sconfitta, rotta **CONTR.** vittoria.

disfida *s. f.* sfida.

disgelàre *v. tr.* sgelare.

disgiùngere *A v. tr.* **1** distaccare, disunire, dividere, separare, disciogliere, spartire, staccare, scompagnare **CONTR.** congiungere, connettere, collegare, unire, riunire **2** [*le situazioni, etc.*] (*est.*) considerare separatamente, distinguere, dissociare *B v. intr. pron.* dividersi, staccarsi, separarsi **CONTR.** congiungersi, collegarsi, unirsi, riunirsi.

disgiuntaménte *avv.* **1** separatamente **CONTR.** congiuntamente, insieme, unitamente **2** (*temp.*) **CONTR.** contemporaneamente.

disgiùnto *part. pass.; anche agg.* **1** separato, disunito, diviso **CONTR.** unito **2** (*est.*) discontinuo **3** (*lett.*) distinto.

disgràzia *s. f.* **1** sciagura, catastrofe, calamità, tragedia (*fig.*), dramma (*fig.*), rovina (*est.*) **2** infortunio, accidente, guaio, incidente, tegola (*fig.*), disavventura, rovescio, bastonata (*fig.*), batosta (*fig.*), acciacco (*fig.*) **3** sventura, avversità, malasorte, sfortuna **CONTR.** fortuna **4** traversia, vicissitudine **5** (*est.*) lutto, male **6** [*rif. a una persona, a un fenomeno*] peste, flagello.

disgraziataménte *avv.* sfortunatamente, malauguratamente, sventuratamente, purtroppo, fatalmente, sciaguratamente **CONTR.** fortunatamente, per fortuna, faustamente, provvidenzialmente.

disgraziàto *A agg.* **1** sfortunato, sventurato, sciagurato, malaugurato **CONTR.** fortunato, felice, privilegiato **2** (*est.*) tapino, miserabile, diseredato (*fig.*) **3** [*rif. a un giorno, a un evento*] infelice, nefasto, dannato **CONTR.** fortunato, felice *B s. m.* (*f. -a*) **1** diseredato, poveraccio, miserabile, dannato (*fig.*) **CONTR.** creso, nababbo, miliardario, pascià, signore **2** infelice, minorato.

disgregàre *A v. tr.* **1** frantumare, sgretolare, polverizzare, sminuzzare, disintegrare, erodere, corrodere **2** [*un insieme*] smembrare, disunire, dividere, separare, scomporre, disaggregare, decomporre **CONTR.** conglomerare, aggregare, congiungere **3** [*una famiglia, etc.*] (*fig.*) indebolire, logorare, rovinare, scompaginare **CONTR.** unire, rafforzare **4** [*un partito, una società*] smembrare, dissolvere (*est.*), disorganizzare, disordinare (*raro*) **CONTR.** rafforzare *B v. intr. pron.* **1** [*detto di rocce, etc.*] sfaldarsi, disfarsi, decomporsi, frantumarsi, sgretolarsi **2** [*detto di famiglia*] (*fig.*) sfaldarsi, disintegrarsi, scompaginarsi **CONTR.** unirsi, rafforzarsi **3** [*detto di partito, società*] (*est.*) indebolirsi, disunirsi, scomporsi **CONTR.** ricostituirsi **4** [*detto di insieme*] dividersi, separarsi.

disgregazióne *s. f.* **1** scioglimento, scomposizione **CONTR.** aggregazione, unificazione **2** [*della carne*] dissoluzione, corruzione.

disgrossàre *v. tr.* dirozzare, sgrossare, abbozzare, sbozzare, raffinare.

disguido *s. m.* **1** equivoco, malinteso, errore **2** contrattempo, complicazione, impedimento, intralcio, impaccio.

disgustàre *A v. tr.* **1** schifare, nauseare, repellere, stomacare **CONTR.** appetire, gradire, gustare **2** (*est.*) offendere, infastidire, dispiacere, stancare **CONTR.** allettare, piacere **3** [*detto di cibo, etc.*] (*est.*) saziare **4** [*detto di comportamento*] scandalizzare *B v. intr. pron.* **1** nausearsi, stomacarsi, provare disgusto, schifarsi **CONTR.** appetire, gradire, gustare **2** [*tra persone*] guastarsi **CONTR.** rappacificarsi.

disgustàto *part. pass.; anche agg.* **1** nauseato, stomacato **CONTR.** contento, soddisfatto **2** [*moralmente*] (*fig.*) nauseato, stomacato, schifato, scandalizzato.

disgùsto *s. m.* **1** schifo, nausea (*fam.*), ribrezzo, repulsione, avversione, insofferenza, fastidio, uggia (*raro*), vomito (*fig.*), ripugnanza, noia, sdegno, sazietà (*est.*) **CONTR.** piacere, gusto **2** (*gener.*) schifo, sensazione.

disgustosaménte *avv.* in modo nauseabondo, sgradevolmente **CONTR.** piacevolmente, gradevolmente, squisitamente, con piacere, lusinghevolmente.

disgustóso *agg.* **1** [*rif. al cibo*] ripugnante, nauseante, nauseabondo, cattivo, pessimo **CONTR.** appetitoso, delizioso, gradevole, piacevole, gustoso **2** [*rif. a una persona*] ripugnante, repellente, ributtante, brutto **CONTR.** gradevole, piacevole, affascinante, allettante, invitante, invogliante, assassino.

disidratàre *A v. tr.* essiccare, seccare, liofilizzare, asciugare, deidratare **CONTR.** idratare, bagnare, inzuppare, umidificare *B v. intr. pron.* essiccarsi **CONTR.** idratarsi.

disidratàto *part. pass.; anche agg.* riarso, arido, secco, assetato, asciutto, arso **CONTR.** umido, bagnato.

disillùdere *A v. tr.* **1** deludere, disincantare, togliere le illusioni a, disingannare **CONTR.** illudere, ingannare, incantare, lusingare **2** (*est.*) smaliziare *B v. rifl. e intr. pron.* disincantarsi, disingannarsi, perdere le illusioni, perdere le speranze, togliersi le illusioni, aprire gli occhi, disamorarsi (*est.*), disinnamorarsi (*est.*) **CONTR.** illudersi, ingannarsi, autoingannarsi.

disillusióne *s. f.* disincanto, delusione **CONTR.** illusione.

disillùso *part. pass.; anche agg.* disincantato, sprezzante, cinico **CONTR.** illuso.

disimpacciàre *v. tr. e rifl.* **1** liberare, sciogliere **CONTR.** impacciare, impedire **2** disincastrare.

disimparàre *v. tr.* **1** dimenticare, scordare **CONTR.** imparare, apprendere, ricordare **2** [*a fare q.c.*] disabituarsi, smettere **CONTR.** abituarsi, continuare.

disimpegnàre *A v. tr.* **1** [*qc.*] sciogliere da obblighi, liberare da impegni, dispensare, disobbligare, rendere indipendente **CONTR.** impegnare, obbligare **2** [*un locale, un bene, etc.*] liberare, riscattare **3** [*un lavoro*] adempiere, sbrigare *B v. rifl.* **1** [*da un impegno*] liberarsi, svincolarsi, disobbligarsi, sciogliersi **CONTR.** impegnarsi **2** [*in affari*] sdebitarsi, sbrigarsi **3** [*in politica, etc.*] sapersela cavare, riuscire, cavarsela bene **CONTR.** fallire.

disimpégno *s. m.* **1** inattività **2** disinteresse, trascuratezza **CONTR.** impegno, diligenza, cura.

disincagliàre *A v. tr.* **1** liberare **2** [*una situazione*] (*fig.*) districare, sbrogliare *B v. rifl.* liberarsi.

disincantàre *A v. tr.* disilludere, disingannare, togliere le illusioni, smaliziare **CONTR.** illudere, incantare *B v. rifl. e intr. pron.* disilludersi, disingannarsi, togliersi le illusioni, disinnamorarsi (*est.*), disamorarsi (*est.*) **CONTR.** illudersi, incantarsi, ingannarsi.

disincantàto *part. pass.; anche agg.* cinico, disilluso **CONTR.** credulone, ingenuo, sentimentale.

disincànto *s. m.* **1** (*est.*) realismo, scetticismo, cinismo, pessimismo **2** disillusione **CONTR.** illusione.

disincastràre *v. tr.* liberare, disimpacciare **CONTR.** incastrare, conficcare.

disincentivàre *v. tr.* scoraggiare, demotivare, disinteressare **CONTR.** incentivare, incoraggiare, interessare, spingere.

disinceppàre *A v. tr.* togliere i ceppi,

liberare **B** v. intr. pron. [di meccanismo] sbloccarsi, funzionare.

disinfestàre v. tr. togliere i parassiti, risanare, sanare CONTR. infestare, contagiare, contaminare.

disinfettàre v. tr. 1 sterilizzare, medicare CONTR. contagiare, infettare 2 [l'ambiente, etc.] purificare, depurare, disinquinare, pulire, decontaminare CONTR. inquinare, appestare 3 espurgare (raro).

disinfettàto part. pass.; anche agg. 1 sterilizzato, asettico CONTR. infetto 2 (est.) pulito CONTR. sporco.

disinfezióne s. f. decontaminazione CONTR. contaminazione.

disinfiammàre v. tr. sfiammare, sgonfiare CONTR. infiammare, irritare.

disingannàre A v. tr. disilludere, disincantare, deludere CONTR. illudere, ingannare, abbagliare, accecare, lusingare **B** v. intr. pron. disilludersi, disincantarsi, ricredersi, perdere le illusioni, aprire gli occhi, destarsi CONTR. illudersi, ingannarsi.

disingànno s. m. delusione, frustrazione CONTR. soddisfazione.

disinibire A v. tr. (est.) sbloccare, togliere le inibizioni, eliminare i freni, liberare CONTR. inibire **B** v. rifl. sbloccarsi, superare le inibizioni, affrancarsi, liberarsi CONTR. bloccarsi, inibirsi.

disinnamoràre A v. tr. disamorare, disaffezionare, allontanare, raffreddare (fig.), distaccare (fig.) CONTR. innamorare, affezionare **B** v. intr. pron. 1 disamorarsi, disaffezionarsi, raffreddarsi (fig.), staccarsi (fig.), allontanarsi (fig.) CONTR. affezionarsi, innamorarsi, attaccarsi, invaghirsi 2 disincantarsi, disilludersi.

disinnescàre v. tr. [un ordigno] disattivare CONTR. attivare, innescare.

disinnésco s. m. (pl. -chi) disattivazione CONTR. attivazione, innesco.

disinnestàre v. tr. disinserire CONTR. innestare, inserire, ingranare.

disinquinàre A v. tr. depurare, purificare, disinfettare, pulire, filtrare (est.) CONTR. inquinare, contaminare, intossicare **B** v. intr. pron. depurarsi, filtrarsi

(est.) CONTR. inquinarsi, contaminarsi.

disinserire v. tr. (elettr.) togliere i contatti, disinnestare CONTR. innestare, inserire, ingranare.

disintasàre v. tr. sturare, liberare, stasare CONTR. intasare, otturare, ostruire, ingorgare.

disintegràre A v. tr. 1 polverizzare, frantumare, sbriciolare, sminuzzare, stritolare, disgregare 2 [qc. con lo sguardo] (fig.) polverizzare, distruggere, annientare **B** v. intr. pron. (anche fig.) frantumarsi, sbriciolarsi, disgregarsi, sciogliersi.

disinteressàre A v. tr. disaffezionare, disincentivare, allontanare, distogliere CONTR. interessare **B** v. intr. pron. trascurare un, disaffezionarsi a, perdere l'interesse per, non curarsi, fregarsene (fam.), sbattersene (volg.), estraniarsi, fottersene (volg.), infischiarsi (fam.) CONTR. interessarsi, occuparsi, badare, ficcanasare, frammettersi, immischiarsi, impicciarsi, interferire, intrigarsi, inframmettersi, pensare, premurarsi.

disinteressataménte avv. 1 senza interesse, gratuitamente, generosamente, gratis CONTR. interessatamente, calcolatamente, opportunisticamente, con interesse, egoisticamente 2 generosamente, imparzialmente, obiettivamente, spassionatamente CONTR. opportunisticamente, parzialmente 3 [rif. al guardare, all'osservare] CONTR. curiosamente.

disinteressàto part. pass.; anche agg. 1 altruista, generoso CONTR. egoistico, calcolatore, interessato 2 svogliato, noncurante CONTR. appassionato, assorbito in, dedito, arrabbiato in (fam.).

disinterèsse s. m. 1 altruismo, generosità CONTR. speculazione, calcolo, ingordigia 2 obiettività 3 indifferenza, freddezza, distacco, estraniazione (raro), noncuranza CONTR. stupore, sensazione, curiosità, interesse, interessamento 6 demotivazione.

disintossicàre v. tr. e rifl. 1 depurare, purificare CONTR. intossicare, avvelenare 2 [l'organismo] curare (impr.).

disinvoltaménte avv. 1 spigliata-

mente, spontaneamente CONTR. compassatamente, complimentosamente, formalmente, ricercatamente, goffamente, sgraziatamente 2 sfacciatamente, sfrontatamente CONTR. rispettosamente, ossequiosamente.

disinvòlto agg. 1 spigliato, sciolto, spedito CONTR. affettato, contegnoso, formale, ricercato, manierato 2 spigliato, ardito, sfrontato, sfacciato CONTR. timido, rispettoso 3 [rif. allo stile] sciolto, fluente, agile CONTR. ricercato, impacciato, goffo, legato 4 [rif. a un abito] (ingl.) casual CONTR. ricercato, elegante.

disinvoltùra s. f. 1 scioltezza, spigliatezza, naturalezza, semplicità, agilità (fig.), scorrevolezza (fig.), nonchalance (fr.), aplomb (fr.) CONTR. timidezza, soggezione, impaccio 2 leggerezza, noncuranza.

disìo s. m. V. desìo.

disistìma s. f. disprezzo, dispregio, discredito CONTR. stima.

disistimàre v. tr. disprezzare, spregiare CONTR. considerare, stimare, apprezzare, pregiare.

dislivèllo s. m. 1 pendenza, pendio, gradino, salto 2 [di stipendio, di generazione, etc.] (est.) differenza, distacco, divario, gap (ingl.) CONTR. corrispondenza, parità.

dislocaménto s. m. spostamento, trasferimento CONTR. collocamento (raro), collocazione, sistemazione.

dislocàre v. tr. 1 spostare, trasferire, traslocare, collocare (impr.) 2 [le risorse, etc.] (est.) decentrare, distribuire, ripartire CONTR. concentrare.

dismisùra s. f. eccesso, esagerazione, smoderatezza CONTR. moderatezza, equilibrio.

disobbediènza s. f. V. disubbidienza.

disobbedire v. intr. V. disubbidire.

disobbligàre A v. tr. [qc. dagli obblighi] liberare, esonerare, disimpegnare CONTR. obbligare, costringere, vincolare, impegnare **B** v. rifl. 1 sdebitarsi, contraccambiare (ass.) 2 svincolarsi, disimpegnarsi CONTR. obbligarsi, impegnarsi, vincolarsi.

disoccupàto *A part. pass.; anche agg.* **1** inattivo, inoperoso CONTR. occupato **2** ozioso, scioperato CONTR. operoso, laborioso, industrioso, indaffarato *B s. m.* (*f. -a*) senza lavoro.

disoccupazióne *s. f.* inattività CONTR. occupazione.

disomogeneità *s. f. inv.* disorganicità, incoerenza CONTR. omogeneità, coerenza.

disomogèneo *agg.* disorganico, incoerente, incongruente, disunito, disuguale, disordinato CONTR. omogeneo, armonico, uguale.

disonestà *s. f. inv.* **1** [*morale*] immoralità, scorrettezza, slealtà, sudiciume (*fig.*) CONTR. onestà, serietà, buonafede, correttezza, coscienza, dirittura, moralità, probità **2** [*l'azione*] mascalzonata, porcata.

disonestaménte *avv.* **1** fraudolentemente, slealmente, illecitamente, iniquamente, immoralmente, ingiustamente CONTR. onestamente, correttamente, rettamente, lealmente, bene, fedelmente, coscientemente, dirittamente (*fig.*), giustamente, moralmente (*est.*), onoratamente (*est.*), puramente (*fig.*) **2** immoralmente, spudoratamente, sconciamente CONTR. onestamente, correttamente.

disonèsto *agg.* **1** losco, corrotto, briccone CONTR. onesto, dabbene, bravo, buono, affidabile **2** [*al gioco, in una gara*] corrotto, briccone, scorretto, sleale CONTR. corretto, leale, giusto, pulito (*fam.*) **3** losco, immorale, impudico, impuro CONTR. giusto, pulito (*fam.*), morale, verecondo, incorruttibile.

disonoràre *A v. tr.* **1** [*il buon nome, etc.*] infamare, infangare (*fig.*), screditare, profanare, diffamare, macchiare (*fig.*), insozzare (*fig.*), insudiciare (*fig.*) CONTR. onorare, esaltare, celebrare, lodare, riabilitare **2** [*qc.*] bollare, svergognare **3** [*una ragazza*] sedurre, violentare, deflorare, sverginare *B v. rifl.* infamarsi, insudiciarsi (*fig.*), infangarsi (*fig.*), macchiarsi (*fig.*), compromettersi (*est.*).

disonoràto *part. pass.; anche agg.* [*rif. al nome, alla dignità*] macchiato, screditato, violato, contaminato (*fig.*) CONTR. onorato, celebrato.

disonóre *s. m.* onta, ignominia, vergogna, infamia, disdoro (*lett.*), discredito CONTR. onore, vanto, gloria, lustro.

disonorévole *agg.* infamante.

disonorevolménte *avv.* con disonore, vergognosamente, indegnamente, ignominiosamente, indecorosamente CONTR. onorevolmente, degnamente.

disordinàre *A v. tr.* **1** mettere in disordine, scompigliare, arruffare, disorganizzare, scombinare, incasinare, ingarbugliare, mettere a soqquadro CONTR. ordinare, riordinare, assestare, assettare, sistemare, organizzare **2** [*l'ordine sociale, etc.*] sconvolgere, confondere (*pop.*), scombussolare, sovvertire, perturbare, dissestare CONTR. normalizzare **3** [*i capelli*] scompigliare, arruffare, rabbuffare CONTR. ravviare, rassettare **4** [*un insieme*] rimescolare, sparpagliare, scomporre, disgregare, scompaginare *B v. intr.* eccedere CONTR. moderarsi.

disordinataménte *avv.* caoticamente, confusamente, arruffatamente, disorganicamente, sregolatamente CONTR. ordinatamente, con ordine, sistematicamente, perbene, metodicamente, disciplinatamente.

disordinàto *part. pass.; anche agg.* **1** caotico, confuso, disomogeneo, incoerente, incongruente CONTR. ordinato, preciso, classificato **2** [*rif. all'esistenza*] sregolato CONTR. regolare **3** [*rif. a un moto, a un movimento*] convulso, scomposto, irregolare CONTR. regolare **4** [*rif. all'aspetto*] trasandato CONTR. acconciato **5** [*rif. al traffico*] indisciplinato CONTR. regolare, disciplinato **6** [*rif. a un esame, a un'analisi, a un lavoro*] caotico, confuso CONTR. preciso, accurato, metodico, sistematico.

disórdine *s. m.* **1** caos, confusione, baraonda, bolgia (*fig.*), casino (*pop.*), casotto (*pop.*), babele (*fig.*), bailamme (*pop.*), arruffio CONTR. ordine **2** [*rif. al comportamento*] trasandatezza, sciatteria **3** [*sociale*] trasandatezza, subbuglio, rivoluzione (*est.*), turbolenza (*raro*), sconvolgimento **4** [*mentale*] trasandatezza, incoerenza **5** [*nel modo di vivere*] sregolatezza **6** [*alimentare*] stravizio.

disorganicaménte *avv.* disordinatamente, confusamente CONTR. ordinatamente, con ordine.

disorganicità *s. f. inv.* disomogeneità CONTR. organicità, compiutezza.

disorgànico *agg.* disomogeneo, incoerente, frammentario CONTR. ordinato, omogeneo, organico.

disorganizzàre *v. tr.* **1** [*le istituzioni*] disgregare, disordinare, scomporre CONTR. organizzare, ordinare **2** (*est.*) scoordinare, sconvolgere, confondere.

disorganizzazióne *s. f.* sfacelo, casino (*pop.*) CONTR. organizzazione.

disorientaménto *s. m.* **1** smarrimento CONTR. orientamento **2** (*est.*) stordimento, confusione, smarrimento CONTR. lucidità.

disorientàre *A v. tr.* confondere, frastornare, stordire, sconcertare, sbalordire, stupire, sbalestrare (*fig.*), imbarazzare CONTR. orientare, equilibrare, rassicurare *B v. intr. pron.* **1** perdere l'orientamento CONTR. orientarsi **2** (*est.*) stupirsi, confondersi, rimanere perplesso, sconcertarsi, turbarsi, smarrirsi, intricarsi (*fig.*), perdere la bussola (*fig.*).

disorientàto *part. pass.; anche agg.* confuso, perplesso, frastornato, inebetito, sconcertato, sgomento CONTR. presente, lucido, attento.

dìspari *s. m. inv.* (*gener.*) numero CONTR. pari.

disparìre *v. intr.* scomparire, dileguarsi, svanire CONTR. comparire, apparire, mostrarsi, presentarsi.

disparità *s. f. inv.* disuguaglianza, differenza CONTR. parità.

dispendióso *agg.* costoso, caro, salato (*fig.*) CONTR. economico, a buon mercato.

dispènsa (1) *s. f.* **1** esenzione, esonero **2** immunità.

dispènsa (2) *s. f.* **1** credenza, armadio, madia **2** (*gener.*) mobile **3** [*rif. a un luogo*] ripostiglio **4** (*gener.*) vano, stanza, ambiente, locale.

dispensa

dispènsa (3) *s. f.* fascicolo, numero, opuscolo.

dispensàre *A v. tr.* **1** [*denaro, viveri, etc.*] distribuire, erogare, concedere, elargire, spartire, dividere, suddividere, assegnare **CONTR.** ricevere **2** [*qc. da un obbligo*] eccettuare, escludere, liberare da impegni (*ass.*), prosciogliere, assolvere, condonare, esentare, esimere, liberare, disimpegnare **3** [*ordini, benedizioni, etc.*] impartire **4** [*qc. da una carica*] (*est.*) esonerare, destituire **B** *v. rifl.* esimersi, sottrarsi, esentarsi, esonerarsi **CONTR.** impegnarsi, obbligarsi.

dispensàto *part. pass.; anche agg.* esente, esonerato, libero.

disperàre *A v. tr. e intr.* **1** non sperare più, perdere le speranze **CONTR.** confidare, sperare **2** (*est.*) temere **B** *v. intr. pron.* essere disperato, abbandonarsi alla disperazione, dannarsi (*fig.*), scoraggiarsi, sgomentarsi, deprimersi, demoralizzarsi, avvilirsi, abbattersi (*fig.*), accasciarsi (*fig.*), disanimarsi, sconfortarsi **CONTR.** confortarsi, incoraggiarsi, riconfortarsi.

disperataménte *avv.* **1** con disperazione, sconsolatamente, inconsolabilmente, dolorosamente **CONTR.** fiduciosamente, con fiducia **2** (*est.*) accanitamente, a più non posso, fino all'ultimo **CONTR.** tranquillamente, adagio.

disperàto *A part. pass.; anche agg.* **1** angosciato, affranto, scoraggiato, avvilito, abbattuto, inconsolabile (*est.*) **CONTR.** fiducioso, speranzoso, sereno (*est.*) **2** [*rif. alla voglia, al gusto*] (*fam.*) matto **3** [*rif. a un gesto*] inconsulto **B** *s. m.* (*f. -a*) [*rif. a una persona*] dannato, disgraziato.

disperazióne *s. f.* angoscia, desolazione (*fig.*), dolore, sconforto, abbattimento, avvilimento, infelicità **CONTR.** felicità, contentezza.

dispèrdere *A v. tr.* **1** [*un gruppo di persone*] sparpagliare, dividere, disciogliere, sbandare, sbaragliare, sperdere (*lett.*) **CONTR.** concentrare, convogliare, adunare, raggruppare, riunire, radunare, raccogliere, raccozzare **2** [*un patrimonio, etc.*] perdere, dilapidare, buttare, scialacquare, distruggere **CONTR.** racimolare, recuperare, accumulare, ammassare, rag-

granellare, raggruzzolare, ammonticchiare, affastellare **3** [*la nebbia, i dubbi, etc.*] dissipare, dissolvere, allontanare, scacciare, dileguare, fare scomparire, fare svanire, fugare **4** [*l'energia, etc.*] sperperare, consumare, spendere, sprecare, spargere **CONTR.** recuperare **5** [*una collezione, etc.*] smembrare, disseminare **CONTR.** assembrare **6** [*la salute*] (*fig.*) dilapidare, buttare, rovinare **B** *v. intr. pron.* **1** [*detto di persone*] sparpagliarsi, sbandarsi, dividersi, separarsi **CONTR.** concorrere, convenire, concentrarsi, radunarsi, accentrarsi **2** [*detto di denaro, di sogni*] dissolversi, dileguarsi, scomparire, svanire **3** [*in cose inutili*] (*est.*) divagare, distrarsi **CONTR.** impegnarsi **4** [*detto di energie, etc.*] dissolversi, perdersi **CONTR.** conservarsi **5** [*detto di gruppo di persone*] disciogliersi, sciogliersi **CONTR.** riunirsi.

dispersióne *s. f.* spargimento, diffusione, perdita **CONTR.** accumulo, accumulazione.

dispètto *s. m.* **1** [*rif. a uno stato d'animo*] rabbia, stizza, irritazione, sdegno **2** invidia **3** [*l'azione*] spregio, sgarbo, villania, ripicca, sgarberia.

dispiacére *A v. intr.* **1** urtare, addolorare, dolere, bruciare (*fig.*), disturbare, irritare, disgustare, spiacere, scontentare, ripugnare **CONTR.** deliziare, piacere, contentare, garbare, gustare **2** costare, gravare **B** *v. intr. pron.* spiacersi, dolersi, accorarsi, addolorarsi, rammaricarsi, mortificarsi, condolersi, rincrescersi **CONTR.** allietarsi, rallegrarsi, esultare, gioire **C** *s. m.* afflizione, pena, rammarico, danno (*est.*), dolore (*est.*) **CONTR.** piacere, gioia.

dispiaciùto *part. pass.; anche agg.* **1** rammaricato, addolorato, desolato **CONTR.** contento, appagato, soddisfatto **2** (*est.*) spiacente.

dispiegaménto *s. m.* apparato, allestimento.

dispiegàre *A v. tr.* [*le ali, etc.*] distendere, schiudere, allargare, aprire, spiegare **CONTR.** piegare, avviluppare, raccogliere **B** *v. intr. pron.* **1** estendersi, allargarsi **2** [*detto di melodia, etc.*] svilupparsi.

dispnèa *s. f.* affanno, soffocamento.

disponibile *agg.* **1** [*rif. a una perso-*

na] aperto (*fig.*), comprensivo, benevolo, propenso, incline **CONTR.** scontroso, scostante, schivo **2** [*rif. al denaro*] accessibile **CONTR.** inutilizzabile, inservibile **3** [*rif. al posto*] libero, vuoto, vacante **CONTR.** occupato.

disponibilità *s. f. inv.* **1** [*qualità dell'animo*] apertura, generosità, sensibilità, cordialità **CONTR.** chiusura **2** (*gener.*) qualità **3** [*rif. a merci*] stock (*ingl.*), assortimento.

dispórre *A v. tr.* **1** mettere a posto, sistemare, collocare, orientare, orizzontare, mettere (*impr.*) **2** [*una festa, etc.*] mettere a posto, sistemare, preparare, apprestare, apparecchiare (*raro*), allestire, preordinare, predisporre **3** [*le truppe, la folla*] coordinare, schierare, distribuire **4** [*la propria vita, sorte*] improntare, informare, padroneggiare **5** [*il volto, l'espressione*] atteggiare, comporre **6** [*l'animo*] inclinare **7** [*qc.*] convincere, incitare, persuadere **8** [*q.c.*] stabilire, predeterminare, decidere, prestabilire, ordinare, decretare, volere, deliberare, sancire, prescrivere **B** *v. intr.* avere a disposizione *un*, essere fornito, avere *un*, possedere *un*, essere dotati **C** *v. rifl.* **1** [*in fila, in cerchio, etc.*] collocarsi, porsi, ordinarsi, sistemarsi, inquadrarsi, mettersi **2** [*a partire, a parlare, etc.*] accingersi, prepararsi, apprestarsi, apparecchiarsi (*lett.*), determinarsi, organizzarsi per.

dispositivo *s. m.* apparato, apparecchiatura, apparecchio, congegno, macchinario, strumento, macchina, meccanismo.

disposizióne *s. f.* **1** [*nello spazio*] ordine, assetto, collocazione, sistemazione, ordine, allineamento, schieramento (*mil.*), ordinamento, allogamento (*mil.*) **2** [*rif. al carattere*] tendenza, attitudine, inclinazione, spirito (*est.*), inclinazione **3** ordine, direttiva, deliberazione (*bur.*), comando, ordinanza (*bur.*), bando, decreto, delibera (*bur.*), prescrizione, istruzione, misura (*fig.*) **4** volontà, decisione, pensiero.

dispósto *A part. pass.; anche agg.* **1** spinto, incline **CONTR.** contrario, avverso, restio, riluttante, indisposto **2** stabilito, determinato **B** *s. m.* (*bur.*) deliberato.

dispoticaménte *avv.* tirannicamente, autoritariamente, prepotentemente, dittatorialmente, imperiosamente **CONTR.** democraticamente, liberalmente.

dispòtico *agg.* *1* [*rif. a un regime politico*] tirannico, dittatoriale, autoritario, prepotente, tiranno, imperioso, assolutista, oppressivo, assoluto, fascista (*spreg.*) **CONTR.** democratico, liberale *2* [*rif. all'atteggiamento*] (*est.*) autoritario, prepotente, tiranno, imperioso, fascista (*spreg.*), deciso, risoluto **CONTR.** mite, umano.

dispotismo *s. m.* *1* tirannia, assolutismo, autocrazia *2* (*gener.*) governo *3* [*rif. al comportamento*] autoritarismo, prepotenza, arroganza **CONTR.** liberalità.

dispregiàre *v. tr.* disprezzare, schifare, sprezzare **CONTR.** apprezzare, stimare.

disprègio *s. m.* *1* disistima, disprezzo **CONTR.** stima, apprezzamento, pregio *2* disdegno, alterigia.

disprezzàbile *agg.* *1* deplorevole, biasimevole, spregevole, indegno **CONTR.** stimabile, encomiabile *2* trascurabile, irrilevante.

disprezzàre *A v. tr.* *1* [*qc.*] disistimare, detestare, odiare **CONTR.** apprezzare, rispettare, ammirare, stimare, onorare, ossequiare, venerare, lodare, esaltare, decantare *2* [*una pietanza, etc.*] (*est.*) abominare, aborrire, schifare *3* disdegnare, sprezzare, sdegnare, rifiutare *4* [*rispetto al valore*] deprezzare, svalutare, diminuire (*ass.*) *5* [*le leggi, le istituzioni*] spregiare, deridere (*fig.*), irridere, schernire (*fig.*), trascurare, infischiarsi *di*, calpestare (*fig.*), disubbidire a *B v. rifl.* diminuirsi, svilirsi, abbassarsi (*fig.*), svalutarsi **CONTR.** apprezzarsi, autostimarsi, stimarsi, incensarsi, gloriarsi, vantarsi, lodarsi, magnificarsi, pavoneggiarsi.

disprezzàto *part. pass.; anche agg.* vilipeso, irriso, spregiato, negletto **CONTR.** apprezzato, ammirato, lodato, decantato, prediletto (*est.*), preferito (*est.*), rispettato (*est.*), stimato.

disprèzzo *s. m.* *1* disistima, dispregio, sdegno **CONTR.** stima, apprezzamento, ammirazione, adorazione,

---

considerazione *2* [*nei confronti altrui*] disdegno, alterigia, noncuranza *3* [*delle leggi, delle convenzioni*] spregio, sprezzo **CONTR.** ubbidienza, timore *4* pena *5* (*gener.*) sentimento.

dìsputa *s. f.* *1* discussione, dibattito, alterco, questione (*est.*), lite, polemica, schermaglia (*fig.*), dibattimento (*raro*) *2* competizione, gara, contesa.

disputàre *A v. intr.* *1* polemizzare, altercare, argomentare, ragionare, questionare, litigare, trattare *2* [*in una gara sportiva*] competere, gareggiare, rivaleggiare, combattere (*fig.*) *B v. tr.* *1* esaminare, discutere *2* [*il successo, la carriera*] contrastare, ostacolare *3* [*la vittoria*] contrastare, contendere *4* [*una partita*] giocare *5* [*una gara*] affrontare, correre (*fig.*) *C v. rifl. rec.* *1* [*la vittoria, il premio*] litigarsi, contendersi *2* contrastarsi.

disquisìre *v. intr.* dissertare, discutere, argomentare, trattare, ragionare.

disquisizióne *s. f.* dissertazione, discussione.

dissacràre *v. tr.* *1* profanare, sconsacrare *2* contestare, screditare *3* deridere *4* banalizzare.

dissaldàre *v. tr.* rompere, scollare (*est.*).

dissanguàre *A v. tr.* *1* togliere il sangue a *2* [*spec. economicamente*] (*est.*) spremere (*fig.*), impoverire, depauperare, immiserire, esaurire, prosciugare (*fig.*) **CONTR.** rinsanguare, arricchire, rimpinguare *B v. intr. pron.* perdere molto sangue *C v. rifl.* [*spec. economicamente*] rovinarsi, perdere molti soldi, pagare molto, impoverirsi **CONTR.** arricchirsi.

dissapóre *s. m.* disaccordo, contrasto, screzio, attrito (*fig.*), crepa (*fig.*) **CONTR.** accordo.

dissecàre *v. tr.* (*anat.*) sezionare, anatomizzare, dissezionare.

disseccàre *A v. tr.* *1* inaridire, seccare, essiccare, prosciugare, asciugare **CONTR.** bagnare, inumidire, imbevere, inzuppare, irrorare *2* [*l'animo*] (*fig.*) inaridire, isterilire, rendere arido, rendere sterile *3* intristire **CONTR.** ravvivare, rianimare *B v. intr. pron.* prosciugarsi, inaridirsi, seccarsi, asciugarsi, es-

---

siccarsi **CONTR.** bagnarsi, inumidirsi, inzupparsi, imbeversi.

disseminàre *v. tr.* *1* spargere, seminare, cospargere, costellare, spandere, sparpagliare, gettare, disperdere (*est.*) **CONTR.** concentrare, raccogliere, accumulare, ammassare, riunire, radunare *2* [*notizie, paura, etc.*] (*est.*) diffondere, divulgare.

disseminàto *part. pass.; anche agg.* *1* cosparso, sparso, sparpagliato *2* [*rif. al panico, alla paura, etc.*] (*fig.*) divulgato, diffuso.

disseminazióne *s. f.* spargimento, diffusione, sparpagliamento.

dissennataménte *avv.* follemente, insensatamente, mattamente, pazzescamente **CONTR.** assennatamente, avvedutamente, giudiziosamente, prudentemente.

dissennatézza *s. f.* stoltezza, scemenza, stupidità, imbecillaggine **CONTR.** assennatezza, senno, buonsenso, giudizio, discernimento.

dissennàto *agg.* insensato, incosciente, demente, mentecatto, idiota, stupido, cretino, squilibrato, spostato **CONTR.** assennato, ragionevole, giudizioso.

dissènso *s. m.* *1* [*rispetto a norme governative, etc.*] opposizione, protesta **CONTR.** assenso, unanimità, consenso *2* [*tra persone*] discordanza, contrasto, disaccordo, conflitto, dissidio, screzio *3* disapprovazione **CONTR.** approvazione.

dissentìre *v. intr.* non essere d'accordo *con*, essere di diverso parere, essere in conflitto *con*, essere in disaccordo *con*, discordare, divergere, dissociarsi, controvertere (*raro*), differire, contestare *un*, contrastare *un* **CONTR.** assentire, conformarsi, convenire, concordare.

dissenziènte *part. pres.; anche agg. e s. m. e f.* dissidente.

disseppelliménto *s. m.* *1* dissotterramento, esumazione (*colto*), riesumazione **CONTR.** sepoltura, seppellimento, interramento *2* riesumazione.

disseppellìre *v. tr.* *1* esumare (*colto*), dissotterrare, scavare (*est.*) **CONTR.** seppellire, inumare, infossare,

---

disseppellire

interrare, sotterrare **2** [*gli usi, le tradizioni*] (*est.*) dissotterrare, riesumare, ripristinare, riscoprire, rievocare.

disserràre A v. tr. aprire, schiudere, dischiudere, dissuggellare CONTR. chiudere, serrare B v. intr. pron. **1** aprirsi, schiudersi, dischiudersi **2** (*est.*) scagliarsi, scatenarsi.

dissertàre v. intr. discutere, disquisire (*colto*), discorrere, argomentare, trattare, ragionare, questionare, parlare (*impr.*).

dissertazióne s. f. **1** disquisizione, discussione, argomentazione (*est.*), ragionamento (*est.*) **2** studio, lezione, monografia, saggio, trattato.

dissestàre A v. tr. **1** [*l'economia, la famiglia*] rovinare, sconquassare, scardinare, sbancare, sbilanciare, sbalestrare, squilibrare CONTR. assestare, rinvigorire, rinsaldare, organizzare **2** (*est.*) disordinare, spostare CONTR. ordinare, riordinare B v. intr. pron. **1** sbilanciarsi **2** rovinarsi.

dissetàre A v. tr. **1** togliere la sete a CONTR. assetare **2** (*est.*) appagare, soddisfare B v. rifl. **1** togliersi la sete, abbeverarsi **2** (*est.*) appagarsi.

dissezionàre v. tr. (*anat.*) sezionare, dissecare, anatomizzare.

dissidènte agg., s. m. e f. dissenziente.

dissidio s. m. discordia, dissenso, disaccordo, contrasto, attrito (*fig.*), bega (*fam.*), crepa (*fig.*) CONTR. accordo.

dissigillàre v. tr. dissuggellare, aprire, spalancare CONTR. sigillare, suggellare, chiudere.

dissìmile agg. diverso, differente, disuguale CONTR. simile, affine, analogo, conforme, consono.

dissimulàre A v. tr. **1** fingere, simulare **2** [*i sentimenti*] mascherare, coprire, occultare, nascondere, celare, reprimere, mimetizzare CONTR. manifestare, palesare, mostrare, rivelare, svelare **3** [*l'odio*] (*fig.*) covare B v. rifl. nascondersi, occultarsi CONTR. mostrarsi.

dissipàre A v. tr. **1** [*un patrimonio, etc.*] dilapidare, sperperare, scialac-

quare, mangiare (*fig.*), divorare (*fig.*), spargere, fondere (*fig.*), liquefare (*fig.*) CONTR. economizzare, risparmiare, lesinare, accumulare **2** [*le nubi, la nebbia, etc.*] sciogliere, fare svanire, disperdere CONTR. addensare, infittire **3** [*il tempo, le energie*] (*est.*) profondere, consumare, sprecare, sciupare, buttare via, buttare, perdere CONTR. utilizzare **4** [*i sospetti*] dissolvere, dileguare, fare scomparire, fugare CONTR. accrescere B v. intr. pron. [*detto di patrimonio*] consumarsi, dissolversi, dileguarsi, liquefarsi (*fig.*).

dissipataménte avv. dissolutamente, sregolatamente CONTR. sobriamente, moderatamente, misuratamente, economicamente.

dissipatóre s. m. (f. -*trice*) dilapidatore, scialacquatore.

dissipazióne s. f. sperpero, spreco, sciupio, sciupo, scialo, profusione CONTR. risparmio.

dissociàre A v. tr. **1** disunire, separare, disgiungere, dividere, scompagnare CONTR. connettere, associare, collegare, congiungere, unire **2** [*un composto*] (*chim.*) scindere B v. rifl. **1** dissentire, discordare, divergere, opporsi a, prendere le distanze CONTR. confederarsi, associarsi **2** [*detto di personalità*] (*psicol.*) sdoppiarsi.

dissodàre v. tr. **1** scassare, zappare, vangare, lavorare con la vanga, lavorare la terra (*impr.*), solcare (*est.*), arare (*est.*) **2** [*i modi, le maniere*] (*est.*) affinare, raffinare, dirozzare, ingentilire, educare.

dissolutaménte avv. viziosamente, scostumatamente, licenziosamente, correttamente, sfrenatamente, dissipatamente, immoralmente, impudicamente, lascivamente, libidinosamente, sregolatamente CONTR. onestamente, castamente, pudicamente, puramente, morigeratamente (*est.*).

dissolutézza s. f. depravazione, sfrenatezza, sregolatezza, corruzione, immoralità, vizio, male.

dissolùto A agg. **1** [*rif. a una persona*] depravato, vizioso, debosciato, deviato CONTR. retto, onesto, pio, casto, pudico **2** [*rif. all'atteggiamento*] licenzioso, sfrenato, sregolato, lascivo, libidinoso, libertino CONTR. pu-

dico, morigerato, misurato, castigato B s. m. (f. -*a*) vizioso.

dissoluzióne s. f. **1** [*della carne*] corruzione, disfacimento, decomposizione **2** [*morale*] (*fig.*) disgregazione, sfacelo, sfascio, rovina, decadimento.

dissòlvere A v. tr. **1** [*q.c. in un liquido*] sciogliere, disciogliere, fondere, liquefare, diluire (*est.*), stemperare (*est.*) CONTR. coagulare, condensare **2** [*una famiglia, un ente*] (*est.*) disgregare, disunire, disfare, scindere CONTR. collegare, congiungere, unire **3** [*il fumo, i sospetti, etc.*] fare svanire, dissipare, disperdere, fugare CONTR. addensare, infittire B v. intr. pron. **1** sciogliersi, liquefarsi, disfarsi, decomporsi, compormpersi, imputridirsi, putrefarsi, marcire CONTR. formarsi **2** [*detto di speranze, illusioni*] scomparire, sparire, disperdersi, sfumare, svanire, dileguarsi, franare (*fig.*), volatilizzarsi (*fig.*), polverizzarsi (*fig.*), perdersi, rientrare (*fig.*) CONTR. comparire, apparire, materializzarsi **3** [*detto di patrimonio, beni*] scomparire, sparire, dissiparsi, finire.

dissomiglianza s. f. differenza CONTR. somiglianza, affinità.

dissomigliàre v. intr. differire, differenziarsi, diversificarsi CONTR. somigliare, assomigliare, rassomigliare.

dissonànza s. f. [*rif. ai colori, alle opinioni, etc.*] discordanza, disaccordo, disarmonia, discrepanza CONTR. concordanza, consonanza, affinità.

dissonàre v. intr. [*detto di colori, cose, etc.*] stonare, discordare, non armonizzare con, divergere, contrastare con CONTR. armonizzarsi, intonarsi.

dissotterraménto s. m. riesumazione (*colto*), disseppellimento, esumazione (*colto*) CONTR. interramento, seppellimento, sepoltura.

dissotterràre v. tr. **1** disseppellire, esumare (*colto*), scavare (*est.*) CONTR. affossare, interrare, seppellire, inumare, tumulare, sotterrare **2** [*le tradizioni, gli usi*] (*est.*) ripristinare, rievocare, riesumare (*fig.*) CONTR. affossare, dimenticare.

dissuadére A v. tr. distogliere, sconsigliare, sviare, fare recedere, indurre all'astensione, convincere del contrario, rimuovere (*fig.*), stornare, muovere (*fig.*) CONTR. convincere, persuadére, indurre, spingere, consigliare, incitare, capacitare, invogliare **B** *v. rifl.* distogliersi *da* CONTR. convincersi, persuadersi.

dissuggellàre *v. tr.* **1** disserrare, aprire, schiudere, dissigillare, spalancare CONTR. sigillare, suggellare, chiudere **2** [*un segreto*] (*est.*) palesare, svelare.

distaccaménto (1) *s. m.* distacco, separazione.

distaccaménto (2) *s. m.* dependance.

distaccàre *v. tr.* **1** staccare, separare, disgiungere, disunire, dividere CONTR. attaccare, congiungere, unire, saldare **2** [*qc.*] allontanare, disamorare, disinnamorare, distogliere, alienare, disaffezionare CONTR. avvicinare, affezionare **3** [*un impiegato, un militare*] trasferire, mandare, comandare (*bur.*), destinare, smistare (*est.*), chiamare (*fig.*) **4** [*qc. in una gara*] (*sport*) staccare, distanziare, superare, battere **B** *v. intr. pron.* **1** [*dallo studio, dalle amicizie, etc.*] disaffezionarsi, allontanarsi (*fig.*), abbandonare *un*, interrompere *un* CONTR. avvicinarsi, affezionarsi **2** [*per intelligenza, etc.*] staccarsi, risaltare, campeggiare, emergere, differire, eccellere, distinguersi, elevarsi CONTR. confondersi **3** [*dalle tradizioni, etc.*] (*fig.*) staccarsi, rompere *con*, evadere **4** [*detto di parti di meccanismo*] separarsi, rompersi.

distaccataménte *avv.* **1** compassatamente, freddamente, indifferentemente CONTR. caldamente, calorosamente, espansivamente, con ardore, passionalmente, con fervore, entusiasticamente, cordialmente, confidenzialmente **2** disinteressatamente CONTR. bramosamente.

distaccàto *part. pass.; anche agg.* **1** gelido (*fig.*), glaciale (*fig.*), indifferente, impassibile, superiore CONTR. caldo, caloroso, accorato, affettuoso, appassionato, fanatico, amoroso, ardente, amichevole, confidenziale **2** disinteressato CONTR. avido, bramoso **3** [*rif. a uno stato d'animo*] indifferente CONTR. agitato, arrabbiato **4** distratto CONTR. assorbito, attento **5** discosto

CONTR. attiguo, vicino.

distàcco *s. m.* (*pl. -chi*) **1** allontanamento, separazione, partenza, addio (*est.*), taglio (*fig.*), rottura (*fig.*) CONTR. avvicinamento **2** indifferenza, freddezza, disinteresse CONTR. sentimento, calore **3** dislivello, scarto **4** [*in una gara*] vantaggio **5** [*cerimonia di*] spoliazione, rinuncia **6** [*rif. ai dipendenti statali*] (*bur.*) comando, trasferimento.

distànte **A** *agg.* **1** discosto, lontano, remoto CONTR. adiacente, aderente, attiguo, contiguo, limitrofo **2** [*rif. all'atteggiamento*] indifferente, impassibile CONTR. accorato **3** (*est.*) diverso **B** *avv.* lontano, via, discosto CONTR. vicino, accanto, appresso, dappresso, dattorno, dintorno, intorno, nei pressi, presso, accosto.

distànza *s. f.* **1** lontananza CONTR. attiguità, vicinanza, prossimità **2** tratto, spazio, raggio (*mat.*) **3** [*nel trattamento economico*] (*fig.*) divario, scarto **4** (*est.*) diversità, disuguaglianza.

distanziàre *v. tr.* **1** discostare, allontanare, separare CONTR. avvicinare, accostare **2** [*qc. in una gara*] (*sport*) distaccare, staccare, superare, battere, prevalere **3** intervallare, inserire uno spazio.

distàre *v. intr.* **1** [*in senso spaziale*] essere lontano CONTR. essere vicino **2** (*est.*) discostarsi, differire, diversificarsi, discordare, distinguersi CONTR. assomigliare, somigliare.

distèndere **A** *v. tr.* **1** [*le gambe*] allungare, sgranchire, stirare CONTR. contrarre, piegare, ritrarre, ritirare, aggranchire, rannicchiare **2** [*le braccia*] aprire, allargare, protendere **3** [*una bandiera, un foglio*] svolgere, dispiegare, srotolare **4** [*le ali*] aprire, spiegare **5** [*le vele, etc.*] dilatare **6** [*qc. a terra*] adagiare, coricare, sistemare CONTR. alzare **7** [*il burro sul pane, etc.*] spalmare, stendere **8** [*i nervi*] (*est.*) rilassare, rilasciare, calmare, tranquillizzare **9** [*il viso, l'espressione*] allargare CONTR. corrugare, raggrinzare, aggrondare, aggrottare **B** *v. rifl.* **1** stendersi, adagiarsi, coricarsi, sdraiarsi, stirarsi, giacere CONTR. alzarsi, incurvarsi, raggomitolarsi, rannicchiarsi, rattrappirsi, contorcersi, irrigidirsi **2** (*est.*) rilassarsi, calmarsi,

respirare (*fig.*), rifiatare (*fig.*), scaricarsi, scazzarsi (*volg.*) CONTR. corrucciarsi, crucciarsi, eccitarsi, rabbuiarsi **C** *v. intr. pron.* **1** [*detto di mare, di deserto, etc.*] estendersi, allargarsi, allungarsi **2** [*detto di occhi, di volto, etc.*] dilatarsi, aprirsi, rasserenarsi CONTR. contrarsi, incresparsi, raggrinzarsi, rannuvolarsi, imbronciarsi, aggrinzarsi, aggrondarsi, corrugarsi **3** [*nel parlare, etc.*] dilungarsi, diffondersi.

distensióne *s. f.* rilassamento, calma, tranquillità, relax (*ingl.*) CONTR. tensione.

distensivo *agg.* riposante, rilassante, ristoratore CONTR. stressante, logorante.

distésa *s. f.* estensione.

distesaménte *avv.* diffusamente, particolareggiatamente CONTR. concisamente, stringatamente.

distéso *part. pass.; anche agg.* **1** [*rif. alle membra*] allungato, adagiato **2** [*rif. al viso, etc.*] rilassato, calmo, riposato CONTR. accigliato, corrucciato, teso, provato **3** [*rif. allo spazio*] (*est.*) ampio, vasto CONTR. stretto, limitato.

distillàre **A** *v. tr.* **1** (*chim.*) decantare, lambiccare, chiarificare, stillare, filtrare, estrarre (*est.*) **2** versare goccia a goccia **B** *v. intr.* trasudare, colare CONTR. sgorbare.

distinguere **A** *v. tr.* **1** fare una distinzione, discernere, sceverare (*colto*) CONTR. confondere, scambiare **2** [*q.c. con un'etichetta*] contrassegnare, classificare **3** capire, comprendere, individuare, notare, intendere, percepire, riconoscere, conoscere, ravvisare **4** differenziare, diversificare, caratterizzare, contraddistinguere, qualificare **5** dividere, separare, spartire, suddividere, distaccare, scindere, disgiungere CONTR. conglobare, accomunare, mescolare, unificare, mischiare **6** [*qc. nel trattamento*] (*est.*) differenziare, discriminare **7** [*la causa, etc.*] determinare, isolare, localizzare, enucleare **8** [*un libro, una legge, etc.*] articolare, precisare **B** *v. intr. pron.* **1** distaccarsi, spiccare, emergere, eccellere, evidenziarsi, segnalarsi, rilucere (*fig.*), elevarsi (*fig.*), ergersi (*fig.*), affermarsi, brillare (*fig.*), comparire, primeggiare, grandeggiare **CONTR.** confondersi, fondersi **2** differenziarsi, differire, distare (*fig.*), diversificarsi, individuarsi, caratterizzarsi **3** [*sullo sfondo*] distaccarsi, spiccare, campeggiare **4** [*in più capitoli, etc.*] articolarsi.

distinguo *s. m. inv.* precisazione, chiarimento.

distintaménte *avv.* **1** separatamente, a parte, singolarmente **CONTR.** insieme, unitamente **2** nitidamente, chiaramente, nettamente **CONTR.** confusamente, nebbiosamente (*fig.*), nebulosamente, indistintamente, indiscriminatamente **3** [*rif. al vestirsi*] elegantemente, signorilmente **CONTR.** trascuratamente, male.

distintivo (1) *agg.* proprio, particolare, caratteristico.

distintivo (2) *s. m.* [*tipo di*] gallone, scapolare.

d'istinto *loc. avv.* V. istinto.

distinto *part. pass.; anche agg.* **1** disgiunto, ineguale (*est.*) **CONTR.** unito, fuso **2** [*rif. a un posto, a una categoria, etc.*] speciale **3** [*rif. al portamento*] signorile, raffinato, elegante, dignitoso, nobile, chic (*fr.*) **CONTR.** rozzo, inelegante, sgraziato, scomposto **4** [*rif. al suono*] chiaro, netto **CONTR.** confuso, indistinto, neutro.

distinzióne (1) *s. f.* signorilità, raffinatezza, garbo, cortesia **CONTR.** volgarità, grossolanità.

distinzióne (2) *s. f.* **1** [*nei confronti altrui*] discriminazione, differenza **CONTR.** parità **2** [*tra cose, tra persone*] selezione, separazione **CONTR.** confusione.

distògliere *A v. tr.* **1** [*lo sguardo, etc.*] dirottare, stornare, sviare, distaccare, girare, deviare, astrarre, staccare **CONTR.** attirare, attrarre, avvicinare, ficcare, porre, drizzare **2** [*qc. da un'idea*] dissuadere, distrarre, sconsigliare, smuovere, fare desistere, schiodare (*fig.*), muovere (*fig.*), disinteressare **CONTR.** indurre, persuadere, incamminare, invogliare, instradare **3** (*est.*) frastornare, fuorviare *B v. rifl.* **1** [*detto di attenzione*] distrarsi, sviarsi, deconcentrarsi **CONTR.** applicarsi, attendere **2** [*da un'idea, etc.*] abbando-

nare *un*, lasciare perdere *un*, staccarsi (*fig.*), dissuadersi, deviare (*fig.*).

distòrcere *v. tr.* **1** storcere, contorcere **2** [*la verità, etc.*] (*est.*) stravolgere, falsare, travisare, equivocare, alterare.

distòrto *part. pass.; anche agg.* **1** erroneo, inesatto, sbagliato **CONTR.** esatto **2** [*rif. a un giudizio, alla verità*] (*est.*) falsato, alterato, frainteso **CONTR.** esatto, giusto **3** [*rif. alle parole, alle idee*] morboso, perverso.

distràrre *A v. tr.* **1** [*qc.*] distogliere, disturbare, frastornare, sviare, fuorviare, staccare (*fig.*), schiodare (*scherz.*) **2** (*est.*) svagare, divertire, ricreare, divagare (*colto*), intrattenere **3** [*l'attenzione*] (*est.*) sviare, fuorviare, distogliere **CONTR.** occupare, polarizzare, imprigionare **4** [*una somma di denaro*] (*est.*) usare diversamente, sottrarre, stornare *B v. rifl.* **1** deconcentrarsi, disperdersi (*fig.*), distogliersi, essere disattento, perdere la concentrazione, estraniarsi, distogliere la mente, evadere (*fig.*), fantasticare, dormicchiare (*est.*) **CONTR.** concentrarsi, raccogliersi, impegnarsi, polarizzarsi **2** svagarsi, ricrearsi, divertirsi, sollazzarsi, giocherellare, divagarsi (*colto*).

distrattaménte *avv.* **1** sbadatamente, senza attenzione, negligentemente **CONTR.** attentamente, con attenzione, diligentemente, coscienziosamente, con cura **2** [*rif. al guardare*] disinteressatamente **CONTR.** curiosamente, con interesse, fisso.

distràtto *part. pass.; anche agg.* **1** [*rif. all'atteggiamento*] disattento, sbadato, svagato, svanito, assente, dimentico **CONTR.** assorbito, assorto, attento, concentrato, fisso, intento **2** [*rif. a una persona*] disattento **CONTR.** coscienzioso, diligente **3** (*est.*) disinteressato **CONTR.** curioso **4** [*rif. a un esame, a un'analisi, a un lavoro*] malfatto **CONTR.** accurato.

distrazióne *s. f.* **1** [*rif. a un atteggiamento*] sbadataggine, disattenzione, sventatezza **CONTR.** attenzione **2** [*l'azione*] disattenzione, svista, dimenticanza **3** svago, diversivo, divertimento, divagazione, passatempo, trastullo, riposo, piacere.

distrétto *s. m.* territorio, circoscrizione.

distribuire *v. tr.* **1** dispensare, prodigare, dare **CONTR.** incamerare, prendere **2** [*le truppe, etc.*] dislocare, disporre, ordinare, sistemare, scaglionare **CONTR.** radunare, riunire **3** [*luce, acqua, gas*] erogare, diffondere, fornire **4** [*un incarico, etc.*] assegnare **5** [*q.c.*] ripartire, dividere, compartire, spartire, partire (*colto*) **6** [*lodi, premi, etc.*] dispensare, prodigare, elargire, conferire.

distribuito *part. pass.; anche agg.* **1** diviso, ripartito, sparpagliato **2** ordinato, classificato.

distribuzióne *s. f.* spartizione, ripartizione.

districàre *A v. tr.* **1** sbrogliare, sciogliere, disfare, disciogliere, dipanare, slegare, snodare, disincagliare (*fig.*) **CONTR.** imbrogliare, aggrovigliare, impigliare, ingarbugliare, intricare **2** [*i capelli*] pettinare **CONTR.** aggrovigliare, intricare **3** [*un problema, etc.*] (*est.*) chiarire, risolvere, spiegare, sbrigare **CONTR.** complicare *B v. rifl.* **1** sbrogliarsi, liberarsi, svilupparsi **CONTR.** impigliarsi **2** (*est.*) spicciarsi, cavarsela (*fam.*), arrangiarsi, disbrigarsi.

distrùggere *A v. tr.* **1** [*una costruzione, etc.*] demolire, smantellare, diroccare, abbattere, sfasciare, smontare, atterrare, buttare giù, spianare **CONTR.** costruire, erigere, fondare, edificare, fabbricare, riattare, ricostruire, rifare, restaurare, riassestare **2** [*un luogo, etc.*] devastare, desolare, mettere a ferro e fuoco, saccheggiare **3** [*una persona fisicamente o moralmente*] (*anche fig.*) uccidere, ammazzare, eliminare, sopprimere, massacrare **CONTR.** salvare, difendere **4** [*una persona moralmente*] stritolare (*fig.*), annichilire, paralizzare, annullare, annientare, incenerire (*fig.*), confondere **5** [*un esercito*] disperdere, sbaragliare, disfare, debellare **6** [*un'abitudine, amore*] sradicare, estirpare **7** [*un oggetto*] stritolare, fracassare, disintegrare, rompere **CONTR.** ricomporre, foggiare **8** [*un ricordo*] cancellare **9** [*l'animo*] (*fig.*) divorare, consumare **10** [*un lavoro altrui*] sabotare, rovinare **CONTR.** valorizzare, esaltare, potenziare **11** [*detto di lavo-*

ro, di passione, etc.] estenuare **B** *v. rifl.* consumarsi (*fig.*), indebolirsi, deperire, struggersi (*fig.*), sfinirsi, annientarsi (*fig.*) **CONTR.** ristabilirsi **C** *v. intr. pron.* (*anche fig.*) dissolversi, disfarsi, sgretolarsi.

distrùtto *part. pass.; anche agg.* **1** stroncato, devastato, demolito, atterrato, abbattuto **2** [*rif. a una persona*] affaticato, svigorito, consumato **CONTR.** forte, vigoroso, energico **3** stroncato.

distruttóre A *s. m.* (*f. -trice*) vandalo, teppista **B** *agg.* demolitore, devastatore.

distruzióne *s. f.* **1** [*di un popolo*] annientamento, strage, sterminio **2** fine, morte **3** [*di un locale, etc.*] devastazione **4** [*di un'attività, di un patrimonio*] (*est.*) rovina, fracasso (*fig.*), malora, naufragio (*fig.*) **5** [*di una costruzione*] (*est.*) demolizione, smantellamento **CONTR.** costruzione.

disturbàre *v. tr.* **1** molestare, infastidire, seccare, contrariare, dare fastidio *a*, importunare, scocciare (*fam.*), scomodare, incomodare, frastornare **CONTR.** allietare **2** turbare, dispiacere, imbarazzare, conturbare (*raro*), deludere **3** [*i movimenti, il traffico*] impacciare, interrompere, intralciare, ostacolare **4** [*qc.*] distrarre.

disturbatóre *s. m.* (*f. -trice*) importuno, seccatore.

distùrbo *s. m.* **1** seccatura, fastidio, molestia **CONTR.** piacere **2** (*est.*) interferenza **3** (*est.*) acciacco, indisposizione.

disubbidiènte *part. pres.; anche agg.* **1** [*rif. al carattere, etc.*] indisciplinato, ribelle, turbolento, discolo **CONTR.** ubbidiente, ottemperante, docile, subordinato, disciplinato **2** [*rif. a una persona*] ribelle, discolo, inadempiente, inosservante **CONTR.** adempiente.

disubbidiènza o **disobbediènza** *s. f.* ribellione **CONTR.** ubbidienza, sottomissione.

disubbidire o **disobbedire** *v. intr.* **1** contravvenire, trasgredire *un*, opporsi, contestare *un*, disprezzare *un*, offendere *un* **CONTR.** ubbidire, conformarsi **2** [*detto di popolo*] ribellarsi, sollevarsi, resistere, ricalcitrare (*est.*) **CONTR.** cedere, sottomettersi, sottostare.

disuguagliànza o **diseguagliànza** *s. f.* differenza, disparità, distanza (*fig.*) **CONTR.** uguaglianza.

disuguàle o **diseguàle** *agg.* **1** differente, dissimile, diverso, vario, disomogeneo **CONTR.** uguale, uniforme, omogeneo **2** [*rif. a un moto, a un movimento*] irregolare **CONTR.** regolare, ritmico **3** [*rif. al carattere, etc.*] incostante, incoerente, volubile **CONTR.** coerente.

disumanaménte *avv.* crudelmente, efferatamente, brutalmente, spietatamente, impietosamente, inumanamente **CONTR.** umanamente, con carità, caritatevolmente, generosamente.

disumanàre *v. tr.* disumanizzare, abbrutire **CONTR.** umanizzare, incivilire, ingentilire.

disumanità *s. f. inv.* crudeltà, ferocia, brutalità, efferatezza, inclemenza, spietatezza **CONTR.** umanità, carità.

disumanizzàre A *v. tr.* disumanare (*colto*), abbrutire **CONTR.** umanizzare, ingentilire, incivilire **B** *v. intr. pron.* inselvatichirsi **CONTR.** incivilirsi.

disumàno *agg.* **1** bestiale, selvaggio, barbaro **CONTR.** umano **2** [*rif. al dolore*] atroce, crudele, lancinante **3** [*rif. a una persona*] spietato, snaturato, feroce, brutale **CONTR.** affabile, buono, compassionevole, indulgente.

disunire A *v. tr.* **1** separare, dividere, distaccare, disgiungere, scompagnare, disaggregare, dissociare, scindere **CONTR.** combinare, cucire, unire, congiungere, ricollegare, ricongiungere, riconnettere **2** [*una famiglia, un ente*] (*fig.*) disgregare, dissolvere **CONTR.** pacificare, riconciliare, conciliare **B** *v. intr. pron.* disgregarsi, dividersi, disfarsi, staccarsi **CONTR.** unirsi, congiungersi **C** *v. rifl. rec.* separarsi, dividersi **CONTR.** unirsi.

disunito *part. pass.; anche agg.* **1** diviso, disgiunto **CONTR.** unito, compatto **2** [*rif. allo stile*] (*est.*) disomogeneo, irregolare, frammentario **CONTR.** coerente, organico, omogeneo.

disusàto *part. pass.; anche agg.* **1** antiquato, arcaico, vieto, obsoleto, desueto (*colto*), fuori moda **CONTR.** alla moda, nuovo, in (*ingl.*) **2** insolito, straordinario.

disvalóre *s. m.* (*econ.*) perdita, calo.

ditta *s. f.* casa, azienda, compagnia, società, fabbrica, industria, impresa.

dittatoriàle *agg.* autoritario, assolutista, tirannico, dispotico, prepotente **CONTR.** democratico, liberale.

dittatorialménte *avv.* dispoticamente, autoritariamente, prepotentemente **CONTR.** democraticamente, liberalmente.

dittatùra *s. f.* **1** tirannia, tirannide (*lett.*), oppressione (*est.*), regime **CONTR.** democrazia **2** (*gener.*) stato.

diurètico *s. m.* (*gener.*) farmaco.

divagàre A *v. intr.* **1** vagare, errare (*lett.*), vagabondare **2** (*est.*) fantasticare, deconcentrarsi **CONTR.** concentrarsi **3** [*nel discorso*] (*est.*) discostarsi, allontanarsi, esulare, fare divagazioni, disperdersi (*fig.*), non attenersi all'argomento, sbalestrare (*fig.*) **B** *v. tr.* distrarre, divertire, ricreare, svagare **CONTR.** rattristare **C** *v. rifl.* **1** svagarsi, ricrearsi, divertirsi **CONTR.** annoiarsi, seccarsi, tediarsi, rattristarsi **2** distrarsi, estraniarsi.

divagazióne *s. f.* digressione, deviazione, parentesi (*fig.*), inciso (*fig.*), peregrinazione (*fig.*), distrazione (*est.*).

divampàre *v. intr.* **1** [*detto di incendio, etc.*] scatenarsi, scoppiare, esplodere, infuriare, avvampare, fiammeggiare **CONTR.** spegnersi, estinguersi **2** [*detto di passione, etc.*] (*fig.*) scatenarsi, infuriare, ardere **CONTR.** calmarsi, placarsi **3** [*detto di cuore, animo*] scatenarsi, infiammarsi, infuocarsi **CONTR.** calmarsi, placarsi **4** [*detto di rivolta, battaglia*] prorompere.

divàno *s. m.* **1** sofà, canapè, ottomana (*raro*) **CONTR.** sedia, poltrona, panca, sgabello **2** (*gener.*) sedile, mobile.

divàrio *s. m.* **1** discrepanza, diversità, differenza, abisso (*fig.*) **2** dislivello, distanza, salto, squilibrio, varietà (*est.*) **CONTR.** equilibrio.

divèllere *v. tr.* sbarrare, svellere, strappare, scalzare **CONTR.** ficcare, rificcare, interrare.

divèlto *part. pass.; anche agg.* strappato,

estirpato, sradicato **CONTR.** conficcato, piantato.

divenire *v. intr.* **1** diventare, farsi, formarsi **2** trasformarsi, mutare, cambiare **3** [*simpatico, gradito, etc.*] riuscire, essere, rendersi.

diventàre *v. intr.* **1** divenire, formarsi, farsi **2** trasformarsi, mutare, cambiare **3** [*simpatico, gradito, etc.*] riuscire, essere, rendersi **4** [*detto di buio, chiaro, etc.*] fare.

divèrbio *s. m.* controversia, alterco, discussione, contrasto, questione, baruffa, battibecco (*fam.*), bisticcio, vertenza (*bur.*), lite.

divergènte *part. pres.; anche agg.* differente, contrastante, discordante, discrepante, lontano **CONTR.** convergente, simile, identico.

divergènza *s. f.* **1** [*tra idee, etc.*] differenza, discrepanza, lontananza (*fig.*) **CONTR.** affinità, concordanza **2** [*tra persone*] conflitto, contrasto, discordia **CONTR.** unità.

divèrgere *v. intr.* **1** [*detto di strade, di fiumi, etc.*] deviare, curvare, allontanarsi **CONTR.** confluire, convergere **2** [*detto di opinioni, etc.*] (*est.*) dissentire, differire, contrastare, dissonare, essere in conflitto *con* **CONTR.** coincidere, combaciare, concordare **3** [*in merito a q.c.*] (*est.*) dissociarsi, differenziarsi, diversificarsi, opporsi *a*, essere di diverso parere, non essere d'accordo *con*, scontrarsi *con* (*fig.*), cozzare *con* (*fig.*), discostarsi (*fig.*), scostarsi (*fig.*).

diversaménte *avv.* **1** difformemente, altrimenti, in altro modo, differentemente **CONTR.** analogamente, conformemente, corrispondentemente, similmente, parimenti **2** difformemente, in caso contrario, contrariamente, viceversa, discordemente **3** variamente **CONTR.** uniformemente.

diversificàre A *v. tr.* differenziare, rendere diverso, variare, modificare, trasformare, caratterizzare, contraddistinguere, contrassegnare, distinguere, personalizzare **CONTR.** conformare, uguagliare, equiparare, pareggiare, massificare, parificare **B** *v. intr.* distinguersi, differire, distare **CONTR.** uguagliarsi, conformarsi **C** *v. intr. pron.* differenziarsi, dissomigliare, essere

diverso, differire, distare (*fig.*), divergere, distinguersi **CONTR.** conformarsi, assomigliare, uguagliarsi.

diversificazióne *s. f.* **1** variazione, differenziazione **2** (*raro*) diversità.

diversità *s. f. inv.* **1** differenza, difformità, discordanza, diversificazione (*raro*) **CONTR.** somiglianza, analogia, affinità **2** [*di trattamento economico*] (*fig.*) distanza, divario **3** (*est.*) eterogeneità, varietà.

diversivo A *s. m.* distrazione, passatempo, trastullo, gioco **B** *agg.* (*propr.*) deviante.

divèrso (1) A *agg.* **1** differente, svariato, dissimile, disuguale, ineguale, difforme, vario, variato (*est.*), discrepante **CONTR.** uguale, identico, equipollente, pari, equivalente, affine, analogo, simile, somigliante, fedele **2** strano, insolito, straordinario **3** (*est.*) lontano, distante, altro, alieno **4** [*rif. allo stile, al metodo*] alternativo, nuovo **CONTR.** consono (*fam.*), conforme, convergente, similare (*est.*) **5** [*rif. a una persona*] omosessuale **B** *s. m.* **1** anormale **2** alieno **3** (*est.*) omosessuale, checca (*roman.*), cinedo (*lett.*), gay (*ingl.*), pederasta (*colto*), frocio (*volg.*), buliccio (*genov.*), recchione (*merid.*).

divèrso (2) *agg. e pron. indef.* [*al pl.*] molti, parecchi.

divertènte *part. pres.; anche agg.* ameno, buffo, comico, esilarante, umoristico, faceto, spiritoso, simpatico, sfizioso, spassoso, ridicolo **CONTR.** noioso, tedioso, molesto, spiacevole.

divertiménto *s. m.* **1** diletto, spasso, distrazione, svago, passatempo, trastullo, sfizio, divertissement (*fr.*), relax (*ingl.*) **CONTR.** scocciatura, seccatura **2** [*per q.c.*] diletto, sollazzo, piacere **3** (*est.*) comicità.

divertire A *v. tr.* rallegrare, svagare, ricreare, dilettare, distrarre, rilassare, sollazzare, deliziare, allietare, divagare, trastullare, interessare, intrattenere, esilarare, baloccare (*raro*) **CONTR.** annoiare, infastidire, molestare, seccare, scocciare, stancare, tediare, affliggere, immalinconire, rattristare, intristire, perseguitare, infelicitare, angosciare **B** *v. intr. pron.* distrarsi, dilettarsi, ricrearsi, folleggiare, baloccarsi,

divagarsi, svagarsi, spassarsela (*fam.*), trastullarsi (*fam.*), fare follie, spassarsi, sguazzare (*fig.*), sollazzarsi, giocare, compiacersi (*est.*) **CONTR.** annoiarsi, crucciarsi, seccarsi, scocciarsi, tediarsi, stancarsi, rattristarsi, immalinconire, infastidirsi, scoglionarsi (*volg.*), angosciarsi.

divertissement *s. m. inv.* **1** divertimento, gioco, svago, passatempo **2** facezia, spiritosaggine, arguzia.

divezzàre A *v. tr.* **1** disabituare, dissassuefare, svezzare **CONTR.** avvezzare, abituare, assuefare **2** slattare, smettere di allattare **CONTR.** allattare **B** *v. rifl.* disabituarsi, disassuefarsi **CONTR.** abituarsi, avvezzarsi, assuefarsi.

dividere A *v. tr.* **1** [*un tutto in più parti*] spezzettare, frazionare, scomporre, smembrare, decomporre, parcellizzare, frammentare, sezionare **CONTR.** connettere, riunire, collegare, unire, raccordare, racconnettere, raccozzare, ricollegare, legare **2** [*cose o persone tra loro*] staccare, separare, distaccare **CONTR.** unificare **3** [*gli elementi di un tutto*] disgiungere, scindere, distinguere **CONTR.** combinare, incorporare, mescolare, mischiare, accomunare, miscelare **4** [*qc., un gruppo*] isolare, disunire, disperdere, allontanare, inimicare **CONTR.** imbrancare, ricongiungere, raggruppare **5** [*denaro, etc.*] (*est.*) suddividere, ripartire, spartire, dispensare, distribuire, assegnare, partire (*lett.*) **CONTR.** raccogliere, radunare **6** [*una famiglia, etc.*] disunire, disperdere, disgregare **CONTR.** conciliare, riconciliare, rappacificare, pacificare **7** [*q.c. in due o più parti*] spezzare, tagliare, spaccare, squartare, dimezzare, fendere **CONTR.** appaiare **8** (*est.*) discernere, classificare, contrassegnare **9** [*le idee, i gusti, etc.*] compartire, condividere, avere in comune **B** *v. rifl.* [*dalla famiglia, dalla patria*] allontanarsi **CONTR.** unirsi, ricongiungersi, congiungersi **C** *v. rifl. rec.* **1** separarsi, divorziare **CONTR.** sposarsi, convivere, congiungersi, unirsi, accasarsi, accoppiarsi **2** lasciarsi, disunirsi (*raro*), disgiungersi (*raro*) **D** *v. intr. pron.* **1** [*detto di epoca, di storia, etc.*] suddividersi, ripartirsi **2** [*detto di strade, etc.*] biforcarsi, bipartirsi **3** [*detto di gruppo, etc.*] disunirsi, spaccarsi, scindersi, sdoppiarsi, disperdersi, sparpagliarsi, sbandarsi, disgregarsi **CONTR.** unificarsi, radunarsi, raggrupparsi, fondersi.

divièto *s. m.* *1* inibizione, proibizione, veto **CONTR.** permesso, autorizzazione, beneplacito, benestare, licenza *2* (*est.*) inibizione, blocco, ostacolo, tabù, impedimento.

divinaménte *avv.* *1* celestialmente **CONTR.** diabolicamente *2* ottimamente, perfettamente, egregiamente, magnificamente **CONTR.** male, pessimamente.

divinàre *v. tr.* *1* vaticinare, profetizzare, profetare, predire, pronosticare *2* presentire, intuire, immaginare, indovinare, prevedere.

divinazióne *s. f.* predizione, profezia, vaticinio, auspicio.

divincolaménto *s. m.* dimenamento, contorcimento.

divincolàre **A** *v. tr.* *1* [*le gambe, le braccia*] muovere, agitare *2* [*la coda, etc.*] dimenare, scuotere **B** *v. rifl.* contorcersi, dibattersi, dimenarsi, agitarsi, combattere, guizzare **CONTR.** irrigidirsi, immobilizzarsi.

divinità *s. f. inv.* dio, nume (*lett.*), essere supremo.

divinizzàre *v. tr.* *1* deificare, mitizzare, idealizzare **CONTR.** umanizzare, ridimensionare *2* (*est.*) esaltare, celebrare, nobilitare **CONTR.** umiliare.

divino **A** *agg.* *1* soprannaturale, sacro, sublime, divo (*poet.*), sovrumano, santo, celeste **CONTR.** terreno, umano, profano, mondano, diabolico *2* eccellente, straordinario *3* (*relig.*) provvidenziale **B** *s. m. sing.* soprannaturale, sacro.

divisa (1) *s. f.* *1* livrea, uniforme, tenuta *2* (*gener.*) veste.

divisa (2) *s. f.* riga, scriminatura.

divisióne (1) *s. f.* *1* [*tra persone*] separazione, scissione, spaccatura, rottura, scioglimento (*est.*), spaiamento (*raro*) *2* [*dei beni, delle ricchezze*] ripartizione, suddivisione, frazionamento, spartizione, partizione, scorporo **CONTR.** accomunamento *3* [*in sillabe, etc.*] scomposizione *4* [*di*

strade] biforcazione *5* (*mat.*) **CONTR.** moltiplicazione.

divisióne (2) *s. f.* *1* (*gener.*) unità (*mil.*) *2* [*in un ospedale, etc.*] reparto.

divismo *s. m.* esibizionismo, protagonismo.

diviso *part. pass.; anche agg.* *1* disunito, disgiunto, separato **CONTR.** amalgamato, fuso, saldato, unito, compatto *2* [*rif. ai beni, agli utili*] distribuito, ripartito *3* [*rif. a una persona*] incerto, indeciso **CONTR.** deciso, determinato.

divisòrio **A** *s. m.* *1* parete, tramezzo, paratia, tramezza *2* (*est.*) paravento **B** *agg.* divisore, separatore.

divo **A** *s. m.* (*f. -a*) attore, artista, vedette (*fr.*), personaggio, stella (*fig.*), celebrità (*est.*), star (*ingl.*) **B** *agg.* divino, magnifico, illustre.

divoràre **A** *v. tr.* *1* sbranare *2* (*est.*) rimpinzarsi, ingurgitare, mangiare avidamente, ingoiare, tranguriare, pappare (*pop.*), abbuffarsi (*fam.*) **CONTR.** assaporare, gustare, assaggiare, mangiucchiare, spilluzzicare *3* (*gener.*) mangiare **CONTR.** digiunare *4* [*detto di passione, di fuoco, etc.*] (*est.*) distruggere, consumare, ardere, agitare, logorare **CONTR.** spegnere, calmare, placare *5* [*il denaro, i beni, etc.*] (*est.*) scialacquare, dilapidare, dissipare, sperperare, sprecare **CONTR.** economizzare, lesinare, risparmiare **B** *v. intr. pron.* [*per la rabbia, etc.*] struggersi (*fig.*), consumarsi (*fig.*), logorarsi (*fig.*), angustiarsi, crucciarsi, tormentarsi.

divorziàre **A** *v. intr.* lasciarsi, dividersi, separarsi **CONTR.** sposarsi, maritarsi, congiungersi **B** *v. rifl. rec.* separarsi, lasciarsi, dividersi **CONTR.** sposarsi, maritarsi, congiungersi, accasarsi, accoppiarsi.

divòrzio *s. m.* separazione (*est.*) **CONTR.** matrimonio, sposalizio.

divulgàre **A** *v. tr.* *1* [*una teoria, un credo*] diffondere, propagare, propagandare, pubblicizzare, predicare (*est.*) **CONTR.** celare, nascondere, occultare *2* [*una notizia, etc.*] diramare, spargere (*fig.*), bandire (*raro*), disseminare (*fig.*), annunciare, gridare (*fig.*) *3* [*un segreto*] propalare, ridire, sbandierare (*fig.*) *4* [*un prodotto, una*

moda] esportare *5* [*i principi di una scienza*] rendere accessibile, rendere comprensibile, volgarizzare, chiarire, spiegare **B** *v. intr. pron.* diffondersi, propagarsi, spandersi, spargersi, filtrare (*fig.*).

divulgàto *part. pass.; anche agg.* *1* diffuso, propagato **CONTR.** nascosto, segreto *2* [*rif. al panico, alla paura, etc.*] disseminato, sparso.

divulgatóre *s. m.* (*f. -trice*) propagandista, propagatore (*raro*).

divulgazióne *s. f.* *1* [*di notizie*] diffusione, propagazione, volo (*fig.*), comunicazione, propaganda, pubblicità (*est.*) *2* pubblicazione, stampa, apparizione.

dizionàrio *s. m.* lessico, vocabolario.

dizióne *s. f.* pronuncia.

dóccia *s. f.* (*pl. -ce*) bagno (*est.*).

docciàre *v. tr. e rifl.* bagnare, grondare.

docènte **A** *s. m. e f.* insegnante, educatore **CONTR.** discente, scolaro, studente, allievo, alunno, apprendista, tirocinante *2* [*tipo di*] maestro, professore (*est.*) **B** *agg.* insegnante.

dòcile *agg.* *1* [*rif. a una persona*] remissivo, cedevole, mite, dolce, buono, sottomesso, ubbidiente, disciplinato, agevole (*tosc.*) **CONTR.** indocile, aggressivo, combattivo, assolutista, caparbio, pertinace, accanito (*est.*), riottoso, pervicace, disubbidiente, discolo, renitente *2* [*rif. agli animali*] mansueto, addomesticato **CONTR.** riottoso, bizzoso, ribelle *3* [*rif. a un materiale*] duttile, plasmabile **CONTR.** duro.

docilità *s. f. inv.* acquiescenza, mansuetudine, remissività, sottomissione, ubbidienza, cedevolezza, quiescenza (*colto*) **CONTR.** cocciutaggine, testardaggine.

docilménte *avv.* arrendevolmente, remissivamente, mitemente, ubbidientemente **CONTR.** cocciutamente, ostinatamente, irremovibilmente, indocilmente, incorreggibilmente.

documentàre **A** *v. tr.* certificare, comprovare, provare, dimostrare **B** *v. rifl.* procurarsi le prove, cercare la documentazione.

documénto s. m. [tipo di] certificato, attestato, attestazione, atto, scrittura, memoria, carta, lettera, manifesto, titolo, pratica, tessera, pezza (fig.), breve (lett.), manoscritto.

dogliànza s. f. 1 rimostranza, querela (lett.), lamentela 2 dolore, angoscia.

dogmaticaménte avv. senza discussione.

dogmàtico agg. 1 assoluto, intransigente CONTR. antidogmatico, aperto 2 (est.) moralista.

dólce (1) agg. 1 [rif. a un carattere] affettuoso, caloroso, amabile CONTR. brusco 2 [alla vista] piacevole, delicato, soave CONTR. spiacevole, sgradevole 3 [rif. al suono] piacevole, carezzevole, melodioso 4 [al tatto] delicato, soffice, morbido, tenero, molle CONTR. spiacevole, sgradevole 5 [rif. a un metallo, etc.] morbido, tenero, duttile CONTR. duro 6 [rif. al clima] mite, temperato, tiepido CONTR. aspro, rigido 7 [rif. a una promessa] amoroso 8 [rif. all'animo] docile CONTR. brutale 9 [rif. al sapore] delicato CONTR. brusco, acido, acre, agro, piccante, pungente.

dólce (2) s. m. 1 torta 2 [tipo di] confetto, caramella, cioccolatino, pasta, diplomatico, pasticcino, biscotto.

dolceménte avv. amorosamente, affettuosamente, amorevolmente, blandamente, bonariamente, carezzevolmente, soavemente, umanamente, teneramente, gradevolmente, gentilmente, mitemente CONTR. acremente, amaramente, aspramente, bruscamente, causticamente, arcignamente, atrocemente, bestialmente, crudelmente, efferatamente, ferocemente.

dolcézza s. f. 1 tenerezza, delicatezza, umanità, mitezza, bontà, amabilità CONTR. violenza, severità, asprezza, acidità, acredine, acrimonia, agrezza (raro), bruschezza, intransigenza, ferinità 2 [rif. al clima] mitezza, amenità 3 (gener.) qualità.

dolciàstro agg. 1 stucchevole, dolce CONTR. amarognolo, asprigno 2 [rif. all'atteggiamento] melliflluo, ambiguo, affettato CONTR. franco, schietto.

dolcificàre v. tr. 1 rendere dolce,

edulcorare (colto), addolcire, inzuccherare, zuccherare, raddolcire (raro) 2 (est.) candire.

dolènte part. pres.; anche agg. 1 dolorante 2 mesto, malinconico CONTR. lieto, felice 3 spiacente, rammaricato CONTR. lieto, felice.

dolére A v. intr. 1 rincrescere, dispiacere, procurare dolore CONTR. godere 2 [detto di parte del corpo] fare male **B** v. intr. pron. 1 dispiacersi, crucciarsi, addolorarsi, dannarsi (fig.), affliggersi, rattristarsi, spiacersi CONTR. gioire, compiacersi 2 pentirsi, rammaricarsi, scusarsi 3 compiangersi 4 lamentarsi, lagnarsi, querelarsi 5 (est.) gemere, piangere 6 (est.) rimpiangere.

dòllaro s. m. (gener.) moneta.

doloránte part. pres.; anche agg. dolente, doloroso.

dolóre s. m. 1 sofferenza, afflizione, pena, male, cordoglio, ambascia, doglianza (raro) CONTR. piacere, gioia, diletto 2 tormento, spina (fig.), patimento, martirio, disperazione, passione 3 rammarico, rincrescimento, amarezza 4 (est.) ferita, piaga 5 [fisico] trafittura, spada (fig.), fitta, schianto (fig.), scossa (fig.), bruciore 6 [spec. con: essere nel] (fig.) lutto, pianto 7 [spec. con: procurare un, dare un] danno, dispiacere 8 (gener.) sentimento.

dolorosaménte avv. penosamente, amaramente, crudelmente, angosciosamente, disperatamente, affannosamente, mestamente, tristemente, accoratamente, luttuosamente, miseramente, lacrimosamente CONTR. festosamente, lietamente.

doloróso agg. 1 dolente, dolorante, penoso, tormentoso, bruciante, spinoso, struggente CONTR. lieto, gioioso, felice 2 amaro, triste 3 tragico, drammatico, crudele, acerbo (fig.), greve (lett.), duro 4 [rif. a un avvenimento] funesto, luttuoso.

dolosaménte avv. fraudolentemente, con l'inganno CONTR. onestamente, innocentemente.

domànda s. f. 1 quesito, interrogativo, questione (lett.) CONTR. risposta 2 richiesta, petizione, istanza 3 supplica, preghiera.

domandàre A v. tr. 1 [q.c. a qc.] richiedere, chiedere, cercare (est.) CONTR. ottenere 2 [qc. in merito a q.c.] interrogare 3 [q.c. con forza] richiedere, esigere, reclamare 4 [q.c. con insistenza] postulare, sollecitare, invocare, impetrare, implorare, scongiurare, elemosinare, mendicare, pregare, intercedere, gridare 5 [a qc. per una necessità] (est.) ricorrere a 6 [qc. a fare q.c.] invitare, esortare **B** v. intr. informarsi CONTR. rispondere **C** v. intr. pron. chiedersi, interrogarsi, dubitare (est.).

domàni A avv. in futuro, in avvenire CONTR. ieri, in passato **B** s. m. inv. futuro, avvenire CONTR. ieri, passato, presente, oggi.

domàre v. tr. 1 [un animale] addomesticare, ammansire, rendere docile, rabbonire, rendere ubbidiente, ammaestrare, educare 2 [le passioni, etc.] soggiogare, tenere a freno, dominare, soffocare, padroneggiare, controllare, smorzare 3 [q.c.] soggiogare, sottomettere, piegare 4 [q.c., una malattia, etc.] vincere, stroncare, fiaccare, reprimere.

domàto part. pass.; anche agg. [rif. agli animali] addomesticato, ammansito CONTR. selvatico, indomito.

domattìna avv. domani di mattina.

domèstica s. f. (pl. -che) collaboratrice domestica, colf, donna, ragazza, ancella (lett.), cameriera (est.), serva (spreg.), fantesca CONTR. signora, padrona.

domestichézza s. f. V. dimestichezza.

domèstico (1) agg. 1 [rif. agli animali] addomesticato CONTR. selvatico 2 [rif. ad un ambiente] casalingo CONTR. estraneo 3 [rif. al tono di voce] (lett.) familiare, confidenziale CONTR. sostenuto, formale (est.), raffinato (est.).

domèstico (2) s. m. 1 collaboratore domestico, cameriere (est.), servo (spreg.), servitore (raro), ragazzo, uomo CONTR. signore, padrone 2 (gener.) lavoratore.

domiciliàre A v. tr. installare **B** v. rifl. installarsi, eleggere a proprio domicilio, fermarsi, abitare, risiedere, stare.

domiciliàto *part. pass.; anche agg.* residente, abitante.

domicìlio *s. m.* **1** abitazione, dimora, alloggio **2** (*est.*) recapito, indirizzo **3** residenza, sede.

dominàre *A v. tr.* **1** controllare, comandare, tiranneggiare **2** [*un impero economico*] tenere in pugno (*fig.*), possedere **3** [*detto di monte, edificio, etc.*] sovrastare, levarsi **4** [*gli impulsi, le emozioni*] (*est.*) reprimere, contenere, frenare, comprimere, soffocare (*fig.*) **5** [*un animale*] soggiogare, domare, mansuefare **6** [*la moda, il costume*] influenzare, condizionare **7** [*un'assemblea, etc.*] (*est.*) tenere (*fig.*), egemonizzare **8** [*qc. in una gara, etc.*] soggiogare, vincere, sopraffare **9** [*una lingua, un argomento*] controllare, padroneggiare *B v. intr.* **1** spadroneggiare, governare, imperare, regnare, essere a capo *di*, signoreggiare **2** [*detto di persona, etc.*] prevalere, eccellere, primeggiare, essere il primo **3** [*detto di corrente, moda, etc.*] prevalere, imporsi, imperversare **4** [*detto di colore, etc.*] risaltare, spiccare, troneggiare (*fig.*) **5** [*detto di costruzione, palazzo*] elevarsi, ergersi, stare sopra, guardare dall'alto **6** [*detto di minaccia, etc.*] incombere *C v. rifl.* **1** essere padrone di sé stesso, controllarsi, governarsi, padroneggiarsi **2** limitarsi, moderarsi, trattenersi, contenersi, reprimersi, frenarsi, vincersi, tenersi, rattenersi CONTR. sfrenarsi, scatenarsi, imperversare, sbrigliarsi.

dominatóre *s. m.* (*f. -trice*) padrone.

dominazióne *s. f.* **1** dominio, autorità, egemonia, governo, regno (*fig.*) **2** oppressione, tirannia.

dominio *s. m.* **1** regno, autorità, sovranità, dominazione, signoria, potere, comando (*fig.*), predominio CONTR. servaggio **2** [*su q.c.*] preminenza, superiorità **3** controllo, padronanza, sopravvento **4** (*dir.*) regno, possesso, proprietà **5** [*rif. alle scienze, allo studio*] settore, ambito, campo, branca **6** [*della fantasia, dell'arte*] regione **7** (*est.*) possedimento, colonia.

dòmino *s. m.* (*gener.*) gioco.

donàre *A v. tr.* **1** dare ad altri, regalare, offrire, elargire, largire, devolvere, concedere generosamente, dare con munificenza, prodigare, profondere CONTR. derubare, prendere **2** (*gener.*) dare CONTR. prendere, ricevere **3** [*il proprio tempo, etc.*] dedicare, consacrare **4** [*benedizioni, etc.*] (*est.*) impartire **5** [*un omaggio, etc.*] (*est.*) presentare *B v. intr.* stare bene, addirsi, confarsi, giovare, conferire CONTR. danneggiare, imbruttire, nuocere *C v. rifl.* **1** offrirsi, proferirsi (*raro*), darsi (*raro*), concedersi **2** votarsi a.

donatóre *s. m.* (*chim.*) base CONTR. accettore.

donazióne *s. f.* **1** elargizione, offerta, dono, regalo **2** [*tipo di*] lascito, legato (*bur.*).

dondolànte *part. pres.; anche agg.* **1** ondeggiante, fluttuante, instabile CONTR. fermo **2** [*rif. al passo*] (*est.*) malsicuro, malfermo CONTR. fermo, sicuro.

dondolàre *A v. tr.* **1** [*un bambino, etc.*] cullare **2** [*la testa*] muovere, tentennare **3** [*la coda, le gambe*] dimenare *B v. intr.* **1** penzolare, ciondolare, pendolare, oscillare, pencolare, pendere **2** [*detto di imbarcazione*] ondeggiare, rollare, rullare, beccheggiare *C v. rifl.* **1** oscillare, ondeggiare, cullarsi, altalenare, ciondolare **2** (*est.*) perdere tempo, gingillarsi, bighellonare, oziare.

dondolìo *s. m.* oscillazione.

dongiovànni *s. m. inv.* seduttore, playboy (*ingl.*), donnaiolo, libertino, conquistatore.

dònna *s. f.* **1** femmina CONTR. uomo **2** [*tipo di*] signora, dama, nobildonna, lady (*ingl.*), casalinga, massaia, matrona (*scherz.*) CONTR. signore **3** moglie, consorte, sposa **4** compagna, ragazza, amante, fidanzata **5** domestica, colf, collaboratrice domestica **6** [*nel gioco degli scacchi*] regina **7** (*gener.*) persona CONTR. fanciulla, ragazza, ragazzina, bimba.

donnaiòlo *s. m.* playboy (*ingl.*), seduttore, dongiovanni, conquistatore.

dòno *s. m.* **1** regalo, omaggio, pensiero (*fig.*), sorpresa (*est.*), presente, ricordo (*est.*) **2** donazione, offerta, lascito, elargizione, obolo **3** mancia, rimunerazione **4** grazia, concessione **5** [*che qc. possiede*] virtù, dote.

donzèlla *s. f.* fanciulla, ragazza, pulcella (*lett.*).

dòping *s. m. inv.* drogaggio.

dòpo *A avv.* **1** successivamente, in seguito, poi, posteriormente, conseguentemente, dipoi, indi CONTR. anteriormente, antecedentemente, dapprincipio, contemporaneamente, subito **2** posteriormente, appresso, dietro CONTR. anteriormente, avanti, dinanzi, preventivamente **3** oltre *B cong.* in seguito *C prep.* CONTR. prima.

dopodomàni *avv.* posdomani.

dopotùtto *avv.* insomma, in conclusione, in fin dei conti.

doppiaménte *avv.* **1** due volte, in misura doppia **2** falsamente, fintamente, ipocritamente, slealmente, subdolamente CONTR. lealmente, francamente, schiettamente.

doppiàre (1) *v. tr.* **1** [*qc. su una pista, etc.*] sorpassare, oltrepassare, superare di un giro **2** raddoppiare, duplicare CONTR. dimezzare **3** [*un ostacolo*] scapolare (*mar.*) **4** [*un capo, un promontorio*] rimontare.

doppiàre (2) *v. tr.* eseguire un doppiaggio, dare la voce a.

doppièzza *s. f.* falsità, ipocrisia, simulazione, finzione CONTR. lealtà, schiettezza, sincerità.

dòppio *A agg.* **1** duplice CONTR. semplice, scempio **2** (*est.*) spesso, grosso CONTR. semplice **3** [*rif. a una persona*] falso, infido, subdolo, finto, ipocrita, viscido (*fig.*) CONTR. sincero, schietto *B s. m.* **1** sostituto **2** duplicato.

doràre *A v. tr.* **1** indorare, inaurare (*lett.*) **2** abbrustolire, soffriggere, friggere, rosolare **3** (*est.*) abbellire, illuminare, ornare **4** [*i metalli*] placcare *B v. intr. pron.* **1** rosolarsi **2** [*al sole*] colorirsi, abbronzarsi.

doràto *part. pass.; anche agg.* **1** aureo, giallo **2** [*rif. alla pelle*] abbronzato, scuro.

dormicchiàre *v. intr.* **1** appisolarsi, sonnecchiare **2** (*est.*) distrarsi.

dormìre *v. intr.* **1** riposare, fare un

dormita sonno, fare un sonnellino, addormentarsi, appisolarsi, assopirsi, sonnecchiare CONTR. svegliarsi, vegliare, destarsi, ridestarsi 2 (est.) oziare, essere lento, rimanere inattivo, poltrire CONTR. agire, operare 3 (est.) giacere, essere sdraiato 4 (est.) fidarsi, stare tranquillo CONTR. vigilare, tenere gli occhi aperti.

dormita s. f. sonno.

dorsàle (1) s. f. catena, rilievo, crinale, cresta.

dorsàle (2) agg. posteriore.

dòrso s. m. 1 schiena, tergo (colto), groppone (scherz.), groppa, spalla 2 dosso.

dosàggio s. m. dosatura, dose.

dosàre v. tr. 1 misurare 2 [le energie, etc.] amministrare.

dòse s. f. 1 razione, porzione, quota, parte, frazione 2 [di droga] (est.) iniezione.

dòsso s. m. 1 dorso, rilievo, prominenza, colle, duna, collina, poggio 2 sommità.

dotàre A v. tr. 1 [un ambiente di servizi] fornire, equipaggiare, munire, corredare, guarnire, arricchire, servire di CONTR. sfornire, privare 2 [qc. di denaro, etc.] fornire, equipaggiare, munire, provvedere, finanziare, mantenere B v. rifl. procurarsi, procacciarsi, provvedersi, munirsi, equipaggiarsi, fornirsi, prendersi.

dotàto part. pass.; anche agg. 1 fornito, munito, corredato CONTR. privo 2 [rif. a una persona] capace, abile, valido CONTR. incapace, inetto.

dotazióne s. f. 1 corredo 2 finanziamento, sovvenzione, appannaggio.

dòte s. f. 1 patrimonio 2 [morale] (est.) pregio, qualità, virtù 3 (est.) talento, arte, mezzo, risorsa, dono, prerogativa, proprietà, capacità, genio, privilegio, appannaggio 4 (est.) attrattiva, ornamento (fig.), vezzo (fig.).

dottaménte avv. sapientemente, espertamente, eruditamente CONTR. ignorantemente, rozzamente.

dòtto (1) A agg. colto, erudito, istruito, sapiente, esperto CONTR. analfabeta, ignorante, illetterato, incolto B s. m. (f. -a) sapiente, erudito CONTR. ignorante.

dòtto (2) s. m. (med.) condotto.

dottóre s. m. (f. -essa) 1 laureato CONTR. asino (scherz.) 2 medico, clinico.

dottrìna s. f. 1 scienza, cultura 2 (est.) pensiero, teoria, scuola, fede, idea, ideologia, programma 3 (est.) catechismo.

dottrinàrio agg., s. m. (f. -a) dogmatico.

dovére A v. tr. 1 avere l'obbligo di, essere tenuto a, essere vincolato a 2 avere bisogno di 3 [denaro, favori, etc.] essere debitore di 4 essere probabile, essere possibile 5 stare per, essere in procinto di, essere sul punto di B s. m. 1 obbligo, vincolo, obbligazione CONTR. diritto 2 compito, mansione, parte, ufficio (raro) 3 (est.) tributo.

doverosaménte avv. 1 per dovere, obbligatoriamente 2 come si deve CONTR. male, malamente, sconvenientemente.

doveróso agg. debito.

dovizia s. f. abbondanza, ricchezza, opulenza, profusione, copia CONTR. scarsezza, insufficienza, penuria.

doviziosaménte avv. abbondantemente, copiosamente CONTR. scarsamente, esiguamente, insufficientemente.

dovizióso agg. ricco, abbondante, opulento, copioso CONTR. scarso, insufficiente, povero, misero.

dovùnque avv. dappertutto, ovunque.

dovutaménte avv. debitamente, opportunamente, convenientemente.

dozzinàle agg. 1 scadente, ordinario, mediocre, comune, plebeo CONTR. fine, pregiato, scelto, chic (fr.), apprezzabile (est.), pregevole 2 [rif. ai modi, al gusto] grossolano, volgare, pacchiano CONTR. pregevole, raffinato.

dràcma s. f. (gener.) moneta.

dragàre v. tr. 1 scavare 2 [acque minate] sminare, bonificare.

dràmma (1) s. m. 1 tragedia CONTR. commedia, farsa 2 (est.) tragedia, catastrofe, sciagura, disgrazia.

dràmma (2) s. f. V. dracma.

drammaticaménte avv. 1 pietosamente CONTR. allegramente, scherzosamente, umoristicamente 2 (fig.) esageratamente, clamorosamente.

drammaticità s. f. inv. 1 potenza, espressività 2 [rif. a uno spettacolo, etc.] CONTR. comicità.

drammàtico agg. 1 (teatr.) teatrale CONTR. comico, farsesco, satirico 2 [rif. a una situazione] (fig.) tragico, terribile, doloroso CONTR. comico, farsesco, ridicolo.

drammatizzàre v. tr. 1 recitare 2 (est.) esagerare, ingigantire, calcare (fig.), gonfiare (fig.).

drappèllo s. m. 1 (mil.) compagnia, reparto 2 [di persone] gruppo, insieme.

dràppo s. m. panno, cencio, strofinaccio, straccio.

drenàre v. tr. 1 [un terreno] prosciugare, bonificare 2 [capitali, denaro] attirare, reclutare.

dressage s. m. inv. (ipp.) addestramento.

dressàre v. tr. [animali da corsa] addestrare.

dribblàre v. tr. scartare.

drink s. m. inv. 1 bevanda, bibita, cocktail (ingl.) 2 (gener.) ricevimento, festa.

dritto (1) agg. V. diritto (1).

dritto (2) A agg. [rif. a una persona] furbo, scaltro, accorto, astuto, sagace CONTR. balordo, stolto, coglione (volg.), minchione (pop.) B s. m. (f. -a) furbo, ganzo (tosc.) CONTR. allocco (fig.), fesso, gonzo.

dritto (3) o **diritto (4)** s. m. [rif. a un abito] CONTR. rovescio.

dritto (4) avv. V. diritto (3).

drizzàre o **dirizzàre** A v. tr. 1 raddrizzare **CONTR.** piegare, curvare, torcere, arcuare, inclinare, incurvare **2** [*gli occhi, etc.*] dirigere, rivolgere, levare, puntare **CONTR.** allontanare, distogliere **3** [*una costruzione*] rizzare, innalzare, costruire, erigere, edificare **CONTR.** abbattere, atterrare, demolire, abbassare, calare, rovesciare **B** *v. rifl.* alzarsi, rizzarsi, levarsi, sollevarsi, raddrizzarsi **CONTR.** coricarsi, sdraiarsi, stendersi, flettersi, inchinarsi, incurvarsi, ingobbirsi, abbassarsi, curvarsi, arcuarsi **C** *v. intr. pron.* dirigersi, rivolgersi.

dròga *s. f.* (*pl. -ghe*) **1** stupefacente, roba (*gerg.*), allucinogeno **2** [*tipo di*] erba (*gerg.*), cocaina, eroina, hascisc, canna, canapa, marijuana (*sp.*), coca, morfina, mescalina, metadone, crack (*ingl.*), narcotina **3** [*usata in cucina*] (*est.*) condimento, spezie **4** [*tipo di*] zafferano, curry (*ingl.*), pepe.

drogàre **A** *v. tr.* **1** intossicare, narcotizzare **CONTR.** disintossicare **2** [*il cibo*] (*est.*) aromatizzare, assaporire **3** [*i dati*] alterare, modificare, falsare **B** *v. rifl.* **1** fare uso di droghe, farsi (*gerg.*), iniettarsi droga **2** [*modi di*] bucarsi, sniffare (*gerg.*).

drogàto **A** *s. m.* (*f. -a*) tossico, tossicodipendente **B** *agg.* tossicodipendente, fatto.

droghière *s. m. e f.* (*gener.*) negoziante, bottegaio.

dromedàrio *s. m.* (*gener.*) camelide.

drùida o **drùido** *s. m.* (*gener.*) sacerdote.

drùido *s. m.* V. druida.

dùbbio **A** *agg.* **1** incerto, aleatorio **CONTR.** indubbio, certo, sicuro, determinato, risolutivo **2** [*rif. a un problema, a una questione*] problematico, discutibile, pendente (*fig.*) **CONTR.** indubbio, certo, determinato, incontestabile, indiscutibile, indubitabile, innegabile, inoppugnabile **3** [*rif. a una persona*] equivoco, ambiguo, sospetto **CONTR.** determinato, deciso **4** [*rif. al tempo atmosferico*] variabile **5** [*rif. al colore*] indistinto, indefinibile **6** [*rif. a una risposta*] vago, incerto **CONTR.** risolutivo, incontestabile, decisivo, perentorio **B** *s. m.* **1** incertezza, indecisione, perplessità, insicurezza **CONTR.** certezza, sicurezza **2** [*spec.*

con: avere un] sospetto, inquietudine, timore **CONTR.** speranza **3** assillo, dilemma, problema, questione, interrogativo **4** [*tra persone*] sospetto, ombra (*fig.*).

dubbiosaménte *avv.* **1** irresolutamente, in modo incerto, perplessamente **CONTR.** arditamente, audacemente, categoricamente **2 CONTR.** sicuramente, certamente, inconfutabilmente, incontrastabilmente, inequivocabilmente.

dubbióso *agg.* **1** [*che dubita*] diffidente, sospettoso, scettico, incredulo **CONTR.** fiducioso **2** [*che manifesta dubbio*] titubante, perplesso, esitante, sospeso **CONTR.** deciso, determinato, sicuro, risoluto **3** [*che fa sorgere il dubbio*] incerto, malsicuro **CONTR.** sicuro.

dubitàre *v. intr.* **1** titubare, esitare, essere incerto, avere dei dubbi, tentennare (*fig.*), pencolare (*fig.*), oscillare (*fig.*), essere perplesso, fluttuare (*fig.*), vacillare (*fig.*) **2** discutere, domandarsi, immaginare, presupporre **3** [*detto di persona, cosa*] temere, diffidare, sospettare, non avere fiducia **CONTR.** fidarsi, confidare **4** [*detto di dogma, verità, etc.*] mettere in dubbio.

dubitativaménte *avv.* in forma dubitativa **CONTR.** sicuramente, energicamente (*fig.*).

ducàto *s. m.* (*gener.*) moneta.

duellàre *v. intr.* battersi, scontrarsi, fare un duello, incrociare i ferri (*lett.*).

duèllo *s. m.* **1** combattimento, scontro, sfida (*est.*), tenzone (*lett.*) **2** incontro, gara, competizione.

dùna *s. f.* dosso, colle, collina, rilievo.

dùnque **A** *cong.* quindi, pertanto, allora, ora, ebbene, così **B** *inter.* insomma, allora **C** *s. m. inv.* conclusione, nocciolo, sostanza.

duòmo *s. m.* **1** cattedrale, basilica **2** (*gener.*) tempio, chiesa.

duplicàre **A** *v. tr.* **1** raddoppiare, doppiare, geminare, moltiplicare **CONTR.** dimezzare **2** [*un documento, etc.*] copiare, riprodurre, fotocopiare **B** *v. rifl.* raddoppiarsi.

duplicàto **A** *agg.* **1** raddoppiato **2**

[*rif. a un documento*] rifatto, riprodotto **B** *s. m.* **1** copia, doppio **2** (*est.*) imitazione, riproduzione.

dùplice *agg.* doppio **CONTR.** semplice.

duraménte *avv.* **1** arcignamente, aspramente, acerbamente, autoritariamente, rigidamente, rudemente, pesantemente **CONTR.** blandamente, compassionevolmente, con clemenza **2** saldamente, solidamente **CONTR.** mollemente, teneramente **3** faticosamente, stentatamente **CONTR.** facilmente, leggermente, idilliacamente **4** realisticamente.

duràre **A** *v. intr.* **1** resistere, sopravvivere, perpetuarsi, vivere, conservarsi, mantenersi **CONTR.** perire **2** [*a fare q.c.*] resistere, reggere, seguitare, continuare, proseguire, perseverare, ostinarsi, insistere **3** (*est.*) bastare, essere sufficiente **4** [*detto di riunione, etc.*] protrarsi, andare per le lunghe, prolungarsi **5** [*detto di determinate situazioni*] persistere, perdurare, sussistere **B** *v. tr.* [*la fatica, etc.*] soffrire, sopportare.

duràta *s. f.* **1** [*di un fenomeno, di una situazione*] (*fig.*) permanenza **2** [*di un racconto, film*] (*fig.*) lunghezza **3** [*rif. a un alimento, a un oggetto, etc.*] (*est.*) resistenza, validità, vita (*fig.*).

duraturaménte *avv.* durevolmente, per un lungo periodo **CONTR.** fugacemente, provvisoriamente.

duratùro *agg.* **1** durevole, lungo **CONTR.** breve, effimero, caduco, fugace, temporale, fallace **2** permanente, perpetuo **CONTR.** passeggero **3** saldo, stabile **CONTR.** instabile, fragile.

durévole *agg.* **1** duraturo, lungo **CONTR.** fugace, labile, passeggero **2** stabile, saldo, consolidato **CONTR.** labile, instabile, provvisorio, precario **3** costante **CONTR.** passeggero, instabile, provvisorio.

durevolézza *s. f.* **1** perennità (*raro*) **CONTR.** caducità, brevità **2** resistenza **CONTR.** fragilità.

durevolménte *avv.* duraturamente, costantemente, stabilmente, permanentemente **CONTR.** provvisoriamente, temporaneamente, instabilmente, fuggevolmente.

durézza s. f. **1** [*rif. ai metalli, etc.*] resistenza, robustezza, solidità, tempra, tenacità **CONTR.** morbidezza, fragilità, flessibilità, malleabilità **2** [*rif. al carattere*] (*est.*) asprezza, insensibilità, freddezza, severità (*fig.*), rigidità, rigore, cattiveria, crudezza (*fig.*) **CONTR.** tenerezza, sensibilità, arrendevolezza, compassione **3** [*nel sostenere un'idea*] (*est.*) caparbietà, testardaggine, tenacia **4** [*rif. a una condanna, etc.*] (*fig.*) asprezza, spietatezza **CONTR.** mitezza **5** [*rif. al clima*] (*fig.*) inclemenza, rigidezza **CONTR.** mitezza **6** [*rif. a un lavoro*] (*est.*) difficoltà **7** [*di orecchi*] (*est.*) ottusità, sordità **8** [*rif. alle capacità intellettuali*] ottusità **CONTR.** intelligenza.

dùro A agg. **1** [*rif. a un materiale*] rigido, sodo, secco **CONTR.** morbido, molle, cedevole, duttile, malleabile, tenero **2** [*rif. a una situazione*] doloroso, spiacevole **CONTR.** tenero, facile, leggero, piacevole **3** [*rif. a uno scritto, a un discorso*] arduo, incomprensibile, difficile, ostico **CONTR.** comprensibile, affettuoso, benigno, clemente **4** [*rif. a un frutto*] aspro, acerbo **CONTR.** maturo **5** [*rif. a un pendio, a un sentiero, etc.*] aspro (*fig.*), malagevole, impervio **CONTR.** agevole, piano **6** [*rif. alla mente*] stolido **CONTR.** aperto **7** [*rif. a una persona*] ostinato, caparbio, severo, inflessibile, crudele, insensibile, inclemente, tremendo, fiscale **CONTR.** cedevole, tenero, affettuoso, benigno, clemente, arrendevole, docile, misericordioso **8** [*rif. ai capelli, alla barba, etc.*] ruvido, ispido **CONTR.** morbido **B** s. m. (f. -a) pellaccia.

dùttile agg. **1** [*rif. a un materiale*] flessibile, malleabile, plasmabile, cedevole, elastico **CONTR.** rigido, duro **2** [*rif. a una persona*] arrendevole, docile **CONTR.** rigido, tetragono, inflessibile **3** [*rif. a una persona*] eclettico, versatile **CONTR.** tetragono.

duttilità s. f. inv. **1** [*rif. ai materiali*] malleabilità, morbidezza, flessibilità **CONTR.** rigidezza **2** (*est.*) adattabilità **3** [*rif. al carattere*] (*est.*) malleabilità, morbidezza, arrendevolezza, cedevolezza (*fig.*) **CONTR.** testardaggine.

e, E

e o **ed** *cong.* anche.

ebbène *cong.* **1** dunque, orbene **2** (*raff.*) allora.

ebbrézza *s. f.* **1** ubriachezza, stordimento **2** esaltazione, estasi, rapimento.

èbbro *agg.* **1** ubriaco, sbronzo, stordito, alticcio (*fam.*) **CONTR.** sobrio **2** (*fig.*) esaltato, rapito, folle.

èbete **A** *agg.* idiota, ottuso, imbecille, stupido **CONTR.** sveglio, intelligente, scaltro **B** *s. m. e f.* idiota.

ebollizióne *s. f.* **1** bollore **2** [*del mosto*] fermento **3** [*morale*] (*est.*) fermento, agitazione, eccitazione, esaltazione.

ebùrneo *agg.* niveo, latteo, candido, bianco.

ecatòmbe *s. f.* strage, carneficina, massacro.

eccedènte *part. pres.; anche agg.* esuberante, sovrabbondante.

eccedènza *s. f.* sovrabbondanza, esorbitanza, superfluità (*raro*) **CONTR.** carenza, penuria.

eccèdere **A** *v. tr.* [*i limiti*] oltrepassare, andare oltre, travalicare, varcare **B** *v. intr.* **1** essere troppo, ridondare, abbondare, riboccare, essere eccedente, esorbitare, sballare (*fam.*) **CONTR.** difettare, scarseggiare, mancare **2** trascendere, esagerare, trasmodare, essere smodato, abusare **CONTR.** limitarsi, moderarsi, contenersi **3** restare, residuare (*raro*) **4** [*nella misura*] essere largo.

eccellènte *agg.* **1** [*rif. a uno spettacolo, a una vivanda, etc.*] ottimo, squisito, divino (*fig.*), scelto **CONTR.** pessimo, infimo, schifoso **2** [*rif. a un'azione*] esemplare **CONTR.** infimo, spregevole **3** [*rif. a una persona*] valente **CONTR.** infimo, spregevole, mediocre, mezzano (*lett.*) **4** [*rif. all'animo*] alto, insigne, sublime **CONTR.** infimo **5** [*rif.*

a un compagno, a un amico] ideale.

eccellenteménte *avv.* benissimo, ottimamente, squisitamente, meravigliosamente, egregiamente **CONTR.** malissimo, pessimamente.

eccellènza *s. f.* **1** perfezione, raffinatezza **CONTR.** mediocrità **2** [*qualità dell'animo*] nobiltà.

eccèllere *v. intr.* essere il migliore, distinguersi, emergere, primeggiare, essere superiore, essere eccellente, brillare (*fig.*), distaccarsi, dominare (*fig.*), sovrastare (*fig.*), elevarsi (*fig.*), grandeggiare (*fig.*), valere (*est.*), fare faville (*fig.*).

eccèlso **A** *part. pass.; anche agg.* **1** supremo, sommo, sublime, splendido, eccezionale, sovrumano, meraviglioso **CONTR.** basso, infimo **2** [*rif. a una persona*] eminente **CONTR.** basso, infimo **B** *s. m. sing.* **1** dio **2** (*est.*) paradiso, cielo.

eccentricaménte *avv.* **1** bizzarramente, capricciosamente, stranamente, originalmente **CONTR.** modestamente, banalmente, comunemente, sobriamente **2** (*est.*) vistosamente **CONTR.** banalmente, sobriamente.

eccentricità *s. f. inv.* stravaganza, originalità, stranezza, bizzarria, singolarità **CONTR.** banalità, ovvietà, normalità.

eccèntrico **A** *agg.* singolare, originale, strano, bislacco **CONTR.** banale, comune, scialbo, classico **B** *s. m.* (*f. -a*) originale, anticonformista.

eccepire *v. tr.* confutare, criticare, osservare, obiettare, replicare, contrapporre, rilevare, ridire **CONTR.** accettare, concordare, approvare, ammettere.

eccessivaménte *avv.* troppo, oltremodo, oltremisura, smoderatamente, esageratamente, smodatamente, smisuratamente, immoderatamente, maledettamente (*fam.*), pazzamente **CONTR.** scarsamente, poco, insuffi-

cientemente, parcamente.

eccessivo *agg.* **1** spropositato, smisurato, smodato, sproporzionato, esagerato, smaccato, terribile (*fam.*), soverchio (*lett.*) **CONTR.** accessibile, contenuto, misurato, regolato, raccolto (*est.*) **2** (*est.*) maniacale, morboso, scandaloso, spinto (*fig.*) **CONTR.** contenuto **3** [*rif. al carattere, etc.*] irragionevole, intemperante **CONTR.** misurato.

eccèsso *s. m.* **1** esagerazione, enormità, estremo, estremità **CONTR.** sobrietà **2** dismisura, soverchio, soprappiù **3** stravizio, smoderatezza, smodatezza **4** amplificazione **5** [*di oggetti, di cose, etc.*] superfluità (*raro*).

eccètto *prep.* fuori, meno, fuorché, tranne, salvo, oltre.

eccettuàre *v. tr.* **1** [*q.c., qc.*] escludere, eliminare, scartare **CONTR.** comprendere, includere, implicare **2** [*qc. dal fare q.c.*] esentare, esimere, dispensare **CONTR.** coinvolgere, corresponsabilizzare **3** prescindere (*bur.*), fare eccezione.

eccezionàle *agg.* **1** straordinario, formidabile, fantastico, strepitoso, prodigioso, eccelso, superiore, mostruoso (*fam.*), pauroso (*fam.*), pazzesco (*fam.*) **CONTR.** solito, comune, normale, regolare, mediocre, tipo **2** [*rif. a un caso*] singolare, anomalo.

eccezionalità *s. f. inv.* **1** unicità, rarità **CONTR.** banalità, mediocrità, meschinità **2** anormalità **CONTR.** normalità.

eccezionalménte *avv.* **1** straordinariamente, raramente, sporadicamente, insolitamente, infrequentemente **CONTR.** abitualmente, solitamente, usualmente, comunemente, ordinariamente **2** straordinariamente, strepitosamente, favolosamente, moltissimo, formidabilmente, incomparabilmente, pazzescamente, incredibilmente, paurosamente.

eccezióne s. f. **1** anomalia **2** (dir.) obiezione, censura, rilievo **3** deroga, strappo (fig.) **4** riserva, restrizione **5** [rif. a una persona] miracolo, fenomeno.

ecchìmosi s. f. inv. ammaccatura (est.), contusione (est.), livido (fam.), lividore (raro).

eccìdio s. m. strage, massacro, carneficina, olocausto (colto), scempio (est.).

eccipiènte s. m. veicolo.

eccitàbile agg. **1** [rif. a una persona] emotivo, nervoso, irritabile CONTR. calmo, tranquillo, pacato **2** [rif. al carattere, etc.] passionale, sanguigno CONTR. pacifico **3** (est.) violento, aggressivo.

eccitaménto s. m. eccitazione, stimolo.

eccitànte A part. pres.; anche agg. **1** stimolante, elettrizzante, euforizzante, entusiasmante, inebriante, esaltante, ghiotto, tonico (fig.) CONTR. demoralizzante, deprimente **2** erotico, sexy, afrodisiaco CONTR. noioso, soporifero (est.) **3** [rif. all'effetto] stimolante CONTR. sedativo (est.), narcotico (est.) B s. m. **1** afrodisiaco, stimolante CONTR. sedativo, narcotico, tranquillante **2** (gener.) farmaco.

eccitàre A v. tr. **1** entusiasmare, esaltare, gasare (fig.), galvanizzare (fig.), elettrizzare (fig.) CONTR. smorzare, spegnere, deprimere, disarmare **2** turbare, emozionare, agitare (fig.), commuovere, conturbare CONTR. tranquillizzare **3** [i sensi, l'animo, etc.] accendere (fig.), scaldare (fig.), scatenare, riscaldare (fig.) CONTR. calmare, raffrenare, acquietare, frenare **4** [la folla, gli animi, etc.] istigare, aizzare, incitare, sobillare CONTR. calmare, placare, sedare **5** [gli appetiti, etc.] stuzzicare, stimolare, solleticare (fig.), risvegliare, destare, scuotere (fig.), ridestare (fig.), svegliare, muovere (fig.), suscitare, aguzzare (fig.), affilare (fig.) CONTR. narcotizzare, ottundere, pacare **6** [qc. a fare q.c.] (est.) pungolare (fig.), esortare, provocare, invogliare B v. intr. pron. **1** animarsi, accalorarsi, accendersi (fig.), infiammarsi (fig.), fremere, scaldarsi (fig.), elettrizzarsi (fig.), entusia-

smarsi, galvanizzarsi (fig.), incendiarsi (fig.), esaltarsi, gasarsi (fig.), inebriarsi, infervorarsi, montarsi, riscaldarsi (fig.), ubriacarsi (fig.), delirare (est.) CONTR. deprimersi, pacarsi, raffrenarsi, reprimersi **2** alterarsi, agitarsi, impressionarsi, conturbarsi, turbarsi CONTR. distendersi, calmarsi, tranquillizzarsi.

eccitàto part. pass.; anche agg. **1** esagitato, agitato, esaltato, emozionato, commosso, entusiasmato, alterato CONTR. assopito, ammansito **2** [rif. a un discorso] acceso (fig.), vivace, concitato, infuocato (fig.) CONTR. pacato, tranquillo.

eccitazióne s. f. **1** agitazione, esaltazione, concitazione, commozione, bollore (fig.), ubriacatura (fig.), delirio (fig.), ebollizione (fig.), nervosismo CONTR. calma, tranquillità, indifferenza, sonnolenza, flemma **2** [sessuale] fregola, calore.

ecclesiàstico A s. m. **1** sacerdote, prete CONTR. laico **2** (est.) chierico B agg. clericale, sacerdotale CONTR. laico.

ècco avv. **1** questo è **2** (raff.) improvvisamente, inaspettatamente **3** già.

eccóme avv. certamente, certo, sicuramente, sicuro.

echeggiàre v. intr. **1** fare eco, ripetere un, risuonare, risuonare, rimbombare, rintronare, rombare **2** riecheggiare un, ricordare un, riprendere i motivi di.

echinocòcco s. m. (pl. -chi) (gener.) verme.

echinodèrmi s. m. pl. **1** (gener.) animale **2** [tipo di]. →animali

eclatànte agg. **1** [rif. alla verità, etc.] evidente, lampante CONTR. insignificante **2** [rif. a una notizia] straordinario, clamoroso, strepitoso CONTR. insignificante **3** [rif. a un abito] appariscente, chiassoso CONTR. insignificante, scialbo, ordinario.

eclèttico agg. versatile, duttile CONTR. inflessibile, rigido.

eclissàre A v. tr. **1** [la bellezza, etc.] superare, offuscare (fig.), oscurare (fig.) **2** nascondere, occultare B v. intr.

pron. **1** [detto di astro, di pianeta] oscurarsi, offuscarsi CONTR. apparire, dardeggiare **2** [detto di persona, etc.] (est.) andarsene, scomparire CONTR. apparire, comparire.

eclisse o **eclissi** s. f. **1** oscuramento **2** (est.) scomparsa, sparizione.

eclissi s. f. inv. V. eclisse.

èco s. m. (pl. -chi) risonanza, scalpore, ripercussione.

ecogoniòmetro s. m. sonar.

ecologìa s. f. (est.) ecosistema, biosfera.

ecologìsmo s. m. ambientalismo.

ecologìsta s. m. e f. ambientalista, verde (fig.).

economìa s. f. **1** risparmio, parsimonia, frugalità, sobrietà, austerità CONTR. sperpero, spreco, scialo (fam.), sciupio, sciupo (raro), prodigalità, profusione **2** [in loc.: in clima di] (econ.) austerity (ingl.) **3** (gener.) scienza, disciplina.

economicaménte avv. **1** parsimoniosamente, frugalmente CONTR. dissipatamente **2** (est.) sobriamente, moderatamente **3** finanziariamente.

econòmico agg. **1** finanziario **2** [rif. al prezzo] conveniente, vantaggioso, basso CONTR. costoso, dispendioso, caro.

economizzàre v. tr. e intr. **1** fare economia, risparmiare, essere sobrio CONTR. consumare, dilapidare, dissipare, sciupare **2** lesinare, misurare, moderare CONTR. sperperare, sprecare, prodigare, profondere.

ecosistèma s. m. ecologia, biosfera.

ecumenicaménte avv. universalmente.

eczèma s. m. eruzione, fioritura (fig.).

ed cong. V. e.

edàce agg. vorace CONTR. inappetente.

edelweiss s. m. inv. stella alpina.

edèma s. m. tumefazione, gonfiore.

èden s. m. inv. paradiso, cielo CONTR. inferno, ade, tartaro.

edìcola s. f. 1 tabernacolo, cappella 2 [per la vendita di giornali] chiosco.

edificàre v. tr. 1 (edil.) costruire, fabbricare, alzare, erigere, innalzare, elevare, ergere, fare, drizzare, gettare le fondamenta di, murare (raro) CONTR. demolire, diroccare, abbattere, distruggere, atterrare 2 [un'istituzione, etc.] fondare, istituire 3 [qc.] (est.) dare il buon esempio a, essere edificante per, essere educativo per, educare, indurre al bene, formare CONTR. scandalizzare, corrompere, diseducare.

edificazióne s. f. 1 costruzione, innalzamento CONTR. smantellamento, abbattimento 2 (raro) costruzione, edificio 3 [morale] (est.) esempio.

edifìcio s. m. 1 (gener.) costruzione, fabbricato, edificazione (raro), struttura, architettura (est.) 2 [tipo di].

CLASSIFICAZIONE

Edificio

Edificio: costruzione di pietra, mattoni, cemento armato, acciaio e sim. per abitazione o altro uso pubblico o privato;
casa: costruzione adibita ad abitazione per una o più famiglie;
borsa: edificio dove avvengono le contrattazioni di borsa;
casermone: edificio grande e disadorno, spec. per abitazione popolare;
convento: edificio in cui convive una famiglia di religiosi;
monastero;
fabbrica: edificio attrezzato per lo svolgimento di una attività industriale;
fabbrica: (raro) edificio in costruzione o ultimato;
fondaco: edificio, nel Medioevo, adibito a magazzino, e spesso ad alloggio, tenuto dai mercanti in paesi stranieri;
grattacielo: edificio altissimo a molti piani con struttura metallica o di cemento armato;
oratorio: edificio o piccolo edificio, spesso annesso a chiese o a conventi, per le riunioni religiose; presso molte chiese parrocchiali;
palazzo: edificio grande, signorile,

di civile abitazione;
stadio: edificio di forma rettangolare dedicato allo sport nell'antica Roma;
stazione: edificio, luogo, attrezzato per la prestazione di particolari servizi relativi ai trasporti;
torre: edificio assai più alto che largo;
albergo: edificio adibito all'abitazione e al soggiorno di persone in transito;
hotel: (ingl.);
albergo per la gioventù: albergo che con modica spesa ospita i giovani turisti;
ostello;
albergo diurno: albergo dove non si pernotta e che fornisce servizi igienici;
diurno;
meublé: albergo che fornisce alloggio ma non vitto;
hotel meublé;
hotel garni;
locanda: albergo di bassa categoria;
locanda: albergo dove si dà da mangiare e si può alloggiare;
pensione: (est.) albergo privato o locanda che ospita pensionanti;
motel: albergo con parcheggio su grandi vie di comunicazione;
kursaal: edificio variamente adibito ad albergo, stabilimento termale, casa da gioco e sim.;
tempio: edificio consacrato a una divinità;
chiesa: edificio consacrato, dedicato all'esercizio pubblico di atti di culto religioso, spec. cristiano;
casa di Dio;
moschea: edificio sacro dell'Islam;
presbiterio: edificio contiguo alla chiesa;
abbazia: edificio religioso di monaci con possedimenti territoriali;
abbadia;
badia;
casa da gioco: edificio destinato al gioco d'azzardo;
casinò;
casa di cura: edificio attrezzato per il ricovero e la cura degli infermi;
clinica: casa di cura privata;
ricovero: edificio destinato agli anziani;
convalescenziario: edificio attrezzato per il riposo e la cura per con-

valescenti;
ospizio: edificio per il ricovero di infermi, pellegrini, orfani, vecchi;
prigione: edificio dove vengono rinchiuse persone che devono scontare una pena;
casa di pena;
casamento: edificio composto di numerosi appartamenti destinati a case popolari;
caseggiato;
ospedale: edificio o complesso di edifici e attrezzature destinati al ricovero e alla cura dei malati;
caserma: edificio o complesso di edifici e terreni con relative infrastrutture dove alloggiano i militari o gli appartenenti a organizzazioni civili analoghe, come i vigili del fuoco;
scuola: edificio o complesso di edifici in cui si svolge l'attività scolastica;
teatro: edificio destinato alla rappresentazione di opere liriche o di prosa;
isolato: (raro) edificio a più piani;
castello: costruzione che imita nella struttura il castello medioevale, senza funzione difensiva, adibito a dimora signorile, costruita spec. fuori dei centri urbani.

editàre v. tr. [un documento, etc.] pubblicare, stampare.

editto s. m. bando, decreto, avviso, proclama.

edizióne s. f. 1 [rif. alla veste tipografica] pubblicazione, presentazione 2 (est.) libro.

edòtto agg. 1 informato, avvisato, istruito CONTR. ignaro, inconsapevole 2 (est.) consapevole CONTR. inconsapevole.

educandàto s. m. convitto, collegio, istituto.

educàre A v. tr. 1 [qc.] formare, plasmare (fig.), allevare, istruire, disciplinare, guidare, indirizzare, correggere, erudire, fare (fam.), edificare (fig.), indurre al bene, crescere (est.) CONTR. diseducare, corrompere, guastare 2 [persone, animali] addestrare, ammaestrare, abituare, allenare, esercitare, assuefare, avvezzare, domare 3 [il carattere] forgiare (fig.), informare 4 [il gusto, la sensibilità]

educatamente (*est.*) allevare, coltivare (*fig.*), affinare (*fig.*), nutrire (*fig.*), raffinare **5** [*qc. nei modi, etc.*] (*est.*) formare, plasmare (*fig.*), incivilire, digrossare, dirozzare **B** *v. rifl.* abituarsi, avvezzarsi, allenarsi, esercitarsi **CONTR.** disabituarsi.

educataménte *avv.* bene, civilmente, cortesemente, correttamente, compitamente, compostamente, discretamente, urbanamente, delicatamente, cavallerescamente, complimentosamente, garbatamente **CONTR.** maleducatamente, sgarbatamente, cafonescamente, villanamente, zoticamente, incivilmente, ineducatamente, selvaggiamente.

educàto *part. pass.; anche agg.* **1** garbato, urbano, cortese, civile, gentile, corretto **CONTR.** maleducato, indelicato, villano, zotico, screanzato, ignorante, primitivo, sguaiato, triviale, cafone **2** colto, istruito **CONTR.** cafone **3** [*rif. ai modi, al gusto*] digrossato (*fig.*), affinato **CONTR.** sguaiato **4** avvezzo, formato, plasmato (*fig.*).

educatóre *s. m.* (*f. -trice*) precettore, aio (*lett.*), insegnante, professore, docente, maestro **CONTR.** allievo, discepolo.

educazióne *s. f.* **1** formazione **2** cultura **3** civiltà, creanza, correttezza, gentilezza, decoro, urbanità, compitezza, costumatezza (*raro*) **CONTR.** ineducazione, zoticaggine, villania, scortesia, sgarbo, malacreanza, maleducazione, impertinenza, insolenza **4** (*gener.*) qualità.

edulcoràre *v. tr.* dolcificare, addolcire, zuccherare, inzuccherare, raddolcire.

edulcoràto *agg.* zuccherato, dolce **CONTR.** amaro.

edùle *agg.* commestibile.

efèlide *s. f.* lentiggine, crusca (*fig.*), semola (*fig.*).

effemèride *s. f.* almanacco, calendario, lunario.

effeminàto A *agg.* **1** femmineo **CONTR.** maschio, virile **2** donnesco **3** (*est.*) manierato (*spreg.*), lezioso (*spreg.*) **B** *s. m.* pederasta (*est.*), finocchio (*volg.*).

effemminataménte *avv.* femminilmente, leziosamente (*spreg.*) **CONTR.** virilmente.

efferataménte *avv.* atrocemente, disumanamente, ferocemente, crudelmente, spietatamente, barbaramente, selvaggiamente **CONTR.** umanamente, dolcemente, mitemente.

efferatézza *s. f.* spietatezza, crudeltà, ferocia, brutalità, disumanità **CONTR.** pietà.

efferàto *agg.* [*rif. a un delitto*] atroce, barbaro, inumano, cruento, agghiacciante, crudele, spietato, feroce.

effervescènte *agg.* **1** [*rif. al vino*] frizzante, spumeggiante **2** [*rif. a una persona*] (*fig.*) frizzante, spumeggiante, brillante, vivace **CONTR.** scialbo, smorto, spento.

effettivaménte *avv.* realmente, veramente, davvero, concretamente, in realtà, di fatto, praticamente, obiettivamente **CONTR.** teoricamente, apparentemente.

effettivo A *agg.* **1** vero, reale, tangibile, concreto, materiale **CONTR.** apparente, immaginario, irreale **2** [*rif. a una carica, a una posizione*] titolare **CONTR.** onorario **B** *s. m.* **1** [*rif. a un patrimonio*] sostanza **2** [*di una squadra, di un corpo, etc.*] componente.

effètto (1) *s. m.* **1** esito, conseguenza, risultato, frutto (*fig.*), riuscita, reazione, rispondenza, risvolto (*fig.*), ripercussione **CONTR.** causa **2** [*di una legge*] esito, efficacia, vigore **3** [*di una medicina, di un rimedio*] giovamento **4** fine, scopo **5** [*spec. con: mandare q.c. a*] realizzazione, attuazione **6** [*morale*] (*est.*) turbamento, commozione, impressione.

effètto (2) *s. m.* [*spec. al pl.*] bene.

effettuàbile *agg.* realizzabile, attuabile, eseguibile, fattibile **CONTR.** irrealizzabile, inattuabile.

effettuàre A *v. tr.* **1** [*una ricerca, un piano*] mettere in atto, realizzare, attuare, concretizzare, concretare **2** [*un lavoro, etc.*] concludere, eseguire **3** [*il proprio dovere, etc.*] adempiere, compiere, fare **4** [*uno sconto, etc.*] eseguire, praticare **5** [*un'azione*] attuare, perpetrare **B** *v. intr. pron.* compiersi, verificarsi, accadere, succedere, avvenire.

effettuazióne *s. f.* esecuzione, realizzazione, compimento, adempimento, attuazione.

efficàce *agg.* **1** valido, utile, efficiente, santo (*fam.*) **CONTR.** inefficace, inutile, vano **2** (*est.*) positivo, produttivo **3** [*rif. a un rimedio*] potente **CONTR.** vano, negativo, debole, scarso **4** [*rif. a un discorso*] incisivo, icastico **CONTR.** inefficace, vano.

efficaceménte *avv.* **1** utilmente, bene, validamente, in modo produttivo, in modo fattivo, fattivamente, fruttuosamente, proficuamente **CONTR.** inadeguatamente, inutilmente, invano **2** energicamente, vigorosamente, eloquentemente, incisivamente **CONTR.** blandamente, debolmente.

efficàcia *s. f.* **1** potenza, forza **2** [*di una legge*] validità, azione, effetto, vigore, valore **CONTR.** inefficacia, inutilità, sterilità **3** [*di una medicina, di un rimedio*] utilità, giovamento **4** [*rif. a uno stile*] robustezza, espressività.

efficiènte *agg.* **1** attivo, efficace, produttivo **CONTR.** inefficiente, incapace, inutile **2** (*est.*) funzionale.

efficienteménte *avv.* con efficienza, abilmente, in modo competente, attivamente **CONTR.** debolmente, inadeguatamente.

efficiènza *s. f.* capacità, validità, fattività **CONTR.** inefficienza.

effigiàre *v. tr.* ritrarre, riprodurre, raffigurare, rappresentare, disegnare, modellare, dipingere, improntare (*raro*).

effìgie *s. f.* (*pl. effigi*) **1** immagine, ritratto, figura **2** aspetto, sembiante (*lett.*) **3** (*est.*) simulacro, raffigurazione.

effimero *agg.* **1** caduco, labile, fugace, precario **CONTR.** immortale, eterno, duraturo, indelebile, indimenticabile **2** (*est.*) breve, passeggero, transitorio, momentaneo **CONTR.** immortale, eterno, duraturo, continuo, interminabile, perpetuo.

effluìre *v. intr.* [*detto di fluido*] uscire,

sgorgare, fuoriuscire.

efflùvio *s. m.* **1** esalazione, emanazione (*est.*), vapore (*fam.*) **2** odore, lezzo.

effóndere A *v. tr.* **1** [*liquidi, odori, etc.*] spandere, spargere, emanare, versare, esalare, sprigionare, emettere, riversare, espandere **2** [*notizie, etc.*] diffondere, rivelare **B** *v. intr. pron.* diffondersi, sprigionarsi, dilagare, spargersi, riversarsi, estendersi, spandersi, espandersi **CONTR.** bloccarsi.

effrazióne *s. f.* **1** manomissione, scasso **2** [*di norme, etc.*] (*fig.*) rottura, violazione.

effusióne *s. f.* **1** spargimento, profusione (*raro*), ondata **2** [*di un gas*] esalazione **3** [*rif. all'atteggiamento*] (*est.*) calore (*fig.*), affettuosità, espansione (*raro*) **4** [*rif. a un momento*] (*est.*) abbandono, sfogo.

egemonìa *s. f.* **1** dominazione, autorità, signoria, sovranità **2** [*di una classe, etc.*] predominio, supremazia, superiorità, primato **3** [*culturale, etc.*] direzione, guida **4** [*rif. a un regime, etc.*] (*est.*) monopolio.

egemonizzàre *v. tr.* impadronirsi di, dirigere, dominare.

ègida *s. f.* **1** protezione, difesa, tutela **2** [*di qc.*] (*est.*) sostegno, appoggio **3** (*est.*) protezione, manto (*fig.*), ala (*fig.*), riparo (*fig.*).

egocentricaménte *avv.* individualisticamente, egoisticamente (*est.*).

egocentrìsmo *s. m.* egoismo, egotismo **CONTR.** altruismo, generosità.

egoìsmo *s. m.* egocentrismo, egotismo **CONTR.** generosità, solidarietà, abnegazione, altruismo, carità.

egoisticaménte *avv.* interessatamente, individualisticamente, egocentricamente (*est.*) **CONTR.** altruisticamente, generosamente, disinteressatamente, caritatevolmente (*est.*), filantropicamente.

egoìstico *agg.* interessato, venale, avido **CONTR.** altruista, disinteressato, generoso, caritatevole.

egotìsmo *s. m.* egocentrismo, egoismo.

egregiaménte *avv.* benissimo, eccellentemente, divinamente, bene **CONTR.** male, malissimo.

eguagliàbile *agg.* imitabile **CONTR.** inimitabile, ineguagliabile.

eguagliànza *s. f.* V. *uguaglianza.*

eguagliàre *v. tr., rifl. e intr. pron.* V. *uguagliare.*

eguàle *agg., avv., s. m. e f.* V. *uguale.*

éhi *inter.* olà, ohé.

eiaculàre *v. intr.* raggiungere l'orgasmo, godere, venire (*fam.*), sborrare (*volg.*).

elaboràre *v. tr.* **1** [*un progetto, etc.*] sviluppare, preparare, programmare, disegnare (*fig.*) **2** [*un testo scritto*] produrre, svolgere, eseguire, comporre **3** [*una teoria, etc.*] formulare **4** perfezionare, cesellare **5** [*un piano*] meditare, macchinare **6** [*i dati*] processare, sottoporre a elaborazione automatica, trattare, manipolare **7** [*il cibo, le nozioni, etc.*] digerire **8** [*adrenalina, etc.*] secernere **9** [*materiali vari*] lavorare.

elaborataménte *avv.* **1** accuratamente, con attenzione **CONTR.** imprecisamente, rozzamente **2** (*est.*) ricercatamente **CONTR.** semplicemente.

elaboràto A *s. m.* [*tipo di*] componimento, compito, ricerca, studio, scritto, saggio, relazione **B** *agg.* ricercato.

elaboratóre A *s. m.* calcolatore, computer (*ingl.*), ordinatore **B** *agg.* esecutore.

elaborazióne *s. f.* **1** lavorazione, preparazione, trattamento, produzione **2** [*di uno scritto, etc.*] svolgimento, sviluppo.

elargìre *v. tr.* largire, donare, regalare, concedere generosamente, dare in abbondanza, dare con munificenza **CONTR.** depredare, derubare, togliere **2** [*denaro*] dare, profondere, prodigare, distribuire, devolvere, spargere, erogare, corrispondere **3** [*benedizioni, etc.*] dispensare, impartire, concedere.

egotìsmo *s. m.* egocentrismo, egoismo.

elargizióne *s. f.* dono, regalo, donazione, offerta, elemosina (*est.*), beneficenza (*est.*).

elasticaménte *avv.* **1** in modo duttile, flessibilmente **CONTR.** burocraticamente (*fig.*) **2** flessuosamente **CONTR.** rigidamente.

elàstico A *agg.* **1** [*rif. a un materiale*] flessibile, duttile **CONTR.** inflessibile, rigido **2** [*rif. alla mente*] svelto, aperto, pronto **CONTR.** inflessibile, rigido, ottuso, ristretto **3** [*rif. alla coscienza*] mutevole **CONTR.** inflessibile, rigido, intransigente **B** *s. m.* molla.

elegànte *agg.* **1** [*rif. a un abito*] raffinato, distinto, chic (*fr.*), bello, importante **CONTR.** comune, sciatto, trasandato, negletto, inelegante, pacchiano **2** [*rif. al portamento*] leggiadro, delicato, nobile, fine **CONTR.** sciatto, trasandato, negletto, inelegante, grossolano **3** [*rif. a una risposta*] (*fig.*) ingegnoso, sottile **CONTR.** inelegante, grossolano, rozzo, brusco **4** [*rif. a una casa, a un'abitazione*] signorile **5** [*rif. a un modo di fare*] ricercato, scelto **CONTR.** inelegante, grossolano, rozzo, rude.

eleganteménte *avv.* **1** accuratamente, finemente, bene, distintamente, ricercatamente, con gusto, bellamente, artisticamente, squisitamente, raffinatamente, signorilmente **CONTR.** inelegantemente, trascuratamente, rozzamente, grezzamente, materialmente **2** [*rif. al parlare*] ricercatamente, raffinatamente, forbitamente **CONTR.** rozzamente, materialmente, barbaramente.

elegànza *s. f.* **1** [*rif. al comportamento*] raffinatezza, finezza, signorilità, aristocrazia (*fig.*) **CONTR.** trivialità, volgarità **2** [*nel vestire, etc.*] stile, classe, gusto, linea **CONTR.** ineleganza, sciatteria **3** [*nello stile*] (*fig.*) nitore, pulizia, chiarezza **4** [*nel linguaggio*] (*est.*) preziosità, ricercatezza, proprietà **CONTR.** banalità.

elèggere A *v. tr.* **1** [*qc. re, presidente, etc.*] nominare, proclamare, acclamare, fare **CONTR.** deporre **2** dare il voto, votare **CONTR.** destituire **3** (*est.*) prescegliere **4** preporre **5** [*qc. vincitore*] chiamare, incoronare (*fig.*), dichiarare **6** (*est.*) delegare, deputare, incaricare, investire, designare **7** scegliere, preferire **8** [*il proprio domicilio*] (*bur.*) stabilire **B** *v. rifl.* nominarsi, dichiararsi, incoronarsi (*fig.*).

elementàre (1) *agg.* **1** facile, semplice, lineare **CONTR.** complesso, difficile **2** basilare, fondamentale, essenziale **CONTR.** secondario, accessorio **3** (*est.*) primitivo.

elementàre (2) *s. f.* (*gener.*) scuola **CONTR.** media, liceo, università, accademia.

elementarizzàre *v. tr.* semplificare, facilitare, volgarizzare, banalizzare **CONTR.** complicare.

elementarménte *avv.* semplicemente, facilmente **CONTR.** astrusamente.

eleménto *s. m.* **1** sostanza, componente, costituente, ingrediente **2** [*di un puzzle, di un problema, etc.*] tessera, tassello, particolare **3** [*di una catena, etc.*] anello **4** [*di paragone, di confronto*] termine **5** [*rif. a una persona*] personaggio, soggetto, tipo **6** [*di un set*] pezzo **7** (*mat.*) costante **8** (*chim.*) terra, acqua, aria, carbonio, ossigeno.

elemòsina *s. f.* offerta, obolo, elargizione (*raro*), carità, beneficenza (*est.*).

elemosinàre *v. tr. e intr.* mendicare, questuare, accattare, pitoccare, implorare, chiedere, domandare, questuare.

elencàre *v. tr.* **1** enumerare, numerare, noverare **2** catalogare, inventariare, registrare, notare, rubricare.

elencazióne *s. f.* enumerazione.

elènco *s. m.* (*pl. -chi*) **1** lista, nota **2** [*rif. ai prezzi*] listino **3** [*di titoli, etc.*] indice **4** [*di problemi, di incontri*] agenda **5** [*di numeri*] colonna **6** catalogo, inventario, catalogazione (*est.*).

elètto *part. pass.; anche agg.* **1** selezionato, prescelto, scelto, nominato, unto (*relig.*) **2** (*est.*) nobile, elevato, squisito **CONTR.** basso, ignobile.

elettrizzànte *part. pres.; anche agg.* eccitante, euforizzante, entusiasmante, inebriante, esaltante, stimolante **CONTR.** noioso, tedioso.

elettrizzàre A *v. tr.* (*est.*) entusiasmare, galvanizzare (*fig.*), scaldare (*fig.*), infervorare, animare, esaltare, eccitare, incendiare (*fig.*), riscaldare (*fig.*) **CONTR.** calmare, placare **B** *v. intr. pron.* entusiasmarsi, eccitarsi, infervorarsi, agitarsi (*fig.*), animarsi, galvanizzarsi, incendiarsi, scaldarsi **CONTR.** calmarsi, placarsi, frenarsi.

elettromagnète *s. m.* (*fis.*) elettrocalamita.

elevaménto *s. m.* sollevamento, innalzamento **CONTR.** abbassamento.

elevàre A *v. tr.* **1** [*lodi, etc.*] alzare, sollevare **CONTR.** abbassare, calare **2** [*i prezzi, etc.*] rivalutare, aumentare, rialzare **CONTR.** diminuire **3** [*un vessillo, etc.*] (*est.*) inalberare, levare in alto **CONTR.** ammainare, abbassare **4** [*un edificio, un monumento*] innalzare, erigere, costruire, edificare, ergere **CONTR.** abbattere, demolire **5** [*qc., lo spirito, etc.*] (*est.*) nobilitare, sublimare, migliorare, rendere migliore, esaltare, conferire dignità a **CONTR.** corrompere, degradare, depravare, umiliare, avvilire, involgarire **6** [*qc. di grado*] (*est.*) promuovere **B** *v. intr. pron.* **1** [*detto di persona*] distinguersi, brillare (*fig.*), spiccare, emergere, eccellere, distaccarsi (*fig.*) **2** [*detto di edificio, di colle, etc.*] sovrastare, grandeggiare, ergersi, alzarsi, innalzarsi, ergersi, dominare, levarsi **CONTR.** digradare **3** [*detto di aquilone, etc.*] ascendere, sollevarsi **CONTR.** abbassarsi **4** [*a potenza, etc.*] ascendere, assurgere, salire, sorgere **CONTR.** declinare **C** *v. rifl.* migliorarsi, nobilitarsi, innalzarsi **CONTR.** abbassarsi, degradarsi.

elevataménte *avv.* nobilmente, dignitosamente **CONTR.** bassamente, ignobilmente.

elevatézza *s. f.* [*qualità dell'animo*] nobiltà, sublimità, altezza (*fig.*), statura (*fig.*) **CONTR.** bassezza, meschinità.

elevàto *part. pass.; anche agg.* **1** [*rif. a un pensiero*] (*fig.*) alto, nobile, eletto, sublime **CONTR.** umile, basso, vile, volgare **2** [*rif. alla velocità*] sostenuto **CONTR.** basso.

elevazióne *s. f.* **1** [*a una carica*] assunzione, esaltazione (*raro*) **2** innalzamento, costruzione **3** (*astron.*) altezza.

elezióne *s. f.* **1** designazione, scelta, nomina **2** (*est.*) votazione.

elidere A *v. tr.* sopprimere, annullare, eliminare, togliere, rimuovere **CONTR.** aggiungere **B** *v. rifl. rec.* annullarsi, neutralizzarsi, eliminarsi a vicenda, escludersi, bloccarsi.

eliminàre *v. tr.* **1** [*una norma, una legge, etc.*] abolire, annullare, cancellare, depennare, revocare **2** [*qc.*] sopprimere, uccidere, ammazzare, liquidare (*fig.*), fare fuori (*fam.*), togliere di circolazione (*euf.*), distruggere **3** [*qc. da un partito, carica*] bandire, espellere, allontanare, rimuovere, estromettere, togliere, cacciare, esiliare, espurare **CONTR.** includere, ammettere **4** [*qc. da una competizione*] escludere, scartare, eccettuare **5** [*un'abitudine*] (*fig.*) estirpare, estinguere, sradicare, svellere **6** [*i pensieri spiacevoli*] bandire, fugare **7** [*i rifiuti, etc.*] gettare via, smaltire, disfarsi di **8** [*un organo dal corpo, etc.*] recidere, asportare **9** [*un'attività, etc.*] disattivare **10** [*q.c. in un testo*] elidere, espungere, tagliare (*fig.*) **11** [*una somma, etc.*] detrarre **12** [*le spese superflue, etc.*] tagliare (*fig.*), sacrificare.

eliminazióne *s. f.* **1** [*di una legge, etc.*] soppressione, abrogazione, cancellazione, abolizione **CONTR.** promulgazione, istituzione, emanazione **2** [*di una persona, di un popolo*] annientamento, uccisione, sterminio **3** [*delle spese, etc.*] (*fig.*) taglio **4** [*di qc. in una gara*] esclusione **5** [*di un governo, etc.*] abbattimento, rovesciamento **6** [*degli ostacoli*] rimozione.

elisióne *s. f.* (*ling.*) troncamento.

elitàrio *agg.* **1** esclusivo, ristretto **CONTR.** popolare, plebeo **2** (*est.*) privilegiato.

élite *s. f. inv.* classe dirigente, crema (*fig.*), panna (*fig.*).

élmo *s. m.* **1** casco **2** (*est.*) predicozzo.

elogiàre A *v. tr.* **1** lodare, encomiare, fare i complimenti a, complimentare, incensare **CONTR.** insultare, mortificare, offendere, schernire, ingiuriare, insolentire, irridere, motteggiare, oltraggiare, rampognare, redarguire **2** decantare, magnificare, esaltare, gloriare, inneggiare a **CONTR.** denigrare, disprezzare, demolire, diffamare, infamare, infangare **3** [*un comportamento, etc.*] approvare, applaudire **CONTR.** disapprovare, biasimare, censurare, condannare, deplorare **B** v. rifl. gloriarsi, glorificarsi, pavoneggiarsi **CONTR.** mortificarsi, umiliarsi.

elogiativo agg. laudativo (*lett.*), encomiastico **CONTR.** denigratorio, diffamatorio, oltraggioso.

elògio s. m. **1** encomio, lode, complimento **CONTR.** sgridata, rabbuffo, ramanzina **2** plauso, approvazione, applauso (*fig.*), consenso **CONTR.** scherno, biasimo, censura, condanna, calunnia (*est.*).

eloquènte agg. **1** facondo, loquace **CONTR.** laconico, taciturno, vago **2** [*rif. allo sguardo*] (*est.*) espressivo, significativo **CONTR.** inespressivo, vuoto **3** [*rif. a un discorso*] (*fig.*) robusto, forte, espressivo.

eloquenteménte avv. **1** significativamente, efficacemente **2** con buona oratoria, facondamente **CONTR.** laconicamente.

eloquènza s. f. facondia (*colto*), parlantina (*fam.*), dialettica (*est.*), loquela.

elòquio s. m. lingua, linguaggio, favella.

elucubràre v. tr. pensare, rimuginare, macchinare, congetturare, meditare, ponderare, ponzare, immaginare, fantasticare, almanaccare, escogitare.

elùdere v. tr. **1** [*un ostacolo, etc.*] evitare, schivare, scansare, fuggire, sfuggire **CONTR.** affrontare, sfidare **2** [*la legge, la buonafede*] ingannare, contravvenire a, raggirare, trasgredire **CONTR.** osservare **3** [*un invito*] declinare, sottrarsi a, esimersi da, schermirsi da, rifiutarsi di, negarsi a **4** [*le aspettative, etc.*] deludere, tradire.

eludìbile agg. evitabile **CONTR.** inevitabile.

elusióne s. f. inadempienza, inosservanza, trasgressione, violazione **CONTR.** osservanza.

elusivaménte avv. evasivamente, ambiguamente **CONTR.** chiaramente, apertamente, schiettamente.

elusìvo agg. **1** sfuggente, evasivo **CONTR.** chiaro, aperto **2** (*est.*) ambiguo.

emaciàre A v. tr. estenuare **B** v. intr. pron. dimagrire, estenuarsi **CONTR.** ingrassarsi.

emaciàto part. pass.; anche agg. **1** smunto, patito, scavato, scarno, magro, macilento, denutrito, squallido **CONTR.** sano, robusto, vigoroso **2** [*rif. al colorito*] diafano, pallido, cadaverico, cereo.

emanàre A v. tr. **1** [*un profumo, etc.*] diffondere, emettere, effondere (*lett.*), esalare, sprigionare, mandare, espandere, schizzare **2** [*una legge, un editto*] diffondere, decretare, proclamare, promulgare, diramare, pubblicare, varare (*fig.*) **CONTR.** abolire, revocare **3** [*luce, felicità*] (*anche fig.*) raggiare, irradiare, irraggiare **B** v. intr. scaturire, derivare, provenire, uscire, sprigionarsi, sgorgare.

emanazióne s. f. **1** [*di una legge*] promulgazione, pubblicazione (*est.*) **CONTR.** eliminazione, cancellazione **2** esalazione, effluvio, odore **3** fuoriuscita, diffusione **4** derivazione, creatura.

emancipàre A v. tr. **1** affrancare, liberare, rendere libero, svincolare, riscattare **CONTR.** schiavizzare, sottomettere, asservire, opprimere **2** rendere adulto, rendere emancipato, rendere responsabile, rendere indipendente, fare evolvere, fare maturare **B** v. intr. pron. **1** liberarsi, svincolarsi, affrancarsi **CONTR.** sottomettersi **2** maturarsi (*fig.*).

emancipataménte avv. autonomamente, liberamente, indipendentemente, da solo.

emancipàto part. pass.; anche agg. **1** indipendente, evoluto **CONTR.** schiavo, sottomesso **2** (*dir.*) affrancato, liberato **CONTR.** schiavo, legato.

emancipazióne s. f. **1** [*da q.c., da qc.*] liberazione, affrancamento **CONTR.** schiavitù, servitù **2** indipendenza, autonomia **3** (*est.*) evoluzione.

emarginàre v. tr. e rifl. allontanare,

estromettere, isolare, segregare **CONTR.** accogliere, accettare, ammettere.

emarginazióne s. f. isolamento, esclusione, ostracismo.

emàzia s. f. eritrocita, globulo rosso (*pop.*).

emblèma s. m. simbolo, immagine, insegna, vessillo (*fig.*), stemma (*fig.*), bandiera (*fig.*).

emblematicaménte avv. simbolicamente.

emblemàtico agg. simbolico.

embrióne s. m. **1** germe, seme **2** (*est.*) abbozzo.

emendàbile agg. correggibile **CONTR.** incallito (*spreg.*), incorreggibile.

emendaménto s. m. variazione, correzione, riforma (*est.*).

emendàre A v. tr. **1** [*una legge, una norma*] correggere, modificare, rivedere, perfezionare, migliorare, riformare, variare, sanare **2** [*un testo scritto*] ripulire, purgare (*est.*), rettificare, castigare (*fig.*) **B** v. rifl. correggersi, migliorarsi, migliorare, ravvedersi.

emergènza s. f. imprevisto, evenienza, circostanza.

emèrgere v. intr. **1** [*dall'acqua*] galleggiare, stare a galla, essere a pelo d'acqua, affiorare, sporgere **CONTR.** inabissarsi, scomparire, sprofondare, immergersi **2** [*detto di persone, di idee, etc.*] elevarsi (*fig.*), predominare, essere al di sopra, brillare (*fig.*), segnalarsi, distinguersi, distaccarsi (*fig.*), eccellere, evidenziarsi, imporsi, affermarsi, ergersi (*fig.*), dominare, spiccare, primeggiare, preponderare, farsi una posizione, farsi largo, fare carriera **3** [*detto di situazione, etc.*] (*est.*) risultare, apparire, vedersi, essere evidente **4** [*detto di muffa, etc.*] riaffiorare, rifiorire **5** [*detto di dubbio, sospetto*] sorgere, spuntare, comparire.

emersióne s. f. affioramento **CONTR.** affondamento, immersione.

emètico s. m. (*gener.*) farmaco.

eméttere *v. tr.* **1** diffondere, mandare, esalare, effondere (*lett.*), mandare fuori, cacciare, buttare, lanciare, gettare **2** [*un proclama, una legge*] emanare, promulgare CONTR. ritirare, revocare **3** [*detto di ferita, etc.*] diffondere, secernere, gemere **4** [*monete*] mettere in circolazione, fare circolare, mettere in giro **5** [*un giudizio*] formulare, enunciare, esprimere, pronunciare, proferire CONTR. ritrattare **6** [*un mandato di cattura*] spiccare **7** [*un odore, un suono, etc.*] fare.

emigràre *v. intr.* **1** espatriare, trasferirsi, allontanarsi, andarsene, andare via, andare all'estero, esiliarsi, fuggire, esulare (*raro*) CONTR. rimpatriare **2** [*in un determinato paese*] immigrare **3** [*detto di popolazioni*] trasmigrare **4** [*detto di uccelli, etc.*] migrare.

emigrazióne *s. f.* migrazione, spostamento, trasferimento.

eminènte *agg.* **1** illustre, insigne, potente, alto, eccelso CONTR. oscuro, ignoto, sconosciuto **2** potente.

eminenteménte *avv.* prima di tutto, in primo luogo, prevalentemente.

emissióne *s. f.* **1** [*di q.c. al pubblico*] presentazione **2** (*med.*) missione **3** esportazione CONTR. immissione **4** [*di aria, etc.*] espirazione **5** [*di un gas, etc.*] espulsione.

emostàtico *s. m.* antiemorragico.

emotivaménte *avv.* in base a sentimento, passionalmente, irragionevolmente CONTR. razionalmente, cerebralmente.

emotività *s. f. inv.* **1** suscettibilità, impressionabilità, sensibilità (*fam.*), impulsività, passionalità, sentimento (*fam.*) CONTR. equilibrio, serenità **2** (*gener.*) qualità.

emotivo *agg.* **1** sensibile, eccitabile, suggestionabile, passionale, ansioso (*est.*) CONTR. cerebrale, intellettuale, intellettivo, insensibile (*est.*) **2** istintivo CONTR. cerebrale.

emozionànte *part. pres.; anche agg.* commovente, suggestivo, entusiasmante, esaltante CONTR. smorto, spento.

emozionàre A *v. tr.* commuovere,

turbare, impressionare, agitare, eccitare, imbarazzare, toccare (*fig.*), appassionare, entusiasmare **B** *v. intr. pron.* **1** turbarsi, commuoversi, impressionarsi, palpitare, trascolorare (*est.*) CONTR. controllarsi **2** entusiasmarsi, appassionarsi.

emozionàto *part. pass.; anche agg.* **1** commosso, turbato, impressionato CONTR. freddo, indifferente **2** (*est.*) agitato CONTR. indifferente **3** (*est.*) eccitato, entusiasmato, esaltato CONTR. indifferente.

emozióne *s. f.* **1** impressione, turbamento, trepidazione, palpitazione, commozione (*est.*), rimescolio (*pop.*) **2** [*tipo di*] rapimento, suspense (*ingl.*), esaltazione, paura, felicità.

empiaménte *avv.* **1** irreligiosamente, sacrilegamente CONTR. devotamente **2** spietatamente, barbaramente, scelleratamente, esecrabilmente CONTR. pietosamente, caritatevolmente.

empiàstro *s. m.* V. *impiastro*.

empietà *s. f. inv.* profanazione, sacrilegio.

émpio *agg.* **1** infame, turpe, abominevole, rio (*lett.*), scellerato, malvagio CONTR. pregevole **2** [*rif. a un delitto*] (*est.*) criminale, nefando, spietato, crudele **3** [*rif. al sentire religioso*] irriverente, profano, sacrilego CONTR. pio, devoto, santo, religioso.

empire *v. tr.* **1** colmare, riempire CONTR. vuotare **2** [*lo stomaco*] inzeppare, imbottire, rimpinzare, saziare **3** [*una strada, un locale*] gremire, intasare, ingombrare, affollare, saturare, pigiare CONTR. evacuare, sgomberare **4** [*qc. di gioia, di affetto*] (*fig.*) colmare, riempire, ricolmare, pervadere **5** [*un modulo, etc.*] (*est.*) compilare, scrivere **6** [*un testo di errori*] inzeppare, infittire.

empìreo A *s. m.* paradiso, cielo CONTR. inferno, tartaro (*lett.*), averno (*lett.*) **B** *agg.* sublime, celeste (*est.*).

empiricaménte *avv.* sperimentalmente, praticamente CONTR. teoricamente, matematicamente.

émpito *s. m.* impeto.

empòrio *s. m.* magazzino, bazar, bot-

tega, mercato (*est.*).

emulàre *v. tr.* **1** imitare, scimmiottare, copiare, seguire (*fig.*), comportarsi allo stesso modo *di* **2** [*qc. in generosità, etc.*] competere *con*, confrontarsi *con*, cercare di superare, cercare di raggiungere, concorrere *con*.

encomiàbile *agg.* ammirevole, apprezzabile, stimabile, ineccepibile, lodevole CONTR. biasimevole, deplorevole, disprezzabile, disdicevole, esecrabile, nefando, indegno, infamante, inqualificabile, obbrobrioso.

encomiabilménte *avv.* meritoriamente, lodevolmente CONTR. biasimevolmente, deplorevolmente, esecrabilmente.

encomiàre *v. tr.* elogiare, lodare, gloriare, applaudire, complimentare, approvare, apprezzare, congratularsi *con* CONTR. condannare, denigrare, diffamare, riprovare, biasimare.

encomiàstico *agg.* laudativo, elogiativo CONTR. denigratorio.

encòmio *s. m.* elogio, lode, plauso, apprezzamento, complimento, applauso (*fig.*) CONTR. critica, rimprovero, biasimo.

endocàrpo *s. m.* nocciolo, seme (*pop.*), osso (*pop.*).

energìa *s. f.* **1** forza, vigore, vigoria, gagliardia, vitalità, potenza, benessere, tono (*fig.*) CONTR. sfinimento, sfinitezza, spossamento, spossatezza, stanchezza, fiacchezza, mollezza **2** [*rif. al comportamento*] forza, decisione, risolutezza, fermezza, saldezza CONTR. passività, abulia **3** intensità, dinamismo, vivacità, spirito **4** [*nel lavoro*] dinamismo, solerzia, attivismo, lena.

energicaménte *avv.* **1** vigorosamente, dinamicamente, risolutamente, decisamente, efficacemente, fieramente, forte, fortemente, gagliardamente CONTR. debolmente, flebilmente, abulicamente, apaticamente, fiaccamente, svogliatamente, accidiosamente **2** risolutamente CONTR. dubitativamente **3** (*est.*) vigorosamente CONTR. languidamente.

enèrgico *agg.* **1** [*rif. all'animo*] forte, vigoroso, giovanile CONTR. abulico, apàtico, bolso, fiacco, floscio, spossato, svigorito **2** [*rif. a una persona*] attivo, dinamico **CONTR.** abulico, apatico, bolso, fiacco, svigorito, affaticato, debilitato, esausto, distrutto, affranto, moscio **3** [*rif. al carattere, etc.*] fiero, fermo, deciso, risoluto **CONTR.** abulico, apatico, bolso, fiacco, svigorito, debole, pigro, inattivo, languido, piagnucoloso **4** [*rif. a un ordine, a un comando*] perentorio **CONTR.** blando **5** [*rif. a un discorso, a un modo*] violento, potente **CONTR.** abulico, fiacco, svenevole **6** [*rif. alla pelle*] sodo **CONTR.** moscio, cascante **7** [*rif. all'atteggiamento*] radicale.

ènfasi *s. f. inv.* **1** veemenza, passione **2** ampollosità, pomposità **CONTR.** semplicità.

enfaticaménte *avv.* ampollosamente, pomposamente, retoricamente **CONTR.** semplicemente, linearmente.

enfàtico *agg.* ampolloso, retorico, pomposo, solenne, magniloquente, sonoro (*fig.*) **CONTR.** moderato, misurato.

enfatizzàre *v. tr.* esagerare, romanzare **CONTR.** diminuire.

enfiagióne *s. f.* gonfiore, tumefazione, enfiamento (*raro*).

enfiaménto *s. m.* gonfiore, enfiagione.

enfiàre A *v. tr.* gonfiare **CONTR.** sgonfiare **B** *v. intr. pron.* inturgidirsi, gonfiarsi **CONTR.** sgonfiarsi.

enìgma *s. m.* **1** mistero, rebus, indovinello, quiz, segreto, problema, arcano (*est.*) **2** (*est.*) ambiguità.

enigmaticaménte *avv.* ambiguamente, oscuramente, misteriosamente, in modo sibillino, ermeticamente, incomprensibilmente **CONTR.** chiaramente, semplicemente, schiettamente, francamente.

enigmaticità *s. f. inv.* ambiguità, oscurità (*fig.*), tenebrosità (*fig.*), difficoltà (*est.*) **CONTR.** chiarezza, solarità, evidenza.

enigmàtico *agg.* ambiguo, oscuro, misterioso, impenetrabile, arcano (*est.*) **CONTR.** aperto, chiaro, comprensibile, patente.

enórme *agg.* **1** smisurato, gigantesco, imponente, colossale, titanico, ciclopico, sproporzionato, incalcolabile, spropositato, sovrumano, immenso, gigante, indicibile **CONTR.** piccolo, minuscolo, microscopico, piccino, minimo, esiguo, impercettibile, ridicolo (*fam.*), minuto, nano (*fig.*), lillipuziano (*fig.*) **2** [*rif. allo spazio*] sconfinato, infinito **CONTR.** piccolo, minuscolo, minimo, impercettibile, angusto, stretto **3** [*rif. a un patrimonio, etc.*] (*fig.*) strepitoso, favoloso **CONTR.** piccolo, minuscolo, minimo, esiguo, ridicolo (*fam.*) **4** [*rif. alla voglia, al gusto*] (*fam.*) matto, grande **CONTR.** ridicolo (*fam.*) **5** [*rif. a uno sbaglio, a un equivoco*] (*fam.*) strepitoso, madornale **CONTR.** ridicolo (*fam.*).

enormeménte *avv.* molto, assai, grandemente, estremamente, immensamente, indescrivibilmente, indicibilmente, infinitamente, meravigliosamente, smisuratamente **CONTR.** scarsamente, poco.

enormità *s. f. inv.* **1** eccesso, esagerazione, strage (*fig.*), spropositi (*fam.*) **2** [*rif. a un'azione, etc.*] orrore **3** [*rif. al prezzo di q.c.*] esagerazione, sproposito (*fam.*), esosità.

enotèca *s. f.* (*pl. -che*) cantina, degustazione, mescita, bottiglieria.

ènte *s. m.* **1** (*filos.*) entità **2** organo, istituzione, istituto, organizzazione, organismo, opera, fabbriceria (*raro*).

entità *s. f. inv.* **1** ente, cosa **2** (*est.*) quantità, mole, grandezza, consistenza, valore.

entràmbi *agg. num. inv. e pron.* ambedue.

entràre *v. intr.* **1** andare dentro, immettersi, introdursi, penetrare, addentrarsi, insinuarsi, ficcarsi, intrufolarsi, infilarsi, cacciarsi, sgusciare (*fig.*), internarsi (*raro*) **CONTR.** uscire, evacuare **2** [*nei fatti altrui, etc.*] (*est.*) intromettersi, immischiarsi **3** [*in una casa, in un ufficio*] (*est.*) accomodarsi **CONTR.** andarsene **4** [*in un ambiente, etc.*] inserirsi, accedere *a*, incorporarsi **5** [*in un recipiente*] essere contenuto, stare **6** [*detto di concetto, di ricordo*] essere capito, essere memorizzato, essere ricordato **7** [*detto di strada, di fiume, etc.*] gettarsi, imboccare *un*,

passare **8** [*in un'attività*] (*est.*) gettarsi, imbarcarsi (*fig.*) **9** (*est.*) incastrarsi.

entràta (1) *s. f.* **1** ingresso, accesso, adito (*raro*) **CONTR.** uscita **2** apertura, bocca, imboccatura, imbocco **3** [*di una casa, etc.*] (*est.*) ingresso, porta, atrio, soglia, entratura (*raro*) **4** [*in un ospedale*] (*est.*) ingresso, accettazione, ammissione **5** [*di denaro*] (*est.*) incasso, introito, provento, reddito, rientro (*fig.*) **6** [*di q.c.*] (*est.*) inizio, principio.

entràta (2) *s. f.* [*di dizionario*] articolo, voce, lemma, esponente, titolo.

entratùra *s. f.* **1** ingresso, entrata **2** introduzione, appoggio (*fig.*), conoscenza, maniglia (*fig.*).

entusiasmànte *part. pres.; anche agg.* esaltante, appassionante, avvincente, eccitante, travolgente, inebriante, elettrizzante, emozionante, euforizzante **CONTR.** deprimente, demoralizzante.

entusiasmàre A *v. tr.* appassionare, infiammare (*fig.*), emozionare, esaltare, elettrizzare (*fig.*), rapire (*fig.*), infervorare, incendiare (*fig.*), accendere (*fig.*), scaldare (*fig.*), estasiare, fanatizzare, infatuare, eccitare **CONTR.** demoralizzare, deprimere, avvilire **B** *v. intr. pron.* infervorarsi, appassionarsi, innamorarsi, esaltarsi, inebriarsi, accendersi (*fig.*), scaldarsi (*fig.*), elettrizzarsi (*fig.*), eccitarsi, emozionarsi, delirare, incendiarsi (*fig.*), accalorarsi (*fig.*), estasiarsi, esultare, gasarsi (*fam.*), infatuarsi, infiammarsi (*fig.*) **CONTR.** demoralizzarsi, deprimersi, prostrarsi, avvilirsi, accasciarsi, abbattersi.

entusiasmàto *part. pass.; anche agg.* infervorato, esaltato, appassionato, eccitato, emozionato.

entusiàsmo *s. m.* **1** euforia, esaltazione, delirio (*raro*) **CONTR.** depressione, scoramento, demoralizzazione **2** (*est.*) fervore, passione, ardore, calore (*fig.*), trasporto **CONTR.** indifferenza, freddezza, tiepidezza **3** (*est.*) infatuazione.

entusiàsta A *agg.* **1** esaltato, esultante **CONTR.** avvilito, depresso, abbattuto, sconfortato **2** (*est.*) soddisfatto, felice, contento, lieto, gioioso **3** (*sport*) tifoso **B** *s. m. e f.* ammiratore (*fam.*).

entusiasticaménte *avv.* con entusiasmo, con passione, appassionatamente, calorosamente, caldamente, fervorosamente, euforicamente, fanaticamente, fervidamente, freneticamente **CONTR.** indifferentemente, distaccatamente, freddamente, gelidamente.

enucleàre *v. tr.* isolare, distinguere, individuare.

enumeràre *v. tr.* **1** elencare, numerare, annoverare, noverare **2** registrare, catalogare.

enunciàre *v. tr.* dichiarare, pronunciare, affermare, esprimere, manifestare, formulare, emettere, esporre, dire.

enunciàto *s. m.* **1** frase, orazione (*spec.*), proposizione **2** formulazione, espressione **3** tesi.

enunciazióne *s. f.* proposizione.

enzìma *s. m.* fermento.

èpa *s. f.* pancia (*fam.*), addome, ventre.

epicàrpo *s. m.* (*bot.*) esocarpo, buccia (*fam.*), scorza (*est.*), pelle (*fam.*).

epicèntro *s. m.* centro.

epidemìa *s. f.* contagio, infezione.

epidermicaménte *avv.* superficialmente **CONTR.** profondamente.

epidèrmico *agg.* **1** cutaneo **2** [*rif. a una sensazione*] superficiale **CONTR.** profondo.

epidèrmide *s. f.* **1** cute (*erron.*), pelle, derma (*erron.*) **2** (*bot.*) tegumento **3** (*bot.*) buccia.

epifanìa *s. f.* befana.

epigono *s. m.* **1** seguace **CONTR.** precursore **2** discendente, successore.

epìgrafe *s. f.* iscrizione, epitaffio.

epigraficaménte *avv.* laconicamente, in poche parole **CONTR.** prolissamente, verbosamente.

epìlogo *s. m.* (*pl. -ghi*) **1** fine, conclu-

sione, termine, compimento, adempimento (*est.*), scioglimento (*fig.*) **CONTR.** inizio **2** [*di un'orazione*] conclusione, perorazione.

episcòpio *s. m.* vescovado.

episodicaménte *avv.* occasionalmente, talvolta **CONTR.** regolarmente, continuativamente, spesso.

episòdio *s. m.* **1** avvenimento, vicenda, evento, accaduto, azione **2** [*rif. alla storia, etc.*] avventura, pagina (*fig.*) **3** aneddoto, raccontino, fatterello **4** [*di una telenovela, etc.*] puntata.

epìstola *s. f.* lettera.

epitàffio *s. m.* iscrizione, epigrafe.

epitèlio *s. m.* cute.

epìteto *s. m.* **1** appellativo, denominazione **2** soprannome, nomignolo **3** insulto, titolo, ingiuria.

època *s. f.* (*pl. -che*) **1** era, età, evo (*lett.*) **2** periodo, tempo, secolo, anno, mese, realtà **3** fase, stagione.

eppùre *cong.* pure.

epuràre *v. tr.* **1** ripulire, purgare, espurgare **CONTR.** inquinare **2** [*qc. da un partito, etc.*] eliminare, estromettere, cacciare, espellere **CONTR.** inserire **3** [*il vino, un liquido*] depurare, chiarificare, decantare, filtrare.

equaménte *avv.* **1** ugualmente **2** giustamente, imparzialmente, obiettivamente **CONTR.** ingiustamente, parzialmente.

equànime *agg.* imparziale, obiettivo, equo, giusto, equilibrato, sereno (*est.*) **CONTR.** ingiusto, parziale, fazioso.

equanimità *s. f.* equità, giustizia, imparzialità.

equilibràre *v. tr.* **1** bilanciare, pareggiare, porre in equilibrio, proporzionare **CONTR.** squilibrare, sbilanciare **2** controbilanciare, neutralizzare, compensare, correggere **3** (*est.*) fare quadrare, centrare **4** armonizzare, mettere in armonia **CONTR.** disorientare, scombussolare.

equilibrataménte *avv.* con equilibrio, assennatamente **CONTR.** capricciosamente, bizzarramente, pazza-

mente, pazzescamente.

equilibràto *part. pass.; anche agg.* **1** [*rif. a un moto, a un movimento*] armonioso, aggraziato **CONTR.** squilibrato, disarmonico **2** [*rif. a una persona*] misurato, ragionevole, giusto, quadrato **CONTR.** squilibrato, alienato, delirante, psicastenico (*psicol.*), lunatico (*fam.*), svitato (*fam.*) **3** [*rif. a una persona*] (*fig.*) ponderato, maturo **CONTR.** squilibrato, alienato, delirante, vanesio **4** [*rif. a un'opinione, a un giudizio*] (*est.*) uguale, equanime, imparziale **CONTR.** squilibrato, parziale **5** [*rif. allo stile, al metodo*] armonico, coerente **CONTR.** squilibrato, disarmonico, incoerente.

equilìbrio *s. m.* **1** [*tra dare e avere*] bilanciamento, pareggio, compensazione **CONTR.** sproporzione, squilibrio, dismisura **2** [*tra le parti*] armonia, simmetria, proporzione **CONTR.** sproporzione **3** [*rispetto alle condizioni*] (*est.*) uguaglianza, corrispondenza, equivalenza **CONTR.** divario **4** [*rif. a una persona*] (*est.*) stabilità, serenità, calma, controllo, coerenza, congruenza, saggezza, saviezza, ponderatezza **CONTR.** suscettibilità, stupidità, emotività, pazzia, fanatismo.

equilibrìsta *s. m. e f.* funambolo.

equipaggiaménto *s. m.* attrezzatura, strumentario, corredo, armamentario, assetto.

equipaggiàre A *v. tr.* corredare, dotare del necessario, munire, dotare, fornire, rifornire, fornire di equipaggiamento, attrezzare, armare, arredare (*est.*) **B** *v. intr. pron.* corredarsi, dotarsi, prendersi, fornirsi, attrezzarsi, fornirsi del necessario.

equipaggiàto *part. pass.; anche agg.* provvisto, fornito, corredato, armato con **CONTR.** sfornito, privo.

equipàggio *s. m.* **1** ciurma (*spreg.*) **2** bagaglio, corredo **3** carrozza (*est.*).

equiparàre A *v. tr.* **1** rendere uguale, rendere simile, perequare, uguagliare, pareggiare, bilanciare, livellare, controbilanciare, assimilare, adeguare **CONTR.** differenziare, diversificare, sperequare **2** [*una scuola, un diploma*] parificare, riconoscere legalmente **3** confrontare, paragonare, comparare **B** v. rifl. **1** confrontarsi, paragonarsi, misurarsi **2** considerarsi pari, pensare di equivalere, valutarsi pari, pareggiarsi.

équipe s. f. inv. **1** squadra, gruppo, team (ingl.), pool (ingl.), troupe (fr.), staff (ingl.), nucleo **2** spedizione.

equipollènte agg. equivalente, pari, uguale CONTR. diverso, differente.

equità s. f. inv. giustizia, imparzialità, obiettività, oggettività CONTR. iniquità, ingiustizia, parzialità.

equitazióne s. f. sing. **1** (gener.) sport **2** ippica.

equivalènte A part. pres.; anche agg. equipollente, pari, uguale, parallelo (est.) CONTR. diverso, differente **B** s. m. sing. corrispettivo.

equivalènza s. f. **1** uguaglianza, parità, equilibrio **2** (est.) analogia, somiglianza, corrispondenza.

equivalére A v. intr. avere lo stesso valore, uguagliare, corrispondere, valere CONTR. differire **B** v. intr. pron. corrispondersi, avere lo stesso valore, avere lo stesso significato, corrispondere, uguagliarsi CONTR. differire.

equivocaménte avv. ambiguamente, viscidamente (fig.) CONTR. inequivocabilmente, chiaramente.

equivocàre v. intr. fraintendere, travisare, distorcere un, prendere un abbaglio, intendere una cosa per un'altra, sbagliare, scambiare un (est.) **B** v. intr. pron. sbagliarsi, confondersi.

equivocàto part. pass.; anche agg. frainteso, malinteso.

equivocità s. f. inv. ambiguità, incertezza (est.) CONTR. chiarezza, trasparenza.

equivoco (1) s. m. sbaglio, malinteso, fraintendimento, disguido, errore, cantonata (fig.), fallo.

equivoco (2) agg. **1** losco, ambiguo, dubbio, sospetto CONTR. inequivocabile, certo, indubbio **2** [rif. a una situazione] (fig.) torbido.

èquo agg. **1** imparziale, giusto, equanime, obiettivo, oggettivo, spassionato CONTR. iniquo, ingiusto **2** [rif.

al prezzo] (est.) discreto, conveniente CONTR. sproporzionato.

èra s. f. epoca, età, tempo, periodo, secolo, evo (lett.).

èrba A s. f. **1** (gener.) pianta CONTR. albero, arboscello, arbusto **2** (est.) hascisc, canapa, marijuana (sp.), droga (gener.) **B** agg. inv. [rif. al colore] verde.

erbàggio s. m. verdura.

eredità s. f. inv. **1** lascito, legato **2** [rif. a valori] retaggio (colto).

eremita s. m. e f. anacoreta (colto), santone (pop.), asceta, cenobita.

eresìa s. f. **1** eterodossia, bestemmia (fam.) **2** sproposito (fig.), bestialità (fig.), patrimonio, esagerazione **3** (est.) profanazione.

erètto part. pass.; anche agg. diritto, dritto CONTR. curvo, reclinato.

ergastolàno s. m. (f. -a) carcerato, prigioniero, galeotto, forzato.

èrgere A v. tr. **1** levare, alzare **2** [una costruzione] costruire, edificare, erigere **3** [una barriera] (est.) innalzare, elevare, opporre **B** v. intr. pron. **1** dominare, innalzarsi, elevarsi, sollevarsi, guardare dall'alto, levarsi **2** (est.) distinguersi, brillare (fig.), emergere (fig.).

erigere A v. tr. **1** fare, alzare, ergere, innalzare, edificare, costruire, elevare, fabbricare, drizzare CONTR. demolire, diroccare, disfare, distruggere **2** [un'istituzione, etc.] (est.) fare, fondare, costituire, istituire, creare **B** v. rifl. **1** levarsi, alzarsi CONTR. sedersi **2** [a giudice, moderatore] costituirsi, atteggiarsi, impancarsi, innalzarsi.

eritrocìta o **eritrocìto** s. m. emazia (med.), globulo rosso (pop.).

èrma s. f. mezzobusto, cippo, pilastro, colonna, stele.

ermafrodìta s. m.; anche agg. V. ermafrodito.

ermafrodìto o **ermafrodìta** s. m.; anche agg. androgino.

ermeticaménte avv. **1** a chiusura stagna **2** incomprensibilmente, enig-

maticamente, oscuramente CONTR. chiaramente, comprensibilmente.

eródere v. tr. **1** consumare, corrodere, smangiare, intaccare, scavare, dilavare, cominciare a consumare, rodere, disgregare **2** [detto di tempo] (fig.) consumare, logorare.

eròe s. m. (f. eroina) **1** campione CONTR. vigliacco **2** paladino, cavaliere **3** martire **4** [di un romanzo, etc.] (est.) protagonista.

erogàre v. tr. **1** [una somma, un sussidio] largire, devolvere, elargire, dare, concedere **2** [un servizio, gas, etc.] fornire, distribuire, dispensare, offrire.

eroicaménte avv. valorosamente, prodemente, intrepidamente, coraggiosamente, gloriosamente, stoicamente CONTR. vigliaccamente, codardamente.

eròico agg. **1** [rif. a una persona] valoroso, coraggioso CONTR. vigliacco, vile, pusillanime **2** [rif. a un'impresa] glorioso, leggendario.

eroina (1) s. f. **1** (gener.) alcaloide, droga, stupefacente **2** neve (gerg.).

eroina (2) s. f. [di una storia, etc.] protagonista.

eroismo s. m. valore, coraggio CONTR. viltà, codardia, vigliaccheria.

erómpere v. intr. **1** balzare fuori, prorompere, uscire con violenza, sgorgare, fuoriuscire, scaturire CONTR. irrompere **2** [a causa dell'ira, etc.] sbottare, esplodere (fig.), scoppiare (fig.), scattare.

èros s. m. inv. amore.

erosióne s. f. corrosione, abrasione, rodimento (fam.).

eroticaménte avv. sensualmente.

eròtico agg. sensuale, afrodisiaco, eccitante, sexy (ingl.).

erotìsmo s. m. sensualità.

errabondàre v. intr. errare, peregrinare, vagabondare, ramingare (lett.), girovagare, gironzolare, andare in giro, camminare.

errànte agg. **1** ramingo (lett.), randa-

errare

gio, nomade (est.) CONTR. stanziale **2** [rif. agli animali] randagio.

erràre (1) v. intr. vagare, girovagare, andare in giro, gironzolare, errabondare, peregrinare, ramingare (lett.), camminare, girellare, divagare (raro).

erràre (2) A v. intr. fallire, mancare, cadere (fig.), peccare, fallare (raro), ingannarsi, sbagliarsi, sbagliare **B** v. tr. sbagliare.

erràto part. pass.; anche agg. sbagliato, inesatto, scorretto, falso CONTR. esatto, giusto, vero (est.).

erroneaménte avv. per errore, scorrettamente, inesattamente, falsamente CONTR. correttamente.

erroneità s. f. [di una notizia, etc.] imprecisione, inesattezza, scorrettezza CONTR. esattezza, fedeltà.

erròneo agg. **1** sbagliato, scorretto, inesatto, spropositato CONTR. esatto, vero **2** [rif. a una interpretazione, etc.] (fig.) falso, distorto CONTR. vero.

erróre s. m. **1** [nel parlare, nello scrivere] spropositio, strafalcione, papera (fig.), inesattezza, scorrettezza, lapsus **2** [nel giudicare, etc.] cantonata, abbaglio, granchio (fig.) **3** [nel comportamento] disattenzione, dimenticanza, svista, imprecisione, sbadataggine **4** [tra persone] equivoco, sbaglio, malinteso, disguido, fraintendimento, stonatura (est.) **5** [di persona] scambio **6** [tipo di] mancanza, omissione, lacuna, falla **7** debolezza, pecca, vizio **8** [in una attività, in un'impresa] fallimento, insuccesso **9** colpa, peccato **10** deviazione, sbandata.

érta s. f. salita, rampa CONTR. china, calata.

érto part. pass.; anche agg. ripido, scosceso CONTR. piano, pianeggiante.

erudire A v. tr. **1** [qc. su ciò che è avvenuto] informare, mettere al corrente, fare sapere, ragguagliare **2** indottrinare, ammaestrare, istruire, addottrinare, educare **B** v. rifl. istruirsi.

eruditaménte avv. dottamente CONTR. ignorantemente.

erudito A part. pass.; anche agg. **1** col-

to, dotto, sapiente CONTR. analfabeta, ignorante (est.), illetterato, incolto **2** competente, esperto **B** s. m. (f. -a) dotto, sapiente CONTR. ignorante, illetterato.

erudizióne s. f. cultura CONTR. ignoranza.

eruttàre A v. intr. ruttare **B** v. tr. **1** [detto di vulcano, etc.] mandare fuori **2** [insulti, maledizioni] (est.) mandare fuori, proferire, scagliare (fig.), vomitare (fig.).

eruzióne s. f. **1** fuoriuscita **2** [della pelle] (est.) fioritura (fig.), eczema, sfogo (fam.), esantema (med.).

esacerbàre A v. tr. **1** [un dolore, etc.] acuire, inasprire, esasperare, aggravare, intensificare, inacerbire, rincrudire, incrudire CONTR. disacerbare, calmare, sedare, placare, lenire, mitigare, sopire **2** [qc.] inasprire, esasperare, irritare, fare diventare nervoso, indignare CONTR. addolcire, rabbonire, raddolcire, mansuefare, deliziare **B** v. intr. pron. inasprirsi, irritarsi, amareggiarsi, inacerbirsi, rincrudire, inacidirsi CONTR. disacerbarsi, calmarsi, placarsi, mitigarsi, sbollire, diminuire.

esacerbàto part. pass.; anche agg. **1** inasprito, acuito, inacerbito CONTR. conciliato, pacato, rabbonito, sopito **2** [rif. a uno stato d'animo] (est.) esasperato CONTR. conciliato, pacato, rabbonito.

esageràre A v. tr. **1** [un episodio, un evento] enfatizzare, ingrandire, ingigantire, aumentare, caricare, gonfiare, calcare (fig.), amplificare, drammatizzare, esaltare, millantare, montare, romanzare CONTR. diminuire **2** [i colori, i toni] enfatizzare, caricare, accentuare, esasperare CONTR. diminuire, moderare, attenuare, smorzare **B** v. intr. [nel fare, dire, etc.] eccedere, trascendere, travalicare, abusare, essere smodato, passare la misura, superare i limiti, passare i limiti CONTR. contenersi, limitarsi.

esageratamente avv. troppo, oltremodo, eccessivamente, oltremisura, immoderatamente, smoderatamente, drammaticamente (fam.), smaccatamente (fam.), favolosamente, pazzamente CONTR. frugalmente, moderatamente, modicamente, parcamente.

esageràto part. pass.; anche agg. **1** eccessivo, spropositato, soverchio (lett.) CONTR. contenuto, misurato, raccolto **2** (fig.) smaccato, caricato, ostentato **3** (est.) morboso, maniacale, patologico **4** sfrenato, spinto CONTR. castigato **5** (est.) paradossale.

esagerazióne s. f. **1** eccesso, sovrabbondanza, enormità, sproposito, estremo, estremità **2** [nel parlare, nello scrivere] esasperazione, amplificazione, ampollosità CONTR. sobrietà **3** [nel mangiare, etc.] smoderatezza, smodatezza, dismisura, travalicamento CONTR. frugalità **4** [rif. al prezzo di q.c.] esorbitanza, capitale, eresia (fig.), patrimonio (fig.), occhio (fig.) CONTR. modestia **5** [rif. a un racconto, etc.] montatura, gonfiatura.

esagitàre A v. tr. conturbare, agitare, turbare CONTR. calmare, placare **B** v. intr. pron. conturbarsi, agitarsi (fig.) CONTR. calmarsi, placarsi.

esagitàto part. pass.; anche agg. agitato, affannato, concitato, eccitato, spiritato, irrequieto (est.) CONTR. calmo, tranquillo, sereno (est.).

esalàre v. tr. emettere, emanare, sprigionare, effondere (lett.), mandare fuori, espandere, sfogare.

esalazióne s. f. **1** effluvio, effusione, fuoriuscita, emanazione, fuga **2** [tipo di] fumo, gas, miasma, vapore **3** (est.) effluvio, odore.

esaltànte part. pres.; anche agg. entusiasmante, elettrizzante, eccitante, euforizzante, emozionante, inebriante, trascinante CONTR. demoralizzante, deprimente.

esaltàre A v. tr. **1** [il merito, la bellezza] magnificare, decantare, vantare, cantare (fig.), elogiare, celebrare, glorificare, lodare, inneggiare a, predicare CONTR. demolire, denigrare, deplorare, detrarre, disapprovare, abbassare, degradare **2** [qc.] deificare, idealizzare, divinizzare, mitizzare CONTR. criticare, deprezzare, diffamare, dileggiare, disonorare, disprezzare, distruggere, umiliare **3** [qc.] elevare, innalzare, acclamare **4** (est.) ingrandire, gonfiare, esagerare **5** fare risaltare, valorizzare, accrescere **6** [i propri meriti] sbandierare (fig.),

esaurire

ostentare **7** [*detto di spettacolo*] appassionare, entusiasmare, caricare (*fig.*), elettrizzare (*fig.*), inebriare, estasiare, eccitare, infatuare **B** *v. rifl.* **1** gloriarsi, vantarsi, lodarsi, innalzarsi, gonfiarsi (*fig.*), glorificarsi, magnificarsi **CONTR.** diminuirsi, abbassarsi, mortificarsi **2** (*fig.*) caricarsi, gasarsi (*fam.*), montarsi **CONTR.** raffrenarsi, reprimersi **C** *v. intr. pron.* entusiasmarsi, inebriarsi, delirare, eccitarsi, estasiarsi, infatuarsi, invasarsi **CONTR.** demoralizzarsi, deprimersi, avvilirsi, prostrarsi, intiepidirsi.

esaltàto **A** *part. pass.; anche agg.* **1** [*rif. a una persona*] entusiasmato, entusiasta, emozionato, eccitato, agitato **CONTR.** abbattuto, depresso, avvilito, umiliato **2** (*fig.*) invasato, fanatico, maniaco, indemoniato (*fig.*) **CONTR.** moderato, pacato **3** (*fig.*) ebbro, delirante **4** [*rif. a cosa, a persona*] decantato **B** *s. m.* (*f. -a*) fanatico.

esaltatóre **A** *s. m.* (*f. -trice*) cantore (*colto*), celebratore **CONTR.** denigratore, calunniatore, diffamatore **B** *agg.* stimolante, eccitante.

esaltazióne *s. f.* **1** glorificazione, magnificazione **2** [*rif. a uno stato d'animo*] eccitazione, entusiasmo, concitazione, bollore (*fig.*), commozione, ubriacatura (*fig.*), ebbrezza, estasi, ebollizione (*fig.*), delirio, frenesia, pazzia **CONTR.** abbattimento, freddezza **3** infatuazione **4** [*politico, etc.*] fanatismo **5** [*di una particolare dote*] valorizzazione, accentuazione **6** [*ad alta carica*] elevazione **7** (*gener.*) emozione.

esàme *s. m.* **1** controllo, analisi, prova, test, accertamento, disamina **2** sondaggio, rassegna, inchiesta, indagine **3** concorso, colloquio **4** [*eseguito da un medico*] consulto, visita **5** controllo, ricognizione, ispezione **6** [*di una situazione, etc.*] bilancio, valutazione **7** [*di un fenomeno, etc.*] ricerca, osservazione, studio.

esaminàre *v. tr.* **1** [*un problema*] analizzare, vagliare, considerare, studiare, affrontare (*fig.*) **2** [*uno studente*] giudicare, sottoporre ad esame, interrogare, scrutinare **3** [*q.c., qc.*] vedere, osservare, scrutare, guardare **4** [*un documento*] consultare, scartabellare, consultare con attenzione, scorrere **5**

[*l'animo, le intenzioni*] (*fig.*) esplorare, sondare, scandagliare **6** [*un'opera altrui*] criticare, recensire **7** [*un luogo*] esplorare, perlustrare, ispezionare **8** [*un problema scientifico*] indagare, investigare **9** [*una questione*] (*est.*) dibattere, disaminare, disputare **10** [*la bontà di q.c.*] controllare, saggiare **11** [*i bagagli, le tasche*] frugare, perquisire **12** [*le possibilità*] (*fig.*) pesare, ponderare.

esanimàre **A** *v. tr.* **1** [*moralmente*] avvilire, demoralizzare, deprimere **CONTR.** incoraggiare, confortare, rinfrancare, rafforzare **2** [*fisicamente*] indebolire, debilitare, spossare, estenuare **CONTR.** rinforzare, fortificare, tonificare **B** *v. intr. pron.* avvilirsi, scoraggiarsi, demoralizzarsi, deprimersi **CONTR.** incoraggiarsi, confortarsi, rinfrancarsi.

esànime *agg.* inanimato, morto, moribondo **CONTR.** animato, vivente, vivace (*fig.*).

esantèma *s. m.* sfogo, eruzione, fioritura (*fig.*).

esasperàre **A** *v. tr.* **1** acuire, esacerbare, inasprire, aggravare, accentuare, rincrudire **CONTR.** conciliare, contemperare, deliziare, disacerbare, calmare, sedare, placare, lenire, addolcire **2** [*qc.*] irritare, crucciare, inacerbire, invelenire, fare diventare nervoso, indignare **3** [*un episodio, un evento*] caricare, esagerare **B** *v. intr. pron.* sdegnarsi, irritarsi, corrucciarsi, infuriarsi, stizzirsi, incazzarsi (*volg.*), adirarsi, arrabbiarsi, inasprirsi, incavolarsi (*pop.*), incendiarsi (*fig.*) **CONTR.** disacerbarsi, calmarsi, placarsi, quietarsi.

esasperatamènte *avv.* parossisticamente.

esasperàto *part. pass.; anche agg.* **1** inasprito, irritato, inacerbito **CONTR.** addolcito, placato **2** [*rif. al dolore, a una delusione*] esacerbato **CONTR.** addolcito, placato, calmato, quietato **3** [*rif. a una persona*] irritato, adirato **CONTR.** calmato.

esasperazióne *s. f.* **1** irritazione, rabbia, collera, furia **2** esagerazione.

esattaménte *avv.* **1** giustamente, correttamente, bene, perfettamente, propriamente **CONTR.** falsamente,

scorrettamente **2** appunto, precisamente, proprio **CONTR.** circa, pressappoco, pressoché **3** scrupolosamente, accuratamente, fedelmente, con precisione, diligentemente, rigorosamente **CONTR.** pressappoco, approssimativamente, imprecisamente, sbadatamente, genericamente, inesattamente, quasi **4** puntualmente.

esattézza *s. f.* **1** rigore, accuratezza **2** [*rif. al riprodurre q.c.*] nettezza, fedeltà **CONTR.** vaghezza, inesattezza, imprecisione.

esàtto *agg.* **1** [*rif. a un esame, a un'analisi, a un lavoro*] giusto, corretto, preciso **CONTR.** inesatto, errato, erroneo, impreciso, approssimato, approssimativo, storto (*fam.*) **2** [*rif. a una persona*] puntuale, retto, diligente **CONTR.** impreciso, approssimativo, sbadato, negligente **3** [*rif. a una testimonianza, a una ricerca*] giusto, puntuale, vero, fedele **CONTR.** inesatto, astratto, distorto, falso **4** [*rif. a un numero, a una cifra*] tondo **CONTR.** inesatto, spropositato **5** [*rif. al tempo*] netto.

esaudire *v. tr.* **1** [*una richiesta*] soddisfare, appagare, accogliere, ascoltare, corrispondere a, condiscendere a, accondiscendere a **CONTR.** respingere, negare, rifiutare **2** [*un desiderio, un voto*] realizzare, adempiere **3** [*qc.*] contentare, accontentare.

esauriènte *part. pres.; anche agg.* **1** completo, esteso **CONTR.** incompleto **2** soddisfacente **CONTR.** incompleto, impreciso, insufficiente, superficiale **3** approfondito **CONTR.** superficiale.

esaurienteménte *avv.* in modo completo, completamente, sufficientemente, compiutamente **CONTR.** insufficientemente, parzialmente.

esauriménto *s. m.* **1** debilitazione, indebolimento, spossamento, sfinitezza, debolezza, fiacchezza, deperimento, sfinimento, prostrazione **2** fine **3** perdita.

esaurire **A** *v. tr.* **1** [*le forze, le energie*] consumare, prosciugare (*fig.*), svuotare (*fig.*), assorbire, bruciare (*fig.*), finire, liquidare **2** [*qc.*] logorare, spossare, indebolire, affaticare, stremare, sfinire, debilitare, dissanguare (*fig.*),

esaurito

rifinire (*tosc.*) CONTR. rafforzare, rinvigorire **3** [*le pile, la batteria*] consumare, finire, scaricare **B** *v. intr. pron.* **1** [*detto di persona, etc.*] sfinirsi, indebolirsi, affaticarsi, stancarsi, deperire, dissanguarsi (*fig.*), logorarsi, spossarsi, debilitarsi, cedere (*est.*) CONTR. rinvigorirsi, rafforzarsi, irrobustirsi **2** [*detto di astri*] tramontare **3** [*detto di pile, di oggetti, etc.*] consumarsi, svuotarsi, finire, scaricarsi **4** [*detto di odori*] svanire, svaporarsi **5** [*detto di vena poetica, etc.*] svanire, essiccarsi (*fig.*), spegnersi (*fig.*), inaridirsi, affievolirsi **6** [*detto di dolore, etc.*] affievolirsi, cessare.

esaurito *part. pass.; anche agg.* **1** [*rif. a una risorsa, a un bene*] scarico, prosciugato, svanito, seccato, secco **2** [*rif. a cosa*] consumato, finito **3** [*rif. a una persona*] sfinito, stanco, indebolito, spossato, debilitato, deperito CONTR. forte, robusto, valente, gagliardo.

esàusto *agg.* **1** estenuato, sfinito, stremato CONTR. fresco, riposato, energico (*est.*) **2** (*lett.*) consumato, consunto.

esautoràre *v. tr.* destituire.

esaziòne *s. f.* riscossione, ritiro.

esbórso *s. m.* **1** pagamento, versamento CONTR. rimborso **2** spesa.

ésca *s. f.* (*pl.* -*che*) **1** zimbello **2** (*est.*) illusione, lusinga, stimolo.

esclamàre *v. intr.* (*est.*) gridare, urlare.

esclùdere A *v. tr.* **1** eccettuare, fare eccezione CONTR. includere, ammettere, comprendere, conteggiare, contare, contemplare **2** [*qc.*] eliminare, scartare, rifiutare, lasciare fuori, respingere, ricusare CONTR. includere, ammettere, coinvolgere, accogliere, accettare **3** [*qc. dagli obblighi, dalle tasse*] esentare, dispensare, esonerare **4** [*un argomento, etc.*] prescindere, tralasciare **B** *v. rifl. rec.* elidersi, annullarsi.

esclusióne *s. f.* **1** esonero **2** isolamento, ostracismo, emarginazione CONTR. ammissione **3** [*da una carica, da una sede, etc.*] rimozione, eliminazione.

esclusìva *s. f.* **1** monopolio **2** (*est.*) privilegio **3** specialità.

esclusivaménte *avv.* solo, soltanto, solamente, unicamente, puramente CONTR. anche, inoltre.

esclusìvo *agg.* **1** unico, assoluto, inedito CONTR. normale, ordinario **2** [*rif. all'ambiente*] elitario, ristretto, privilegiato CONTR. popolare, comune **3** CONTR. comprensivo *di*, inclusivo.

escogitàre *v. tr.* **1** inventare, trovare, scovare, architettare, elucubrare, congetturare, almanaccare **2** [*usato con la prep. di e il verbo all'infinito*] pensare, ideare, progettare, studiare.

escomiàre *v. tr.* sfrattare, licenziare CONTR. affittare, locare, appigionare.

escoriàre A *v. tr.* [*la pelle*] scorticare, spellare, abradere (*colto*), sbucciare (*fam.*) **B** *v. intr. pron.* sbucciarsi, spellarsi, sgraffiarsi, scorticarsi.

escoriazióne *s. f.* **1** scorticatura, sgraffiatura, spellatura, graffio, sbucciatura, abrasione, graffiatura, sgraffio **2** (*gener.*) ferita.

escreàto *s. m.* catarro.

escreménti *s. m. pl.* **1** feci, cacca (*fam.*), merda (*volg.*) **2** [*di animali*] sterco.

escrescènza *s. f.* **1** protuberanza, sporgenza **2** rilievo, gobba.

escùdo *s. m.* (*gener.*) moneta.

escursióne *s. f.* **1** passeggiata, gita, scampagnata **2** (*est.*) viaggio.

esecràbile *agg.* abominevole, detestabile, odioso, spregevole CONTR. lodevole, encomiabile, gradito.

esecrabilménte *avv.* detestabilmente, scelleratamente, empiamente CONTR. lodevolmente, encomiabilmente.

esecràre *v. tr.* **1** aborrire, detestare, odiare, abominare CONTR. amare, adorare, idolatrare **2** (*est.*) maledire CONTR. benedire, osannare.

esecutìvo A *agg.* esecutorio **B** *s. m.* (*dir.*) potere esecutivo.

esecuzióne *s. f.* **1** attuazione, effet-

tuazione, realizzazione, adempimento **2** [*di un'opera musicale, etc.*] interpretazione, performance (*ingl.*) **3** uccisione.

esegèsi *s. f. inv.* commento, critica, lettura.

esegèta *s. m. e f.* critico, recensore (*est.*).

eseguìbile *agg.* **1** fattibile, possibile, realizzabile, effettuabile, attuabile CONTR. infattibile, irrealizzabile, impossibile **2** (*est.*) facile, semplice.

eseguìre *v. tr.* **1** effettuare, fare, attuare, operare **2** [*un pezzo musicale*] interpretare, suonare, rappresentare **3** [*la messa*] celebrare **4** [*una pratica*] evadere, disbrigare, espletare **5** [*un valzer, un tango*] interpretare, danzare, ballare **6** [*un abito, etc.*] confezionare, realizzare, elaborare (*raro*), lavorare **7** [*il proprio dovere*] compiere, adempiere, compire, ottemperare **8** [*un'azione*] perpetrare, commettere **9** [*un piano*] concretizzare, concretare, mettere in atto **10** [*uno sconto, etc.*] praticare.

eseguìto *part. pass.; anche agg.* compiuto, svolto, sviluppato, steso, fatto.

esèmpio *s. m.* **1** ammaestramento, edificazione (*raro*), lezione **2** modello, campione, prototipo, tipo, paragone **3** [*di vita*] modello, norma **4** [*da seguire*] ideale **5** [*di virtù*] specchio **6** [*spec. con: seguire l'*] scia, orma.

esemplàre (1) *agg.* **1** classico, tipico **2** [*rif. al comportamento*] (*est.*) ammirevole, perfetto, eccellente CONTR. ignobile, volgare **3** [*rif. a un'impresa*] (*est.*) glorioso **4** [*rif. a un compagno, a un amico*] ideale.

esemplàre (2) *s. m.* **1** modello, campione, prototipo, tipo, paragone (*raro*) **2** unicum (*lat.*).

esemplàre (3) *v. tr.* ritrarre, copiare, imitare.

esemplarità *s. f. inv.* perfezione.

esemplificàre *v. tr.* fare un esempio, spiegare con esempi, chiarire.

esentàre A *v. tr.* **1** dispensare, esimere, esonerare, escludere, eccettuare, fare eccezione CONTR. obbligare, co-

         esitare

stringere, imporre **2** liberare, prosciogliere, assolvere, condonare **B** v. rifl. esimersi, dispensarsi, liberarsi, esonerarsi **CONTR.** obbligarsi, impegnarsi.

esènte agg. **1** immune, privo di, spoglio di, franco **CONTR.** sottomesso a **2** libero, dispensato, esonerato **CONTR.** costretto, obbligato.

esenzióne s. f. **1** dispensa, esonero, franchigia **2** (est.) immunità **3** (est.) privilegio.

esèquie s. f. pl. funerale, trasporto (est.), sepoltura (est.).

esercire v. tr. **1** [un negozio] gestire, amministrare, tenere **2** [una professione] esercitare, professare.

esercitàre A v. tr. **1** [la memoria, il corpo] allenare, educare, assuefare, formare, addestrare, coltivare, abituare **2** [il diritto] valersi di **3** [un'attività] esplicare, professare, attendere a, fare **4** [un ruolo, un'occupazione] tenere, occupare, ricoprire, esercire (raro), coprire **5** [le mani, le gambe, etc.] usare, adoperare **6** [uno sport] praticare **7** [una scelta] operare **B** v. rifl. educarsi, allenarsi, addestrarsi, provare, impratichirsi.

esercitàto part. pass.; anche agg. **1** addestrato, allenato, abituato, avvezzo **2** (fig.) pratico di.

esercitazióne s. f. allenamento, addestramento, pratica, esercizio.

esercizio s. m. **1** allenamento, esercitazione, pratica, scuola (fig.) **2** attività, movimento, moto **3** negozio **4** [scolastico] compito.

esibìre A v. tr. **1** [sicurezza, etc.] mostrare, fare mostra di, ostentare, sfoggiare **2** [le proprie idee, etc.] dichiarare **CONTR.** nascondere, occultare **3** [la merce] fare vedere, esporre, presentare, sciorinare, mettere in mostra, offrire, proporre, proferire (lett.) **4** [le prove di q.c.] (est.) produrre, fornire **B** v. rifl. **1** mostrarsi, pavoneggiarsi, mettersi in mostra, offrirsi, proferirsi, presentarsi **2** [in uno spettacolo] intervenire, partecipare, prendere parte, prodursi.

esibìto part. pass.; anche agg. ostentato, sfoggiato **CONTR.** nascosto.

esibizióne s. f. **1** mostra **2** [di aiuto] (est.) offerta **3** [di ricchezza, etc.] ostentazione **4** presentazione, performance (ingl.) **5** dimostrazione, sfoggio, show (ingl.) **6** [di prove, etc.] presentazione, produzione **7** [di un cartello, di un manifesto] esposizione.

esibizionìsmo s. m. divismo, protagonismo, istrionismo **CONTR.** riserbo.

esibizionista A agg. vanaglorioso, borioso **CONTR.** modesto **B** s. m. (est.) showman (ingl.).

esigènza s. f. **1** bisogno, necessità, urgenza (est.) **2** pretesa, istanza, richiesta, desiderio (est.).

esìgere v. tr. **1** pretendere, volere, desiderare, reclamare **2** [denaro, etc.] domandare, ricercare, ridomandare **3** [usato con la prep. di e il verbo all'infinito] volere, intendere, presumere **4** [uno sforzo, un sacrificio] necessitare, chiedere, richiedere, costare (fig.), implicare **5** intimare, comandare **6** [denaro] (est.) riscuotere, percepire **7** [prezzi assurdi, etc.] (est.) pretendere, sparare (fig.).

esiguamènte avv. limitatamente, poco, modicamente, magramente **CONTR.** abbondantemente, doviziosamente, copiosamente, molto, oltremisura, oltremodo (lett.), smisuratamente.

esiguità s. f. inv. **1** [di argomenti] tenuità, debolezza, fragilità, vaghezza (est.) **CONTR.** solidità **2** [rif. a una cifra, etc.] pochezza, modestia, modicità **CONTR.** consistenza.

esìguo agg. **1** irrilevante, piccolo, minuto **CONTR.** grande, enorme, incalcolabile, grosso, gigantesco, gigante, voluminoso, ampio **2** [rif. al suono] debole, tenue, fievole, fioco **CONTR.** forte, sonoro **3** [rif. a una quantità, a un numero] scarso, limitato **CONTR.** ampio, considerevole, ingente **4** [rif. al prezzo] modesto, modico, stracciato **CONTR.** considerevole.

esilarànte part. pres.; anche agg. divertente, spassoso, buffo, comico, ameno, spiritoso **CONTR.** triste, mesto.

esilaràre v. tr. rallegrare, divertire **CONTR.** rattristare, immalinconire, affliggere.

èsile agg. **1** piccolo, sottile, tenue, diafano (est.) **CONTR.** robusto, grosso, massiccio, voluminoso **2** [rif. a una persona] piccolo, smilzo, magro, minuto **CONTR.** adiposo, grasso **3** [rif. al fisico] gracile **CONTR.** robusto.

esiliàre A v. tr. allontanare, espellere, bandire, sfrattare, confinare, mandare in esilio, estromettere, proscrivere, mandare via, scacciare, cacciare, eliminare (fig.) **CONTR.** richiamare **B** v. rifl. **1** espatriare, emigrare **CONTR.** rimpatriare **2** (est.) appartarsi, ritirarsi, isolarsi **CONTR.** socializzare.

esilio s. m. confino, bando, cacciata (est.).

esilità s. f. inv. **1** [rif. alla costituzione] gracilità, magrezza **CONTR.** forza, vigore **2** [di argomenti] tenuità, levità, fragilità **CONTR.** consistenza **3** [rif. alla voce] sottigliezza **CONTR.** forza.

esilménte avv. debolmente, fievolmente, fiocamente **CONTR.** forte, intensamente.

esìmere A v. tr. **1** [qc. dagli obblighi] esentare, dispensare, esonerare, liberare, sollevare, eccettuare, fare eccezione, assolvere **CONTR.** vincolare, obbligare, impegnare, imporre **2** (est.) deresponsabilizzare **B** v. rifl. astenersi, negarsi, schermirsi, scansarsi, rifiutarsi, sottrarsi, svincolarsi, dispensarsi, esentarsi, esonerarsi, ritrarsi, eludere un (est.) **CONTR.** impegnarsi, obbligarsi, vincolarsi, incaricarsi, sobbarcarsi.

esistènza s. f. **1** realtà, essere, vita **2** [di qc. in un luogo] presenza, permanenza.

esìstere v. intr. **1** [detto di cosa, di qualità, di persona] essere, esserci, sussistere, allignare (fig.), unirsi (est.) **2** [detto di persona, etc.] vivere, essere vivo, campare.

esitànte part. pres.; anche agg. **1** titubante, dubbioso, indeciso, perplesso, irresoluto **CONTR.** sicuro, deciso, spavaldo **2** [rif. al portamento] (fig.) malsicuro, vacillante, incerto **CONTR.** sicuro.

esitàre (1) v. intr. titubare, dubitare, tentennare, nicchiare, essere incerto, essere perplesso, tergiversare, pencolare (*fig.*), fluttuare (*fig.*), indugiare, dimostrarsi titubante, peritarsi, pendere (*fig.*) CONTR. decidersi.

esitàre (2) *v. tr.* commerciare, smerciare, spacciare.

esitàre (3) *v. intr.* [*detto di malattia, etc.*] risolversi, scomparire.

esitazióne *s. f.* **1** titubanza, incertezza, indecisione, perplessità, irresolutezza, insicurezza CONTR. certezza, sicurezza, decisione, risoluzione **2** impaccio, indugio, timidezza.

èsito *s. m.* **1** riuscita, successo, compimento, risultato, effetto, fine, seguito **2** [*di una malattia, etc.*] conclusione, epilogo **3** [*di liquidi*] sbocco, uscita.

esizìale *agg.* fatale, funesto, catastrofico, micidiale.

esocàrpo *s. m.* epicarpo (*bot.*), buccia, scorza, pelle (*est.*).

esoneràre *A v. tr.* **1** liberare, dispensare, esentare, esimere, escludere, disobbligare CONTR. vincolare, impegnare, obbligare, imporre **2** liberare, assolvere, condonare **3** dimettere, destituire, licenziare, revocare (*raro*) *B v. rifl.* dispensarsi, esentarsi, esimersi, sottrarsi, liberarsi, svincolarsi CONTR. vincolarsi, obbligarsi.

esoneràto *part. pass.; anche agg.* dispensato, esente, libero CONTR. obbligato, costretto.

esònero *s. m.* **1** esenzione, dispensa **2** esclusione **3** (*est.*) immunità.

esorbitànte *part. pres.; anche agg.* eccessivo.

esorbitànza *s. f.* **1** [*rif. al prezzo, alle pretese*] esosità, esagerazione, assurdità, irragionevolezza CONTR. ragionevolezza **2** [*di merci, etc.*] eccedenza, sovrabbondanza CONTR. miseria, penuria.

esorbitàre *v. intr.* **1** eccedere CONTR. difettare **2** superare i limiti, trasmodare CONTR. contenersi.

esorcìsmo *s. m.* scongiuro.

esorcizzàre *v. tr.* [*il pericolo*] scongiurare, allontanare.

esordiènte *agg., s. m. e f.* principiante, debuttante.

esòrdio *s. m.* **1** [*di un discorso, etc.*] prologo, preambolo, introduzione, proemio (*lett.*) CONTR. conclusione, fine **2** [*di un'attività, etc.*] inizio, principio, avvio **3** [*di un attore, di un artista, etc.*] inizio, debutto.

esordire *v. intr.* **1** (*teatr.*) debuttare, prodursi **2** (*est.*) principiare, iniziare, cominciare, incominciare CONTR. finire.

esortàre *v. tr.* **1** spronare, incitare, stimolare, eccitare, spingere (*fig.*), pungolare (*fig.*), sollecitare, assillare (*est.*), ricordare (*est.*) CONTR. frenare **2** invitare, consigliare, ammonire, avvertire, avvisare, persuadere, indurre CONTR. sconsigliare, dissuadere **3** (*est.*) animare, confortare **4** [*a qc. di fare q.c.*] (*est.*) domandare, suggerire, predicare, raccomandare, dire.

esortazióne *s. f.* **1** incitamento, sollecitazione **2** consiglio, raccomandazione **3** ammonizione **4** (*est.*) conforto.

esosità *s. f. inv.* **1** [*rif. a una persona*] avidità, grettezza, taccagneria, spilorceria CONTR. generosità **2** [*rif. al prezzo di q.c.*] enormità, esorbitanza CONTR. modicità, modestia **3** [*rif. alle pretese di qc.*] assurdità, irragionevolezza CONTR. modicità, modestia **4** [*rif. a una persona*] (*est.*) odiosità.

espàndere *A v. tr.* **1** allargare, ingrandire, dilatare, aumentare, ampliare, estendere, allungare CONTR. restringere, ridurre, limitare, contenere **2** [*liquidi, odori*] diffondere, spandere, effondere (*lett.*), emanare, esalare, sprigionare, propagare *B v. intr. pron.* **1** allargarsi, svilupparsi, dilatarsi, estendersi, crescere, ampliarsi, ingrandirsi, proliferare (*fig.*), ramificarsi (*est.*) CONTR. restringersi, ridursi **2** [*detto di liquidi, odori, etc.*] effondersi (*colto*), diffondersi, emanare, sprigionarsi **3** [*detto di persona, etc.*] (*raro*) confidarsi **4** [*detto di arte, commercio, etc.*] rifiorire **5** [*detto di moda, influenza, etc.*] propagarsi, dilagare, proliferare (*fig.*), penetrare (*fig.*) **6** [*nel senso dello spazio*] acquistare un.

espansióne *s. f.* **1** [*di notizie, etc.*] diffusione, propagazione, proliferazione (*fig.*) **2** [*di edifici, di attività*] dila

tazione, ampliamento, allargamento, ingrandimento CONTR. contrazione, riduzione **3** [*delle vendite, della produzione*] incremento, sviluppo, potenziamento CONTR. contrazione, riduzione, decremento, calo **4** [*rif. all'atteggiamento*] calore, effusione, slancio CONTR. freddezza.

espansivaménte *avv.* cordialmente, affettuosamente, calorosamente CONTR. freddamente, gelidamente, distaccatamente.

espansività *s. f. inv.* affabilità, cordialità, giovialità, amabilità, calore (*fig.*), affettuosità, comunicativa, esuberanza, vitalità CONTR. secchezza, bruschezza, freddezza.

espansìvo *agg.* affabile, cordiale, gioviale, affettuoso, caloroso CONTR. introverso, contenuto, contegnoso, sostenuto, ombroso, freddo (*fig.*), glaciale (*fig.*).

espatriàre *v. intr.* emigrare, allontanarsi, trasferirsi, andare all'estero, esiliarsi, migrare, trasmigrare, immigrare, esulare (*raro*) CONTR. rimpatriare.

espediènte *s. m.* **1** stratagemma, accorgimento, artificio, mezzuccio, inghippo, astuzia **2** modo **3** scappatoia, rimedio, ripiego, risoluzione, risorsa **4** pensata, invenzione.

espèllere *v. tr.* **1** [*qc. dal paese, etc.*] mandare via, cacciare, esiliare, scacciare, bandire, allontanare, proscrivere, ricacciare **2** [*qc. dal lavoro*] mettere alla porta, licenziare, estromettere **3** [*qc. da un'abitazione*] sfrattare, sloggiare CONTR. installare **4** [*qc. dall'albo professionale*] radiare, eliminare, epurare, respingere **5** [*un extracomunitario, etc.*] rimpatriare **6** [*qc. da una comunità religiosa*] (*relig.*) scomunicare **7** [*q.c. dal corpo*] secernere, cacare (*volg.*).

esperiènza *s. f.* **1** pratica, tirocinio, training (*ingl.*) **2** dimestichezza, familiarità CONTR. inesperienza **3** [*del mondo*] conoscenza, nozione **4** [*amorosa, etc.*] avventura, vicenda.

esperimentàre *v. tr.* V. sperimentare.

esperiménto *s. m.* **1** test (*ingl.*) **2** tentativo, prova, saggio.

esperìre v. tr. **1** esercitare, attuare **2** provare, tentare, sperimentare, saggiare, tastare (fig.).

espertaménte avv. competentemente, abilmente (est.), dottamente CONTR. malamente, maldestramente.

espèrto A agg. **1** bravo, abile, competente, capace, valente, maestro, provetto, specializzato CONTR. inesperto, incompetente, incapace, inabile **2** bravo, pratico, vecchio (fig.), consumato (fig.), veterano CONTR. inesperto, incompetente, incapace, inabile, imberbe, giovane, novizio, principiante, tirocinante **3** dotto, erudito, sapiente, autorevole CONTR. ignaro, profano **4** (mus.) virtuoso **5** (est.) ferrato, agguerrito **6** [rif. a un conoscitore, etc.] profondo **7** [rif. all'occhio] (fig.) clinico **B** s. m. (f. -a) conoscitore, perito, specialista.

espettoràre v. tr. scaracchiare (volg.), scatarrare (pop.).

espettoràto s. m. catarro.

espiàre v. tr. scontare, pagare, pagare il fio, fare penitenza, purgare (fam.), riparare.

espiazióne s. f. **1** [di un crimine] riparazione **2** penitenza, pena.

espiràre v. tr. e intr. mandare fuori CONTR. inspirare.

espirazióne s. f. emissione CONTR. inspirazione.

espletàre v. tr. **1** [un lavoro, una pratica] eseguire, terminare, completare, disbrigare, portare a termine, concludere, finire, sbrigare **2** [un dovere, etc.] eseguire, compiere, adempiere, ottemperare, compire, assolvere.

esplicàre v. tr. **1** [un'attività] svolgere, esercitare, praticare **2** [un concetto, etc.] esporre, spiegare, chiarificare (fig.), sviluppare **3** (est.) chiosare, commentare.

esplicitaménte avv. chiaramente, dichiaratamente, espressamente, evidentemente, palesemente, senza sottintesi CONTR. implicitamente, tacitamente, oscuramente, fumosamente (fig.), velatamente.

esplicitàre v. tr. **1** rendere esplicito,

rendere chiaro, spiegare **2** [le proprie intenzioni] esprimere, dichiarare CONTR. nascondere, velare.

esplìcito agg. **1** diretto, chiaro, franco, dichiarato CONTR. implicito, tacito, sottinteso, alluso, ambiguo, velato, simbolico **2** (est.) formale.

esplòdere A v. intr. **1** [detto di bomba, mina] scoppiare, deflagrare, divampare, brillare, saltare, partire **2** [a causa dell'ira, etc.] (est.) scoppiare, prorompere, sbottare, erompere **3** [detto di roccia, costruzione] (est.) scoppiare, fendersi, aprirsi, squarciarsi, spaccarsi **4** [detto di malattia, epidemia] (est.) scoppiare, manifestarsi violentemente **5** [detto di applausi] scoppiare, scrosciare, crosciare (raro) **B** v. tr. [un proiettile] sparare.

esploràre v. tr. **1** perlustrare, scandagliare, ispezionare, percorrere, viaggiare per **2** scrutare, osservare, esaminare, analizzare **3** [le intenzioni altrui] (est.) tastare (fig.), investigare, indagare, fare indagini su.

esploratóre s. m. (f. -trice) viaggiatore.

esplorazióne s. f. **1** [di un fenomeno] ricerca, indagine, osservazione **2** [di un luogo] perlustrazione, ricognizione, spedizione.

esplosióne s. f. **1** scoppio, detonazione, deflagrazione **2** (est.) schianto, colpo **3** [di risa, di gioia, etc.] (fig.) scoppio, sfogo, scroscio.

esplosivo A agg. **1** deflagrante **2** [rif. ai sentimenti, alle passioni] intenso CONTR. spento **3** [rif. a una situazione] pericoloso, critico **4** [rif. a una notizia] bomba CONTR. marginale, insignificante **B** s. m. bomba (erron.).

esponènte s. m. **1** rappresentante **2** [di dizionario] (ling.) lemma, voce, articolo, entrata CONTR. occorrenza, forma.

espórre A v. tr. **1** [q.c. al pubblico] mostrare, esibire, presentare, offrire, fare vedere, proporre, sciorinare, produrre CONTR. coprire, nascondere, celare **2** [un episodio, un racconto] esprimersi, narrare, spiegare, prospettare, descrivere, esplicare, disegnare (fig.), illustrare, riferire, raccon-

tare, fare una esposizione di **3** [le proprie idee, etc.] esprimersi, manifestare, esprimere **4** [qc. a dicerie, etc.] additare, insegnare CONTR. coprire, proteggere, difendere **5** [il proprio pensiero] motivare, dichiarare, dire, enunciare, pronunciare, ridire **6** [un neonato] abbandonare **7** [il fianco] scoprire CONTR. parare **B** v. rifl. **1** cimentarsi, affrontare un, avventurarsi, arrischiarsi, rischiare, sfidare un CONTR. coprirsi, difendersi, salvaguardarsi, schermirsi **2** compromettersi, sbilanciarsi, impegnarsi, vincolarsi (est.), offrirsi **3** accusarsi, incolparsi.

esportàre v. tr. **1** mandare fuori dal proprio paese, portare all'estero, portare fuori, commerciare (est.) CONTR. introdurre nel paese, importare, introdurre **2** [la cultura, la moda, etc.] divulgare, diffondere.

esportazióne s. f. emissione CONTR. importazione.

esposizióne s. f. **1** rassegna, mostra, personale (est.), fiera **2** racconto, descrizione, narrazione, panorama (fig.), rapporto, relazione, rendiconto, commento **3** (est.) argomentazione **4** esibizione.

espósto (1) part. pass.; anche agg. **1** descritto, raccontato, narrato, illustrato, sottoposto **2** [rif. a malattie, a entusiasmi, etc.] (est.) soggetto a.

espósto (2) s. m. (dir.) comparsa, presentazione.

espressaménte avv. **1** apposta, su ordinazione CONTR. oscuramente, nascostamente, fumosamente (fig.), velatamente **2** chiaramente, evidentemente, esplicitamente.

espressióne s. f. **1** [di fede, affetto, etc.] manifestazione, dimostrazione, atto **2** aspetto, faccia, cipiglio, fisionomia, viso, sguardo, aria (fig.), maschera (fig.), volto **3** atteggiamento, piglio **4** [di una malattia, etc.] (est.) indice, sintomo **5** (est.) accento, tono **6** formulazione, enunciato **7** (ling.) parola, frase, termine, vocabolo, costrutto, locuzione.

espressività s. f. inv. **1** drammaticità, vigore (fig.), efficacia (fig.), vita (fig.), incisività **2** [del volto] mimica.

espressìvo agg. **1** [rif. a un gesto, a un comportamento] eloquente, significativo, forte (est.) **CONTR.** insignificante, neutro **2** [rif. allo sguardo] (est.) vivace, arguto **CONTR.** insignificante, neutro, inespressivo, vago.

esprèsso (1) agg. dichiarato, esplicito, manifesto **CONTR.** implicito, inespresso.

esprèsso (2) s. m. caffè.

esprèsso (3) s. m. (gener.) lettera.

esprèsso (4) **A** agg. celere, rapido **B** s. m. (gener.) treno.

esprimere **A** v. tr. **1** [affetto, etc.] manifestare, dimostrare, palesare, estrinsecare, esternare, rivelare, comunicare, esteriorizzare **2** [un giudizio] proferire, formulare, emettere **3** [un parere, etc.] esporre, enunciare, esplicitare, spiegare **4** [lode, condanna, etc.] (fig.) suonare **5** [gioia, ricchezza] denotare, rispecchiare, trasudare **6** [detto di pittura, poesia, etc.] (est.) significare, simboleggiare, raffigurare, rappresentare, descrivere **B** v. rifl. **1** spiegarsi, esporre, dire, parlare **2** (est.) dire, realizzarsi, affermarsi **3** [in una lingua straniera] parlare.

espropriàre o **spropriàre** v. tr. **1** [proprietà, beni, etc.] requisire, confiscare, sequestrare, sottrarre, togliere, pignorare **2** [qc. di q.c.] privare, spogliare, spossessare.

espropriazióne s. f. confisca, esproprio.

espròprio s. m. confisca, sequestro, requisizione, espropriazione.

espugnàbile agg. conquistabile, afferrabile, scoperto (est.) **CONTR.** imprendibile, inespugnabile, inconquistabile, invincibile.

espugnàre v. tr. [un luogo] conquistare, impadronirsi di, occupare.

espugnazióne s. f. presa.

espulsióne s. f. **1** cacciata, estromissione, allontanamento, ostracismo, radiazione **CONTR.** ammissione **2** [di un gas, etc.] emissione.

espùngere v. tr. [un brano, etc.] cassare, depennare, eliminare, togliere,

tagliare (fig.), cancellare, sopprimere (fig.) **CONTR.** aggiungere, interpolare, intercalare.

espurgàre v. tr. **1** ripulire, disinfettare, depurare **CONTR.** contaminare, inquinare, corrompere **2** [un'opera letteraria] (est.) censurare, purgare (fig.), epurare (fig.).

essènza s. f. **1** sostanza **CONTR.** apparenza **2** [rif. a una questione, etc.] base, nucleo, succo (fig.), nocciolo (fig.), nodo (fig.), sugo (fig.), centro, somma (fig.) **CONTR.** superficie **3** [di fiori, di frutta, etc.] estratto **4** [rif. a una persona] anima, indole, volto (fig.) **5** legno.

essenziàle agg. **1** necessario, indispensabile, irrinunciabile **CONTR.** complementare, accessorio, rinunciabile, trascurabile, superfluo, marginale **2** basilare, primario, elementare, centrale, fondamentale, sostanziale **3** centrale, sostanziale, importante, capitale, precipuo, prioritario **4** [rif. allo stile] scabro, austero, scarno **CONTR.** retorico.

essenzialità s. f. inv. **1** stringatezza, concisione, sinteticità, laconicità **CONTR.** prolissità, verbosità **2** [del vitto, del sonno] necessità **CONTR.** superfluità.

essenzialménte avv. principalmente, fondamentalmente, basilarmente, primariamente, prima di tutto, sostanzialmente **CONTR.** secondariamente, accidentalmente.

èssere **A** v. intr. **1** esistere **CONTR.** avere **2** [detto di avvenimento] accadere, avvenire, avere luogo, succedere, capitare **3** costituire, constare, consistere, rappresentare **4** vivere, stare, trovarsi, abitare **5** diventare, divenire, riuscire **6** apparire, mostrarsi, presentarsi **7** [in un luogo] arrivare, giungere, pervenire **8** [come prezzo] costare, venire, avere il prezzo **9** [in una famiglia, club] fare parte, appartenere **10** [detto di possibilità] esistere, sussistere **11** [come altezza, peso] misurare, pesare **12** [simpatico, gradito, etc.] rimanere, risultare **13** addirsi, confarsi **14** [alla fine, inizio di q.c.] mancare, restare **15** [nella necessità di fare] vedersi **16** [detto di anni, etc.] fare **B** v. intr. impers. [detto di caldo, di

freddo] fare **C** v. intr. pron. **1** [nella forma: esserci; detto di sentimenti, etc.] esistere, regnare (fig.) **2** [nella forma: esserci; detto di condizioni, etc.] coesistere **3** [nella forma: esserci; in un determinato luogo] trovarsi, pervenire **4** [nella forma: esserci; detto di distanza] frapporsi, intercorrere **5** [nella forma: esserci; tra due o più persone] frapporsi **6** [nella forma: esserci; detto di qualità, etc.] coesistere, unirsi **7** [nella forma: esserci; in un catalogo, in un elenco] risultare, figurare, comparire **D** s. m. **1** esistenza, realtà, vita **2** creatura, persona, individuo, uomo, mortale **3** [modo di stare, trovarsi] condizione, stato.

essiccaménto s. m. essiccazione, seccatura.

essiccàre **A** v. tr. **1** [fiori, frutta, etc.] seccare, disidratare, liofilizzare, disseccare, deidratare **CONTR.** inumidire, umettare, bagnare, idratare **2** [una piaga, una ferita] asciugare **3** [un terreno] inaridire, prosciugare, bonificare **B** v. intr. pron. **1** disseccarsi, seccarsi, asciugarsi, prosciugarsi, disidratarsi **CONTR.** bagnarsi, inumidirsi **2** [detto di ispirazione, etc.] inaridirsi, esaurirsi **CONTR.** alimentarsi.

essiccazióne s. f. essiccamento, seccatura.

est s. m. inv. levante, oriente **CONTR.** nord, sud, occidente, ponente, meridione, ovest.

èstasi s. f. inv. rapimento, esaltazione, beatitudine, ebbrezza (fig.), contemplazione.

estasiàre **A** v. tr. rapire (fig.), incantare, inebriare, entusiasmare, esaltare, affascinare **B** v. intr. pron. bearsi, entusiasmarsi, esaltarsi, incantarsi.

estemporaneaménte avv. all'improvviso, improvvisamente **CONTR.** meditatamente.

estemporàneo agg. improvvisato, impensato, spontaneo **CONTR.** studiato, preparato.

estèndere **A** v. tr. **1** [la proprietà, l'influenza] allargare, ampliare, dilatare, ingrandire, aumentare, sviluppare, espandere, accrescere **CONTR.** restringere, diminuire **2** [un diritto, etc.]

generalizzare **3** [*la cultura, etc.*] diffondere, propagare **CONTR.** limitare, localizzare **4** [*la scadenza di q.c.*] allungare, prolungare **CONTR.** accorciare, abbreviare **5** [*le ali, le braccia*] distendere, spiegare **B** *v. intr. pron.* **1** [*detto di città, etc.*] allargarsi, dilatarsi, aumentare, crescere, espandersi, ampliarsi, svilupparsi, ingrandirsi, ingrossarsi (*est.*) **CONTR.** restringersi, ridursi **2** [*detto di proprietà*] distendersi, dispiegarsi, stendersi **3** [*detto di lago, di mare, etc.*] costeggiare, fiancheggiare **4** [*detto di superficie*] misurare, occupare **5** [*nel tempo*] perpetuarsi, prolungarsi **CONTR.** abbreviarsi, accorciarsi **6** [*detto di moda, di costume, etc.*] propagarsi, effondersi, diffondersi, irradiarsi **7** [*detto di terreno, di ponte, etc.*] protendersi **8** [*detto di incendio, etc.*] (*est.*) appigliarsi **9** [*detto di ombra su q.c., etc.*] protendersi, allungarsi.

estensióne *s. f.* **1** ampliamento, allargamento **2** dilatazione, prolungamento **3** area, superficie **4** ingombro, ampiezza **5** allungamento, lunghezza **6** [*di un fenomeno*] proporzione, portata **7** (*gener.*) dimensione.

estensivaménte *avv.* diffusamente, su vasti territori **CONTR.** intensivamente.

estensóre *s. m.* redattore.

estenuàre **A** *v. tr.* **1** spossare, indebolire, sfinire, fiaccare, sfibrare, rammollire, debilitare, stancare, esanimare (*raro*), struggere, emaciare (*raro*), infiacchire, prostrare, distruggere (*fig.*) **CONTR.** rinvigorire, fortificare, rafforzare, riposare, rilassare **2** snervare, deprimere, opprimere **B** *v. intr. pron.* stancarsi, spossarsi, snervarsi, struggersi (*fig.*), deprimersi, fiaccarsi, infiacchirsi, emaciarsi (*raro*), rammollirsi (*fig.*) **CONTR.** rinvigorirsi, fortificarsi, rafforzarsi, rilassarsi, rifiorire.

estenuàto *part. pass.; anche agg.* esausto, sfinito, stremato, debilitato, affaticato, spossato, stanco **CONTR.** fresco, riposato, rilassato, ristorato.

estenuazióne *s. f.* debolezza, sfinimento, spossatezza, stanchezza **CONTR.** vigoria.

esterióre **A** *agg.* **1** esterno, estrinseco **CONTR.** interiore, interno, intimo **2** [*rif. all'atteggiamento*] (*est.*) apparente, formale **CONTR.** sostanziale **B** *s. m. sing.* apparenza, esteriorità.

esteriorità *s. f. inv.* **1** apparenza (*fig.*), superficie, forma, facciata (*fig.*), vernice (*fig.*), smalto (*fig.*), scorza (*fig.*) **CONTR.** interiorità, sostanza **2** pompa, orpello.

esteriorizzàre *v. tr.* [*le idee, i sentimenti*] (*raro*) esternare, manifestare, esprimere, palesare **CONTR.** celare, nascondere, occultare, introiettare.

esteriorménte *avv.* esternamente, fuori, superficialmente (*est.*), apparentemente (*est.*), fisicamente (*fig.*) **CONTR.** interiormente, addentro, dentro.

esternaménte *avv.* fuori, esteriormente, di fuori **CONTR.** internamente, dentro.

esternàre **A** *v. tr.* [*le idee, i sentimenti*] estrinsecare, palesare, manifestare, esprimere, dimostrare, esteriorizzare **CONTR.** celare, nascondere, occultare, introiettare **B** *v. intr. pron.* manifestarsi **CONTR.** nascondersi **C** *v. rifl.* confidarsi, aprirsi, manifestarsi, palesarsi.

estèrno **A** *agg.* **1** esteriore **CONTR.** interno, interiore, intestino, sotterraneo **2** [*rif. all'aspetto*] superficiale **CONTR.** interno, profondo, sostanziale **3** (*est.*) separato **4** [*rif. al territorio*] (*fig.*) periferico (*est.*) **B** *s. m.* fuori, superficie **CONTR.** interno.

èstero **A** *agg.* forestiero, straniero **CONTR.** nazionale, interno **B** *s. m. sing.* fuori.

estesaménte *avv.* ampiamente, diffusamente **CONTR.** concisamente, brevemente, succintamente.

estéso *part. pass.; anche agg.* **1** [*rif. allo spazio*] vasto, spazioso, illimitato, ampio, allargato, allungato, grande, lungo **CONTR.** stretto, angusto, limitato **2** [*rif. al significato*] (*fig.*) traslato, metaforico, figurato, lato **CONTR.** stretto **3** [*rif. a uno scritto*] esauriente, diffuso, prolisso **CONTR.** breve, riassuntivo.

estimàre *v. tr. e rifl.* V. *stimare*.

estimatóre *s. m.* (*f. -trice*) amante, cultore, amatore, intenditore **CONTR.** detrattore.

èstimo *s. m.* stima.

estinguere **A** *v. tr.* **1** [*un fuoco, etc.*] smorzare, spegnere, soffocare **CONTR.** accendere, alimentare **2** [*un rapporto*] chiudere, finire **3** [*un debito, etc.*] saldare, pagare, coprire (*fig.*) **4** [*la sete, la fame, etc.*] smorzare, attenuare, annullare, eliminare, calmare **5** [*un popolo, una razza*] annientare **6** [*un reato*] (*dir.*) prescrivere **7** [*un ricordo, etc.*] (*fig.*) sommergere, seppellire **B** *v. intr. pron.* **1** [*detto di fuoco, etc.*] spegnersi, smorzarsi **CONTR.** divampare, accendersi, fiammeggiare, infiammarsi, infuocarsi **2** perire, mancare, morire, decedere **CONTR.** nascere **3** [*detto di norma, di divieto, etc.*] (*dir.*) prescriversi **4** [*detto di passioni, etc.*] finire **CONTR.** nascere.

estinto **A** *part. pass.; anche agg.* spento, placato, svanito (*fig.*), morto **CONTR.** vivo, vegeto **B** *s. m.* (*f. -a*) morto, defunto, assente (*euf.*).

estinzióne *s. f.* **1** scomparsa, sparizione, spegnimento (*raro*) **2** [*della pena, etc.*] annullamento, decadenza, prescrizione **3** [*di un debito*] regolamento, pagamento **CONTR.** accensione, apertura **4** [*di una specie*] scomparsa, fine **CONTR.** comparsa.

estirpàre *v. tr.* **1** [*una pianta, un dente*] sradicare, svellere, strappare, togliere, asportare, cavare, sbarbare **2** [*un vizio, il male, etc.*] eliminare, distruggere (*fig.*), annientare (*fig.*) **CONTR.** accrescere, alimentare.

estirpàto *part. pass.; anche agg.* divelto, sradicato **CONTR.** piantato.

estòrcere *v. tr.* **1** perpetrare un'estorsione **CONTR.** dare, elargire **2** [*q.c. a qc.*] carpire, sottrarre, rubare, spillare (*gerg.*), strappare, mangiare (*fig.*), piluccare (*fig.*) **3** [*qc. di q.c.*] rapinare, spremere (*fig.*).

estorsióne *s. f.* ruberia, rapina, furto, ricatto.

estradàre *v. tr.* consegnare, inviare, allontanare (*est.*).

estraneità *s. f. inv.* **1** lontananza **CONTR.** attinenza, appartenenza, consanguineità, parentela **2** [*ai fatti*] in-

estraneo

nocenza CONTR. complicità, connivenza, correità 3 [*tra fratelli, etc.*] incomprensione, indifferenza CONTR. familiarità, intimità.

estràneo *A agg.* 1 alieno CONTR. attinente, spettante, assegnato 2 [*rif. a una persona*] (*est.*) sconosciuto, straniero CONTR. casalingo, familiare (*fig.*) 3 [*rif. al comportamento*] (*fig.*) avulso, assente, lontano CONTR. partecipe *B s. m.* (*f. -a*) forestiero CONTR. consanguineo, familiare, intimo.

estraniàre *v. rifl.* 1 straniarsi, allontanarsi, appartarsi, divagarsi, alienarsi, deconcentrarsi, disinteressarsi, astrarsi, distrarsi CONTR. partecipare, interessarsi, intromettersi, intervenire 2 confinarsi, isolarsi, rinchiudersi CONTR. socializzare, mischiarsi 3 disaffezionarsi, disamorarsi.

estraniazióne *s. f.* disinteresse, alienazione, indifferenza CONTR. interesse, curiosità.

estrapolàre *v. tr.* 1 desumere, ricavare, estrarre 2 dimostrare, trovare.

estràrre *v. tr.* 1 [*un dente, un chiodo, etc.*] togliere, trarre, cavare, asportare CONTR. configgere, introdurre, infilare, immettere, ficcare dentro 2 [*un liquore, una tintura*] distillare 3 [*q.c. al lotto, tombola*] sorteggiare, pescare 4 [*minerali*] trarre fuori, scavare (*est.*) 5 [*un numero, una regola*] ricavare, estrapolare, trovare, ottenere 6 [*un campione di sangue*] prelevare.

estràtto *s. m.* 1 compendio, riassunto, sintesi, sunto 2 [*di erbe, etc.*] essenza, tintura.

estrazióne *s. f.* 1 asportazione 2 matrice, origine, provenienza, nascita 3 sorteggio.

estremaménte *avv.* grandemente, sommamente, assai, molto, enormemente CONTR. poco, per nulla.

estremità *s. f. inv.* 1 margine, orlo, lembo 2 [*rif. alla costa*] punta, riva, ciglio 3 coda 4 piede 5 pizzo, cima 6 esagerazione, eccesso, estremo.

estremizzàre *A v. tr.* radicalizzare *B v. intr. pron.* radicalizzarsi.

estrèmo *A agg.* 1 ultimo, terminale, finale 2 [*rif. al tempo*] tardo 3 (*est.*)

supremo CONTR. minimo, irrilevante, insignificante *B s. m.* 1 esagerazione, eccesso, estremità 2 estremità, capo, cima 3 [*rif. alla disperazione, etc.*] colmo, massimo.

estrinsecàre *v. tr. e rifl.* esternare, palesare, manifestare, esprimere, dimostrare CONTR. nascondere, dissimulare.

estrinseco *agg.* esteriore, superficiale, apparente (*est.*) CONTR. intrinseco, sostanziale.

èstro *s. m.* 1 stimolo, ardore 2 ispirazione, vena (*fig.*) 3 genio, brio 4 capriccio, ghiribizzo, sghiribizzo.

estrométtere *A v. tr.* mandare fuori, mandare via, eliminare, esiliare, espellere, respingere, cacciare, emarginare, epurare, allontanare CONTR. coinvolgere, accettare, accogliere, intromettere *B v. rifl.* allontanarsi, ritirarsi, andarsene CONTR. intromettersi, inserirsi.

estromissióne *s. f.* espulsione, cacciata, allontanamento CONTR. ammissione.

estrosaménte *avv.* bizzarramente, capricciosamente, originalmente, fantasticamente CONTR. banalmente, pedestremente.

estrosità *s. f. inv.* 1 inventiva, fantasia, genio, creatività CONTR. banalità 2 bizzarria, stranezza.

estróso *agg.* 1 [*rif. a idee, a scritti*] originale, curioso CONTR. convenzionale, banale, classico 2 (*est.*) brioso 3 [*rif. al carattere, etc.*] capriccioso, bizzarro CONTR. banale, conformista, piatto, scipito (*fig.*).

estroversióne *s. f.* comunicativa CONTR. introversione.

estrovèrso *agg.* esuberante, vivace, espansivo CONTR. introverso, ombroso, ritroso.

estuàrio *s. m.* foce.

esuberànte *part. pres.; anche agg.* 1 eccedente, sovrabbondante 2 [*rif. alla vegetazione*] rigoglioso 3 [*rif. a una persona*] baldanzoso, vivace, brioso, allegro, estroverso, vitale CONTR. spento, smorto, abulico.

esuberànza *s. f.* 1 vivacità, brio, allegria, baldanza, spontaneità, vitalità, espansività CONTR. apatia 2 rigoglio 3 ridondanza, superfluità, sovrabbondanza, ricchezza CONTR. scarsezza.

esulàre *v. intr.* 1 [*da un argomento, etc.*] (*est.*) allontanarsi, divagare, non concernere, fare divagazioni 2 [*dagli interessi*] (*est.*) essere estraneo, essere lontano 3 espatriare, emigrare.

esulceràre *v. tr.* ulcerare, piagare.

esultànte *part. pres.; anche agg.* raggiante, contento, entusiasta CONTR. accorato, amareggiato, triste.

esultànza *s. f.* tripudio, gioia, allegria, letizia, gaiezza, vivacità, baldanza CONTR. avvilimento, scoraggiamento.

esultàre *v. intr.* gioire, godere, rallegrarsi, gongolare, festeggiare (*ass.*), tripudiare, giubilare, entusiasmarsi, ridere, trionfare CONTR. compiangersi, contristarsi, dispiacersi, rattristarsi, abbattersi.

esumàre *v. tr.* 1 [*una salma, etc.*] disseppellire, dissotterrare, scavare (*est.*) CONTR. inumare, seppellire, interrare, tumulare 2 [*cose dimenticate*] (*fig.*) disseppellire, riesumare CONTR. dimenticare, nascondere.

esumazióne *s. f.* disseppellimento, riesumazione, dissotterramento CONTR. sepoltura, seppellimento, tumulazione, inumazione.

età *s. f. inv.* 1 tempo, epoca, periodo, era, secolo, evo 2 [*della vita*] stagione.

etèra *s. f.* cortigiana, meretrice (*lett.*), prostituta, sgualdrina, puttana (*volg.*), battona (*volg.*), troia (*tosc.*), sacerdotessa di Venere (*euf.*), mondana, mignotta (*roman.*), baldracca (*volg.*), bagascia (*genov.*).

ètere (1) *s. m.* 1 aria 2 cielo, firmamento.

ètere (2) *s. m.* (*gener.*) composto (*chim.*).

etèreo *agg.* 1 aereo, volatile CONTR. concreto, corporeo, materiale 2 (*est.*) incorporeo, evanescente, diafano, lieve, leggero.

eternaménte avv. per sempre, sempre, perpetuamente, perennemente, illimitatamente, immutabilmente CONTR. temporaneamente, limitatamente.

eternàre A v. tr. immortalare, perpetuare B v. rifl. perpetuarsi.

eternità s. f. inv. 1 immortalità 2 [rif. al tempo impiegato] (fig.) secolo CONTR. attimo 3 [rif. alla fama, etc.] immortalità, perpetuità CONTR. caducità.

etèrno A agg. 1 immortale, perenne, imperituro CONTR. caduco, effimero, precario, provvisorio, temporale 2 permanente, continuo 3 [rif. a un discorso] incessante, interminabile 4 [rif. al ricordo, etc.] (fig.) indelebile B s. m. sing. Dio, eternità.

eterodossìa s. f. eresìa.

eterogeneità s. f. inv. 1 diversità, varietà CONTR. omogeneità 2 [di opinioni, etc.] discordanza CONTR. uguaglianza 3 mescolanza.

ètica s. f. (pl. -che) morale.

etichétta (1) s. f. cerimoniale, rituale, (est.) comportamento.

etichétta (2) s. f. 1 cartellino 2 [di stupido, etc.] qualifica.

etichettàre A v. tr. 1 contrassegnare, bollare, marchiare 2 (est.) definire, classificare, designare 3 (est.) numerare, contare B v. rifl. definirsi, classificarsi.

ètico agg. morale CONTR. immorale.

etilìsmo s. m. ubriachezza, alcolismo.

etnìa s. f. razza, stirpe, gente, popolo.

eucarestìa s. f. comunione.

eudemonìa s. f. felicità.

eufòria s. f. allegria, entusiasmo, ottimismo, contentezza CONTR. sconforto, abbattimento, avvilimento, depressione, scoramento.

euforicaménte avv. entusiasticamente, concitatamente, vivacemente CONTR. pacatamente, freddamente (est.).

euforizzànte agg. eccitante, inebriante, esaltante, entusiasmante,

elettrizzante CONTR. deprimente.

europèo A agg. comunitario B s. m. (f. -a) CONTR. asiatico, africano.

evacuàre A v. tr. sgomberare, svuotare, vuotare, sfollare CONTR. occupare, affollare B v. intr. 1 andare di corpo, defecare, cacare (volg.), svuotarsi 2 andarsene CONTR. entrare.

evacuazióne s. f. 1 sgombero 2 [di scorie intestinali] scarica.

evàdere A v. intr. 1 sfuggire, scappare, andare via, liberarsi, fuggire, dileguarsi, squagliarsela (fam.), svignarsela (fam.), sparire, scomparire 2 [dalle preoccupazioni, etc.] distrarsi, distaccarsi B v. tr. 1 [la corrispondenza] sbrigare, eseguire, terminare 2 [le tasse] sottrarsi a, sfuggire 3 [il pericolo] scampare, scapolare (fam.).

evanescènte agg. 1 etereo, diafano, vaporoso, incorporeo CONTR. corporeo, materiale 2 [rif. a un segno, a un profilo] impreciso, labile CONTR. netto 3 [rif. al colore] pallido.

evangelizzàre v. tr. 1 (relig.) convertire 2 [qc. a idee, etc.] (est.) convincere, persuadere.

evaporàre A v. tr. vaporizzare B v. intr. 1 [detto di odori, aromi] svanire, sfumare, volatilizzarsi, vaporizzarsi CONTR. condensarsi 2 [detto di liquido, etc.] diventare vapore, svaporare 3 (est.) fumare.

evaporazióne s. f. 1 traspirazione 2 vaporizzazione CONTR. liquefazione.

evasivaménte avv. elusivamente, vagamente CONTR. con sicurezza, chiaramente.

evasìvo agg. 1 [rif. al comportamento] sfuggente, elusivo CONTR. deciso, sicuro 2 [rif. a una risposta] vago, ambiguo CONTR. deciso, netto, preciso.

evenìenza s. f. caso, occorrenza, occasione, eventualità, circostanza, accidente, emergenza.

evènto s. m. fatto, vicenda, caso, avvenimento, episodio, accidente, azione, fenomeno, accaduto, happening (ingl.), eventualità.

eventuàle agg. possibile.

eventualità s. f. inv. caso, possibilità, evenienza, probabilità, evento, ipotesi, pericolo (fig.).

eventualménte avv. forse, chissà, probabilmente, nel caso, semmai.

evidènte agg. 1 chiaro, lampante, palese, patente, visibile, solare, eclatante, comprensibile, tangibile, intuitivo CONTR. oscuro, indistinto, latente (gener.) 2 ovvio, manifesto, certo, perspicuo, dichiarato, inoppugnabile, indubbio, indiscutibile, inequivocabile, innegabile CONTR. ambiguo, arcano, celato, nascosto, riposto (lett.) 3 [rif. a un discorso] incisivo, icastico, impenetrabile, inintelligibile 4 [in viso, etc.] (fig.) stampato, impresso.

evidenteménte avv. 1 chiaramente, espressamente, comprensibilmente, pacificamente, visibilmente, esplicitamente, dichiaratamente, palesemente, patentemente, smaccatamente (fam.) CONTR. copertamente, nascostamente, ambiguamente, oscuramente 2 certamente, sicuramente, ovviamente.

evidènza s. f. 1 perspicuità, ovvietà CONTR. oscurità, enigmaticità 2 (est.) verità, realtà, certezza, logica 3 [spec. con: mettere in] rilievo.

evidenziàre A v. tr. accentuare, sottolineare, marcare, calcare B v. rifl. distinguersi, brillare, spiccare, emergere, segnalarsi CONTR. confondersi, uniformarsi.

evìncere v. tr. dedurre, desumere, arguire, ricavare, fare inferenze.

eviràre v. tr. 1 castrare 2 (est.) svigorire, indebolire, fiaccare, infiacchire CONTR. rinvigorire, rafforzare.

eviràto part. pass.; anche s. m. castrato.

evitàbile agg. eludibile CONTR. inevitabile.

evitàre v. tr. 1 [un pericolo] scansare, schivare, sfuggire, eludere, aggirare, glissare, fuggire, guardarsi da, parare, raggirare, scampare, scapolare (fam.), scostare, schermire CONTR. combattere, incorrere in 2 [un impegno, una spesa] declinare, liberarsi

evo

da, sottrarsi a **3** [*una preoccupazione, un fastidio*] (*est.*) risparmiare (*fig.*), togliere **4** [*qc.*] scansare, schivare, sfuggire **CONTR.** incappare *in*, imbattersi *in*.

èvo *s. m.* epoca, età, periodo, era, secolo, realtà.

evocàre *v. tr.* **1** [*le anime dei defunti*] chiamare, richiamare **2** [*qc. nel ricordo*] rievocare, celebrare, ricordare, citare **CONTR.** dimenticare **3** [*sogni, ricordi*] fare venire alla mente, immaginare, riesumare (*fig.*).

evocazióne *s. f.* **1** celebrazione **2** (*est.*) apparizione.

evolùto *part. pass.; anche agg.* **1** avanzato, sviluppato, progredito, migliorato, perfezionato **CONTR.** involuto, imbarbarito **2** [*rif. a una popolazione*] civile **CONTR.** involuto, barbaro, incivile, ignorante, primordiale **3** [*rif. a una persona*] emancipato, spregiudicato **CONTR.** borbonico, retrivo.

evoluzióne *s. f.* **1** trasformazione, cambiamento, metamorfosi **2** sviluppo, miglioramento, incremento, affinamento, perfezionamento, progresso **CONTR.** peggioramento **3** andamento, decorso **4** emancipazione.

evòlvere *A v. tr.* [*un'operazione matematica*] sviluppare, svolgere *B v. intr.*

pron. **1** migliorare, trasformarsi, modificarsi, crescere, maturarsi, procedere, svolgersi, mutare, cambiare **2** [*detto di gruppo etnico*] svilupparsi, progredire **CONTR.** regredire, degenerare.

evvìva *A inter.* viva, urrà **CONTR.** abbasso *B s. m. inv.* applauso, plauso.

èxtra *A agg.* **1** in più, supplementare **2** (*est.*) insolito, straordinario *B prep.* fuori di *C s. m. inv.* supplemento.

extraterrèstre *A s. m. e f.* alieno, marziano (*pop.*) **CONTR.** terrestre *B agg.* alieno, diverso.

f, F

fa *avv.* addietro.

fabbisógno *s. m.* necessario CONTR. superfluo.

fàbbrica *s. f. (pl. -che)* **1** stabilimento, officina **2** azienda, ditta, industria.

fabbricàre *v. tr.* **1** [*un impero, etc.*] (*edil.*) costruire, edificare, erigere, innalzare CONTR. demolire, diroccare, abbattere, distruggere **2** [*un oggetto*] fare, produrre, forgiare, comporre, congegnare, foggiare, formare, confezionare, lavorare **3** [*un alibi, una trama*] (*est.*) architettare, immaginare, inventare.

fabbricàto A *s. m.* **1** (*gener.*) costruzione **2** edificio, casamento, casa **B** *agg.* costruito, assemblato.

fabbricazióne *s. f.* **1** [*di oggetti*] produzione, lavorazione (*est.*) **2** [*di edifici*] costruzione.

fabbriceria *s. f. (eccl.)* opera, ente.

faccènda *s. f.* **1** affare, occupazione, incombenza, negozio (*raro*), roba (*pop.*) **2** fatto, situazione, storia, vicenda **3** [*spec. al pl.*] servizio, lavoro **4** roba (*pop.*), problema.

faccendière *s. m.* (*f. -a*) sensale, speculatore, trafficante, affarista, armeggione, maneggione.

facchino *s. m.* **1** portabagagli **2** portatore, ciuco (*fig.*).

fàccia *s. f. (pl. -ce)* **1** volto, viso, naso (*est.*), muso (*scherz.*) **2** volto, viso, espressione, maschera (*fig.*) **3** fisionomia **4** (*est.*) aspetto **5** [*rif. a una moneta, etc.*] parte, banda, lato.

facciàta *s. f.* **1** prospetto, fronte **2** (*est.*) esteriorità.

fàce *s. f.* fiaccola, teda (*raro*).

facetaménte *avv.* spiritosamente, scherzosamente, umoristicamente, allegramente, giocosamente CONTR. seriamente, gravemente.

facéto *agg.* ameno, arguto, spiritoso,

divertente, piacevole, giocoso, umoristico, scherzoso, burlesco CONTR. serio, grave, sostenuto.

facèzia *s. f.* battuta, scherzo, divertissement (*fr.*), spiritosaggine, arguzia, detto, barzelletta, piacevolezza, motto, freddura.

fàcile *agg.* **1** agevole, eseguibile, possibile, fattibile, piano CONTR. difficile, difficoltoso, disagevole, arduo, duro, faticoso, impegnativo, laborioso, problematico **2** [*rif. al linguaggio, etc.*] semplice, accessibile, comprensibile, intelligibile, elementare, intuitivo CONTR. difficile, concettoso, astruso, ostico, complesso, complicato **3** agevole, comodo CONTR. disagevole, scomodo, malagevole **4** [*rif. a una persona*] affabile, trattabile, adattabile CONTR. difficile, intrattabile **5** (*est.*) leggero, corrivo **6** [*rif. a un luogo*] (*fig.*) agile, spedito CONTR. concettoso **7** [*rif. a una situazione*] agevole CONTR. difficile, disagevole, critico.

facilità *s. f. inv.* **1** comodità, agio **2** [*a comprendersi, a farsi*] semplicità, chiarezza, comprensibilità CONTR. difficoltà, scabrosità, complessità **3** [*a fare q.c.*] capacità, predisposizione, attitudine CONTR. difficoltà **4** [*ad apprendere, etc.*] bravura, perizia **5** [*nel parlare*] prontezza, scioltezza.

facilitàre *v. tr.* **1** [*qc.*] agevolare, favorire, aiutare, privilegiare, secondare CONTR. contrariare, contrastare, ostacolare, impacciare, frenare, intralciare, impossibilitare **2** [*q.c.*] semplificare, appianare, elementarizzare CONTR. complicare, proibire.

facilitazióne *s. f.* **1** agevolazione, favore (*est.*) **2** aiuto, spinta (*fig.*), appoggio (*fig.*) CONTR. ostacolo.

facilménte *avv.* agevolmente, senza difficoltà, comodamente, elementarmente, scorrevolmente, fluidamente, agilmente, scioltamente, semplicemente CONTR. appena, con difficoltà, con fatica, difficilmente, laboriosamente, faticosamente, gravosamente,

duramente (*fig.*), problematicamente.

faciloneria *s. f.* superficialità, sventatezza, leggerezza, sconsideratezza CONTR. prudenza, serietà.

facoltà *s. f. inv.* **1** [*di guarire, etc.*] capacità, virtù, forza, proprietà **2** libertà, privilegio, possibilità, autorità, diritto, potere, uso (*est.*), attribuzione (*est.*).

facoltativaménte *avv.* non obbligatoriamente, per scelta CONTR. obbligatoriamente, inderogabilmente, per forza, perentoriamente, tassativamente.

facoltativo *agg.* libero, volontario CONTR. costrittivo, obbligante, obbligatorio (*est.*), indispensabile, tassativo.

facoltóso *agg.* ricco, agiato, abbiente, benestante, danaroso CONTR. povero, indigente, misero.

facondaménte *avv.* eloquentemente, con buona oratoria, verbosamente, prolissamente CONTR. stringatamente, brevemente, compendiosamente.

facóndia *s. f.* eloquenza, verbosità (*neg.*), parlantina (*fam.*), loquacità, chiacchiera (*fam.*), dialettica (*est.*) CONTR. laconicità, stringatezza.

facóndo *agg.* eloquente, loquace, ciarliero, verboso (*spreg.*), chiacchierone CONTR. laconico, introverso.

facsimile *s. m.* riproduzione, copia.

fagiòlo *s. m.* (*gener.*) legume.

fagocitàre *v. tr.* **1** assorbire, incorporare, inglobare **2** accaparrare.

fagòtto *s. m.* involto, pacco, fardello, cartoccio (*est.*).

fair play *loc. sost.* correttezza.

falànge (1) *s. f.* parte del dito.

falànge (2) *s. f.* corpo armato.

falciàre *v. tr.* tagliare, recidere, segare, mietere, raccogliere (*est.*).

falcidiare 220

falcidiàre *v. tr.* **1** sterminare, decimare **2** detrarre, defalcare, ridurre.

fàlda *s. f.* **1** [*di un cappello*] tesa, ala **2** [*di pietre, di metalli*] sfoglia, lamina, scaglia **3** [*dei metalli*] lembo **4** [*di un monte*] pendice **5** [*di una montagna*] spalla.

fàlla *s. f.* **1** spaccatura, fenditura, buco, squarcio **2** breccia **3** (*est.*) omissione, errore.

fallàce *agg.* ingannevole, illusorio, fittizio CONTR. verace, reale, concreto.

fallàcia *s. f.* **1** [*di una dottrina, etc.*] ipocrisia, falsità CONTR. sincerità **2** [*di una teoria*] inconsistenza, infondatezza, speciosità CONTR. consistenza, validità, fondatezza **3** (*filos.*) sofisma.

fallàre *v. intr.* errare, peccare, sbagliare.

fallimènto (1) *s. m.* **1** sconfitta, insuccesso, disastro, rovina, frana (*fig.*), naufragio (*fig.*), capitombolo (*fig.*), crollo (*fig.*) CONTR. successo, trionfo **2** [*economico*] crack (*ingl.*), crac, bancarotta.

fallimènto (2) *s. m.* errore, fallo.

fallìre **A** *v. intr.* **1** errare, cadere (*fig.*), peccare, ingannarsi, sbagliare, mancare CONTR. riuscire **2** indebitarsi, fare fallimento, fare bancarotta, rovinarsi, bruciarsi (*fig.*), franare (*fig.*), andare in fallimento **3** [*in un'impresa*] abortire (*fig.*), naufragare (*fig.*), non riuscire, fare cilecca CONTR. riuscire, trionfare, vincere, imporsi **B** *v. tr.* [*un bersaglio, uno scopo, etc.*] sbagliare CONTR. colpire, raggiungere, imbroccare.

fallìto **A** *part. pass.; anche agg.* **1** mancato, frustrato (*est.*) CONTR. affermato, riuscito, arrivato, indovinato **2** difettoso **3** [*rif. all'esistenza*] (*fig.*) bruciato **B** *s. m.* (*f. -a*) perdente.

fàllo (1) *s. m.* **1** sbaglio, mancanza, equivoco, fallimento (*est.*) **2** (*est.*) colpa, peccato **3** [*nel tessuto, nel vetro*] difetto, imperfezione.

fàllo (2) *s. m.* pene, membro, verga, pisello (*fam.*), minchia (*merid.*), uccello (*pop.*), cazzo (*volg.*), organo, asta (*raro*).

falò *s. m. inv.* rogo, fuoco, incendio.

falpalà *s. m. inv.* volant (*fr.*).

falsaménte *avv.* **1** erroneamente, per errore CONTR. esattamente **2** bugiardamente, calunniosamente, doppiamente, simulatamente, fintamente, mendacemente, illusoriamente, ipocritamente, mellifluamente, subdolamente, farisaicamente (*fig.*) CONTR. autenticamente, candidamente, con franchezza, schiettamente, lealmente, giustamente, limpidamente (*fig.*), veracemente (*est.*) **3** ingiustamente, slealmente, iniquamente, obliquamente.

falsàre *v. tr.* **1** [*la verità*] alterare, falsificare, distorcere, travisare, deformare, denaturare **2** [*la firma*] contraffare **3** [*gli alimenti*] drogare, sofisticare, adulterare (*raro*), manipolare, corrompere (*fig.*) **4** [*le informazioni*] drogare, snaturare, cambiare, artefare, viziare **5** [*i documenti*] (*est.*) manomettere.

falsàto *part. pass.; anche agg.* [*rif. alle parole, alle idee*] deformato, travisato CONTR. autentico, vero.

falsificàre *v. tr.* **1** alterare, contraffare, manomettere, truccare, falsare, snaturare **2** [*gli alimenti*] alterare, adulterare, corrompere, fatturare, sofisticare **3** [*le informazioni*] mistificare, manipolare, viziare.

falsificàto *part. pass.; anche agg.* **1** alterato, contraffatto, sofisticato, adulterato, truccato (*est.*) CONTR. autentico **2** manipolato, manomesso **3** [*rif. a un documento, a un quadro*] imitato.

falsificazióne *s. f.* **1** alterazione, contraffazione, adulterazione, sofisticazione **2** [*rif. a un pensiero, a un giudizio*] alterazione, stravolgimento, travisamento **3** [*rif. a un'opera pittorica, etc.*] (*est.*) falso.

falsità *s. f. inv.* **1** ipocrisia, doppiezza, finzione, slealtà, fallacia (*colto*) CONTR. schiettezza, sincerità, franchezza **2** inganno, imbroglio, bugia, menzogna, balla, falso **3** [*rispetto all'originale*] (*est.*) infedeltà CONTR. autenticità, originalità.

fàlso **A** *agg.* **1** errato, erroneo CONTR. vero, verace, giusto, esatto, vicino al vero **2** [*rif. a una persona*] ipocrita, bugiardo, doppio, mendace, menzognero, insincero, infedele, infido, subdolo, inattendibile CONTR. franco, autentico, chiaro **3** [*rif. a cosa*] illusorio, simulato, fittizio, apparente, pretestuoso CONTR. vero, verace **4** [*rif. ai denti, ai capelli, etc.*] posticcio CONTR. vero, verace, naturale **5** [*rif. all'oro, all'argento, a un colore*] ingannevole, fasullo, finto, artificiale, matto (*fig.*) CONTR. vero, verace, autentico **6** [*rif. al sorriso*] sforzato, artefatto, artificioso CONTR. franco, autentico **7** [*rif. al sospetto, etc.*] infondato CONTR. vero **8** [*rif. a una interpretazione, etc.*] distorto CONTR. vero **B** *s. m.* **1** falsità CONTR. verità, sincerità **2** falsificazione, copia (*est.*), patacca (*fam.*) CONTR. originale.

fàma *s. f.* **1** notorietà, rinomanza, popolarità (*est.*), celebrità, gloria (*est.*) **2** nome, nomea, nomina, reputazione, nominanza (*raro*) **3** [*rif. ai posteri*] vita, onore **4** memoria, voce, suono (*poet.*), notizia.

fàme *s. f. sing.* **1** appetito, languore CONTR. sazietà, disappetenza **2** carestia CONTR. ricchezza, abbondanza **3** [*di q.c.*] (*est.*) voglia, brama **4** [*di ricchezze, etc.*] (*est.*) avidità.

famèlico *agg.* affamato (*fig.*), avido, bramoso CONTR. apatico, svogliato.

famigeràto *agg.* (*neg.*) matricolato, celebre, famoso, rinomato CONTR. ignoto, sconosciuto.

famìglia *s. f.* **1** casa (*est.*), baracca (*scherz.*) **2** [*rif. alle origini*] casata, casato, stirpe, ceppo (*fig.*), discendenza, lignaggio, dinastia, gente, sangue (*fig.*), razza, natale, nascita **3** tribù, clan **4** parentado **5** [*di amici, etc.*] (*est.*) brigata, ghenga **6** [*rif. a animali, a piante*] genere, gruppo, classe **7** [*mafiosa*] cosca.

familiàre **A** *agg.* **1** noto, consueto, conosciuto CONTR. ignoto, sconosciuto **2** domestico, privato, intimo CONTR. estraneo, pubblico **3** [*rif. al tono di voce*] semplice, affabile, confidenziale CONTR. sostenuto, scostante, formale **B** *s. m. e f.* parente, consanguineo, congiunto, intimo (*est.*) CONTR. estraneo.

familiarità *s. f. inv.* **1** [*tra persone*] confidenza, dimestichezza, amicizia, intimità, cameratismo, affabilità (*est.*) CONTR. estraneità **2** [*con oggetti, con* *azioni*] esperienza *di*, pratica *a*, abitudine *a* **3** confidenza, dimestichezza.

familiarizzàre *A* v. intr. diventare amico *di*, fare amicizia, entrare in contatto, prendere dimestichezza, affiatarsi, acquistare confidenza, accompagnarsi *a*, socializzare, conoscere *un*, abituarsi *a*, fare combriccola, fraternizzare *B* v. intr. pron. affiatarsi, fare amicizia, prendere confidenza, entrare in contatto, prendere familiarità, abituarsi, socializzare, diventare amico, fraternizzare.

familiarménte avv. **1** amichevolmente, cameratescamente, confidenzialmente, discorsivamente **CONTR.** cerimoniosamente, complimentosamente **2** (est.) alla buona **CONTR.** altezzosamente, superbamente.

famóso agg. **1** [rif. a una persona] insigne, celebre, illustre, affermato, rinomato, famigerato (spreg.), popolare, importante, arrivato, stimato **CONTR.** sconosciuto, ignoto **2** [rif. a cosa] memorabile, solenne **CONTR.** sconosciuto, ignoto.

fan s. m. e f. inv. sostenitore, ammiratore, aficionado (sp.), tifoso.

fanaticaménte avv. entusiasticamente **CONTR.** indifferentemente, freddamente.

fanàtico *A* agg. **1** appassionato, esaltato, invasato, maniaco **CONTR.** freddo, distaccato, ragionevole, ponderato **2** (est.) intransigente, intollerante **3** settario, fazioso **4** (pop.) intemperante, violento, sedizioso **CONTR.** ragionevole, ponderato **5** tifoso (sport), patito, amante *B* s. m. (f. -a) esaltato.

fanatismo s. m. **1** settarismo, faziosità **2** esaltazione, furore **CONTR.** equilibrio.

fanatizzàre v. tr. portare al fanatismo, invasare, entusiasmare, esaltare **CONTR.** avvilire.

fanciùlla s. f. **1** ragazza, adolescente, ragazzina, donzella (lett.), pulcella (lett.) **CONTR.** donna **2** (est.) bambina, bimba **3** (gener.) femmina.

fanciullescaménte avv. bambinescamente, ingenuamente, puerilmente **CONTR.** ponderatamente, saggiamente.

fanciullésco agg. (pl. m. -chi) bambinesco, infantile, puerile, sciocco (est.) **CONTR.** adulto, maturo.

fanciullézza s. f. **1** puerizia **2** inizio, origine.

fanciùllo *A* s. m. **1** ragazzo, adolescente, ragazzino **CONTR.** uomo, vecchio, lattante, neonato **2** bambino, bimbo, marmocchio (scherz.), pargolo **3** maschio **4** (est.) innocente *B* agg. nuovo, recente.

fandònia s. f. bugia, frottola, balla, panzana, favola, leggenda, menzogna, carota (fig.), ciancia, bomba (fig.), bubbola, fola, bufala (est.) **CONTR.** verità.

fanfàra s. f. **1** musica **2** banda.

fanfaronàta s. f. smargiassata, vanteria, spacconata, millanteria.

fanfaróne s. m. (f. -a) millantatore, smargiasso, spaccone.

fanghiglia s. f. mota, belletta (raro), melma, poltiglia.

fàngo s. m. (pl. -ghi) **1** melma, mota, limo, pantano, belletta **2** (est.) abiezione.

fannullàggine s. f. neghittosità, infingardaggine, pigrizia, poltronaggine, vagabondaggio (fig.) **CONTR.** solerzia, volontà.

fannullóne s. m. (f. -a) vagabondo (est.).

fantasia *A* s. f. **1** estrosità, creatività, immaginazione, inventiva, mente (est.) **CONTR.** ragione **2** pensiero, fantasticheria, visione, sogno **3** [spec. con: avere la] voglia, umore, bizzarria, capriccio, sghiribizzo, vena (fig.) *B* agg. inv. **1** [rif. a un tessuto] fiorato, vistoso, colorato **2** [rif. a gioiello] non prezioso.

fantasiosaménte avv. fantasticamente, bizzarramente.

fantasióso agg. **1** [rif. a un romanzo, a una storia] brillante, vivace, brioso, estroso **CONTR.** realistico, veritiero **2** (est.) bizzarro, stravagante **CONTR.** spento, noioso, grigio, scialbo **3** [rif. a una persona] geniale, creativo, fecondo, fertile **CONTR.** spento, noioso, grigio, scialbo, pedante.

fantàsma s. m. **1** spettro, ombra, apparizione, spirito, larva **2** [rif. alla gloria, etc.] illusione, visione.

fantasticaménte avv. **1** immaginosamente, fantasiosamente, bizzarramente, estrosamente, chimericamente **2** (fam.) spettacolarmente, magnificamente, meravigliosamente.

fantasticàre *A* v. tr. **1** sognare, immaginare, vagheggiare **2** pensare, mulinare (fig.), elucubrare, rimuginare, ideare *B* v. intr. **1** fare castelli in aria, sognare, arzigogolare, almanaccare, astrologare, congetturare **2** divagare, distrarsi, deconcentrarsi, vagare (fig.) **3** delirare, vaneggiare **4** (est.) filosofare, filosofeggiare.

fantasticheria s. f. fantasia, sogno, illusione, chimera, astrazione.

fantàstico agg. **1** (fam.) favoloso, formidabile, eccezionale, splendido, ottimo, stupendo, strabiliante, cinematografico (fig.) **CONTR.** normale, consueto, grigio, mediocre, scialbo **2** irreale, immaginario, chimerico, utopistico **CONTR.** reale, vero, realistico.

fantésca s. f. (pl. -che) serva (spreg.), colf, collaboratrice domestica, domestica.

fantòccio (1) s. m. bambola, bambolotto, pupo (merid.), burattino, pupazzo, marionetta.

fantòccio (2) agg. [rif. a governo] fasullo, senza autorità.

farabùtto s. m. furfante, mascalzone, delinquente, canaglia, gaglioffo, malfattore, carogna (fig.) **CONTR.** galantuomo.

farcìre v. tr. [un panino, un toast, etc.] imbottire, riempire **2** [qc. di nozioni, etc.] (est.) caricare (fig.), appesantire (fig.), ricolmare.

fard s. m. inv. (gener.) trucco, cosmetico, belletto.

fardèllo s. m. **1** involto, fagotto **2** [morale] (fig.) peso, croce **3** [rif. a una persona, etc.] (fig.) carico, mattone, zavorra.

fàre *A* v. tr. **1** (ass.) agire, operare **CONTR.** oziare, poltrire, bighellonare **2** [q.c.] produrre, eseguire, fabbricare, compiere, concretare, effettuare, realizzare, attuare, compire (*raro*), creare (*est.*) **3** causare, cagionare **4** [*un edificio*] edificare, erigere, costruire **CONTR.** abbattere, demolire, sfare, disfare **5** [*con un fine*] adoperarsi *per*, affaticarsi *per*, applicarsi *per*, procurare *di* **6** [*un'azione*] commettere, combinare **7** [*uno sport*] praticare, esercitare, dedicarsi *a* **8** [*debiti*] contrarre **9** [*un allievo*] preparare, educare, plasmare **10** [*un presidente, etc.*] eleggere, nominare **11** [*bello, brutto, etc.*] rendere **12** [*un odore*] emettere **13** [*un lavoro, etc.*] concludere, disbrigare **14** [*un pacco, un abito, etc.*] confezionare **15** [*musica, poesia*] comporre **16** [*un valzer, un tango*] danzare **B** v. intr. **1** adattarsi, giovare, confarsi **2** [*in relazione al tempo*] compiersi, essere **3** [*detto di pianta, etc.*] allignare, attecchire **C** v. rifl. **1** [*cattolico, buddista*] rendersi, convertirsi **2** [*in un luogo*] portarsi, andare **3** bucarsi, drogarsi, fare uso di droghe, iniettarsi droga, siringarsi **4** fingersi **D** v. intr. pron. **1** [*detto di aria in un ambiente*] diventare, divenire **2** formarsi, precostituirsi **E** v. intr. impers. **1** [*caldo, freddo, etc.*] essere **2** [*buio, chiaro, etc.*] diventare **3** [*rif. al tempo*] compiersi **F** v. rifl. rec. [*gli auguri*] darsi, scambiarsi **G** s. m. inv. quanto si fa.

farfàlla s. f. **1** (*gener.*) insetto →insetti, animali **2** [*tipo di*].

Farfalle

Farfalla: insetto con corpo ovale e ali colorate.

macaone: farfalla diurna di colora giallo venato di nero con fascia marginale nera e azzurra e con una macchia rossa sulle ali posteriori;

saturnia: farfalla notturna spesso di grandi dimensioni, con corpo tozzo e peloso, livrea bruno grigia con una macchia a occhio di pavone su ogni ala; le sue larve sono voracissime divoratrici di qualsiasi vegetale;

vanessa: farfalla diurna cosmopolita, con livrea dai bei colori e bruco spinoso e peloso che danneggia svariate erbe;

tignola: farfalla di piccole dimensioni e livrea poco appariscente le cui larve, nutrendosi di sostanze organiche eterogenee, possono essere molto dannose;

tarma;

antiopa: farfalla nostrana con livrea dai magnifici colori;

apatura: farfalla dalle ali con i riflessi violacei, la cui larva cresce sui pioppi e sui salici;

cavolaia: farfalla con corpo esile e ali bianche macchiate di nero, le cui larve divorano le foglie dei cavoli;

cuculia amalombra: farfalla di colore grigio simile al legno marcio;

monaca umbratile;

apollo: farfalla di grandi dimensioni, diurna, tipica delle zone montane, con ali bianche arrotondate, le anteriori con macchie nere, le posteriori con macchie rosse;

aporia: farfalla con il corpo nero e ali bianche striate di nero;

atalanta: farfalla diurna con le ali bruno-rosse a macchie azzurre;

limantria: farfalla dannosissima alle piante;

liparide;

neustria: farfalla di colore giallo con due strisce trasversali bruno-rossicce sulle ali anteriori;

nottua timorosa: farfalla di colori splendidamente assortiti in varie sfumature dal rosa, al verde, al nocciola;

pavonia: farfalla notturna i cui maschi sono di colore bruno-giallastro e hanno antenne appariscenti e le femmine sono di colore grigio-roseo;

saturnia: farfalla notturna di grandi dimensioni e livrea molto elegante;

sfinge delle viti: farfalla crepuscolare e notturna con corpo robusto e molto peloso, ali strette e appuntite;

atropo: farfalla con abitudini crepuscolari e notturne, caratterizzata da una macchia a forma di teschio sul torace;

acheronzia;

trochilio: farfalla diurna con il corpo scuro e le ali trasparenti come il vetro, molto somigliante al calabrone;

selene: farfalla gialla verdognola con gli orli anteriori delle ali viola purpureo;

atlante: farfalla di gigantesche dimensioni, l'ampiezza dell'apertura delle ali è di circa 25 cm. e in ogni ala c'è una finestra triangolare trasparente;

geometra del ribes: farfalla diurna dannosa per i giardini; ha ali bianche filettate di nero e due strisce gialle sulle ali anteriori;

testa di morto: farfalla sul cui corpo è dipinto una specie di teschio; depone le uova sulle patate;

sfinge dell'oleandro: farfalla con le ali verdi e rosa, i suoi bruchi vivono sugli oleandri;

sfinge dell'euforbia: farfalla con le ali anteriori color oliva nera con pagliuzze rosa tenero leggermente scintillanti;

sfinge del ligustro: farfalla a strisce viola e bianche che vive su diversi cespugli, in particolare sul ligustro e sul sambuco;

sfinge del pino: farfalla di colore grigio come la corteccia dei pini su cui è solita posarsi;

proserpina: farfalla crepuscolare, minuscola, con ali dentellate e di colore verde;

silvano azzurro: farfalla con le ali color ocra e verde decorate, nella parte posteriore, da strisce e chiazze bianche;

iride: farfalla dell'Europa centrale i cui maschi hanno ali iridescenti nero-violacee;

farfalla cangiante;

zerintia: farfalla giallo-nera con le ali a puntini rossi nel lato inferiori dell'Europa sud-orientale.

farfugliàre v. intr. e tr. balbettare, biascicare, bofonchiare, borbottare, blaterare, sillabare, barbugliare, parlare malamente, parlare a stento, cinguettare (*fig.*), dire confusamente, borbogliare, brontolare (*est.*), gorgogliare (*est.*), frusciare (*est.*).

farisaicaménte avv. ipocritamente, falsamente.

farisèo A s. m. (f. -a) (*est.*) bigotto, baciapile, simulatore, commediante **B** agg. ipocrita, bigotto.

farmacista s. m. e f. speziale (*colto*).

fàrmaco s. m. **1** medicina, medicamento, medicinale, rimedio (*est.*) **2** (*farm.*) sedativo, narcotico, antinevralgico, antidolorifico, anestetico, antispasmodico, antispastico, antalgico, ansiolitico, calmante, analgesico, anticoncezionale, antielmintico, antifecondativo, barbiturico, contraccettivo, eccitante, ipnotico, sonnifero, vermifugo, tranquillante, stimolante, afrodisiaco, corroborante, tonico, cordiale, emetico, diuretico, lassativo, purgante, antipolio, antitetanico, antidifterico, anticolerico, antivaioloso.

farmacologia s. f. scienza.

farneticànte part. pres.; anche agg. delirante, sconclusionato, balordo, vaneggiante **CONTR.** ragionevole, assennato, razionale, serio.

farneticàre v. intr. sragionare, vaneggiare, delirare, dire sciocchezze, dire assurdità, folleggiare, straparlare, vagellare (tosc.) **CONTR.** ragionare.

fàro s. m. **1** [tipo di] abbagliante, anabbagliante **2** [della vita, etc.] (fig.) luce.

farraginóso agg. confuso, sconclusionato, disordinato **CONTR.** lucido.

fàrsa s. f. **1** commedia **CONTR.** tragedia, dramma **2** recita, buffonata, finzione, pagliacciata.

farsésco agg. (pl. m. -chi) **1** [rif. a un'opera teatrale] comico **CONTR.** tragico, drammatico **2** (est.) ridicolo, sciocco.

fàrsi s. m. inv. tono, modo, piglio.

fàscia s. f. **1** striscia, benda, banda (raro) **2** bracciale **3** [di verde, etc.] striscia, zona, lembo, cintura.

fasciànte part. pres.; anche agg. [rif. a un abito] aderente **CONTR.** lento, largo, abbondante.

§**fasciàre A** v. tr. **1** avvolgere, avviluppare, avvoltolare, arrotolare, imballare, incartare, involgere, involtare, fare un pacchetto, inviluppare, legare (raro), ravvolgere (est.), impaccare **CONTR.** sfasciare, svolgere, scartocciare **2** [detto di abito, di stoffa, etc.] aderire a **3** [un divano] ricoprire, rivestire, foderare **4** [detto di mare, di boschi, etc.] cingere, attorniare, circondare **5** [una ferita, un arto, etc.] (est.) curare, medicare, bendare **CONTR.** sbendare **B** v. rifl. **1** avvolgersi, rivestirsi, ricoprirsi, ravvolgersi **CONTR.** sfasciarsi, scoprirsi **2** bendarsi **CONTR.** sbendarsi.

fascicolo s. m. **1** numero, dispensa, opuscolo, quaderno **2** (bur.) pratica, incartamento.

fascinàre (1) v. tr. conquistare, fare innamorare, affascinare, ammaliare, incantare, sedurre **CONTR.** disincantare, disgustare, stomacare.

fascinàre (2) v. tr. legare.

fàscino s. m. **1** [rif. a una persona] avvenenza, bellezza, sex appeal (ingl.), charme (fr.), attrattiva, seduzione **2** [rif. a cose, a situazioni] malia, incanto, magia, suggestione, attrazione.

fàscio s. m. **1** mazzo, mannello **2** insieme, congerie **3** [di luce] striscia, raggio.

fascista A s. m. e f. picchiatore (est.) **CONTR.** antifascista, partigiano (est.) **B** agg. **1** [rif. a un regime politico] dispotico, autoritario **CONTR.** democratico **2** [rif. all'atteggiamento] dispotico, autoritario, prepotente **CONTR.** tollerante.

fàse s. f. **1** ciclo, stadio, epoca, periodo, anno (est.) **2** [della carriera, etc.] (fig.) gradino, tappa.

fastidio s. m. **1** disturbo, molestia **CONTR.** piacere, sollazzo **2** [morale] antipatia, avversione, disgusto, nausea (fig.) **3** [rif. a una situazione] noia, tedio, uggia, afa (tosc.), strazio (fig.), disagio (est.), saturazione (est.) **4** noia, seccatura, grana, scocciatura, impiccio, guaio, contrarietà, briga, fatica, tribolazione, tormento, rompicapo, peso, ambascia, cruccio, affanno (fig.), rogna (pop.), scomodità.

fastidiosaménte avv. **1** antipaticamente, sgradevolmente, spiacevolmente, noiosamente, odiosamente **CONTR.** gradevolmente, piacevolmente **2** (est.) molestamente.

fastidiosità s. f. inv. noiosità, molestia, antipatia **CONTR.** piacevolezza.

fastidióso agg. spiacevole, molesto, noioso, tormentoso, tedioso, irritante, seccante, increscioso, assillante, sgradito, importuno, ingombrante (fig.), incomodo, uggioso **CONTR.** amabile, gradevole, piacevole.

fàsto (1) s. m. lusso, sfarzo, pompa, sontuosità, grandezza, magnificenza, grandiosità, solennità, gala, splendore **CONTR.** semplicità, povertà, indigenza.

fàsto (2) agg. fausto, favorevole **CONTR.** nefasto.

fastosaménte avv. lussuosamente,

sfarzosamente, sontuosamente, grandiosamente, preziosamente, trionfalmente (est.) **CONTR.** sobriamente, austeramente, modestamente, poveramente.

fastosità s. f. inv. sfarzosità, sfarzo, lusso.

fastóso agg. grandioso, sfarzoso, sontuoso, pomposo, ricco (est.), lauto (est.) **CONTR.** modesto, misero, povero.

fasùllo agg. **1** falso, finto, pretestuoso, fittizio **CONTR.** autentico, genuino, vero, verace, pretto **2** [rif. a una persona] inetto, incapace.

fàta s. f. sirena (est.), madonna (est.), maga **CONTR.** strega.

fatàle agg. **1** inevitabile, ineluttabile **2** [rif. a un evento, a un incidente] letale, mortale, rovinoso (est.), esiziale **CONTR.** fortunato, fausto, provvidenziale **3** [rif. a una persona] affascinante, seducente **CONTR.** repellente, brutto.

fatalisticaménte avv. in modo rassegnato.

fatalità s. f. inv. **1** fato, casualità **2** sventura, tragedia.

fatalménte avv. necessariamente, ineluttabilmente, per volere del fato, disgraziatamente, sventuratamente **CONTR.** fortunatamente, provvidenzialmente.

fatàre v. tr. **1** incantare **2** predire.

fatìca s. f. (pl. -che) **1** sforzo, strapazzo **2** [nel fare q.c.] impegno, lavoro, costo (fig.), sudore (fig.), fiato (fig.) **3** [nel camminare, etc.] sforzo, affanno, difficoltà **4** [nel trattare un problema] fastidio, noia, disagio, pena **5** [rif. a uno stato, a una sensazione] fiacchezza, stanchezza.

faticàre v. intr. **1** affaticarsi, sfacchinare, sgobbare, fare fatica, durare fatica, sforzarsi, spossarsi, strapazzarsi, lavorare **CONTR.** riposare, oziare, rifiatare **2** arrabattarsi (est.), stentare, penare.

faticosaménte avv. **1** difficilmente, stentatamente, appena, difficoltosamente **CONTR.** comodamente, agevolmente, facilmente **2** laboriosamente, duramente, con fatica, gravosamente, penosamente.

faticóso agg. **1** [rif. a un problema, a una questione] gravoso, oneroso, pesante, grave **CONTR.** leggero, lieve, facile **2** arduo, difficile, impegnativo **3** (est.) penoso **4** [rif. a un pendio, a un sentiero, etc.] arduo, incomodo **CONTR.** comodo **5** (est.) costoso **6** [rif. a uno scritto, a un discorso] (fig.) stentato **CONTR.** agile, scorrevole.

fatidico agg. [rif. a giorno] fatale.

fàto s. m. **1** destino, caso, sorte, fortuna **2** fatalità, necessità.

fàtta s. f. genere, qualità, specie.

fatterèllo s. m. raccontino, aneddoto, favola, episodio.

fattézza s. f. sembianza, fisionomia.

fattíbile agg. **1** eseguibile, effettuabile, realizzabile, attuabile, possibile, sostenibile, agibile **CONTR.** irrealizzabile, infattibile, inattuabile, impossibile **2** (est.) facile, semplice.

fattivaménte avv. attivamente, efficacemente, operosamente **CONTR.** stancamente, svogliatamente.

fattività s. f. inv. **1** iniziativa, ingegnosità, operosità **CONTR.** poltroneria **2** efficienza **CONTR.** inefficienza.

fàtto (1) s. m. **1** azione **2** avvenimento, evento, vicenda, accaduto, circostanza, caso, faccenda, cosa (fam.), affare (fam.), scena (est.), antecedente (est.) **3** fenomeno.

fàtto (2) part. pass.; anche agg. **1** formato **2** compiuto, realizzato, eseguito **3** [rif. a una persona] maturo **4** [a un'attività] adatto **CONTR.** inadatto, inadeguato.

fattoria s. f. **1** cascina, casolare, cascinale **2** podere, tenuta.

fattorino s. m. commesso, usciere, valletto, garzone, messo, ragazzo, boy.

fattucchièra s. f. strega, maga.

fattùra (1) s. f. nota, bolla, bolletta.

fattùra (2) s. f. maleficio, stregoneria, incantesimo, sortilegio.

fatturàre v. tr. **1** mettere in conto, fare il conto, fare la fattura **2** [gli alimenti] manipolare, adulterare, sofisticare, falsificare, contraffare, affatturare, alterare **3** incantare, stregare.

fatuaménte avv. frivolamente, futilmente **CONTR.** seriamente, assennatamente.

fatuità s. f. inv. vacuità, leggerezza, frivolezza, superficialità, vanità **CONTR.** serietà, gravità.

fàtuo agg. **1** vuoto, vano, leggero, frivolo, superficiale **CONTR.** serio, grave, ponderato, posato **2** (est.) vanitoso, vanesio **CONTR.** serio.

fàuci s. f. pl. **1** bocca, gola (est.) **2** imboccatura.

faustaménte avv. felicemente, fortunatamente **CONTR.** sfortunatamente, disgraziatamente, funestamente.

fàusto agg. propizio, fortunato, favorevole, lieto (est.), felice (est.), benedetto (est.), fasto (lett.) **CONTR.** infausto, sventurato, nefasto, malaugurato, avverso (est.), fatale, ferale, catastrofico, funesto, mortale.

fautóre s. m. (f. -trice) sostenitore, promotore, propugnatore, simpatizzante, amico, seguace, apostolo, aficionado (sp.) **CONTR.** denigratore, oppositore.

fàva s. f. **1** (gener.) legume **2** baccello (tosc.).

favela s. f. baracca.

favèlla s. f. **1** parola **2** lingua, eloquio (colto).

favellàre v. tr. e intr. parlare, discorrere, discutere, ragionare, favolare.

favilla s. f. scintilla.

fàvola s. f. **1** storia, fiaba, leggenda, mito, novella, parabola, raccontino **2** invenzione, bugia, fandonia **3** aneddoto, fatterello **4** [rif. a una persona] fiaba, sogno, incanto.

favolàre v. intr. **1** favoleggiare, novellare (lett.) **2** favellare (lett.), confabulare.

favoleggiàre v. intr. novellare (lett.), favolare.

favolosaménte avv. meravigliosamente, eccezionalmente, esageratamente, straordinariamente **CONTR.** male, malissimo, pessimamente.

favolóso agg. **1** leggendario, mitico, fantasioso **CONTR.** realistico, vero **2** (est.) fantastico, straordinario, formidabile, strabiliante, incredibile, inenarrabile, cinematografico (fig.) **3** (fam.) enorme, ottimo **CONTR.** scarso, ridicolo.

favóre s. m. **1** [nei confronti altrui] benevolenza, simpatia, predilezione, indulgenza **2** [spec. con: fare un] piacere, aiuto, agevolazione, facilitazione, ufficio, servizio, concessione, regalo **3** [con il] complicità, protezione, appoggio (fig.), connivenza, auspicio (fig.) **4** [riscuotere molto] (est.) seguito, consenso **5** [spec. con: chiedere un, ricevere un] cortesia, carità, bontà, grazia.

favoreggiaménto s. m. **1** protezione, complicità, connivenza **2** (est.) nepotismo.

favorévole agg. **1** propizio, secondo (lett.), fausto, felice, buono, benigno, prospero, fasto (poet.), destro **CONTR.** sfavorevole, avverso, ostile, aversario, indisposto, contrario, inclemente, amaro (fig.) **2** [rif. agli affari] vantaggioso, opportuno, utile **CONTR.** sfavorevole **3** [rif. a una persona] benigno, incline, propenso **CONTR.** sfavorevole, avverso, ostile, aversario, alieno.

favorevolménte avv. **1** benevolmente, benignamente **CONTR.** contro, avversamente, negativamente, sfavorevolmente **2** convenientemente, opportunamente, vantaggiosamente.

favorire A v. tr. **1** [una persona] fiancheggiare, proteggere, aiutare, incoraggiare, soccorrere, spalleggiare, appoggiare, essere di aiuto a, giovare a **CONTR.** contrariare, contrastare, osteggiare **2** [un processo, un'azione] facilitare, agevolare, promuovere, assecondare, sostenere, secondare, caldeggiare **CONTR.** impedire, intralciare, ostacolare, sabotare, boicottare **3** [una persona rea di q.c.] fiancheggiare, proteggere **4** (ass.) parteggiare per, prediligere, preferire, privilegiare **5** [il sonno, etc.] conciliare **CONTR.** rovinare **6** [l'odio, etc.] alimentare, fomentare **7** [una causa] propugnare **B**

v. intr. acconsentire *a* CONTR. negare.

favoriti *s. m. pl.* basette, fedine.

favoritismo *s. m.* **1** clientelismo, nepotismo, protezione **2** (*est.*) ingiustizia, parzialità, preferenza.

favorito A *part. pass.; anche agg.* **1** preferito, prediletto CONTR. ultimo, trascurato **2** (*fig.*) privilegiato **3** (*est.*) protetto, aiutato, appoggiato, agevolato **4** (*est.*) scelto **B** *s. m.* (*f. -a*) beniamino, protetto.

fazióne *s. f.* parte, gruppo, ala, setta, partito.

faziosaménte *avv.* parzialmente, non obiettivamente CONTR. imparzialmente, spassionatamente.

faziosità *s. f. inv.* fanatismo, parzialità, settarismo, partigianeria, intolleranza CONTR. imparzialità, tolleranza.

fazióso A *agg.* **1** partigiano, settario, parziale (*est.*) CONTR. imparziale, obiettivo, equanime **2** [*rif. a una persona, a un discorso*] fanatico, ribelle, sovversivo, sedizioso CONTR. imparziale, obiettivo, equanime **B** *s. m.* (*f. -a*) partigiano.

fèbbre *s. f.* **1** ipertermia (*med.*), temperatura (*fam.*) **2** [*rif. a una condizione fisica*] (*est.*) alterazione, malessere **3** (*est.*) furia, agitazione.

febbrifugo *s. m.; anche agg.* (*pl. -ghi*) antifebbrile, antipiretico.

febbrile *agg.* **1** convulso, frenetico, agitato CONTR. pacato, calmo, tranquillo **2** [*rif. a un'attività*] (*est.*) appassionato, intenso, instancabile CONTR. calmo, tranquillo **3** (*fig.*) scomposto.

febbrilménte *avv.* intensamente, freneticamente, convulsamente CONTR. lentamente, con calma, tranquillamente.

fèccia *s. f. sing.* **1** posatura, fondo, residuo, sedimento, posa **2** [*rif. a una persona*] (*neg.*) schiuma (*fig.*), rifiuto (*fig.*), ciurma, canaglia, marmaglia CONTR. crema (*fig.*), panna (*fig.*), fiore (*fig.*).

fèci *s. f. pl.* escrementi, merda (*volg.*), cacca (*pop.*), sterco.

fecondaménte *avv.* produttivamente, fertilmente, abbondantemente, riccamente CONTR. poveramente, improduttivamente, aridamente.

fecondàre *v. tr.* **1** [*una femmina*] ingravidare, impregnare, rendere gravida, rendere pregna, montare (*est.*) **2** [*il terreno*] (*est.*) fertilizzare CONTR. inaridire **3** [*un fiore*] (*bot.*) impollinare CONTR. isterilire.

fecondativo *agg.* [*rif. a un medicinale*] CONTR. contraccettivo, antifecondativo, anticoncezionale.

fecondità *s. f. inv.* fertilità, feracità (*lett.*), ubertà (*colto*), ricchezza (*est.*) CONTR. sterilità, infecondità, improduttività.

fecóndo *agg.* **1** fertile, prolifico, produttivo, ricco CONTR. sterile, arido, infecondo **2** [*rif. alla mente*] (*fig.*) creativo, fantasioso CONTR. sterile, arido, infecondo.

féde (1) *s. f.* **1** religione, credo, dottrina, confessione **2** fiducia, stima, speranza (*est.*) CONTR. sfiducia, scetticismo **3** fedeltà, lealtà **4** vera, anello.

féde (2) *s. f.* **1** vera **2** (*gener.*) anello.

fedéle A *agg.* **1** fido, devoto, affezionato CONTR. infedele, sleale **2** [*rif. a un cliente, etc.*] assiduo CONTR. occasionale **3** (*est.*) ligio **4** [*rif. a una rappresentazione*] conforme, uguale, esatto CONTR. inesatto, diverso **B** *s. m. e f.* credente, seguace, tifoso.

fedelménte *avv.* **1** lealmente, onestamente, rettamente CONTR. slealmente, proditoriamente, disonestamente **2** esattamente, diligentemente, puntualmente CONTR. negligentemente.

fedeltà *s. f. inv.* **1** (*gener.*) virtù **2** lealtà, devozione, fede CONTR. infedeltà **3** costanza CONTR. volubilità **4** [*rispetto al vero*] esattezza, precisione, verità, rigore, oggettività CONTR. inesattezza **5** conformità, osservanza.

federàre A *v. tr.* confederare, federare, aggregare **B** *v. rifl. rec.* confederarsi, associarsi, unirsi, aggregarsi CONTR. dividersi, separarsi.

federazióne *s. f.* lega, associazione, unione.

fedine *s. f. pl.* basette, favoriti.

feedback *s. m. inv.* retroazione.

fégato *s. m.* coraggio, cuore (*fig.*) CONTR. paura.

felice *agg.* **1** contento, lieto, beato, gioioso, gaio, entusiasta, radioso, raggiante CONTR. infelice, depresso, abbattuto, accorato, addolorato, afflitto, affranto, amareggiato, sconsolato, rattristato, avvilito, dolente, miserando (*lett.*), represso (*fig.*), tapino, guitto **2** [*rif. a una persona*] soddisfatto, pago CONTR. infelice, depresso, miserando (*lett.*), miserabile **3** [*rif. a un giorno, a un evento*] radioso, fausto, propizio, favorevole, fortunato, roseo (*fig.*), prospero CONTR. infelice, catastrofico, crudele, dannato, disastroso, disgraziato, doloroso, infausto, malaugurato, sciagurato, cane, tormentoso, tristo **4** [*rif. a una regione*] prosperoso, fiorente CONTR. infelice, desolato.

feliceménte *avv.* **1** beatamente, lietamente, allegramente, faustamente, giulivamente CONTR. tristemente, mestamente, infelicemente, miseramente **2** fortunatamente CONTR. infelicemente, calamitosamente, catastroficamente, disastrosamente, funestamente **3** convenientemente, opportunamente.

felicità *s. f. inv.* **1** eudemonia (*lett.*) CONTR. tristezza, disperazione, afflizione, infelicità **2** delizia, gioia, gaudio CONTR. pena **3** contentezza, beatitudine, letizia, pace **4** (*gener.*) emozione.

felicitàrsi *v. intr. pron.* congratularsi, complimentarsi, rallegrarsi, compiacersi, essere contento CONTR. dolersi, condolersi, compiangere, commiserare, spiacersi.

felino A *s. m.* [*tipo di*] gatto **B** *agg.* **1** [*rif. al fisico*] agile CONTR. sgraziato, impacciato **2** [*rif. alla mente*] astuto CONTR. ingenuo.

fèltro *s. m.* (*gener.*) cappello.

felùca *s. f.* (*pl. -che*) (*gener.*) barca, imbarcazione.

fémmina *s. f.* **1** [*tipo di*] donna, fanciulla, pulcella (*lett.*) **2** (*gener.*) persona CONTR. maschio.

femmineo *agg.* **1** muliebre (*lett.*),

femminile CONTR. maschio, virile **2** effeminato.

femminile A agg. muliebre, femmineo CONTR. maschile B s. f. sing. (ling.) genere CONTR. neutro, maschile.

femminilménte avv. effemminatamente CONTR. maschilmente, virilmente.

fendènte s. m. **1** (gener.) colpo **2** sciabolata.

fèndere A v. tr. **1** tagliare, lacerare, spaccare, crepare, squarciare, dividere, aprire, scindere CONTR. attaccare, riattaccare, congiungere, ricongiungere, unire **2** [le acque, la folla] solcare, attraversare, farsi strada, farsi largo B v. intr. pron. creparsi, screpolarsi, incrinarsi, aprirsi, esplodere, spaccarsi.

fenditùra s. f. apertura, spaccatura, taglio, crepa, spacco, breccia, spiraglio, falla, fessura, lesione, crepatura.

fenomenàle agg. prodigioso, straordinario, inaudito CONTR. comune, consueto, abituale.

fenòmeno A s. m. **1** evento, fatto **2** [rif. a una persona] (fig.) cannone, prodigio, miracolo, mostro, eccezione B agg. inv. straordinario, stupefacente, sorprendente, fenomenale.

feracità s. f. inv. **1** [rif. a un terreno] fertilità, fecondità, ubertà (colto) CONTR. sterilità **2** [rif. all'ingegno] fertilità, fecondità CONTR. improduttività, povertà.

feràle agg. **1** letale, mortale CONTR. lieto, gioioso **2** [rif. a una notizia] (est.) funesto CONTR. lieto, gioioso, fausto.

fèretro s. m. bara.

fèrie s. f. pl. vacanze.

ferinità s. f. inv. **1** bestialità CONTR. umanità **2** crudeltà, ferocia CONTR. dolcezza.

ferino agg. bestiale, animalesco, animale.

ferire A v. tr. **1** vulnerare (lett.), colpire (impr.), beccare (fig.), ulcerare (raro) CONTR. curare, sanare **2** [modi di] punzecchiare, trafiggere, infilzare, sfregiare, colpire con il pugnale, accoltellare, pugnalare, sbudellare, graffiare, pungere **3** (est.) percuotere, ledere, danneggiare **4** [una parte del corpo] passare, bucare, forare **5** [gli occhi, la vista] (est.) abbacinare **6** [il cuore] (fig.) schiantare, scottare, spezzare **7** [qc.] (est.) addolorare, offendere, ingiuriare, mortificare, umiliare, commuovere, straziare (fig.), procurare dolore a B v. intr. pron. prodursi una ferita, tagliarsi, lacerarsi, danneggiarsi, sfregiarsi, infortunarsi, rompersi.

ferita s. f. **1** [tipo di] lacerazione, escoriazione, taglio, lesione, sfregio, squarcio, piaga (est.), trafittura (raro), ulcera (est.), morsicatura **2** [morale] dolore **3** offesa.

ferito part. pass.; anche agg. **1** offeso, mortificato, afflitto **2** leso CONTR. illeso, incolume, indenne.

fermaménte avv. **1** saldamente, solidamente, stabilmente CONTR. incostantemente **2** decisamente, risolutamente CONTR. clementemente, indulgentemente.

fermàre A v. tr. **1** [un'azione, il movimento] arrestare, bloccare, frenare, ostacolare, impedire, interrompere **2** [un indiziato] arrestare, catturare, ammanettare CONTR. rilasciare, dimettere **3** [q.c.] assicurare, fissare, agganciare, appuntare, avvitare, rendere solido, attaccare, inchiodare, legare, raccomandare, imperniare CONTR. staccare, sciogliere, slegare **4** [una pratica, etc.] (fig.) paralizzare, immobilizzare, congelare, insabbiare **5** [un posto, un biglietto] prenotare **6** [uno slancio affettuoso] inibire, raffrenare, trattenere **7** [una lettera, etc.] intercettare **8** [il colpo, etc.] neutralizzare, tamponare, parare **9** [qc.] intrattenere **10** [il sangue, etc.] bloccare, tamponare B v. intr. [detto di autobus, etc.] sostare, passare C v. intr. pron. **1** [detto di persona, di cosa] arrestarsi, bloccarsi, restare, immobilizzarsi, impuntarsi, inchiodarsi (fig.) CONTR. correre, avviarsi, incamminarsi **2** (est.) riposare, riposarsi CONTR. affrettarsi, sbrigarsi, spicciarsi **3** [in un luogo] impiantarsi, stabilirsi, insediarsi, stanziarsi, radicarsi, andare ad abitare, domiciliarsi **4** (est.) soffermarsi, trattenersi, aspettare, intrattenersi, in-

dugiare **5** [detto di barca, di pratica burocratica, etc.] (anche fig.) insabbiarsi, incagliarsi **6** [detto di meccanismo, etc.] (est.) gripparsi, guastarsi, incantarsi, piantarsi **7** [rispetto ad un impulso] rattenersi, frenarsi **8** interrompersi, smettere, posarsi, sedersi, respirare (fig.), ristare (raro) **9** [in un albergo] scendere, sostare, rimanere.

fermàta s. f. **1** pausa, break (ingl.), intervallo, sosta, sospensione, interruzione CONTR. ripresa **2** arresto, blocco, paralisi, stallo **3** [in un viaggio] tappa.

fermentàre v. intr. lievitare, fervere (lett.).

ferménto (1) s. m. **1** vita, fervore **2** tumulto, subbuglio, maretta (fig.).

ferménto (2) s. m. **1** enzima **2** [rif. al vino, etc.] ebollizione.

fermézza (1) s. f. risolutezza, saldezza, determinazione, decisione, energia, volontà, vigore, austerità, solidità, costanza, tenacia, stabilità, tenacità (fig.), risoluzione CONTR. debolezza, arrendevolezza, indecisione.

fermézza (2) s. f. chiusura.

férmo A agg. **1** immobile, statico, quieto CONTR. mobile, fluttuante, mobile **2** (est.) fisso, fissato, radicato, tetragono (fig.) CONTR. versatile **3** (est.) stabile CONTR. malfermo, barcollante, ondeggiante, malsicuro, cadente, oscillante, vacillante **4** [rif. al tono di voce] risoluto, energico **5** [rif. al carattere, etc.] tenace, saldo, perseverante CONTR. oscillante, vacillante, indeciso, incostante, influenzabile, volubile, mutevole **6** certo **7** [rif. all'acqua] stagnante CONTR. agitato **8** [rif. a una persona] radicato (fig.) CONTR. randagio, ramingo B s. m. **1** arresto, cattura **2** [in un processo lavorativo] sosta.

fèro agg. V. fiero.

feróce agg. **1** crudele, spietato, efferato, atroce, inumano, violento, sanguinario, cruento, barbaro, brutale, selvaggio CONTR. benigno, umano, mite **2** [rif. al carattere, etc.] fiero, animoso CONTR. benigno, umano, mite **3** [rif. a un discorso, a una battuta] sarcastico CONTR. benigno **4** [rif. a un dubbio] tormentoso.

feroceménte avv. crudelmente, brutalmente, bestialmente, barbaramente, efferatamente, spietatamente CONTR. benignamente, umanamente, dolcemente.

feròcia s. f. 1 crudeltà, brutalità, spietatezza, disumanità, efferatezza, bestialità, asprezza, implacabilità, inesorabilità, perversione (fig.), sadismo (fig.), ferinità CONTR. mitezza 2 barbarie, atrocità.

ferràre v. rifl. [in una disciplina] perfezionarsi, temprarsi (fig.), affinarsi, specializzarsi.

ferràto agg. preparato, competente, esperto, agguerrito (fig.) CONTR. impreparato, inesperto, scarso (fam.).

ferreaménte avv. inflessibilmente, severamente CONTR. mitemente, blandamente, timidamente (est.).

ferrivècchi s. m. inv. rigattiere, sfattino (tosc.).

fèrro A s. m. sing. (gener.) metallo, minerale CONTR. oro, argento, rame B s. m. spada, brando (lett.).

fèrtile agg. 1 fecondo, fruttifero, prolifico, fecondativo CONTR. arido, sterile, improduttivo, asciutto, infecondo 2 (est.) abbondante, generoso, ricco, pingue (fig.) 3 [rif. alla mente] (fig.) fecondativo, creativo, fantasioso CONTR. arido, sterile, infecondo.

fertilità s. f. inv. fecondità, feracità (lett.), ubertà (colto), ricchezza (est.) CONTR. sterilità, improduttività.

fertilizzànte A s. m. concime B part. pres.; anche agg. che fertilizza.

fertilizzàre v. tr. concimare, rendere fertile, fecondare (fig.), ingrassare, coltivare (impr.) CONTR. isterilire, inaridire.

fertilménte avv. fecondamente, produttivamente CONTR. improduttivamente.

fèrvere v. intr. 1 [di attività, di vita, etc.] (fig.) pulsare, fremere, brulicare 2 ardere, bruciare 3 [detto di liquido, etc.] ribollire, bollire, fermentare.

fervidaménte avv. ardentemente, fervorosamente, con fervore, con zelo, entusiasticamente CONTR. svoglia-

tamente, fiaccamente.

fèrvido agg. 1 [rif. a un augurio, a un saluto, etc.] caloroso, affettuoso, caldo, sentito CONTR. freddo, gelido 2 [rif. a un sentimento] appassionato, intenso CONTR. freddo, gelido 3 [rif. all'ingegno] alacre, vivace CONTR. fiacco, indolente, torpido.

fervóre s. m. 1 [stato d'animo] ardore, entusiasmo, slancio, calore (fig.), bollore (fig.), fermento CONTR. indifferenza 2 [rif. all'atteggiamento] impegno, attività, zelo, alacrità CONTR. freddezza.

fervorosaménte avv. fervidamente, entusiasticamente, appassionatamente, ardentemente CONTR. indolentemente, apaticamente, svogliatamente.

fèssa s. f. fica (volg.), fregna (roman.), potta (tosc.), passera (pop.), vulva, natura (pop.), patata (pop.), topa (tosc.).

fesserìa s. f. sciocchezza, castroneria (pop.), baggianata (pop.), corbelleria.

fésso (1) A agg. sciocco, tonto, cretino, stupido, balordo, demente, coglione (volg.), gonzo CONTR. intelligente, sveglio, scaltro, astuto B s. m. (f. -a) coglione (volg.), stupido, sciocco CONTR. dritto, furbo.

fèsso (2) part. pass.; anche agg. [rif. al suono] sordo CONTR. sonoro, stridulo.

fessùra s. f. crepa, fenditura, spaccatura, spiraglio, rima (raro), crepatura.

fèsta s. f. 1 festività, ricorrenza 2 [spec. con: fare] baldoria, bisboccia 3 [tipo di] ricevimento, trattenimento, party (ingl.), ballo, veglione, drink (ingl.), serata, veglia, galà, rinfresco, cocktail (ingl.) 4 [una grande quantità di q.c.] tripudio, orgia 5 (est.) vacanza 6 (est.) cerimonia, celebrazione.

festaiòlo A agg. gaudente, gioioso, gaio, allegro CONTR. morigerato, temperante B s. m. (f. -a) gaudente.

festeggiàre v. tr. 1 [una festa, un compleanno] fare festa, solennizzare, brindare a (est.), fare un brindisi a, esultare per 2 [qc.] celebrare, commemorare, onorare.

fèstival s. m. inv. rassegna, concorso.

festività s. f. inv. festa, ricorrenza, solennità (raro).

festóne s. m. ghirlanda.

festosaménte avv. 1 allegramente, gaiamente, gioiosamente, lietamente, giocondamente CONTR. mestamente, tristemente, dolorosamente 2 calorosamente, cordialmente CONTR. freddamente, tetramente.

festóso agg. 1 gaio, allegro, gioioso, vivace, brioso, giocoso CONTR. malinconico, mesto, triste, luttuoso, lamentoso 2 [rif. a un luogo] (est.) accogliente, ridente (fig.).

festùca s. f. (pl. -che) brusco (dial.), bruscolo (dial.).

feticcio s. m. idolo.

fètido agg. puzzolente.

fetóre s. m. 1 miasma, tanfo, puzzo, lezzo, peste (fam.), pestilenza, puzza CONTR. profumo, aroma 2 (gener.) odore.

fétta s. f. porzione, quota, parte, pezzo, sezione, frazione CONTR. tutto.

fez s. m. inv. (gener.) cappello.

fiàba s. f. 1 favola, novella, leggenda, mito, fola, raccontino, racconto 2 [rif. a una persona] favola, sogno, incanto.

fiàcca s. f. (pl. -che) svogliatezza, pigrizia CONTR. solerzia, alacrità.

fiaccaménte avv. debolmente, stancamente, svogliatamente, lentamente, pigramente, mollemente CONTR. energicamente, dinamicamente, incisivamente, fervidamente, intensamente, con forza, accanitamente, determinatamente, aspramente (fig.), tenacemente, fieramente, gagliardamente, indefessamente, infaticabilmente, strenuamente, validamente.

fiaccàre A v. tr. 1 [qc., il fisico] stancare, stremare, sfibrare, spossare, indebolire, domare (fig.), provare, prostrare, estenuare, svigorire, evirare (fig.), debilitare, disarmare, affaticare, logorare, infiacchire CONTR. rinforzare, rinvigorire, rinforzare, irrobustire 2 [la resistenza] spezzare (fig.), reprimere B v. intr. pron. 1 indebolirsi, infiacchirsi, stremarsi, sfibrarsi, spossarsi, prostrarsi, estenuarsi, debilitarsi, affaticarsi, infrollirsi (*raro*) **CONTR**. rafforzarsi, rinvigorirsi **2** [*detto di resistenza*] infrangersi.

fiacchézza *s. f.* **1** debolezza, stanchezza, sfinitezza, esaurimento, spossamento, spossatezza, languore, fatica **CONTR**. forza, energia **2** [*nel lavorare*] mollezza (*est.*), malavoglia **3** [*sentimentale*] tiepidezza.

fiàcco *agg.* (*pl. m. -chi*) **1** apatico, inattivo, imbelle, bolso, languido, cascante (*est.*), stracco (*pop.*) **CONTR**. energico, vegeto, vigoroso, potente, alacre, fervido, infervorato, fiero **2** (*est.*) intorpidito, addormentato **3** [*rif. all'emozione*] debole, blando, tiepido (*fig.*) **CONTR**. fervido, vivace, vivo **4** [*rif. al suono*] debole **CONTR**. acuto, alto **5** [*rif. alle parole, alle idee*] debole, stanco (*fig.*) **CONTR**. infervorato, icastico (*colto*), incisivo **6** [*rif. all'animo*] stanco, debole **CONTR**. temprato.

fiàccola *s. f.* **1** torcia, face (*lett.*), teda (*lett.*), lume **2** fiamma, ideale.

fiàmma *s. f.* **1** vampa, fiammata **2** [*della libertà, etc.*] fiaccola **3** vapore, stella cadente **4** [*rif. a una persona*] (*est.*) amante, amore.

fiammàta *s. f.* **1** fiamma, vampa, vampata **2** innamoramento **3** avventura.

fiammeggiàre *v. intr.* **1** bruciare, ardere, divampare **CONTR**. spegnersi, estinguersi **2** (*est.*) risplendere, rifulgere, scintillare, rosseggiare, sfolgorare, sfavillare, spiccare, lampeggiare **CONTR**. offuscarsi **3** [*detto di occhi, etc.*] ridere.

fiammìfero *s. m.* zolfanello (*pop.*).

fiancheggiàre *v. tr.* **1** stare ai lati di, stare di fianco a, scortare **2** [*qc.*] (*est.*) aiutare, spalleggiare, appoggiare, favorire, secondare, sostenere **CONTR**. contrastare, ostacolare **3** [*detto di natante*] costeggiare, navigare lungo **4** [*detto di strada*] (*est.*) estendersi.

fiànco *s. m.* (*pl. -chi*) **1** anca **2** costa, lato, banda **3** bordo.

fiaschetterìa *s. f.* bottiglieria, cantina (*est.*), mescita.

fiàsco *s. m.* (*pl. -chi*) insuccesso, scacco, caduta.

fiatàre *v. intr.* **1** emettere fiato, alitare, respirare **CONTR**. asfissiare **2** parlare **CONTR**. tacere **3** [*dopo una fatica*] respirare, rifiatare, riposare.

fiàto *s. m.* **1** (*est.*) alito, respiro **2** (*est.*) soffio **3** (*est.*) voce **4** (*est.*) fatica, sudore (*fig.*) **5** [*rif. a un atleta*] allenamento, resistenza.

fibra (1) *s. f.* **1** [*fisica*] struttura, costituzione **2** salute, vigore **3** [*morale*] tempra, indole, pasta (*fig.*).

fibra (2) *s. f.* **1** filamento **2** [*tipo di*].

NOMENCLATURA

Fibra

Le fibre sono sostanze filamentose o riducibili in fili e sono di tipo naturale, ovvero provengono da vegetali o da animali, di tipo artificiale, ovvero provengono dalla cellulosa, o di tipo sintetico, ovvero provengono da derivati del petrolio.

naturale:

abacà: fibra tessile ricavata da una specie di banano coltivato nelle Filippine;

alfa: fibra tessile ricavata da una pianta erbacea perenne delle graminacee e dallo sparto;

canapa: fibra tessile tratta dal fusto di una pianta erbacea annuale delle cannabacee;

canapa di Manila;

cocco: fibra legnosa della noce di cocco, usata per spazzole, tappeti, cordami;

cotone: fibra tessile ricavata da pianta erbacea estratta da una peluria bianca e lucente che avvolge i semi del frutto a capsula;

crine: fibra fornita dalle foglie di alcune piante;

ginestra: fibra tessile estratta per macerazione da una pianta delle leguminose, usata per cordami, sacchi, tessuti grossolani;

iuta: fibra tessile che si ricava dai fusti del corcoro, usata per fare cordami e tessuti da imballaggio;

lana: fibra tessile proveniente dalla tosatura di pecore o di altri animali;

lino: fibra tessile estratta da tale

pianta mediante macerazione del fusto;

ortica: fibra tessile estratta dalla pianta omonima;

pelo: fibra tessile ricavata dal pelo di diversi animali;

rafia: fibra tessile ricavata dalle foglie giovani di una palma dell'Africa orientale;

ramiè: fibra tessile ottenuta da una pianta erbacea perenne delle urticacee;

seta: fibra tessile prodotta dal baco da seta, costituita dai filamenti continui, lunghi fino a 800 m, con i quali il baco forma i bozzoli;

sisal: fibra tessile ricavata dalle foglie di una varietà di agave;

sparto: fibra ricavata da una pianta erbacea perenne delle Graminacee utilizzata per cordami, reti, panieri e carta fine, cellulosa da carta;

artificiale:

acetato: fibra tessile a base di acetato di cellulosa;

raion: nome commerciale di una fibra tessile artificiale ottenuta a partire dalla cellulosa e usata come sostituto della seta;

viscosa;

sintetica:

filanca: nome commerciale di una fibra sintetica elastica usata spec. per calze e maglie.

lastex: nome commerciale di una fibra tessile elastica costituita da latice di gomma rivestito con un filato;

leacril: nome commerciale di una fibra tessile ricavata da una resina metacrilica;

lilion: nome commerciale di una fibra proveniente da una resina poliammidica;

lycra: caratterizzato da grande elasticità è usato nella produzione di calze, collant, costumi da bagno e sim.;

meraklon: nome commerciale di una fibra tessile a base di polipropilene;

microfibra: formata da bave di straordinaria finezza, anche inferiore a 0.01 denari, usata generalmente per la produzione di tessuti;

nylon: nome commerciale di una fibra a struttura poliammidica;

orlon: nome commerciale di una fibra tessile ottenuta per polimerizzazione del nitrile acrilico;

tecnofibra: fibra tessile ottenuta mediante procedimenti tecnologici;

terilene: fibra poliestere molto resistente, usata per tessuti, tappeti, corde e sim.;

terital.

fica o **figa** *s. f.* (*pl. -che*) vulva, natura (*pop.*), topa (*tosc.*), passera (*volg.*), patata (*scherz.*), potta (*tosc.*), fregna (*roman.*), fessa (*nap.*).

ficcanasàre *v. intr.* curiosare, ingerirsi *in* CONTR. disinteressarsi.

ficcanàso *s. m. e f.* curioso.

ficcàre A *v. tr.* **1** introdurre, conficcare, piantare, configgere, cacciare, infilare, inserire, incastrare, mettere, infiggere (*raro*) CONTR. estirpare, svellere, sconficcare, strappare, sradicare, levare, divellere **2** [*l'attenzione, gli occhi*] (*est.*) fissare, appuntare, dirigere, rivolgere CONTR. allontanare, distogliere, stornare **3** [*q.c. in testa*] inculcare (*est.*) **4** [*q.c. in un liquido*] immergere **B** *v. rifl.* **1** incastrarsi, conficcarsi, configgersi, infilarsi, penetrare, piantarsi CONTR. togliersi, levarsi, liberarsi **2** [*in un ambiente*] cacciarsi, introdursi, entrare, spingersi CONTR. uscire, andarsene **3** [*nei fatti altrui*] mischiarsi, intromettersi, impicciarsi, impacciarsi.

fico *s. m.* (*pl. -chi*) **1** (*gener.*) albero **2** (*gener.*) frutto.

fidanzàre A *v. tr.* promettere in matrimonio **B** *v. rifl. rec.* promettersi *a*, impegnarsi, mettersi insieme.

fidanzàta *s. f.* **1** innamorata, ragazza, donna, girl-friend (*ingl.*), compagna, amica, amante (*est.*), dama (*scherz.*) **2** [*il giorno delle nozze*] sposa.

fidanzàto A *s. m.* **1** innamorato, ragazzo, boy-friend (*ingl.*), amico, amante (*est.*) **2** [*il giorno delle nozze*] sposo **B** *agg.* promesso.

fidàre A *v. intr.* confidare, sperare, avere fiducia, fare assegnamento *su*, credere CONTR. diffidare, sospettare **B** *v. tr.* **1** affidare, commettere (*lett.*) **2** [*un segreto*] palesare **C** *v. intr. pron.* **1** confidare *in*, avere fiducia, fare assegnamento *su*, dare credito *a*; fondarsi

su, fare affidamento CONTR. dubitare, diffidare, sospettare **2** sentirsi capace, sentirsi in grado, sentirsela (*fam.*) CONTR. temere, esitare **3** stare tranquillo, dormire (*fig.*).

fidataménte *avv.* sicuramente, lealmente CONTR. slealmente.

fidàto *part. pass.; anche agg.* leale, devoto, onesto, discreto, sicuro, affidabile CONTR. infido, infedele, sleale, sospetto.

fido (1) *s. m.* **1** (*banca*) credito, castelletto **2** (*est.*) fiducia.

fido (2) A *agg.* fedele, devoto, leale, sicuro (*est.*) CONTR. infido, infedele, sleale **B** *s. m.* (*f. -a*) (*est.*) fedele, compagno.

fidùcia *s. f.* **1** fede, stima, credito, affidabilità, fido (*est.*) **2** affidamento, assegnamento **3** [*in q.c., in qc.*] fede, sicurezza, confidenza, speranza CONTR. sfiducia, scetticismo, diffidenza, scoraggiamento, incredulità.

fiduciosaménte *avv.* **1** con fiducia, ottimisticamente CONTR. gelosamente **2** tranquillamente, serenamente CONTR. con atteggiamento scoraggiato, disperatamente.

fiducióso *agg.* speranzoso, ottimista (*fig.*), confidente CONTR. disperato, sfiduciato, dubbioso, sospettoso (*est.*).

fièle *s. m. sing.* **1** bile **2** (*est.*) veleno.

fièra (1) *s. f.* **1** belva **2** (*gener.*) animale.

fièra (2) *s. f.* **1** mercato **2** rassegna, esposizione **3** (*est.*) caos, confusione, casino.

fieraménte *avv.* **1** coraggiosamente, intrepidamente CONTR. debolmente, blandamente, vigliaccamente **2** dignitosamente, orgogliosamente **3** (*est.*) accanitamente, energicamente, risolutamente CONTR. debolmente, blandamente, fiaccamente **4** (*fig.*) furiosamente, implacabilmente CONTR. blandamente.

fierézza *s. f.* **1** orgoglio, alterezza, dignità, gravità (*est.*) **2** coraggio, baldanza.

fièro o **fèro** *agg.* **1** [*rif. all'aspetto*]

crudele, feroce, selvaggio CONTR. modesto, dimesso **2** [*rif. a una persona*] coraggioso, intrepido, indomito, invitto CONTR. pusillanime, pauroso, pavido **3** [*rif. al comportamento*] severo, energico CONTR. modesto, pusillanime **4** [*rif. al carattere, etc.*] orgoglioso, dignitoso, altero, spartano (*fig.*), guerriero (*est.*) CONTR. umile **5** [*rif. all'animo*] ardente, veemente CONTR. modesto, fiacco, debole **6** [*rif. al nemico*] giurato.

fiévole *agg.* [*rif. al suono*] fioco, debole, basso, attutito, flebile CONTR. acuto, forte.

fievolménte *avv.* **1** debolmente, flebilmente, fiocamente, esilmente, languidamente CONTR. fortemente, gagliardamente **2** flebilmente, fiocamente CONTR. ad alta voce.

fifa *s. f.* paura, timore, panico, spavento, strizza (*fam.*) CONTR. coraggio.

figa *s. f.* (*pl. -ghe*) V. *fica*.

figlia *s. f.* **1** bambina, bimba, discendente CONTR. madre, padre, mamma, papà, genitore, babbo **2** ragazza **3** (*est.*) ricevuta.

figliàre *v. tr.* **1** generare, partorire, prolificare **2** (*est.*) produrre, fruttare **3** proliferare, moltiplicarsi.

figlio *s. m.* **1** figliolo, creatura, bambino, rampollo, discendente, bimbo CONTR. padre, babbo (*tosc.*), madre, genitore, mamma, papà, progenitore **2** (*est.*) risultato, prodotto, parto (*fig.*).

figliolànza *s. f.* **1** prole **2** discendenza.

figliòlo *s. m.* (*f. -a*) figlio, creatura, bambino, rampollo CONTR. genitore.

figùra (1) *s. f.* **1** aspetto, silhouette (*fr.*), corporatura, fisico, sagoma, conformazione, persona, personale **2** [*spec. in loc.: fare bella, cattiva, etc.*] mostra, veduta (*fam.*) **3** immagine, simbolo **4** [*rif. a una persona*] tipo, tomo, personaggio **5** [*spec. con: essere la*] immagine, effigie, ritratto **6** [*spec. con: fare la*] parte.

figùra (2) *s. f.* [*in un libro*] illustrazione.

figuràre A *v. tr.* **1** [*usato con la prep.*]

di e il verbo all'infinito] fare mostra *di*, fingere **2** ritrarre, raffigurare, rappresentare **3** [*un materiale*] plasmare, lavorare **4** [*una virtù, un vizio*] simboleggiare, descrivere **B** *v. intr.* **1** fare figura, farsi notare, fare bella mostra **2** apparire, comparire, parere **3** [*in un catalogo, etc.*] stare, trovarsi, essere compreso, risultare, esserci **C** *v. intr. pron.* pensare, immaginarsi, presumere, supporre, congetturare, fingere, credere.

figuràto *part. pass.; anche agg.* **1** illustrato **2** [*rif. al linguaggio, etc.*] metaforico, simbolico, esteso, traslato **CONTR.** proprio, realistico.

figurino *s. m.* damerino **CONTR.** straccione.

figùro *s. m.* ceffo, individuo.

fila *s. f.* **1** coda, colonna **2** [*di domande, etc.*] sequela, sfilza, serie, catena **3** corteo, processione, teoria (*colto*), riga, linea **4** [*di persone*] lista **5** [*di alberi*] filare **6** [*di posti a teatro, etc.*] ordine.

filaménto *s. m.* **1** filo **2** nervo **3** fibra.

filàndra *s. f.* (*gener.*) verme.

filantropìa *s. f.* altruismo, generosità **CONTR.** misantropia.

filantropicaménte *avv.* altruisticamente, liberalmente, caritatevolmente **CONTR.** egoisticamente, misantropicamente.

filàre (1) A *v. intr.* **1** [*detto di veicolo, di persona*] correre, volare (*fig.*), fuggire, scappare, squagliarsela (*fam.*), telare (*tosc.*) **2** [*detto di persona, etc.*] (*est.*) amoreggiare (*gerg.*), flirtare, limonare, fare l'amore **3** [*detto di discorso, etc.*] (*est.*) scorrere, essere conseguente, essere logico **4** [*detto di formaggio*] colare **B** *v. tr.* **1** [*le fibre tessili*] lavorare (*impr.*) **2** [*una fune, una catena*] lasciare scorrere, mollare.

filàre (2) *s. m.* fila, serie, successione.

filastròcca *s. f.* litania, cantilena.

filàto (1) *s. m.* [*tipo di*].

Filato

I filati si distinguono in base al metodo di filatura e in base alla fibra tessile da cui provengono.

filato: insieme di fibre tessili ritorte che danno origine a un corpo cilindrico continuo, flessibile, di piccola sezione prodotto mediante filatura;
filo: manufatto per tessere, cucire e sim. allungato e sottile, che si trae mediante filatura da fibre tessili;

Il prodotto della filatura:
semplice: filato a corpo unico;
pettinato: filato ottenuto seguendo il ciclo di lavorazione della filatura a pettine;
ritorto: filato ottenuto con la ritorcitura di più capi;
refe: ritorto di lino, cotone, canapa o altra fibra, comunemente usato per fare cuciture;
cucirino: filato di cotone o seta per cucire o ricamare;
cordonetto: cucirino con particolare effetto di torsione.

filàto (2) *agg.* [*rif. a discorso*] continuo, ininterrotto.

filettàre *v. tr.* profilare.

filétto *s. m.* freno, frenulo.

filiàle A *s. f.* agenzia, succursale, sportello (*fig.*) **CONTR.** centrale **B** *agg.* **CONTR.** maternale, paternale.

filibustière *s. m.* **1** pirata, corsaro, bucaniere **2** ladro, imbroglione, truffatore **CONTR.** galantuomo **3** avventuriero.

filìppica *s. f.* (*pl. -che*) **1** predica, paternale, ramanzina, tirata, predicozzo **2** invettiva.

film *s. m. inv.* **1** pellicola **2** [*di q.c.*] patina, strato, velo.

filmàre *v. tr.* riprendere, girare.

filo A *s. m.* **1** filamento **2** [*tipo di*] bavella, vergola, accia **3** bandolo, cavetto, cordicella **4** (*est.*) nervo **5** [*di intelligenza, etc.*] (*fig.*) briciola, grano, granello, ombra, minimo **6** [*del rasoio*] taglio **7** [*di luce, di sole*] raggio, barlume **B** *s. m.* (*pl. f. -a*) [*del discorso*] bandolo, corso, continuità.

filobus *s. m. inv.* **1** bus, autobus (*erron.*) **2** (*gener.*) veicolo.

filóne (1) *s. m.* [*di oro, argento, etc.*] vena.

filóne (2) *s. m. e f.* furbo, ganzo (*tosc.*) **CONTR.** allocco (*fig.*), fesso, gonzo.

filosofàre *v. intr.* **1** filosofeggiare, sillogizzare **2** indagare, meditare, speculare, fantasticare, almanaccare, riflettere.

filosofeggiàre *v. intr.* **1** filosofare **2** indagare, meditare, speculare, fantasticare, almanaccare, riflettere.

filosofìa *s. f.* **1** pensiero, teoria, ideologia (*est.*) **2** (*gener.*) scienza, disciplina.

filosoficaménte *avv.* **1** teoricamente **2** rassegnatamente, serenamente, tranquillamente, pazientemente **CONTR.** nervosamente, impazientemente.

filtràre A *v. intr.* **1** passare, fluire, colare **2** [*detto di notizia, etc.*] (*est.*) trapelare, divulgarsi, diffondersi **3** stillare, gemere, trasudare (*lett.*) **4** colare **B** *v. tr.* **1** [*il vino, etc.*] distillare, decantare, defecare **2** depurare, selezionare, epurare, disinquinare, vagliare **C** *v. intr. pron.* depurarsi, disinquinarsi, purificarsi.

filtro (1) *s. m.* pozione, infuso.

filtro (2) *s. m.* **1** depuratore **2** (*fam.*) colino.

finàle (1) A *agg.* **1** estremo, terminale, ultimo **CONTR.** primo, iniziale, preliminare **2** (*est.*) conclusivo, definitivo **3** (*est.*) risolutivo, decisivo **B** *s. m.* **1** [*di un romanzo, di un film, etc.*] conclusione, fine **CONTR.** inizio **2** [*rif. a una lettera alfabetica*] **CONTR.** iniziale.

finàle (2) *s. f.* (*pesca*) bava, setale.

finalità *s. f. inv.* **1** fine, scopo, obiettivo, mira **2** teleologia **3** [*didattica, etc.*] funzione, missione (*est.*).

finalménte *avv.* **1** da ultimo, alla fine, infine, in fondo **CONTR.** dapprima **2** in conclusione, insomma, alla resa dei conti **3** ormai.

finànche *avv.* perfino, anche.

finanziaménto *s. m.* **1** sovvenzione, sussidio, prestito **2** dotazione.

finanziàre *v. tr.* sovvenzionare, pagare, mantenere, dotare.

finanziària *s. f.* holding (*ingl.*).

finanziariaménte *avv.* economicamente.

finanziàrio *agg.* economico.

finanziatòre *s. m.* (*f. -trice*) sponsor (*ingl.*).

finché *cong.* fintanto che, fino a quando.

fine (1) *s. f.* **1** [*di q.c.*] epilogo, termine, finale, terminazione (*raro*), compimento **CONTR.** inizio, nascita, primordio **2** [*di un discorso, di un testo, etc.*] chiusa, chiusura **CONTR.** introduzione, proemio, esordio **3** [*di un'opera, di un lavoro*] conclusione **4** (*est.*) morte, distruzione, esaurimento, declino, occaso (*fig.*), finecorsa **5** [*di una attività*] cessazione **CONTR.** inizio, avvio, avviamento **6** [*del giorno*] finire (*poet.*) **CONTR.** alba **7** [*di una operazione*] esito, riuscita **8** [*di una situazione, etc.*] (*est.*) freno (*fig.*), limite **CONTR.** inizio **9** [*di una specie*] (*biol.*) estinzione.
♦ **alla fine** *loc. avv.* finalmente, da ultimo **CONTR.** inizialmente, innanzitutto, originariamente.

fine (2) *s. m.* **1** finalità, scopo, intendimento, obiettivo, proposito, meta, traguardo, oggetto, mira, effetto **2** [*spec. con: raggiungere il*] (*fig.*) segno, bersaglio.

fine (3) *agg.* **1** sottile, minuto **CONTR.** spesso, grosso, massiccio **2** [*rif. al portamento*] raffinato, delicato, gentile **CONTR.** volgare, inelegante **3** [*rif. a cosa*] (*est.*) raffinato, prezioso, elegante **CONTR.** inelegante, dozzinale, ordinario, triviale **4** [*rif. a una persona*] abile, versatile **CONTR.** volgare, inelegante, grossolano, cafone, ignorante **5** [*rif. a una risposta*] diplomatico **CONTR.** volgare, inelegante.

finecórsa *s. f. inv.* **1** fine **2** (*est.*) morte **3** (*tecnol.*) scontro.

fineménte *avv.* **1** raffinatamente, ottimamente, perfettamente, aristocraticamente, artisticamente, squisitamente, elegantemente **CONTR.** gros-

solanamente, rozzamente, grezzamente, materialmente **2** (*fig.*) argutamente, sottilmente **CONTR.** grossolanamente, rozzamente.

finézza *s. f.* **1** [*rif. alle dimensioni*] sottigliezza, tenuità **CONTR.** grossezza **2** [*rif. alle capacità intellettuali*] acume, sagacia, acutezza, astuzia **CONTR.** ottusità **3** [*qualità dell'animo*] squisitezza, delicatezza, sensibilità, bontà, tatto (*fig.*) **CONTR.** rozzezza **4** [*rif. al modo di fare*] eleganza, raffinatezza, signorilità **CONTR.** scortesia, cafoneria, grossolanità.

fingere A *v. tr.* **1** [*sicurezza*] simulare, dissimulare, ostentare *di* **2** supporre *di*, figurarsi *di*, fare finta *di*, fare credere *di*, immaginare **B** *v. rifl.* camuffarsi, travestirsi, mascherarsi, atteggiarsi, fare finta di essere, impersonare, farsi credere, volere apparire, dare l'impressione di essere, mostrarsi, farsi (*raro*), volere sembrare.

finimóndo *s. m. inv.* pandemonio, catastrofe, casino (*pop.*).

finire A *v. tr.* **1** [*un lavoro, un compito*] ultimare, concludere, terminare, compiere, completare, espletare, compire, sbrigare, chiudere (*fig.*) **CONTR.** continuare, iniziare, intraprendere, principiare, avviare, impostare **2** [*un patrimonio, etc.*] consumare, estinguere **3** [*usato con la prep. di e il verbo all'infinito*] smettere, piantare, cessare **4** [*un'opera, un lavoro*] rifinire, digrossare **5** [*una persona, un animale*] (*est.*) uccidere, ammazzare **6** [*le riserve*] consumare, esaurire **7** [*un ciclo di studi*] coronare **8** [*un turno di lavoro*] smontare **B** *v. intr.* **1** cessare, desistere **CONTR.** esordire, debuttare **2** [*detto di strada, fiume, etc.*] terminare, sboccare, arrivare, sfociare, condurre, innestarsi **CONTR.** derivare **3** [*detto di discorso, di azione*] (*est.*) mirare, tendere **4** [*con compl. predicativo*] diventare, riuscire **5** [*detto di persone, di animali*] estinguersi, morire, trapassare, spirare, perire **CONTR.** nascere **6** [*detto di carica, di pile, etc.*] andare ad esaurimento, esaurirsi, scaricarsi **7** [*detto di speranze, etc.*] (*fig.*) estinguersi, passare, cadere, appassire, consumarsi, infrangersi, dissolversi **CONTR.** nascere, perdurare, instaurarsi **8** [*detto di attività*] chiudersi, concludersi **CONTR.** cominciare, iniziare **9** [*detto di tempo, di pa-*

gamento] passare, scadere **CONTR.** perdurare, protrarsi **10** [*detto di candela*] liquefarsi, essere in fondo **11** [*in un pericolo, etc.*] incorrere **12** [*detto di festa, di situazione*] risolversi **C** *v. intr. impers.* capitare, andare a finire, succedere **D** *s. m. sing.* **1** termine [*del giorno, etc.*] fine, imbrunire.

finitaménte *avv.* compiutamente, perfettamente, con cura, accuratamente **CONTR.** infinitamente.

finito *part. pass.; anche agg.* **1** compiuto, concluso, terminato **CONTR.** accennato, abbozzato, impostato **2** [*rif. a una risorsa, a un bene*] terminato, esaurito **CONTR.** disponibile **3** [*rif. a un avvenimento*] defunto (*fig.*), passato **4** [*rif. a un artista, a un artigiano*] preparato, abile **CONTR.** incompleto, imperfetto, mancante.

fino (1) *agg.* **1** [*rif. all'orecchio*] acuto, sensibile **2** [*rif. ai metalli*] puro, raffinato.

fino (2) *avv.* pure, anche, perfino, finanche.

finòcchio *s. m.* omosessuale, bucaiolo (*tosc.*), recchione (*merid.*), buliccio (*genov.*), checca (*roman.*), cinedo (*lett.*), frocio (*roman.*), gay (*ingl.*), invertito, effeminato.

finóra *avv.* ancora, fino ad adesso, fino ad ora, fino ad oggi.

finta *s. f.* mostra, finzione, apparenza.

fintaménte *avv.* bugiardamente, doppiamente, ipocritamente, falsamente, simulatamente, per finta, artificiosamente (*est.*) **CONTR.** sinceramente, schiettamente, autenticamente.

fintantoché o **fintànto che** *cong.* finché.

finto *part. pass.; anche agg.* **1** falso, fasullo **CONTR.** vero, autentico, sincero, genuino **2** (*est.*) artificiale, innaturale **CONTR.** genuino, naturale **3** (*est.*) imitato, simulato **CONTR.** autentico **4** [*rif. ai denti, ai capelli, etc.*] posticcio **CONTR.** autentico **5** [*rif. alla ricchezza, alla bellezza*] ostentato, apparente **CONTR.** autentico **6** [*rif. all'atteggiamento*] mendace, menzognero, doppio **CONTR.** autentico, sincero, genuino, franco, schietto.

finzióne *s. f.* **1** [*qualità del carattere*]

simulazione, doppiezza, falsità, ipocrisia **2** farsa, commedia, gioco, messinscena (*fam.*), mostra, finta (*fam.*) **3** (*est.*) invenzione, immaginazione.

fio *s. m.* [*spec. con: pagare il*] (*fig.*) scotto, prezzo.

fiocaménte *avv.* esilmente, fievolmente, piano CONTR. fortemente, violentemente.

fioccàre *v. intr.* **1** [*detto di neve, etc.*] cadere a fiocchi, nevicare, cadere la neve, scendere (*est.*) **2** [*detto di punizione, etc.*] susseguirsi, piovere (*fig.*), scrosciare (*fig.*).

fiòcco (1) *s. m.* (*pl. -chi*) gala, nappa, nastro.

fiòcco (2) *s. m.* (*pl. -chi*) (*gener.*) vela.

fiòco *agg.* (*pl. m. -chi*) **1** [*rif. al suono*] fievole, rauco, soffocato, sommesso, flebile CONTR. alto, acuto, forte **2** [*rif. alla luce*] debole, tenue, basso CONTR. forte, accecante, allucinante.

fiónda *s. f.* (*gener.*) arma.

fioràio *s. m.* (*f. -a*) fiorista.

fiordaliso *s. m.* **1** (*gener.*) fiore **2** ciano (*lett.*).

fiòrdo *s. m.* (*gener.*) insenatura.

fiòre *s. m.* **1** [*tipo di*] **2** (*gener.*) pianta **3** [*rif. a un insieme sociale*] (*fig.*) crema CONTR. schiuma, feccia.

NOMENCLATURA

Fiori

acanto: fiore bianco, roseo o porporino disposto in lunghe spighe;

achillea: fiore bianco-rosato;

aconito: fiore di color azzurro intenso a grappolo;

acoro: fiore giallo simile al giglio;

agapanto: fiore azzurro a forma di una grande ombrella;

altea: fiore a grappolo di color rosa chiaro;

amarilli: fiore a ombrella con calici dai colori intensi;

amarillide;

anemone: fiore solitario con pochi o molti petali di colore blu o porpora o bianco;

azalea: fiore con colori che vanno dal bianco al rosa acceso;

fior d'arancio: fiore bianco e intensamente profumato portato tradizionalmente dalla sposa il giorno delle nozze, come simbolo di purezza;

zagara: (*merid.*);

asfodelo: fiore bianco in grappolo;

astragalo: fiore di vario colore in grappolo;

astro: fiore di vario colore il cui capolino è circondato da petali disposti a raggiera;

aster;

biancospino: fiore bianco profumato;

bocca di leone: fiore rosso con bocca gialla;

antirrino;

bocca di lupo: fiore roseo o bianco;

botton d'argento: fiore in capolini bianchi;

botton d'oro: fiore giallo simile al ranuncolo comune nei prati;

buganvillea: fiore piccolo di colore variabile dal rosa al porpora;

calendola: fiore di color giallo-aranciato;

calicanto: fiore molto profumato, d'estate con fiore rosso, d'inverno con fiore giallo;

camelia: fiore dai colori variabili dal bianco al rosso con petali carnosi;

campanella: fiore a forma di piccola campana di vari colori;

campanula: fiore pendulo violetto in grappolo;

ciclamino: fiore di color rosa-violaceo che cresce spontaneo nei boschi e coltivato ha dimensioni più grandi e colori diversi dal bianco al rosso acceso;

clematide: fiore privo di corolla ma con calice vistosamente colorato;

clivia: fiore arancione;

convolvolo: fiore campanulato di colore variabile bianco, rosso o blu;

crisantemo: fiore grande in capolini di vario colore;

croco: fiore di vari colori;

dalia: fiore con colori variegati e accesi; ne esistono molte varietà;

delfinio: fiore in pannocchie o grappoli di colore azzurro, bianco o lilla;

dente di cane: fiore solitario, pendulo, di colore rosa;

dente di leone: fiore giallo in capolini;

digitale: fiore rosa-violetto con corolla a forma di ditale;

fiordaliso: fiore azzurro in capolini;

fresia: fiore campanulato in cime dagli svariati colori;

fritillaria: fiore campanulato color arancio;

fucsia: fiore pendulo di color rosso e azzurro violaceo;

gardenia: fiore bianco e intensamente profumato;

garofano: fiore nelle varietà coltivate di vario colore, profumato;

gelsomino: fiore stellato e profumatissimo, bianco o giallo;

genziana: fiore con corolla a campana di color azzurro intenso con screziature gialle e nere, spontaneo in alta montagna;

geranio: fiore variamente colorato coltivato prevalentemente nei vasi per addobbo dei terrazzi;

giacinto: fiore intensamente profumato in grappoli eretti, di vario colore;

giaggiolo: fiore azzurro, blu, viola o bianco;

ireos;

iris;

giglio: fiore che nella specie più comune è bianco, odoroso, a grappolo;

ginestra: fiore giallo odoroso a grappoli;

girasole: fiore giallo, di grandi dimensioni, che si volge verso il sole e dai cui semi si estrae un olio commestibile;

gladiolo: fiore di vari colori disposti a spiga;

glicine: fiore azzurro-violaceo o bianco in grappoli penduli;

lilla o lillà: fiore a pannocchia profumato bianco o lilla;

serenella: (*pop.*);

limone: fiore bianco intensamente profumato;

magnolia: fiore bianco carnoso e molto profumato;

viola: fiore spontaneo, odoroso, violetto;

margherita: fiore bianco che cresce spontaneo nei prati;

margheritina: fiore bianco e rosa spontaneo nei prati;

pratolina;

mimosa: fiore con piccoli capolini gialli e rotondi intensamente profumato;

gaggia: fiore giallo profumato;

miosotide: fiore celeste o rosato in piccoli grappoli;

nontiscordardimé;

mughetto: fiore bianco a campanula, profumatissimo;

narciso: fiore bianco e profumato, comune in primavera in montagna;

giunchiglia;

nasturzio: fiore giallo e rosso, commestibile;

ninfea: fiore molto vistoso che cresce spontaneo nell'acqua ferma;

ninfea bianca: ninfea bianco rosata;

carfano;

loto bianco d'Egitto;

ninfea gialla: ninfea più piccola gialla;

victoria regia: ninfea gigantesca e profumata;

oleandro: fiore roseo, bianco o giallo, ricco di un succo amaro e velenoso;

orchidea: fiore grande con vari colori, spontaneo nei paesi tropicali e coltivato in diverse varietà;

ortensia: fiore a forma sferica bianco, azzurro o roseo, estesamente coltivato;

papavero: fiore rosso inferiormente macchiato di nero a quattro petali dal colore rosso sgargiante;

papavero da oppio: papavero dal cui frutto si ricava l'oppio;

rosolaccio: papavero selvatico;

passiflora: fiore azzurro-violaceo la cui forma ricorda la passione di Cristo;

fiore della passione;

peonia: fiore grandissimo e solitario a cinque petali, spontanea sui monti, coltivata in molte varietà a più petali;

pervinca: fiore azzurro-violaceo;

petunia: fiore a campanula di vari colori;

pisello: fiore con la corolla a forma di farfalla dai colori delicati;

portulaca: fiore a tinte vivaci;

primula: fiore giallo che annunzia l'arrivo della primavera;

ranuncolo: fiore giallo o bianco o rosa spontaneo in montagna;

rododendro: fiore rosso in grappoli tipico della flora alpina;

rosa: fiore variamente profumato e colorato;

rosa del Gabon: fiore simile a una rosa con petali rigidi e carnosi;

rosa di porcellana;

strelitzia: fiore di forma strana con sepali arancione e petali azzurri;

tuberosa: fiore in lunghe spighe

bianche e profumate;

tulipano: fiore a campanula di vari colori, screziature e dimensioni;

verbena: fiore a spiga molto profumato;

vermena;

veronica: fiore bianco venato di viola;

viola: fiore variamente colorato, violetto, giallo e bianco, molto grande;

viola del pensiero;

pansé;

mammola;

violacciocca: fiore purpureo o violaceo in grappoli, assai profumato;

zinnia: fiore dai petali di vario colore rustici al tatto, lungo stelo.

fiorènte *part. pres.; anche agg.* **1** rigoglioso, florido, prosperoso **CONTR.** appassito, brullo, povero **2** [*rif. all'aspetto*] (*est.*) fresco, sano **CONTR.** patito **3** [*rif. a un'attività*] felice, prospero, ricco **CONTR.** povero, infruttifero.

fiorétto (1) *s. m.* buona azione, rinuncia, sacrificio.

fiorétto (2) *s. m.* **1** spada, lama **2** (*gener.*) arma.

fiorire *v. intr.* **1** fare fiori, coprirsi di fiori, vegetare, germogliare, aprirsi, sbocciare, schiudersi, nascere **CONTR.** sfiorire, avvizzire, appassire **2** [*detto di arte, di commercio, etc.*] (*est.*) svilupparsi, andare a gonfie vele (*fig.*), crescere, diffondersi, essere prospero **CONTR.** languire, decadere, morire, seccare **3** [*detto di vino, etc.*] ossidarsi **4** [*detto di intonaco*] muffire, funghire **5** [*detto di pace, amicizia, etc.*] (*fig.*) essere fiorente, prosperare, regnare.

fiorista *s. m. e f.* fioraio.

fioritùra *s. f.* **1** rigoglio, crescita, sboccio **2** [*della pelle*] eruzione, eczema, esantema (*med.*) **3** [*di opere teatrali, etc.*] ridondanza, apparizione (*fig.*), profusione, pioggia (*fig.*).

firma *s. f.* autografo.

firmaménto *s. m.* cielo, volta celeste (*poet.*), etere (*poet.*) **CONTR.** terra.

firmàre *v. tr.* **1** sottoscrivere, siglare, vistare, parafare (*raro*) **2** [*un accordo*] ratificare, concludere, sancire.

fiscàle *agg.* **1** vessatorio, duro, rigoro-

so **CONTR.** indulgente, tollerante **2** [*rif. a una domanda*] (*est.*) inquisitorio **3** [*rif. a una persona*] (*est.*) pignolo, meschino **CONTR.** indulgente, tollerante.

fiscalìsmo *s. m.* (*est.*) burocrazia, rigidità, pignoleria, pedanteria.

fiscalménte *avv.* **1** burocraticamente, tributariamente **2** intransigentemente, severamente, vessatoriamente.

fischiàre A *v. intr.* **1** produrre un fischio, fischiettare, sibilare, zufolare **2** [*detto di ruote*] stridere **3** [*detto di vento*] spifferare, soffiare **4** [*detto di insetto, meccanismo*] (*est.*) ronzare, rumoreggiare **B** *v. tr.* **1** [*un'aria musicale*] cantare **2** [*qc., uno spettacolo*] schernire, disapprovare, zittire **CONTR.** applaudire, acclamare.

fischiàta *s. f.* fischio **CONTR.** acclamazione, applauso, ovazione.

fischiettàre *v. tr. e intr.* fischiare, zufolare, cantare (*est.*), modulare (*est.*).

fischio *s. m.* fischiata **CONTR.** applauso, ovazione.

fisica *s. f.* (*gener.*) scienza, disciplina.

fisicaménte *avv.* **1** costituzionalmente, nella salute **CONTR.** spiritualmente **2** concretamente, materialmente **CONTR.** spiritualmente, astrattamente, teoricamente **3** (*est.*) esteriormente, **CONTR.** interiormente.

fisico A *agg.* **1** corporeo **2** [*rif. a un fenomeno*] naturale, reale (*est.*) **3** [*rif. al piacere, etc.*] corporeo **CONTR.** intellettuale, spirituale **B** *s. m.* **1** corpo, corporatura, figura, silhouette (*fr.*), personale, complessione **2** (*est.*) aspetto.

fisima *s. f.* fissazione, mania, ubbia, scrupolo, pallino (*fig.*).

fisiologicaménte *avv.* **1** naturalmente, normalmente, spontaneamente **CONTR.** patologicamente **2** normalmente, spontaneamente.

fisionomìa *s. f.* **1** espressione, aspetto **2** faccia, volto, viso, lineamento **3** (*est.*) fattezza.

fissaménte *avv.* intensamente, attentamente, fisso.

fissànte s. m. mordente, fissatore.

fissàre (1) A v. tr. **1** fermare, affissare (raro), affiggere, appuntare, appendere, porre, puntare **2** legare, immobilizzare, raccomandare (raro) **3** [una data, una cifra, etc.] determinare, concordare, decretare, designare (raro), pattuire, stabilire, decidere, prestabilire, prefiggere, convenire, sancire, programmare, proporre CONTR. revocare **4** [q.c. con un chiodo, etc.] (est.) ficcare, configgere, conficcare, piantare, ribadire **5** [una stanza in albergo] prenotare CONTR. disdire **6** quotare **7** [q.c. nella mente] (fig.) imprimere, incidere, inculcare, scolpire, scrivere **8** [le quote di q.c.] assegnare, destinare **9** [il potere, l'influenza] delimitare **B** v. intr. pron. **1** [in un luogo] stabilirsi, fermarsi, nidificare **2** [su un problema, etc.] (est.) ostinarsi, insistere, perseverare, impuntarsi, incaparbirsi, incaponirsi, intestardirsi, intestarsi.

fissàre (2) v. tr. guardare fisso.

fissàto A part. pass.; anche agg. **1** fermo CONTR. libero, mobile **2** [rif. a una persona] (fig.) incaponito, intestardito, ossessionato, maniaco CONTR. malleabile, arrendevole, flessibile **3** [rif. a una data, a un appuntamento] deciso, stabilito, determinato **B** s. m. (f. -a) maniaco.

fissatóre s. m. mordente, fissante.

fissazióne s. f. **1** mania, ossessione, ubbia, fisima, chiodo (fig.), cancro (fig.), pallino (fig.) **2** puntiglio, bizzarria.

fissióne s. f. scissione, rottura.

fisso A agg. **1** fermo, immobile CONTR. mobile, movibile, girevole **2** [rif. allo sguardo] concentrato, intento CONTR. mobile, distratto, svagato **3** [rif. all'atteggiamento] fermo, immobile, determinato, irremovibile CONTR. mobile, svagato, mutevole, volubile, instabile **4** [rif. al valore, al prezzo] (est.) saldo, costante, immutabile, invariabile CONTR. mobile, instabile **5** (temp.) costante CONTR. momentaneo **6** [rif. a una popolazione] stabile, stanziale CONTR. nomade **B** avv. fissamente, attentamente, intensamente CONTR. distrattamente, superficialmente.

fitta s. f. **1** trafittura, bruciore, dolore, puntura **2** [al cuore] (fig.) stretta, schianto, scossa.

fittaménte avv. **1** densamente, spessamente, foltamente CONTR. poco, scarsamente **2** abbondantemente, ininterrottamente, fitto.

fittàvolo s. m. (f. -a) affittuario CONTR. proprietario, padrone.

fittìzio agg. apparente, immaginario, ingannevole, irreale, fallace, pretestuoso, falso, fasullo, artefatto CONTR. autentico, sincero, genuino, reale, vero.

fitto (1) A agg. **1** [rif. alla peluria, a un bosco, etc.] folto CONTR. diradato, rado, rarefatto **2** [rif. a un liquido] spesso, denso, concentrato, compatto **3** [rif. alla gente] affollato **4** [rif. a una stoffa] unito **5** [rif. al ritmo, a una serie] serrato, frequente CONTR. diradato, rado, rarefatto **B** s. m. inv. [della foresta, etc.] interno (est.) **C** avv. fittamente, ininterrottamente, intensamente, abbondantemente CONTR. poco, scarsamente.

fitto (2) s. m. affitto, pigione, canone, retta, locazione.

fiùme A s. m. rio (lett.) **B** agg. inv. [rif. a un discorso] interminabile.

fiutàre v. tr. **1** annusare, sentire l'odore di, odorare, nasare **2** [la preda] annusare, sentire l'odore di, puntare (est.) **3** [la cocaina, il tabacco] aspirare, sniffare **4** [un pericolo, un affare] (est.) intuire, captare, avvertire, capire, indovinare, presagire, subodorare, presentire, prevedere, pronosticare.

fiutàta s. f. annusata, sniffata (gerg.).

fiùto s. m. **1** odorato, naso **2** intuito, perspicacia, sagacia **3** (fig.) istinto, occhio.

flàccido agg. floscio, molle, moscio, vizzo, cascante CONTR. compatto, sodo, saldo.

flagellàre v. tr. e rifl. **1** frustare, fustigare, sferzare, staffilare, battere, percuotere, colpire (impr.) **2** (est.) affliggere, angariare, perseguitare, tormentare, vessare CONTR. consolare, rallegrare **3** (est.) biasimare, riprovare.

flagèllo s. m. rovina, peste, pestilenza, piaga (fig.), afflizione, calamità, castigo, disgrazia, maledizione CONTR. fortuna.

flash s. m. inv. (est.) lampo.

flatulènza s. f. scoreggia (volg.), peto (pop.), vento (euf.), aria (euf.).

flàuto s. m. piffero.

flèbile agg. [rif. al suono] fioco, fievole, delicato.

flebilménte avv. fievolmente, debolmente, sommessamente, sottovoce CONTR. corposamente, energicamente, decisamente.

flèmma s. f. **1** calma, placidità, freddezza, posatezza CONTR. iracondia, impazienza, eccitazione, irascibilità **2** (est.) calma, lentezza, indolenza.

flemmaticaménte avv. pacatamente, adagio, con calma, placidamente, tranquillamente, pazientemente, imperturbabilmente, lentamente, piano CONTR. alla svelta, rapidamente, irruentemente, istericamente.

flemmàtico agg. calmo, lento, placido, pacato, impassibile (est.) CONTR. agitato, nervoso, impulsivo, focoso, furioso, impaziente, irruente, frettoloso.

flessibile agg. **1** [rif. a un materiale] elastico, pieghevole, duttile, versatile CONTR. rigido **2** [rif. al carattere, etc.] cedevole, arrendevole CONTR. rigido, inflessibile, monolitico (fig.), prepotente, caparbio, indocile, fissato.

flessibilità s. f. inv. **1** [rif. ai materiali] duttilità, malleabilità CONTR. durezza **2** (est.) adattabilità CONTR. rigidità **3** (est.) arrendevolezza, cedevolezza CONTR. rigidità, inflessibilità.

flessibilménte avv. flessuosamente, elasticamente CONTR. rigidamente.

flessuosaménte avv. sinuosamente, flessibilmente, elasticamente CONTR. rigidamente.

flèttere A v. tr. **1** piegare, curvare, inclinare, arcuare, incurvare CONTR. rizzare, raddrizzare, irrigidire **2** (ling.) coniugare, declinare **B** v. intr. pron. **1** incurvarsi, curvarsi, piegarsi, arcuarsi CONTR. alzarsi, drizzarsi, irrigidirsi **2**

[*detto di verbo, di nome, etc.*] (*ling.*) coniugarsi, declinarsi.

flirt *s. m. inv.* avventura, relazione (*est.*).

flirtàre *v. intr.* amoreggiare, filare (*fig.*), civettare (*gerg.*), fare l'amore, essere fidanzati, lasciarsi corteggiare, limonare (*fam.*), parlarsi (*fam.*), andare, discorrere (*fam.*), corteggiare (*est.*).

floating *s. m. inv.* fluttuazione.

flogòsi *s. f. inv.* infiammazione.

floridaménte *avv.* prosperamente, prosperosamente, rigogliosamente CONTR. stentatamente.

flòrido *agg.* **1** [*rif. all'aspetto*] fiorente, rigoglioso, prosperoso, sano (*est.*), colorito CONTR. cadaverico, patito, stentato, cereo, cadente, appassito (*fig.*) **2** [*rif. agli affari*] prospero, ricco, potente CONTR. infruttifero.

florilègio *s. m.* antologia, poliantea (*lett.*), miscellanea (*colto*), raccolta, selezione, crestomazia (*lett.*).

flòscio *agg.* **1** flaccido, moscio, molle, cascante, cadente CONTR. rigido, sodo, consistente **2** [*rif. all'atteggiamento*] (*fig.*) bolso CONTR. energico, vigoroso.

flòtta *s. f.* **1** (*gener.*) imbarcazione **2** (*lett.*) naviglio.

fluènte *part. pres.; anche agg.* **1** [*rif. a un discorso, a uno scritto*] scorrevole, sciolto, agile, disinvolto, corrente CONTR. stentato, difficoltoso, lento, stento (*tosc.*) **2** [*rif. all'acqua*] corrente CONTR. stagnante, immobile.

fluidaménte *avv.* **1** facilmente, scorrevolmente, correntemente, speditamente CONTR. stentatamente, difficoltosamente **2** (*propr.*) liquidamente.

fluidificàre *v. tr. e intr. pron.* liquefare CONTR. solidificare.

fluidità *s. f. inv.* **1** scorrevolezza CONTR. vischiosità, viscosità, gommosità **2** [*rif. a una situazione politica*] instabilità **3** [*nello stile*] scorrevolezza, agilità (*fig.*), snellezza (*fig.*), sciolтezza CONTR. pesantezza.

flùido *A agg.* **1** liquido CONTR. colloso,

denso, viscoso **2** [*rif. allo stile*] scorrevole, sciolto, fluente CONTR. stentato, difficoltoso, stento (*tosc.*) **3** (*est.*) mutevole *B s. m.* liquido.

fluire *v. intr.* **1** scorrere, defluire, sgorgare, scaturire, filtrare, correre, fuoriuscire, colare, scivolare, scendere, rifluire CONTR. fermarsi, stagnare **2** [*detto di traffico*] scorrere, circolare **3** [*detto di tempo*] (*est.*) trascorrere, passare.

flùsso *s. m.* **1** colata, getto **2** (*est.*) mestruo, mestruazioni **3** marea **4** [*rif. al traffico*] (*est.*) circolazione **5** [*di profumo*] profluvio, ondata.

flùtto *s. m.* onda, maroso, cavallone.

fluttuànte *part. pres.; anche agg.* **1** oscillante, ondeggiante CONTR. fermo, immobile **2** [*rif. a una persona*] (*fig.*) indeciso, incostante CONTR. deciso, determinato, risoluto **3** [*rif. al valore, al prezzo*] oscillante, variabile, mutevole CONTR. fermo, immobile.

fluttuàre *v. intr.* **1** ondeggiare, vacillare, tentennare **2** [*detto di bandiera*] (*est.*) svolazzare **3** [*detto di pensiero, persona*] (*est.*) dubitare, esitare, tergiversare **4** [*detto di moneta, etc.*] (*econ.*) oscillare **5** galleggiare.

fluttuazióne *s. f.* (*banca*) floating (*ingl.*).

fobia *s. f.* paura, ossessione (*est.*).

focàccia *s. f.* (*pl. -ce*) pizza (*erron.*), schiacciata (*tosc.*).

focalizzàre *v. tr.* **1** mettere a fuoco, visualizzare **2** [*un argomento*] (*est.*) sottolineare, precisare, individuare, puntualizzare.

fóce *s. f.* **1** sbocco, bocca **2** [*del fiume, etc.*] delta, estuario CONTR. sorgente.

fòco *s. m.* (*pl. -chi*) V. fuoco.

focolàre *s. m.* **1** camino **2** (*est.*) famiglia, nido (*fig.*).

focosaménte *avv.* ardentemente, appassionatamente CONTR. freddamente, con distacco.

focóso *agg.* **1** [*rif. al carattere, etc.*] impetuoso, irruente, veemente, animoso, vivace CONTR. pacifico, calmo, flemmatico, freddo **2** [*rif. all'animo*]

(*fig.*) caldo, ardente, bollente CONTR. freddo **3** [*rif. al cavallo*] bizzoso.

focus *s. m. inv.* nucleo, centro.

fòdera *s. f.* rivestimento, coperta.

foderàre *v. tr.* rivestire, ricoprire, fasciare, coprire, avvolgere CONTR. sfoderare.

fòdero (1) *s. m.* **1** guaina, vagina **2** astuccio, custodia **3** [*di una pistola*] fondina.

fòdero (2) *s. m.* zattera.

fòga *s. f.* (*pl. -ghe*) irruenza, slancio, ardore, furia, vigore, impeto, calore, concitazione, vivacità, veemenza CONTR. indolenza.

fòggia *s. f.* **1** maniera, guisa, moda (*raro*), modo **2** (*est.*) forma, aspetto, tono (*fig.*), taglio (*fig.*), stile.

foggiàre *v. tr.* **1** dare forma a, modellare, formare, plasmare, forgiare, sagomare, conformare, creare CONTR. disfare, distruggere **2** [*un modo di dire, etc.*] coniare, fabbricare.

fòglio *s. m.* **1** pagina **2** carta **3** strato.

fògna *s. f.* **1** chiavica, cloaca (*colto*), bottino, porcile **2** [*rif. a una persona vorace*] (*fig.*) acquaio.

fohn *s. m. inv.* asciugacapelli.

fòla *s. f.* **1** fiaba, racconto, novella, leggenda **2** balla, panzana, fandonia, frottola.

folàta *s. f.* **1** alito (*raro*), soffio, refolo (*colto*), buffo (*raro*) **2** raffica, ventata.

folgoràre *A v. tr.* **1** colpire con una folgore **2** [*qc.*] fulminare (*fig.*), impressionare *B v. intr.* **1** balenare, brillare, lampeggiare CONTR. offuscarsi, oscurarsi, appannarsi **2** [*detto di stelle, sguardo, etc.*] rifulgere, risplendere, scintillare, sfavillare.

fòlgore *s. f.* fulmine, saetta, lampo, baleno (*est.*).

fòlla *s. f.* **1** gente **2** popolo, massa, piazza (*fig.*) **3** calca, affollamento, assembramento, ressa, affluenza (*est.*) **4** moltitudine, stuolo, schiera, reggimento **5** pubblico.

fòlle *A agg.* **1** [*rif. a una persona*] paz-

folleggiare 236

zo, matto, squilibrato, spostato, demente, mentecatto CONTR. assennato, sensato, ragionevole, savio, saggio **2** [*rif. a un discorso, a una situazione*] assurdo, allucinante, impossibile, illogico, irragionevole, irrazionale, pazzesco, sconclusionato CONTR. sensato **3** (*est.*) ebbro **B** *s. m. e f.* matto, pazzo, demente, idiota, agitato.

folleggiàre *v. intr.* **1** divertirsi, scatenarsi, fare follie, fare bagordi, fare baldoria, fare bisboccia, fare gozzoviglie **2** vaneggiare, essere in preda alla follia, impazzire, farneticare, sragionare.

folleménte *avv.* **1** dissennatamente, pazzamente, sconsideratamente, forsennatamente, mattamente, pazzescamente CONTR. assennatamente, giudiziosamente **2** appassionatamente, sfrenatamente CONTR. moderatamente, sobriamente.

follìa *s. f.* **1** demenza, pazzia, alienazione, insania, stupidità, idiozia, squilibrio CONTR. sanità, senno **2** assurdità, irrazionalità, insensatezza, assurdo.

foltaménte *avv.* densamente, fittamente CONTR. scarsamente, poco.

fólto A *agg.* **1** [*rif. alla peluria, a un bosco, etc.*] fitto, abbondante CONTR. diradato, rado **2** [*rif. al fumo, alla nebbia*] denso, spesso CONTR. diradato, rado **3** [*rif. a un gruppo*] numeroso **B** *s. m. sing.* pieno.

fomentàre *v. tr.* **1** [*qc. a fare q.c.*] aizzare, sobillare, incitare, istigare **2** [*un sentimento in qc.*] suscitare, risvegliare, stimolare, alimentare (*fig.*), favorire, coltivare (*fig.*), attizzare (*fig.*), ridestare, inoculare (*fig.*) CONTR. smorzare, spegnere, attutire, attenuare.

fondàle *s. m.* scena, scenario, panorama.

fondaménta *s. f. pl.* **1** base, basamento CONTR. tetto **2** supporto.

fondamentàle *agg.* basilare, capitale, essenziale, sostanziale, elementare, principale, prioritario, precipuo, primo, centrale CONTR. complementare, secondario.

fondamentalménte *avv.* basilarmente, essenzialmente, sostanzialmente CONTR. secondariamente, mar-

ginalmente.

fondaménto *s. m.* **1** base, supporto, cardine **2** (*est.*) premessa, principio **3** (*fig.*) centro, nocciolo.

fondàre A *v. tr.* **1** [*una società, etc.*] costituire, formare, aprire, creare, impiantare, istituire, organizzare, gettare le fondamenta *di* CONTR. distruggere, demolire, smantellare **2** [*una costruzione*] (*raro*) edificare, erigere, costruire CONTR. diroccare **3** [*il sospetto, una teoria*] basare, motivare, imperniare, poggiare, incardinare, mettere alla base *di* **4** [*una teoria, una scienza*] inventare, scoprire **5** [*un'amicizia*] instaurare **B** *v. rifl.* fare assegnamento, appoggiarsi a, fidarsi *di*, poggiare **C** *v. intr. pron.* **1** [*detto di argomentazione, etc.*] (*fig.*) basarsi, avere le basi, reggersi, imperniarsi, incentrarsi, posare **2** [*detto di idea, sospetto, etc.*] riferirsi, riallacciarsi, attenersi, vertere, consistere, risiedere (*fig.*), partire (*fig.*).

fondataménte *avv.* ragionevolmente, con fondatezza, giustamente CONTR. infondatamente, fuori luogo (*fam.*), ingiustificatamente.

fondatézza *s. f.* consistenza, validità.

fondàto *part. pass.; anche agg.* **1** [*rif. a un ragionamento*] basato **2** [*rif. al sospetto, a un motivo*] serio, attendibile, plausibile, valido CONTR. infondato, illogico, inattendibile, gratuito, immotivato, ingiustificato **3** [*rif. alla famiglia, al partito*] istituito.

fondatóre A *s. m.* (*f. -trice*) **1** creatore, ideatore, istitutore **2** promotore **3** [*di una famiglia*] capostipite **B** *agg.* **1** creatore **2** [*rif. a socio, etc.*] primo.

fondazióne *s. f.* creazione, istituzione, formazione.

fóndere A *v. tr.* **1** [*q.c. di solido*] liquefare, squagliare, disfare (*fam.*), dissolvere, sciogliere, struggere, disciogliere CONTR. rassodare, solidificare, indurire **2** [*i colori, i suoni, etc.*] (*est.*) amalgamare, combinare, mescolare, associare, mischiare, armonizzare, unire, legare (*fig.*), saldare (*fig.*) CONTR. separare, dividere, distinguere **3** [*il metallo, il gesso*] colare **4** [*un patrimonio, etc.*] (*est.*) dissipare, disperdere, sperperare CONTR. economizzare, risparmiare **5** [*una società*]

incorporare, integrare **B** *v. intr. pron.* **1** struggersi, liquefarsi, sciogliersi, disciogliersi, disfarsi, colare (*est.*) CONTR. rassodarsi, solidificarsi **2** [*detto di valvola*] saltare **C** *v. rifl. rec.* **1** confluire, unirsi, riunirsi, confondersi CONTR. separarsi, dividersi **2** compenetrarsi, mescolarsi, amalgamarsi, combinarsi, legarsi CONTR. distinguersi **3** associarsi, unificarsi.

fondìna *s. f.* **1** scodella, piatto **2** (*gener.*) stoviglie **3** [*di una pistola*] custodia, fodero.

fóndo (1) *s. m.* **1** [*del vino, etc.*] deposito, posatura, sedimento, posa, feccia **2** [*rif. a una lampada, etc.*] base, sedere (*fig.*) **3** [*di un'opera pittorica*] campo, sfondo **4** scantinato, magazzino **5** terra, tenuta **6** [*rif. alla carriera, etc.*] fine CONTR. apogeo, apice, colmo, cima.

fóndo (2) *agg.* profondo CONTR. basso.

fondoschièna *s. m. inv.* deretano, didietro, sedere, culo (*pop.*).

fondotìnta *loc. sost.* base.

fonèma *s. m.* suono CONTR. lessema.

fontàna *s. f.* fonte, sorgente (*est.*).

fónte *s. f.* **1** fontana, sorgente, polla **2** origine, causa, radice, principio, matrice **3** origine, provenienza.

football *s. m. inv.* **1** pallone, calcio **2** (*gener.*) sport.

foracchiàre *v. tr.* bucherellare, sforacchiare, fare dei piccoli buchi, forare.

foràggio *s. m.* strame, mangime, pascolo.

foràre A *v. tr.* **1** bucare, perforare, traforare, trivellare, trapanare, bucherellare, crivellare, foracchiare, sforacchiare, trapassare CONTR. tappare, turare, otturare, chiudere **2** [*detto di animale*] (*est.*) rodere, rosicchiare **3** (*est.*) ferire **B** *v. intr. pron.* bucarsi, perforarsi.

foratùra *s. f.* **1** trapanatura, perforazione **2** [*rif. a pneumatico*] bucatura.

forbìre *v. tr.* **1** detergere, nettare, pulire, asciugare CONTR. sporcare, insozzare, insudiciare, lordare **2** lustrare, lucidare **CONTR.** appannare, offuscare **B** v. rifl. pulirsi, nettarsi, asciugarsi **CONTR.** sporcarsi, insudiciarsi, insozzarsi, lordarsi.

forbitaménte avv. raffinatamente, elegantemente **CONTR.** rozzamente, ignorantemente.

fórca s. f. (pl. -che) capestro.

forchétta s. f. (gener.) posata **CONTR.** coltello, cucchiaio.

forèsta s. f. (erron.) giungla, bosco, selva, boscaglia, macchia.

forestièro A agg. **1** straniero, allogeno (colto), pellegrino (lett.) **CONTR.** aborigeno, indigeno, domestico, nazionale, locale **2** [rif. a un paese] straniero, estero **3** (est.) alieno **B** s. m. (f. -a) **1** straniero, allogeno (colto), barbaro **CONTR.** aborigeno, autoctono, indigeno **2** (est.) sconosciuto, estraneo.

forgiàre v. tr. **1** plasmare, foggiare, modellare, formare, dare forma, fucinare (raro) **2** (est.) realizzare, fabbricare **3** [il carattere, una persona] (est.) plasmare (fig.), foggiare, temprare (fig.), educare.

fórma s. f. **1** aspetto, foggia **2** conformazione, sagoma **3** apparenza, esteriorità **CONTR.** sostanza **4** stile, veste (fig.) **5** [nei testi scritti] (ling.) voce, occorrenza **CONTR.** esponente, lemma **6** modello, stampo **7** architettura, struttura.

formàggio s. m. cacio.

formàle agg. **1** [rif. all'atteggiamento] convenzionale, contegnoso, manieroso, manierato, affettato **CONTR.** confidenziale, disinvolto, casual (ingl.), domestico, familiare **2** esteriore, superficiale **CONTR.** sostanziale **3** [rif. a un discorso] solenne, esplicito **CONTR.** confidenziale.

formalìsmo s. m. **1** burocrazia, pedanteria **CONTR.** spontaneità **2** cavillo, minuzia, sottigliezza **3** (est.) formalità, preziosismo.

formalità s. f. inv. **1** modalità **2** (est.) solennità, formalismo.

formalizzàre v. tr. **1** rendere formale, ufficializzare **2** esporre in maniera chiara.

formalizzàrsi v. intr. pron. (est.) scandalizzarsi, offendersi, indignarsi.

formalménte avv. **1** ufficialmente, solennemente **CONTR.** ufficiosamente, confidenzialmente **2** (est.) solennemente **CONTR.** disinvoltamente.

formàre A v. tr. **1** [q.c.] forgiare, foggiare, modellare, conformare, plasmare, sagomare, abbozzare, fabbricare, costruire **2** [qc.] addestrare, esercitare, allenare, istruire, ammaestrare, qualificare, educare, crescere **3** [un discorso, etc.] (raro) redigere, comporre, elaborare **4** [una famiglia, etc.] creare, costituire, dare origine a, istituire, fondare **5** [la propria vita, etc.] modellare, conformare, informare **6** foggiare **B** v. intr. pron. **1** [detto di vegetali, di animali] svilupparsi, crescere, divenire, diventare **2** [detto di ecchimosi, etc.] prodursi **CONTR.** dissolversi, scomparire, sparire **3** [detto di gruppo, di movimento] nascere, costituirsi, precostituirsi **4** prepararsi.

formàto (1) part. pass.; anche agg. **1** [rif. a cosa] fatto di, plasmato, sagomato, modellato **CONTR.** amorfo, incompleto, informe **2** [rif. a una persona] educato, addestrato **3** [rif. alla famiglia, al partito] fatto di, istituito.

formàto (2) s. m. taglio, dimensione, misura, grandezza.

formazióne s. f. **1** [di un'associazione, etc.] costituzione, creazione, istituzione, fondazione **2** preparazione, educazione, istruzione (est.), cultura **3** [di cellule, etc.] produzione, proliferazione **4** (est.) schieramento, squadra, composizione **5** (mil.) schieramento, colonna.

fòrmica s. f. (pl. -che) (gener.) insetto.

formicolàre v. intr. **1** [detto di locale] brulicare, pullulare, essere gremito, essere colmo, essere pieno **2** [detto di arto, etc.] essere intorpidito, informicolirsi, prudere, ingranchirsi, intormentirsi.

formicolìo s. m. **1** [di persone, di animali] brulichio **2** [alle mani, ai piedi, etc.] prurito.

formidàbile agg. straordinario, fantastico, favoloso, eccezionale, incredibile **CONTR.** normale, ordinario, comune.

formidabilménte avv. eccezionalmente, straordinariamente.

formóso agg. opulento, abbondante, grasso **CONTR.** magro, secco (fam.), macilento.

fòrmula s. f. **1** motto, slogan (ingl.) **2** [rif. a un'organizzazione] sistema **3** [della felicità, etc.] ricetta.

formulàre v. tr. **1** esprimere, emettere, enunciare, dire, manifestare **2** elaborare, preparare, proporre, programmare.

formulazióne s. f. **1** enunciato, espressione **2** [di un progetto] definizione.

fornàio s. m. (f. -a) panettiere.

fornicazióne s. f. adulterio.

fornìre A v. tr. **1** munire, rifornire, equipaggiare, dotare, corredare, provvedere **CONTR.** togliere, sfornire, sguarnire **2** [una prova, etc.] produrre, esibire, procurare **3** [un servizio] offrire, distribuire, erogare, dare, servire (est.), somministrare **B** v. rifl. equipaggiarsi, provvedersi, munirsi, dotarsi, procurarsi, procacciarsi un, armarsi, corredarsi.

fornìto part. pass.; anche agg. munito, corredato, dotato, equipaggiato, provvisto **CONTR.** sfornito, sguarnito, privo, sprovvisto, digiuno (fig.).

fornitùra s. f. rifornimento.

fóro (1) s. m. **1** buco, apertura, pertugio, occhio, anello (fig.) **2** (anat.) orifizio (fig.).

fòro (2) s. m. tribunale.

fórra s. f. baratro, burrone, strapiombo, precipizio, dirupo, orrido.

fórse A avv. chissà, probabilmente, eventualmente, ipoteticamente **CONTR.** improbabilmente **B** s. m. inv. dubbio, incertezza **CONTR.** certo, sicuro.

forsennataménte avv. follemente, istericamente **CONTR.** saggiamente, pacatamente.

fòrte (1) A agg. **1** [rif. al fisico] robusto, gagliardo, temprato (fig.) **CONTR.** debole, delicato, debilitato, diafano, gracile, deperito, affaticato, indebolito, svigorito, cascante, affranto, ammalato, cagionevole **2** [*rif. a un materiale*] solido, saldo, tenace **CONTR.** debole **3** [*rif. a un discorso, a un modo*] espressivo **CONTR.** bolso (*fig.*) **4** [*rif. a una somma di denaro, etc.*] grande, notevole **CONTR.** esiguo **5** [*rif. a un evento naturale*] intenso, veemente, violento, potente **CONTR.** blando **6** [*rif. al dolore*] aspro, grave, intollerabile, lancinante **CONTR.** blando **7** (*est.*) aspro, sgradevole **8** [*rif. a un sospetto, a un motivo*] serio, valido **CONTR.** esiguo, infondato **9** [*rif. al caffè, al sugo, etc.*] carico, concentrato, denso **10** [*rif. al carattere, etc.*] veemente, violento, ardente (*fig.*), energico, agguerrito (*fig.*) **CONTR.** bolso, castrato **11** [*rif. al suono*] alto **CONTR.** attutito, diffuso, fievole, fioco **12** [*rif. al colore*] sgargiante **CONTR.** delicato, diafano, tenue **13** [*rif. alle mani, alle membra*] sodo **CONTR.** debole, cascante **14** [*rif. a una persona*] tetragono, solido, resistente **CONTR.** affranto, consunto, distrutto, esaurito, prostrato **15** [*rif. alla fame, al freddo, etc.*] birbone, cane (*pop.*) **16** [*rif. al sapore*] smaccato **B** *avv.* **1** con forza, fortemente, energicamente, vigorosamente, solidamente **CONTR.** esilmente, debolmente **2** grandemente, molto, assai, sodo **3** acutamente, ad alta voce **CONTR.** piano, bassamente, sommessamente, sottovoce **4** celermente, velocemente **CONTR.** piano.

fòrte (2) *s. m.* fortino.

forteménte *avv.* **1** forte, vigorosamente, saldamente, energicamente, decisamente **CONTR.** debolmente, fragilmente, fiocamente **2** ardentemente, profondamente, intensamente **CONTR.** fievolmente, blandamente, timidamente.

fortézza *s. f.* piazza.

fortificàre *A v. tr.* **1** [*qc. con il cibo, l'esperienza*] rendere forte, tonificare, rafforzare, irrobustire, corroborare, rinvigorire, temprare, indurire (*fig.*), ingagliardire, ricostituire, rigenerare **CONTR.** debilitare, esanimare, estenuare, illanguidire, snervare, svigorire **2** [*un luogo*] corazzare, munire, dotare di fortificazioni, trincerare, barricare, armare, guarnire, blindare, militarizzare, proteggere (*impr.*) **CONTR.** indebolire, sguarnire *B v. rifl.* rafforzarsi, irrobustirsi, ritemprarsi, corroborarsi

(*raro*) **CONTR.** estenuarsi, indebolirsi, svigorirsi *C v. intr. pron.* **1** trincerarsi, barricarsi **2** [*detto di carattere*] temprarsi, temperarsi.

fortificàto *part. pass.; anche agg.* difeso, munito **CONTR.** scoperto.

fortificazióne *s. f.* riparo, bastione.

fortino *s. m.* forte.

fortóre *s. m.* asprezza, agrezza.

fortuitaménte *avv.* **1** accidentalmente, casualmente, per caso, incidentalmente, inaspettatamente, occasionalmente (*est.*) **CONTR.** apposta, intenzionalmente, volutamente **2** occasionalmente (*est.*).

fortùito *agg.* **1** casuale, accidentale, involontario, inaspettato, occasionale **CONTR.** voluto, meditato, studiato, stabilito **2** (*est.*) aleatorio.

fortùna *s. f.* **1** buonasorte, culo (*volg.*), benedizione (*fig.*) **CONTR.** sfortuna, malasorte **2** sorte, destino, fato **CONTR.** sfiga (*pop.*), iella, sventura, calamità, disgrazia, flagello **3** [*spec. con: fare*] carriera, strada (*fig.*), successo **4** [*spec. con: possedere una*] patrimonio, ricchezza, prosperità.

fortunàle *s. m.* tempesta, bufera, acquazzone.

fortunataménte *avv.* faustamente, felicemente, per fortuna, per buona sorte **CONTR.** sfortunatamente, disgraziatamente, malauguratamente, sventuratamente, purtroppo, fatalmente.

fortunàto *agg.* **1** fausto, prospero, propizio, felice, lieto, roseo, benedetto (*est.*) **CONTR.** sfortunato, iellato (*pop.*), disgraziato, malaugurato, sciagurato, dannato, nefasto, brutto, fatale, disastroso, catastrofico, funesto, miserando, sventurato, tapino, tristo **2** felice, lieto, privilegiato.

forùncolo *s. m.* brufolo, bolla.

forviàre *v. tr., intr. e intr. pron.* V. *fuorviare.*

fòrza *A s. f.* **1** [*rif. a un oggetto*] robustezza, resistenza, solidità **2** [*rif. a una persona*] nerbo, vigoria, salute, energia **CONTR.** debolezza, fiacchez-

za, sfinimento, sfinitezza, spossamento, spossatezza, cagionevolezza, debilitazione, fragilità, esilità **3** [*rif. a una parola, a un colore*] intensità, potenza, potere, efficacia, validità **CONTR.** tenuità, delicatezza **4** [*rif. all'atteggiamento*] impeto, furia, veemenza **5** [*eccessiva*] violenza **6** [*spec. con: esercitare, fare*] pressione, sollecitazione **7** (*est.*) potere, tirannia **8** (*fig.*) nerbo, anima, passione **9** [*di guarire, etc.*] potere, virtù, facoltà, capacità **10** [*rif. a una persona, a un gesto*] (*est.*) autorità, peso (*fig.*) **11** [*spec. con: per*] necessità, obbligo **12** [*rif. a un discorso, a un'opera*] mordente (*fig.*), vitalità, vita (*fig.*), incisività **13** [*rif. a un sentimento*] (*fig.*) profondità **14** [*nell'affrontare q.c.*] (*est.*) coraggio, sangue (*fig.*) *B inter.* orsù, suvvia, animo.

forzàre *A v. tr.* **1** [*una serratura, una porta*] scassinare, infrangere, sfondare, aprire a forza, rompere, manomettere, scassare **2** [*qc.*] sforzare, costringere, obbligare, indurre, coartare, imporre con la forza a **3** [*il fisico, la voce, etc.*] sforzare, sottoporre a sforzo **4** [*un tappo, etc.*] spingere, pigiare *B v. intr.* **1** premere **2** (*est.*) incastrarsi.

forzataménte *avv.* **1** coattivamente, coercitivamente, per forza, controvoglia, necessariamente (*est.*) **CONTR.** spontaneamente, volontariamente, volentieri (*est.*) **2** per forza.

forzàto *A part. pass.; anche agg.* **1** obbligato, coatto, imposto, costretto, coercitivo **CONTR.** spontaneo, libero, volontario **2** (*est.*) obbligato, coatto, involontario **CONTR.** volontario **3** inevitabile, obbligatorio **CONTR.** libero, volontario **4** [*rif. all'atteggiamento*] innaturale, teatrale, stentato **CONTR.** naturale, semplice, immediato *B s. m.* carcerato, prigioniero, detenuto, galeotto, ergastolano.

forzosaménte *avv.* obbligatoriamente, coattivamente, coercitivamente **CONTR.** volontariamente.

foschìa *s. f.* nebbia, bruma (*poet.*).

fósco *agg.* (*pl. m. -chi*) **1** [*rif. alla luce*] cupo, tetro, scuro, nero **CONTR.** cristallino, brillante, limpido, nitido, splendente **2** [*rif. allo sguardo*] cupo (*fig.*), tetro, turbato, triste **CONTR.** cristallino, brillante, limpido, gaio, lieto **3** [*rif. al *tempo atmosferico*] scuro, brumoso, nebbioso, offuscato, nuvoloso, coperto, caliginoso CONTR. limpido, nitido **4** [*rif. all'avvenire, al futuro*] oscuro, incerto CONTR. cristallino, brillante, limpido, nitido, splendente, gaio, lieto.

fòssa *s. f.* **1** buca, cavità, cunetta, avvallamento **2** tomba **3** cava **4** bolgia, girone.

fossilizzàre A *v. tr.* **1** pietrificare **2** atrofizzare **B** *v. intr. pron.* **1** pietrificarsi **2** [*detto di persona*] mummificarsi (*fig.*), cristallizzarsi (*fig.*), immobilizzarsi (*fig.*), invecchiare, atrofizzarsi.

fossilizzazióne *s. f.* cristallizzazione.

fòsso *s. m.* avvallamento, buca, depressione, cunetta, scavo.

fòto *s. f. inv.* fotografia.

fotocopiàre *v. tr.* duplicare, riprodurre, xerocopiare.

fotografàre *v. tr.* fare fotografie, riprendere, ritrarre, prendere una foto a.

fotografìa *s. f.* **1** foto **2** illustrazione **3** descrizione **4** (*est.*) immagine, ritratto.

fóttere A *v. tr.* **1** scopare (*volg.*), chiavare (*volg.*), fare all'amore, montare, possedere sessualmente, sbattere (*volg.*), trombare (*volg.*), fare l'amore **2** fregare, ingannare, imbrogliare, raggirare, frodare **B** *v. intr. pron.* [*nella forma: fottersene*] fregarsene (*pop.*), disinteressarsi, impiparsi (*volg.*), non fare attenzione a, non fare caso a, non dare importanza a, non prendere in considerazione un, infischiarsene (*pop.*) CONTR. preoccuparsi, addolorarsi.

foyer *s. m. inv.* hall (*ingl.*).

fracassàre A *v. tr.* rompere, danneggiare, distruggere, spezzare, frantumare, sfasciare, sconquassare, fare a pezzi, infrangere, spaccare, rovinare, schiantare (*fam.*), sfracellare, sganasciare CONTR. accomodare, aggiustare, acconciare **B** *v. intr. pron.* rompersi, schiantarsi, infrangersi, frangersi (*colto*), sganasciarsi.

fracàsso *s. m.* **1** rumore, fragore, baccano, frastuono, bordello (*pop.*),

tumulto, caciara (*pop.*) CONTR. silenzio, pace **2** distruzione, rovina.

fràcco *s. m.* (*pl. -chi*) sacco (*fig.*), subisso, mare (*fig.*).

fràdicio A *agg.* **1** bagnato, inzuppato, madido, zuppo CONTR. asciutto, secco **2** putrefatto, marcio, putrido **3** (*fig.*) marcio, corrotto, depravato **B** *s. m. sing.* bagnato, guazzo, marcio, putrido.

fràgile *agg.* **1** [*rif. al fisico*] delicato, gracile, cagionevole, debole CONTR. robusto, vigoroso, gagliardo **2** [*rif. a una persona*] influenzabile CONTR. robusto, vigoroso, gagliardo **3** [*rif. alla speranza, alla felicità*] caduco, tenue, sottile (*fig.*) CONTR. robusto, duraturo, stabile.

fragilità *s. f. inv.* **1** [*rif. alla costituzione*] delicatezza, debolezza, gracilità, cagionevolezza CONTR. forza, tempra **2** [*rif. ai beni terreni*] caducità, instabilità, precarietà CONTR. durevolezza **3** [*rif. ad argomenti, etc.*] tenuità, levità, esilità, vaghezza, leggerezza, esiguità CONTR. solidità **4** [*rif. ai metalli*] delicatezza, tenerezza CONTR. tenacità, durezza, tenacia.

fragilménte *avv.* debolmente CONTR. fortemente, solidamente.

fràgola *s. f.* (*gener.*) frutto.

fragóre (1) *s. m.* frastuono, fracasso, rombo, urlo, tuono.

fragóre (2) *s. m.* **1** fragranza, profumo, aroma CONTR. puzzo, lezzo, tanfo **2** (*gener.*) odore.

fragorosaménte *avv.* rumorosamente, clamorosamente, chiassosamente CONTR. silenziosamente.

fragrànza *s. f.* **1** aroma, profumo, fragore, sentore (*raro*) CONTR. puzza **2** (*gener.*) odore.

fraintèndere *v. tr.* equivocare, travisare, intendere una cosa per un'altra, deformare CONTR. capire.

fraintendiménto *s. m.* malinteso, equivoco, travisamento, errore.

fraintéso *part. pass.; anche agg.* [*rif. alle parole, alle idee*] deformato, equivocato, malinteso, distorto.

frame *s. m. inv.* sequenza.

frammentàre *v. tr.* dividere, spezzettare, sminuzzare, triturare, fare a pezzi CONTR. unire, legare.

frammentariaménte *avv.* parzialmente, a frammenti, non integralmente CONTR. completamente, interamente, integralmente.

frammentàrio *agg.* **1** incompleto, lacunoso CONTR. completo, intero, globale **2** disunito, disorganico CONTR. organico, unitario.

framménto *s. m.* **1** [*di un libro, etc.*] brano, pezzo, squarcio, stralcio, parte, passo **2** detrito, frantumi, scheggia **3** briciola, pizzico, punta **4** brandello.

frammescolàre *v. tr.* frammischiare, frammettere, frammezzare, inframmezzare, intramezzare.

framméttere A *v. tr.* frapporre, intromettere, frammischiare, frammezzare, mischiare, frammescolare, inframmettere, intercalare, interpolare **B** *v. rifl.* immischiarsi, intromettersi, intrufolarsi, interporsi, ingerirsi, intervenire, inframmettersi, mettersi tra CONTR. estromettersi, disinteressarsi.

frammezzàre *v. tr.* frammettere, frapporre, interporre, inserire, frammischiare, frammescolare, inframmezzare, intramezzare.

frammischiàre A *v. tr.* frammettere, frammescolare, frammezzare, inframmezzare, frapporre, intramezzare **B** *v. rifl.* mescolarsi, confondersi CONTR. isolarsi.

fràna *s. f.* **1** smottamento, sfaldamento, crollo **2** (*est.*) rovina, fallimento, insuccesso.

framménto *s. m.* smottamento, sfaldamento, cedimento, crollo.

franàre *v. intr.* **1** smottare, scoscendere (*raro*) **2** [*detto di terreno*] avvallarsi, sprofondare **3** [*detto di costruzioni, etc.*] (*est.*) crollare, rovinare, rovesciarsi, precipitare **4** [*detto di sogni, ideali*] (*fig.*) dissolversi, scomparire, sfumare, svanire **5** [*detto di azienda, etc.*] fallire **6** diruparsi, precipitarsi.

francaménte *avv.* **1** apertamente, chiaramente, con franchezza, schiettamente, sinceramente, liberamente, limpidamente, palesemente CONTR.

doppiamente, mellifluamente, enigmaticamente, machiavellicamente (*fig.*), simulatamente **2** decisamente, risolutamente **CONTR.** chetamente, subdolamente, viscidamente **3** in verità.

franchézza *s. f.* schiettezza, sincerità, chiarezza, lealtà, spontaneità, rudezza (*est.*) **CONTR.** ipocrisia, falsità.

franchigia *s. f.* **1** esenzione **2** (*est.*) privilegio.

frànco (1) *A* agg. (*pl. m. -chi*) **1** [*rif. a una persona*] schietto, sincero, aperto, esplicito, scoperto, diretto **CONTR.** ipocrita, falso, ambiguo, bugiardo, insincero, bigotto, infido, sfuggente, losco **2** libero **3** [*rif. all'atteggiamento*] spigliato, svelto, spedito, schietto, chiaro **CONTR.** infido, sfuggente, finto, dolciastro, insidioso, insinuante, mellifluo, subdolo, viscido *B* avv. chiaro, esplicitamente, sinceramente, apertamente.

frànco (2) agg. (*pl. m. -chi*) [*rif. al popolo*] gallo.

frànco (3) *s. m.* (*pl. -chi*) (*gener.*) moneta.

frangènte *s. m.* **1** onda, maroso, cavallone (*fam.*) **2** (*est.*) circostanza, occasione.

fràngere *A* v. tr. **1** rompere, spezzare, frantumare, infrangere **CONTR.** riparare **2** comprimere, schiacciare *B* v. intr. pron. **1** [*detto di onda marina*] dirompersi (*raro*), infrangersi, rompersi **2** fracassarsi.

fràngia *s. f.* (*pl. -ge*) **1** guarnizione, fronzolo **2** aggiunta, strascico (*fig.*), ricamo (*fig.*).

frantumàre *A* v. tr. **1** spezzare, infrangere, ridurre in frantumi, sbriciolare, sminuzzare, tritare, polverizzare, spezzettare, stritolare, pestare, disgregare, fracassare, frangere, disintegrare, fare a pezzi, rompere, maciullare, ridurre in pezzi, dirompere (*raro*) **2** [*un sogno, etc.*] (*fig.*) spezzare, infrangere *B* v. intr. pron. sgretolarsi, sminuzzarsi, rompersi, disgregarsi, disintegrarsi, spezzarsi, infrangersi, polverizzarsi, sbriciolarsi.

frantumàto *part. pass.; anche agg.* infranto, rotto, spezzato, sminuzzato **CONTR.** integro.

frantùmi *s. m. pl.* frammento, scheggia, detrito.

frappórre *A* v. tr. inframmettere, interporre, frammettere, frammezzare, frammischiare, inserire, intromettere, interpolare, intercalare **CONTR.** levare, togliere *B* v. rifl. intervenire, intromettersi, infilarsi, immischiarsi, interporsi, pararsi *C* v. intr. pron. [*detto di distanza*] correre, esserci, intercorrere, interporsi.

frasàrio *s. m.* gergo.

fraschétta *s. f.* civetta.

fràse *s. f.* **1** proposizione, orazione, costrutto, enunciato, locuzione, periodo **2** espressione, parola **3** (*est.*) scritta.

frastagliàre *v. tr.* **1** tagliuzzare, seghettare **2** (*est.*) intagliare.

frastornaménto *s. m.* stordimento, intronamento, smarrimento, intontimento, turbamento.

frastornàre *v. tr.* **1** stordire, disorientare, confondere, scombussolare, sbalordire, sconcertare, intontire, istupidire, dare alla testa **2** importunare, disturbare, distrarre, distogliere.

frastornàto *part. pass.; anche agg.* rintronato, stordito, inebetito, disorientato, stranito, intontito, sgomento **CONTR.** presente, attento.

frastuòno *s. m.* rumore, chiasso, fragore, baccano, fracasso, strepito, rombo, tumulto, tuono, cagnara (*pop.*), clamore **CONTR.** silenzio, pace.

fràte (1) *s. m.* monaco, religioso, padre (*est.*), sacerdote, fratello (*est.*) **CONTR.** sorella, monaca, suora.

fràte (2) *s. m.* (*est.*) bombolone.

fratellànza *s. f.* solidarietà, amicizia, unione **CONTR.** inimicizia, odio.

fratèllo *A* *s. m.* **1** germano (*lett.*) **CONTR.** sorella **2** (*est.*) compagno, amico **3** frate *B* agg. inv. [*rif. a un partito, a movimenti, etc.*] allineato, impegnato (*est.*).

fraternaménte *avv.* amichevolmente, confidenzialmente **CONTR.** ostilmente.

fraternizzàre *v. intr.* solidarizzare, affratellarsi, fare amicizia, familiarizzare, familiarizzarsi, affiatarsi, socializzare.

frattàglia *s. f.* visceri, interiora, budella, intestini.

frattùra *s. f.* **1** [*di un arto*] rottura **2** (*geol.*) spaccatura **3** [*in un gruppo, in un partito, etc.*] (*est.*) spaccatura, scissione, scisma.

fratturàre *v. tr. e intr. pron.* rompere, spezzare.

fraudolenteménte *avv.* disonestamente, dolosamente, con frode, ingannevolmente **CONTR.** onestamente, lealmente.

frazionaménto *s. m.* **1** scomposizione **CONTR.** accorpamento **2** divisione, suddivisione, ripartizione, scissione (*est.*).

frazionàre *A* v. tr. **1** suddividere, dividere, dividere in parti, tagliare, scindere, smembrare **CONTR.** unire, accorpare **2** [*q.c. in fasi, etc.*] articolare, scaglionare **CONTR.** concentrare **3** [*un terreno*] parcellizzare, lottizzare **CONTR.** unificare **4** (*est.*) spartire, ripartire *B* v. intr. pron. scindersi, separarsi.

frazióne *s. f.* sottoinsieme, parte, dose, porzione, pezzo, fetta, quota **CONTR.** tutto.

fréccia *s. f.* saetta, strale (*lett.*), dardo, telo (*lett.*).

frecciàta *s. f.* (*est.*) battuta, allusione, stoccata (*fig.*).

freddaménte *avv.* **1** con distacco, con freddezza, gelidamente, bruscamente, indifferentemente, aridamente, impassibilmente, insensibilmente, distaccatamente **CONTR.** calorosamente, cordialmente, festosamente, affettuosamente, espansivamente, confidenzialmente, amorosamente, appassionatamente, con passione, passionalmente, ardentemente, focosamente, caldamente, con ardore, voluttuosamente, con entusiasmo, entusiasticamente, euforicamente, con fervore, incontrollatamente, impetuosamente, devotamente, fanaticamente **2** crudelmente, a sangue freddo.

freddézza *s. f.* **1** distacco, indifferenza, disinteresse **CONTR.** calore, entusiasmo, fervore, stupore, sbalordimento, espansione **2** insensibilità, durezza **CONTR.** sensibilità, sentimento, cameratismo, compassione, cordialità, espansività, impulsività, giovialità **3** impassibilità, flemma, autocontrollo **CONTR.** animazione, esaltazione **4** (*est.*) calcolo, cinismo.

fréddo A *agg.* **1** gelido, glaciale, algente, algido, ghiacciato **CONTR.** caldo, cocente, bollente, ardente, arroventato, infuocato, rovente, riarso **2** rigido, polare **CONTR.** temperato, torrido **3** impassibile **CONTR.** passionale, focoso, suggestionabile **4** insensibile, indifferente, asettico **5** glaciale, scostante, brusco, burbero, aspro **CONTR.** affettuoso, amichevole, amoroso, caloroso, confidenziale, cordiale, espansivo **6** glaciale, inespressivo **7** piatto, glaciale **CONTR.** accorato, fervido **B** *s. m.* gelo (*est.*) **CONTR.** caldo, afa, calore, ardore.

CLASSIFICAZIONE

Freddo

Freddo:
1 Di temperatura bassa in assoluto o in relazione alla norma;
2 Fig. controllato nelle emozioni;
3 Fig. che non prova emozioni;
4 Fig. che è privo di calore;
5 Fig. privo di espressione.

1
  gelido: che è molto freddo, come il gelo;
  algente;
  algido;
  ghiacciato;
  glaciale.
1 Con riferimento al clima.
  rigido: che è freddo e pertanto non facilmente vivibile;
  polare: freddissimo.
2 Con riferimento a persona.
  impassibile: che non si lascia vincere da nessuna emozione.
3 Con riferimento a persona.
  insensibile: che non prova, non sente né esprime interessi o emozioni;
  indifferente;
  asettico: privo di calore e di personalità.
4 Con riferimento ad un atteggiamento.
  glaciale: che si mostra insensibile e indifferente al massimo grado;

scostante: (*est.*) che allontana gli altri da sé suscitando antipatia;
brusco: che dimostra severità e alterezza, che è sgarbato e burbero.
5 Con riferimento allo sguardo.
  glaciale: che è privo di calore, di cordialità;
  inespressivo: che è privo di calore e di espressione.
5 Con riferimento al tono di voce.
  piatto: privo di espressione e calore;
  glaciale: che è indifferente e scostante al massimo grado.

freddùra *s. f.* barzelletta, facezia, battuta.

fregàre A *v. tr.* **1** [*un tavolo, superficie*] strusciare, strofinare, sfregare, soffregare, pulire (*est.*), raschiare (*est.*) **2** [*il corpo*] massaggiare, frizionare **3** [*un oggetto*] rubare, derubare, carpire, grattare (*fam.*), sgraffignare (*fam.*), soffiare (*fig.*) **4** [*qc.*] (*est.*) gabbare, truffare, infinocchiare (*volg.*), ingannare, abbindolare, imbrogliare, turlupinare, raggirare, danneggiare, fottere (*volg.*), chiavare (*volg.*), frodare, bidonare (*pop.*), intrappolare (*fig.*), illudere, mistificare, circonvenire, ingarbugliare **B** *v. rifl.* strofinarsi, strusciarsi **C** *v. intr. pron.* [*nella forma: fregarsene*] disinteressarsi, non fare attenzione *a*, non fare caso *a*, non dare importanza *a*, non prendere in considerazione *un*, impiparsi (*volg.*), fottersene (*volg.*), infischiarsene (*pop.*), ridersi (*pop.*), sbattersene (*volg.*) **CONTR.** interessarsi, impensierirsi, intrigarsi, intromettersi, impicciarsi, condividere.

fregatùra *s. f.* **1** imbroglio, truffa, danno, pacco (*fig.*), raggiro, sonata (*fig.*) **2** (*est.*) delusione **3** (*est.*) inciampo, intoppo, contrattempo.

fregiàre A *v. tr.* **1** ornare, abbellire, decorare, guarnire, adornare **CONTR.** sfregiare, deturpare, deformare, imbruttire **2** decorare, insignire **B** *v. rifl.* **1** adornarsi, ornarsi, abbellirsi **2** onorarsi, gloriarsi, coronarsi, andare fiero, vantarsi **CONTR.** vergognarsi.

frégio *s. m.* ornamento, arabesco, decorazione, svolazzo.

frègna *s. f.* fica (*volg.*), fessa (*nap.*), potta (*tosc.*), patata (*fam.*), passera (*pop.*), topa (*tosc.*), natura (*pop.*), vulva.

frégo *s. m.* (*pl.* -*ghi*) scarabocchio, riga, segno.

frègola *s. f.* **1** eccitazione, calore **2** voglia, smania, frenesia.

frèmere *v. intr.* **1** essere in preda al fremito, palpitare, rodersi (*fig.*), friggere (*fig.*), spazientirsi, eccitarsi, fervere (*fig.*), essere agitato, essere commosso, essere sconvolto, essere turbato, rabbrividire (*fig.*), non riuscire a stare fermo, scalpitare (*fig.*), ballare (*fig.*) **2** [*detto di mare, foglie, etc.*] agitarsi, tremare, mormorare (*est.*) **3** [*a causa dell'ira, etc.*] vibrare, bollire (*fig.*), ribollire (*fig.*), scoppiare (*fig.*), schiattare (*fig.*).

frèmito *s. m.* **1** tremito, brivido **2** fruscio.

frenàre A *v. tr.* **1** [*un meccanismo*] azionare i freni *di*, fermare, bloccare **CONTR.** sbloccare, accelerare **2** [*gli impulsi, etc.*] (*fig.*) moderare, trattenere, contenere, arginare, dominare, controllare, temperare, tenere, vincere, costringere, raffrenare, circoscrivere, comprimere, reprimere, soffocare, imbrigliare, mortificare, rallentare **CONTR.** sbloccare, sfogare, sbrigliare **3** [*qc.*] tenere a bada, raffreddare (*fig.*), castrare (*fig.*) **CONTR.** eccitare, galvanizzare, incentivare, incitare, pungolare, scatenare, esortare, pressare **4** [*a qc. q.c.*] proibire, impedire **5** [*le lacrime, etc.*] trattenere, arginare, reprimere, soffocare, ritenere **B** *v. rifl.* controllarsi, limitarsi, contenersi, reprimersi, dominarsi, moderarsi, inibirsi, tenersi, trattenersi, astenersi, padroneggiarsi, raffrenarsi, fermarsi, bloccarsi, temperarsi **CONTR.** sfrenarsi, elettrizzarsi, sfogarsi, liberarsi, sbloccarsi, galvanizzarsi, scapricciarsi, scatenarsi, scattare, accalorarsi, sbottare, sbrigliarsi, imperversare.

frenàto *part. pass.; anche agg.* (*psicol.*) costretto, represso **CONTR.** libero, sciolto.

frenesìa *s. f.* **1** pazzia, esaltazione **2** smania, brama, fregola **3** [*della vita, etc.*] (*fig.*) ritmo.

freneticaménte *avv.* **1** concitatamente, convulsamente, febbrilmente **CONTR.** tranquillamente, pacatamente, placidamente **2** appassionatamente, ardentemente, entusiasticamente.

frenètico *agg.* **1** [*rif. al movimento, al lavoro*] febbrile, convulso, sfrenato CONTR. tranquillo, calmo **2** [*rif. all'atteggiamento*] (*fig.*) febbrile, appassionato, delirante, spiritato CONTR. tranquillo, spensierato, sereno **3** [*rif. a un discorso*] concitato, incalzante CONTR. tranquillo, spensierato, sereno.

frèno *s. m.* **1** morso **2** (*anat.*) frenulo, filetto **3** controllo, disciplina, misura, ritegno, temperamento (*raro*) **4** restrizione, impedimento, limite, fine, blocco (*fig.*), argine (*fig.*), diga (*fig.*), deterrente CONTR. spinta.

frènulo *s. m.* (*anat.*) freno, filetto.

frequentàre A *v. tr.* **1** [*un luogo*] visitare, andare solitamente *in*, bazzicare, praticare, battere (*fam.*), recarsi per abitudine *in*, girare *per* **2** [*una scuola, un club, etc.*] essere iscritto *a* **3** [*qc.*] bazzicare, praticare, essere in relazione *con*, essere in amicizia *con*, trattare, conoscere, incontrare **B** *v. rifl. rec.* **1** conoscersi, vedersi, essere amici, essere in relazione, essere in amicizia, incontrarsi abitualmente **2** fare l'amore (*est.*).

frequentativo *agg.* iterativo.

frequentàto *part. pass.; anche agg.* [*rif. a un luogo*] popolato, trafficato, usato CONTR. isolato, solitario, deserto, romito (*lett.*).

frequentatóre *s. m.* (*f. -trice*) **1** avventore, cliente **2** habitué (*fr.*).

frequènte *agg.* **1** continuo, ripetuto CONTR. raro, infrequente, inconsueto **2** (*est.*) abituale, consueto CONTR. infrequente, inconsueto **3** [*rif. al ritmo, a una serie*] fitto CONTR. raro.

frequenteménte *avv.* spesso, sovente, ripetutamente CONTR. mai, raramente, difficilmente, infrequentemente, sporadicamente.

frequènza *s. f.* **1** assiduità CONTR. infrequenza, rarità **2** [*di turisti, etc.*] affollamento, affluenza.

freschézza *s. f.* **1** semplicità, candore **2** (*est.*) giovinezza CONTR. vecchiezza, decrepitezza **3** [*rif. all'atteggiamento*] immediatezza, vivacità, spontaneità CONTR. artificiosità **4** [*rif. all'aria, al profumo*] sottigliezza, delicatezza CONTR. pesantezza.

frésco A *agg.* (*pl. m. -chi*) **1** [*rif. a un luogo*] ombroso CONTR. arso **2** nuovo, verde, recente (*est.*), novello CONTR. avvizzito, vecchio, invecchiato, sfiorito (*fig.*) **3** (*fig.*) novello, giovane, fiorente, rigoglioso CONTR. appannato, appassito **4** [*rif. a una risata*] spontaneo, vivace, brioso **5** [*rif. a una persona*] riposato, ristorato CONTR. appannato, esausto, estenuato, sfinito, stremato, trafelato **6** [*rif. alla pelle*] compatto, liscio CONTR. avvizzito, cadente, cascante, vizzo, rugoso **7** [*rif. al viso*] giovane CONTR. vecchio **8** [*rif. all'aria*] frizzante CONTR. greve, pesante **9** [*rif. al vino, al formaggio*] novello, giovane CONTR. stagionato **10** [*rif. al cibo, a una bevanda, etc.*] di giornata CONTR. rancido **B** *s. m.* frescura, ombra (*est.*) CONTR. caldo, afa.

frescùra *s. f.* fresco, ombra (*est.*) CONTR. calura.

frèsia *s. f.* fiore.

frétta *s. f.* **1** premura, urgenza, furia CONTR. calma **2** sollecitudine, precipitazione **3** impazienza, ansia.

frettolosaménte *avv.* **1** in fretta e furia, affrettatamente, in fretta CONTR. adagio, con calma **2** sbrigativamente, sommariamente CONTR. diligentemente.

frettolosità *s. f. inv.* impulsività, precipitazione CONTR. calma.

frettolóso *agg.* **1** [*rif. al comportamento*] impaziente, furioso, precipitoso CONTR. posato, flemmatico **2** [*rif. al lavoro, allo studio*] affrettato, sbrigativo CONTR. accurato, diligente.

friggere A *v. intr.* **1** scoppiettare, crepitare **2** [*detto di persona, etc.*] (*est.*) fremere, rodersi, spazientirsi, tormentarsi, angustiarsi, struggersi (*fig.*) CONTR. pazientare **B** *v. tr.* soffriggere, rosolare, cuocere, cuocere in padella, dorare (*fig.*).

frignàre *v. intr.* piangere, lamentarsi, piagnucolare, gemere.

frigo *s. m. inv.* frigorifero.

frigorifero *s. m.* frigo CONTR. calorifero.

frinire *v. intr.* stridere.

frisàre *v. tr.* strofinare, sfiorare, rasentare.

frivolaménte *avv.* fatuamente, futilmente, mondanamente (*est.*) CONTR. sobriamente, seriamente.

frivolézza *s. f.* **1** [*rif. a una persona*] fatuità, vanità, leggerezza, superficialità, volubilità, spensieratezza CONTR. serietà, gravità, austerità **2** [*rif. a cose, a oggetti*] futilità.

frivolo *agg.* **1** futile, superficiale, vacuo, leggero, vuoto, fatuo, vano CONTR. grave, serio **2** [*rif. a una persona*] (*fig.*) vanesio, mondano CONTR. serio.

frizionàre *v. tr.* massaggiare, strofinare, sfregare, soffregare, fregare.

frizzànte *part. pres.; anche agg.* **1** [*rif. a una bevanda*] spumeggiante, effervescente **2** [*rif. all'ingegno*] (*fig.*) spumeggiante, effervescente, brillante, brioso, arguto, vivace CONTR. pesante, monotono **3** [*rif. a un discorso*] (*fig.*) animato CONTR. pesante, tedioso **4** [*rif. all'aria*] pungente CONTR. pesante, greve.

frizzàre *v. intr.* **1** [*detto di acqua, vino, etc.*] spumare, essere gassato, essere effervescente, spumeggiare **2** [*detto di freddo, alcol, etc.*] bruciare, pungere, pizzicare.

frizzo *s. m.* battuta, lazzo, scherzo, spiritosaggine, motto, arguzia, boutade (*fr.*).

fròcio *s. m.* omosessuale, bucaiolo (*tosc.*), buliccio (*genov.*), checca (*roman.*), cinedo (*lett.*), diverso, recchione (*merid.*), pederasta, gay (*ingl.*), finocchio.

frodàre *v. tr.* **1** rubare, carpire **2** derubare, defraudare **3** truffare, ingannare, imbrogliare, raggirare, fregare (*pop.*), fottere (*volg.*), intrappolare, bidonare (*pop.*).

frodatóre *s. m.* (*f. -trice*) imbroglione, truffatore.

fròde *s. f.* truffa (*erron.*), imbroglio, inganno, raggiro, trucco (*fig.*).

frollàre A *v. tr.* **1** stagionare **2** macerare, marinare **B** *v. intr.* intenerire, infrollire.

frónda *s. f.* ramoscello, frasca.

frondóso *agg.* fronzuto.

frontalménte *avv.* **1** di fronte **CONTR.** posteriormente **2** direttamente **CONTR.** indirettamente.

frónte *s. m.* prospetto, facciata.

fronteggiàre *v. tr.* **1** combattere, fare fronte *a*, affrontare, contrastare, tenere testa *a*, rintuzzare **CONTR.** fuggire, darsi, arrendersi, cedere, piegarsi, scansare **2** [*detto di edificio, etc.*] prospettare *su*, guardare *su*.

frontièra *s. f.* confine.

frónzolo *s. m.* orpello, ornamento, abbellimento, svolazzo, frangia (*est.*), ricamo (*fig.*).

fronzùto *agg.* frondoso.

fròttola *s. f.* menzogna, fandonia, balla, bugia, panzana, carota (*fig.*), diceria, fola.

frugàle *agg.* **1** [*rif. a un pasto*] parco, scarso, sobrio, misurato, moderato, parsimonioso **CONTR.** copioso, abbondante **2** [*rif. a una persona*] sobrio, misurato, moderato, parsimonioso **CONTR.** smodato, intemperante.

frugalità *s. f. inv.* sobrietà, moderazione, misura, austerità, economia, parsimonia **CONTR.** esagerazione, smodatezza.

frugalménte *avv.* **1** economicamente, parsimoniosamente **2** sobriamente, moderatamente, parcamente **CONTR.** smodatamente, esageratamente.

frugàre A *v. intr.* **1** razzolare (*fig.*), ruspare (*fig.*) **2** [*nel passato, nella vita, etc.*] investigare, indagare, curiosare (*est.*) **B** *v. tr.* [*i bagagli, etc.*] esaminare, perquisire, ispezionare, fare una perquisizione *a*, tastare (*est.*), rovistare, rastrellare, manomettere (*est.*).

fruìbile *agg.* utilizzabile, godibile **CONTR.** inutilizzabile, inservibile.

fruìre A *v. intr.* usare *un*, valersi, avvalersi, giovarsi, servirsi, avere a disposizione *un*, godere **B** *v. tr.* avere, possedere.

fruizióne *s. f.* godimento.

frullàre A *v. tr.* **1** agitare, girare, rimestare, sbattere, vorticare (*raro*) **2** macinare, triturare **B** *v. intr.* **1** [*detto di ali*] svolazzare, sbattere **2** [*detto di trottola, di attrezzo*] roteare **3** [*detto di persona, etc.*] (*est.*) affaccendarsi, affannarsi **4** [*detto di pensieri*] mulinare (*fig.*), ronzare (*fig.*), venire.

fruménto *s. m.* (*gener.*) cereale.

frumentóne *s. m.* **1** granoturco, granone, mais **2** (*gener.*) pianta, cereale.

frusciàre *v. intr.* crepitare, bisbigliare, stormire, gorgogliare, farfugliare, mormorare, rumoreggiare.

fruscìo *s. m.* **1** brusio, sussurro, ronzio **2** (*est.*) fremito **3** suono, rumore.

frùsta *s. f.* nerbo, staffile (*colto*), scudiscio (*colto*), sferza, nervo.

frustàre *v. tr.* **1** sferzare, staffilare, scudisciare, flagellare, fustigare, percuotere (*impr.*) **2** [*i costumi, un testo, etc.*] (*est.*) criticare aspramente, censurare, stigmatizzare **CONTR.** lodare.

frustàta *s. f.* **1** (*gener.*) colpo **2** scudisciata, staffilata.

frustino *s. m.* staffile (*colto*), scudiscio.

frùsto *agg.* **1** liso, consunto, logoro, vecchio **CONTR.** nuovo, intatto **2** [*rif. a un argomento*] vecchio, trito, vieto, antiquato **CONTR.** nuovo, inedito.

frustràre *v. tr.* **1** [*qc.*] deludere, scoraggiare, avvilire, deprimere, demoralizzare, umiliare, tarpare le ali *a* (*fig.*), tarpare (*fig.*) **CONTR.** appagare, soddisfare **2** [*gli sforzi, le speranze*] vanificare, annullare, mortificare.

frustràto *part. pass.; anche agg.* **1** inappagato, insoddisfatto, castrato (*fig.*), mortificato, deluso, fallito (*est.*) **CONTR.** soddisfatto, appagato, contento, realizzato **2** (*est.*) malcontento.

frustrazióne *s. f.* insoddisfazione, delusione, disinganno **CONTR.** appagamento, soddisfazione, gratificazione.

fruttàre A *v. intr.* [*detto di pianta, di campo, etc.*] fruttificare, dare frutti, figliare (*poet.*) **B** *v. tr.* **1** [*detto di pianta, di campo, etc.*] produrre, gettare (*fig.*) **2** [*detto di capitale, etc.*] rende-

re, valere, meritare, dare un gettito **3** procurare, causare, provocare, dare.

fruttìfero *agg.* **1** (*est.*) produttivo, fertile **CONTR.** infruttifero, improduttivo, inutile **2** [*rif. agli affari*] (*fig.*) vantaggioso **CONTR.** cattivo, svantaggioso **3** [*rif. a un esempio, etc.*] utile **CONTR.** infruttifero, inutile.

fruttificàre *v. intr.* dare frutti, fruttare.

frùtto (1) *s. m.* **1** prodotto **2** rendimento, profitto, rendita **3** effetto, risultato, messe (*fig.*), portato **4** (*est.*) seme, prole.

frùtto (2) *s. m.* [*tipo di*].

Frutti
albicocca, ananas, anguria, anona, arancia, avocado, babaco, banana, cachi, castagna, cedro, chirimoya, ciliegia, clementina, cocomero, corbezzolo, dattero, durio, feijoa, fico d'India, fico, fragola, frutto della passione, giuggiola, guaiava, kiwi, lampone, licci, limone, mandarino, mandorla, mango, mangostina, maracuja, mela di legno, mela, melagrana, melone, mirtillo, mora, nespola, nocciola, noce del Brasile, noce di cocco, noce di pecan, noce, papaia, pera, pesca, pistacchio, pompelmo, prugna, rambutan, ribes, susina, uva, uva della sabbia, uva spina.

fruttòsio *s. m. inv.* (*gener.*) zucchero.

fruttuosaménte *avv.* utilmente, con profitto, efficacemente, convenientemente **CONTR.** infruttuosamente, inutilmente.

fucilàre *v. tr.* **1** mettere al muro **2** (*gener.*) giustiziare, punire con la morte.

fucilàta *s. f.* **1** sparo, colpo **2** tiro.

fucìle *s. m.* **1** (*gener.*) arma **2** (*erron.*) archibugio, carabina, moschetto, schioppo (*fam.*), lupara.

fucìna *s. f.* **1** cantiere, laboratorio, officina **2** [*di idee, etc.*] (*est.*) sorgente.

fucinàre *v. tr.* forgiare.

fuco 244

fùco s. m. 1 pecchione 2 (gener.) insetto.

fùga s. f. (pl. -ghe) 1 ritirata, rotta 2 [di un gas] esalazione, fuoriuscita, perdita 3 [di capitali, etc.] fuoriuscita.

fugàce agg. 1 transitorio, passeggero, momentaneo, effimero, breve CONTR. durevole, duraturo, stabile, permanente, perpetuo 2 (est.) labile 3 (bot.) caduco.

fugaceménte avv. brevemente, fuggevolmente, rapidamente, velocemente CONTR. duraturamente, perennemente, stabilmente.

fugacità s. f. inv. brevità, caducità.

fugàre v. tr. mettere in fuga, allontanare, ricacciare, scacciare, bandire, cancellare (fig.), eliminare, scongiurare, cacciare, disperdere, ributtare, dileguare (raro), dissipare, dissolvere.

fuggevolménte avv. 1 fugacemente, brevemente, rapidamente CONTR. durevolmente, saldamente 2 (fig.) furtivamente.

fuggire A v. intr. 1 andarsene, scappare, svignarsela (pop.), filare (fig.), darsela a gambe (scherz.), fare fagotto (fam.), levare le tende (fig.), alzare i tacchi (scherz.), evadere, sgattaiolare, involarsi (fig.), sfuggire, prendere il largo (scherz.), telare (tosc.) CONTR. arrivare, venire, sopraggiungere, giungere, capitare, accorrere 2 [di fronte al nemico] scappare, voltare le spalle 3 [sui monti, all'estero] andarsene, dileguarsi, rifugiarsi, nascondersi, emigrare CONTR. tornare 4 [detto di forza, di luce, etc.] (est.) dileguarsi, scomparire, spegnersi, scorrere rapidamente CONTR. arrivare, venire B v. tr. [i pericoli, etc.] schivare, scansare, evitare, eludere, sottrarsi a CONTR. affrontare, fronteggiare, combattere.

fùlcro s. m. 1 perno 2 perno, chiave, centro, nocciolo (fig.), polo.

fùlgere v. intr. brillare, dardeggiare, rifulgere, splendere, risplendere, rilucere CONTR. oscurarsi, offuscarsi.

fulgidaménte avv. splendidamente, luminosamente.

fùlgido agg. luminoso.

fulgóre s. m. 1 splendore, lucentezza, luminosità CONTR. opacità 2 [della giovinezza, etc.] pienezza.

fulìggine (1) s. f. 1 caligine 2 [malattia dei cereali] carbone.

fulìggine (2) s. f. 1 mazza di tamburo, bubbola 2 (gener.) fungo.

full time loc. agg., avv. e sost. CONTR. part time (ingl.).

fulminàre v. tr. 1 folgorare 2 [qc. con lo sguardo, etc.] (fig.) gelare, colpire 3 [detto di arma, di scarica elettrica, etc.] (est.) abbattere, atterrare, uccidere.

fùlmine s. m. folgore (colto), saetta (colto), lampo, dardo, baleno (est.), telo (poet.).

fulmineaménte avv. improvvisamente, repentinamente CONTR. lentamente, adagio.

fulmineo agg. 1 rapido, veloce 2 (fig.) folgorante.

fumàre v. intr. 1 farsi una sigaretta 2 (est.) sudare, evaporare 3 sbuffare.

fumétto s. m. striscia, comics (ingl.), strip (ingl.).

fùmo s. m. 1 esalazione, vapore 2 (est.) apparenza.

fumosaménte avv. ambiguamente, oscuramente, confusamente CONTR. esplicitamente, espressamente.

fumóso agg. 1 nebuloso CONTR. limpido, terso, nitido 2 [rif. a un problema, a una questione] (fig.) oscuro, contorto CONTR. limpido, nitido, chiaro 3 [rif. a un progetto] indistinto, impreciso, inconsistente.

funàmbolo s. m. (f. -a) equilibrista.

fùne s. f. corda, tirante, cima, gomena (mar.), cavo.

fùnebre agg. (est.) funereo, triste, lugubre.

funeràle s. m. esequie, trasporto, sepoltura (est.).

funèreo agg. [rif. all'aspetto] funebre, lugubre, cupo, mesto, desolato, tetro CONTR. allegro, lieto.

funestaménte avv. calamitosamen-

te, dannosamente, pericolosamente, nocivamente CONTR. faustamente, felicemente.

funestàre v. tr. 1 [un luogo] devastare, sinistrare 2 [qc.] addolorare, affliggere, rattristare CONTR. allietare, dilettare, rallegrare.

funèsto agg. 1 luttuoso CONTR. lieto 2 (lett.) doloroso, tragico, penoso, amaro CONTR. fausto, fortunato 3 [rif. a un avvenimento] tragico, letale, ferale, nefasto, rovinoso CONTR. lieto, fausto, fortunato 4 (fig.) sinistro, nero, esiziale.

fùngere v. intr. sostituire un, rappresentare un, rimpiazzare un, agire al posto di, fare le veci di, funzionare di, avere la funzione di.

funghìre v. intr. fiorire, muffire.

fùngo s. m. (pl. -ghi) [tipo di] bubbola, fuliggine (lig.), porcino, ovolo, gallinaccio, prataiolo, rossola, colombina, amanita, chiodino, vescia, spugnola, clavaria, galletto, servo, mazza di tamburo.

funzionàle agg. razionale, efficiente, pratico, comodo CONTR. irrazionale, scomodo.

funzionalità s. f. inv. praticità, razionalità (est.), comodità, affidabilità CONTR. scomodità, irrazionalità.

funzionaménto s. m. [rif. a una macchina] regime, andamento.

funzionàre v. intr. 1 (ass.) operare, agire 2 (est.) fare le veci di, agire al posto di, fungere da, sostituire un, comportarsi 3 [detto di congegno] (fig.) marciare, andare, ingranare, scattare, camminare, lavorare, muoversi, andare bene.

funzionàrio s. m. (f. -a) quadro, burocrate.

funzióne (1) s. f. 1 attività, ufficio, compito, vece, mansione 2 carica, ruolo, veste (fig.) 3 (est.) valore 4 [della scuola, etc.] finalità, missione.

funzióne (2) s. f. rito, cerimonia, liturgia (est.).

fuòco o **fòco** s. m. (pl. -chi) 1 rogo, falò, incendio 2 [interno] (est.) bruciore.

fuorché *A cong.* tranne che, eccetto che · *B prep.* meno, eccetto, tranne, salvo.

fuòri *avv.* **1** esternamente, esteriormente, verso l'esterno **CONTR.** dentro, internamente **2** oltre, al di là, via *B prep.* **1** lontano da **2** al di fuori di **3** eccetto, tranne *C s. m. inv.* esterno.

fuoribòrdo *s. m. inv.* **1** (*gener.*) barca, imbarcazione **2** motoscafo.

fuorilègge *s. m. e f. inv.* bandito, brigante, delinquente, malvivente, criminale.

fuoriuscire o **fuoruscire** *v. intr.* **1** sgorgare, traboccare, scaturire, zampillare, uscire, sfogare **2** erompere, balzare fuori, uscire con violenza, prorompere **3** [*detto di sangue, etc.*] stillare, fluire, effluire, colare, correre **4** [*da un recipiente*] scappare, tracimare.

fuoriuscita *s. f.* **1** [*di un gas*] fuga, esalazione, emanazione **2** [*di solidi*] eruzione **3** [*di liquidi*] sbocco, perdita, versamento, getto.

fuoruscire *v. intr.* V. *fuoriuscire.*

fuorviàre o **forviàre** *A v. tr.* **1** stornare, fare cambiare strada, deviare, dirottare, indirizzare diversamente **2** traviare, corrompere, contagiare, depravare, pervertire, guastare **CONTR.** riabilitare, redimere **3** [*l'attenzione*] distogliere, distrarre, sviare *B v. intr.* corrompersi, guastarsi *C v. intr. pron.* corrompersi, viziarsi.

furbaménte *avv.* astutamente, scaltramente, maliziosamente, furbescamente, machiavellicamente, sagacemente **CONTR.** stoltamente, stupidamente.

furberìa *s. f.* astuzia, scaltrezza, malizia **CONTR.** ingenuità, stupidità, sciocchezza, semplicioneria.

furbescaménte *avv.* furbamente, maliziosamente, astutamente, scaltramente **CONTR.** candidamente, innocentemente.

furbizia *s. f.* astuzia, scaltrezza, mali-

zia, perspicacia, sagacia, politica (*est.*) **CONTR.** ingenuità, candore, semplicioneria, stupidità.

fùrbo *A agg.* **1** scaltro, astuto, malizioso, lesto, sagace, accorto, marpione (*spreg.*), dritto (*spreg.*), sbirro (*dial.*), volpino (*fig.*) **CONTR.** ingenuo, candido **2** (*spreg.*) sveglio **CONTR.** babbeo, balordo, citrullo, cretino, grullo, deficiente, addormentato, scemo, sciocco, sempliciotto, stolido, coglione (*volg.*), minchione (*pop.*) *B s. m.* (*f. -a*) dritto, ganzo **CONTR.** allocco, fesso, gonzo, imbecille, sempliciotto.

furfànte *s. m.* **1** [*rif. a una persona*] canaglia, farabutto, malfattore, gaglioffo, delinquente, malvivente, manigoldo **CONTR.** galantuomo **2** [*rif. a un bambino*] birbone (*scherz.*), birbante (*scherz.*), mariolo (*scherz.*), monello (*fam.*).

furgóne *s. m.* (*gener.*) veicolo.

fùria *s. f.* **1** [*rif. a uno stato d'animo*] collera, rabbia, ira, furore, esasperazione (*est.*) **2** [*rif. all'atteggiamento*] veemenza, forza, foga, violenza, accanimento (*est.*), rovina (*lett.*) **3** [*con*] (*est.*) precipitazione, fretta **4** [*rif. a un sentimento*] passione (*fig.*), febbre.

furibóndo *agg.* furente, furioso.

furiosaménte *avv.* rabbiosamente, arrabbiatamente, violentemente, fieramente, impetuosamente **CONTR.** pacificamente, serenamente.

furióso *agg.* **1** irato, arrabbiato, infuriato, rabbioso, indiavolato, accanito (*est.*) **CONTR.** tranquillo, pacato **2** [*rif. al vento, al mare*] impetuoso, rovinoso **CONTR.** tranquillo **3** [*rif. a un discorso, a un modo*] precipitoso, frettoloso, concitato **CONTR.** tranquillo, flemmatico **4** [*rif. a una malattia*] terribile.

furóre *s. m.* **1** [*rif. a uno stato d'animo*] collera, furia, rabbia **2** [*rif. all'atteggiamento*] veemenza, impeto **3** [*rif. a un sentimento*] passione **4** accanimento **5** fanatismo.

furoreggiàre *v. intr.* fare furore, avere

successo, spadroneggiare, impazzare.

furtivaménte *avv.* nascostamente, segretamente, clandestinamente, fuggevolmente, alla chetichella **CONTR.** palesemente, apertamente.

fùrto *s. m.* **1** ruberia, rapina, estorsione, sottrazione, spoliazione, razzia, strozzinaggio, scippo, ladrocinio **2** (*gener.*) reato.

fusióne *s. f.* **1** [*di metalli, etc.*] colata **2** [*della neve, del ghiaccio, etc.*] scioglimento, liquefazione **3** [*di interessi*] (*est.*) sintesi, somma **4** [*di società, etc.*] (*est.*) unione, unificazione, accomunamento **CONTR.** scioglimento **5** [*di chiese*] scisma, separazione, spaccatura **6** [*dell'atomo*] (*fis.*) **CONTR.** scissione.

fùso (1) *part. pass.; anche agg.* **1** liquido, sciolto, liquefatto **2** [*rif. al colore*] (*fig.*) legato, unito, amalgamato **CONTR.** diviso, distinto, separato.

fùso (2) *s. m.* (*gener.*) arnese.

fustigàre *v. tr.* **1** frustare, flagellare, sferzare, scudisciare, staffilare **2** [*i costumi, etc.*] (*est.*) censurare, castigare, criticare aspramente, stigmatizzare **CONTR.** lodare, approvare, esaltare.

fùsto *s. m.* **1** tronco, caule (*bot.*), stelo, gambo (*pop.*) **2** (*est.*) barile, bidone **3** (*est.*) atleta.

fùtile *agg.* frivolo, inutile, insulso, inconsistente, vano, vacuo **CONTR.** necessario, utile, serio.

futilità *s. f. inv.* **1** vanità, inutilità, inefficacia, oziosità **CONTR.** utilità **2** frivolezza, superficialità.

futilménte *avv.* fatuamente, frivolamente, vanamente, superficialmente, mondanamente (*est.*) **CONTR.** proficuamente, utilmente.

futùro *A agg.* prossimo, venturo **CONTR.** passato, precedente *B s. m.* **1** domani **CONTR.** passato, presente, ieri, oggi **2** avvenire **3** sorte.

g, G

gabbàre *v. tr.* deludere, ingannare, imbrogliare, fregare (*fam.*), raggirare, truffare, beffare, illudere, infinocchiare (*volg.*), minchionare (*volg.*), mistificare.

gàbbia *s. f.* **1** uccelliera, voliera **2** (*est.*) prigione, carcere, galera, gattabuia (*scherz.*).

gabbiàno *s. m.* (*gener.*) uccello.

gabbiòtto *s. m.* capanno.

gabinétto *s. m.* **1** servizi, toilette (*fr.*), latrina (*volg.*), cesso (*pop.*), orinatoio (*raro*), vespasiano (*raro*), pisciatoio (*volg.*), bagno (*euf.*), ritirata, toeletta, posto **2** spogliatoio, camerino **3** ufficio, ministero.

gaffe *s. f. inv.* cantonata, sbaglio, granchio (*fig.*).

gag *s. f. inv.* **1** battuta **2** trovata.

gagà *s. m. inv.* damerino, bellimbusto CONTR. sbrindellone.

gagliardaménte *avv.* vigorosamente, energicamente, risolutamente, validamente CONTR. debolmente, fiaccamente, fievolmente, languidamente, timidamente.

gagliardìa *s. f.* vigore, vigoria, energia, robustezza, prodezza (*est.*) CONTR. sfinimento.

gagliàrdo *agg.* **1** forte, robusto, vigoroso CONTR. debole, delicato, fragile, gracile **2** resistente, tenace CONTR. debilitato, esaurito **3** valido, valoroso CONTR. neghittoso, indolente.

gagliòffo A *s. m.* canaglia, farabutto, furfante, malfattore, bandito, delinquente, manigoldo, mascalzone, masnadiero, stronzo (*fig.*) CONTR. galantuomo **B** *agg.* cialtrone, briccone, infingardo, buono a nulla CONTR. onesto.

gagnolàre *v. intr.* guaire.

gaiaménte *avv.* allegramente, spensieratamente, lietamente, briosamente, amenamente, festosamente, gioiosamente CONTR. tristemente, mestamente, lamentosamente, uggiosamente.

gaiézza *s. f.* **1** allegria, gioia, contentezza, esultanza, allegrezza (*colto*), buonumore, ilarità CONTR. melanconia, mestizia **2** [*rif. all'atteggiamento*] brio, vivacità CONTR. severità.

gàio *agg.* **1** allegro, lieto, festoso, gioioso, felice, brioso, vivace, brillante CONTR. malinconico, mesto, accigliato, accorato, addolorato, lamentoso, afflitto, angosciato **2** [*rif. a un luogo*] ameno, ridente CONTR. austero, fosco, lugubre **3** [*rif. allo spirito*] (*fig.*) leggiadro CONTR. accorato, afflitto, angosciato, fosco, oscurato.

gàla (1) *s. f.* **1** fiocco, ornamento, volant (*fr.*), trina **2** [*rif. ad abiti*] parata.

gàla (2) *s. f. inv.* fasto, pompa, sfarzo.

galà *s. f. sing.* (*gener.*) festa.

galanteménte *avv.* gentilmente, garbatamente, cortesemente, cerimoniosamente (*est.*) CONTR. sgarbatamente, scortesemente.

galantuòmo A *s. m.* (*pl.* galantuomini) gentiluomo, signore, cavaliere, nobiluomo CONTR. bandito, farabutto, malvivente, manigoldo, mascalzone, filibustiere, furfante, gaglioffo, canaglia, turlupinatore, imbroglione, impostore, ladro, lestofante, malfattore, masnadiero **B** *agg.* onesto, probo.

galeòtto (1) A *s. m.* (*f. -a*) mezzano, ruffiano **B** *agg.* pronubo, paraninfo, ruffiano, mezzano.

galeòtto (2) *s. m.* (*f. -a*) prigioniero, recluso, carcerato, detenuto, ergastolano, forzato.

galèra *s. f.* prigione, carcere, penitenziario, gattabuia (*scherz.*), gabbia (*fig.*), reclusorio (*tosc.*), collegio (*scherz.*).

gàlla *s. f.* vescica, bolla.

galleggiaménto *s. m.* affioramento (*est.*).

galleggiànte *s. m.* **1** natante **2** [*tipo di*] imbarcazione, barca, battello, zattera, nave.

galleggiàre *v. intr.* **1** stare a galla, emergere, affiorare, stare a fior d'acqua, essere a pelo d'acqua CONTR. affondare, inabissarsi, immergersi, sprofondare, sommergersi **2** (*est.*) sopravvivere **3** [*detto di persona*] nuotare, sguazzare, guazzare **4** [*detto di cosa*] fluttuare.

galleria *s. f.* **1** tunnel, traforo **2** loggiato, loggia, porticato, portico **3** corridoio **4** pinacoteca, museo.

gallétto *s. m.* **1** (*gener.*) fungo **2** gallinaccio.

gallinàccio *s. m.* **1** (*gener.*) fungo **2** galletto.

gàllo (1) *s. m.* (*gener.*) uccello.

gàllo (2) *s. m.* [*rif. al popolo*] franco.

gallóne *s. m.* **1** (*gener.*) distintivo **2** (*est.*) grado.

galoppàre *v. intr.* **1** [*detto di cavallo*] andare al galoppo **2** [*detto di persona*] (*est.*) correre, precipitarsi, spicciarsi, sbrigarsi **3** [*detto di fantasia, etc.*] (*fig.*) sfrenarsi, scatenarsi **4** [*detto di crisi, inflazione*] (*fig.*) impazzare.

galoppìno *s. m.* portaborse.

galvanizzàre A *v. tr.* (*est.*) elettrizzare (*fig.*), scuotere (*fig.*), rianimare, eccitare CONTR. moderare, frenare, temperare **B** *v. intr. pron.* elettrizzarsi (*fig.*), eccitarsi, gasarsi (*pop.*) CONTR. moderarsi, frenarsi, limitarsi.

gàmba *s. f.* **1** (*gener.*) arto **2** [*rif. agli animali*] zampa **3** [*con unghie*] (*raro*) branca, rampa.

gàmbero *s. m.* (*gener.*) crostaceo.

gamberóne *s. m.* **1** (*gener.*) crostaceo **2** scampo, nefrope (*zool.*).

gàmbo *s. m.* **1** fusto, stelo, caule (*colto*) **2** [*rif. a una lampada, etc.*] piede.

gamèlla *s. f.* gavetta.

gàmma *s. f.* **1** [*di colori, etc.*] scala, gradazione **2** [*di articoli*] insieme, serie, varietà, assortimento.

gang *s. f. inv.* **1** banda **2** combriccola, conventicola.

gànga *s. f.* (*pl. -ghe*) **1** [*di malviventi*] cricca, banda, cosca, combutta, camarilla **2** [*di amici, etc.*] combriccola, compagnia.

gàngster *s. m. inv.* bandito, malvivente, delinquente, criminale.

ganimède *s. m.* (*neg.*) damerino, bellimbusto, zerbinotto.

gànzo *s. m.* **1** amante, amico **2** dritto, furbo.

gap *s. m. inv.* dislivello.

gàra *s. f.* **1** competizione, torneo, derby (*ingl.*), partita, gioco **2** (*est.*) concorso, prova **3** confronto, duello, sfida, contrasto, disputa (*raro*), scontro, tenzone (*lett.*), match (*ingl.*).

garage *s. m. inv.* autorimessa, box (*ingl.*), rimessa.

garànte **A** *agg.* responsabile **B** *s. m. e f.* fideiussore.

garantìre **A** *v. tr.* **1** dare garanzie, offrire cauzioni *per*, avallare, mallevare, fare fede **2** [*l'ordine pubblico, etc.*] proteggere, tutelare, salvaguardare, cautelare, preservare **3** [*una notizia, etc.*] (*est.*) confermare **4** [*che q.c. è vero*] assicurare, attestare, asserire, certificare, promettere, accertare, affermare **B** *v. rifl.* premunirsi, cautelarsi, proteggersi, tutelarsi, assicurarsi, coprirsi, difendersi.

garanzìa *s. f.* **1** mallevadoria, avallo **2** (*est.*) cauzione, copertura, pegno **3** assicurazione **4** (*est.*) sicurezza.

garbàre **A** *v. intr.* piacere, aggradare, andare a genio, gradire, gustare, quadrare (*fig.*), soddisfare, persuadere **CONTR.** dispiacere, spiacere, contrariare, rincrescere **B** *v. rifl. rec.* piacersi.

garbataménte *avv.* cortesemente, educatamente, galantemente, civilmente, amabilmente, carezzevolmente, delicatamente, bellamente, gentilmente, graziosamente, leggiadramente **CONTR.** sgarbatamente, bruscamente, burberamente, grezzamente, cafonescamente, maleducatamente, crudamente (*est.*), indelicatamente, oltraggiosamente (*est.*).

garbàto *part. pass.; anche agg.* **1** gentile, cortese, educato, civile, delicato, grazioso, sensibile **CONTR.** brusco, scortese, sgarbato, indelicato, agro (*fig.*), brutale, zotico, intrattabile, ruvido (*fig.*), triviale **2** [*rif. allo stile*] aggraziato, armonioso **CONTR.** sgraziato, malfatto, informe.

gàrbo *s. m.* **1** cortesia, gentilezza, diplomazia, tatto (*fig.*), distinzione, signorilità, squisitezza, proprietà, maniera, amabilità, creanza, compitezza **CONTR.** sgarbo, scortesia, arroganza **2** [*negli abiti*] linea.

garbùglio *s. m.* intrigo, groviglio, pasticcio, viluppo, imbroglio.

gardènia *s. f.* fiore.

gareggiàre *v. intr.* **1** battersi, confrontarsi, contrastarsi, misurarsi, combattere, lottare **2** [*per un lavoro, etc.*] competere, rivaleggiare, concorrere, contendere, correre (*fig.*) **3** [*in una partita*] (*sport*) giocare, disputare.

gargòtta *s. f.* osteria, taverna.

garòfano *s. m.* (*gener.*) fiore.

garrìre *v. intr.* **1** [*detto di uccelli*] stridere, strepitare, gridare, cinguettare **2** [*detto di persona, etc.*] (*est.*) chiacchierare, ciarlare **3** [*detto di bandiera, di foglie, etc.*] sventolare.

gàrza (1) *s. f.* **1** benda **2** velo, tulle.

gàrza (2) *s. f.* **1** airone **2** (*gener.*) uccello.

garzóne *s. m.* **1** fattorino, commesso, valletto, ragazzo, mozzo **CONTR.** padrone **2** apprendista.

gas *s. m. inv.* esalazione **CONTR.** solido, liquido.

gasàre o **gassàre** **A** *v. tr.* **1** asfissiare **2** (*gener.*) giustiziare **3** [*qc. in senso*

morale] (*est.*) eccitare, caricare (*fig.*), montare (*fig.*) **B** *v. rifl.* **1** caricarsi, esaltarsi, eccitarsi, entusiasmarsi, galvanizzarsi **CONTR.** sgasarsi, smontarsi, deprimersi, abbattersi **2** (*est.*) montarsi la testa, gonfiarsi (*fig.*), innalzarsi (*fig.*).

gassàre *v. tr. e rifl.* V. *gasare*.

gasteròpodi *s. m. pl.* (*gener.*) mollusco.

gastronomìa *s. f.* cucina (*fig.*).

gastronòmico *agg.* culinario.

gattabùia *s. f.* carcere, galera, prigione, collegio (*scherz.*), penitenziario, reclusorio (*tosc.*), gabbia (*fig.*), bagno penale.

gàtto *s. m.* (*f. -a*) **1** (*gener.*) mammifero, felino **2** micio (*fam.*).

gaudènte **A** *s. m. e f.* festaiolo, pascià (*fig.*), viveur (*fr.*) **CONTR.** asceta **B** *part. pres.; anche agg.* festaiolo, gioioso **CONTR.** morigerato.

gàudio *s. m.* gioia, diletto, felicità, allegria, contentezza, tripudio, allegrezza **CONTR.** tristezza.

gaudiosaménte *avv.* gioiosamente, lietamente **CONTR.** mestamente, malinconicamente.

gavazzàre *v. intr.* bagordare, bisbocciare, fare baldoria, gozzovigliare, fare bagordi, fare bisboccia, fare gozzoviglie.

gavètta *s. f.* gamella.

gay **A** *s. m. inv.* omosessuale, buaiolo (*tosc.*), buliccio (*genov.*), recchione (*merid.*), checca (*roman.*), cinedo (*lett.*), diverso, frocio (*volg.*), finocchio (*volg.*), invertito **B** *agg.* omosessuale.

gàzza *s. f.* (*gener.*) uccello.

gazzàrra *s. f.* caciara (*pop.*), cagnara (*pop.*), chiassata.

gazzétta *s. f.* (*gener.*) giornale.

gazzettìno *s. m.* notiziario, bollettino.

gèco *s. m.* (*pl. -chi*) **1** (*gener.*) sauro, rettile **2** tarantola (*pop.*).

gelàre **A** *v. tr.* **1** [*un ambiente*] refrigerare, raffreddare CONTR. scaldare, sgelare, riscaldare **2** [*gli alimenti*] congelare, surgelare **3** [*qc. con lo sguardo, etc.*] (*fig.*) agghiacciare, impietrire, fulminare, colpire, raggelare **B** *v. intr.* congelarsi (*fig.*) CONTR. scaldarsi, riscaldarsi, ardere, bruciare **C** *v. intr. pron.* infreddolirsi, agghiacciare (*fig.*), congelarsi (*fig.*), ghiacciarsi (*fig.*), raggelare CONTR. scaldarsi, riscaldarsi, bruciare **D** *v. intr. impers.* ghiacciare, fare freddo, fare molto freddo.

gelàta *s. f.* gelo (*est.*), brinata.

gelatinóso *agg.* viscido, colloso, mucillaginoso CONTR. solido, sodo, consistente.

gelidaménte *avv.* con freddezza, con distacco, freddamente CONTR. calorosamente, espansivamente, entusiasticamente.

gèlido *agg.* **1** freddo, glaciale, ghiaccio CONTR. caldo, ardente, bollente, arroventato, infuocato, rovente **2** [*rif. all'atteggiamento*] (*fig.*) scostante, indifferente, distaccato CONTR. caldo, ardente, cordiale, fervido.

gèlo *s. m.* **1** ghiaccio **2** brinata, gelata **3** (*est.*) freddo, inverno CONTR. caldo, calore **4** (*est.*) paura.

gelosaménte *avv.* con cura, scrupolosamente, con riguardo CONTR. sbadatamente.

gelosìa (1) *s. f.* **1** (*gener.*) sentimento **2** invidia, antagonismo, rivalità **3** livore.

gelosìa (2) *s. f.* persiana.

gelsomìno *s. m.* (*gener.*) fiore.

gèmere **A** *v. intr.* **1** [*detto di persona, di animali*] piangere, piagnucolare, lamentarsi, frignare, gualre, lagnarsi, dolersi CONTR. ridere, esultare, gioire, gongolare **2** [*detto di liquidi*] gocciolare, trasudare, stillare, filtrare, gocciare, scolare (*fam.*), colare (*fam.*) **3** [*detto di mare*] rumoreggiare **4** [*detto di ruota, di palco, etc.*] cigolare, scricchiolare **B** *v. tr.* [*detto di ferita, etc.*] emettere.

geminàre *v. tr.* **1** duplicare, raddoppiare, sdoppiare **2** (*ling.*) binare, rafforzare.

gèmito *s. m.* lamento.

gèmma *s. f.* **1** [*rif. alle piante*] germoglio, pollone **2** [*rif. ai minerali*] pietra, gioia **3** [*tipo di*] **4** (*analog.*) occhio **5** stella, astro.

NOMENCLATURA

Gemme (le più note)

Le gemme sono state organizzate in due gruppi, al primo gruppo appartengono tutte le pietre più note che vengono montate su gioielli, al secondo appartengono le gemme che hanno origine da esseri viventi o vissuti. L'organizzazione nei due gruppi è chiaramente soggettiva in quanto nessuna classificazione può stabilire, in maniera definitiva, quale materiale sia veramente una "gemma". Nella nostra classificazione la descrizione delle gemme è data dal colore e, nel caso delle gemme organogene, dall'essere vivente da cui provengono.

diamante: incolore, giallo, marrone; talvolta verde, blu, rossastro, nero;

rubino: rosso, rosso violaceo;

padparadschah: arancio, rosso-arancio, rosa aranciato;

zaffiro: blu in varie tonalità;

smeraldo: verde, verde scuro;

acquamarina: azzurro, azzurro-verdastro, verdastro;

crisoberillo: giallo oro, verde-giallo, brunastro;

spinello: rosso, rosa, violetto, giallo, arancio;

topazio: giallo, giallo bruno, caramello; azzurro; rosa; incolore;

granato: rosso;

almandino: granato rosso con sfumatura violetta;

piropo: granato rosso con sfumatura brunastra;

spessartina: granato da arancio a rosso-marrone;

zircone: incolore, giallo, marrone, arancio, rosso, violetto, blu, verde;

tormalina: incolore, rosa, rosso, giallo, marrone, verde, viola, nero, policromo;

hiddenite: giallo, giallo-verde, verde-giallo, verde smeraldo;

kunzite: rosa-viola, viola chiaro;

quarzo: incolore, tutti i colori;

ametista: quarzo violaceo, viola;

avventurina: quarzo verde, grigio, giallo, marrone;

calcedonio: quarzo microcristallino a struttura raggiata;

agata muschiata: calcedonio incolore con inclusioni verdi;

agata: calcedonio a colori vari, a bande;

corniola: calcedonio rosso, rosso-arancio, rosso bruno, arancio bruno;

crisoprasio: calcedonio verde-mela brillante, verde-giallastro;

diaspro: calcedonio verde scuro con macchie rosse;

sarda: calcedonio marrone, rosso scuro;

capelli di Teti;

capelvenere;

cristallo di rocca;

occhio di falco: quarzo grigio-blu;

occhio di gatto: quarzo bianco, grigio bruno, giallo-verdastro, nero, oliva, grigiastro;

occhio di tigre: quarzo giallo bruno, marrone, rossastro, bluastro, rosso;

quarzo affumicato: giallo affumicato, marrone affumicato;

quarzo arcobaleno: quarzo iridescente;

quarzo blu: quarzo blu scuro, blu violaceo;

quarzo citrino: giallo, arancione rossastro, arancione bruniccio;

quarzo con asterismo: quarzo di colore rosa, grigio, latteo con una luminosità oscillante simile a una stella;

quarzo con gatteggiamento: quarzo con una luminosità oscillante simile agli **occhi del gatto;**

quarzo ialino: incolore;

quarzo latteo: quarzo bianco, grigio latteo;

quarzo rosa;

quarzo rutilato: rosso, rosso dorato;

quarzo semitrasparente-opaco;

quarzo trasparente;

opale: bianco, grigio, blu, verde, arancio;

giada: verde, bianco, rossastro, giallo;

nefrite: verde, bianco, grigio, giallastro, rossastro, marrone;

olivina: verde-giallo, verde-oliva, bruno;

tanzanite: blu zaffiro, viola ametista;

ematite: grigio scuro, rosso fegato, rosso mattone;

amazzonite: verde, verde bluastro;

pietra di luna: incolore, giallo; **labradorite:** grigio scuro sino a grigio nero, con gioco di colori; **ematite:** nero, nero-grigio, rosso bruno; **pirite:** giallo ottone, giallo grigio; **avventurina:** arancione, marrone-rosso; **rodocrosite:** rosa, giallastro, bruno; **rodonite:** rosso scuro, rosso-carnicino con inclusioni nere; **turchese:** azzurro, blu-verde, verde-mela, in generale presenta macchie scure marrone o nere; **lapislazzuli:** blu con venature grigie e oro; **azzurrite:** blu scuro, azzurro; **sodalite:** blu, grigio; **malachite:** verde chiaro, verde-nero, verde smeraldo; **giada; tormalina:** rosso, verde, blu, gialla, arancione, incolore, nera; **alessandrite.**

Gemme organogene:
corallo: rosso, rosa, bianco, (costituito da una sostanza calcarea rilasciata da piccoli polipi) nero, blu (costituito da sostanza organica di organismi marini); **ambra:** giallo a marrone, rosso (resina fossile prodotta da una conifera); **perla:** rosa, argento, crema, dorato, verde, blu, grigio, nero; **giaietto:** nero, marrone scuro (carbone derivante dalla fossilizzazione di spore e polline di alghe); **avorio:** bianco crema (zanne di elefante, denti di ippopotamo, capodoglio, tricheco, cinghiale, mammuth).

gemmàre v. intr. germogliare, buttare, produrre dei germogli, rampollare, gettare, prolificare, pullulare.

gendàrme s. m. poliziotto, agente, sbirro (spreg.), cerbero (fig.).

generàle (1) A agg. **1** [rif. alla verità, etc.] universale, assoluto **CONTR.** parziale, specifico **2** (est.) globale, complessivo **CONTR.** particolare, individuale **3** [rif. a un'opinione, a un giudizio] unanime **CONTR.** parziale, specifico **4** comune, pubblico, collettivo **CONTR.** individuale **5** generico, vago, astratto **CONTR.** specifico, particolare, individuale **B** s. m. sing. maggioranza.

generàle (2) s. m. (f. -essa) (gener.) militare **CONTR.** soldato.

generalizzàre v. tr. estendere, diffondere (est.).

generalménte avv. **1** in generale, comunemente, correntemente, di solito, spesso, per lo più, solitamente **CONTR.** particolarmente, singolarmente, peculiarmente, specialmente, specie **2** totalmente, universalmente, complessivamente, globalmente.

generàre v. tr. **1** figliare, concepire, partorire, procreare, fare nascere, mettere al mondo, dare alla luce, prolificare **2** [detto di pianta, terra, etc.] produrre, buttare, germinare (raro), germogliare (raro) **3** [felicità, panico, etc.] (est.) originare, dare origine a, creare, causare, cagionare, provocare, suscitare, portare.

generazióne s. f. **1** procreazione, riproduzione **2** stirpe, razza, specie **3** [rif. all'età] classe.

gènere (1) s. m. **1** [rif. a animali, a vegetali] classe, gruppo, famiglia **2** categoria, tipo, specie **3** [di vita] stile, modo **4** (est.) mercanzia, merce **5** [rif. a oggetti] (ling.) categoria, qualità, varietà, sorta **6** [rif. a persone] (spreg.) razza, risma, stampo.

gènere (2) s. m. (ling.) neutro, maschile, femminile.

genericaménte avv. approssimativamente, vagamente, indeterminatamente, indiscriminatamente **CONTR.** esattamente, precisamente, caratteristicamente, dettagliatamente, capillarmente, specificatamente, tipicamente.

genericità s. f. inv. **1** indeterminatezza, imprecisione, indefinitezza **CONTR.** specificità **2** [nell'atteggiamento] superficialità.

genèrico agg. vago, impreciso, indefinito, indeterminato, generale, astratto **CONTR.** particolare, specifico, peculiare.

generosaménte avv. magnanimamente, altruisticamente, cavalierescamente, liberalmente, disinteressatamente, prodigalmente, munificamente, nobilmente, signorilmente **CONTR.** egoisticamente, individualisti-

camente, con cupidigia, grettamente, meschinamente, aridamente (fig.), disumanamente.

generosità s. f. inv. **1** altruismo, filantropia (raro), abnegazione, disinteresse, cuore (fig.) **CONTR.** egoismo **2** indulgenza, clemenza, magnanimità, bontà, umanità **CONTR.** inclemenza **3** [economico] (est.) munificenza, larghezza, prodigalità, grandezza **CONTR.** spilorceria, taccagneria, tirchieria, avarizia, esosità **4** [di idee] disponibilità, apertura, liberalità **CONTR.** grettezza, pochezza.

generóso agg. **1** largo, magnanimo, munifico, caritatevole, misericordioso, clemente, umano, tollerante, liberale, magnifico, prodigo, disinteressato, altruista **CONTR.** egoistico, gretto, avaro, spilorcio, tirchio, sordido, parsimonioso, parco, interessato, rapace, guitto (fig.) **2** [rif. al terreno] fertile, ricco **CONTR.** parco, arido **3** (fig.) largo, abbondante, ampio **4** (lett.) nobile, cortese (fig.), cavalleresco (est.).

genetlìaco s. m. natalizio (colto), compleanno, natale.

genìa s. f. (spreg.) progenie, stirpe, schiatta, risma (spreg.).

geniàle agg. **1** ingegnoso, fantasioso, creativo, originale **2** (est.) brillante **3** (est.) prolifico **4** (fam.) grande.

genialménte avv. ingegnosamente, intelligentemente, originalmente **CONTR.** banalmente, piattamente, pedestremente.

gènio s. m. **1** estro, estrosità, ingegno, inventiva, talento **2** arte, dote **3** [rif. a una persona] (fig.) cima, cranio, portento, prodigio **4** demone, spirito **5** [rif. a un popolo, etc.] peculiarità, caratteristica **6** [spec. con: avere il] piacere, gusto.

genitóre s. m. (f. -trice) padre, papà, mamma, madre, vecchio (scherz.), parente (lett.) **CONTR.** figlio, figlia, figliolo.

genocidio s. m. **1** strage **2** (gener.) reato.

gentàglia s. f. ciurma, ciurmaglia, plebaglia, progenie (spreg.) **CONTR.** gente perbene.

gènte s. f. *1* popolo, nazione, popolazione *2* etnia, famiglia, tribù *3* folla, piazza (*fig.*) *4* prossimo *5* pubblico.

gentildònna s. f. *1* nobildonna *2* [*in quanto all'animo*] nobildonna, signora.

gentile (1) agg. *1* cortese, garbato, affabile, amichevole, premuroso, attento, civile, educato, urbano, cavalleresco (*fig.*) CONTR. sgarbato, scortese, maleducato, insolente, ignorante, grossolano, ruvido (*fig.*), brusco (*fig.*), brutale, asciutto, cafone, zotico, barbaro (*fig.*), intimidatorio *2* [*rif. all'aspetto*] delicato, blando, tenero, fine *3* (*est.*) buono CONTR. terribile *4* [*rif. all'animo*] leggiadro, grazioso CONTR. brutale, acre *5* [*rif. al carattere, etc.*] cortese, affabile CONTR. chiuso.

gentile (2) s. m. e f. *1* [*in epoca latina*] straniero *2* (*est.*) pagano.

gentilèzza s. f. *1* cortesia, creanza, garbo, civiltà, educazione, urbanità, compitezza, grazia CONTR. zoticaggine, villania, scortesia, sgarbo, cafoneria *2* cortesia, attenzione, premura, pensiero CONTR. sgarberia, villanata, affronto, torto, maltrattamento, impertinenza, insolenza *3* delicatezza, bontà CONTR. bestialità, violenza, brutalità *4* amabilità, umanità CONTR. sussiego, arroganza, condiscendenza.

gentilménte avv. affabilmente, amabilmente, cavallerescamente, compitamente, cordialmente, simpaticamente, delicatamente, dolcemente, galantemente, complimentosamente, garbatamente, mitemente CONTR. brutalmente, burberamente, grezzamente, oltraggiosamente (*est.*), sdegnosamente, sdegnosamente, seccamente (*fig.*).

gentiluòmo s. m. (*pl. gentiluomini*) *1* nobiluomo *2* [*in quanto all'animo*] signore CONTR. buzzurro, cafone, bifolco *3* galantuomo, cavaliere (*fig.*) CONTR. bandito.

genuflessióne s. f. riverenza, inchino.

genuflèttersi v. rifl. *1* inginocchiarsi, prosternarsi, prostrarsi *2* (*est.*) salutare.

genuinaménte avv. spontaneamente, schiettamente, sinceramente, autenticamente CONTR. artificiosamente, affettatamente, ipocritamente.

genuinità s. f. inv. *1* schiettezza, autenticità, purezza, sincerità (*fig.*) CONTR. sofisticazione, adulterazione *2* [*rif. a una persona*] semplicità, spontaneità, schiettezza CONTR. artificiosità.

genuino agg. *1* [*rif. al cibo, a una bevanda, etc.*] naturale CONTR. adulterato, alterato, sofisticato, manipolato *2* puro, schietto, semplice CONTR. artefatto, artificiale, artificioso, sforzato, fasullo, finto, fittizio *3* [*rif. a uno scritto*] autentico, vero CONTR. contraffatto.

geometricaménte avv. dal punto di vista geometrico.

gerànio s. m. (*gener.*) fiore.

gerarchicaménte avv. in ordine gerarchico, secondo il grado, secondo la carica.

gerbèra s. f. (*gener.*) fiore.

gèrgo s. m. (*pl. -ghi*) parlata, lessico.

geriatria s. f. gerontoiatria (*med.*), gerontologia (*med.*).

gèrla s. f. canestro, cesta.

germàno (1) A agg. germanico, alemanno, teutonico B agg., s. m. (f. -a) della Germania.

germàno (2) A s. m. (f. -a) *1* fratello *2* sorella B agg. [*rif. a cugini*] di primo grado.

germàno (3) s. m. *1* anatra *2* (*gener.*) uccello.

gèrme s. m. *1* embrione *2* (*biol.*) batterio, microbo, uovo (*est.*), spora, seme *3* causa, origine, radice.

germinàre A v. intr. *1* buttare, germogliare, rampollare (*raro*), spuntare, nascere, gettare, pullulare *2* (*est.*) formarsi, sorgere, crescere B v. tr. generare, creare.

germogliàre A v. intr. *1* nascere, sbocciare, fiorire, produrre dei germogli, gemmare, buttare, germinare, spuntare, rampollare (*raro*), gettare,

prolificare (*raro*), ributtare *2* [*detto di amore, di vizio, etc.*] (*fig.*) nascere, sbocciare, fiorire, crescere, svilupparsi *3* [*detto di gente, etc.*] apparire, pullulare B v. tr. *1* mettere, produrre *2* (*est.*) generare, creare.

germóglio s. m. *1* gemma, pollone, virgulto, boccio (*est.*), bocciolo (*est.*), butto, getto, gettata (*est.*), rampollo *2* [*di un amore, di un'amicizia, etc.*] inizio.

gerocòmio s. m. gerontocomio.

gerontocòmio s. m. ospizio, gerocomio.

gerontoiatria s. f. geriatria (*med.*), gerontologia (*med.*).

gerontologia s. f. geriatria (*med.*), gerontoiatria (*med.*).

gèsta s. f. pl. impresa.

gesticolàre v. intr. *1* gestire, fare gesti *2* agitarsi, scalmanarsi, sbracciarsi.

gestióne s. f. amministrazione, conduzione.

gestire (1) v. intr. gesticolare, fare gesti.

gestire (2) v. tr. amministrare, curare, governare, guidare, condurre, portare avanti (*fig.*), reggere, esercire, dirigere, maneggiare (*raro*).

gèsto s. m. *1* mossa, movenza, movimento *2* cenno, segno, richiamo (*est.*) *3* [*di gentilezza, etc.*] moto, atto, azione, tratto, pensiero, comportamento.

gettàre A v. tr. *1* buttare, lanciare, scaraventare, proiettare, scagliare, tirare, catapultare, sbalestrare, sbattere, saettare (*raro*) CONTR. raccogliere, recuperare *2* [*oggetti inutili, etc.*] buttare via, abbandonare *3* [*acqua sul fuoco, etc.*] versare *4* [*liquidi, etc.*] emettere, spandere *5* [*semi, etc.*] disseminare, spargere *6* [*detto di capitale*] fruttare, dare un gettito *7* [*la responsabilità, etc.*] (*fig.*) rovesciare *8* [*le gemme, etc.*] buttare, mettere B v. intr. *1* [*detto di fonte, di rubinetto, etc.*] versare *2* [*detto di pianta, etc.*] germogliare, germinare, gemmare, spuntare, rampollare, buttare, sbocciare C *v. rifl.* **1** [*su qc. o q.c.*] avventarsi, scagliarsi, balzare, piombare, scatenarsi **2** [*nel vuoto*] lanciarsi, buttarsi, saltare, tuffarsi **3** [*in un luogo*] irrompere, spingersi, infilarsi, precipitarsi **D** *v. intr. pron.* **1** [*detto di fiume*] confluire, sboccare, sfociare, rovesciarsi, scaricarsi **CONTR.** nascere **2** [*detto di strada*] confluire, sboccare, sfociare, entrare.

gettàta *s. f.* **1** germoglio (*est.*) **2** colata **3** [*di un'arma da fuoco*] gittata, portata.

gètto *s. m.* **1** lancio **2** flusso, colata **3** [*rif. alle piante*] (*bot.*) germoglio **4** (*mecc.*) gicleur (*fr.*), polverizzatore **5** [*di liquidi*] spruzzo, zampillo, fuoriuscita.

ghènga *s. f.* (*pl. -ghe*) banda, brigata, compagnia, combriccola, comitiva, famiglia (*est.*), manica.

ghermìre *v. tr.* **1** [*detto di animale da preda*] artigliare **2** agguantare, acchiappare, afferrare, acciuffare, prendere, abbrancare **3** [*un segreto, etc.*] rubare, rapire, carpire, strappare (*fig.*).

ghiàccia *s. f.* glassa, copertura.

ghiacciàre A *v. intr.* congelarsi **B** *v. intr. pron.* congelarsi (*fig.*), gelarsi **CONTR.** scaldarsi, riscaldarsi **C** *v. intr. impers.* fare molto freddo, gelare **D** *v. tr.* **1** congelare, surgelare, raffreddare **CONTR.** riscaldare **2** [*le membra, etc.*] intirizzire **3** (*est.*) terrorizzare, spaventare, sconcertare, imbarazzare.

ghiàccio A *s. m.* gelo **B** *agg.* (*pl. f. -ce*) gelido **CONTR.** caldo, bollente.

ghiàia *s. f.* breccia, pietrisco.

ghièra *s. f.* **1** anello **2** [*di un pozzo*] vera, parapetto, puteale (*raro*) **3** (*arch.*) arco.

ghigliottinàre *v. tr.* **1** decapitare **2** (*gener.*) giustiziare.

ghignàre *v. intr.* **1** sogghignare, sghignazzare **2** (*gener.*) ridere.

ghiòtta *s. f.* leccarda.

ghiottaménte *avv.* golosamente, ingordamente, voracemente, avidamente **CONTR.** svogliatamente, controvoglia.

ghiótto *agg.* **1** goloso **CONTR.** svogliato, indifferente, noncurante **2** vorace, ingordo, avido, bramoso, desideroso **CONTR.** svogliato, indifferente, noncurante **3** [*rif. a una pietanza*] appetitoso, gustoso **4** [*rif. a un romanzo, a una storia*] (*fig.*) eccitante.

ghiottonerìa *s. f.* **1** prelibatezza, leccornia **CONTR.** schifezza **2** [*rif. a persone, ad animali*] golosità.

ghiribìzzo *s. m.* sghiribizzo, idea, estro, grillo (*fig.*), uzzolo (*tosc.*), capriccio, velleità.

ghirigòro *s. m.* arzigogolo, scarabocchio, svolazzo, arabesco.

ghirlànda *s. f.* **1** corona, serto (*lett.*), diadema **2** festone.

già *avv.* **1** ecco, proprio, appunto, precisamente **CONTR.** no **2** ormai **3** fino da ora **4** (*pleon.*) pure.

giàcca *s. f.* (*pl. -che*) giubba (*tosc.*), giubbotto.

giacché o **già che** *cong.* siccome, poiché, dal momento che, perché.

giàcchio *s. m.* (*gener.*) rete.

giacènza *s. f.* **1** rimanenza **2** (*est.*) saldo.

giacére *v. intr.* **1** coricarsi, essere coricato, essere sdraiato, dormire (*est.*), distendersi **2** (*est.*) poltrire, riposare **3** [*detto di denaro, etc.*] (*est.*) languire, ristagnare.

giacìglio *s. m.* letto, covo, covile, cuccia, lettiera, lettime, tana (*est.*).

giaciménto *s. m.* [*di minerali*] bacino, area.

giacìnto *s. m.* (*gener.*) fiore.

giaculatòria *s. f.* preghiera **CONTR.** bestemmia, imprecazione.

giàda *s. f.* **1** (*spec.*) nefrite **2** (*gener.*) pietra, minerale.

giaggiòlo *s. m.* **1** (*gener.*) fiore **2** iris.

giàllo A *agg.* **1** (*fig.*) pallido, cereo, smorto **2** [*rif. al colore*] dorato **B** *s. m.* (*gener.*) colore **CONTR.** blu, rosso.

giammài *avv.* mai, in nessun tempo, mai più **CONTR.** sempre, talora.

giannìzzero *s. m.* sgherro, scherano (*lett.*), gorilla (*fig.*).

giàra *s. f.* **1** orcio, coppo (*tosc.*), ziro (*nap.*) **2** contenitore, recipiente.

giardìno *s. m.* **1** orto, parco **2** serra.

gibèrna *s. f.* cartuccera.

gicleur *s. m. inv.* (*mecc.*) getto, polverizzatore.

gigànte A *s. m.* **1** colosso, ciclope, titano, armadio (*scherz.*), mastodonte **CONTR.** nano, lillipuziano, pigmeo **2** [*della scienza, dell'arte*] (*est.*) personaggio, autorità, potenza, personalità, big (*ingl.*) **B** *agg.* enorme, gigantesco **CONTR.** minuscolo, piccolo, esiguo, pigmeo (*fig.*).

gigantésco *agg.* (*pl. m. -chi*) **1** enorme, colossale, gigante, ciclopico, titanico, imponente **CONTR.** piccolo, minuscolo, microscopico, minimo, esiguo, nano (*fig.*) **2** (*est.*) indicibile.

gìglio *s. m.* (*gener.*) fiore.

gilet *s. m. inv.* panciotto.

ginèstra *s. f.* **1** fibra **2** (*gener.*) pianta, arbusto.

gingillàrsi *v. intr. pron.* dondolarsi (*fig.*), baloccarsi, trastullarsi, perdere tempo, giocherellare, oziare, aggiare (*est.*) **CONTR.** agire, applicarsi, lavorare.

ginnàsta *s. m. e f.* atleta.

ginnàstica *s. f. sing.* (*gener.*) sport.

giocàre A *v. intr.* **1** svagarsi, ricrearsi, spassarsi, sollazzarsi, baloccarsi, divertirsi, trastullarsi, giocherellare, ruzzare (*tosc.*) **2** [*con le parole, etc.*] (*est.*) scherzare **3** [*detto di luce, di colore, etc.*] (*est.*) riflettersi **4** (*est.*) recitare **5** [*detto di articolazione, etc.*] avere gioco, muoversi liberamente **6** [*detto di fortuna, di caso, etc.*] agire, intervenire **7** [*in uno sport*] gareggiare, incontrare un **B** *v. tr.* **1** [*le carte, i dadi, etc.*] (*est.*) buttare, tirare **2** [*denaro*] rischiare, scommettere, puntare (*est.*), impegnare **3** [*la reputazione, il posto*] rischiare, perdere, arrischiare, mettere in pericolo, mettere a repentaglio **4** [*un incontro, una partita*] sostenere, affrontare, disputare **5** [*qc.*] (*est.*) beffare, ingannare, truffare, prendere in giro, imbrogliare **C** *v. intr. pron.* **1** rischiare, scommettere **2** (*est.*) perdere.

giocàta *s. f.* **1** posta, scommessa, puntata **2** (*est.*) gioco.

giocatóre *s. m.* (*f. -trice*) (*est.*) avventuriero.

giocàttolo *s. m.* trastullo, balocco (*raro*), gioco.

giocherellàre *v. intr.* gingillarsi, giocare, baloccarsi, trastullarsi, distrarsi, aggeggiare (*est.*).

giòco *s. m.* (*pl. -chi*) **1** passatempo, trastullo, diversivo, divertissement (*fr.*) **2** scherzo, beffa, inganno, burla **3** (*est.*) giocata **4** artificio, finzione **5** gara **6** [*rif. alla fortuna*] azione, ruolo **7** [*rif. a una relazione, etc.*] intreccio (*raro*) **8** balocco, giocattolo **9** [*tipo di*] bocce, riffa, biliardo, polo, cricket (*ingl.*), pallavolo, calcio, pallacanestro, videogioco, puzzle (*ingl.*), morra, tombola, dama, monopoli.

giocondaménte *avv.* allegramente, lietamente, gioiosamente, piacevolmente, amenamente, festosamente, giovialmente, giulivamente **CONTR.** tristemente, mestamente.

giocondità *s. f. inv.* allegria, gioiosità.

giocóndo *agg.* lieto, gioioso, allegro, contento.

giocosaménte *avv.* burlescamente, scherzosamente, facetamente **CONTR.** seriamente, gravemente.

giocóso *agg.* **1** faceto, scherzoso, burlesco **CONTR.** serio, grave, austero **2** allegro, festoso.

giógo *s. m.* (*pl. -ghi*) oppressione, soggezione, catena (*fig.*).

giòia (1) *s. f.* **1** gaudio, esultanza, allegria, felicità, letizia, benessere, soddisfazione, contentezza, gaiezza, spensieratezza, tripudio, allegrezza, compiacenza, compiacimento **CONTR.** sofferenza, dolore, tristezza, sconforto, scontento, amarezza, afflizione, tedio, pena, dispiacere, infelicità **2** [*per gli occhi, etc.*] delizia, diletto, piacere, godimento, benedizione (*fig.*) **CONTR.** sofferenza, tortura, tormento, seccatura **3** (*est.*) gemma, gioiello, prezioso.

giòia (2) *s. f.* gioiello.

gioiellière *s. m.* (*f. -a*) [*tipo di*] orafo, orefice, argentiere.

gioièllo *s. m.* **1** gioia, prezioso **2** [*tipo di*] **3** [*rif. a una persona, a un oggetto*] (*fig.*) meraviglia, capolavoro, perla, delizia.

NOMENCLATURA

Gioielli

Gioiello: ornamento di metallo o altri materiali lavorato e ornato di pietre più o meno preziose.

braccialetto: gioiello con cui si adorna il polso;

bracciale;
schiava: braccialetto rigido o semirigido;

collana: gioiello di svariate forme e materiali con cui si adorna il collo;
collier: (*fr.*) collana preziosa di lunghezza limitata;
girocollo: collana di lunghezza limitata;
monile: collana preziosa;
torchon: collana formato da più fili di fibre o perle o corallo attorcigliati tra loro a guisa di cordone;
torque: antica collana celtica;

diadema: gioiello che cinge la testa;
corona: diadema riservato ai reali;

gemelli: gioiello formato dalla coppia di due bottoni variamente ornati uniti tra loro per chiudere i polsini delle camicie;

pendente: gioiello di svariate forme che si appende a una catena;

ciondolo;
medaglione: pendente a forma di grossa medaglia;

orecchini: gioielli di svariate forme con cui si adornano le orecchie;

buccola: (*raro*);

anello: gioiello con cui si adornano le dita della mano;
fede: anello solitamente a fascetta che si scambiano gli sposi il giorno delle nozze;
riviera: anello con pietre poste in linea retta sulla parte visibile;
solitario: anello ornato da un'unica pietra centrale, solitamente un brillante;

spilla: gioiello di svariate forme con cui si adorna un abito;

fermacravatte: gioiello normalmente a barretta con cui si adorna la cravatta.

gioiosaménte *avv.* allegramente, festosamente, gaudiosamente, giocondamente, piacevolmente, lietamente, gaiamente, giulivamente, spassosamente **CONTR.** accoratamente, tristemente, mestamente, uggiosamente, luttuosamente, solennemente (*est.*).

gioióso *agg.* **1** [*rif. a una persona*] allegro, lieto, gaio, felice, entusiasta, gaudente **CONTR.** triste, malinconico, mesto, accorato **2** [*rif. al sorriso, allo sguardo*] radioso **CONTR.** accorato, amaro, amareggiato **3** [*rif. a un luogo*] ridente **CONTR.** cupo **4** [*rif. a un augurio, a un saluto, etc.*] festoso, brillante, caloroso **CONTR.** amaro **5** [*rif. a un giorno, a un evento*] felice **CONTR.** doloroso, ferale, luttuoso.

gioire *v. intr.* godere, esultare, rallegrarsi, dilettarsi, gongolare, sguazzare (*fig.*), giubilare, tripudiare, ridere (*est.*) **CONTR.** compiangersi, contristarsi, dispiacersi, dolersi, gemere, rattristarsi, affliggersi, addolorarsi, piangere, soffrire, tribolare, patire, penare.

giornàle A *s. m.* **1** (*gener.*) stampa, pubblicazione **2** [*tipo di*] **3** [*di bordo*] diario, libro, registro **B** *agg.* giornaliero, diurno, quotidiano.

INFORMAZIONE

Giornale

Giornale:
1 Foglio stampato che si pubblica quotidianamente per la diffusione di notizie varie;
2 Pubblicazione periodica (est.).
pubblicazione: opera che viene pubblicata per mezzo della stampa;
stampa: complesso delle pubblicazione giornalistiche;
quotidiano: il giornale che si pubblica tutti i giorni;
bollettino: giornale specializzato contenente notizie relative ad un settore;
periodico: qualsiasi pubblicazione che esca a intervalli regolari di tempo;
rotocalco: periodico illustrato, prevalentemente settimanale, realizzato con l'incisione su un cilindro di ra-

me invece che su lastra; **rivista:** periodico illustrato di attualità, spec. settimanale o mensile. **gazzetta:** giornale d'informazione settoriale (sport, politica, amministrativa); **tabloid:** giornale di formato ridotto che pubblica un notiziario condensato e molto materiale fotografico; **giornale murale:** manifesto murale di grandi dimensioni con informazioni di cronaca politica; **dazebao:** giornale murale nato nella Repubblica Popolare Cinese con finalità di propaganda, di denuncia, di critica.

giornalièro *A agg.* quotidiano *B s. m.* (*f. -a*) lavoratore, bracciante.

giornalista *s. m. e f.* **1** (*gener.*) scrittore **2** [*tipo di*] corrispondente, articolista, redattore **3** [*l'insieme di*] stampa.

giornalménte *avv.* ogni giorno, giorno per giorno, quotidianamente CONTR. saltuariamente (*est.*).

giornàta *s. f.* giorno, dì CONTR. nottata, notte.

giórno *s. m.* **1** giornata, sole (*poet.*), dì CONTR. notte **2** [*rif. a una quantità di tempo*] CONTR. mese, anno, settimana.

giòstra *s. f.* **1** torneo **2** [*di pensieri, etc.*] (*fig.*) carosello, ridda.

giovaménto *s. m.* **1** beneficio, utilità, effetto, efficacia CONTR. detrimento **2** vantaggio, profitto.

gióvane o **giòvine** *A agg.* **1** [*rif. alle foglie, etc.*] recente, fresco, verde **2** junior (*ingl.*) CONTR. adulto, anziano, vecchio, attempato, decano, senior (*ingl.*) **3** immaturo, inesperto, imberbe CONTR. consumato, esperto, veterano **4** [*rif. alla pelle*] fresco CONTR. appassito, sfiorito **5** [*rif. alla moda*] (*est.*) giovanile CONTR. antiquato, antico, arcaico **6** [*rif. al vino, al formaggio*] fresco CONTR. stagionato *B s. m.* e f. **1** ragazzo, giovanotto CONTR. vecchio, anziano, adulto, bambino, neonato, nonno, vegliardo **2** allievo, scolaro, discepolo **3** apprendista.

giovanétto *s. m.* (*f. -a*) V. *giovinetto*.

giovaníle *agg.* **1** vitale, attivo, dinamico, energico CONTR. senile **2** [*rif. al-*]

l'aspetto] (*ingl.*) casual **3** [*rif. allo spirito*] (*fig.*) verde.

giovanilménte *avv.* da giovane, in modo giovanile.

giovanòtto *s. m.* ragazzo, giovane CONTR. neonato, pargolo, bambino, adulto, vecchio, anziano.

giovàre *A v. intr.* **1** favorire *un*, beneficare *un* CONTR. danneggiare, pregiudicare, ledere **2** valere, servire, essere utile, essere vantaggioso *per*, convenire, importare **3** piacere, dilettare *un* **4** confarsi, conferire, donare, fare *B v. intr. impers.* essere utile, essere vantaggioso CONTR. sconvenire *C v. intr. pron.* avvalersi, utilizzare *un*, usufruire, fruire, valersi, servirsi, approfittare (*est.*), profittare (*est.*).

giovènca *s. f.* (*pl. -che*) **1** vacca, mucca **2** (*gener.*) mammifero.

giovènco *s. m.* (*f. -a*) **1** vitello **2** (*gener.*) mammifero.

gioventù *s. f. inv.* giovinezza CONTR. vecchiaia, vecchiezza, decrepitezza.

giovevolménte *avv.* utilmente, vantaggiosamente, proficuamente, efficacemente CONTR. inutilmente.

gioviàle *agg.* cordiale, espansivo, affabile, amichevole, amabile CONTR. serio, scostante, scontroso, piagnucoloso.

giovialità *s. f. inv.* cordialità, espansività, affettuosità, affabilità, calore, buonumore CONTR. freddezza, sussiego, superbia.

giovialménte *avv.* **1** cordialmente, affabilmente, amabilmente **2** (*est.*) allegramente, giocondamente CONTR. bruscamente.

giòvine *agg., s. m.* e f. V. *giovane*.

giovinétto o **giovanétto** *s. m.* (*f. -a*) adolescente, ragazzo CONTR. uomo, adulto, vecchio, infante, lattante.

giovinézza *s. f.* **1** gioventù, adolescenza CONTR. vecchiaia, senilità, infanzia, maturità **2** (*est.*) freschezza CONTR. vecchiezza, decrepitezza.

giramóndo *s. m. e f. inv.* avventuriero, vagabondo, nomade.

girandolàre *v. intr.* girellare, gironzolare, girovagare.

girandolóni *avv.* andando in giro, con atteggiamento vagabondo, andando a zonzo.

giràre *A v. tr.* **1** muovere in giro, muovere in tondo, piroettare, rotolare, turbinare, volteggiare, mulinare, frullare, ruotare (*lett.*), roteare **2** [*una pagina, una bistecca*] voltare, rivoltare **3** [*una scena*] filmare, riprendere **4** [*gli occhi, il viso*] rivolgere, dirigere, presentare, volgere **5** [*un luogo*] bazzicare, frequentare **6** [*un'isola, un paese, etc.*] aggirare, costeggiare, attorniare **7** [*l'attenzione*] stornare, distogliere, trasferire **8** [*una questione, una frase*] mutare, cambiare **9** [*i capelli, un filo*] attorcere **10** [*una città, un giardino*] percorrere, visitare, scorrere *B v. intr.* **1** circolare, passeggiare, viaggiare, camminare, andare in giro, girellare, andare intorno, muoversi, aggirarsi, gironzolare, girovagare, scorrazzare **2** curvare, svoltare, sterzare, virare, volgere **3** [*verso un punto*] volgersi **4** [*detto di denaro, etc.*] circolare, passare di mano in mano **5** [*detto di notizia*] (*est.*) diffondersi, propagarsi, spargersi **6** [*detto di idee, di pensieri*] (*fig.*) ronzare, mulinare **7** [*detto di clima*] guastarsi (*tosc.*) **8** [*intorno a q.c.*] gravitare, orbitare *C v. rifl.* **1** volgersi, voltarsi, rigirarsi, rivoltarsi **2** [*nel letto, etc.*] cambiare posizione, muoversi, agitarsi.

giràta *s. f.* **1** giro, passeggiata, gita **2** [*rif. a un assegno*] trasferimento.

giravòlta *s. f.* volteggio.

girellàre *v. intr.* bighellonare, gironzolare, passeggiare, circolare, vagabondare, girovagare, girare, girandolare, errare, vagare.

girévole *agg.* **1** mobile, movibile, versatile CONTR. immobile, fisso **2** [*rif. all'atteggiamento*] (*fig.*) volubile.

girl-friend *s. f. inv.* fidanzata, amica CONTR. boy-friend.

giro *s. m.* **1** [*spec. con: fare un*] camminata, passeggiata, girata **2** viaggio, cammino (*est.*) **3** [*per correre, etc.*] (*est.*) circuito, pista, percorso **4** rotazione **5** [*di amici, etc.*] (*est.*) cerchia, ambiente **6** [*di fumo, etc.*] voluta, spirale **7** [*di denaro, etc.*] movimento, circolazione, traffico **8** svolta, volta (*raro*).

girocòllo *s. m.* **1** collier (*fr.*), monile, collana, vezzo **2** (*gener.*) gioiello.

giróne *s. m.* bolgia, fossa.

gironzolàre *v. intr.* girellare, bighellonare, camminare, passeggiare, vagabondare, errare, errabondare, girandolare, vagare, girare, girovagare.

girovagàre *v. intr.* vagare, girellare, vagabondare, errare, bighellonare, andare in giro senza meta, errabondare, gironzolare, girandolare, girare, ramingare (*lett.*).

giròvago A *s. m.* (*pl. -ghi*) **1** vagabondo **2** nomade, avventuriero **B** *agg.* ambulante.

gita *s. f.* escursione, passeggiata, scampagnata, girata, viaggio (*est.*).

gitàno A *s. m.* (*f. -a*) nomade, zigano, zingaro **B** *agg.* zingaresco.

gittàta *s. f.* portata, gettata, potenza.

giù *avv.* **1** in basso, dabbasso, abbasso, inferiormente, sotto CONTR. su, in alto, sopra, superiormente, in su **2** laggiù CONTR. lassù.

giùbba (1) *s. f.* giacca.

giùbba (2) *s. f.* [*del cavallo, del leone*] criniera.

giubbòtto *s. m.* giacca.

giubilàre A *v. intr.* esultare, gioire, godere, gongolare, tripudiare CONTR. affliggersi, attristarsi, rattristarsi **B** *v. tr.* **1** pensionare, mettere a riposo **2** (*est.*) destituire, rimuovere.

giudicàre A *v. tr.* **1** valutare, misurare, calcolare (*fig.*), soppesare (*fig.*), classificare, pesare (*fig.*), vagliare **2** [*qc. colpevole o innocente*] ritenere, dichiarare **3** [*qc. o q.c. stupido, etc.*] ritenere, stimare, considerare, reputare, trovare (*fig.*), opinare, pensare, parere, qualificare, credere, avere *per* (*fig.*), conoscere, riconoscere **4** (*est.*) criticare, recensire, commentare **5** (*est.*) decidere **6** [*un gesto, una parola*] (*est.*) interpretare **7** [*una proposta, etc.*] (*est.*) vedere, esaminare **B** *v. intr.* emettere una sentenza, sentenziare

C *v. rifl.* valutarsi, reputarsi, ritenersi, stimarsi, credersi, confessarsi (*est.*).

giudicàto *part. pass.; anche agg.* [*rif. al vincitore, etc.*] dichiarato, proclamato.

giùdice *s. m. e f.* (*gener.*) magistrato.

giudiziàrio *agg.* penale.

giudizio *s. m.* **1** senno, saggezza, discernimento, prudenza, assennatezza, saviezza, ragione, sale (*fig.*), sentimento (*pop.*), responsabilità, buonsenso CONTR. dissennatezza, irresponsabilità **2** opinione, parere, idea, concetto (*est.*), impressione **3** processo **4** (*est.*) sentenza, decisione, verdetto, responso **5** (*est.*) recensione, nota, critica, considerazione, commento, proposizione (*raro*) **6** valutazione, apprezzamento, stima **7** [*scolastico*] voto **8** (*sport*) qualificazione.

giudiziosaménte *avv.* assennatamente, avvedutamente, accortamente, saggiamente, riflessivamente, prudentemente, sensatamente CONTR. dissennatamente, balordamente, follemente, irriflessivamente, mattamente, strambamente, stranamente.

giudizióso *agg.* saggio, avveduto, savio, assennato, prudente, riflessivo, quadrato, sensato (*est.*) CONTR. dissennato, incauto, sventato, irragionevole, scriteriato, imprevedibile, matto, tocco.

giulivaménte *avv.* allegramente, felicemente, gioiosamente, giocondamente, lietamente CONTR. tristemente, mestamente.

giulivo *agg.* graduale.

giùnca *s. f.* (*pl. -che*) (*gener.*) imbarcazione.

giùnco *s. m.* (*pl. -chi*) canna, bambù.

giùngere A *v. intr.* **1** [*in un luogo*] arrivare, pervenire, sopraggiungere, piovere (*fig.*) CONTR. partire, fuggire, andarsene, allontanarsi **2** [*da un luogo*] arrivare, venire, provenire **3** [*al limite, etc.*] spingersi **4** (*est.*) essere, trovarsi **5** [*a proposito*] capitare, tornare **6** [*a terra*] (*est.*) toccare *un* **7** [*detto di fiume, di strada*] (*est.*) sboccare, affluire **8** [*a una soluzione*] (*est.*) addivenire, raggiungere *un* **B** *v. tr.* congiungere, unire CONTR. disgiungere,

dividere.

giùngla *s. f.* (*erron.*) foresta, boscaglia, bosco.

giùnta (1) *s. f.* **1** delegazione, commissione **2** assemblea.

giùnta (2) *s. f.* aggiunta.

giùnto *s. m.* giunzione, raccordo.

giuntùra *s. f.* **1** articolazione, snodo **2** giunzione, congiuntura.

giunzióne *s. f.* **1** congiunzione, giunto, giuntura **2** attacco **3** snodo **4** collegamento.

giuraménto *s. m.* promessa, voto.

giuràre A *v. tr.* **1** promettere, assicurare **2** asserire, attestare, dichiarare, sacramentare (*raro*) **B** *v. intr.* **1** prestare giuramento, promettere solennemente **2** (*est.*) spergiurare.

giuràto A *part. pass.; anche agg.* **1** dichiarato **2** [*rif. al nemico*] implacabile, fiero **B** *s. m.* (*f. -a*) giudice popolare.

giuridicaménte *avv.* legalmente, secondo la legge, secondo il diritto.

giustaménte *avv.* **1** onestamente, rettamente, lealmente, degnamente, dirittamente, equamente, imparzialmente CONTR. ingiustamente, disonestamente, slealmente **2** correttamente, bene, esattamente CONTR. slealmente, falsamente, scorrettamente, impropriamente **3** legittimamente, secondo giustizia, lecitamente **4** meritatamente, fondatamente, per giusti motivi CONTR. immeritatamente.

giustézza *s. f.* pertinenza, appropriatezza, correttezza, adeguatezza.

giustificàbile *agg.* compatibile, perdonabile, sopportabile, comprensibile (*est.*) CONTR. inammissibile (*est.*), intollerabile (*est.*).

giustificàre A *v. tr.* **1** [*un errore, etc.*] capire, compatire, comprendere, indulgere, condonare (*est.*) **2** [*qc.*] scusare, scagionare, discolpare, scolpare **3** [*una decisione, un'azione*] autorizzare, legittimare, convalidare CONTR. infirmare, invalidare **4** [*un'assenza, una mancanza*] motivare, spiegare, rendere conto **B** *v. rifl.* scusarsi, difendersi, scolparsi, discolparsi, scagionarsi, spiegarsi **CONTR.** accusarsi, confessare.

giustificazióne *s. f.* **1** scusante, scusa, motivazione, attenuante, argomento, spiegazione, ragione **2** [*a mia, a tua giustificazione, etc.*] discolpa, discarico.

giustizia *s. f.* **1** equità, imparzialità, equanimità, obiettività, dirittura (*est.*) **CONTR.** ingiustizia, iniquità **2** magistratura **3** [*spec. in loc.: farsi*] ragione **4** (*gener.*) virtù.

CLASSIFICAZIONE

Giustizia

1 Virtù per la quale si giudica rettamente e si dà a ciascuno ciò che gli è dovuto: *operare secondo giustizia;*
equità: giustizia;
imparzialità: qualità per la quale si opera e si giudica senza favorire nessuno;
equanimità;
obiettività;
dirittura: (*est.*) coscienza di ciò che è giusto e onesto: *si comporta con grande giustizia.*
2 Autorità giudiziaria, magistratura: *corte di giustizia; consegnare, assicurare qc. alla giustizia.*
magistratura: complesso degli organi giurisdizionali costituenti un ordine autonomo;
complesso degli organi giudiziari;
complesso dei magistrati.
3 Farsi giustizia: atto col quale la giustizia si realizza: *far giustizia da sé,* punire direttamente qc. senza attendere che lo faccia chi deve; **ragione:** (*fig.*) domandare, chiedere, rendere ragione di q.c., domandare, chiedere, rendere conto, giustificazione di q.c.: *chiedo ragione dei tanti anni trascorsi innocente in prigione.*
4 Più in generale:
virtù: amore attivo del bene che induce l'uomo a perseguirlo e a praticarlo costantemente: virtù civile, virtù naturale, virtù morale, costante disposizione dell'anima a fare il bene: *la giustizia è la virtù che più apprezzo.*

giustiziàre *v. tr.* **1** punire con la morte, uccidere legalmente **CONTR.** assol-

vere, graziare, perdonare **2** [*modi di*] fucilare, impiccare, decapitare, ghigliottinare, gasare.

giustizière *s. m.* (*f. -a*) **1** boia, carnefice **2** (*est.*) vendicatore.

giùsto A *agg.* **1** [*rif. a un giudizio*] equo, imparziale, equanime, equilibrato, corretto **CONTR.** ingiusto, iniquo, errato, sbagliato, distorto, falso, arbitrario, immeritato **2** [*rif. a una persona*] degno, onesto, retto, diritto, leale, corretto, morale, santo (*fig.*) **CONTR.** iniquo, falso, dissoluto, disonesto **3** [*rif. a un'osservazione, a un'opinione*] vero, oggettivo, sacrosanto (*fam.*) **CONTR.** ingiusto, iniquo, distorto, falso **4** [*rif. a una decisione*] appropriato, adeguato, conveniente, indovinato, calzante, conforme, opportuno, debito, provvidenziale (*est.*) **CONTR.** ingiusto, iniquo **5** [*rif. alla quantità*] preciso, esatto **CONTR.** spropositato **6** legale **CONTR.** criminoso, illegale ***B*** *avv.* **1** esattamente, esatto, precisamente, correttamente **CONTR.** erroneamente, erratamente, imprecisamente, inesattamente **2** proprio, appunto, per l'appunto **3** appena, soltanto, solamente ***C*** *s. m. sing.* giustizia.

glaciàle *agg.* **1** gelido, freddo **CONTR.** torrido, ardente, caldo **2** [*rif. all'atteggiamento*] gelido (*fig.*), freddo (*fig.*), scostante, distaccato **CONTR.** caldo, espansivo, cordiale.

glàdio *s. m.* spada, brando (*lett.*).

gladiolo *s. m.* (*gener.*) fiore.

glàssa *s. f.* ghiaccia (*pop.*), copertura.

glicide *s. m.* V. *glucide.*

gliptodónte *s. m.* (*gener.*) dinosauro.

glissàre *v. intr.* sorvolare, evitare, passare sopra **CONTR.** insistere, approfondire.

globàle *agg.* **1** complessivo, totale **CONTR.** parziale, frammentario **2** (*est.*) generale, universale **CONTR.** particolare, specifico.

globalménte *avv.* collettivamente, complessivamente, cumulativamente, generalmente **CONTR.** particolarmente, parzialmente, singolarmente.

glòbo *s. m.* **1** sfera, palla, tondo **2**

(*anton.*) terra.

globulàre *agg.* tondo, rotondo, sferico.

glòbulo biànco *loc. sost.* (*anat.*) leucocita **CONTR.** globulo rosso, emazia.

glòbulo rósso *loc. sost.* (*anat.*) eritrocita, emazia **CONTR.** leucocita, globulo bianco.

glòria (1) *s. f.* **1** fama, celebrità, rinomanza, alloro (*fig.*), lauro (*poet.*), memoria (*est.*) **2** onore, vanto, lustro, orgoglio (*lett.*), decoro **CONTR.** vergogna, disonore, infamia.

glòria (2) *s. f.* (*gener.*) canto.

gloriàre A *v. tr.* esaltare, lodare, vantare, elogiare, encomiare, decantare, glorificare, magnificare, celebrare **CONTR.** calunniare, criticare, denigrare ***B*** *v. rifl.* **1** esaltarsi, lodarsi, incensarsi, elogiarsi, vantarsi, glorificarsi, magnificarsi, pavoneggiarsi, millantarsi, vanagloriarsi **CONTR.** abbassarsi, umiliarsi, avvilirsi, disprezzarsi, infamarsi **2** compiacersi, fregiarsi, onorarsi.

glorificàre A *v. tr.* magnificare, lodare, incensare (*fig.*), gloriare, esaltare, celebrare, onorare, decantare, innalzare, inneggiare, deificare (*est.*), immortalare (*est.*), coronare (*fig.*) **CONTR.** biasimare, censurare, denigrare, calunniare, umiliare ***B*** *v. rifl.* gloriarsi, vantarsi, lodarsi, esaltarsi, millantarsi, elogiarsi, pavoneggiarsi, vanagloriarsi, incensarsi.

glorificazióne *s. f.* celebrazione, esaltazione, magnificazione, trionfo.

gloriosaménte *avv.* **1** onorevolmente, onoratamente **CONTR.** ingloriosamente, ignominiosamente, vigliaccamente **2** eroicamente, coraggiosamente, valorosamente.

glorióso *agg.* **1** [*rif. a un'azione*] onorevole, esemplare, eroico **CONTR.** vergognoso, disdicevole **2** [*rif. a una persona*] illustre, celebre **CONTR.** infame, abietto.

glòssa *s. f.* postilla, nota, annotazione, commento.

glossàre *v. tr.* chiosare, postillare, annotare, fare delle note, commentare.

glossàrio s. m. (gener.) vocabolario.

glottologìa s. f. (gener.) linguistica, scienza, disciplina.

glucìde o **glicìde** s. m. **1** zucchero **2** [tipo di] saccarosio, lattosio, maltosio, glucosio.

glucòsio s. m. **1** (gener.) zucchero, glucide **2** destrosio.

glùteo s. m. natica, chiappa (pop.), mela (fig.).

gnaulàre v. intr. miagolare.

gnoseologìa s. f. conoscenza.

goal s. m. inv. V. gol.

gòbba s. f. **1** protuberanza, escrescenza, prominenza, rigonfiamento, sporgenza CONTR. rientranza **2** [in una strada, etc.] curvatura, curva.

gòccia s. f. (pl. -ce) **1** stilla, gocciola **2** lacrima **3** [di acqua, etc.] lacrima, sorso, sorsata **4** [di intelligenza, etc.] (fig.) briciola, ombra, minimo.

gocciàre A v. tr. sgocciolare, gocciolare, grondare B v. intr. **1** scolare (fam.), stillare **2** gemere, trapelare (raro), trasudare, gocciolare **3** lacrimare, piangere.

gòccio s. m. [di acqua, etc.] sorso, sorsata.

gòcciola s. f. **1** goccia, stilla **2** lacrima.

gocciolàre A v. intr. **1** emettere gocce, stillare, gemere, colare, gocciare **2** sgocciolare, scolare (fam.), trapelare (raro), trasudare **3** piovere **4** lacrimare, piangere B v. tr. gocciare, colare.

gocciolatòio s. m. gronda, grondaia.

godére A v. intr. **1** gioire, esultare, deliziarsi, dilettarsi, giubilare, rallegrarsi, tripudiare, compiacersi, spassarsela, gongolare, provare piacere, sguazzare (fig.). CONTR. dolere, affliggersi, rattristarsi, lagnarsi, patire, soffrire, penare **2** venire (fam.), raggiungere l'orgasmo, eiaculare, sborrare (volg.) **3** [di rendite, di beni, etc.] beneficiare, usufruire, valersi, fruire **4** [di una buona salute] (est.) avere un, possedere un (fig.) B v. tr. **1** [un bene] usare,

adoperare, sfruttare, possedere, avere **2** [la pace, la musica, etc.] assaporare (fig.), gradire, capire, gustare (fig.) C v. intr. pron. [nella forma: godersela] spassarsela, fare una bella vita, crogiolarsi.

godìbile agg. utilizzabile, fruibile.

godiménto s. m. **1** piacere, diletto, gioia CONTR. sofferenza, tortura **2** [dei beni, delle ricchezze] fruizione.

goffàggine s. f. **1** impaccio, grossolanità CONTR. spigliatezza, agilità, destrezza, leggiadria, grazia **2** ridicolaggine.

goffaménte avv. **1** sgraziatamente, rozzamente, ridicolmente (est.), grottescamente (est.), maldestramente CONTR. agilmente, aggraziatamente, leggiadramente, con grazia, destramente, con agilità, abilmente **2** (est.) sbadatamente, maldestramente CONTR. destramente, scaltramente, sottilmente (fig.), disinvoltamente, spigliatamente.

gòffo agg. **1** impacciato, impedito, inetto, inabile CONTR. agile, snodato, destro, disinvolto, spigliato, leggero **2** (est.) sgraziato, inelegante CONTR. bello, avvenente, leggiadro.

gol o **goal** s. m. inv. rete, centro.

gòla s. f. **1** strozza (raro), collo (est.) **2** canalone **3** strettoia, stretta **4** fauci **5** golosità.

golf (1) s. m. pullover, maglione.

golf (2) s. m. (gener.) gioco.

golfàre s. m. (mar.) spina.

gòlfo s. m. **1** rada, baia, cala **2** (gener.) insenatura.

golosaménte avv. **1** avidamente, ghiottamente, ingordamente, voracemente, gustosamente CONTR. controstomaco, controvoglia, svogliatamente **2** bramosamente, voluttuosamente.

golosità s. f. inv. gola (est.), ghiottoneria.

golóso agg. **1** [rif. al cibo] ghiotto, vorace, ingordo **2** (fig.) ingordo, avido.

gólpe (1) s. m. inv. colpo di stato, ri-

volta, putsch (ted.).

gólpe (2) s. f. [malattia dei cereali] fuliggine.

gómena s. f. cima, cavo, fune, corda.

gomitàta s. f. spintone, spinta, puntata.

gómito s. m. **1** cubito (lett.) **2** (est.) curva.
♦ **alzare il gomito** loc. verb. bere.

gómma s. f. **1** cicca (fam.), chewing-gum (ingl.).

gommosità s. f. inv. vischiosità CONTR. fluidità.

góndola s. f. (gener.) barca, imbarcazione.

gonfalóne s. m. stendardo, bandiera.

gonfiàre A v. tr. **1** dilatare, riempire d'aria, ingrossare CONTR. sgonfiare **2** [un episodio] (est.) accrescere, ingigantire, esagerare, aumentare, drammatizzare, esaltare, ingrandire CONTR. attenuare, diminuire, impicciolire, impiccolire, minimizzare, sdrammatizzare **3** [qc.] (est.) montare (fig.), adulare, lisciare (fig.), insuperbire CONTR. denigrare, diffamare, disprezzare **4** [un occhio, etc.] enfiare, tumefare, infiammare **5** [il mercato, etc.] (econ.) dilatare, inflazionare B v. intr. **1** ingrossare **2** [a causa dell'ira, etc.] (fig.) bollire **3** [detto di dolce, etc.] (est.) montare C v. intr. pron. **1** ingrossarsi, crescere, dilatarsi, ingrassarsi CONTR. impicciolirsi, impiccolirsi **2** [detto di dolce, etc.] lievitare CONTR. sgonfiarsi, afflosciarsi **3** [detto di ferita, etc.] (med.) enfiarsi **4** [detto di bandiera] sbattere **5** [detto di pene, etc.] inturgidirsi D v. rifl. vanagloriarsi, vantarsi, pavoneggiarsi, esaltarsi, millantarsi CONTR. umiliarsi, sminuirsi.

gonfiatùra s. f. esagerazione, montatura.

gonfiézza s. f. **1** rigonfiamento **2** [nello stile] (est.) ampollosità.

gónfio A agg. **1** pieno, traboccante, strapieno CONTR. vuoto **2** [rif. a una persona] ampolloso, tronfio, borioso, vanitoso CONTR. dimesso, modesto, umile **3** [rif. allo stile] ampolloso, ridondante **4** gravido, ingrossato **B** s. m. enfiagione, gonfiore.

gonfióre s. m. tumefazione, rigonfiamento, enfiamento (med.), enfiagione (med.), edema (colto), borsa (fig.), tumore (raro), bernoccolo, bitorzolo.

gongolàre v. intr. gioire, esultare, rallegrarsi, essere contento, traboccare di gioia, giubilare, bearsi, godere, tripudiare CONTR. contristarsi, addolorarsi, affliggersi, avvilirsi, gemere, lamentarsi, piangere.

gónna s. f. **1** (gener.) indumento CONTR. calzoni **2** sottana.

gónzo A s. m. (f. -a) minchione, babbeo, allocco (fig.), bietolone, asino (fig.), ciuccio (merid.), ciuco (fig.) CONTR. dritto, furbo **B** agg. babbeo, balordo, sciocco, fesso, stupido, minchione (pop.).

gòra s. f. pozzanghera, pozza.

gorgheggiàre v. intr. canterellare, cantare, emettere suoni, emettere gorgheggi, canticchiare, trillare.

gorghéggio s. m. trillo, canto (est.).

górgo s. m. (pl. -ghi) vortice, mulinello, abisso (est.).

gorgogliàre v. intr. **1** [detto di liquido, etc.] rumoreggiare, ribollire, borbogliare, bollire, barbugliare, pullulare, frusciare **2** [detto di persona, etc.] (est.) mormorare, borbottare, farfugliare, brontolare.

gorgóglio s. m. rumorio, brusio, borbottio.

gorilla s. m. inv. **1** (gener.) scimmia **2** (spreg.) sgherro, sbirro, scherano (lett.), giannizzero.

gòta s. f. guancia.

governànte (1) s. f. tata, balia (erron.).

governànte (2) part. pres.; anche s. m. statista.

governàre A v. tr. **1** [un veicolo] dirigere, condurre, pilotare, guidare, manovrare, maneggiare **2** [lo stato, i cittadini] dirigere, condurre, comandare, amministrare, reggere, capitanare, presiedere **3** [i sentimenti] moderare,

controllare **4** [bambini, animali] dare da mangiare a, nutrire, sostentare, curare, custodire **5** [la situazione, etc.] controllare, dominare, gestire, regolare **B** v. rifl. **1** contenersi, dominarsi, regolarsi, controllarsi, moderarsi **2** (ass.) agire, condursi.

governatoràto s. m. **1** reggenza **2** protettorato.

govèrno s. m. **1** direzione, comando, guida, timone (fig.), condotta (raro), maneggio (raro), conduzione **2** cura, assistenza, amministrazione **3** dominazione, regime, potere, regno (fig.) **4** (raro) regola, norma **5** (est.) stato (raro) **6** [forma di] (est.).

INFORMAZIONE

Forme di governo

aristocrazia: forma di governo in cui il potere è detenuto dai nobili;

democrazia: forma di governo in cui il potere è detenuto dal popolo;

assolutismo: forma di governo in cui il potere è detenuto da un sovrano o da un dittatore senza né limiti né controlli;

autocrazia: assolutismo molto accentuato;

dispotismo: assolutismo esercitato con la violenza;

tirannia;

diarchia: forma di governo in cui il potere è detenuto da due persone;

duumvirato: diarchia nell'antica Roma;

gerontocrazia: forma di governo in cui il potere è detenuto dagli anziani;

gerusia: gerontocrazia nell'antica Spagna;

ierocrazia: forma di governo in cui il potere è detenuto dai sacerdoti;

monarchia: forma di governo in cui il potere è detenuto da un monarca;

signoria: forma di governo assolutistico instauratasi in Italia nella seconda metà del XIII secolo;

oligarchia: forma di governo in cui il potere è detenuto da pochi;

plutocrazia: forma di governo in cui il potere è detenuto dai ricchi;

tecnocrazia: forma di governo in cui il potere è detenuto dai tecnici;

teocrazia: forma di governo in cui il potere è detenuto da una persona che personifica la divinità;

timocrazia: forma di governo in cui

il potere è detenuto da alcune persone in base al censo;

triumvirato: forma di governo in cui il potere è detenuto da tre persone.

gózzo (1) s. m. (gener.) barca, imbarcazione.

gózzo (2) s. m. **1** ingluvie (colto) **2** (est.) stomaco **3** (med.) ingrossamento tiroideo.

gozzoviglia s. f. baldoria, baccanale, bisboccia, crapula, orgia, mangiata, stravizio, bagordo.

gozzovigliàre v. intr. bagordare, bisbocciare, gavazzare, fare gozzoviglie, fare bagordi, fare baldoria, fare bisboccia, straviziare, mangiare (impr.) CONTR. digiunare.

gracchiàre v. intr. **1** [detto di animali] gracidare, chiocciare **2** [detto di persone] (est.) ciarlare, cianciare, schiamazzare, strepitare, starnazzare (fig.).

gracidàre v. intr. **1** [detto di animali] gracchiare, chiocciare, cantare (est.) **2** [detto di persone] (est.) cicalare (fig.), ciarlare, parlottare, cianciare **3** [detto di sedia, etc.] cigolare.

gràcile agg. **1** fragile, esile, debole, delicato, cagionevole, diafano (est.), minuto (est.) CONTR. robusto, vigoroso, gagliardo, forte **2** debole.

gracilità s. f. inv. fragilità, debolezza, esilità, delicatezza CONTR. robustezza.

gradataménte avv. **1** progressivamente, per gradi, poco a poco, gradualmente CONTR. bruscamente **2** metodicamente, ordinatamente.

gradazióne s. f. **1** scala (fig.), climax **2** [rif. ai colori] sfumatura, nuance (fr.), tonalità, gamma (est.), ordinamento (raro), punto (fam.) **3** [rif. all'alcool] tasso.

gradévole agg. **1** piacevole, amabile, bello, delizioso CONTR. sgradevole, fastidioso, antipatico, irritante, seccante, atroce (fam.), schifo (tosc.) **2** [rif. all'aspetto] attraente, simpatico, piacente CONTR. fastidioso, disgustoso, brutto, agghiacciante **3** [rif. al sapore] delizioso, buono, squisito CONTR. fastidioso, disgustoso, acerbo, acre,

gradevolezza agro, aspro, nauseabondo, nauseante, stucchevole 4 [rif. al suono] armonico CONTR. fastidioso, assillante (est.) 5 (est.) lusinghiero, soddisfacente.

gradevolézza s. f. 1 [rif. a una persona] simpatia, amabilità, piacevolezza CONTR. spiacevolezza, odiosità 2 [rif. al clima] mitezza.

gradevolménte avv. 1 piacevolmente, deliziosamente, dolcemente, amabilmente CONTR. antipaticamente, fastidiosamente 2 piacevolmente CONTR. disgustosamente, sgradevolmente.

gradiménto s. m. 1 soddisfazione, compiacimento, gusto 2 [spec. in loc.: indice di] ascolto.

gradinàta s. f. scala, scalinata.

gradìno s. m. 1 scalino 2 dislivello 3 fase 4 [sociale] livello.

gradire A v. tr. 1 [la pace, la musica, etc.] apprezzare, amare, godere CONTR. detestare, respingere, sgradire, ricusare, schifare 2 [una bibita, un caffè] desiderare, avere voglia di, volere 3 [un regalo] (est.) accettare, accogliere 4 [la conoscenza di qc.] (bur.) compiacersi di B v. intr. garbare (tosc.), piacere CONTR. contrariare.

gradìto part. pass.; anche agg. 1 benaccetto, accetto, grato CONTR. detestabile, sgradito, odioso, malaccetto, importuno, increscioso 2 (est.) caro 3 (est.) piacevole.

gràdo s. m. 1 livello 2 [dell'alcool, etc.] tasso 3 [sociale] condizione, stato, situazione, rango, scalino (fig.), piano (fig.), posizione 4 [rif. a un processo] (est.) tappa, stadio 5 carica, scanno (fig.), titolo (fig.), gallone 6 [di arrivo] (est.) termine, punto 7 [oltrepassare il] livello, segno, limite.

graduàle agg. lento, progressivo CONTR. improvviso, brusco, repentino, subitaneo, istantaneo.

gradualità s. f. inv. progressività.

gradualménte avv. gradatamente, progressivamente, per gradi CONTR. all'improvviso, repentinamente, subitaneamente.

graduatòria s. f. classificazione, ordine.

graffiàre v. tr. 1 [con le unghie] lacerare, sgraffiare 2 [con una cosa appuntita] (est.) incidere, rigare, scalfire, raschiare, grattare, segnare, intaccare 3 [con le parole] (fig.) attaccare, pungere, ferire 4 (est.) rubare, sgraffignare.

graffiatùra s. f. sgraffiatura, sgraffio (pop.), graffio, scorticatura, escoriazione (colto), scalfittura, spellatura, sbucciatura (pop.).

gràffio s. m. 1 sgraffiatura, scorticatura, escoriazione (colto), scalfittura, lacerazione, sbucciatura, graffiatura, sgraffio (pop.), incisione 2 [l'effetto del] (est.) sfregio, cicatrice.

grafìa s. f. scrittura, calligrafia, mano (fig.).

gràfo s. m. albero.

gragnòla o **gragnuòla** s. f. [di colpi] serie, scarica, tempesta (fig.).

gragnuòla s. f. V. gragnola.

gramàglie s. f. pl. lutto.

grammòfono s. m. fonografo.

gramolàre v. tr. [le fibre tessili] sfibrare.

gràna (1) s. f. seccatura, fastidio, scocciatura, bega, preoccupazione, problema, rogna.

gràna (2) s. f. 1 granello 2 [della pelle, di un tessuto, etc.] consistenza, struttura 3 denaro, oro, soldo.

gràna (3) s. m. inv. parmigiano, reggiano, padano.

granàta (1) s. f. bomba.

granàta (2) s. f. scopa, ramazza.

granàta (3) s. f. 1 melagrana 2 [pietra preziosa] granato.

granàta (4) agg. rosso.

granàto (1) agg. [rif. al vino] rosso.

granàto (2) s. m. [pietra preziosa] granata.

granché pron. indef. [spec. in frasi negative] eccezionale.

grànchio s. m. 1 (gener.) crostaceo 2 (est.) cantonata, sbaglio, svista, gaffe (fr.), errore.

grànde A agg. 1 vasto, esteso, ampio CONTR. esiguo, piccolo, inconsistente, piccino, minuto, nano (fig.), lilliputiano (fig.) 2 [rif. a cosa] grosso, voluminoso 3 [rif. a una persona] alto, forte, robusto CONTR. piccino, minuto, nano (fig.), lilliputiano (fig.) 4 [rif. a una persona] adulto, vecchio 5 [rif. alla mente] geniale CONTR. piccino 6 [rif. a un avvenimento] solenne, rilevante, importante CONTR. irrilevante, irrisorio 7 [rif. alla quantità] rilevante, considerevole, abbondante, consistente, schifoso (pop.) CONTR. esiguo 8 (fam.) infernale, straordinario 9 solenne 10 [rif. alla voglia, al gusto] matto (fig.), enorme B s. m. sing. grandezza, grandiosità.

grandeggiàre v. intr. 1 [detto di costruzione, etc.] elevarsi, campeggiare, troneggiare, sovrastare, signoreggiare 2 eccellere, distinguersi 3 largheggiare, liberaleggiare.

grandeménte avv. molto, assai, abbondantemente, notevolmente, ampiamente, massicciamente, considerevolmente, estremamente, enormemente, forte, meravigliosamente CONTR. scarsamente, poco, debolmente.

grandézza s. f. 1 formato, entità, quantità 2 magnificenza, fasto, pompa CONTR. miseria, povertà 3 ampiezza, vastità CONTR. piccolezza 4 [qualità dell'animo] (est.) liberalità, generosità CONTR. pochezza, meschinità, ignobiltà 5 (gener.) dimensione.

grandinàre A v. intr. impers. diluviare (est.), piovere (est.) B v. intr. 1 [detto di sassi, di pugni, etc.] abbattersi 2 [detto di eventi, di chiamate, etc.] susseguirsi 3 [detto di colpi] crepitare C v. tr. lanciare.

grandiosaménte avv. lussuosamente, pomposamente, sfarzosamente, magnificamente, fastosamente, spettacolosamente, trionfalmente CONTR. poveramente, modestamente.

grandiosità s. f. inv. 1 magnificenza, fasto, pompa, sfarzo, sontuosità, ricchezza 2 [qualità dell'animo] munificenza CONTR. meschinità 3 [rif. a *un'opera architettonica*] magnificenza, imponenza, maestà **4** [*rif. a un'opera d'arte*] sublimità.

grandióso *agg.* **1** [*rif. a cosa*] imponente, maestoso, mirabile, superbo, fastoso, lussuoso, sfarzoso, strepitoso **CONTR.** misero, modesto, povero **2** [*rif. a una persona*] magnanimo, munifico **CONTR.** riservato, umile.

granèllo *s. m.* **1** grano, chicco, grana (*raro*), seme (*pop.*), brusco (*dial.*), bruscolo (*dial.*) **2** [*di intelligenza, etc.*] (*fig.*) grano, briciola, ombra, filo, minimo.

gràno (1) *s. m.* **1** [*di riso, etc.*] chicco, granello **2** [*di uva*] chicco, acino **3** [*di intelligenza, etc.*] (*fig.*) granello, briciola, ombra, filo, minimo.

gràno (2) *s. m. sing.* (*gener.*) cereale.

granóne *s. m.* **1** (*gener.*) cereale **2** granoturco, frumentone, mais.

granotùrco *s. m.* (*pl. -chi*) **1** granone, frumentone, mais **2** (*gener.*) cereale.

gràppa *s. f.* acquavite.

gràppolo *s. m.* graspo, raspo, pigna (*dial.*), racemo (*lett.*).

gràspo *s. m.* grappolo, raspo (*tosc.*).

grassézza *s. f.* obesità, pinguedine, adiposità (*colto*) **CONTR.** snellezza, magrezza, secchezza (*tosc.*).

gràsso *A agg.* **1** [*rif. a una persona*] pingue, adiposo, obeso, formoso, robusto (*euf.*), pasciuto, voluminoso, cannone (*scherz.*), abbondante (*scherz.*) **CONTR.** magro, snello, smilzo, affilato, asciutto, assottigliato, denutrito, esile, incavato **2** [*rif. a un guadagno, etc.*] abbondante, opulento, ricco **CONTR.** magro **3** [*rif. a una sostanza*] untuoso, oleoso, viscoso, denso, unto **4** [*rif. agli affari*] vantaggioso, utile **5** [*rif. a una risata*] grossolano, lubrico, licenzioso *B s. m.* **1** adipe (*colto*) **2** unto, untume **3** [*della cute*] sebo **4** [*tipo di*] sebo, olio.

gràta *s. f.* **1** griglia **2** rete, reticolato, reticolo **3** (*est.*) cancello.

graticola *s. f.* griglia.

gratifica *s. f.* (*pl. -che*) compenso, premio, incentivo, ricompensa, riconoscimento.

gratificàre *A v. tr.* **1** appagare, soddisfare, rendere contento **CONTR.** umiliare, frustrare **2** premiare, compensare, ricompensare, dare una gratifica a, beneficare *B v. rifl.* appagarsi.

gratificazióne *s. f.* **1** soddisfazione, riconoscimento, apprezzamento **CONTR.** frustrazione, mortificazione **2** (*est.*) premio, ricompensa, rimunerazione.

gràtis *A avv.* **1** gratuitamente, senza pagare **CONTR.** a pagamento **2** (*est.*) disinteressatamente, graziosamente *B agg. inv.* gratuito, libero, omaggio **CONTR.** sofferto (*est.*).

gratitùdine *s. f.* **1** (*gener.*) sentimento **2** riconoscenza, obbligazione (*est.*) **CONTR.** ingratitudine.

gràto *agg.* **1** riconoscente, obbligato, memore (*lett.*) **CONTR.** ingrato **2** gradito, benaccetto **CONTR.** malaccetto, sgradito, ostico.

grattàre *A v. tr.* **1** sfregare, raschiare, carteggiare, fregare, graffiare (*est.*), raspare (*fam.*), razzolare (*raro*), ruspare (*raro*) **2** [*il pane, il formaggio*] grattugiare, sbriciolare **3** [*la chitarra*] strimpellare (*scherz.*) **4** (*est.*) rubare, sgraffignare (*fam.*) *B v. intr.* [*detto della marcia di un veicolo*] stridere, raschiare.

grattugiàre *v. tr.* [*il pane, il formaggio*] grattare, sbriciolare, sminuzzare, tritare.

gratuitaménte *avv.* **1** gratis, senza pagamento **CONTR.** a pagamento **2** (*est.*) disinteressatamente, graziosamente **3** arbitrariamente, infondatamente, ingiustificatamente.

gratùito *agg.* **1** [*rif. al lavoro*] gratis, libero **CONTR.** mercenario, a pagamento **2** (*fig.*) immeritato, immotivato, arbitrario, ingiustificato **CONTR.** fondato, indiscutibile, provato (*est.*), sofferto **3** [*rif. a un'offerta*] omaggio.

gravàre *A v. tr.* **1** [*qc. con pesi*] (*anche fig.*) opprimere, caricare, appesantire, oberare, onerare **CONTR.** sgravare, alleggerire **2** accollare, addossare *B v. intr.* **1** poggiare, reggersi **2** pesare, premere, essere di peso **3** [*sul futuro, etc.*] (*fig.*) incombere, incidere **4** (*est.*) rincrescere, dispiacere

C v. rifl. caricarsi, sobbarcarsi, appesantirsi, assumere **CONTR.** sgravarsi, scaricarsi.

gravàto *part. pass.; anche agg.* **1** oberato, oppresso, sovraccarico, carico, soffocato **CONTR.** sollevato **2** [*rif. alla gente*] affollato.

gràve *agg.* **1** pesante, massiccio, greve **CONTR.** leggero, lieve **2** (*est.*) pesante, faticoso **3** carico, onusto **4** [*rif. a una responsabilità, etc.*] preoccupante, spiacevole **CONTR.** leggero **5** [*rif. a un sentimento*] forte, intenso, profondo **CONTR.** fatuo **6** [*rif. a una malattia, a una situazione*] serio, pericoloso **CONTR.** leggero, lieve **7** [*rif. all'atteggiamento*] preoccupante, serio, autorevole, contegnoso, sostenuto, austero **CONTR.** fatuo, frivolo, faceto, giocoso **8** [*rif. a un problema, a una questione*] arduo, difficile **9** [*rif. a un esame, a un'analisi, a un lavoro*] importante, rilevante **10** [*rif. al passo*] lento, posato, tardo **CONTR.** leggero **11** [*rif. alla sconfitta, al dolore*] (*fig.*) sanguinoso.

graveménte *avv.* **1** molto, assai **CONTR.** poco, lievemente **2** seriamente, solennemente, austeramente **CONTR.** facetamente, giocosamente, allegramente.

gravézza *s. f.* **1** pesantezza, peso (*fig.*) **CONTR.** leggerezza **2** [*rif. a un libro, a un film, etc.*] noia, difficoltà, lentezza (*fig.*) **CONTR.** agilità, scorrevolezza **3** lentezza (*fig.*), sonnolenza, pigrizia **4** austerità.

gravidànza *s. f.* (*med.*) gestazione.

gràvido *agg.* pregno, saturo, colmo, gonfio, pieno (*est.*), abbondante (*est.*) **CONTR.** vuoto, privo.

gravità *s. f. inv.* **1** [*rif. all'atteggiamento*] importanza, sussiego, imponenza, autorità **CONTR.** frivolezza **2** [*rif. a fatti, a eventi*] serietà, rilevanza **3** [*rif. ai costumi*] serietà, austerità, fierezza **CONTR.** frivolezza **4** [*rif. ad argomenti*] importanza, profondità **CONTR.** fatuità.

gravitàre *v. intr.* **1** [*su q.c.*] poggiare, riposare (*fig.*), posare **2** [*detto di satellite*] orbitare, girare **3** [*detto di industrie, di indotto*] girare, operare, ruotare (*fig.*).

gravosaménte *avv.* faticosamente, penosamente CONTR. lievemente, facilmente.

gravosità *s. f. inv.* pesantezza, onerosità (*raro*) CONTR. leggerezza.

gravóso *agg.* 1 oneroso, pesante, faticoso, impegnativo, laborioso CONTR. leggero, lieve 2 (*est.*) ingrato, sgradevole, spiacevole CONTR. piacevole.

gràzia *s. f.* 1 leggiadria, armonia, avvenenza, bellezza, vaghezza, charme (*fr.*) CONTR. goffaggine 2 signorilità, compostezza 3 gentilezza, benevolenza, amabilità 4 benedizione, dono, concessione 5 assoluzione, venia, condono, indulto, perdono 6 cortesia, favore, piacere 7 [*spec. con: per*] (*est.*) intercessione, intervento.

graziàre *v. tr.* amnistiare, condonare, perdonare CONTR. condannare, giustiziare, castigare, punire.

graziosaménte *avv.* amabilmente, cortesemente, garbatamente, piacevolmente, benignamente, benevolmente, gratis (*est.*), gratuitamente (*est.*) CONTR. sgarbatamente, scortesemente, grossolanamente.

grazióso *agg.* 1 leggiadro, carino, vezzoso, delizioso, bello, piacevole (*est.*) CONTR. brutto, deforme, laido, turpe 2 [*rif. al comportamento*] spontaneo, gentile CONTR. laido, sgraziato, sguaiato 3 [*rif. a una risposta*] amabile, garbato, delicato.

grecàle *s. m.* (*gener.*) vento.

grèco (1) A *agg., s. m.* (*f. -a*) della Grecia B *s. m.* (*gener.*) lingua.

grèco (2) *s. m.* (*pl. -chi*) (*gener.*) vento.

gregàrio A *s. m.* (*f. -a*) 1 subalterno CONTR. capoccia, caporione, caposquadra, leader (*ingl.*) 2 (*est.*) membro B *agg.* dipendente CONTR. autonomo.

grègge *s. m.* 1 branco, mandria, armento 2 [*di persone*] gruppo, torma.

grèggio (1) *s. m. sing.* petrolio.

grèggio (2) *agg.* V. *grezzo*.

grèmbo *s. m.* 1 incavo, insenatura 2 ventre, viscere, seno (*lett.*), utero (*est.*).

gremìre *v. tr.* 1 [*una stiva, etc.*] colmare, riempire, stivare, empire CONTR. vuotare, svuotare 2 [*un locale pubblico, etc.*] stipare, affollare, accalcare CONTR. sfollare.

gremìto *part. pass.; anche agg.* affollato, pieno, stipato, zeppo, popolato CONTR. vuoto, deserto, spopolato.

grèppia *s. f.* mangiatoia, mangeria, pappatoria.

grettaménte *avv.* miseramente, meschinamente, aridamente, ristrettamente CONTR. generosamente, splendidamente, magnanimamente, munificamente, prodigalmente.

grettézza *s. f.* 1 meschinità, piccineria, miseria, bassezza (*fig.*), piccolezza, ristrettezza, angustia, povertà CONTR. liberalità, generosità 2 avarizia, tirchieria, spilorceria, taccagneria, esosità CONTR. larghezza, magnanimità.

grètto *agg.* 1 tirchio, avaro, spilorcio, taccagno CONTR. munifico, generoso, liberale 2 meschino, piccolo, piccino, guitto CONTR. generoso.

grève *agg.* 1 [*rif. all'aria*] pesante, opprimente, plumbeo, grave CONTR. leggero, frizzante, fresco 2 doloroso, penoso.

grezzaménte *avv.* 1 rozzamente, materialmente, grossolanamente CONTR. elegantemente, finemente, garbatamente 2 villanamente, zoticamente CONTR. elegantemente, gentilmente, delicatamente.

grézzo o **grèggio (2)** *agg.* 1 naturale CONTR. raffinato, digrossato, rifinito 2 (*fig.*) rozzo, informe, grossolano 3 [*rif. a una persona*] (*fig.*) rozzo, grossolano, maleducato, villano CONTR. raffinato, civilizzato 4 [*rif. alla seta*] crudo (*fig.*).

gridàre A *v. intr.* 1 urlare, strillare, sbraitare, schiamazzare, chiamare, esclamare, strepitare, vociare, sfiatarsi, sgolarsi, spolmonarsi (*scherz.*), berciare, tumultuare 2 [*detto di animali*] (*anche fig.*) ululare, garrire, ruggire, starnazzare, muggire 3 (*est.*) lamentarsi, protestare B *v. tr.* 1 [*la propria innocenza*] urlare, affermare, dichiarare, proclamare, sostenere 2

[*aiuto, etc.*] invocare, domandare 3 [*una notizia, etc.*] divulgare, notificare, diffondere 4 [*qc.*] ammonire, rimproverare, riprendere.

grido *s. m.* (*pl. -a*) 1 ululato (*est.*), urlo, strillo, acuto (*est.*) CONTR. bisbiglio, mormorio, parlottio, sussurro, sussurrio 2 voce (*est.*), richiamo 3 (*est.*) invocazione 4 (*est.*) allarme 5 [*di un animale*] (*est.*) verso 6 (*gener.*) suono.

grifo *s. m.* grifone.

grigio A *agg.* 1 (*fig.*) spento, smorto, scialbo, scolorito CONTR. brillante, fantasioso, fantastico 2 (*fig.*) monotono, uniforme B *s. m.* (*gener.*) colore.

grigióre *s. m.* 1 uniformità, monotonia, noia (*est.*), squallore CONTR. vivacità, allegria 2 uniformità, squallore, tristezza.

griglia *s. f.* grata, rete, reticolato, reticolo.

grillo *s. m.* 1 (*gener.*) insetto 2 (*est.*) capriccio, ghiribizzo, uzzolo, idea, voglia, sghiribizzo.

grinfia o **sgrinfia** *s. f.* branca, mano.

grinta *s. f.* 1 grugno (*pop.*) 2 [*rif. a una persona*] (*est.*) coraggio, vigore, carattere 3 (*est.*) aggressività, prepotenza 4 [*in un discorso, in un testo*] (*fig.*) mordente.

grintóso *agg.* 1 combattivo, aggressivo, bellicoso, battagliero CONTR. mite, arrendevole, spento (*fig.*) 2 (*est.*) polemico.

grinza *s. f.* ruga, crespa, piega, solco.

grinzóso *agg.* rugoso.

grippàre A *v. tr.* inceppare, bloccare B *v. intr. pron.* incepparsi, bloccarsi, fermarsi.

gròmma *s. f.* 1 [*in una botte di vino*] gruma, tartaro 2 (*est.*) crosta, incrostazione.

grónda *s. f.* 1 grondaia, cornicione 2 gocciolatoio.

grondàia *s. f.* 1 gronda, cornicione 2 gocciolatoio.

grondàre *v. tr.* 1 gocciare, docciare (*raro*), colare 2 sudare.

gróngo s. m. (pl. -ghi) (gener.) pesce.

gròppa s. f. schiena, dorso, groppone (scherz.).

gróppo s. m. 1 nodo, viluppo 2 difficoltà.

groppóne s. m. schiena, dorso, groppa.

grossézza s. f. 1 volume, spessore, voluminosità CONTR. piccolezza, tenuità 2 (est.) rozzezza, ignoranza CONTR. finezza 3 (gener.) dimensione.

gròsso A agg. 1 grande, voluminoso, ingombrante CONTR. piccolo, fine, tenue, esiguo, sottile, minuto 2 spesso, doppio CONTR. vaporoso, lieve 3 [rif. al fisico] robusto, tozzo, tarchiato, quadro (fig.) CONTR. tenue, minuto, affilato, asciutto, assottigliato, magro, esile 4 [rif. alla famiglia, al partito] grande, numeroso 5 [rif. a una situazione] difficile, oneroso 6 [rif. all'ingegno] materiale, grossolano CONTR. fine 7 [rif. all'errore] (fam.) madornale CONTR. piccolo B s. m. sing. grossezza.

grossolanaménte avv. 1 rozzamente, volgarmente CONTR. diplomaticamente, discretamente, graziosamente, delicatamente, finemente, aristocraticamente, raffinatamente 2 sommariamente, approssimativamente, superficialmente CONTR. finemente, artisticamente con precisione, minuziosamente 3 (fig.) materialmente, grezzamente CONTR. finemente, artisticamente, argutamente, sottilmente.

grossolanità s. f. inv. 1 [dei modi di fare] rozzezza, zoticaggine, volgarità, goffaggine, indelicatezza CONTR. finezza, squisitezza, distinzione 2 [rif. alla mente] ottusità.

grossolàno agg. 1 [rif. a cosa] rozzo, grezzo CONTR. delicato, raffinato 2 [rif. a una persona] zotico, incivile, indelicato, rude, ignorante (est.) CONTR. delicato, raffinato, aggraziato, affinato, civilizzato, cortese, gentile 3 [rif. ai modi, al gusto] ordinario, materiale, dozzinale, pacchiano CONTR. sofisticato, chic (fr.), elegante, diplomatico 4 [rif. a una risata] (fig.) grasso CONTR. elegante 5 [rif. all'ingegno]

(fig.) grosso CONTR. fine, sottile 6 [rif. a un esame, a un'analisi, a un lavoro] approssimativo, inaccurato, superficiale CONTR. minuzioso, accurato.

grossomòdo avv. all'incirca, più o meno, suppergiù.

gròtta s. f. caverna, antro, cavità, spelonca, cava.

grottescaménte avv. goffamente, ridicolmente CONTR. seriamente.

groviglio s. m. 1 intrigo, intrico, garbuglio, viluppo, imbroglio, nodo 2 [di strade, etc.] intrigo, intrico, andirivieni, dedalo, labirinto.

grùccia s. f. (pl. -ce) stampella.

grufolàre v. intr. 1 rovistare 2 (est.) abbuffarsi, ingurgitare.

grùgno s. m. 1 muso, broncio 2 ceffo, grinta.

grùllo A agg. stolto, sciocco, semplicotto, credulone, babbeo, coglione (volg.) CONTR. marpione, furbo, scaltro B s. m. (f. -a) semplicotto, stupido.

grùma s. f. 1 [in una botte di vino] gromma, tartaro 2 crosta, incrostazione.

grùppo s. m. 1 insieme 2 [di persone che collaborano] nucleo, team (ingl.), équipe (fr.), troupe (fr.), staff (ingl.), squadra, pool (ingl.) 3 [di amici, etc.] nucleo, comitiva, brigata, combriccola, cerchia, cerchio, clan 4 [di persone con gli stessi fini] comunità, confraternita (est.), collettivo 5 [di animali, di vegetali] genere, classe, famiglia 6 [di persone con le stesse idee] fazione, parte, ala 7 [di malviventi] cricca, manata, manica, mannello 8 [di soldati] schiera, drappello, contingente 9 [di animali] branco, gregge, mandria, stormo, torma 10 [di conferenze, etc.] ciclo, serie 11 [di merci] blocco, partita 12 [di esseri viventi] colonia.

grùzzolo s. m. risparmio (pl.).

guadagnàre A v. tr. 1 [denaro, etc.] fare guadagni, lucrare, cavare (fig.), intascare, prendere, ricavare, realizzare CONTR. perdere, rimettterci 2 [un posto, un premio, etc.] vincere, meritare, ottenere, acquistare, realizzare (fig.), mietere, raccogliere 3 [una vet-

ta] (est.) conquistare, raggiungere 4 [l'amicizia] (est.) attirare B v. intr. pron. 1 conquistarsi, conquistare, procurarsi, procacciarsi, buscare 2 [l'amicizia] accattivarsi, cattivarsi 3 [un successo, etc.] conquistare, ottenere, raccogliere (fig.) 4 [la vita, il cibo, etc.] (fig.) sudare.

guadagnàto part. pass.; anche agg. sudato (fig.), sofferto.

guadàgno s. m. 1 provento, incasso, introito 2 lucro, profitto CONTR. perdita 3 rendimento, margine, percentuale, utile, resa 4 tornaconto, vantaggio, utilità, beneficio CONTR. svantaggio, scapito, discapito 5 [spec. con: fare un] acquisto.

guadàre v. tr. attraversare, valicare, passare.

guàdo s. m. passaggio.

guaina s. f. 1 fodero, vagina (lett.) 2 astuccio 3 body (ingl.), busto.

guàio s. m. 1 disgrazia, malanno 2 incidente, infortunio 3 seccatura, scocciatura, noia, impiccio, fastidio, tegola (fig.), inconveniente, bega 4 traversia, vicissitudine 5 pasticcio, casino (fig.).

guaire v. intr. 1 [detto di cane] gagnolare, mugolare 2 [detto di persona] mugolare, lamentarsi, gemere, piagnucolare.

gualcire v. tr. sgualcire, stropicciare, ammaccare, aggrinzare, spiegazzare, sbertucciare, sformare, cincischiare, rovinare, sciupare CONTR. stirare, lisciare.

guància s. f. (pl. -ce) gota (lett.).

guantièra s. f. vassoio.

guardabòschi s. m. inv. boscaiolo.

guardalinee s. m. inv. [rif. al gioco del calcio] segnalinee.

guardàre A v. tr. 1 rivolgere lo sguardo a, fissare lo sguardo in su, rimirare, scrutare, adocchiare, mirare, puntare (fig.), sbirciare, osservare, dare una scorsa a, sguardare 2 essere spettatore di, avere davanti agli occhi 3 [q.c. con desiderio] contemplare, ammirare, vagheggiare 4 (est.) ri-

guardare, controllare, esaminare, ispezionare **5** (*est.*) considerare, prendere in considerazione **6** [*i bambini, etc.*] (*est.*) custodire, seguire, vegliare, vigilare, curare **7** [*della divinità*] proteggere, difendere, assistere *B* v. intr. **1** [*alla salute, etc.*] badare, preoccuparsi, pensare **2** [*usato con la prep. di e il verbo all'infinito*] procurare, cercare, tentare, vedere (*fig.*) **3** [*detto di edificio, etc.*] (*est.*) fronteggiare *un*, affacciarsi *su*, essere rivolto, essere esposto, corrispondere, prospettare (*raro*) *C* v. rifl. **1** osservarsi, rimirarsi, specchiarsi, mirarsi, contemplarsi **2** [*dalle persone*] cautelarsi, difendersi **3** [*dai cibi nocivi, etc.*] cautelarsi, astenersi, evitare *un*.

guardaròba s. m. inv. **1** (*gener.*) mobile **2** armadio **3** (*est.*) vestiario.

guardàta s. f. occhiata, sguardo, sbirciata.

guàrdia s. f. **1** poliziotto, piedipiatti **2** vigilante **3** sorvegliante, custode **4** sentinella, vedetta **5** secondino **6** (*est.*) sorveglianza, vigilanza.

guardiàno s. m. (f. -a) **1** custode, vigilante, sorvegliante, sentinella **2** [*della libertà, etc.*] difensore, paladino (*colto*) **3** [*di pecore*] pastore **4** [*di vacche*] vaccaro.

guardingaménte avv. cautamente, prudentemente, avvedutamente CONTR. avventatamente, incautamente, impunemente, malaccortamente.

guardìngo agg. (pl. m. -ghi) [*rif. a un modo di fare*] sospettoso, cauto, attento, prudente, circospetto CONTR. imprudente, avventato, incauto, sconsiderato, corrivo, temerario.

guardóne s. m. voyeur (*fr.*).

guarigióne s. f. ristabilimento.

guarire *A* v. tr. **1** [*qc.*] sanare, curare, risanare, rimettere, ristabilire **2** [*una ferita*] cicatrizzare, cauterizzare **3** [*qc. da un vizio, etc.*] correggere, redimere *B* v. intr. **1** rimettersi, risanarsi, ristabilirsi, riaversi, rifiorire (*fig.*), risollevarsi, ripigliare CONTR. ammalarsi **2** [*dalla paura, dal vizio, etc.*] (*est.*) liberarsi, redimersi **3** [*detto di ferita, etc.*] cicatrizzarsi, sanarsi **4** [*detto di malattia*] risolversi.

guaritóre s. m. (f. -trice) (*est.*) stregone.

guarnigióne s. f. presidio.

guarnire v. tr. **1** adornare, ornare, decorare, abbellire, impreziosire, fregiare (*raro*) CONTR. deturpare, imbruttire **2** [*le mura, un castello*] fortificare, armare, rinforzare (*est.*), munire, dotare (*est.*), corredare (*est.*) CONTR. spogliare, sguarnire, disarmare **3** [*la casa, etc.*] addobbare, arredare, ammobiliare **4** [*una notizia, etc.*] (*fig.*) infiocchettare **5** [*una pietanza*] (*est.*) contornare, accompagnare.

guarnizióne s. f. **1** decorazione, ornamento, abbellimento **2** [*tipo di*] bordura, volant (*fr.*), frangia, applicazione.

guasconàta s. f. spacconata, prodezza, bravata, smargiassata.

guastàre *A* v. tr. **1** sciupare, danneggiare, manomettere CONTR. conservare, accomodare, aggiustare, restaurare, riparare **2** [*il cibo, etc.*] svastare, avvelenare, deteriorare, adulterare, imputridire, alterare **3** [*un oggetto*] deformare **4** [*q.c. irrimediabilmente*] sconquassare, scassare, massacrare **5** [*un abito, etc.*] disfare **6** [*un oggetto di ceramica*] incrinare **7** [*un luogo, un paesaggio*] desolare, deturpare, devastare **8** [*un rapporto, etc.*] (*fig.*) consumare, logorare **9** [*l'aria*] contaminare, contagiare, ammalare (*fig.*), appestare, infettare, inquinare **10** [*l'animo*] (*est.*) incrinare, turbare, scombussolare, sconvolgere **11** [*una persona moralmente*] (*est.*) corrompere, viziare, diseducare, pervertire, traviare, fuorviare, depravare **12** [*un'amicizia*] (*est.*) pregiudicare, rovinare *B* v. intr. pron. **1** [*detto di meccanismo, etc.*] non funzionare più, rompersi, spezzarsi, spaccarsi, fermarsi, scassarsi, danneggiarsi, partire (*fig.*) **2** [*detto di cibo, etc.*] deteriorarsi, putrefarsi, decomporsi, infradiciarsi, marcire, avariarsi, sciuparsi, imputridirsi, imputridire, passare (*fig.*), deperire, corrompersi CONTR. conservarsi **3** [*detto di umore, etc.*] (*est.*) turbarsi **4** [*detto di persona*] (*est.*) degenerare, pervertirsi, fuorviare **5** [*detto di amicizia, etc.*] (*est.*) incrinarsi (*fig.*), rovinarsi **6** [*detto di persona*] (*est.*) inimicarsi, disgustarsi **7** [*detto*

di clima] (*est.*) girare (*fig.*), mettersi al brutto, peggiorare, perturbarsi.

guàsto *A* agg. **1** alterato, sciupato, marcio, putrido, infetto (*est.*), tocco (*raro*) CONTR. intatto, integro, sano, perfetto **2** [*rif. a una persona*] (*fig.*) corrotto, depravato CONTR. sano *B* s. m. rottura, avaria CONTR. accomodatura.

guàzza s. f. rugiada.

guazzabùglio s. m. mescolanza, pasticcio, casino (*pop.*).

guazzàre v. intr. **1** [*detto di persona, di animali*] sguazzare, nuotare, galleggiare, agitarsi **2** [*detto di liquido, etc.*] sbattere, sciaguattare, sciaborodare.

guêpière s. f. inv. busto.

guèrra s. f. **1** conflitto **2** lotta, battaglia, campagna (*mil.*) **3** [*tra persone*] conflitto, discordia, antagonismo, ostilità CONTR. pace.

guerreggiànte part. pres.; anche agg. belligerante.

guerreggiàre *A* v. intr. battagliare, combattere, lottare, azzuffarsi, armeggiare (*raro*) *B* v. tr. combattere, assalire.

guerrésco agg. (pl. m. -chi) militare, bellico CONTR. pacifico, imbelle.

guerrièro *A* s. m. (f. -a) combattente, soldato, militare, armigero (*raro*), belligerante *B* agg. [*rif. all'atteggiamento*] bellicoso, battagliero, combattivo, fiero (*est.*) CONTR. pacifico, imbelle.

gùfo s. m. **1** (*gener.*) uccello **2** allocco, barbagianni.

gùglia s. f. picco.

guida *A* s. f. **1** cicerone, accompagnatore, scorta **2** direttore, ispiratore, leader (*ingl.*), maestro, padre (*fig.*), mentore (*colto*), consigliere, pastore (*fig.*) **3** [*di un paese, di un'industria, etc.*] direzione, governo, timone (*fig.*), comando, dirigenza, egemonia, redini (*fig.*) **4** tappeto, passatoia **5** (*est.*) mappa **6** (*est.*) manuale *B* agg. inv. [*rif. a un pesce*] pilota.

guidàre v. tr. **1** [*un veicolo*] pilotare, manovrare, condurre un'auto **2** [*qc.*]

condurre, accompagnare, menare, ricondurre, portare **3** [*un corteo, una marcia*] essere in testa *a*, precedere **4** [*una famiglia, un'azienda*] reggere, gestire, amministrare, governare **5** [*una rivolta, etc.*] dirigere (*est.*), capitanare, comandare **6** [*un'assemblea*] presiedere **7** [*qc. allo studio, etc.*] (*est.*) indirizzare (*fig.*), instradare (*fig.*), ammaestrare, educare, influenzare, ispirare, incamminare (*fig.*), orientare (*fig.*), avviare (*fig.*).

guisa *s. f.* maniera, foggia, moda.

guitto A *s. m.* (*f. -a*) commediante **B** *agg.* **1** meschino, gretto **CONTR.** lieto, felice **2** avaro, spilorcio, tirchio **CONTR.** generoso.

guizzàre *v. intr.* **1** [*detto di persona, etc.*] schizzare, balzare, saltare, muoversi velocemente **2** [*detto di pesce*] schizzare, agitarsi, divincolarsi, dibat-

tersi, nuotare **3** [*detto di stella, di spada, etc.*] (*est.*) baluginare, balenare, palpitare **4** [*detto di fiamma, di fulmini, etc.*] (*est.*) agitarsi, oscillare, contrarsi.

guizzo *s. m.* **1** sussulto, moto, salto **2** [*di vita*] palpito **3** [*di luce, etc.*] lampo, balenio, scintillio, raggio, sprazzo.

gùru *s. m. inv.* santone.

gùscio *s. m.* **1** involucro, rivestimento **2** [*rif. alla frutta*] scorza **3** [*rif. ai molluschi*] conchiglia **4** [*rif. ai crostacei*] crosta **5** [*rif. a un'imbarcazione, a una macchina*] carcassa, ossatura **6** cavetto.

gustàre A *v. tr.* **1** assaporare, assaggiare, degustare, centellinare, libare (*lett.*), mangiare (*est.*) **2** [*la musica, la poesia*] (*est.*) godere, capire, comprendere, ascoltare **3** [*una situazione*

piacevole] godersi **B** *v. intr.* piacere, garbare (*tosc.*), apprezzare *un* **CONTR.** dispiacere, spiacere.

gùsto *s. m.* **1** sapore **2** piacere, soddisfazione, sugo (*fig.*), genio (*raro*) **CONTR.** disgusto **3** inclinazione, voglia, capriccio **4** stile, eleganza, occhio (*fig.*) **5** [*spec. con: essere di mio, tuo, etc.*] gradimento **6** (*gener.*) senso **CONTR.** olfatto, udito, vista, tatto.

gustosaménte *avv.* appetitosamente, golosamente.

gustosità *s. f. inv.* bontà, sapore (*est.*).

gustóso *agg.* **1** [*rif. a una pietanza*] saporito, appetitoso, ghiotto **CONTR.** insipido, cattivo, disgustoso **2** (*est.*) delicato, buono **3** [*rif. alla compagnia, alla lettura*] piacevole, ameno **CONTR.** spiacevole, antipatico.

h, H

habitué *s. m. e f. inv.* frequentatore.

hall *s. f. inv.* **1** atrio, ingresso, vestibolo **2** [*del teatro, etc.*] foyer (*fr.*).

hallo o **hello** *inter.* pronto.

handicap *s. m. inv.* **1** invalidità, minorazione, menomazione, deficit, difetto **2** (*est.*) peso, problema.

hangar *s. m. inv.* aviorimessa.

happening *s. m. inv.* avvenimento, evento, spettacolo, performance (*ingl.*), manifestazione.

hascisc o **ascisc** *s. m. inv.* **1** erba **2** (*gener.*) droga, stupefacente.

hello *inter.* V. *hallo.*

hinterland *s. m. inv.* periferia, cintura, suburbio, dintorni.

hobby *s. m. inv.* interesse, svago, pallino, passione.

holding *s. f. inv.* **1** finanziaria **2** coalizione, trust (*ingl.*).

hostess *s. f. inv.* assistente.

hôtel *s. m. inv.* albergo, motel (*est.*).

humour *s. m. inv.* spirito, comicità.

i, l

iattànza *s. f.* arroganza, tracotanza, superbia, millanteria, protervia **CONTR.** umiltà, semplicità, modestia.

ibisco *s. m.* (*pl. -chi*) (*gener.*) fiore.

ibridàre A *v. tr.* **1** incrociare, accoppiare **2** [*le piante*] innestare **B** *v. rifl. rec.* incrociarsi, accoppiarsi.

icàstico *agg.* incisivo, efficace, evidente **CONTR.** inefficace, fiacco, debole.

iconograficaménte *avv.* per immagini.

idèa *s. f.* **1** pensiero, concetto **2** (*est.*) nozione **3** progetto, intenzione, proposito, iniziativa **4** ispirazione, trovata, pensata **5** capriccio, ghiribizzo, grillo (*fig.*), sfizio **6** invenzione, scoperta **7** ideale, ideologia, credo, dottrina, colore (*fig.*), principio **8** opinione, giudizio, impressione, supposizione, avviso, convinzione, convincimento **9** teoria, tesi, visione, veduta, concezione **10** abbozzo, spunto, schema.

idèale A *s. m.* **1** idea, credo **2** aspirazione, scopo, meta, vocazione **3** sogno, utopia **4** esempio, fiaccola (*fig.*) **5** (*est.*) perfezione **B** *agg.* **1** teorico, astratto, immateriale **CONTR.** reale, concreto, tangibile **2** [*rif. a un compagno, a un amico*] eccellente, perfetto, esemplare **CONTR.** pessimo.

idealismo *s. m.* spiritualismo **CONTR.** realismo, praticità.

idealista *s. m. e f. inv.* sognatore, utopista, visionario (*fig.*) **CONTR.** realista.

idealisticaménte *avv.* **1** idealmente **CONTR.** concretamente, realisticamente **2** utopisticamente, immaginariamente.

idealistico *agg.* utopistico, immaginario **CONTR.** realistico, concreto.

idealizzàre *v. tr.* mitizzare, esaltare, nobilitare, trasfigurare, trasformare, divinizzare, deificare, rappresentare idealmente, spiritualizzare (*est.*) **CONTR.** abbassare, svilire, disprezzare.

idealizzazióne *s. f.* mito.

idealménte *avv.* **1** astrattamente, teoricamente **CONTR.** praticamente **2** idealisticamente **3** ideologicamente.

ideàre *v. tr.* **1** inventare, creare, disegnare (*fig.*) **2** [*un gioco, etc.*] architettare, proporre, progettare, immaginare, pensare, studiare, fantasticare **3** [*un metodo, una trovata*] concepire, escogitare, congegnare, scoprire, scovare (*fig.*), costruire (*fig.*), partorire (*fig.*).

ideatóre *s. m.* (*f. -trice*) **1** inventore **2** creatore, artefice, autore, architetto **3** iniziatore, fondatore.

ideazióne *s. f.* invenzione, creazione, concezione, progettazione.

idem A *pron. dimostr. inv.* stesso, medesimo **B** *avv.* ugualmente, allo stesso modo.

idèntico *agg.* **1** uguale, pari, convergente (*est.*) **CONTR.** divergente, diverso, differente **2** (*raff.*) pari, simile.

identificàre A *v. tr.* **1** [*un ladro, un motivo, etc.*] riconoscere, individuare, ravvisare, scoprire, conoscere **2** [*concetti, teorie, etc.*] unificare **CONTR.** diversificare, differenziare **B** *v. rifl.* **1** [*detto di attore nel personaggio*] immedesimarsi, incarnarsi, configurarsi (*raro*) **CONTR.** diversificarsi **2** [*in un problema, etc.*] investirsi di **C** *v. intr. pron.* [*detto di idee, etc.*] coincidere, essere identico, convergere **CONTR.** contrastare, divergere.

identificazióne *s. f.* riconoscimento, ricognizione (*raro*).

identità *s. f. inv.* **1** uguaglianza **2** coincidenza, corrispondenza **3** [*di vedute*] unità, omogeneità.

ideologìa *s. f.* idea, credo, dottrina, pensiero, filosofia.

ideologicaménte *avv.* **1** in base ad un credo **2** concettualmente, idealmente **CONTR.** realisticamente, concretamente.

idilliacaménte *avv.* **1** (*est.*) serenamente, tranquillamente, pacificamente **CONTR.** tempestosamente **2** teneramente, delicatamente **CONTR.** duramente, aspramente **3** (*propr.*) poeticamente.

idiòma *s. m.* lingua, linguaggio, parlata.

idiosincrasìa *s. f.* **1** (*med.*) allergia **2** avversione, ripugnanza.

idiòta A *agg.* demente, beota, cretino, imbecille, ebete, dissennato, scemo, minchione (*pop.*) **CONTR.** intelligente, accorto, sveglio, pronto **B** *s. m. e f. inv.* **1** folle **2** stolto, cretino, deficiente, ebete **3** incapace.

idiotaménte *avv.* stupidamente, scioccamente **CONTR.** intelligentemente, scaltramente.

idiozìa *s. f.* **1** demenza, follia **2** stupidità, deficienza, stoltezza, imbecillità, stupidaggine, scemenza, stolidezza, scempiaggine, puerilità, imbecillaggine.

idolatràre *v. tr.* adorare, venerare, amare, ammirare, essere innamorato di (*est.*) **CONTR.** detestare, esecrare, odiare, disprezzare.

idoneaménte *avv.* opportunamente, convenientemente, adeguatamente **CONTR.** sconvenientemente, inopportunamente.

idoneità *s. f. inv.* attitudine, adeguatezza, capacità, abilità, sufficienza (*raro*) **CONTR.** inidoneità, inabilità.

idòneo *agg.* **1** [*rif. a una persona*] abile, capace, degno **CONTR.** inidoneo, inadatto **2** [*rif. a un luogo, a una persona*] adatto, adeguato, conveniente, all'altezza, pari (*fig.*), atto (*lett.*) **CONTR.** inadatto.

idratàre A *v. tr.* **1** bagnare, umidificare **CONTR.** deidratare, disidratare, es-

idrofobia

idrofobia siccare **2** [*la pelle*] nutrire **B** *v. rifl.* bere **CONTR.** disidratarsi.

idrofobia *s. f.* rabbia.

idròfobo *agg.* arrabbiato.

idrovolànte *s. m.* **1** aereo **2** (*gener.*) veicolo.

ièlla *s. f.* sfortuna, malasorte, sventura, sfiga (*pop.*), avversità **CONTR.** fortuna, buonasorte.

iellàto *agg.* sfortunato, sfigato (*volg.*) **CONTR.** fortunato.

ièri **A** *avv.* poco fa, in passato **CONTR.** oggi, domani, in futuro **B** *s. m. inv.* passato (*est.*) **CONTR.** domani, futuro, avvenire, oggi, presente.

iettatùra *s. f.* malocchio, sfortuna.

igiène *s. f.* pulizia **CONTR.** lordura, sporcizia.

igienicaménte *avv.* sanamente, salubremente **CONTR.** antigienicamente.

iglò *s. m. inv.* V. *igloo.*

igloo o **iglò** *s. m. inv.* (*gener.*) casa.

ignàro *agg.* **1** inconsapevole, ignorante **CONTR.** consapevole, edotto, responsabile **2** (*est.*) innocente, ingenuo **3** inesperto **CONTR.** esperto, pratico.

ignàvia *s. f.* accidia, neghittosità, pigrizia, poltroneria, indolenza, apatia **CONTR.** solerzia, alacrità.

ignàvo *agg.* neghittoso, infingardo, pigro, indolente, accidioso **CONTR.** alacre, solerte, industrioso, zelante.

ignòbile *agg.* spregevole, abietto, infame, turpe, bieco **CONTR.** degno, nobile, sublime, eletto, esemplare, cavalleresco.

ignobilménte *avv.* bassamente, abiettamente, vilmente, vergognosamente, volgarmente **CONTR.** nobilmente, cavallerescamente, elevatamente, dignitosamente.

ignobiltà *s. f. inv.* abiezione, meschinità, viltà **CONTR.** nobiltà, grandezza.

ignominia *s. f.* disonore, vergogna, disdoro, infamia **CONTR.** onore.

ignominiosaménte *avv.* disonorevolmente, spregevolmente, vergognosamente, con disonore **CONTR.** gloriosamente, onorevolmente.

ignominióso *agg.* infamante.

ignorànte **A** *part. pres.; anche agg.* **1** incompetente, profano **CONTR.** competente **2** incolto, analfabeta, impreparato, illetterato, somaro (*fig.*) **CONTR.** informato, istruito, sapiente, colto, dotto, erudito, evoluto **3** zotico, grossolano, maleducato **CONTR.** educato, gentile, fine **4** (*propr.*) ignaro **B** *s. m. e f.* analfabeta, somaro (*fig.*), asino (*fig.*), ciuccio (*fig.*), ciuco (*fig.*) **CONTR.** sapiente, dotto, erudito, intenditore.

ignoranteménte *avv.* **1** cafonescamente, maleducatamente, incivilmente **2** in modo incompetente, incompetentemente **CONTR.** dottamente, eruditamente, forbitamente, sapientemente.

ignorànza *s. f.* **1** incultura **CONTR.** sapienza, scienza, cultura, erudizione **2** incompetenza **3** inconsapevolezza **4** [*rif. a un'epoca*] (*fig.*) tenebra, buio, notte, cecità, barbarie **5** arretratezza **6** maleducazione, zoticaggine, inciviltà, grossezza.

ignoràre *v. tr.* **1** non sapere, essere ignorante **CONTR.** conoscere, sapere **2** dimenticare, trascurare, sottovalutare, misconoscere, disconoscere **3** voltare le spalle alla fortuna.

ignoràto *part. pass.; anche agg.* inesplorato, ignoto, sconosciuto **CONTR.** approfondito, noto, conosciuto.

ignòto **A** *agg.* **1** sconosciuto, anonimo, ignorato, oscuro **CONTR.** noto, celebre, famoso, rinomato, insigne, illustre, eminente, chiaro, conosciuto, popolare, famigerato (*spreg.*), matricolato (*spreg.*), familiare **2** [*rif. a un luogo*] inesplorato **CONTR.** familiare **3** [*rif. al sentire religioso*] arcano **B** *s. m. sing.* (*est.*) mistero **CONTR.** conosciuto, noto.

iguàna *s. f.* (*gener.*) sauro, rettile.

ilare *agg.* giulivo, lieto.

ilarità *s. f. inv.* **1** allegrezza, contentezza, gaiezza, letizia **2** (*est.*) risata, riso.

illanguidire **A** *v. tr.* indebolire, infiacchire, rammollire **CONTR.** fortificare, rafforzare, rinforzare, irrobustire, invigorire, rinvigorire **B** *v. intr. pron.* indebolirsi, infiacchirsi, svigorirsi, rammollirsi **CONTR.** rafforzarsi, rinvigorirsi, invigorirsi.

illazióne *s. f.* conclusione, deduzione.

illecitaménte *avv.* **1** abusivamente, irregolarmente, indebitamente, illegalmente, impropriamente, illegittimamente **CONTR.** lecitamente, legittimamente, legalmente **2** disonestamente, delittuosamente.

illécito **A** *agg.* **1** illegittimo, illegale, ingiusto, arbitrario, indebito, vietato **CONTR.** lecito, legale, legittimo **2** (*est.*) arbitrario, infondato **CONTR.** legale **3** [*rif. a una situazione*] clandestino **CONTR.** lecito, legale, legittimo **B** *s. m.* reato, abuso.

illegàle *agg.* **1** illegittimo, illecito, vietato, clandestino, pirata (*fig.*), abusivo **CONTR.** legale, lecito, ineccepibile **2** (*est.*) ingiusto **CONTR.** ineccepibile, giusto.

illegalità *s. f. inv.* ingiustizia, abuso, sopruso, reato, irregolarità **CONTR.** legalità.

illegalménte *avv.* abusivamente, illecitamente, irregolarmente, illegittimamente, indebitamente, arbitrariamente, delittuosamente **CONTR.** a buon diritto, lecitamente, legalmente, legittimamente, ineccepibilmente.

illeggibile *agg.* indecifrabile **CONTR.** leggibile.

illegittimaménte *avv.* illegalmente, illecitamente, arbitrariamente **CONTR.** a buon diritto, legittimamente, legalmente.

illegittimità *s. f. inv.* **1** arbitrarietà **CONTR.** legittimità **2** [*rif. a un atto legale*] nullità, invalidità **3** irregolarità.

illegittimo **A** *agg.* illegale, illecito, ingiusto, arbitrario, infondato, indebito **CONTR.** legittimo, legale, valido **B** *s. m.* (*f. -a*) **1** illecito **2** [*di figlio*] bastardo.

illéso *agg.* indenne, incolume, intatto, intero, integro, salvo **CONTR.** ferito, leso, colpito.

illetteràto **A** *agg.* incolto, analfabeta, ignorante **CONTR.** colto, dotto, erudito, sapiente **B** *s. m.* (*f. -a*) analfabeta

CONTR. sapiente, erudito.

illibataménte *avv.* castamente, puramente, onestamente **CONTR.** impudicamente, vergognosamente.

illibatézza *s. f.* verginità, castità, purezza.

illibàto *agg.* **1** casto, puro, intatto **CONTR.** impuro, impudico **2** (*fig.*) puro, onesto, incorruttibile.

illimitataménte *avv.* eternamente, infinitamente, senza limitazioni, incommensurabilmente **CONTR.** limitatamente.

illimitàto *agg.* **1** [*rif. allo spazio*] infinito, sconfinato, sterminato, esteso, immenso, assoluto **CONTR.** limitato, relativo **2** [*rif. alla fiducia, all'amore*] immenso, assoluto **CONTR.** limitato, relativo, ristretto **3** [*rif. alla quantità*] innumerevole **CONTR.** limitato, relativo, ristretto **4** (*temp.*) interminabile.

illimpidìre *v. tr.* schiarire **CONTR.** intorbare, intorbidare.

illividìre *A v. intr. e intr. pron.* trascolorare, diventare livido, sbiancare *B v. tr.* macchiare (*est.*).

illogicaménte *avv.* irrazionalmente, incongruentemente, assurdamente, irragionevolmente, incoerentemente, contraddittoriamente **CONTR.** logicamente, ragionevolmente, coerentemente, congruentemente, conseguentemente, razionalmente, comprensibilmente.

illogicità *s. f. inv.* incoerenza, assurdità, incongruenza, contraddittorietà, irrazionalità, irragionevolezza **CONTR.** logica, consequenzialità, coerenza.

illògico *agg.* irrazionale, irragionevole, inverosimile, assurdo, folle, insensato, bislacco, improbabile, cervellotico, incoerente **CONTR.** logico, razionale, conseguente, fondato, ovvio.

illùdere *A v. tr.* **1** lusingare, abbagliare, affascinare **CONTR.** deludere, disilludere, disincantare, disingannare **2** beffare, ingannare, imbrogliare, gabbare, fregare (*fam.*), trastullare (*fig.*) *B v. rifl.* cullarsi (*fig.*), ingannarsi, immaginare, lusingarsi, autoingannarsi **CONTR.** disilludersi, disincantarsi, disingannarsi.

illuminàre *A v. tr.* **1** fare luce (*ass.*), rischiarare, irraggiare, irradiare, raggiare (*poet.*), imbiancare (*poet.*), dorare (*fig.*), indorare (*fig.*) **CONTR.** oscurare, rabbuiare, ottenebrare, offuscare, velare **2** [*qc.*] informare, mettere al corrente *di*, istruire **3** [*q.c. a qc.*] (*est.*) mostrare, chiarire, fare sapere, spiegare **4** [*la casa, l'animo, etc.*] (*est.*) rallegrare, schiarire (*fig.*) **CONTR.** rannuvolare **5** (*est.*) ispirare, indurre alla creatività *B v. intr. pron.* **1** [*detto di cielo, etc.*] schiararsi **2** [*detto di viso*] vivacizzarsi, rianimarsi.

illuminazióne *s. f.* **1** ispirazione **2** luce.

illusióne *s. f.* **1** inganno, esca **2** chimera, sogno, speranza, fantasma (*fig.*), miraggio (*fig.*), utopia, fantasticheria **CONTR.** delusione, disillusione, disincanto **3** poesia, atmosfera.

illusionista *s. m. e f.* prestigiatore.

illùso *A s. m.* (*f. -a*) utopista, sognatore, visionario (*fig.*) *B part. pass.; anche agg.* **1** ingannato, lusingato **2** credulone.

illusoriaménte *avv.* chimericamente, ingannevolmente, falsamente, utopisticamente **CONTR.** realisticamente.

illusorietà *s. f. inv.* vanità, caducità.

illusòrio *agg.* **1** chimerico, immaginario, utopistico **CONTR.** concreto, realistico, vero **2** [*rif. alla speranza, a un tentativo*] ingannevole, fallace, falso **CONTR.** concreto, realistico, vero **3** [*rif. alla felicità, alla bellezza*] apparente **CONTR.** concreto, reale.

illustràre *v. tr.* **1** [*un episodio, un discorso*] descrivere, narrare, esporre, spiegare, delucidare, chiarire, chiarificare (*fig.*), fare conoscere, commentare **2** [*un libro*] dipingere, corredare di figure, disegnare, istoriare.

illustràto *part. pass.; anche agg.* **1** figurato **2** spiegato, narrato, esposto, sottoposto.

illustrazióne *s. f.* **1** figura, disegno, fotografia (*est.*), stampa (*est.*) **2** spiegazione, delucidazione **3** narrazione, descrizione.

illùstre *agg.* celebre, chiaro, insigne, famoso, eminente, affermato, glorioso, ragguardevole, arrivato, sublime

(*iperb.*), divo (*poet.*) **CONTR.** ignoto, sconosciuto.

imbacuccàre *A v. tr.* incappucciare, infagottare, intabarrare, mettere il cappuccio *a*, coprire bene, incappottare, ammantellare (*raro*) **CONTR.** scoprire, svestire, denudare *B v. rifl.* intabarrarsi, coprirsi, infagottarsi, incappucciarsi, affagottarsi (*raro*) **CONTR.** scoprirsi, svestirsi, denudarsi.

imbacuccàto *part. pass.; anche agg.* [*con indumenti*] coperto, imbottito **CONTR.** scoperto, nudo, spogliato, svestito.

imbaldanzìre *A v. tr.* incoraggiare, ringalluzzire, rendere baldanzoso, insuperbire, animare, inorgoglire **CONTR.** intimidire, infiacchire, scoraggiare *B v. intr. pron.* diventare baldanzoso, animarsi, inorgoglirsi, insuperbire **CONTR.** abbattersi, avvilirsi, accasciarsi, scoraggiarsi, intimidirsi.

imballàggio *s. m.* confezione.

imballàre (1) *v. tr.* impacchettare, confezionare, avvolgere, incartare, fasciare, impaccare, involgere, incassare **CONTR.** sballare, sfasciare, scartare.

imballàre (2) *v. tr.* [*un motore*] portare fuori giri.

imbàllo *s. m.* confezione, involucro.

imbalsamàre *v. tr.* **1** mummificare **2** [*animali*] impagliare.

imbambolàre *v. tr. e intr. pron.* incantare.

imbarazzàre *A v. tr.* **1** impacciare, intralciare, disturbare, impicciare, incagliare, impedire, inceppare, ostruire, paralizzare, impastoiare, ingombrare, ostacolare **CONTR.** sbarazzare, sgomberare, liberare **2** [*qc.*] (*est.*) turbare, confondere (*fig.*), emozionare, commuovere, inquietare, scombussolare (*fig.*), disorientare, intimidire, ghiacciare (*fig.*), mettere a disagio *B v. intr. pron.* turbarsi, emozionarsi.

imbarazzàto *part. pass.; anche agg.* impacciato, timido, goffo.

imbaràzzo *s. m.* **1** impaccio, disagio, disappunto, soggezione, vergogna **CONTR.** spigliatezza **2** [*nella scelta*] perplessità, incertezza, confusione.

imbarbarire A v. tr. **1** [i modi, i costumi] involgarire, inzotichire, inselvatichire CONTR. digrossare, dirozzare, incivilire, civilizzare, raffinare, ingentilire **2** [i costumi] (est.) imbastardire, corrompere **B** v. intr. pron. decadere, regredire, corrompersi, involgarirsi, peggiorare CONTR. digrossarsi, dirozzarsi, avanzare, progredire, incivilirsi, ingentilirsi, raffinarsi.

imbarbarito part. pass.; anche agg. regredito, corrotto, involuto (fig.) CONTR. ingentilito, evoluto.

imbarcàre A v. tr. **1** caricare CONTR. sbarcare **2** [qc.] (est.) coinvolgere **B** v. rifl. **1** salire, andare su una nave CONTR. scendere **2** [in un'avventura, etc.] (est.) impegnarsi, entrare (fig.), avventurarsi, intraprendere CONTR. liberarsi, disimpegnarsi, uscire **C** v. intr. pron. [detto di oggetto] deformarsi.

imbarcazióne s. f. **1** (gener.) natante, galleggiante **2** [tipo di] →barca, battello, nave **3** [insieme di] naviglio, flotta.

NOMENCLATURA

Imbarcazione

Imbarcazione: natante azionato a remi, a vela, a motore.

naviglio: imbarcazione;

faselo: imbarcazione antica di origine egizia;

pentecontoro: imbarcazione greca antica da guerra;

fusoliera: imbarcazione stretta e veloce di poco pescaggio;

giunca: imbarcazione di origine cinese;

bissona: imbarcazione veneziana da parata a otto remi;

piroga: imbarcazione caribica scavata in un tronco; imbarcazione fatta con cortecce, liane e sim.;

sampan: imbarcazione fluviale a remi dell'estremo oriente usata anche come abitazione;

canoa: imbarcazione leggera in uso presso i popoli primitivi; imbarcazione pontata, veloce per competizioni sportive dove il canoista mantiene una posizione inginocchiata, aziona una pagaia a una sola pala;

caiac: kayak;

canoa canadese: canoa da turismo generalmente non pontata (canadese aperta) azionata da pagaia a una sola pala;

canoino: canoa a dimensioni ridotte e molto leggera;

catamarano: canoa doppia delle isole Hawaii;

kayak: canoa per la caccia alle foche, a due pale, usate in posizione seduta, tipica degli Esquimesi; canoa da turismo e da competizione;

moscone: imbarcazione formata da due galleggianti, da uno o due sedili, azionata da remi o pedali;

pattino: moscone;

catamarano: imbarcazione rudimentale in uso sulle coste sudorientali dell'India, costituita da più tronchi legati dei quali il centrale sporge a guisa di prora; imbarcazione da diporto o da competizione, a vela, a motore basata su due scafi paralleli collegati da una ampia coperta orizzontale;

canotto: imbarcazione piccola di materiale sintetico, gonfiabile, smontabile a remi, a vela o con motore fuoribordo, usato per diporto o per salvataggio;

cruiser: imbarcazione a motore da crociera abitabile da più persone;

dandy: imbarcazione a vela di media grandezza, a due alberi e bompresso, usata per diporto;

dinghy: imbarcazione da regata e da diporto con un albero smontabile e vela marconi;

monotipo: imbarcazione a vela per la quale sono fissate le dimensioni sia per lo scafo che per la velatura, e tutti gli altri materiali;

stella: imbarcazione a vela per regata, da competizione ammessa alle olimpiadi, con fiocco, randa, chiglia fissa, con equipaggio formato da due persone;

star: (ingl.);

dragone: imbarcazione a vela per regate, da competizione ammessa alle olimpiadi, con fiocco, randa, spinnaker, a chiglia fissa, di categoria internazionale, adatta per equipaggi di due persone;

tempest: imbarcazione a vela per regate, da competizione, ammessa alle olimpiadi, con fiocco, randa, spinnaker, a chiglia fissa, adatta per equipaggi di due persone;

soling: imbarcazione a vela per regate, da competizione, ammessa alle olimpiadi, con fiocco, randa,

spinnaker, a chiglia fissa, adatta per equipaggi di tre persone;

flying dutchman: imbarcazione a vela per regate, da competizione, ammessa alle olimpiadi, con fiocco, randa, spinnaker, di categoria internazionale, adatta per equipaggi di due persone;

470: imbarcazione a vela per regate, da competizione, ammessa alle olimpiadi, con fiocco, randa, spinnaker, di categoria internazionale, adatta per equipaggi di due persone;

finn: imbarcazione a vela per regate, da competizione, ammessa alle olimpiadi, con randa, ed equipaggio di una persona;

europa: imbarcazione a vela per regate, da competizione, ammessa alle olimpiadi, con randa, ed equipaggio di una persona;

tornado: imbarcazione a vela per regate, da competizione, ammessa alle olimpiadi, con fiocco, randa, ed equipaggio di due persone;

laser: imbarcazione a vela per regate, da competizione, ammessa alle olimpiadi, con fiocco, randa, ed equipaggio di una persona;

420: imbarcazione a vela per regate, da competizione, con fiocco, randa, spinnaker, ed equipaggio di due persone;

flying junior: imbarcazione a vela per regate, da competizione, con fiocco, randa, spinnaker, ed equipaggio di due persone;

optimist: imbarcazione a vela per regate, da competizione, con randa, ed equipaggio di una persona;

fuoriscalmo: imbarcazione veloce da regata con scalmi su cui poggiano i remi sporgenti dal bordo, usata nel canottaggio;

singolo: imbarcazione a un solo vogatore nel canottaggio;

schifo;

sandolino: imbarcazione a fondo piatto con poppa e prua aguzze, con remo a pala doppia, per un solo vogatore;

canoino;

iole: imbarcazione leggera per canottieri;

otto: imbarcazione con otto vogatori usata in gare di canottaggio;

outrigger: imbarcazione con outrigger nel canottaggio;

cabinato: imbarcazione da diporto fornita di cabina, a motore, a vela;

iolla: imbarcazione a vela, cabinata, a due alberi, con l'albero minore sistemato a poppavia della ruota del timone;

entrobordo: imbarcazione da turismo con motore interno;

fuoribordo: imbarcazione da turismo o da competizione il cui lo scafo è corredato da un motore a scoppio, collocato al di fuori dello scafo stesso;

lancia: imbarcazione a remi, avente da cinque a otto banchi con poppa quadra;

caicco: imbarcazione a remi; lancia;

motolancia: lancia a motore;

motoscafo: imbarcazione veloce con motore a scoppio pontata interamente o no;

cacciasommergibile: motoscafo ad alta velocità per individuare unità subacquee;

mas: motoscafo antisommergibile, velocissimo, armato di lanciasiluri, bombe e mitragliere;

peschereccio: imbarcazione attrezzata per la pesca;

liuto: peschereccio con un solo albero a vela latina a Trieste e in Istria;

motopeschereccio: peschereccio con motore a scoppio;

palischermo: imbarcazione grossa a servizio di bastimento;

saettia: palischermo della marina da guerra, di scafo allungato, poppa e prua sottilissima, che voga col sensile;

pilotina: imbarcazione che porta il pilota a bordo della nave;

idroscivolante: imbarcazione propulsa con elica aerea il cui scafo ha carena pianeggiante con uno o più gradini trasversali;

pescino: imbarcazione, piccola, leggera per una persona usata nella caccia in palude;

barchino: imbarcazione piccola a fondo piatto per paludi;

sciabica: imbarcazione a remi per la pesca con rete a strascico piccole profondità;

idroplano: imbarcazione provvisto di carena con ridotta immersione per raggiungere elevate velocità;

*nave: imbarcazione semovente, di notevoli dimensioni, atta al trasporto di persone e di cose sull'acqua;

*battello: imbarcazione per vari usi;

*barca: imbarcazione di dimensioni modeste, per trasporto di persone e cose;

Flotta: insieme dei natanti da guerra o da traffico appartenenti a uno stato o a una compagnia di navigazione;

armata: da guerra.

imbastardire *A v. tr.* **1** fare degenerare **2** [*i costumi, la lingua*] (*est.*) alterare, corrompere (*fig.*), imbarbarire **CONTR.** nobilitare **B** *v. intr. pron.* degenerare, corrompersi, tralignare **CONTR.** migliorarsi, correggersi, nobilitarsi.

imbastire *v. tr.* **1** cucire, preparare le cuciture, impunturare **2** (*est.*) abbozzare, delineare, modellare **CONTR.** perfezionare, completare, finire **3** [*una relazione affettiva*] (*est.*) avviare, iniziare **CONTR.** terminare.

imbàttersi *v. intr. pron.* **1** incontrare *un*, incocciare *un*, intopparsi, incappare, inciampare, intoppare *un*, incontrarsi, incrociarsi, vedere *un* (*est.*) **CONTR.** evitare **2** scontrarsi *con*, urtare *un*, affrontarsi *con* (*lett.*).

imbattìbile *agg.* **1** invincibile, insuperabile **2** insormontabile.

imbattùto *agg.* indomito, invitto.

imbeccàre *v. tr.* **1** imboccare, introdurre nel becco, dare da mangiare, alimentare **2** [*qc.*] (*est.*) istruire, consigliare, dare l'imbeccata a, indottrinare, ispirare **3** [*q.c. a qc.*] suggerire.

imbeccàta *s. f.* suggerimento.

imbecillàggine *s. f.* cretineria, dissennatezza, stupidaggine, scemenza, idiozia **CONTR.** intelligenza.

imbecille *A agg.* cretino, deficiente, idiota, stupido, demente, ebete, scemo, stolido (*lett.*), stolto, minchione (*pop.*) **CONTR.** intelligente, scaltro, astuto **B** *s. m. e f.* cretino, stupido, sciocco, deficiente **CONTR.** furbo.

imbecillità *s. f. inv.* **1** idiozia, stoltezza, stupidità, demenza, stolidezza, scemenza, scempiaggine **CONTR.** intelligenza **2** scempiaggine.

imbèlle *agg.* codardo, pauroso, pavido, vile, timido, fiacco, timido **CONTR.** coraggioso, impavido, guerriero, guerresco.

imbellettaménto *s. m.* maquillage (*fr.*), trucco.

imbellettàre *A v. tr.* coprire di belletti, truccare, dipingere (*fig.*) **B** *v. rifl.* **1** truccarsi, dipingersi, pitturarsi (*scherz.*) **CONTR.** struccarsi **2** (*est.*) adornarsi, addobbarsi.

imbellìre *A v. tr.* abbellire, ingentilire **CONTR.** deturpare, devastare, imbruttire, sfigurare **B** *v. intr.* diventare bello **CONTR.** imbruttire, diventare brutto.

imbèrbe *agg.* giovane, immaturo, inesperto, ingenuo (*scherz.*) **CONTR.** adulto, maturo, esperto (*est.*).

imbestialìre *A v. tr.* fare arrabbiare **CONTR.** ammansire, calmare, rabbonire **B** *v. intr. pron.* adirarsi, incazzarsi (*volg.*), incollerirsi, arrabbiarsi, infuriarsi, incavolarsi (*fam.*), inferocirsi **CONTR.** ammansirsi, calmarsi, rabbonirsi.

imbévere *A v. tr.* impregnare, imbibire (*raro*), bagnare, inzuppare, intridere (*raro*), assorbire **CONTR.** disseccare, spremere, sgocciolare, strizzare **B** *v. intr. pron.* **1** intridersi, assorbire *un*, bere *un*, impregnarsi, inzupparsi **CONTR.** disseccarsi **2** [*di una idea, di un concetto, etc.*] assorbire *un*, assimilare *un*, riempirsi.

imbevùto *part. pass.; anche agg.* intriso, impregnato, zuppo, molle, inzuppato **CONTR.** asciutto, secco.

imbiancàre *A v. tr.* **1** imbianchire (*raro*), tinteggiare **2** [*detto di alba, di luna, etc.*] (*est.*) rischiarare, illuminare **CONTR.** oscurare **3** [*tessuti, panni*] candeggiare, scolorire, sbiancare, sbianchire, decolorare (*est.*) **B** *v. intr. pron.* **1** incanutire **2** [*detto di persona, etc.*] (*fig.*) impallidire **3** [*detto di cielo, orizzonte, etc.*] schiarirsi, albeggiare.

imbiancàto *part. pass.; anche agg.* [*rif. ai capelli, alla barba, etc.*] incanutito.

imbianchìno *s. m.* (*f. -a*) pittore (*est.*).

imbianchìre *v. tr.* **1** imbiancare **2** [*tessuti, panni, etc.*] decolorare, scolorire, sbiancare.

imbibire v. tr. imbevere (raro), impregnare, intridere.

imbizzarrire v. intr. pron. **1** [detto di cavallo] adombrarsi **2** [detto di persona] adombrarsi, incavolarsi (pop.), incazzarsi (volg.), incollerirsi, adirarsi, stizzirsi.

imboccàre A v. tr. **1** nutrire, imbeccare, cibare, dare da mangiare a, alimentare, immettere (impr.) **2** [un'attività] intraprendere, iniziare CONTR. abbandonare **3** [qc. con q.c.] (est.) istruire, ispirare a, consigliare di **4** [qc. con un suggerimento] (est.) suggerire a **5** [una strada, etc.] (fig.) infilare, prendere B v. intr. **1** [detto di strada, etc.] sfociare, terminare, immettersi, andare a finire **2** [detto di tappo, ingranaggio] entrare, incastrarsi.

imboccatùra s. f. bocca, ingresso, entrata, apertura, fauci.

imbòcco s. m. (pl. -chi) ingresso, bocca, entrata.

imbolsìre v. intr. **1** diventare bolso, ingrassare, appesantirsi, diventare grosso CONTR. dimagrire **2** impigrirsi, infiacchirsi, svigorirsi.

imbonìre v. tr. persuadere, attirare, cattivarsi, ingraziarsi CONTR. allontanare, inimicare.

imborghesire A v. tr. rendere borghese B v. intr. pron. diventare borghese.

imboscàre v. tr. e rifl. nascondere, occultare, celare, rimpiattare CONTR. mostrare.

imboscàta s. f. **1** agguato **2** tranello, trappola, rete (fig.) **3** (est.) insidia, inganno.

imbottigliàre v. tr. [il traffico, etc.] bloccare, paralizzare CONTR. sbloccare, liberare.

imbottìre v. tr. **1** riempire, colmare, empire **2** [un divano, etc.] riempire, ovattare CONTR. svuotare **3** [un panino] rimpinzare, farcire.

imbottìta s. f. trapunta, coltre, piumone, coperta.

imbottìto part. pass.; anche agg. **1** coperto, imbacuccato **2** [rif. a un panino] farcito.

imbracàre v. tr. legare.

imbrancàre A v. tr. riunire, mettere insieme, radunare CONTR. dividere, isolare B v. rifl. intrupparsi, aggregarsi, mettersi insieme, associarsi CONTR. isolarsi, staccarsi, dividersi.

imbrattàre A v. tr. **1** impiastrare, inzaccherare, macchiare, impataccare, impiastricciare, maculare, pasticciare, impeciare CONTR. detergere, pulire, nettare, lavare **2** (gener.) sporcare, insudiciare, lordare, insozzare B v. rifl. **1** macchiarsi, farsi delle macchie, farsi delle patacche, inzaccherarsi CONTR. detergersi, pulirsi **2** (gener.) sporcarsi, insudiciarsi, insozzarsi, lordarsi.

imbrattàto part. pass.; anche agg. impiastrato, macchiato, inzaccherato, lordo, sozzo, sudicio, sporco CONTR. pulito, lindo, netto.

imbrigliàre v. tr. **1** [le passioni, etc.] (est.) frenare, impedire, ostacolare, controllare CONTR. sbrigliare, sfrenare, liberare **2** [il cavallo] bardare, mettere i finimenti CONTR. liberare.

imbroccàre v. tr. **1** azzeccare, indovinare, centrare, colpire nel segno, colpire, fare centro CONTR. sbagliare, fallire **2** [una strada, etc.] intraprendere, infilare CONTR. mancare.

imbrodolàre v. tr. e rifl. **1** sbrodolare **2** (gener.) sporcare.

imbrogliàre A v. tr. **1** [qc.] (est.) beffare, ingannare, frodare, raggirare, truffare, abbindolare, fregare (pop.), circuire, giocare, inculare (volg.), chiavare (volg.), fottere (volg.), gabbare, illudere, turlupinare, bidonare (pop.), irretire (colto), prendere per il culo (volg.), circonvenire (colto), infinocchiare (volg.), intrappolare (fig.), rigirare (fig.), impastocchiare (fig.) **2** [una matassa, i filati] ingarbugliare, arruffare, aggrovigliare, intricare, intrecciare, intrigare, inviluppare CONTR. dipanare, districare, sbrogliare **3** [un affare, il traffico] complicare, intralciare, ostacolare, impedire, impacciare CONTR. agevolare **4** [le idee, etc.] (est.) confondere **5** [al gioco] barare B v. intr. pron. **1** [detto di cose, etc.] ingarbugliarsi, avvilupparsi, mescolarsi, intrecciarsi, aggrovigliarsi **2** [detto di persone] (est.) sbagliarsi, annaspare (fig.), smarrirsi (fig.), per-

dersi (fig.), impappinarsi, impaperarsi (scherz.) **3** [detto di situazione, etc.] (est.) confondersi, complicarsi, intricarsi CONTR. sbrogliarsi.

imbròglio s. m. **1** groviglio, viluppo, garbuglio, intrico, zuppa (fig.) **2** frode, truffa, fregatura (pop.), raggiro, inganno, bidone (fig.), tresca, pastetta **3** trucco, falsità, sotterfugio **4** pasticcio, complicazione, intralcio, inghippo, inciucio (nap.), danza (fig.).

imbroglióne s. m. (f. -a) impostore, truffatore, mistificatore, lestofante, avventuriero, baro, pellaccia, pirata (fig.), filibustiere (fig.), turlupinatore, volpe (fig.) CONTR. galantuomo.

imbronciàre v. intr. pron. immusonirsi, ingrugnarsi, corrucciarsi, crucciarsi, impermalirsi (est.), offendersi (est.) CONTR. rasserenarsi, distendersi, rallegrarsi.

imbronciàto part. pass.; anche agg. [rif. al volto] accigliato, corrucciato, serio, oscurato CONTR. allegro, lieto, sereno, disteso.

imbrunìre A v. intr. **1** farsi buio, annottare **2** [detto di giorno, cielo] annerire, scurire B s. m. inv. sera, vespro (lett.), vespero (lett.), finire (lett.).

imbruttimènto s. m. peggioramento, deturpamento, deturpazione CONTR. abbellimento.

imbruttìre A v. tr. rendere brutto, sfigurare, deturpare, devastare, deformare, peggiorare CONTR. abbellire, imbellire, decorare, ornare, guarnire B v. intr. diventare brutto, alterarsi CONTR. imbellire, migliorare C v. rifl. deturparsi, peggiorarsi.

imbucàre A v. tr. **1** [una lettera, etc.] impostare, spedire **2** [qc.] riporre, nascondere, occultare B v. rifl. **1** infilarsi in una buca, nascondersi, rintanarsi **2** [in una festa, etc.] andare senza invito, infilarsi.

imitàbile agg. eguagliabile, riproducibile, ripetibile CONTR. inimitabile.

imitàre v. tr. **1** [qc.] emulare, copiare, prendere ad esempio, prendere come modello, seguire, andare dietro, comportarsi allo stesso modo di, esemplare (raro) **2** [i gesti, la voce, etc.] emulare, scimmiottare, simulare, rifare, contraffare, mimare, ripetere, parodiare, fare la parodia *di a* **3** [*una musica, un testo*] copiare, plagiare, arieggiare, ricalcare.

imitàto *part. pass.; anche agg.* **1** riprodotto, copiato, rifatto **CONTR.** autentico, verace, originale **2** contraffatto, falsificato, finto **CONTR.** autentico, verace.

imitatóre *s. m.* (*f. -trice*) seguace, discepolo, scolaro.

imitazióne *s. f.* **1** simulazione **2** verso, smorfia **3** riproduzione, copia, duplicato, surrogato (*spreg.*) **4** contraffazione.

immacolàto *agg.* **1** (*anche fig.*) puro, mondo **CONTR.** macchiato **2** bianco, candido, niveo **3** (*est.*) pulito **CONTR.** macchiato, sporco, lordo (*lett.*).

immagazzinàre *v. tr.* **1** riporre, mettere in magazzino, stoccare **2** [*idee, nozioni, etc.*] accumulare, concentrare.

immaginàbile *agg.* intuibile, presumibile, prevedibile, credibile **CONTR.** inimmaginabile, imprevedibile, incredibile, impensabile, inconcepibile, inopinabile.

immaginàre *A v. tr.* **1** [*q.c. con la fantasia*] evocare, figurarsi, raffigurarsi, vedere (*fig.*) **2** [*le ragioni di qc.*] concepire, capire, comprendere **3** [*il futuro, etc.*] intuire, divinare **4** [*che una cosa sia vera*] pensare, sospettare, credere, presumere, ritenere, opinare, presupporre **5** [*q.c. con l'immaginazione*] supporre, ipotizzare, ammettere, fingere, mettere **6** [*di ottenere q.c., etc.*] sognare, stimare, illudersi, fantasticare, confidare **7** [*un progetto, un'opera*] ideare, progettare, inventare **8** [*q.c. da quanto già detto*] dedurre *B v. intr. pron.* figurarsi, pensare, supporre, annusare (*fig.*), credersi, presumere.

immaginariaménte *avv.* col pensiero, idealisticamente **CONTR.** concretamente.

immaginàrio *A agg.* **1** illusorio, chimerico, fantastico, irreale, astratto **CONTR.** effettivo, reale, vero **2** fittizio, apparente, idealistico **3** [*rif. alla realtà*] virtuale *B s. m. sing.* immaginazione.

immaginazióne *s. f.* **1** creatività, inventiva, fantasia **2** percezione, intuito **3** (*est.*) finzione, invenzione.

immàgine *s. f.* **1** sembianza, forma, figura **2** apparenza, aspetto, look (*ingl.*) **3** rappresentazione, simulacro, simbolo, effigie, emblema, segno **4** [*rif. a una persona*] (*fig.*) riproduzione, ritratto, specchio, fotografia, personificazione **5** specie (*lett.*) **6** [*della vita, etc.*] (*est.*) visione (*lett.*), concezione.

immaginosaménte *avv.* fantasticamente **CONTR.** realisticamente, realmente.

immalinconire *A v. tr.* rendere malinconico, rattristare **CONTR.** confortare, consolare, divertire, esilarare, rallegrare, allietare *B v. intr. e intr. pron.* incupirsi, diventare malinconico, rattristarsi, intristirsi **CONTR.** consolarsi, divertirsi, giubilare, rallegrarsi, dilettarsi.

immancàbile *agg.* inevitabile, sicuro.

immancabilménte *avv.* inevitabilmente, di sicuro, certamente, sicuramente, sempre (*fam.*).

immanènte *agg.* connaturato, intrinseco **CONTR.** trascendente, spirituale.

immateriàle *agg.* **1** incorporeo, spirituale **CONTR.** corporeo **2** (*est.*) ideale, astratto **3** (*est.*) irreale **4** aereo (*fig.*), invisibile.

immatricolàre *v. tr. e rifl.* iscrivere, registrare, matricolare **CONTR.** cancellare, depennare.

immatricolazióne *s. f.* iscrizione, registrazione.

immaturaménte *avv.* acerbamente, anzitempo, prematuramente, precocemente, prima del tempo **CONTR.** tardivamente.

immaturità *s. f. inv.* **1** infantilismo **CONTR.** maturità **2** irresponsabilità, incoscienza, sconsideratezza.

immatùro *agg.* **1** giovane, imberbe, acerbo (*fig.*), verde (*fig.*) **CONTR.** adulto, maturo **2** [*rif. al comportamento*] giovane, infantile, puerile **3** [*rif. alla nascita, alla morte*] prematuro, precoce.

immedesimàre *A v. tr.* unificare, uni-

re, fondere **CONTR.** distinguere, diversificare *B v. rifl.* entrare nella parte *di*, identificarsi, compenetrarsi, calarsi, configurarsi, impersonarsi (*raro*), investirsi *di* **CONTR.** astrarsi, liberarsi.

immediataménte *avv.* **1** istantaneamente, subito, rapidamente, celermente, velocemente, prontamente **2** direttamente **CONTR.** indirettamente.

immediatézza *s. f.* **1** velocità, celerità **2** freschezza, spontaneità **CONTR.** artificiosità.

immediàto *agg.* **1** [*rif. a un discorso*] diretto **CONTR.** indiretto, travagliato (*est.*) **2** celere **3** (*temp.*) istantaneo, subitaneo **CONTR.** tardivo, intempestivo **4** [*rif. a una risposta*] pronto **5** [*rif. a un'azione*] istintivo **CONTR.** artificioso, controllato, forzato.

immelmàre *A v. tr.* **1** infangare **2** (*gener.*) sporcare *B v. rifl.* **1** infangarsi **2** (*gener.*) sporcarsi.

immèmore *agg.* **1** dimentico **CONTR.** memore (*fig.*) **2** ingrato.

immensaménte *avv.* enormemente, smisuratamente, molto, incommensurabilmente, incredibilmente **CONTR.** scarsamente, poco.

immensità *s. f. inv.* [*di persone*] moltitudine, mare (*fig.*), oceano (*fig.*).

immènso *agg.* **1** illimitato, sconfinato, sterminato, infinito, incalcolabile, enorme **CONTR.** limitato, stretto, ridotto **2** [*rif. all'emozione*] enorme, profondo.

immèrgere *A v. tr.* **1** [*q.c. in un liquido*] affondare, inabissare, tuffare, sommergere, inzuppare (*est.*) **2** [*una spada, un coltello*] ficcare, infiggere, immettere (*raro*), infilare, introdurre **CONTR.** estrarre **3** [*qc. nei debiti, etc.*] (*fig.*) ingolfare *B v. rifl.* **1** [*in un liquido*] sprofondarsi, gettarsi in acqua, tuffarsi **CONTR.** galleggiare, emergere **2** [*nello studio, nel sonno*] (*est.*) sprofondarsi, dedicarsi *a*, concentrarsi, sprofondare (*fig.*), abbandonarsi *a* (*fig.*), darsi *a*, internarsi (*raro*) **3** [*nelle viscere della terra*] discendere, penetrare **4** [*nei problemi*] (*fig.*) ingolfarsi, infossarsi.

immeritataménte *avv.* ingiustamente, senza colpa, a torto, indegnamen-

te CONTR. degnamente, giustamente, meritatamente.

immeritàto *agg.* immotivato, ingiustificato, ingiusto, gratuito CONTR. giusto, debito.

immeritévole *agg.* indegno CONTR. degno, meritevole.

immersióne *s. f.* **1** bagno **2** affondamento.

imméttere **A** *v. tr.* **1** inserire, infilare, addentrare (*raro*), immergere CONTR. estrarre **2** [*q.c. nel mercato, etc,*] piazzare **3** [*q.c. in testa, etc.*] (*fig.*) instillare **4** [*il traffico*] convogliare **5** [*q.c. in bocca*] imboccare **B** *v. rifl.* introdursi, infilarsi, innestarsi CONTR. uscire **C** *v. intr. pron.* [*detto di strada, di fiume*] confluire, imboccare, entrare, sboccare.

immigràre *v. intr.* espatriare, emigrare.

immigràto **A** *s. m.* (*f. -a*) straniero CONTR. autoctono, indigeno **B** *agg.* CONTR. emigrato.

immischiàre **A** *v. tr.* implicare, involgere (*raro*) **B** *v. intr. pron.* intromettersi, intrufolarsi, impicciarsi, entrare, infilarsi, mescolarsi, frapporsi, frammettersi, ingerirsi, inframmettersi, impacciarsi, intrigarsi, intrugliarsi, occuparsi CONTR. disinteressarsi.

immiseriménto *s. m.* **1** impoverimento, depauperamento CONTR. arricchimento **2** [*della cultura, delle arti*] declino, decadimento, decadenza CONTR. fioritura.

immiserire **A** *v. tr.* impoverire, depauperare, dissanguare (*fig.*), consumare (*fig.*) CONTR. arricchire, impinguare **B** *v. intr. pron.* **1** impoverirsi, decadere CONTR. arricchirsi, ingrassarsi **2** (*est.*) intristirsi.

immissióne *s. f.* **1** introduzione CONTR. emissione **2** importazione.

immòbile (**1**) *agg.* **1** fermo, fisso, immoto (*lett.*) CONTR. mobile, fluttuante, vacillante, girevole, agitato (*est.*) **2** (*fig.*) saldo **3** (*est.*) statico, inerte, quieto **4** [*rif. all'aria, all'acqua, etc.*] stagnante CONTR. fluente, corrente **5** [*rif. al mare*] piatto, calmo CONTR. agitato (*est.*), tempestoso.

immòbile (**2**) *s. m.* (*est.*) costruzione.

immobilismo *s. m.* apatia, inattività CONTR. mobilità, dinamicità.

immobilità *s. f. inv.* **1** staticità, rigidità CONTR. mobilità **2** inerzia, quiete (*est.*).

immobilizzàre **A** *v. tr.* **1** bloccare, fermare, fissare, trattenere CONTR. liberare **2** bloccare, investire in beni immobili **3** [*una situazione*] cristallizzare (*fig.*) **4** [*qc.*] inchiodare (*fig.*), paralizzare (*fig.*), pietrificare (*fig.*), inibire, congelare (*fig.*) **B** *v. rifl.* fermarsi, bloccarsi, arrestarsi, irrigidirsi, pietrificarsi (*fig.*) CONTR. divincolarsi, muoversi, agitarsi **C** *v. intr. pron.* **1** [*detto di meccanismo, motore*] incepparsi **2** [*detto di situazione*] (*fig.*) cristallizzarsi, mummificarsi, fossilizzarsi.

immoderatamente *avv.* smoderatamente, smodatamente, eccessivamente, esageratamente CONTR. moderatamente, modicamente.

immoderàto *agg.* smodato.

immodèstia *s. f.* **1** vanità, presunzione CONTR. modestia **2** superbia, sicumera, alterigia CONTR. modestia **3** sfrontatezza, scostumatezza, impudicizia CONTR. modestia, verecondia, pudicizia.

immodèsto *agg.* presuntuoso, vanitoso, borioso, vanaglorioso CONTR. modesto, umile.

immolàre **A** *v. tr.* sacrificare, crocifiggere, mettere in croce **B** *v. rifl.* sacrificarsi, crocifiggersi, martirizzarsi.

immolazióne *s. f.* olocausto, sacrificio, offerta.

immollàre *v. intr. pron.* impregnarsi.

immondamènte *avv.* sconciamente, oscenamente CONTR. castamente, pudicamente.

immondézza o **mondézza** *s. f.* immondizia, spazzatura, sporcizia, rifiuto, porcheria.

immondizia *s. f.* **1** immondezza (*dial.*), spazzatura, sporcizia, rifiuto **2** paccottiglia, ciarpame.

immóndo *agg.* **1** [*rif. a una persona,*

etc.] impuro, depravato, sconcio, perverso CONTR. mondo (*fig.*) **2** lordo, sozzo, lercio, lurido CONTR. pulito, netto.

immoràle *agg.* **1** licenzioso, impuro CONTR. dabbene, onesto, morale **2** [*rif. a una persona*] disonesto, corrotto, turpe, depravato CONTR. puro, verecondo **3** (*fig.*) basso, sozzo, sudicio **4** [*rif. all'atteggiamento*] scandaloso, indecente, inverecondo, sconcio, osceno CONTR. etico **5** [*rif. a una legge*] iniquo, ingiusto.

immoralità *s. f. inv.* disonestà, depravazione, iniquità, dissolutezza, sudiciume (*fig.*), indecenza, indegnità, perversione CONTR. moralità.

immoralménte *avv.* **1** disonestamente CONTR. moralmente, onestamente **2** licenziosamente, dissolutamente, impudicamente, scostumatamente CONTR. castigatamente.

immortalàre **A** *v. tr.* eternare, glorificare, perpetuare **B** *v. intr. pron.* perpetuarsi.

immortàle *agg.* **1** eterno, imperituro, perenne, perpetuo CONTR. mortale, caduco, effimero **2** [*rif. a un eroe, alle gesta*] leggendario, mitico.

immortalità *s. f. inv.* eternità.

immotivàto *agg.* **1** infondato, ingiustificato, irragionevole CONTR. fondato **2** immeritato, ingiusto, gratuito.

immòto *agg.* immobile, fisso, fermo CONTR. mobile.

immùne *agg.* **1** esente, libero, privo di, spoglio **2** [*rif. a malattie, a entusiasmi, etc.*] (*est.*) protetto CONTR. soggetto a.

immunità *s. f. inv.* **1** dispensa, esenzione, esonero **2** (*est.*) protezione, privilegio **3** [*ad un virus, al dolore*] refrattarietà, insensibilità.

immunizzàre *v. tr.* premunire, vaccinare.

immusonirsi *v. intr. pron.* imbronciarsi, corrucciarsi, crucciarsi, accigliarsi, annuvolarsi CONTR. rasserenarsi, rallegrarsi.

immutàbile *agg.* costante, fisso, stabile, inalterabile, invariabile CONTR. mutevole, variabile.

immutabilménte *avv.* invariabilmente, stabilmente, eternamente, per sempre, inalterabilmente **CONTR.** mutevolmente, volubilmente.

immutàto *agg.* invariato, costante, uguale, inalterato.

impaccàre *v. tr.* impacchettare, imballare, incartare, fasciare, confezionare **CONTR.** spacchettare, slegare, aprire, sfasciare.

impacchettàre *v. tr.* **1** [*q.c.*] fare un pacchetto *di*, confezionare, imballare, incartare, avvolgere, arrotolare, avvoltolare, impaccare, involgere, involtare, legare **CONTR.** spacchettare, slegare, aprire, svolgere **2** [*qc.*] (*est.*) legare, ammanettare, imprigionare.

impacciàre *A v. tr.* **1** impedire, ostacolare, intralciare, ingombrare, impicciare, disturbare, essere di impaccio *a*, imbrogliare, bloccare, impastoiare, incatenare (*fig.*), vincolare **CONTR.** disimpacciare, facilitare, disimpegnare, sciogliere, sbloccare **2** (*est.*) imbarazzare, mettere a disagio *B v. intr. pron.* intromettersi, immischiarsi, ingerirsi, ficcarsi **CONTR.** disinteressarsi.

impacciàto *part. pass.; anche agg.* **1** legato, impedito, goffo **CONTR.** agile, snodato, scattante, spigliato, disinvolto, destro, felino (*fig.*), leggero **2** timido, confuso, imbarazzato **CONTR.** disinvolto, ardito **3** [*rif. a uno scritto*] lento, diffocoltoso **CONTR.** spigliato, leggero, scorrevole.

impàccio *s. m.* **1** impedimento, intralcio, ostacolo **2** esitazione, imbarazzo, vergogna, timidezza, goffaggine **CONTR.** scioltezza, disinvoltura, spigliatezza, naturalezza, destrezza, semplicità, spontaneità, nonchalance **3** (*est.*) disguido.

impadronìrsi *v. intr. pron.* **1** impossessarsi, diventare padrone, appropriarsi **CONTR.** perdere, abbandonare **2** [*di un segreto, etc.*] impossessarsi, carpire *un*, rubare *un* **3** [*di una città, di un territorio*] (*est.*) conquistare *un*, invadere *un*, occupare *un*, espugnare *un* **4** [*detto di idee, di pensieri*] (*est.*) assalire **5** [*di un trono, di una carica, etc.*] impadronirsi *un* **6** [*di una lingua, di un mestiere, etc.*] imparare *un*, comprendere a fondo *un*, cogliere *un* (*fig.*), digerire *un* (*fig.*), fare proprio

un, afferrare *un* (*fig.*), impratichirsi **CONTR.** disimparare **7** [*della situazione*] egemonizzare *un*.

impagàbile *agg.* impareggiabile.

impagliàre *v. tr.* imbalsamare, mummificare (*est.*).

impalàre *v. intr. pron.* irrigidirsi.

impalcàto *s. m.* assito.

impalcatùra *s. f.* **1** base, struttura, intelaiatura **2** ponteggio, castello (*fig.*).

impallidìre *v. intr.* **1** [*detto di persona, etc.*] diventare pallido, scolorirsi, imbiancarsi, scolorarsi, sbiancare, sbianchire (*raro*), trascolorare, diventare bianco **CONTR.** arrossire, colorirsi, imporporarsi, diventare rosso, abbronzarsi **2** [*detto di luce, cielo, etc.*] (*est.*) sbiadire, smorzarsi, offuscarsi, oscurarsi, schiarirsi **CONTR.** accendersi **3** [*detto di persona, etc.*] allibire **4** [*detto di ricordo, etc.*] (*est.*) attenuarsi **CONTR.** ravvivarsi.

impallidìto *part. pass.; anche agg.* **1** [*in volto*] sbiancato, scolorito **CONTR.** rosso **2** [*rif. a uno stato d'animo*] allibito, sbigottito **3** [*rif. al colore*] attenuato, sfumato **CONTR.** vivo, intenso.

impalmàre *v. tr.* sposare.

impalpabilménte *avv.* sottilissimamente **CONTR.** tangibilmente.

impaludàre *v. tr.* impantanare.

impanàre (1) *v. tr.* panare.

impanàre (2) *v. tr.* [*le viti*] filettare.

impancàrsi *v. intr. pron.* erigersi, atteggiarsi.

impaniàre *v. tr.* invischiare.

impantanàre *A v. tr.* impaludare *B v. intr. pron.* **1** finire in un pantano **2** (*anche fig.*) invischiarsi, impegolarsi, impelagarsi, infognarsi (*pop.*) **3** (*est.*) non riuscire a tirarsi fuori.

impaperàrsi *v. intr. pron.* impappinarsi, fare una papera, confondersi, imbrogliarsi.

impappinàre *A v. tr.* bloccare *B v. intr. pron.* balbettare, balbutire (*lett.*), impaperarsi, fare una papera, confondersi (*est.*), imbrogliarsi, ingarbugliar-

si, parlare a stento.

imparagonàbile *agg.* impareggiabile, incomparabile, ineguagliabile, unico **CONTR.** simile, analogo.

imparàre *v. tr.* apprendere, impratichirsi *di in*, impadronirsi *di*, istruirsi *in*, capire, assorbire (*fig.*), comprendere a fondo, studiare (*est.*), impossessarsi *di* **CONTR.** disimparare, dimenticare, scordare.

impareggiàbile *agg.* **1** unico, ineguagliabile, incomparabile, imparagonabile, inarrivabile **2** (*est.*) unico, inenarrabile **3** (*est.*) ottimo, magnifico **CONTR.** pessimo, cattivo.

impartìre *v. tr.* **1** [*ordini, insegnamento*] dare **CONTR.** prendere **2** [*una pena*] infliggere **3** [*benedizioni, etc.*] dispensare, elargire **4** [*doni, etc.*] (*raro*) distribuire, donare, largire, ripartire.

imparziàle *agg.* equo, giusto, obiettivo, neutrale, equanime, oggettivo, spassionato, indifferente (*est.*), equilibrato **CONTR.** parziale, fazioso, settario, appassionato (*fig.*), soggettivo.

imparzialità *s. f. inv.* equità, giustizia, neutralità, obiettività, oggettività, serenità (*est.*) **CONTR.** faziosità, parzialità, ingiustizia, nepotismo, partigianeria.

imparzialménte *avv.* **1** equamente, senza fare preferenze, giustamente, ugualmente, obiettivamente, oggettivamente, indifferentemente **CONTR.** faziosamente, parzialmente, iniquamente (*est.*) **2** disinteressatamente, senza interesse personale, spassionatamente.

impasse *s. f. inv.* intoppo, difficoltà, palude (*fig.*).

impassìbile *agg.* **1** [*rif. al viso*] imperturbabile, inalterabile, imperterrito, indifferente **CONTR.** agitato, ardente, commosso, turbato, impressionato, suggestionabile, meravigliato (*est.*), sorpreso (*est.*), stupefatto (*est.*) **2** (*est.*) apatico, flemmatico **3** [*rif. all'atteggiamento*] freddo, distante, distaccato, insensibile **CONTR.** commosso, partecipe.

impassibilità *s. f. inv.* **1** imperturbabilità, indifferenza, freddezza **CONTR.**

suscettibilità **2** (*est.*) insensibilità.

impassibilménte *avv.* imperturbabilmente, freddamente, insensibilmente **CONTR.** nervosamente, concitatamente (*est.*).

impastàre *v. tr.* **1** amalgamare, mescolare, mantecare **2** (*est.*) incollare.

impastocchiàre *v. tr.* ingannare, imbrogliare, raggirare.

impastoiàre *v. tr.* impacciare, imbarazzare, inceppare, intralciare, ostacolare **CONTR.** liberare, sciogliere.

impataccàre A *v. tr.* **1** macchiare, imbrattare **CONTR.** pulire, mondare, detergere **2** (*gener.*) insudiciare, sporcare **B** *v. rifl.* **1** farsi delle macchie, farsi delle patacche, macchiarsi **CONTR.** pulirsi, detergersi **2** (*gener.*) insudiciarsi, sporcarsi.

impàtto *s. m.* **1** urto, cozzo, scontro, botta **2** (*est.*) influenza, ruolo, peso.

impaurire A *v. tr.* spaventare, atterrire, terrorizzare, terrificare, intimorire, spaurire, sgomentare, sbigottire, allarmare, intimidire, inquietare **CONTR.** rinfrancare, rianimare, incoraggiare **B** *v. intr. pron.* **1** spaventarsi, sgomentarsi, terrorizzarsi, intimorirsi, atterrirsi, prendere paura, spaurirsi, sbigottirsi, allarmarsi, smarrirsi, inquietarsi, intimidirsi, farsela addosso (*fig.*) **CONTR.** rinfrancarsi, rassicurarsi **2** [*in relazione di causa effetto*] (*est.*) trasalire, sussultare.

impaurito *part. pass.; anche agg.* spaventato, atterrito, terrorizzato, intimorito, impietrito, sbigottito, intimidito, preoccupato **CONTR.** rincuorato, confortato (*est.*), rassicurato.

impavidaménte *avv.* coraggiosamente, intrepidamente **CONTR.** vilmente, pavidamente (*colto*).

impàvido *agg.* ardito, coraggioso, audace, sicuro, spavaldo, prode, valoroso **CONTR.** codardo, imbelle, vile, vigliacco, timido, timoroso.

impaziènte *agg.* **1** insofferente, intollerante, frettoloso (*fig.*) **CONTR.** paziente, flemmatico, calmo, tranquillo **2** [*rif. a un gesto, a un comportamento*] nervoso, stizzoso, insofferente **CONTR.** paziente, flemmatico, calmo, tranquillo **3** ansioso, desideroso.

impazienteménte *avv.* **1** desiderosamente, ansiosamente, bramosamente **CONTR.** pazientemente, con pazienza, filosoficamente **2** smaniosamente, nervosamente **CONTR.** pazientemente, pacatamente, tranquillamente.

impazientìrsi *v. intr. pron.* spazientirsi, inquietarsi **CONTR.** pazientare.

impaziènza *s. f.* **1** insofferenza, intolleranza **CONTR.** pazienza, sopportazione **2** nervosismo, ansia, stizza (*est.*), irrequietezza **CONTR.** flemma, calma **3** (*est.*) fretta.

impazzàre *v. intr.* **1** [*detto di salsa, crema, etc.*] impazzire, raggrumarsi **2** [*detto di moda*] (*fig.*) furoreggiare, galoppare.

impazzìre *v. intr.* **1** diventare pazzo, diventare matto, ammattire, andare fuori di cervello, delirare, folleggiare **CONTR.** rinsavire **2** (*est.*) amare alla follia, innamorarsi pazzamente, infatuarsi **3** [*detto di strumento, etc.*] funzionare male, funzionare a caso **4** [*detto di meccanismo, etc.*] bloccarsi **5** [*per una cosa difficile*] (*fig.*) scervellarsi **6** [*detto di salsa, crema, etc.*] (*cuc.*) impazzare.

impeccabilménte *avv.* perfettamente, irreprensibilmente **CONTR.** male, approssimativamente (*est.*).

impeciàre *v. tr.* **1** imbrattare **2** (*raro*) impegolare **3** (*gener.*) sporcare.

impediménto *s. m.* **1** intoppo, inciampo, contrattempo, disguido **CONTR.** spinta **2** ostacolo, impaccio, scoglio (*fig.*), asperità, difficoltà, complicazione, contrarietà, avversità, barriera (*fig.*), muraglia (*fig.*) **3** opposizione, divieto, freno (*fig.*), preclusione, proibizione **4** [*in una tubatura*] ostacolo, otturamento (*raro*), ostruzione.

impedire *v. tr.* **1** [*di parlare, di entrare, etc.*] proibire, vietare, precludere, negare, interdire **CONTR.** consentire **2** [*un lavoro, etc.*] arrestare, ostacolare, bloccare, fermare, inceppare, frenare, interrompere, sabotare **CONTR.** facilitare, favorire **3** [*il movimento, etc.*] impacciare, intralciare, imbarazzare **CONTR.** disimpacciare **4** [*detto di legame, di relazione*] imbrigliare (*fig.*), limitare, incatenare (*fig.*), legare (*fig.*),

vincolare **5** [*il flusso, lo scorrimento*] impacciare, intralciare, ostruire, incagliare, occludere **6** [*il traffico, etc.*] ingombrare, imbrogliare **7** [*gli arti*] (*est.*) inabilitare, paralizzare **8** [*qc. dal fare q.c.*] trattene, contrastare, prevenire, inibire **CONTR.** incoraggiare.

impedìto *part. pass.; anche agg.* **1** impacciato, legato, goffo, maldestro **CONTR.** agile **2** negato, ostacolato **CONTR.** agevolato, appoggiato.

impegnàre A *v. tr.* **1** [*qc.*] vincolare, obbligare, costringere **CONTR.** disobbligare, esonerare **2** [*l'attenzione*] assorbire, occupare **3** [*un gioiello, un bene*] (*dir.*) dare in pegno, ipotecare, pignorare **CONTR.** disimpegnare, spignorare **4** [*un posto a sedere, etc.*] riservare, accaparrare **5** [*q.c. nel gioco d'azzardo*] (*est.*) giocare **6** [*le risorse, le persone*] mobilitare **7** [*il denaro*] investire **8** [*qc.*] implicare **CONTR.** esimere **B** *v. rifl.* **1** [*nel lavoro, nello studio, etc.*] compenetrarsi, sforzarsi, dedicarsi completamente, mettersi d'impegno, darsi da fare, concentrarsi **CONTR.** deconcentrarsi, disimpegnarsi, disperdersi, distrarsi **2** [*per ottenere q.c.*] compenetrarsi, sforzarsi, prodigarsi, adoperarsi *per*, affaccendarsi, affannarsi, industriarsi, darsi *a*, lottare (*fig.*), farsi in quattro (*fam.*), fare i salti mortali (*fig.*) **CONTR.** esentarsi, esimersi **3** promettere *di*, fare una promessa *di*, vincolarsi, obbligarsi *a* **CONTR.** liberarsi, svincolarsi, disobbligarsi, dispensarsi **4** [*in un'impresa, etc.*] esporsi, imbarcarsi (*fig.*), incaricarsi, impegolarsi, implicarsi, ingolfarsi, addossarsi *un* **CONTR.** liberarsi, svincolarsi **5** compromettersi, indebitarsi **6** promettersi *a*, fidanzarsi.

impegnativo *agg.* **1** [*rif. a un'impresa*] alto, gravoso, laborioso, difficile, faticoso, oneroso **CONTR.** facile, leggero **2** (*fig.*) vincolante, obbligante.

impegnàto *part. pass.; anche agg.* **1** [*rif. a una risorsa, a un bene*] vincolato, legato, obbligato **2** [*in attività*] occupato, assorbito, preso **CONTR.** libero **3** [*rif. alla musica*] serio **CONTR.** leggero **4** [*in politica, etc.*] attivo, militante, partecipe.

impégno *s. m.* **1** vincolo, obbligo, obbligazione (*raro*), carico (*fig.*), promessa (*est.*) **2** incombenza, assunto, incarico, commissione, briga **3** (*est.*)

appuntamento **4** [*economico*] (*est.*) debito **5** zelo, diligenza, applicazione, attenzione, fervore, concentrazione, coscienza, serietà, volontà **CONTR.** disimpegno **6** (*est.*) sforzo, fatica **7** (*est.*) vincolo, condizione.

impegolàre A *v. tr.* **1** impeciare, incatramare **2** (*est.*) incastrare, implicare, incasinare (*fam.*), inviluppare (*fig.*), mettere nei pasticci **B** *v. rifl.* compromettersi, inguaiarsi, incasinarsi (*fam.*), infognarsi (*pop.*), impantanarsi (*fig.*), finire in un pantano (*fig.*), invischiarsi, impelagarsi, buttarsi (*fig.*), impegnarsi, implicarsi, non riuscire a tirarsi fuori (*est.*), perdersi (*est.*) **CONTR.** sbrogliarsi, liberarsi, disimpegnarsi, districarsi.

impelagàre A *v. tr.* inguaiare, incasinare (*pop.*), ingolfare, inviluppare (*lett.*), invischiare (*fig.*) **CONTR.** liberare **B** *v. rifl.* impegolarsi, impantanarsi (*fig.*), invischiarsi (*fig.*), cacciarsi in un pasticcio, finire in un pantano (*fig.*), incasinarsi (*fam.*),.. infognarsi (*fig.*), inguaiarsi, non riuscire a tirarsi fuori (*est.*) **CONTR.** liberarsi, disimpegnarsi.

impellènte *part. pres.; anche agg.* urgente, pressante, irrimandabile, imperioso, prepotente **CONTR.** a lunga scadenza, procrastinabile, rimandabile.

impellenteménte *avv.* pressantemente, urgentemente.

impenetràbile *agg.* **1** [*rif. a un luogo*] chiuso, stagno, impermeabile **CONTR.** accessibile, penetrabile **2** [*rif. a un discorso*] inintelligibile, inesplicabile, incomprensibile, enigmatico, misterioso, oscuro, indecifrabile **CONTR.** comprensibile, evidente, chiaro.

impenetrabilménte *avv.* imperscrutabilmente, misteriosamente.

impenitènte *agg.* incorreggibile, ostinato.

impennàre *v. intr. pron.* **1** [*detto di cavallo*] adombrarsi, ricalcitrare **CONTR.** ammansirsi, quietarsi **2** [*detto di persona*] adombrarsi, ricalcitrare, inalberarsi, risentirsi, arrabbiarsi, impermalirsi, stizzirsi, incavolarsi (*fam.*), incazzarsi (*volg.*) **CONTR.** quietarsi, placarsi.

impensàbile *agg.* **1** inaccettabile, in-

concepibile, inimmaginabile, imprevedibile, inopinabile **CONTR.** immaginabile, prevedibile **2** (*est.*) assurdo.

impensabilménte *avv.* inconcepibilmente, incredibilmente, incomprensibilmente, assurdamente, stranamente.

impensataménte *avv.* imprevedibilmente, inaspettatamente, di sorpresa **CONTR.** prevedibilmente.

impensàto *agg.* **1** imprevisto, inaspettato, inatteso, improvviso **CONTR.** previsto, atteso **2** (*est.*) estemporaneo.

impensierire A *v. tr.* inquietare, preoccupare, turbare, tormentare, crucciare **CONTR.** calmare, placare, quietare, tranquillizzare **B** *v. intr. pron.* turbarsi, preoccuparsi, inquietarsi, crucciarsi, incupirsi **CONTR.** disinteressarsi, fregarsene, sbattersene, infischiarsi.

imperàre *v. intr.* **1** dominare, regnare, signoreggiare **CONTR.** ubbidire, sottostare, soggiacere **2** [*detto di uso, linguaggio*] (*fig.*) predominare, preponderare **3** [*detto di moda, etc.*] imperversare.

imperativaménte *avv.* imperiosamente, autoritariamente **CONTR.** democraticamente.

imperativo A *agg.* **1** tassativo, perentorio, categorico, assoluto **CONTR.** bonario, mite **2** sovrano (*dir.*) **B** *s. m.* **1** norma **2** (*dir.*) imperatività.

imperatóre *s. m.* (*f. -trice*) (*erron.*) sovrano, zar, re, negus, monarca.

impercettìbile *agg.* **1** [*rif. al suono*] minimo, lieve, sommesso, basso **2** [*rif. a una sensazione*] sfuggente, inafferrabile, insensibile **CONTR.** percettibile **3** invisibile **CONTR.** enorme, visibile, tangibile, evidente.

impercettibilménte *avv.* lievissimamente, leggerissimamente, insensibilmente **CONTR.** percettibilmente, tangibilmente, apprezzabilmente, sensibilmente.

imperdonàbile *agg.* inaccettabile, ingiustificabile **CONTR.** perdonabile, scusabile.

imperfettaménte *avv.* difettosamente, incompletamente, insufficientemente, male **CONTR.** perfettamente, bene.

imperfètto (1) *agg.* **1** incompleto, carente, manchevole, scadente **CONTR.** perfetto, compiuto, finito **2** [*rif. a un meccanismo*] difettoso **CONTR.** perfetto **3** [*rif. al fisico*] malformato, informe **CONTR.** perfetto.

imperfètto (2) *s. m. sing.* verbo (*gener.*).

imperfezióne *s. f.* **1** difetto, manchevolezza, mancanza, deficienza **2** vizio, pecca, neo (*fig.*), fallo **3** [*rif. a un lavoro*] inesattezza, imprecisione, incompletezza **CONTR.** perfezione **4** difetto, anomalia, deformazione.

impèrio *s. m.* V. *impero*.

imperiosaménte *avv.* autoritariamente, imperativamente, dispoticamente, superbamente, alteramente **CONTR.** timidamente, modestamente.

imperióso *agg.* **1** [*rif. all'atteggiamento*] superbo, deciso **CONTR.** sottomesso, arrendevole **2** [*rif. a un ordine, etc.*] autoritario, dispotico **3** [*rif. al bisogno, alla necessità*] impellente, pressante, prepotente (*fig.*) **CONTR.** procrastinabile.

imperitùro *agg.* **1** (*lett.*) immortale, perenne, eterno, perpetuo **CONTR.** mortale, caduco, labile **2** (*est.*) leggendario.

imperìzia *s. f.* **1** incapacità, inettitudine, incompetenza, inesperienza (*est.*), inefficienza **CONTR.** abilità, valentia, attitudine, destrezza **2** colpa (*est.*).

imperlàre *v. tr.* **1** ingemmare, ingioiellare **2** [*la fronte, etc.*] (*est.*) bagnare **3** [*i fiori, etc.*] spruzzare.

impermalìre A *v. tr.* toccare sul vivo, offendere **B** *v. intr. pron.* imbronciarsi, impennarsi (*fig.*), offendersi, indispettirsi, adontarsi (*colto*), adirarsi, arrabbiarsi, stizzirsi, incappellarsi (*volg.*), piccarsi.

impermalosìre A *v. tr.* indispettire, impermalire **B** *v. intr. pron.* adombrarsi, ingrugnarsi (*fam.*).

impermeàbile A *agg.* stagno, impe-

impèrniare netrabile **CONTR.** permeabile, penetrabile **B** s. m. soprabito.

impèrniàre A v. tr. **1** fermare, incardinare **2** [il racconto, etc.] (fig.) basare, fondare, incentrare, mettere alla base **B** v. intr. pron. basarsi, fondarsi, incentrarsi.

impèro o **impèrio** s. m. (gener.) stato.

imperscrutàbile agg. impenetrabile.

imperscrutabilménte avv. impenetrabilmente, misteriosamente **CONTR.** chiaramente.

impersonàle agg. anonimo, banale, scialbo, piatto (fig.) **CONTR.** personale, caratteristico, peculiare, particolare.

impersonalménte avv. **1** anonimamente, ordinariamente, banalmente **CONTR.** personalmente, originalmente **2** indeterminatamente, in forma impersonale **CONTR.** personalmente.

impersonàre A v. tr. fingersi, rappresentare, incarnare, personificare, simulare, calarsi nei panni di, fare finta di essere, interpretare **B** v. rifl. immedesimarsi, incarnarsi (fig.) **C** v. intr. pron. attuarsi.

impertèrrito agg. imperturbabile, impassibile **CONTR.** timoroso, spaventato, pavido (lett.).

impertinènte A agg. insolente, sfacciato, sfrontato, irriverente, impudente **CONTR.** rispettoso, ossequioso, riservato (est.), mite (est.), umile (est.) **B** s. m. e f. insolente, sfacciato.

impertinènza s. f. insolenza, sfacciataggine, arroganza, irriverenza, audacia, impudenza, villania, petulanza **CONTR.** educazione, gentilezza.

imperturbàbile agg. impassibile, imperterrito, inalterabile, scettico **CONTR.** commosso, turbato, impressionato, attonito, apprensivo.

imperturbabilità s. f. inv. impassibilità, indifferenza (est.) **CONTR.** suscettibilità, apprensione, impressionabilità, irritabilità, iracondia, irascibilità.

imperturbabilménte avv. **1** flemmaticamente, impassibilmente **CONTR.** nervosamente **2** serenamente, tranquillamente.

imperversàre v. intr. **1** scatenarsi, sfrenarsi, incrudelire, infierire, inferocire **CONTR.** contenersi, dominarsi, frenarsi, moderarsi **2** [detto di moda, malattia, etc.] diffondersi, propagarsi, dominare, dilagare **3** [detto di passione] (fig.) imperare, ardere.

impèrvio agg. **1** [rif. a un pendio, a un sentiero, etc.] malagevole, impraticabile, inaccessibile, ripido, scosceso **CONTR.** agevole, praticabile, accessibile **2** [rif. a un concetto] arduo, difficile, duro, ostico **CONTR.** accessibile.

impestàre v. tr. contaminare, appestare, ammorbare, impuzzare.

impeto s. m. **1** [di amore, di ira, etc.] empito (tosc.), slancio, scatto, impulso **2** [rif. all'atteggiamento] precipitazione, irruenza, concitazione, foga, forza, furore, voga, violenza, veemenza, vivacità **3** [di amore] intensità, trasporto, ardore **4** onda (fig.).

impetràre v. tr. **1** [il perdono, la grazia] pregare, supplicare, implorare, domandare, scongiurare, invocare, intercedere **2** (gener.) chiedere **CONTR.** ottenere.

impetuosaménte avv. ardentemente, veementemente, violentemente, furiosamente, appassionatamente **CONTR.** freddamente, pacatamente.

impetuosità s. f. inv. irruenza, veemenza, violenza (est.).

impetuóso agg. **1** [rif. a una persona] ardente, focoso, irruente, animoso, veemente, furioso **CONTR.** pacato, calmo, placido **2** [rif. a un evento naturale] furioso, tempestoso, travolgente, rovinoso.

impiantàre A v. tr. **1** [un lavoro, etc.] impostare, iniziare, avviare, organizzare **CONTR.** terminare **2** [q.c.] installare, piazzare, mettere, piantare (fig.) **3** [un ente, un'istituzione] fondare, istituire, costituire, creare **CONTR.** demolire **B** v. intr. pron. radicarsi (fig.), stabilirsi, stanziarsi, fermarsi, insediarsi, piantarsi.

impiantire v. tr. pavimentare.

impiantito s. m. pavimento, suolo (raro), piancito (dial.).

impiànto s. m. **1** installazione, apparecchiatura, apparato **2** (est.) base, struttura.

impiastràre A v. tr. **1** imbrattare, inzaccherare, macchiare, impiastricciare **CONTR.** pulire, ripulire, detergere, tergere, nettare **2** (gener.) insudiciare, sporcare **B** v. rifl. **1** inzaccherarsi, impiastricciarsi **2** (gener.) sporcarsi, insudiciarsi.

impiastràto part. pass.; anche agg. imbrattato, macchiato, inzaccherato, sporco (est.), sudicio (est.), lordo, sozzo **CONTR.** pulito, lindo, netto.

impiastricciàre A v. tr. **1** impiastrare, imbrattare, macchiare **CONTR.** pulire, ripulire, detergere, nettare, tergere **2** (gener.) sporcare, insudiciare, insozzare **3** intrugliare **B** v. rifl. **1** macchiarsi, impiastricciarsi **2** (gener.) sporcarsi, insudiciarsi.

impiàstro o **empiàstro** s. m. **1** [di semi di lino] cataplasma **2** [rif. a una persona] scocciatore, rompiscatole (pop.), piattola (fig.).

impiccàre A v. tr. **1** appiccare, strangolare **2** (gener.) giustiziare, punire con la morte **B** v. rifl. **1** appiccarsi, strangolarsi **2** (gener.) uccidersi, suicidarsi, ammazzarsi.

impicciàre A v. tr. impacciare, ostacolare, intralciare, ingombrare, imbarazzare, complicare **CONTR.** disimpacciare, sbarazzare, liberare **B** v. intr. pron. immischiarsi, intrufolarsi, ficcarsi, mescolarsi, mischiarsi, curarsi, interessarsi, intromettersi, occuparsi, infilarsi, intrigarsi, ingerirsi, inframmettersi, intrugliarsi, mettere bocca (fam.) **CONTR.** disinteressarsi, fregarsene, sbattersene, infischiarsi.

impiccinire v. tr. impicciolire, impiccolire **CONTR.** ingrandire.

impiccio s. m. **1** ingombro, intralcio, ostacolo, zavorra, peso (fig.) **2** seccatura, briga, fastidio **3** [spec. con: trovarsi in un] guaio, pantano (fig.), danza (fig.).

impicciolire A v. tr. diminuire, impiccinire, rimpicciolire, impiccolire, sminuire **CONTR.** gonfiare, aumentare, ingrandire, ingrossare, accrescere **B** v. intr. pron. restringersi, ridursi, diminuire **CONTR.** gonfiarsi, ingrandirsi, ingrossarsi, crescere.

impiccolire A v. tr. impicciolire, rimpicciolire, diminuire, impiccinire, sminuire, restringere **CONTR.** ingrandire, ingrossare, accrescere, aumentare, gonfiare **B** *v. intr. pron.* diminuire, restringersi, ridursi **CONTR.** crescere, gonfiarsi, ingrandirsi, ingrossarsi, aumentare.

impiegàre *A v. tr.* **1** [*utensili, carta, etc.*] adoperare, usare, utilizzare, sfruttare, fare uso ·di **2** [*il denaro*] (*est.*) spendere, consumare **3** [*il tempo*] (*est.*) occupare, mettere (*fig.*), trascorrere **4** [*qc.*] (*est.*) occupare, assumere, fare lavorare, dare lavoro a, ingaggiare, collocare (*fig.*) **CONTR.** licenziare **5** [*una tecnica, un metodo*] (*est.*) applicare **B** *v. intr. pron.* trovare lavoro, ottenere un lavoro, trovare un impiego, iniziare a lavorare, occuparsi, prendere un impiego **CONTR.** licenziarsi.

impiegàto *A s. m.* (*f. -a*) **1** dipendente, salariato, stipendiato **CONTR.** artigiano, contadino, dirigente, operaio **2** (*gener.*) lavoratore **B** *part. pass.; anche agg.* **1** [*rif. al denaro*] investito **2** adibito.

impiègo *s. m.* (*pl. -ghi*) **1** uso, utilizzazione, utilizzo, consumo (*est.*) **2** occupazione, posto (*fam.*), attività, mestiere, collocamento (*raro*), collocazione, lavoro, professione, carriera (*est.*), job (*ingl.*).

impietosaménte *avv.* crudelmente, spietatamente, disumanamente **CONTR.** bonariamente, caritatevolmente.

impietosire *A v. tr.* intenerire, commuovere, muovere a pietà, muovere (*fig.*), rammollire (*fig.*) **CONTR.** inasprire **B** *v. intr. pron.* commuoversi, muoversi a pietà, intenerirsi, rammollirsi **CONTR.** inasprirsi.

impietosito *part. pass.; anche agg.* commosso, toccato, turbato, intenerito **CONTR.** inasprito, spietato.

impietóso *agg.* spietato, insensibile, crudele **CONTR.** compassionevole.

impietrire *A v. tr.* **1** gelare (*fig.*), raggelare (*fig.*), terrorizzare, spaventare, stupire, pietrificare (*fig.*) **2** rendere di pietra (*fig.*), rendere insensibile, indurire (*fig.*), incallire (*fig.*) **CONTR.** commuovere **B** *v. intr. pron.* pietrificarsi (*fig.*) **CONTR.** addolcirsi.

impietrito *part. pass.; anche agg.* pietrificato (*propr.*), terrorizzato, impaurito, sbigottito.

impigliàre *A v. tr.* **1** avviluppare, avvolgere, intricare **CONTR.** sciogliere, districare **2** incagliare **B** *v. intr. pron.* **1** rimanere preso, avvilupparsi, avvolgersi, intricarsi, inciampare **CONTR.** districarsi, sciogliersi **2** [*nel parlare, etc.*] incespicare.

impigrire *A v. tr.* impoltronire, infiacchire, infingardire, intorpidire **CONTR.** spoltronire, sveltire, rendere attivo **B** *v. intr. pron.* infiacchirsi, imbolsire, diventare pigro, impoltronirsi, intorpidirsi, infingardirsi, oziare, poltrire **CONTR.** diventare svelto, svegliarsi, scuotersi, affaccendarsi.

impinguàre *A v. tr.* rimpinguare, arricchire **CONTR.** impoverire, immiserire **B** *v. intr. pron.* **1** ingrossarsi, diventare grosso, aumentare di peso **CONTR.** dimagrire **2** arricchirsi, ingrassarsi (*fig.*).

impinzàre *A v. tr.* riempire, rimpinzare, ricolmare **B** *v. rifl.* rimpinzarsi, riempirsi, saziarsi (*est.*).

impiombàre *v. tr.* **1** [*un dente*] otturare, piombare **2** [*un pacco, etc.*] sigillare.

impipàrsi *v. intr. pron.* infischiarsi (*fam.*), fregarsene (*fam.*), fottersene (*volg.*), sbattersene (*volg.*) **CONTR.** curarsi, preoccuparsi, temere.

implacàbile *agg.* **1** inesorabile, ostinato, irremovibile, inflessibile, spietato, accanito **CONTR.** clemente, misericordioso, pietoso **2** (*est.*) crudele, terribile **3** [*rif. al nemico*] giurato.

implacabilità *s. f. inv.* **1** spietatezza, inflessibilità, ferocia, crudeltà **CONTR.** pietà, compassione **2** [*del tempo, etc.*] inesorabilità.

implacabilménte *avv.* inesorabilmente, inflessibilmente, ostinatamente, fieramente **CONTR.** misericordiosamente, mitemente.

implicàre *A v. tr.* **1** [*uno sforzo, sacrificio*] sottintendere, comportare, costare (*fig.*), esigere, importare, presupporre **2** [*qc.*] coinvolgere, compromettere, trascinare, immischiare, impegnare, impegolare **CONTR.** disimpe-

gnare, liberare, escludere **3** causare, provocare, dare origine **4** [*un plico*] (*raro*) involgere, involvere, racchiudere, includere **B** *v. rifl.* coinvolgersi, impegnarsi, impegolarsi **CONTR.** disimpegnarsi, liberarsi.

implicitaménte *avv.* non espressamente, non dichiaratamente, non esplicitamente **CONTR.** apertamente, esplicitamente.

implìcito *agg.* sottinteso, indiretto, tacito, intuibile, alluso **CONTR.** aperto, esplicito.

imploràre *v. tr.* **1** [*qc., la divinità*] supplicare, pregare, scongiurare, invocare **2** (*est.*) raccomandarsi, ricorrere a **3** [*q.c.*] impetrare, elemosinare, domandare, chiedere, mendicare.

implorazióne *s. f.* invocazione, supplica, preghiera, appello, prece (*lett.*).

implùme *agg.* spennacchiato (*scherz.*) **CONTR.** piumato, pennuto.

impollinàre *v. tr.* (*bot.*) fecondare.

impolpàre *v. tr.* rimpolpare, ingrassare.

impoltronire *A v. tr.* impigrire, infiacchire, infingardire **CONTR.** spoltronire, sveltire **B** *v. intr. pron.* impigrirsi, infiacchirsi, intorpidirsi, poltrire, infingardirsi **CONTR.** affaccendarsi, arrabattarsi, lavorare, sfacchinare, scuotersi, svegliarsi.

impolveràre *A v. tr.* (*gener.*) sporcare **CONTR.** spolverare **B** *v. intr. pron.* coprirsi di polvere.

impomatàre *v. tr.* ungere.

imponènte *part. pres.; anche agg.* grandioso, enorme, solenne, maestoso, magnifico, superbo, gigantesco, massiccio, titanico **CONTR.** piccolo, minimo, insignificante.

imponènza *s. f.* **1** [*rif. all'atteggiamento*] gravità, austerità, solennità, maestosità, maestà **2** [*rif. a un'opera architettonica*] grandiosità, magnificenza **3** [*nell'incedere, etc.*] (*est.*) appariscenza, vistosità **CONTR.** sobrietà **4** [*rif. a un oggetto*] voluminosità (*est.*).

imporporàre *A v. tr.* arrossare **B** *v. intr. pron.* **1** arrossire, colorarsi, colorirsi, ravvivarsi **CONTR.** impallidire, sbiancare, sbianchire **2** [*detto di cielo*] rosseggiare (*raro*).

impórre A *v. tr.* **1** [*q.c.*] ingiungere, intimare, prescrivere, dettare, deliberare, comandare, ordinare, obbligare, pretendere **2** [*un coperchio, una corona*] sovrapporre, mettere sopra **3** [*un nome*] conferire **4** [*una pena, etc.*] (*est.*) infliggere, fare subire **B** *v. rifl.* **1** emergere, affermarsi **CONTR.** fallire **2** [*detto di moda, di gioco, etc.*] emergere, prevalere, predominare, dominare, preponderare, invadere (*fig.*) **3** (*iron.*) legiferare **C** *v. intr. pron.* **1** [*detto di questione, etc.*] essere necessario, urgere, premere **2** [*detto di moda, etc.*] attecchire (*fig.*).

importànte *agg.* **1** considerevole, notevole, rilevante, prestigioso **CONTR.** insignificante, irrilevante **2** grave, vitale, essenziale **3** [*rif. a una persona*] autorevole, ragguardevole, influente, famoso, insigne **CONTR.** insignificante, qualunque **4** [*rif. alle parti del corpo*] grande **5** [*rif. a un dono, a un abito, etc.*] caro, elegante **CONTR.** insignificante, qualunque.

importànza *s. f.* **1** [*rif. a avvenimenti, etc.*] interesse, rilievo, rilevanza, portata (*fig.*), significato, valore, peso (*fig.*), significatività **CONTR.** marginalità, insignificanza **2** [*rif. a una persona*] autorità, prestigio, autorevolezza, mole, statura **3** [*rif. a fatti, a argomenti*] gravità, serietà, profondità **4** (*est.*) ruolo, influenza.

importàre A *v. intr.* **1** interessare, premere, stare a cuore **2** giovare, incidere **B** *v. tr.* **1** commerciare, introdurre nel paese, fare importazioni, introdurre (*impr.*) **CONTR.** esportare **2** [*un danno, un sacrificio*] arrecare, cagionare, comportare, richiedere, implicare **C** *v. intr. impers.* **1** occorrere, essere necessario, bisognare **2** pesare (*fig.*), contare, meritare, valere.

importazióne *s. f.* introduzione, immissione **CONTR.** esportazione.

impòrto *s. m.* **1** somma **2** costo, prezzo.

importunaménte *avv.* insistentemente, sconvenientemente **CONTR.** opportunamente.

importunàre *v. tr.* tediare, tormenta-re (*fig.*), infastidire, molestare, incomodare, assediare (*fig.*), frastornare, seccare, scocciare, annoiare, dare fastidio *a*, disturbare, ossessionare (*fig.*), perseguitare, mitragliare (*fig.*), rompere (*volg.*).

importunità *s. f. inv.* insistenza, molestia.

importùno A *agg.* **1** indiscreto, molesto, seccante, fastidioso, sgradito, appiccicoso (*fam.*), rompiscatole (*scherz.*) **CONTR.** gradito, accetto **2** (*est.*) inopportuno, intempestivo **B** *s. m.* (*f. -a*) disturbatore, seccatore, rompiscatole (*pop.*), rompiballe (*volg.*).

imposizióne *s. f.* **1** ingiunzione, comando, intimazione, ordine **2** obbligo, vincolo, tributo (*fig.*), tassa (*fig.*) **3** coazione (*colto*), violenza, prevaricazione.

impossessàrsi *v. intr. pron.* **1** appropriarsi, fare proprio *un*, impadronirsi, procacciarsi *un* **2** [*di un luogo*] fare proprio *un*, conquistare *un*, occupare *un* **3** (*est.*) rapinare *un*, carpire *un*, rubare *un* **4** [*di una lingua, di un mestiere*] appropriarsi, impadronirsi, afferrare *un*, imparare *un*.

impossìbile A *agg.* inattuabile, irrealizzabile, infattibile, assurdo, folle **CONTR.** possibile, attuabile, eseguibile, realizzabile, fattibile, credibile, ammissibile, plausibile **B** *s. m. sing.* irrealizzabile **CONTR.** possibile.

impossibilità *s. f. inv.* inattuabilità **CONTR.** possibilità, libertà.

impossibilitàre *v. tr.* bloccare, impedire **CONTR.** facilitare, agevolare, permettere.

impòsta (1) *s. f.* infisso, battente, anta, persiana.

impòsta (2) *s. f.* tassa, tributo.

impostàre (1) *v. tr.* **1** [*uno studio, una ricerca*] porre le basi *di*, avviare, organizzare **CONTR.** disbrigare, completare **2** [*l'organizzazione di q.c.*] (*est.*) impiantare **3** [*una conferenza, etc.*] basare, preparare, abbozzare **4** [*un'attività*] (*est.*) iniziare, dare l'avvio *a*, dare inizio *a* **CONTR.** finire, terminare **5** [*il viso*] (*est.*) atteggiare, improntare **6** [*la voce*] (*est.*) intonare, curare.

impostàre (2) *v. tr.* [*una lettera, etc.*] imbucare, spedire.

impostàto *part. pass.; anche agg.* abbozzato, schizzato, delineato **CONTR.** finito, terminato, rifinito.

impostazióne *s. f.* indirizzo, orientamento, linea (*fig.*), taglio (*fig.*).

impòsto *part. pass.; anche agg.* ordinato, forzato, obbligato, coatto **CONTR.** spontaneo, libero.

impostóre *s. m.* (*f. -a*) imbroglione, truffatore, mistificatore, avventuriero, lestofante, baro, bugiardo, turlupinatore, simulatore **CONTR.** galantuomo.

impotènte *agg.* **1** debole, incapace, inetto, inutile (*est.*) **CONTR.** potente, capace, valido **2** (*med.*) sterile (*impr.*) **CONTR.** virile.

impoverimènto *s. m.* **1** depauperamento, crisi, congiuntura, recessione, immiserimento **CONTR.** arricchimento **2** [*rif. alla cultura, alle arti, etc.*] (*est.*) decadenza, decadimento, declino **3** [*del tenore di vita, etc.*] (*est.*) peggioramento **CONTR.** miglioramento **4** [*del terreno, etc.*] depauperamento.

impoverìre A *v. tr.* **1** immiserire, rendere povero, depauperare, dissanguare (*fig.*) **CONTR.** arricchire, impreziosire, impinguare, rimpinguare **2** [*un terreno, etc.*] inaridire, isterilire, consumare **CONTR.** ingrassare, nutrire **3** [*un testo scritto*] (*fig.*) immiserire, mutilare, ridurre **4** [*un abito, etc.*] sguarnire **B** *v. intr. pron.* **1** diventare povero, immiserirsi, depauperarsi, dissanguarsi (*fig.*) **CONTR.** arricchirsi, ingrassarsi (*fig.*), diventare ricco **2** [*detto di vena poetica, etc.*] (*fig.*) inaridirsi, languire **CONTR.** rafforzarsi, potenziarsi **3** [*detto di prestigio, etc.*] scadere **4** [*detto di terreno*] depauperarsi, inaridirsi.

impraticàbile *agg.* inaccessibile, impervio, disagevole, inagibile **CONTR.** agibile, praticabile, accessibile, transitabile.

impratichìre *v. tr. e intr. pron.* **1** addestrarsi, esercitarsi, istruirsi, imparare *un* **CONTR.** disimparare **2** (*est.*) impadronirsi *di*, diventare esperto *di*, diventare pratico *di*.

imprecàre *v. intr.* inveire, bestemmiare, smoccolare (*tosc.*), sacramentare (*pop.*) CONTR. benedire.

imprecazióne *s. f.* invettiva, bestemmia, maledizione, moccolo (*tosc.*) CONTR. giaculatoria, preghiera.

imprecisaménte *avv.* indeterminatamente, vagamente CONTR. aritmeticamente, esattamente, precisamente, puntualmente.

imprecisióne *s. f.* **1** inesattezza, imperfezione, scorrettezza, sbaglio, errore **2** approssimazione, genericità, indeterminatezza, vaghezza, indefinitezza CONTR. precisione, esattezza.

impreciso *agg.* **1** inesatto, indeterminato, approssimativo CONTR. preciso, esatto, assoluto **2** [*rif. a un discorso, a uno scritto*] approssimato, generico, indefinito CONTR. esatto, accurato, esauriente **3** [*rif. a un segno, a un profilo*] indeterminato, sfumato, vago, evanescente, fumoso, indistinto CONTR. preciso, accurato, netto.

impregnàre *A v. tr.* **1** [*q.c. di acqua, di alcol*] bagnare, inzuppare, intridere, imbevere (*raro*), imbibire CONTR. asciugare, prosciugare **2** [*la testa di pregiudizi*] pervadere, riempire, colmare, permeare **3** [*l'aria di fumo, etc.*] inquinare **4** [*una femmina*] rendere pregna, rendere gravida, fecondare, ingravidare *B v. intr. pron.* **1** [*di acqua, di alcool, etc.*] intridersi, inzupparsi, assorbire, bere *un* (*fig.*), imbeversi, immollarsi, bagnarsi CONTR. asciugarsi, prosciugarsi **2** [*di pregiudizi*] ricolmarsi (*est.*), essere pervaso, riempirsi, colmarsi **3** [*di fumo, etc.*] inquinarsi **4** [*detto di femmina*] diventare pregna, diventare gravida.

impregnàto *part. pass.; anche agg.* **1** intriso, imbevuto, zuppo, inzuppato CONTR. secco, asciutto **2** [*rif. al fumo, a un pregiudizio*] (*fig.*) colmo, pieno, saturo CONTR. privo, libero *da*.

imprèndere *v. tr.* intraprendere, incominciare, cominciare, iniziare, avviare CONTR. cessare, desistere.

imprendìbile *agg.* inafferrabile, inespugnabile, inconquistabile CONTR. afferrabile, espugnabile, conquistabile.

impreparàto *part. pass.; anche agg.* **1** inesperto, sprovveduto, incompeten-

te, ignorante, inadeguato CONTR. allenato, addestrato, agguerrito, ferrato **2** inadeguato CONTR. degno *di* **3** disarmato CONTR. armato.

imprésa *s. f.* **1** opera **2** azione, operazione, colpo (*fig.*) **3** spedizione, avventura **4** gesta **5** azienda, agenzia, compagnia, ditta, attività.

imprescindibilménte *avv.* inderogabilmente.

impressionàbile *agg.* emotivo.

impressionabilità *s. f. inv.* sensibilità, emotività CONTR. imperturbabilità.

impressionàre *A v. tr.* fare impressione (*ass.*), emozionare, commuovere, toccare, turbare, colpire (*fig.*), scuotere (*fig.*), agitare (*fig.*), folgorare (*fig.*), fare presa *su*, scioccare, sconcertare, conturbare, sbigottire, influenzare, fare colpo *su B v. intr. pron.* emozionarsi, turbarsi, spaventarsi, commuoversi, sbigottirsi, sconcertarsi, sbalordire.

impressionàto *part. pass.; anche agg.* emozionato, turbato, sci, occato, scosso, commosso (*est.*), colpito CONTR. impassibile, imperturbabile.

impressióne *s. f.* **1** emozione, turbamento, suggestione (*est.*) **2** sensazione, percezione, idea, sentore **3** (*est.*) opinione, giudizio, parere **4** [*spec. con: fare*] scalpore (*fig.*), colpo (*fig.*), senso, raccapriccio, effetto (*fam.*), schifo, specie, meraviglia.

imprèsso *part. pass.; anche agg.* [*in viso, etc.*] evidente, stampato, palese.

imprestàre *v. tr.* prestare, dare in prestito.

imprevedìbile *agg.* **1** inimmaginabile, inopinabile, impensabile, inatteso (*est.*), aleatorio CONTR. immaginabile, prevedibile, intuibile, probabile, scontato **2** [*rif. al carattere, etc.*] bizzarro, strano, capriccioso, bisbetico, pazzo CONTR. giudizioso, assennato, prudente.

imprevedibilménte *avv.* inaspettatamente, impensatamente CONTR. prevedibilmente.

imprevidenteménte *avv.* incautamente, inavvedutamente, sconsideratamente CONTR. prudentemente, cau-

tamente.

imprevisto *A s. m.* complicazione, intralcio, inconveniente, contrattempo, accidente, emergenza *B agg.* **1** impensato, inaspettato, inatteso CONTR. previsto, stabilito **2** improvviso, subitaneo.

impreziosìre *v. tr.* arricchire, adornare, abbellire, decorare, guarnire, infiorettare, infiorare, ingioiellare, ornare, valorizzare CONTR. depauperare, impoverire.

imprigionàre *v. tr.* **1** incarcerare, mettere in prigione, mettere in carcere, portare in galera, carcerare, ammanettare (*est.*), incatenare (*est.*), detenere, impacchettare (*fig.*) CONTR. scarcerare **2** segregare, confinare, rinserrare, trattenere **3** (*gener.*) rinchiudere, chiudere **4** [*l'attenzione*] (*fig.*) bloccare, arrestare, catturare.

imprimere *v. tr.* **1** marchiare, scrivere, improntare (*raro*) CONTR. cancellare, togliere **2** [*q.c. nella mente, etc.*] (*fig.*) inculcare, conficcare, fissare, scolpire, incutere (*ass.*) stampare **4** [*una moneta*] incidere, coniare **5** [*moto, velocità*] infondere, trasmettere, comunicare.

imprinting *s. m. inv.* impronta (*est.*).

improbàbile *agg.* **1** difficile, remoto CONTR. probabile, ammissibile, credibile, verosimile, plausibile, presumibile **2** assurdo, illogico, inattendibile CONTR. ammissibile, credibile, verosimile.

improbabilménte *avv.* difficilmente CONTR. probabilmente, verosimilmente, forse.

improduttività *s. f. inv.* **1** sterilità, infecondità CONTR. fertilità, fecondità **2** inefficacia CONTR. produttività.

improduttivo *agg.* **1** [*rif. al terreno*] infruttifero, infecondo, sterile CONTR. fertile, fruttifero **2** [*rif. agli affari*] (*fig.*) passivo, inefficiente CONTR. produttivo, lucroso, redditizio **3** [*rif. a un ente, a una società, etc.*] parassita.

imprónta *s. f.* **1** traccia, orma, passo (*est.*), pedata (*est.*), pesta (*est.*), segno **2** [*di una moneta, etc.*] stampo, marchio, marca **3** conio, tipo, calco **4**

[*in uno scritto, in un discorso*] taglio (*fig.*) **5** imprinting (*ingl.*).

improntàre *A v. tr.* **1** (*raro*) imprimere, effigiare **2** [*il volto, etc.*] impostare, atteggiare, disporre **3** [*la vita, etc.*] impostare, informare, modellare **4** [*il comportamento*] caratterizzare *B v. intr. pron.* atteggiarsi.

improntitùdine *s. f.* sfacciataggine, sfrontatezza, impudenza, insolenza **CONTR.** timidezza, riserbo.

impropèrio *s. m.* insulto.

improponìbile *agg.* **1** inammissibile, insostenibile **CONTR.** ammissibile **2** (*est.*) inopportuno **CONTR.** opportuno.

impropriaménte *avv.* **1** abusivamente, indebitamente, illecitamente, irregolarmente **CONTR.** correttamente, propriamente **2** inesattamente, scorrettamente **CONTR.** correttamente, giustamente.

improvvido *agg.* imprudente, incauto, sconsiderato, incosciente **CONTR.** cauto, prudente, previdente.

improvvisaménte *avv.* **1** all'improvviso, di sorpresa, repentinamente, bruscamente, istantaneamente, subitaneamente, inaspettatamente, fulmineamente, estemporaneamente **CONTR.** a poco a poco, lentamente **2** ecco.

improvvisàre *A v. tr.* allestire in fretta **CONTR.** preordinare, preparare *B v. rifl.* [*attore, cuoco, etc.*] diventare da un momento all'altro.

improvvisàta *s. f.* sorpresa.

improvvisàto *part. pass.; anche agg.* **1** estemporaneo **CONTR.** studiato, preparato **2** raffazzonato.

improvvìso *agg.* **1** inaspettato, imprevisto, impensato **CONTR.** lento, graduale, progressivo **2** repentino, subitaneo, istantaneo **3** [*rif. a un moto, a un movimento*] brusco, secco **CONTR.** lento, graduale, progressivo.
♦ **all'improvviso** *loc. avv.* estemporaneamente, improvvisamente, inaspettatamente, subitaneamente, ad un tratto **CONTR.** gradualmente.
♦ **d'improvviso** *loc. avv.* repentinamente, bruscamente.

imprudènte *agg.* **1** sventato, improv-

vido (*lett.*), irriflessivo, malaccorto, impulsivo, matto (*scherz.*) **CONTR.** prudente, cauto, oculato, attento, assennato, previdente, avveduto, circospetto (*est.*) **2** (*est.*) temerario, spavaldo, audace **3** [*rif. a un'azione*] avventato, incauto, azzardato.

imprudenteménte *avv.* avventatamente, sconsideratamente, irresponsabilmente, incautamente, temerariamente, inavvertitamente, irriflessivamente, leggermente, malaccortamente, rischiosamente **CONTR.** assennatamente, avvedutamente, cautamente, sensatamente.

imprudènza *s. f.* **1** temerarietà, sventatezza, spavalderia, baldanza, sbadataggine, incoscienza, sconsideratezza, avventatezza, sciocchezza **CONTR.** prudenza, saggezza, sapienza, saviezza, avvedutezza, assennatezza **2** (*est.*) colpa.

impudènte *A agg.* sfrontato, sfacciato, spudorato, insolente, impertinente, irriverente **CONTR.** riverente, ossequioso, rispettoso, mite (*est.*), umile (*est.*) *B s. m. e f.* sfacciato.

impudenteménte *avv.* sfacciatamente, sfrontatamente, spudoratamente **CONTR.** discretamente, rispettosamente.

impudènza *s. f.* sfacciataggine, sfrontatezza, insolenza, impertinenza, improntitudine, irriverenza, petulanza, cinismo (*est.*), coraggio (*est.*) **CONTR.** pudore, decenza.

impudicaménte *avv.* immoralmente, dissolutamente, sconciamente, oscenamente, spudoratamente, svergognatamente, libidinosamente, procacemente **CONTR.** castamente, decentemente, illibatamente.

impudicizia *s. f.* immodestia, scostumatezza, sfrontatezza, indecenza **CONTR.** pudicizia, modestia.

impudìco *agg.* (*pl. m. -chi*) inverecondo, indecente, osceno, lubrico, lascivo, disonesto (*est.*), impuro, sconcio **CONTR.** pudico, casto, puro, illibato, verecondo.

impugnàre (1) *v. tr.* brandire (*colto*), stringere, avere in pugno, tenere in pugno, tenere in mano saldamente, tenere in mano, afferrare (*est.*), ab-

brancare (*est.*) **CONTR.** lasciare, mollare.

impugnàre (2) *v. tr.* contestare, denunciare, oppugnare, contraddire, confutare, contrastare, opporsi *a*, invalidare, infirmare (*bur.*) **CONTR.** accettare, approvare, gradire.

impulsivaménte *avv.* istintivamente, irriflessivamente, incontrollatamente, precipitosamente **CONTR.** cerebralmente.

impulsività *s. f. inv.* **1** emotività, passionalità, istintualità **CONTR.** freddezza, self-control (*ingl.*) **2** precipitazione, frettolosità.

impulsìvo *agg.* **1** irriflessivo, precipitoso, inconsulto **CONTR.** riflessivo, cauto, flemmatico, pacato, calmo **2** [*rif. a un'azione*] avventato, imprudente **CONTR.** oculato.

impùlso *s. m.* **1** spinta, stimolo, molla, movente (*raro*) **2** [*di amore, di ira, etc.*] moto, trasporto, slancio, impeto, accesso **3** [*di gentilezza, etc.*] moto, tratto **4** pulsione (*colto*), tendenza, istinto, ispirazione.

impuneménte *avv.* senza rischio, senza pericolo, senza pena **CONTR.** pericolosamente, rischiosamente, guardingamente.

impuntàre *A v. intr.* **1** inciampare, intoppare **2** [*nel parlare*] tentennare, balbettare *B v. intr. pron.* **1** [*detto di animali, di bambini, etc.*] fermarsi, bloccarsi, incespicare **2** incaponirsi, accanirsi, ostinarsi, fissarsi, incaparbirsi, perdurare, resistere, ricalcitrare, piccarsi **CONTR.** cedere, arrendersi.

impunturàre *v. tr.* cucire, imbastire.

impurità *s. f. inv.* residuo, scoria.

impùro *agg.* **1** inquinato, torbido **CONTR.** puro **2** [*rif. a un pensiero, a una persona*] immorale, disonesto, impudico, immondo **CONTR.** puro, casto, illibato, innocente (*est.*), mondo (*fig.*).

imputàre *v. tr.* **1** [*la responsabilità*] ascrivere, addebitare, attribuire, assegnare **2** [*qc. di un delitto*] (*est.*) accusare, incolpare, considerare responsabile, incriminare **CONTR.** liberare, esonerare, discolpare, scusare, scagionare.

imputazióne s. f. accusa, addebito, incriminazione.

imputridìre A v. intr. marcire, putrefarsi, infradiciarsi, decomporsi, guastarsi B v. tr. decomporre, guastare C v. intr. pron. corrompersi, guastarsi, marcire, dissolversi.

impuzzàre v. tr. ammorbare, impestare, impuzzire, impuzzolentire.

impuzzìre v. tr. appestare, impuzzolentire, impuzzolire, impuzzare CONTR. profumare.

impuzzolentìre v. tr. impuzzire, impuzzolire, appestare, impuzzare CONTR. profumare.

impuzzolìre v. tr. impuzzire, impuzzolentire, appestare CONTR. profumare.

in agg. alla moda, à la page (fr.) CONTR. disusato, vieto, superato.

inàbile agg. 1 inadatto, incapace, inetto CONTR. abile, esperto, capace 2 (fam.) cattivo 3 goffo, maldestro.

inabilità s. f. inv. 1 incapacità, idoneità CONTR. abilità, capacità, idoneità 2 invalidità.

inabilitàre v. tr. 1 impedire, limitare, interdire (dir.) CONTR. abilitare, riabilitare 2 (mil.) scartare.

inabissaménto s. m. affondamento CONTR. affioramento.

inabissàre A v. tr. affondare, immergere, sprofondare, mandare a fondo, sommergere B v. intr. pron. fare naufragio, sprofondare, colare a picco, andare a fondo, naufragare, affondare CONTR. galleggiare, emergere, affiorare.

inaccessìbile agg. 1 [rif. a un luogo] chiuso, impraticabile, inavvicinabile CONTR. agibile, accessibile, raggiungibile 2 [rif. a un pendio, a un sentiero, etc.] impraticabile, impervio CONTR. agibile, raggiungibile 3 [rif. a un discorso, a uno scritto] (fig.) incomprensibile, oscuro CONTR. comprensibile 4 [rif. a una persona] inavvicinabile, scontroso, scostante CONTR. abbordabile, alla mano.

inaccettàbile agg. 1 intollerabile, insostenibile, inammissibile, imperdo-

nabile, impensabile CONTR. accettabile, ammissibile, decente, passabile, accetto (est.) 2 (est.) incredibile, inverosimile, inimmaginabile CONTR. accettabile, ammissibile.

inaccuràto agg. grossolano, approssimativo, superficiale CONTR. accurato, minuzioso.

inacerbìre A v. tr. [l'animo, il dolore, etc.] esacerbare, esasperare, inasprire CONTR. addolcire, raddolcire, attenuare, calmare B v. intr. pron. inasprirsi, esacerbarsi, aggravarsi CONTR. addolcirsi, calmarsi, attenuarsi.

inacerbìto part. pass.; anche agg. 1 inasprito, acuito, esacerbato CONTR. conciliato, pacato, rabbonito, sopito 2 [rif. a uno stato d'animo] (est.) esasperato CONTR. conciliato, pacato, rabbonito.

inacetìre v. tr. inacidire, acidificare, rendere acido.

inacidìre A v. tr. 1 rendere acido, inacetire, acidificare CONTR. addolcire, raddolcire 2 [qc.] (est.) irritare CONTR. addolcire, calmare B v. intr. pron. [detto di persona, di carattere] incattivirsi, indurirsi (fig.), esacerbarsi (fig.), peggiorare, inasprirsi (fig.), irritarsi (est.) CONTR. addolcirsi, raddolcirsi, rasserenarsi, calmarsi.

inadattàbile agg. inadeguabile CONTR. adeguabile, adattabile.

inadàtto agg. 1 inadeguato, inidoneo, inopportuno CONTR. adeguato, appropriato, calzante, confacente, conveniente, decoroso, idoneo, atto 2 [rif. a una persona] incompetente, inabile CONTR. idoneo, all'altezza di, degno di, fatto per.

inadeguàbile agg. inadattabile CONTR. adeguabile.

inadeguataménte avv. insufficientemente, sproporzionatamente CONTR. adeguatamente, appropriatamente, proporzionalmente, debitamente, degnamente, efficacemente, efficientemente, bastantemente, acconciamente (lett.).

inadeguatézza s. f. 1 insufficienza 2 sproporzione, scarsezza 3 sproporzione, incongruità CONTR. congruanza 4 (est.) inopportunità CONTR. adegua-

tezza, appropriatezza.

inadeguàto agg. 1 inadatto, inidoneo, sconveniente, sproporzionato (est.) CONTR. adeguato, adatto, appropriato, confacente, conveniente, corrispondente, adattabile, degno, fatto 2 [rif. a una quantità, a un numero] insufficiente, misero, scarso, ridicolo CONTR. decoroso 3 [rif. a una persona] impreparato.

inadempiènte agg. inosservante, disubbidiente, ribelle CONTR. adempiente, osservante.

inadempiènza s. f. 1 elusione, inosservanza CONTR. adempimento 2 trasgressione, violazione 3 [contrattuale] inadempimento (raro).

inadempiménto s. m. inadempienza CONTR. adempimento.

inafferràbile agg. 1 imprendibile, sfuggente, impercettibile CONTR. afferrabile 2 [rif. al significato] oscuro (fig.), incomprensibile CONTR. comprensibile.

inaffidàbile agg. inattendibile, insicuro CONTR. affidabile, attendibile, sicuro.

inaffidabilità s. f. inv. inattendibilità CONTR. affidabilità.

inagìbile agg. impraticabile, inservibile (est.), inutilizzabile (est.) CONTR. agibile, praticabile, percorribile.

inalàre v. tr. aspirare, inspirare CONTR. esalare.

inalberàre A v. tr. 1 [una bandiera, etc.] alzare, elevare 2 [il broncio] (est.) mostrare, mettere su (fam.) B v. intr. pron. 1 [detto di cavallo] adombrarsi, impennarsi CONTR. calmarsi 2 [detto di persona] adombrarsi, adirarsi, irritarsi, incollerirsi, offendersi, sdegnarsi, incazzarsi (volg.) CONTR. calmarsi, rabbonirsi, chetarsi, placarsi.

inalteràbile agg. 1 immutabile, invariabile, incorruttibile (est.) CONTR. variabile, mutevole 2 [rif. a una persona] immutabile, impassibile, imperturbabile CONTR. nervoso, agitato.

inalterabilménte avv. immutabilmente, invariabilmente CONTR. mutevolmente.

inalteràto *part. pass.; anche agg.* immutato, invariato, costante, uguale.

inalveàre A *v. tr.* incanalare, convogliare, deviare **B** *v. intr. pron.* incanalarsi.

inammissibile *agg.* inaccettabile, insostenibile, insopportabile, inconcepibile, improponibile **CONTR.** ammissibile, giustificabile, accettabile.

inanellàre *v. tr.* arricciare, arricciolare.

inanimàto *agg.* morto, spento, esanime **CONTR.** animato, vivo, vivente.

inanità *s. f. inv.* inutilità, inefficacia, vanità **CONTR.** utilità.

inappagàbile *agg.* insaziabile.

inappagàto *agg.* insoddisfatto, scontento, frustrato, deluso, malcontento **CONTR.** pago (*lett.*), soddisfatto, realizzato (*psicol.*).

inappetènte *agg.* svogliato **CONTR.** edace.

inappetènza *s. f.* disappetenza, anoressia (*med.*) **CONTR.** appetito, fame.

inapprezzàbile *agg.* inestimabile.

inarcaménto *s. m.* incurvamento.

inarcàre A *v. tr.* curvare, arcuare, incurvare, piegare **CONTR.** raddrizzare, distendere **B** *v. intr. pron.* **1** curvarsi, piegarsi, incurvarsi **CONTR.** raddrizzarsi **2** curvarsi, piegarsi, incurvarsi, diventare gobbo.

inaridìre A *v. tr.* **1** seccare, disseccare, prosciugare, asciugare, essiccare, bruciare (*fig.*) **CONTR.** annaffiare, bagnare, inumidire **2** [*la mente, il cuore, etc.*] (*fig.*) rendere arido, spegnere **CONTR.** vivificare **3** [*un terreno*] rendere arido, impoverire, isterilire **CONTR.** fecondare, fertilizzare, arricchire, alimentare **4** [*la pelle, etc.*] avvizzire, cuocere (*fig.*), arrostire (*fig.*), ardere (*est.*) **B** *v. intr. pron.* **1** seccarsi, disseccarsi, prosciugarsi, asciugarsi, essiccarsi, diventare arido **CONTR.** bagnarsi, inumidirsi **2** [*detto di vena poetica, etc.*] spegnersi, impoverirsi, affievolirsi, esaurirsi **CONTR.** alimentarsi **3** [*detto di amore, di odio, etc.*] (*fig.*) spegnersi, avvizzire, appassire **CONTR.** alimentarsi, rafforzarsi.

inarrestabilménte *avv.* irrefrenabilmente.

inarrivàbile *agg.* **1** ineguagliabile, inimitabile, impareggiabile, unico **CONTR.** raggiungibile **2** [*rif. a una persona*] (*fig.*) irraggiungibile **CONTR.** abbordabile.

inaspettataménte *avv.* **1** imprevedibilmente, impensatamente **2** improvvisamente, all'improvviso, bruscamente, ecco **3** fortuitamente **4** ecco.

inaspettàto *agg.* **1** inatteso, imprevisto, impensato **CONTR.** previsto **2** (*est.*) fortuito, improvviso.

inaspriménto *s. m.* aggravamento, peggioramento, aggravio, irrigidimento **CONTR.** attenuazione.

inasprìre A *v. tr.* **1** [*il dolore, una situazione*] esasperare, esacerbare, acutizzare, acuire, inacerbire, rincrudire, incrudire, peggiorare **CONTR.** contemperare, disacerbare, calmare, placare, lenire, mitigare, sopire **2** [*qc.*] esasperare, irritare, fare diventare nervoso, inselvatichire (*fig.*), indignare, invelenire **CONTR.** disarmare, impietosire, rabbonire, raddolcire (*fig.*), rasserenare, rammorbidire (*fig.*), mansuefare, rappacificare **B** *v. intr. pron.* **1** [*detto di persona*] incattivirsi, indurirsi (*fig.*), inacidirsi (*fig.*), inacerbirsi, esasperarsi, irritarsi, sdegnarsi, invelenirsi **CONTR.** impietosirsi, calmarsi, mitigarsi, rabbonirsi, raddolcirsi, rammorbidirsi, disacerbarsi **2** [*detto di malattia, etc.*] aggravarsi, esacerbarsi, incancrenirsi (*fig.*), peggiorare **3** [*detto di fenomeno, di guerra, etc.*] incrudelire, inferire **4** [*detto di temperatura, di clima*] irrigidirsi.

inasprìto *part. pass.; anche agg.* esasperato, esacerbato, peggiorato **CONTR.** addolcito, impietosito, ammansito, rabbonito, conciliato, placato, sopito.

inattendìbile *agg.* [*rif. a una notizia*] inaffidabile, improbabile, inverosimile, falso **CONTR.** attendibile, fondato, vero.

inattendibilità *s. f. inv.* inaffidabilità **CONTR.** attendibilità.

inattéso *agg.* **1** inaspettato, imprevisto, impensato, imprevedibile **CONTR.** previsto **2** [*rif. a un moto, a un movi-*

mento] repentino, brusco.

inattivàre *v. tr.* disattivare **CONTR.** attivare.

inattività *s. f. inv.* **1** inoperosità, inerzia, ozio, passività, disimpegno **CONTR.** attivismo, operosità, mobilità, moto **2** (*est.*) apatia, immobilismo **3** [*rif. all'industria, al commercio*] paralisi, stasi **4** [*rif. a una spia*] letargo, quiescenza **5** disoccupazione.

inattìvo *agg.* **1** inoperoso, apatico, fiacco, inerte, statico, passivo, ozioso, vagabondo (*fig.*) **CONTR.** attivo, operoso, solerte, alacre, laborioso, energico **2** (*est.*) disoccupato.

inattuàbile *agg.* irrealizzabile, infattibile, assurdo, impossibile **CONTR.** attuabile, effettuabile, fattibile, possibile.

inattuabilità *s. f. inv.* impossibilità.

inattuàle *agg.* anacronistico, sorpassato, obsoleto, vieto, antiquato **CONTR.** attuale, nuovo, moderno, recente.

inaudìto *agg.* straordinario, incredibile, strabiliante, madornale, inimmaginabile, inverosimile, inconcepibile **CONTR.** noto, risaputo, comune.

inauguràre *v. tr.* **1** [*l'anno scolastico*] principiare, cominciare, iniziare, avviare (*fig.*), aprire (*fig.*) **2** [*un'imbarcazione*] varare, battezzare, bagnare **3** [*un abito, etc.*] rinnovare (*tosc.*) **4** (*est.*) fare per la prima volta.

inaugurazióne *s. f.* prima, apertura (*fig.*), vernissage (*fr.*), vernice.

inauràre *v. tr.* dorare, indorare.

inavvedutaménte *avv.* inavvertitamente, imprevidentemente, sconsideratamente, incautamente, sbadatamente **CONTR.** avvedutamente, prudentemente, oculatamente.

inavvedùto *agg.* sbadato.

inavvertènza *s. f.* sbadataggine, trascuratezza, disattenzione, negligenza, dimenticanza **CONTR.** avvertenza.

inavvertitaménte *avv.* **1** senza volere, senza accorgersi, inconsapevolmente, involontariamente, inconsciamente **CONTR.** avvertitamente, di proposito **2** (*est.*) sbadatamente, inavve-

dutamente, incautamente, impruden-
temente.

inavvertito *part. pass.; anche agg.* inos-
servato **CONTR.** sentito.

inavvicinàbile *agg.* **1** inaccessibile
CONTR. abbordabile **2** [*rif. a una per-
sona*] inaccessibile, scostante, scon-
troso, chiuso **CONTR.** alla mano, affa-
bile **3** costoso, caro **CONTR.** a buon
mercato, economico.

incaglià re *A v. tr.* **1** [*l'ancora, etc.*] in-
sabbiare, impigliare **CONTR.** disinca-
gliare **2** intralciare, inceppare, ostaco-
lare, imbarazzare, arrestare, impedire
CONTR. disimpacciare, liberare *B v.*
intr. pron. **1** (*mar.*) arenarsi, insabbiarsi
CONTR. liberarsi, muoversi **2** [*detto di
negoziati, etc.*] arrestarsi, bloccarsi,
fermarsi, interrompersi **CONTR.** prose-
guire **3** [*nel parlare*] interrompersi, in-
ciampare (*fig.*).

incalcinà re *v. tr.* intonacare.

incalcolàbile *agg.* enorme, immen-
so, infinito, smisurato, innumerevole
CONTR. piccolo, minuscolo, esiguo,
valutabile (*propr.*).

incallire *A v. tr.* [*il cuore, il carattere*]
indurire, rendere duro, rendere insen-
sibile, impietrire (*fig.*) **CONTR.** intene-
rire, commuovere, turbare *B v. intr.*
pron. **1** [*nel vizio, etc.*] assuefarsi, abi-
tuarsi, perseverare **CONTR.** disabituar-
si **2** (*fig.*) indurirsi **CONTR.** intenerirsi,
commuoversi.

incallito *part. pass.; anche agg.* invetera-
to, accanito, ostinato, incorreggibile,
radicato *in* **CONTR.** emendabile.

incalorire *v. intr. pron.* scaldarsi, acca-
lorarsi.

incalzànte *part. pres.; anche agg.* serra-
to, pressante, frenetico, insistente.

incalzà re *v. tr.* **1** sollecitare, incitare,
stimolare, spingere **2** braccare, per-
seguitare, inseguire, tallonare **3** [*det-
to di pericolo, etc.*] pressare, urgere,
seguire da vicino, incombere, preme-
re, martellare (*fig.*), stringere (*fig.*),
mitragliare (*fig.*) **4** [*una pratica, un
lavoro*] accelerare (*fig.*).

incameràre *v. tr.* confiscare, prender-
si, avocare, prendere per sé, trattene-
re **CONTR.** dare, distribuire, assegna-
re, restituire, rifondere.

incamminà re *A v. tr.* **1** avviare
CONTR. fermare **2** [*qc. a una profes-
sione*] (*est.*) avviare, indirizzare, gui-
dare, dirigere, instradare, introdurre
CONTR. distogliere, allontanare *B v. rifl.*
1 dirigersi, avviarsi, muoversi, metter-
si in moto **CONTR.** fermarsi **2** [*in una
professione, etc.*] indirizzarsi, orientar-
si, volgersi **CONTR.** distogliersi, allon-
tanarsi.

incanalà re *A v. tr.* **1** [*le acque*] inalve-
are, canalizzare, deviare (*est.*)
CONTR. deviare **2** [*il traffico, le perso-
ne*] convogliare, instradare, dirigere,
indirizzare, condurre **3** [*i cavi*] incas-
sare *B v. intr. pron.* **1** [*detto di acque,
etc.*] inalvearsi, canalizzarsi **CONTR.**
tracimare **2** [*detto di traffico, persone*]
(*est.*) dirigersi, avviarsi, confluire.

incancellàbile *agg.* **1** indelebile,
permanente **2** [*rif. al ricordo, etc.*] in-
dimenticabile, vivo **CONTR.** caduco, la-
bile.

incancellabilménte *avv.* indelebil-
mente **CONTR.** provvisoriamente.

incancrenire *A v. intr.* degenerare *B
v. intr. pron.* [*detto di situazione, di vizio*]
aggravarsi, inasprirsi, radicarsi
CONTR. guarire, alleggerirsi.

incantà re *A v. tr.* **1** [*detto di mago, di
strega, etc.*] stregare, fatturare, affat-
turare (*raro*), fatare (*raro*) **2** [*qc.*]
(*est.*) ammaliare, affascinare, abbaci-
nare, abbagliare, conquistare, fare in-
namorare, fascinare, sedurre, inna-
morare **CONTR.** disilludere, disincanta-
re, deludere, disgustare **3** [*detto di
spettacolo*] estasiare, inebriare, rapire
(*fig.*) **4** [*detto di libro, etc.*] avvincere,
incatenare (*fig.*), meravigliare, stupi-
re, sorprendere **5** (*est.*) abbindolare,
ingannare *B v. intr. pron.* **1** estasiarsi
CONTR. disincantarsi **2** [*detto di per-
sona*] imbambolarsi (*scherz.*) **3** [*detto
di congegno, motore*] arrestarsi, bloc-
carsi, fermarsi, incepparsi **CONTR.** fun-
zionare, andare.

incantésimo *s. m.* **1** malia, incanto,
magia, sortilegio **2** fattura, maleficio,
stregoneria.

incantévole *agg.* delizioso, affasci-
nante, seducente, attraente, bello, vo-
luttuoso (*est.*) **CONTR.** repellente, orri-
bile, spiacevole.

---

283 incappottare

incantevolménte *avv.* stupenda-
mente, meravigliosamente **CONTR.** or-
ribilmente.

incànto (1) *s. m.* **1** malia, magia, in-
cantesimo, rapimento, suggestione **2**
fascino, attrattiva, attrazione **3** delizia,
piacere, sogno, favola, fiaba.

incànto (2) *s. m.* licitazione.

incanutire *A v. tr.* fare diventare bian-
co *B v. intr.* diventare bianco, imbian-
carsi.

incanutito *part. pass.; anche agg.* **1** im-
biancato **2** (*est.*) invecchiato.

incapàce *A agg.* **1** inabile, incompe-
tente, inefficiente, inetto, cattivo, ini-
doneo, maldestro, fasullo (*fig.*)
CONTR. capace, abile, ingegnoso, bra-
vo, dotato, efficiente, esperto, valente,
maestro **2** (*med.*) inetto, impotente *B
s. m. e f.* **1** zero (*fig.*), cane (*fig.*) **2**
idiota.

incapacità *s. f. inv.* inettitudine, impe-
rizia, incompetenza, inidoneità, dap-
pocaggine, inefficienza, inabilità
CONTR. capacità, competenza, abilità,
sapienza, valentia, attitudine, inge-
gnosità, maestria.

incaparbire *v. intr. e intr. pron.* incapo-
nirsi, intestarsi, impuntarsi, ostinarsi,
fissarsi, insistere, accanirsi, intestar-
dirsi, irrigidirsi (*fig.*) **CONTR.** arrender-
si, cedere.

incaponire *v. intr. e intr. pron.* **1** impun-
tarsi, ostinarsi, accanirsi, intestardirsi,
incaparbirsi, fissarsi, insistere, inte-
starsi, irrigidirsi (*fig.*), piccarsi **CONTR.**
arrendersi, cedere **2** [*in una posizio-
ne, etc.*] (*est.*) perdurare, resistere,
perseverare.

incaponito *part. pass.; anche agg.* inte-
stardito, ostinato, fissato **CONTR.** mal-
leabile, cedevole, arrendevole.

incappàre *v. intr.* **1** imbattersi, incon-
trare *un*, incocciare *un*, incontrarsi
con **CONTR.** evitare, sfuggire, sottrarsi
2 urtare, inciampare, cascare **3** [*in
una situazione, etc.*] (*est.*) incorrere,
capitare.

incappellàre *v. intr. pron.* **1** cingersi,
inghirlandarsi **2** (*est.*) impermalirsi,
offendersi.

incappottàre *A v. tr.* imbaccuccare,

infagottare, intabarrare, coprire bene **B** v. rifl. intabarrarsi.

incappucciàre A v. tr. **1** imbaccuccare, coprire bene, mettere il cappuccio **2** [detto di neve, etc.] ammantare **B** v. rifl. imbacuccarsi.

incapricciàrsi v. intr. pron. innamorarsi, invaghirsi, bramare un CONTR. disamorarsi.

incarceràre v. tr. **1** mettere in carcere, mettere in prigione, arrestare, imprigionare, inceppare (raro), detenere CONTR. liberare, scarcerare **2** (est.) rinchiudere, segregare, confinare, chiudere.

incardinàre v. tr. [il discorso] incentrare, fondare (fig.), imperniare (fig.), basare (fig.).

incaricàre A v. tr. **1** [q.c. a qc.] affidare, commissionare, ordinare, accollare, addossare **2** [qc. di q.c.] investire, deputare a, dare un incarico a, dare un'incombenza a, delegare, eleggere (est.) **B** v. intr. pron. impegnarsi, obbligarsi, promettere un CONTR. demandare, dispensarsi, esimersi, sottrarsi.

incaricàto A s. m. (f. -a) addetto, agente, rappresentante **B** agg. [rif. a professore] temporaneo, supplente.

incàrico s. m. (pl. -chi) **1** compito, mansione, incombenza, ufficio, missione (est.), assunto (raro), servizio (est.), carico, commissione, impegno, ruolo (est.), ambasciata **2** mandato, delega, procura.

incarnàre A v. tr. impersonare, rappresentare, personificare **B** v. intr. pron. **1** [detto di idea, di progetto] concretarsi, attuarsi **2** [detto di unghia] incarnirsi **C** v. rifl. **1** [detto di attore nel personaggio] impersonarsi, identificarsi, immedesimarsi **2** [detto di Gesù] farsi uomo.

incarnàto (1) s. m. carnagione, cera (fig.), colorito, colore.

incarnàto (2) agg. rosa.

incarnazióne s. f. personificazione, ritratto (fig.).

incarnire v. intr. pron. [detto di unghia] incarnarsi.

incartaménto s. m. pratica, fascicolo.

incartàre v. tr. **1** fasciare, imballare, avvolgere, impacchettare, avvoltolare, confezionare, involtare, fare un pacchetto, impaccare CONTR. scartare, svolgere, sfasciare, scartocciare **2** (gener.) ricoprire.

incasinàre A v. tr. **1** disordinare, scompigliare, scombussolare CONTR. ordinare **2** [qc.] impelagare, impegolare, invischiare, inguaiare (fam.) **B** v. rifl. impegolarsi, invischiarsi, impelagarsi, inguaiarsi CONTR. liberarsi.

incassàre A v. tr. **1** [la merce] imballare CONTR. sballare **2** [il denaro] introitare, riscuotere, ricevere, prendere, ricavare, percepire CONTR. pagare, sborsare **3** [una pietra preziosa] montare, incastonare **4** [i cavi, etc.] inserire, incanalare **5** [un colpo nel pugilato] subire **B** v. intr. pron. (anche fig.) infossarsi.

incassatùra s. f. incasso.

incàsso s. m. **1** introito, entrata, provento, guadagno, riscossione CONTR. spesa, uscita **2** (est.) incassatura.

incastonàre v. tr. inserire, incastrare, legare, fare una montatura, incassare, montare.

incastràre A v. tr. **1** inserire, incuneare, incastonare, legare, innestare, configgere, conficcare, ficcare, ficcare dentro, connettere, introdurre, ingranare, commettere (colto), congegnare (est.), ricacciare (est.) CONTR. disincastrare, liberare **2** (est.) mettere nei pasticci, impegolare, invischiare (fig.), mettere nel mezzo **B** v. intr. alloggiare **C** v. intr. pron. **1** incunearsi, inserirsi, ficcarsi, infilarsi, imboccare, ingranare, forzare **2** entrare, adattarsi.

incatenàre A v. tr. **1** imprigionare CONTR. liberare **2** [qc.] vincolare, legare (fig.), asservire, incantare, ammaliare CONTR. svincolare **3** (est.) impacciare, impedire, inceppare **B** v. rifl. legarsi.

incatramàre v. tr. **1** asfaltare, bitumare, impegolare (raro) **2** [un'imbarcazione] (mar.) calafatare.

incattivìre A v. tr. inasprire, imbestia-

lire **B** v. intr. pron. diventare cattivo, inacidirsi (fig.), inasprirsi (fig.), indurirsi (fig.) CONTR. rabbonirsi, calmarsi, placarsi.

incautaménte avv. imprudentemente, avventatamente, sconsideratamente, imprevidentemente, inavvedutamente, inavvertitamente, irriflessivamente, malaccortamente CONTR. cautamente, guardingamente, prudentemente.

incàuto agg. **1** [rif. a una persona] imprudente, improvvido, incosciente, sconsiderato, sventato, scriteriato, malaccorto CONTR. prudente, giudizioso, assennato, attento, avveduto, cauto, circospetto **2** [rif. a un'azione] azzardato, rischioso CONTR. cauto.

incavàre A v. tr. scavare, avvallare (colto), affossare, infossare, scanalare, rigare CONTR. colmare **B** v. intr. pron. infossarsi, affossarsi, avvallarsi, deprimersi, formare un avvallamento, formare una fossa.

incavàto part. pass.; anche agg. **1** cavo, scavato, infossato CONTR. convesso **2** [rif. al viso] smunto CONTR. grasso, tondo.

incavatùra s. f. incavo, solco, infossamento, depressione, scavo, incisione (est.).

incàvo s. m. cavità, avvallamento, infossamento, scanalatura, buca, rientranza, incavatura, solco, grembo (fig.), scavo.

incavolàrsi v. intr. pron. arrabbiarsi, incazzarsi (volg.), arrovellarsi, adirarsi, esasperarsi, imbestialirsi, imbizzarrirsi (fig.), impennarsi (fig.), incollerirsi, infuriarsi, inviperire, irritarsi CONTR. calmarsi, rabbonirsi, scazzarsi.

incavolàto part. pass.; anche agg. incazzato (volg.), arrabbiato, furioso.

incazzàrsi v. intr. pron. arrabbiarsi, adirarsi, esasperarsi, arrovellarsi, imbestialirsi, impennarsi, inalberarsi, incavolarsi (fam.), imbizzarrirsi, incollerirsi, indignarsi, infuriarsi, inviperirsi, irarsi, irritarsi, perdere le staffe (euf.) CONTR. calmarsi, rabbonirsi, scazzarsi (volg.), quietarsi.

incazzàto part. pass.; anche agg. arrabbiato, incavolato (fam.), furioso, irato.

incèdere A v. intr. camminare, avanzare, procedere B s. m. sing. camminata, andatura.

incendiàre A v. tr. 1 dare fuoco a, appiccare il fuoco a, bruciare, ardere CONTR. spegnere, smorzare 2 (est.) entusiasmare, accendere (fig.), elettrizzare (fig.), infervorare, infuocare (fig.), infiammare (fig.) B v. intr. pron. 1 accendersi, infiammarsi, infuocarsi 2 (est.) eccitarsi, entusiasmarsi, elettrizzarsi (fig.), esasperarsi, infervorarsi CONTR. calmarsi C v. rifl. 1 darsi fuoco, bruciarsi 2 (gener.) suicidarsi.

incèndio s. m. rogo, fuoco, falò.

incenerìre v. tr. 1 bruciare, ardere, infuocare 2 [i cadaveri] cremare, polverizzare 3 [qc., q.c.] (anche fig.) (est.) distruggere, annientare.

incensaménto s. m. adulazione, piaggeria CONTR. critica, biasimo.

incensàre A v. tr. (est.) adulare, lusingare, glorificare, lodare, magnificare, elogiare, blandire, lisciare (fig.), arruffianarsi (pop.), insaponare (fig.), ungere (fig.), lustrare (fig.), strofinarsi (fig.) CONTR. denigrare, detrarre, diffamare, calunniare B v. rifl. lodarsi, vantarsi, vanagloriarsi, gloriarsi, pavoneggiarsi, glorificarsi, magnificarsi CONTR. disprezzarsi, denigrarsi.

incensatóre s. m. adulatore.

incensuràbile agg. irreprensibile.

incentivàre v. tr. incrementare, stimolare, incoraggiare, spingere, motivare CONTR. disincentivare, frenare, bloccare, raffreddare, scoraggiare, demotivare.

incentivo s. m. 1 stimolo, spinta, molla, alimento (fig.), pungolo (fig.) 2 gratifica, premio.

incentràre A v. tr. imperniare, centrare, basare, incardinare (raro) B v. intr. pron. imperniarsi, basarsi, fondarsi.

inceppàre A v. tr. 1 impastoiare, legare, incatenare, incarcerare CONTR. liberare 2 (est.) imbarazzare, impedire, intralciare, ostacolare, bloccare, frenare, paralizzare 3 [il motore] bloccare, grippare, incagliare B v. intr. pron. 1 [nel parlare] intopparsi, balbettare, balbutire (lett.), ingarbugliarsi, intaccare (fam.), inciampare (fig.) 2 [detto

di meccanismo] bloccarsi, smettere di funzionare, gripparsi, immobilizzarsi, incantarsi, arrestarsi CONTR. muoversi, funzionare, andare, ingranare.

incertézza s. f. 1 insicurezza, indecisione, esitazione, dubbio, irresolutezza, perplessità, imbarazzo CONTR. certezza, sicurezza, risoluzione 2 ambiguità, equivocità CONTR. certo 3 sospensione (raro), precarietà, suspense (ingl.) CONTR. certezza, sicurezza, speranza, determinazione 4 [rif. al tempo, al clima] variabilità, instabilità.

incèrto (1) agg. 1 [rif. a una persona] problematico, indeciso, perplesso, titubante, insicuro, timoroso, irresoluto, diviso, sospeso, dubbioso CONTR. certo, deciso, sicuro, risoluto, determinato 2 [rif. all'atteggiamento] dubbio, ambiguo CONTR. categorico, sbrigativo 3 [rif. alla forma, al suono, al colore] indistinto, vago, nebuloso, fosco 4 [rif. al passo] instabile, esitante, malfermo, malsicuro, vacillante, precario 5 [rif. al tempo atmosferico] instabile, capriccioso, balordo CONTR. bello, stabile 6 [rif. a un'interpretazione, etc.] dubbio, ambiguo, discutibile, aleatorio, problematico CONTR. certo, sicuro, patente, indubbio, innegabile, indubitabile, inequivocabile, inoppugnabile 7 vago CONTR. decisivo, risolutivo.

incèrto (2) s. m. danno, pericolo, rischio.

incespicàre v. intr. 1 mettere il piede in fallo, inciampare, intoppare, impigliarsi, intruppare (raro) 2 [nel parlare] balbutire (lett.), balbettare, impuntarsi, parlare a stento.

incessànte agg. continuo, costante, ininterrotto, persistente, martellante (fig.), battente, assillante, assiduo, eterno (est.) CONTR. discontinuo, interrotto.

incessanteménte avv. continuamente, ininterrottamente, continuativamente, perpetuamente, assiduamente CONTR. saltuariamente, di tanto in tanto.

incètta s. f. requisizione, razzia.

incettàre v. tr. requisire, accaparrare, monopolizzare.

inchièsta s. f. 1 indagine, accertamento, sondaggio, investigazione (raro), esame (est.) 2 [televisiva, etc.] reportage (fr.).

inchinàre A v. tr. piegare, chinare, incurvare, prosternare B v. rifl. 1 chinarsi, piegarsi, curvarsi, prosternarsi CONTR. rizzarsi, ergersi, drizzarsi 2 (est.) sottomettersi, umiliarsi, dovere ubbidienza, ubbidire, rassegnarsi, accondiscendere, cedere CONTR. inorgoglirsi, montarsi 3 (est.) riverire, ossequiare, salutare.

inchino s. m. riverenza, genuflessione.

inchiodàre A v. tr. 1 configgere, fissare con chiodi, chiavare (raro) CONTR. schiodare 2 (est.) immobilizzare, fermare, bloccare, arrestare 3 [q.c. nella testa di qc.] (fig.) conficcare B v. intr. pron. 1 bloccarsi, fermarsi, infiggersi CONTR. schiodarsi, liberarsi 2 (est.) indebitarsi.

inciampàre v. intr. 1 incespicare, impuntare, intoppare, impigliarsi, mettere il piede in fallo, intruppare (raro) 2 [in qc.] imbattersi, incappare 3 [nel parlare, etc.] (est.) incespicare, incagliarsi, incepparsi, intopparsi.

inciàmpo s. m. ostacolo, impedimento, intoppo, contrarietà, contrattempo, difficoltà, fregatura (pop.).

incidentalménte avv. accidentalmente, casualmente, per caso, fortuitamente CONTR. solitamente, normalmente.

incidènte s. m. disgrazia, infortunio, disavventura, guaio, calamità, sinistro.

incìdere (1) v. intr. 1 gravare, pesare, influire, ricadere 2 importare, avere importanza.

incìdere (2) v. tr. 1 [modi di] scalfire, cesellare, graffiare, intagliare, scalpellare, sgraffiare, scolpire (est.) 2 [i risparmi, le riserve] intaccare, consumare 3 [q.c. nella mente, etc.] (fig.) imprimere, stampare, fissare CONTR. cancellare 4 [q.c. su nastro, disco] registrare CONTR. cancellare.

incignàre v. tr. [un abito, etc.] rinnovare.

incisióne s. f. 1 taglio, graffio, scalfittura **2** [*di opera grafica*] riproduzione **3** [*rif. al suono*] registrazione **4** decorazione **5** (*est.*) incavatura.

incisivaménte *avv.* **1** efficacemente **CONTR.** debolmente, fiaccamente **2** chiaramente **CONTR.** debolmente.

incisività *s. f. inv.* espressività, vita (*fig.*), robustezza (*fig.*), mordente (*fig.*), forza (*fig.*), vigore (*fig.*).

incisivo (1) *agg.* [*rif. a un discorso*] efficace, icastico, evidente, preciso (*est.*), robusto (*fig.*) **CONTR.** vago, debole, fiacco.

incisivo (2) *s. m.* (*gener.*) dente.

inciso *s. m.* **1** digressione, divagazione, parentesi **2** precisazione **3** clausola.

incitaménto *s. m.* **1** istigazione, sobillazione, esortazione, sollecitazione, suborazione (*colto*), provocazione (*est.*) **2** conforto.

incitàre *v. tr.* **1** stimolare, esortare, spingere, spronare, incalzare, sollecitare, pungolare, sospingere, pressare (*fig.*), assillare, urgere (*raro*) **CONTR.** trattenere, frenare **2** (*est.*) consigliare, invitare, incoraggiare, invogliare, persuadere **CONTR.** dissuadere **3** [*qc. alla rivolta, etc.*] fomentare, scatenare, aizzare, indurre, istigare, infiammare (*fig.*) **4** [*qc. all'odio, etc.*] (*fig.*) muovere, disporre **5** [*gli animi*] eccitare, infervorare, ravvivare **CONTR.** moderare, raffrenare.

inciùcio *s. m.* pasticcio, inghippo, imbroglio.

incivile *agg.* **1** barbaro, selvaggio, inumano (*est.*) **CONTR.** civile, urbano, corretto **2** [*rif. a una persona*] grossolano, rozzo, zotico, cafone **CONTR.** evoluto **3** [*rif. al comportamento*] cafone, villano, screanzato, scortese, maleducato **CONTR.** civile, urbano, corretto.

incivilire *A v. tr.* civilizzare, educare, dirozzare, ingentilire, addolcire, sgrezzare, umanizzare **CONTR.** imbarbarire *B v. intr. pron.* dirozzarsi, civilizzarsi, ingentilirsi, raffinarsi **CONTR.** imbarbarirsi, regredire.

incivilito *part. pass.; anche agg.* civilizzato, dirozzato, ingentilito **CONTR.** rozzo, barbaro.

incivilménte *avv.* scortesemente, sgarbatamente, ignorantemente, maleducatamente, rozzamente, villanamente, barbaramente **CONTR.** civilmente, educatamente, signorilmente (*fig.*).

inciviltà *s. f. inv.* **1** [*rif. a un'epoca*] barbarie **CONTR.** civiltà **2** ignoranza, incultura, arretratezza **3** maleducazione, rozzezza, villania, volgarità, scortesia, ineducazione, inurbanità **CONTR.** urbanità, costumatezza, correttezza, creanza.

inclemènte *agg.* **1** inesorabile, inflessibile, spietato, duro, aspro (*fig.*) **CONTR.** benevolo, clemente, favorevole, mite **2** [*rif. al clima*] (*fig.*) duro, crudo, rigido **CONTR.** mite.

inclemènza *s. f.* **1** disumanità, durezza, crudeltà, severità, asprezza, crudezza **CONTR.** clemenza, misericordia, pietà, generosità, indulgenza, mitezza **2** [*rif. al clima*] rigore (*est.*) **CONTR.** mitezza.

inclinàre *A v. tr.* **1** [*la testa*] chinare, flettere, abbassare, piegare, tirare giù, reclinare **CONTR.** alzare, drizzare **2** [*l'animo*] (*est.*) disporre, predisporre *B v. intr.* **1** [*detto di cosa, etc.*] pendere **2** [*detto di persona, etc.*] (*est.*) propendere, tendere *C v. intr. pron.* **1** piegarsi **2** [*detto di imbarcazione*] sbandare.

inclinàto *part. pass.; anche agg.* **1** reclinato, piegato, abbassato, pendente **CONTR.** ritto, alzato **2** (*fig.*) predisposto **CONTR.** contrario.

inclinazióne (1) *s. f.* **1** attitudine, propensione, tendenza, predisposizione, vocazione *per*, bernoccolo *di per* (*fig.*), disposizione, spirito (*est.*), talento *per*, istinto *per*, ingegno *per*, senso *di* (*est.*) **2** (*est.*) gusto, appetito, predilezione (*fam.*), debole.

inclinazióne (2) *s. f.* pendenza.

incline *agg.* **1** favorevole, propenso, disposto, spinto, disponibile, orientato, portato **CONTR.** alieno, avverso, contrario, negato (*fam.*) **2** [*rif. a malattie, a entusiasmi, etc.*] (*est.*) soggetto.

inclùdere *v. tr.* **1** [*q.c. in una busta, in un plico*] accludere, allegare, inserire, unire **CONTR.** omettere **2** [*q.c. in una lista, etc.*] comprendere, annoverare, contenere, iscrivere (*est.*), abbracciare (*fig.*), accogliere (*fig.*) **CONTR.** eccettuare, eliminare, escludere, lasciare fuori **3** [*una conseguenza, etc.*] racchiudere, implicare, comportare **CONTR.** prescindere.

inclusivo *agg.* comprensivo **CONTR.** esclusivo.

incocciàre *v. tr.* imbattersi *in*, incontrare, incrociare, incappare, scontrarsi *con*, urtare.

incoerènte *agg.* **1** [*rif. a un materiale*] disomogeneo, disuguale **CONTR.** coerente **2** [*rif. a una persona, a un discorso*] incongruente, insensato, assurdo, illogico, sconclusionato, disordinato, disorganico **CONTR.** coerente, armonioso, armonico, congruente, conseguente, equilibrato, logico.

incoerenteménte *avv.* incongruentemente, illogicamente, irrazionalmente, assurdamente, irragionevolmente, contraddittoriamente, incongruamente (*est.*) **CONTR.** coerentemente, logicamente (*est.*), lucidamente.

incoerènza *s. f.* **1** incongruenza, illogicità, squilibrio, contraddittorietà, confusione (*est.*), disordine (*est.*) **CONTR.** coerenza, congruenza, logica, organicità, razionalità **2** [*in un'affermazione, etc.*] incongruenza, disomogeneità, discontinuità, discordanza, difformità, contraddizione **CONTR.** omogeneità, consequenzialità.

incògliere *v. intr.* accadere, capitare, avvenire, sopraggiungere.

incògnita *s. f.* **1** interrogativo, problema **2** mistero.

incollàre *A v. tr.* **1** ricongiungere, congiungere, attaccare, applicare, appiccicare **CONTR.** scollare, staccare **2** [*modi di*] saldare, impastare, ingommare **3** [*q.c. ai muri, etc.*] riappiccicare, affiggere, mettere *B v. intr. pron.* appiccicarsi, attaccarsi.

incollerire *v. intr. pron.* andare in collera, andare su tutte le furie, arrabbiarsi, imbestialirsi, inalberarsi, imbizzarrirsi (*fig.*), infuriarsi, adirarsi, irritarsi, stizzirsi, incazzarsi (*volg.*), incavolarsi (*fam.*), innervosirsi, perdere le staffe **CONTR.** calmarsi, quietarsi, rabbonirsi.

incolóre agg. scialbo.

incolpàre A v. tr. 1 [qc.] incriminare, colpevolizzare, accusare, considerare responsabile, tacciare, dare la colpa a CONTR. difendere, discolpare, scagionare 2 [q.c. a qc.] addebitare, imputare B v. rifl. accusarsi, confessare, incriminarsi, esporsi (est.) CONTR. difendersi, discolparsi, scagionarsi.

incólto agg. 1 [rif. a una persona] ignorante, illetterato, zotico, vandalo (est.) CONTR. colto, istruito, sapiente, dotto, erudito 2 [rif. al terreno] deserto, abbandonato, desolato CONTR. coltivato 3 [rif. ai capelli, alla barba, etc.] trascurato.

incòlume agg. illeso, indenne, intatto, integro, salvo CONTR. ferito, leso.

incolumità s. f. inv. integrità fisica, sanità (raro).

incombènza s. f. impegno, incarico, compito, commissione, ufficio, missione, affare, assunto, faccenda.

incómbere v. intr. 1 [con l'altezza] sovrastare, dominare 2 [detto di pensiero, di paura, etc.] gravare, pesare, stagnare (fig.) 3 [detto di pericolo, etc.] incalzare, minacciare, essere imminente, pendere (fig.) 4 spettare, competere, convenire, toccare.

incominciàre A v. tr. 1 [un lavoro, etc.] cominciare, intraprendere, principiare, imprendere CONTR. terminare, concludere 2 [un'iniziativa] cominciare, intraprendere, avviare, attivare, accingersi a, debuttare in (est.), esordire in (est.) B v. intr. [detto di giorno, di sole, etc.] iniziare, sorgere, nascere (fig.), cominciare CONTR. concludersi.

incommensuràbile agg. immenso, smisurato CONTR. commensurabile.

incommensurabilménte avv. infinitamente, illimitatamente, smisuratamente, immensamente CONTR. poco, pochissimo.

incomodàre v. tr. scomodare, disturbare, importunare, infastidire, molestare, seccare, scocciare, dare fastidio, tediare.

incòmodo A agg. 1 [rif. a un luogo] scomodo, angusto, disagevole CONTR. comodo, agevole 2 (est.) fa-

stidioso, molesto 3 (est.) faticoso CONTR. lieve B s. m. 1 molestia, aggravio (fig.) 2 [rif. a una malattia] acciacco.

incomparàbile agg. imparagonabile, impareggiabile, ineguagliabile, unico CONTR. insignificante (est.), banale (est.).

incomparabilménte avv. straordinariamente, senza paragone, incredibilmente, eccezionalmente CONTR. poco, per nulla.

incompatibile agg. intollerabile, insostenibile, insopportabile, discorde (est.) CONTR. compatibile, conciliabile.

incompatibilità s. f. inv. 1 [tra cose, tra persone] inconciliabilità CONTR. accordo 2 [tra persone] inimicizia CONTR. simpatia.

incompetènte A agg. impreparato, ignorante, incapace, profano (fig.), inadatto CONTR. abile, esperto, preparato, autorevole, competente, valente B s. m. e f. incapace.

incompetenteménte avv. ignorantemente CONTR. competentemente, con competenza.

incompetènza s. f. 1 imperizia, inettitudine, incapacità, inefficienza CONTR. competenza, capacità, valentia, abilità, maestria 2 (est.) inesperienza, ignoranza.

incompletaménte avv. non completamente, imperfettamente, insufficientemente, male CONTR. completamente, perfettamente.

incompletézza s. f. carenza, deficienza, insufficienza, imperfezione (est.) CONTR. completezza, integrità.

incomplèto agg. 1 carente, lacunoso, frammentario, mancante, mutilato, mutilo CONTR. completo, formato, intero, finito, assoluto, esauriente, rifinito (est.) 2 (est.) imperfetto, difettoso.

incomprensibile agg. inintelligibile, indecifrabile, oscuro, impenetrabile, inesplicabile, inaccessibile, astruso, inafferrabile, duro CONTR. accessibile, comprensibile, intelligibile, perspicuo, intuibile.

incomprensibilménte avv. inspie-

gabilmente, inintelligibilmente, inesplicabilmente, oscuramente, inconcepibilmente, incredibilmente, impensabilmente, astrusamente, ermeticamente, enigmaticamente, misteriosamente, misticamente CONTR. comprensibilmente, intelligibilmente.

incomprensióne s. f. 1 (est.) disaccordo, disarmonia CONTR. affiatamento, comprensione 2 [tra fratelli, etc.] (est.) estraneità.

inconcepibile agg. 1 inimmaginabile, impensabile, inammissibile, illogico CONTR. ammissibile, immaginabile 2 inverosimile, inaudito, incredibile.

inconcepibilménte avv. incomprensibilmente, impensabilmente, incredibilmente, assurdamente CONTR. prevedibilmente (est.).

inconciliàbile s. f. inv. incompatibilità.

inconcludenteménte avv. inutilmente, senza risultato, a vuoto, vanamente CONTR. utilmente, proficuamente.

incondizionàto agg. assoluto, totale, completo, profondo (est.) CONTR. relativo, limitato.

inconfondibilménte avv. inequivocabilmente.

inconfutàbile agg. indiscutibile, inoppugnabile CONTR. confutabile.

inconfutabilménte avv. incontrovertibilmente, indiscutibilmente, sicuramente, certamente CONTR. dubbiamente, dubbiosamente, discutibilmente.

incongruaménte avv. sproporzionatamente, incoerentemente.

incongruènte agg. contraddittorio, incoerente, disomogeneo, disordinato CONTR. congruente, logico, coerente.

incongruenteménte avv. incoerentemente, contraddittoriamente, illogicamente CONTR. coerentemente, congruentemente, conseguentemente.

incongruènza s. f. 1 incoerenza, illogicità, contraddittorietà CONTR. congruenza, coerenza, adeguatezza 2 contraddizione, controsenso.

incongruità *s. f. inv.* sproporzione, inadeguatezza CONTR. congruità.

inconquistàbile *agg.* inespugnabile, imprendibile CONTR. conquistabile, espugnabile.

inconsapévole *agg.* **1** ignaro CONTR. edotto, consapevole **2** involontario, inconscio CONTR. consapevole, conscio, cosciente, volontario.

inconsapevolézza *s. f.* (*est.*) innocenza, candore (*fig.*), ignoranza CONTR. consapevolezza.

inconsapevolménte *avv.* involontariamente, inconsciamente, inavvertitamente, automaticamente CONTR. consapevolmente, coscientemente, volontariamente.

inconsciaménte *avv.* inconsapevolmente, involontariamente, inavvertitamente, automaticamente, meccanicamente CONTR. consciamente, volontariamente.

inconscio *A agg.* **1** inconsapevole, involontario CONTR. volontario, studiato **2** spontaneo, istintivo **3** automatico, meccanico *B s. m. sing.* psiche CONTR. conscio.

inconsideràto *agg.* **1** inavveduto **2** azzardato.

inconsistènte *agg.* **1** [*rif. a un materiale*] molle, aereo CONTR. consistente, solido **2** [*rif. a un discorso, a un modo*] (*fig.*) vuoto, debole, fumoso, futile CONTR. grande.

inconsolàbile *agg.* disperato, sconsolato CONTR. rincuorato, confortato.

inconsolabilménte *avv.* disperatamente, sconsolatamente, desolatamente.

inconsuetaménte *avv.* insolitamente, stranamente, straordinariamente, sorprendentemente CONTR. solitamente, comunemente.

inconsuèto *agg.* **1** insolito, inusitato, singolare CONTR. consueto, abituale, convenzionale, frequente, usuale, rituale (*fig.*) **2** raro, infrequente **3** straordinario, curioso.

inconsùlto *agg.* disperato, impulsivo CONTR. controllato, prudente.

incontentàbile *agg.* capriccioso, viziato, insoddisfatto (*est.*) CONTR. adattabile, condiscendente.

incontestàbile *agg.* schiacciante, irrefutabile, indiscutibile, innegabile, inoppugnabile CONTR. discutibile, dubbio.

incontestabilménte *avv.* indiscutibilmente, innegabilmente, incontrastabilmente CONTR. dubbiamente.

incontinènte *agg.* sfrenato, smodato, intemperante, dissoluto CONTR. continente, moderato, parco.

incontinenteménte *avv.* sfrenatamente, smodatamente, senza misura CONTR. moderatamente, sobriamente.

incontinènza *s. f.* sregolatezza, sfrenatezza, smodatezza, intemperanza CONTR. astinenza, castità, continenza.

incontràre *A v. tr.* **1** imbattersi *in*, incappare *in*, incrociare, contattare, trovare, scontrare, vedere (*est.*), intoppare **2** [*un avversario*] (*sport*) misurarsi *con*, affrontare, giocare *con* **3** [*molte persone, etc.*] (*est.*) conoscere, frequentare **4** [*consenso, simpatia*] (*fig.*) raccogliere *B v. intr.* **1** [*detto di finestre, etc.*] corrispondere, combaciare **2** avere successo, incontrare il favore, piacere *C v. intr. pron.* **1** imbattersi, ritrovarsi, incappare, convenire (*raro*) **2** [*detto di strade, etc.*] confluire (*raro*), unirsi **3** [*nelle idee, etc.*] coincidere, concordare, convergere *D v. rifl. rec.* **1** conoscersi, parlarsi, abboccarsi, avere rapporti, andare d'accordo, trovarsi **2** azzuffarsi, scontrarsi, incrociarsi, misurarsi, battersi.

incontrastabilménte *avv.* indiscutibilmente, incontestabilmente, indubbiamente CONTR. discutibilmente, dubbiosamente.

incóntro (1) *s. m.* **1** convegno, riunione, meeting (*ingl.*) **2** abboccamento, appuntamento **3** (*sport*) competizione, duello, combattimento, match (*ingl.*) **4** [*politico, di affari*] vertice (*fig.*), summit.

incóntro (2) *avv.* verso.

incontrollataménte *avv.* **1** senza controllo, impulsivamente, istintiva-

mente, involontariamente CONTR. calcolatamente, freddamente (*fig.*) **2** convulsamente.

incontrovertibilménte *avv.* indiscutibilmente, inconfutabilmente, certamente, sicuramente CONTR. dubbiamente.

inconveniènte *A s. m.* contrattempo, difficoltà, intralcio, imprevisto, guaio *B agg.* sconveniente, inopportuno CONTR. conveniente, opportuno.

incoraggiàre *A v. tr.* **1** [*qc.*] confortare, rincuorare, consolare, animare, imbaldanzire, incitare, corroborare, rassicurare, riconfortare, tirare su, invigorire (*fig.*), ravvivare (*fig.*) CONTR. confondere, costernare, demoralizzare, deprimere, desolare, disanimare, esanimare, impaurire, intimidire, intimorire, invilire, prostrare, scorare, scoraggiare, sfiduciare **2** [*un'iniziativa, etc.*] stimolare, favorire, secondare, appoggiare, caldeggiare, promuovere, incentivare CONTR. disincentivare, avversare, boicottare, osteggiare, impedire *B v. intr. pron.* farsi coraggio, farsi animo, confortarsi, consolarsi, invigorirsi (*raro*) CONTR. demoralizzarsi, deprimersi, disanimarsi, disperarsi, esanimarsi, intimorirsi, invilirsi, sfiduciarsi.

incornàre *v. tr.* cozzare (*est.*).

incorniciàre *v. tr.* **1** mettere in cornice, inquadrare **2** [*detto di capelli, etc.*] (*est.*) contornare, coronare, ornare, mettere in risalto.

incoronàre *A v. tr.* **1** coronare, cingere con una corona CONTR. detronizzare **2** [*un poeta, un vincitore*] (*est.*) eleggere, nominare, dichiarare, acclamare **3** [*detto di capelli, di fiori, etc.*] inghirlandare, cingere, circondare, indiademare *B v. rifl.* **1** coronarsi, cingersi con una corona **2** nominarsi, eleggersi, dichiararsi.

incorporàre *A v. tr.* **1** [*terre, proprietà*] conglobare, comprendere, aggiungere, annettere, inglobare **2** [*elementi, sostanze*] mescolare, miscelare, fondere, unire, amalgamare, aggregare CONTR. dividere, scorporare **3** assimilare, assorbire, fagocitare *B v. rifl.* [*in un ambiente*] unirsi *a*, entrare CONTR. dividersi.

incubare

incorporeità s. f. inv. vanità CONTR. tangibilità.

incorpòreo agg. 1 immateriale, etereo CONTR. corporeo, concreto, materiale 2 vano (lett.), astratto, spirituale 3 etereo, evanescente, invisibile.

incorreggibile agg. [rif. a una persona] inveterato, incallito, ostinato, irriducibile CONTR. emendabile, correggibile.

incorreggibilménte avv. irriducibilmente, ostinatamente CONTR. docilmente, arrendevolmente.

incórrere v. intr. [in una trappola] incappare, finire, cascare (fig.), cadere (fig.) CONTR. evitare, sfuggire.

incorrótto agg. intatto, puro.

incorruttìbile agg. 1 inalterabile 2 [rif. a una persona] corretto, integro, onesto CONTR. disonesto, corrotto, sleale 3 (fig.) sano.

in córso loc. agg. V. corso.

incosciènte A agg. 1 [rif. a una persona] incauto, sconsiderato, irresponsabile, dissennato, scriteriato, improvvido CONTR. consapevole, cosciente, conscio, responsabile 2 [rif. a un'azione] incauto, sventato, avventato CONTR. responsabile B s. m. e f. (psicol.) inconscio.

incoscienteménte avv. irresponsabilmente CONTR. responsabilmente, consapevolmente.

incosciènza s. f. sconsideratezza, spensieratezza, temerarietà, imprudenza, avventatezza, irresponsabilità, immaturità CONTR. coscienza, serietà, prudenza, responsabilità.

incostànte agg. 1 variabile, disuguale, ineguale CONTR. costante, continuo, abitudinario, perseverante, tenace, assiduo, fermo, indefesso 2 [rif. a un moto, a un movimento] irregolare, fluttuante, mobile, vario CONTR. costante, continuo, lineare, persistente 3 [rif. al clima, alla stagione] variabile, instabile, mutevole CONTR. costante 4 [rif. al carattere, etc.] discontinuo, volubile, capriccioso, lunatico CONTR. costante, abitudinario, fermo, indefesso.

incostanteménte avv. volubilmente,

mutevolmente, instabilmente CONTR. costantemente, perseverantemente, fermamente.

incostànza s. f. 1 discontinuità CONTR. costanza, assiduità, tenacia, accanimento, caparbietà, coerenza, pertinacia 2 [rif. al carattere] discontinuità, mutevolezza, instabilità, volubilità, leggerezza, mobilità (raro), variabilità CONTR. saldezza, solidità 3 [rif. al tempo, al clima] mutevolezza, instabilità, variabilità.

incredìbile agg. 1 inverosimile, inconcepibile, inaudito CONTR. credibile, immaginabile, attendibile, ammissibile, plausibile 2 inaccettabile, inimmaginabile 3 (iperb.) strabiliante, meraviglioso, favoloso, formidabile, miracoloso 4 (fam.) spaventoso, bestiale.

incredibilménte avv. 1 incomparabilmente, straordinariamente, immensamente, eccezionalmente CONTR. verosimilmente 2 inconcepibilmente, incomprensibilmente, impensabilmente, magicamente.

incredulità s. f. inv. scetticismo, diffidenza, sfiducia, sospetto (est.) CONTR. fiducia.

incrèdulo A agg. scettico, dubbioso, diffidente CONTR. semplicione, ingenuo B s. m. (f. -a) miscredente.

incrementàre v. tr. 1 aumentare, accrescere, potenziare, sviluppare, arricchire, ampliare CONTR. decurtare, diminuire, calare, limitare, sbilanciare 2 incentivare, alimentare (fig.), promuovere.

incrementàto part. pass.; anche agg. aumentato, ingrandito, cresciuto CONTR. diminuito.

increménto s. m. 1 aumento, accrescimento, crescita, moltiplicazione, espansione CONTR. decremento, abbassamento 2 sviluppo, evoluzione 3 ripresa, miglioramento CONTR. scadimento.

increscióso agg. spiacevole, sgradevole, fastidioso, seccante CONTR. piacevole, gradito.

increspàre A v. tr. 1 raggrinzare, ondulare, arricciare, aggrinzare, piegare, accartocciare, aggrinzire CONTR. lisciare, distendere, stirare, appianare

2 [le ciglia, la fronte] raggrinzare, contrarre, corrugare, aggrottare, aggrondare B v. intr. pron. 1 aggrinzarsi, raggrinzarsi CONTR. distendersi, lisciarsi 2 [detto di pelle] accapponarsi.

incriminàre A v. tr. accusare, incolpare, colpevolizzare, denunciare, imputare, considerare responsabile CONTR. discolpare, scagionare B v. rifl. incolparsi, accusarsi CONTR. discolparsi, scagionarsi.

incriminazióne s. f. accusa, imputazione.

incrinàre A v. tr. 1 intaccare, danneggiare 2 [l'amicizia, i rapporti] (est.) ledere, compromettere, turbare, rovinare, guastare (fig.), rompere (fig.) B v. intr. pron. 1 rompersi, creparsi, screpolarsi, fendersi 2 [detto di amicizia, di rapporto] (fig.) rompersi, guastarsi.

incrinatùra s. f. venatura, crepa, crepatura (raro).

incrociàre A v. tr. 1 [detto di strada, di ferrovia, etc.] intersecare, attraversare, tagliare, traversare 2 [qc.] incontrare, incocciare, intoppare, scontrare 3 [piante, animali] accoppiare, ibridare B v. intr. pron. 1 incontrarsi, imbattersi 2 [detto di strada, di ferrovia, etc.] incontrarsi, intersecarsi, attraversarsi, tagliarsi 3 [detto di animali, di piante, etc.] accoppiarsi, ibridarsi.

incrócio s. m. bivio, crocevia, crocicchio, quadrivio.

incrollàbile agg. saldo.

incrostàre v. tr. 1 intonacare, ricoprire (impr.) CONTR. scrostare 2 [mobili, etc.] intarsiare.

incrostazióne s. f. 1 crosta 2 [in una botte di vino] gromma, gruma, tartaro.

incrudelire v. intr. 1 infierire, accanirsi, inferocire, seviziare un 2 (est.) irritarsi, inasprirsi CONTR. ammansirsi, rabbonirsi, raddolcirsi, intenerirsi 3 [detto di vento, di tempesta] infuriare, imperversare CONTR. mitigarsi, placarsi, acquietarsi.

incrudire v. tr. esacerbare, irritare, inasprire CONTR. attenuare, calmare.

incubàre v. tr. 1 [le uova, etc.] covare

incubo 2 [*una malattia*] avere in incubazione.

incubo *s. m.* **1** allucinazione **2** ossessione, tormento, angoscia, preoccupazione, chiodo (*fig.*), assillo.

inculàre *v. tr.* **1** sodomizzare **2** (*est.*) raggirare, prendere per il culo (*volg.*), imbrogliare.

inculcàre *v. tr.* [*q.c. nella mente, etc.*] infondere, imprimere, trasfondere, instillare, comunicare, fissare (*fig.*), conficcare (*fig.*), ficcare (*fig.*).

incultùra *s. f.* **1** ignoranza CONTR. cultura **2** inciviltà.

incuneàre *A* *v. tr.* conficcare, fare penetrare, introdurre, incastrare, inserire, insinuare, infilare CONTR. estrarre *B* *v. intr. pron.* introdursi, inserirsi, infilarsi, addentrarsi, insinuarsi, incastrarsi, penetrare CONTR. uscire.

incupire *A* *v. tr.* **1** [*un quadro, etc.*] scurire CONTR. schiarire **2** [*qc.*] (*est.*) rattristare, rabbuiare (*fig.*), deprimere CONTR. allietare, rallegrare *B* *v. intr. pron.* **1** [*detto di persona, etc.*] intristirsi, deprimersi, chiudersi (*fig.*), immalinconire, impensierirsi, preoccuparsi CONTR. rasserenarsi, ridere **2** [*detto di cielo, tempo, etc.*] rabbuiarsi, rannuvolarsi, ottenebrarsi, abbuiarsi, scurirsi CONTR. rasserenarsi.

incuràbile *agg.* inguaribile, insanabile.

incurabilménte *avv.* inguaribilmente.

incùria *s. f.* **1** trascuratezza, negligenza, sbadataggine CONTR. scrupolo, scrupolosità, serietà, diligenza **2** sciatteria, trasandatezza, abbandono.

incuriosire *A* *v. tr.* interessare, rendere curioso, appassionare, attirare, intrigare *B* *v. intr. pron.* interessarsi, appassionarsi CONTR. disinteressarsi, trascurare.

incursióne *s. f.* **1** aggressione, assalto, scorreria, scorribanda, invasione **2** (*est.*) puntata, scappata.

incurvàre *A* *v. tr.* chinare, piegare, curvare, flettere, inarcare, inchinare CONTR. drizzare, raddrizzare *B* *v. intr. pron.* **1** piegarsi, flettersi, arcuarsi, inarcarsi, curvarsi CONTR. raddrizzarsi, distendersi, drizzarsi **2** diventare

gobbo, ingobbire **3** [*detto di muro, etc.*] rientrare.

incurvatùra *s. f.* **1** curva **2** sacca, rientranza, insenatura.

incustodito *agg.* abbandonato, indifeso, scoperto CONTR. protetto, riparato.

incùtere *v. tr.* suscitare, provocare, causare, infondere, trasfondere, ispirare, mettere, imprimere.

indaffaràto *agg.* occupato, preso, affaccendato CONTR. ozioso, disoccupato, indolente, passivo.

indagàre *A* *v. tr.* **1** cercare di scoprire, cercare di sapere, studiare, sondare, speculare, processare, esplorare, esaminare, analizzare, cercare (*ass.*), investigare, ricercare **2** [*l'animo*] scrutare, scandagliare (*fig.*) **3** [*la vita, il passato*] inquisire, spiare, scavare (*fig.*) *B* *v. intr.* **1** fare indagini, investigare, curiosare, frugare **2** filosofare, filosofeggiare.

indàgine *s. f.* **1** studio, analisi, osservazione, sondaggio, ricerca, esplorazione, ricognizione **2** inchiesta, investigazione **3** accertamento **4** ispezione, esame.

indebitaménte *avv.* illecitamente, illegalmente, impropriamente, ingiustamente, abusivamente CONTR. debitamente, legalmente.

indebitàre *A* *v. tr.* costringere a fare debiti *B* *v. rifl.* **1** coprirsi di debiti, fare dei debiti, impegnarsi, inchiodarsi (*fig.*) CONTR. sdebitarsi **2** (*est.*) fallire, andare in fallimento.

indèbito *A* *agg.* illecito, illegittimo, ingiusto CONTR. debito, giusto *B* *s. m. sing.* illecito CONTR. lecito.

indebolimento *s. m.* debilitazione, esaurimento, sfinitezza, abbattimento CONTR. rafforzamento, irrobustimento.

indebolire *A* *v. tr.* **1** [*qc.*] fiaccare, debilitare, svigorire, infiacchire, estenuare, sfibrare, esaurire, provare, accasciare, affaticare, rammollire (*fig.*), evirare (*fig.*), snervare, ammollire (*fig.*), disarmare (*fig.*), esanimare, illanguidire, stancare, stremare, spossare, abbattere (*fig.*), prostrare CONTR. corroborare, fortificare, rinvigorire, invigorire, indurire, ingagliardi-

re, ricostituire, tonificare, irrobustire, rassodare, temprare **2** [*i sensi, le capacità*] affievolire, arrugginire (*fig.*), infievolire, invilire, ottundere, atrofizzare CONTR. rinforzare, potenziare **3** [*un politico, un regime*] (*est.*) scalzare (*fig.*), destabilizzare, minare (*fig.*) CONTR. consolidare **4** [*un sentimento*] (*fig.*) raffreddare, smorzare CONTR. rafforzare, intensificare **5** [*una tesi, etc.*] scalzare (*fig.*) CONTR. convalidare, confortare **6** [*una famiglia, un rapporto*] (*est.*) disgregare *B* *v. intr. pron.* **1** deperire, debilitarsi CONTR. corroborarsi, fortificarsi, rafforzarsi, diventare più robusto, invigorirsi, irrobustirsi, ricostituirsi, ingagliardirsi **2** [*per la fatica*] sfinirsi, distruggersi, snervarsi, stancarsi, spossarsi, stremarsi, fiaccarsi, consumarsi **3** [*rispetto alla forza morale*] svigorirsi, infrollirsi, rammollirsi, infiacchirsi **4** [*con l'età*] (*est.*) decadere, invecchiare **5** [*detto di fiamma, di suono, di amore*] attenuarsi, illanguidirsi, infievolirsi, affievolirsi, esaurirsi **6** [*detto di speranze, etc.*] (*fig.*) appassire, svanire, sbiadire CONTR. consolidarsi **7** [*detto di entusiasmo, etc.*] (*fig.*) attenuarsi, raffreddarsi CONTR. intensificarsi, potenziarsi **8** [*detto di sviluppo economico, etc.*] (*fig.*) rallentarsi **9** [*detto di disciplina, etc.*] (*fig.*) allentarsi, rilassarsi **10** [*detto di partito, di società*] (*est.*) disgregarsi.

indebolito *part. pass.; anche agg.* debilitato, svigorito, spossato, esaurito, affaticato CONTR. forte, vigoroso.

indecènte *agg.* sconveniente, impudico, immorale, scandaloso, sconcio, lubrico, inverecondo, sudicio (*est.*), porco (*fig.*) CONTR. decente, decoroso, onorevole, pulito (*est.*).

indecenteménte *avv.* oscenamente, sconvenientemente, sconciamente, indecorosamente CONTR. decentemente, decorosamente.

indecènza *s. f.* **1** oscenità, immoralità, sconcezza **2** impudicizia, sfacciataggine, sconvenienza CONTR. decenza, pudore **3** indegnità, scandalo, vergogna.

indecifràbile *agg.* inintelligibile, incomprensibile, impenetrabile, oscuro, astruso, enigmatico CONTR. comprensibile, palese, patente.

indecisióne *s. f.* esitazione, incertezza, irresolutezza, dubbio, titubanza, perplessità, vaghezza, timidezza, insicurezza **CONTR.** determinazione, risolutezza, sicurezza, saldezza, fermezza.

indeciso *agg.* **1** irresoluto, titubante, perplesso, esitante, timido, insicuro, diviso (*fig.*) **CONTR.** deciso, fermo, risoluto, sicuro, spavaldo **2** [*rif. al colore*] incerto, sfumato **3** [*rif. a una situazione*] incerto, ondeggiante (*fig.*), fluttuante (*fig.*).

indecorosaménte *avv.* indecentemente, sconvenientemente, sconciamente, oscenamente, disonorevolmente, vergognosamente **CONTR.** convenientemente, decorosamente.

indecoróso *agg.* sconveniente **CONTR.** decoroso.

indefessaménte *avv.* infaticabilmente, instancabilmente **CONTR.** stancamente, svogliatamente, fiaccamente.

indefèsso *agg.* instancabile, infaticabile, assiduo **CONTR.** incostante, discontinuo.

indefinibile *agg.* **1** [*rif. al colore*] neutro **CONTR.** definibile, determinabile **2** [*rif. a una situazione, al carattere*] ineffabile, vago, dubbio **CONTR.** definibile, determinabile.

indefinitaménte *avv.* indeterminatamente **CONTR.** limitatamente.

indefinitézza *s. f.* vaghezza, indeterminatezza, genericità, imprecisione, nebulosità (*fig.*) **CONTR.** chiarezza, precisione.

indefinito *agg.* **1** indeterminato, impreciso, confuso **CONTR.** deciso, definito **2** [*rif. al colore*] vago, sfumato, neutro **CONTR.** deciso, definito **3** [*rif. a un problema, a una questione*] (*est.*) generico **CONTR.** deciso, definito, delineato, risolto, sistemato (*fam.*).

indeformabilità *s. f. inv.* rigidezza.

indegnaménte *avv.* **1** immeritatamente **CONTR.** degnamente, meritatamente, onorevolmente **2** abiettamente, vergognosamente, deplorevolmente, disonorevolmente, bassamente, sconvenientemente **CONTR.** nobilmente, onoratamente.

indegnità *s. f. inv.* **1** immoralità, bassezza (*fig.*) **CONTR.** sublimità **2** indecenza, oscenità, sconcezza, scandalo, vergogna.

indégno *agg.* **1** immeritevole **CONTR.** degno, meritevole **2** [*rif. a una persona*] spregevole, abietto, degenere **CONTR.** degno, meritevole, nobile, onorevole **3** [*rif. a un gesto, a un comportamento*] deplorevole, inqualificabile, abominevole, iniquo, vergognoso, riprovevole **CONTR.** degno, meritevole, nobile, onorevole, encomiabile, lodevole.

indelèbile *agg.* **1** incancellabile **CONTR.** effimero, caduco, labile **2** [*rif. al ricordo, etc.*] indimenticabile, permanente, eterno (*fig.*).

indelebilménte *avv.* incancellabilmente, indistruttibilmente, sempre.

indelicataménte *avv.* sgarbatamente, indiscretamente, scorrettamente **CONTR.** delicatamente, garbatamente.

indelicatézza *s. f.* grossolanità, scortesia, sconvenienza, inopportunità, indiscrezione **CONTR.** tatto.

indelicàto *agg.* indiscreto, invadente, curioso, grossolano, rozzo **CONTR.** delicato, discreto, educato, garbato.

indemoniàre *v. intr.* essere invasato.

indemoniàto A *part. pass.; anche agg.* **1** indiavolato, spiritato **CONTR.** tranquillo, quieto, placato **2** invasato, esaltato, ossessionato **B** *s. m.* (*f. -a*) pazzo (*est.*).

indènne *agg.* illeso, incolume, intatto, integro, intero, salvo **CONTR.** leso, ferito.

indennità *s. f. inv.* **1** indennizzo, risarcimento, rimborso **2** premio.

indennizzàre *v. tr.* dare un indennizzo a, rimborsare, risarcire, ripagare, rifondere, compensare, reintegrare.

indennìzzo *s. m.* risarcimento, riparazione, ricompensa, compenso, pagamento, compensazione, indennità.

indentàre A *v. intr.* ingranare **B** *v. tr.* inserire uno spazio *tra*, spaziare.

inderogabilménte *avv.* imprescindibilmente, obbligatoriamente, perento-

riamente **CONTR.** facoltativamente.

indescrivibile *agg.* indicibile, inesprimibile, inenarrabile, ineffabile **CONTR.** definibile, descrivibile.

indescrivibilménte *avv.* indicibilmente, enormemente, straordinariamente.

indeterminataménte *avv.* imprecisamente, indefinitamente, genericamente, approssimativamente, impersonalmente, vagamente **CONTR.** determinatamente, precisamente.

indeterminatézza *s. f.* vaghezza, genericità, imprecisione, indefinitezza, nebulosità **CONTR.** chiarezza, precisione.

indeterminàto *agg.* **1** indefinito **CONTR.** assoluto, determinato, certo, definito, preciso **2** [*rif. alle parole, alle idee*] impreciso, astratto, generico, vago **CONTR.** assoluto, determinato, certo, definito, preciso **3** [*rif. alla forma, al suono, al colore*] vago, indistinto **CONTR.** determinato, certo, definito, preciso **4** [*rif. a un discorso*] vago, vaporoso (*fig.*) **CONTR.** assoluto, determinato, certo, definito, preciso.

indi *avv.* poi, quindi, in seguito, dopo.

indiademàre *v. tr.* coronare, incoronare.

indiavolàto *part. pass.; anche agg.* **1** indemoniato **2** [*rif. a una persona*] arrabbiato, furioso **CONTR.** calmo, bonario **3** [*rif. al rumore*] (*fig.*) terribile.

indicàre *v. tr.* **1** mostrare, additare, segnare, accennare (*raro*) **2** [*sicurezza, una malattia*] denotare, rivelare, manifestare, delineare, essere un indizio *di*, dimostrare, significare **3** [*un rimedio, etc.*] insegnare, consigliare, suggerire **4** [*detto di nome, di cartello, etc.*] designare, denominare, avvisare **5** [*qc. a modello*] citare.

indicativaménte *avv.* orientativamente, approssimativamente **CONTR.** precisamente.

indicatóre A *s. m.* segnalatore **B** *agg. inv.* indice.

indicazióne *s. f.* **1** segnalazione, informazione, avvertenza, suggerimento, notizia, avviso, cenno, ragguaglio **2** [*medica, di dieta, etc.*] prescrizione

3 designazione, chiamata (*fig.*).

indice *s. m.* **1** elenco, catalogo, listino, sommario **2** sintomo, espressione, indizio.

indicibile *agg.* **1** ineffabile, inesprimibile, indescrivibile, inenarrabile **2** (*est.*) straordinario, gigantesco, enorme CONTR. modesto, scarso.

indicibilménte *avv.* indescrivibilmente, enormemente, straordinariamente CONTR. poco, modestamente.

indietreggiàre *v. intr.* **1** arretrare, retrocedere, ritirarsi, cedere, rinculare, ripiegare, ritrarsi, andare indietro, recedere CONTR. avanzare, procedere, inoltrarsi **2** [*detto di malattia, etc.*] regredire CONTR. progredire.

indiètro *avv.* dietro, addietro CONTR. avanti.

indiféso *agg.* **1** [*rif. a un luogo*] incustodito, scoperto CONTR. difeso **2** [*rif. a una persona*] (*fig.*) inerme, disarmato, nudo (*est.*) CONTR. difeso, accorto, astuto, armato (*est.*).

indifferènte *agg.* **1** [*rif. a un'opinione, a un giudizio*] imparziale, neutrale, qualunquista CONTR. parziale, partigiano **2** [*rif. a una persona*] qualunquista, insensibile, apatico, impassibile, passivo CONTR. affettuoso, appassionato, passionale, ardente, caloroso, curioso, dedito, emozionato, commosso, cordiale **3** [*rif. a una persona, allo sguardo*] noncurante, superiore, freddo, distante, gelido, distaccato CONTR. affettuoso, ardente, caloroso, curioso, emozionato, meravigliato, sorpreso, stupefatto **4** [*rif. all'atteggiamento*] qualunquista, insensibile, scettico, cinico CONTR. appassionato, curioso, dedito, agitato, bramoso, avido, cupido, smanioso, arrabbiato, desideroso, ghiotto, voglioso **5** [*rif. a un problema, a una questione*] irrilevante CONTR. rilevante.

indifferenteménte *avv.* **1** imparzialmente, ugualmente **2** freddamente, distaccatamente, apaticamente, ariamente CONTR. appassionatamente, entusiasticamente, fanaticamente, ardentemente, desiderosamente, devotamente.

indifferènza *s. f.* **1** insensibilità, distacco, freddezza, disinteresse, estra-

niazione, impassibilità, imperturbabilità, estraneità CONTR. suscettibilità, sensibilità, sentimento, attaccamento, calore, entusiasmo, stupore, sbalordimento, sbigottimento, sconcerto, pietà, trasporto, interessamento **2** (*est.*) neutralità **3** passività, torpore, abulia CONTR. sollecitudine, eccitazione, fervore **4** (*est.*) scetticismo **5** (*est.*) cinismo **6** [*al dolore, etc.*] insensibilità, refrattarietà.

indìgeno *s. m.; anche agg.* (*f. -a*) autoctono, aborigeno, nativo CONTR. immigrato, allogeno, forestiero (*lett.*), barbaro, straniero.

indigènte **A** *agg.* misero, bisognoso, povero, mendicante, mendico CONTR. abbiente, agiato, benestante, facoltoso **B** *s. m. e f.* povero CONTR. miliardario.

indigènza *s. f.* **1** bisogno, povertà, miseria CONTR. ricchezza, lusso, fasto **2** mancanza, penuria CONTR. abbondanza.

indigèsto *agg.* [*rif. a una persona*] molesto, pesante.

indignàre **A** *v. tr.* esacerbare, irritare, inasprire, esasperare CONTR. compiacere, accontentare **B** *v. intr. pron.* sdegnarsi, risentirsi, stizzirsi, adirarsi, seccarsi, infastidirsi, adontarsi (*colto*), offendersi, infuriarsi, irritarsi, scandalizzarsi, arrabbiarsi, incazzarsi (*volg.*) CONTR. calmarsi, acquietarsi, placarsi.

indignazióne *s. f.* sdegno, ira, rabbia, risentimento.

indimenticàbile *agg.* **1** incancellabile, indelebile, permanente CONTR. caduco, labile, effimero **2** [*rif. a un'azione*] memorabile CONTR. labile **3** (*est.*) meraviglioso.

indipendènte *agg.* **1** autonomo, autosufficiente, libero CONTR. dipendente, soggiogato, catechizzato, indottrinato, oppresso (*est.*), vincolato (*est.*), soggetto **2** liberato, emancipato CONTR. subordinato, vassallo.

indipendenteménte *avv.* **1** autonomamente, emancipatamente, liberamente CONTR. subordinatamente **2** prescindendo da.

indipendènza *s. f.* **1** libertà CONTR.

schiavitù **2** autonomia, autosufficienza CONTR. subordinazione, soggezione, sottomissione, sudditanza, dipendenza **3** emancipazione.

indìre *v. tr.* **1** [*un concorso, etc.*] bandire, istituire CONTR. disdire **2** [*uno sciopero, etc.*] proclamare, convocare, promuovere, dichiarare.

indirettaménte *avv.* marginalmente, velatamente CONTR. direttamente, immediatamente, frontalmente.

indirètto *agg.* **1** obliquo CONTR. diretto, immediato **2** [*rif. a un accordo*] (*est.*) sottinteso, tacito, implicito.

indirizzàre **A** *v. tr.* **1** [*qc. in una direzione*] instradare, incanalare, convogliare, avviare, deviare, incamminare **2** [*una lettera, un pacco*] instradare, destinare, inviare, mandare, spedire **3** [*gli occhi, lo sguardo*] volgere, rivolgere, dirigere **4** [*una petizione, etc.*] volgere, muovere **5** [*qc. agli studi, etc.*] guidare, orientare, spingere **6** [*la vita, il comportamento*] (*est.*) modellare, informare **7** [*qc. a un ristorante, etc.*] (*est.*) insegnare a **8** [*qc. al bene, etc.*] (*est.*) educare **B** *v. rifl.* **1** avviarsi, instradarsi, dirigersi, incamminarsi, correre, andare, recarsi, puntare, orientarsi **2** [*a una persona*] rivolgersi, volgersi, ricorrere **3** formarsi, prepararsi.

indirizzàto *part. pass.; anche agg.* orientato, avviato, rivolto (*est.*).

indirìzzo *s. m.* **1** recapito, domicilio, destinazione **2** tendenza, orientamento, piega (*fig.*) **3** direttiva, direzione, linea, impostazione **4** (*est.*) scuola, metodo, stile.

indisciplìna *s. f.* insubordinazione.

indisciplinàto *agg.* **1** insubordinato, ribelle, disubbidiente, indocile, discolo CONTR. disciplinato, ordinato, ubbidiente, subordinato **2** (*est.*) turbolento, ricalcitrante CONTR. ubbidiente **3** [*rif. al traffico*] caotico, disordinato CONTR. disciplinato, ordinato.

indiscretaménte *avv.* indelicatamente CONTR. discretamente.

indiscrèto *agg.* indelicato, curioso, importuno, invadente, insistente CONTR. discreto, riservato, rispettoso.

indiscrezióne s. f. **1** indelicatezza **CONTR.** tatto, discrezione **2** [*spec. con: fare un'*] confidenza, rivelazione.

indiscriminataménte avv. indistintamente, senza distinzione, genericamente **CONTR.** particolarmente, distintamente.

indiscutibile agg. chiaro, evidente, certo, indubbio, irrefutabile, incontestabile, assoluto (*est.*) **CONTR.** arbitrario, gratuito, discutibile, dubbio.

indiscutibilménte avv. incontestabilmente, incontrovertibilmente, inconfutabilmente, incontrastabilmente, manifestamente **CONTR.** discutibilmente.

indispensàbile A agg. **1** necessario, vitale **CONTR.** superfluo, facoltativo (*est.*), ridondante (*fig.*) **2** (*est.*) obbligatorio, irrinunciabile, essenziale **B** s. m. sing. necessario **CONTR.** superfluo.

indispensabilità s. f. inevitabilità.

indispettire A v. tr. indisporre, irritare, urtare, seccare, stizzire, crucciare, fare diventare nervoso, stuzzicare, contrariare **CONTR.** calmare, placare, rabbonire, rasserenare **B** v. intr. pron. stizzirsi, irritarsi, arrabbiarsi, corrugarsi (*scherz.*), scocciarsi, cuocersi (*fig.*), impermalirsi, adirarsi, turbarsi **CONTR.** calmarsi, placarsi, rabbonirsi.

indispettito part. pass.; anche agg. stizzito, irritato, seccato **CONTR.** rabbonito, sereno.

indisponenteménte avv. antipaticamente **CONTR.** simpaticamente, affabilmente.

indispórre v. tr. contrariare, urtare, irritare, indispettire, seccare, stizzire, fare diventare nervoso **CONTR.** attrarre, allettare, lusingare.

indisposizióne s. f. malattia, malessere, disturbo.

indispósto agg. **1** infermo, malato, ammalato **CONTR.** sano **2** ostile, maldisposto, avverso **CONTR.** favorevole, propenso, disposto.

indistintaménte avv. confusamente, indiscriminatamente, nebbiosamente **CONTR.** distintamente, chiaramente.

indistinto agg. **1** indeterminato, vago, impreciso, fumoso, incerto, dubbio **CONTR.** distinto, preciso, definito, evidente **2** [*rif. al suono*] (*est.*) indeterminato, cupo.

indistruttibilménte avv. indelebilmente, solidamente.

individuàle agg. personale, soggettivo **CONTR.** collettivo, comune, generale, complessivo.

individualisticaménte avv. egoisticamente, egocentricamente **CONTR.** altruisticamente, generosamente (*est.*).

individualizzàre v. tr. **1** [*un fine, un difetto, etc.*] individuare, definire **2** [*un insegnamento, un corso*] contraddistinguere, personalizzare **CONTR.** generalizzare.

individualménte avv. singolarmente, personalmente, autonomamente, particolarmente **CONTR.** assemblearmente, pubblicamente, coralmente, collegialmente, collettivamente, cumulativamente.

individuàre A v. tr. **1** [*l'autore di q.c.*] identificare, scoprire, riconoscere **2** [*le cause di q.c.*] identificare, scoprire, determinare, stabilire, scovare (*fam.*), specificare (*est.*) **3** [*qc. in mezzo alla folla*] riconoscere, distinguere, localizzare **4** [*una malattia, etc.*] diagnosticare **5** [*un virus, etc.*] (*est.*) isolare, enucleare **6** [*un problema*] focalizzare **7** [*un fine, un difetto, etc.*] identificare, scoprire, riconoscere, individualizzare **8** [*detto di comportamento, etc.*] caratterizzare, contraddistinguere **B** v. intr. pron. distinguersi.

individuo s. m. **1** persona, creatura, uomo, essere, soggetto, anima, mortale **2** tipo, tizio (*fam.*), caio (*fam.*), sempronio (*fam.*) **3** figuro, ceffo **4** singolo **CONTR.** collettività.

indivisibilità s. f. inv. unità.

indizio s. m. **1** traccia **2** [*di luce, di sole, etc.*] cenno, accenno, barlume, tocco, spiraglio **3** [*di una crisi, di una malattia, etc.*] sintomo, segno, spia, indice, prodromo (*colto*) **4** [*un poco di q.c.*] (*fig.*) traccia, vena, venatura **5** [*di q.c. che deve avvenire*] (*fig.*) odore, sentore, annuncio **6** [*prova materiale di q.c.*] (*est.*) testimonianza, prova, argomento.

indòcile agg. ribelle, indisciplinato **CONTR.** flessibile, docile, arrendevole.

indocilità s. f. inv. (*est.*) cocciutaggine **CONTR.** acquiescenza.

indocilménte avv. insubordinatamente **CONTR.** docilmente, ubbidientemente.

indole s. f. temperamento, carattere, personalità, natura, essenza, stampo (*fig.*), taglio (*fig.*), pasta (*fig.*), tinta (*fig.*), fibra (*fig.*), tempra (*fig.*), qualità, lega (*fig.*), umore (*est.*), animo (*est.*), ingegno.

indolènte agg. pigro, neghittoso, abulico, apatico, molle, ignavo, torpido, negligente, accidioso **CONTR.** alacre, attivo, fervido, operoso, laborioso, indaffarato, gagliardo (*fig.*).

indolenteménte avv. pigramente, svogliatamente, abulicamente, oziosamente, accidiosamente, apaticamente **CONTR.** attivamente, operosamente, alacremente, animatamente, fervorosamente.

indolènza s. f. flemma, placidità, pigrizia, ignavia, neghittosità, accidia, infingardaggine, apatia, abulia, malavoglia, infingardaggine **CONTR.** vitalità, vivacità, alacrità, attivismo, ardore, calore, foga.

indolenzire v. tr. intorpidire.

indòmito agg. **1** invitto (*lett.*), fiero, ribelle, imbattuto, bravo **CONTR.** arrendevole, sottomesso **2** [*rif. agli animali*] selvaggio **CONTR.** domato.

indoràre v. tr. **1** dorare, inaurare (*lett.*) **2** [*detto di luce, sole, etc.*] (*est.*) illuminare.

indossàre v. tr. avere indosso, avere, infilare, infilarsi, calzare (*est.*), mettere, portare, misurare, mettersi, vestire, cingere (*raro*) **CONTR.** togliersi, sfilarsi, levarsi.

indòsso avv. addosso.

indottrinaménto s. m. ammaestramento, insegnamento.

indottrinàre v. tr. **1** catechizzare, ammaestrare (*neg.*), imbeccare (*fig.*) **2** (*est.*) erudire, istruire.

indottrinàto *part. pass.; anche agg.* **1** catechizzato, istruito, ammaestrato **CONTR.** libero, indipendente **2** (*iron.*) addomesticato.

indovinàre *v. tr.* **1** [*il futuro*] prevedere, pronosticare, presentire, annusare (*fig.*), captare, fiutare (*fig.*), predire, vaticinare, presagire, intuire, divinare, profetare, profetizzare, intravedere (*fig.*), odorare (*fig.*) **2** [*i gusti di qc., etc.*] (*fig.*) cogliere, imbroccare, azzeccare, centrare, colpire, decifrare, interpretare **CONTR.** sbagliare.

indovinàto *part. pass.; anche agg.* **1** calzante, appropriato, adeguato, giusto **CONTR.** sbagliato **2** [*rif. al lavoro, allo studio*] brillante, interessante **CONTR.** sbagliato, fallito.

indovinèllo *s. m.* **1** rebus, quiz, rompicapo **2** enigma, mistero.

indovino *s. m.* auspice (*lett.*), augure (*lett.*), negromante.

indubbiaménte *avv.* certamente, sicuramente, categoricamente, incontrastabilmente **CONTR.** chissà, probabilmente.

indùbbio *agg.* certo, evidente, indiscutibile, palese, sicuro (*est.*), innegabile **CONTR.** dubbio, discutibile, equivoco, incerto.

indubitàbile *agg.* certo, sicuro, inequivocabile, innegabile **CONTR.** dubbio, discutibile, incerto.

indugiàre A *v. tr.* differire, dilazionare, prorogare, rinviare, procrastinare, ritardare, traccheggiare **CONTR.** sollecitare, accelerare **B** *v. intr.* **1** esitare, tentennare, temporeggiare, tergiversare, attendere, aspettare **CONTR.** affrettarsi, sbrigarsi **2** intrattenersi (*ass.*), fermarsi, sostare, trattenersi, dilungarsi, attardarsi, soffermarsi, arrestarsi, dimorare, covare (*fig.*), tardare.

indùgio *s. m.* **1** ritardo, arresto **2** esitazione, titubanza.

indulgènte *part. pres.; anche agg.* tollerante, clemente, pietoso, mite, benevolo, benigno, paziente, comprensivo, tenero (*est.*), bonario **CONTR.** severo, rigido, fiscale, rancoroso, disumano, crudo, austero, rigoroso, inquisitorio, moralista, stizzoso.

indulgenteménte *avv.* con indul-

genza, clementemente, con clemenza, bonariamente, benignamente, compassionevolmente, pietosamente **CONTR.** con severità, severamente, fermamente, inflessibilmente, rigorosamente.

indulgènza *s. f.* **1** tolleranza, condiscendenza, clemenza, generosità, venia, compassione, compatimento **CONTR.** spietatezza, inclemenza **2** benevolenza, benignità, favore.

indùlgere *v. intr.* **1** giustificare *un*, perdonare *un* **CONTR.** condannare **2** [*a una richiesta, etc.*] accondiscendere, acconsentire, assecondare, concedere *un* **CONTR.** opporsi **3** [*al sonno, all'amore, etc.*] adagiarsi, abbandonarsi.

indùlto *s. m.* condono, grazia, perdono.

induménto *s. m.* **1** roba (*pop.*) **2** [*tipo di*] maglia, maglione, veste, gonna, braghe, calzoni, mutande, slip, camicia, reggiseno, scialle, tunica, pantaloni.

induriménto *s. m.* **1** rassodamento **CONTR.** rammollimento **2** nodosità, nodo **3** irrigidimento.

indurìre A *v. tr.* **1** assodare, rendere duro, rassodare, pietrificare (*fig.*), consolidare (*raro*) **CONTR.** intenerire, ammollare, fondere **2** [*qc.*] impietrire (*fig.*), rendere insensibile, irrigidire (*fig.*), incallire **CONTR.** intenerire **3** [*qc. in senso fisico*] irrobustire, temprare, rinvigorire, fortificare, assuefare (*est.*), abituare (*est.*) **CONTR.** indebolire **B** *v. intr. pron.* **1** incattivirsi, insprirsi (*fig.*), inacidirsi (*fig.*), ostinarsi, irrigidirsi (*fig.*) **CONTR.** intenerirsi, rammorbidirsi, rammollirsi **2** solidificarsi, rassodarsi, rappigliarsi, coagularsi, rapprendersi, assodarsi, fare presa, consolidarsi, raffermarsi (*tosc.*), pietrificarsi **CONTR.** ammorbidirsi **3** [*detto di pene, etc.*] inturgidirsi **CONTR.** ammosciarsi.

indùrre A *v. tr.* **1** consigliare, convincere, persuadere, spingere, esortare, incitare, invogliare, istigare, invitare **CONTR.** dissuadere, distogliere **2** [*qc. a fare q.c.*] (*est.*) forzare, costringere, piegare (*fig.*), trascinare (*fig.*), obbligare, condurre **3** cagionare, provocare **4** [*sospetti, dubbi, etc.*] (*fig.*) desta-

re **5** (*est.*) inferire **CONTR.** dedurre **6** [*qc. al bene, etc.*] (*est.*) convertire **7** [*qc. all'odio, etc.*] ridurre **B** *v. rifl.* **1** determinarsi, decidersi, risolversi, persuadersi **2** [*a compromessi, etc.*] (*neg.*) scendere (*fig.*).

indùstria *s. f.* fabbrica, azienda, ditta, stabilimento.

industriàrsi *v. intr. pron.* ingegnarsi, darsi da fare, impegnarsi, adoperarsi, arrangiarsi, aiutarsi, sforzarsi, arrabattarsi, studiarsi **CONTR.** oziare, poltrire, bighellonare.

industriosità *s. f. inv.* ingegnosità, operosità, laboriosità **CONTR.** poltroneria.

industrióso *agg.* laborioso, ingegnoso, abile, capace, operoso **CONTR.** disoccupato, ignavo, ozioso, pigro, scioperato.

induzióne *s. f.* ragionamento **CONTR.** deduzione.

inebetìre A *v. tr.* istupidire, stordire, intontire **B** *v. intr. pron.* intontirsi.

inebetìto *part. pass.; anche agg.* frastornato, rintronato, stordito, disorientato, stranito **CONTR.** pronto, sveglio, scosso.

inebriànte *part. pres.; anche agg.* esaltante, elettrizzante, euforizzante, entusiasmante, eccitante **CONTR.** deprimente, triste, avvilente.

inebriàre A *v. tr.* **1** ubriacare, rendere ebbro, sborniare **2** estasiare, rapire (*fig.*), incantare, affascinare, esaltare, rallegrare **CONTR.** rattristare, deprimere **B** *v. intr. pron.* **1** ubriacarsi **2** esaltarsi, entusiasmarsi, eccitarsi **CONTR.** deprimersi.

ineccepìbile *agg.* irreprensibile, corretto, encomiabile (*est.*), irrefutabile, incensurabile **CONTR.** biasimevole, irregolare, illegale (*est.*).

ineccepibilménte *avv.* irreprensibilmente, correttamente **CONTR.** irregolarmente, illegalmente (*est.*).

inèdito A *agg.* **1** non pubblicato, manoscritto **CONTR.** vecchio, visto, frusto **2** nuovo, originale, esclusivo, sconosciuto (*est.*) **B** *s. m.* manoscritto.

ineducataménte *avv.* sgarbatamente **CONTR.** educatamente, cortesemente, signorilmente.

ineducazióne s. f. maleducazione, villania, inurbanità, inciviltà, sgarbatezza **CONTR.** educazione.

ineffàbile agg. *1* indicibile, inesprimibile, indefinibile, inenarrabile, indescrivibile **CONTR.** definibile *2* (*neg.*) (*iron.*) inimitabile, unico **CONTR.** piccolo, insignificante.

ineffabilménte avv. celestialmente.

inefficàce agg. inutile, vano, sterile **CONTR.** efficace, proficuo, consistente, icastico (*colto*), portentoso (*fam.*).

inefficàcia s. f. *1* inutilità, futilità, vanità, inanità **CONTR.** utilità, efficacia, validità, valore *2* [*di un'azione*] sterilità (*fig.*), improduttività.

inefficiènte agg. improduttivo, incapace, inetto, cattivo (*fam.*) **CONTR.** efficiente, attivo, utile (*est.*).

inefficiènza s. f. incapacità, incompetenza, imperizia **CONTR.** efficienza, abilità, capacità, fattività.

ineguagliàbile agg. inimitabile, impareggiabile, incomparabile, imparagonabile, inarrivabile, unico **CONTR.** eguagliabile, simile, analogo.

ineguàle o **inuguàle** agg. *1* diverso, distinto **CONTR.** uguale *2* [*rif. a un moto, a un movimento*] (*est.*) discontinuo, variabile, incostante, irregolare **CONTR.** uguale, regolare *3* [*rif. a una superficie*] scabro, difforme, variato **CONTR.** regolare, liscio.

inelegànte agg. *1* [*rif. all'aspetto*] trasandato, dimesso, sciatto, rozzo (*est.*), ordinario **CONTR.** elegante, fine, raffinato, distinto, chic (*fr.*), bello *2* [*rif. all'atteggiamento*] goffo, sgraziato, grossolano, volgare **CONTR.** raffinato, bello.

inelegantemente avv. trascuratamente, malamente **CONTR.** elegantemente.

inelegànza s. f. sciatteria **CONTR.** eleganza.

ineluttàbile agg. inevitabile, inesorabile, fatale.

ineluttabilménte avv. fatalmente,

inevitabilmente, inesorabilmente.

inenarràbile agg. *1* indicibile, indescrivibile, ineffabile **CONTR.** definibile *2* (*est.*) meraviglioso, stupendo, favoloso, unico, impareggiabile **CONTR.** comune, ordinario, modesto.

inequivocàbile agg. indubitabile, evidente, chiaro, netto **CONTR.** incerto, equivoco, ambiguo.

inequivocabilménte avv. inconfondibilmente, manifestamente **CONTR.** equivocamente, dubbiosamente.

inerènza s. f. appartenenza, attinenza, competenza, spettanza, pertinenza, ragione (*raro*).

inèrme agg. *1* indifeso, scoperto, disarmato, nudo **CONTR.** armato *2* (*est.*) sprovveduto.

inerpicàrsi v. intr. pron. arrampicarsi, salire, scalare, aggrapparsi (*est.*) **CONTR.** scendere.

inèrte agg. *1* apatico, abulico, passivo, inattivo, ozioso, inoperoso, pigro **CONTR.** alacre, operoso, attivo *2* statico, immobile *3* (*fig.*) morto, vivace, vivo, attivo **CONTR.** vivace.

inèrzia s. f. *1* oziosità, inattività, inoperosità, ozio **CONTR.** attività, dinamicità, mobilità, moto *2* oziosità, passività, immobilità, rassegnazione *3* quiescenza, stasi, quiete.

inesattaménte avv. erroneamente, impropriamente **CONTR.** propriamente, esattamente, puntualmente.

inesattézza s. f. *1* [*di una notizia, etc.*] imprecisione, erroneità, scorrettezza **CONTR.** esattezza, fedeltà *2* imperfezione, imprecisione, scorrettezza, errore, sbaglio.

inesàtto agg. *1* impreciso, approssimato, difettoso, approssimativo **CONTR.** corretto, preciso, esatto *2* (*est.*) erroneo, sbagliato, errato, scorretto *3* (*est.*) distorto **CONTR.** fedele.

inesoràbile agg. *1* [*rif. al destino*] ineluttabile, inevitabile, fatale *2* [*rif. a una persona*] (*fig.*) implacabile, inclemente, irremovibile, spietato, crudele **CONTR.** clemente, dolce, pietoso.

inesorabilità s. f. inv. spietatezza, implacabilità, ferocia, crudeltà **CONTR.**

pietà, compassione.

inesorabilménte avv. *1* implacabilmente **CONTR.** mitemente *2* ineluttabilmente, inevitabilmente.

inesperiènza s. f. *1* imperizia, incompetenza **CONTR.** esperienza, dimestichezza, competenza, sapienza, abilità *2* (*est.*) ingenuità, semplicità **CONTR.** esperienza.

inespèrto agg. *1* impreparato, ignaro, profano (*fig.*) **CONTR.** esperto, ferrato, abile, bravo, provetto (*fam.*), capace, competente, pratico, specializzato, agguerrito (*fig.*) *2* (*est.*) ingenuo, giovane, semplice, imberbe (*scherz.*), novizio (*fig.*).

inesplicàbile agg. incomprensibile, impenetrabile, misterioso, oscuro **CONTR.** comprensibile, intuibile.

inesplicabilménte avv. incomprensibilmente, inintelligibilmente, misteriosamente **CONTR.** intelligibilmente, comprensibilmente.

inesploràto agg. sconosciuto, ignorato, ignoto, misterioso (*est.*) **CONTR.** noto, conosciuto.

inespressìvo agg. *1* piatto, scialbo, banale **CONTR.** eloquente, espressivo *2* [*rif. allo sguardo*] vitreo, freddo, dilatato **CONTR.** vivace, vivo.

inesprèsso agg. *1* muto, tacito **CONTR.** manifesto, palese *2* latente.

inesprimìbile agg. ineffabile, indicibile, indescrivibile **CONTR.** definibile, esprimibile.

inespugnàbile agg. imprendibile, inconquistabile, invincibile **CONTR.** espugnabile, conquistabile, afferrabile (*est.*).

inestimàbile agg. inapprezzabile.

inettitùdine s. f. incapacità, incompetenza, dappocaggine, imperizia **CONTR.** valentia, abilità, attitudine.

inètto agg. *1* incapace, inefficiente, inabile, maldestro, goffo, buono a nulla **CONTR.** abile, capace, competente, dotato, astuto (*est.*), ingegnoso, valente *2* (*est.*) impotente *3* (*fig.*) fasullo.

inevitàbile agg. *1* ineluttabile, inesorabile, fatale **CONTR.** eludibile, evitabile **2** (*est.*) necessario **3** (*est.*) obbligatorio, forzato.

inevitabilità *s. f.* indispensabilità.

inevitabilménte *avv.* inesorabilmente, ineluttabilmente, necessariamente, obbligatoriamente, immancabilmente.

inèzia *s. f.* minuzia, piccolezza, sciocchezza, bazzecola, quisquilia, nonnulla, stupidaggine, briciola, bagattella, niente, miseria, aggeggio, bubbola.

infagottàre *A v. tr.* **1** imbaccucare, coprire bene, avvolgere, involtare **2** [*detto di abito, etc.*] insaccare, incappottare *B v. rifl.* imbaccucarsi, avvolgersi, affagottarsi, insaccarsi, coprirsi.

infamànte *part. pres.; anche agg.* **1** diffamatorio, denigratorio, ingiurioso, oltraggioso **2** disonorevole, turpe **CONTR.** onorevole, encomiabile, lodevole.

infamàre *A v. tr.* **1** [*qc.*] calunniare, disonorare, screditare, diffamare, bollare (*fig.*), denigrare **CONTR.** elogiare, onorare **2** [*la fama, la memoria*] (*fig.*) insozzare, insudiciare, infangare, macchiare, oscurare, profanare *B v. rifl.* disonorarsi, coprirsi di infamia, screditarsi, infangarsi (*fig.*), macchiarsi (*fig.*) **CONTR.** gloriarsi, distinguersi.

infamàto *part. pass.; anche agg.* disonorato, offeso, vilipeso, ferito (*fig.*), mortificato, leso (*fig.*), umiliato.

infàme *agg.* **1** vile, ignobile, scellerato, abietto, turpe, bieco, nefando, empio, vigliacco, scandaloso, obbrobrioso, rio (*lett.*) **CONTR.** glorioso, meritevole, lodevole, nobile **2** (*scherz.*) pessimo.

infàmia *s. f.* **1** [*spec. con: ricoprire di*] ignominia, onta, disonore, disdoro, vergogna **CONTR.** gloria, onore **2** [*qualità dell'animo*] (*neg.*) scelleratezza, abiezione, scellerataggine, crudeltà **3** calunnia **4** [*l'azione*] boiata, carognata, nefandezza, crudeltà, scelleratezza.

infangàre *A v. tr.* **1** macchiare, insudiciare, insozzare, inzaccherare, immelmare (*raro*) **CONTR.** spazzolare, pulire, smacchiare **2** [*qc.*] (*est.*) diso-

norare, infamare, calunniare, screditare **CONTR.** elogiare, onorare, rispettare, accreditare **3** (*gener.*) sporcare *B v. rifl.* **1** inzaccherarsi, immelmarsi **2** (*gener.*) sporcarsi **3** (*est.*) disonorarsi, infamarsi, screditarsi.

infànte *A s. m.* neonato, poppante, bambino, bimbo, pupo, baby (*ingl.*), bebè **CONTR.** vecchio, anziano, uomo, adulto, ragazzo, giovinetto, adolescente *B agg.* infantile, puerile.

infantile *agg.* [*rif. all'atteggiamento*] fanciullesco, puerile, bambinesco, immaturo (*est.*), sciocco (*est.*) **CONTR.** adulto, maturo.

infantilìsmo *s. m.* (*est.*) immaturità **CONTR.** maturità.

infantilménte *avv.* bambinescamente, puerilmente.

infànzia *s. f.* puerizia (*lett.*) **CONTR.** adolescenza, pubertà, giovinezza, maturità, vecchiaia.

infastidìre *A v. tr.* dare fastidio *a*, molestare, importunare, disturbare, incomodare, stancare, scocciare (*fam.*), nauseare, seccare, annoiare, tediare, contrariare, disgustare, innervosire, assediare (*fig.*), asfissiare (*fig.*), assillare, crucciare, scomodare, stufare (*fam.*), offendere, ossessionare, perseguitare, punzecchiare (*fig.*), rompere (*volg.*), assordare (*fig.*), mitragliare (*fig.*), essere di troppo **CONTR.** deliziare, dilettare, divertire, compiacere, rallegrare, interessare *B v. intr. pron.* **1** seccarsi, annoiarsi, scocciarsi, scazzarsi (*volg.*), stufarsi (*fam.*), tediarsi **CONTR.** deliziarsi, dilettarsi, divertirsi, rallegrarsi **2** indignarsi, offendersi.

infastidìto *part. pass.; anche agg.* seccato, annoiato, nauseato, schifato, insofferente **CONTR.** lieto.

infaticàbile *agg.* instancabile, indefesso **CONTR.** stanco, affaticato.

infaticabilménte *avv.* indefessamente, instancabilmente, senza sosta **CONTR.** debolmente, fiaccamente, stancamente.

infàtti *cong.* appunto, proprio, difatti, invero **CONTR.** viceversa, al contrario.

infattìbile *agg.* inattuabile, irrealizzabile, impossibile **CONTR.** eseguibile,

fattibile, possibile.

infatuàre *A v. tr.* entusiasmare, esaltare, infervorare, invasare **CONTR.** deprimere, demoralizzare, angosciare *B v. intr. pron.* infervorarsi, esaltarsi, entusiasmarsi, impazzire (*fig.*), invasarsi **CONTR.** deprimersi, demoralizzarsi, disilludersi.

infatuazióne *s. f.* **1** innamoramento, sbandata (*fig.*), passione, ubriacatura (*fig.*), cotta (*fam.*) **2** esaltazione, entusiasmo.

infàusto *agg.* **1** [*rif. a un giorno, a un evento*] sfortunato, malaugurato, infelice, sventurato, amaro, crudele, maledetto **CONTR.** fausto, felice **2** [*rif. all'esito, a una previsione*] mortale, nefasto, sfavorevole **CONTR.** fausto, felice, propizio, prospero.

infecondità *s. f. inv.* **1** sterilità **CONTR.** fecondità **2** improduttività.

infecóndo *agg.* **1** sterile, improduttivo, infruttifero **CONTR.** fecondo, fertile, prolifico, produttivo **2** (*fig.*) sterile, vano **3** (*fig.*) arido, povero.

infedéle *A agg.* **1** sleale, falso, infido, sleale **CONTR.** fedele, fidato, fido, leale, retto **2** [*rif. al sentire religioso*] pagano **CONTR.** religioso *B s. m. e f.* pagano.

infedeltà *s. f. inv.* **1** slealtà **CONTR.** fedeltà **2** [*l'azione*] tradimento, adulterio **3** [*rispetto all'originale*] (*est.*) falsità.

infelice *A agg.* **1** [*rif. a una persona*] misero, sventurato, disgraziato, miserando, tapino, triste, amareggiato, sfortunato **CONTR.** felice, beato, contento **2** [*rif. a un'opera teatrale*] sfortunato, brutto, mal riuscito **CONTR.** felice **3** [*rif. a un argomento*] inopportuno, sconveniente **CONTR.** felice **4** [*rif. all'esito, a una previsione*] sfortunato, sfavorevole, avverso, infausto, negativo, tristo **CONTR.** felice, propizio **5** [*rif. a un giorno, a un evento*] sfortunato, dannato **CONTR.** felice, prospero *B s. m. e f.* minorato, disgraziato.

infeliceménte *avv.* **1** sfortunatamente, sciaguratamente, purtroppo **CONTR.** con buon esito, felicemente **2** compassionevolmente, miseramente **CONTR.** felicemente, prosperamente.

infelicità s. f. inv. tristezza, afflizione, scontentezza, sconforto, disperazione CONTR. felicità, beatitudine, allegria, gioia.

infelicitàre v. tr. e intr. pron. amareggiare, addolorare, affliggere, angustiare, accorare, contristare CONTR. rallegrare, divertire.

inferènza s. f. 1 deduzione 2 ragionamento.

inferi s. m. pl. inferno, ade (lett.), oltretomba, tartaro (lett.), orco (lett.), averno (lett.), aldilà.

inferióre A agg. 1 sottostante CONTR. superiore 2 minore, secondo CONTR. superiore 3 (neg.) subalterno, subordinato B s. m. e f. sottoposto, subalterno.

inferiorità s. f. inv. subordinazione, dipendenza CONTR. supremazia, superiorità.

inferiorménte avv. sotto, di sotto, giù CONTR. su, superiormente.

inferire v. tr. 1 [q.c. da un discorso, etc.] argomentare, dedurre, desumere, arguire, fare inferenze, concludere, indurre 2 [un colpo, una pugnalata] infliggere, assestare.

infermière s. m. (f. -a) portantino (est.).

infermità s. f. malattia, malanno, acciacco.

infermo A s. m. (f. -a) 1 ammalato, malato, paziente 2 [in ospedale, etc.] degente B agg. ammalato, malato, indisposto, acciaccato, malaticcio CONTR. sano, vegeto.

infernàle agg. 1 diabolico CONTR. celeste 2 (neg.) (fam.) grande, straordinario, terribile CONTR. piccolo, insignificante.

inférno s. m. 1 ade (lett.), inferi, oltretomba, tartaro (lett.), orco (lett.), abisso (fig.) CONTR. paradiso, empireo, eden 2 [morale] (est.) tormento, tortura.

inferocire A v. intr. imperversare, incrudelire, infierire CONTR. rabbonirsi, raddolcirsi, placarsi, impietosirsi B v. intr. pron. imbestialirsi, infuriarsi.

inferriàta s. f. cancellata.

infervoràre A v. tr. entusiasmare, accendere (fig.), appassionare, infiammare (fig.), scaldare (fig.), elettrizzare (fig.), incendiare (fig.), infatuare, incitare CONTR. deprimere, raffreddare B v. intr. pron. entusiasmarsi, accalorarsi, animarsi, appassionarsi, accendersi (fig.), incendiarsi (fig.), elettrizzarsi (fig.), infatuarsi, eccitarsi, infiammarsi (fig.), invasarsi, scaldarsi (fig.), riscaldarsi CONTR. deprimersi, raffreddarsi, intiepidirsi, disanimarsi.

infervoràto part. pass.; anche agg. acceso, entusiasmato, appassionato, animato, invasato CONTR. pacato, fiacco, svogliato.

infestàre v. tr. 1 invadere, devastare (est.) CONTR. disinfestare, sanare 2 (est.) contaminare, infettare, inquinare.

infettàre A v. tr. 1 contagiare, ammorbare, appestare, avvelenare, inquinare, ammalare, guastare, infestare, intossicare, viziare, contaminare CONTR. depurare, disinfettare, sanare 2 (est.) corrompere, depravare, pervertire B v. intr. pron. ammalarsi, contagiarsi, contaminarsi.

infettivo agg. (med.) contagioso.

infètto agg. 1 contaminato, inquinato, putrido CONTR. asettico, disinfettato, sterilizzato, pulito, sano 2 [rif. a una materia organica] guasto, marcio 3 [rif. all'ambiente, a una situazione] (fig.) putrido, guasto, marcio, corrotto, depravato CONTR. sano, onesto, puro.

infeudàre v. tr. sottomettere, asservire, assoggettare CONTR. emancipare.

infezióne s. f. 1 contagio, epidemia 2 infiammazione 3 (raro) contaminazione.

infiacchiménto s. m. indebolimento.

infiacchìre A v. tr. 1 debilitare, rendere fiacco, indebolire, fiaccare, estenuare, prostrare, abbattere (fig.), svigorire, rammollire (fig.), evirare (fig.), illanguidire CONTR. corroborare, imbaldanzire, irrobustire, rafforzare, invigorire, rinvigorire, gagliardire, ricostituire 2 impigrire, impoltronire, infingardire, intorpidire B v. intr. pron. 1 indebolirsi, debilitarsi, stancarsi, fiac-

carsi, illanguidirsi, estenuarsi, svigorirsi, rammollirsi (fig.), marcire (fig.) CONTR. corroborarsi, irrobustirsi, rafforzarsi, invigorirsi, rinvigorirsi, ricostituirsi 2 impigrirsi (fig.), imbolsire, impoltronirsi, intorpidirsi, infrollirsi CONTR. destarsi, ricrearsi.

infiammàre A v. tr. 1 dare fuoco a, accendere, incendiare, bruciare, ardere, arroventare, infuocare, avvampare (raro) CONTR. estinguere, spegnere 2 [la folla] (est.) aizzare, sobillare, incitare CONTR. rabbonire 3 [la fantasia, l'interesse] (est.) ridestare, stimolare CONTR. smorzare 4 [l'animo] (est.) entusiasmare, infervorare, scaldare (fig.), infuocare (fig.), riscaldare (fig.) CONTR. smorzare, intiepidire 5 [detto di sostanza] (est.) irritare, gonfiare CONTR. disinfiammare, sgonfiare B v. intr. pron. 1 accendersi, divampare, incendiarsi, infuocarsi, avvampare CONTR. estinguersi, spegnersi 2 (est.) appassionarsi, accalorarsi, eccitarsi, innamorarsi, entusiasmarsi, infervorarsi, invaghirsi CONTR. intiepidirsi 3 [detto di guance, di cielo, etc.] arrossire 4 (est.) adirarsi, irritarsi, scaldarsi (fig.), riscaldarsi (fig.).

infiammazióne s. f. 1 infezione, flogosi (med.) 2 (est.) irritazione, bruciore.

inficiàre v. tr. invalidare, infirmare, viziare CONTR. convalidare, ratificare.

infido agg. 1 doppio, subdolo, falso, tristo, insidioso CONTR. affidabile, fidato, fido, franco, schietto 2 [rif. a una persona] (fig.) viscido, untuoso, mellifluo, scivoloso, sospetto 3 [rif. allo sguardo] (fig.) traverso, obliquo.

infierire v. intr. 1 accanirsi, incrudelire, inveire, inferocire, inasprirsi CONTR. mitigarsi, placarsi 2 [detto di guerra, etc.] ardere, imperversare, infuriare.

infievolire A v. tr. indebolire, affievolire CONTR. rafforzare, invigorire, rinvigorire B v. intr. pron. indebolirsi, affievolirsi, svigorirsi CONTR. rafforzarsi, invigorirsi, rinvigorirsi.

infìggere A v. tr. 1 immergere, conficcare, ficcare dentro, piantare, ficcare, configgere CONTR. sconficcare, strappare, svellere 2 [una pena, una sanzione] irrogare (raro), applicare B v. intr. pron. piantarsi, inchiodarsi.

infilàre A v. tr. **1** [abiti, occhiali, etc.] indossare, calzare, vestire **CONTR.** sfilare, togliere **2** [qc., q.c.] inflzare, trafiggere, penetrare **3** [un bersaglio, etc.] imbroccare, azzeccare **4** [dentro q.c.] immettere, immergere, introdurre, conficcare, ficcare, incuneare **CONTR.** estrarre **5** [la porta, la strada, etc.] imboccare **6** [qc. in un ambiente] intrufolare **7** [q.c. nella testa di qc.] insinuare **B** v. rifl. **1** immettersi, cacciarsi, ficcarsi, mettersi, imbucarsi, gettarsi, tuffarsi (fig.), introdursi **2** intrufolarsi, immischiarsi, impicciarsi, ingerirsi **3** mettersi tra, insinuarsi, incunearsi, frapporsi **C** v. intr. pron. **1** mettersi dentro, incastrarsi, entrare, entrare dentro, entrare all'interno, penetrare **CONTR.** uscire **2** [un abito] mettersi, indossare **CONTR.** togliersi.

infiltràrsi v. intr. pron. **1** [detto di gas, di acqua, etc.] penetrare, trapelare **CONTR.** uscire **2** [detto di dubbio, etc.] (fig.) insinuarsi, introdursi, impadronirsi, serpeggiare.

infilzàre v. tr. trafiggere, ferire, infilare, trapassare, passare.

infimo agg. **1** ultimo, basso, minimo **CONTR.** eccellente, eccelso, sommo, supremo **2** (est.) misero **3** (scherz.) pessimo.

infine avv. finalmente, in conclusione, da ultimo, in ultimo, in fondo, in poche parole **CONTR.** innanzitutto.

infingardàggine s. f. pigrizia, indolenza, svogliatezza, poltroneria, poltronaggine, fannullaggine, oziosità, neghittosità, malavoglia **CONTR.** alacrità, solerzia, volontà, laboriosità, zelo.

infingardire A v. tr. impigrire, impoltronire, infiacchire **CONTR.** animare, risvegliare **B** v. intr. pron. impigrirsi, impoltronirsi, intorpidirsi **CONTR.** animarsi, svegliarsi, scuotersi.

infingàrdo agg. neghittoso, pigro, svogliato, ignavo, scioperato, gaglioffo **CONTR.** alacre, svelto, operoso, solerte, sollecito.

infinitaménte avv. illimitatamente, incommensurabilmente, enormemente **CONTR.** limitatamente, finitamente, per nulla (est.), minimamente.

infinitesimàle agg. minuscolo, picci-no, piccolo, microscopico **CONTR.** enorme, gigantesco.

infinito A agg. **1** [rif. allo spazio] illimitato, sterminato, immenso, sconfinato, enorme, interminabile, profondo **CONTR.** limitato, scarso, stretto **2** [rif. a una quantità, a un numero] innumerevole, incalcolabile **CONTR.** limitato, scarso **B** s. m. sing. assoluto.

infinocchiàre v. tr. imbrogliare, ingannare, aggirare (fig.), raggirare, abbindolare, gabbare, circuire, mistificare, turlupinare, fregare (fam.), ingarbugliare (raro).

infiocchettàre v. tr. ornare con fiocchi, abbellire, guarnire.

infioràre v. tr. **1** adornare con i fiori, coprire di fiori **2** [un discorso, etc.] (est.) condire (fig.), abbellire, ornare, adornare, impreziosire, rallegrare (fig.), infiorettare (fig.), lardellare (fig.).

infiorettàre v. tr. **1** impreziosire, infiorare (fig.) **2** [un discorso, etc.] impreziosire, ornare, lardellare (fig.).

infirmàre v. tr. **1** invalidare, rendere non valido, infficiare, annullare, impugnare, viziare **CONTR.** convalidare, giustificare, confermare, ratificare, legalizzare, legittimare **2** contestare, confutare, ribattere **CONTR.** approvare.

infischiàrsi v. intr. pron. **1** disprezzare, impiparsi (volg.), disinteressarsi, ridersi (fam.) **CONTR.** curarsi, preoccuparsi, interessarsi, impensierirsi, impicciarsi, occuparsi, pensare **2** [nella forma: infischiarsene] fregarsene (fam.), fottersene (volg.), sbattersene (volg.), non dare importanza, non fare caso, ridersi (fam.) **CONTR.** preoccuparsi.

infisso (1) s. m. imposta.

infisso (2) s. m. (ling.) affisso.

infittire A v. tr. **1** ispessire, addensare **CONTR.** diradare, dissipare, dissolvere **2** infoltire, empire, riempire **CONTR.** sfoltire, rarefare, intervallare **B** v. intr. pron. addensarsi, infoltirsi, ispessirsi **CONTR.** diradarsi, dissiparsi, dissolversi, sfoltirsi, rarefarsi.

inflazionàre v. tr. **1** svalutare **CONTR.** rivalutare **2** [il mercato] (econ.) gon-fiare, riempire.

inflessibile agg. **1** rigido, duro **CONTR.** flessibile, cedevole, elastico, duttile, plasmabile, pieghevole, sinuoso **2** [rif. a una persona] irremovibile, intransigente, implacabile, monolitico (fig.), inclemente, bronzeo (fig.) **CONTR.** flessibile, cedevole, elastico, duttile, eclettico, accomodante, arrendevole, clemente, conciliante, condiscendente.

inflessibilità s. f. rigidezza, intransigenza, rigidità, implacabilità **CONTR.** flessibilità, pietà.

inflessibilménte avv. ferreamente, irremovibilmente, implacabilmente, intransigentemente, irriducibilmente, rigidamente **CONTR.** indulgentemente.

inflessióne s. f. **1** accento, calata **2** cadenza **3** intonazione.

infliggere v. tr. **1** [una multa, una pena] dare, fare subire, imporre, assegnare, applicare, impartire, inferire (raro) **2** [un colpo, un pugno, etc.] dare, menare, assestare.

influènte part. pres.; anche agg. potente, autorevole, importante **CONTR.** insignificante.

influènza s. f. **1** ascendente, influsso **2** peso (fig.), ruolo, impatto **3** importanza, potere, potenza, autorevolezza, credito, autorità, prestigio.

influenzàbile agg. debole, fragile, instabile, suggestionabile, volubile **CONTR.** fermo, deciso, risoluto.

influenzàre v. tr. influire su, avere influenza su, dominare, impressionare, suggestionare, guidare (fig.), manovrare (fig.), plagiare, condizionare, permeare (fig.).

influenzàrsi v. intr. pron. prendersi l'influenza.

influire v. intr. **1** avere influenza, influenzare un, incidere, agire (fig.), operare, pesare (fig.), determinare **2** riflettersi (fig.).

influsso s. m. influenza, potenza (est.).

infocàre v. tr. e intr. pron. V. infuocare.

infocàto *part. pass.; anche agg.* V. *infuocato.*

infoderàre *v. tr.* rinfoderare, inguainare CONTR. sfoderare, sguainare.

infognàrsi *v. intr. pron.* impelagarsi, impantanarsi, invischiarsi, impegolarsi CONTR. liberarsi, uscire.

infoltiménto *s. m.* [*di un bosco, etc.*] addensamento CONTR. sfoltimento, diradamento.

infoltire *A v. tr.* infittire, addensare, ispessire CONTR. sfoltire, rarefare *B v. intr. pron.* infittirsi, addensarsi, ispessirsi CONTR. diradarsi, sfoltirsi, rarefarsi.

infondataménte *avv.* ingiustificatamente, gratuitamente, arbitrariamente CONTR. con fondatezza, fondatamente.

infondàto *agg.* immotivato, ingiustificato, illegittimo, irragionevole, illecito, ingiusto, falso (*est.*) CONTR. fondato, forte, attendibile, legittimo (*est.*).

infóndere *v. tr.* **1** [*paura, amore, etc.*] mettere, incutere, suscitare, ispirare, destare **2** [*coraggio, forza, etc.*] conferire, trasmettere, comunicare **3** [*q.c. nella mente, etc.*] mettere, insinuare, instillare, inculcare, imprimere, stillare (*raro*) **4** [*allegria in un ambiente*] (*est.*) diffondere.

inforcàre *v. tr.* **1** [*la bicicletta, etc.*] salire *in su*, montare **2** [*il cavallo*] montare, balzare *su* **3** [*gli occhiali*] mettersi.

informàre *A v. tr.* **1** [*qc.*] avvertire, aggiornare, avvisare, illuminare (*fig.*), ragguagliare, preavvertire, mettere al corrente, tenere al corrente **2** [*q.c. a qc.*] fare conoscere, fare sapere, comunicare, annunciare, relazionare, notificare, anticipare, preannunciare, partecipare **3** [*qc. in senso educativo*] (*est.*) formare, educare, preparare, erudire, istruire **4** [*il carattere, la vita*] (*fig.*) conformare, disporre, indirizzare, caratterizzare, dare forma, modellare, improntare, plasmare *B v. intr. pron.* **1** [*presso qc. di q.c.*] sentire *un*, consigliarsi, consultarsi, consultare *un*, interrogare *un* **2** [*di q.c.*] chiedere *un*, cercare *un*, domandare *un*, tenersi al corrente **3** istruirsi, aggiornarsi, ragguagliarsi.

informàtica *s. f.* (*gener.*) scienza, disciplina.

informatizzàre *v. tr.* **1** educare all'informatica **2** automatizzare.

informàto *part. pass.; anche agg.* consapevole, edotto, avvisato, istruito CONTR. ignorante.

informatóre *s. m.* (*f.* -*trice*) spia, confidente, delatore.

informazióne *s. f.* **1** ragguaglio, notizia, indicazione, delucidazione **2** rapporto, annuncio, avviso, comunicato.

infórme *agg.* **1** amorfo, irregolare, imperfetto, confuso, grezzo (*fig.*) CONTR. bello, ben fatto, formato, sagomato **2** [*rif. allo stile*] (*est.*) amorfo, confuso, sciatto CONTR. garbato.

informicolirsi *v. intr. pron.* formicolare, intormentirsi, ingranchirsi, essere intorpidito, intorpidirsi CONTR. sgranchirsi.

infortunàrsi *v. intr. pron.* subire un infortunio, ferirsi.

infortùnio *s. m.* incidente, accidente, disgrazia, guaio, disavventura.

infoscàre *v. intr. pron.* oscurarsi.

infossaménto *s. m.* incavo, avvallamento, buca, cavità, incavatura.

infossàre *A v. tr.* **1** mettere in una fossa, seppellire, sotterrare CONTR. dissotterrare, disseppellire **2** [*le guance, etc.*] incavare *B v. intr. pron.* **1** incavarsi, incassarsi, avvallarsi CONTR. riempirsi **2** affondare, sprofondare, immergersi.

infossàto *part. pass.; anche agg.* incavato, cavo CONTR. convesso, rilevato, prominente.

infradiciàre *A v. tr.* inzuppare, ammollare, bagnare CONTR. asciugare, essiccare, prosciugare *B v. intr. pron.* **1** bagnarsi, inzupparsi, ammollarsi CONTR. asciugarsi, seccarsi **2** (*est.*) decomporsi, guastarsi, imputridire, marcire, putrefarsi.

inframméttere *A v. tr.* interporre, intervallare, intercalare, frapporre, frammettere *B v. intr. pron.* ingerirsi, immischiarsi, impicciarsi, frammettersi, intromettersi, intrigare, mettersi tra

CONTR. disinteressarsi.

inframmezzàre *v. tr.* intervallare, intercalare, inserire, mettere nel mezzo, frammischiare, frammescolare, intramezzare, frammezzare, alternare, punteggiare (*fig.*).

infràngere *A v. tr.* **1** rompere, spezzare, forzare, fracassare, frangere (*raro*), frantumare, sfasciare, spaccare, stritolare CONTR. riparare [*la legge, i patti, etc.*] rompere, trasgredire, violare, contravvenire *a*, derogare *da* (*bur.*) CONTR. rispettare, osservare *B v. intr. pron.* **1** spezzarsi, rompersi, frantumarsi, fracassarsi, sfasciarsi, spaccarsi, stritolarsi, spezzettarsi, frangersi [*detto di speranze, illusioni*] (*fig.*) cadere, finire, svanire, fiaccarsi.

infrànto *part. pass.; anche agg.* **1** (*anche fig.*) spezzato, rotto, frantumato CONTR. cementato (*fig.*) **2** [*rif. a una legge, a un'abitudine*] (*fig.*) violato, profanato.

infrazióne *s. f.* **1** trasgressione, violazione, inosservanza, contravvenzione, strappo (*fig.*) **2** reato.

infreddàre *v. intr. pron.* raffreddarsi, prendere il raffreddore.

infreddolire *v. intr. pron.* raffreddarsi, gelarsi, rabbrividire (*est.*).

infrequènte *agg.* **1** inconsueto, insolito, sporadico CONTR. frequente, consueto, abituale **2** raro, scarso.

infrequenteménte *avv.* raramente, di rado, poche volte, eccezionalmente CONTR. frequentemente, spesso, reiteratamente.

infrequènza *s. f.* rarità, radezza (*raro*) CONTR. frequenza, assiduità.

infrollire *A v. tr.* frollare, intenerire *B v. intr. pron.* infiacchirsi, fiaccarsi, indebolirsi, svigorirsi CONTR. rafforzarsi, rinvigorirsi.

infronzolàre *v. tr.* coprire di fronzoli, abbigliare, agghindare, bardare (*scherz.*), addobbare.

infruttifero *agg.* **1** improduttivo, sterile, infecondo, morto (*fig.*) CONTR. fiorente, prospero, fruttifero, florido, produttivo **2** inutile, vano CONTR. utile, vantaggioso.

infruttuosaménte avv. invano, inutilmente, vanamente CONTR. con profitto, fruttuosamente, proficuamente.

infuocàre o **infocàre** A v. tr. infiammare, arroventare, accendere, incendiare, incenerire (est.) CONTR. spegnere, estinguere, smorzare B v. intr. pron. infiammarsi, accendersi, incendiarsi, avvampare, divampare CONTR. spegnersi, estinguersi.

infuocàto o **infocàto** part. pass.; anche agg. 1 arroventato, caldo, ardente, torrido, bollente CONTR. freddo, gelido 2 [rif. all'animo] ardente, appassionato, eccitato.

infurbire A v. tr. svegliare, scaltrire CONTR. istupidire B v. intr. pron. diventare furbo, scaltrirsi CONTR. rincretinire, istupidire, rimbambire, rincretinirsi.

infuriàre A v. intr. [detto di vento, di tempesta, etc.] infierire, imperversare, scatenarsi, sfrenarsi, divampare, soffiare, incrudelire CONTR. calmarsi, placarsi, cessare, acquietarsi B v. intr. pron. adirarsi, alterarsi, arrabbiarsi, sdegnarsi, esasperarsi, imbestialirsi, incollerirsi, indignarsi, corrucciarsi, irritarsi, incazzarsi (volg.), incavolarsi (fam.), avvelenarsi (fig.), inferocirsi CONTR. acquietarsi, calmarsi, mitigarsi, placarsi, rabbonirsi, rasserenarsi, pacarsi.

infuriàto part. pass.; anche agg. adirato, arrabbiato, furioso, rabbioso, irato, incavolato (fam.), incazzato (volg.) CONTR. calmo, tranquillo, placido.

infùso s. m. 1 pozione, tisana 2 [rif. alla magia] filtro.

ingaggiàre v. tr. 1 [militari] (mil.) assoldare, reclutare, arruolare, coscrivere CONTR. congedare 2 [lavoratori, artisti, etc.] scritturare, assumere, acquistare, impiegare CONTR. licenziare 3 [una gara, una battaglia] cominciare, iniziare, avviare, attaccare.

ingàggio s. m. 1 acquisto, assunzione, scrittura, scritturazione 2 cachet (fr.).

ingagliardire A v. tr. rinforzare, fortificare, rinvigorire, invigorire, irrobustire CONTR. indebolire, debilitare, infiacchire, illanguidire, snervare, svigorire B v. intr. pron. invigorirsi, irrobustirsi CONTR. indebolirsi.

ingannàre A v. tr. 1 imbrogliare, truffare, fregare (pop.), abbindolare, raggirare, frodare, aggirare (fig.), beffare, rigirare (fig.), irretire (colto), circuire, accalappiare (fig.), chiavare (volg.), fottere (volg.), gabbare, giocare, infinocchiare (volg.), tradire (est.), intrappolare, adescare (est.), illudere (est.), abbagliare (fig.), ingarbugliare (raro), impastocchiare (pop.), deludere (est.), mistificare (raro), incantare (est.) CONTR. disingannare, disilludere 2 [la vigilanza, etc.] eludere 3 [al gioco] (est.) barare B v. intr. pron. 1 fallire, errare 2 sbagliarsi, illudersi CONTR. disilludersi, disingannarsi.

ingannévole agg. 1 falso, fallace, menzognero, mendace, fittizio, illusorio, apparente CONTR. sincero, verace, onesto, retto 2 (est.) subdolo 3 (est.) insidioso.

ingannevolménte avv. 1 artificiosamente CONTR. sinceramente, autenticamente 2 illusoriamente CONTR. autenticamente 3 fraudolentemente CONTR. sinceramente, autenticamente.

ingànno s. m. 1 imbroglio, raggiro, truffa, frode, chiavata (volg.) 2 (est.) falsità, fallacia, bugia 3 stratagemma, trucco, gioco, artificio 4 (est.) allucinazione, illusione, abbaglio 5 (est.) agguato, inganno, insidia, trappola, rete (fig.), laccio (fig.) 6 tranello 7 tradimento.

ingarbugliàre A v. tr. 1 [i capelli, etc.] imbrogliare, scompigliare, arruffare, intricare CONTR. dipanare, sbrogliare, districare 2 [qc.] (est.) imbrogliare, ingannare, infinocchiare (volg.), fregare (pop.), illudere, raggirare 3 [le idee, etc.] disordinare, confondere CONTR. delucidare, chiarire, semplificare B v. intr. pron. 1 [detto di situazione] imbrogliarsi, aggrovigliarsi, avvilupparsi, intricarsi, complicarsi, confondersi CONTR. sbrogliarsi, chiarirsi 2 [nel parlare] impappinarsi (fam.), incepparsi, balbettare.

ingegnàrsi v. intr. pron. 1 adoperarsi, darsi da fare, industriarsi, sforzarsi, brigare, aiutarsi, arrabattarsi, arrangiarsi, barcamenarsi, destreggiarsi, sbracciarsi (fig.) 2 (est.) aguzzarsi di, studiarsi di, procurare di.

ingegneria s. f. (gener.) scienza, disciplina.

ingégno s. m. 1 intelligenza, acume, genio, testa (fig.), cervello (fig.), mente (fig.), creatività (est.) CONTR. ottusità, scempiaggine, stupidità 2 carattere, indole, temperamento 3 talento, attitudine, inclinazione, predisposizione 4 astuzia, destrezza.

ingegnosaménte avv. genialmente, intelligentemente, acutamente CONTR. stupidamente, scioccamente.

ingegnosità s. f. inv. 1 abilità, destrezza CONTR. incapacità 2 industriosità, creatività, operosità, iniziativa, fattività.

ingegnóso agg. 1 industrioso, abile, intelligente CONTR. incapace, inetto, ottuso 2 [rif. a un discorso, a una battuta] astuto, spiritoso, elegante, geniale CONTR. ottuso 3 [rif. allo stile] artificioso, concettoso.

ingemmàre v. tr. 1 imperlare, ingioiellare 2 (est.) abbellire, ornare, adornare CONTR. imbruttire.

ingènte agg. cospicuo, rilevante, consistente, notevole, sostanzioso, vistoso, ragguardevole CONTR. piccolo, esiguo, minimo.

ingentilire A v. tr. 1 incivilire, sgrezzare, affinare, raffinare, ripulire (fig.), nobilitare, civilizzare, digrossare, dirozzare, dissodare (fig.), imbellire, migliorare, umanizzare CONTR. imbarbarire, disumanare, disumanizzare 2 [i modi, il tratto] (fig.) addolcire, temperare, rammorbidire CONTR. involgarire, inzotichire B v. rifl. diventare più gentile, digrossarsi, dirozzarsi, incivilirsi, affinarsi, civilizzarsi, rammorbidirsi (fig.) CONTR. imbarbarirsi, involgarirsi, inselvatichirsi.

ingentilito part. pass.; anche agg. dirozzato, civilizzato, incivilito CONTR. imbarbarito, involuto.

ingenuaménte avv. candidamente, spontaneamente, bambinescamente, fanciullescamente, innocentemente CONTR. maliziosamente, con malizia, astutamente, accortamente, avvedutamente, competentemente.

ingenuità s. f. inv. 1 candore, innocenza, semplicità, inesperienza, buonafede, naturalezza **CONTR.** astuzia, accortezza, destrezza (*fig.*), furberia, furbizia, malizia **2** dabbenaggine, semplicioneria.

ingènuo *A agg.* **1** candido, innocente, ignaro, inesperto, sprovveduto, semplice **CONTR.** furbo, scaltro, astuto, consumato, disincantato, incredulo, scettico, calcolatore (*est.*) **2** (*est.*) semplicione, credulone, semplicciotto **CONTR.** accorto, assennato, avveduto, malizioso, felino (*fig.*), volpino (*fig.*) **3** (*fig.*) bambinesco, imberbe **CONTR.** consumato *B s. m.* (*f. -a*) credulone, bietolone.

ingerènza *s. f.* intromissione, intrusione, interferenza, intervento, invasione (*fig.*).

ingerire *A v. tr.* **1** inghiottire, ingoiare, ingollare, ingurgitare, trangugiare, ingozzare **CONTR.** vomitare, rigettare, rimettere **2** [*modi di*] bere, mangiare, prendere (*est.*) *B v. intr. pron.* immischiarsi, infilarsi, intromettersi, inframmettersi, ficcanasare, frammettersi, impicciarsi, interferire, intrigarsi, mescolarsi, mischiarsi, impacciarsi (*raro*).

inghiottire *v. tr.* **1** ingerire, ingoiare, ingollare, ingurgitare, trangugiare, tracannare, ingozzare, insaccare (*pop.*), mandare giù, deglutire (*est.*), ingozzarsi (*est.*), bere (*impr.*), mangiare (*impr.*) **CONTR.** rimettere, rigettare, vomitare **2** [*offese, insulti, etc.*] (*est.*) sopportare, tollerare **3** [*detto di voragine, etc.*] assorbire, riassorbire, sommergere.

inghìppo *s. m.* espediente, imbroglio, trucco, raggiro, manovra, inciucio (*nap.*), mezzuccio, stratagemma.

inghirlandàre *A v. tr.* coronare, incoronare, cingere, contornare, circondare, ornare, adornare *B v. rifl.* coronarsi, incappellarsi, cingersi, ornarsi.

ingigantire *v. tr.* **1** [*le forze, le energie*] moltiplicare, centuplicare **CONTR.** diminuire **2** [*una notizia, un episodio*] ingrandire, gonfiare, esagerare, amplificare, drammatizzare, aumentare, aggravare **CONTR.** impicciolire, rimpicciolire, non dare rilievo.

inginocchiàrsi *v. intr. pron.* **1** genuflettersi, prosternarsi, prostrarsi **CONTR.** raddrizzarsi **2** (*est.*) salutare.

ingioiellàre *v. tr. e rifl.* **1** imperlare, ingemmare **2** ornare, impreziosire.

ingiùngere *v. tr.* intimare, imporre, ordinare, comandare, deliberare, dettare, diffidare (*est.*).

ingiunzióne *s. f.* **1** comando, imposizione, intimazione **2** (*dir.*) citazione **3** (*bur.*) diffida.

ingiùria *s. f.* **1** insulto, epiteto, invettiva, contumelia (*colto*), insolenza **CONTR.** complimento **2** [*l'azione*] calcio (*fig.*), offesa, affronto, oltraggio, onta, spregio, provocazione.

ingiuriàre *A v. tr.* lanciare ingiurie, insultare, offendere, oltraggiare, svillaneggiare, insolentire, vilipendere, vituperare, denigrare, diffamare, ferire (*fig.*), colpire (*fig.*), maltrattare (*fig.*) **CONTR.** complimentare, elogiare, lodare, ossequiare *B v. rifl. rec.* offendersi, insultarsi.

ingiuriosaménte *avv.* oltraggiosamente, offensivamente, provocatoriamente **CONTR.** rispettosamente, ossequiosamente, complimentosamente.

ingiurióso *agg.* oltraggioso, offensivo, insultante, infamante, villano **CONTR.** laudativo (*lett.*), rispettoso.

ingiustaménte *avv.* **1** immeritatamente, indebitamente **CONTR.** meritatamente, degnamente, bene **2** disonestamente, falsamente, iniquamente, parzialmente **CONTR.** giustamente, equamente.

ingiustificataménte *avv.* infondatamente, gratuitamente, arbitrariamente **CONTR.** fondatamente.

ingiustificàto *agg.* **1** immotivato, infondato, irragionevole **CONTR.** fondato, ragionevole **2** (*est.*) immeritato, ingiusto, gratuito **3** temerario (*est.*).

ingiustizia *s. f.* **1** iniquità **CONTR.** giustizia **2** illegalità **CONTR.** legalità **3** favoritismo, parzialità, preferenza **CONTR.** equità, imparzialità **4** abuso, prepotenza, angheria, arbitrio **5** [*l'azione*] torto, offesa.

ingiùsto *A agg.* **1** [*rif. a una persona*] iniquo **CONTR.** buono, equanime, equo, giusto **2** illecito, illegale, illegittimo **CONTR.** appropriato, lecito, legittimo, debito **3** immotivato, infondato, ingiustificato, irragionevole, immeritato

(*est.*) **4** (*est.*) immorale **5** (*est.*) parziale *B s. m. sing.* illecito (*est.*) **CONTR.** giusto.

inglobàre *v. tr.* fagocitare, incorporare, conglobare **CONTR.** scorporare.

ingobbire *v. intr. e intr. pron.* incurvarsi, diventare gobbo, piegarsi, curvarsi.

ingobbìto *part. pass.; anche agg.* curvo, ricurvo **CONTR.** ritto.

ingoffire *v. intr.* [*detto di abito, etc.*] stare male.

ingoiàre *v. tr.* **1** mandare giù, inghiottire, ingollare, ingerire, tranguggiare, ingurgitare, tracannare, ingozzare, divorare **CONTR.** rimettere, vomitare, rigettare **2** [*ingiurie, offese*] (*est.*) mandare giù, sopportare, tollerare, subire.

ingolfàre *A v. tr.* [*qc. nei guai, nei debiti*] (*fig.*) immergere, sommergere, impelagare *B v. intr. pron.* **1** [*in politica, negli affari, etc.*] impegnarsi, applicarsi, immergersi (*fig.*), dedicarsi, sprofondare (*fig.*) **2** [*nei guai, nei debiti, etc.*] avventurarsi, cacciarsi, invischiarsi **3** [*detto di motore*] (*est.*) bloccarsi, ingorgarsi.

ingollàre *v. tr.* ingoiare, inghiottire, ingerire, ingurgitare, ingozzarsi, tracannare, ingozzare, deglutire (*est.*) **CONTR.** rigettare, rimettere, vomitare.

ingombrànte *part. pres.; anche agg.* **1** voluminoso, grosso **CONTR.** minuscolo, piccolo **2** [*rif. a una persona, a una situazione*] fastidioso, invadente **CONTR.** discreto, riservato.

ingombràre *v. tr.* **1** essere di impaccio a, costituire un ingombro per, impacciare, impicciare, imbarazzare **2** [*un condotto*] (*est.*) ostruire, intasare, otturare **CONTR.** liberare **3** [*il traffico, etc.*] ostacolare, bloccare, impedire **4** [*un determinato spazio*] occupare, riempire, stivare, empire (*lett.*) **CONTR.** sgomberare, disimpegnare.

ingómbro *A s. m.* **1** impiccio, intoppo **2** volume, dimensione, estensione, voluminosità **3** intasamento, ingorgo *B agg.* occupato, ostruito (*est.*) **CONTR.** vuoto, libero.

ingommàre *v. tr.* incollare, attaccare **CONTR.** sgommare, staccare.

ingordaménte *avv.* avidamente,

ingordigia ghiottamente, golosamente, voracemente CONTR. controvoglia, controstomaco.

ingordigia s. f. avidità, cupidigia CONTR. disinteresse.

ingórdo agg. 1 ghiotto, vorace, goloso CONTR. sobrio, misurato, temperante 2 [rif. al denaro, alla fama, etc.] avido, rapace, cupido (lett.) CONTR. misurato, temperante, sprezzante, sdegnoso.

ingorgàre A v. tr. ostruire, intasare, otturare, bloccare CONTR. disintasare, sgorgare, sturare, liberare B v. intr. pron. intasarsi, otturarsi, bloccarsi, ingolfarsi, tapparsi, ristagnare (est.) CONTR. sbloccarsi, scorrere, liberarsi.

ingórgo s. m. (pl. -ghi) intasamento, ingombro.

ingozzàre A v. tr. 1 [qc.] riempire, rimpinzare 2 [q.c.] ingoiare, mandare giù, inghiottire, ingollare, ingurgitare, trangugiare, pappare CONTR. vomitare, rigettare, rimettere 3 (gener.) ingerire 4 [offesa, insulti, etc.] (est.) sopportare, subire B v. rifl. 1 (gener.) mangiare CONTR. vomitare, rimettere, rigettare 2 rimpinzarsi, trangugiare, ingollare, inghiottire, riempirsi, abbuffarsi.

ingranàre A v. intr. 1 (mecc.) incastrarsi, inserirsi, indentare 2 funzionare, andare bene CONTR. grippare, incepparsi B v. tr. incastrare, innestare CONTR. disinnestare, disinserire.

ingranchire v. intr. pron. informicolirsi, formicolare, essere intorpidito, intormentirsi, intorpidirsi CONTR. sgranchirsi.

ingrandimènto s. m. 1 [rif. a una struttura, etc.] espansione, ampliamento, allargamento 2 [rif. a un'attività] espansione, accrescimento, aumento, crescita, potenziamento.

ingrandire A v. tr. 1 ampliare, aumentare, estendere, dilatare, espandere, quadruplicare, accrescere, moltiplicare CONTR. impicciolire, impiccolire, ridurre, diminuire, restringere, impiccinire 2 [una notizia, un episodio] (est.) amplificare, ingigantire, esagerare, gonfiare (fig.), esaltare, magnificare, sballare (raro) CONTR. attenuare, minimizzare 3 [un'immagine, una foto] ingigantire, ingrossare B v. intr. pron. allargarsi, crescere, dilatarsi, espandersi, prosperare, aumentare, estendersi, ampliarsi, ingrossarsi, moltiplicarsi CONTR. impicciolirsi, impiccolirsi, diminuire, calare, ridursi, decadere, restringersi, languire.

ingrandito part. pass.; anche agg. aumentato, incrementato CONTR. diminuito, ridotto.

ingrassàre A v. intr. aumentare di peso, imbolsire, diventare bolso, crescere, aumentare, ingrossare CONTR. dimagrare, dimagrire, diminuire (impr.), affilarsi, affinarsi, affusolarsi, diminuire, diventare magro B v. tr. 1 impolpare, rimpolpare, appesantire 2 [il motore, etc.] lubrificare, ungere, oliare CONTR. sgrassare 3 [un terreno] concimare, fertilizzare, nutrire CONTR. impoverire C v. intr. pron. 1 arricchirsi, avvantaggiarsi, prosperare CONTR. impoverirsi, immiserirsi 2 riempirsi, appesantirsi, gonfiarsi, impinguarsi, ingrossarsi CONTR. dimagrire, smagrire, emaciarsi.

ingrassàto part. pass.; anche agg. 1 arrotondato, ingrossato CONTR. dimagrito, snellito 2 [rif. a un meccanismo, etc.] (anche fig.) unto, lubrificato.

ingrassatóre A s. m. (f. -trice) lubrificatore B agg. che lubrifica.

ingratitúdine s. f. irriconoscenza CONTR. gratitudine, riconoscenza.

ingràto agg. 1 immemore CONTR. grato, riconoscente, memore 2 [rif. al lavoro, allo studio] ostico, sgradevole, spiacevole, gravoso CONTR. piacevole, leggero.

ingravidàre A v. tr. fecondare, impregnare, rendere gravida, rendere pregna B v. intr. pron. restare incinta.

ingraziàrsi v. intr. pron. conquistarsi, accattivarsi, propiziarsi, cattivarsi, amicarsi, imbonire un, propiziare un CONTR. inimicarsi.

ingrediènte s. m. elemento, componente, costituente.

ingrèsso s. m. 1 entrata, apertura, imboccatura, imbocco, entratura (raro) CONTR. uscita 2 accesso, varco, passaggio 3 soglia, porta 4 anticamera, atrio, hall (ingl.), vestibolo, andro-

ne 5 (gener.) locale 6 [di qc.] (est.) comparsa, arrivo, apparizione.

ingrossàre A v. tr. 1 [il capitale, l'azienda] dilatare, ingrandire, accrescere CONTR. impicciolire, impiccolire, diminuire, ridurre 2 [le oche, etc.] ingrassare CONTR. snellire, affusolare 3 [il volume di q.c.] ispessire 4 [una notizia, un episodio] (fig.) aumentare, gonfiare B v. intr. 1 [detto di livello di acqua] gonfiare, montare, rigonfiare 2 [detto di organo, di fegato, etc.] gonfiare C v. intr. pron. 1 dilatarsi, aumentare, ingrandirsi, allargarsi, crescere, accrescersi, estendersi CONTR. calare, diminuire, impicciolirsi, impiccolirsi, ridursi, restringersi 2 [rispetto al peso] diventare grosso, gonfiarsi, impinguarsi, ingrassare, ingrassarsi CONTR. calare, diminuire, dimagrire, rastremarsi, affinarsi, affusolarsi.

ingrossàto part. pass.; anche agg. gonfio, cresciuto, ingrassato CONTR. dimagrito, snellito.

ingrugnàrsi v. intr. pron. imbronciarsi, rabbuiarsi (fig.), rannuvolarsi (fig.), offendersi (est.), impermalosirsi (est.), crucciarsi (est.) CONTR. rabbonirsi, rasserenarsi.

inguaiàre A v. tr. compromettere, impelagare, incasinare (fam.) B v. rifl. compromettersi, incasinarsi (fam.), impelagarsi, impegolarsi CONTR. liberarsi, districarsi.

inguainàre v. tr. infoderare, rinfoderare CONTR. sguainare, sfoderare.

inguaribile agg. incurabile, insanabile CONTR. guaribile.

inguaribilménte avv. incurabilmente.

inguine s. m. pube.

ingurgitàre v. tr. 1 inghiottire, ingollare, ingoiare, tracannare, divorare, grufolare (fig.), ingozzare, insaccare (pop.) 2 (gener.) ingerire, bere, mangiare CONTR. vomitare, rimettere, rigettare, libare, mangiucchiare.

inibìre A v. tr. 1 [qc. per l'imbarazzo] innervosire, intimidire, mettere in soggezione CONTR. disinibire, eliminare i freni, liberare 2 [qc. per la paura] (fig.) bloccare, paralizzare, castrare, ostacolare, arrestare, immobilizzare 3 [*gli impulsi, etc.*] (*fig.*) arginare, fermare **4** vietare, impedire, proibire **B** *v. rifl.* bloccarsi, frenarsi, chiudersi **CONTR.** disinibirsi, aprirsi, liberarsi, sbloccarsi.

inibizióne *s. f.* **1** blocco, preclusione, deterrente **2** divieto, proibizione **CONTR.** permesso.

inidoneità *s. f. inv.* inabilità, incapacità, insufficienza **CONTR.** idoneità, capacità.

inidòneo *agg.* inadatto, incapace, inadeguato, insufficiente (*est.*) **CONTR.** idoneo, capace, abile, adatto, all'altezza, confacente (*est.*).

iniettàre A *v. tr.* inoculare, innestare (*raro*) **B** *v. intr. pron.* [*detto di occhi*] riempirsi.

iniezióne *s. f.* **1** inoculazione **2** (*est.*) puntura, buco **3** [*di coraggio, etc.*] (*est.*) dose, apporto, contributo.

inimicàre A *v. tr.* dividere, rendere nemici **CONTR.** imbonire **B** *v. intr. pron.* diventare nemico *di*, rompere i rapporti *con*, guastarsi *con*, rompere *con* **CONTR.** ingraziarsi, propiziarsi, cattivarsi.

inimicizia *s. f.* ostilità, ruggine (*fig.*), incompatibilità (*est.*), odio **CONTR.** amicizia, solidarietà, fratellanza.

inimitàbile *agg.* unico, ineguagliabile, inarrivabile, ineffabile **CONTR.** imitabile, eguagliabile.

inimmaginàbile *agg.* **1** inconcepibile, impensabile, imprevedibile, inopinabile (*lett.*), inaudito, inaccettabile **CONTR.** immaginabile, prevedibile, scontato **2** (*fam.*) meraviglioso, incredibile.

inintelligibile *agg.* **1** incomprensibile, indecifrabile, impenetrabile **CONTR.** comprensibile, evidente, palese **2** (*est.*) oscuro, astruso **CONTR.** evidente, semplice, chiaro.

inintelligibilménte *avv.* incomprensibilmente, inspiegabilmente, inesplicabilmente, oscuramente **CONTR.** intelligibilmente, chiaramente.

ininterrottaménte *avv.* **1** continuamente, incessantemente, continuativamente **2** fittamente, fitto.

ininterrótto *agg.* continuo, incessante, perpetuo, costante **CONTR.** interrotto, discontinuo.

iniquaménte *avv.* **1** ingiustamente **CONTR.** imparzialmente **2** disonestamente, falsamente, perfidamente, malvagiamente, scelleratamente **CONTR.** onestamente.

iniquità *s. f. inv.* **1** ingiustizia **CONTR.** equità, giustizia **2** cattiveria, malvagità, perversità, immoralità, scelleratagine **3** [*l'azione*] porcheria (*fam.*), stronzata (*volg.*), porcata (*volg.*).

iniquo A *agg.* **1** ingiusto, immorale **CONTR.** equo, giusto **2** [*rif. a un pensiero*] malvagio, scellerato, sciagurato, perverso, indegno (*est.*), rio (*lett.*) **CONTR.** giusto, morale, probo, onesto, retto **3** (*scherz.*) pessimo **B** *s. m. sing.* iniquità.

iniziàle A *agg.* primigenio, primitivo, primo, preliminare (*est.*) **CONTR.** ultimo, finale, terminale, conclusivo, definitivo **B** *s. f.* [*di parola*] carattere, lettera **CONTR.** finale.

inizialménte *avv.* in principio, dapprima, dapprincipio, originariamente **CONTR.** alla fine, in ultimo, poi.

iniziàre A *v. tr.* **1** principiare, incominciare, cominciare **CONTR.** finire, terminare, ultimare **2** [*un lavoro, un'attività*] aprire, avviare, intraprendere, impiantare, imprendere, riaprire, imboccare (*fig.*) **CONTR.** chiudere (*est.*), completare, smettere, disattivare, compiere **3** [*una lite, una battaglia*] attaccare, ingaggiare, muovere **CONTR.** definire, dirimere **4** [*un articolo, una storia*] abbozzare, impostare, imbastire (*fig.*) **5** [*qualche iniziativa*] attivare, attuare, dare inizio *a* **6** [*una relazione affettiva*] (*est.*) intrecciare (*fig.*), stabilire **7** [*una causa, etc.*] (*dir.*) intentare, promuovere **8** [*l'anno scolastico*] inaugurare **9** [*qc. al gioco, etc.*] introdurre, instradare **B** *v. intr.* **1** cominciare, principiare, prendere (*fig.*), darsi, mettersi, accingersi **CONTR.** finire, concludersi **2** esordire, debuttare, fare per la prima volta **3** [*detto di fiume, di strada, etc.*] partire, procedere **CONTR.** sboccare.

iniziativa *s. f.* **1** azione, tentativo **2** idea, pensata (*pop.*), trovata (*pop.*) **3** (*est.*) decisione, risoluzione, interven-

to **4** [*qualità del carattere*] (*est.*) fattività, ingegnosità.

iniziàto *s. m.* adepto, seguace, accolito, proselito.

iniziatóre *s. m.* (*f. -trice*) caposcuola, ideatore, creatore, inventore, maestro, padre.

inizio *s. m.* **1** principio, origine, nascita (*fig.*) **CONTR.** termine, fine **2** [*di un discorso, etc.*] proemio, esordio **CONTR.** epilogo, finale **3** [*della carriera, etc.*] esordio, debutto **CONTR.** tetto (*fig.*), vertice (*fig.*), vetta (*fig.*) **4** [*di un'attività*] avvio, avviamento, partenza (*fig.*) **CONTR.** cessazione **5** [*della civiltà, etc.*] primordio, albore (*fig.*), alba (*fig.*) **6** [*di un lavoro musicale*] preludio, attacco, apertura (*fig.*), ouverture (*fr.*) **7** [*della guerra, etc.*] entrata **8** (*fig.*) bandolo, capo **9** [*di un amore, di un'amicizia, etc.*] (*fig.*) germoglio **CONTR.** tramonto.

♦ **dall'inizio** *loc. avv.* daccapo.

innaffiàre *v. tr.* V. annaffiare.

innalzaménto *s. m.* **1** [*del tenore di vita, etc.*] elevazione **CONTR.** abbassamento **2** [*di una costruzione*] elevazione, edificazione, costruzione **CONTR.** atterramento, demolizione **3** [*di pesi*] elevamento, sollevamento.

innalzàre A *v. tr.* **1** [*una costruzione*] elevare, ergere (*colto*), erigere, fabbricare, edificare, costruire, drizzare **CONTR.** abbassare, demolire, abbattere **2** [*qc.*] sublimare, nobilitare, migliorare, conferire dignità *a*, esaltare, celebrare, glorificare **CONTR.** demolire, degradare **3** [*una bandiera, un vessillo*] elevare, levare in alto, alzare, sollevare, tirare su, levare, issare **CONTR.** abbassare **4** [*la temperatura, etc.*] elevare **CONTR.** abbassare, diminuire **5** [*un ostacolo*] opporre **6** drizzare **B** *v. intr. pron.* **1** [*detto di campanile, monte*] elevarsi, ergersi (*colto*), erigersi **2** (*est.*) elevarsi, ascendere, salire, assurgere **CONTR.** declinare, digradare **3** [*detto di temperatura*] aumentare, alzarsi **CONTR.** calare, abbassarsi **C** *v. rifl.* **1** esaltarsi, gasarsi (*fig.*), gonfiarsi (*fig.*), vanagloriarsi **CONTR.** umiliarsi, avvilirsi, denigrarsi **2** nobilitarsi, elevarsi (*fig.*).

innamoraménto *s. m.* infatuazione, fiammata (*fig.*), cotta (*pop.*), ubriaca-

innamorare 304

tura (*fig.*) CONTR. disamoramento.

innamoràre A *v. tr.* sedurre, appassionare, attrarre, conquistare, affascinare, incantare CONTR. disinnamorare, disilludere, disgustare, disamorare **B** *v. intr. pron.* **1** invaghirsi, prendersi una cotta (*fam.*), incapricciarsi, cuocersi (*fig.*) CONTR. disamorarsi, disinnamorarsi, detestarsi, odiarsi **2** (*est.*) infiammarsi (*fig.*), entusiasmarsi, appassionarsi **3** (*est.*) attaccarsi *a*, affezionarsi *a*.

innamoràta *s. f.* ragazza, fidanzata, amica (*est.*), amante (*est.*).

innamoràto A *part. pass.; anche agg.* **1** preso, cotto (*scherz.*) CONTR. disamorato **2** [*per l'arte, la musica, etc.*] appassionato, amante **B** *s. m.* fidanzato, amico, ragazzo, corteggiatore, amoroso, amante.

innànzi A *avv.* **1** davanti, avanti CONTR. dietro, appresso **2** prima, precedentemente **B** *prep.* davanti a, al cospetto di, in presenza di.

innanzitùtto *avv.* anzitutto, prima di tutto, per prima cosa CONTR. infine, alla fine, da ultimo.

innàto *agg.* naturale, istintivo, spontaneo, congenito, connaturato CONTR. acquisito, appreso.

innaturàle *agg.* **1** artificiale, costruito, artificioso, artefatto, finto CONTR. spontaneo, naturale **2** [*rif. a un gesto, a un comportamento*] forzato CONTR. spontaneo, naturale.

innaturalménte *avv.* artificialmente, artificiosamente, non spontaneamente CONTR. naturalmente, spontaneamente.

innegàbile *agg.* indubitabile, indubbio, chiaro, evidente CONTR. dubbio, incerto.

innegabilménte *avv.* certamente, incontestabilmente CONTR. discutibilmente, per nulla.

inneggiàre *v. intr.* **1** cantare inni **2** esaltare *un*, celebrare *un*, elogiare *un*, glorificare *un*, magnificare *un* CONTR. criticare, biasimare, vilipendere, vituperare **3** acclamare *un*, applaudire *a un*.

innervosire A *v. tr.* **1** irritare, infastidire, fare diventare nervoso, preoccupare CONTR. calmare, placare, rabbonire, rasserenare, quietare **2** (*est.*) mettere in soggezione, inibire **B** *v. intr. pron.* **1** diventare nervoso, incollerirsi, irritarsi, spazientirsi CONTR. quietarsi **2** preoccuparsi, agitarsi.

innescàre *v. tr.* **1** avviare CONTR. disattivare, disinnescare, fermare, arrestare **2** (*est.*) causare, originare, provocare, preparare.

innésco *s. m.* (*pl. -chi*) attivazione CONTR. disattivazione.

innestàre A *v. tr.* **1** [*la marcia in un veicolo*] inserire, incastrare, ingranare CONTR. disinnestare, disinserire, levare, togliere **2** [*un cavo, etc.*] unire, congiungere, collegare **3** (*bot.*) fare un innesto, margottare, ibridare **4** [*qualche sostanza*] (*med.*) inoculare, iniettare **5** [*un brano nel racconto*] inserire, aggiungere **B** *v. intr. pron.* **1** [*detto di pensieri, eventi, etc.*] inserirsi, sovrapporsi **2** [*detto di strada*] finire, immettersi.

innocènte A *agg.* **1** non colpevole CONTR. colpevole, reo **2** ingenuo, candido, ignaro, semplice CONTR. impuro, pervertito **B** *s. m. e f.* bambino, pargolo, fanciullo.

innocenteménte *avv.* **1** candidamente, ingenuamente, castamente, bambinescamente, puerilmente CONTR. furbescamente, dolosamente **2** ingenuamente CONTR. dolosamente, criminosamente, delittuosamente.

innocènza *s. f.* **1** estraneità, inconsapevolezza (*est.*) CONTR. colpevolezza **2** candore, ingenuità, integrità, semplicità CONTR. malizia.

innòcuo *agg.* **1** inoffensivo CONTR. nocivo, dannoso, tossico, velenoso, venefico, pericoloso, pernicioso, preoccupante **2** [*rif. a una persona*] tranquillo, mite CONTR. pericoloso.

innovàre A *v. tr.* **1** rinnovare, restaurare, svecchiare **2** [*un testo, i regolamenti, etc.*] riformare, aggiornare, revisionare, rivedere **B** *v. intr. pron.* modernizzarsi, rimodernarsi, rinnovarsi.

innovativo *agg.* moderno, avanzato, rivoluzionario, audace (*est.*) CONTR. convenzionale, solito, normale, conservatore.

innovazióne *s. f.* novità, mutamento, riforma, cambiamento.

innumerévole *agg.* infinito, illimitato, incalcolabile, numeroso CONTR. limitato, ristretto.

inoculàre *v. tr.* **1** iniettare, innestare (*raro*) **2** [*la discordia, il dubbio*] fomentare, insinuare.

inoculazióne *s. f.* iniezione, introduzione.

inoffensivo *agg.* **1** [*rif. a una persona*] innocuo, mite, tranquillo, mansueto CONTR. pericoloso, pernicioso, dannoso **2** [*rif. a una sostanza*] innocuo CONTR. pericoloso, pernicioso, dannoso.

inoltràre A *v. tr.* mandare, inviare, spedire, recapitare (*est.*), trasmettere **B** *v. intr. pron.* addentrarsi, avventurarsi, progredire, avanzare, procedere, proseguire CONTR. indietreggiare, regredire, ritirarsi.

inoltràto *agg.* (*temp.*) avanzato, tardo.

inòltre *avv.* per di più, oltre a ciò, anche CONTR. esclusivamente, solo, soltanto, solamente.

inondàre *v. tr.* **1** allagare, bagnare, sommergere **2** [*il mercato, etc.*] (*est.*) invadere, pervadere, riempire **3** [*qc. di baci, etc.*] (*fig.*) ricoprire.

inondazióne *s. f.* **1** allagamento, alluvione, diluvio, cataclisma (*est.*) **2** [*di insetti, etc.*] (*est.*) invasione.

inoperosità *s. f. inv.* inattività, ozio, inerzia, apatia, oziosità CONTR. operosità, laboriosità.

inoperóso *agg.* ozioso, inerte, inattivo, disoccupato (*est.*), scioperato (*fig.*), inattivo, neghittoso CONTR. attivo, operoso.

inòpia *s. f.* povertà, miseria CONTR. ricchezza.

inopinàbile *agg.* imprevedibile, impensabile, inimmaginabile CONTR. prevedibile, previsto, immaginabile.

inopportunaménte *avv.* **1** intempestivamente CONTR. opportunamente, tempestivamente **2** sconvenientemente, fuori luogo CONTR. appropriatamente, idoneamente, adeguatamente.

inopportunità s. f. inv. sconvenienza, indelicatezza, inadeguatezza CONTR. tempestività.

inopportùno agg. **1** intempestivo, prematuro, inconveniente CONTR. adeguato, adatto, appropriato, provvidenziale, opportuno, proprio, debito **2** [rif. a una risposta] sconveniente, importuno, infelice, stonato CONTR. adeguato, adatto, appropriato, opportuno **3** inadatto, improponibile CONTR. adeguato, adatto, appropriato, opportuno **4** [rif. a una persona] importuno, insistente CONTR. opportuno.

inoppugnàbile agg. evidente, certo, irrefutabile, incontestabile, indiscutibile CONTR. incerto, dubbio.

inorgoglìre A v. tr. rendere orgoglioso, imbaldanzire, animare CONTR. abbattere, avvilire B v. intr. pron. montarsi, imbaldanzirsi, insuperbire CONTR. abbattersi, avvilirsi, accasciarsi, disanimarsi, scoraggiarsi.

inorridìre A v. tr. spaventare, atterrire CONTR. allettare, attirare, attrarre, lusingare B v. intr. spaventarsi, atterrirsi, raccapricciare, rabbrividire (fig.), allibire, sbigottirsi.

inospitàle agg. **1** scortese, sgarbato, ineducato CONTR. ospitale, gentile **2** [rif. a un luogo] selvaggio, disagevole, squallido CONTR. ameno, ridente, accogliente.

inosservànte agg. inadempiente, ribelle, disubbidiente CONTR. osservante, ligio.

inosservànza s. f. **1** elusione, inadempienza CONTR. adempimento **2** infrazione, trasgressione, violazione CONTR. ubbidienza.

inosservàto agg. **1** inavvertito **2** [rif. a una regola, a una legge, etc.] disatteso, trascurato CONTR. rispettato.

inquadràre A v. tr. **1** contornare, incorniciare, mettere in cornice **2** [qc. in un luogo] (est.) inserire, collocare, ambientare **3** [il problema] (est.) capire **4** [detto di macchina fotografica] centrare **5** [gli studenti, etc.] (mil.) irreggimentare B v. intr. pron. collocarsi, inserirsi, disporsi, situarsi.

inqualificàbile agg. riprovevole, deplorevole, spregevole, indegno (est.) CONTR. degno, ammirevole, encomiabile, pregevole.

inquartàto agg. robusto.

inquietàre A v. tr. **1** irritare, seccare, molestare **2** preoccupare, turbare, crucciare, impensierire, agitare (fig.), affliggere, angustiare, conturbare, perturbare, allarmare, impaurire, travagliare CONTR. rasserenare, calmare, quietare, rassicurare **3** (est.) imbarazzare B v. intr. pron. **1** stizzirsi, adirarsi, arrabbiarsi, spazientirsi, irritarsi, impazientirsi, rabbuiarsi (fig.) CONTR. calmarsi, quietarsi **2** crucciarsi, impensierirsi, agitarsi (fig.), angustiarsi, affliggersi, turbarsi, allarmarsi, impaurirsi, preoccuparsi CONTR. calmarsi, quietarsi, rassicurarsi, rasserenarsi.

inquièto agg. **1** agitato, irrequieto, smanioso CONTR. tranquillo, pacato, sereno, appagato **2** apprensivo, ansioso, preoccupato, teso **3** [rif. a un'epoca] tumultuoso, turbolento, tempestoso CONTR. tranquillo **4** crucciato CONTR. ammansito.

inquietùdine s. f. **1** agitazione, ansia, apprensione, angoscia, smania CONTR. serenità, tranquillità **2** dubbio, preoccupazione, turbamento, assillo, tremore (fig.), scrupolo.

inquilìno s. m. (f. -a) affittuario, locatario, pigionante CONTR. proprietario, padrone, locatore.

inquinaménto s. m. **1** contaminazione, ammorbamento, appestamento, avvelenamento CONTR. decontaminazione **2** [delle prove] contaminazione.

inquinàre A v. tr. **1** contaminare, infettare, avvelenare, ammorbare, intossicare, appestare, infestare, insozzare, degradare, alterare CONTR. depurare, disinfettare, disinquinare, purificare, raffinare **2** [qc.] (est.) corrompere, depravare, pervertire, viziare, traviare, guastare CONTR. educare, correggere **3** [l'acqua, etc.] intorbare, intorbidare **4** [la mente di pregiudizi] (est.) impregnare **5** [la lingua] (fig.) corrompere, rovinare B v. intr. pron. **1** corrompersi, contaminarsi CONTR. depurarsi, disinquinarsi **2** [con il fumo, etc.] impregnarsi di.

inquinàto part. pass.; anche agg. **1** con-

taminato, impuro, sporco, infetto CONTR. puro **2** [rif. all'aria] viziato, irrespirabile CONTR. respirabile.

inquisìre A v. tr. **1** scandagliare, spiare **2** (est.) processare B v. intr. investigare, indagare.

inquisitòrio agg. (fig.) ostile, severo, fiscale CONTR. indulgente, benevolo.

insabbiàre A v. tr. [una pratica, una proposta] bloccare, non fare procedere, ostacolare, arrestare, interrompere, sospendere, fermare, nascondere, incagliare CONTR. sbrigare B v. intr. pron. **1** [detto di natante] arenarsi **2** [detto di processo, di proposta] arrestarsi, interrompersi, fermarsi, bloccarsi, incagliarsi CONTR. muoversi, sbloccarsi, procedere.

insaccàre A v. tr. **1** ammucchiare, pigiare, stipare **2** [qc.] infagottare **3** inghiottire, ingurgitare B v. rifl. infagottarsi, affagottarsi C v. intr. pron. stiparsi.

insalùbre agg. malsano, nocivo, dannoso, pericoloso, venefico (lett.), pernicioso CONTR. sano, salubre, salutare.

insanàbile agg. **1** incurabile, inguaribile CONTR. sanabile **2** (fig.) irriducibile, implacabile.

insanguinàto part. pass.; anche agg. sanguinoso.

insània s. f. demenza, follia, pazzia, delirio CONTR. senno.

insàno agg. malsano, cattivo CONTR. sano, salubre, salutare.

insaponàre A v. tr. **1** (est.) lavare (est.) lusingare, lisciare, incensare CONTR. denigrare, disprezzare, infamare B v. rifl. (est.) lavarsi.

insaporìre v. tr. condire, assaporire (raro).

insaziàbile agg. inappagabile, ingordo CONTR. saziabile.

insaziabilità s. f. inv. voracità.

inscurìre v. intr. pron. diventare scuro, annerire.

insediaménto s. m. **1** installazione **2** base.

insediàre A v. tr. installare, investire

CONTR. defenestrare, deporre, destituire, detronizzare, dimettere, disarcionare, congedare, licenziare **B** *v. intr. pron.* **1** [*detto di popolazione, di gruppi*] stabilirsi, stanziarsi, radicarsi, impiantarsi, fermarsi, nidificare, inserirsi **CONTR.** trasferirsi, partire **2** [*in una carica, etc.*] installarsi, prendere possesso.

inségna *s. f.* **1** segno, emblema, simbolo **2** stemma, scudo, blasone **3** stendardo, bandiera, vessillo **4** cartello, targa.

insegnaménto *s. m.* **1** ammaestramento, indottrinamento, addestramento **2** lezione, precetto (*raro*), consiglio **3** (*est.*) scuola **4** (*est.*) cattedra, disciplina.

insegnànte A *s. m. e f.* docente, educatore, istruttore, maestro, professore, precettore (*raro*), istitutore **CONTR.** studente, alunno, allievo, scolaro, discente, discepolo, tirocinante, apprendista **B** *agg.* docente.

insegnàre *v. tr.* **1** istruire, educare, addottrinare, preparare **2** [*una strada, un ristorante*] indicare, mostrare, accennare, additare, suggerire, consigliare **3** [*il funzionamento di q.c.*] esporre, dimostrare **4** [*una ricetta, etc.*] (*est.*) rivelare **5** [*un hôtel, una strada, etc. a qc.*] indirizzare *a*.

inseguire *v. tr.* **1** rincorrere, braccare, cercare, cacciare, seguire, cercare di raggiungere, cercare di superare, incalzare, tallonare **2** [*sogni, speranze, etc.*] perseguire, vagheggiare.

inselvatichire A *v. intr.* tralignare, degenerare (*est.*), imbarbarire **B** *v. tr.* inasprire, irritare **CONTR.** addomesticare, mansuefare **C** *v. intr. pron.* abbrutirsi, disumanizzarsi **CONTR.** raffinarsi, ingentilirsi, diventare più gentile.

insenatùra *s. f.* **1** sacca, seno **2** [*tipo di*] golfo, baia, rada, cala, fiordo.

insensataménte *avv.* stoltamente, dissennatamente, balordamente, pazzescamente **CONTR.** saggiamente, sensatamente, saviamente.

insensatézza *s. f.* irrazionalità, assurdità, follia (*est.*), assurdo **CONTR.** sensatezza.

insensàto *agg.* **1** scriteriato, stolto,

sventato, dissennato **CONTR.** sensato, saggio, ragionevole **2** [*rif. a un ragionamento*] incoerente, illogico, assurdo **CONTR.** saggio, ragionevole **3** [*rif. a un avvenimento*] (*est.*) paradossale, pazzesco, allucinante.

insensibile *agg.* **1** impercettibile **2** [*rif. a una persona*] impassibile, indifferente, freddo (*fig.*), arido (*fig.*), duro, spietato, cinico **CONTR.** delicato, sensibile, emotivo.

insensibilità *s. f. inv.* **1** indifferenza, freddezza, durezza, impassibilità, severità, aridità, cinismo **CONTR.** sensibilità **2** [*al freddo, al caldo, etc.*] indifferenza, refrattarietà, immunità.

insensibilménte *avv.* **1** impercettibilmente, lievissimamente **CONTR.** sensibilmente, decisamente **2** freddamente, impassibilmente **CONTR.** sensibilmente.

inseriménto *s. m.* **1** introduzione **2** [*in un libro*] aggiunta, integrazione **3** (*est.*) socializzazione, affiatamento.

inserire A *v. tr.* **1** introdurre, incastrare, immettere, incuneare, insinuare, ficcare, conficcare, piantare **CONTR.** togliere, estrarre **2** [*qc. in un racconto, etc.*] introdurre, interpolare, aggiungere, includere, integrare **CONTR.** togliere, depennare, levare **3** [*q.c. in un discorso*] inframmezzare, intercalare, frammezzare, frapporre, intramezzare **4** [*una pietra preziosa*] incastonare, incassare **5** [*la merce, etc.*] piazzare **6** [*in un ambiente, etc.*] inquadrare, ambientare **7** [*la marcia in un veicolo*] innestare **CONTR.** disinnestare, disinserire **B** *v. intr. pron.* **1** incastrarsi, incunearsi, ingranare **CONTR.** staccarsi **2** [*detto di avvenimento storico*] inquadrarsi (*est.*), situarsi, collocarsi, innestarsi **3** [*in un luogo*] (*fig.*) radicarsi, insediarsi **C** *v. rifl.* **1** integrarsi, entrare, entrare a fare parte, socializzare, unirsi, mischiarsi, insinuarsi **CONTR.** estromettersi **2** [*in un discorso*] (*est.*) interferire.

inservibile *agg.* inutile, inutilizzabile, inagibile (*est.*) **CONTR.** disponibile, fruibile, utilizzabile.

inservènte *s. m. e f.* usciere, messo.

inserzióne *s. f.* annuncio, avviso.

insètto *s. m.* **1** (*gener.*) animale →animali **2** [*tipo di*].

Insetti

Insetti: animali invertebrati con tre paia di zampe corpo diviso in capo, torace, addome e riproduzione ovipara.

acciughina: insetto senza ali con il corpo appiattito e coperto di squamette, che divora la carta dei libri;

lepisma: (*zool.*);

pesciolino d'argento;

ape: insetto sociale che produce miele e cera, con corpo bruno peloso, addome fornito di pungiglione, apparato boccale atto a lambire;

baco: larva di insetto che passa per i successivi stadi di crisalide e farfalla;

bruco;

baco da seta: larva del bombice del gelso, di colore bianchiccio, che dopo quattro mute produce la seta con la quale forma un bozzolo da cui uscirà la farfalla;

baco: verme della farina e dei frutti;

calabrone: insetto affine alla vespa, ma più grosso, con corpo bruno rossiccio e addome variegato di giallo, la cui femmina è fornita di pungiglione;

cavalletta: insetto con arti atti al salto, che emette un caratteristico suono stridulo, ed è molto dannoso alle colture quando migra in sciami foltissimi;

cervo volante: insetto di color nero lucido con testa quadrata e larga, munita, nel maschio, di grandi mandibole ramificate simili alle corna di un cervo;

cetonia: insetto simile allo scarabeo, di colore verde a riflessi metallici, che si nutre di nettare e polline;

cicala: insetto nero-giallastro, con capo grosso e largo, antenne brevissime, ali grandi e trasparenti; i maschi sono dotati di uno speciale apparato sonoro grazie al quale friniscono;

lanternaia: insetto dell'America centrale con le estremità del capo gonfie come una bolla;

cicindela: insetto con corpo snello di color verde metallico, occhi grandi, mandibole armate di falce distruttore di insetti dannosi;

cimice: insetto terrestre o acquatico

che emette un odore sgradevole;

cimice dei letti: cimice con piccolo corpo depresso di colore rossastro, parassita anche dell'uomo;

cimice delle piante: cimice parassita di vegetali;

cimice della rondine: cimice che vive nei nidi delle rondini;

coccinella: insetto dal corpo emisferico con elitre rosse macchiate da sette punti neri;

cocciniglia: insetto dannoso alle piante, con maschi alati e femmine prive di ali ma dotate di ghiandole secernenti cera o lacca;

ortezia dell'ortica: insetto piuttosto raro che si trova in primavera o in estate sulle ortiche;

ditisco: insetto acquatico con corpo ovale, zampe posteriori con setole che funzionano da organi natatori, ali ben sviluppate sotto le elitre: carnivoro, predatore di qualsiasi animaletto acquatico;

dorifora: insetto giallo con dieci linee nere sulle elitre, le cui larve arrecano gravi danni alle patate;

forbicina: insetto con corpo allungato che termina con due appendici addominali a forma di pinza, rossiccio, comune sui fiori, sugli alberi e sotto le pietre;

forfecchia;

forficula;

formica: insetto sociale, che vive in comunità costituite da varie categorie di individui: ha capo grande e antenne ripiegate ad angolo, torace medio e addome formato da tre segmenti di cui il primo e il secondo tanto piccoli da formare un peduncolo di unione con il terzo più grosso;

formicaleone: insetto simile a una libellula e comune presso i boschi, le cui larve si annidano nella sabbia e catturano le formiche;

grillo: insetto nero, con zampe posteriori latte al salto, il cui maschio, fregando le elitre, produce un caratteristico suono;

grillotalpa: insetto simile al grillo, bruno, caratterizzato da forti zampe scavatrici, voracissimo e dannoso alle coltivazioni;

fillio foglia secca: insetto dell'India che, nella forma, nei colori e nei movimenti oscillanti, imita una foglia verde o secca;

idrometra: insetto abilissimo nel

camminare sulla superficie dell'acqua grazie al corpo sottile e alle lunghissime zampe munite di peli idrofughi;

libellula: insetto con ali generalmente uguali, trasparenti, a nervatura reticolata e fase larvale acquatica;

libellula delle lande;

libellula sanguigna: libellula che nell'estate si allontana dall'acqua e vive nei campi;

vergine delle sorgenti: libellula grande e variopinta che vive in prossimità dei torrenti montani;

locusta: insetto con arti atti al salto, che emette un caratteristico suono stridulo, ed è molto dannoso alle colture quando migra in sciami foltissimi;

cavalletta: insetto con arti atti al salto che si nutre quasi esclusivamente di alimenti animali;

cavalletta delle serre: cavalletta proveniente dalla Cina che divora anche le piante;

lucciola: insetto bruno, con corsaletto e zampe gialle, caratteristico per la luce intermittente che emette dagli ultimi segmenti dell'addome;

*****farfalla:** insetto con le ali variamente colorate;

maggiolino: insetto molto comune, nero lucente si nutre di foglie;

mantide: insetto predatore verde, con zampe anteriori dentellate molto sviluppate che tiene come in atto di preghiera quando si irrigidisce in attesa della preda;

mosca: insetto cosmopolita che predilige i climi caldi e si alimenta di qualsiasi sostanza organica diventando veicolo di germi patogeni di varie specie;

ippobosca della rondine: mosca parassita che succhia il sangue delle rondini;

lucilia: mosca parassita che depone le sue uova nelle narici dei rospi. In circa otto giorni le larve divorano letteralmente la povera bestia;

mosca tse-tse: mosca grigiastra dell'Africa tropico equatoriale che trasmette all'uomo e ai mammiferi il tripanosoma della malattia del sonno;

moscone azzurro: insetto le cui larve crescono tra i rifiuti e possono, in caso di igiene insufficiente, penetrare nei corpi umani provocando gravi malattie;

necroforo: insetto con livrea nera ed elitre con due fasce gialle trasversali, che seppellisce piccoli animali morti delle cui carni putrescenti si nutriranno le sue larve;

pidocchio: insetto molto piccolo con arti muniti di uncini e apparato boccale pungitore e succhiatore, parassita di vari mammiferi;

piattola: pidocchio del pube;

pidocchio dei bovini: pidocchio che vive su varie specie di bovini;

pidocchio dei vestiti: pidocchio che vive sul corpo e sui vestiti dell'uomo; può trasmettere il tifo petecchiale;

pidocchio del capo: pidocchio che vive sull'uomo;

pidocchio del fagiano: pidocchio che vive nelle penne del fagiano;

pidocchio del maiale: pidocchio di grasse dimensioni che vive sul maiale;

pulce: insetto di piccole dimensioni, agile saltatore, con corpo compresso lateralmente e privo di ali, apparato boccale pungitore e succhiatore, che si nutre di sangue dell'uomo o degli animali domestici;

pulce asiatica: pulce che visita i topi e trasporta i germi patogeni dai topi all'uomo Può causare la peste. Nel medioevo questa pulce causò la disastrosa diffusione delle pestilenze;

pulce dell'uomo: pulce che, in condizioni inadeguate, vive sull'uomo, sui gatti e sui cani e visita anche i topi;

scarabeo: insetto a corpo tozzo protetto da un tegumento durissimo, ali atte al volo e gli ultimi segmenti delle antenne trasformati in lamelle;

cacico: scarabeo gigante dell'Africa occidentale;

ercole: scarabeo di eccezionali dimensioni, il più grande del mondo se si calcolano le misure degli arti, ha il corpo nero e lucente e le elitre azzurro-verde spruzzate di macchioline nere;

golia: scarabeo gigante dell'Africa equatoriale;

scarabeo rinoceronte: scarabeo il cui maschio porta sul capo un corno arcuato;

scarabeo sacro: scarabeo con livrea nera e zampe anteriori atte a plasmare in palline lo sterco di mammiferi che viene trasportato in buchette del terreno e utilizzato come riserva di cibo;

scarafaggio: insetto con corpo piatto e lucido di color bruno scuro, che infesta le abitazioni;

blatta;

tafano: insetto affine alla mosca, ma più grande, le cui femmine perseguitano gli animali al pascolo per suggerne il sangue;

termite: insetto che si nutre di legno, vivente in grandi società in cui si distinguono varie caste di individui;

termite a collo giallo: termite della zona mediterranea;

vespa: insetto sociale, con corpo fortemente assottigliato fra torace e addome, non peloso, a livrea nera e gialla, la cui femmina è dotata di pungiglione velenifero;

zanzara: insetto con corpo sottile, arti e antenne lunghi e filiformi, due ali, apparato boccale pungitore e succhiatore, le cui femmine si nutrono del sangue dell'uomo e di altri animali;

anofele: zanzara trasmettitrice della malaria.

insicurézza *s. f.* **1** [*rif. al carattere*] instabilità, debolezza **CONTR.** sicurezza, baldanza, risoluzione **2** [*nell'operare una scelta*] incertezza, indecisione **3** (*est.*) dubbio, esitazione **4** (*est.*) pericolosità.

insicùro *agg.* **1** incerto, timido, timoroso, indeciso, irresoluto **CONTR.** sicuro, audace, temerario, risoluto **2** [*rif. a una notizia*] (*est.*) inaffidabile, incerto **CONTR.** sicuro, affidabile **3** [*rif. agli affari*] incerto **CONTR.** sicuro, consolidato, stabile.

insìdia *s. f.* **1** tranello, trappola, agguato, imboscata, inganno **2** rischio.

insidiàre *v. tr. e intr.* **1** tendere insidie a **2** circuire, irretire, abbindolare **3** [*la sicurezza, la felicità*] (*fig.*) minare, minacciare.

insidióso *agg.* **1** infido, ingannevole **CONTR.** schietto, sincero, franco, leale **2** [*rif. a una malattia*] pericoloso.

insième A *s. m.* **1** [*di persone*] raggruppamento, gruppo, torma (*scherz.*), assieme, collettivo **2** [*di soldati*] drappello, schieramento **3** [*di diversi elementi*] combinazione, mescolanza, cocktail (*ingl.*), miscela,

amalgama, mistura, aggregato, composto **4** [*di q.c. in disordine*] catasta, cumulo, mazzo, fascio, sequela, sfilza **5** [*di merci*] stock (*ingl.*), blocco **6** [*rif. ad abiti, etc.*] mise (*fr.*), toilette (*fr.*), tenuta, completo **7** [*di articoli*] gamma **8** [*di oggetti*] set (*ingl.*) **9** [*di libri, etc.*] corpo, raccolta, pacchetto **10** popolazione (*stat.*) **B** *avv.* **1** congiuntamente, unitamente, assieme, collegialmente, coralmente **CONTR.** disgiuntamente, distintamente, separatamente **2** contemporaneamente, simultaneamente **3** con.

♦ **nell'insieme** *loc. avv.* complessivamente.

insìgne *agg.* **1** illustre, famoso, ragguardevole, chiaro, sommo, notabile, eminente, celebre, rinomato, importante, eccellente, sublime **CONTR.** ignoto, sconosciuto **2** [*rif. a una quantità, a un numero*] considerevole, alto (*fig.*).

insignificànte *agg.* **1** [*rif. a una persona, a una cosa*] banale, insulso, scialbo, piatto, insipido, scipito, sfuocato **CONTR.** importante, rilevante, significativo, appariscente, eclatante, apprezzabile, considerevole, vistoso, consistente, incomparabile, ineffabile, autorevole, notabile, influente, potente **2** [*rif. a cosa*] (*est.*) piccolo, trascurabile, minuto **CONTR.** imponente, caro, travolgente **3** brutto **CONTR.** travolgente, atomico, bestiale, clamoroso, colossale, estremo, infernale **4** [*rif. allo sguardo*] insulso, scialbo **CONTR.** travolgente, espressivo **5** [*rif. a un momento*] trascurabile **CONTR.** cruciale, culminante **6** [*rif. a una notizia*] trascurabile **CONTR.** bomba (*fig.*), esplosivo (*fig.*), sensazionale.

insignificànza *s. f.* marginalità, irrilevanza **CONTR.** importanza, significatività.

insignìre *v. tr.* decorare, fregiare **CONTR.** degradare, destituire.

insincèro *agg.* bugiardo, falso, mendace, ipocrita, subdolo **CONTR.** sincero, schietto, franco.

insinuànte *part. pres.; anche agg.* [*rif. al tono di voce*] melato, mellifluo, suadente **CONTR.** schietto, franco.

insinuàre A *v. tr.* **1** inserire, infilare, incuneare **CONTR.** estrarre **2** alludere

a, sottintendere, fare allusione a **3** [*sospetto, desiderio*] ispirare, suggerire, suscitare, instillare, inoculare (*fig.*), infondere **B** *v. intr. pron.* **1** [*detto di dubbio, etc.*] introdursi, incunearsi (*fig.*) **CONTR.** uscire, allontanarsi **2** [*detto di polvere, etc.*] entrare, infiltrarsi, penetrare **C** *v. rifl.* infilarsi, intrufolarsi, inserirsi, intromettersi.

insìpido *agg.* **1** scipito, sciapo (*dial.*), sciocco, scondito (*est.*) **CONTR.** appetitoso, gustoso, salato, sapido, saporito **2** [*rif. a una persona, a una cosa*] insignificante, scialbo, banale, piatto **CONTR.** interessante.

insistènte *part. pres.; anche agg.* **1** assiduo, accanito, perseverante, pertinace, tenace, caparbio, pervicace **2** [*rif. a una persona*] assiduo, inopportuno, invadente, indiscreto **CONTR.** discreto, riservato **3** [*rif. a una domanda, etc.*] incalzante, assillante **4** [*rif. alla pioggia*] battente.

insistenteménte *avv.* **1** persistentemente, ripetutamente **CONTR.** saltuariamente **2** importunamente, pedantemente **CONTR.** delicatamente.

insistènza *s. f.* **1** pertinacia, perseveranza, cocciutaggine, caparbietà **CONTR.** discrezione **2** pressione (*fig.*).

insìstere *v. intr.* **1** essere insistente, perseverare, persistere, perdurare, continuare, durare, proseguire, ostinarsi, accanirsi, fissarsi, incaparbirsi (*fig.*), incaponirsi, premere (*fig.*), battere (*fig.*), picchiare (*fig.*) **CONTR.** glissare, desistere, smettere, mollare **2** [*detto di edificio, etc.*] sorgere.

insoddisfàtto *agg.* **1** inappagato, scontento, malcontento, deluso, frustrato **CONTR.** appagato, pago (*lett.*), soddisfatto, realizzato, orgoglioso (*est.*) **2** (*est.*) disatteso.

insoddisfazióne *s. f.* scontentezza, frustrazione, scontento, malcontento, malumore (*est.*), noia (*est.*) **CONTR.** soddisfazione, appagamento, beatitudine, buonumore.

CLASSIFICAZIONE

Insoddisfazione

Insoddisfazione: stato psichico di chi non ha avuto pieno appagamento in q.c..

scontentezza: stato psichico di insoddisfazione e infelicità;

frustrazione: stato psichico di profonda insoddisfazione e avvilimento nei confronti di una realtà avvertita come insormontabile o irraggiungibile;

scontento: stato psichico di insoddisfazione determinato da una realtà esterna a sé stessi;

malcontento;

malumore;

noia: stato psichico di insoddisfazione che assale a causa dell'inerzia materiale, della mancanza di interessi.

insofferènte *agg.* impaziente, irrequieto, intollerante, infastidito, seccato, irritabile, smanioso CONTR. tranquillo, paziente, sereno (*est.*).

insofferènza *s. f.* **1** intolleranza, impazienza CONTR. tolleranza, pazienza **2** avversione, disgusto (*est.*).

insolènte A *agg.* impudente, impertinente, arrogante, spudorato, irriverente, discolo, screanzato, tracotante, audace, ardito, diffamatorio (*est.*) CONTR. deferente, affabile, gentile, cortese, piaggiatore (*est.*) **B** *s. m. e f.* impertinente, sfacciato.

insolenteménte *avv.* irrispettosamente, irriverentemente, sfrontatamente, prepotentemente CONTR. discretamente.

insolentìre A *v. tr.* ingiuriare, insultare, oltraggiare, svillaneggiare, lanciare ingiurie *a*, offendere CONTR. complimentare, elogiare, ossequiare, lodare, piaggiare **B** *v. intr.* diventare insolente.

insolènza *s. f.* **1** [*rif. all'atteggiamento*] impudenza, impertinenza, sfacciataggine, arroganza, irriverenza, tracotanza, audacia, sfrontatezza, protervia, improntitudine, petulanza CONTR. amabilità, cortesia, educazione **2** [*l'azione*] ingiuria, insulto CONTR. cortesia, complimento, gentilezza.

insolitaménte *avv.* **1** inconsuetamente, eccezionalmente, abnormemente CONTR. comunemente, solitamente **2** abnormemente, curiosamente **3** eccezionalmente.

insòlito *agg.* **1** inconsueto, infrequen-

te, inusitato CONTR. solito, abituale, quotidiano, consueto, normale, convenzionale, rituale (*fig.*) **2** anomalo, diverso, strano **3** singolare, straordinario, extra **4** nuovo **5** (*lett.*) disusato.

insómma A *avv.* **1** in conclusione, in fin dei conti, dopotutto, finalmente **2** in breve **B** *inter.* dunque, allora.

insopportàbile *agg.* **1** insostenibile, intollerabile, inammissibile, incompatibile (*est.*) CONTR. accettabile, sopportabile, comprensibile, ammissibile, lieve **2** [*rif. al dolore*] lancinante, straziante, tremendo CONTR. sopportabile, lieve **3** [*rif. a una persona*] irritante, odioso, detestabile, opprimente CONTR. sopportabile, comprensibile **4** (*fam.*) maledetto.

insopportabilménte *avv.* intollerabilmente, noiosamente CONTR. tollerabilmente, sopportabilmente.

insórgere *v. intr.* **1** ribellarsi, rivoltarsi, sollevarsi, tumultuare, ammutinarsi, protestare (*est.*), reagire (*est.*) CONTR. soggiacere, sottostare, subire, sopportare, tollerare, rassegnarsi **2** [*detto di malattia, difficoltà*] manifestarsi, apparire, comparire, destarsi, scatenarsi, presentarsi, svilupparsi CONTR. cessare.

insormontàbile *agg.* invincibile, imbattibile CONTR. superabile.

insostenìbile *agg.* **1** [*rif. al peso, alla responsabilità*] insopportabile, intollerabile CONTR. sopportabile, tollerabile **2** [*rif. a un argomento*] inaccettabile, inammissibile, improponibile, assurdo, incompatibile CONTR. sopportabile, tollerabile, sostenibile.

insozzàre *v. tr.* **1** infangare, insudiciare, lordare, imbrattare, impiastricciare, inquinare, macchiare, maculare (*raro*), sciupare, contaminare (*est.*), deturpare (*est.*) CONTR. depurare, detergere, nettare, forbire, lavare, mondare, pulire **2** (*gener.*) sporcare **3** (*est.*) disonorare, infamare, profanare **B** *v. rifl.* **1** sporcarsi, imbrattarsi, macchiarsi, insudiciarsi, contaminarsi, lordarsi CONTR. detergersi, forbirsi, pulirsi, nettarsi **2** (*est.*) compromettersi.

inspiegàbile *agg.* inesplicabile CONTR. spiegabile.

inspiegabilménte *avv.* incompren-

sibilmente, inintelligibilmente CONTR. comprensibilmente, ovviamente.

inspiràre *v. tr.* aspirare, introdurre aria nei polmoni, inalare CONTR. espirare.

instàbile *agg.* **1** precario, debole, ballerino (*est.*) CONTR. stabile, consolidato, costante, duraturo, durevole, fisso, invariabile **2** [*rif. al tempo atmosferico*] variabile CONTR. stabile, invariabile **3** [*rif. al carattere, etc.*] incostante, volubile, influenzabile, incerto CONTR. stabile, invariabile **4** [*rif. al passo*] oscillante, malfermo, malsicuro CONTR. saldo, stabile.

instabilità *s. f. inv.* **1** [*rif. al carattere*] incostanza, volubilità, insicurezza, squilibrio, discontinuità, incertezza CONTR. stabilità, saldezza, solidità, costanza **2** [*rif. al tempo, al clima*] variabilità **3** [*dei beni terreni*] debolezza, fragilità, caducità **4** [*rif. a una situazione politica*] provvisorietà, precarietà, fluidità CONTR. stabilità.

instabilménte *avv.* **1** volubilmente, incostantemente, mutevolmente CONTR. stabilmente, invariabilmente, saldamente, solidamente **2** (*est.*) incostantemente CONTR. stabilmente, durevolmente, perpetuamente.

installàre o **istallàre A** *v. tr.* **1** [*un dispositivo, etc.*] allacciare, collegare, impiantare, mettere, montare CONTR. smontare **2** [*qc. in un ufficio, etc.*] piazzare, insediare CONTR. espellere, scacciare, deporre **3** [*qc.*] domiciliare, collocare, sistemare **4** [*la tenda*] (*anche fig.*) piazzare, piantare **B** *v. intr. pron.* **1** insediarsi, stabilirsi, piazzarsi CONTR. spostarsi, allontanarsi, andarsene **2** andare ad abitare, andare a vivere, domiciliarsi.

installazióne *s. f.* **1** impianto **2** insediamento, collocazione (*est.*), allestimento.

instancàbile *agg.* **1** [*rif. a una persona*] infaticabile, indefesso CONTR. stanco, affaticato, prostrato, spossato **2** [*rif. al lavoro*] febbrile CONTR. discontinuo.

instancabilménte *avv.* indefessamente, infaticabilmente, alacremente CONTR. svogliatamente, controvoglia.

instauràre A *v. tr.* **1** [*un ordine, un*

metodo] fondare, istituire **CONTR.** annullare, sopprimere **2** [*un'amicizia, etc.*] stabilire **3** [*nuove metodologie*] introdurre **B** *v. intr. pron.* avere inizio, cominciare **CONTR.** finire, concludersi, terminare.

instaurazióne *s. f.* [*di una norma, di una moda*] introduzione **CONTR.** soppressione.

insterilire *v. tr.* V. isterilire.

instillàre o **istillàre** *v. tr.* **1** [*sentimenti*] infondere, inculcare, ispirare, trasmettere, trasfondere, immettere (*raro*) **CONTR.** sradicare **2** [*paura, etc.*] infondere, ispirare, trasmettere, mettere **3** [*il dubbio, etc.*] inculcare, insinuare **4** stillare, versare goccia a goccia.

instradàre o **istradàre** **A** *v. tr.* **1** [*il traffico*] dirigere, incanalare, convogliare, incamminare **CONTR.** sviare **2** [*qc. agli studi, etc.*] indirizzare, avviare, guidare, orientare **CONTR.** distogliere **3** [*qc. al gioco, etc.*] (*est.*) iniziare **B** *v. rifl.* indirizzarsi, avviarsi, intraprendere *un* (*est.*).

instupidire *v. tr.* V. istupidire.

insubordinataménte *avv.* indocilmente **CONTR.** ubbidientemente, remissivamente.

insubordinàto *agg.* indisciplinato, ribelle **CONTR.** subordinato.

insubordinazióne *s. f.* indisciplina.

insuccèsso *s. m.* **1** fallimento, sconfitta, frana (*fig.*), errore (*est.*) **CONTR.** successo, vittoria, affermazione **2** [*spec. con: subire*] delusione, smacco, scacco **3** [*rif. a uno spettacolo, etc.*] (*fig.*) fiasco, caduta.

insudiciàre **A** *v. tr.* **1** infangare, macchiare, sporcare, insozzare, imbrattare, impiastrare, conciare (*est.*), inzaccherare, impataccare, impiastricciare, lordare, schizzare **CONTR.** detergere, forbire, pulire, nettare **2** [*l'ambiente*] infangare, macchiare, deturpare, contaminare **3** [*le acque*] intorbidare, intorbare **4** [*qc.*] (*est.*) disonorare, infamare **CONTR.** onorare, celebrare, esaltare **B** *v. rifl.* **1** sporcarsi, insozzarsi, macchiarsi, imbrattarsi, conciarsi, farsi delle macchie, farsi delle patacche, impataccarsi, lordarsi, intrugliar-

si, inzaccherarsi, sbrodolarsi, impiastrarsi, impiastricciarsi **CONTR.** detergersi, forbirsi, pulirsi **2** (*est.*) compromettersi, disonorarsi, degradarsi.

insufficiènte *agg.* **1** inadeguato, inidoneo, manchevole, difettoso **CONTR.** abbondante, sufficiente, copioso, dovizioso, lauto, sostanzioso, soverchio (*lett.*) **2** scarno, manchevole, lacunoso, carente, deficiente, manco (*lett.*), deludente **CONTR.** accettabile, esauriente **3** scarno, scarso, misero, povero **CONTR.** lauto **4** [*rif. allo spazio*] angusto, stretto **5** [*rif. a qualità*] scadente.

insufficienteménte *avv.* **1** non abbastanza, inadeguatamente, incompletamente **CONTR.** bastantemente, esaurientemente, abbondantemente, ampiamente, doviziosamente, abbastanza, assai, troppo, eccessivamente, sufficientemente **2** imperfettamente **CONTR.** esaurientemente, sufficientemente, discretamente, passabilmente.

insufficiènza *s. f.* **1** mancanza, scarsezza, scarsità, carenza, deficienza **CONTR.** sufficienza, superfluità, dovizia **2** inidoneità, inadeguatezza **3** incompletezza **4** [*morale*] piccolezza, pochezza **5** difetto.

insùlso *agg.* insignificante, banale, scialbo, scipito, amorfo, scemo, sciocco, futile (*est.*) **CONTR.** arguto, intelligente, sveglio.

insultànte *part. pres.; anche agg.* ingiurioso, offensivo, oltraggioso, irriverente **CONTR.** laudativo (*lett.*).

insultàre **A** *v. tr.* offendere, ingiuriare, vilipendere (*bur.*), oltraggiare, svillaneggiare, insolentire, schernire, vituperare, lanciare ingiurie *a*, assalire (*fig.*) **CONTR.** complimentare, elogiare, encomiare, esaltare, lodare, ossequiare, piaggiare **B** *v. rifl. rec.* offendersi, ingiuriarsi.

insùlto *s. m.* **1** ingiuria, contumelia (*colto*), epiteto, insolenza **CONTR.** complimento **2** [*l'azione*] offesa, sgarro (*merid.*), sfregio (*gerg.*), oltraggio, calcio (*fig.*).

insuperàbile *agg.* **1** insormontabile **CONTR.** superabile **2** eccellente, straordinario, inarrivabile.

insuperbire **A** *v. tr.* **1** imbaldanzire, gonfiare, ringalluzzire **CONTR.** abbassare, deprimere, umiliare **2** [*detto di successo*] dare alla testa *a* **B** *v. intr. e intr. pron.* inorgoglirsi, montarsi, imbaldanzirsi, diventare superbo, alzare la cresta (*fig.*) **CONTR.** abbassarsi, umiliarsi, strisciare.

insurrezióne *s. f.* sommossa, sollevazione, ribellione, rivolta, tumulto, levata, sedizione, sollevamento, rivoluzione (*est.*).

intabarràre **A** *v. tr.* imbacuccare, incappottare, ammantellare (*raro*) **CONTR.** spogliare, svestire, scoprire **B** *v. rifl.* imbacuccarsi, incappottarsi **CONTR.** svestirsi, spogliarsi, scoprirsi.

intaccàre **A** *v. tr.* **1** [*detto di tempo, etc.*] logorare, incrinare **2** [*detto di acido, etc.*] mangiare, mordere, erodere, corrodere, smangiare, cominciare a consumare, bruciare, consumare, rodere **3** [*l'onore, la reputazione*] ledere, nuocere *a*, compromettere, pregiudicare **4** [*detto di chiodo, etc.*] incidere, scalfire, graffiare **5** [*le riserve monetarie*] (*fig.*) mangiare, rosicare, rosicchiare **B** *v. intr.* tartagliare, balbettare, incepparsi.

intagliàre *v. tr.* scolpire, intarsiare, cesellare, incidere, scalfire, frastagliare, scalpellare.

intangibile *agg.* **1** intoccabile, inviolabile **CONTR.** tangibile, toccabile **2** [*rif. alla libertà, etc.*] (*fig.*) inviolabile, sacro, santo.

intarsiàre *v. tr.* **1** lavorare a intarsio, intagliare, scolpire **2** [*uno scritto, etc.*] (*est.*) decorare, ornare, incrostare (*fig.*).

intasaménto *s. m.* **1** ingombro, ingorgo, otturazione, occlusione, ostruzione **2** [*nel traffico*] ingombro, ingorgo.

intasàre **A** *v. tr.* **1** ostruire, occludere, ingombrare, accecare (*fig.*), ingorgare, otturare, bloccare, ristoppare **CONTR.** disintasare, sturare, stasare, sgorgare, sbloccare, liberare, stappare **2** [*un luogo*] empire, riempire, affollare **B** *v. intr. pron.* ingorgarsi, otturarsi, bloccarsi, tapparsi **CONTR.** liberarsi, sturarsi, sbloccarsi.

intascàre *v. tr.* (*est.*) guadagnare, riscuotere **CONTR.** sborsare, pagare, dare.

intàtto agg. *1* integro, intero, illeso, incolume, indenne, salvo **CONTR.** consumato, consunto, frusto, liso, logoro, sciupato, malandato, lacerato, marcio (*pop.*), guasto (*pop.*), tocco (*raro*), putrefatto *2* [*rif. alla fama, alla verginità*] (*fig.*) integro, illibato, puro **CONTR.** corrotto, contaminato *3* (*est.*) integro **CONTR.** manomesso, modificato.

intavolàre v. tr. [*un discorso, etc.*] dare inizio a, cominciare, avviare, aprire (*fig.*) **CONTR.** concludere, finire, terminare.

integràle (1) agg. [*rif. a cibo*] naturale.

integràle (2) agg. intero, totale.

integralismo s. m. puritanesimo, moralismo, intransigenza.

integralménte avv. interamente, completamente, totalmente, compiutamente **CONTR.** frammentariamente, parzialmente.

integràre A v. tr. *1* completare, arricchire, aggiungere, perfezionare *2* [*qc.*] inserire *3* [*un difetto, etc.*] (*est.*) adempiere (*raro*), supplire *4* [*una società, etc.*] (*est.*) fondere **B** v. intr. pron. completarsi **C** v. rifl. inserirsi.

integrazióne s. f. *1* aggiunta, supplemento, inserimento *2* aggiornamento, arricchimento.

integrità s. f. inv. *1* completezza, interezza, totalità **CONTR.** incompletezza *2* [*rif. a una persona*] probità, rettitudine, onestà, innocenza, serietà, verginità **CONTR.** disonestà *3* [*rif. a una donna*] (*est.*) verginità, purezza.

integro agg. *1* intero, intero, incolume, illeso, intatto, sano **CONTR.** frantumato, lacerato, acciaccato, deformato, logorato, putrido *2* [*rif. a una persona*] probo, incorruttibile **CONTR.** putrido, corrotto, guasto (*fig.*), depravato *3* [*rif. a cosa*] intatto **CONTR.** mutilato, manomesso (*est.*), rovinato, sgualcito.

intelaiatùra s. f. impalcatura, ossatura (*fig.*), struttura, armatura (*fig.*), anima (*fig.*), carcassa, telaio.

intellettìvo agg. mentale, razionale **CONTR.** emotivo, irrazionale, istintivo.

intellètto s. m. intelligenza, raziocinio, cervello (*fig.*), mente (*est.*), spirito (*est.*) **CONTR.** fantasia.

intellettuàle A agg. *1* cerebrale, mentale, spirituale **CONTR.** corporeo, materiale, fisico *2* cerebrale **CONTR.** emotivo **B** s. m. e f. **CONTR.** ignorante.

intelligènte agg. *1* acuto, perspicace, ingegnoso, sveglio, accorto **CONTR.** beota, deficiente, demente, ebete, fesso, idiota, imbecille, insulso, stolido (*lett.*), stupido, tonto *2* (*est.*) abile, capace *3* lungimirante, aperto (*fig.*).

intelligenteménte avv. acutamente, genialmente, ingegnosamente, sapientemente **CONTR.** stupidamente, idiotamente, scioccamente, animalescamente (*est.*), ristrettamente.

intelligènza s. f. *1* intelletto, ingegno, cervello (*fig.*), mente (*est.*), cranio (*fig.*), capo (*fig.*), senno, sagacia **CONTR.** stupidità, scemenza, scempiaggine, sciocchezza, stolidezza, stoltezza, durezza, imbecillaggine, ottusità, imbecillità *2* (*est.*) intendimento (*raro*), comprensione.

intelligibile agg. comprensibile, piano, chiaro, facile **CONTR.** incomprensibile, difficile.

intemperànte agg. *1* smisurato, smodato, eccessivo, sregolato (*est.*) **CONTR.** castigato, contenuto, frugale, temperante, parco *2* fanatico, violento, aggressivo **CONTR.** controllato.

intemperànza s. f. incontinenza, smodatezza **CONTR.** temperanza, astinenza, continenza.

intempestivaménte avv. *1* inopportunamente, fuori luogo *2* (*temp.*) con ritardo **CONTR.** tempestivamente, subito, puntualmente.

intempestivo agg. *1* inopportuno, sconveniente, importuno (*est.*) **CONTR.** opportuno, conveniente *2* (*temp.*) tardivo (*est.*) **CONTR.** immediato, pronto, veloce, subitaneo.

intèndere v. tr. *1* comprendere, capire, percepire, avvertire, intuire, vedere (*fig.*), cogliere (*fig.*), conoscere, decifrare, distinguere, giudicare

(*est.*), penetrare (*fig.*), raccapezzare (*raro*), interpretare (*est.*), realizzare (*fig.*), mangiare la foglia (*fig.*) *2* [*i consigli, etc.*] udire, ascoltare, seguire *3* [*di sapere, di partire, etc.*] pretendere, esigere, volere **B** v. intr. *1* [*agli studi, etc.*] attendere, applicarsi, dedicarsi, consacrarsi *2* [*al bene, al male, etc.*] tendere, mirare **C** v. rifl. rec. capirsi, comprendersi, affiatarsi, comunicare, amalgamarsi, conciliarsi, convenire **CONTR.** contrastarsi, discutere **D** v. intr. pron. essere esperto, sapere, avere cognizione.

intendiménto s. m. *1* proposito, intenzione, fine, scopo *2* (*est.*) intelligenza.

intenditóre s. m. (f. *-trice*) conoscitore, padrone (*fig.*), amatore, estimatore **CONTR.** ignorante.

inteneriménto s. m. commozione.

intenerire A v. tr. *1* (*est.*) suscitare tenerezza a in, commuovere, impietosire, muovere (*fig.*) **CONTR.** indurire, irrigidire, incallire *2* [*carni, etc.*] ammollire, frollare, rammollire, infrollire **CONTR.** indurire **B** v. intr. pron. *1* commuoversi, impietosirsi, provare tenerezza, addolcirsi **CONTR.** indurirsi, incallirsi, incrudelire, inferocire *2* ammorbidirsi, rammollirsi **CONTR.** indurirsi.

intenerito part. pass.; anche agg. *1* commosso, impietosito *2* (*est.*) addolcito, mitigato.

intensaménte avv. *1* fortemente, acutamente, molto, profondamente **CONTR.** debolmente, fiaccamente, esilmente *2* febbrilmente *3* fissamente, fisso *4* [*rif. al parlare*] fitto.

intensificàre A v. tr. *1* accentuare, rafforzare, aumentare, moltiplicare, raddoppiare **CONTR.** attenuare, diminuire, smorzare, indebolire *2* [*il dolore, il piacere*] acuire, acutizzare, esacerbare *3* [*l'affetto, etc.*] crescere **B** v. intr. pron. rafforzarsi, moltiplicarsi, raddoppiare **CONTR.** attenuarsi, diminuire, indebolirsi, scemare, sbiadire, digradare.

intensità s. f. inv. *1* forza, energia, potenza *2* [*rif. a un sentimento*] profondità, impeto, veemenza, ardore **CONTR.** tenuità *3* [*rif. al suono*] volume *4* [*rif. allo sguardo*] acutezza, vivezza, vivacità.

intenso 312

intènso agg. 1 [rif. all'emozione] vivo, vero, profondo, forte, violento, esplosivo (fig.) CONTR. debole, lieve 2 [rif. allo spirito] cocente (fig.), ardente (fig.), veemente, fervido, verde (lett.) CONTR. debole 3 [rif. allo sguardo] profondo, concentrato, aguzzo (fig.) CONTR. debole 4 [rif. a un odore] acre 5 [rif. a un sentimento] esplosivo (fig.), grave CONTR. debole 6 [rif. al dolore] vivo, acuto, lancinante, viscerale CONTR. debole, lieve 7 [rif. al colore] carico, caldo (fig.), acceso (fig.), vivace, sgargiante CONTR. leggero, smorto, pallido 8 [rif. a un'attività] febbrile 9 [rif. alla fame, al freddo, etc.] (pop.) birbone, cane, boia.

intentàre v. tr. [una causa, etc.] promuovere, iniziare CONTR. chiudere.

intènto A agg. 1 attento, assorto, concentrato, fisso, meditabondo, assorbito CONTR. distratto, svagato 2 [a un'attività] dedicato, impegnato in B s. m. intenzione, volere, proposito, progetto, mira.

intenzionàle agg. volontario, voluto, deliberato, meditato, premeditato CONTR. automatico, involontario.

intenzionalménte avv. deliberatamente, apposta, appositamente, avvertitamente, studiatamente CONTR. fortuitamente, per caso, casualmente.

intenzióne s. f. 1 idea, proposito, progetto, mira, disegno, intento, animo 2 intendimento, proponimento, volontà (est.) 3 [con] calcolo, premeditazione.

intepidíre v. tr. e intr. pron. V. intiepidire.

interaménte avv. 1 completamente, integralmente, compiutamente, totalmente CONTR. frammentariamente, parzialmente 2 del tutto, assolutamente CONTR. per nulla.

intercalàre A v. tr. 1 interporre, inframmettere, inserire, inframmezzare, frammettere, frapporre, interpolare, intramezzare, punteggiare (fig.) CONTR. espungere 2 (est.) ripetere B s. m. inv. ritornello C agg. intervallato, inserito.

intercapèdine s. f. vuoto, interstizio.

intercèdere A v. intr. 1 [per qc.] mediare, intervenire (fig.), interporsi, intromettersi, interessarsi 2 [detto di tempo] intercorrere, correre (fig.) B v. tr. chiedere, domandare, impetrare.

intercessióne s. f. intervento, raccomandazione, perorazione, intromissione, grazia (est.), interessamento.

intercettàre v. tr. 1 [segnali radiofonici] captare, cogliere, ricevere 2 ostacolare, bloccare, fermare.

intercórrere v. intr. 1 [detto di tempo] frapporsi, correre (fig.), intercedere (raro) 2 [in una relazione] correre, separare un, esserci 3 [detto di distanza tra paesi] separare un.

interdétto (1) agg. sorpreso, turbato, attonito, confuso, disorientato CONTR. impassibile.

interdétto (2) agg. proibito, vietato CONTR. permesso.

interdire v. tr. 1 [q.c.] impedire, vietare, proibire CONTR. consentire, autorizzare, concedere, permettere 2 [qc.] ostacolare, inibire, inabilitare, limitare CONTR. favorire 3 (relig.) scomunicare 4 (est.) segregare.

interessaménto s. m. 1 attenzione, interesse, partecipazione CONTR. disinteresse, indifferenza, noncuranza 2 aiuto, sostegno 3 intercessione, intervento, raccomandazione, spinta.

interessànte agg. 1 avvincente, stimolante, affascinante, promettente, brillante CONTR. brutto, insipido, noioso, monotono, pesante 2 [rif. a un viaggio] avventuroso 3 [rif. a un'opera teatrale, etc.] pregevole, apprezzabile, indovinato, convincente CONTR. brutto, insipido, noioso, monotono, pesante.

interessàre A v. tr. 1 avvincere, toccare, attrarre, attirare, dilettare, divertire, piacere, appassionare, intrigare, rugare (scherz.), intrattenere, incuriosire CONTR. disincentivare, disinteressare, infastidire, annoiare, seccare 2 riguardare, concernere 3 [qc. a un dibattito, etc.] cointeressare, coinvolgere, affezionare (raro) CONTR. disaffezionare B v. intr. importare, premere, venire (fig.) C v. intr. pron. 1 badare a, occuparsi, pensare a, attendere a, adoperarsi per CONTR. dimenticare,

disinteressarsi, estraniarsi, fregarsene, infischiarsi, sbattersene (fam.) 2 dedicarsi a, accostarsi a (fig.), darsi a, dilettarsi 3 impicciarsi, curiosare, incuriosirsi 4 intervenire per, intercedere per, prendere a cuore.

interessataménte avv. egoisticamente, calcolatamente CONTR. disinteressatamente, spassionatamente.

interessàto A part. pass.; anche agg. 1 appassionato, partecipe CONTR. annoiato, dimentico, disattento 2 calcolatore, venale, egoistico CONTR. altruista, caritatevole, generoso 3 venale, mercenario (fig.) B s. m. (f. -a) CONTR. estraneo.

interèsse s. m. 1 attenzione, curiosità, interessamento CONTR. disinteresse, noncuranza 2 partecipazione, coinvolgimento CONTR. estraniazione 3 attrazione, predilezione, passione, affetto, benevolenza 4 svago, hobby (ingl.) 5 [spec. con: suscitare] scalpore (fig.), sensazione 6 [rif. a avvenimenti, etc.] importanza, rilievo 7 [economico] utilità, convenienza, tornaconto, beneficio, comodo 8 [spec. con: per] calcolo 9 [bancario] (banca) rendimento.

interézza s. f. totalità, pienezza, integrità.

interferènza s. f. 1 ingerenza, intromissione, intrusione, invasione 2 [in linea telefonica, etc.] (est.) disturbo, rumore.

interferíre v. intr. 1 intervenire, intromettersi, inserirsi, ingerirsi CONTR. disinteressarsi, trascurare 2 [detto di vibrazioni, etc.] (fis.) sovrapporsi, intersecarsi.

interióra s. f. pl. visceri, frattaglia, intestini, budella.

interióre agg. interno, intimo CONTR. esteriore, esterno.

interiorità s. f. inv. spiritualità CONTR. esteriorità.

interiorizzàre v. tr. introiettare CONTR. esteriorizzare.

interiorménte avv. 1 intimamente, internamente, dentro, addentro CONTR. esteriormente 2 (est.) spiritualmente CONTR. fisicamente.

)

interloquire v. intr. prendere la parola, parlare, entrare nel discorso, intervenire CONTR. tacere.

interlùdio s. m. intermezzo, parentesi CONTR. preludio, ouverture (fr.).

intermediàrio A s. m. (f. -a) 1 mediatore, sensale, agente, tramite, strumento (fig.) 2 paraninfo, mezzano, lenone (lett.), prosseneta (lett.) B agg. intermedio, in mezzo.

intermèzzo s. m. parentesi, pausa, interludio.

interminàbile agg. illimitato, eterno, infinito CONTR. limitato, temporaneo, effimero, labile.

internaménte avv. dentro, interiormente CONTR. esternamente, fuori, di fuori.

internàre A v. tr. rinchiudere, relegare, ricoverare, segregare CONTR. liberare B v. intr. pron. 1 addentrarsi, entrare, penetrare, insinuarsi 2 [nello studio, etc.] dedicarsi, immergersi (fig.).

intèrno A agg. 1 interiore, intimo, profondo, intestino (fig.) CONTR. esteriore, esterno 2 [in politica] nazionale CONTR. estero B s. m. 1 cuore, anima, spirito, psiche CONTR. esterno, scorza (fig.) 2 [della terra] cuore, viscere, seno CONTR. superficie 3 (est.) profondità 4 [di un abito] (est.) rovescio.
♦ **all'interno** loc. prep. dentro, addentro.

intèro A agg. 1 totale, completo, tutto CONTR. carente, frammentario, parziale, incompleto, mozzo, mutilato, spezzato, lacunoso, mutilo 2 (lett.) integro, intatto, illeso, indenne, sano CONTR. carente, frammentario, parziale, incompleto, rotto, sgangherato 3 [rif. alla libertà, etc.] pieno, perfetto, assoluto CONTR. incompleto, limitato 4 [rif. a un numero, a una cifra] rotondo, pieno, tondo 5 (lett.) universo 6 CONTR. mezzo B s. m. sing. totale.

interpellàre v. tr. consultare, interrogare, chiedere spiegazioni a, intervistare, chiamare (est.), sentire (est.) CONTR. rispondere.

interpolàre v. tr. inserire, frapporre, aggiungere, frammettere, intromettere, intercalare, modificare (est.) CONTR. espungere, estrapolare, sop-

primere.

interpórre A v. tr. inserire, inframmettere, intercalare, frapporre, frammettere, frammezzare, intromettere CONTR. eliminare, togliere, levare B v. rifl. 1 frapporsi, frammettersi, intromettersi, mettersi tra, pararsi (est.) 2 intercedere, intervenire, mediare C v. intr. pron. 1 [detto di tempo] intercorrere, correre 2 [detto di ostacolo] frapporsi.

interpretàre v. tr. 1 intendere, capire 2 [uno scritto, etc.] tradurre, spiegare, commentare, decifrare, decodificare, parafrasare, volgarizzare 3 [una poesia, un brano] eseguire, leggere, rappresentare, recitare, impersonare 4 [le intenzioni altrui] intuire, indovinare 5 [il comportamento altrui] intendere, valutare, giudicare 6 [i sogni, le fantasie] (psicol.) psicanalizzare, analizzare.

interpretazióne s. f. 1 spiegazione, commento 2 [di un brano musicale, etc.] esecuzione, recitazione, lettura 3 (est.) versione, campana (fig.).

interpunzióne s. f. punteggiatura.

interraménto s. m. sepoltura, inumazione, tumulazione, seppellimento CONTR. disseppellimento, dissotterramento, esumazione.

interràre v. tr. 1 inumare, seppellire, sotterrare CONTR. disseppellire, dissotterrare, esumare, riesumare 2 piantare, conficcare CONTR. divellere, sbarbare.

interrogàre A v. tr. 1 [qc.] interpellare, consultare, intervistare CONTR. rispondere 2 [q.c. a qc.] chiedere, domandare, informarsi di, richiedere 3 [la propria coscienza] esaminare, sondare, scandagliare B v. rifl. chiedersi, domandarsi.

interrogativo A s. m. 1 quesito, domanda, richiesta, dubbio 2 incognita, problema B agg. [rif. ad espressione] stupito.

interrómpere A v. tr. 1 smettere, sospendere, troncare, cessare, lasciare, tralasciare CONTR. continuare, proseguire, riprendere 2 [la circolazione, etc.] ostacolare, impedire, ostruire, intralciare, non fare procedere, occludere CONTR. sbloccare 3 [la carriera,

etc.] (fig.) congelare 4 [il riposo, il sonno, etc.] (est.) disturbare CONTR. conciliare 5 [qc.] (est.) zittire 6 [un legame, una relazione] (fig.) recidere, tagliare, distaccarsi da 7 [una pratica, una proposta] ostacolare, insabbiare (fig.) 8 [un processo] arrestare, fermare 9 [un discorso, le frasi] (fig.) smozzicare B v. intr. pron. 1 arrestarsi, fermarsi, bloccarsi, incagliarsi, insabbiarsi (fig.) CONTR. continuare, riprendere 2 arrestarsi, tacere 3 [detto di vento, etc.] cessare, terminare 4 [detto di relazione] troncarsi.

interrótto part. pass.; anche agg. 1 discontinuo CONTR. continuo, incessante, ininterrotto 2 [rif. a un'azione] tronco (fig.) CONTR. continuo.

interruzióne s. f. 1 [delle attività] fermata, pausa, intervallo, break (ingl.), sosta, arresto, sospensione CONTR. ripresa 2 [dei rapporti] rottura, cessazione, troncamento.

intersecàre A v. tr. attraversare, tagliare, incrociare, traversare B v. intr. pron. 1 incrociarsi, tagliarsi, attraversarsi, intrecciarsi 2 [detto di vibrazioni] (fis.) interferire, sovrapporsi.

interstìzio s. m. intercapedine, vuoto.

intervallàre v. tr. inframmezzare, inframmettere, intramezzare, distanziare (est.) CONTR. infittire.

intervàllo s. m. 1 [nell'attività] pausa, sospensione, break (ingl.), interruzione, fermata, parentesi, arresto 2 [rif. al tempo] spazio (fig.), salto (fig.), periodo, tratto (fig.), arco (fig.).

intervenìre v. intr. 1 [in una discussione, in una lite] frapporsi, intromettersi, frammettersi, interferire, interloquire, interporsi CONTR. estraniarsi, disinteressarsi 2 [a una cerimonia, uno spettacolo] giocare, partecipare, presenziare, esibirsi, assistere 3 [detto di evento, etc.] succedere, capitare, accadere, sopravvenire, verificarsi 4 [per qc.] (est.) interessarsi, intercedere 5 [detto di fortuna, caso] entrare in ballo, agire 6 (chir.) operare, fare un'operazione, eseguire un intervento.

intervènto s. m. 1 partecipazione, presenza 2 intromissione, ingerenza 3 [spec. con: per] intercessione, perorazione, mediazione, interessamento, ufficio, grazia **4** [*a un simposio, a un congresso*] discorso, comunicazione, contributo, presentazione **5** operazione, iniziativa, azione, mossa (*fig.*).

intervistàre *v. tr.* interrogare, interpellare.

intésa *s. f.* **1** accordo, patto, alleanza **2** accordo, affiatamento, comprensione, pace **3** affinità, attrazione, simpatia **4** [*di affari, etc.*] accordo, transazione (*bur.*), aggiustamento.

intèssere *v. tr.* **1** tessere, intrecciare **CONTR.** sfilare **2** [*lodi, etc.*] (*est.*) comporre **3** [*trame, inganni, etc.*] (*fig.*) ordire, tramare, macchinare.

intestardìrsi *v. intr. pron.* incaponirsi, ostinarsi, incaparbirsi, fissarsi, intestarsi **CONTR.** cedere, arrendersi, piegarsi.

intestardìto *part. pass.; anche agg.* fissato, incaponito, ostinato.

intestàre A *v. tr.* intitolare, dedicare **B** *v. intr. pron.* incaparbirsi, intestardirsi, ostinarsi, fissarsi, impuntarsi **CONTR.** cedere, arrendersi, piegarsi.

intestàto *part. pass.; anche agg.* intitolato, dedicato (*est.*).

intestazióne *s. f.* [*di un libro, etc.*] titolo.

intestìni *s. m. pl.* visceri, interiora, budella, frattaglia.

intestino (1) *agg.* interno **CONTR.** esterno.

intestino (2) *s. m.* (*med.*) alvo.

intiepidìre o **intepidìre A** *v. tr.* **1** raffreddare **CONTR.** esaltare, infiammare **2** [*sentimenti*] (*est.*) mitigare, attenuare, affievolire (*fig.*), smorzare (*fig.*) **B** *v. intr. pron.* mitigarsi, attenuarsi, affievolirsi, smorzarsi, raffreddarsi **CONTR.** accendersi, esaltarsi, infervorarsi, infiammarsi.

intimaménte *avv.* dentro, interiormente **CONTR.** superficialmente, marginalmente (*est.*).

intimàre *v. tr.* **1** ingiungere, ordinare, imporre, dettare, comandare, esigere **2** (*est.*) diffidare **3** (*bur.*) contestare, notificare.

intimazióne *s. f.* **1** comando, imposi-

zione, ordine **CONTR.** supplica **2** (*bur.*) citazione, ingiunzione, diffida.

intimidatorlaménte *avv.* minacciosamente, in modo da incutere timore.

intimidatòrio *agg.* minaccioso, minatorio **CONTR.** mite, gentile (*est.*), benevolo.

intimidazióne *s. f.* minaccia, avvertimento, avviso, ricatto (*est.*).

intimidìre A *v. tr.* **1** intimorire, spaventare, minacciare, impaurire, spaurire, sgomentare, atterrire **CONTR.** imbaldanzire, incoraggiare, rassicurare, rianimare, rincuorare **2** (*est.*) imbarazzare, inibire **B** *v. intr. pron.* smarrirsi, spaventarsi, impaurirsi, intimorirsi **CONTR.** imbaldanzirsi.

intimidìto *part. pass.; anche agg.* intimorito, impaurito, spaventato, preoccupato **CONTR.** rincuorato.

intimità *s. f. inv.* **1** [*con qc.*] confidenza, familiarità, dimestichezza, amicizia **CONTR.** estraneità **2** privacy (*ingl.*) **3** [*dell'animo*] (*est.*) segreto, profondità, intimo.

intimo A *agg.* **1** interno, interiore, intrinseco **CONTR.** esteriore, superficiale **2** [*rif. al significato*] (*fig.*) riposto, segreto **CONTR.** esteriore, superficiale **3** [*rif. a una cerimonia, etc.*] privato **4** [*rif. al tono di voce*] confidenziale **5** [*rif. a un gesto, a un comportamento*] familiare, casalingo **CONTR.** estraneo **6** [*rif. a un luogo chiuso*] accogliente **B** *s. m.* **1** anima, cuore, intimità (*est.*) **2** amico, familiare (*est.*) **CONTR.** estraneo.
♦ **nell'intimo** *loc. avv.* dentro.

intimorìre A *v. tr.* spaventare, impaurire, intimidire, minacciare, sgomentare, atterrire, sbigottire **CONTR.** incoraggiare, rassicurare, rianimare **B** *v. intr. pron.* impaurirsi, intimidirsi, spaventarsi, spaurirsi, sgomentarsi **CONTR.** incoraggiarsi, rassicurarsi.

intimorìto *part. pass.; anche agg.* impaurito, spaventato, intimidito **CONTR.** rincuorato.

intìngere *v. tr.* bagnare, inzuppare.

intìngolo *s. m.* sugo, salsa, condimento.

intirizzìre A *v. tr.* ghiacciare, intorpidi-

re, intormentire, irrigidire, aggranchire, rattrappire **B** *v. intr. pron.* **1** intormentirsi, intorpidirsi, irrigidirsi, rattrappirsi **2** (*est.*) rabbrividire.

intitolàre *v. tr.* **1** [*una strada, una piazza*] chiamare, denominare, nominare, intestare **2** [*una chiesa*] dedicare, consacrare, sacrare (*raro*).

intitolàto *part. pass.; anche agg.* dedicato *a*, intestato.

intoccàbile A *agg.* intangibile, inviolabile, tabù (*est.*) **CONTR.** toccabile, tangibile **B** *s. m. e f.* paria.

intolleràbile *agg.* **1** insopportabile, inaccettabile, insostenibile, incompatibile **CONTR.** tollerabile, accettabile, ammissibile, giustificabile, sopportabile, passabile **2** [*rif. al dolore, al rumore, etc.*] (*fig.*) forte, acuto **CONTR.** tollerabile, accettabile **3** [*rif. all'aria*] (*anche fig.*) irrespirabile.

intollerabilménte *avv.* insopportabilmente **CONTR.** tollerabilmente, sopportabilmente, compatibilmente (*est.*).

intollerànte *agg.* **1** insofferente, impaziente **CONTR.** comprensivo, tollerante, paziente **2** [*rif. all'atteggiamento*] intransigente, fanatico, assolutista.

intollerànza *s. f.* **1** insofferenza, impazienza **CONTR.** tolleranza, sopportazione **2** avversione, odio, antipatia, faziosità **3** rigetto, rifiuto.

intonacàre *v. tr.* incalcinare, incrostare (*est.*).

intònaco *s. m.* bianco.

intonàre A *v. tr.* **1** cantare, canterellare, canticchiare **2** [*uno strumento musicale*] armonizzare, accordare **3** [*la voce*] impostare **B** *v. intr. pron.* armonizzarsi *con*, essere in armonia *con*, adattarsi, conformarsi, adeguarsi.

intonazióne *s. f.* **1** accento, cadenza, inflessione, tono, pronuncia **2** armonia.

intontiménto *s. m.* stordimento, annebbiamento, ottundimento, frastornamento, stupore (*est.*), intronamento (*est.*).

intontìre A *v. tr.* **1** rintronare, stancare, inebetire, istupidire, tramortire (*fig.*), stordire (*fig.*) **2** sbalordire, stupire, frastornare **B** v. intr. pron. inebetirsi, istupidirsi.

intontìto part. pass.; anche agg. frastornato, stordito, stranito, sorpreso (*est.*), attonito (*est.*) **CONTR.** sveglio, vivace.

intoppàre A v. intr. mettere il piede in fallo, impuntare, incespicare, inciampare, urtare **B** v. tr. incontrare, incrociare, scontrare, imbattersi in **C** v. intr. pron. **1** imbattersi, scontrarsi **2** [*nel parlare*] incepparsi, balbettare, inciampare (*fig.*).

intòppo s. m. contrattempo, inciampo, ostacolo, impasse (*fr.*), impedimento, difficoltà, contrarietà, ingombro, nodo (*fig.*), fregatura (*fig.*).

intorbàre v. tr. **1** [*le acque, il vino*] rendere torbido, intorbidire, intorbidare **CONTR.** depurare, illimpidire, purificare **2** [*le acque*] insudiciare, inquinare, insozzare.

intorbidàre A v. tr. **1** [*le acque, il vino*] intorbare, intorbidire, rendere torbido **CONTR.** defecare, depurare, illimpidire **2** [*le acque*] insudiciare, inquinare **CONTR.** purificare **3** [*la vista, etc.*] (*est.*) confondere, annebbiare, appannare, oscurare **4** [*l'ordine sociale, etc.*] (*est.*) turbare, sconvolgere, sovvertire, sommuovere **B** v. intr. pron. **1** diventare torbido, diventare meno chiaro, turbarsi (*fig.*) **CONTR.** schiarirsi, purificarsi, depurarsi **2** [*detto di situazione*] (*est.*) complicarsi, confondersi.

intorbidìre v. tr. **1** intorbare, intorbidare **2** [*le capacità intellettive*] (*fig.*) offuscare, appannare.

intormentìre A v. tr. intirizzire, intorpidire **B** v. intr. pron. informicolirsi, formicolare, essere intorpidito, ingranchirsi, intirizzirsi.

intórno avv. **1** dintorno, attorno, in cerchio **2** vicino, presso **CONTR.** lontano, distante.

intorpidìre A v. tr. **1** [*le membra*] intirizzire, intormentire, indolenzire, aggranchire, rattrappire, appesantire (*fig.*) **CONTR.** rafforzare, rinvigorire **2** [*le capacità intellettive*] (*est.*) arrugginire (*fig.*), impigrire, infiacchire, atro-

fizzare, offuscare **B** v. intr. pron. **1** [*detto di membra*] informicolirsi, ingranchirsi, intirizzirsi, rattrappirsi, appesantirsi, irrigidirsi **2** [*detto di mente*] (*est.*) diventare torpido, annebbiarsi (*fig.*) **3** (*est.*) impigrirsi, oziare, infingardirsi, impoltronirsi, infiacchirsi.

intorpidìto part. pass.; anche agg. **1** addormentato, torpido, fiacco **CONTR.** sveglio, svelto, vivace, vigoroso **2** [*rif. alla mente*] (*fig.*) tardo, lento.

intossicàre v. tr. **1** avvelenare, inquinare, attossicare, infettare, drogare (*est.*) **CONTR.** disintossicare, disinquinare **2** (*est.*) corrompere, pervertire, depravare.

intradòsso s. m. [*di profilo aerodinamico*] ventre.

intralciàre v. tr. **1** disturbare, impicciare, impacciare, imbrogliare, imbarazzare, impastoiare, incagliare, inceppare, impedire, proibire, vincolare **CONTR.** sbloccare **2** [*la carriera, etc.*] ostacolare, osteggiare, sabotare **CONTR.** facilitare, favorire, agevolare **3** [*la situazione, etc.*] complicare **4** [*un piano, un progetto*] contrariare, contrastare **5** [*una malattia, un danno*] prevenire **6** [*il traffico*] disturbare, interrompere.

intràlcio s. m. **1** impiccio, impaccio, imbroglio **2** difficoltà, complicazione, disguido, inconveniente, imprevisto.

intrallazzàre v. intr. brigare, intrigare, trafficare, affaccendarsi, manovrare.

intramezzàre v. tr. inframmezzare, intervallare, intercalare, inserire, frammischiare, frammescolare, mettere nel mezzo, frammezzare, alternare (*est.*).

intransigènte agg. **1** intollerante, inflessibile, rigoroso, fanatico, dogmatico **CONTR.** comprensivo, tollerante, elastico, moderato, compiacente, conciliante **2** (*est.*) moralista.

intransigenteménte avv. inflessibilmente, irremovibilmente, fiscalmente **CONTR.** arrendevolmente.

intransigènza s. f. **1** severità, rigidezza, rigore, inflessibilità **CONTR.** dolcezza **2** puritanesimo, moralismo, integralismo **CONTR.** tolleranza.

intrappolàre v. tr. **1** accalappiare, in-

viluppare **2** (*est.*) ingannare, imbrogliare, raggirare, truffare, frodare, fregare (*pop.*), bidonare (*pop.*).

intraprèndere v. tr. **1** [*un'attività*] iniziare, incominciare, avviare, cominciare, imprendere, principiare, accingersi a **CONTR.** completare, finire, terminare **2** [*una via in senso fig.*] imboccare, imboccare, instradarsi in, imbarcarsi in.

intrattàbile agg. **1** [*rif. al carattere*] scontroso, irascibile, iracondo, ispido (*fig.*), difficile **CONTR.** affabile, agevole (*tosc.*), bonario, garbato, facile, socievole (*est.*), trattabile **2** [*rif. a un argomento*] difficile, scabroso, arduo.

intrattenère A v. tr. **1** divertire, ricreare, distrarre, interessare **2** (*raro*) trattenere, fermare **B** v. intr. pron. **1** conversare, parlare **2** fermarsi, indugiare.

intravedère o **intravvedère A** v. tr. **1** scorgere **2** presagire, prevedere, intuire, indovinare **3** (*gener.*) vedere **B** v. intr. pron. **1** tralucere, trasparire **2** (*est.*) trapelare, profilarsi.

intrecciàre A v. tr. **1** tessere, intessere **2** avviluppare, aggrovigliare, attorcigliare, arruffare, imbrogliare, intricare **3** [*un'amicizia, etc.*] contrarre, stabilire, iniziare, dare vita a **B** v. intr. pron. **1** intersecarsi **2** imbrogliarsi, avvilupparsi.

intréccio s. m. **1** [*di strade, di tubature, etc.*] rete, reticolo, sistema **2** viluppo, intrico **3** [*di un racconto, etc.*] trama, schema, canovaccio, disegno, ordito **4** [*di bugie, etc.*] (*fig.*) rete, trama, tessuto **5** [*di relazioni, etc.*] gioco.

intrepidaménte avv. coraggiosamente, audacemente, impavidamente, · arditamente, ardimentosamente, eroicamente, fieramente, prodemente, strenuamente **CONTR.** vigliaccamente, paurosamente.

intrèpido agg. fiero, ardito, audace, coraggioso, temerario, robusto (*fig.*) **CONTR.** codardo, pavido, pauroso.

intricàre A v. tr. **1** ingarbugliare, impigliare, arruffare, imbrogliare, avviluppare, aggrovigliare, intrecciare, ravviluppare, intrigare, aggrovigliolare **CONTR.** districare, sbrogliare, sciogliere **2** (*est.*) complicare, rendere complicato **3** interessare, attirare, coinvolgere **CONTR.** annoiare **B** *v. intr. pron.* **1** aggrovigliarsi, avvilupparsi, imbrogliarsi, impigliarsi, ingarbugliarsi, ravvilupparsi, rimanere preso **CONTR.** districarsi, sbrogliarsi **2** [*detto di situazione*] complicarsi **3** confondersi, disorientarsi.

intrico *s. m.* (*pl.* *-chi*) **1** groviglio, viluppo, intrigo **2** labirinto, meandro, dedalo **3** (*est.*) complicazione, imbroglio **4** [*di strade, etc.*] rete, intreccio, andirivieni (*pop.*).

intridere **A** *v. tr.* impregnare, ammollare, imbibire (*raro*), imbevere (*raro*), inzuppare, stemperare (*est.*), permeare **B** *v. intr. pron.* impregnarsi, inzupparsi, imbeversi.

intrigare **A** *v. intr.* intrallazzare, brigare, complottare, cospirare, trafficare, armeggiare, congiurare, imbrogliare, tramare, manovrare, inframmettersi **B** *v. tr.* **1** intricare, aggrovigliare, aggrovigliolare **2** (*est.*) incuriosire, interessare, affascinare, ammaliare **C** *v. intr. pron.* impicciarsi, intromettersi, immischiarsi, ingerirsi **CONTR.** disinteressarsi, trascurare, fregarsene.

intrigo *s. m.* (*pl.* *-ghi*) **1** tresca, cospirazione, maneggio, macchinazione, ordigno (*raro*) **2** (*fig.*) pantano, intrico, groviglio, garbuglio, danza.

intrinseco *agg.* **1** congenito, immanente (*filos.*) **CONTR.** estrinseco **2** [*rif. all'amicizia, etc.*] intimo, stretto.

intriso *part. pass.; anche agg.* impregnato, imbevuto, zuppo, molle **CONTR.** secco, asciutto.

intristire **A** *v. intr.* **1** [*detto di persona*] deperire, avvizzire **2** [*detto di pianta*] avvizzire, disseccare **CONTR.** fiorire, rifiorire **B** *v. intr. pron.* incupirsi, diventare triste, accorarsi, deprimersi, addolorarsi, amareggiarsi, immiserirsi, affliggersi, rattristarsi, immalinconire **CONTR.** rallegrarsi, allietarsi, vivacizzarsi.

introdurre **A** *v. tr.* **1** infilare, ficcare, immergere, incastrare, incuneare, conficcare, rificcare **CONTR.** estrarre **2** [*merce, etc.*] importare **CONTR.** esportare **3** [*qc. in un ambiente*] (*est.*) presentare, raccomandare **4** [*un prodotto, una linea*] (*est.*) propagandare,

lanciare, diffondere **5** [*qc. a una professione*] (*fig.*) iniziare, avviare, incamminare **CONTR.** distogliere, allontanare **6** [*un argomento*] preludere, precedere **7** [*q.c. in un romanzo, etc.*] inserire **8** [*nuove metodologie, etc.*] instaurare **B** *v. rifl.* **1** entrare, penetrare, immettersi, mescolarsi, ficcarsi, infilarsi, cacciarsi, intrufolarsi, addentrarsi, mischiarsi, infiltrarsi **CONTR.** uscire, allontanarsi **2** [*in un ambiente*] dire il proprio nome **3** affermarsi, segnalarsi, arrivare **C** *v. intr. pron.* [*detto di dubbio, etc.*] insinuarsi, incunearsi.

introduzione *s. f.* **1** immissione **2** [*di germi per vaccinazione*] (*med.*) inoculazione **3** [*di un discorso, di un romanzo*] preludio, premessa, prologo, esordio, preambolo, proemio, cappello (*fig.*) **CONTR.** conclusione, fine, chiusura **4** [*di un lavoro musicale*] preludio, ouverture (*fr.*) **5** [*al lavoro*] avviamento **6** [*di leggi, di norme, etc.*] instaurazione **CONTR.** abolizione, abrogazione **7** [*in un ambiente, etc.*] presentazione, entratura, inserimento **8** [*in un paese*] importazione.

introiettare *v. tr.* interiorizzare **CONTR.** esteriorizzare, esternare.

introitare *v. tr.* incassare, riscuotere **CONTR.** sborsare, spendere.

introito *s. m.* provento, incasso, entrata, guadagno, reddito **CONTR.** uscita, spesa.

intromettere **A** *v. tr.* frammettere, interpolare, interporre, frapporre **CONTR.** estromettere, estrarre **B** *v. rifl.* **1** [*nei fatti altrui*] immischiarsi, ficcarsi, impicciarsi, ingerirsi, impacciarsi (*raro*), interferire, intrigarsi, intervenire, cacciarsi, entrare (*fig.*), mischiarsi, insinuarsi, intrufolarsi, mettere bocca **CONTR.** estraniarsi, estromettersi, fregarsene **2** [*tra altre persone*] (*est.*) frapporsi, frammettersi, inframmettersi, interporsi **3** (*est.*) intercedere.

intromissione *s. f.* **1** ingerenza, interferenza, intrusione **2** intervento, intercessione, mediazione.

intronamento *s. m.* stordimento, frastornamento, intontimento, rincoglionimento (*volg.*).

introvabile *agg.* irreperibile.

introversione *s. f.* chiusura **CONTR.**

estroversione, comunicativa.

introverso *agg.* **1** chiuso, riservato, schivo, cupo **CONTR.** estroverso, espansivo, ciarliero, facondo, loquace **2** (*est.*) taciturno, solitario.

intrufolare **A** *v. tr.* infilare **B** *v. rifl.* **1** [*in un ambiente*] insinuarsi, introdursi, infilarsi, entrare **CONTR.** uscire **2** [*nei fatti altrui*] immischiarsi, infilarsi, frammettersi, intromettersi, cacciarsi, mettersi tra, impicciarsi di.

intrugliare **A** *v. tr.* **1** impiastricciare, fare pasticci, fare intrugli, pasticciare, paciugare (*dial.*) **2** ingarbugliare, mescolare **B** *v. rifl.* **1** insudiciarsi, sbrodolarsi **2** intromettersi, impicciarsi, immischiarsi **CONTR.** disinteressarsi.

intruglio *s. m.* **1** beveraggio **2** [*rif. al cibo*] porcheria.

intruppare **A** *v. intr.* **1** urtare, cozzare **2** inciampare, incespicare **B** *v. intr. pron.* imbrancarsi, fare combriccola, raggrupparsi, associarsi.

intrusione *s. f.* ingerenza, interferenza, intromissione, invasione (*fig.*).

intuibile *agg.* **1** comprensibile, immaginabile, prevedibile, trasparente (*fig.*) **CONTR.** inesplicabile, incomprensibile, imprevedibile **2** [*rif. al significato*] sottinteso, implicito **CONTR.** incomprensibile, imprevedibile.

intuire *v. tr.* **1** comprendere, capire, arguire, intendere, afferrare (*fig.*), cogliere (*fig.*), desumere, decifrare (*fig.*), indovinare, interpretare, captare, conoscere (*est.*), sapere (*est.*), leggere (*fig.*), cogliere nel segno (*fig.*), penetrare, accorgersi di, scorgere **2** (*est.*) intravedere, divinare, fiutare (*fig.*), annusare (*fig.*), prevedere, presentire, avvertire, immaginare, odorare (*fig.*), presagire.

intuitivamente *avv.* istintivamente, spontaneamente (*est.*) **CONTR.** deduttivamente, razionalmente.

intuitivo *agg.* **1** evidente, ovvio, facile, immediato **CONTR.** meditato, studiato, ponderato **2** [*rif. a una persona*] perspicace, pronto **CONTR.** ponderato.

intuito *s. m.* **1** perspicacia, sensibilità, immaginazione, percezione, prontezza (*fig.*) **CONTR.** ottusità **2** (*fig.*) fiuto, occhio, naso.

intuizióne *s. f.* **1** presentimento, preveggenza **2** (*est.*) sensazione, percezione.

inturgidìre *v. intr. pron.* **1** gonfiarsi, enfiarsi **CONTR.** sgonfiarsi **2** [*detto di pene, etc.*] indurirsi **CONTR.** ammosciarsi.

inuguàle *agg.* V. *ineguale.*

inumanaménte *avv.* selvaggiamente, disumanamente **CONTR.** umanamente, caritatevolmente.

inumàno *agg.* **1** [*rif. a un delitto*] bestiale, efferato, feroce, sanguinoso (*fig.*) **2** [*rif. al comportamento*] barbaro, incivile **CONTR.** umano, mite **3** [*rif. a una persona*] crudo, crudele, spietato **CONTR.** umano, mite, pietoso **4** [*rif. a un sentimento*] snaturato **CONTR.** umano, mite, pietoso.

inumàre *v. tr.* tumulare, seppellire, interrare, sotterrare **CONTR.** disseppellire, dissotterrare, esumare.

inumazióne *s. f.* sepoltura, tumulazione, interramento, seppellimento **CONTR.** esumazione.

inumidìre *A v. tr.* rendere umido, bagnare, irrorare, umettare **CONTR.** disseccare, essiccare, inaridire, asciugare *B v. intr. pron.* umettarsi, bagnarsi **CONTR.** disseccarsi, essiccarsi, inaridirsi.

inurbanità *s. f. inv.* cafoneria, ineducazione, maleducazione, inciviltà, sgarbatezza **CONTR.** urbanità, civiltà (*est.*).

inusitàto *agg.* **1** inconsueto, insolito, raro **CONTR.** solito, normale, consueto, ordinario **2** (*est.*) strano, anomalo, originale, bizzarro.

inùtile *agg.* **1** inefficace, inservibile, inutilizzabile **CONTR.** utile, comodo, proficuo, riutilizzabile (*est.*) **2** [*rif. alla speranza, a un tentativo*] vano, sterile, infruttifero, superfluo (*est.*) **CONTR.** utile, efficace **3** [*rif. a una persona*] impotente, debole **CONTR.** efficiente **4** [*rif. a un'attività*] (*est.*) ozioso, futile **CONTR.** proficuo, fruttifero **5** [*rif. a un ente, a una società, etc.*] parassita.

inutilità *s. f. inv.* inefficacia, vanità, vacuità, futilità, oziosità, superfluità, inanità **CONTR.** utilità, validità, efficacia.

inutilizzàbile *agg.* inservibile, inutile, inagibile (*est.*), morto (*fig.*) **CONTR.** utilizzabile, disponibile, fruibile, riutilizzabile.

inutilménte *avv.* vanamente, inconcludentemente, invano, infruttuosamente **CONTR.** utilmente, efficacemente, con efficienza, fruttuosamente, proficuamente, giovevolmente.

invadénte *part. pres.; anche agg.* indiscreto, indelicato, curioso, insistente, ingombrante (*fig.*) **CONTR.** discreto, riservato.

invàdere *v. tr.* **1** [*un luogo, una costruzione*] occupare, impadronirsi *di*, conquistare **CONTR.** abbandonare, ritirarsi **2** [*detto di acqua, etc.*] riversarsi *in su*, allagare, sommergere **3** [*un luogo pubblico*] affollare, assiepare **4** [*detto di cavallette, di insetti*] inondare, infestare **5** [*detto di idea, etc.*] assalire, pervadere **6** [*detto di moda, di gioco, etc.*] diffondersi *in*, prendere campo *in*, imporsi *in su*, penetrare **7** [*il trono*] (*anche fig.*) usurpare.

invaghìre *A v. tr.* innamorare *B v. intr. pron.* innamorarsi, incapricciarsi, infiammarsi (*fig.*) **CONTR.** disamorarsi, disinnamorarsi.

invalidàre *v. tr.* [*un contratto, etc.*] abrogare, rendere non valido, annullare, infirmare, inficiare, impugnare, rescindere, viziare, cancellare, cassare, dimostrare non valido, confutare **CONTR.** convalidare, corroborare, ratificare, sanzionare, legalizzare, legittimare, omologare.

invalidità *s. f. inv.* **1** handicap (*ingl.*) **2** inabilità **3** [*rif. a un atto legale*] nullità, illegittimità.

invàno *avv.* inutilmente, infruttuosamente, vanamente **CONTR.** utilmente, proficuamente, efficacemente.

invariàbile *agg.* inalterabile, immutabile, costante, fisso, stabile **CONTR.** variabile, mutevole, instabile.

invariabilità *s. f. inv.* stabilità **CONTR.** variabilità.

invariabilménte *avv.* immutabilmente, inalterabilmente, costantemente, stabilmente **CONTR.** mutevolmente, instabilmente.

invariàto *agg.* uguale, stabile, costan-

---

te, immutato **CONTR.** alterato, variato, mutato.

invasàre (1) *A v. tr.* **1** soggiogare **CONTR.** calmare, placare, rasserenare **2** fanatizzare, infatuare *B v. intr. pron.* infatuarsi, esaltarsi, infervorarsi **CONTR.** calmarsi, placarsi.

invasàre (2) *v. tr.* mettere in vaso.

invasàto *A part. pass.; anche agg.* **1** ossessionato, spiritato, indemoniato **CONTR.** moderato **2** (*fig.*) esaltato, infervorato, fanatico, maniaco *B s. m.* (*f. -a*) pazzo.

invasatùra *s. f.* (*mar.*) vaso.

invasióne *s. f.* **1** incursione, irruzione (*est.*) **2** [*dei barbari, etc.*] (*est.*) calata, discesa **3** [*l'effetto dell'*] (*est.*) occupazione **4** [*di q.c.*] (*fig.*) inondazione **5** [*in fatti personali*] intrusione, interferenza, ingerenza.

invasìvo *agg.* [*rif. a una malattia*] aggressivo.

invàso *part. pass.; anche agg.* occupato, conquistato **CONTR.** libero.

invecchiàre *A v. intr.* **1** [*detto di persona*] diventare vecchio, avvizzire, sciuparsi, decadere, sfiorire (*fig.*), indebolirsi, avvizzirsi **CONTR.** ringiovanire, conservarsi **2** [*rispetto alle idee, etc.*] (*fig.*) fossilizzarsi **3** [*detto di moda, etc.*] declinare **4** [*detto di vino, etc.*] stagionarsi, modificarsi **5** [*detto di oggetto*] fare la ruggine, logorarsi *B v. tr.* **1** [*il vino, il formaggio, etc.*] stagionare **2** [*detto di abito, etc.*] stare male *a.*

invecchiàto *part. pass.; anche agg.* **1** incanutito **CONTR.** ringiovanito **2** [*rif. a cosa, a persona*] (*fig.*) sfiorito, appassito **3** [*rif. al vino, al formaggio*] stagionato **CONTR.** fresco.

invéce *avv.* al contrario, ma, anzi, mentre, laddove (*lett.*), ove (*lett.*) **CONTR.** appunto.

inveìre *v. intr.* **1** infierire, scatenarsi, sbottare (*fam.*), scagliarsi, tuonare (*fig.*), imprecare, bestemmiare *un*, smoccolare (*tosc.*), lanciare ingiurie **2** (*est.*) ingiuriare *un*, apostrofare *un*, assalire *un*, oltraggiare *un* **CONTR.** blandire, lodare.

invelenìre *A v. tr.* esasperare, inasprire **CONTR.** raddolcire, rabbonire, placare, ammansire **B** *v. intr. pron.* irritarsi, arrabbiarsi, accanirsi, inasprirsi, sdegnarsi, inviperire **CONTR.** rabbonirsi, raddolcirsi, placarsi, ammansirsi.

inventàre *v. tr.* **1** [*q.c.*] creare, ideare **CONTR.** plagiare, copiare **2** [*una storia, etc.*] creare, ideare, architettare, congegnare, escogitare, immaginare (*fig.*), pensare **3** [*false prove, etc.*] (*est.*) architettare, fabbricare **4** [*menzogne*] (*fig.*) sballare, sparare **5** [*uno slogan, un motto*] (*est.*) coniare, trovare **6** [*una teoria, una cura*] scoprire, fondare **7** (*est.*) meditare, studiare.

inventariàre *v. tr.* elencare, inserire in inventario, registrare, protocollare (*bur.*).

inventàrio *s. m.* elenco, catalogo, lista.

inventiva *s. f.* creatività, estrosità, immaginazione, fantasia, genio.

inventóre **A** *s. m.* (*f. -trice*) ideatore, artefice, autore, creatore, iniziatore, architetto **B** *agg.* ideatore, creatore.

invenzióne *s. f.* **1** scoperta, creazione, ideazione, concezione **2** (*est.*) idea, espediente, stratagemma **3** (*est.*) balla, favola, trovata **4** (*est.*) finzione, immaginazione.

inverdire *v. tr.* **1** [*la memoria*] rinverdire, rinfrescare **2** [*i sentimenti*] (*fig.*) rinverdire, riaccendere, ridestare, risvegliare.

inverecóndia *s. f.* impudicizia, spudoratezza.

inverecóndo *agg.* impudico, indecente, osceno, immorale **CONTR.** verecondo, pudico, casto.

inverniciàre *v. tr.* verniciare, dipingere, tingere.

invèrno *s. m.* (*fig.*) gelo.

invéro *avv.* **1** davvero, in verità, veramente **2** infatti.

inverosìmile *agg.* **1** incredibile, inconcepibile, inaccettabile, inattendibile **CONTR.** verosimile, possibile, probabile **2** (*est.*) assurdo, inaudito, illogico **3** (*est.*) strano, paradossale **4** (*est.*) strabiliante, cinematografico (*fig.*).

inversaménte *avv.* contrariamente **CONTR.** direttamente (*mat.*).

inversióne *s. f.* capovolgimento, cambiamento, spostamento.

invèrso **A** *agg.* **1** contrario, opposto, rovescio **CONTR.** diritto, dritto **2** arrabbiato, seccato, di malumore **B** *s. m.* contrario, opposto, rovescio.

invertebràto **A** *agg.* (*fig.*) smidollato, debole **B** *s. m.* mollusco.

invertire *v. tr.* **1** [*la situazione, etc.*] ribaltare, rovesciare, capovolgere, rivoltare, stravolgere, volgere, voltare **2** [*la rotta, etc.*] cambiare, mutare **3** [*un congegno*] commutare.

invertito **A** *s. m.* omosessuale, checca (*roman.*), cinedo (*lett.*), gay (*ingl.*), pederasta, finocchio (*volg.*), buliccio (*genov.*), bucaiolo (*tosc.*) **B** *agg.* omosessuale, gay.

investigàre **A** *v. tr.* **1** esaminare, analizzare **2** [*l'animo, etc.*] (*fig.*) scandagliare, scrutare, frugare **3** [*le ragioni, i motivi*] processare, perscrutare, indagare, cercare, studiare, esplorare, ricercare, sviscerare, scavare **4** (*raro*) perquisire, rovistare **B** *v. intr.* fare indagini, indagare, inquisire.

investigazióne *s. f.* indagine, inchiesta, ricerca (*est.*).

investiménto *s. m.* **1** speculazione **2** collisione, urto.

investire **A** *v. tr.* **1** [*qc. di una carica, etc.*] designare, delegare, dare un incarico *a*, eleggere, incaricare, insediare **2** [*con un veicolo*] travolgere, arrotare, urtare **3** [*denaro, risorse, etc.*] collocare, impegnare, impiegare **4** [*qc. con insulti, rabbia*] assalire, aggredire, affrontare, mitragliare (*fig.*) **5** [*qc. per disattenzione*] scontrare, piombare *su* **B** *v. rifl.* **1** [*di una parte*] identificarsi *con*, immedesimarsi *in*, compenetrarsi *in* **2** [*di una carica, di un compito*] sobbarcarsi, appropriarsi **CONTR.** disinteressarsi **C** *v. rifl. rec.* urtarsi, scontrarsi.

investito *part. pass.; anche agg.* **1** [*da veicolo con ruote*] arrotato, urtato, colpito **2** [*rif. al denaro*] impiegato.

inveteràto *agg.* **1** incallito, radicato, viscerale, profondo **CONTR.** nuovo, recente **2** (*est.*) incorreggibile.

invettiva *s. f.* **1** imprecazione, maledizione, bestemmia, anatema, ingiuria **2** filippica, tirata.

inviàre *v. tr.* **1** [*una lettera, un pacco*] spedire, mandare, inoltrare **CONTR.** ricevere **2** [*un criminale, etc.*] estradare **3** [*un dipendente statale*] (*bur.*) destinare, comandare, deputare **4** [*una notizia, un ordine*] (*est.*) diramare, trasmettere **5** [*qc. alla giustizia*] rimettere, deferire **6** [*anatemi, invettive, etc.*] (*fig.*) scagliare, scoccare, indirizzare.

inviàto *s. m.* (*f. -a*) **1** delegato, nunzio **2** ambasciatore.

invìdia *s. f.* **1** gelosia, livore, rabbia, dispetto, bile (*fig.*), astio **2** (*gener.*) sentimento **3** (*est.*) ammirazione.

invidiàre *v. tr.* **1** provare invidia *di per*, essere invidioso *di* **CONTR.** commiserare, compassionare, compatire **2** (*est.*) ammirare **CONTR.** deplorare **3** (*est.*) desiderare, ambire.

invigorire **A** *v. tr.* **1** ingagliardire, irrobustire, rinforzare **CONTR.** debilitare, illanguidire, indebolire, infiacchire, infievolire, svigorire **2** (*est.*) incoraggiare, animare **CONTR.** disanimare, invilire **B** *v. intr. pron.* **1** irrobustirsi, rinvigorirsi, ingagliardirsi, potenziarsi **CONTR.** illanguidirsi, indebolirsi, infiacchirsi, infievolirsi, svigorirsi, debilitarsi **2** (*est.*) rianimarsi, incoraggiarsi **CONTR.** scoraggiarsi.

invilire **A** *v. tr.* **1** umiliare, avvilire, scoraggiare, indebolire **CONTR.** rafforzare, invigorire, rinvigorire, incoraggiare **2** svilire, disistimare, diminuire, sminuire, degradare **B** *v. intr. pron.* **1** avvilirsi, degradarsi, rinvigorirsi **2** [*detto di costumi*] decadere.

inviluppàre *v. tr. e rifl.* **1** avvolgere, fasciare, avviluppare, involgere, ravvolgere, ravvoltolare, ravviluppare **CONTR.** sviluppare, sciogliere, svolgere, liberare **2** (*est.*) irretire, imbrogliare, intrappolare, impelagare, impegolare.

invincibile *agg.* **1** imbattibile, inespugnabile **CONTR.** espugnabile, conquistabile **2** [*rif. a un problema, a un ostacolo*] insormontabile **CONTR.** superabile.

invio *s. m.* **1** spedizione **2** [*del pallone, etc.*] (*sport*) passaggio.

inviolàbile *agg.* **1** intangibile, intoccabile CONTR. violabile, tangibile, toccabile **2** (*est.*) sacro, santo, tabù.

inviperire *v. intr. e intr. pron.* infuriarsi, invelenirsi, incazzarsi (*volg.*), arrabbiarsi, irritarsi, incavolarsi (*pop.*), adirarsi CONTR. rabbonirsi, placarsi, ammansirsi.

invischiàre A *v. tr.* **1** impaniare CONTR. liberare **2** (*est.*) incasinare (*fam.*), incastrare, mettere nei pasticci, impelagare **3** (*est.*) adescare, lusingare, sedurre CONTR. allontanare, respingere **B** *v. intr. pron.* **1** impantanarsi, finire in un pantano CONTR. liberarsi, sbrogliarsi **2** (*est.*) impegolarsi, impelagarsi, incasinarsi (*pop.*), infognarsi (*pop.*), ingolfarsi, coinvolgersi.

invisibile *agg.* **1** impercettibile CONTR. visibile, vedibile, apparente **2** (*est.*) incorporeo, immateriale CONTR. materiale, corporeo.

inviso *agg.* **1** antipatico, odiato, detestabile, malvisto CONTR. diletto, caro **2** [*rif. a un dono*] malaccetto, sgradito.

invitànte *part. pres.; anche agg.* **1** allettante, attraente, seducente, affascinante, invogliante, stuzzicante CONTR. repellente, ripugnante, disgustoso, ributtante **2** (*est.*) lusinghiero.

invitàre (1) *v. tr.* **1** fare venire, convocare, chiamare CONTR. confinare, respingere, scacciare **2** [*qc. a colazione, cena*] fare venire, ospitare, convitare, tenere **3** [*qc. a fare q.c.*] esortare, incitare, sollecitare, spingere, indurre, persuadere, pregare, domandare CONTR. dissuadere **4** allettare, invogliare, attirare.

invitàre (2) *v. tr.* avvitare CONTR. svitare.

invito *s. m.* **1** convocazione, chiamata **2** preghiera, appello CONTR. comando **3** richiamo, stimolo, sollecitazione **4** (*est.*) proposta.

invitto *agg.* **1** imbattuto, invincibile, insuperabile **2** [*rif. a una persona*] (*est.*) fiero, bravo, indomito.

invocàre *v. tr.* **1** [*qc., il nome di qc.*] chiamare, gridare **2** [*aiuto, pietà, etc.*] implorare, chiedere, mendicare, do-

mandare (*est.*), postulare, supplicare, impetrare **3** [*la divinità*] pregare, ricorrere a **4** [*la felicità, etc.*] (*est.*) ambire, desiderare.

invocazióne *s. f.* **1** implorazione, supplica, preghiera, istanza (*bur.*) **2** grido, lamento.

invogliànte *part. pres.; anche agg.* **1** attraente, allettante, invitante, stuzzicante CONTR. repellente, ripugnante **2** [*rif. a una pietanza*] stuzzicante, appetitoso CONTR. disgustoso.

invogliàre *v. tr.* **1** allettare, indurre, invitare, incitare, stimolare, solleticare, persuadere CONTR. dissuadere, distogliere, disamorare, allontanare, stancare **2** rendere desideroso, eccitare.

involàre A *v. tr.* carpire, rubare, rapinare, sottrarre CONTR. donare, dare **B** *v. intr. pron.* **1** dileguarsi, sparire, fuggire CONTR. comparire, presentarsi, apparire **2** decollare, prendere il volo CONTR. atterrare.

involgarire A *v. tr.* imbarbarire, inzotichire CONTR. digrossare, elevare, ingentilire, nobilitare **B** *v. intr. pron.* imbarbarirsi CONTR. digrossarsi, ingentilirsi, raffinarsi, nobilitarsi, diventare più fine.

invòlgere A *v. tr.* **1** [*q.c.*] arrotolare, fasciare, involtare, avvoltolare, impacchettare, imballare, inviluppare, rivestire, involvere (*raro*), ravvolgere, avvolgere CONTR. sfasciare, svolgere, scartare, aprire **2** [*qc.*] implicare, immischiare **B** *v. rifl.* ravvolgersi, ravvoltolarsi.

involontariaménte *avv.* **1** inconsapevolmente, inconsciamente, inavvertitamente, incontrollatamente CONTR. di proposito, apposta, consapevolmente, coscientemente, deliberatamente, studiatamente **2** automaticamente CONTR. consapevolmente, coscientemente.

involontàrio *agg.* **1** fortuito, accidentale, casuale CONTR. deliberato, intenzionale, voluntario **2** [*rif. a un moto, a un movimento*] automatico, meccanico CONTR. volontario **3** (*psicol.*) inconscio, istintivo, inconsapevole **4** forzato.

involtàre *v. tr.* involgere, impacchettare, fasciare, incartare, confezionare,

infagottare, avviluppare, avvolgere, ravvolgere CONTR. svolgere, scartare, aprire, sfasciare, liberare.

invòlto *s. m.* balla, fagotto, pacco, cartoccio, rotolo, fardello, plico, pacchetto, collo.

invòlucro *s. m.* **1** rivestimento, copertura, camicia (*fig.*) **2** membrana, tegumento **3** guscio **4** busta **5** confezione, imballo.

involùto *agg.* **1** [*rif. al linguaggio, etc.*] complicato, contorto, concettoso, macchinoso, difficile CONTR. semplice, comprensibile **2** [*rif. a una persona*] regredito, imbarbarito CONTR. evoluto, ingentilito.

involuzióne *s. f.* **1** regresso, regressione CONTR. sviluppo, evoluzione **2** [*rif. a un'epoca*] recessione, riflusso.

invòlvere *v. tr.* **1** involgere, avvolgere **2** (*est.*) implicare.

inzaccheràre A *v. tr.* **1** imbrattare, impiastrare, insudiciare, macchiare, infangare **2** (*gener.*) sporcare **B** *v. rifl.* **1** infangarsi, insudiciarsi, impiastrarsi, imbrattarsi, macchiarsi **2** (*gener.*) sporcarsi.

inzaccheràto *part. pass.; anche agg.* **1** imbrattato, impiastrato **2** (*est.*) macchiato, sporco, sudicio CONTR. lindo, pulito, netto.

inzeppàre (1) *v. tr.* **1** [*una valigia, una borsa*] riempire (*raro*), empire, colmare, stivare, stipare CONTR. vuotare, svuotare, sgomberare **2** [*lo stomaco, etc.*] riempire (*raro*), rimpinzare, caricare **3** [*uno scritto di errori*] (*fig.*) affollare, condire, costellare, lardellare (*scherz.*).

inzeppàre (2) *v. tr.* (*est.*) assestare.

inzotichire *v. tr. e intr. pron.* involgarire, imbarbarire CONTR. ingentilire, raffinare.

inzuccheràre *v. tr.* **1** dolcificare, zuccherare, edulcorare (*colto*), addolcire **2** [*i modi, il tono di voce*] (*est.*) mitigare, raddolcire (*fig.*).

inzuppàre A *v. tr.* bagnare, ammollare, infradiciare, intridere (*raro*), immergere (*est.*), permeare, intingere, impregnare, annaffiare, imbevere (*raro*) CONTR. disidratare, disseccare, asciugare, seccare **B** v. intr. pron. bagnarsi, ammollarsi, impregnarsi, infradiciarsi, intridersi, imbeversi (*raro*) **CONTR.** disseccarsi, asciugarsi.

inzuppàto part. pass.; anche agg. fradicio, bagnato, impregnato, molle, zuppo **CONTR.** secco, asciutto.

ipertermìa s. f. febbre, temperatura.

ipnòtico A agg. ammaliante **B** s. m. **1** sonnifero, narcotico **2** (gener.) farmaco.

ipocrisìa s. f. doppiezza, falsità, simulazione, finzione, fallacia **CONTR.** schiettezza, franchezza, sincerità.

ipòcrita A agg. **1** doppio, falso, bugiardo, insincero, mendace (*lett.*), disonesto, sleale **CONTR.** franco, aperto, sincero **2** [*rif. a un atteggiamento*] subdolo, adulatorio, manierato, affettato, zuccherato (*fig.*), untuoso (*fig.*), artefatto **3** [*rif. a una persona*] bigotto, bacchettone **B** s. m. e f. fariseo, impostore, simulatore.

ipocritaménte avv. falsamente, fintamente, subdolamente, simulatamente, doppiamente, farisaicamente, chetamente, mellifluamente **CONTR.** genuinamente, con franchezza, veracemente, candidamente, autenticamente, apertamente, limpidamente (*fig.*).

ipotàssi s. f. inv. (*ling.*) subordinazione.

ipotecàre v. tr. **1** (*dir.*) impegnare, gravare d'ipoteca **2** [*gioielli, beni, etc.*] dare in pegno, pignorare **CONTR.** spignorare.

ipòtesi s. f. inv. **1** congettura, supposizione, presupposto, calcolo (*est.*), previsione **CONTR.** tesi **2** (*est.*) caso, eventualità, possibilità.

ipoteticaménte avv. probabilmente, forse.

ipotizzàre v. tr. presumere, congetturare, calcolare, opinare, supporre, postulare, immaginare.

ìppica s. f. sing. **1** equitazione **2** (*gener.*) sport.

ira s. f. **1** collera, rabbia, furia, sdegno, indignazione, stizza **CONTR.** serenità **2** (*gener.*) sentimento.

iracóndia s. f. irascibilità, irritabilità, suscettibilità **CONTR.** flemma, pazienza, imperturbabilità.

iracóndo agg. irascibile, collerico, iroso, intrattabile, nevrastenico (*est.*) **CONTR.** calmo, tranquillo, sereno, placido.

iràrsi v. intr. pron. alterarsi, arrabbiarsi, adirarsi, incazzarsi (*volg.*).

irascìbile agg. iracondo, collerico, iroso, sanguigno, bilioso, intrattabile, nevrastenico, stizzoso, isterico, irritabile **CONTR.** calmo, pacifico, quieto, mansueto, tranquillo.

irascibilità s. f. inv. iracondia, suscettibilità, irritabilità **CONTR.** pazienza, flemma, imperturbabilità.

irataménte avv. irosamente, arrabbiatamente, collericamente **CONTR.** placidamente, tranquillamente, con calma.

iràto agg. furioso, infuriato, adirato, rabbioso, incazzato (*volg.*), arrabbiato, idrofobo (*scherz.*) **CONTR.** quieto, sereno, tranquillo.

ìre A v. intr. andare, camminare **B** v. intr. pron. **1** [*nella forma: irsene*] andarsene **2** [*nella forma: irsene*] (*est.*) morire.

iridescènte agg. opalescente, cangiante (*est.*).

ìris s. f. inv. **1** (*gener.*) fiore **2** giaggiolo.

ironìa s. f. **1** umorismo, spirito, sarcasmo, satira **2** (*est.*) dileggio, derisione, scherno.

ironicaménte avv. beffardamente, burlescamente, causticamente **CONTR.** seriamente.

irònico agg. **1** [*rif. a un discorso, a una battuta*] sardonico, sarcastico, spiritoso, salato (*fig.*), irrisorio, burlesco, satirico, arguto, sagace, beffardo, caustico (*fig.*), irridente, umoristico (*est.*) **CONTR.** serio, severo **2** [*rif. allo sguardo*] arguto, penetrante (*fig.*) **CONTR.** serio.

ironizzàre A v. tr. dileggiare, deridere, motteggiare **B** v. intr. scherzare, fare dell'ironia.

irosaménte avv. iratamente, rabbio-

samente **CONTR.** placidamente, pacatamente, serenamente.

iróso agg. irascibile, collerico, bilioso, iracondo **CONTR.** placido, sereno, tranquillo.

irradiàre A v. tr. **1** rischiarare, illuminare **CONTR.** oscurare, ottenebrare **2** [*gioia, etc.*] (*fig.*) raggiare, diffondere, sprigionare, sprizzare, emanare, irraggiare **B** v. intr. emettere raggi, risplendere, brillare, irraggiare **C** v. intr. pron. estendersi, propagarsi, diffondersi.

irraggiàre A v. tr. **1** irradiare, illuminare, rischiarare **CONTR.** oscurare, ottenebrare **2** [*gioia, etc.*] (*est.*) diffondere, sprigionare, emanare, sprizzare, irradiare, riflettere **B** v. intr. **1** diffondersi **2** [*detto di strade*] dipartirsi.

irraggiungìbile agg. inarrivabile **CONTR.** raggiungibile.

irragionévole agg. **1** irrazionale **CONTR.** ragionevole, giudizioso, prudente, logico, coerente **2** [*rif. a una persona*] folle, delirante, sconsiderato, matto, dissennato **CONTR.** ragionevole, giudizioso, prudente, logico, coerente **3** [*rif. a un discorso, a un modo*] illogico, infondato, ingiusto, immotivato, ingiustificato, paradossale (*est.*), assurdo, sconclusionato **CONTR.** logico, coerente **4** [*rif. a un'azione*] eccessivo, smodato, folle **CONTR.** logico.

irragionevolézza s. f. **1** illogicità, irrazionalità **CONTR.** ragionevolezza **2** [*nelle pretese*] esosità, assurdità, esorbitanza.

irragionevolménte avv. **1** irrazionalmente, illogicamente, incoerentemente, emotivamente, assurdamente **CONTR.** ragionevolmente, razionalmente, logicamente, assennatamente **2** capricciosamente **CONTR.** assennatamente **3** (*fig.*) animalescamente.

irrazionàle agg. **1** irragionevole **CONTR.** razionale, intellettivo **2** [*rif. a un discorso, a un modo*] illogico, assurdo, sconclusionato, folle **CONTR.** razionale **3** [*rif. a cosa*] scomodo **CONTR.** funzionale.

irrazionalità s. f. inv. **1** illogicità, assurdità, follia, insensatezza, irragionevolezza **CONTR.** coerenza, razionalità **2** scomodità **CONTR.** funzionalità.

irrazionalménte avv. **1** irragionevolmente, illogicamente, incoerentemente, assurdamente CONTR. razionalmente, logicamente, ragionatamente **2** (fig.) animalescamente.

irreàle A agg. **1** fantastico, chimerico, immaginario, illusorio, apparente CONTR. effettivo, concreto, reale **2** immateriale **3** astratto **4** artificioso, fittizio B s. m. sing. CONTR. reale.

irrealizzàbile agg. inattuabile, impossibile, infattibile, utopistico (est.) CONTR. realizzabile, attuabile, effettuabile, eseguibile, fattibile, possibile.

irrefrenabilménte avv. inarrestabilmente, dirottamente CONTR. moderatamente, misuratamente.

irrefutàbile agg. schiacciante (fig.), incontestabile, indiscutibile, inoppugnabile CONTR. discutibile.

irreggimentàre v. tr. inquadrare.

irregolàre A agg. **1** anomalo, inconsueto CONTR. corretto, regolare, normale, ineccepibile, regolamentare **2** [rif. alle parti del corpo] anormale, informe, disarmonico CONTR. armonioso **3** [rif. a un moto, a un movimento] disordinato, disuguale, ineguale **4** [rif. all'esistenza] sregolato, diverso CONTR. regolare, ineccepibile **5** [rif. al ritmo, a una serie] incostante, intermittente CONTR. regolare **6** [rif. al polso] agitato, alterato CONTR. regolare **7** [rif. a una superficie] ondulato, disomogeneo, scabro CONTR. liscio, uguale, pari **8** [rif. a elezioni, a nomine, etc.] viziato, truccato CONTR. regolare, ineccepibile, regolamentare **9** [rif. a un intervallo di tempo] casuale CONTR. periodico, uniforme B s. m. e f. clandestino.

irregolarità s. f. inv. **1** asimmetria CONTR. regolarità, simmetria **2** [nell'impegno] discontinuità **3** [nel ritmo] variabilità **4** [in una superficie] scabrosità **5** [rispetto alle norme] scorrettezza, illegalità, illegittimità **6** (est.) atipicità, anomalia **7** [di forma] (bur.) vizio.

irregolarménte avv. **1** illecitamente, illegalmente, abusivamente CONTR. regolarmente, legittimamente **2** al di là di ogni regola, impropriamente, arbitrariamente CONTR. regolarmente, ineccepibilmente **3** (temp.) disordina-

tamente CONTR. regolarmente, continuamente, costantemente.

irreligiosaménte avv. empiamente, sacrilegamente CONTR. religiosamente, devotamente, piamente.

irremovìbile agg. **1** [rif. a cosa] saldo, fisso CONTR. mobile **2** [rif. a una persona] (fig.) inflessibile, inesorabile, pervicace, implacabile, ostinato CONTR. accomodante, remissivo, condiscendente.

irremovibilménte avv. inflessibilmente, intransigentemente, irriducibilmente CONTR. arrendevolmente, docilmente.

irreparàbile agg. irrimediabile.

irreperìbile agg. introvabile CONTR. reperibile.

irreprensìbile agg. corretto, ineccepibile CONTR. biasimevole, riprovevole, scorretto, losco (fig.), criticabile.

irreprensibilità s. f. inv. onestà.

irreprensibilménte avv. impeccabilmente, ineccepibilmente, correttamente.

irrequietézza s. f. **1** impazienza, agitazione, nervosismo, smania (est.) CONTR. tranquillità, calma, placidità, posatezza **2** vivacità.

irrequièto agg. **1** agitato, esagitato, inquieto CONTR. quieto, tranquillo, posato **2** insofferente, inquieto, ansioso **3** [rif. a un bambino] esagitato, tremendo.

irresolutézza s. f. incertezza, indecisione, esitazione, perplessità CONTR. risolutezza, decisione.

irresolùto agg. incerto, indeciso, perplesso, esitante, insicuro, abulico (est.), titubante CONTR. deciso, risoluto, determinato.

irrespiràbile agg. **1** [rif. all'aria] viziato, inquinato, pesante (fig.) CONTR. respirabile **2** [rif. a un ambiente, a una situazione] intollerabile, pesante (fig.), opprimente CONTR. leggero, lieve.

irresponsàbile agg. incosciente, sconsiderato, pazzo, avventato CONTR. responsabile, avveduto, con-

scio, cosciente, coscienzioso, ponderato, prudente.

irresponsabilità s. f. inv. incoscienza, immaturità, leggerezza, sconsideratezza CONTR. responsabilità, coscienza, giudizio.

irresponsabilménte avv. imprudentemente, avventatamente, incoscientemente CONTR. responsabilmente.

irretìre v. tr. circuire, sedurre, plagiare, insidiare, ingannare, imbrogliare, accalappiare (fig.), inviluppare (fig.), raggirare.

irriconoscènza s. f. ingratitudine CONTR. riconoscenza, gratitudine.

irrìdere v. tr. deridere, schernire, dileggiare, prendere in giro, canzonare, coglionare (volg.), beffare, disprezzare (est.) CONTR. onorare, ossequiare, elogiare.

irriducìbile agg. [rif. a una persona] irremovibile.

irriducibilménte avv. irremovibilmente, inflessibilmente, incorreggibilmente CONTR. remissivamente.

irriflessivaménte avv. impulsivamente, incautamente, imprudentemente, avventatamente, sconsideratamente, precipitosamente, temerariamente CONTR. giudiziosamente, ragionevolmente, riflessivamente.

irriflessìvo agg. **1** impulsivo CONTR. posato, ponderato, prudente, accorto **2** imprudente, sconsiderato, sventato **3** (est.) superficiale.

irrigàre v. tr. bagnare, annaffiare, irrorare, abbeverare, annacquare.

irrigidiménto s. m. **1** indurimento **2** [del carattere, del clima] inasprimento **3** [tra persone, tra stati] tensione.

irrigidìre A v. tr. **1** [i muscoli, etc.] tendere, contrarre CONTR. rilassare **2** [le membra] intirizzire **3** [un arto] steccare **4** [l'animo] (fig.) indurire, pietrificare CONTR. intenerire B v. intr. pron. **1** [per il freddo] congelarsi, irrizzirsi, pietrificarsi, intorpidirsi **2** [per la paura] immobilizzarsi, impalarsi, raggelarsi (fig.) CONTR. divincolarsi **3** [detto di muscoli] indurirsi, contrarsi CONTR. distendersi, flettersi **4** [detto *di temperatura*] (*est.*) inasprirsi, rincrudire CONTR. addolcirsi (*fig.*) **5** [*su una posizione*] (*est.*) ostinarsi, incaponirsi, incaparbirsi CONTR. commuoversi, cedere.

irrilevànte *agg.* **1** trascurabile, indifferente, minimo, esiguo, irrisorio, minuto CONTR. grande, importante, notevole, estremo **2** [*rif. alla pena*] tenue CONTR. estremo **3** [*rif. a una persona*] insignificante CONTR. importante, autorevole, notabile.

irrilevànza *s. f.* **1** marginalità, insignificanza CONTR. rilevanza **2** [*rif. a una somma di denaro*] modestia CONTR. esagerazione.

irrimandàbile *agg.* impellente, urgente, pressante CONTR. rimandabile, procrastinabile.

irrimediàbile *agg.* irreparabile CONTR. rimediabile.

irrinunciàbile *agg.* **1** capitale CONTR. rinunciabile **2** indispensabile, essenziale CONTR. secondario, accessorio **3** (*filos.*) necessario CONTR. accessorio.

irrisióne *s. f.* spregio, derisione, dileggio, scherno, sarcasmo (*est.*).

irriso *part. pass.; anche agg.* deriso, dileggiato, schernito, vilipeso, umiliato, mortificato, disprezzato CONTR. lodato, apprezzato, stimato.

irrisòrio *agg.* **1** [*rif. a un discorso, a una battuta*] derisorio, sarcastico, ironico (*est.*) CONTR. serio **2** [*rif. a una quantità, a un numero*] marginale, trascurabile, irrilevante, piccolo, minimo CONTR. grande, cospicuo.

irrispettosaménte *avv.* irriverentemente, insolentemente, sfacciatamente, sgarbatamente, sfrontatamente CONTR. rispettosamente, deferentemente, ossequiosamente.

irrispettóso *agg.* **1** irriverente, sfrontato, sfacciato CONTR. rispettoso, riverente, ossequioso **2** [*rif. all'atteggiamento*] (*est.*) derisorio, canzonatorio CONTR. rispettoso.

irritàbile *agg.* nervoso, eccitabile, insofferente, irascibile CONTR. calmo, pacato, pacifico, quieto.

irritabilità *s. f. inv.* iracondia, suscetti-

bilità, irascibilità, permalosità CONTR. imperturbabilità.

irritànte *part. pres.; anche agg.* **1** fastidioso, molesto, noioso, seccante, insopportabile, sgradevole CONTR. gradevole, piacevole **2** [*rif. a una persona*] sgradevole, antipatico, indisponente CONTR. gradevole, piacevole, amabile **3** (*chim.*) mordente, corrosivo.

irritàre A *v. tr.* **1** urtare, indisporre, indispettire, inasprire, stuzzicare, esasperare, inquietare, agitare, innervosire, dispiacere *a*, contrariare, crucciare, esacerbare, fare diventare nervoso, indignare, adirare (*raro*), inacidire (*fig.*), inselvatichire (*raro*), punzecchiare (*fig.*), pungere (*fig.*), incrudire (*raro*), dare sui nervi *a* CONTR. calmare, conciliare, disacerbare, raddolcire, placare, quietare, rabbonire, lusingare, pacare, pacificare, rappacificare, rilassare **2** [*la pelle, gli occhi, etc.*] (*med.*) infiammare, bruciare, provocare una irritazione *a* (*fig.*), danneggiare, scottare CONTR. calmare, lenire, disinfiammare **3** [*la gola*] infiammare, bruciare, raspare **B** *v. intr. pron.* alterarsi, arrabbiarsi, sdegnarsi, adirarsi, indispettirsi, corrucciarsi, esasperarsi, innervosirsi, arrovellarsi, esacerbarsi, inacidirsi (*fig.*), inalberarsi, inasprirsi (*fig.*), incollerirsi, incrudelire (*est.*), indignarsi, infuriarsi, inquietarsi, invelenirsi, inviperire, incavolarsi (*fam.*), incazzarsi (*volg.*), infiammarsi (*fig.*) CONTR. disacerbarsi, calmarsi, mitigarsi, placarsi, quietarsi, rabbonirsi, raddolcirsi, scazzarsi, deliziarsi.

irritataménte *avv.* arrabbiatamente CONTR. pacatamente.

irritàto *part. pass.; anche agg.* **1** [*rif. a una persona*] stizzito, indispettito, esasperato, seccato, adirato CONTR. ammansito, pacato, calmato, rappacificato **2** [*rif. al dolore*] (*est.*) esasperato, esacerbato CONTR. pacato, calmato, placato, quietato.

irritazióne *s. f.* **1** nervosismo, dispetto, esasperazione, stizza, scontento CONTR. serenità **2** [*della gola, dell'intestino, etc.*] infiammazione, bruciore, riscaldo (*pop.*).

irriverènte *agg.* **1** irrispettoso, impertinente, insolente, impudente, insul-

tante, offensivo, irriguardoso, sfrontato, tracotante CONTR. rispettoso, ossequioso **2** [*rif. al sentire religioso*] empio, sacrilego CONTR. osservante.

irriverenteménte *avv.* **1** irrispettosamente, insolentemente, sfrontatamente, sfacciatamente CONTR. deferentemente, rispettosamente, ossequiosamente **2** [*rif. al sentire religioso*] irrispettosamente CONTR. piamente.

irriverènza *s. f.* impertinenza, insolenza, impudenza, sfacciataggine CONTR. rispetto.

irrobustiménto *s. m.* rafforzamento CONTR. indebolimento.

irrobustire A *v. tr.* fortificare, rinvigorire, rafforzare, temprare, indurire, tonificare, assodare, invigorire (*raro*), rinforzare, ingagliardire, rimettere (*est.*), rigenerare (*fig.*), ritemprare CONTR. debilitare, illanguidire, infiacchire, indebolire, fiaccare, snervare, svigorire, ottundere, minare **B** *v. intr. pron.* fortificarsi, diventare più robusto, consolidarsi, corroborarsi, invigorirsi, rafforzarsi, rinvigorirsi, ingagliardirsi, temprarsi, rinforzare CONTR. consumarsi, debilitarsi, deperire, esaurirsi, infiacchirsi, illanguidirsi, snervarsi, indebolirsi, svigorirsi, languire.

irrogàre *v. tr.* infiggere, applicare CONTR. condonare.

irrómpere *v. intr.* **1** buttarsi, gettarsi **2** [*detto di fiume, etc.*] buttarsi, gettarsi, sboccare **3** [*in un luogo*] invadere, penetrare, prorompere, fare irruzione.

irroràre *v. tr.* aspergere, bagnare, spruzzare, irrigare, inumidire, annaffiare, sbruffare CONTR. asciugare, seccare, disseccare.

irruènte *agg.* **1** impetuoso, aggressivo, violento CONTR. flemmatico **2** [*rif. a una persona*] focoso, litigioso, impulsivo CONTR. pacifico **3** [*rif. alla passione*] violento, cocente (*fig.*).

irruenteménte *avv.* veementemente CONTR. flemmaticamente, pacatamente.

irruènza *s. f.* impeto, foga, veemenza, impetuosità, aggressività, violenza.

irruvidire *v. tr.* [*la pelle, etc.*] (*est.*) seccare CONTR. levigare, lisciare.

irruzióne s. f. sortita, invasione.

irto agg. **1** ispido, irsuto **2** [rif. al carattere] ruvido, rozzo, aspro (fig.).

iscritto s. m. (f. -a) associato, socio, membro, componente.

iscrìvere A v. tr. **1** registrare, affiliare, immatricolare, includere, associare, aggregare CONTR. depennare, cancellare, togliere, radiare **2** [nei registri d'imposta] registrare, censire **B** v. rifl. **1** associarsi, aderire, affiliarsi CONTR. dimettersi, ritirarsi **2** abbonarsi.

iscrizióne s. f. **1** immatricolazione, registrazione CONTR. cancellazione **2** [su medaglie, etc.] scritta, dicitura, stampigliatura **3** [funeraria] epigrafe, epitaffio.

islàm s. m. islamismo.

islàmico A s. m. (f. -a) musulmano **B** agg. dell'islamismo.

ìsola s. f. **1** isolato **2** zona.

isolaménto s. m. **1** segregazione, reclusione, prigionia **2** [spec. con: soffrire l'] (est.) esclusione, emarginazione **3** solitudine CONTR. compagnia **4** [rif. a un dispositivo] schermatura.

isolàre A v. tr. **1** [un fenomeno, un'epidemia] bloccare, localizzare, circoscrivere **2** [qc.] emarginare, relegare, confinare, segregare, tagliare fuori CONTR. imbrancare **3** [qc. o q.c. da altro] (est.) staccare, dividere, separare CONTR. congiungere, unire, attaccare, connettere, ricollegare **4** [q.c., qc. dal caldo, etc.] (est.) difendere, proteggere re **5** [un elemento, etc.] distinguere, individuare, enucleare **B** v. rifl. appartarsi, estraniarsi, rinchiudersi, allontanarsi, confinarsi, esiliarsi, ritirarsi, segregarsi CONTR. frammischiarsi, imbrancarsi, socializzare.

isolàto (1) part. pass.; anche agg. **1** [rif. a un luogo] appartato, solitario, romito (lett.), remoto CONTR. frequentato **2** [rif. a persona] solo, emarginato.

isolàto (2) s. m. **1** isola **2** edificio.

ispessìre A v. tr. **1** ingrossare CONTR. assottigliare **2** infittire, infoltire CONTR. sfoltire, diluire, diradare, rarefare **3** [una salsa, etc.] coagulare, condensare **B** v. intr. pron. **1** diventare più

spesso **2** [detto di nebbia, etc.] infittirsi, infoltirsi CONTR. diradarsi, rarefarsi **3** [detto di salsa, etc.] condensarsi, coagularsi.

ispezionàre v. tr. fare una ispezione a, perlustrare, esplorare, perquisire, visitare, guardare, controllare, frugare, esaminare, osservare, rastrellare.

ispezióne s. f. **1** esame, controllo, indagine **2** rastrellamento, sopralluogo **3** rivista, visita, rassegna.

ìspido agg. **1** [rif. ai capelli, alla barba, etc.] irto, irsuto, ruvido, duro, spinoso (fig.) CONTR. morbido, soffice **2** [rif. al carattere, etc.] intrattabile, scontroso, rozzo CONTR. affabile, amabile.

ispiràre A v. tr. **1** [paura, etc.] infondere, instillare, suscitare, insinuare, incutere, comunicare, mettere CONTR. togliere **2** illuminare (fig.), indurre alla creatività **3** [q.c.] consigliare, suggerire, proporre **4** [qc.] consigliare, imbeccare (fig.), guidare (fig.), imboccare (fig.) **B** v. intr. pron. **1** prendere lo spunto **2** [detto di pensiero, dottrina] derivare, risalire CONTR. divergere **3** [a una moda, a uno stile, etc.] conformarsi, modellarsi.

ispiratóre s. m. (f. -trice) guida, maestro, oracolo (fig.).

ispirazióne s. f. **1** estro, idea **2** illuminazione, consiglio (est.), suggerimento, suggestione **3** orientamento, tendenza, impulso.

issàre A v. tr. innalzare, alzare, sollevare, rialzare CONTR. coricare, abbassare, ammainare, calare **B** v. intr. pron. porsi, salire, scalare, montare CONTR. calarsi, scendere.

istallàre v. tr. e intr. pron. V. installare.

istantaneaménte avv. immediatamente, improvvisamente, subito, brevemente, repentinamente CONTR. lentamente.

istantàneo agg. immediato, subitaneo, improvviso, repentino, momentaneo CONTR. graduale, progressivo.

istànte s. m. **1** attimo, minuto, momento, punto (fig.) **2** [spec. in loc.: fare in un] (fig.) baleno, lampo.

istànza s. f. **1** petizione, domanda **2**

supplica, invocazione **3** (est.) esigenza.

istericaménte avv. convulsamente, forsennatamente CONTR. flemmaticamente, con calma.

isterilìre o **insterilìre** v. tr. **1** rendere sterile CONTR. fertilizzare, fecondare, bonificare **2** disseccare, inaridire **3** (est.) impoverire, svigorire, depauperare (colto) CONTR. arricchire, rinvigorire.

istigàre v. tr. **1** [qc. alla violenza] sobillare, aizzare, attizzare, sollevare, sommuovere, muovere (fig.), eccitare CONTR. calmare, rabbonire, trattenere, raffrenare, reprimere **2** [la violenza in qc.] fomentare, scatenare **3** [qc. a fare q.c.] consigliare, stimolare, sollecitare, incitare **4** [detto di passioni] (est.) spingere, condurre, indurre.

istigatóre s. m. (f. -trice) fomentatore, sobillatore.

istigazióne s. f. incitamento, subornazione (colto), sollecitazione, suggestione, provocazione, sobillazione.

istillàre v. tr. V. instillare.

istintivaménte avv. **1** d'istinto, impulsivamente, intuitivamente, naturalmente (est.) CONTR. deduttivamente, consciamente, razionalmente **2** incontrollatamente, meccanicamente, macchinalmente **3** passionalmente.

istintività s. f. inv. spontaneità, istintualità.

istintivo agg. **1** [rif. a un'azione] automatico, meccanico, inconscio, involontario CONTR. cerebrale, intellettivo **2** [rif. a una risposta] spontaneo, immediato CONTR. studiato, meditato, artefatto **3** [rif. a un sentimento] innato, viscerale, primigenio **4** [rif. all'atteggiamento] passionale, emotivo, impetuoso CONTR. studiato, meditato, artefatto, manierato, affettato.

istinto s. m. **1** appetito, voglia **2** impulso, pulsione **3** inclinazione, attitudine, propensione **4** [degli affari, etc.] (est.) senso, fiuto (fig.).
 ♦ **d'istinto** loc. avv. istintivamente CONTR. cerebralmente, dopo aver fatto le proprie valutazioni.

istintualità s. f. inv. istintività, impulsività, spontaneità.

istituire *v. tr.* **1** [*un ente, un ospedale*] costituire, fondare, impiantare, edificare, erigere, aprire **2** [*un erede, etc.*] nominare, designare **3** [*un confronto, una ricerca*] impostare, organizzare, promuovere, iniziare **CONTR.** finire, terminare, ultimare **4** [*un regime politico*] costituire, creare, instaurare **5** [*un concorso*] indire.

istituito *part. pass.; anche agg.* **1** formato, fondato, costituito **2** stabilito **CONTR.** abrogato, cancellato **3** [*rif. a una commissione, etc.*] nominato, eletto.

istituto *s. m.* **1** ente **2** istituzione **3** [*tipo di*] convitto, collegio, accademia, orfanotrofio, educandato, pensionato, ospizio, carcere.

istitutóre *s. m.* (*f. -trice*) **1** creatore, fondatore **2** precettore, maestro, insegnante, aio (*raro*), pedagogo.

istituzióne *s. f.* **1** (*est.*) istituto, ente, opera **2** creazione, costituzione, fondazione, formazione **CONTR.** eliminazione.

istoriàre *v. tr.* ornare, illustrare, affrescare (*est.*), dipingere (*est.*).

istradàre *v. tr. e rifl.* V. *instradare.*

istrióne *s. m.* commediante.

istrionismo *s. m.* esibizionismo, protagonismo.

istruire **A** *v. tr.* **1** [*qc.*] educare, addestrare, formare, erudire, preparare, aggiornare, illuminare (*fig.*), riqualificare, digrossare (*est.*), dirozzare (*est.*) **2** [*q.c. a qc.*] insegnare **3** [*un testimone, etc.*] (*fig.*) ammaestrare, imbeccare, imboccare, indottrinare **4** [*sul funzionamento di q.c.*] informare, avvertire, ragguagliare, avvisare **B** *v. rifl.* **1** imparare, apprendere, studiare, erudirsi, impratichirsi **2** dirozzarsi, diventare istruito **3** informarsi.

istruito *part. pass.; anche agg.* **1** educato, colto, sapiente, dotto **CONTR.** analfabeta, ignorante, incolto, somaro (*fig.*) **2** (*propr.*) edotto, informato **3** (*iron.*) ammaestrato, indottrinato.

istruttóre *s. m.* (*f. -trice*) **1** insegnante, maestro **CONTR.** allievo **2** allenatore **CONTR.** allievo.

istruzióne *s. f.* **1** addestramento, formazione, avviamento **2** cultura, sapienza, conoscenza **CONTR.** ignoranza **3** dettame, disposizione, direttiva, norma **4** avvertimento, avvertenza, spiegazione.

istupidire o **instupidire** **A** *v. tr.* ottenebrare, ottundere, inebetire, intontire, frastornare, dare alla testa **CONTR.** svegliare, infurbire **B** *v. intr. e intr. pron.* rimbecillire, rincoglionire (*volg.*), rincretinire, rimbambire **CONTR.** infurbirsi, scaltrirsi.

iter *s. m. inv.* percorso, procedura, metodo, prassi, procedimento.

iteràre *v. tr.* **1** ripetere, reiterare, replicare **2** [*un giuramento, etc.*] rinnovare.

itinerànte *part. pres.; anche agg.* viaggiante, nomade **CONTR.** stanziale, stabile.

itineràrio *s. m.* percorso (*sport*), tragitto, via, linea, viaggio (*est.*).

iùta o **jùta** *s. f.* (*gener.*) fibra.

j, J

jet *s. m. inv.* **1** aeroplano, aereo **2** (*gener.*) velivolo, veicolo.

job *s. m. inv.* lavoro, impiego.

jògging *s. m. inv.* corsa.

judò *s. m. inv.* (*gener.*) sport.

junior *A agg.* giovane, piccolo **CONTR.** anziano, decano, senior (*ingl.*) *B s. m. e f.* giovane.

jùta *s. f.* V. *iuta.*

k, K

kapòk o **capòc** *s. m. inv.* (*gener.*) fibra.

karate *s. m. inv.* (*gener.*) sport.

killer *s. m. inv.* assassino, omicida, sicario.

kindergarten *s. m. inv.* asilo, scuola materna.

kitsch *agg.* pacchiano, appariscente, volgare, dozzinale, grossolano, di cattivo gusto **CONTR.** sobrio, elegante.

kiwi *s. m. inv.* (*gener.*) frutto.

klìmax *s. m. inv.* V. *climax.*

kràpfen *s. m. inv.* bombolone.

I, L

là *avv.* lì, colà, costà, in quel luogo **CONTR.** costì, qui, qua.

làbbra *s. f. pl.* bocca (*est.*).

làbbro *s. m.* [*di una ferita*] orlo, margine, bordo.

làbile *agg.* **1** caduco, fugace, momentaneo, transitorio, effimero, evanescente (*est.*) **CONTR.** durevole, imperituro, interminabile **2** [*rif. alla memoria*] debole, evanescente **CONTR.** incancellabile, indelebile, indimenticabile.

labilità *s. f. inv.* caducità, fugacità, transitorietà.

labirinto *s. m.* dedalo, meandro, intrico, groviglio.

laboratòrio *s. m.* studio, bottega, fucina, atelier (*fr.*), officina (*raro*), cantiere.

laboriosaménte *avv.* **1** attivamente, operosamente **CONTR.** pigramente, oziosamente **2** faticosamente, stentatamente **CONTR.** facilmente.

laboriosità *s. f. inv.* operosità, industriosità **CONTR.** inoperosità, poltronaggine, infingardaggine.

laboriòso *agg.* **1** [*rif. al lavoro, allo studio*] impegnativo, gravoso, faticoso, penoso, difficoltoso **CONTR.** lieve, facile, semplice **2** [*rif. a una persona*] industrioso, operoso, alacre, attivo **CONTR.** disoccupato, inattivo, indolente, scioperato, vagabondo (*fig.*).

laccàre *v. tr.* smaltare, verniciare.

lacchè *s. m. inv.* **1** servo, cameriere, valletto **CONTR.** padrone, signore **2** dipendente, sottoposto, tirapiedi (*spreg.*), ruffiano (*volg.*).

làccio *s. m.* **1** stringa **2** legaccio, cordone, tirante **3** (*est.*) capestro **4** (*est.*) trappola, inganno **5** [*morale*] (*est.*) vincolo, legame.

laceràre A *v. tr.* **1** strappare, stracciare, sbrindellare, rompere, spaccare,

fendere, squarciare, graffiare (*est.*) **CONTR.** rattoppare, accomodare **2** [*detto di dolore, rumore, etc.*] (*fig.*) dilaniare, sbranare, straziare, torturare **B** *v. intr. pron.* **1** tagliarsi, ferirsi **2** [*detto di tessuto, etc.*] tagliarsi, strapparsi, rompersi, squarciarsi.

laceràto *part. pass.; anche agg.* strappato, stracciato, rotto **CONTR.** integro, intatto.

lacerazióne *s. f.* **1** strappo, squarcio, ferita, sgraffiatura, graffio **2** [*morale*] (*est.*) strazio, tormento.

laconicaménte *avv.* concisamente, con poche parole, stringatamente, succintamente, asciuttamente, epigraficamente **CONTR.** eloquentemente, verbosamente (*lett.*), prolissamente.

laconicità *s. f. inv.* stringatezza, secchezza, concisione, essenzialità, brevità **CONTR.** facondia, verbosità, loquela, loquacità, prolissità.

lacònico *agg.* **1** [*rif. a una persona*] sobrio **CONTR.** chiacchierone, eloquente, facondo, prolisso, verboso **2** [*rif. a un discorso*] breve, conciso, stringato, corto, asciutto (*fig.*) **CONTR.** eloquente, ampio, compendioso.

làcrima o **làgrima** *s. f.* stilla, goccia, gocciola.

lacrimàre A *v. intr.* **1** piangere **2** gocciare, gocciolare, stillare, trasudare **B** *v. tr.* compiangere, rimpiangere.

lacrimevolménte *avv.* lacrimosamente, compassionevolmente, luttuosamente (*est.*) **CONTR.** lietamente.

lacrimosaménte *avv.* lacrimevolmente, dolorosamente **CONTR.** lietamente, allegramente.

lacrimóso *agg.* **1** lamentoso, mesto, triste **CONTR.** allegro, lieto, gaio **2** [*rif. a una storia*] lacrimevole, commovente **CONTR.** esilarante, umoristico, comico.

lacùna *s. f.* **1** omissione, buco (*fig.*),

vuoto, errore (*est.*), salto (*fig.*) **2** carenza, mancanza, deficienza **3** (*biol.*) cavità.

lacunàre *s. m.* [*in un soffitto*] cassettone.

lacunóso *agg.* **1** carente, incompleto, deficiente, insufficiente, frammentario **CONTR.** completo, intero **2** [*rif. a un discorso*] frammentario **CONTR.** completo, armonioso.

laddóve A *avv.* dove **B** *cong.* quando, mentre, invece.

làdro (1) *s. m.* (*f. -a*) borsaiolo, pirata (*fig.*), filibustiere (*fig.*) **CONTR.** galantuomo.

làdro (2) *agg.* **1** [*rif. allo sguardo*] attraente, affascinante, seducente **2** [*rif. al tempo, al mondo*] brutto.

ladrocìnio o **latrocìnio** *s. m.* furto, ruberia, strozzinaggio.

lady *s. f. inv.* **1** signora, nobildonna **2** (*gener.*) donna.

laggiù *avv.* giù, là in basso, là lontano **CONTR.** lassù.

làgna *s. f.* **1** lamento, piagnisteo (*fam.*) **2** [*rif. a una persona, a un film*] (*fig.*) pianto, noia, barba, solfa, pizza **3** [*rif. a una persona*] disastro.

lagnànza *s. f.* lamentela, reclamo, protesta, rimostranza, lamento, rammarico, recriminazione **CONTR.** complimento.

lagnàrsi *v. intr. pron.* **1** lamentarsi, brontolare, querelarsi (*raro*), borbottare, rammaricarsi, recriminare, mormorare, protestare, reclamare **CONTR.** compiacersi, esultare, gioire, godere, rallegrarsi **2** dolersi, crucciarsi, gemere, miagolare (*fig.*).

lagnosaménte *avv.* lamentosamente, piagnucolosamente **CONTR.** allegramente, spensieratamente.

làgo *s. m.* (*pl. -ghi*) **1** (*erron.*) bacino, stagno **2** (*est.*) cavità, concavità **3** [*di* sangue, etc.] (fig.) mare, pozza.

làgrima s. f. V. lacrima.

lài s. m. pl. lamenti.

laicizzàre v. tr. secolarizzare.

làico A agg. secolare, profano (est.) CONTR. ecclesiastico, clericale, sacerdotale, confessionale **B** s. m. (f. -a) **1** secolare CONTR. sacerdote, ecclesiastico **2** converso **3** (est.) ateo CONTR. credente.

laidaménte avv. turpemente, vergognosamente CONTR. nobilmente, piacevolmente.

làido agg. osceno, lubrico, sozzo, turpe, odioso, schifoso, sconcio, ripugnante CONTR. grazioso, carino, pulito, netto.

làma (1) s. f. **1** [tipo di] spada, fioretto, coltello, sciabola **2** [rif. a una persona] spada, spadaccino.

làma (2) s. f. depressione, avvallamento.

làma (3) s. m. inv. monaco.

làma (4) s. m. inv. (gener.) mammifero, camelide.

lambiccàre A v. tr. distillare **B** v. intr. pron. scervellarsi, spremersi, almanaccare, arrovellarsi, riflettere, sforzarsi (est.).

lambìre v. tr. **1** [detto di cane, gatto] leccare **2** [detto di sole, brezza, etc.] (fig.) accarezzare, baciare, carezzare **3** [detto di fiume, etc.] bagnare, toccare **4** [i muri, etc.] sfiorare, rasentare.

lamellibrànchi s. m. pl. [tipo di] mollusco.

lamentàre A v. tr. **1** deplorare, disapprovare **2** compiangere, piangere **B** v. intr. pron. **1** gemere, piagnucolare, frignare (fam.), piangere, sospirare CONTR. gongolare, sorridere, ridere **2** mugugnare (genov.), borbottare, brontolare, mormorare, recriminare, reclamare, rammaricarsi, querelarsi, protestare, lagnarsi, dolersi, crucciarsi CONTR. compiacersi, rallegrarsi **3** [detto di animali] mugolare, gridare, miagolare, guaire **4** piangere miseria.

lamentèla s. f. **1** piagnisteo, doglianza, lamento, sussurrio (fam.) **2** la-

gnanza, reclamo, rimostranza, protesta, recriminazione.

lamentévole agg. **1** lamentoso, querulo **2** [rif. al destino, etc.] sfortunato (est.).

laménto s. m. **1** gemito **2** lagna, pianto **3** lagnanza, querela (lett.), rammarico, lamentela **4** (est.) invocazione.

lamentosaménte avv. lagnosamente (fam.), piagnucolosamente CONTR. gaiamente, lietamente.

lamentóso agg. lacrimoso, piagnucoloso (fam.), dolente, lamentevole CONTR. gaio, festoso, lieto, allegro, giulivo, ridente.

làmina s. f. **1** sfoglia, falda, piastra **2** (bot.) lembo.

laminàto agg. [rif. a un tessuto] lamé.

làmpada s. f. **1** lume, abat-jour (fr.), luce (fam.) **2** (est.) astro, stella **3** (est.) bagliore.

lampànte agg. **1** lucente, luminoso, limpido, chiaro, visibile, solare (est.) CONTR. oscuro, ottenebrato, offuscato **2** evidente, eclatante, patente, manifesto CONTR. oscuro, alluso, celato, confuso.

lampeggiàre A v. intr. impers. balenare, dardeggiare, baluginare **B** v. intr. brillare, folgorare, sfolgorare, fiammeggiare, luccicare, raggiare, risplendere, scintillare.

lampéggio s. m. barbaglio, balenio.

làmpo (1) s. m. **1** baleno **2** (est.) folgore, fulmine, saetta **3** [di luce, di sole] raggio, guizzo, sprazzo, barbaglio **4** [spec. in loc.: fare in un] (est.) attimo, istante, momento, minuto.

làmpo (2) s. f. inv. **1** abbottonatura, cerniera **2** (gener.) chiusura.

lampóne s. m. (gener.) frutto.

làna s. f. **1** (gener.) fibra, filato, stoffa **2** [tipo di] cachemire (fig.).

lancétta s. f. ago.

lància (1) s. f. (pl. -ce) **1** asta, picca **2** (gener.) arma.

lància (2) s. f. (pl. -ce) (gener.) imbarcazione, barca.

lanciàre A v. tr. **1** [un pallone, un oggetto] tirare, buttare **2** [q.c. fuori dall'auto] gettare, scaraventare, scagliare, proiettare, sbalzare, sbattere, catapultare **3** [un oggetto, con ostilità] (fig.) grandinare (raro), saettare (raro) **4** [un dardo, etc.] scoccare **5** [i dadi] (raro) gettare, trarre **6** [bombe, etc.] sganciare **7** [un pugno, un attacco] sferrare **8** [un veicolo, un cavallo] guidare velocemente, spingere **9** [bestemmie, accuse, etc.] (fig.) sputare, vomitare **10** [urla, etc.] emettere **11** [un prodotto commerciale] (est.) portare al successo, pubblicizzare, reclamizzare **12** [un divo, una moda, etc.] (est.) portare al successo, introdurre **13** [un cane e sim. contro qc.] mandare, avventare **B** v. rifl. **1** [contro qc.] scagliarsi, avventarsi **2** [nel vuoto] scagliarsi, gettarsi, buttarsi, saltare (est.), precipitarsi **3** [in un'impresa] (fig.) gettarsi, buttarsi, tuffarsi **4** [nello sport, etc.] (est.) dedicarsi a.

lancinànte agg. [rif. al dolore] acuto, cocente, intenso, forte, insopportabile CONTR. lieve, leggero.

làncio s. m. **1** tiro, getto **2** (est.) colpo **3** [del pallone] (sport) passaggio.

lànda s. f. **1** pianura **2** (est.) paese.

landau s. m. inv. **1** landò (fr.), carrozza **2** (gener.) vettura, veicolo.

landò s. m. inv. **1** landau (fr.), carrozza **2** (gener.) vettura, veicolo.

languidaménte avv. **1** carezzevolmente CONTR. vigorosamente, gagliardamente, energicamente **2** fievolmente, debolmente CONTR. vigorosamente, gagliardamente, energicamente.

lànguido agg. **1** debole, fiacco, molle, lento (est.) CONTR. energico, vigoroso **2** [rif. allo sguardo] struggente, sdolcinato, svenevole CONTR. rude, aspro, duro.

languìre v. intr. **1** [detto di persona, etc.] perdere le forze, venire meno, svigorirsi CONTR. irrobustirsi, rafforzarsi, fiorire, prosperare **2** [detto di luce, di suono, etc.] diminuire, decrescere, scemare, attenuarsi, svanire, spegnersi CONTR. aumentare, crescere **3** [detto di persona, etc.] languire, stare inoperoso, poltrire **4** [detto di risorse] impoverirsi **5** [detto di cultura, *etc.*] (*fig.*) ristagnare, decadere, giacere, agonizzare **CONTR.** aumentare, crescere **6** [*detto di pianta*] appassire, avvizzire **7** [*detto di persona in carcere*] (*fig.*) marcire **8** [*per amore, etc.*] (*fig.*) perire, struggersi.

languóre *s. m.* **1** sfinimento, fiacchezza **2** struggimento **3** [*di stomaco*] (*est.*) appetito, fame.

lanùgine *s. f.* **1** peluria, pelo, caluggine **2** piuma.

làpide *s. f.* lastra, sasso (*poet.*).

lapsus *s. m. inv.* papera (*fig.*), errore.

lardelláre *A v. tr.* [*con citazioni, etc.*] riempire, infiorare (*fig.*), costellare, inzeppare, infiorettare (*fig.*) *B v. rifl.* sporcarsi, lordarsi, insudiciarsi.

largaménte *avv.* **1** abbondantemente, molto, ampiamente, copiosamente, diffusamente **CONTR.** scarsamente, poco, strettamente, meschinamente, angustamente **2** [*rif. al parlare*] ampiamente, diffusamente **CONTR.** brevemente, compendiosamente, ristrettamente.

largheggiàre *v. intr.* liberaleggiare, grandeggiare, signoreggiare **CONTR.** lesinare, risparmiare, limitarsi.

larghézza *s. f.* **1** [*rif. a un ambiente*] ampiezza **CONTR.** strettezza, angustia **2** [*di mezzi*] abbondanza, copia, profusione **CONTR.** penuria **3** [*di idee*] liberalità, apertura, generosità (*est.*) **CONTR.** grettezza **4** [*rif. a un muro, a un mobile, etc.*] spessore **5** [*rif. a un tessuto*] (*est.*) altezza **6** (*gener.*) misura **CONTR.** lunghezza, altezza.

largíre *v. tr.* **1** elargire, regalare, donare **CONTR.** lesinare, risparmiare, mendicare, pitoccare **2** [*denaro, etc.*] profondere, prodigare, erogare **3** [*un beneficio, etc.*] conferire, concedere **4** [*una benedizione, etc.*] impartire.

làrgo *A agg.* (*pl. m. -ghi*) **1** ampio, spazioso, comodo, capiente, capace (*est.*) **CONTR.** stretto, ristretto **2** [*rif. allo spazio*] aperto, lato (*lett.*) **CONTR.** stretto, ristretto, breve, angusto **3** [*rif. a una quantità, a un numero*] (*fig.*) abbondante, copioso **CONTR.** piccolo, scarso **4** [*rif. a una persona*] generoso, munifico, prodigo **CONTR.** avaro, parsimonioso, taccagno **5** [*rif. a una*

stoffa] alto **6** [*rif. a un abito*] abbondante, comodo **CONTR.** aderente, fasciante *B s. m.* (*pl. -ghi*) piazza, slargo.

làrva *s. f.* **1** spettro, ombra, fantasma **2** (*est.*) bruco, verme, baco **3** [*rif. a una persona*] (*fig.*) relitto, rudere.

larvataménte *avv.* nascostamente **CONTR.** manifestamente, palesemente.

lasciàre *A v. tr.* **1** [*la presa*] mollare, allentare **CONTR.** stringere **2** [*qc., un paese, etc.*] abbandonare, piantare (*fig.*) **3** [*qc., un uccello, etc.*] liberare **CONTR.** tenere, trattenere, riafferrare, abbrancare, acchiappare, acciuffare, afferrare, catturare, prendere **4** [*un oggetto*] (*est.*) dimenticare, scordare **5** [*un'osservazione, etc.*] (*est.*) tralasciare, omettere **6** [*un pacco, etc.*] affidare, consegnare **7** [*un'attività*] interrompere, smettere **8** [*un'idea, un sentimento*] deporre **9** [*che si faccia q.c.*] concedere, permettere, consentire, accordare **CONTR.** negare, vietare **10** [*q.c. per testamento*] assegnare, legare (*bur.*) *B v. rifl. rec.* separarsi, divorziarsi, divorziare, dividersi **CONTR.** sposarsi, riunirsi.

làscito *s. m.* donazione, dono, regalo, legato (*bur.*), eredità (*est.*).

lascivaménte *avv.* dissolutamente, licenziosamente, scostumatamente, lussuriosamente, oscenamente **CONTR.** pudicamente, castamente.

lascivo *agg.* libidinoso, lubrico, dissoluto, lussurioso, impudico, indecente **CONTR.** casto, morigerato, temperante, decente.

lassativo *A agg.* purgante **CONTR.** astringente *B s. m.* (*gener.*) farmaco.

làsso (1) *agg.* **1** stanco, affaticato **2** [*in poesia*] misero, infelice.

làsso (2) *agg.* **1** largo, rilassato, allentato **2** [*rif. ad atteggiamento*] indulgente.

lassù *avv.* **1** su, là in alto **CONTR.** giù, laggiù **2** in cielo, in paradiso.

làstra *s. f.* **1** piastra, placca **2** [*funerario*] sasso (*poet.*), lapide.

lastricàre *v. tr.* pavimentare, selciare, ammattonare.

làstrico *s. m.* miseria, bolletta.

laténte *agg.* **1** nascosto, sotterraneo, occulto, presente (*est.*), potenziale (*est.*) **CONTR.** manifesto, evidente **2** (*med.*) ereditario.

laterizio *s. m.* mattone.

latitàre *v. intr.* essere latitante, nascondersi, appiattarsi (*fam.*) **CONTR.** mostrarsi.

latitùdine *s. f.* altezza.

làto (1) *s. m.* **1** parte, banda (*raro*), canto (*tosc.*) **2** [*rif. al corpo*] parte, fianco, costa **3** [*rif. agli edifici*] ala **4** [*rif. a una moneta*] faccia **5** [*rif. a una situazione*] aspetto, prospettiva **6** [*rif. a luogo*] verso, direzione, mano (*fig.*), senso.

làto (2) *agg.* **1** largo, spazioso, vasto **CONTR.** stretto, limitato, angusto **2** [*rif. al significato*] (*fig.*) ampio, esteso.

latóre *s. m.* (*f. -trice*) portatore, messaggero, messo, corriere, ambasciatore.

latràre *v. intr.* **1** [*detto di cane*] abbaiare **2** [*detto di persona, etc.*] (*est.*) sbraitare, vociare, urlare.

latrina *s. f.* pisciatoio (*volg.*), orinatoio (*pop.*), gabinetto, cesso (*volg.*), vespasiano (*raro*), ritirata.

latrocinio *s. m.* V. *ladrocinio*.

làtta (1) *s. f.* **1** (*gener.*) contenitore, recipiente **2** bidone **3** lattina, barattolo.

làtta (2) *s. f.* bandone (*tosc.*).

lattànte *s. m. e f.* neonato, poppante, bebè, bimbo, bambino **CONTR.** adolescente, ragazzino, giovinetto, fanciullo, vecchio, adulto.

làtteo *agg.* bianco, candido, niveo, eburneo.

lattìme *s. m.* crosta, crosta lattea.

lattìna *s. f.* **1** (*gener.*) contenitore, recipiente **2** barattolo, latta.

lattòsio *s. m.* (*gener.*) zucchero, glucide.

laudativo *agg.* elogiativo, encomiastico, lodevole, lusinghiero **CONTR.** denigratorio, diffamatorio, ingiurioso, insultante, offensivo, oltraggioso.

laureàto *s. m.* (*f. -a*) dottore.

làuro *s. m.* **1** alloro **2** (*est.*) gloria.

lautaménte *avv.* abbondantemente, copiosamente, profusamente **CONTR.** poco, scarsamente.

làuto *agg.* **1** ricco, abbondante, splendido, sontuoso, fastoso, copioso, generoso, cospicuo **CONTR.** scarso, insufficiente **2** [*rif. a un pasto*] (*est.*) ricco, sostanzioso, pingue (*fig.*), luculliano.

lavàbo *s. m.* lavandino.

lavàgna *s. f.* (*erron.*) ardesia.

lavànda (1) *s. f.* **1** spigo **2** (*gener.*) arbusto.

lavànda (2) *s. f.* lavacro (*lett.*), abluzione.

lavandìno *s. m.* **1** [*in cucina*] lavello, acquaio **2** [*in bagno*] lavabo.

lavapiàtti *s. m. e f. inv.* sguattero.

lavàre A *v. tr.* **1** [*le stoviglie*] sciacquare, risciacquare, rigovernare **CONTR.** sporcare **2** [*il bucato*] sciacquare, insaponare **CONTR.** imbrattare, lordare, insozzare **3** [*una ferita, etc.*] pulire, nettare (*raro*), detergere, ripulire **4** [*una colpa*] (*est.*) riscattare, mondare **B** *v. rifl.* **1** farsi il bagno, pulirsi, detergersi, ripulirsi **CONTR.** sporcarsi, insudiciarsi **2** (*est.*) rinfrescarsi, sistemarsi **3** [*le colpe, il disonore, etc.*] (*est.*) liberarsi *da*.

lavèllo *s. m.* lavandino, acquaio.

lavoràre A *v. intr.* **1** avere un lavoro, esercitare una professione, essere impiegato **2** sgobbare, sfacchinare, sudare, affaticarsi, faticare **CONTR.** bighellonare, gingillarsi, impoltronirsi, oziare, poltrire, rifiatare, svagarsi **3** [*detto di macchine, di organi, etc.*] funzionare, marciare, andare **4** [*per ottenere q.c.*] (*est.*) operare **5** [*in casa, etc.*] sfaccendare **B** *v. tr.* **1** [*materiali vari*] elaborare, maneggiare, manipolare, trattare, conciare, figurare (*raro*), filare **2** [*abiti, scarpe, etc.*] confezionare, eseguire, fabbricare, costruire, preparare, produrre.

lavoratóre *s. m.* (*f. -trice*) **1** dipen-

dente, professionista, precario (*est.*) **2** [*tipo di*] operaio, impiegato, cameriere, servitore, domestico, agricoltore, artigiano, contadino, meccanico.

lavorazióne *s. f.* **1** elaborazione **2** fabbricazione.

lavóro *s. m.* **1** attività, negozio (*lett.*) **CONTR.** ozio **2** [*spec. con: trovare*] occupazione, sistemazione, collocamento (*raro*), collocazione (*raro*), impiego, posto **3** professione, mestiere, arte **4** compito, servigio (*lett.*), servizio **5** operazione, roba (*fam.*), faccenda (*fam.*), cosa **6** [*spec. con: costare*] (*est.*) fatica, sudore **7** [*rif. a un'opera, a un oggetto*] realizzazione, prodotto, opera.

làzzo *s. m.* battuta, frizzo, arguzia, trovata, spiritosaggine, uscita (*fig.*).

leader A *s. m. inv.* capo, guida, big (*ingl.*), autorità, promotore (*est.*) **CONTR.** gregario **B** *agg.* all'avanguardia **CONTR.** obsoleto, desueto (*colto*).

leàle *agg.* **1** fidato, schietto, sincero, onesto, pulito (*fig.*), fido, affidabile, diritto, giusto, cavalleresco (*fig.*), sportivo (*est.*) **CONTR.** sleale, infedele, bugiardo, ambiguo, disonesto, insidioso (*est.*), sfuggente, sospetto **2** [*rif. allo sguardo*] diretto **CONTR.** sospetto, traverso.

lealménte *avv.* onestamente, fedelmente, fidatamente, sinceramente, rettamente, correttamente, giustamente, apertamente, cavallerescamente **CONTR.** slealmente, disonestamente, fraudolentemente, proditoriamente, falsamente, doppiamente, ambiguamente, machiavellicamente (*fig.*), obliquamente (*fig.*), perversamente (*est.*), subdolamente, simulatamente.

lealtà *s. f. inv.* **1** onestà, sincerità, schiettezza, franchezza, fedeltà, coscienza (*est.*), fede (*raro*) **CONTR.** slealtà, doppiezza **2** (*gener.*) qualità, virtù.

leccàrda *s. f.* ghiotta (*raro*).

leccàre A *v. tr.* **1** lambire, sfiorare **2** [*un gelato, etc.*] (*est.*) sorbire **3** [*il piatto per la fame, etc.*] (*est.*) ripulire **4** [*q.c.*] (*raro*) azzimare **5** [*un lavoro, uno scritto*] (*est.*) rifinire, perfezionare **6** [*q.c.*] (*est.*) adulare, blandire, lisciga-

re, lusingare **CONTR.** criticare, denigrare, diffamare **B** *v. rifl.* lisciarsi, agghindarsi, azzimarsi.

leccàto *part. pass.; anche agg.* azzimato, agghindato, acconciato, abbigliato, curato **CONTR.** trascurato, sciatto, trasandato.

léccio *s. m.* **1** (*gener.*) albero **2** quercia, rovere.

leccornìa *s. f.* squisitezza, prelibatezza, ghiottoneria **CONTR.** schifezza.

lecitaménte *avv.* legittimamente, legalmente, giustamente **CONTR.** abusivamente, illecitamente, illegalmente.

lécito A *agg.* **1** legittimo, legale **CONTR.** illecito, illegale, vietato, proibito, clandestino, arbitrario (*est.*), ingiusto (*est.*), tabù (*est.*) **2** (*est.*) onesto, conveniente **B** *s. m. sing.* legittimità.

lèdere *v. tr.* **1** [*qc. in senso fisico*] danneggiare, ferire, fare del male *a*, offendere, vulnerare (*raro*) **2** [*il prestigio, etc.*] (*est.*) intaccare, incrinare, pregiudicare, rovinare (*raro*), nuocere *a* **CONTR.** giovare.

lèga *s. f.* (*pl. -ghe*) **1** associazione, coalizione **2** [*contro qc.*] accordo, combutta, alleanza **3** federazione, confederazione **4** (*chim.*) amalgama, composto **5** [*rif. a una persona*] (*est.*) indole, qualità.

legàccio *s. m.* laccio, cordone, tirante.

legàle (1) *agg.* legittimo, lecito, regolamentare, giusto **CONTR.** illecito, illegale, illegittimo, clandestino.

legàle (2) *s. m.* avvocato.

legalità *s. f. inv.* legittimità, correttezza, regolarità, normalità **CONTR.** illegalità, ingiustizia.

legalizzàre *v. tr.* **1** autenticare **CONTR.** infirmare, invalidare **2** legittimare, regolarizzare, approvare (*est.*).

legalménte *avv.* **1** giuridicamente, secondo la legge **CONTR.** illegalmente, illecitamente, indebitamente, con frode, illegittimamente **2** lecitamente, legittimamente.

legàme *s. m.* **1** [*tra persone*] relazione, rapporto, vincolo, attaccamento (*est.*), vicinanza (*fig.*), nodo (*fig.*) **2**

legamento [*tra cose, tra fatti, tra fenomeni*] relazione, rapporto, nesso, attinenza, contatto, concatenazione, continuità **3** (*fig.*) catena, laccio **4** (*dir.*) servitù.

legaménto *s. m.* articolazione.

legàre (1) *A v. tr.* **1** [*modi di*] stringere, imbracaro, incatenare, allacciare, ammanettare, annodare, assicurare, avvincere (*lett.*) **CONTR.** liberare, sciogliere, scatenare, snodare, slegare **2** [*una pietra al metallo*] incastrare, incastonare **3** [*una cosa ad un'altra*] tenere insieme, attaccare, saldare, fissare, fermare **CONTR.** sconnettere, disarticolare **4** [*cose tra loro*] amalgamare, fondere **5** [*un pacco, etc.*] avvolgere, impacchettare, fasciare **CONTR.** sfasciare, aprire, sviluppare **6** [*un libro*] rilegare **7** [*alcune persone tra loro*] (*est.*) tenere insieme, amalgamare, accomunare, unire, congiungere **CONTR.** dividere, separare **8** [*qc. con il fascino, etc.*] (*est.*) incantare, ammaliare, affascinare **9** [*qc. moralmente*] (*est.*) incastrare, obbligare, costringere, vincolare **10** [*qc.*] (*est.*) trattenere **CONTR.** liberare **11** [*il movimento*] impedire, ostacolare, inceppare **12** [*un'idea ad un'altra*] (*est.*) ricollegare, connettere **B** *v. intr.* associarsi, fare amicizia, simpatizzare, affiatarsi **CONTR.** discordare, dissentire **C** *v. intr. pron.* **1** affezionarsi, attaccarsi **2** [*detto di materia*] coagularsi, mescolarsi, amalgamarsi, fondersi **CONTR.** decomporsi **3** [*detto di evento, di idea, etc.*] ricollegarsi **D** *v. rifl.* **1** vincolarsi, obbligarsi **CONTR.** liberarsi, svincolarsi **2** sposarsi, congiungersi, unirsi **CONTR.** disamorarsi **3** ancorarsi **CONTR.** disancorarsi.

legàre (2) *v. tr.* [*q.c. per testamento*] assegnare, lasciare.

legàto (1) *part. pass.; anche agg.* **1** unito **2** [*nei movimenti*] (*fig.*) impedito, impacciato **CONTR.** agile, disinvolto **3** [*rif. a una persona*] (*fig.*) obbligato, impegnato, ligio **CONTR.** emancipato, libero **4** [*a qc.*] unito, affezionato **5** [*rif. al metallo*] fuso, saldato.

legàto (2) *s. m.* lascito, donazione, eredità (*est.*).

legàto (3) *s. m.* ambasciatore.

legatùra *s. f.* nodo.

légge *s. f.* **1** norma, regola, normativa,

dettame (*colto*), patto (*est.*) **2** decreto, delibera **3** (*est.*) consuetudine, prassi.

leggènda *s. f.* **1** mito **2** racconto, fola, favola, fiaba, saga, novella **3** (*est.*) fola, storia, diceria, fandonia **4** [*secondo la*] credenza, tradizione.

CLASSIFICAZIONE

Leggenda

1 Immagine idealizzata o schematizzata di un evento, di un personaggio e simili la quale svolge un ruolo determinante nel comportamento di un gruppo umano.
mito.
2 Racconto tradizionale in cui spesso credenze o elementi fantastici si mescolano ad avvenimenti fondati sulla realtà.
racconto: esposizione, narrazione di avventure;
fiaba: novella, racconto o commedia di origine popolare e fantastica;
favola;
fola;
novella;
saga: racconto romanzato di una famiglia o di un personaggio.
3 Racconto inventato per burla o per vanteria.
storia;
diceria;
fola;
fandonia.
4 Mito in cui si mescolano elementi fantastici e cultura di origine popolare.
credenza;
tradizione.

---

leggendàrio *agg.* **1** favoloso, straordinario, meraviglioso, mitico **CONTR.** normale, ordinario **2** [*rif. a una persona*] (*fig.*) eroico **CONTR.** vero, reale **3** (*fig.*) immortale, imperituro.

lèggere *v. tr.* **1** [*modi di*] scorrere con gli occhi, scorrere, passare (*fig.*), leggiucchiare **2** [*un testo scritto*] decifrare, interpretare, capire **3** [*un pensiero*] intuire, penetrare **4** [*q.c. ad alta voce*] recitare, compitare.

leggerézza *s. f.* **1** tenuità, levità **CONTR.** gravezza (*colto*), gravosità, onerosità **2** [*rif. al carattere di qc.*] fatuità, frivolezza, volubilità, incostanza

CONTR. saldezza, senno, responsabilità, coscienza, ponderatezza **3** [*rif. all'atteggiamento*] faciloneria, disinvoltura, noncuranza, sventatezza, sbadataggine, temerarietà, temerità, sconsideratezza, spensieratezza, avventatezza, precipitazione (*est.*), irresponsabilità **CONTR.** calcolo, prudenza **4** [*di argomenti*] tenuità, vaghezza, fragilità **CONTR.** solidità **5** [*rif. a una imbarcazione*] sottigliezza.

leggerissimaménte *avv.* impercettibilmente **CONTR.** pesantemente, consistentemente.

leggerménte *avv.* **1** lievemente **CONTR.** pesantemente, duramente, massicciamente (*fig.*) **2** imprudentemente, sconsideratamente, senza riflettere **CONTR.** ponderatamente, meditatamente, riflessivamente.

leggèro o **leggièro** *agg.* **1** [*rif. a un problema, a una questione*] lieve, tenue, blando **CONTR.** grave, pesante, oneroso **2** [*rif. a un cibo*] digeribile **CONTR.** indigesto, pesante **3** [*rif. all'atteggiamento*] superficiale, fatuo, sconsiderato, volubile **CONTR.** impegnato, ardente, serio, solenne **4** [*rif. a una persona*] sconsiderato, frivolo, facile **CONTR.** impegnato, serio **5** [*nei movimenti*] agile, snello **CONTR.** impacciato, goffo **6** [*rif. all'aria*] pulito **CONTR.** irrespirabile, opprimente **7** [*rif. al dolore*] lieve, blando **CONTR.** profondo, intenso, lancinante **8** [*rif. al caffè, al sugo, etc.*] acquoso **CONTR.** carico, denso **9** [*rif. al lavoro, allo studio*] lieve **CONTR.** duro, faticoso, gravoso, impegnativo, ingrato **10** [*rif. al colore*] delicato **CONTR.** intenso **11** [*rif. al peso*] (*sport*) mosca, piuma **12** [*rif. a un abito*] (*est.*) estivo **CONTR.** pesante.

leggiadraménte *avv.* aggraziatamente, garbatamente **CONTR.** goffamente, sgraziatamente.

leggiadrìa *s. f.* grazia, bellezza, avvenenza, armonia **CONTR.** goffaggine.

leggiàdro *agg.* **1** aggraziato, grazioso, carino, bello, vezzoso, gaio, gentile **CONTR.** sgraziato, goffo, pesante, turpe (*est.*) **2** (*est.*) avvenente **3** (*lett.*) elegante, splendido, magnifico.

leggièro *agg.* V. *leggero.*

leggiucchiàre *v. tr. e intr.* (*gener.*) leggere.

legiferàre *v. intr.* **1** fare leggi **2** (*est.*) imporsi.

legittimaménte *avv.* a buon diritto, giustamente, lecitamente, legalmente **CONTR.** illegittimamente, illegalmente, illecitamente, arbitrariamente, irregolarmente, clandestinamente (*est.*).

legittimàre *v. tr.* **1** [*un atto, una situazione*] convalidare, ratificare, legalizzare, regolarizzare **CONTR.** invalidare, infirmare **2** [*un figlio, etc.*] riconoscere **3** [*qc. come re, etc.*] consacrare **4** [*un'azione, una rivolta*] autorizzare, giustificare, ammettere.

legittimità *s. f. inv.* legalità, plausibilità, ragionevolezza **CONTR.** illegittimità.

legittimo *agg.* **1** legale **CONTR.** illegittimo, clandestino, arbitrario (*est.*) **2** lecito, corretto **CONTR.** illecito, infondato, ingiusto **3** [*rif. al matrimonio, etc.*] valido.

legnàme *s. m.* (*est.*) legno.

legnàre *v. tr.* **1** bussare, bastonare, manganellare, randellare **2** (*gener.*) picchiare, percuotere, colpire.

legnàta *s. f.* **1** bastonata, randellata, manganellata **2** (*gener.*) percossa, botta.

légno *s. m.* **1** essenza (*spec.*), legname **2** bastone, mazza **3** (*est.*) selva **4** (*est.*) nave.

legulèio *s. m.* avvocato, azzeccagarbugli.

legùme *s. m.* **1** baccello **2** [*tipo di*] pisello, cece, fagiolo, fava, lupino, lenticchia, soia.

leitmotiv *s. m. inv.* **1** motivo **2** (*est.*) concetto, tema, argomento.

lèmbo *s. m.* **1** estremità, margine, orlo **2** zona, striscia, lingua (*fig.*), fascia **3** (*bot.*) lamina **4** [*di q.c.*] parte, spicchio, brandello **5** [*rif. ai metalli*] falda.

lèmma *s. m.* **1** proposizione, postulato, argomento **2** [*in un dizionario*] (*ling.*) articolo, voce, esponente, entrata, titolo **CONTR.** occorrenza, forma.

léna *s. f.* solerzia, alacrità, operosità, dinamismo, energia **CONTR.** accidia,

pigrizia, lentezza, malavoglia.

lenire *v. tr.* calmare, attenuare, sopire, addolcire (*fig.*), disacerbare, mitigare, placare, raddolcire, medicare (*fig.*), pacare, blandire, assopire (*fig.*), molcere (*lett.*) **CONTR.** crocifiggere, crucciare, esasperare, inasprire, acuire, esacerbare, irritare.

lenóne *s. m.* mezzano, ruffiano, paraninfo (*colto*), protettore, intermediario, pappa (*dial.*), prosseneta (*lett.*), magnaccia, mediatore.

lentaménte *avv.* **1** piano, adagio, a poco a poco, con calma, flemmaticamente **CONTR.** velocemente, celermente, speditamente, fulmineamente, precipitosamente, presto, sollecitamente **2** (*temp.*) a poco a poco **CONTR.** bruscamente, improvvisamente, istantaneamente **3** flemmaticamente, fiaccamente, pigramente **CONTR.** sollecitamente, alacremente, febbrilmente.

lènte *s. f.* (*est.*) cristallo, vetro.

lentézza *s. f.* **1** [*rif. al carattere di qc.*] calma, flemma, tranquillità, placidità **2** [*rif. all'atteggiamento*] torpore, sonnolenza, pigrizia, neghittosità, torpidezza **CONTR.** scioltezza, solerzia, sollecitudine, alacrità, agilità, lena, dinamismo, lestezza, prontezza **3** [*in un libro, in un film, etc.*] (*fig.*) gravezza **4** [*nel fare q.c.*] lungaggine **CONTR.** velocità, sveltezza, brevità, rapidità.

lènti *s. f. pl.* occhiali.

lenticchia *s. f.* (*gener.*) legume.

lentiggine *s. f.* efelide, crusca (*fig.*), semola (*fig.*).

lènto (1) *agg.* **1** [*rif. a una persona*] posato, torpido, flemmatico, placido, neghittoso, intorpidito, addormentato (*fig.*), pigro **CONTR.** celere, lesto, veloce, scattante, alacre, perspicace, precoce **2** [*rif. all'effetto*] tardivo, lungo, graduale **CONTR.** affrettato, brusco, improvviso, precipitoso (*fig.*), rapido, secco (*fam.*) **3** [*rif. a un abito*] allentato **CONTR.** aderente, fasciante **4** [*rif. all'ingegno*] tardo, ottuso, grave **CONTR.** alacre, agile, destro, pronto, sagace **5** [*rif. a uno scritto*] pesante (*est.*) **CONTR.** fluente **6** [*rif. al passo*] calmo (*est.*) **CONTR.** spedito, svelto.

lènto (2) *s. m.* danza, ballo.

leóne *s. m.* (*f. -essa*) (*gener.*) mammifero.

lèpido *agg.* spiritoso.

lèrcio *agg.* (*pl. f. -ce*) lurido, sudicio.

lerciùme *s. m.* sudiciume, sudicio, lordura, porcheria **CONTR.** nitore, pulizia.

lèsbica *s. f.* (*pl. -che*) omosessuale.

lesinàre *v. tr. e intr.* **1** dare in scarsa misura **CONTR.** larheggiare, largire, profondere, prodigare **2** dare poco alla volta, contare **3** risparmiare, economizzare **CONTR.** spendere, dilapidare, dissipare, sperperare, scialacquare **4** essere avaro, essere tirchio **CONTR.** liberaleggiare.

lesionàre *v. tr.* **1** rompere **2** menomare.

lesióne *s. f.* **1** ferita, taglio, contusione, piaga, ulcera **2** danno, rottura, danneggiamento **3** avaria **4** fenditura, crepa.

lesivo *agg.* dannoso, offensivo.

lèso *part. pass.; anche agg.* **1** ferito, colpito **CONTR.** illeso, incolume, indenne **2** [*rif. al nome, alla dignità*] offeso, profanato, violato **CONTR.** indenne.

lessàre *v. tr.* bollire, ribollire.

lessèma *s. m.* (*ling.*) vocabolo **CONTR.** fonema.

lèssico *s. m.* **1** vocabolario, linguaggio **2** gergo **3** dizionario.

lessicògrafo *s. m.* (*f. -a*) vocabolarista.

lèsso A *agg.* [*rif. a una pietanza*] bollito **CONTR.** crudo **B** *s. m.* bollito **CONTR.** arrosto.

lestézza *s. f.* **1** prontezza, sveltezza, rapidità, velocità **CONTR.** lentezza **2** [*di mano*] agilità, destrezza.

lèsto *agg.* **1** agile, svelto, pronto, abile, destro **CONTR.** lento, tardo, torpido **2** (*est.*) sbrigativo, spicciativo, spiccio **3** (*est.*) abile, destro, scaltro, astuto, furbo.

lestofànte *s. m. e f.* canaglia, imbroglione, mascalzone, impostore, truffatore, masnadiero, baro (*est.*) **CONTR.** galantuomo.

letàle *agg.* **1** fatale, mortale, ferale **CONTR.** vitale **2** [*rif. all'effetto*] funesto, tragico **CONTR.** vitale.

letamàio *s. m.* porcile (*fig.*).

letàme *s. m.* **1** strame, sterco **2** (*est.*) sudiciume.

letàrgo *s. m.* (*pl. -ghi*) **1** sonno **2** riposo **3** [*rif. a una spia, etc.*] inattività.

leticàre *v. intr. e rifl. rec.* V. *litigare*.

letìzia *s. f.* **1** gioia, allegria, contentezza, esultanza, felicità, spensieratezza, allegrezza, ilarità **CONTR.** scontentezza, tormento, tristezza, melanconia **2** [*rif. alla natura, etc.*] (*est.*) sorriso (*fig.*), splendore.

lèttera *s. f.* **1** comunicazione (*tecnol.*), missiva (*raro*), epistola (*lett.*) **2** [*tipo di*] espresso **3** (*est.*) documento, scritto **4** [*dell'alfabeto*] carattere, iniziale **CONTR.** numero.

lettièra *s. f.* letto, giaciglio, lettime, strame.

lettìga *s. f.* (*pl. -ghe*) barella, portantina.

lettìme *s. m.* lettiera, strame, giaciglio.

lètto *s. m.* **1** giaciglio **2** [*rif. agli animali*] giaciglio, cuccia, lettiera, covo, covile **3** (*est.*) branda **4** (*est.*) matrimonio, talamo (*lett.*) **5** [*del fiume, etc.*] alveo (*colto*).
♦ andare a letto *loc. verb.* **1** coricarsi **2** scopare (*volg.*), fare all'amore, chiavare (*volg.*), fare l'amore.

lettùra *s. f.* **1** interpretazione, esegesi (*colto*) **2** (*est.*) libro, scritto **3** lezione, conferenza.

leucocìta o **leucocìto** *s. m.* (*anat.*) globulo bianco **CONTR.** emazia, globulo rosso.

leucocìto *s. m.* V. *leucocita*.

lèva *s. f.* naja.

levànte A *s. m.* oriente, est, mattino (*raro*) **CONTR.** nord, settentrione, sud, meridione, ovest, occidente, ponente **B** *agg.* sorgente, crescente.

levàre A *v. tr.* **1** [*un ostacolo*] togliere, rimuovere, spostare, allontanare **CONTR.** frapporre, mettere, interporre **2** [*un dente*] cavare **CONTR.** inserire **3**

[*un organo*] asportare **CONTR.** innestare **4** [*le tasse*] abolire, sopprimere, abrogare **CONTR.** porre **5** [*una somma di denaro*] prelevare, sottrarre, defalcare, detrarre, dedurre **CONTR.** dare **6** [*la selvaggina*] scovare **7** [*qc. di q.c.*] privare **8** [*q.c. verso l'alto*] alzare, sollevare, innalzare, tirare su **CONTR.** abbassare, posare **9** [*un fabbricato*] drizzare, ergere **10** [*d'impaccio*] trarre **11** [*q.c.*] (*est.*) sconficcare, schiodare **CONTR.** conficcare, ficcare **12** [*una pianta*] sradicare **CONTR.** piantare, ricollocare **13** [*un abito, un anello*] sfilare **B** *v. rifl.* **1** alzarsi, sollevarsi, rizzarsi, ergersi, drizzarsi **2** [*da una situazione*] togliersi **3** ribellarsi **4** togliersi dai piedi **5** [*d'impaccio*] trarsi **C** *v. intr. pron.* **1** [*detto di astro, di vento, etc.*] sorgere, alzarsi, salire **CONTR.** cadere, tramontare, calare **2** [*detto di edificio, di colle*] elevarsi, dominare, ergersi **3** [*la giacca*] togliersi, sfilarsi **CONTR.** mettersi, indossare, ficcarsi **D** *s. m. sing.* [*del sole, etc.*] spuntare, sorgere.

levàta *s. f.* **1** [*di mano, etc.*] alzata **2** [*di popolo*] sollevazione, insurrezione, sedizione **3** [*della posta*] prelievo **4** [*intellettuale*] levatura.

levatrìce *s. f.* ostetrica, mammana (*pop.*), madrina (*pop.*).

levatùra *s. f.* (*fig.*) livello, calibro, altezza, levata (*raro*).

levigàre *v. tr.* **1** [*il marmo, i metalli*] spianare, limare, raschiare, pomiciare (*raro*), piallare, polire, molare, arrotare **CONTR.** irruvidire **2** [*il muro*] lisciare, rasare **3** [*il legno*] tornire, cesellare (*est.*).

levigatézza *s. f.* liscezza, compattezza (*est.*), morbidezza **CONTR.** scabrosità, asprezza (*raro*), asperità.

levigàto *part. pass.; anche agg.* **1** liscio, polito, molato, smerigliato, lucidato **CONTR.** avvizzito, ammaccato, aspro (*fig.*), ruvido, scabro **2** [*rif. a una lama, a un coltello*] arrotato.

levità *s. f. inv.* **1** leggerezza **CONTR.** pesantezza, onerosità **2** [*di argomenti*] tenuità, fragilità, esilità, vaghezza **CONTR.** solidità.

levrière *s. m.* (*gener.*) cane.

lezióne *s. f.* **1** (*est.*) ammaestramen-

to, insegnamento, esempio **2** dissertazione, conferenza, lettura **3** castigo, punizione **4** [*di una disciplina, etc.*] (*est.*) classe.

leziosàggine *s. f.* affettazione, smanceria, svenevolezza **CONTR.** semplicità, naturalezza.

leziosaménte *avv.* affettatamente, effemminatamente, ricercatamente **CONTR.** semplicemente, schiettamente, alla buona.

lezióso *agg.* vezzoso, manierato, svenevole, effeminato **CONTR.** semplice, naturale, spontaneo (*est.*).

lézzo *s. m.* **1** puzzo, puzza, fetore, tanfo, effluvio (*iron.*), peste (*fig.*), pestilenza (*fig.*) **CONTR.** profumo, aroma, fragore **2** (*gener.*) odore **3** lordura, sudiciume.

lì *avv.* **1** là, costì, costà **2** (*temp.*) a quel tempo.

libàre *v. tr.* **1** assaggiare, delibare, gustare, assaporare **CONTR.** ingurgitare, tracannare **2** mangiare poco **3** brindare.

libéccio *s. m.* (*gener.*) vento.

liberàle A *agg.* **1** generoso, magnanimo, munifico, prodigo, splendido **CONTR.** avaro, gretto, meschino, oscurantista, reazionario **2** libertario, tollerante, antidogmatico, libero **CONTR.** antiquato, assolutista, assoluto, autoritario, dispotico, dittatoriale, oppressivo, repressivo, tirannico, vessatorio, schiavistico **B** *s. m. e f.* (*impr.*) democratico.

liberaleggiàre *v. intr.* largheggiare, grandeggiare **CONTR.** lesinare.

liberalità *s. f. inv.* **1** [*di mezzi*] larghezza, generosità, grandezza, munificenza, prodigalità **CONTR.** avarizia, grettezza, meschinità **2** [*di idee*] larghezza, apertura **CONTR.** chiusura, settarismo **3** [*rif. al comportamento*] tolleranza, cortesia **CONTR.** dispotismo.

liberalizzàre *v. tr.* **1** [*i prezzi*] sbloccare **CONTR.** disciplinare, vincolare, regolamentare **2** (*est.*) agevolare.

liberalménte *avv.* **1** democraticamente **CONTR.** dispoticamente, dittatorialmente, autoritariamente, prepotentemente **2** generosamente, magnanimamente, filantropicamente, nobilmente, prodigalmente.

liberaménte avv. **1** indipendentemente, in autonomia, emancipatamente CONTR. coattivamente, coercitivamente, obbligatoriamente, per forza **2** apertamente, francamente.

liberàre A v. tr. **1** [qc. dalla schiavitù, etc.] emancipare, rendere libero, affrancare, riscattare CONTR. schiavizzare **2** [qc. da un obbligo] esimere, esonerare, esentare, dispensare **3** [qc., q.c. da un impaccio] disimpacciare, disincastrare, sgravare, scaricare, disincagliare CONTR. imbarazzare, impicciare, ingombrare, oberare **4** [qc. da un pericolo] salvare, scampare, tutelare **5** [qc.] lasciare, mollare CONTR. afferrare, acciuffare **6** [un condotto, un tubo] disintasare, sturare, stappare CONTR. ingolfare, ingorgare, intasare, occludere **7** [uno spazio, etc.] sgomberare, sbarazzare CONTR. occupare **8** [qc. dai lacci, dai nodi, etc.] slegare, sciogliere CONTR. inviluppare, legare **9** [qc. dagli impegni, dai doveri] disimpegnare, disobbligare, deresponsabilizzare CONTR. invischiare, obbligare, impelagare **10** [qc. dai pregiudizi] emancipare, disinibire, sbloccare CONTR. inibire **11** [la fantasia, etc.] sbrigliare CONTR. imbrigliare, impastoiare, mortificare **12** [qc. da un'accusa] prosciogliere, assolvere CONTR. implicare, imputare **13** [la merce in dogana] svincolare **14** [qc. dal vizio] redimere **15** [qc. dal carcere] rilasciare, scarcerare CONTR. inceppare (raro), internare, incarcerare **16** [un ambiente dai gas nocivi] depurare **B** v. rifl. **1** disinibirsi, affrancarsi, emanciparsi, sbloccarsi (fig.) CONTR. inibirsi **2** [di un peso morale] (est.) sfogarsi (raro), scaricarsi, alleggerirsi, sgravarsi **3** (est.) defecare, cacare (volg.) **4** [in una situazione] disimpegnarsi, disbrigarsi, sbrigarsi, sbrogliarsi, cavarsela (fam.), salvarsi CONTR. inguaiarsi, incasinarsi, infognarsi, invischiarsi **5** [dalla prigione] evadere, uscire **6** [di un q.c.] (est.) disfarsi, sbarazzarsi **7** [di un vizio, etc.] (est.) guarire **8** [di un impegno, di una spesa] evitare un, scapolare un, esentarsi, esonerarsi CONTR. impegnarsi, impegolarsi, impelagarsi, implicarsi, imbarcarsi **9** [per mezzo di penitenza] lavarsi (fig.), purificarsi **10** [dai nodi, dai lacci, etc.] sciogliersi, districarsi,

svolgersi, scatenarsi (raro) CONTR. legarsi **11** [di una passione, di un'idea] deporre un.

liberàto part. pass.; anche agg. **1** affrancato, sollevato, redento CONTR. conquistato **2** emancipato, indipendente.

liberazióne s. f. **1** affrancamento, emancipazione, redenzione, riscatto CONTR. servitù, assoggettamento, oppressione **2** [da preoccupazioni, da fobie] (fig.) sgombero, rimozione, allontanamento **3** [spec. con: essere una] scampo **4** [da un'accusa] scioglimento, proscioglimento.

libero (1) agg. **1** esente da, immune da CONTR. occupato, ingombro di, invaso da, carico di, impregnato di, oberato, ossessionato **2** [rif. a una persona] indipendente, affrancato, autonomo, franco CONTR. catechizzato, schiavo, dipendente, soggiogato, condannato, oppresso, vessato, soggetto, affaccendato (est.) **3** [rif. al linguaggio, etc.] spregiudicato, ardito, anticonformista CONTR. catechizzato, controllato, frenato, impegnato **4** [rif. alla mentalità] aperto, liberale, disponibile, democratico CONTR. catechizzato, indottrinato, legato **5** [rif. agli animali] selvatico, brado **6** [rif. a un'azione] volontario, facoltativo CONTR. costretto, coatto, coercitivo, forzato, imposto, obbligato, vincolante, tassativo **7** [rif. al posto] scarico, sgombro, vacante CONTR. occupato, pieno **8** [rif. all'ingresso in un locale] gratis, gratuito **9** [rif. a un moto, a un movimento] spontaneo CONTR. fissato, obbligato.

libero (2) s. m. [nel calcio] (gener.) giocatore.

libertà s. f. inv. **1** indipendenza, autonomia CONTR. subordinazione, schiavitù, servitù, soggezione, segregazione, prigionia, detenzione **2** [rif. a un regime] democrazia CONTR. tirannia **3** [spec. con: avere la] (est.) facoltà, licenza, possibilità CONTR. impossibilità.

libertàrio A agg. liberale CONTR. reazionario, assolutista **B** s. m. (f. -a) anarchico.

libertino A agg. **1** [rif. al comportamento] dissoluto, sregolato, licenzioso, lussurioso, vizioso CONTR. pudico,

morigerato, virtuoso **2** osceno, sconcio **B** s. m. (f. -a) playboy (ingl.), dongiovanni.

libidine s. f. **1** lussuria CONTR. castità **2** [spec. con: essere una] piacere (est.).

libidinosaménte avv. lussuriosamente, sensualmente, dissolutamente, impudicamente, voluttuosamente CONTR. pudicamente, castamente.

libidinóso agg. lussurioso, lascivo, dissoluto, sensuale, concupiscente CONTR. casto, pudico, morigerato, temperante.

libràre v. rifl. roteare.

libro s. m. **1** volume, opera, lettura (est.) **2** [tipo di] trattato, testo **3** (est.) edizione **4** [di bordo] giornale **5** (gener.) pubblicazione.

licènza s. f. **1** permesso, autorizzazione CONTR. divieto, proibizione **2** [a costruire, etc.] concessione **3** congedo, commiato **4** disdetta **5** [scolastica] diploma **6** (est.) libertà, sfrenatezza, sregolatezza.

licenziaménto s. m. allontanamento, destituzione CONTR. assunzione, scritturazione.

licenziàre A v. tr. **1** [un ospite, etc.] accomiatare, congedare, salutare, fare uscire CONTR. accogliere, ricevere **2** [un lavoratore, etc.] allontanare, cacciare, esonerare, scacciare, espellere CONTR. impiegare, ingaggiare, reclutare, assumere, assoldare **3** [un inquilino] mettere alla porta, sfrattare CONTR. insediare **4** [un contadino, un colono] mettere alla porta, escomiare (agr.) **5** [qc. da una carica] destituire, dimettere, defenestrare, detronizzare **6** [uno studente] promuovere, diplomare CONTR. bocciare, respingere **B** v. rifl. **1** [da un ospite] congedarsi, accomiatarsi, andarsene, ritirarsi **2** [dal lavoro] ritirarsi, dimettersi, lasciare il posto di lavoro, dare le dimissioni CONTR. impiegarsi **3** [detto di studente, etc.] diplomarsi.

licenziosaménte avv. dissolutamente, lascivamente, immoralmente, scostumatamente, sregolatamente CONTR. decentemente, pudicamente.

licenziosità s. f. inv. **1** [nel vivere] dis-

licenzioso

solutezza, scostumatezza, sregolatezza **2** [*nel comportamento*] impudicizia, inverecondia, trivialità.

licenzióso *agg.* **1** dissoluto, sfrenato, sregolato, libertino **CONTR.** temperante **2** (*est.*) immorale, osceno **CONTR.** casto, pudico, puro **3** [*rif. a una risata*] grasso (*fig.*).

licèo *s. m.* (*gener.*) scuola **CONTR.** elementare, media, università, accademia.

licitazióne *s. f.* asta, incanto.

lido *s. m.* **1** riva, costa, spiaggia **2** parte, territorio, paese, luogo, plaga (*lett.*), terra, contrada.

lietaménte *avv.* allegramente, felicemente, festosamente, gaiamente, gaudiosamente, giocondamente, gioiosamente, giulivamente **CONTR.** tristemente, mestamente, malinconicamente, cupamente, dolorosamente, penosamente, lamentosamente, lacrimevolmente, lacrimosamente.

lièto *agg.* **1** gaio, allegro, contento, gioioso, felice, beato, entusiasta, radioso **CONTR.** accigliato, addolorato, amareggiato, angosciato, angustiato, dolente, appassionato, imbronciato, infastidito, lamentoso, penoso, guitto (*fig.*) **2** [*rif. a un giorno, a un evento*] fausto, roseo (*fig.*), fortunato, radioso **CONTR.** penoso, amaro, doloroso, ferale, lacrimoso, funesto, funereo, luttuoso **3** [*rif. a un luogo*] ameno, ridente **CONTR.** funereo, fosco, lugubre **4** [*rif. all'esistenza*] sereno **CONTR.** penoso, tormentoso.

lième *agg.* **1** leggero **CONTR.** grave, pesante, onusto (*lett.*), grosso **2** (*est.*) etereo, volatile, aereo **CONTR.** grave **3** [*rif. al suono*] tenue, impercettibile **4** [*rif. a un esame, a un'analisi, a un lavoro*] (*est.*) minimo **CONTR.** grave, pesante, faticoso, gravoso, oneroso, incomodo, laborioso **5** [*rif. a un sentimento*] leggero **CONTR.** cocente, intenso **6** [*rif. a una situazione*] facile **CONTR.** insopportabile, irrespirabile **7** [*rif. al dolore*] leggero **CONTR.** lancinante, forte.

lieveménte *avv.* **1** leggermente, mollemente **CONTR.** gravemente, gravosamente, pesantemente, massicciamente **2** appena.

lievissimaménte *avv.* impercettibilmente, insensibilmente.

lievitàre *v. intr.* **1** [*detto di pasta, etc.*] gonfiarsi, fermentare **2** [*detto di prezzi, di malcontento*] (*est.*) crescere, aumentare.

ligio *agg.* **1** [*rif. a una persona*] devoto, fedele, osservante, legato, affezionato, dedito **CONTR.** inosservante, negligente **2** [*rif. a un esame, a un'analisi, a un lavoro*] diligente, accurato.

lignàggio *s. m.* famiglia, casato, stirpe, schiatta, nascita, discendenza, prosapia (*raro*), casata, ceppo (*fig.*), dinastia.

lignite *s. f.* **1** (*gener.*) sostanza **2** carbone.

lilion *s. m. inv.* (*gener.*) fibra.

lillà (1) *agg. inv.* V. *lilla*.

lillà (2) *s. m. inv.* **1** (*gener.*) fiore **2** se-renella.

lilla o **lillà (1)** *agg. inv.* **1** viola **2** (*gener.*) colore.

lillipuziàno A *s. m.* (*f. -a*) (*anche fig.*) nano, pigmeo **CONTR.** titano, gigante, colosso **B** *agg.* minuscolo, piccolo **CONTR.** enorme, grande.

limàre *v. tr.* **1** [*q.c. con un utensile*] assottigliare, levigare, lisciare, cesellare, raspare, raschiare, radere **2** [*uno scritto, etc.*] (*est.*) perfezionare, rifinire, correggere, digrossare, migliorare **3** [*l'animo*] (*fig.*) consumare, logorare, straziare, rodere.

limitàre A *v. tr.* **1** [*q.c. dentro i confini*] chiudere, delimitare, porre i confini a, racchiudere **2** [*le spese, etc.*] ridurre, diminuire, decurtare, comprimere, restringere, contenere, mantenere nei limiti, misurare, moderare, regolare, controllare, contrarre, contare **CONTR.** dilatare, incrementare, aumentare, allargare **3** [*il numero di invitati*] circoscrivere **CONTR.** ampliare, estendere **4** [*qc.*] inabilitare, interdire, condizionare **5** [*q.c. a qc.*] impedire **6** [*l'uso di q.c.*] (*est.*) definire **7** [*la discussione*] (*est.*) terminare **B** *v. rifl.* **1** moderarsi, frenarsi, controllarsi, contenersi, dominarsi, raffrenarsi, tenersi **CONTR.** eccedere, esagerare, sfogarsi **2** [*nelle spese*] (*est.*) moderarsi, contentarsi, restringersi (*fig.*) **CONTR.** largheg-

giare C *s. m. sing.* **1** confine, limite **2** [*della maturità, etc.*] soglia.

limitataménte *avv.* **1** poco, esiguamente, scarsamente, magramente, moderatamente **CONTR.** abbondantemente, ampiamente, oltremisura, illimitatamente, smisuratamente, infinitamente, indefinitamente **2** relativamente, strettamente.

limitatézza *s. f.* ristrettezza, chiusura (*fig.*), ottusità, meschinità, cecità (*fig.*), settarismo (*est.*) **CONTR.** apertura, lungimiranza.

limitàto *part. pass.; anche agg.* **1** [*rif. allo spazio*] ridotto, parziale **CONTR.** illimitato, smisurato, ampio, aperto, disteso, esteso, immenso, infinito, interminabile, sconfinato, sterminato, vasto, lato (*lett.*) **2** breve, corto **CONTR.** immenso, infinito, interminabile **3** [*rif. a una quantità, a un numero*] scarso, relativo, esiguo, blando **CONTR.** illimitato, smisurato, abbondante, innumerevole, numeroso **4** [*rif. a un luogo chiuso*] chiuso, angusto **5** [*rif. al prezzo*] contenuto, modesto, modico **CONTR.** illimitato **6** [*rif. alla mentalità*] ottuso **7** [*rif. alla libertà, etc.*] condizionato **CONTR.** smisurato, assoluto, incondizionato, intero **8** [*rif. all'effetto*] (*med.*) locale.

limitazióne *s. f.* **1** restrizione, riduzione, restringimento (*raro*) **2** [*rif. a un periodo*] austerità **3** condizione, riserva **CONTR.** concessione **4** (*est.*) controllo.

limite A *s. m.* **1** confine, barriera (*fig.*), chiusura (*fig.*), blocco (*fig.*), linea (*est.*), limitare **2** [*di q.c.*] bordo **3** (*est.*) ambito, orbita (*fig.*) **4** [*oltrepassare il*] misura, segno, punto, grado **5** [*a una storia, a una situazione*] fine, freno (*fig.*) **6** [*rif. alla carriera, etc.*] tetto (*fig.*) **7** [*nel senso del tempo*] fine, termine, scadenza **B** *agg. inv.* estremo, ultimo.

limitrofo *agg.* attiguo, confinante, contiguo, adiacente, vicino **CONTR.** distante, lontano.

limo *s. m.* melma, fango, mota.

limonàre *v. intr.* amoreggiare, flirtare, filare (*fam.*).

limóne *s. m.* **1** (*gener.*) albero, agrume **2** (*gener.*) agrume, frutto.

limpidaménte *avv.* **1** nitidamente, chiaramente **CONTR.** torbidamente **2** francamente, apertamente **CONTR.** falsamente, ipocritamente.

limpidézza *s. f.* **1** chiarezza, trasparenza, nitidezza, limpidità (*raro*) **2** [*rif. alle capacità intellettuali*] chiarezza, lucidità **CONTR.** confusione, appannamento.

limpidità *s. f. inv.* **1** limpidezza, lucentezza **2** [*rif. a un diamante, etc.*] limpidezza, purezza.

limpido *agg.* **1** chiaro, trasparente, cristallino, terso, nitido **CONTR.** torbido, appannato, cupo, fosco, velato, annebbiato, brumoso, caliginoso, fumoso, nuvoloso **2** brillante, lampante (*anche fig.*) **CONTR.** velato, nuvoloso, coperto **3** [*rif. allo sguardo*] (*fig.*) puro, sincero **CONTR.** torbido, appannato, cupo, fosco **4** [*rif. alla voce*] cristallino, squillante **CONTR.** rauco.

lindo *agg.* **1** pulito, netto, terso **CONTR.** imbrattato, impiastrato, inzaccherato, sporco, lordo (*lett.*), sordido, macchiato, sudicio **2** (*anche iron.*) affettato, azzimato.

lindóre *s. m.* pulizia, nitore, lindura (*raro*) **CONTR.** sozzura, sporcizia, lordura.

lindùra *s. f.* lindore, pulizia, nitore.

linea *s. f.* **1** riga, rigo, segno **2** [*rif. ai confini*] limite **3** [*del viso*] tratto, contorno, lineamento **4** [*del corpo*] silhouette (*fr.*), sagoma **5** [*di un abito, etc.*] taglio, garbo **6** [*rif. a una persona*] eleganza, classe **7** [*elettrica, telefonica*] conduttura, collegamento **8** [*di uno schema, etc.*] traccia, tracciato **9** [*spec. con: seguire una*] itinerario, percorso **10** [*di sviluppo, etc.*] modello **11** [*rif. alla vita, al comportamento*] norma, indirizzo, impostazione **12** [*di alberi, di uomini, etc.*] fila **13** (*biol.*) discendenza **14** (*mat.*) asse, retta, diagonale.

lineaménto *s. m.* **1** tratto, linea **2** fisionomia, viso, sembianza (*lett.*).

lineàre *agg.* **1** [*rif. a un discorso*] semplice, chiaro, elementare, coerente, piano **CONTR.** pomposo, cavilloso, cervellotico, complesso, contorto, curialesco **2** [*rif. a un moto, a un movimento*] costante **CONTR.** incostante **3**

[*rif. a un problema, a una questione*] piano **CONTR.** spinoso (*fig.*).

linearità *s. f. inv.* **1** coerenza, stabilità **CONTR.** discontinuità **2** (*est.*) semplicità, chiarezza **CONTR.** tortuosità, complessità.

lineétta *s. f.* trattino, barra.

linfa *s. f.* succo, umore (*colto*).

lingeria *s. f.* **1** biancheria **2** teleria (*est.*).

lingòtto *s. m.* verga.

lingua (1) *s. f.* **1** [*nell'attuazione*] linguaggio **2** [*di una regione, etc.*] idioma, parlata **3** [*rif. al modo di esprimersi*] favella (*lett.*), eloquio (*colto*), loquela (*colto*), loquacità, parlantina **4** [*di terra, etc.*] striscia, lembo.

lingua (2) *s. f.* **1** (*gener.*) pesce **2** sogliola.

linguàccia *s. f.* calunniatore, denigratore, detrattore, diffamatore.

linguacciùto *agg.* pettegolo.

linguàggio *s. m.* **1** lingua, eloquio (*colto*) **2** idioma **3** lessico.

linguistica *s. f.* (*pl. -che*) [*tipo di*] glottologia.

linkage *s. m. inv.* (*biol.*) associazione.

lino *s. m.* (*gener.*) fibra, filato, tessuto, stoffa.

liofilizzàre *v. tr.* sottoporre a liofilizzazione, disidratare, seccare, essiccare.

liquefàre A *v. tr.* **1** fondere, sciogliere, struggere, squagliare, dissolvere, stemperare, disfare, diluire, fluidificare **CONTR.** coagulare, solidificare, raddensare, raggrumare, rapprendere, addensare, cagliare **2** [*denaro, sostanze, etc.*] (*est.*) dissolvere, dissipare, sprecare **CONTR.** economizzare, lesinare, risparmiare **B** *v. intr. pron.* **1** sciogliersi, disciogliersi, fondersi, disfarsi, diventare liquido, colare **CONTR.** condensarsi, cagliarsi, coagularsi, solidificarsi, raggrumarsi, rappigliarsi, rapprendersi, rassodarsi, addensarsi, cagliarsi, raffermarsi **2** [*detto di denaro, etc.*] (*est.*) dissiparsi, dissolversi, finire **CONTR.** accumularsi.

liquefàtto *part. pass.; anche agg.* liqui-

do, fuso, sciolto **CONTR.** solido.

liquefazióne *s. f.* (*chim.*) scioglimento, fusione **CONTR.** vaporizzazione, evaporazione, condensazione, solidificazione.

liquidaménte *avv.* fluidamente.

liquidàre *v. tr.* **1** [*un debito*] pagare, saldare, restituire **2** [*qc.*] eliminare, uccidere, fare fuori, destituire, allontanare **3** [*merce*] vendere, svendere, smaltire **4** [*un'ipotesi, etc.*] scartare **5** [*un argomento*] concludere, esaurire **6** eliminare.

liquidazióne *s. f.* **1** [*di società, di enti, etc.*] soppressione **2** [*di merci*] saldo, svendita.

liquido A *agg.* fluido, fuso, liquefatto **CONTR.** solido **B** *s. m.* **1** fluido, umore (*lett.*) **CONTR.** solido, gas **2** [*tipo di*] acqua, vino, sangue.

lira *s. f.* (*gener.*) moneta.

lirica *s. f.* (*pl. -che*) poesia, ode, canto, canzone, carme.

liricaménte *avv.* poeticamente **CONTR.** prosaicamente.

lirico *agg.* **1** poetico **CONTR.** prosaico **2** (*est.*) sentimentale, romantico **CONTR.** prosaico.

lisca *s. f.* (*pl. -che*) spina (*pop.*), resta (*dial.*).

liscézza *s. f.* levigatezza **CONTR.** asprezza, scabrosità.

lisciaménto *s. m.* lisciata.

lisciàre A *v. tr.* **1** polire, levigare, limare, molare, arrotare, spianare, piallare, pulire, rifinire, raffinare **CONTR.** irruvidire **2** [*un abito, etc.*] stirare **CONTR.** gualcire **3** [*i capelli, etc.*] ravviare, accarezzare, pettinare **CONTR.** scapigliare, scarmigliare, arricciare **4** [*il muro*] rasare, raspare **5** [*una parte del corpo*] sfregare, strofinare, carezzare **6** [*qc.*] (*est.*) piaggiare, lusingare, adulare, coccolare, incensare (*fig.*), leccare (*fig.*), blandire, ungere (*fig.*) **CONTR.** biasimare, criticare, disprezzare, maltrattare **B** *v. rifl.* **1** leccarsi, curarsi, agghindarsi, avere cura di sé **2** pettinarsi, ravviarsi.

lisciàta *s. f.* **1** lisciamento (*raro*) **2**

liscio (est.) adulazione, lusinga.

liscio (1) A agg. 1 [rif. a una superficie] levigato, polito, uguale (est.), pari CONTR. ammaccato, ineguale, spiegazzato, ondulato, aspro, ruvido, scabro, spinoso, spino (bot.) 2 [rif. a un mobile] (est.) semplice CONTR. ricercato 3 [rif. a uno scritto, a un discorso] (fig.) scorrevole, fluente CONTR. ricercato, complicato, difficile 4 [rif. al mare] tranquillo, calmo, piatto CONTR. mosso 5 [al tatto] morbido CONTR. aspro, ruvido, scabro 6 [rif. ai capelli] diritto CONTR. mosso, ricciolo, ricciuto B avv. lisciamente, in modo semplice.

liscio (2) s. m. sing. (gener.) ballo.

liscivia s. f. varechina, candeggina.

liso agg. 1 consunto, logoro, frusto CONTR. intatto 2 (est.) vecchio CONTR. nuovo.

lista s. f. 1 [di persone, di cose] elenco, nota 2 [di persone] fila 3 [di libri, etc.] catalogo, inventario 4 [di problemi, di incontri] agenda 5 [di luce, di sole] raggio 6 [delle vivande] carta, menù 7 [di un fornitore] nota, conto 8 [di tessuto, di carta, etc.] striscia 9 [di colore] striscia, riga.

listare v. tr. profilare.

listino s. m. catalogo, elenco, indice.

litania s. f. filastrocca, cantilena.

litantràce s. m. 1 (gener.) sostanza 2 carbone.

lite s. f. disputa, litigio, controversia, bisticcio, questione, contesa, tafferuglio, rissa, vertenza (bur.), baruffa, battaglia (fig.), temporale (fig.), alterco, diverbio, battibecco.

litigàre o **leticàre** A v. intr. 1 bisticciare, altercare, discutere, battagliare, questionare, polemizzare, lottare, sbraitare, schiamazzare, disputare (raro), contendere CONTR. rappacificarsi, pacificarsi, riconciliarsi 2 [detto di colori, etc.] contrastare, cozzare B v. rifl. rec. 1 accapigliarsi, azzuffarsi, scontrarsi, bisticciarsi, rimbeccarsi, sbranarsi, beccarsi 2 [per una lite già avvenuta] guastarsi 3 [la vittoria, etc.] contendersi, disputarsi.

litigàta s. f. 1 litigio, rissa, baruffa, zuffa 2 [soprattutto verbale] chiassata, piazzata, sceneggiata.

litigio s. m. 1 lite, alterco, bisticcio, discussione, questione, contesa, bega 2 [con percosse] zuffa, baruffa, rissa 3 [soprattutto verbale] scenata, piazzata, sceneggiata, litigata.

litigióso agg. polemico, rissoso, aggressivo, violento, battagliero, irruente CONTR. pacifico, tranquillo, paziente, conciliante.

litoràle A s. m. riva, costa, spiaggia, sponda B agg. [rif. a città] costiera.

litoràneo agg. costiero.

liturgìa s. f. cerimonia (est.), funzione (est.).

livellaménto s. m. 1 pareggio, perequazione CONTR. differenziazione 2 [l'effetto del] (est.) appiattimento.

livellàre A v. tr. 1 [un terreno, un muro] spianare, uniformare, appiattire (fig.), appianare, rasare, ruspare (raro) 2 [i salari, etc.] perequare, bilanciare, pareggiare, uguagliare, equiparare, ragguagliare CONTR. sperequare 3 [il tenore di vita, etc.] uniformare, massificare CONTR. differenziare 4 [risme di fogli, etc.] rifilare B v. intr. pron. 1 [detto di entrate, etc.] uguagliarsi 2 [detto di terreno] pareggiarsi, spianarsi C agg. livellario, enfiteutico (raro).

livèllo s. m. 1 (geogr.) quota, altezza, altitudine 2 [sociale] (est.) condizione, grado, rango, gradino (fig.) 3 [intellettuale] (est.) calibro, levatura, valore 4 [di problemi] (est.) ordine 5 parametro, piede (fig.) 6 [in loc.: mettersi al] piano.

livido A agg. [rif. al colorito] terreo, bluastro (est.) B s. m. lividore (raro), ecchimosi (colto), ammaccatura (est.), contusione (est.).

lividóre s. m. livido (pop.), ecchimosi (colto), ammaccatura (est.), contusione (est.).

living s. m. inv. 1 (gener.) locale, vano, stanza (fam.) 2 soggiorno, salotto, tinello, sala.

livóre s. m. astio, acredine, acrimonia, invidia, bile (fig.), acidità (fig.), accanimento, gelosia, odio, amarezza

(est.), agro (fig.) CONTR. simpatia, benevolenza.

livrèa s. f. 1 divisa, uniforme 2 [rif. ai pennuti] piumaggio.

lòbby s. f. inv. (est.) cricca, mafia.

locàle (1) s. m. 1 ambiente, camera, stanza, posto, vano 2 [tipo di] sala, salotto, salone, soggiorno, tinello (fam.), living (ingl.), bagno, camera da letto, ingresso, cucina, studio, sgabuzzino, stanzino, dispensa, cesso (volg.), camerino, sotterraneo, sottoscala, sottotetto, spogliatoio 3 [pubblico] posto, ritrovo, bar, caffè, caffetteria.

locàle (2) agg. 1 del luogo, autoctono 2 [rif. all'effetto] limitato, ristretto, circoscritto.

località s. f. inv. 1 luogo, posto, sito (lett.) 2 paese 3 sede.

localizzàre v. tr. 1 situare 2 [le cause, etc.] determinare, individuare, distinguere 3 [un'epidemia, etc.] isolare, circoscrivere, delimitare, restringere CONTR. ampliare, estendere, diffondere.

locànda s. f. 1 trattoria 2 pensione, albergo.

locandina s. f. civetta (fig.).

locàre v. tr. affittare, appigionare, dare in affitto.

locatàrio s. m. (f. -a) affittuario, inquilino, pigionante CONTR. locatore, proprietario, padrone.

locatóre s. m. (f. -trice) proprietario, padrone CONTR. affittuario, locatario, inquilino, pigionante.

locazióne s. f. affitto, pigione, fitto, retta (est.).

locùsta s. f. 1 (gener.) insetto 2 cavalletta (pop.).

locuzióne s. f. 1 frase, espressione 2 termine.

lodàre A v. tr. 1 [qc. in sua presenza] elogiare, encomiare, fare i complimenti a, complimentare, adulare, incensare CONTR. rimproverare, rampognare, redarguire, insultare, irridere, riprendere, offendere, oltraggiare, rabbuffare, schernire 2 [qc. in sua as-

senza] magnificare, vantare, gloriare CONTR. criticare, denigrare, calunniare, detrarre, diffamare **3** [*l'operato di qc.*] approvare, apprezzare CONTR. condannare, deplorare, biasimare, disapprovare, disprezzare **4** [*una località, etc.*] magnificare, vantare, cantare (*fig.*), celebrare, decantare, esaltare, pregiare (*raro*) CONTR. criticare **5** [*la divinità, etc.*] (*relig.*) benedire, riverire, venerare, onorare, adorare, glorificare CONTR. bestemmiare, maledire, imprecare **6** [*il bene, etc.*] (*est.*) predicare **7** [*uno spettacolo*] (*est.*) acclamare, applaudire CONTR. fischiare **B** v. rifl. gloriarsi, vantarsi, esaltarsi, incensarsi, pavoneggiarsi, vanagloriarsi, glorificarsi CONTR. diminuirsi, denigrarsi, abbassarsi, umiliarsi, disprezzarsi, svilirsi.

lodàto *part. pass.; anche agg.* ammirato, stimato, celebrato, decantato, apprezzato CONTR. biasimato, condannato, criticato, disapprovato, disprezzato, demolito, deriso, dileggiato, irriso, stroncato (*fam.*), vilipeso.

lòde *s. f.* **1** elogio, encomio, apprezzamento, complimento CONTR. rimprovero, sgridata, rabbuffo, ramanzina, ammonizione **2** (*est.*) applauso (*fig.*), plauso, approvazione, consenso CONTR. biasimo, censura, condanna, deplorazione.

lodévole *agg.* encomiabile (*lett.*) CONTR. deplorevole, disdicevole, riprovevole, esecrabile, nefando, indegno, infamante, infame, obbrobrioso.

lodevolménte *avv.* bene, meritoriamente, encomiabilmente CONTR. biasimevolmente, deplorevolmente, esecrabilmente, ingloriosamente, spregevolmente.

lòdola *s. f.* V. *allodola.*

lòggia *s. f.* (*pl.* -ge) **1** loggiato, galleria, portico **2** altana, terrazza, balcone **3** veranda **4** [*massonica*] tempio.

loggiàto *s. m.* loggia, portico, galleria, porticato.

loggiòne *s. m.* piccionaia (*scherz.*).

lògica *s. f.* (*pl.* -che) **1** razionalità, raziocinio, coerenza, coesione, rigore, congruenza, consequenzialità, ragione, senso CONTR. illogicità, assurdità, incoerenza **2** dialettica **3** ovvietà, evidenza.

logicaménte *avv.* **1** razionalmente, ragionevolmente, lucidamente, cerebralmente, matematicamente, ragionatamente CONTR. illogicamente, irragionevolmente, irrazionalmente, incoerentemente, assurdamente, paradossalmente **2** comprensibilmente, naturalmente, ovviamente, conseguentemente.

lògico *agg.* **1** razionale, ragionevole, congruente, coerente, conseguente CONTR. illogico, assurdo, contraddittorio, delirante, incoerente, incongruente, irragionevole, capriccioso, cervellotico, sconclusionato **2** (*est.*) ovvio, normale, sostenibile CONTR. assurdo.

logoraménto *s. m.* **1** usura, consunzione **2** (*est.*) stanchezza, logorio.

logorànte *part. pres.; anche agg.* stressante CONTR. distensivo, riposante, rilassante, ristoratore.

logoràre **A** v. tr. **1** [*un oggetto*] rovinare, sciupare, consumare, erodere, intaccare, corrodere **2** [*qc. per la fatica*] (*est.*) esaurire, fiaccare, affaticare, sforzare, stancare, sfiancare, massacrare, prostrare CONTR. riposare, rilassare **3** [*l'animo*] (*fig.*) sciupare, macerare, divorare **4** [*i sensi, la mente*] ottundere **5** [*un'amicizia, etc.*] rovinare, intaccare, guastare, disgregare CONTR. rinforzare, rafforzare **B** v. intr. pron. **1** consumarsi, esaurirsi, invecchiare, sciuparsi, sfibrarsi **2** struggersi (*fig.*), tormentarsi, torturarsi, divorarsi, rodersi **3** stancarsi, affaticarsi CONTR. riposarsi, rilassarsi.

logoràto *part. pass.; anche agg.* consumato, usato, consunto, rovinato CONTR. nuovo, integro.

logorìo *s. m.* **1** consunzione, logoramento, consumo **2** (*est.*) tormento, tensione, stress, rodimento **3** (*est.*) usura, attrito.

lògoro *agg.* frusto, liso, consunto, sciupato, rovinato, sgualcito CONTR. nuovo, intatto.

lombàrdo (1) *agg., s. m.* (*f.* -a) della Lombardia.

lombàrdo (2) *s. m.* **1** (*gener.*) crostaceo **2** lupicante, astice.

lombrìco *s. m.* (*pl.* -chi) **1** (*gener.*) insetto **2** verme, baco, bacherozzo

(*roman.*), bacherozzolo (*roman.*).

longànime *agg.* indulgente.

longanimità *s. f. inv.* indulgenza, pazienza, tolleranza.

longitudinalménte *avv.* orizzontalmente CONTR. verticalmente.

lontanànza *s. f.* **1** assenza **2** [*tra idee, etc.*] divergenza, discrepanza **3** (*est.*) distanza CONTR. vicinanza, attiguità, prossimità **4** [*rif. a un'opera pittorica*] prospettiva, profondità **5** estraneità.

lontàno **A** *agg.* **1** [*rif. a un luogo*] discosto, distante CONTR. vicino, adiacente, attiguo, contiguo, limitrofo **2** (*temp.*) remoto **3** assente CONTR. compartecipe **4** [*rif. alle idee*] diverso, divergente CONTR. vicino, simile, uguale **5** (*fig.*) alieno, estraneo **B** *avv.* distante, via, discosto CONTR. vicino, accanto, appresso, dappresso, dattorno, dintorno, intorno.

look *s. m. inv.* immagine, aspetto.

looping *loc. sost.* gran volta, cerchio della morte.

loquàce *agg.* **1** facondo, ciarliero, verboso (*spreg.*), chiacchierone CONTR. taciturno, chiuso, introverso, silenzioso **2** (*est.*) eloquente.

loquacità *s. f. inv.* loquela, dialettica (*est.*), chiacchiera, parlantina (*fam.*), ciarla (*scherz.*), verbosità, facondia (*colto*), lingua (*fig.*) CONTR. laconicità, stringatezza.

loquèla *s. f.* loquacità, parlantina (*fam.*), chiacchiera (*fam.*), lingua (*fig.*), dialettica (*est.*), ciarla (*scherz.*), eloquenza CONTR. laconicità, stringatezza, concisione.

lordàre **A** v. tr. **1** sporcare, imbrattare, insozzare, insudiciare, macchiare CONTR. detergere, forbire, lavare, pulire **2** (*est.*) corrompere, contaminare, depravare, pervertire CONTR. moralizzare **B** v. rifl. **1** sporcarsi, imbrattarsi, insozzarsi, insudiciarsi, macchiarsi CONTR. forbirsi, pulirsi **2** [*in senso morale*] (*fig.*) contaminarsi CONTR. mondarsi, purificarsi.

lòrdo **A** *agg.* **1** sozzo, sporco, sudicio, imbrattato, macchiato, immondo CONTR. immacolato, pulito, lindo **2**

lordura [*rif. al peso*] sporco (*fig.*) CONTR. netto **B** s. m. sing. [*rif. al peso*] CONTR. netto.

lordùra s. f. lezzo, sudicio, sporcizia, sozzura, lerciume CONTR. pulizia, lindore, igiene, nitore.

lorìca s. f. (*pl. -che*) (*gener.*) armatura.

loricàto s. m. **1** (*gener.*) rettile **2** coccodrillo, alligatore.

lòro s. m. sing. proprio.

losànga s. f. (*pl. -ghe*) rombo (*est.*).

loscaménte avv. biecamente, ambiguamente CONTR. chiaramente, serenamente.

lòsco agg. (*pl. m. -chi*) **1** [*rif. a una persona, allo sguardo*] bieco, torvo CONTR. schietto, franco **2** [*rif. a una persona*] ambiguo, equivoco, tristo CONTR. schietto, franco, onesto, irreprensibile **3** [*rif. agli affari*] disonesto CONTR. onesto, irreprensibile.

lòto s. m. **1** nelumbo, ninfea, sicomoro **2** (*gener.*) fiore.

lòtta s. f. **1** [*fisica*] combattimento, contesa, battaglia, mischia **2** [*morale*] (*est.*) guerra (*fig.*), contrasto, disaccordo, conflitto **3** (*est.*) competizione, concorrenza **4** (*gener.*) sport.

lottàre v. intr. **1** combattere, guerreggiare, pugnare (*lett.*) CONTR. ritirarsi, arrendersi **2** (*sport*) battersi, misurarsi, competere, gareggiare **3** percuotersi, azzuffarsi, affrontarsi, accapigliarsi, picchiarsi, scontrarsi, litigare **4** [*contro l'ingiustizia*] battagliare, contrastare *un* **5** dibattersi **6** [*per non fare q.c.*] resistere *a*, sforzarsi *di*, impegnarsi *a* CONTR. rinunciare, cedere.

lotteria s. f. pesca.

lottizzàre v. tr. frazionare, dividere in lotti, suddividere CONTR. accorpare, unificare.

lozióne s. f. (*gener.*) cosmetico.

lùbrico agg. **1** (*fig.*) indecente, impudico, osceno, lascivo, laido CONTR. casto, puro **2** [*rif. a una superficie*] (*lett.*) sdrucciolevole CONTR. ruvido, scabro **3** [*rif. a una risata*] (*fig.*) grasso CONTR. casto.

lubrificàre v. tr. ungere, ingrassare, oliare.

luccicàre v. intr. **1** [*detto di occhi*] scintillare, sfavillare, risplendere, brillare, splendere, balenare, rilucere (*raro*), dardeggiare (*fig.*), lampeggiare (*fig.*), raggiare **2** scintillare, sfavillare, risplendere, ridere (*fig.*).

luccichìo s. m. **1** bagliore, scintillio, balenio, sfavillio, sfolgorio, baleno **2** (*est.*) lucentezza.

lùccio s. m. (*gener.*) pesce.

lùce s. f. **1** chiarore, luminosità, lucore (*lett.*), illuminazione (*est.*) CONTR. tenebra, buio, ombra **2** bagliore **3** (*est.*) sole **4** [*per leggere, etc.*] (*est.*) lume **5** (*est.*) vita **6** [*tipo di*] faro, lampada.

lucènte part. pres.; anche agg. luminoso, brillante, lampante, splendente, sfavillante, scintillante, lucido, lustro CONTR. opaco, appannato, offuscato.

CLASSIFICAZIONE

Lucente

Lucente.
luminoso: che emette luce, che è pieno di luce;
splendente: che emette luce vivida;
sfavillante: che manda faville;
scintillante: che emette scintille;
brillante: che brilla, che splende;
lampante: (*est.*) che è lucente e limpido;
lucido: di corpo che per la sua levigatezza riflette la luce;
lustro: di superficie che per la sua levigatezza riluce.

lucentézza s. f. **1** luminosità, splendore, fulgore CONTR. opacità **2** nitidezza, limpidità, pulizia **3** scintillio, luccichio.

lucèrtola s. f. (*gener.*) sauro.

lucidaménte avv. **1** luminosamente **2** logicamente CONTR. confusamente, incoerentemente.

lucidàre v. tr. **1** satinare, lustrare CONTR. offuscare, appannare, velare **2** (*est.*) forbire, rifinire, detergere, pulire, tergere **3** (*tecnol.*) ricopiare, ricalcare.

lucidàta s. f. pulitura.

lucidàto part. pass.; anche agg. smerigliato, levigato, polito, molato CONTR. opaco.

luciditità s. f. inv. **1** [*rif. alle capacità intellettuali*] chiarezza, limpidezza, lindezza, acutezza, perspicuità CONTR. appannamento, disorientamento, nebbia (*fig.*) **2** [*rif. a un oggetto*] splendore.

lùcido (1) agg. **1** lucente, splendente, lustro CONTR. opaco **2** [*rif. a un discorso*] (*fig.*) acuto, chiaro, perspicuo CONTR. confuso, farraginoso **3** [*rif. a una persona*] sobrio, presente CONTR. alticcio, disorientato, stordito, stranito.

lùcido (2) s. m. trasparenza.

lùcido (3) s. m. [*per pulire le calzature*] cera.

lucifero s. m. demonio, diavolo.

lucóre s. m. luce, biancore, chiarore, splendore.

lucràre v. tr. (*econ.*) speculare *su*, guadagnare, fare guadagni *su* CONTR. rimetterci, perderci.

lùcro s. m. guadagno, profitto, speculazione (*est.*).

lucróso agg. vantaggioso, redditizio, rimunerativo, proficuo CONTR. improduttivo, dannoso.

lùgubre agg. **1** [*rif. all'aspetto*] funereo, funebre, triste CONTR. allegro, gaio, lieto, ameno, ridente **2** [*rif. a un luogo*] tetro, squallido CONTR. allegro, gaio, lieto, ameno.

lumàca s. f. (*pl. -che*) **1** (*gener.*) mollusco **2** chiocciola (*fam.*).

lumachìno s. m. (*gener.*) verme.

lùme s. m. **1** lampada, fiaccola (*raro*), abat-jour (*fr.*) **2** (*est.*) luce **3** (*est.*) stella **4** [*spec. al pl. con: chiedere*] (*fig.*) consiglio, chiarimento.

luminosaménte avv. fulgidamente, lucidamente, splendidamente CONTR. cupamente.

luminosità s. f. inv. **1** chiarore, luce, chiaro CONTR. oscurità, tenebra **2** lucentezza, splendore, fulgore, scintillio.

luminóso agg. **1** splendente, sfavillante, brillante, lucente, smagliante, solare CONTR. buio, oscuro **2** [*rif. alla verità, etc.*] (*fig.*) chiaro, cristallino, manifesto, lampante CONTR. oscuro **3**

[*rif. allo sguardo*] caloroso, ardente CONTR. torvo 4 [*rif. all'avvenire, al futuro*] aureo CONTR. oscuro.

lùna s. f. 1 (*gener.*) satellite 2 [*spec. con: avere la*] broncio.

lunàrio s. m. almanacco, calendario, effemeride (*colto*).

lunàtico agg. [*rif. a una persona*] bisbetico, capriccioso, incostante, volubile, stravagante, bizzarro, strambo CONTR. posato, equilibrato, razionale.

lungàggine s. f. 1 [*nel parlare, nel raccontare*] prolissità, verbosità CONTR. brevità, compendiosità, concisione 2 [*nel fare*] lentezza CONTR. sveltezza 3 (*est.*) burocrazia.

lungaménte avv. 1 a lungo, per molto tempo CONTR. brevemente, stringatamente 2 diffusamente, prolissamente CONTR. stringatamente.

lunghézza s. f. 1 (*gener.*) misura CONTR. altezza, larghezza 2 [*spaziale, temporale*] estensione 3 [*rif. a una persona*] statura 4 [*rif. al tempo*] durata CONTR. brevità.

lungimirànte agg. 1 previdente, avveduto, accorto CONTR. sprovveduto, incauto, irriflessivo 2 (*est.*) intelligente, perspicace CONTR. sciocco, limitato, corto (*fig.*).

lungimirànza s. f. previdenza, avvedutezza, accortezza (*est.*), perspicacia (*est.*) CONTR. limitatezza, chiusura.

lùngo A agg. (*pl. m. -ghi*) 1 esteso CONTR. breve, corto 2 [*rif. a una persona*] (*fam.*) alto CONTR. basso, piccolo 3 [*rif. a una persona*] lento, tardo CONTR. svelto, rapido 4 (*temp.*) durevole, duraturo CONTR. breve, passeggero 5 [*rif. a una bevanda*] allungato CONTR. ristretto, concentrato 6 [*rif. a un discorso*] prolisso CONTR. compendioso, succinto 7 [*rif. a un abito*] CONTR. corto, succinto B avv. lungamente, per molto tempo C s. m. lunghezza.

lungomàre s. m. passeggiata (*est.*).

luògo s. m. (*pl. -ghi*) 1 località, sito (*lett.*), posto 2 lido (*lett.*), area, regione, ambiente, suolo (*poet.*), sede, paese, zona, punto 3 posizione, adito.

lupanàre s. m. postribolo, casino, bordello, casotto (*pop.*), casa di tolleranza (*euf.*).

lupàra s. f. (*gener.*) fucile, arma.

lupicànte s. m. 1 (*gener.*) crostaceo 2 lombardo, astice.

lupino s. m. (*gener.*) legume.

lùpo s. m. 1 (*gener.*) mammifero 2 cane.

luridaménte avv. 1 sudiciamente, turpemente, sozzamente 2 turpemente CONTR. onestamente.

lùrido agg. lordo, sozzo, schifoso, lercio, sudicio.

lusinga s. f. (*pl. -ghe*) 1 allettamento, tentazione, richiamo, esca, seduzione, attrazione 2 (*fig.*) lisciata, carezza, moina 3 esca, zimbello.

lusingàre A v. tr. 1 allettare, blandire, corteggiare, adulare, illudere, cullare (*fig.*), accarezzare (*fig.*), accarezzare (*fig.*), lisciare (*fig.*), incensare (*fig.*), coprire di lusinghe, insaponare (*fig.*), vellicare (*fig.*), invischiare, leccare (*fig.*), vezzeggiare, solleticare (*fig.*), piaggiare, ungere (*fig.*) CONTR. deludere, disingannare, disilludere 2 dilettare, deliziare, soddisfare, trastullare CONTR. indisporre, inorridire, scontentare, irritare 3 [*i desideri, le speranze*] (*fig.*) fomentare, alimentare B v. intr. pron. 1 illudersi, sperare, credere 2 (*est.*) osare.

lusinghevolménte avv. carezzevolmente, seducentemente CONTR. sgradevolmente, disgustosamente.

lusinghièro agg. 1 [*rif. allo sguardo*] allettante, invitante CONTR. offensivo, ingiurioso 2 (*est.*) soddisfacente, gradevole, piacevole, adulatore CONTR. malevolo, maligno, sarcastico (*est.*).

lussàre v. tr. slogare, disarticolare, storcere.

lùsso s. m. 1 ricchezza, agiatezza, sovrabbondanza CONTR. povertà, miseria, indigenza 2 fasto, magnificenza, sontuosità, splendore 3 comodità, mollezza (*fig.*).

lussuosaménte avv. fastosamente, sontuosamente, sfarzosamente, grandiosamente, riccamente, preziosamente, splendidamente, prestigiosamente CONTR. poveramente, miserevolmente.

lussuóso agg. 1 sfarzoso, sontuoso, splendido, magnifico, grandioso, pomposo CONTR. misero, modesto, semplice 2 [*rif. a una casa, a un'abitazione*] (*est.*) signorile CONTR. misero, modesto, umile.

lussùria s. f. concupiscenza, libidine CONTR. castità.

lussuriosaménte avv. sensualmente, libidinosamente, lascivamente CONTR. castamente, pudicamente.

lussurióso agg. lascivo, libidinoso, libertino, vizioso CONTR. casto, morigerato, pudico.

lustràre A v. tr. 1 [*q.c.*] lucidare, forbire, detergere CONTR. appannare, offuscare 2 [*qc.*] (*fig.*) ungere, incensare B v. intr. luccicare, risplendere.

lustrino s. m. paillette (*fr.*).

lùstro (1) A s. m. splendore, gloria, vanto, onore, distinzione, decoro CONTR. vergogna, disdoro (*colto*), disonore B agg. lucido, lucente (*est.*), splendente (*est.*) CONTR. opaco.

lùstro (2) s. m. quinquennio.

lùtto s. m. 1 cordoglio (*raro*), dolore, pianto (*fig.*) 2 disgrazia, sciagura 3 [*spec. con: portare il*] gramaglie, bruno (*raro*), scuro.

luttuosaménte avv. dolorosamente, lacrimevolmente CONTR. gioiosamente.

luttuóso agg. [*rif. a un evento*] doloroso, tragico, triste, funesto, nero (*fig.*) CONTR. lieto, festoso, gioioso.

m, M

ma *A cong.* al contrario, però, invece, ora, tanto *B s. m. inv.* obiezione, incertezza, difficoltà, ostacolo.

macaóne *s. m.* (*gener.*) farfalla.

màcchia (1) *s. f.* **1** punto, baffo, schizzo, patacca, ombra (*fig.*) **2** (*est.*) peccato, colpa **3** (*est.*) oltraggio, onta **4** [*sulla pelle*] voglia (*pop.*) **5** [*rif. al leopardo*] chiazza, pezza.

màcchia (2) *s. f.* (*erron.*) bosco, boscaglia, foresta, selva.

macchiàre *A v. tr.* **1** maculare (*raro*), sciupare, insudiciare, imbrattare, impiastrare, infangare, inzaccherare, impataccare, insozzare, lordare, impiastricciare, sporcare, deturpare **CONTR.** smacchiare, pulire, ripulire, tergere, detergere, mondare, nettare **2** [*un tessuto*] sciupare, illividire **CONTR.** onorare, esaltare, lodare **3** [*qc.*] (*est.*) disonorare, infamare, calunniare, denigrare, oltraggiare, profanare *B v. rifl.* **1** imbrattarsi, impataccarsi, farsi delle macchie, farsi delle patacche, inzaccherarsi, impiastricciarsi **CONTR.** pulirsi, ripulirsi, detergersi, nettarsi **2** (*gener.*) sporcarsi, insudiciarsi, insozzarsi, lordarsi **3** [*di un delitto, di una infamia*] (*est.*) disonorarsi *con*, infamarsi *C v. intr. pron.* [*detto di muro, di abito, etc.*] sporcarsi.

macchiàto *part. pass.; anche agg.* **1** sporco, imbrattato, impiastrato, inzaccherato, lordo **CONTR.** immacolato, pulito, lindo, netto **2** [*rif. al nome, alla dignità*] disonorato **CONTR.** immacolato, pulito, lindo, netto, puro.

macchiétta *s. f.* **1** caricatura **2** tipo.

macchiettàre *A v. tr.* spruzzare di piccole chiazze, picchiettare, variegare, maculare, punteggiare *B v. intr. pron.* sporcarsi, lordarsi, impataccarsi.

màcchina *s. f.* **1** autovettura, automobile, vettura, auto **2** (*gener.*) automezzo, autoveicolo, veicolo **3** congegno, macchinario, strumento, apparecchiatura, dispositivo, apparato, apparecchio.

macchinalménte *avv.* **1** automaticamente, mnemonicamente **CONTR.** volontariamente, consapevolmente **2** istintivamente.

macchinàre *v. tr.* architettare, ordire, tramare, concertare, mulinare (*fig.*), fabbricare, intessere, elaborare, elucubrare, meditare, pensare (*est.*), ponzare.

macchinàrio *s. m.* apparecchiatura, apparecchio, dispositivo, congegno, apparato, macchina.

macchinazióne *s. f.* congiura, cospirazione, trama, complotto, intrigo, orditura (*raro*).

macchinosaménte *avv.* artificiosamente, complicatamente **CONTR.** semplicemente, linearmente.

macchinóso *agg.* cervellotico, concettoso, involuto, complicato, complesso **CONTR.** semplice, piano, chiaro.

macellàre *v. tr.* **1** [*bestiame*] mattare, scannare, abbattere **2** [*qc.*] ammazzare, uccidere, massacrare, sterminare, trucidare.

macèllo *s. m.* **1** mattatoio **2** [*spec. con: fare un*] (*est.*) strage, carneficina, massacro.

maceràre *A v. tr.* **1** [*la selvaggina, le carni*] frollare, sottoporre a macerazione, ammollare, ammorbidire **2** [*l'animo, le forze*] (*est.*) logorare, infiacchire, spossare, svigorire **CONTR.** rinforzare, rinvigorire *B v. rifl.* rodersi, tormentarsi, angustiarsi, crocifiggersi (*fig.*), crucciarsi, torturarsi **CONTR.** allietarsi, consolarsi.

macèria *s. f.* **1** detrito **2** (*est.*) rovina.

machiavellicaménte *avv.* astutamente, scaltramente, furbamente **CONTR.** francamente, lealmente.

macho *s. m. inv.* maschio.

macigno *s. m.* **1** masso, mattone, pietra, sasso, blocco (*est.*) **2** (*est.*) peso.

macilènto *agg.* [*rif. a una persona*] magro, emaciato, patito, denutrito, debole **CONTR.** robusto, formoso (*est.*), prosperoso (*est.*), pasciuto, gagliardo, vigoroso.

màcina *s. f.* mola.

macinàre *v. tr.* **1** triturare, schiacciare, polverizzare, frullare, tritare, stritolare, maciullare (*raro*) **2** [*denaro*] (*est.*) consumare, spendere.

maciullàre *A v. tr.* **1** [*un arto*] (*est.*) dilaniare, massacrare, spappolare, stritolare, rovinare (*impr.*) **2** [*q.c.*] polverizzare, frantumare (*est.*) **3** [*q.c. con i denti*] (*est.*) macinare, tritare, triturare, masticare *B v. intr. pron.* rompersi, schiacciarsi.

maculàre *v. tr.* **1** macchiettare, picchiettare, screziare **2** macchiare, imbrattare, lordare, insudiciare, insozzare, sporcare **CONTR.** pulire, tergere, detergere, nettare.

madàma *s. f.* polizia.

màdia *s. f.* **1** credenza, cassa, arca (*lett.*), dispensa **2** (*gener.*) mobile.

màdido *agg.* zuppo, bagnato, fradicio **CONTR.** asciutto, secco, arido.

madònna *s. f.* **1** fata **CONTR.** strega **2** (*gener.*) donna.

madornàle *agg.* grosso, inaudito, spropositato, enorme, smisurato **CONTR.** minimo, trascurabile.

màdre (1) *s. f.* **1** mamma, genitore (*scherz.*) **CONTR.** figlia, figlio **2** origine, causa, radice, matrice **3** [*rif. a una ricevuta, etc.*] matrice.

màdre (2) *agg. inv.* [*rif. a scena, sede, etc.*] principale, culminante.

madrepàtria *s. f.* **1** patria **2** (*raro*) metropoli.

madrina *s. f.* **1** comare **CONTR.** figlioccio **2** (*est.*) levatrice.

maestà *s. f. inv.* **1** re, regina, sovrana **2** imponenza, grandiosità.

maestosità *s. f. inv.* solennità, imponenza **CONTR.** modestia.

maestóso *agg.* **1** grandioso, imponente, sontuoso **CONTR.** dimesso, umile, modesto **2** [*rif. all'atteggiamento*] altero, solenne **CONTR.** dimesso, umile, modesto **3** (*mus.*) solenne.

maestràle *s. m.* (*gener.*) vento.

maestria *s. f.* **1** abilità, perizia, arte, valentia **CONTR.** incompetenza, incapacità **2** (*est.*) accortezza, diplomazia.

maèstro (1) *s. m.* (*f. -a*) **1** insegnante, docente, precettore, professore, istruttore, istitutore, educatore **CONTR.** scolaro, studente, alunno, allievo, seguace, tirocinante, apprendista, discepolo **2** guida, direttore **3** artista **4** principe, autorità **5** ispiratore, iniziatore, padre (*fig.*).

maèstro (2) *agg.* **1** [*rif. a una strada, a un muro, etc.*] principale **CONTR.** secondario **2** (*fig.*) abile, esperto **CONTR.** tirocinante, novizio.

màfia *s. f.* **1** cosa nostra **2** (*est.*) lobby (*euf.*).

mafiosaménte *avv.* prepotentemente, con prepotenza **CONTR.** onestamente.

màga *s. f.* (*pl. -ghe*) strega, fata, fattucchiera.

magàgna *s. f.* **1** pecca, difetto **2** (*est.*) vizio, colpa, peccato.

magazzino *s. m.* **1** deposito, fondo **2** emporio, bazar.

maggioranza *s. f.* prevalenza, preponderanza, massa (*est.*) **CONTR.** minoranza.

maggioràre *v. tr.* [*i prezzi*] aumentare, accrescere **CONTR.** diminuire, calare.

maggióre (1) *agg.* **1** superiore **CONTR.** minore, più giovane **2** più alto **3** più vecchio.

maggióre (2) *s. m. e f.* (*gener.*) militare.

maggiorménte *avv.* **1** più, in maggior misura, di più **CONTR.** meno **2** principalmente, soprattutto, specialmente.

magìa *s. f.* **1** stregoneria, incantesimo **2** incanto, malia, fascino.

magicaménte *avv.* incredibilmente, straordinariamente.

magióne *s. f.* casa.

magistràto *s. m.* (*f. -a*) [*tipo di*] giudice, pretore.

magistratùra *s. f.* giustizia (*fam.*).

màglia *s. f.* **1** canottiera **2** maglione, pullover (*ingl.*) **3** (*gener.*) indumento **4** [*di una catena, di una rete, etc.*] anello.

maglióne *s. m.* **1** pullover, maglia **2** (*gener.*) indumento.

magnàccia *s. m. inv.* protettore, pappa (*volg.*), prosseneta (*lett.*), lenone (*lett.*), ruffiano, sfruttatore.

magnanimaménte *avv.* generosamente, liberalmente **CONTR.** grettamente.

magnanimità *s. f. inv.* **1** generosità, munificenza **CONTR.** grettezza, tirchieria **2** nobiltà, bontà.

magnànimo *agg.* generoso, prodigo, grandioso, liberale, buono, nobile, umano **CONTR.** avaro, taccagno, meschino, abietto.

magnificaménte *avv.* **1** splendidamente, divinamente, fantasticamente, grandiosamente, spettacolosamente **CONTR.** miseramente, poveramente, squallidamente **2** benissimo, ottimamente, perfettamente **CONTR.** male, malamente, pessimamente, orrendamente (*iperb.*).

magnificàre **A** *v. tr.* [*le qualità di q.c.*] decantare, vantare, esaltare, cantare, celebrare, predicare (*est.*), gloriare (*raro*) **CONTR.** deprezzare, sprezzare, spregiare **2** [*qc.*] glorificare, lodare, elogiare, incensare, deificare, inneggiare a **CONTR.** discreditare, disprezzare, disistimare, vilipendere, mortificare **3** [*un episodio*] amplificare, ingrandire (*est.*), millantare **B** *v. rifl.* vantarsi, esaltarsi, incensarsi, gloriarsi **CONTR.** disprezzarsi, svalutarsi.

magnificazióne *s. f.* esaltazione, glorificazione.

magnificènza *s. f.* **1** [*rif. a un'opera architettonica*] splendore, grandiosità, imponenza, sublimità **2** [*rif. a una festa, a un matrimonio*] pompa, sfarzo, lusso, grandezza, fasto, opulenza, sontuosità, scialo (*pop.*), ricchezza **CONTR.** povertà, semplicità, modestia **3** [*nel dare*] munificenza.

magnìfico *agg.* **1** superbo, meraviglioso, splendido, stupendo, lussuoso, imponente, sontuoso, impareggiabile **CONTR.** austero **2** (*est.*) generoso, munifico, splendido **CONTR.** avaro.

CLASSIFICAZIONE

Magnifico

Magnifico:
1 Che suscita ammirazione per la sua grandiosità;
2 Che è grandioso nel dare ad altri.
1
   superbo: che desta impressione per le sue proporzioni e la sua ricchezza;
   meraviglioso: che desta meraviglia e ammirazione;
   splendido;
   stupendo: che desta stupore per la bellezza, la grandiosità
   imponente: che incute rispetto e riverenza per le sue dimensioni;
   lussuoso: che denota lusso;
   sontuoso: che è lussuoso, fastoso e sfarzoso;
   impareggiabile: che non ha pari per bellezza, sfarzo, lusso, etc..
2 Con riferimento a persona.
   generoso: che è largo nel dare;
   splendido;
   munifico: che è largo nello spendere e nel donare.

magniloquènte *agg.* ampolloso, ridondante, enfatico, retorico **CONTR.** laconico, stringato.

magnòlia *s. f.* **1** (*gener.*) albero **2** (*gener.*) fiore.

màgo *s. m.* (*pl. -ghi*) stregone, negromante, sciamano.

magraménte *avv.* scarsamente, esiguamente, limitatamente **CONTR.** copiosamente, abbondantemente.

magrézza *s. f.* esilità, snellezza, secchezza (*est.*) **CONTR.** adiposità, grassezza, obesità, pinguedine.

màgro *agg.* **1** sottile, esile, smilzo,

snello, asciutto, affilato (*fig.*) CONTR. grasso, adiposo, abbondante, grosso, prosperoso, pingue, obeso **2** (*est.*) scarno, smunto, secco (*fam.*), denutrito, macilento, patito, scavato, emaciato CONTR. abbondante, grosso, prosperoso, formoso, pasciuto, cannone (*scherz.*), pieno (*fam.*) **3** scarso, misero, povero, insufficiente CONTR. abbondante, grosso, opulento **4** [*rif. a una scusa, a una ragione*] (*fig.*) insufficiente, meschino CONTR. accettabile.

mah *inter.* ohibò.

mài *avv.* **1** giammai, in nessun caso CONTR. sempre, frequentemente, sovente, abitualmente, continuamente, costantemente, alle volte, qualche volta, talora **2** no CONTR. ad ogni costo.

maiàle *s. m.* **1** porco, suino **2** (*gener.*) mammifero.

màis *s. m. inv.* **1** granoturco, frumentone, granone **2** (*gener.*) cereale, pianta.

malaccètto *agg.* sgradito, inviso (*lett.*) CONTR. benaccetto, caro, gradito, grato.

malaccortaménte *avv.* imprudentemente, incautamente CONTR. prudentemente, guardingamente.

malaccòrto *agg.* incauto, maldestro, sprovveduto, imprudente (*est.*) CONTR. accorto, attento.

malacreànza *s. f.* villania, maleducazione CONTR. educazione.

malaféde *s. f.* inganno, slealtà CONTR. buonafede.

malagévole *agg.* scabroso, impervio, difficile, duro, aspro CONTR. agevole, facile, comodo.

malalìngua *s. f.* calunniatore, denigratore, detrattore, diffamatore.

malaménte *avv.* **1** male, in malo modo, cattivamente CONTR. bellamente, bene, accuratamente, bravamente, doverosamente, espertamente, magnificamente, ottimamente, pazzescamente (*fam.*) **2** inelegantemente CONTR. accuratamente.

malandàto *agg.* **1** [*rif. a cosa*] trasandato, cadente, rovinato, sganghe-

rato (*fam.*) CONTR. intatto, perfetto, sano **2** [*rif. a una persona*] acciaccato, malaticcio (*est.*), sciancato CONTR. sano, robusto, vigoroso.

malànimo *s. m.* astio, animosità, rancore, risentimento, ruggine (*fig.*), ostilità, odio, malevolenza CONTR. benevolenza, affetto, simpatia, amore.

malànno *s. m.* **1** guaio **2** male, malattia, acciacco, infermità, malessere (*est.*), morbo.

malasòrte *s. f.* sfortuna, avversità, disgrazia, disdetta, iella (*fam.*) CONTR. buonasorte, fortuna.

malatìccio *agg.* (*pl. f. -ce*) malsano, acciaccato, cagionevole, malandato, infermo, debole CONTR. sano, vegeto.

malàto A *agg.* **1** infermo, ammalato, indisposto, acciaccato, sofferente, affetto *da* CONTR. sano, vegeto **2** (*psicol.*) ossessionato, morboso, fissato CONTR. sano **3** [*in ospedale*] degente, ricoverato B *s. m.* (*f. -a*) **1** infermo, paziente **2** [*in ospedale, etc.*] degente (*est.*).

malattìa *s. f.* **1** morbo, infermità, affezione **2** malanno, acciacco, indisposizione, male **3** [*rif. a una patologia*] morbo, infermità, vizio.

malauguratménte *avv.* disgraziatamente, sventuratamente, sfortunatamente CONTR. fortunatamente.

malauguràto *agg.* infausto, nefasto, triste, maledetto, sventurato, sciagurato, disgraziato CONTR. fausto, felice, fortunato.

malavitóso *s. m.* balordo, delinquente (*est.*), criminale (*est.*).

malavòglia *s. f.* fiacchezza, indolenza, infingardaggine, pigrizia, svogliatezza CONTR. volontà, zelo, lena.

malcontènto A *agg.* scontento, insoddisfatto, inappagato, frustrato CONTR. soddisfatto, pago, contento B *s. m.* **1** malumore, scontentezza CONTR. contentezza **2** insoddisfazione CONTR. soddisfazione.

maldestraménte *avv.* goffamente CONTR. abilmente, destramente, espertamente.

maldèstro *agg.* malaccorto, inabile,

incapace, inetto, impedito CONTR. abile, capace, destro.

maldicènza *s. f.* calunnia, pettegolezzo, mormorazione, diffamazione, detrazione (*raro*), mormorio, ciarla, cattiveria (*est.*).

maldispósto *agg.* ostile, indisposto, avverso CONTR. favorevole, propenso, disposto.

màle A *s. m.* **1** peccato **2** disgrazia, guaio, sventura **3** [*morale*] sofferenza, dolore **4** [*fisico*] malattia, malanno, morbo, tumore **5** vizio, dissolutezza **6** CONTR. bene B *avv.* **1** malamente, in malo modo, non bene, imperfettamente, incompletamente CONTR. bene, abilmente, degnamente, egregiamente, favolosamente, magnificamente, impeccabilmente, divinamente, doverosamente, distintamente, adeguatamente, convenientemente, armoniosamente, discretamente, acconciamente, perbene, perfettamente **2** svantaggiosamente CONTR. convenientemente, acconciamente.

maledettaménte *avv.* **1** moltissimo, eccessivamente CONTR. poco, moderatamente, scarsamente **2** (*fam.*) terribilmente, orribilmente.

maledétto A *part. pass.; anche agg.* **1** sfortunato, malaugurato, nefasto CONTR. benedetto **2** [*rif. al tempo atmosferico*] (*fig.*) orribile, pessimo **3** [*rif. alla fame, alla voglia, etc.*] insopportabile, molesto, matto (*fig.*) B *s. m.* (*f. -a*) dannato.

maledìre A *v. tr.* **1** anatemizzare CONTR. benedire, lodare **2** [*la divinità*] bestemmiare **3** [*un figlio, etc.*] (*est.*) rinnegare **4** (*est.*) esecrare, abominare, detestare **5** (*relig.*) scomunicare B *v. intr.* imprecare, inveire.

maledizióne *s. f.* **1** imprecazione, invettiva, anatema (*colto*), bestemmia CONTR. benedizione, augurio **2** (*est.*) castigo, croce (*fig.*), dannazione, flagello CONTR. benedizione.

maleducataménte *avv.* ignorantemente, incivilmente, volgarmente, cafonescamente, zoticamente, sguaiatamente CONTR. educatamente, con buone maniere, cortesemente, garbatamente, urbanamente, discretamente, complimentosamente, compitamente.

maleducàto A agg. 1 villano, sgarbato, screanzato, scortese CONTR. educato, cortese, gentile, urbano 2 (est.) grezzo, incivile, ignorante, cafone B s. m. (f. -a) villano, sgarbato.

maleducazióne s. f. villania, rozzezza, inciviltà, ignoranza, scortesia, volgarità, cafoneria, ineducazione, inurbanità, scostumatezza, sgarbatezza, malacreanza CONTR. educazione, urbanità, signorilità, compitezza, costumatezza, correttezza, creanza.

maleficaménte avv. perfidamente, malignamente CONTR. bonariamente, benevolmente.

malefìcio s. m. incantesimo, sortilegio, fattura.

malèssere s. m. 1 indisposizione, alterazione CONTR. benessere 2 malanno, acciacco 3 febbre (est.) 4 (est.) nervosismo, disagio, oppressione (fig.).

malevolènza s. f. animosità, avversione, malanimo, ostilità CONTR. benevolenza, affettuosità, benignità.

malèvolo agg. 1 [rif. all'atteggiamento] ostile, astioso, rancoroso CONTR. benevolo, amichevole, amorevole 2 [rif. allo sguardo] bieco, torvo CONTR. benevolo, amichevole, amorevole 3 [rif. a un discorso] velenoso, maligno, cattivo CONTR. benevolo, amichevole, amorevole, lusinghiero.

malfàtto A part. pass.; anche agg. 1 [rif. al fisico] malformato, deforme, storpio, difettoso, balordo CONTR. ben fatto, bello 2 [rif. al lavoro, allo studio] affrettato, sbrigativo, superficiale CONTR. ben fatto, bello, garbato B s. m. sing. cattiveria, ingiustizia.

malfattóre s. m. (f. -trice) furfante, delinquente, gaglioffo, farabutto, canaglia, brigante CONTR. galantuomo.

malférmo agg. 1 instabile, incerto, malsicuro CONTR. fermo, saldo, stabile 2 (est.) oscillante, vacillante, barcollante CONTR. saldo, stabile.

malformàto part. pass.; anche agg. 1 [rif. alle parti del corpo] malfatto, deforme, storpio CONTR. ben fatto, perfetto 2 (fig.) imperfetto, difettoso CONTR. perfetto.

màlga s. f. (pl. -ghe) (est.) rifugio, baita.

malgràdo cong. nonostante, a dispetto di.

malìa s. f. 1 magia, incanto 2 fascino, seduzione, attrattiva, attrazione 3 incantesimo, sortilegio.

maliàrda s. f. 1 seduttrice, sirena (fig.) CONTR. befana 2 (gener.) donna.

malignaménte avv. malvagiamente, maleficamente, cattivamente, acidamente, perfidamente, maliziosamente CONTR. benignamente.

malignàre v. intr. sparlare, spettegolare, mormorare, bisbigliare (est.), chiacchierare, pettegolare CONTR. lodare, elogiare.

malignità s. f. inv. acredine, mordacità, causticità, acidità, malizia, cattiveria.

maligno (1) agg. 1 [rif. all'atteggiamento] cattivo, perfido, malvagio, malevolo, diabolico, birbone (est.), malizioso, diffamatorio CONTR. benigno 2 [rif. alle parole] acre (fig.), sarcastico, pungente (fig.), acido (fig.) CONTR. benigno, lusinghiero 3 [rif. a una malattia] nocivo, brutto CONTR. benigno 4 [rif. a una risata] sardonico.

maligno (2) s. m. diavolo.

malinconìa s. f. 1 melanconia, tristezza, depressione (fig.), malumore, scontentezza, mestizia CONTR. spensieratezza, allegria 2 (est.) rimpianto, nostalgia.

malinconicaménte avv. tristemente, mestamente, pateticamente CONTR. gaudiosamente, lietamente, spassosamente.

malincònico agg. 1 mesto, avvilito, dolente, triste, sconsolato CONTR. festoso, gioioso, gaio 2 [rif. a un luogo, a una persona] tetro, ombroso, uggioso CONTR. gaio, ilare 3 patetico.

malintéso A s. m. equivoco, fraintendimento, travisamento, confusione, errore, disguido B agg. frainteso, equivocato, distorto.

malìssimo avv. pessimamente

CONTR. benissimo, eccellentemente, egregiamente, favolosamente.

malìzia s. f. 1 furbizia, astuzia, scaltrezza, avvedutezza, furberia CONTR. candore, ingenuità, innocenza 2 malvagità, malignità.

maliziosaménte avv. 1 argutamente, astutamente, furbamente, furbescamente, scaltramente CONTR. bambinescamente, ingenuamente 2 malignamente, con malizia CONTR. ingenuamente, benignamente.

malizióso agg. 1 furbo, astuto, scaltro, arguto CONTR. ingenuo, semplice, minchione (pop.) 2 maligno, perverso, malevolo.

malleàbile agg. 1 [rif. a un materiale] duttile, plasmabile, trattabile CONTR. duro 2 [rif. a una persona] (fig.) arrendevole, cedevole, conciliante CONTR. duro, fissato, incaponito, testardo.

malleabilità s. f. inv. duttilità, flessibilità, cedevolezza CONTR. durezza.

mallevadorìa s. f. garanzia.

mallevàre v. tr. garantire.

mallòppo s. m. bottino, preda, refurtiva.

malmenàre A v. tr. picchiare, maltrattare, percuotere, strapazzare, bistrattare, tartassare, sbertucciare (scherz.), randellare, seviziare, massacrare, scardassare, conciare per le feste (scherz.), arrangiare (fam.) CONTR. curare B v. rifl. rec. picchiarsi, menarsi (fam.).

malmésso agg. trasandato.

malóra s. f. perdizione, sfascio, distruzione.

malóre s. m. 1 accidente 2 [tipo di] collasso, mancamento, svenimento.

malsàno agg. 1 malaticcio, cagionevole, stentato CONTR. sano 2 [rif. a un luogo] insalubre, insano (anche fig.) CONTR. salubre.

malsicùro agg. 1 malfermo, instabile, oscillante, incerto CONTR. sicuro, saldo, fermo 2 [rif. a una persona] incerto, esitante, dubbioso CONTR. sicuro, determinato.

maltòsio

maltòsio *s. m. (gener.)* zucchero, glucide.

maltrattaménto *s. m.* **1** sevizia, violenza **2** prepotenza, sgarbo, danno *(raro)* **CONTR.** gentilezza.

maltrattàre *v. tr.* **1** bistrattare, strapazzare, angariare, svillaneggiare, offendere, ingiuriare, tartassare, molestare, perseguitare, vessare, scardassare **CONTR.** rispettare, onorare, blandire, accarezzare, lisciare, vezzeggiare, carezzare **2** *(est.)* malmenare, calpestare, seviziare, conciare, cucinare *(fig.)*, arrangiare *(scherz.)*.

malumóre *s. m.* **1** malcontento, depressione *(fig.)*, scontentezza, insoddisfazione, malinconia, disappunto, scontento, melanconia **CONTR.** soddisfazione, buonumore **2** *[tra persone]* malcontento, rancore, discordia, zizzania.

malvagiaménte *avv.* cattivamente, crudelmente, iniquamente, malignamente, perfidamente, perversamente, criminosamente, criminalmente, diabolicamente, scelleratamente **CONTR.** benignamente, umanamente, misericordiosamente.

malvàgio *A agg.* **1** perfido, cattivo, maligno, briccone, scellerato, perverso, iniquo, tristo, cane *(pop.)*, reo, rio *(lett.)* **CONTR.** buono, umano, benigno **2** *(est.)* atroce, mostruoso **3** *(est.)* pericoloso **4** *(fig.)* assassino **5** *[rif. al mondo, etc.]* *(fig.)* cane *(pop.)*, boia *(pop.)* **B** *s. m. (f. -a)* cattivo **CONTR.** buono.

malvagità *s. f. inv.* **1** perfidia, crudeltà, cattiveria, perversità, slealtà, malizia, iniquità *(raro)* **CONTR.** bontà **2** *[l'azione]* crudeltà, cattiveria.

malvisto *agg.* inviso **CONTR.** benvisto.

malvivènte *A s. m. e f.* furfante, brigante, delinquente, fuorilegge, bandito, teppista, criminale, gangster *(ingl.)* **CONTR.** galantuomo **B** *agg.* delinquente, malfattore, brigante **CONTR.** onesto, galantuomo *(fig.)*.

malvolentièri *avv.* a malincuore, controvoglia, controstomaco **CONTR.** volentieri, di buon grado, di buona voglia.

malvolére *A v. tr.* detestare, odiare **CONTR.** benvolere, amare **B** *s. m. sing.* astio.

màmma *s. f.* madre, genitore *(scherz.)* **CONTR.** figlio, figlia.

mammàna *s. f.* levatrice, ostetrica.

mammèlla *s. f.* cioccia *(dial.)*, tetta *(dial.)*, poppa *(tosc.)*, puppa *(tosc.)*, zinna *(merid.)*.

mammifero *s. m.* **1** *(gener.)* animale **2** *[tipo di]*. →animali

màmmola *s. f.* **1** viola **2** *(gener.)* fiore.

manàta *s. f.* **1** *(gener.)* colpo **2** pugno, pacca, percossa, rovescio, scapaccione **3** *[di persone, cose]* pugno, mannello, gruppo, manipolo, brancata *(fig.)*, manciata *(fig.)*.

mancaménto *s. m.* **1** *(gener.)* malore **2** svenimento, collasso, deliquio.

mancànte *agg.* **1** carente, deficiente, privo, digiuno *(fig.)*, manchevole **CONTR.** compiuto, perfetto, finito *(est.)* **2** *[rif. a uno scritto]* incompleto, mutilo **CONTR.** compiuto, perfetto, finito *(est.)*. **3** *[rif. a una persona]* bisognoso **4** *[rif. a una persona]* assente **CONTR.** affollato, colmo.

mancànza *s. f.* **1** carenza, penuria, scarsità, insufficienza, scarsezza, indigenza **CONTR.** sovrabbondanza **2** colpa, fallo **3** deficienza, lacuna, imperfezione, errore, difetto, buco *(fig.)*, omissione **4** privazione **5** *(est.)* assenza, vuoto *(fig.)* **6** deliquio, svenimento.

mancàre *A v. intr.* **1** difettare, essere carente, scarseggiare, necessitare *(est.)* **CONTR.** crescere, eccedere, abbondare, sovrabbondare, traboccare, ridondare **2** *[nel comportamento]* sbagliare, peccare, errare **3** *[detto di forze, fiato, etc.]* scomparire, scemare **4** *[di informare, di ringraziare, etc.]* tralasciare, omettere, trascurare **5** *[detto di persona, etc.]* morire, perire, svenire **6** *[a un patto, a una promessa, etc.]* derogare, violare un **CONTR.** onorare, adempiere **7** *[detto di ispirazione, di amore]* estinguersi, venire meno **8** *[alla fine, all'inizio di q.c.]* essere, rimanere **9** *[alcuni Km. alla meta, etc.]* rimanere **B** *v. tr.* *[il bersaglio]* fallire,

sbagliare **CONTR.** imbroccare, azzeccare.

mancàto *part. pass.; anche agg.* *[rif. a una persona]* fallito **CONTR.** riuscito, affermato.

manchévole *agg.* insufficiente, carente, scarso, mancante *(est.)*, imperfetto *(est.)* **CONTR.** sufficiente, abbondante, perfetto *(est.)*, completo *(est.)*, soverchio *(lett.)*.

manchevolézza *s. f.* **1** scorrettezza, villania **2** imperfezione, colpa, difetto.

mància *s. f. (pl. -ce)* **1** dono, regalo **2** ricompensa **3** mazzetta *(spreg.)*, tangente.

manciàta *s. f.* pugno, brancata, manata.

mancino *A agg.* **1** manco, sinistro **CONTR.** destro **2** *[rif. a un tiro, a un colpo]* sleale, scorretto **B** *s. m. (f. -a)* sinistro **CONTR.** destro.

mànco (1) *A agg. (pl. m. -chi)* **1** mancino, sinistro **2** difettoso, insufficiente **B** *s. m.* mancanza, difetto.

mànco (2) *avv.* nemmeno, neppure, neanche, nemmanco *(raro)*.

mandaràncio *s. m.* **1** *(gener.)* frutto **2** clementina.

mandàre *v. tr.* **1** *[un pacco, una lettera]* inviare, spedire, indirizzare, destinare, inoltrare **CONTR.** ricevere, accogliere **2** *[un sasso, un insulto]* dirigere, lanciare **3** *[un dipendente]* *(bur.)* comandare, distaccare, assegnare, trasferire **4** *[un suono]* emettere, emanare **5** *[un bacio]* *(est.)* scoccare.

mandarino *s. m. (gener.)* frutto, agrume.

mandàto *s. m.* **1** delega, procura **2** incarico, missione, comando, ordine.

màndorla *s. f. (gener.)* frutto.

màndra *s. f.* V. mandria.

màndria o **màndra** *s. f.* **1** branco, gregge, armento **2** *[di persone]* torma, gruppo.

mandriàno *s. m.* bovaro, buttero *(tosc.)*, vaccaro, cowboy *(ingl.)*.

maneggiàre *A v. tr.* **1** *[uno strumen-*

to, etc.] adoperare, trattare, usare, manovrare **2** palpare, tastare, tenere tra le mani, manipolare, toccare, palpeggiare **3** [*somme di denaro, etc.*] governare, gestire, amministrare **B** v. intr. pron. destreggiarsi, cavarsela.

manéggio (1) s. m. **1** intrigo, manovra, raggiro, trama, ordigno (*raro*) **2** amministrazione, direzione, governo.

manéggio (2) s. m. [*dei cavalli*] (*sport*) addestramento.

maneggióne s. m. (f. -a) armeggione, faccendiere.

manganellàre v. tr. **1** bussare, bastonare, legnare, randellare **2** (*gener.*) picchiare.

manganellàta s. f. **1** bastonata, randellata, legnata **2** (*gener.*) percossa.

manganèllo s. m. randello.

mangeréccio agg. (pl. f. -ce) commestibile, mangiabile.

mangerìa s. f. **1** greppia, mangiatoia **2** (*est.*) ruberia, pappatoria.

mangiàbile agg. commestibile, mangereccio **CONTR.** immangiabile.

mangiàre v. tr. **1** (*gener.*) ingerire, inghiottire, ingurgitare **CONTR.** digiunare **2** [*modi di*] beccare, divorare, trangugiare, sgranocchiare **3** (*est.*) pranzare, cenare, pasteggiare, banchettare, desinare **4** (*est.*) rosicchiare, cibarsi *di*, nutrirsi *di*, alimentarsi *di*, rifocillarsi *con*, sostentarsi, sfamarsi *di con*, abbuffarsi *di*, ingozzarsi *di*, pappare, gozzovigliare, rimpinzarsi *di*, mangiucchiare **5** [*detto di bestiame*] rosicchiare, pascere, brucare **6** [*q.c. al ristorante*] (*fig.*) consumare, prendere, gustare **7** [*detto di acido*] (*est.*) corrodere, rodere, intaccare **8** [*denaro, beni, etc.*] (*est.*) rubare, estorcere **9** [*un capitale, una fortuna*] (*est.*) dissipare, sperperare.

mangiàta s. f. **1** scorpacciata, abbuffata (*fam.*), strippata (*fam.*), pappatoria (*scherz.*) **2** gozzoviglia, bisboccia.

mangiatóia s. f. **1** greppia **2** (*est.*) greppia, mangeria, pappatoria (*pop.*), ruberia.

mangìme s. m. **1** foraggio, cibo **2** (*gener.*) alimento.

mangiucchiàre v. tr. **1** spilluzzicare, piluccare, sbocconcellare, spizzicare, assaggiare, beccare (*fig.*), mordicchiare (*est.*), rosicare, rosicchiare **CONTR.** divorare, ingurgitare **2** (*gener.*) mangiare.

màngo s. m. (pl. -ghi) (*gener.*) frutto.

mània s. f. **1** fissazione, ossessione, fisima, chiodo (*fig.*), ubbia, cancro (*fig.*), pallino (*scherz.*) **2** (*est.*) vizio, abitudine **3** complesso (*psicol.*).

maniacàle agg. **1** morboso, anormale, patologico **2** (*est.*) eccessivo, esagerato.

maniaco A agg. pazzo, ossessionato, fanatico, invasato, fissato, esaltato, amante **B** s. m. (f. -a) fissato.

mànica s. f. (pl. -che) [*di malviventi*] manipolo, banda, gruppo, cricca, ghenga, combriccola, masnada.

manièra s. f. **1** modo, guisa, usanza, foggia **2** atteggiamento, comportamento, piglio, carattere, tratto, portamento (*raro*) **3** tatto (*fig.*), garbo **4** [*rif. al modo di vivere*] (*est.*) stile, tenore, taglio (*fig.*) **5** [*spec. con: trovare la*] procedimento, sistema, via (*fig.*), verso (*fig.*), strada (*fig.*), possibilità, mezzo **6** [*spec. con: avere, possedere*] tecnica, scuola **7** [*spec. con: fare, dire*] senso.

manieràto agg. **1** ricercato, affettato, vezzoso, manieroso, lezioso, effeminato (*est.*) **CONTR.** semplice, spontaneo, naturale **2** [*rif. allo stile*] studiato, formale, ricercato **CONTR.** semplice, piano.

manièro s. m. castello.

manieróso agg. affettato, studiato, artificiale, formale, manierato **CONTR.** burbero, brusco, sgarbato.

manifestaménte avv. palesemente, apertamente, chiaramente, dichiaratamente, inequivocabilmente, indiscutibilmente, notoriamente, patentemente **CONTR.** larvatamente, celatamente, occultamente, nascostamente, segretamente, misteriosamente (*est.*).

manifestàre A v. tr. **1** [*le proprie opinioni*] palesare, esternare, mostrare, estrinsecare, esteriorizzare, notificare (*bur.*) **CONTR.** dissimulare, celare, ta-

cere, nascondere, occultare **2** [*la propria fede, etc.*] dichiarare, spiegare, enunciare, proferire, confessare, dire, confidare, esporre, professare **3** [*detto di atteggiamento, etc.*] rivelare, dimostrare, fare vedere, riflettere (*fig.*), indicare, caratterizzare, denotare, esprimere, trasudare (*fig.*) **4** [*l'animo*] (*fig.*) scoprire, denudare, dischiudere **5** [*un dolore, etc.*] (*fig.*) accusare **6** [*i sentimenti, nelle formule di cortesia*] (*bur.*) formulare **7** [*la rabbia, il dolore*] (*est.*) sfogare **B** v. intr. dimostrare, protestare **C** v. intr. pron. **1** [*detto di malattia*] insorgere, svegliarsi (*fig.*) **2** materializzarsi, esternarsi **3** [*detto di sentimento*] nascere, sbocciare **CONTR.** scomparire, cessare **4** [*detto di ira, dubbio, etc.*] trasparire, traspirare **5** [*detto di fenomeno*] ricomparire **D** v. rifl. rivelarsi, palesarsi, mostrarsi, esternarsi, svelarsi, professarsi **CONTR.** nascondersi, celarsi, occultarsi, tacere.

manifestàrsi s. m. inv. scoppio.

manifestazióne s. f. **1** dimostrazione, espressione, palesamento, attestato, atto, cenno **2** [*per una ricorrenza*] celebrazione **3** [*di un sintomo*] apparizione, comparsa **4** [*cutanea*] (*est.*) sfogo **5** [*artistica, etc.*] spettacolo **6** avvenimento, performance (*ingl.*), happening (*ingl.*).

manifèsto (1) s. m. **1** cartellone, affisso, cartello **2** dépliant **3** documento **4** programma **5** poster (*ingl.*).

manifèsto (2) agg. **1** palese, evidente, aperto, nudo, dichiarato, visibile, notorio, tangibile, luminoso (*lett.*), chiaro **CONTR.** celato, inespresso, sottinteso, recondito, latente, muto, arcano (*lett.*), misterioso, riposto (*lett.*) **2** [*in viso, etc.*] (*fig.*) stampato.

maniglia s. f. **1** entratura, appoggio (*fig.*), conoscenza **2** [*di un vaso, etc.*] ansa.

manigóldo s. m. canaglia, furfante, bandito, gaglioffo, mariolo, masnadiero, strozzo **CONTR.** galantuomo.

manipolàre v. tr. **1** maneggiare, trattare, lavorare, rimestare, mescolare, elaborare, preparare **2** [*sostanze alimentari*] modificare, alterare, sofisticare, fatturare, adulterare **3** [*una notizia, le prove*] mistificare, falsare, falsificare **4** massaggiare.

manipolàto *part. pass.; anche agg.* **1** alterato, modificato, falsificato CONTR. naturale **2** [*rif. al cibo, a una bevanda, etc.*] sofisticato CONTR. naturale, genuino.

manipolazióne *s. f.* **1** trattamento, preparazione **2** manomissione, sofisticazione.

manipolo *s. m.* mannello, pugno, manata, brancata, manica (*spreg.*).

mànna (1) *s. f. inv.* pacchia, benedizione.

mànna (2) *s. f.* [*di q.c.*] mannello, manciata.

mannàia *s. f.* **1** scure, accetta, ascia **2** (*gener.*) arma.

mannèllo *s. m.* **1** [*di persone*] manipolo, pugno, manata, gruppo, brancata **2** [*di grano, etc.*] manipolo, fascio.

màno *s. f.* (*pl. -i*) **1** [*rif. agli animali*] branca, grinfia **2** (*est.*) scrittura, grafia **3** [*nel fare q.c.*] tocco, abilità **4** (*est.*) stile **5** [*di vernice, etc.*] (*est.*) strato, superficie, passata (*pop.*) **6** [*rif. alle carte da gioco*] serie, scala **7** (*est.*) aiuto, appoggio (*fig.*) **8** lato, parte.
♦ **alla mano** *A loc. agg.* **1** [*rif. al prezzo*] abbordabile, economico, conveniente CONTR. inaccessibile, caro **2** [*rif. a una persona*] adattabile, democratico, affabile CONTR. inaccessibile, scontroso, burbero, superbo, scostante, snob (*ingl.*), inavvicinabile, prezioso (*fig.*), aristocratico *B loc. avv.* democraticamente, semplicemente.
♦ **alzare le mani** *loc. verb.* percuotere un, picchiare un.

manomésso *part. pass.; anche agg.* **1** toccato, violato, modificato CONTR. intatto, integro **2** [*rif. a un documento, a una firma, etc.*] falsificato, truccato **3** [*rif. al cibo, a una bevanda, etc.*] adulterato, sofisticato.

manométtere *v. tr.* **1** danneggiare, guastare **2** [*le prove, un documento*] alterare, falsare, falsificare **3** [*un cassetto*] (*est.*) frugare **4** [*una porta, una lettera*] forzare, scassinare, violare **5** [*sostanze alimentari*] adulterare **6** [*un oggetto*] (*est.*) toccare, spostare **7** [*un luogo o cosa sacra*] (*est.*) profanare.

manomissióne *s. f.* **1** violazione, effrazione, manipolazione, danneggiamento **2** adulterazione.

manoscritto *A agg.* inedito, non pubblicato *B s. m.* documento.

manoscrìvere *v. tr.* vergare, scrivere a mano.

manòvra *s. f.* **1** azione **2** (*est.*) movimento, spostamento **3** maneggio, raggiro, inghippo.

manovràre *A v. tr.* **1** [*un veicolo, etc.*] dirigere, guidare, maneggiare, condurre, azionare, usare, governare **2** [*qc.*] (*est.*) dirigere, governare, influenzare *B v. intr.* **1** esercitarsi **2** tramare, brigare, intrigare, intrallazzare.

manrovèscio *s. m.* sberla, schiaffo, sganascione (*pop.*), ceffone.

mansàrda *s. f.* soffitta, sottotetto.

mansióne *s. f.* **1** compito, incarico, ufficio, dovere **2** funzione **3** carica, veste (*fig.*), vece.

mansuefàre *v. tr.* **1** [*animali*] ammansire, addomesticare, ammaestrare CONTR. inferocire, inselvatichire **2** [*qc.*] dominare, placare, addolcire, rabbonire CONTR. inasprire, esacerbare, esasperare, scatenare.

mansuèto *agg.* **1** [*rif. agli animali*] docile, inoffensivo, ubbidiente CONTR. aggressivo **2** [*rif. a una persona*] mite, paziente, buono, agevole (*tosc.*) CONTR. aggressivo, battagliero, bellicoso, bisbetico, combattivo, armigero (*fig.*), rio (*lett.*).

mansuetùdine *s. f.* mitezza, docilità, tolleranza, bontà, pazienza CONTR. violenza, spietatezza.

mantecàre *v. tr.* mescolare, impastare.

mantèllo *s. m.* **1** [*rif. agli animali*] pelo, pelame, vello, pelliccia **2** [*della madonna*] manto (*lett.*).

mantenére *A v. tr.* **1** conservare, serbare, tenere CONTR. buttare, distruggere **2** [*le tradizioni, gli usi*] fare continuare, fare durare CONTR. rovesciare **3** [*gli esseri viventi*] dare da mangiare a, sostenere, nutrire, alimentare, sostentare, sfamare **4** [*un progetto*] finanziare, dotare **5** [*l'ordine, la disciplina*] conservare, proteggere, difen-

dere CONTR. perturbare **6** [*un patto, etc.*] osservare, rispettare, tenere fede a CONTR. contravvenire, trasgredire, violare *B v. rifl.* **1** provvedere a sé stesso, sostentarsi **2** sostenersi, alimentarsi **3** [*fisicamente*] preservarsi, tenersi, conservarsi, serbarsi, avere cura di sé, stare CONTR. lasciarsi andare *C v. intr. pron.* **1** [*detto di situazione, di ricordo*] rimanere, sopravvivere, durare, restare **2** [*detto di cibo*] conservarsi **3** [*detto di clima*] resistere.

manteniménto *s. m.* **1** conservazione, manutenzione, difesa, salvaguardia **2** sostentamento, vitto (*fig.*).

mànto *s. m.* **1** [*di neve, di ghiaccio*] strato, tappeto (*fig.*), coltre (*fig.*) **2** mantello **3** [*in loc.: sotto il*] protezione, egida, ala (*fig.*).

manuàle (1) *agg.* a mano, manufatto CONTR. automatico, meccanico.

manuàle (2) *s. m.* prontuario, guida.

manufàtto *A agg.* [*rif. al lavoro, etc.*] artigiano, manuale *B s. m.* prodotto.

manutenzióne *s. f.* mantenimento, cura.

mànzo *s. m.* **1** (*gener.*) mammifero **2** bue.

màpo *s. m. inv.* (*gener.*) frutto.

màppa *s. f.* carta, guida, pianta (*fig.*).

mappàre *v. tr.* fare una mappa.

maquillage *s. m. inv.* trucco, imbellettamento (*raro*).

marachèlla *s. f.* bricconata, birbonata.

màrca *s. f.* (*pl. -che*) **1** contrassegno, marchio, bollo, timbro **2** [*di un prodotto*] qualità **3** azienda, ditta, impresa **4** (*est.*) impronta.

marcàre *v. tr.* **1** timbrare, bollare, segnare, marchiare, contrassegnare **2** [*una parola, un gesto*] evidenziare, calcare, accentuare, rimarcare CONTR. attenuare, velare **3** [*un avversario*] (*est.*) controllare, tallonare, neutralizzare **4** [*il tempo*] scandire, ritmare, battere.

marcescènza *s. f.* **1** putridume **2** (*est.*) corruzione.

marchiàre v. tr. **1** bollare, etichettare, contrassegnare, imprimere, timbrare, marcare, segnare **2** (est.) biasimare, condannare, stigmatizzare CONTR. lodare, elogiare, esaltare, onorare.

màrchio s. m. **1** timbro, marca, contrassegno, bollo, segno **2** (est.) impronta.

màrcia (1) s. f. (pl. -ce) **1** camminata **2** manifestazione di protesta **3** manifestazione sportiva.

màrcia (2) s. f. (pl. -ce) brutta figura.

màrcia (3) s. f. (pl. -ce) pus.

marciàre v. intr. **1** andare, camminare, avanzare, procedere, muoversi CONTR. fermarsi, arrestarsi **2** [detto di meccanismo, etc.] (est.) funzionare, lavorare **3** [detto di processione, etc.] sfilare **4** (est.) viaggiare.

màrcio A agg. (pl. f. -ce) **1** fradicio CONTR. sano, intatto **2** [rif. a una materia organica] alterato, guasto, putrido, putrefatto, infetto CONTR. sano, intatto **3** [rif. a una persona] (fig.) corrotto, degenerato CONTR. sano B s. m. sing. cattivo.

marcìre v. intr. **1** [detto di sostanze organiche] guastarsi, imputridire, infradiciarsi, corrompersi, decomporsi, avariarsi, deteriorarsi, putrefarsi, imputridirsi, passare, dissolversi **2** [detto di ferita, etc.] (med.) suppurare **3** [in carcere, etc.] (est.) consumarsi, languire, infiacchirsi, snervarsi.

màrco s. m. (gener.) moneta.

màre s. m. **1** oceano, sale (lett.) CONTR. montagna **2** (est.) immensità, abbondanza, profluvio (fig.), lago (fig.), marea (fig.), strage (fig.), fracco.

♦ **alto mare** loc. sost. altura.

marèa s. f. **1** flusso, riflusso **2** [di q.c.] (fig.) mare, abbondanza, profluvio, diluvio, sciame.

maresciàllo s. m. (f. -a) (gener.) militare.

marétta s. f. **1** (mar.) tirannia, risacca **2** (est.) tensione, subbuglio, fermento.

margherita s. f. **1** (gener.) fiore **2** pratolina.

marginàle agg. **1** accessorio, secondario, complementare CONTR. essenziale, precipuo, primario **2** (est.) superfluo **3** [rif. a una quantità, a un numero] trascurabile, irrisorio, minimo **4** [rif. a una notizia] insignificante CONTR. esplosivo (fig.).

marginalità s. f. inv. irrilevanza, insignificanza CONTR. importanza, significatività.

marginalménte avv. **1** secondariamente, indirettamente CONTR. principalmente, necessariamente, fondamentalmente **2** superficialmente CONTR. intimamente, profondamente.

màrgine s. m. **1** bordo, orlo, estremità, ciglio, riva, lembo **2** [di una ferita] bordo, orlo, contorno, labbro **3** spazio, confine **4** (est.) guadagno.

margottàre v. tr. (bot.) innestare.

marijuana s. f. inv. **1** erba, canapa, ganja (gerg.) **2** (gener.) droga.

marinàio s. m. [tipo di] mozzo.

marinàre v. tr. **1** [le carni, etc.] frollare **2** [la scuola] (est.) salare (fig.), bigiare (gerg.), bruciare (fig.), disertare, saltare (fig.), bucare (fig.) CONTR. frequentare.

marinarésco agg. (pl. m. -chi) marino, marinaro.

marinàro agg. marino, marinaresco, marittimo.

marìno agg. marinaro, marinaresco.

mariòlo s. m. birbante, briccone, furfante, manigoldo, discolo, brigante.

marionétta s. f. burattino, fantoccio, pupo, pupazzo.

maritàre A v. tr. **1** coniugare, sposare, accasare, collocare **2** (raro) congiungere (fig.) B v. rifl. **1** sposarsi, accasarsi, coniugarsi CONTR. divorziare, divorziarsi **2** [detto di pianta, etc.] (est.) congiungersi, unirsi **3** [detto di animali] accoppiarsi.

maríto s. m. sposo, coniuge, consorte, compagno, uomo, metà (scherz.) CONTR. moglie.

marittimo A s. m. navigante B agg. marinaro.

marmàglia s. f. ciurma, ciurmaglia, canaglia, feccia, plebaglia.

marmòcchio s. m. (f. -a) bambino, bimbo, fanciullo, pargolo, baby (ingl.).

maróso s. m. cavallone, flutto, onda, frangente.

marpióne agg. furbo, astuto, scaltro, sveglio CONTR. babbeo, cretino, scemo, grullo, sciocco, sempliciotto.

marróne (1) A agg. [tipo di] castano, nocciola, sabbia B s. m. **1** (gener.) colore **2** bruno.

marróne (2) s. m. (gener.) frutto **2** castagna.

marsc' inter. avanti.

marsigliése (1) agg. di Marsiglia.

marsigliése (2) s. f. (gener.) tegola.

martellànte agg. **1** incessante, persistente, continuo, costante **2** (est.) costante, assiduo.

martellàre A v. tr. **1** percuotere, picchiare **2** [il cuoio] battere **3** [qc. con domande, etc.] (est.) bombardare (fig.), assillare, affliggere, angustiare, incalzare **4** [oggetti metallici] decorare B v. intr. [detto di polso, di tempie, etc.] pulsare, battere, palpitare.

màrtire s. m. e f. **1** vittima, perseguitato **2** (est.) eroe.

martìrio s. m. **1** supplizio, tortura **2** olocausto, sacrificio **3** patimento, tormento, pena, sofferenza, dolore.

martirizzàre A v. tr. **1** [fisicamente] torturare, martoriare, seviziare, tormentare, crocifiggere, suppliziare **2** [moralmente] (est.) torturare, mettere in croce (fig.), affliggere, rattristare, addolorare, amareggiare, angosciare B v. rifl. **1** crocifiggersi (fig.), torturarsi (fig.) **2** [per gli altri] immolarsi, sacrificarsi.

martoriàre v. tr. **1** [qc. fisicamente] martirizzare, torturare, seviziare, tormentare, suppliziare, brutalizzare, straziare **2** [qc. moralmente] (est.) affliggere, rattristare, addolorare, amareggiare, angosciare.

martoriàto part. pass.; anche agg. torturato (propr.), tormentato (fig.), afflitto (fig.).

marxismo *s. m.* comunismo, bolscevismo.

marziàno *s. m.* (*f. -a*) extraterrestre, alieno CONTR. terrestre.

mascalzonàta *s. f.* porcheria, porcata, disonestà, scorrettezza.

mascalzóne *s. m.* canaglia, farabutto, lestofante, gaglioffo, brigante, carogna (*fig.*), stronzo (*fig.*) CONTR. galantuomo.

màscara *s. m. inv.* **1** (*gener.*) trucco, belletto, cosmetico **2** rimmel (*ingl.*).

màschera *s. f.* **1** travestimento, camuffamento **2** (*est.*) apparenza, aspetto, atteggiamento, posa **3** (*est.*) espressione, mimica, viso, volto, faccia.

mascheraménto *s. m.* camuffamento, travestimento.

mascheràre A *v. tr.* **1** camuffare, travestire, truccare **2** [*i propri sentimenti*] (*est.*) dissimulare, nascondere, occultare, coprire, celare, mimetizzare CONTR. svelare, scoprire, mostrare, sbandierare, sciorinare **B** *v. rifl.* **1** travestirsi, camuffarsi, truccarsi **2** fingersi, contraffarsi, spacciarsi *per* **3** (*est.*) nascondersi, mimetizzarsi CONTR. rivelarsi, palesarsi.

mascheratamente *avv.* velatamente, celatamente CONTR. schiettamente, apertamente.

maschile A *agg.* **1** mascolino CONTR. femminile, muliebre **2** (*est.*) virile **B** *s. m. sing.* (*ling.*) genere CONTR. neutro, femminile.

maschilmente *avv.* virilmente CONTR. femminilmente.

màschio A *s. m.* **1** uomo, ragazzo, fanciullo CONTR. femmina **2** macho (*sp.*) **3** (*gener.*) persona **B** *agg.* virile CONTR. femmineo, effeminato.

masnàda *s. f.* branco, manica.

masnadièro *s. m.* brigante, lestofante, bandito, manigoldo, gaglioffo CONTR. galantuomo.

masochismo *s. m.* (*gener.*) perversione CONTR. sadismo.

màssa A *s. f.* **1** blocco, ammasso **2** [*di persone*] (*est.*) selva (*fig.*), muc-chio, caterva, moltitudine, schiera, stuolo, ammassamento, folla **3** maggioranza **4** [*di cose*] selva (*fig.*), mucchio, caterva, accumulo, montagna (*fig.*), monte (*fig.*) **5** [*spec. con: avere*] (*est.*) corpo, spessore, volume **B** *agg. inv.* [*rif. a uomo*] medio, qualunque.

massacràre *v. tr.* **1** macellare, maciullare, trucidare, sfracellare **2** (*est.*) malmenare **3** [*uno spettacolo*] (*est.*) guastare, rovinare **4** [*detto di viaggio, etc.*] logorare, stremare, distruggere (*fig.*).

massàcro *s. m.* **1** sterminio, strage, eccidio, carneficina, ecatombe, macello **2** (*est.*) scempio, sfacelo.

massaggiàre *v. tr.* **1** frizionare, strofinare, sfregare, fregare, stropicciare (*raro*) **2** palpare, manipolare, palpeggiare.

massàia *s. f.* **1** casalinga **2** (*gener.*) donna.

massicciaménte *avv.* consistentemente, corposamente, grandemente, molto, massivamente CONTR. lievemente, leggermente.

massiccio (1) *agg.* (*pl. f. -ce*) **1** imponente, stabile (*est.*) CONTR. leggero **2** [*rif. al fisico*] pesante, robusto, pieno, corpulento, tozzo, tarchiato, quadro (*fig.*) CONTR. fine, esile, sottile **3** (*fig.*) pesante, grave **4** [*rif. alle dosi dei medicinali*] urto.

massiccio (2) *s. m.* montagna.

massificàre *v. tr.* standardizzare, uniformare, livellare CONTR. diversificare, differenziare.

màssima *s. f.* sentenza, proverbio, principio, precetto, motto, adagio, aforisma (*colto*).

massimaménte *avv.* soprattutto, particolarmente, specialmente, in particolare CONTR. minimamente.

màssimo A *agg.* **1** sommo, supremo CONTR. minimo **2** [*rif. al peso*] (*sport*) CONTR. mosca, piuma **B** *s. m.* [*della felicità, della disperazione*] estremo, culmine, pienezza CONTR. minimo.

massivaménte *avv.* massicciamente.

mass-media *s. m. pl.* (*ingl.*) media (*acrt.*), mezzi di comunicazione.

màsso *s. m.* **1** macigno, blocco, mole (*raro*) **2** mattone, pietra, sasso, scoglio, roccia.

masticàre *v. tr.* **1** triturare con i denti, ruminare, sgranocchiare, rodere, maciullare, mordere (*est.*), biascicare **2** [*una lingua straniera*] (*est.*) biascicare, borbottare, balbettare.

mastino *s. m.* (*gener.*) cane.

mastodónte *s. m.* **1** (*gener.*) dinosauro **2** [*rif. a una costruzione, a una persona*] (*fig.*) ciclope, gigante, colosso.

masturbàre *v. tr. e rifl.* fare una sega *a* (*volg.*), toccarsi (*gener.*), accarezzarsi (*gener.*).

match *s. m. inv.* competizione, gara, incontro, combattimento (*est.*).

matemàtica *s. f.* (*pl. -che*) **1** calcolo **2** aritmetica **3** (*gener.*) scienza, disciplina.

matematicaménte *avv.* **1** aritmeticamente CONTR. empiricamente **2** (*est.*) assolutamente, certamente CONTR. relativamente **3** logicamente, razionalmente, rigorosamente.

matèria (1) *s. f.* **1** materiale, sostanza, roba **2** corpo CONTR. anima, spirito **3** [*di insegnamento*] disciplina, scienza **4** [*di discussione, etc.*] oggetto, contenuto, proposito, tema **5** [*di incontro, etc.*] occasione, opportunità, pretesto.

matèria (2) *s. f.* pus.

materiàle A *agg.* **1** corporeo CONTR. aereo, etereo, evanescente, incorporeo, invisibile **2** grosso, grossolano, rozzo CONTR. spirituale, astratto, intellettuale, mentale **3** reale, effettivo **B** *s. m.* materia, sostanza, roba (*pop.*).

materializzàre A *v. tr.* concretizzare, realizzare, concretare **B** *v. intr. pron.* **1** [*detto di sogno, etc.*] concretizzarsi, realizzarsi, attuarsi CONTR. dissolversi, sparire, scomparire **2** [*detto di fantasma*] manifestarsi.

materialménte *avv.* **1** concretamente, fisicamente, sensibilmente CONTR. contemplativamente, spiritualmente **2**

grossolanamente, rozzamente, grezzamente, prosaicamente (*scherz.*) CONTR. finemente, elegantemente **3** praticamente, sostanzialmente.

maternàle *agg.* CONTR. filiale.

matrice *s. f.* **1** [*di un assegno, etc.*] madre (*fig.*) **2** origine, causa, fonte **3** provenienza, estrazione.

matricola *s. f.* **1** (*mil.*) recluta CONTR. nonno (*gerg.*) **2** principiante, novizio, tirocinante.

matricolàre *v. tr.* immatricolare, registrare.

matricolàto *part. pass.; anche agg.* **1** noto, celebre CONTR. ignoto, sconosciuto **2** (*neg.*) famigerato **3** (*est.*) abile, solenne.

matrimònio *s. m.* **1** nozze, sposalizio CONTR. separazione, divorzio **2** letto (*fig.*) **3** [*di affari, etc.*] (*est.*) connubio, unione.

matròna *s. f.* (*gener.*) donna.

mattacchióne *s. m.* (*f. -a*) pazzerellone.

mattaménte *avv.* follemente, pazzamente, dissennatamente CONTR. saggiamente, giudiziosamente.

mattàre *v. tr.* **1** [*bestiame*] macellare, scannare **2** [*qc.*] scannare, trucidare, uccidere.

mattatóio *s. m.* macello.

mattatóre *s. m.* (*f. -trice*) showman (*ingl.*), protagonista.

mattina *s. f.* mattino, mattinata CONTR. sera.

mattinàta (1) *s. f.* mattino, mattina CONTR. serata.

mattinàta (2) *s. f.* [*a teatro, al cinema*] matinée.

mattino *s. m.* **1** mattina, mattinata CONTR. sera **2** [*il punto cardinale*] levante.

màtto (1) A *s. m.* (*f. -a*) folle, demente, pazzo **B** *agg.* **1** pazzo, folle, demente, alienato, toccato, stravagante (*est.*), bizzarro (*est.*) CONTR. giudizioso, assennato, savio **2** imprudente **3** [*rif. all'oro, all'argento, a un colore*]

falso **4** [*rif. al colore*] opaco **5** [*rif. alla voglia, al gusto*] grande, enorme, disperato.

màtto (2) *s. m.* (*f. -a*) **1** [*nei tarocchi*] (*gener.*) carta **2** trionfo.

mattóne A *s. m.* **1** laterizio, cotto, terracotta **2** [*sullo stomaco*] (*fig.*) macigno, peso, masso, fardello **B** *agg.* rosso.

maturàre A *v. tr.* **1** [*il formaggio, etc.*] stagionare **2** [*un candidato*] promuovere **3** [*una decisione*] meditare **4** [*un progetto, etc.*] perfezionare **B** *v. intr.* [*detto di persona*] migliorare, crescere **C** *v. intr. pron.* **1** [*detto di frutti, etc.*] svilupparsi **2** [*detto di persona, etc.*] (*est.*) evolversi, progredire, trasformarsi, emanciparsi **3** [*detto di cose, etc.*] arrivare, avvenire.

maturità *s. f. inv.* **1** età adulta CONTR. adolescenza, pubertà, infanzia, giovinezza, vecchiaia **2** [*rif. all'uomo*] virilità **3** [*rif. all'arte, etc.*] pienezza **4** (*est.*) responsabilità, serietà CONTR. immaturità, infantilismo **5** [*rif. a un progetto, etc.*] compimento.

matùro (1) *agg.* **1** adulto, fatto CONTR. acerbo, imberbe, immaturo, adolescente **2** (*est.*) equilibrato, savio, accorto, prudente CONTR. immaturo, bambinesco, fanciullesco, infantile, puerile **3** [*rif. a un frutto*] (*fam.*) fatto CONTR. acerbo, verde, duro.

matùro (2) *s. m.* [*rif. alle banane*] (*gener.*) frutta.

màzza *s. f.* **1** clava, legno, randello **2** (*gener.*) bastone, arma.

mazzétta *s. f.* tangente, bustarella, mancia, ricompensa, pizzo.

màzzo *s. m.* **1** fascio, composizione floreale, bouquet (*fr.*) **2** insieme, serie **3** [*di carta*] risma **4** [*spec. in loc.: farsi un*] (*fig.*) culo (*volg.*).

meàndro *s. m.* **1** labirinto, dedalo, intrico **2** sinuosità, ansa.

meàto *s. m.* (*anat.*) condotto, canalicolo.

meccanicaménte *avv.* **1** automaticamente, istintivamente, inconsciamente CONTR. meditatamente, volontariamente **2** con sistemi meccanici.

meccànico (1) *agg.* **1** [*rif. al comportamento*] automatico, istintivo, inconscio, involontario CONTR. naturale **2** [*rif. a un gesto, a un lavoro, etc.*] monotono, ripetitivo CONTR. spontaneo, manuale.

meccànico (2) *s. m.* (*gener.*) lavoratore, artigiano.

meccanismo *s. m.* **1** congegno, apparato, dispositivo **2** motore **3** (*est.*) organizzazione, struttura.

meccanizzàre *v. tr.* [*un'attività*] motorizzare, automatizzare.

mecenàte *s. m. e f.* protettore, sponsor (*ingl.*).

medàglia *s. f.* **1** moneta **2** decorazione, onorificenza.

medésimo A *agg. dimostr.* uguale, identico, equivalente, equipollente, analogo, compagno (*fam.*), simile, stesso, pari CONTR. differente, diverso **B** *pron. dimostr.* **1** stesso, la stessa persona **2** la stessa cosa.

mèdia (1) *s. f.* (*gener.*) scuola CONTR. elementare, liceo, università, accademia.

media (2) *s. m. pl.* mass-media (*ingl.*).

mediàno (1) *agg.* [*rif. al territorio*] centrale, mezzano CONTR. periferico.

mediàno (2) *s. m.* [*nel calcio*] giocatore.

mediàre A *v. intr.* **1** interporsi **2** intercedere **B** *v. tr.* (*est.*) trattare.

mediatóre *s. m.* (*f. -trice*) **1** intermediario, sensale, agente, tramite **2** paraninfo, mezzano, lenone (*lett.*).

mediazióne *s. f.* **1** arbitrato **2** (*est.*) intromissione, intervento.

medicaménto *s. m.* medicina, farmaco, medicinale, rimedio.

medicàre *v. tr.* **1** curare, disinfettare, detergere, fasciare (*est.*) **2** [*le piante, etc.*] trattare **3** [*il dolore*] (*est.*) addolcire, mitigare, lenire **4** [*una situazione*] rimediare, riparare.

medicina *s. f.* **1** medicinale, farmaco, medicamento, cura, rimedio **2** (*gener.*) scienza, disciplina.

medicinàle *A s. m.* medicamento, farmaco, medicina, rimedio *B agg.* terapeutico, curativo.

mèdico *A s. m.* **1** dottore, clinico **2** (*gener.*) professionista *B agg.* terapeutico, curativo.

medievàle *agg.* **1** del Medio Evo **2** (*spreg.*) retrivo.

mèdio *agg.* tipo, tipico.

mediòcre *agg.* **1** modesto, passabile, scadente, mezzano (*fig.*) CONTR. fantastico, eccezionale, eccellente, mostruoso (*fam.*) **2** (*est.*) banale, dozzinale, ordinario **3** [*rif. a un'opera, a un lavoro*] passabile, tollerabile.

mediocreménte *avv.* passabilmente CONTR. prestigiosamente, sontuosamente.

mediocrità *s. f. inv.* normalità, banalità, meschinità, modestia, povertà CONTR. eccellenza, eccezionalità.

meditabóndo *agg.* cogitabondo, pensieroso, assorto, intento, raccolto CONTR. spensierato.

meditàre *A v. tr.* **1** rimuginare, ripensare *a*, ruminare (*fig.*), elucubrare, ponzare, considerare **2** progettare, elaborare, inventare **3** [*un delitto, una fuga*] covare (*fig.*), macchinare, ordire, tramare, premeditare **4** [*una decisione*] maturare, contemplare *B v. intr.* riflettere, pensare, speculare, filosofare, filosofeggiare, cogitare (*lett.*).

meditataménte *avv.* **1** ponderatamente CONTR. spontaneamente, estemporaneamente, leggermente **2** apposta CONTR. meccanicamente.

meditàto *part. pass.; anche agg.* studiato, intenzionale, premeditato (*est.*) CONTR. intuitivo, istintivo, fortuito, casuale.

meditazióne *s. f.* **1** riflessione, speculazione, pensiero (*est.*) **2** contemplazione, raccoglimento **3** premeditazione.

medùsa *s. f.* (*gener.*) celenterato.

meeting *s. m. inv.* incontro, simposio, convegno, congresso, conferenza, riunione, convention (*ingl.*).

megalomanìa *s. f.* vanagloria, ambizione.

mèglio *A agg.* **1** migliore CONTR. peggio, peggiore **2** preferibile CONTR. peggio *B avv.* in modo migliore, più soddisfacentemente CONTR. peggio *C s. m. sing.* (*ell.*) cosa migliore.

mèla *s. f.* **1** (*gener.*) frutto **2** pomo **3** (*est.*) natica, chiappa (*fam.*), gluteo.

melagràna *s. f.* **1** granata **2** (*gener.*) frutto.

melanconìa *s. f.* **1** malinconia, tristezza, depressione (*fig.*), malumore, scontentezza, mestizia CONTR. gaiezza, letizia **2** rimpianto, nostalgia.

melanzàna *s. f.* (*gener.*) ortaggio.

melàto o **mielàto** *agg.* mellifluo, insinuante, suadente CONTR. brusco, caustico, mordace.

mèlica *s. f.* (*bot.*) mais.

mellifluaménte *avv.* **1** affettatamente CONTR. francamente, schiettamente, rudemente, sarcasticamente **2** falsamente, ipocritamente.

mellìfluo *agg.* **1** dolciastro, melato CONTR. sarcastico (*est.*) **2** [*rif. all'atteggiamento*] (*fig.*) untuoso, viscido, infido, subdolo, insinuante CONTR. rude, schietto, franco.

mèlma *s. f.* **1** fango, limo, mota, belletta (*raro*), pantano, fanghiglia, poltiglia **2** (*est.*) abiezione **3** [*in loc.: trovarsi nella*] (*fig.*) merda (*volg.*), cacca (*pop.*).

mèlo *s. m.* (*gener.*) albero, pianta.

melodìa *s. f.* **1** aria, canto, canzone, musica, motivo, armonia **2** (*gener.*) suono.

melodicaménte *avv.* musicalmente, melodiosamente, armonicamente CONTR. cacofonicamente, disarmonicamente.

melodiosaménte *avv.* melodicamente, armoniosamente, soavemente, musicalmente CONTR. cacofonicamente, disarmonicamente.

melodióso *agg.* [*rif. alla voce*] dolce, armonioso, suadente, vellutato (*fig.*) CONTR. stridulo, stridente, aspro (*fig.*).

melodrammàtico *agg.* [*rif. a gesto, etc.*] teatrale.

melóne *s. m.* **1** (*gener.*) frutto **2** cantalupo (*nap.*), popone (*dial.*).

membràna *s. f.* **1** tegumento, involucro, rivestimento **2** (*est.*) pellicola, buccia.

membratùra *s. f.* **1** corporatura, struttura **2** modanatura.

mèmbro (1) *s. m.* **1** associato, gregario, proselito, accolito, iscritto, socio, componente **2** (*est.*) cittadino.

mèmbro (2) *s. m.* pene, cazzo (*volg.*), verga, fallo, minchia (*merid.*), uccello (*volg.*).

mèmbro (3) *s. m.* (*pl. -a*) arto, organo.

memoràbile *agg.* **1** indimenticabile **2** notevole, famoso, celebre **3** straordinario.

mèmore *agg.* (*est.*) grato, riconoscente CONTR. immemore, ingrato, dimentico (*lett.*).

memòria *s. f.* **1** [*rif. alla capacità di*] (*est.*) mente **2** ricordo, reminiscenza, rievocazione, rimembranza **3** autobiografia, diario **4** fama, gloria **5** documento, testimonianza, traccia **6** (*est.*) nota, appunto, promemoria, rendiconto.

memoriàle *s. m.* autobiografia, diario, nota.

memorizzàre *v. tr.* tenere in memoria, registrare, ricordare CONTR. dimenticare, cancellare, obliare.

menàre *A v. tr.* **1** [*qc., le acque, etc.*] condurre, guidare, portare, recare **2** [*animali, persone*] trascinare, accompagnare, scortare **3** [*le mani, la coda*] agitare, scuotere, dimenare CONTR. fermare **4** [*il tempo, le ore, etc.*] (*est.*) trascorrere, passare **5** [*un pugno, uno schiaffo*] vibrare, assestare, infliggere, azzeccare **6** [*qc.*] picchiare, percuotere, battere, suonare (*fig.*) *B v. rifl. rec.* picchiarsi, battersi, darsele, suonarsele, malmenarsi, venire alle mani.

menàta *s. f.* (*fig.*) zuppa, musica, storia, solfa.

mendàce *agg.* **1** falso, bugiardo, insincero, ipocrita CONTR. autentico, vero, sincero **2** (*est.*) falso, finto, ingannevole, fasullo **CONTR.** autentico, vero.

mendaceménte avv. bugiardamente, falsamente **CONTR.** sinceramente.

mendicànte A s. m. e f. accattone, mendico, questuante, barbone, pezzente, poveraccio, clochard (fr.) **CONTR.** creso B agg. mendico (lett.), povero, indigente **CONTR.** abbiente, ricco, benestante, agiato, facoltoso.

mendicàre v. tr. 1 [denaro, pane, etc.] elemosinare, questuare (lett.), accattare, pitoccare **CONTR.** dare, donare, concedere, elargire, largire 2 [aiuto, pietà] implorare, invocare, chiedere, domandare, cercare.

mendico A s. m. (pl. -chi) mendicante, accattone, questuante, barbone B agg. mendicante, povero, indigente **CONTR.** abbiente, ricco, benestante, agiato, facoltoso.

méno A prep. eccetto, tranne, fuorché, salvo B agg. [rif. alla quantità] minore C s. m. inv. **CONTR.** più.

menomàre v. tr. 1 (anche fig.) mutilare, castrare, lesionare 2 (est.) diminuire, ridurre, rimpicciolire **CONTR.** aumentare, ingrandire, esaltare.

menomazióne s. f. 1 minorazione, handicap (ingl.) 2 danneggiamento.

mensile A s. m. salario, stipendio, paga, retribuzione B agg. (est.) regolare.

mentàle agg. intellettuale, cerebrale, intellettivo, spirituale **CONTR.** materiale.

ménte s. f. 1 (est.) intelletto, intelligenza, cranio (fig.), ingegno (fig.) 2 (est.) fantasia 3 memoria 4 psiche, animo.

mentecàtto A agg. demente, dissennato, squilibrato, folle, pazzo **CONTR.** savio, assennato B s. m. (f. -a) imbecille, idiota.

mentire A v. intr. dire bugie, recitare (est.) B v. tr. simulare, fingere.

mentitóre s. m.; anche agg. (f. -trice) bugiardo.

méntore s. m. (f. -trice) aio (colto), consigliere, guida.

mentovàre v. tr. rammentare, ricordare, menzionare, citare, nominare

CONTR. dimenticare, tacere, trascurare.

méntre A cong. 1 (temp.) quando, nel momento in cui 2 [con valore avversativo] quando, invece, laddove, ove (lett.) B s. m. inv. nel momento in cui.

menù s. m. inv. lista, carta (fig.).

menzionàre v. tr. nominare, citare, ricordare, rievocare, fare un cenno a, rimembrare, mentovare (lett.), rammentare (raro) **CONTR.** dimenticare, tacere, trascurare.

menzióne s. f. 1 cenno, parola 2 citazione, segnalazione.

menzógna s. f. bugia, balla, frottola, fandonia, panzana, fallacia, bubbola, carota (fig.), falsità **CONTR.** verità.

menzognèro agg. bugiardo, falso, ingannevole, simulato, finto **CONTR.** autentico, veritiero.

meravìglia s. f. 1 [spec. con: destare] impressione, ammirazione, sorpresa, stupore (est.), intontimento 2 [spec. con: fare] (est.) specie 3 [rif. a q.c., a qc.] prodigio, portento, gioiello (fig.), poema (fig.), capolavoro, splendore, schianto, sogno (fig.) **CONTR.** sconcezza, sciocchezza, schifezza 4 (gener.) impressione, sensazione.

meravigliàre A v. tr. sorprendere, stupire, sconcertare, strabiliare, fare impressione a su, fare specie a, incantare, stupefare, sbalordire, sbigottire B v. intr. pron. stupirsi, stupefarsi, sorprendersi, trasecolare, confondersi, essere meravigliato, sbigottirsi.

meravigliàto part. pass.; anche agg. stupito, sorpreso, sbigottito, stupefatto, attonito **CONTR.** indifferente, impassibile, imperturbabile.

meravigliosaménte avv. 1 stupendamente, benissimo, eccellentemente, fantasticamente, favolosamente, incantevolmente, paradisiacamente **CONTR.** orrendamente, orribilmente 2 moltissimo, enormemente, straordinariamente, grandemente **CONTR.** pochissimo, scarsamente.

meraviglióso agg. 1 magnifico, splendido, stupendo, mirabile **CONTR.** orrendo, schifoso, orribile, orrido, orripilante 2 (lett.) straordinario, strabiliante, incredibile, inimmaginabile,

inenarrabile **CONTR.** normale, comune 3 [rif. a un eroe, alle gesta] indimenticabile, leggendario, mitico 4 (fam.) portentoso, mondiale 5 mirabile, eccelso, ottimo.

mercànte s. m. (f. -essa) trafficante, commerciante.

mercanteggiàre A v. intr. negoziare, contrattare, trattare, mercare (lett.), patteggiare, commerciare B v. tr. trafficare (spreg.).

mercanzia s. f. 1 merce, roba 2 genere, prodotto, articolo.

mercàre v. intr. mercanteggiare.

mercàto s. m. 1 scambio 2 emporio, bazar 3 [in occasione di sagre] fiera 4 [di onorificenze, etc.] commercio (colto), traffico, mercimonio 5 [per traffici commerciali] (est.) sbocco, piazza 6 [per un prodotto] commercio (colto), traffico 7 [per il rumore] (est.) casino (pop.), chiasso, babilonia, bolgia (fig.).

mèrce s. f. 1 mercanzia, roba 2 genere, articolo, prodotto, produzione (est.).

mercé prep. per merito, per opera, in grazia di.

mercéde (1) s. f. 1 retribuzione, compenso, salario (est.), paga (est.) 2 premio, ricompensa.

mercéde (2) s. f. misericordia, pietà.

mercenàrio A agg. 1 a pagamento, prezzolato **CONTR.** gratuito 2 (spreg.) venale, interessato **CONTR.** volontario B s. m. 1 (est.) avventuriero 2 (est.) salariato.

mercimònio s. m. mercato, traffico, commercio.

mèrda s. f. 1 sterco (colto), cacca (pop.), feci, escrementi 2 [rif. a uno spettacolo] schifezza, boiata 3 [in loc.: essere nella] (fig.) cacca (pop.), mota (tosc.), bottino, melma.

merènda s. f. spuntino.

meretrìce s. f. prostituta, sgualdrina, puttana (volg.), troia (volg.), etera (lett.), bagascia (genov.), zoccola (merid.), vacca (volg.), sacerdotessa di Venere (euf.), ragazza squillo (*euf.*), mondana (*euf.*), mignotta (*roman.*), battona (*volg.*), scrofa (*volg.*), baldracca (*volg.*), peripatetica.

meridionàle A *agg.* (*geogr.*) australe, antartico CONTR. settentrionale, nordico B *s. m. e f.* terrone (*spreg.*) CONTR. settentrionale.

meridióne *s. m.* sud, mezzogiorno CONTR. nord, settentrione, est, levante, ovest, occidente, oriente, ponente.

meritàre A *v. tr.* **1** essere degno di, essere meritevole di **2** [*un premio, la fama, etc.*] assicurarsi, guadagnare, vincere **3** portare, fruttare, procacciare **4** [*sforzi, sacrifici, etc.*] valere B *v. intr. impers.* importare, valere la pena, tornare conto C *v. intr.* avere pregio.

meritataménte *avv.* giustamente, degnamente CONTR. immeritatamente, ingiustamente, indegnamente.

meritévole *agg.* degno CONTR. immeritevole, indegno, infame.

mèrito *s. m.* **1** [*rif. a una persona*] (*est.*) pregio, valore, qualità **2** (*est.*) privilegio **3** [*spec. con: avere il*] pregio.

meritoriaménte *avv.* lodevolmente, encomiabilmente CONTR. deplorevolmente, biasimevolmente.

merlétto *s. m.* trina, pizzo (*est.*).

mèrlo *s. m.* (*gener.*) uccello.

merlùzzo *s. m.* **1** (*erron.*) nasello **2** (*gener.*) pesce.

mèro *agg.* **1** puro **2** (*fig.*) puro, semplice, pretto, schietto.

mescalina *s. f.* (*gener.*) droga.

méscere *v. tr.* **1** versare, servire, offrire, propinare (*scherz.*) **2** mischiare, mescolare.

meschinaménte *avv.* **1** grettamente, bassamente, ristrettamente CONTR. copiosamente, abbondantemente **2** (*fig.*) miseramente, stentatamente, angustiamente, poveramente CONTR. generosamente, largamente, munificamente.

meschinità *s. f. inv.* **1** [*rif. a un regalo, etc.*] inadeguatezza, mediocrità CONTR. sublimità, eccezionalità, gran-

diosità **2** [*qualità dell'animo*] (*neg.*) grettezza, limitatezza, piccineria, povertà (*fig.*), cecità (*fig.*), piccolezza (*fig.*), pochezza, miseria (*fig.*), squallore, angustia (*fig.*), aridità (*fig.*) CONTR. liberalità, elevatezza, grandezza **3** [*l'azione*] (*est.*) ignobiltà, bassezza (*fig.*), abiezione **4** [*nello spendere, etc.*] avarizia, spilorceria, tirchieria CONTR. munificenza.

meschìno A *agg.* **1** misero, piccino, ridicolo (*est.*), guitto CONTR. copioso, abbondante **2** [*rif. all'aspetto*] misero, tapino CONTR. alto **3** [*rif. all'esistenza*] basso (*fig.*), umile, magro (*fig.*), triste (*est.*) **4** [*rif. all'animo*] vile, gretto, piccolo CONTR. alto, altruista, liberale, magnanimo **5** [*rif. a una persona*] avaro, spilorcio, taccagno, fiscale CONTR. altruista, liberale, magnanimo, munifico, prodigo B *s. m.* (*f. -a*) disgraziato, infelice.

méscita *s. f.* (*est.*) cantina, osteria, bistrot (*fr.*), taverna (*spreg.*), bettola (*spreg.*), degustazione (*colto*), bottiglieria, enoteca (*colto*), fiaschetteria.

mescolànza *s. f.* **1** amalgama, miscela, insieme, mistura, cocktail (*ingl.*), miscuglio (*fig.*), zuppa (*fig.*), guazzabuglio (*spreg.*), combinazione, composto **2** [*di persone*] amalgama, eterogeneità, promiscuità, rimescolio (*pop.*), confusione (*est.*).

mescolàre A *v. tr.* **1** [*sostanze, etc.*] mischiare, combinare, miscelare, amalgamare, mescere, unire CONTR. discernere, separare, dividere, sceverare **2** [*le carte*] scozzare, smazzare **3** [*i colori, etc.*] fondere, associare CONTR. separare **4** [*sostanze alimentari*] mantecare, rimestare, sbattere, rimenare, impastare, manipolare, intrugliare, incorporare **5** [*i ruoli*] (*est.*) confondere CONTR. distinguere B *v. rifl.* **1** unirsi, sposarsi **2** unirsi, mischiarsi, introdursi, immischiarsi, impicciarsi, ingerirsi, frammischiarsi C *v. intr. pron.* **1** [*detto di sostanze*] unirsi, legarsi, amalgamarsi **2** [*detto di suoni*] confondersi, fondersi.

mése *s. m.* epoca, periodo CONTR. giorno, settimana, anno.

méssa (1) *s. f.* **1** (*est.*) sacrificio **2** funzione.

méssa (2) *s. f.* pollone, germoglio.

messaggèro *s. m.* (*f. -a*) messo, ambasciatore, nunzio (*colto*), banditore (*est.*), araldo (*est.*), latore, corriere (*est.*).

messàggio *s. m.* **1** ambasciata, comunicazione, notizia, avviso (*est.*) **2** allocuzione **3** (*est.*) biglietto **4** [*in un testo*] (*est.*) senso.

mèsse *s. f.* **1** mietitura, raccolto **2** (*est.*) risultato, frutto (*fig.*) **3** [*di consensi, di lodi, etc.*] miriade.

messinscèna o **méssa in scèna** *s. f.* **1** sceneggiatura **2** sceneggiata, finzione.

mésso *s. m.* **1** messaggero, nunzio (*colto*), ambasciatore, araldo (*est.*) **2** (*est.*) latore, corriere **3** [*in un ufficio*] usciere, fattorino, inserviente.

mestaménte *avv.* tristemente, malinconicamente, desolatamente, dolorosamente, accoratamente CONTR. allegramente, gaiamente, felicemente, beatamente, gioiosamente, lietamente, giulivamente (*lett.*), festosamente, gaudiosamente (*lett.*), giocondamente, spassosamente.

mestière *s. m.* **1** lavoro, impiego, professione, arte (*est.*) **2** (*est.*) ministero (*lett.*), compito.

mestizia *s. f.* **1** tristezza, malinconia, amarezza, scontentezza (*est.*), melanconia CONTR. gaiezza, tripudio, allegria **2** (*gener.*) sentimento.

mèsto *agg.* accorato, malinconico, rattristato, triste, dolente, lacrimoso, funereo, demoralizzante, deprimente CONTR. esilarante, festoso, gaio, gioioso, raggiante (*fig.*).

mestruazióni *s. f. pl.* mestruo, regola (*fig.*), flusso (*ass.*), cosa (*pl.*).

mèstruo *s. m.* mestruazioni, flusso (*ass.*), regola (*fig.*).

mèta (1) *s. f.* **1** destinazione, arrivo, termine, traguardo **2** (*est.*) traguardo, fine, scopo, mira, ideale, obiettivo, oggetto, bersaglio.

méta (2) *s. f.* (*est.*) sterco.

metà *s. f. inv.* moglie, marito.

metabolismo *s. m.* ricambio.

metadóne *s. m. sing.* (*gener.*) droga.

metàfora s. f. allegoria, parabola, tropo (*colto*), traslato (*colto*).

metafòrico agg. [*rif. al significato*] figurato, simbolico, allegorico, traslato, esteso.

metàllo s. m. [*tipo di*] oro, argento, ferro, rame, piombo.

metamòrfosi s. f. inv. **1** trasformazione, cambiamento, mutamento, mutazione **2** (*est.*) evoluzione.

metèora s. f. bolide, stella cadente.

meticolosaménte avv. scrupolosamente, diligentemente, attentamente, accuratamente, con precisione, metodicamente, pazientemente, pedantemente **CONTR.** approssimativamente, sbrigativamente.

meticolosità s. f. inv. **1** accuratezza, scrupolo, rigore, precisione, pazienza (*est.*) **CONTR.** sciatteria, trascuratezza **2** (*neg.*) pignoleria, cavillosità, pedanteria.

meticolóso agg. **1** [*rif. a una persona*] scrupoloso, preciso, coscienzioso, diligente, cavilloso, pedante **CONTR.** superficiale, negligente **2** [*rif. al lavoro, allo studio*] scrupoloso, preciso, coscienzioso, accurato, minuzioso **CONTR.** superficiale, sommario, affrettato.

metodicaménte avv. **1** gradatamente, sistematicamente, regolarmente **CONTR.** disordinatamente, caoticamente **2** scrupolosamente, meticolosamente, attentamente.

metòdico agg. **1** sistematico, regolato, ordinato, accurato **CONTR.** disordinato, caotico **2** [*rif. a una persona*] regolato, ordinato, abitudinario **CONTR.** volubile, capriccioso.

mètodo s. m. **1** criterio, norma, regola **2** [*spec. con: procedere con*] (*est.*) sistema, ordine **3** (*est.*) sistema, procedimento, tecnica, scuola, indirizzo **4** (*est.*) procedimento, iter, processo **5** (*est.*) tattica, risoluzione.

mètro (1) s. m. misura, criterio.

mètro (2) s. m. poesia.

metròpoli s. f. inv. **1** capitale **CONTR.** villaggio **2** madrepatria.

méttere **A** v. tr. **1** porre, collocare, disporre, sistemare, situare, riporre, posare, ubicare, piazzare, ricollocare, cacciare (*pop.*) **CONTR.** levare **2** [*parola*] proferire **3** [*tempo*] consumare, impiegare, dedicare **4** ammettere, immaginare, supporre, dare per scontato **5** [*detto di pianta, etc.*] germogliare, buttare, gettare **6** [*abiti, scarpe, etc.*] vestire, indossare, portare, calzare **7** [*un'etichetta, etc.*] applicare, incollare, installare **8** [*un chiodo, un paletto*] ficcare, conficcare, impiantare, piantare **CONTR.** estrarre **9** [*paura, etc.*] infondere, incutere, destare, ispirare, instillare, suscitare, originare **B** v. rifl. collocarsi, cacciarsi, porsi, posarsi, sistemarsi, piazzarsi, sedersi, infilarsi **CONTR.** togliersi, levarsi **C** v. intr. pron. **1** [*detto di cose, di situazioni*] disporsi, procedere **2** [*un abito*] infilarsi, indossare **CONTR.** togliersi, sfilarsi, levarsi **3** [*gli occhiali*] inforcare **4** [*le scarpe*] calzare **5** [*a fare q.c.*] cominciare, iniziare.

mezzacartùccia o **mèzza cartùccia** s. f. (*pl. -ce*) schiappa **CONTR.** asso, campione.

mèzza cartùccia loc. sost. V. *mezzacartuccia.*

mezzàdro s. m. (*f. -a*) agricoltore.

mezzàno (1) s. m. (*f. -a*) **1** sensale, intermediario, mediatore **2** (*est.*) lenone (*lett.*), ruffiano (*volg.*), paraninfo (*colto*), pappa (*spreg.*), prosseneta (*lett.*).

mezzàno (2) agg. **1** mediano **2** [*rif. a una persona*] mediocre **CONTR.** eccellente.

mezzanòtte s. f. nord, settentrione, tramontana (*lett.*).

mézzo (1) s. m. **1** modo, maniera **2** (*fig.*) via, strumento, tramite, chiave, canale, strada **3** [*spec. al pl.*] (*est.*) risorsa, dote, capacità **4** possibilità, potere **5** risorsa, partito **6** via, automezzo, veicolo.

mézzo (2) **A** agg. metà **CONTR.** intero **B** avv. parzialmente, quasi **CONTR.** completamente, interamente, totalmente, del tutto.

mezzobùsto s. m. erma (*raro*).

mezzodì s. m. inv. mezzogiorno.

mezzogiórno s. m. **1** sud, meridione **CONTR.** settentrione **2** mezzodì (*raro*).

mezzùccio s. m. espediente, trucco, stratagemma, inghippo.

miagolàre v. intr. **1** [*detto di gatto*] gnaulare **2** [*detto di persona, etc.*] lamentarsi, lagnarsi.

miàsma s. m. **1** puzzo, fetore, tanfo, veleno (*fig.*), sito (*tosc.*), puzza **CONTR.** profumo, olezzo **2** (*gener.*) odore, esalazione.

mica (1) s. f. briciola, minuzzolo, granellino.

mica (2) avv. affatto, per nulla.

mica (3) s. f. (*gener.*) minerale.

micète s. m. fungo.

micidiàle agg. fatale, funesto, catastrofico, esiziale.

micio s. m. gatto.

microbo s. m. **1** germe, batterio, bacillo **2** [*rif. a una persona*] verme (*fig.*), nullità.

microscòpico agg. minuscolo, piccino, piccolo, infinitesimale **CONTR.** enorme, gigantesco.

midòlla s. f. inv. mollica.

mielàto agg. V. *melato.*

mièle s. m. sing. (*est.*) nettare.

miètere v. tr. **1** falciare, tagliare, segare, recidere, raccogliere **2** [*detto di guerra, malattia*] (*est.*) stroncare, troncare **3** [*un record, una medaglia*] (*est.*) raccogliere, conseguire, guadagnare, ottenere, ricavare.

mietitùra s. f. (*est.*) messe, raccolto.

miglioraménto s. m. **1** progresso, avanzamento, arricchimento **CONTR.** peggioramento, deterioramento **2** [*nella tecnica, nell'arte*] perfezionamento, affinamento **CONTR.** scadimento, abbassamento, decadimento **3** [*della specie*] evoluzione **4** [*della produzione, etc.*] aumento, incremento, accrescimento **5** [*dopo una malattia*] ripresa **CONTR.** aggravamento **6** [*in una situazione*] vantaggio **7** [*sociale*] riforma **8** [*nel lavoro*] promozione **9** [*nel viso, nel corpo*] abbellimento, ritocco.

miglioràre A *v. tr.* **1** rendere migliore, perfezionare, cambiare in meglio, sgrezzare, raffinare, affinare, limare (*fig.*), abbellire, ingentilire, arricchire **CONTR.** peggiorare, deteriorare, peggiorare, danneggiare **2** [*il bilancio*] consolidare, aumentare, sanare **CONTR.** rovinare **3** nobilitare, innalzare, elevare **4** [*un testo scritto*] emendare, rettificare (*fig.*), correggere, revisionare **5** rieducare, riformare **6** [*l'aspetto*] abbellire, ingentilire, valorizzare **7** (*impr.*) mutare, trasformare **8** [*un regolamento*] rinnovare B *v. intr.* **1** [*in salute, etc.*] rimettersi, ristabilirsi, riaversi, rifiorire, riprendersi, acquistare, ripigliare **CONTR.** imbruttire **2** [*detto di situazione*] progredire, prosperare, maturare (*fig.*), evolversi (*fig.*), crescere (*fig.*), camminare (*fig.*), avanzare **3** [*detto di persona*] correggersi, emendarsi, crescere **CONTR.** regredire **4** [*detto di tempo atmosferico*] volgere al bello **CONTR.** perturbarsi C *v. rifl.* **1** diventare migliore, correggersi, ravvedersi, emendarsi, modificarsi **CONTR.** degradarsi **2** [*nei modi*] dirozzarsi, elevarsi, affinarsi (*fig.*), civilizzarsi, nobilitarsi, raffinarsi **CONTR.** peggiorarsi, imbastardirsi.

miglioràto *part. pass.; anche agg.* perfezionato, affinato, evoluto, progredito, sviluppato **CONTR.** peggiorato.

mignàtta *s. f.* **1** sanguisuga **2** (*gener.*) verme **3** [*rif. a una persona*] (*est.*) parassita.

mignòtta *s. f.* prostituta, meretrice (*colto*), etera (*lett.*), mondana (*euf.*), sgualdrina, puttana (*volg.*), troia (*volg.*), vacca (*volg.*), scrofa (*volg.*), zoccola (*merid.*), bagascia (*genov.*), baldracca (*volg.*), sacerdotessa di Venere (*euf.*), ragazza squillo (*euf.*), battona (*volg.*).

migràre *v. intr.* espatriare, emigrare, partire **CONTR.** restare, rimanere.

migrazióne *s. f.* **1** emigrazione **2** partenza **3** (*est.*) spostamento.

milanése (1) *agg.* di Milano.

milanése (2) *s. f.* cotoletta.

miliardàrio A *s. m.* (*f. -a*) creso, nababbo, pascià, signore **CONTR.** barbo-

ne, disgraziato, poveraccio, miserabile, pezzente, accattone, diseredato, indigente B *agg.* ricco, riccone.

militànte A *part. pres.; anche agg.* [*in politica*] attivo, impegnato B *s. m. e f.* attivista.

militàre A *v. intr.* partecipare B *s. m.* **1** milite, armigero (*colto*) **CONTR.** borghese **2** (*est.*) combattente, guerriero **3** [*tipo di*] soldato, ufficiale, generale, ammiraglio (*mar.*), colonnello, maggiore, capitano, tenente, maresciallo, sergente, caporale, appuntato C *agg.* **1** bellico, guerresco **CONTR.** civile **2** [*rif. all'abito*] **CONTR.** civile, borghese.

militarizzàre *v. tr.* fortificare **CONTR.** demilitarizzare, smilitarizzare.

milite *s. m.* **1** militare, soldato **2** (*est.*) combattente.

millantàre A *v. tr.* vantare, ostentare, esagerare, decantare, magnificare **CONTR.** attenuare B *v. rifl.* gloriarsi, glorificarsi, gonfiarsi, vanagloriarsi, vantarsi **CONTR.** umiliarsi, abbassarsi.

millanteria *s. f.* **1** smargiassata, spacconata, fanfaronata, vanteria **2** (*est.*) vanagloria, iattanza, boria, tracotanza, spocchia **CONTR.** modestia, umiltà.

millepièdi *s. m. inv.* **1** centopiedi, centogambe **2** (*gener.*) verme.

mimàre *v. tr.* imitare, rappresentare, scimmiottare, rifare.

mimetizzàre A *v. tr.* mascherare, coprire, dissimulare, nascondere, proteggere (*est.*) **CONTR.** scoprire, rivelare B *v. rifl.* **1** nascondersi, mascherarsi, camuffarsi **CONTR.** rivelarsi, scoprirsi **2** [*all'ambiente*] adattarsi a, adeguarsi a, confondersi con, non distinguersi da.

mimica *s. f.* (*pl. -che*) **1** maschera (*fig.*), volto **2** (*est.*) espressività.

mimòsa *s. f.* **1** (*gener.*) pianta, fiore **2** sensitiva.

mina *s. f.* (*erron.*) bomba.

minàccia *s. f.* (*pl. -ce*) **1** intimidazione **2** (*est.*) avvertimento, avviso **3** (*est.*) pericolo, spettro (*fig.*), nube (*fig.*).

minacciàre *v. tr.* **1** [*qc.*] intimidire, spaventare, intimorire **2** [*detto di pericolo*] incombere, pendere (*fig.*) **3** [*la sicurezza, la felicità*] insidiare **4** (*est.*) avvertire, avvisare **5** [*un evento spiacevole, etc.*] promettere (*fig.*), tirare a, essere sul punto di.

minacciosaménte *avv.* intimidatoriamente, ostilmente, aggressivamente.

minaccióso *agg.* **1** [*rif. all'atteggiamento*] intimidatorio, aggressivo, ostile **CONTR.** bonario **2** [*rif. allo sguardo*] sinistro, bieco, torvo **CONTR.** bonario.

minàre *v. tr.* [*la salute, la reputazione*] insidiare (*fig.*), indebolire, compromettere **CONTR.** rafforzare, rinvigorire, irrobustire, rinforzare.

minatòrio *agg.* intimidatorio, minaccioso, ostile (*est.*).

minchia *s. f.* pene, fallo (*colto*), verga (*pop.*), cazzo (*volg.*), membro, pisello (*fam.*), belino (*genov.*), uccello (*pop.*).

minchiàta *s. f.* castroneria, baggianata, sciocchezza.

minchionàre *v. tr.* burlare, coglionare (*volg.*), deridere, canzonare, dileggiare, schernire, gabbare, motteggiare.

minchióne A *agg.* babbeo, credulone, sciocco, gonzo, idiota, imbecille, stupido, tonto **CONTR.** furbo, scaltro, malizioso, dritto (*fam.*) B *s. m.* (*f. -a*) babbeo, gonzo, allocco (*fig.*), bietolone (*fig.*), asino (*fig.*), bischero (*tosc.*), ciuccio (*fig.*), ciuco (*fig.*), coglione (*volg.*).

mineràle (1) *s. m.* **1** oro, argento **2** rubino, smeraldo, zaffiro, diamante, nefrite.

mineràle (2) *agg.* [*rif. ad acqua*] gassata **CONTR.** naturale.

minèstra *s. f.* **1** zuppa **2** (*fig.*) vitto, pagnotta **3** [*rif. alla vita*] (*fig.*) zuppa, canzone.

minestrina *s. f.* pappa (*fam.*).

mingherlino *agg.* minuto, magro, smilzo, esile **CONTR.** robusto, grosso, corpulento.

miniàre v. tr. ornare, cesellare (est.), ricamare (est.).

minimaménte avv. per nulla, pochissimo CONTR. massimamente, infinitamente, sommamente.

minimizzàre v. tr. sminuire, diminuire, sgonfiare, smontare, dare scarsa importanza a, non dare rilievo a, ridurre al minimo (fig.) CONTR. ingrandire, esaltare, gonfiare.

mìnimo A agg. 1 piccolo, trascurabile, marginale, irrilevante CONTR. massimo, ingente (lett.), enorme, supremo, gigantesco, colossale, imponente, estremo, madornale (spreg.), notevole 2 (est.) impercettibile, infinitesimale 3 (lett.) lieve CONTR. estremo 4 infimo B s. m. [di intelligenza, etc.] (fig.) barlume, briciola, goccia, granello, grano, ombra, filo CONTR. massimo.

ministèro (1) s. m. missione, compito, ufficio, mestiere (raro), servizio (raro).

ministèro (2) s. m. dicastero (raro), dipartimento, gabinetto.

minorànza s. f. (polit.) opposizione CONTR. maggioranza.

minoràto A agg. mentecatto, disgraziato B s. m. (f. -a) infelice, disgraziato, portatore di handicap, disabile.

minorazióne s. f. 1 diminuzione, riduzione 2 handicap (ingl.), menomazione.

minóre A agg. 1 inferiore, secondario (est.) CONTR. maggiore 2 più giovane CONTR. maggiore, più vecchio B s. m. e f. 1 (dir.) minorenne 2 CONTR. maggiore.

minùgia s. f. 1 nervo 2 [di uno strumento musicale] corda.

minùscolo (1) agg. microscopico, piccino, piccolo, minuto, lillipuziano (fig.) CONTR. enorme, gigantesco, ciclopico (fig.), titanico (fig.), colossale (fam.), ingombrante, incalcolabile, gigante.

minùscolo (2) s. m. sing. [tipo di scrittura] CONTR. maiuscolo.

minùta s. f. bozza.

minùto (1) agg. 1 piccolo, esiguo, minuscolo CONTR. grande, grosso, enorme 2 [rif. a una persona] (est.) esile, gracile, delicato, mingherlino 3 fine, sottile 4 [rif. alla gente] (fig.) umile, modesto 5 (fig.) insignificante, irrilevante 6 [rif. a un esame, a un'analisi, a un lavoro] minuzioso, particolareggiato CONTR. negligente, trascurato.

minùto (2) s. m. 1 momento, istante, attimo CONTR. ora, secondo 2 [spec. in loc.: fare in un] baleno, lampo.

minùzia s. f. 1 inezia, piccolezza, sciocchezza, quisquilia, nonnulla, bazzecola, bagattella 2 pedanteria, cavillo, sottigliezza, formalismo.

minuziosaménte avv. particolareggiatamente, capillarmente, dettagliatamente, analiticamente, approfonditamente CONTR. approssimativamente, grossolanamente.

minuzióso agg. 1 [rif. a una persona] meticoloso, scrupoloso CONTR. grossolano, inaccurato 2 [rif. al lavoro, allo studio] meticoloso, accurato, preciso, raffinato, minuto (fig.), particolareggiato CONTR. grossolano, inaccurato, affrettato, sommario 3 [rif. a un esame, a un'analisi, a un lavoro] minuto (fig.), diffuso CONTR. grossolano, affrettato.

mira s. f. (est.) fine, meta, scopo, finalità, intenzione, obiettivo, pretesa, intento, veduta (fig.).

miràbile agg. meraviglioso, splendido, stupendo, straordinario, grandioso, miracoloso, ammirevole (propr.) CONTR. biasimevole, deplorevole, spregevole, orribile.

miràcolo s. m. 1 [rif. a persone, a cose] (est.) prodigio, portento 2 [rif. a una persona] (est.) prodigio, portento, fenomeno, eccezione.

miracolóso agg. 1 portentoso, prodigioso, incredibile, straordinario, mirabile 2 (fig.) prodigioso, soprannaturale.

miràggio s. m. 1 allucinazione, visione 2 (est.) sogno, speranza, illusione, chimera.

miràre A v. intr. 1 [a un bersaglio] prendere la mira, tirare 2 [a uno sco-

po] (est.) tendere, convergere 3 [detto di discorso] (est.) finire, andare a finire, andare a parare, parare 4 [detto di persona] aspirare, vagheggiare un, desiderare un, riguardare (raro) B v. tr. guardare, osservare, contemplare, adocchiare C v. rifl. rimirarsi, guardarsi, osservarsi, contemplarsi.

mìriade s. f. moltitudine, messe, caterva.

mirtillo s. m. (gener.) frutto.

mirto s. m. 1 mortella (pop.) 2 (gener.) arbusto, pianta.

misantropìa s. f. scontrosità, selvatichezza CONTR. socievolezza, filantropia.

miscèla s. f. 1 mescolanza, mistura, insieme, cocktail (ingl.), miscuglio 2 [di liquidi] soluzione.

miscelàre v. tr. 1 mescolare, mischiare, incorporare (est.) CONTR. separare, dividere 2 [i colori, il vino, etc.] (est.) temperare.

miscellànea s. f. antologia, florilegio (colto), crestomazia (colto).

mìschia s. f. 1 rissa, zuffa, scontro, lotta 2 (est.) affollamento, calca.

mischiàre A v. tr. 1 mescolare, unire, fondere, combinare, miscelare, mescere, amalgamare CONTR. discernere, dividere, separare, distinguere 2 [le carte da gioco] mescolare, scozzare 3 [i colori, il vino, etc.] temperare (est.), diluire 4 (est.) rimestare 5 (est.) frammettere B v. rifl. 1 introdursi, ficcarsi, unirsi, congiungersi, inserirsi, mescolarsi 2 [nei fatti altrui] impicciarsi di, ingerirsi, intromettersi CONTR. estraniarsi, disinteressarsi.

misconóscere v. tr. 1 [il valore altrui] disconoscere, negare, sottovalutare, ignorare CONTR. riconoscere, apprezzare, stimare 2 [qc.] fingere di non conoscere, rinnegare.

miscredènte A agg. ateo CONTR. credente, osservante, pio B s. m. e f. ateo.

miscùglio s. m. 1 (spreg.) accozzaglia, accozzame 2 mistura, mescolanza, miscela, composto, amalgama, preparazione (est.), preparato.

mise s. f. inv. abbigliamento, abito, vestito, completo, tenuta, toilette (fr.), insieme, combinazione.

miseràbile A agg. 1 misero, povero, miserevole CONTR. ricco, facoltoso 2 (est.) disgraziato, sciagurato CONTR. beato, felice 3 spregevole, indegno B s. m. e f. 1 disgraziato, poveraccio, straccione, dannato (fig.) CONTR. nababbo, creso, miliardario, pascià 2 (est.) vile, verme (fig.).

miseraménte avv. 1 poveramente, disagiatamente, meschinamente, grettamente, ristrettamente, angustamente, squallidamente CONTR. riccamente, sontuosamente, magnificamente, splendidamente, preziosamente 2 dolorosamente, infelicemente CONTR. felicemente, prosperamente 3 modestamente CONTR. spettacolarmente (fig.).

miseràndo agg. miserevole, misero, sciagurato, tapino, infelice CONTR. felice, fortunato.

miserévole agg. 1 [rif. a una persona] compassionevole, miserando CONTR. abbiente, ricco, facoltoso 2 [rif. all'esistenza] miserabile, misero CONTR. ricco, agiato, comodo.

miserevolménte avv. compassionevolmente, pietosamente CONTR. lussuosamente, riccamente, splendidamente.

misèria s. f. 1 povertà, indigenza (colto), carestia (est.), inopia (lett.) CONTR. ricchezza, agiatezza, sovrabbondanza, abbondanza 2 [l'effetto della] (est.) povertà, bisogno, necessità, ristrettezza, stento CONTR. lusso, sfarzo, sontuosità, splendore, grandezza, opulenza, prosperità 3 [spec. con: trovarsi nella, essere nella] (fig.) bolletta, lastrico, strada 4 [morale] squallore, grettezza, meschinità 5 [rif. a un regalo, etc.] (est.) inezia, bazzecola 6 (bot.) tradescanzia 7 [rif. a uno stato] sottosviluppo.

misericòrdia A s. f. 1 compassione CONTR. spietatezza, inclemenza (raro) 2 pietà, clemenza 3 [l'effetto della] pietà, perdono, venia (colto), mercede (lett.) B inter. accidenti, perbacco.

misericordiosaménte avv. caritatevolmente, benignamente, pietosa-

mente, compassionevolmente CONTR. implacabilmente, malvagiamente, perfidamente, spietatamente.

misericordióso agg. 1 pietoso, clemente, compassionevole, caritatevole CONTR. implacabile, spietato, duro 2 (est.) generoso.

misero A agg. 1 povero, indigente, miserabile, diseredato CONTR. ricco, grandioso, facoltoso, lussuoso, fastoso, superbo, regale, prosperoso 2 [rif. a una persona] infelice, miserando 3 [rif. a un pasto, a un guadagno] magro, inadeguato, insufficiente, scarso, ridicolo CONTR. fastoso, superbo, dovizioso, sontuoso 4 [rif. all'animo] meschino, spregevole, vile CONTR. ricco, grandioso 5 [rif. all'esistenza] triste, miserevole, umile, squallido, stentato CONTR. fastoso, prosperoso, dignitoso, rispettabile 6 [rif. a una persona] (spreg.) infimo CONTR. rispettabile B s. m. (f. -a) povero.

misfàtto s. m. delitto, scelleratezza, crimine, atrocità, nefandezza, scellerataggine, reato (bur.), colpa, turpitudine.

missionàrio A agg. delle missioni B s. m. (f. -a) 1 religioso 2 [in difesa di un ideale] sacerdote, apostolo.

missióne s. f. 1 apostolato 2 incarico, compito, mandato, incombenza, ufficio (raro), ministero (colto) 3 (bur.) trasferta 4 [della scuola, etc.] (est.) funzione, finalità 5 (est.) vocazione 6 (med.) emissione.

missiva s. f. lettera, comunicazione (est.), scritto.

mister s. m. inv. allenatore.

misteriosaménte avv. oscuramente, incomprensibilmente, inesplicabilmente, arcanamente, ambiguamente, enigmaticamente, imperscrutabilmente, impenetrabilmente, segretamente, copertamente, occultamente, misticamente CONTR. chiaramente, manifestamente, palesemente.

misterióso A agg. 1 inesplicabile, impenetrabile, oscuro CONTR. chiaro, manifesto, piano 2 [rif. a cosa, a persona] impenetrabile, ambiguo, enigmatico CONTR. chiaro 3 recondito 4 arcano B s. m. (f. -a) tenebroso.

mistèro s. m. 1 rebus, enigma, incognita, indovinello 2 segreto 3 arcano (lett.), ignoto.

misticaménte avv. 1 religiosamente, devotamente, contemplativamente, spiritualmente 2 incomprensibilmente, misteriosamente.

misticismo s. m. spiritualità.

mistificàre v. tr. 1 [sostanze alimentari, etc.] alterare, manipolare, falsificare, adulterare 2 [qc.] ingannare, raggirare, irretire, gabbare, turlupinare, fregare (fam.), infinocchiare (volg.).

mistificatóre s. m. (f. -trice) truffatore, imbroglione, impostore, turlupinatore, baro (est.).

mistùra s. f. mescolanza, miscela, miscuglio, insieme.

misùra s. f. 1 dimensione 2 [rif. a una persona] taglia, corporatura 3 [tipo di] diametro, formato, numero, taglio, lunghezza, volume, larghezza, superficie 4 [rif. all'ingegno, etc.] (fig.) capacità, valore 5 [secondo la] proporzione, quantità 6 [rif. a una valutazione] criterio, metro (fig.), scala (fig.), parametro 7 [nel fare q.c.] discrezione, frugalità, moderazione, ritegno, temperanza, moderatezza CONTR. sregolatezza, sfrenatezza, smodatezza, smoderatezza 8 [da rispettare] freno, limite, regola 9 [oltrepassare la] segno, decenza 10 discrezione, diplomazia 11 [nel parlare] (est.) nota, tono 12 [per la sicurezza] provvedimento, disposizione.

misuràre A v. tr. 1 calcolare, quantificare, quantizzare 2 [le parole] valutare, moderare, soppesare, ponderare 3 [il tempo] cronometrare 4 [un abito] provare, indossare 5 [i meriti di qc.] (est.) valutare, considerare, giudicare, stimare 6 [le forze] (est.) calibrare, pesare (fig.), regolare, economizzare, limitare, dosare, dimensionare CONTR. largheggiare, sprecare 7 [come dimensioni] (est.) pesare (fig.), essere 8 [il confine, etc.] determinare, rilevare 9 [la bontà, qualità di q.c.] (est.) sperimentare, assaggiare B v. intr. [detto di casa, etc.] estendersi C v. rifl. 1 battersi, incontrarsi, competere, incontrare un, gareggiare, lottare, provarsi 2 controllarsi, contenersi, regolarsi, limitarsi 3 confrontarsi, equipararsi a, paragonarsi a.

misuratamènte avv. **1** moderatamente, con moderazione, con misura, sobriamente, parcamente **CONTR.** convulsamente, irrefrenabilmente, dissipatamente, dirottamente, sfrenatamente, smoderatamente, sregolatamente **2** castigatamente **3** parcamente, parsimoniosamente.

misuràto part. pass.; anche agg. **1** [rif. a una persona] moderato, equilibrato, ponderato, prudente, raccolto (est.) **CONTR.** dissoluto, ingordo, avido, cupido, eccessivo, esagerato **2** regolato, stabilito **3** [rif. a un pasto] frugale, contenuto, parco **CONTR.** eccessivo, esagerato **4** [rif. all'atteggiamento] raccolto (est.), castigato, temperante **CONTR.** avido, cupido, eccessivo, esagerato, smodato.

misurazióne s. f. **1** computo, calcolo **2** (est.) stima, valutazione.

mite agg. **1** [rif. al carattere, etc.] mansueto, calmo, inoffensivo, innocuo, buono, docile **CONTR.** bilioso, combattivo, bellicoso, battagliero, aggressivo, grintoso, impertinente, impudente, aspro (fig.), suscettibile, acerbo (fig.), acido (fig.), atroce (fam.), violento, ribelle **2** [rif. all'atteggiamento] benevolo, clemente, indulgente, bonario **CONTR.** violento, prepotente, autoritario, assolutista, dispotico, imperativo, intimidatorio, accanito, barbaro, bestiale, brutale, inumano, crudele, crudo, feroce, caustico **3** [rif. alla temperatura, al clima] dolce, tiepido **CONTR.** inclemente, rigido **4** [rif. agli animali] inoffensivo, docile **CONTR.** rabbioso, ribelle.

mitemènte avv. dolcemente, docilmente, gentilmente, benevolmente, benignamente **CONTR.** implacabilmente, efferatamente, ferreamente, inesorabilmente, boriosamente (est.), provocatoriamente, persistentemente (est.).

mitézza s. f. **1** dolcezza, bontà, mansuetudine, remissività, ubbidienza, benignità, bonomia **CONTR.** aggressività, asprezza, severità, spietatezza, bestialità, cocciutaggine, rigore, ferocia **2** [rif. al clima] dolcezza, gradevolezza **CONTR.** inclemenza, rigidità, durezza **3** (gener.) qualità.

mìtico agg. **1** favoloso, fantastico, leggendario **2** immaginario.

mitigàre A v. tr. **1** [il carattere] addolcire (fig.), moderare, temperare, contemperare, raddolcire (fig.), rammorbidire (fig.) **CONTR.** inasprire **2** [il dolore] addolcire (fig.), diminuire, attenuare, blandire, sopire, attutire, disacerbare, lenire, alleviare, medicare (fig.), placare, calmare, acquietare, addormentare (fig.), pacare, sedare, assopire (fig.) **CONTR.** aumentare, esacerbare, provocare, ridestare, acutizzare, esasperare **3** [le leggi, le regole, etc.] (fig.) alleggerire, allentare, allargare, ammorbidire, annacquare **4** [i modi, il tono di voce] (fig.) inzuccherare **5** [l'amore, etc.] (fig.) intiepidire **6** [i prezzi] diminuire, scemare, abbassare (fig.) **CONTR.** aumentare B v. intr. pron. **1** [detto di dolore] addolcirsi, raddolcirsi, acquietarsi, attutirsi, calmarsi, disacerbarsi, placarsi, quietarsi, rammorbidirsi, moderarsi **CONTR.** peggiorare, inasprirsi, infierire, infuriarsi, irritarsi, esasperarsi, esacerbarsi **2** [detto di clima] addolcirsi, raddolcirsi **CONTR.** peggiorare, incrudelire.

mitigàto part. pass.; anche agg. **1** calmato, sopito, quietato, allentato **2** addolcito, intenerito.

mitilo s. m. muscolo, cozza (merid.), peocio (ven.), pidocchio di mare.

mitizzàre v. tr. **1** divinizzare, deificare, idealizzare **2** esaltare, celebrare.

mito s. m. **1** leggenda, fiaba, favola **2** idealizzazione **3** (est.) sogno, utopia.

mitra (1) s. m. inv. **1** fucile **2** (gener.) arma.

mitra (2) s. f. (gener.) copricapo.

mitragliàre v. tr. [qc. con domande, etc.] investire (fig.), incalzare, importunare, infastidire.

mitragliatrice s. f. (gener.) arma.

mnemonicamènte avv. **1** a memoria **CONTR.** ragionatamente **2** (spreg.) pappagallescamente, macchinalmente, a pappagallo.

mòbile (1) s. m. **1** arredo **2** [tipo di] armadio, arca, armoire (fr.), madia, credenza, dispensa, guardaroba, comò, cassapanca, divano, scrivania,

cassettiera, comodino, toilette (fr.), toeletta.

mòbile (2) agg. **1** [rif. all'atteggiamento] volubile, mutevole, incostante **CONTR.** irremovibile, fisso, fermo, immobile, immoto (lett.) **2** variabile, discontinuo **CONTR.** fisso, fermo, immobile, fissato **3** [rif. a un meccanismo] movibile, snodato, girevole **CONTR.** fissato, statico.

mobilia s. f. mobilio, arredamento.

mobiliàre A v. tr. ammobiliare, arredare B agg. **CONTR.** immobiliare.

mobilio s. m. mobilia, arredamento.

mobilità s. f. inv. **1** dinamicità **CONTR.** immobilismo, apatia, inerzia, inattività, immobilità, staticità **2** discontinuità, incostanza, volubilità.

mobilitàre v. tr. **1** chiamare alle armi, richiamare, armare (est.) **CONTR.** disarmare, smobilitare **2** [forze] (est.) smuovere, impegnare, coinvolgere.

mòccico s. m. (pl. -chi) muco, moccio (pop.), catarro.

mòccio s. m. muco, moccico (tosc.), moccolo, catarro.

mòccolo s. m. **1** bestemmia, imprecazione **2** moccio (pop.) **3** [di sigaretta] mozzicone **4** (est.) candela.

mòda s. f. **1** costume, usanza, voga (raro), abitudine **2** [secondo la] guisa, foggia.

modalità s. f. inv. **1** modo **2** (est.) norma, prassi **3** [di un atto burocratico] formalità.

modanatùra s. f. membratura.

modellàre A v. tr. **1** plasmare, forgiare, foggiare, formare, dare forma a, sagomare **2** [modi di] effigiare, sbalzare, scolpire **3** [il comportamento, la vita] (est.) delineare, tratteggiare, schematizzare, abbozzare, imbastire **4** (fig.) adattare, improntare, indirizzare, conformare, informare B v. rifl. **1** conformarsi, adattarsi, adeguarsi **CONTR.** differenziarsi, distinguersi **2** (est.) ispirarsi.

modellàto part. pass.; anche agg. plasmato, formato, sagomato **CONTR.** sformato, deformato.

modello 358

modèllo A s. m. 1 campione, esempio, specchio (fig.) 2 [rif. a un prodotto industriale] esemplare, prototipo, originale, tipo 3 norma, paragone 4 [rif. agli abiti, etc.] creazione 5 [per riprodurre q.c.] stampo, forma, calco, sagoma 6 [teorico] schema, linea 7 [delle imposte, etc.] (est.) modulo (bur.), stampato B agg. inv.[spec. con: scolaro, uomo, azienda, etc.] perfetto, tipo.

moderàre A v. tr. 1 [il carattere] mitigare, attenuare, addolcire (fig.) 2 [le proprie reazioni] disciplinare, misurare, regolare, rallentare, raffrenare, costringere (raro) 3 [le passioni] frenare, governare, contemperare 4 [i colori, i toni] frenare, temperare, annacquare CONTR. esagerare, alzare 5 [le spese] economizzare, contenere, controllare, limitare, diminuire CONTR. accrescere B v. rifl. contenersi, frenarsi, limitarsi, padroneggiarsi, dominarsi, controllarsi, governarsi, mitigarsi, regolarsi, raffrenarsi, reprimersi, restringersi, addolcirsi CONTR. galvanizzarsi, imperversare, eccedere, trascendere, scatenarsi.

moderataménte avv. 1 modicamente, poco, limitatamente CONTR. dirottamente, follemente, maledettamente, smodatamente, sregolatamente 2 misuratamente, discretatamente CONTR. avidamente, dissipatamente, irrefrenabilmente 3 frugalmente, parsimoniosamente, economicamente, parcamente CONTR. smodatamente, immoderatamente, incontinentemente, esageratamente, smoderatamente, vistosamente.

moderatézza s. f. moderazione, modestia, misura, modicità CONTR. sfrenatezza, smodatezza, smoderatezza, dismisura.

moderàto A part. pass.; anche agg. 1 misurato, controllato, contenuto, parco, frugale, parsimonioso, discreto, morigerato CONTR. cupido 2 [rif. a una persona] regolato, castigato, temperante, morigerato CONTR. esaltato, invasato 3 [rif. alle parole, alle idee] conservatore, benpensante CONTR. esaltato, estremista, radicale, rivoluzionario, intransigente 4 [rif. alla temperatura, al clima] tiepido, temperato, dolce CONTR. rigido 5 [rif. a un sentimento] blando, contenuto CONTR. esagerato B s. m. (f. -a) conservatore, li-

berale CONTR. progressista, estremista.

moderazióne s. f. 1 [rif. all'atteggiamento] misura, moderatezza (colto), discrezione (est.) 2 [nel mangiare, etc.] frugalità (fig.), parsimonia, modestia, sobrietà 3 [nei costumi, etc.] austerità, temperanza CONTR. sregolatezza 4 [dei prezzi, etc.] temperamento (raro), attenuazione.

modernità s. f. inv. novità, attualità CONTR. antichità, vecchiume (pop.).

modernizzàre A v. tr. rimodernare, ammodernare, rinnovare, aggiornare B v. rifl. innovarsi, rinnovarsi, aggiornarsi, rimodernarsi.

modèrno A agg. 1 attuale, odierno, nuovo, avanzato, innovativo, nuovo CONTR. antico, antiquato, arcaico, arretrato, inattuale, obsoleto, rancido (fig.) 2 [rif. a un abito] (est.) à la page, alla moda CONTR. inattuale, vieto B s. m. sing. nuovo CONTR. antico, vecchio.

modestaménte avv. 1 scarsamente, modicamente, poco CONTR. grandiosamente, fastosamente, indicibilmente, eccentricamente, sfarzosamente, vistosamente, pazzescamente 2 poveramente, dimessamente, semplicemente, umilmente CONTR. orgogliosamente, alteramente, altezzosamente, ambiziosamente, boriosamente, chiassosamente, con alterigia, imperiosamente, sfrontatamente, spavaldamente, superbamente, trionfalmente.

modèstia s. f. 1 umiltà CONTR. immodestia, superbia, sicumera, spocchia, arroganza, alterigia, albagia, alterezza, millanteria, vanità, vanagloria, sussiego, saccenteria, orgoglio, iattanza 2 [nel vivere, nel vestire, etc.] moderazione, moderatezza (colto), semplicità (est.), sobrietà CONTR. sfarzo, solennità, sontuosità, splendore, appariscenza, pomposità, magnificenza 3 [rif. all'atteggiamento] discrezione, riservatezza, compostezza (colto) CONTR. sfrontatezza, sfacciataggine, impudicizia 4 [qualità dell'animo] pudore, verecondia, vergogna, pudicizia 5 [rif. a un lavoro] povertà, mediocrità 6 [rif. a una vincita, etc.] esiguità, irrilevanza 7 [rif. ai prezzi] ragionevolezza CONTR. esosità, esagerazione.

modèsto agg. 1 [rif. all'aspetto] umile, dimesso CONTR. immodesto, chiassoso, appariscente, maestoso, lussuoso, sfarzoso, austero 2 [rif. a una quantità, a un numero] esiguo, limitato, scarso CONTR. abbondante, grandioso, strepitoso 3 [rif. a un esame, a un'analisi, a un lavoro] mediocre, passabile 4 [rif. a cosa] povero, casalingo CONTR. clamoroso, fastoso, indicibile, inenarrabile, atomico (fam.), prestigioso 5 [rif. all'atteggiamento] pudico, verecondo, casto, umile CONTR. immodesto, superbo, pretenzioso, arrogante, borioso, pomposo, presuntuoso, altezzoso, spocchioso, vanitoso 6 [rif. al prezzo] accessibile, economico, modico, basso (fig.) CONTR. alto, gonfio 7 [rif. a una notizia] irrilevante CONTR. bomba 8 [rif. alla condizione sociale] umile.

modicaménte avv. poco, moderatamente, modestamente, esiguamente CONTR. dirottamente, immoderatamente, esageratamente.

modicità s. f. [rif. ai prezzi] moderatezza, esiguità, ragionevolezza CONTR. esosità.

mòdico agg. [rif. al prezzo] basso, esiguo, limitato, ragionevole, accessibile CONTR. alto, eccessivo.

modifica s. f. (pl. -che) 1 modificazione, cambiamento, variazione 2 [di quanto detto, scritto in precedenza] correzione, rettifica 3 [di un abito, etc.] aggiustatura, ritocco 4 [in senso negativo] alterazione.

modificàre A v. tr. 1 cambiare, mutare, variare, correggere, trasformare 2 [sostanze alimentari] alterare, contraffare, manipolare, drogare (fig.) 3 [le attività, etc.] diversificare 4 [le leggi] emendare, riformare 5 [l'ordine sociale, etc.] riformare, rovesciare 6 [un discorso, un testo] interpolare, ritoccare, ridurre B v. intr. pron. 1 [detto di situazione, etc.] trasformarsi, evolversi, mutarsi, variare, cambiare 2 invecchiare 3 tramutarsi C v. rifl. migliorarsi, correggersi.

modificàto part. pass.; anche agg. 1 cambiato, mutato, trasformato CONTR. intatto, uguale 2 corretto, rettificato 3 alterato, manipolato, manomesso, truccato.

modificazióne s. f. **1** modifica, cambiamento, mutamento, variazione, mutazione **2** [di quanto detto, scritto in precedenza] rettifica, correzione.

mòdo s. m. **1** maniera, modalità **2** mezzo, occasione, espediente, possibilità, via (fig.), verso (fig.), strada (fig.) **3** [rif. al comportamento] (est.) maniera, tratto, contegno, comportamento, tono (fig.), atteggiamento, portamento, farsi, piglio **4** (est.) genere, sistema, stile, tenore **5** regola, norma, abitudine **6** [spec. con: fare in quel, dire in quel] senso (est.) **7** [per risolvere un problema] procedimento **8** [di vestire, etc.] (est.) maniera, foggia.

modulàre (1) v. tr. **1** (est.) cantare, zufolare, fischiettare **2** [una costruzione] (est.) variare.

modulàre (2) agg. componibile.

modulazióne s. f. **1** variazione **2** (est.) tono, timbro.

mòdulo (1) s. m. **1** (bur.) modello, scheda, stampato **2** schema, canone, norma **3** (tecnol.) rapporto.

mòdulo (2) s. m. **1** parte, porzione **2** reparto, settore.

móglie s. f. (pl. -i) sposa, coniuge (bur.), consorte, signora, donna (fam.), metà (scherz.), compagna CONTR. marito, compagno.

moìna s. f. **1** carezza, lusinga **2** (est.) smanceria, vezzo, sdolcinatura, smorfia.

molàre (1) v. tr. arrotare, affilare, levigare, smerigliare, lisciare, raspare, rettificare.

molàre (2) s. m. (gener.) dente.

molàto part. pass.; anche agg. **1** [rif. a una superficie] levigato, lucidato, smerigliato CONTR. scabro, ruvido **2** [rif. a una lama, a un coltello] (est.) arrotato, affilato, tagliente.

mólcere v. tr. lenire, calmare, addolcire.

mòle s. f. **1** masso **2** (est.) peso, volume, dimensione, taglia **3** (est.) entità **4** importanza, statura (fig.).

molestaménte avv. fastidiosamente,

spiacevolmente, tediosamente.

molestàre v. tr. **1** dare fastidio a, infastidire, importunare, incomodare, scomodare, assillare, asfissiare (fig.), ossessionare, annoiare, disturbare, punzecchiare (fig.), inquietare, seccare, stancare, assediare, perseguitare, opprimere, offendere CONTR. deliziare, dilettare, divertire **2** [detto di idea, di pensiero] turbare, preoccupare **3** (est.) maltrattare.

molèstia s. f. **1** fastidio, noia, uggia CONTR. piacere **2** seccatura, disturbo, scocciatura (fam.), incomodo, rompicapo (fam.), carico (fig.), aggravio (fig.) **3** [rif. a una persona] odiosità, noiosità, sgradevolezza CONTR. simpatia **4** (est.) disagio, tormento, fastidiosità, sofferenza, tribolazione.

molèsto agg. **1** fastidioso, importuno, noioso, irritante, tormentoso, tedioso, seccante, incomodo, uggioso, pesante CONTR. divertente, simpatico, piacevole **2** (est.) pignolo **3** (fam.) maledetto.

mòlla s. f. **1** elastico **2** (est.) stimolo, spinta, motivazione, incentivo, impulso.

mollàre A v. tr. **1** [la presa] lasciare, allentare **2** [una persona] rilasciare, liberare, sciogliere **3** [un amante, etc.] abbandonare **4** [un pugno, uno schiaffo] rifilare, assestare, appioppare, ammollare **5** [una fune, una catena] (mar.) filare, lasciare scorrere **B** v. intr. cedere, desistere, capitolare, rinunciare, smettere, cessare, recedere, deflettere CONTR. insistere, continuare, perseverare, resistere.

mòlle agg. **1** morbido, tenero, soffice CONTR. consistente, duro, sodo **2** [rif. alla pelle] floscio, moscio, flaccido CONTR. consistente **3** inzuppato, intriso, imbevuto **4** [rif. al carattere] dolce, delicato **5** [rif. a un tipo di vita] rilassato CONTR. spartano **6** [rif. all'atteggiamento] debole, indolente, languido **7** [rif. a un materiale] cereo.

molleménte avv. **1** fiaccamente, pigramente, svogliatamente CONTR. duramente, difficoltosamente **2** delicatamente, lievemente.

mollézza s. f. **1** morbidezza, cedevolezza CONTR. compattezza **2** [rif. a una persona] (est.) debolezza, fiac-

chezza CONTR. energia **3** [spec. al pl.] (est.) comodità, lusso, agio (pl.).

mollìca s. f. (pl. -che) [di pane] midolla, briciola (raro).

mollùsco s. m. (pl. -chi) **1** (gener.) invertebrato, animale **2** [tipo di].

Molluschi

Molluschi: invertebrati con corpo molle coperto in alcuni da una conchiglia, in altri da una conchiglia formata da due valve; alcuni sono forniti di tentacoli.

patella: mollusco marino commestibile, con conchiglia a cono molto basso che aderisce alle rocce litorali col piede a ventosa;

limnea: mollusco di acque dolci con conchiglia sottile a forma di torre;

aliotide: mollusco marino con conchiglia piatta e rugosa, di forma simile a un orecchio e largo piede muscoloso;

cono: mollusco carnivoro con conchiglia conica ad apertura lunga e stretta;

strombo: mollusco marino di grandi dimensioni a conchiglia conica con protuberanze;

murice: mollusco marino con conchiglia robusta, rugosa, fornita di spine;

chiocciola: mollusco terrestre con conchiglia a forma di globo per la cui presenza si distingue dalla lumaca.;

lumaca: mollusco terrestre polmonato, onnivoro, con corpo allungato e viscido, conchiglia ridotta e nascosta sotto il mantello;

limaccia:

vongola: mollusco marino con conchiglia a due valve giallognola a linee scure concentriche, che vive sui fondali sabbiosi e fangosi e ha carni apprezzatissime;

tellina: mollusco marino del Mediterraneo a conchiglia a due valve, rosea, e carni pregiate;

ostrica: mollusco marino a conchiglia a due valve esternamente rugosa, privo di piede;

ostrica perlifera: ostrica a valve grandi, piane, esternamente nerastre, che può produrre perle;

tridacna: mollusco marino di grosse dimensioni con conchiglia a due valve a ventaglio che vive incassata nelle scogliere madreporiche dei mari tropicali;

mitilo: mollusco marino con conchiglia a due valve oblunga, nera, che si fissa a corpi sommersi ed è allevato per le sue carni;

cozza: (*pop.*);

muscolo: (*dial.*);

peocio: (*dial.*);

pettine: mollusco a conchiglia tondeggiante a due valve con rilievi irradianti dalla cerniera, con una valva convessa e l'altra piana;

pinna: mollusco a conchiglia a due valve triangolare e molto allungata, bruno marrone, con carni dure;

dattero di mare: mollusco marino con conchiglia a due valve oblunga color bruno che vive in fori nella roccia da lui scavati;

litofaga;

litodomo;

calamaro: mollusco marino commestibile, con corpo bianco roseo punteggiato di scuro e prolungato in dieci tentacoli; in caso di pericolo, emette un liquido nero che intorbida l'acqua;

totano;

polpo: mollusco marino commestibile, con otto tentacoli muniti di due serie di ventose.

seppia: mollusco marino commestibile con corpo ovale, depresso e bocca circondata da dieci tentacoli;

argonauta: mollusco munito di otto tentacoli, con due dei quali la femmina sostiene una fragile conchiglia bianca contenente le uova.

mòlo *s. m.* banchina.

molòsso *s. m.* (*gener.*) cane.

moltéplice *agg.* complesso, svariato, numeroso, vario, multiforme **CONTR.** unico, uniforme.

molteplicità *s. f. inv.* varietà, pluralità, complessità (*est.*) **CONTR.** unicità.

moltiplicàre *A v. tr. 1* [*q.c.*] ingrandire, aumentare, accrescere **CONTR.** diminuire, calare, ridurre *2* duplicare, triplicare, quadruplicare *3* [*gli sforzi*] intensificare, inigantire, centuplicare *4* [*una specie, una razza*] propagare *5* [*le visite, etc.*] aumentare **CONTR.** diradare *B v. intr. pron. 1* prosperare, crescere, aumentare, ingrandirsi *2* [*detto di fenomeno, etc.*] proliferare (*fig.*), ri-

prodursi, figliare (*poet.*), prolificare (*fig.*), propagarsi *3* [*detto di forze, di dolore*] intensificarsi, accrescersi **CONTR.** diminuire.

moltiplicàto *part. pass.; anche agg. 1* aumentato, cresciuto *2* (*fig.*) propagato, diffuso, sparso.

moltiplicazióne *s. f. 1* [*dei beni, delle ricchezze*] accrescimento, incremento, aumento **CONTR.** diminuzione *2* [*di una malattia, etc.*] propagazione *3* [*nella specie vegetale*] (*est.*) riproduzione *4* (*mat.*) prodotto (*est.*) **CONTR.** divisione.

moltissimo *avv.* eccezionalmente, assai, oltremodo, smisuratamente, maledettamente (*fam.*), meravigliosamente, pazzescamente, pazzamente, sommamente **CONTR.** pochissimo, niente, per nulla, punto.

moltitùdine *s. f. 1* [*di esseri viventi*] caterva, mucchio, miriade, massa, stuolo, schiera, folla, reggimento (*fig.*), nugolo, tribù (*fig.*), stormo (*fig.*), nembo (*fig.*), sciame (*fig.*) *2* [*di cose*] (*fig.*) caterva, mucchio, miriade, massa, selva, pioggia, immensità, raffica.

mólto *A avv.* tanto, assai, parecchio, notevolmente, alquanto, vistosamente, abbondantemente, ampiamente, immensamente, considerevolmente, copiosamente, densamente, estremamente, enormemente, grandemente, gravemente, intensamente, largamente, massicciamente, forte, davvero, particolarmente, sensibilmente **CONTR.** poco, niente, punto, esiguamente *B agg. 1* tanto, parecchio, numeroso **CONTR.** poco, scarso *2* troppo, eccessivo, esagerato *3* grande *C pron. indef.* tanto, numeroso, parecchio **CONTR.** poco.

momentaneaménte *avv.* temporaneamente, al momento, adesso, provvisoriamente **CONTR.** perennemente.

momentáneo *agg.* istantaneo, passeggero, transitorio, provvisorio, temporaneo, fugace, labile, effimero **CONTR.** perenne, fisso, costante.

momènto *s. m. 1* attimo, minuto, istante, punto (*est.*) *2* (*fig.*) baleno, lampo *3* (*est.*) contingenza, circostanza, situazione, occasione *4* [*di fare q.c.*] ora, tempo.

mònaca *s. f.* (*pl. -che*) suora, sorella, religiosa **CONTR.** prete, sacerdote, frate.

mònaco (1) *s. m. 1* religioso *2* [*tipo di*] sacerdote, frate, cenobita, lama *3* (*est.*) santone, asceta.

mònaco (2) *s. m.* scaldaletto.

monàrca *s. m.* (*pl. -chi*) sovrano, sultano, re, imperatore **CONTR.** suddito.

monarchia *s. f. 1* regno **CONTR.** repubblica *2* (*gener.*) stato, governo.

monàrchico *agg., s. m. e f.* realista.

monastèro *s. m. 1* convento *2* [*tipo di*] abbazia, certosa.

mondàna *s. f.* prostituta, meretrice (*lett.*), etera (*lett.*), sgualdrina, troia (*volg.*), puttana (*volg.*), battona (*volg.*), vacca (*volg.*), baldracca (*volg.*), bagascia (*genov.*), zoccola (*merid.*), scrofa (*volg.*), ragazza squillo (*euf.*), sacerdotessa di Venere (*euf.*), mignotta (*roman.*).

mondanaménte *avv.* futilmente, frivolamente **CONTR.** austeramente, sobriamente.

mondàno *A agg. 1* terreno, secolare, temporale **CONTR.** divino, celeste *2* (*est.*) frivolo, brillante, profano **CONTR.** austero, severo, casalingo *B s. m.* viveur (*fr.*).

mondàre *A v. tr. 1* [*patate, banane, castagne*] sgusciare, sbucciare, pelare *2* [*le verdure, etc.*] detergere, pulire, nettare *3* [*qc. dai peccati, etc.*] (*fig.*) lavare, purificare, purgare, riscattare *B v. rifl.* purgarsi (*fig.*), redimersi (*est.*) **CONTR.** lordarsi, corrompersi.

mondézza *s. f. V. immondezza.*

mondiàle *agg. 1* universale *2* (*fam.*) straordinario, meraviglioso.

móndo (1) *s. m. 1* cosmo, universo, creato *2* terra *3* (*lett.*) valle *4* (*est.*) realtà *5* (*est.*) civiltà *6* (*est.*) umanità *7* [*della moda, etc.*] (*est.*) ambiente *8* [*di q.c.*] (*fig.*) mucchio.

móndo (2) *agg. 1* [*rif. a un frutto*] sgusciato *2* [*rif. a cosa*] netto, pulito, terso (*est.*) **CONTR.** sporco, sozzo *3* [*rif. a una persona*] (*fig.*) immacolato,

monolitico

puro CONTR. immondo, impuro.

monèllo *s. m.* (*f. -a*) discolo, furfante (*scherz.*), briccone (*scherz.*), terremoto (*fig.*), teppista (*scherz.*), birbone, brigante.

monèta *s. f.* **1** denaro, quattrino, soldo, baiocco (*raro*) **2** valuta **3** (*est.*) ricchezza **4** (*est.*) medaglia **5** [*antiche*] piastra, talento **6** [*tipo di*].

INFORMAZIONE

I nomi delle monete nei diversi paesi
Afghanistan: afghani;
Albania: lek;
Algeria: dinar;
Angola: kwanza;
Arabia Saudita: rial;
Argentina: peso argentino;
Australia: dollaro;
Austria: euro;
Bahama: dollaro;
Bahrain: dinar;
Bangladesh: taka;
Barbados: dollaro;
Belgio: euro;
Belize: dollaro;
Bhutan: ngultrum;
Bolivia: boliviano;
Botswana: pula;
Brasile: real;
Bulgaria: lev:
Burundi: franco;
Cambogia: riel;
Canada: dollaro;
Capo Verde: escudo;
Ceca, Repubblica: corona ceca;
Centrafricana, Rep.: franco CFA;
Cile: peso;
Cina: renminbi;
Cipro: lira cipriota;
Colombia: peso;
Congo, Rep. dem.: franco congolese;
Corea: won;
Costa Rica: colon;
Cuba: peso;
Danimarca: corona;
Ecuador: dollaro USA;
Egitto: lira egiziana;
El Salvador: colon;
Emirati Arabi: dirham;
Etiopia: birr;
Figi: dollaro;
Filippine: peso;
Finlandia: euro;
Francia: euro;
Gambia: dalasi;

Germania: euro;
Ghana: cedi;
Giamaica: dollaro;
Giappone: yen;
Giordania: dinar;
Gran Bretagna: lira sterlina;
Grecia: euro;
Guatemala: quetzal;
Guinea Bissau: franco CFA;
Guyana: dollaro;
Haiti: gourde;
Honduras: lempira;
India: rupia;
Indonesia: rupia;
Iran: rial;
Iraq: dinar;
Irlanda: euro;
Islanda: corona;
Israele: sheqel;
Italia: euro;
ex Iugoslavia: dinar;
Kenia: scellino;
Kuwait: dinar;
Laos: kip;
Lesotho: loti;
Libano: lira;
Liberia: dollaro;
Libia: dinaro;
Lussemburgo: euro;
Madagascar: franco;
Malawi: kwacha;
Malaysia: ringgit;
Maldive: rupia;
Malta: lira;
Marocco: dirham;
Mauritania: ouguiya;
Mauritius: rupia;
Messico: peso;
Mongolia: tughrik;
Mozambico: metical;
Myanmar: kyat;
Nepal: rupia;
Nicaragua: cordoba;
Nigeria: naira;
Norvegia: corona;
Nuova Zelanda: dollaro;
Papua Nuova Guinea: kina;
Oman: rial;
Paesi Bassi: euro;
Pakistan: rupia;
Panamà: balboa;
Paraguay: guaran;
Perù: nuovo sol;
Polonia: zloty;
Portogallo: euro;
Qatar: riyal;
Rep. Dominicana: peso;
Rep. Sudafricana: rand;
Romania: leu;
Ruanda: franco;

Russia: rublo;
Sao Tomè e Principe: dobra;
Seychelles: rupia;
Sierra Leone: leone;
Singapore: dollaro;
Siria: lira sterlina;
Slovacchia: corona slovacca;
Somalia: scellino;
Spagna: euro;
Sri Lanka: rupia;
Sudan: dinar;
Suriname: fiorino;
Svezia: corona;
Svizzera: franco;
Swaziland: lilangeni;
Taiwan: dollaro;
Tanzania: scellino;
Thailandia: baht;
Tobago: dollaro;
Tonga: paanga;
Trinidad: dollaro;
Tunisia: dinaro;
Turchia: lira;
Uganda: scellino;
Ungheria: fiorino;
Uruguay: peso;
USA: dollaro;
Venezuela: bolivar;
Vietnam: dong;
Yemen: riyal;
Zambia: kwacha;
Zimbabwe: dollaro.

mòngolo A *agg.* della Mongolia **B** *s. m.* (*f. -a*) tartaro.

monile *s. m.* **1** collana, catena, vezzo, collier (*fr.*), girocollo **2** (*gener.*) gioiello.

mònito *s. m.* ammonizione, avvertimento, avviso, consiglio, suggerimento.

monòcolo (1) *s. m.* caramella.

monòcolo (2) *agg.* guercio.

monocolóre A *agg.* monocromatico CONTR. variopinto, policromo (*colto*) **B** *s. m. sing.* (*polit.*) governo.

monocromàtico *agg.* monocolore CONTR. variopinto, multicolore, policromo (*colto*).

monografia *s. f.* studio, dissertazione, trattato, saggio.

monogràmma *s. m.* cifra, sigla.

monolitico *agg.* **1** compatto, unitario, unanime (*est.*) CONTR. flessibile **2** [*rif.*

monologo] *a una persona*] inflessibile, caparbio, testardo, rigido **CONTR.** flessibile.

monòlogo *s. m.* soliloquio **CONTR.** colloquio.

monòpoli *s. m. inv.* (*gener.*) gioco.

monopòlio *s. m.* **1** egemonia, esclusiva **2** trust (*ingl.*) **3** privilegio, prerogativa.

monopolizzàre *v. tr.* **1** (*est.*) incettare, accaparrare **2** accentrare **CONTR.** liberalizzare.

monotonaménte *avv.* **1** uniformemente **CONTR.** variamente **2** noiosamente.

monotonìa *s. f.* **1** uniformità **CONTR.** singolarità **2** noia, grigiore (*fig.*), opacità (*fig.*).

monòtono *agg.* **1** uguale, uniforme **CONTR.** svariato, vario **2** grigio (*fig.*), noioso, tedioso **CONTR.** animato, appassionante, interessante **3** [*rif. a un gesto, a un lavoro, etc.*] meccanico, ripetitivo **4** [*rif. a una persona*] noioso, tedioso **CONTR.** interessante, arguto, brioso, frizzante.

montàgna *s. f.* **1** monte, massiccio **CONTR.** collina, pianura, mare, vallata **2** mucchio, massa, catasta, ammasso.

montàre **A** *v. intr.* **1** salire, issarsi, ascendere (*lett.*) **CONTR.** smontare **2** [*su un mezzo, un cavallo, etc.*] balzare, saltare **CONTR.** smontare, sbarcare **3** [*detto di prezzi, etc.*] crescere, alzarsi **CONTR.** diminuire **4** [*detto di livello di acque, etc.*] crescere, ingrossare, rigonfiare, gonfiare **CONTR.** discendere, decrescere **5** [*detto di dolce, etc.*] gonfiare, crescere **CONTR.** calare **B** *v. tr.* **1** [*un cavallo*] inforcare, cavalcare **2** [*un congegno, un meccanismo*] assemblare, installare, sistemare, comporre, unire **CONTR.** smontare **3** [*un episodio, una notizia*] gonfiare (*fig.*), esagerare, caricare **CONTR.** sgonfiare, diminuire **4** [*una donna*] fecondare, chiavare (*volg.*), fottere (*volg.*) **5** [*una giumenta, etc.*] coprire, fare la monta **6** [*una pietra preziosa*] incastonare, rilegare, incassare **CONTR.** smontare **7** [*qc.*] gasare (*fig.*) **C** *v. intr. pron.* **1** inorgoglirsi, insuperbire **CONTR.** inchinarsi, strisciare **2** esaltarsi, caricarsi, eccitarsi.

montatùra *s. f.* esagerazione, gonfiatura.

mónte *s. m.* **1** montagna, altura, cima **CONTR.** valle **2** [*di q.c.*] mucchio, caterva, massa, pioggia (*fig.*).

montóne *s. m.* **1** ariete (*colto*) **2** (*gener.*) mammifero.

montuóso *agg.* montagnoso.

monuménto *s. m.* **1** scultura, statua **2** testimonianza **3** [*dell'arte, etc.*] capolavoro.

mòra (1) *s. f.* penale.

mòra (2) *s. f.* (*gener.*) frutto.

moràle **A** *agg.* **1** etico **CONTR.** immorale, iniquo **2** [*rif. a una persona*] corretto, onesto, retto, giusto, bravo, probo **CONTR.** debosciato, disonesto **3** [*rif. al comportamento*] decente **CONTR.** disonesto, scandaloso **B** *s. f.* etica **C** *s. m.* spirito, umore.

moralismo *s. m.* puritanesimo, integralismo, intransigenza **CONTR.** apertura.

moralista *agg.* [*rif. all'atteggiamento*] dogmatico, rigido, intransigente **CONTR.** indulgente.

moralità *s. f. inv.* onestà, rettitudine, probità, dirittura **CONTR.** immoralità, disonestà, sudiciume.

moralizzàre *v. tr.* **1** rendere morale **CONTR.** corrompere, depravare, guastare, viziare, pervertire **2** [*un ambiente, etc.*] ripulire (*fig.*), bonificare, risanare **3** predicare la morale, dare insegnamenti morali *a*.

moralménte *avv.* sanamente, onestamente, rettamente **CONTR.** immoralmente, disonestamente.

morbidézza *s. f.* **1** [*rif. alle linee, ai colori*] tenerezza, delicatezza **2** [*al tatto*] mollezza, cedevolezza **CONTR.** durezza **3** [*rif. ai metalli*] duttilità **CONTR.** durezza, rigidezza **4** [*rif. a una superficie*] levigatezza **CONTR.** scabrosità, asprezza.

mòrbido *agg.* **1** molle, soffice, tenero, cedevole **CONTR.** duro, sodo **2** [*rif. a un segno, a un profilo*] sfumato, vaporoso (*fig.*), leggero **3** [*rif. al carattere, etc.*] arrendevole, affabile, malleabile,

accondiscendente **CONTR.** duro, rigido **4** [*al tatto*] dolce, liscio, delicato **CONTR.** duro, scabro, ruvido **5** [*rif. a un tipo di vita*] molle, rilassato, comodo **CONTR.** duro **6** [*rif. ai capelli, alla barba, etc.*] soffice **CONTR.** ispido.

mòrbo *s. m.* **1** malattia, male **2** [*sociale*] (*fig.*) malanno, piaga, peste, pestilenza.

morbóso *agg.* **1** malato, patologico, maniacale, anormale, distorto **2** (*est.*) eccessivo, esagerato **CONTR.** moderato.

mordàce *agg.* caustico (*fig.*), pungente (*fig.*), sardonico, sarcastico, salace, arguto, tagliente, piccante (*fig.*), acido (*fig.*), salato (*fig.*), sapido (*fig.*), satirico **CONTR.** melato, bonario.

mordaceménte *avv.* sarcasticamente **CONTR.** benevolmente.

mordacità *s. f. inv.* causticità, sarcasmo, malignità, acidità (*fig.*), acrimonia, velenosità (*fig.*), arguzia (*est.*), sale (*fig.*).

mordènte **A** *s. m.* **1** fissatore, fissante **2** [*rif. a una persona*] (*est.*) verve (*fr.*), vivacità **3** [*rif. a una persona*] (*est.*) grinta, aggressività, carattere **4** [*rif. a un discorso, etc.*] (*est.*) forza, incisività **B** *part. pres.; anche agg.* **1** (*chim.*) irritante, corrosivo **2** [*rif. a un discorso, a una battuta*] salace **CONTR.** bonario **3** [*rif. al sapore*] acre, aspro.

mòrdere *v. tr.* **1** morsicare, addentare, azzannare, mordicchiare **2** brucare, masticare **3** [*detto di pneumatico*] (*est.*) aderire *a* **4** [*detto di acido*] intaccare, corrodere **5** [*detto di insetto, etc.*] pinzare, pungere **6** [*detto di tarlo della gelosia, etc.*] (*fig.*) rodere.

mordicchiàre *v. tr.* mordere, mangiucchiare.

morfina *s. f.* (*gener.*) alcaloide, droga.

morigerataménte *avv.* sobriamente, decentemente, pudicamente, castigatamente **CONTR.** dissolutamente, smodatamente, sfrenatamente, smoderatamente, viziosamente (*est.*).

morigeràto *agg.* decente, sobrio, moderato, regolato, casto, continente **CONTR.** dissoluto, lussurioso, libidinoso, salace, gaudente, libertino.

morire v. intr. **1** perire, decedere, crepare (fam.), schiantare, spirare, spegnersi, soccombere, mancare (euf.), trapassare (raro), irsene (lett.), tirare le cuoia (fam.), cadere (fig.), andarsene (euf.), defungere (colto), dipartirsi (lett.), passare a miglior vita (euf.), rendere l'anima a Dio (euf.), chiudere gli occhi, esalare l'ultimo respiro CONTR. nascere, vivere, respirare, sopravvivere **2** [modi di] affogare, annegarsi **3** [detto di passione, etc.] declinare (fig.), tramontare (fig.), estinguersi, finire, consumarsi (fig.), affievolirsi, smorzarsi (fig.) **4** [dal ridere] (est.) sbellicarsi, scoppiare (fig.) **5** [dall'invidia, rabbia] (est.) schiattare (fig.) **6** [detto di fiore] appassire, seccare CONTR. fiorire **7** (est.) patire, soffrire **8** [detto di astro] declinare, tramontare **9** [detto di speranze, etc.] scomparire, svanire.

mormorare A v. intr. **1** sussurrare, parlare piano, confabulare, parlare CONTR. sbraitare, gridare, urlare **2** malignare, chiacchierare, spettegolare, sparlare, diffamare, pettegolare, vociferare **3** brontolare, lamentarsi, lagnarsi, protestare, mugolare, borbottare **4** [detto di acqua, di liquidi] (est.) gorgogliare, borbogliare, rumoreggiare **5** [detto di foglie, etc.] frusciare, fremere, stormire B v. tr. dire sottovoce, balbettare, bisbigliare, sussurrare.

mormorazióne s. f. maldicenza, chiacchiera, diceria, calunnia, diffamazione (colto), mormorio (raro), pettegolezzo.

mormorìo s. m. **1** brusìo, bisbiglio, sussurro, brontolio, borbottio, rumorìo, ciangottio CONTR. grido, urlo **2** (gener.) rumore, suono **3** (est.) maldicenza, mormorazione.

mòro s. m. nero, africano.

moróso (1) s. m. fidanzato, innamorato.

moróso (2) agg. insolvente.

mòrra s. f. sing. (gener.) gioco.

morsicàre v. tr. **1** mordere, addentare, azzannare **2** [detto di insetto, etc.] pungere, pinzare **3** [detto di uccelli] beccare.

morsicatùra s. f. **1** (est.) morso **2** [di insetti] puntura, pinzatura, pinzata **3** (gener.) ferita **4** [l'effetto della] (est.) cicatrice.

mòrso s. m. **1** (est.) morsicatura **2** [di insetti] pinzata, puntura, pinzatura, pizzico **3** [di cibo] boccata, boccata (dial.), pezzo, tozzo **4** [rif. a un ingranaggio] (est.) stretta **5** [della fame, sete, etc.] (fig.) tormento **6** [di invidia, di maldicenza] (fig.) assalto, attacco **7** [che si pone al cavallo] freno.

mortàle A agg. **1** umano CONTR. immortale, imperituro **2** [rif. a un evento, a un incidente] letale, fatale, ferale, tragico **3** [rif. alla pena] capitale **4** [rif. all'esito, a una previsione] infausto (euf.) CONTR. fausto **5** [rif. a un'arma, alla mano] mortifero, omicida, assassino B s. m. e f. essere, persona, individuo.

mortarétto s. m. petardo, castagnola, castagnetta (raro).

mòrte s. f. **1** scomparsa (colto), decesso, trapasso (raro), dipartita (euf.), òbito (lett.), occaso (fig.), sera (poet.), perdita (lett.), finecorsa (iron.), fine (est.) CONTR. vita **2** [rif. all'amicizia, all'amore] fine, scomparsa (colto), distruzione CONTR. nascita.

mortèlla s. f. **1** (gener.) arbusto, pianta **2** mirto.

mortìfero agg. omicida, mortale.

mortificàre A v. tr. **1** umiliare, avvilire, offendere, svergognare, ferire (fig.), atterrare CONTR. esaltare, elogiare, magnificare **2** [gli istinti, un desiderio] reprimere, frenare (fig.), prostrare (fig.) CONTR. liberare, sfrenare **3** [gli sforzi, le speranze] vanificare, deludere, frustrare B v. rifl. punirsi, umiliarsi, crocifiggersi (fig.) C v. intr. pron. dispiacersi, vergognarsi CONTR. godere, vantarsi, elogiarsi, esaltarsi.

mortificàto part. pass.; anche agg. **1** umiliato, ferito, irriso, vilipeso, offeso CONTR. soddisfatto, contento, rinfrancato **2** (est.) avvilito, deluso **3** (fig.) frustrato, soffocato, represso (psicol.).

mortificazióne s. f. **1** umiliazione, offesa, schiaffo (fig.), boccone (fig.) CONTR. soddisfazione, gratificazione

2 [rif. a uno stato d'animo] avvilimento, depressione (fig.) **3** [rif. ai piaceri fisici] astensione, rinuncia, penitenza (est.) **4** [rif. a una condizione] repressione, soffocamento.

mòrto A part. pass.; anche agg. **1** defunto, deceduto, estinto, crepato (fam.), spedito (fam.), spacciato (fam.), esanime, spento CONTR. vivo, vivente, animato, salvo (est.) **2** [rif. alle membra] (fig.) esanime (fam.), inerte **3** [rif. all'ambiente] spento (fig.), inanimato CONTR. animato, mosso, desolato **4** [rif. a cosa] (fig.) inutilizzabile, infruttifero B s. m. (f. -a) **1** (colto) defunto, estinto, assente (euf.) **2** (est.) cadavere.

mósca A s. f. (pl. -che) (gener.) insetto B agg. inv. [rif. al peso] (sport) leggero CONTR. massimo.

moschèa s. f. (gener.) tempio, chiesa.

moschétto s. m. **1** (gener.) arma **2** fucile.

móscio agg. **1** molle, floscio, vizzo, appassito, avvizzito, flaccido, cascante CONTR. sodo, rigido, resistente **2** [rif. a una persona] abbattuto (fig.), depresso CONTR. vitale, energico.

moscóne (1) s. m. **1** (gener.) insetto **2** (est.) corteggiatore.

moscóne (2) s. m. **1** pattino **2** (gener.) imbarcazione.

mòssa s. f. **1** movenza, atto, gesto, movimento (est.), passo **2** (est.) passo, azione, intervento.

mòsso part. pass.; anche agg. **1** [rif. al mare] agitato, tempestoso CONTR. calmo, piatto **2** [rif. ai capelli] ondulato CONTR. liscio **3** [rif. al ritmo, a un film, a una storia] veloce, movimentato **4** [rif. a una fotografia] sfuocato.

mòstra s. f. **1** esposizione, rassegna, personale (est.), presentazione (est.) **2** [spec. con: fare] esibizione, sfoggio **3** (est.) campione, saggio **4** (raro) finta (fam.), finzione, apparenza **5** [spec. in loc.: fare bella, cattiva, etc.] figura, veduta (fam.) **6** [rifinitura di abiti] mostrina, mostreggiatura.

mostràre A v. tr. **1** [uno stato d'animo, etc.] manifestare, palesare, rivelare, svelare CONTR. nascondere, celare, dissimulare, mascherare 2 [*forza, ricchezza, etc.*] ostentare, esibire, sfoderare (*fig.*) 3 [*mercanzie*] fare vedere, fare mostra, esporre, mettere in mostra, produrre, presentare 4 [*le proprie idee, etc.*] dichiarare, professare CONTR. occultare, tacere 5 [*qualità morali, etc.*] dimostrare, riflettere 6 [*detto di opera pittorica, di foto*] (*est.*) rappresentare 7 [*il funzionamento di q.c.*] (*est.*) spiegare, insegnare, illuminare (*fig.*) 8 [*qc. a modello, a esempio*] indicare, citare 9 [*detto di coscienza*] (*fig.*) indicare, dettare 10 [*una situazione, etc.*] prospettare, delineare 11 [*qc., q.c. con un gesto*] indicare, additare (*raro*), designare *B v. rifl.* 1 [*in quanto alla fede, al credo, etc.*] manifestarsi, dichiararsi, dimostrarsi, dirsi, essere, fingersi, palesarsi, rivelarsi 2 mettersi in mostra, esibirsi CONTR. occultarsi, nascondersi, acquattarsi, latitare 3 (*anche fig.*) denudarsi 4 [*in pubblico*] presentarsi *C v. intr. pron.* 1 [*detto di paesaggio, etc.*] apparire, presentarsi 2 [*detto di situazione*] prospettarsi, configurarsi 3 [*detto di fenomeno, di sintomo, etc.*] apparire, affiorare, comparire, ricomparire CONTR. dileguarsi, disparire, sparire.

mostreggiatùra *s. f.* [*rifinitura di abiti*] mostrina, mostra.

mostrina *s. f.* [*rifinitura di abiti*] mostreggiatura, mostra.

móstro *s. m.* 1 (*est.*) fenomeno 2 [*rif. a una persona*] (*fig.*) belva, bestia 3 [*rif. a una persona*] (*fig.*) sgorbio, spavento, orrore CONTR. splendore 4 [*rif. a una persona*] (*fig.*) prodigio, portento 5 spauracchio, orco.

mostruóso *agg.* 1 orrendo, orribile, orrido, raccapricciante, orripilante, deforme (*est.*) CONTR. ammirevole, avvenente 2 [*rif. all'intelligenza, alla bravura*] (*fam.*) prodigioso, eccezionale CONTR. mediocre, normale 3 [*rif. a un'azione*] (*fig.*) vergognoso, turpe, malvagio CONTR. umano.

mòta *s. f.* 1 melma, fango, fanghiglia, belletta (*lett.*), pantano (*est.*), limo 2 [*in loc.: essere nella*] (*fig.*) merda (*volg.*).

motèl *s. m. inv.* 1 albergo, hòtel (*ingl.*) 2 (*gener.*) costruzione.

motivàre *v. tr.* 1 [*un'assenza, etc.*] giustificare, spiegare 2 [*un sospetto, etc.*] fondare (*fig.*) 3 [*il proprio pensiero*] (*est.*) esporre 4 [*qc. a fare q.c.*] incentivare, stimolare, spingere (*fig.*) CONTR. demotivare, abbattere 5 [*un incidente, etc.*] causare, provocare.

motivazióne *s. f.* 1 ragione, motivo, spinta (*fig.*), molla (*fig.*) 2 giustificazione, spiegazione 3 (*est.*) titolo.

motivo (1) *s. m.* 1 ragione, causa, motivazione, movente, occasione (*est.*), pretesto, cosa (*fam.*), oggetto (*fig.*), cagione 2 (*est.*) pretesto.

motivo (2) *s. m.* 1 (*mus.*) canto, melodia, canzone, aria 2 [*di un romanzo, di un film, etc.*] (*est.*) tema, leitmotiv (*ted.*), argomento 3 [*di un tessuto*] (*est.*) disegno.

mòto (1) *s. m.* 1 movimento, esercizio CONTR. inerzia, inattività 2 [*della testa, etc.*] scatto, guizzo 3 [*di gentilezza, etc.*] impulso, atto, tratto, gesto 4 [*di pietà*] atto, gesto, senso.

mòto (2) *s. f. inv.* 1 motocicletta 2 (*gener.*) veicolo.

motociclétta *s. f.* 1 moto 2 (*gener.*) veicolo.

motociclismo *s. m. sing.* (*gener.*) sport.

motóre *s. m.* 1 (*est.*) causa, spinta, stimolo, movente 2 meccanismo.

motorétta *s. f.* motocicletta, motor scooter.

motorizzàre *A v. tr.* meccanizzare, automatizzare *B v. rifl.* acquistare un veicolo a motore.

motoscàfo *s. m.* 1 (*gener.*) barca, imbarcazione 2 fuoribordo.

motteggiàre *A v. tr.* deridere, dileggiare, minchionare (*volg.*), schernire, beffare, burlare, canzonare, pungere (*fig.*), punzecchiare (*fig.*) CONTR. complimentare, esaltare, elogiare, lodare, ossequiare *B v. intr.* scherzare, ironizzare.

mottéggio *s. m.* 1 scherzo, burla, celia 2 [*contro qc.*] derisione, dileggio (*colto*), scherno.

mòtto *s. m.* 1 detto, massima, adagio,

aforisma (*colto*), formula 2 arguzia, battuta, frizzo (*fig.*), spiritosaggine, facezia, sortita (*fig.*) 3 (*est.*) slogan.

mousse *s. f.* spuma, crema.

movènte *s. m.* motivo, ragione, causa, impulso, stimolo, motore (*fig.*).

movènza *s. f.* movimento, mossa, passo (*est.*), gesto (*est.*), atto (*est.*).

movìbile *agg.* girevole, mobile CONTR. fermo, fisso, saldo.

movimentàre *A v. tr.* 1 trasportare, spostare, muovere 2 [*l'atmosfera, etc.*] animare, vivacizzare, ravvivare, agitare (*fig.*) CONTR. calmare, smorzare *B v. intr. pron.* [*detto di festa, etc.*] rianimarsi.

movimentàto *part. pass.; anche agg.* 1 animato, vivace, agitato, mosso CONTR. calmo, tranquillo 2 [*rif. al ritmo, a un film, a una storia*] tumultuoso, vivace, varia 3 [*rif. a un viaggio*] avventuroso CONTR. tranquillo.

movimento *s. m.* 1 [*spec. con: fare un*] moto, esercizio (*est.*) 2 [*tipo di*] mossa, scatto, movenza, atto, gesto, passo 3 [*di gente, di macchine*] (*est.*) traffico, circolazione, andirivieni, animazione, vita (*fig.*), passaggio 4 [*di denaro, etc.*] passaggio, giro, spostamento 5 [*nella storia, nella vita*] mutamento 6 [*politico, culturale*] corrente 7 [*con un veicolo*] spostamento, manovra 8 [*culturale, etc.*] romanticismo.

mozzaménto *s. m.* troncamento, mutilazione.

mozzàre *v. tr.* 1 [*la testa, un arto*] troncare, recidere, tagliare, staccare 2 [*un arto*] amputare, mutilare.

mozzàto *part. pass.; anche agg.* mutilato, tronco.

mozzicóne *s. m.* 1 pezzo 2 [*di sigaretta*] (*pop.*) cicca, moccolo.

mózzo (1) *s. m.* 1 [*su un'imbarcazione*] marinaio 2 [*di scuderia*] garzone.

mózzo (2) *agg.* troncato, reciso, mutilato, separato, tronco CONTR. intero.

mùcca *s. f.* (*pl. -che*) 1 (*gener.*) mammifero 2 vacca, giovenca.

mùcchio *s. m.* 1 cumulo, catasta,

congerie, ammasso, massa, agglomeramento (*colto*), accozzaglia, ammassamento **2** (*fig.*) montagna, barca, monte, torma, sterminio, stuolo, pioggia, caterva, reggimento, mondo, strage, sacco, valanga, selva, moltitudine, concentrato.

mucillaginóso *agg.* viscido, gelatinoso.

mùco *s. m.* (*pl. -chi*) moccio (*fam.*), moccico (*pop.*), catarro.

muffire *v. intr.* fiorire, funghire.

mùggine *s. m.* **1** (*merid.*) cefalo **2** (*gener.*) pesce.

muggire *v. intr.* [*detto di mare, etc.*] (*est.*) rumoreggiare, gridare.

mughétto *s. m.* (*gener.*) fiore.

mugolàre *v. intr.* **1** [*detto di cane*] guaire **2** [*detto di persona*] lamentarsi, borbottare, mormorare, bofonchiare.

mugugnàre *v. intr.* brontolare, borbottare, bofonchiare, lamentarsi, protestare.

mulattièra *s. f.* (*gener.*) strada.

muliebre *agg.* femmineo, femminile **CONTR.** maschile.

mulinàre A *v. tr.* [*un oggetto nell'aria*] roteare, ruotare, girare, muovere **2** [*un'idea, un progetto*] (*fig.*) macchinare, architettare, fantasticare **B** *v. intr.* **1** vorticare, turbinare, ruotare **2** [*detto di idee, pensieri*] (*fig.*) frullare, girare, ronzare, ruotare.

mulinèllo *s. m.* gorgo, vortice, turbine.

mùlta *s. f.* **1** ammenda, pena, sanzione, contravvenzione **2** [*stradale*] contravvenzione.

multicolóre *agg.* variopinto, policromo **CONTR.** monocromatico.

multifórme *agg.* proteiforme, vario, molteplice **CONTR.** uguale, uniforme.

mùmmia *s. f.* cimelio, dinosauro (*fig.*).

mummificàre A *v. tr.* **1** imbalsamare, impagliare (*est.*) **2** atrofizzare, cristallizzare **B** *v. intr. pron.* [*detto di mente, etc.*] (*fig.*) immobilizzarsi, fossilizzar-

si, cristallizzarsi, atrofizzarsi.

municipàle *agg.* comunale, cittadino, civico.

municipio *s. m.* comune.

munificaménte *avv.* generosamente, signorilmente, splendidamente **CONTR.** grettamente, meschinamente.

munificènza *s. f.* magnanimità, generosità, liberalità, grandiosità (*est.*), magnificenza (*est.*), prodigalità **CONTR.** spilorceria, tirchieria.

munifico *agg.* generoso, largo, grandioso, magnifico, liberale, splendido **CONTR.** gretto (*spreg.*), avaro (*spreg.*), spilorcio (*spreg.*), meschino (*spreg.*), parsimonioso, taccagno (*spreg.*), tirchio.

munire A *v. tr.* **1** [*qc. di q.c.*] (*est.*) fornire, dotare, equipaggiare, corredare, rifornire, provvedere **CONTR.** privare **2** [*un forte, una guarnigione*] fortificare, armare, guarnire, difendere (*est.*) **CONTR.** indebolire, sguarnire **B** *v. rifl.* corredarsi, dotarsi, fornirsi, armarsi, provvedersi, rifornirsi **CONTR.** privarsi, rinunciare.

munito *part. pass.; anche agg.* **1** provvisto, corredato, dotato, fornito, armato **CONTR.** privo di **2** [*rif. a un luogo*] difeso, fortificato.

munizióne *s. f.* [*tipo di*] proiettile, cartuccia, pallino, pallottola.

muòvere A *v. tr.* **1** [*q.c. in una direzione*] spostare, movimentare, spingere, trascinare, trasportare, sospingere **CONTR.** fermare **2** [*qc. nei sentimenti*] (*est.*) commuovere, impietosire, intenerire **3** [*qc. all'odio, etc.*] (*est.*) persuadere, incitare, eccitare, indurre, istigare, provocare **4** [*una bandiera, le foglie*] agitare, dimenare, mulinare, dondolare, scuotere, scrollare, squassare, sventolare **5** [*qc. da un'opinione, etc.*] rimuovere, smuovere, distogliere, dissuadere **6** [*una lite, etc.*] promuovere, iniziare **7** [*una domanda, etc.*] indirizzare, rivolgere, volgere **8** [*le gambe, etc.*] divincolare, articolare **B** *v. intr.* **1** avanzare, avviarsi **2** [*detto di ragionamento, etc.*] partire, derivare, prendere le mosse **CONTR.** finire **C** *v. rifl.* **1** camminare, andare, avanzare, circolare, incamminarsi, partire, viaggiare, spostarsi, aggirarsi,

girare, girarsi, marciare, allontanarsi, avviarsi, spaziare **2** entrare in azione **3** [*verso un luogo*] precipitarsi, correre, affrettarsi **4** [*in un letto*] agitarsi, rigirarsi **5** ballare **6** [*detto di popolo, etc.*] agitarsi, sollevarsi **7** [*per qc. o q.c.*] adoperarsi **8** [*come un gentiluomo, etc.*] comportarsi **D** *v. intr. pron.* **1** derivare, prendere le mosse **2** [*detto di meccanismo, etc.*] funzionare.

mùra *s. f. pl.* **1** muro **2** bastione, cinta.

muràglia *s. f.* **1** bastione, cinta (*est.*) **2** impedimento, barriera **3** [*rif. allo zoccolo*] (*veter.*) parete.

muràre A *v. tr.* **1** edificare **2** [*un buco, un'apertura*] tappare **B** *v. rifl.* rinchiudersi.

murèna *s. f.* (*gener.*) pesce.

mùro *s. m.* **1** parete **2** (*est.*) terrapieno, diga **3** (*est.*) parapetto **4** (*est.*) difesa, riparo **5** [*fisico, morale*] (*fig.*) barriera, ostacolo.

mùscolo (1) *s. m.* **1** mitilo (*colto*), cozza, peocio (*ven.*), pidocchio di mare **2** (*gener.*) mollusco.

mùscolo (2) *s. m.* [*del braccio, della coscia*] bicipite.

muscolóso *agg.* nerboruto.

musèo *s. m.* galleria (*est.*), pinacoteca (*est.*).

mùsica *s. f.* (*pl. -che*) **1** armonia, melodia **2** banda, orchestra, fanfara **3** (*gener.*) arte **4** (*fig.*) zuppa, storia, solfa, tiritera, menata (*volg.*).

musicalménte *avv.* melodicamente, melodiosamente **CONTR.** cacofonicamente.

musicista *s. m. e f.* (*gener.*) artista.

mùso *s. m.* **1** viso, faccia, grugno (*neg.*), ceffo (*neg.*) **2** [*spec. con: tenere il, fare il*] broncio.

mustàcchio *s. m.* baffo.

mùta *s. f.* **1** cambio **2** avvicendamento, turno **3** [*del subacqueo*] tuta.

mutàbile *agg.* **1** variabile **2** (*est.*) incostante, volubile **CONTR.** immutabile.

mutabilità *s. f. inv.* [*rif. al carattere*] variabilità, incostanza, volubilità.

mutaménto *s. m.* *1* cambiamento, trasformazione, variazione, modificazione, metamorfosi (*est.*), alterazione (*est.*) *2* [*nella società, etc.*] rivolgimento, rivoluzione *3* [*nella storia, nella vita*] innovazione, svolta (*fig.*), novità (*est.*), movimento (*fig.*) *4* [*di programma, etc.*] ripensamento *5* [*di situazione*] passaggio, cambio.

mutànde *s. f. pl.* *1* (*gener.*) indumento *2* slip (*ingl.*).

mutàre *A* *v. tr.* *1* cambiare, variare, cangiare (*lett.*) *2* trasformare, modificare *3* [*le sorti di q.c.*] ribaltare, rivoltare, capovolgere, girare *4* [*la rotta*] invertire *5* correggere, migliorare, ritoccare, riformare *6* [*il vino con l'aceto, etc.*] tramutare, convertire, commutare *7* [*qc. o q.c. in senso neg.*] trasformare, ridurre *8* [*un oggetto con un altro*] sostituire *9* [*l'equilibrio di q.c.*] (*neg.*) alterare *B* *v. intr.* *1* [*detto di situazione, etc.*] evolversi, trasformarsi, divenire, diventare *2* [*detto di clima*] voltarsi, volgersi *C* *v. intr. pron.* *1* cambiare, trasformarsi, modificarsi, alterarsi, variare *2* tramutarsi.

mutàto *part. pass.; anche agg.* trasformato, cambiato, modificato, alterato CONTR. invariato, uguale.

mutazióne *s. f.* cambiamento, trasformazione, modificazione, mutamento, alterazione (*est.*), metamorfosi (*fig.*).

mutévole *agg.* *1* variabile, vario, fluttuante, mobile, ondeggiante, fluido, elastico (*fig.*) CONTR. fermo, fisso, immutabile, inalterabile, invariabile *2* [*rif. a una persona*] (*est.*) volubile, incostante, capriccioso, discontinuo CONTR. assiduo, costante, perseverante.

mutevolézza *s. f.* *1* variabilità CONTR. stabilità *2* [*rif. al carattere*] incostanza, volubilità.

mutevolménte *avv.* incostantemente, instabilmente, volubilmente CONTR. invariabilmente, immutabilmente, inalterabilmente.

mutilàre *v. tr.* *1* menomare, castrare, rendere mutilato *2* [*un arto*] tagliare, mozzare, troncare *3* [*la vittoria, etc.*] (*est.*) ridurre, impoverire, sminuire.

mutilàto *A* *part. pass.; anche agg.* *1* [*rif. alle membra*] amputato, mozzato, separato, mozzo CONTR. intero, integro *2* [*rif. a uno scritto*] mozzo, incompleto, ridotto, incompiuto CONTR. intero, integro *B* *s. m.* (*f. -a*) invalido.

mutilazióne *s. f.* *1* mozzamento (*raro*), amputazione *2* (*est.*) privazione, perdita.

mùtilo *agg.* *1* (*propr.*) mancante, privo CONTR. intero, completo *2* (*fig.*) incompleto CONTR. completo *3* (*est.*) difettoso.

mùto *A* *agg.* *1* [*rif. a un luogo, a una persona*] silenzioso, silente *2* [*rif. a un'espressione*] attonito *3* tacito, inespresso CONTR. manifesto *4* [*rif. a una persona*] silenzioso, taciturno CONTR. ciarliero, chiacchierone *B* *s. m.* (*f. -a*) non parlante (*euf.*).

mutuaménte *avv.* vicendevolmente, scambievolmente, a vicenda.

mutuàre *v. tr.* [*idee, concetti, etc.*] prendere da altri, derivare, ricavare.

mùtuo (1) *agg.* scambievole, reciproco, vicendevole.

mùtuo (2) *s. m.* prestito.

n, N

nabàbbo s. m. signore, pascià, creso (colto), miliardario **CONTR.** poveraccio, miserabile, accattone, barbone, disgraziato, pezzente, diseredato.

nàia s. f. leva, servizio militare.

nàno A agg. 1 [rif. a cosa] piccolo **CONTR.** grande, gigantesco, enorme 2 [rif. a una persona] piccolo, basso, pigmeo (fig.) **CONTR.** grande, gigantesco, enorme, alto B s. m. (f. -a) (anche fig.) pigmeo, lillipuziano **CONTR.** titano, gigante, colosso.

nàppa s. f. 1 fiocco, penero (raro) 2 (est.) nasone.

narciso (1) s. m. (gener.) fiore.

narciso (2) s. m. vanesio.

narcòsi s. f. inv. anestesia.

narcòtico A s. m. 1 ipnotico, sonnifero **CONTR.** eccitante 2 (est.) stupefacente, barbiturico, anestetico 3 (gener.) farmaco B agg. 1 soporifero **CONTR.** eccitante 2 (propr.) anestetico.

narcotìna s. f. (gener.) droga.

narcotizzàre v. tr. 1 sottoporre a narcosi, addormentare (pop.), anestetizzare (med.) **CONTR.** risvegliare 2 (est.) stordire, tramortire 3 addormentare (pop.), drogare **CONTR.** eccitare.

narràre A v. tr. 1 [una favola, un episodio] raccontare, contare 2 [un episodio, etc.] descrivere, illustrare, esporre, riferire, dire, ridire 3 [le storie, le gesta] (est.) fare conoscere, recitare, rappresentare, menzionare, ricordare B v. intr. 1 novellare 2 parlare **CONTR.** tacere.

narràto part. pass.; anche agg. illustrato, raccontato, descritto, esposto.

narrazióne s. f. 1 racconto, storia (est.) 2 racconto, descrizione, illustrazione 3 (est.) esposizione, resoconto, rendiconto, cronaca.

nasàre v. tr. e intr. 1 fiutare, annusare 2 (est.) curiosare.

nàscere v. intr. 1 [detto di persona, di animale] venire al mondo, essere partorito, venire alla luce, vedere la luce **CONTR.** morire, crepare, decedere, defungere 2 [detto di corso d'acqua, etc.] trarre origine, derivare, scaturire, discendere, originarsi **CONTR.** sfociare, sboccare, gettarsi 3 [detto di pianta, etc.] spuntare, fiorire, sbocciare, schiudersi, germogliare, germinare **CONTR.** morire, seccare 4 [detto di astro] spuntare, sorgere, apparire **CONTR.** discendere, tramontare 5 [detto di evento, di situazione] (est.) trarre origine, derivare, provenire, incominciare, dipendere, cominciare **CONTR.** finire, cessare 6 [detto di sentimento, etc.] (est.) destarsi, manifestarsi, formarsi **CONTR.** estinguersi.

nàscita s. f. 1 discendenza, stirpe, lignaggio (colto), famiglia 2 [di una amicizia, etc.] (est.) origine, principio, inizio **CONTR.** fine, morte 3 natale, estrazione.

nascóndere A v. tr. 1 [q.c., qc.] celare, occultare 2 (anche fig.) seppellire, sotterrare **CONTR.** esumare 3 [qc., q.c.] imboscare, imbucare 4 [la vista di q.c.] velare, schermare 5 [un sentimento nel cuore] (fig.) annidare, racchiudere, rinchiudere **CONTR.** professare, propagandare, propagare, propalare, sbandierare, sciorinare 6 [q.c. in un cassetto] riporre, rimpiattare 7 [un documento, una pratica] insabbiare (fig.) 8 [la bellezza di qc. o qq.c.] (est.) eclissare, offuscare **CONTR.** riflettere 9 [un sentimento] (fig.) ammantare, ricoprire, coprire, mimetizzare **CONTR.** mostrare, denunciare, esibire, ostentare 10 [uno stato d'animo, etc.] (est.) dissimulare, mascherare **CONTR.** svelare, esteriorizzare, esternare, estrinsecare, manifestare, dimostrare, palesare 11 [la verità] tacere **CONTR.** dichiarare, confessare, confidare, dire B v. rifl. 1 celarsi, occultarsi, imbucarsi (fam.), stare nascosto, rintanarsi, acquattarsi, appiattarsi, ricoverarsi, rimpiattarsi **CONTR.** mo-

strarsi 2 appartarsi, segregarsi, rinchiudersi, rincantucciarsi, chiudersi, trincerarsi, ridursi (raro) 3 negarsi, sottrarsi **CONTR.** prodursi, esporsi 4 sgattaiolare, fuggire, mettersi al sicuro, scampare 5 latitare, essere latitante 6 mimetizzarsi, mascherarsi, camuffarsi, dissimularsi **CONTR.** palesarsi, esternarsi, manifestarsi C v. intr. pron. essere nascosto, annidarsi (fig.).

nascondìglio s. m. 1 rifugio, covo, tana, covile, recesso (lett.), cantuccio, buca 2 (est.) ripostiglio.

nascostaménte avv. 1 di nascosto, occultamente, alla chetichella, celatamente, copertamente, clandestinamente, larvatamente, furtivamente, segretamente, velatamente **CONTR.** espressamente, evidentemente, apertamente, manifestamente, patentemente 2 silenziosamente, tacitamente **CONTR.** apertamente.

nascósto part. pass.; anche agg. 1 celato, riposto, coperto **CONTR.** evidente, divulgato, esibito, ostentato, sfoggiato 2 [rif. a sentimento] sotterraneo (fig.), latente, tacito **CONTR.** apparente 3 [rif. a un luogo] appartato, segreto, occulto (lett.), recondito, remoto 4 [rif. a una relazione] (est.) clandestino.

nasèllo s. m. merluzzo (merid.).

nàso s. m. 1 intuito, perspicacia, fiuto (fig.) 2 [spec. con: sbattere il] (fig.) faccia, volto 3 proboscide (scherz.).

nasóne s. m. (fig.) nappa (scherz.).

nàssa s. f. cesta.

nàstro s. m. 1 fiocco 2 (est.) stringa.

natàle A agg. nativo, natio (lett.) **CONTR.** straniero (est.) B s. m. 1 compleanno, natalizio (raro), genetliaco (raro) 2 nascita 3 (est.) stirpe, famiglia, origine, prosapia (raro).

natalizio (1) agg. 1 di Natale 2 natale.

natalizio (2) s. m. compleanno, genetliaco (raro), natale (raro).

natànte s. m. galleggiante, imbarcazione, barca, battello, naviglio (raro).

nàtica s. f. (pl. -che) gluteo (erron.), mela (scherz.), chiappa (pop.).

natio agg. natale, nativo CONTR. forestiero, straniero, allogeno.

natìvo A agg. originario, proveniente da, oriundo, indigeno, natio (lett.) CONTR. forestiero, straniero B s. m. (f. -a) indigeno, autoctono CONTR. allogeno, forestiero.

natùra (1) s. f. 1 universo 2 (est.) vero, realtà 3 [rif. a una persona] carattere, personalità, temperamento, indole, volto (fig.), animo 4 [rif. a oggetti] tipo, qualità, taglio (fig.) 5 [rif. a problemi] carattere, ordine.
♦ natura morta loc. sost. dipinto.

natùra (2) s. f. vulva (colto), fica (volg.), passera (volg.), topa (tosc.), fessa (nap.), potta (tosc.), patata (fam.), fregna (roman.).

naturàle A agg. 1 grezzo CONTR. innaturale, artificiale, sintetico 2 [rif. al comportamento] innato, spontaneo, spigliato CONTR. artificiale, artefatto, affettato, caricato, artificioso, costruito, falso, finto, forzato, lezioso, manierato, meccanico 3 [rif. a cosa] normale, ovvio, consueto 4 [rif. al cibo, a una bevanda, etc.] integrale, casalingo CONTR. artefatto, manipolato, sofisticato 5 [rif. ai capelli, alla barba, etc.] autentico CONTR. posticcio 6 [rif. a un fenomeno] (est.) fisico CONTR. soprannaturale 7 panico (raro) B s. m. e f. indigeno.

naturalézza s. f. semplicità, spontaneità, disinvoltura, scioltezza, spigliatezza, ingenuità CONTR. sussiego, affettazione, impaccio, artificiosità, artificio, burbanza, leziosaggine.

naturalista s. m. e f. [rif. a una corrente artistica] realista.

naturalménte avv. 1 fisiologicamente, in modo naturale CONTR. innaturalmente, artificialmente, studiatamente 2 candidamente, spontaneamente, schiettamente, istintivamente CONTR. affettatamente, artificiosamente, complimentosamente 3 ovviamente, logicamente, comunemente 4 sì, certamente.

natùra mòrta loc. sost. V. natura (1).

naufragàre v. intr. 1 [detto di imbarcazione] fare naufragio, colare a picco, inabissarsi, affondare 2 [detto di persona, di progetto] (est.) fallire, cadere (fig.) CONTR. trionfare, vincere 3 [in un bicchiere d'acqua] (fig.) annegarsi in.

naufràgio s. m. 1 affondamento 2 fallimento, crollo (fig.), distruzione (fig.), rovina.

nàusea s. f. 1 disgusto, repulsione, schifo, fastidio, ripugnanza, controstomaco, vomito 2 (est.) sazietà.

nauseabóndo agg. nauseante, repellente, disgustoso, ripugnante CONTR. gradevole, piacevole.

nauseànte part. pres.; anche agg. 1 disgustoso, repellente, nauseabondo, ripugnante, stucchevole CONTR. appetitoso, gradevole 2 (est.) smaccato, esagerato, eccessivo, sperticato.

nauseàre A v. tr. e intr. 1 [detto di odore, di gusto, etc.] disgustare, stomacare, schifare CONTR. piacere 2 (est.) saziare, stuccare 3 [detto di persona, di discorso] (est.) disgustare, stomacare, schifare, stuccare, ripugnare, infastidire, ributtare, repellere B v. intr. pron. disgustarsi, schifarsi, stomacarsi.

nauseàto part. pass.; anche agg. 1 schifato, stomacato, disgustato, infastidito CONTR. pago (lett.), soddisfatto 2 (est.) sazio.

navàta s. f. nave (raro).

nàve (1) s. f. 1 piroscafo (raro), bastimento (raro), legno (lett.), vapore (genov.) 2 (gener.) imbarcazione, barca 3 [tipo di] →barca, imbarcazione 4 (mil.) unità.

NOMENCLATURA

Nave

Nave: imbarcazione semovente, di notevoli dimensioni, atta al trasporto di persone e di cose sull'acqua.

legno: (fig.);
ammiraglia: nave da guerra sui cui è imbarcato l'ammiraglio;

ariete: nave da guerra con sperone;
cinquereme: nave da guerra a cinque ordini di remi;
corazzata: nave da battaglia fornita di corazza;
corvetta: nave da guerra a vela nei secoli 18, 19, attualmente nave da guerra di tonnellaggio non superiore alle 1000 tonnellate per scorta ai convogli e caccia ai sommergibili;
fregata: nave antica a tre alberi a vele quadrate nei secoli 18, 19, con due batterie sovrapposte di cannoni costituente l'unità intermedia tra il vascello e la corvetta attualmente nave da guerra con compiti di scorta dotata di armi antisommergibili e antiaeree, con dislocamento fra 1650 e 7800 tonnellate;
cannoniera: nave da guerra armata con cannoni;
incrociatore: nave da guerra molto veloce;
caracca: nave grossa, mercantile e da guerra, di alto bordo;
galeazza: nave da guerra del XVI secolo di origine;
galeone: nave da guerra e trasporto del XVI sec.;
cinquereme: galeone;
incrociatore: nave da guerra molto veloce con armata e protezione minore della corazzata;
liburna: nave antica da guerra, sottile e veloce;
monitore: nave da guerra di modesto pescaggio per azioni costiere;
motosilurante: nave piccola da guerra armata con siluri;
pirocorvetta: nave da guerra del XIX sec.;
quadrireme: nave da guerra del periodo classico;
quinquereme: nave da guerra a cinque ordini di remi;
torpediniera: nave militare veloce per uso di torpedini o siluri;
mototorpediniera: torpediniera propulsa da apparato motore endotermico;
cacciatorpediniere: nave da guerra con compiti antisiluranti, antiaerei e antisommergibili, armata con cannoni, siluri, missili;
spola: nave piccola;
baleniera: nave da caccia alle balene;
bananiera: nave per il trasporto delle banane;
bucintoro: nave con quaranta remi

usata dal doge di Venezia;

caravella: nave a vela veloce e leggera;

carboniera: nave attrezzata per il trasporto del carbone;

cercurio: specie di nave piccola ma agile;

cocca: nave mercantile tonda di alto bordo usata nel medioevo;

dromo: nave antica da corsa;

dueponti: nave di linea con batterie coperte;

esploratore: nave da ricerca leggera e veloce;

essera: nave a sei ordini di remi sovrapposti;

galea: nave a remi e a vela;

galera;

bireme;

  capitana: galea più grande e armata (con stendardo della squadra);

  fusta: galea medioevale, piccola, veloce e sottile, con un solo albero e un polaccone a prua;

  galeotta: galea sottile da guerra a vela e remo;

  mezzagalera: galera di dimensioni ridotte;

  pianella: galera a fondo piatto;

germa: nave mercantile;

guardacoste: nave in servizio di guardia costiera;

idroscafo: nave con propulsione a reazione d'acqua;

mistico: nave antica a tre alberi e vele quadre;

ippagogo: nave antica per trasportare cavalleria;

marano: nave mercantile nel mediterraneo dal XV/XVI secolo;

motocisterna: nave a cisterna con motore a combustione interna;

motonave: nave mercantile con apparato motore a combustione interna per trasporto di merci o passeggeri;

motoveliero: nave propulsa da motore, dotata anche di alberi e velatura;

motozattera: nave piccola a fondo piatto, prora e poppa quadrate;

panfilo: nave a vela e a remi simile alla galera ma più piccola usata nel Mediterraneo nei secoli quattordicesimo e quindicesimo; nave da diporto;

panfano;

yacht: (*ingl.*);

perno: nave attorno a cui cambia la formazione delle altre;

petroliera: nave attrezzata per il trasporto dei combustibili liquidi;

pistora: nave con sperone;

polirema: nave a più ordini di remi sovrapposti;

poppa: nave in senso poet.;

portaelicotteri: nave attrezzata per l'involo o l'appontaggio di elicotteri;

portaerei: nave attrezzata per l'involo o l'appontaggio di aerei da guerra;

portamissili: nave portamissili;

posacavi: nave attrezzata per deporre cavi elettrici sottomarini;

posamine: nave da guerra attrezzata per collocare mine in mare;

posareti: nave militare per trasporto e posa di reti a difesa di forze navali;

praho: nave a vela e remi, maneggevole, veloce, di origine malese;

prora: nave in senso fig. lett.;

serrafila: nave che procede all'estremità di un reparto;

setteremi: nave a sette ordini di remi;

traghetto: nave attrezzata con binari per il trasporto di veicoli ferroviari e autoveicoli e sim.;

ferry boat: (*ingl.*);

transatlantico: nave passeggeri di grandi dimensioni adibita a percorsi oceanici;

trireme: nave antica romana a tre ordini di remi sovrapposti;

usciere: nave medioevale da carico, spec. per il trasporto dei cavalli;

rimorchiatore: nave piccola che rimorchia le navi nei porti;

ripetitore: nave fuori linea che ripeteva alle navi lontane i segnali dell'ammiraglia;

rotonave: nave mossa dall'azione del vento;

vascello: nave grande da guerra, della fine del sedicesimo secolo, a tre alberi altissimi, 80 e più pezzi di artiglieria e moltissime vele;

  caramusale: vascello antico mercantile turco;

  nave reggente: vascello robusto che tiene bene il mare;

vedetta: nave da guerra piccola, velocissima per la caccia ai sommergibili e la vigilanza lungo le coste;

vela: nave a vela in senso lett.;

veliero: nave, bastimento a vela;

  bombarda: veliero con un albero a vele quadre e uno a vele auriche;

  brigantino: veliero a due alberi a vele quadre;

  marcigliana: veliero da carico del sec. XV;

  navicello: veliero piccolo toscano a due alberi;

  orca: veliero olandese;

  paranza: veliero simile alla tartana, ma più piccolo, pontato, con un albero a vela latina e fiocco, usato nel Tirreno per la pesca a coppie;

  polacca: veliero mediterraneo usato come mercantile;

  tartana: veliero piccolo da carico con un solo albero e bompresso, vela latina e uno o due fiocchi, impiegato anche per la pesca;

  trealberi: veliero a tre alberi escluso sempre il bompresso;

  vinacciera: nave per il trasporto del vino;

tarida: nave da trasporto del XIII e XIV sec.;

sottomarino: nave da guerra destinata ad agire sotto la superficie marina;

sommergibile: nave da guerra atta a navigare in superficie ed anche in immersione;

silurante: nave dotata di lanciasiluri;

motosilurante: nave piccola e velocissima da guerra armata con siluri;

pino: nave in senso est.;

sciabecco: nave malridotta;

palandra: nave fiamminga del XVI sec.;

tascabile: corazzata tascabile;

bastimento: nave grande o piccola, in legno o ferro, a vela o a vapore, di mare o di fiume;

bucio;

  cabotiero: bastimento piccolo da cabotaggio;

  clipper: bastimento mercantile a vela dell'America del nord;

  dogre: bastimento olandese per la pesca o la mercanzia;

  drakkar: bastimento scandinavo antico a forma di drago;

  dromone: bastimento medioevale a alberi;

  duealberi: bastimento con due alberi verticali;

  ecatontoro: bastimento a remi;

  garbo: bastimento mercantile del levante;

  goletta: bastimento a due alberi a vele auriche;

gribana: bastimento piccolo a fondo piatto;

guardaporto: bastimento armato fermo in ogni porto per guardia;

manciva: bastimento indiano a remi;

maona: bastimento turchesco per trasporto o guerra;

navicella: bastimento piccolo lacustre e fluviale;

petacchio: bastimento da guerra dei mari del nord;

pinaccia: bastimento piccolo da vela o da remo;

pinco: bastimento barbaresco a tre alberi usato nel XVIII e XIX sec.;

saettia: bastimento piccolo, sottile e velocissimo, con tre alberi a vele latine in uso nel cinquecento;

sagena: bastimento piccolo per la navigazione litoranea;

scafa: bastimento di cabotaggio secentesco a tre vele;

sciabecco: bastimento con grosso scafo a tre alberi;

vapore: bastimento a vapore.

nàve (2) s. f. navata.

navigànte s. m. **1** marittimo **2** navigatore.

navigàre A v. intr. **1** [su un'imbarcazione] fare rotta, viaggiare per mare, andare su una nave, solcare il mare, veleggiare, fare vela **2** [detto di aereo, etc.] (est.) fare rotta, viaggiare, andare, dirigersi **B** v. tr. [il mare] (raro) percorrere, attraversare.

navigatóre s. m.; anche agg. (f. -trice) navigante.

navigazióne s. f. (est.) traversata.

naviglio s. m. **1** imbarcazione, natante **2** flotta **3** canale.

nazionàle A agg. **1** statale, interno, nazionalistico CONTR. estero, forestiero **B** s. m. e f. (sport) atleta **C** s. f. (sport) squadra.

nazionalistico agg. patriottico, nazionale.

nazionalizzàre v. tr. socializzare, statalizzare, statizzare, collettivizzare CONTR. privatizzare, snazionalizzare.

nazionalizzazióne s. f. statalizzazione, socializzazione (est.) CONTR. privatizzazione.

nazionalsocialismo s. m. nazismo.

nazióne s. f. **1** paese, stato **2** patria **3** popolazione, popolo, razza, gente, sangue (fig.).

né cong. neppure, nemmeno, neanche, e non.

neànche o **né ànche A** avv. neppure, nemmeno, né CONTR. anche, pure **B** cong. non anche, seppure non.

nébbia s. f. **1** foschia, bruma (lett.) **2** (erron.) vapore **3** [rif. alla mente] (est.) confusione, annebbiamento (fig.), appannamento (fig.) CONTR. lucidità.

nebbiosaménte avv. nebulosamente, confusamente, indistintamente CONTR. chiaramente, distintamente.

nebbióso agg. **1** [rif. a un luogo] brumoso, fosco **2** nebuloso, oscuro **3** [rif. al cielo] velato, nebuloso CONTR. sereno.

nebulizzàre v. tr. atomizzare, polverizzare, vaporizzare, cospargere (est.).

nebulosaménte avv. nebbiosamente, vagamente CONTR. distintamente.

nebulosità s. f. inv. indefinitezza, vaghezza, indeterminatezza.

nebulóso agg. **1** [rif. al cielo] nebbioso, caliginoso, fumoso, velato CONTR. sereno, chiaro **2** confuso, incerto.

necessariaménte avv. fatalmente, forzatamente, inevitabilmente, obbligatoriamente CONTR. accessoriamente, secondariamente, marginalmente.

necessàrio A agg. **1** essenziale, indispensabile CONTR. futile, accessorio, rinunciabile **2** (filos.) basilare CONTR. contingente **3** obbligatorio, obbligato, inevitabile, debito **4** irrinunciabile **B** s. m. inv. occorrente, fabbisogno, indispensabile CONTR. soverchio, superfluo.

necessità s. f. inv. **1** bisogno, uopo (raro) **2** esigenza, urgenza **3** (est.) fato, destino **4** [rif. a una condizione sociale] povertà, miseria CONTR. ricchezza, superfluità **5** (est.) penuria, carestia **6** [spec. con: per] forza, obbligo **7** essenzialità.

necessitàre A v. intr. bisognare, occorrere, abbisognare, avere bisogno, avere necessità, mancare, urgere **B** v. tr. richiedere, esigere, reclamare.

necròforo s. m. becchino.

necròpoli s. f. inv. cimitero, camposanto.

nefandézza s. f. **1** [qualità dell'animo] (neg.) infamia, scelleratezza, turpitudine (est.) **2** [l'azione] infamia, misfatto, crimine, delitto, atrocità.

nefàndo agg. abominevole, turpe, empio, infame, scellerato, criminale, delittuoso CONTR. encomiabile, lodevole.

nefàsto agg. **1** [rif. all'esito, a una previsione] infausto, malaugurato, maledetto CONTR. fausto, fortunato, fasto (lett.) **2** [rif. a un giorno, a un evento] funesto, dannato, disgraziato CONTR. fausto, fortunato.

nefrite (1) s. f. **1** giada **2** (gener.) minerale, pietra.

nefrite (2) s. f. (gener.) malattia.

nefròpe s. m. **1** (zool.) scampo, gamberone **2** (gener.) crostaceo.

negàre A v. tr. **1** (ass.) dire di no, rispondere di no **2** ricusare, rifiutare CONTR. concedere **3** non concedere, proibire, impedire CONTR. consentire, lasciare, acconsentire **4** [quanto è stato detto] smentire, contraddire, ritrattare, contestare, confutare CONTR. confermare, affermare, ribadire **5** [un figlio, etc.] rinnegare, disconoscere, misconoscere CONTR. riconoscere **6** [una fede religiosa] (relig.) abiurare a CONTR. riconfermare **7** non confessare CONTR. confessare, ammettere **B** v. rifl. **1** rifiutarsi, esimersi, schermirsi, eludere un CONTR. concedersi **2** nascondersi, celarsi.

negativaménte avv. **1** con un diniego CONTR. affermativamente **2** sfavorevolmente CONTR. favorevolmente.

negativo (1) agg. **1** contrario, sfavorevole CONTR. positivo, affermativo, assertivo **2** [rif. all'effetto] nocivo, dannoso **3** [rif. a un evento] cattivo, brutto, deludente **4** [rif. all'esito, a una previsione] sfavorevole, infelice **5** [rif. agli affari] svantaggioso.

negativo (2) *s. m. (fot.)* immagine negativa.

negàto *part. pass.; anche agg.* **1** proibito, vietato **CONTR.** affermato, dichiarato **2** [*rif. a una persona*] (*fam.*) goffo, impacciato **CONTR.** incline, portato.

negazióne *s. f.* **1** diniego, rifiuto **2** smentita, sconfessione, ritrattazione (*est.*) **CONTR.** asserzione, affermazione **3** (*est.*) abiura **4** antitesi, contrario, opposto.

neghittosità *s. f. inv.* infingardaggine, fannullaggine, accidia (*colto*), ignavia (*colto*), pigrizia, indolenza, lentezza (*est.*), infingardaggine **CONTR.** solerzia, alacrità, volontà (*fig.*).

neghittóso *agg.* infingardo, ignavo, pigro, indolente, lento, scioperato **CONTR.** attivo, operoso, dinamico, gagliardo, solerte, svelto, sollecito, volenteroso **B** *s. m.* (*f. -a*) indolente, accidioso.

neglètto *part. pass.; anche agg.* **1** disprezzato, trascurato **CONTR.** eletto, ricercato **2** trasandato, sciatto **CONTR.** ricercato, elegante.

negligènte A *agg.* **1** disattento, trascurato, svogliato, sciatto **CONTR.** diligente, meticoloso, attento, coscienzioso, scrupoloso, zelante, ligio, assiduo, esatto, studioso **2** (*est.*) pigro, indolente **3** [*rif. a un esame, a un'analisi, a un lavoro*] affrettato, superficiale, impreciso, disattento **CONTR.** meticoloso, attento, scrupoloso, esatto, accurato, rigoroso, minuto, coscienzioso, scrupoloso, religioso (*fig.*) **B** *s. m.* e f. svogliato, pigro (*est.*).

negligenteménte *avv.* trascuratamente, senza attenzione, svogliatamente, distrattamente, sbadatamente, ciondoloni **CONTR.** accuratamente, coscienziosamente, diligentemente, zelantemente, assiduamente, fedelmente, sollecitamente.

negligènza *s. f.* **1** [*rif. all'atteggiamento*] incuria, noncuranza **CONTR.** attenzione, scrupolosità, scrupolo **2** (*est.*) svogliatezza, pigrizia **CONTR.** zelo **3** [*l'azione*] dimenticanza, trascuratezza, sbadataggine, inavvertenza, colpa.

negligere *v. tr.* trascurare, tralasciare, omettere, cacare (*volg.*) **CONTR.** curare.

negoziànte *s. m.* e f. **1** commerciante, bottegaio **2** [*tipo di*] salumaio, droghiere, pizzicagnolo, salumiere.

negoziàre *v. tr.* **1** [*mercanzie*] smerciare, commerciare, trafficare **2** [*il prezzo, le condizioni*] (*est.*) contrattare (*raro*), mercanteggiare, trattare **3** [*un accordo di pace, etc.*] trattare, patteggiare, discutere, intavolare trattative.

negoziàto *s. m.* trattativa, contrattazione, discussione (*est.*).

negoziazióne *s. f.* trattativa.

negòzio *s. m.* **1** affare, faccenda **2** bottega, esercizio, spaccio, vendita (*est.*), rivendita **3** [*tipo di*] boutique (*fr.*), salumeria, salsamenteria, pizzicheria **4** (*est.*) lavoro, occupazione, attività.

negrézza *s. f.* nerezza (*raro*) **CONTR.** bianchezza, biancore.

negrière *s. m.* negriero, schiavista.

negrièro *s. m.* (*f. -a*) **1** negriere (*raro*), schiavista, aguzzino **2** (*est.*) sfruttatore.

négro A *s. m.* (*f. -a*) nero, persona di colore **B** *agg.* nero.

negromànte *s. m.* e f. stregone, indovino, sciamano, mago.

nègus *s. m. inv.* imperatore, sovrano.

nell'insième *loc. avv.* V. *insieme.*

nell'ìntimo *loc. avv.* V. *intimo.*

nematòdi *s. m. pl.* **1** (*gener.*) animale **2** [*tipo di*]. →animali

nèmbo *s. m.* **1** nuvola, nube **2** (*est.*) pioggia **3** [*di persone, animali*] (*est.*) moltitudine, sciame (*fig.*).

nèmesi *s. f. inv.* vendetta.

nemico A *agg.* **1** ostile, avversario **CONTR.** amichevole, affezionato, benevolo **2** avverso, contrario **CONTR.** alleato, amico **3** dannoso **B** *s. m.* (*f. -a*) **1** avversario, oppositore, antagonista, rivale **CONTR.** seguace, simpatizzante, sostenitore, tifoso, amico, alleato, socio **2** (*est.*) straniero.

nemméno A *avv.* neppure, neanche **B** *cong.* né, neppure.

nèo (1) *s. m.* **1** (*med.*) nevo (*raro*) **2** (*est.*) imperfezione, difetto, pecca, vizio.

nèo (2) *s. m.* V. *neon.*

neòfita *s. m.* e f. **1** proselito **2** novizio **CONTR.** veterano.

neolatino *agg.* (*ling.*) romanzo.

nèon o **nèo (2)** *s. m.* (*gener.*) gas.

neonàto A *s. m.* (*f. -a*) lattante, poppante, infante (*colto*), bambino, bimbo, bebè **CONTR.** fanciullo, adolescente, ragazzo, giovanotto, giovane, uomo, adulto, vecchio, anziano **B** *agg.* nuovo, recente.

neoplasìa *s. f.* tumore, neoplasma (*med.*), cancro (*pop.*), blastoma.

neoplàsma *s. m.* tumore, cancro (*pop.*), neoplasia, blastoma.

nepotismo *s. m.* favoreggiamento, favoritismo **CONTR.** imparzialità.

neppùre A *avv.* neanche, nemmeno **CONTR.** anche, pure **B** *cong.* né **CONTR.** anche, pure.

nèrbo *s. m.* **1** staffile, frusta, nervo **2** (*est.*) vigore, forza **CONTR.** debolezza.

nerétto *s. m.* grassetto.

nerézza *s. f.* negrezza (*lett.*) **CONTR.** bianchezza, biancore.

néro A *agg.* **1** [*rif. al colore*] scuro, bruno **CONTR.** bianco **2** [*rif. all'umore, al tempo*] cupo, triste, buio, fosco **CONTR.** sereno **3** [*rif. a un evento*] funesto, luttuoso **B** *s. m.* **1** (*gener.*) colore **2** [*rif. a una persona*] negro **CONTR.** bianco.

nervatùra *s. f.* [*di una foglia*] (*bot.*) venatura.

nèrvo *s. m.* **1** [*tipo di*] tendine (*erron.*) **2** [*rif. a un vegetale*] (*bot.*) filamento, filo **3** (*est.*) forza, vigoria, nerbo **4** [*di uno strumento musicale*] (*est.*) corda, minugia (*raro*) **5** (*est.*) nerbo, staffile, scudiscio, frusta.

nervosaménte *avv.* con nervosismo, impazientemente, agitatamente, smaniosamente **CONTR.** pazientemente, con pazienza, quietamente, rilassatamente, impassibilmente, imperturbabilmente, bellamente, bonariamente, filosoficamente.

nervosismo *s. m.* **1** tensione, ansietà, agitazione **CONTR.** tranquillità, calma, placidità **2** smania, impazienza, irrequietezza, concitazione, eccitazione **CONTR.** pazienza **3** irritazione, malessere, scontento **CONTR.** serenità.

nervóso *A agg.* **1** eccitabile, irritabile, agitato, impaziente, ansioso **CONTR.** flemmatico, inalterabile, calmo, tranquillo **2** [*rif. al fisico*] vigoroso, scattante **CONTR.** flemmatico **3** [*rif. a un discorso*] stringato, conciso **CONTR.** flemmatico, calmo, tranquillo **4** [*rif. a un moto, a un movimento*] rapido, veloce *B s. m.* (*f. -a*) psicastenico.

nèspola *s. f.* (*gener.*) frutto.

nèspolo *s. m.* (*gener.*) pianta.

nèsso *s. m.* **1** legame, connessione, collegamento, correlazione, rapporto, relazione **2** riferimento, riguardo.

nessùno *A agg. indef.* **1** neanche uno, alcuno, punto (*tosc.*) **CONTR.** tutti **2** [*in proposizione interrogativa*] qualche *B pron. indef.* **1** non uno, neanche uno **2** [*spec. in prop. interr. o dubitative*] qualcuno *C s. m. sing.* nullità.

nettaménte *avv.* **1** decisamente, categoricamente, assolutamente **CONTR.** per nulla **2** chiaramente, comprensibilmente, distintamente, nitidamente **CONTR.** per nulla.

nettàre (1) *A v. tr.* **1** detergere, lavare, mondare, pulire, ripulire, forbire (*colto*), tergere **CONTR.** sporcare, imbrattare, impiastrare, impiastricciare, insozzare, insudiciare, macchiare, maculare **2** [*modi di*] (*est.*) scopare, spazzare, ramazzare *B v. rifl.* detergersi, pulirsi, lavarsi, forbirsi (*colto*) **CONTR.** sporcarsi, insudiciarsi, macchiarsi, insozzarsi.

nèttare (2) *s. m.* (*est.*) miele.

nettézza *s. f.* **1** pulizia, nitore **CONTR.** sporcizia **2** nitidezza, precisione, esattezza.

nétto *A agg.* **1** lindo, nitido, mondo **CONTR.** lordo (*lett.*), sudicio, imbrattato, impiastrato, inzaccherato, macchiato **2** [*rif. all'animo*] schietto, puro **CONTR.** laido **3** (*anche fig.*) nitido, preciso, esatto, chiaro, deciso **CONTR.** evanescente **4** [*rif. a un rifiuto, a una risposta*] secco, categorico, inequivo-cabile **CONTR.** evasivo *B avv.* chiaramente, chiaro **CONTR.** ambiguamente, confusamente, vagamente *C s. m. sing.* [*rif. al peso*] **CONTR.** lordo.

netturbino *s. m.* (*f. -a*) operatore ecologico, spazzino.

neurastènico *agg., s. m.* (*f. -a*) V. *nevrastenico.*

neuròtico *agg., s. m.* (*f. -a*) V. *nevrotico.*

neutràle *A agg.* **1** [*rif. a una persona*] imparziale, indifferente **CONTR.** parziale, belligerante, partigiano **2** [*rif. a un'opinione, a un giudizio*] oggettivo, spassionato **CONTR.** parziale, fazioso **3** (*chim.*) neutro *B s. m. e f.* [*in politica*] **CONTR.** allineato.

neutralità *s. f. inv.* **1** (*est.*) imparzialità, obiettività **CONTR.** parzialità **2** (*est.*) indifferenza.

neutralizzàre *A v. tr.* **1** rendere innocuo, fermare (*est.*) **CONTR.** aiutare, favorire, appoggiare **2** [*gli sforzi, un danno*] rendere nullo, prevenire gli effetti *di*, sventare, vanificare, annullare, rendere vano **3** [*un giocatore*] (*sport*) marcare **4** [*gli effetti*] (*est.*) equilibrare, bilanciare *B v. rifl. rec.* elidersi, bloccarsi.

nèutro *A agg.* **1** neutrale **CONTR.** parziale **2** [*rif. alla forma, al suono, al colore*] indefinibile, scialbo **CONTR.** distinto, espressivo **3** [*rif. a un ambiente, etc.*] asettico *B s. m. sing.* (*ling.*) genere **CONTR.** maschile, femminile.

néve *s. f.* (*est.*) coca, cocaina, eroina.

nevicàre *v. intr. impers.* cadere la neve, fioccare, cadere a fiocchi.

nèvo *s. m.* neo.

nevrastènico o **neurastènico** *A agg.* nevrotico, collerico, stizzoso, irascibile, iracondo **CONTR.** calmo, tranquillo *B s. m.* (*f. -a*) (*psicol.*) psicolabile, nevrotico.

nevròtico o **neurótico** *A agg.* **1** [*rif. a una persona*] psicastenico, nevrastenico, bisbetico, difficile **CONTR.** calmo, sereno **2** [*rif. al movimento, al lavoro*] agitato, convulso, scomposto *B s. m.* (*f. -a*) psicastenico, psicolabile.

nicchiàre *v. intr.* titubare, tentennare, esitare, tergiversare, schermirsi, temporeggiare.

nicotìna *s. f.* (*gener.*) alcaloide.

nidiàta *s. f.* **1** covata **2** prole.

nidificàre *v. intr.* **1** fare il nido **2** (*est.*) stabilirsi, fissarsi, insediarsi, stanziarsi.

nido *s. m.* **1** (*gener.*) casa **2** (*est.*) patria **3** (*est.*) rifugio **4** [*rif. agli animali*] (*est.*) covile, covo **5** [*di banditi, etc.*] (*fig.*) tana (*spreg.*), ricetto, sentina (*lett.*), ricettacolo **6** asilo.

niènte *A agg.* **1** per nulla, punto, nulla **CONTR.** moltissimo, molto, parecchio **2** [*in frasi negative*] affatto *B pron. indef.* **1** nulla, nessuna cosa **2** [*spec. in prop. interr. o dubitative*] qualcosa *C agg. indef. inv.* nessuno *D s. m. inv.* **1** nulla **CONTR.** tutto **2** [*rif. a una persona*] (*fig.*) zero, tubo (*pop.*), soldo **3** [*rif. a un regalo*] (*fig.*) spillo, inezia.

nienteméno *A avv.* addirittura, perfino *B cong.* **1** tuttavia, nondimeno **2** allo stesso modo, altresì.

ninfèa *s. f.* (*gener.*) fiore.

ninfétta *s. f.* lolita.

ninnàre *v. tr.* cullare.

nitidaménte *avv.* limpidamente, chiaramente, nettamente, distintamente **CONTR.** torbidamente, confusamente (*fig.*), offuscatamente (*fig.*).

nitidézza *s. f.* **1** pulizia, limpidezza, lucentezza **CONTR.** sporcizia **2** [*rif. a una fotografia*] nettezza, precisione **3** [*rif. a idee, a pensieri*] chiarezza, lucidità **CONTR.** confusione.

nitido *A agg.* **1** pulito, terso, netto, limpido **CONTR.** fosco, fumoso, confuso **2** [*rif. allo stile*] (*fig.*) chiaro, trasparente **CONTR.** fumoso, confuso **3** [*rif. a un segno, a un profilo*] deciso (*fig.*), delineato, preciso **CONTR.** confuso.

nitóre *s. m.* **1** pulizia, nettezza, splendore, lindore, lindura (*raro*) **CONTR.** sporcizia, lordura, sozzura, lerciume **2** [*nello stile*] chiarezza, eleganza.

niùno *agg. e pron. indef.* nessuno.

niveo *agg.* bianco, candido, immacolato, latteo, eburneo (*lett.*).

no *A* *avv.* mai **CONTR.** sì, già, certo *B* *s. m. inv.* *1* rifiuto, negazione, diniego, dissenso **CONTR.** sì, assenso, consenso *2* voto contrario **CONTR.** voto favorevole.

nobildònna *s. f.* *1* gentildonna, lady (*ingl.*), signora *2* [*in quanto all'animo*] signora *3* (*gener.*) donna.

nòbile *A* *agg.* *1* [*rif. all'animo*] cavalleresco, generoso, magnanimo **CONTR.** umile, plebeo *2* [*rif. al portamento*] aristocratico, elegante, distinto, dignitoso, decoroso, altero *3* [*rif. allo spirito*] alto, elevato, eletto, sublime, aureo **CONTR.** abietto, animalesco, ignobile, indegno, infame, turpe, volgare *4* [*rif. allo stato sociale*] elevato **CONTR.** plebeo, proletario, popolano, borghese *B* *s. m. e f.* aristocratico **CONTR.** plebeo, popolano, borghese.

nobilitàre *A* *v. tr.* *1* conferire dignità *a* *2* elevare, innalzare **CONTR.** abbassare, avvilire *3* migliorare, ingentilire, arricchire **CONTR.** involgarire, deturpare, imbastardire *4* (*est.*) divinizzare, idealizzare *B* *v. rifl.* elevarsi, innalzarsi, migliorarsi **CONTR.** abbassarsi, involgarirsi, degradarsi, imbastardirsi.

nobilménte *avv.* *1* aristocraticamente, cavallerescamente, signorilmente **CONTR.** bassamente, ignobilmente, indegnamente *2* dignitosamente, decorosamente, onorevolmente, elevatamente **CONTR.** ignobilmente, laidamente, volgarmente, turpemente *3* elevatamente, generosamente, liberalmente.

nobiltà *s. f. inv.* *1* aristocrazia, patriziato **CONTR.** borghesia, plebe, volgo *2* [*rif. allo studio, all'arte, alla scienza*] sublimità, eccellenza, superiorità (*est.*), altezza (*fig.*) *3* [*qualità dell'animo*] (*est.*) elevatezza, signorilità, magnanimità, gentilezza, umanità **CONTR.** abiezione, volgarità, bassezza, ignobiltà, piccolezza *4* [*di un casato*] (*fig.*) splendore.

nobiluòmo *s. m.* (*pl. nobiluomini*) *1* gentiluomo *2* [*in quanto all'animo*] signore, galantuomo.

nocciòla o **nocciuòla** *A* *s. f.* (*gener.*) frutto *B* *agg.* marrone.

nòcciolo (1) *s. m.* *1* seme (*pop.*), osso (*pop.*), endocarpo (*bot.*) *2* (*fig.*) nucleo, centro, succo, essenza, nodo,

viscere (*raro*), fulcro, fondamento, cuore.

nocciòlo (2) o **nocciuòlo** *s. m.* *1* avellano (*colto*) *2* (*gener.*) pianta, albero.

nocciòlo (3) *s. m.* *1* palombo *2* (*gener.*) squalo.

nocciuòla *s. f.; anche agg.* V. *nocciola.*

nocciuòlo *s. m.* V. *nocciolo (2).*

nóce *A* *s. m.* (*gener.*) albero *B* *s. f.* (*gener.*) frutto.

nocivaménte *avv.* dannosamente, perniciosamente, funestamente, pericolosamente **CONTR.** vantaggiosamente, utilmente, proficuamente.

nocività *s. f. inv.* pericolosità, dannosità (*raro*), velenosità **CONTR.** salubrità.

nocìvo *agg.* *1* dannoso, deleterio, negativo **CONTR.** innocuo, salubre, buono *2* [*rif. al cibo, a una bevanda, etc.*] insalubre, velenoso, tossico *3* [*rif. all'effetto*] cattivo, maligno, pernicioso *4* (*est.*) pericoloso, svantaggioso, controindicato.

nòdo *s. m.* *1* cappio, legatura (*raro*) *2* (*anche fig.*) groviglio, viluppo *3* [*affettivo*] (*fig.*) vincolo, legame *4* (*est.*) problema, intoppo *5* [*in gola*] (*fig.*) groppo *6* [*di un problema, etc.*] (*fig.*) nocciolo (*raro*), essenza, nucleo *7* [*della pelle*] nodosità, indurimento.

nodosità *s. f. inv.* [*della pelle, etc.*] nodo, indurimento.

nòia *s. f.* *1* tedio (*colto*), uggia, afa (*tosc.*) **CONTR.** sollazzo, spasso *2* [*rif. a uno spettacolo*] (*fig.*) zuppa (*fam.*), strazio, barba (*pop.*), lagna (*fam.*), solfa (*fam.*) *3* [*rif. a una persona, etc.*] gravezza (*colto*), pesantezza, noiosità, monotonia, grigiore *4* [*rif. al cibo, etc.*] fastidio, molestia, disgusto, saturazione *5* rottura (*pop.*), seccatura (*pop.*), guaio (*est.*), scocciatura (*pop.*), fatica (*est.*), scomodità *6* [*spec. con: prendersi a*] briga *7* (*est.*) scontentezza, insoddisfazione.

noiosaménte *avv.* *1* barbosamente, monotonamente, tediosamente, pedantemente, uggiosamente, uniformemente **CONTR.** brillantemente, briosamente *2* fastidiosamente, insopportabilmente.

noiosità *s. f. inv.* *1* [*rif. a una persona, a uno spettacolo, etc.*] molestia, noia, fastidiosità, pesantezza *2* [*rif. a una persona*] petulanza, prolissità (*est.*).

noióso *agg.* *1* [*rif. a una persona*] tedioso, fastidioso, monotono, pedante, cavilloso, uggioso, appiccicoso (*fig.*), peso (*dial.*) **CONTR.** brioso, brillante, interessante, stimolante, affascinante, appassionante, divertente, attraente, fantasioso, spiritoso *2* [*rif. a una persona, a una situazione*] molesto, irritante, seccante, pesante **CONTR.** brillante, stimolante, eccitante, spassoso *3* [*rif. a un discorso*] prolisso, ripetitivo **CONTR.** stimolante, fantasioso, spiritoso, eccitante, elettrizzante, stuzzicante.

noleggiàre *v. tr.* prendere a noleggio, affittare.

noléggio *s. m.* *1* affitto, nolo *2* [*luogo dove si noleggia*] (*est.*) rimessa.

nòlo *s. m.* affitto, noleggio.

nòmade *A* *agg.* *1* errante, ramingo (*lett.*), itinerante, viaggiante **CONTR.** stanziale, stabile, fisso *2* [*rif. agli animali*] randagio *B* *s. m. e f.* *1* (*spreg.*) girovago, vagabondo, giramondo *2* (*est.*) gitano.

nóme *s. m.* *1* appellativo, soprannome (*est.*) *2* (*est.*) denominazione (*colto*) *3* casato, cognome *4* [*nei testi scritti, etc.*] titolo *5* (*est.*) fama, notorietà, vita (*fig.*) *6* (*ling.*) sostantivo, vocabolo, parola, termine.

nomèa *s. f.* fama, reputazione, nominanza (*raro*), nomina, rinomanza.

nomignolo *s. m.* soprannome, appellativo, epiteto (*spreg.*).

nòmina *s. f.* *1* designazione, elezione (*est.*) *2* [*a una carica*] assegnazione *3* fama, reputazione, nomea (*spreg.*), nominanza (*est.*) *4* (*est.*) notorietà.

nominànza *s. f.* nomea (*spreg.*), fama, nomina, reputazione.

nominàre *A* *v. tr.* *1* dare il nome *a*, chiamare, denominare, battezzare (*fig.*) *2* menzionare, ricordare, rammentare, citare, mentovare (*lett.*) *3* [*qc. a una carica*] delegare, incoronare (*fig.*), proporre, deputare, eleggere, scegliere, designare, fare (*fig.*), creare (*fig.*), costituire (*fig.*), istituire (*est.*) **4** [*una via, etc.*] intitolare **5** [*qc. proprio erede*] dichiarare, proclamare **B** *v. rifl.* incoronarsi, eleggersi, dichiararsi, costituirsi.

nominàto *part. pass.; anche agg.* dichiarato, eletto, scelto.

nonchalance *s. f. inv.* noncuranza, disinvoltura (*est.*) **CONTR.** impaccio, disagio.

noncurànte *agg.* indifferente, sbadato, trascurato, disinteressato, dimentico **CONTR.** ghiotto (*fig.*), desideroso.

noncurànza *s. f.* **1** negligenza, leggerezza, disattenzione, disinteresse **CONTR.** stupore, sollecitudine, avvertenza, interessamento, interesse **2** scioltezza, nonchalance (*fr.*), disinvoltura **3** (*est.*) disprezzo, sprezzo.

nondiméno *cong.* veramente, tuttavia, ciononostante, però, pure.

nònno *s. m.* (*f. -a*) **1** vecchio, anziano **CONTR.** giovane **2** (*mil.*) veterano **CONTR.** matricola.

nonnùlla *s. f. inv.* inezia, quisquilia, minuzia, bagattella, bazzecola, briciola (*fig.*), aggeggio (*fig.*).

nonostànte **A** *cong.* **1** benché, quantunque **2** [*con valore avversativo*] così **B** *prep.* malgrado.

non udènte *loc. agg.* sordo.

non vedènte *loc. agg.* cieco.

norcino *s. m.* salumiere, pizzicagnolo.

nord **A** *s. m. inv.* settentrione, tramontana, borea (*lett.*), mezzanotte (*raro*) **CONTR.** sud, meridione, est, levante, oriente, ovest, occidente, ponente **B** *agg.* settentrionale.

nòrdico **A** *agg.* settentrionale **CONTR.** meridionale **B** *s. m.* (*f. -a*) [*rif. a una popolazione*] **CONTR.** meridionale.

nòrma *s. f.* **1** principio, regola, precetto, canone, criterio, metodo (*est.*), linea (*est.*), parametro (*est.*), modulo, modo **2** esempio, modello **3** principio, prescrizione, istruzione **4** prassi (*bur.*), abitudine, consuetudine, costume, uso, rituale (*colto*), modalità **5** legge, ordinanza (*bur.*), normativa, governo (*raro*), convenzione **6** [*morale*] imperativo.

normàle *agg.* **1** ordinario, usuale, consueto, abituale, regolare, regolamentare (*est.*) **CONTR.** speciale, esclusivo, eccezionale, insolito, inusitato, innovativo, caratteristico, fantastico, formidabile, meraviglioso, strabiliante, bizzarro, leggendario (*est.*), anormale **2** logico, naturale **CONTR.** anormale, anòmalo, irregolare, paradossale, patologico (*est.*), pazzo, strambo, strano **3** (*mat.*) ortogonale **4** regolare **5** [*rif. alle dosi dei medicinali*] regolare **CONTR.** urto, massiccio, forte.

normalità *s. f. inv.* **1** banalità (*spreg.*), mediocrità **CONTR.** anormalità, stravaganza, stranezza, singolarità, stramberia, eccentricità, eccezionalità **2** regolarità, legalità **3** sanità.

normalizzàre *v. tr.* **1** regolarizzare, regolare, disciplinare, ordinare **CONTR.** disordinare, scombussolare, sovvertire **2** uniformare, unificare, standardizzare **CONTR.** diversificare.

normalizzazióne *s. f.* standardizzazione.

normalménte *avv.* **1** abitualmente, di solito, usualmente, correntemente **CONTR.** bizzarramente, capricciosamente, incidentalmente, abnormemente **2** abitualmente, di solito, usualmente, fisiologicamente **CONTR.** abnormemente **3** regolarmente.

normativa *s. f.* ordinamento, regolamento, legge (*est.*), norma.

nosocòmio *s. m.* ospedale.

nostalgìa *s. f.* **1** (*est.*) struggimento, rimpianto, melanconia **2** (*est.*) ricordo **3** (*est.*) tristezza, malinconia **4** (*gener.*) sentimento.

nòta *s. f.* **1** [*per distinguere q.c.*] segno, contrassegno **2** appunto, annotazione, promemoria **3** [*di cose, di persone*] elenco, lista **4** [*in un testo scritto*] citazione, chiarimento, spiegazione, glossa (*lett.*), chiosa (*lett.*) **5** [*in un documento*] (*dir.*) postilla, clausola, codicillo **6** [*in documenti ufficiali*] memoria, memoriale, comunicazione **7** fattura, conto, rendiconto **8** [*spec. con: fare una*] considerazione, rilievo, giudizio, osservazione, commento **9** [*in un giornale*] trafiletto **10** [*nel parlare*] (*est.*) accento, tono, misura **11** [*tironiana*] (*est.*) carattere, scrittura.

notàbile **A** *agg.* **1** [*rif. a una persona*] illustre, famoso, pregevole, insigne, ragguardevole **CONTR.** insignificante **2** [*rif. a una quantità, a un numero*] (*est.*) ragguardevole, considerevole, notevole **CONTR.** irrilevante, trascurabile **B** *s. m. e f.* potente.

notàio *s. m.* (*f. -a*) (*gener.*) professionista.

notàre **A** *v. tr.* **1** rilevare, distinguere, accorgersi *di*, osservare, constatare, avvertire, vedere **CONTR.** trascurare **2** postillare, segnare, contrassegnare **3** [*appunti, etc.*] elencare, annotare, registrare, scrivere **4** [*un episodio*] (*est.*) rilevare, rimarcare **B** *v. intr.* nuotare.

notes *s. m. inv.* quaderno, taccuino, agenda.

notévole *agg.* **1** importante, pregevole, apprezzabile **CONTR.** irrilevante, trascurabile, minimo **2** (*est.*) vistoso, sensibile **3** [*rif. a un'opera d'arte*] splendido, pregiato **4** [*rif. a un'impresa*] memorabile **5** [*rif. a un patrimonio, etc.*] apprezzabile, forte, considerevole, ingente, sostanzioso, rilevante, notabile, rispettabile (*impr.*) **CONTR.** irrilevante, trascurabile, minimo.

notevolménte *avv.* molto, assai, vistosamente, considerevolmente, grandemente, parecchio, sensibilmente **CONTR.** scarsamente, poco.

notificàre *v. tr.* **1** [*un atto pubblico*] comunicare **2** [*q.c.*] comunicare, annunciare, dichiarare, spiegare, divulgare, rivelare **CONTR.** nascondere, occultare **3** [*qc. di q.c.*] avvisare, informare **4** [*lo sfratto, etc.*] (*dir.*) intimare **5** [*q.c. all'autorità*] denunciare **6** [*una multa, una pena*] contestare **7** [*le proprie opinioni*] manifestare, palesare.

notìzia *s. f.* **1** nuova (*colto*), novella (*lett.*), novità (*est.*) **2** (*est.*) messaggio, comunicato, comunicazione, ambasciata **3** (*est.*) informazione, indicazione, ragguaglio, cenno (*fig.*) **4** [*rif. ad argomenti, alla scienza*] nozione **5** [*spec. con: avere*] cognizione, conoscenza *6* [*spec. con: correre*] voce, fama.

notiziàrio *s. m.* (*est.*) bollettino, gazzettino.

nòto A *agg.* *1* conosciuto, familiare, popolare, collaudato (*est.*), sperimentato (*est.*) **CONTR.** ignorato, ignoto, inesplorato, segreto, arcano (*est.*) *2* (*est.*) celebre, affermato, stimato, arrivato **CONTR.** sconosciuto, ignoto, qualunque *3* (*spreg.*) matricolato *4* risaputo, palese, notorio **CONTR.** sconosciuto *B s. m. sing.* certo, conosciuto **CONTR.** ignoto.

notoriaménte *avv.* manifestamente, palesemente, pubblicamente (*est.*).

notorietà *s. f. inv.* popolarità, fama, celebrità, rinomanza, nome (*fig.*), nomina (*est.*).

notòrio *agg.* noto, risaputo, manifesto, palese, patente **CONTR.** oscuro, sconosciuto.

notosàuro *s. m.* (*gener.*) dinosauro.

nottàta *s. f. 1* notte **CONTR.** giornata *2* [*spec. con: fare*] veglia.

nòtte *s. f. 1* nottata (*fam.*) **CONTR.** giorno, giornata *2* (*est.*) oscurità, buio *3* (*est.*) ignoranza, barbarie *4* (*est.*) cecità.

nottetémpo *avv.* di notte.

nòttua *s. f.* (*gener.*) farfalla.

novèlla *s. f. 1* racconto, favola, fiaba, fola (*raro*), conto (*lett.*) *2* nuova (*colto*), notizia.

novellàre *v. intr. 1* favoleggiare, narrare, favolare *2* (*est.*) discorrere, chiacchierare.

novèllo *agg.* nuovo, fresco **CONTR.** consumato, vecchio, specializzato (*est.*).

noveràre *v. tr. 1* annoverare, contare, contemplare (*fig.*) *2* enumerare, elencare, numerare.

novità *s. f. inv. 1* innovazione, riforma, mutamento (*est.*) *2* modernità, attualità, originalità, nuovo **CONTR.** antichità, vecchiume *3* nuova (*colto*), notizia (*est.*) *4* (*est.*) stranezza.

noviziàto *s. m.* apprendistato.

novizio A *s. m.* (*f. -a*) *1* [*in un gruppo politico, etc.*] neofita *2* (*relig.*) catecumeno, proselito *3* (*mil.*) recluta, matricola *4* [*in una attività*] principiante, tirocinante *B agg.* principiante, tirocinante, inesperto (*est.*) **CONTR.** maestro, provetto, esperto.

noziόne *s. f. 1* conoscenza, cognizione *2* (*filos.*) idea, concetto *3* (*est.*) consapevolezza, esperienza *4* [*rif. a un argomento, etc.*] (*est.*) notizia.

nòzze *s. f. pl.* sposalizio (*pop.*), matrimonio.

nuance *s. f. inv.* gradazione, sfumatura, tonalità, tono.

nùbe *s. f. 1* nuvola, nembo (*lett.*) *2* [*di uccelli*] (*est.*) stormo *3* [*di tristezza, etc.*] (*fig.*) velo *4* [*di sventura, etc.*] (*est.*) pericolo, minaccia.

nùbile A *s. f.* zitella (*spreg.*) *B agg.* **CONTR.** celibe.

nucleàre A *s. m. sing.* (*gener.*) energia *B agg.* atomico.

nùcleo *s. m. 1* centro *2* [*di un problema*] centro, nocciolo (*fig.*), nodo (*fig.*), focus *3* [*di una comitiva, di una compagnia*] essenza, anima (*fig.*), cuore (*fig.*) *4* [*di persone*] (*est.*) gruppo, équipe (*fr.*) *5* [*campione di roccia*] (*min.*) carota.

nùdo A *agg. 1* svestito, denudato, scoperto **CONTR.** coperto, abbigliato (*colto*), imbaccucato (*fam.*) *2* [*rif. a cosa*] (*fig.*) spoglio, sguarnito, disadorno **CONTR.** adornato *3* [*rif. alla verità, etc.*] (*fig.*) manifesto, palese, schietto, crudo *4* [*rif. a una persona*] (*lett.*) inerme, indifeso, disarmato **CONTR.** vestito *B s. m. sing.* [*tipo di*] pittura.

nùgolo *s. m. 1* stormo, sciame *2* (*est.*) nuvola (*fig.*), moltitudine.

nùlla A *avv.* niente *B s. m. inv. 1* caos *2* niente, vuoto, deserto (*fig.*) *C pron. indef.* niente.

nullità *s. f. sing. 1* [*rif. a una persona*] (*fig.*) zero, verme, sconosciuto, microbo *2* [*rif. al matrimonio, etc.*] (*dir.*) invalidità, illegittimità.

nùme *s. m.* divinità, Dio, essere supremo.

numeràre *v. tr. 1* ordinare, elencare, dare un numero progressivo a, etichettare *2* computare, enumerare, contare, noverare.

nùmero *s. m. 1* cifra **CONTR.** lettera, carattere *2* [*tipo di*] pari, dispari *3* [*di scarpe*] misura *4* [*di oggetti*] (*est.*) quantità *5* serie, schiera, classe *6* [*rif. a uno spettacolo*] attrazione, show, sketch (*ingl.*) *7* [*rif. a una persona*] requisito, qualità *8* [*rif. a una persona*] tipo, soggetto *9* [*di una rivista, di un giornale*] fascicolo, opuscolo, dispensa.

numerosaménte *avv.* in quantità **CONTR.** scarsamente.

numeróso *agg. 1* molteplice, innumerevole, vario, ripetuto **CONTR.** scarso, limitato, unico *2* copioso, grosso, folto **CONTR.** scarso *3* innumerevole, spesso.

nùnzio *s. m.* ambasciatore, messaggero, messo, inviato.

nuòcere *v. intr.* [*al buon nome, etc.*] danneggiare *un*, intaccare *un*, rovinare *un*, pregiudicare *un*, compromettere *un*, toccare *un*, ledere *un*, offendere *un* **CONTR.** giovare, aiutare, avvantaggiare, donare, proteggere.

nuotàre *v. intr. 1* notare (*poet.*), galleggiare, stare a galla **CONTR.** affogare, annegare *2* (*anche fig.*) sguazzare, guazzare *3* guizzare.

nuotàta *s. f.* bagno (*est.*).

nuòto *s. m. sing.* (*gener.*) sport.

nuòva *s. f.* notizia, novità, novella (*lett.*).

nuovaménte *avv.* ancora, di nuovo, un'altra volta.

nuòvo A *agg. 1* recente, fresco, novello, neonato (*fig.*), fanciullo (*fig.*) **CONTR.** vecchio, antico, disusato, inattuale, inveterato, trito, usato (*lett.*), vetusto (*lett.*) *2* (*est.*) moderno **CONTR.** antico, antiquato, sorpassato *3* insolito, curioso, strano, inedito, originale **CONTR.** classico, collaudato, convenzionale *4* [*rif. alla mentalità*] (*fig.*) ardito, anticonformista, alternativo **CONTR.** antiquato, vieto, superato

5 altro, diverso, secondo **6** [*rif. a un abito*] moderno, recente **CONTR.** usato (*lett.*), frusto, consumato, consunto, liso, logorato, logoro **7** [*rif. a un'impresa*] neonato (*fig.*) **CONTR.** avviato, consolidato **B** *s. m. sing.* **1** novità **2** moderno **CONTR.** antico, vecchio.

nurse *s. f. inv.* **1** bambinaia, baby-sitter (*ingl.*) **2** (*gener.*) donna.

nutrice *s. f.* **1** balia **2** bambinaia **3** (*gener.*) donna.

nutrìente *part. pres.; anche agg.* sostanzioso.

nutrimènto *s. m.* **1** alimento, sostentamento, alimentazione **2** (*est.*) alimento, cibo, pane, vitto.

nutrire A *v. tr.* **1** alimentare, dare da mangiare a **2** [*un neonato*] allattare **3** sfamare, cibare, rifocillare, satollare, saziare, sostentare **CONTR.** affamare **4** imboccare, pascere (*lett.*) **5** [*la pelle*] idratare **6** [*il terreno*] ingrassare **CONTR.** depauperare **7** [*i figli*] (*est.*) allevare, governare, crescere, mantenere **8** [*sentimenti*] (*est.*) coltivare (*fig.*), albergare (*lett.*), alloggiare (*fig.*), serbare, avere, provare, sentire, covare (*fig.*), custodire (*fig.*), portare (*fig.*) **9** [*la mente, l'animo*] (*est.*) arricchire, educare, plasmare (*fig.*) **CONTR.** impoverire **B** *v. rifl.* **1** alimentarsi, mangiare, rifocillarsi, sostenersi, vivere (*est.*) **CONTR.** digiunare **2** [*con illusioni, etc.*] (*fig.*) cibarsi, sostentarsi, pascersi.

nutrizióne *s. f.* alimentazione, cibo, vitto.

nùvola *s. f.* **1** nube (*colto*), nembo (*poet.*), nuvolo (*lett.*) **2** [*tipo di, classi di*] **3** [*di insetti, etc.*] (*est.*) stormo **4** [*di ammiratori, etc.*] (*fig.*) nugolo.

NOMENCLATURA

Nuvola

Nuvola: insieme visibile di particelle liquide o solide o miste in sospensione nell'atmosfera.
nube: (*colto*);
nembo: (*poet.*);
nuvolo: (*lett.*);

Tipi fondamentali di nubi:
cirro: nubi superiori, che si formano fra i 7 mila e i 12 mila metri, esili, filamentose; arricciate e di colore bianco-argenteo perché composte di sottilissimi aghetti di ghiaccio;
strato: nubi che hanno l'aspetto di banchi piatti, allungati orizzontalmente o di un velo biancastro, uniforme o fibroso; sono in gran parte formati da aghetti di ghiaccio;
altocumulo: nubi stratificate chiare, costituite di masse globulari più o meno saldate insieme e disposte in gruppi;
altostrato: strati a quote comprese fra i 3000 e 6000 metri;
cirrocumulo: insieme di piccoli fiocchi bianchi o piccoli globi bianchi e semitrasparenti riuniti in gruppi o in fasci di linee parallele; cielo a pecorelle;
cirrostrato: strati a quote superiori 6000 metri;
cumulo: nubi più basse, intorno i 2000 metri, isolate, a forma di masse globose, di cupole, di torrioni;
stratocumulo: nube composta di grandi elementi tondeggianti;
nembo: nubi basse, 1 km, oscure, informi, apportatrici di pioggia o di neve;
cumulo-nembo: nube che precede e annunzia acquazzoni improvvisi, costituita da un enorme ammasso di nubi arrotondate in sommità, con la base formata da nembi oscuri e densi;
fracto-nembi: nembi bassissimi, lacerati dal vento;

Classi di nubi:
nubi orografiche: nubi dovute a moti ascensionali forzati di aria contro un rilievo, hanno forma globulare o più spesso lenticolare;
nubi stratiformi in ascesa: banchi di nubi allungate prodotte da grandi masse di aria calda ascendente, che si incontrano, lungo un esteso fronte con masse di aria fredda;
nubi stratiformi di mescolamento: nubi che si producono quando venti piuttosto forti fanno sollevare le nebbie, le quali ad una certa altezza si trasformano in estesi banchi di nubi stratificate;
nubi di convezione o nubi cumuliformi: nubi che vengono generate da forti correnti d'aria in rapida ascesa.

nùvolo A *agg.* [*rif. al tempo atmosferico*] nuvoloso **B** *s. m.* nembo, nuvola.

nuvolóso *agg.* fosco, tempestoso, burrascoso, brutto, coperto **CONTR.** bello, sereno, limpido.

nylon *s. m. inv.* (*gener.*) fibra.

o, O

o *cong.* oppure, ovvero, ossia.

obbediènte *part. pres.; anche agg.* V. *ubbidiente.*

obbediènza *s. f.* V. *ubbidienza.*

obbedìre *v. intr.* V. *ubbidire.*

obbiettàre *v. tr.* V. *obiettare.*

obbiettivaménte *avv.* V. *obiettivamente.*

obbiettività *s. f. inv.* V. *obiettività.*

obbiettivo (1) *agg.* V. *obiettivo (1).*

obbiettivo (2) *s. m.* V. *obiettivo (2).*

obbieziόne *s. f.* V. *obiezione.*

obbligànte *part. pres.; anche agg.* vincolante, impegnativo **CONTR.** facoltativo, libero.

obbligàre A *v. tr.* **1** [*qc. a q.c.*] costringere, vincolare, impegnare, legare (*fig.*), indurre, ridurre **CONTR.** disimpegnare, esentare, esimere, esonerare **2** [*qc. a q.c. contro la sua volontà*] forzare, coartare, imporre a, imporre con la forza a **3** [*detto di malattia*] (*fig.*) condannare **B** *v. rifl.* **1** prendersi come obbligo *un*, impegnarsi, vincolarsi, incaricarsi *di*, legarsi (*fig.*) **CONTR.** disobbligarsi, dispensarsi, esentarsi, esimersi, esonerarsi **2** [*al versamento di quota*] impegnarsi, vincolarsi, quotarsi.

obbligàto *part. pass.; anche agg.* **1** riconoscente, grato **CONTR.** libero **2** [*rif. al denaro*] impegnato, vincolato, legato **3** condannato, necessario, forzato, costretto, coatto, imposto.

obbligatoriaménte *avv.* necessariamente, inevitabilmente, inderogabilmente, tassativamente, doverosamente, coattivamente, coercitivamente, forzosamente **CONTR.** facoltativamente, liberamente.

obbligatòrio *agg.* **1** indispensabile, inevitabile, tassativo, necessario **CONTR.** facoltativo **2** (*est.*) indispensabile, forzato.

obbligazióne *s. f.* **1** obbligo, dovere, impegno, debito (*est.*) **2** riconoscenza, gratitudine.

òbbligo *s. m.* (*pl. -ghi*) **1** dovere, impegno, vincolo (*est.*), ufficio (*raro*) **2** imposizione, onere, servitù (*est.*) **3** [*verso qc.*] debito (*est.*), obbligazione **4** [*spec. con: per*] forza, necessità.

obbrobrióso *agg.* **1** [*rif. al comportamento*] infame, vergognoso, turpe, ignobile **CONTR.** lodevole, encomiabile **2** (*fig.*) abominevole, schifoso, orrendo, orribile **CONTR.** bello, stupendo.

obelisco *s. m.* (*pl. -chi*) colonna.

oeràre *v. tr.* caricare, sovraccaricare, gravare, onerare **CONTR.** alleggerire, liberare.

oeràto *agg.* **1** sovraccarico, oppresso *da*, gravato *da* **CONTR.** libero, sgombro **2** [*rif. a un locale*] affollato, gremito, pieno **CONTR.** sgombro.

obesità *s. f. inv.* pinguedine, grassezza, adiposità (*spec.*) **CONTR.** snellezza, magrezza, secchezza.

obèso A *agg.* [*rif. a una persona*] grasso, adiposo, pingue, corpulento, cannone (*scherz.*) **CONTR.** magro, snello, secco (*fam.*) **B** *s. m.* (*f. -a*) ciccione, grassone.

obiettàre o **obbiettàre** *v. tr.* eccepire, rilevare, opporre, contrapporre, confutare, controbattere, replicare, ridire, osservare, criticare **CONTR.** approvare, assentire, consentire, acconsentire, convenire.

obiettivaménte o **obbiettivaménte** *avv.* **1** oggettivamente, imparzialmente, equamente **CONTR.** soggettivamente, parzialmente **2** (*est.*) disinteressatamente, spassionatamente **3** effettivamente.

obiettività o **obbiettività** *s. f. inv.* **1** imparzialità, neutralità, oggettività **CONTR.** parzialità **2** (*est.*) giustizia, equità **3** (*est.*) disinteresse **4** (*est.*) serenità.

obiettivo (1) o **obbiettivo (1)** *agg.* **1** [*rif. a un'opinione, a un giudizio*] oggettivo, spassionato, imparziale, equanime, equo **CONTR.** fazioso, settario, parziale, partigiano, appassionato **2** sereno (*fig.*).

obiettivo (2) o **obbiettivo (2)** *s. m.* **1** meta, scopo, fine, proposito, mira **2** (*mil.*) bersaglio.

obiezióne o **obbiezióne** *s. f.* **1** eccezione, rilievo, osservazione, replica, questione (*fam.*) **2** (*est.*) opposizione, difficoltà.

òbito *s. m.* morte.

obliàre *v. tr.* **1** dimenticare, scordare **CONTR.** ricordare, rimembrare, rammentare, rievocare, memorizzare **2** [*un'offesa, un torto*] cancellare (*fig.*), perdonare.

obliàto *part. pass.; anche agg.* dimenticato, scordato, cancellato.

oblìo *s. m.* dimenticanza, abbandono (*fig.*), silenzio (*fig.*) **CONTR.** ricordo.

obliquaménte *avv.* **1** diagonalmente, trasversalmente **CONTR.** direttamente **2** slealmente, falsamente **CONTR.** direttamente, lealmente, sinceramente.

obliquo *agg.* **1** diagonale, sghembo, traverso, trasversale **CONTR.** retto, diritto **2** [*rif. a un tiro, a un colpo*] (*anche fig.*) trasversale, indiretto **CONTR.** diritto **3** [*rif. allo sguardo*] (*fig.*) traverso, bieco, subdolo **CONTR.** diretto.

obliteràre *v. tr.* **1** cancellare, cassare, togliere **CONTR.** marcare, evidenziare **2** [*q.c. con un timbro, etc.*] annullare, timbrare (*est.*).

obnubilaménto *s. m.* offuscamento, annebbiamento.

òbolo *s. m.* offerta, elemosina, dono.

obsolèto *agg.* vieto, inattuale, anacronistico, superato, antico, antiquato, disusato, fuori moda, desueto (*colto*) **CONTR.** alla moda, moderno, attuale.

òca s. f. (pl. -che) **1** papera **2** (gener.) uccello, palmipede.

occasionàle agg. **1** accidentale, casuale, fortuito, contingente (filos.) CONTR. stabilito **2** [rif. a un cliente, etc.] saltuario CONTR. assiduo, fedele.

occasionalménte avv. **1** accidentalmente, casualmente, fortuitamente CONTR. volutamente, di proposito **2** episodicamente, saltuariamente, di tanto in tanto.

occasionàre v. tr. dare occasione a, causare, provocare.

occasióne s. f. **1** opportunità **2** pretesto, causa, motivo, appiglio (fig.), spunto, attacco (raro), adito, modo, destro **3** circostanza, situazione, contingenza, congiuntura, evenienza, occorrenza, momento, agio, frangente, contesto **4** argomento, materia, oggetto **5** (est.) tempo, volta.

occàso s. m. **1** tramonto CONTR. alba, aurora **2** occidente, ponente, ovest **3** (est.) morte, fine.

occhiàli s. m. pl. lenti.

occhiàta (1) s. f. **1** sbirciata, sguardo, guardata **2** (est.) cipiglio.

occhiàta (2) s. f. (gener.) pesce.

occhieggiàre A v. intr. apparire, spuntare, fare capolino B v. tr. **1** sbirciare **2** (gener.) guardare.

òcchio s. m. **1** (est.) vista, sguardo, ciglio (poet.) **2** [estetico] (est.) gusto **3** [nel prevedere, nel giudicare] fiuto (fig.) **4** [nel capire] (est.) intuito, sensibilità, acume **5** [rif. al sole] (analog.) tondo, sfera **6** [di un attrezzo] (analog.) foro, anello **7** (analog.) gemma **8** [rif. a una somma di denaro] esagerazione, patrimonio.

occidènte s. m. ponente, ovest, occaso (lett.) CONTR. levante, est, oriente, nord, settentrione, sud, meridione.

occlùdere v. tr. **1** [un tubo, una conduttura] ostruire, otturare, intasare, strozzare (fig.), chiudere CONTR. liberare, sturare, aprire **2** [il flusso di q.c.] interrompere, impedire.

occlusióne s. f. **1** ostruzione, sbarramento, intasamento, chiusura **2** [nel vetro] bolla.

occorrènte part. pres.; anche agg. e s. m. necessario.

occorrènza (1) s. f. evenienza, circostanza, occasione, bisogno.

occorrènza (2) s. f. **1** ricorrenza **2** [nei testi scritti] (ling.) parola, forma CONTR. lemma, esponente.

occórrere v. intr. **1** bisognare, necessitare, abbisognare, urgere **2** essere necessario, essere utile, servire, importare, bastare, essere sufficiente, accomodare **3** verificarsi, accadere, avvenire, succedere, capitare **4** [detto di occasione] offrirsi.

occultaménte avv. nascostamente, celatamente, arcanamente, segretamente, misteriosamente CONTR. apertamente, manifestamente, palesemente.

occultàre A v. tr. **1** [qc., q.c.] coprire, nascondere, imboscare, imbucare, rimpiattare CONTR. denunciare, ostentare **2** [un sentimento] mascherare, dissimulare CONTR. confessare, confidare, dichiarare, dimostrare, esteriorizzare, esternare, manifestare, mostrare, professare, sbandierare **3** [un astro] (anche fig.) coprire, eclissare **4** [q.c. nel cuore, etc.] (fig.) seppellire, sotterrare, annidare **5** [la verità, gli intenti] (fig.) velare **6** [un'informazione, etc.] celare CONTR. divulgare, rivelare **7** [una macchia, un buco] (est.) ricoprire B v. rifl. nascondersi, stare nascosto, rimpiattarsi CONTR. manifestarsi, mostrarsi, rivelarsi, prodursi C v. intr. pron. [detto di sentimento] essere nascosto, annidarsi (fig.) CONTR. palesarsi.

occùlto agg. **1** [alla vista] nascosto, celato CONTR. dichiarato, visibile **2** segreto, recondito, sotterraneo, latente **3** (est.) arcano.

occupàre A v. tr. **1** [un luogo, una costruzione] entrare in possesso di, impossessarsi di, impadronirsi di, conquistare, espugnare, invadere CONTR. abbandonare, lasciare **2** [un luogo] presidiare CONTR. lasciare, evacuare, liberare **3** [il posto di altri] usurpare **4** [una casa] abitare CONTR. abbandonare, lasciare **5** [un determinato spazio] tenere, ingombrare, riempire, estendersi per, coprire CONTR. lasciare, liberare **6** [una carica, un ufficio]

esercitare, detenere, avere, possedere, ricoprire **7** [qc., il tempo, etc.] impegnare, assorbire, tenere impegnato **8** (est.) dare lavoro a, impiegare, fare lavorare CONTR. licenziare B v. intr. pron. **1** interessarsi, dedicarsi a, darsi a **2** interessarsi, badare, pensare a, attendere a, adoperarsi per, prodigarsi per, accudire a, curare un CONTR. disinteressarsi, trascurare **3** [dei fatti altrui] curarsi, impicciarsi, immischiarsi in CONTR. disinteressarsi, infischiarsi **4** (ass.) prendere un impiego, trovare lavoro, impiegarsi CONTR. dimettersi, rinunciare, ritirarsi.

occupàto part. pass.; anche agg. **1** [rif. a un luogo] preso, ingombro, invaso CONTR. libero, vacante, disoccupato **2** [rif. a una persona] impegnato, assorbito, indaffarato, affaccendato CONTR. libero, disoccupato, disponibile **3** [con le armi] invaso, conquistato.

occupazióne (1) s. f. **1** lavoro, impiego, ufficio (colto) CONTR. disoccupazione **2** [spec. con: cercare una] (est.) sistemazione, collocamento, collocazione, posto (fam.) **3** (est.) faccenda, negozio.

occupazióne (2) s. f. invasione, conquista (est.).

ocèano s. m. **1** mare **2** (est.) immensità.

oculataménte avv. avvedutamente, accortamente CONTR. sconsideratamente, inavvedutamente, precipitosamente.

oculatézza s. f. avvedutezza, accortezza, prudenza, circospezione.

oculàto agg. **1** accorto, avveduto, attento, prudente, previdente, saggio CONTR. avventato, imprudente, sconsiderato, impulsivo **2** (est.) abile.

òde s. f. canto, carme (lett.), lirica.

odiàre A v. tr. **1** [qc.] detestare, malvolere (raro), volere male a CONTR. amare, adorare, idolatrare, venerare, volere bene **2** [i compromessi, etc.] disprezzare, abominare, aborrire, esecrare, avversare, disdegnare, sdegnare B v. rifl. rec. detestarsi, non potersi soffrire, non sopportarsi CONTR. amarsi, adorarsi, innamorarsi.

odiàto *part. pass.; anche agg.* inviso, detestato **CONTR.** diletto, amato.

odièrno *agg.* attuale, contemporaneo, moderno, presente, recente **CONTR.** passato, antico, anacronistico.

òdio *s. m.* **1** astio, livore, rancore, veleno *(fig.)*, rabbia, risentimento, animosità, malanimo, accanimento *(est.)*, inimicizia **CONTR.** amore, fratellanza **2** *[fisico, morale]* intolleranza **3** *(gener.)* sentimento.

odiosaménte *avv.* antipaticamente, detestabilmente, fastidiosamente **CONTR.** simpaticamente, affabilmente, deliziosamente, adorabilmente.

odiosità *s. f. inv.* *[rif. a una persona]* molestia, antipatia, sgradevolezza, spiacevolezza **CONTR.** simpatia, piacevolezza, gradevolezza.

odióso *agg.* **1** ripugnante, abominevole, detestabile, insopportabile, antipatico, laido, esecrabile **CONTR.** amabile, allettante, simpatico **2** *[rif. a una persona]* ripugnante, detestabile, insopportabile, antipatico, laido **CONTR.** simpatico, piacevole **3** *[rif. a un dono]* detestabile, antipatico, sgradito **CONTR.** gradito, benaccetto.

odontoiàtra *s. m. e f.* dentista.

odontotècnico *s. m.* (*f. -a*) *(erron.)* dentista.

odoràre A *v. tr.* **1** fiutare, annusare **2** *[una pietanza]* profumare, aromatizzare **3** *[un affare, un intrigo]* *(est.)* presentire, intuire, indovinare, subodorare **B** *v. intr.* **1** olezzare, profumare **CONTR.** puzzare **2** *[di imbroglio]* *(fig.)* sapere, puzzare.

odoràto *s. m.* **1** olfatto *(colto)* **2** *[spec. rif. agli animali]* fiuto.

odóre *s. m.* **1** *[tipo di]* fragranza *(pos.)*, aroma *(pos.)*, profumo *(pos.)*, fragore *(pos.)*, olezzo *(neg.)*, puzzo *(neg.)*, tanfo *(neg.)*, puzza *(neg.)*, sito *(neg.)*, lezzo *(neg.)*, miasma *(neg.)*, fetore *(neg.)* **2** *(est.)* effluvio, esalazione, emanazione **3** *(est.)* sentore, indizio.

odoróso *agg.* profumato.

offèndere A *v. tr.* **1** *[qc.]* insultare, ingiuriare, oltraggiare, mortificare, svillaneggiare, insolentire, vilipendere, schernire, maltrattare, bistrattare, vituperare *(raro)*, impermalire, toccare sul vivo **CONTR.** rispettare, lodare, elogiare **2** *[la vista, la sensibilità]* *(fig.)* molestare, infastidire, urtare **3** *[gli occhi, etc.]* ferire *(fig.)*, colpire **4** *[gli interessi di qc.]* *(est.)* danneggiare, ledere, nuocere a **CONTR.** salvaguardare, rispettare **5** *[detto di espressioni verbali]* toccare sul vivo, ferire *(fig.)* **6** *[le leggi, le consuetudini]* violare, trasgredire, contravvenire a, disubbidire a, calpestare *(fig.)* **CONTR.** osservare, conformarsi, ubbidire **7** *[detto di evento, comportamento]* *(est.)* disgustare, scandalizzare **8** *[un luogo sacro]* *(est.)* profanare **B** *v. intr. pron.* indignarsi, adontarsi *(colto)*, risentirsi, aversene a male, impermalirsi, inalberarsi, sdegnarsi, piccarsi, formalizzarsi, imbronciarsi, incappellarsi *(volg.)*, ingrugnarsi *(fam.)*, infastidirsi *(est.)* **C** *v. rifl. rec.* ingiuriarsi, insultarsi **CONTR.** complimentarsi, felicitarsi.

offensiva *s. f.* assalto, attacco.

offensivaménte *avv.* oltraggiosamente, ingiuriosamente, provocatoriamente **CONTR.** rispettosamente.

offensivo *agg.* **1** *[rif. a un discorso]* insultante, ingiurioso, oltraggioso, diffamatorio **CONTR.** lusinghiero, laudativo *(lett.)* **2** *[rif. al comportamento]* oltraggioso, irriverente, villano, scortese.

offèrta *s. f.* **1** *[di denaro]* omaggio, dono, obolo, donazione, elargizione, elemosina **2** *[alla divinità, etc.]* *(est.)* voto **3** *[agli dei, etc.]* *(est.)* sacrificio, vittima **4** *[di sé stessi]* *(est.)* immolazione, consacrazione **5** *[di aiuto]* profferta, proposta, esibizione *(raro)*.

offésa *s. f.* **1** insulto, affronto, oltraggio, mortificazione, umiliazione, ingiuria, villania, sfregio *(fig.)*, sgarro *(merid.)*, provocazione *(est.)*, contumelia, ferita *(fig.)* **2** ingiustizia, torto **3** *[all'innocenza, a un credo]* profanazione, contaminazione.

offéso *part. pass.; anche agg.* **1** vilipeso, ferito *(fig.)*, mortificato, leso *(fig.)*, umiliato **2** infamato, disonorato.

officiàre *v. intr.* celebrare, ufficiare, amministrare, compiere *(impr.)*.

officina *s. f.* **1** laboratorio, bottega *(colto)* **2** *(est.)* fabbrica, cantiere, stabilimento **3** *[culturale]* *(fig.)* fucina *(colto)*.

officio *s. m.* V. *ufficio*.

offrire A *v. tr.* **1** donare, regalare, devolvere **CONTR.** accettare **2** *(gener.)* dare **CONTR.** prendere **3** *[una possibilità]* concedere **4** *[la vita, etc.]* dedicare, consacrare, sacrificare **5** *[attenzione, etc.]* porgere, prestare **6** *[una bevanda, etc.]* mescere, apprestare, servire **7** *[detto di terra]* produrre **8** *[una bibita, etc.]* *(est.)* pagare **9** *[le mani, etc.]* porgere, tendere, parare **10** *[la merce]* mettere in vendita, presentare, vendere, proporre, esporre, esibire **11** *[un servizio]* dare, fornire, erogare *(colto)* **12** *[le labbra]* tendere, presentare, proferire *(lett.)* **B** *v. rifl.* **1** proporsi, proferirsi, prestarsi **2** darsi, consacrarsi, donarsi, promettersi **3** esibirsi, esporsi **C** *v. intr. pron.* *[detto di occasione, etc.]* occorrere, presentarsi, capitare.

offuscaménto *s. m.* **1** obnubilamento, annebbiamento, ottenebrazione, oscuramento, appannamento *(lett.)*, abbacinamento **2** *[rif. alla mente]* obnubilamento, smarrimento, accecamento *(fig.)*.

offuscàre A *v. tr.* **1** *[il cielo, il viso, etc.]* oscurare, velare, rannuvolare, rabbuiare, coprire, annuvolare **CONTR.** schiarire, illuminare **2** *[la fama, la bellezza]* *(fig.)* adombrare, appannare, eclissare, screditare, sminuire, nascondere *(est.)* **CONTR.** esaltare **3** *[le capacità intellettive]* *(fig.)* annebbiare, ottenebrare, confondere, intorbidire, interpidire **CONTR.** acuire, aguzzare **4** *[un rapporto di amicizia]* appannare, turbare **B** *v. intr. pron.* **1** *[detto di vista, etc.]* appannarsi, annebbiarsi, velarsi, tremare *(fig.)* **2** *[detto di mente, etc.]* ottenebrarsi **3** *[detto di astro, di cielo, etc.]* oscurarsi, eclissarsi, impallidire **4** *[detto di cielo]* appannarsi, rannuvolarsi **CONTR.** rasserenarsi.

offuscataménte *avv.* ciecamente, velatamente *(est.)* **CONTR.** nitidamente, chiaramente.

offuscàto *part. pass.; anche agg.* **1** *[rif. al cielo]* fosco, coperto, oscurato, velato **2** *[rif. alla mente]* fosco, velato, appannato, annebbiato **3** *(est.)* opaco **CONTR.** abbacinante, abbagliante, lucente.

oggettivaménte *avv.* obiettivamente, imparzialmente CONTR. soggettivamente.

oggettività *s. f. inv.* **1** realismo **2** [*di giudizio*] obiettività, imparzialità, equità **3** [*rispetto al vero*] (*est.*) obiettività, fedeltà, rigore, verità.

oggettivo *agg.* **1** [*rif. a un discorso, a un modo*] obiettivo, imparziale, spassionato, giusto, equo, neutrale CONTR. soggettivo, parziale **2** [*rif. a un'opinione, a un giudizio, etc.*] (*est.*) obiettivo, realistico CONTR. preconcetto.

oggètto *s. m.* **1** cosa, solido **2** arnese **3** [*rif. a merci*] articolo, capo, accessorio **4** corpo **5** (*dir.*) bene **6** [*del discorso, etc.*] argomento, materia (*est.*), tema, contenuto, motivo, occasione **7** [*di una ricerca, di un viaggio, etc.*] meta, termine, fine, scopo.

òggi *A avv.* **1** nella giornata odierna CONTR. ieri, in passato, anticamente **2** adesso, attualmente, presentemente, ora **3** oggigiorno *B s. m. inv.* presente CONTR. ieri, passato, avvenire, futuro, domani.

oggigiórno *A avv.* al giorno d'oggi, oggi, attualmente, presentemente *B s. m. inv.* oggidì.

ogivàle *agg.* (*arch.*) acuto.

ógni *agg. indef.* tutto, qualsiasi.

ognùno *pron. indef. sing.* ogni persona, tutti, ciascuno.

ohé *inter.* ehi, olà.

òhi *inter.* ah, ahi, uhi.

ohibò *inter.* mah.

ohimè *inter.* ahimè.

olà *inter.* ehi, ohé.

oleóso *agg.* **1** grasso, untuoso, viscoso **2** (*est.*) denso.

olezzàre *v. intr.* odorare, profumare, sapere CONTR. puzzare.

olézzo *s. m.* **1** profumo, aroma CONTR. sito, tanfo, miasma **2** puzzo CONTR. profumo, aroma **3** (*gener.*) odore.

olfattìvo *agg.* olfattorio.

olfàtto *s. m.* **1** odorato **2** (*gener.*) senso CONTR. vista, tatto, udito, gusto.

oliàre *v. tr.* ungere, lubrificare, ingrassare.

oligofrènico *s. m.* (*f. -a*) deficiente (*est.*).

òlio *s. m.* **1** (*gener.*) grasso **2** (*gener.*) pittura (*est.*), quadro, dipinto CONTR. acquerello, tempera, pastello **3** [*tipo di*] ritratto, paesaggio.

olivàstro *agg.* [*rif. al colorito*] terreo, bruno.

olìvo *s. m.* (*gener.*) albero, pianta.

ólmo *s. m.* (*gener.*) albero, pianta.

olocàusto *s. m.* **1** sacrificio, immolazione **2** (*est.*) martirio, eccidio.

oltraggiàre *v. tr.* **1** offendere, ingiuriare, insultare, vilipendere, vituperare (*raro*), insolentire, lanciare ingiurie a, svillaneggiare CONTR. elogiare, encomiare, lodare, complimentare, adulare **2** [*la legge, le consuetudini*] violare, contravvenire a CONTR. osservare, rispettare **3** [*il buon nome, etc.*] macchiare (*fig.*).

oltràggio *s. m.* **1** offesa, insulto, ingiuria, affronto, torto (*fam.*), sfregio (*fig.*), sgarro (*merid.*), violenza **2** [*l'effetto dell'*] (*est.*) macchia (*fig.*), onta.

oltraggiosaménte *avv.* offensivamente, ingiuriosamente, provocatoriamente CONTR. rispettosamente, gentilmente, garbatamente.

oltraggióso *agg.* offensivo, ingiurioso, insultante, infamante, diffamatorio, denigratorio CONTR. laudativo (*lett.*), elogiativo.

óltre *A avv.* **1** più avanti, più in là CONTR. di qua **2** più, di più, ancora, in sovrappiù **3** (*temp.*) dopo **4** fuori *B prep.* eccetto, tranne.

oltremisùra *avv.* oltremodo, eccessivamente, esageratamente CONTR. poco, esiguamente, limitatamente.

oltremòdo *avv.* oltremisura, troppo, eccessivamente, smoderatamente, esageratamente, moltissimo, straordinariamente, davvero (*fam.*) CONTR. scarsamente, esiguamente.

oltrepassàre *v. tr.* **1** [*un fossato, etc.*] superare, passare, scavalcare, valicare, saltare **2** [*un capo, un promontorio*] sorpassare, passare oltre, doppiare (*mar.*), rimontare **3** [*un cancello*] varcare, attraversare **4** [*gli anni, le epoche, etc.*] (*fig.*) superare, passare, valicare **5** [*gli argini, etc.*] superare, scavalcare, sorpassare, sormontare, soverchiare **6** [*la misura, il limite*] varcare, travalicare, trascendere, eccedere, trasgredire.

oltretómba *s. m. inv.* aldilà, inferno, ade (*lett.*), inferi (*lett.*), averno (*lett.*).

omàggio *A s. m.* **1** offerta, dono, regalo, presente **2** [*con*] ossequio, onore, complimento *B agg. inv.* gratuito, gratis CONTR. a pagamento.

ómbra *s. f.* **1** oscurità, tenebra (*pl.*) CONTR. luce, sole **2** [*rif. a un luogo*] riparo, fresco, frescura **3** [*su un abito, su un mobile*] alone, macchia **4** fantasma, spettro, larva, spirito **5** [*di q.c.*] (*est.*) parvenza, patina, velo (*fig.*), pizzico **6** [*spec. con: crescere all'*] (*est.*) riparo, protezione **7** [*tra persone*] (*est.*) sospetto, dubbio **8** [*di intelligenza, etc.*] (*fig.*) minimo, goccia, granello, grano, filo.

ombreggiàre *v. tr.* **1** [*il cammino*] riparare CONTR. illuminare, rischiarare **2** [*i colori*] sfumare, tratteggiare.

ombreggiàto *part. pass.; anche agg.* ombroso CONTR. soleggiato.

ombrèllo *s. m.* **1** paracqua, parapioggia **2** parasole.

ombrétto *s. m.* (*gener.*) belletto (*raro*), trucco (*est.*), cosmetico (*spec.*).

ombrìna *s. f.* (*gener.*) pesce.

ombrosità *s. f. inv.* [*rif. al carattere*] suscettibilità, permalosità.

ombróso *agg.* **1** [*rif. a un luogo*] ombreggiato, fresco CONTR. ameno, soleggiato **2** [*rif. a una persona*] (*fig.*) suscettibile, diffidente, schivo, permaloso, scontroso, ritroso CONTR. espansivo, estroverso **3** (*est.*) malinconico, cupo.

omelìa *s. f.* (*est.*) predica, sermone.

òmero *s. m.* spalla.

ométtere *v. tr.* **1** tralasciare, trascurare, tacere CONTR. includere, considerare **2** [*di fare q.c.*] mancare, negligere (*colto*) CONTR. fare, eseguire, effettuare 3 [*di raccontare q.c., etc.*] lasciare, dimenticare, saltare (*fig.*) 4 [*il soggetto in una frase*] (*ling.*) sottintendere.

omicìda A *agg.* 1 [*rif. all'istinto*] assassino 2 [*rif. a un'arma, alla mano*] mortifero, mortale, micidiale B *s. m. e f. inv.* 1 assassino, killer (*ingl.*) 2 (*est.*) sicario.

omicìdio *s. m.* 1 delitto, assassinio 2 (*est.*) uccisione 3 (*gener.*) crimine.

omissióne *s. f.* 1 dimenticanza 2 (*est.*) falla (*fig.*), lacuna, mancanza, errore, salto (*fig.*).

òmo *s. m.* (*pl. omini*) V. *uomo.*

omogeneità *s. f. inv.* 1 affinità, somiglianza, uguaglianza, uniformità, unità, coincidenza, identità (*est.*) CONTR. disomogeneità, eterogeneità 2 [*in un romanzo, in un film, etc.*] (*est.*) coerenza, organicità CONTR. incoerenza.

omogèneo *agg.* 1 affine, organico, uguale (*est.*), similare (*est.*) CONTR. disomogeneo, disuguale, disunito 2 (*est.*) conforme, concorde CONTR. disorganico 3 [*rif. al suono, al colore*] armonico 4 [*rif. a un esame, a un'analisi, a un lavoro*] coerente, sistematico.

omologàre *v. tr.* approvare, convalidare, ratificare, accettare, confermare, varare CONTR. abrogare, annullare, invalidare, cassare.

omosessuàle A *s. m. e f.* 1 [*rif. a maschio*] anormale, diverso, cinedo (*lett.*), gay (*ingl.*), pederasta, finocchio (*volg.*), buliccio (*genov.*), checca (*roman.*), bucaiolo (*tosc.*), frocio (*roman.*), recchione (*merid.*), invertito CONTR. eterosessuale 2 [*rif. a femmina*] lesbica B *agg.* [*rif. a una persona*] diverso (*euf.*), gay (*ingl.*) CONTR. eterosessuale.

ònagro *s. m.* 1 asino 2 (*gener.*) animale.

ónda *s. f.* 1 cavallone, flutto, maroso, frangente (*raro*), ondata 2 (*est.*) impeto.

ondàta *s. f.* 1 [*di profumo, etc.*] profluvio, flusso 2 [*di liquidi*] afflusso, effusione (*colto*) 3 [*del mare*] onda.

ondeggiànte *part. pres.; anche agg.* 1

fluttuante, oscillante, mutevole (*est.*) CONTR. fermo 2 [*rif. al passo*] barcollante, vacillante CONTR. fermo 3 [*rif. al carattere, etc.*] indeciso, titubante, incerto CONTR. fermo, determinato, deciso.

ondeggiàre *v. intr.* 1 oscillare, fluttuare 2 [*detto di ubriaco, etc.*] vacillare, barcollare 3 (*est.*) dondolarsi, ballonzolare, ballare, ancheggiare, ciondolare, danzare, dondolare, pencolare, pendolare 4 [*detto di luce, fiamma*] (*est.*) tremolare 5 [*detto di persona*] (*est.*) essere incerto, tentennare, avere dei dubbi.

ondulàre *v. tr.* increspare, arricciare.

ondulàto *part. pass.; anche agg.* [*rif. a una superficie*] mosso, irregolare CONTR. liscio, piano, pari.

oneràre *v. tr.* gravare, caricare, oberare.

ònere *s. m.* 1 obbligo, peso, servitù (*fig.*), carico (*fig.*), aggravio 2 (*est.*) responsabilità.

onerosità *s. f. inv.* gravosità CONTR. leggerezza, levità.

oneróso *agg.* 1 gravoso, pesante, grosso CONTR. leggero, lieve 2 gravoso, faticoso, impegnativo, penoso CONTR. leggero.

onestà *s. f. inv.* 1 probità, rettitudine, dirittura, integrità, serietà, moralità CONTR. disonestà 2 (*fig.*) trasparenza, pulizia, purezza, candore CONTR. sudiciume 3 [*verso altri*] (*est.*) correttezza, lealtà, coscienza, buonafede CONTR. slealtà 4 [*rif. a una donna*] (*est.*) virtù 5 (*gener.*) qualità.

onestaménte *avv.* 1 lealmente, correttamente, rettamente, giustamente, moralmente, fedelmente, coscientemente, coscienziosamente, bene, dirittamente, sanamente CONTR. disonestamente, iniquamente, delittuosamente, dolosamente, criminalmente, criminosamente, fraudolentemente, luridamente (*fig.*), sozzamente (*fig.*), mafiosamente (*fig.*) 2 moralmente, illecitamente, pudicamente, castamente CONTR. disonestamente, luridamente (*fig.*), correttamente, dissolutamente, immoralmente, perversamente, scelleratamente, sregolatamente, turpemente, viziosamente.

onèsto A *agg.* 1 retto, corretto, dabbene, probo, fidato, affidabile, leale, rispettabile, pulito, morale, incorruttibile, scrupoloso, cristallino (*fig.*), chiaro, santo (*fig.*) CONTR. disonesto, immorale, dissoluto, corrotto, degenerato, depravato, losco (*fig.*), infetto (*fig.*), gaglioffo, briccone (*fam.*), assassino (*fig.*) 2 [*rif. alla compagnia, alla lettura*] sano, buono 3 [*rif. al lavoro, allo studio*] onorevole, onorato 4 [*rif. al comportamento*] puro, illibato, virtuoso CONTR. dissoluto, losco (*fig.*), criminoso, delittuoso, turpe 5 [*rif. a un discorso, a un modo*] giusto, accettabile, conveniente, discreto, lecito CONTR. losco (*fig.*), ingannevole, perverso, turpe, iniquo B *s. m.* (*f. -a*) giusto, onestuomo.

onoràre A *v. tr.* 1 rispettare, ossequiare, riverire CONTR. denigrare, deridere, dileggiare, irridere, disprezzare 2 [*la divinità, etc.*] adorare, venerare, lodare CONTR. offendere 3 [*qc. con onori pubblici*] rendere onore a, glorificare, magnificare, esaltare, osannare CONTR. vilipendere, spregiare, diffamare 4 [*qc. come poeta, etc.*] coronare, decorare 5 [*un debito*] (*est.*) pagare, coprire (*fig.*) 6 [*una promessa, un voto*] (*est.*) adempiere, soddisfare 7 [*la famiglia, etc.*] (*ass.*) dare lustro a CONTR. disonorare, infamare, infangare, macchiare, marchiare 8 [*una festa*] santificare, festeggiare, celebrare B *v. rifl.* fregiarsi, vantarsi, pregiarsi (*bur.*), gloriarsi CONTR. vergognarsi.

onoràrio *s. m.* 1 [*di un professionista*] parcella 2 (*est.*) stipendio, retribuzione.

onoratàmente *avv.* 1 onorevolmente, gloriosamente CONTR. indegnamente, disonestamente (*est.*) 2 decorosamente, dignitosamente.

onoràto *part. pass.; anche agg.* 1 [*rif. a una persona*] stimato, rispettato, onesto CONTR. deriso, dileggiato, disonorato 2 [*rif. all'esistenza*] onesto, corretto, onorevole, lodevole CONTR. biasimevole, deplorevole.

onóre *s. m.* 1 [*rif. a uno stato*] dignità, decoro 2 [*spec. con: dare*] gloria, vanto, lustro, pregio CONTR. disdoro, disonore, ignominia 3 [*nei confronti altrui*] omaggio, ossequio 4 [*spec. con: avere l'*] privilegio, piacere, soddisfa-

onorevole

zione **5** fama, reputazione **6** [*rif. a una donna*] (*raro*) castità, verginità **7** (*est.*) carica, ufficio.

onorévole (1) *agg. 1* [*rif. a una persona*] onesto, onorato, rispettabile, degno, stimabile CONTR. indegno, spregevole, turpe **2** [*rif. a una carica, a una posizione*] civile, decoroso, dignitoso CONTR. indegno, indecente, infamante **3** [*rif. a un'impresa*] glorioso CONTR. indegno.

onorévole (2) *s. m. e f.* deputato.

onorevolménte *avv. 1* gloriosamente, nobilmente CONTR. disonorevolmente, ignominiosamente, indegnamente, turpemente **2** nobilmente, onoratamente, dignitosamente, decorosamente, rispettabilmente CONTR. disonorevolmente, ignominiosamente, indegnamente.

onorificènza *s. f. 1* decorazione **2** [*tipo di*] medaglia, croce.

ònta *s. f. 1* [*spec. con: sentire l'*] vergogna, disonore, infamia, macchia (*fig.*) **2** [*spec. con: subire*] affronto, oltraggio, ingiuria.

ontàno *s. m.* (*gener.*) albero, pianta.

onùsto *agg.* carico, grave CONTR. leggero, lieve.

opacità *s. f. inv. 1* [*rif. al carattere*] monotonia, cupezza CONTR. vivacità **2** [*rif. all'intelletto*] ottusità, torpidezza CONTR. acutezza, prontezza.

opàco *agg.* (*pl. m. -chi*) *1* offuscato, velato CONTR. lucido, lucidato, lucente, rilucente, abbacinante, lustro, abbagliante, scintillante, sfavillante, aureo (*fig.*), sfolgorante **2** [*rif. allo sguardo*] smorto, vitreo, ottuso CONTR. lucido, brillante, vivace **3** [*rif. al colore*] matto, spento, smorto CONTR. rilucente, brillante, cangiante, splendente, traslucido **4** oscuro, torbido CONTR. trasparente, diafano, cristallino.

opalescènte *agg.* iridescente, traslucido.

òpera o **òpra** *s. f. 1* azione, attività, operato **2** [*di grande rilievo*] impresa **3** [*prestare*] lavoro, servizio, prestazione **4** realizzazione, cosa (*fam.*), roba (*fam.*) **5** [*civile*] costruzione **6** [*intellettuale*] composizione, libro, scritto, volume, parto (*fig.*) **7** fabbriceria (*raro*), ente, istituzione.

operàio A *s. m.* (*f. -a*) *1* (*gener.*) lavoratore **2** salariato, dipendente, uomo (*est.*) CONTR. dirigente, impiegato **B** *agg.* lavorativo.

operàre o **opràre A** *v. tr. 1* eseguire, fare, complere, realizzare **2** [*un cambiamento*] produrre **3** [*un tessuto, etc.*] (*est.*) ricamare **4** [*una scelta, etc.*] (*est.*) praticare, esercitare **5** [*qc.*] sottoporre a un intervento chirurgico **B** *v. intr. 1* [*per una causa*] agire, adoperarsi, combattere (*fig.*) CONTR. oziare, poltrire, dormire **2** [*detto di industrie, di indotto*] lavorare, gravitare (*fig.*), ruotare (*fig.*) **3** (*est.*) influire **4** (*chir.*) intervenire, fare un'operazione, eseguire un intervento **5** [*detto di congegno, di macchina*] (*est.*) funzionare **C** *v. intr. pron. 1* [*detto di cambiamento, etc.*] realizzarsi, verificarsi, accadere **2** (*chir.*) sottoporsi a intervento chirurgico.

operàto *s. m.* azione, opera, condotta, comportamento.

operazióne *s. f. 1* azione **2** [*chirurgica*] intervento **3** (*mil.*) azione, impresa **4** (*mat.*) calcolo **5** [*commerciale*] affare, lavoro, business (*ingl.*).

operosaménte *avv. 1* attivamente, laboriosamente, alacremente, dinamicamente CONTR. pigramente, indolentemente, oziosamente **2** fattivamente.

operosità *s. f. inv. 1* laboriosità, ingegnosità, industriosità, fattività CONTR. inoperosità, inattività **2** (*est.*) solerzia, zelo, lena CONTR. torpore, accidia.

operóso *agg.* attivo, laborioso, industrioso, alacre, zelante, solerte CONTR. inoperoso, ozioso, inattivo, passivo, inerte, disoccupato, indolente, infingardo, neghittoso, scioperato, vagabondo (*fig.*).

opinàbile *agg.* discutibile, arbitrario CONTR. certo, sicuro, indiscutibile.

opinàre *v. tr. e intr.* immaginare, ritenere, ipotizzare, presumere, presupporre, congetturare, credere, fare delle congetture, fare delle ipotesi, giudicare, supporre, reputare, stimare, arguire, dedurre, pensare.

opinióne *s. f. 1* parere (*est.*), convinzione, idea (*est.*), giudizio, convincimento (*est.*), concetto (*colto*), presunzione (*est.*), supposizione (*est.*), tesi (*est.*), teoria (*est.*), impressione **2** (*est.*) parere, veduta, avviso, sentimento **3** [*comune*] persuasione, credenza, voce **4** [*su q.c., su qc.*] stima, considerazione **5** [*politica*] (*est.*) tinta (*fig.*), tendenza, colore (*fig.*) **6** sentenza, responso.

oppórre A *v. tr. 1* mettere uno di fronte all'altro **2** paragonare, contrapporre **3** mettere in concorrenza, mettere contro **4** [*una barriera*] ergere, innalzare **5** (*est.*) obiettare, contraddire, replicare **B** *v. intr. pron. 1* ribellarsi, reagire, rivoltarsi, disubbidire, ricalcitrare CONTR. conformarsi, cooperare, cedere, piegarsi, rassegnarsi **2** tenere testa, resistere, pararsi **3** affrontare *un*, combattere *un*, osteggiare *un*, avversare *un*, ostacolare *un*, contrastare *un*, vietare *un* CONTR. indulgere **4** divergere *da*, dissociarsi *da* **5** [*alla sentenza, etc.*] (*dir.*) protestare, ribattere, fare opposizione, impugnare *un*.

opportunaménte *avv. 1* acconciamente, convenientemente, debitamente, appropriatamente, dovutamente, idoneamente, favorevolmente, felicemente CONTR. fuori luogo, importunamente, inopportunamente **2** tempestivamente.

opportunisticaménte *avv.* calcolatamente CONTR. disinteressatamente.

opportunità *s. f. inv. 1* occasione, possibilità, comodità, chance (*fr.*) **2** (*est.*) caso **3** [*spec. con: dare l'*] adito, pretesto, agio, campo, materia, destro **4** [*spec. con: essere una*] vantaggio, comodo **5** tempestività.

opportúno *agg. 1* adatto, adeguato, giusto, provvidenziale, confacente, appropriato, proprio, debito CONTR. inopportuno, intempestivo, improponibile (*est.*), inconveniente (*est.*) **2** propizio, favorevole, provvidenziale.

oppositóre *s. m.* (*f. -trice*) avversario, antagonista, rivale, competitore (*raro*), controparte, nemico CONTR. fautore, seguace, sostenitore.

opposizióne *s. f. 1* antitesi, contrasto, contraddizione **2** dissenso, conflitto, antagonismo, disaccordo CONTR. accordo **3** protesta, resistenza, reazione, ribellione, obiezione (*est.*), contestazione **CONTR.** beneplacito, benestare, adesione **4** (*est.*) rifiuto, ricusa, veto **5** impedimento, ostacolo **6** (*polit.*) minoranza.

oppósto *A part. pass.; anche agg.* **1** contrario, discordante, discorde, contrapposto, concorrente, inverso **CONTR.** affine, uguale, compatto (*fig.*) **2** [*rif. a un luogo*] prospiciente *B s. m.* contrario, rovescio, inverso, negazione (*est.*), antitesi, contrapposto.
♦ **all'opposto** *loc. avv.* anzi, al contrario.

oppressióne *s. f.* **1** dominazione, tirannia, dittatura, giogo (*fig.*) **CONTR.** liberazione **2** schiavitù, servitù, catena (*fig.*) **3** (*est.*) persecuzione, vessazione, coercizione **4** (*est.*) ansia, ambascia, angoscia, malessere.

oppressivo *agg.* **1** autoritario, dispotico, tirannico, prepotente **CONTR.** liberale, democratico **2** (*fig.*) soffocante.

opprèsso *A part. pass.; anche agg.* **1** gravato, oberato, carico, sovraccarico **CONTR.** sgravato **2** [*rif. all'animo*] vessato, angustiato, affollato (*fig.*), soffocato (*fig.*) *B s. m.* (*f. -a*) **CONTR.** debole.

oppressóre *s. m.* **1** tiranno **2** carnefice, aguzzino, persecutore **CONTR.** vittima, perseguitato.

opprimènte *part. pres.; anche agg.* **1** soffocante, schiacciante, greve, pesante, penoso, insopportabile **CONTR.** sopportabile **2** [*rif. a un regime politico*] (*fig.*) repressivo, vessatorio, costrittivo, schiavistico (*fig.*) **3** [*rif. all'aria*] (*fig.*) irrespirabile **CONTR.** leggero.

opprìmere *v. tr.* **1** [*detto di caldo, di stanchezza*] estenuare, soffocare **CONTR.** sollevare **2** [*qc. con compiti gravosi*] sovraccaricare, appesantire, gravare **3** [*qc.*] estenuare, angariare, tiranneggiare, fare angherie *a*, asservire, calpestare (*fig.*), vessare, perseguitare, molestare **4** [*il cuore*] (*fig.*) attanagliare, stringere, serrare **5** [*detto di preoccupazioni*] affollare, assillare, ossessionare **6** [*detto di rimorso*] (*fig.*) sopraffare, schiacciare **7** [*detto di spettacolo, etc.*] deprimere **CONTR.** dilettare.

oppugnàre *v. tr.* **1** [*una teoria, un documento*] confutare, combattere, osteggiare, contrastare, avversare, contestare, impugnare, contraddire, criticare **CONTR.** ammettere, approvare, accettare **2** [*il nemico*] combattere, osteggiare, assaltare, attaccare.

oppùre *cong.* **1** o, ovvero **2** altrimenti, in caso contrario, se no.

òpra *s. f.* V. *opera*.

opràre *v. tr., intr. e intr. pron.* V. *operare*.

optàre *v. intr.* decidere *un*, scegliere *un*, preferire *un*.

opulènto *agg.* **1** ricco, abbondante, dovizioso (*lett.*), grasso **CONTR.** magro, scarso, misero **2** [*rif. a una persona*] grasso, formoso **CONTR.** magro, striminzito.

opulènza *s. f.* dovizia (*colto*), ricchezza, abbondanza, sovrabbondanza, magnificenza (*est.*) **CONTR.** miseria, ristrettezza.

opùscolo *s. m.* **1** fascicolo, numero, dispensa **2** (*gener.*) pubblicazione.

opzióne *s. f.* scelta.

óra *A avv.* **1** adesso, presentemente, in questo momento **CONTR.** allora, anticamente **2** attualmente, oggi **3** subito, tra poco **4** poco fa, or ora *B cong.* dunque, ma *C s. f.* [*di fare q.c.*] (*est.*) momento, tempo **CONTR.** minuto, secondo.

oràcolo *s. m.* **1** responso **2** profezia, vaticinio **3** [*rif. a una persona*] (*est.*) ispiratore.

òrafo *s. m.* (*f. -a*) **1** gioielliere **2** (*gener.*) artigiano.

oràle *A agg.* (*raro*) boccale *B s. m. sing.* **CONTR.** scritto.

oralmènte *avv.* **1** a voce **CONTR.** per iscritto **2** per bocca.

oramài *avv.* V. *ormai*.

oràre *v. tr. e intr.* pregare.

oràta *s. f.* (*gener.*) pesce.

oratóre *s. m.* (*f. -trice*) **1** parlatore **2** [*tipo di*] conferenziere, comiziante **3** [*nell'antica Grecia*] retore.

orazióne *s. f.* **1** discorso, conferenza,

concione (*iron.*), allocuzione (*colto*), arringa, catilinaria (*lett.*) **2** preghiera (*est.*), prece (*lett.*), appello **3** (*ling.*) frase, enunciato, proposizione, periodo.

orbène *cong.* ebbene.

òrbita *s. f.* **1** (*fis.*) traiettoria **2** (*est.*) ambito, sfera, limite.

orbitàre *v. intr.* gravitare, girare.

orchèstra *s. f.* **1** complesso **2** [*di voci, di litigi, etc.*] (*scherz.*) musica, concerto.

orchidèa *s. f.* (*gener.*) fiore.

órcio *s. m.* **1** giara, ziro (*raro*), coppo **2** (*gener.*) contenitore, recipiente.

òrco *s. m.* (*pl. -chi*) **1** averno, ade, inferi, inferno **2** spauracchio, mostro.

ordìgno *s. m.* **1** congegno, arnese, utensile (*colto*) **2** bomba (*pop.*) **3** (*raro*) maneggio, intrigo.

ordinaménto *s. m.* **1** ordine, disposizione, organizzazione (*est.*) **2** schieramento, allineamento **3** [*rif. ai colori*] (*fig.*) gradazione, scala **4** [*dei dati*] (*est.*) classificazione, spoglio **5** (*est.*) normativa, regolamento.

ordinànza *s. f.* **1** delibera, decreto, provvedimento, norma **2** (*est.*) disposizione, prescrizione **3** (*mil.*) rango.

ordinàre (1) *A v. tr.* **1** fare ordine **CONTR.** disordinare **2** [*le truppe, etc.*] allineare, schierare, mettere in fila, distribuire **3** [*una stanza*] mettere in ordine, rassettare, rigovernare **CONTR.** incasinare **4** [*i capelli*] ravviare, racconciare **CONTR.** arruffare, rabbuffare **5** [*i documenti*] numerare, classificare **CONTR.** incasinare **6** [*il lavoro*] organizzare, coordinare, strutturare, preparare **CONTR.** disorganizzare **7** [*una situazione*] normalizzare, aggiustare, comporre **CONTR.** sconvolgere, confondere, dissestare **8** [*il traffico*] regolare, disciplinare *B v. intr. pron.* disporsi, schierarsi *C v. rifl.* prepararsi, agghindarsi.

ordinàre (2) *v. tr.* **1** [*q.c.*] comandare, intimare, ingiungere, disporre, imporre, volere, decretare **CONTR.** ubbidire **2** [*qc. di q.c.*] incaricare **3** [*un medicinale*] prescrivere **4** [*merce*] commissionare, commettere **CONTR.** disdi-

ordinariamente re **5** [*qc. sacerdote*] (*relig.*) consacrare **CONTR.** sconsacrare.

ordinariaménte *avv.* **1** comunemente, abitualmente, di solito, solitamente **CONTR.** eccezionalmente, capricciosamente, sorprendentemente, straordinariamente, strepitosamente **2** banalmente, pedestremente, senza originalità, impersonalmente.

ordinàrio (1) *A agg.* **1** normale, comune, quotidiano, consueto, solito **CONTR.** originale, anomalo, bizzarro, stravagante, capriccioso, curioso, eclatante, unico **2** [*rif. a una persona, a una cosa*] dozzinale, grossolano, banale, rozzo, mediocre, qualunque **CONTR.** stravagante, unico, aggraziato, fine, apprezzabile, pregevole, esclusivo, scelto **3** [*rif. a un'impresa*] quotidiano, routinario **CONTR.** stravagante, formidabile, inenarrabile, inusitato, leggendario, prodigioso, strabiliante *B s. m. sing.* consuetudine, normalità.

ordinàrio (2) *s. m.* (*f. -a*) [*rif. a un docente*] di ruolo.

ordinataménte *avv.* **1** compostamente, perbene, disciplinatamente **CONTR.** disordinatamente, caoticamente, confusamente, arruffatamente, disorganicamente **2** gradatamente, con ordine, sistematicamente.

ordinàto *part. pass.; anche agg.* **1** classificato, distribuito, sistemato, preordinato, regolato **CONTR.** disordinato, caotico **2** [*rif. a un esame, a un'analisi, a un lavoro*] regolare, metodico, preciso, accurato **CONTR.** confuso, disorganico **3** [*rif. a una persona*] azzimato, leccato **CONTR.** disordinato **4** [*rif. al traffico*] regolare, disciplinato **CONTR.** indisciplinato **5** imposto.

ordinatóre *s. m.* calcolatore, computer (*ingl.*), elaboratore.

ordinazióne *s. f.* [*di merci, etc.*] ordine, commessa, richiesta.

órdine (1) *s. m.* **1** [*di q.c. nello spazio*] assetto, sistemazione, disposizione **2** [*secondo un*] assetto, metodo, sistema, schema, criterio, ordinamento, piano **3** [*sociale*] ceto, classe, rango **4** [*di religiosi*] congrega, comunità, confraternita, congregazione **5** [*di posti a teatro, etc.*] (*est.*) settore, fila **6** [*di problemi*] (*est.*) classe, ambito, li-

vello, carattere, natura **7** [*di professionisti*] casta, categoria **8** [*di militari*] (*mil.*) schiera, reparto **9** [*di arrivo, etc.*] graduatoria **10** [*spec. con: procedere con*] metodo, coerenza, organicità **11** [*rif. alla casa, etc.*] cura, pulizia **CONTR.** disordine, trasandatezza, arruffio **12** [*rif. a uno stato*] (*est.*) pace, tranquillità **CONTR.** pandemonio, scompiglio, baraonda, confusione, subbuglio, caos.

órdine (2) *s. m.* **1** direttiva, prescrizione, disposizione, mandato, intimazione (*est.*), imposizione (*est.*), comando, consegna, chiamata **CONTR.** supplica **2** [*di merci, etc.*] ordinazione, commessa.

ordire *v. tr.* **1** [*un inganno*] (*est.*) tramare, concertare, architettare, macchinare, meditare, premeditare, tessere (*fig.*), intessere (*fig.*), congegnare **2** [*un racconto, etc.*] (*est.*) predisporre, schizzare, preparare.

ordito *s. m.* **1** [*di un tessuto*] orditura, catena **2** [*di un romanzo, di un film, etc.*] (*fig.*) intreccio, disegno, trama.

orditùra *s. f.* **1** [*di un tessuto*] ordito **2** [*di un romanzo, di un film, etc.*] (*fig.*) ossatura, schema, struttura **3** (*est.*) trama, macchinazione.

orecchiétta *s. f.* (*anat.*) atrio.

orecchino *s. m.* (*gener.*) gioiello **2** buccola (*raro*).

orécchio *s. m.* [*spec. con: avere*] (*est.*) udito.

orecchióni *s. m. inv.* (*med.*) parotite (*colto*).

oréfice *s. m.* **1** gioielliere **2** (*gener.*) commerciante.

orfanotròfio *s. m.* **1** brefotrofio, collegio (*est.*) **2** (*gener.*) istituto.

organicità *s. f. inv.* (*est.*) unità, armonia, omogeneità (*fig.*), compiutezza, ordine **CONTR.** disorganicità, incoerenza.

orgànico (1) *agg.* **1** biologico **2** [*rif. a un esame, a un'analisi, a un lavoro*] (*est.*) armonico, omogeneo, coerente, sistematico **CONTR.** disorganico, frammentario (*fig.*), disunito.

orgànico (2) *s. m.* **1** [*spec. con: ave-*

re in, essere in] ruolo **2** personale.

organismo *s. m.* **1** sistema, struttura, complesso **2** (*est.*) organizzazione, ente **3** (*est.*) corpo.

organizzàre *A v. tr.* **1** [*una manifestazione, etc.*] preparare, predisporre, allestire, sistemare (*est.*), coordinare **CONTR.** scompigliare **2** [*un incontro*] combinare, concertare **3** [*la vita, l'esistenza*] programmare, ordinare, fare ordine in, impostare **CONTR.** dissestare, scombinare **4** [*la società, etc.*] strutturare **5** [*una scuola, una società*] (*est.*) costituire, impiantare, istituire, fondare **6** [*un piano, etc.*] (*est.*) congegnare, preordinare, pianificare *B v. rifl.* **1** (*detto di organismo*) (*biol.*) costituirsi, strutturarsi, formarsi, svilupparsi **2** [*per partire, etc.*] predisporsi a, prepararsi a, disporsi a.

organizzatóre *s. m.* (*f. -trice*) (*est.*) promotore, demiurgo (*iron.*).

organizzazióne *s. f.* **1** classificazione, ordinamento, sistemazione **CONTR.** disorganizzazione, casino (*pop.*) **2** preparazione, programmazione, pianificazione, progettazione **3** (*est.*) complesso, struttura, organismo, associazione, società, ente, corporazione, partito, meccanismo (*fig.*).

òrgano *s. m.* **1** (*anat.*) membro, fallo (*lett.*) **2** [*del corpo*] parte **3** [*dello stato, etc.*] ente **4** membro, congegno.

orgàsmo *s. m.* eccitazione.

òrgia *s. f.* (*pl. -ge*) **1** crapula (*colto*), baccanale (*colto*), gozzoviglia, ammucchiata (*fam.*) **2** [*una grande quantità di q.c.*] (*fig.*) tripudio, festa.

orgóglio *s. m.* **1** fierezza, dignità **2** (*neg.*) superbia, boria **CONTR.** modestia, umiltà, servilismo **3** presunzione **4** [*spec. con: essere motivo di*] (*est.*) gloria, vanto.

orgogliosaménte *avv.* fieramente, alteramente **CONTR.** umilmente, modestamente.

orgoglióso *agg.* **1** fiero **CONTR.** scontento, insoddisfatto **2** (*neg.*) altero, superbo, sprezzante, altezzoso, presuntuoso, borioso **CONTR.** umile, modesto **3** dignitoso.

orientaménto *s. m.* **1** indirizzo, direttiva, impostazione **2** [*della moda, etc.*]

tendenza, ispirazione *3* [*di q.c.*] verso (*fam.*), direzione, esposizione.

orientàre *A v. tr.* *1* [*secondo i punti cardinali*] disporre, dirigere, orizzontare *2* [*qc. alla scuola, al lavoro*] (*est.*) indirizzare, avviare, guidare, instradare *B v. intr. pron.* *1* [*in un luogo, in una situazione*] orizzontarsi, raccapezzarsi, ritrovarsi CONTR. disorientarsi, perdersi, smarrirsi, confondersi *2* (*fig.*) indirizzarsi, dirigersi, incamminarsi, avviarsi, scegliere *un*, propendere *per* CONTR. disorientarsi *3* [*detto di attenzione*] polarizzarsi.

orientativaménte *avv.* indicativamente, suppergiù.

orientàto *part. pass.; anche agg.* *1* (*anche fig.*) indirizzato, avviato *2* [*rif. a una persona*] (*fig.*) incline, propenso *3* (*est.*) prospiciente.

oriènte *s. m.* levante, est CONTR. ponente, ovest, occidente, nord, settentrione, sud, meridione.

orifizio *s. m.* *1* apertura *2* (*anat.*) foro, buco (*pop.*), condotto, canalicolo.

originàle (1) *A agg.* *1* [*rif. a un documento, a una firma, etc.*] autentico, autografo CONTR. copiato, imitato *2* singolare, estroso, curioso, strano, audace, ardito, bizzarro, stravagante, geniale, eccentrico, inedito, nuovo CONTR. comune, ordinario, banale, anonimo, piatto, classico, trito *3* [*rif. a una persona*] (*euf.*) anticonformista CONTR. banale, anonimo *B s. m.* *1* autografo CONTR. contraffazione, falso, copia *2* modello, archetipo.

originàle (2) *s. m. e f.* anticonformista, eccentrico CONTR. conservatore.

originalità *s. f. inv.* *1* autenticità CONTR. falsità *2* singolarità, novità CONTR. trivialità, banalità, ovvietà *3* (*est.*) stravaganza, eccentricità, stranezza.

originalménte *avv.* *1* estrosamente, genialmente *2* in origine *3* caratteristicamente, con originalità, bizzarramente, eccentricamente CONTR. convenzionalmente, tradizionalmente, impersonalmente, banalmente.

originàre *A v. tr.* *1* dare origine *a*, causare, generare (*fig.*), produrre, portare, innescare, cagionare *2* [*pau-*ra, *etc.*] provocare, suscitare, mettere *B v. intr. pron.* nascere, trarre origine, dipendere, derivare, procedere, provenire, scaturire CONTR. concludersi.

originariaménte *avv.* inizialmente, in origine, anticamente CONTR. alla fine, da ultimo.

originàrio *agg.* *1* nativo, oriundo, proveniente, autoctono, aborigeno *2* primigenio, primitivo.

originàto *part. pass.; anche agg.* derivato.

orìgine *s. f.* *1* principio, inizio, nascita (*fig.*) *2* [*di un'epoca, di una civiltà*] primordio, albore (*fig.*) *3* [*familiare*] natale, discendenza, provenienza, derivazione, estrazione *4* causa, fonte (*fig.*), radice (*fig.*), seme (*fig.*), sorgente (*fig.*), madre (*fig.*), matrice (*fig.*), germe (*fig.*), base.

origliàre *v. tr. e intr.* ascoltare, curiosare, spiare.

orìna o **urina** *s. f.* piscia (*volg.*), piscio (*volg.*), pipì (*fam.*), acqua (*euf.*).

orinàle *s. m.* *1* pitale *2* (*gener.*) vaso.

orinatòio *s. m.* pisciatoio (*volg.*), vespasiano, latrina, gabinetto.

oriùndo *agg.* originario, nativo, proveniente *da*.

orizzontalménte *avv.* longitudinalmente CONTR. verticalmente, perpendicolarmente, appiombo, diagonalmente, di traverso.

orizzontàre *A v. tr.* orientare, disporre *B v. intr. pron.* [*in un luogo, in una situazione*] orientarsi, raccapezzarsi, ritrovarsi CONTR. perdersi, smarrirsi, confondersi.

orlàre *v. tr.* profilare, bordare.

orlatùra *s. f.* bordatura.

órlo *s. m.* *1* bordo, estremità, lembo, ciglio, riva, sponda, margine *2* [*di un vestito, etc.*] bordo, bordatura, bordura *3* [*di una ferita*] labbro.

órma *s. f.* *1* traccia, impronta, pedata, pesta, passo (*est.*), segno *2* [*di una persona, di un animale*] (*est.*) traccia, pista *3* (*est.*) scia, esempio *4* [*di un'epoca, di una civiltà*] vestigia (*colto*), ricordo.

ormài o **oramài** *avv.* *1* già, adesso *2* adesso, purtroppo *3* finalmente.

ormeggiàre *v. tr. e rifl.* attraccare, ancorare CONTR. disancorare, salpare.

ornaménto *s. m.* *1* decorazione, guarnizione, fregio, decoro, abbellimento, orpello (*spreg.*), fronzolo (*spreg.*), rifinitura *2* [*tipo di*] gala, volant (*fr.*), applicazione *3* [*morale*] (*est.*) dote, pregio.

ornàre *A v. tr.* *1* [*qc., q.c.*] decorare, addobbare, adornare, guarnire, abbellire, impreziosire, arricchire CONTR. imbruttire, deturpare, guastare *2* [*qc.*] abbigliare, agghindare, azzimare, parare *3* [*modi di*] ingemmare, inghirlandare, ingioiellare, istoriare, arabescare, dorare, miniare, intarsiare *4* [*una casa*] (*est.*) tappezzare, arredare, accomodare *5* [*detto di capelli, etc.*] (*est.*) incorniciare *6* [*un abito*] (*est.*) profilare *7* [*un discorso, etc.*] (*fig.*) infiorare, condire, infiorettare *B v. rifl.* adornarsi, abbellirsi, inghirlandarsi, acconciarsi, azzimarsi.

òro *A s. m.* *1* (*gener.*) metallo, minerale CONTR. argento, ferro, rame *2* (*est.*) ricchezza, denaro, grana (*scherz.*) *B agg. inv.* [*rif. ai capelli, alla barba, etc.*] biondo.

orpèllo *s. m.* *1* fronzolo, ornamento *2* similoro *3* (*est.*) esteriorità.

orrendaménte *avv.* orribilmente, atrocemente, terribilmente CONTR. meravigliosamente, stupendamente, magnificamente.

orrèndo *agg.* *1* mostruoso, terribile, atroce, agghiacciante, diabolico (*iperb.*) CONTR. bello, ammirevole, meraviglioso, suggestivo (*est.*) *2* mostruoso, brutto, obbrobrioso CONTR. bello *3* (*est.*) vergognoso.

orrìbile *agg.* *1* orripilante, atroce, mostruoso, raccapricciante, spaventoso, diabolico (*est.*) CONTR. incantevole, stupendo, meraviglioso, splendido, squisito *2* orripilante, orrido, brutto *3* [*rif. al tempo atmosferico*] (*fam.*) pessimo, maledetto CONTR. stupendo, meraviglioso.

orribilménte *avv.* atrocemente, maledettamente, spaventosamente, terribilmente, orrendamente CONTR. incantevolmente, meravigliosamente.

òrrido (1) agg. orribile, mostruoso, spaventoso, raccapricciante CONTR. bello, meraviglioso, splendido.

òrrido (2) s. m. forra, burrone.

orripilànte agg. raccapricciante, mostruoso, orribile, terribile CONTR. magnifico, stupendo, meraviglioso.

orróre s. m. **1** raccapriccio, ribrezzo, schifo (pop.) **2** (est.) terrore, paura, spavento **3** [l'azione] (fig.) enormità, scandalo, porcheria **4** [rif. a una persona] (fig.) mostro **5** [rif. a un oggetto] porcheria.

orsù inter. forza, suvvia.

ortàggio s. m. **1** verdura **2** [tipo di] peperone, pomodoro, zucchino, sedano, melanzana.

òrto s. m. **1** (est.) giardino (merid.) **2** (gener.) terreno **3** campo.

ortogonàle agg. (mat.) normale, perpendicolare.

ortogonalménte avv. perpendicolarmente, verticalmente CONTR. parallelamente.

orzaiòlo s. m. (med.) calazio.

osannàre v. intr. e tr. decantare, celebrare, onorare, applaudire, congratularsi con CONTR. esecrare, fischiare.

osàre A v. tr. **1** arrischiare, azzardare, ardire (lett.), rischiare, avere il coraggio di CONTR. temere **2** lusingarsi di, permettersi di B v. intr. arrischiarsi a, attentarsi a, azzardarsi a, buttarsi, spingersi a, avventurarsi a CONTR. esitare, peritarsi, titubare.

oscenaménte avv. indecentemente, sconciamente, impudicamente, scostumatamente, indecorosamente, immondamente, lascivamente CONTR. pudicamente.

oscenità s. f. inv. **1** [qualità dell'animo] (neg.) sconcezza, indegnità, indecenza **2** [l'azione] scandalo, porcata (volg.) **3** [rif. a uno spettacolo] porcata (volg.).

oscèno agg. **1** impudico, scandaloso, schifoso, lubrico (colto), sporco (fig.), inverecondo, immorale, laido, scurrile, licenzioso, libertino (est.), sconcio CONTR. decente, pudico, ve-

recondo (lett.), puro, castigato **2** (fam.) pessimo, brutto.

oscillànte part. pres.; anche agg. **1** ondeggiante, fluttuante, instabile, dondolante CONTR. fermo, tetragono **2** [rif. al passo] (est.) malsicuro, malfermo CONTR. fermo, sicuro.

oscillàre v. intr. **1** [detto di cosa, etc.] ballare, vibrare, traballare, dondolare, pendolare, pencolare **2** [detto di imbarcazione] fluttuare, beccheggiare, rollare, rullare **3** [detto di fiamma] guizzare, vacillare, tremolare, danzare **4** [detto di persona] barcollare, ciondolare, ballonzolare, dondolarsi **5** [detto di prezzi] (est.) ondeggiare (fig.), variare **6** [detto di persona, moralmente] (est.) tentennare, essere incerto, dubitare, altalenare (fig.), pendere (fig.), barcamenarsi.

oscillazióne s. f. **1** dondolio (fam.), vibrazione (est.), tremolio **2** [dei prezzi, etc.] variazione.

oscuraménte avv. astrusamente, fumosamente, ambiguamente, enigmaticamente, ermeticamente, inintelligibilmente, incomprensibilmente, misteriosamente, torbidamente (fig.) CONTR. apertamente, evidentemente, chiaramente, dichiaratamente, esplicitamente, espressamente, perspicuamente (est.).

oscuraménto s. m. **1** offuscamento, annebbiamento, appannamento, ottundimento, ottenebrazione (raro), ottenebramento (raro) **2** (est.) eclisse.

oscurantìsmo s. m. reazione, repressione (est.), tenebra (fig.).

oscurantìsta agg. [rif. a una persona] reazionario, conservatore CONTR. liberale, aperto, progredito.

oscuràre A v. tr. **1** offuscare, ottenebrare, annebbiare, appannare CONTR. illuminare, imbiancare **2** [detto di lampada, etc.] (fig.) accecare **3** [un ambiente] scurire CONTR. rischiarare, schiarire **4** [la vista, la mente, etc.] offuscare, ottenebrare, intorbidare **5** [la fama, la bellezza] (fig.) adombrare, eclissare CONTR. esaltare **6** [il buon nome, etc.] (est.) compromettere, rovinare, infamare **7** [il cielo] rabbuiare, rannuvolare B v. intr. pron. **1** [detto di viso, di fronte, etc.] rabbuiarsi, chiu-

dersi (fig.), accigliarsi, aggrondarsi, rabbuffarsi CONTR. rasserenarsi **2** [detto di cielo, etc.] rabbuiarsi, rannuvolarsi, diventare oscuro, offuscarsi, infoscarsi, annerire CONTR. rasserenarsi **3** [detto di astro] eclissarsi, impallidire CONTR. dardeggiare, folgorare, fulgere **4** [detto di mente, etc.] ottenebrarsi.

oscuràto part. pass.; anche agg. **1** [rif. al cielo] offuscato, coperto, annebbiato CONTR. sereno, teso, limpido **2** [in volto] imbronciato, corrucciato, accigliato, preoccupato CONTR. sereno, disteso.

oscurità s. f. inv. **1** buio, ombra (est.), tenebra (colto), bruno (lett.) CONTR. luminosità **2** (est.) notte **3** [rif. a una risposta, a un testo] (est.) enigmaticità, ambiguità CONTR. chiarezza, evidenza.

oscùro A agg. **1** buio, fosco, cupo, nebbioso, tenebroso, nero, scuro CONTR. chiaro, luminoso, splendente, solare **2** astruso, enigmatico, misterioso, incomprensibile, fumoso, confuso, ambiguo, contorto, impenetrabile, inesplicabile, indecifrabile, inafferrabile, inintelligibile, inaccessibile, non chiaro CONTR. evidente, lampante, patente, perspicuo **3** [rif. al carattere, etc.] fosco, triste, bieco CONTR. aperto **4** [rif. a una persona, a una cosa] ignoto, sconosciuto, anonimo CONTR. eminente, notorio **5** [rif. a un corpo] opaco B s. m. sing. **1** buio **2** (est.) ignoranza.

osé agg. audace, azzardato, provocante, spinto CONTR. pudico, verecondo (lett.), castigato.

ospedàle s. m. **1** (spec.) nosocomio **2** policlinico **3** [privato] clinica, casa di cura **4** (gener.) edificio.

ospedalièro A agg. dell'ospedale B s. m. clinico.

ospitàle agg. **1** [rif. a un luogo] accogliente, confortevole, comodo **2** [rif. a una persona] affabile, cordiale CONTR. scortese, sgarbato, scontroso.

ospitalità s. f. inv. **1** (est.) asilo, ricovero, albergo (lett.) **2** cordialità.

ospitàre v. tr. accogliere, ricevere, albergare (raro), alloggiare, ricoverare, invitare (est.), raccogliere (lett.), ricettare (raro).

ospìzio *s. m.* **1** rifugio, ricovero, asilo (*lett.*) **2** [*per gli anziani*] gerontocomio (*colto*), reclusorio (*tosc.*) **3** [*per bambini*] brefotrofio **4** dimora, alloggio **5** (*gener.*) istituto.

òssa *s. f. pl.* scheletro.

ossatùra *s. f.* **1** [*rif. a una persona*] (*est.*) struttura, corporatura **2** [*parte interna di sostegno*] struttura, scheletro (*fig.*), intelaiatura, anima (*fig.*), armatura (*fig.*), telaio, carcassa, guscio **3** [*di un romanzo, di un film*] orditura.

ossequiàre *v. tr.* **1** riverire, inchinarsi a (*fig.*), complimentare, chinarsi a (*fig.*), corteggiare, sberrettarsi *per* (*fig.*), scappellarsi *per* (*fig.*) **CONTR.** ingiuriare, insolentire, insultare, irridere, motteggiare, umiliare **2** (*est.*) onorare, venerare, rispettare **3** [*la bellezza, etc.*] (*est.*) sacrificare a.

ossèquio *s. m.* **1** deferenza, venerazione (*est.*), devozione (*est.*), onore, riverenza **2** [*formula epistolare*] omaggio, rispetto, osservanza, conformità.

ossequiosaménte *avv.* cerimoniosamente, complimentosamente, rispettosamente **CONTR.** ingiuriosamente, irrispettosamente, irriverentemente, disinvoltamente (*est.*).

ossequióso *agg.* deferente, rispettoso, riverente, religioso (*fig.*) **CONTR.** impertinente, irrispettoso, impudente, irriverente, sfacciato.

osservànte **A** *part. pres.; anche agg.* **1** ubbidiente, disciplinato, ligio, rispettoso **CONTR.** inosservante, inadempiente **2** [*rif. al sentire religioso*] devoto, pio, praticante **CONTR.** miscredente, ateo, irriverente **B** *s. m. e f.* praticante, professante.

osservànza *s. f.* **1** ottemperanza, aderenza, conformità, fedeltà **2** (*est.*) adempimento, ubbidienza **CONTR.** elusione **3** [*nelle formule epistolari*] rispetto, ossequio.

osservàre **A** *v. tr.* **1** [*un'opera d'arte, etc.*] guardare, rimirare (*lett.*), mirare (*lett.*), contemplare, ammirare **2** [*q.c.*] esaminare, prendere in esame **3** [*qc.*] squadrare, studiare **4** [*un luogo*] ispezionare, esplorare **5** [*l'animo di qc.*] scrutare, scandagliare (*fig.*) **6** [*le azioni, le mosse*] spiare **7** (*est.*)

considerare (*fig.*), constatare, prendere in considerazione, notare **8** (*est.*) giudicare, ponderare **9** eccepire, obiettare, rilevare, rimarcare, ridire **10** [*un contegno, una condotta*] tenere **11** [*le leggi, le regole*] attenersi a, rispettare, ubbidire a **CONTR.** eludere, violare, infrangere **12** [*una promessa, un voto*] mantenere, adempiere **CONTR.** disattendere a **13** [*le convenzioni, le regole*] badare a, stare a **14** [*le festività*] (*est.*) santificare **B** *v. rifl.* guardarsi, mirarsi, rimirarsi.

osservazióne *s. f.* **1** [*di un fenomeno, etc.*] analisi, studio, indagine, ricerca, esplorazione, esame **2** [*su qc., su q.c.*] riflessione, rilievo, commento, nota **3** [*a qc.*] obiezione, rimprovero, riprensione **4** (*est.*) contemplazione.

ossessionàre *v. tr.* **1** tormentare, angosciare, assillare, opprimere **CONTR.** allietare **2** (*est.*) perseguitare, infastidire, molestare, importunare.

ossessionàto *part. pass.; anche agg.* **1** fissato, tormentato **CONTR.** libero **2** (*est.*) invasato, spiritato, malato, maniaco **3** indemoniato.

ossessióne *s. f.* **1** incubo, assillo, fissazione (*pop.*), chiodo (*fig.*), cancro (*fig.*), tarlo (*fig.*) **2** (*psicol.*) psicosi, mania, complesso, fobia **3** [*rif. a una persona*] (*scherz.*) persecuzione.

ossìa *cong.* o, ovvero, cioè, ovverosia (*raro*).

ossidàre A *v. tr.* arrugginire **B** *v. intr. pron.* arrugginirsi, arrugginire, fare la ruggine, diventare rugginoso, fiorire (*fig.*).

ossìgeno *s. m.* **1** elemento **2** (*fig.*) respiro.

òsso *s. m.* [*rif. alla frutta*] nocciolo, endocarpo (*bot.*).

ostacolàre *v. tr.* **1** [*il traffico, etc.*] intralciare, bloccare, fermare, interrompere, ostruire, ingombrare **2** [*i movimenti, etc.*] imbrigliare, imbarazzare, impicciare, impacciare, imbrogliare, legare **3** [*q.c.*] impedire, interdire, proibire, vietare, inibire **CONTR.** consentire, permettere **4** [*una relazione affettiva*] fare opposizione a, opporsi a, contrastare, contrariare **CONTR.** favorire **5** [*un processo*] (*fig.*) insabbiare, impastoiare, incagliare, inceppare

ostico

6 [*la carriera, etc.*] sbarrare, sabotare, boicottare, danneggiare **CONTR.** agevolare, facilitare **7** [*l'esito, la possibilità*] (*est.*) pregiudicare, precludere **CONTR.** favorire, aiutare **8** [*la decadenza, etc.*] (*est.*) arginare (*fig.*), prevenire, sventare **9** [*una comunicazione telefonica*] (*est.*) intercettare, disturbare.

ostàcolo *s. m.* **1** impedimento, difficoltà, blocco (*fig.*), scoglio (*fig.*), muro (*fig.*), parete (*fig.*), intoppo, inciampo, impiccio, impaccio (*est.*), palla (*fig.*), complicanza (*est.*) **CONTR.** spinta, agevolazione, facilitazione **2** [*da parte di qc.*] (*est.*) opposizione, preclusione, resistenza (*fig.*), chiusura (*fig.*) **3** (*est.*) divieto, proibizione, deterrente.

òste *s. m.* (*f. -essa*) ristoratore.

osteggiàre *v. tr.* **1** contrastare, intralciare, bloccare **CONTR.** difendere, favorire, incoraggiare, aiutare, sostenere **2** fare opposizione a, opporsi a, attaccare, combattere, avversare, oppugnare.

ostèllo *s. m.* **1** alloggio **2** albergo.

ostentàre *v. tr.* **1** esibire, mostrare, fare mostra *di*, fare vedere, sbandierare (*fig.*), sfoderare (*fig.*), sfoggiare, mettere in mostra **CONTR.** celare, nascondere, occultare **2** [*interesse per q.c.*] simulare, affettare, fingere, professare **3** [*amicizie importanti, etc.*] (*est.*) vantare, millantare **4** [*i propri meriti*] (*est.*) esaltare.

ostentàto *part. pass.; anche agg.* **1** esibito, sfoggiato **CONTR.** nascosto, celato **2** esagerato, affettato, artificiale, simulato, finto.

ostentazióne *s. f.* **1** [*di ricchezza, etc.*] esibizione, sfoggio, sfarzo, pompa **CONTR.** modestia **2** vanteria, posa **3** [*rif. all'atteggiamento*] (*est.*) sussiego, vanità.

osterìa *s. f.* bettola, taverna, gargotta (*raro*), cantina (*est.*), mescita (*est.*).

ostètrica *s. f.* (*pl. -che*) levatrice (*pop.*), mammana (*spreg.*).

òstico *agg.* **1** arduo, difficile, duro **CONTR.** facile **2** (*est.*) duro, ingrato, spiacevole **CONTR.** facile, piacevole, grato, accetto **3** [*rif. a un discorso, a* *uno scritto*] astruso **CONTR.** scorrevole, fluente, fluido **4** [*rif. a un pendio, a un sentiero, etc.*] impervio **CONTR.** facile, agevole.

ostile *agg.* **1** nemico, avversario **CONTR.** amichevole, affettuoso, solidale **2** avverso, contrario, indisposto (*raro*), inquisitorio **CONTR.** favorevole, propizio **3** [*rif. all'atteggiamento*] malevolo, astioso, animoso, velenoso (*fig.*), minaccioso (*est.*) **CONTR.** affettuoso, solidale, amorevole, amoroso, affezionato.

ostilità *s. f. inv.* **1** inimicizia, malanimo, avversione, animosità, acrimonia, astio, malevolenza **CONTR.** affettuosità, cameratismo, benignità **2** (*est.*) guerra.

ostilménte *avv.* animosamente, minacciosamente, con ostilità, contro **CONTR.** amichevolmente, cameratescamente, fraternamente, affettuosamente.

ostinàrsi *v. intr. pron.* perseverare, accanirsi, impuntarsi, incaponirsi, insistere, durare, intestardirsi, fissarsi, incaparbirsi, indurirsi, intestarsi, irrigidirsi, persistere, piccarsi, perdurare, resistere **CONTR.** cedere, arrendersi, piegarsi, condiscendere, accondiscendere, deflettere.

ostinataménte *avv.* **1** caparbiamente, testardamente, cocciutamente, persistentemente, puntigliosamente, tenacemente, incorreggibilmente **CONTR.** arrendevolmente, docilmente, condiscendevolmente, con atteggiamento accondiscendente, remissivamente **2** aspramente, accanitamente, implacabilmente.

ostinàto *A agg.* **1** [*rif. a una persona*] pervicace, caparbio, testardo, cocciuto, incaponito, puntiglioso, perseverante **CONTR.** arrendevole, cedevole, conciliante **2** tenace, accanito, spietato, duro, implacabile **3** [*rif. a una persona*] (*spreg.*) incallito, incorreggibile **4** [*rif. alla pioggia*] persistente *B s. m.* (*f. -a*) caparbio, testone (*fam.*).

ostinazióne *s. f.* **1** [*in senso negativo*] accanimento, cocciutaggine, testardaggine, caparbietà, pervicacia, puntiglio, protervia **2** [*in senso positivo*] accanimento, perseveranza, pertinacia, tenacia, combattività.

ostracismo *s. m.* **1** cacciata, espulsione, allontanamento **2** esclusione, rifiuto (*est.*), emarginazione.

òstrica *s. f.* (*pl. -che*) (*gener.*) mollusco.

ostruire *v. tr.* **1** [*il traffico, etc.*] intasare, ingorgare, ingombrare, interrompere, ostacolare **2** [*un condotto, una tubatura*] intasare, ingorgare, accecare (*fig.*), occludere, otturare, strozzare (*fig.*), chiudere, tappare, turare, sbarrare, serrare **CONTR.** aprire, stasare, sturare, disintasare **3** [*il movimento*] (*est.*) imbarazzare, impedire **4** [*una piazza, un locale*] (*est.*) assiepare.

ostruito *part. pass.; anche agg.* ingombro, sbarrato **CONTR.** sgombro, aperto.

ostruzióne *s. f.* **1** [*della strada, etc.*] blocco, sbarramento, impedimento **2** [*di un'arteria, etc.*] (*med.*) occlusione **3** [*di un tubo, di un condotto*] otturazione (*raro*), intasamento, otturamento.

ottemperànte *part. pres.; anche agg.* adempiente, ubbidiente **CONTR.** disubbidiente, renitente, ribelle.

ottemperànza *s. f.* osservanza, conformità.

ottemperàre *v. intr.* **1** adempiere, assolvere, espletare, soddisfare, eseguire, tenere fede **CONTR.** derogare **2** [*alle leggi, etc.*] conformarsi, uniformarsi, ubbidire, rispettare **CONTR.** disubbidire, contravvenire, ribellarsi, trasgredire.

ottenebraménto *s. m.* **1** oscuramento **2** [*rif. alla mente*] (*fig.*) appannamento, annebbiamento, ottundimento, ottenebrazione (*raro*).

ottenebràre *A v. tr.* **1** offuscare, oscurare, adombrare **CONTR.** illuminare, rischiarare, schiarire **2** [*la mente, le facoltà*] (*est.*) offuscare, annebbiare (*fig.*), confondere, ottundere, istupidire *B v. intr. pron.* incupirsi, offuscarsi, oscurarsi, rabbuiarsi.

ottenebrazióne *s. f.* (*fig.*) offuscamento, abbacinamento (*colto*), annebbiamento, oscuramento, ottenebramento (*raro*).

ottenére *v. tr.* **1** [*un premio, etc.*] en-

trare in possesso *di*, conquistare, guadagnare, guadagnarsi, vincere, buscare (*fam.*) **CONTR.** perdere **2** [*una votazione*] conseguire, riportare **3** [*credito, merito*] acquistare, acquisire **4** [*quanto desiderato*] raggiungere (*fig.*), procacciarsi **5** [*successo, etc.*] raggiungere (*fig.*), avere, riscuotere, cogliere (*fig.*), mietere (*fig.*) **6** [*amicizia, simpatia*] attirare **7** [*denaro, sostanze, etc.*] ricavare, trarre, cavare, estrarre, attingere **8** [*un'eredità*] entrare in possesso *di*.

ottimaménte *avv.* benissimo, eccellentemente, magnificamente, divinamente, finemente **CONTR.** pessimamente, terribilmente, malamente.

ottimismo *s. m.* **1** speranza **CONTR.** pessimismo, realismo, scetticismo **2** euforia, contentezza (*est.*) **CONTR.** scoraggiamento, sfiducia, depressione, scoramento.

ottimista *A agg.* fiducioso, positivo **CONTR.** pessimista *B s. m. e f.* **CONTR.** pessimista.

ottimisticaménte *avv.* fiduciosamente, allegramente **CONTR.** catastroficamente, con pessimismo, pessimisticamente.

òttimo *A agg.* splendido, eccellente, fantastico, favoloso, meraviglioso, impareggiabile **CONTR.** pessimo *B s. m. sing.* massimo.

ottomàna *s. f.* **1** canapè, divano **2** (*gener.*) sedile.

ottùndere *v. tr.* **1** [*q.c.*] arrotondare, smussare, spuntare **CONTR.** aguzzare, appuntire, affilare, acuire **2** [*la mente*] (*fig.*) appannare, confondere, ottenebrare, istupidire, indebolire, consumare, logorare **CONTR.** eccitare, svegliare, stimolare, irrobustire.

ottundiménto *s. m.* ottenebramento, appannamento (*fig.*), stordimento, intontimento, oscuramento (*fig.*).

otturaménto *s. m.* otturazione, ostruzione, chiusura, impedimento (*est.*), sbarramento.

otturàre *A v. tr.* **1** [*un condotto, una tubatura*] ostruire, occludere, strozzare, ingombrare, chiudere, ingorgare, intasare, turare, sbarrare, serrare **CONTR.** disintasare, forare, aprire, schiudere, stasare, sturare **2** [*un dente*] impiombare, piombare **B** *v. intr. pron.* ingorgarsi, intasarsi, tapparsi **CONTR.** aprirsi, stapparsi, sturarsi.

otturazióne *s. f.* **1** [*di un dente*] chiusura **2** [*di un condotto, etc.*] chiusura, intasamento, ostruzione, otturamento (*raro*).

ottusaménte *avv.* stupidamente, stoltamente, piattamente **CONTR.** acutamente, argutamente, sagacemente.

ottusità *s. f. inv.* **1** [*rif. alle capacità intellettuali*] torpidezza (*fig.*), torpore (*fig.*), limitatezza (*est.*), cecità (*fig.*), stupidità (*est.*), grossolanità (*est.*), opacità (*fig.*) **CONTR.** intuito, acutezza, agilità, sottigliezza, finezza, percettività, perspicacia, intelligenza, ingegno **2** [*di orecchi*] durezza (*fig.*), sordità.

ottùso *agg.* **1** [*rif. a una persona*] corto, lento, tardo, stolido, limitato, pigro, tardivo, ebete **CONTR.** acuto, alacre, arguto **2** [*rif. allo sguardo*] opaco (*fig.*), smorto, vago, inespressivo, vuoto (*fig.*) **CONTR.** acuto **3** [*rif. alla mente*] limitato, retrivo, chiuso **CONTR.** acuto, arguto, aguzzo, agile, elastico, ingegnoso **4** [*rif. a un angolo*] **CONTR.** acuto.

ouverture *s. f. inv.* attacco, preludio, introduzione, apertura (*fig.*), inizio **CONTR.** interludio, conclusione.

ovattàre *v. tr.* **1** imbottire (*impr.*) **2** [*il rumore*] (*est.*) attutire, attenuare **CONTR.** accrescere.

ovattàto *part. pass.; anche agg.* **1** [*rif. al rumore*] attutito, attenuato, smorzato **2** [*rif. al suono*] basso, fievole.

ovazióne *s. f.* applauso, acclamazione **CONTR.** fischio, fischiata.

óve A *avv.* dove **B** *cong.* **1** qualora, se, semmai **2** (*lett.*) invece, mentre.

òvest *s. m. inv.* ponente, occidente, occaso (*lett.*) **CONTR.** levante, est, oriente, nord, settentrione, sud, meridione.

óvo *s. m.* (*pl. -a*) V. *uovo*.

óvolo *s. m.* (*gener.*) fungo.

ovùnque *avv.* dappertutto, dovunque, da ogni parte.

ovvéro *cong.* **1** cioè, ovverosia (*raro*), ossia **2** o, oppure.

ovverosìa *cong.* ossia, ovvero, cioè.

ovviaménte *avv.* **1** evidentemente, logicamente, naturalmente **CONTR.** inspiegabilmente, assurdamente **2** (*fam.*) pacificamente.

ovviàre *v. intr.* porre rimedio, rimediare, riparare.

ovvietà *s. f. inv.* **1** evidenza, logica **2** (*est.*) banalità, trivialità, quotidianità,

convenzionalità **CONTR.** eccentricità, originalità.

òvvio *agg.* logico, evidente, naturale, palese, patente, banale, triviale, trito, scontato, intuitivo **CONTR.** illogico, assurdo, straordinario.

oziàre *v. intr.* bighellonare, ciondolare, poltrire, dormire (*fig.*), languire, dondolarsi (*fig.*), intorpidirsi, gingillarsi, perdere tempo, vagabondare, impigrirsi, stare inoperoso, rimanere inattivo, cincischiare **CONTR.** fare, faticare, industriarsi, lavorare, operare, affannarsi, arrabattarsi, affaticarsi, sbracciarsi.

òzio *s. m.* inattività, inerzia, inoperosità **CONTR.** lavoro.

oziosaménte *avv.* pigramente, indolentemente, abulicamente, accidiosamente, ciondoloni, accademicamente (*fig.*) **CONTR.** alacremente, laboriosamente, operosamente.

oziosità *s. f. inv.* **1** inerzia, inoperosità, poltroneria, infingardaggine **2** superfluità, inutilità, futilità.

ozióso A *agg.* **1** inoperoso, inerte, inattivo, disoccupato, scioperato, vagabondo, pigro **CONTR.** attivo, operoso, affaccendato, indaffarato, industrioso **2** [*rif. alle parole*] inutile, vano **B** *s. m.* (*f. -a*) pigro, disoccupato, scioperato.

p, P

pacàre *A v. tr.* **1** chetare, calmare, acquietare, pacificare, placare, sedare **CONTR.** irritare, eccitare, aizzare, pungolare, fomentare, stuzzicare **2** [*il dolore, etc.*] acquietare, placare, lenire, mitigare *B v. intr. pron.* calmarsi, acquietarsi, placarsi **CONTR.** infuriarsi, eccitarsi.

pacataménte *avv.* con calma, flemmaticamente, serenamente, tranquillamente, quietamente **CONTR.** affannosamente, impazientemente, agitatamente, convulsamente, freneticamente, forsennatamente, euforicamente, concitatamente, animatamente, irruentemente, impetuosamente, burrascosamente, arrabbiatamente, collericamente, irosamente, irritatamente.

pacatézza *s. f.* serenità, tranquillità, calma **CONTR.** veemenza, vivacità.

pacàto *part. pass.; anche agg.* calmo, tranquillo, sereno, quieto, flemmatico **CONTR.** agitato, inquieto, affannoso, appassionato, sanguigno, impetuoso, infervorato, eccitato, esaltato, spiritato, febbrile, convulso, smanioso, bisbetico, impulsivo, irritabile, eccitabile, bollente, collerico, furioso, veemente, esacerbato, irritato.

pàcca *s. f.* (*pl. -che*) **1** botta, manata, colpo **2** schiaffo **3** (*est.*) umiliazione, danno.

pacchétto *s. m.* **1** plico, pacco, involto **2** corpo, insieme.

pàcchia *s. f. inv.* benedizione, manna.

pacchiàno *agg.* appariscente, volgare, dozzinale, grossolano, kitsch (*ted.*) **CONTR.** sobrio, elegante.

pàcco *s. m.* (*pl. -chi*) **1** involto, cartoccio, fagotto, collo, plico, pacchetto **2** [*di carta*] risma **3** (*est.*) fregatura, balla.

paccottiglia *s. f.* ciarpame, chincaglieria, cianfrusaglia, spazzatura (*fig.*), immondizia (*fig.*).

pàce *s. f.* **1** tregua, armistizio **CONTR.** guerra **2** (*est.*) conciliazione, pacificazione **3** [*nei rapporti umani*] concordia, armonia, intesa **4** [*in un ambiente*] quiete, calma, silenzio **CONTR.** cagnara, baccano, baraonda, frastuono, fracasso **5** [*interiore*] beatitudine, felicità **CONTR.** turbamento, affanno **6** (*est.*) riposo, sonno **7** (*est.*) tranquillità, ordine **CONTR.** subbuglio, scompiglio, trambusto.

pacificaménte *avv.* **1** idilliacamente, serenamente, tranquillamente, placidamente, rilassatamente **CONTR.** aggressivamente, bellicosamente, arrabbiatamente, collericamente, cruentemente, furiosamente, affannosamente (*est.*), violentemente (*est.*) **2** ovviamente, evidentemente.

pacificàre *A v. tr.* **1** [*qc.*] riconciliare, conciliare, appaciare, accordare **CONTR.** inimicare, disunire, dividere, contrastare **2** [*l'animo*] calmare, placare, tranquillizzare, chetare, pacare, quietare, sedare, addolcire, rabbonire **CONTR.** irritare, eccitare, fomentare, aizzare, pungolare **3** [*una lite*] comporre, raggiustare *B v. rifl. rec.* riconciliarsi, rappacificarsi, conciliarsi **CONTR.** litigare, questionare, rompere.

pacificazióne *s. f.* pace, conciliazione, riconciliazione, riavvicinamento.

pacìfico *agg.* **1** tranquillo, calmo, quieto, placido, remissivo **CONTR.** litigioso, bellicoso, combattivo, battagliero, irruente, irascibile, eccitabile, focoso, irritabile, adirato, arrabbiato, bizzoso, burrascoso (*fig.*), tumultuoso (*fig.*), ansioso (*est.*) **2** (*est.*) sereno, buono **3** ovvio, evidente, indiscutibile.

pacioccóne *s. m.* (*f. -a*) (*fam.*) bonaccione.

paciugàre *v. intr. e tr.* pasticciare, intrugliare.

padàno *s. m. sing.* grana, parmigiano.

pàdre *s. m.* **1** papà (*fam.*), babbo (*tosc.*), genitore **CONTR.** figlio, figlia **2** progenitore, antenato, capostipite **3** (*est.*) creatore, artefice, autore **4** (*est.*) guida, maestro, iniziatore **5** (*relig.*) sacerdote, frate.

padrìno *s. m.* **1** compare **CONTR.** figlioccio **2** boss (*ingl.*).

padronànza *s. f.* **1** possesso **2** controllo, dominio, sopravvento **3** [*di una lingua, di un mestiere*] competenza, perizia, conoscenza.

padronàto *s. m.* capitale **CONTR.** proletariato, classe operaia.

padróne *s. m.* (*f. -a*) **1** proprietario, titolare **CONTR.** dipendente, garzone **2** capo, boss (*ingl.*), principale **CONTR.** servitù, servo, servitore, sottoposto, cameriere, domestico, lacchè **3** (*est.*) signore, sovrano, sultano, re, dominatore **CONTR.** suddito **4** [*di una scienza, etc.*] conoscitore, specialista, intenditore **5** [*di casa, etc.*] proprietario, locatore **CONTR.** affittuario, fittavolo, locatario, inquilino, pigionante.

padroneggiàre *A v. tr.* **1** [*una situazione, etc.*] controllare, dominare **2** [*una lingua straniera*] (*est.*) dominare, conoscere, possedere **CONTR.** ignorare **3** [*gli istinti, etc.*] controllare, raffrenare, reprimere, domare (*fig.*) **4** [*la propria vita, etc.*] (*est.*) disporre *B v. rifl.* essere padrone di sé stesso, dominarsi, vincersi, controllarsi, contenersi, moderarsi, frenarsi, raffrenarsi, reprimersi, temperarsi **CONTR.** abbandonarsi, cedere.

paesàggio *s. m.* **1** panorama, vista **2** ambiente, scenario, sfondo **3** (*est.*) pittura, olio, dipinto.

paesaggista *s. m. e f.* (*gener.*) pittore.

paèse *s. m.* **1** territorio, regione, terra, plaga (*poet.*), landa (*lett.*), contrada, lido (*lett.*), sponda (*lett.*), suolo (*poet.*), luogo, località, parte **2** nazione, patria, stato **3** villaggio, villa (*lett.*), borgo, provincia, abitato **CONTR.** città, metropoli.

paesìstico *agg.* paesaggistico.

paffùto *agg.* [*rif. al viso*] rotondo, florido, pieno **CONTR.** affilato, smunto.

pàga s. f. (pl. -ghe) **1** retribuzione, rimunerazione **2** salario, stipendio, mensile, soldo, pagnotta (fam.) **3** compenso, mercede (lett.) **4** (iron.) ricompensa, riconoscenza.

pagaménto s. m. **1** esborso, versamento, rimessa **2** indennizzo, ricompensa, compenso **3** (est.) scadenza **4** [di un debito] (est.) regolamento, estinzione.

pagàno A agg. infedele CONTR. cristiano B s. m. (f. -a) **1** [nel Nuovo Testamento] gentile **2** infedele.

pagàre v. tr. **1** [qc. per un lavoro, etc.] versare, sborsare (fam.), snocciolare (scherz.) CONTR. incassare, riscuotere, ricevere, intascare **2** [qc.] liquidare, retribuire, compensare, stipendiare, remunerare, rimborsare, finanziare, prezzolare (neg.), salariare, assoldare (est.) **3** [i danni arrecati] risarcire, rifondere **4** [una bibita, un dolce] (est.) offrire **5** [l'affetto, l'amore, etc.] corrispondere, ricompensare, contraccambiare **6** [un debito] saldare, onorare, estinguere, soddisfare, coprire **7** [i peccati, le colpe, etc.] scontare, espiare, fare penitenza, purgare (fig.).

pagherò s. m. inv. cambiale.

pàgina s. f. **1** foglio, carta (est.) **2** (est.) brano, passo **3** [rif. alla storia, etc.] (est.) episodio, vicenda.

pagliacciàta s. f. buffonata, commedia, farsa.

pagliàccio s. m. burattino, buffone.

pagliétta s. f. (gener.) cappello.

pagnòtta s. f. **1** pane **2** (est.) stipendio, paga, minestra (fig.), vitto.

pàgo agg. (pl. m. -ghi) appagato, contento, soddisfatto, felice, placato CONTR. inappagato, insoddisfatto, avvilito, scontento, malcontento, nauseato (est.), affamato (fig.).

paillette s. f. inv. lustrino.

pàla s. f. (gener.) utensile.

paladìno s. m. (f. -a) **1** campione, cavaliere, eroe **2** [della libertà, etc.] (est.) difensore, tutore, protettore, guardiano.

palàgio s. m. **1** palazzo **2** (gener.) costruzione.

palànca s. f. (pl. -che) soldo, denaro.

palàzzo s. m. **1** palagio (lett.) CONTR. stamberga, stambugio **2** (gener.) edificio, struttura, costruzione, casa.

pàlco s. m. (pl. -chi) **1** tavolato, assito **2** [di un mobile] scaffale, ripiano **3** palcoscenico, podio **4** balcone **5** [spec. al pl. con: disporre q.c. a] strato, piano.

palcoscènico s. m. palco, scena (est.).

palesaménto s. m. rivelazione, manifestazione, confessione (est.).

palesàre A v. tr. **1** [un'opinione, etc.] esprimere, manifestare, esternare, estrinsecare, esteriorizzare, dichiarare, protestare, notificare (bur.), proferire (raro) CONTR. dissimulare, occultare, nascondere, tacere, celare **2** [il proprio animo, etc.] (fig.) scoprire, denudare, dischiudere, dissuggellare, fare vedere, lasciare intravedere **3** [un segreto] rivelare, confidare, confessare, svelare, fidare (raro) **4** [paura, felicità, etc.] rivelare, trasudare (fig.), dimostrare, denotare, accusare (fig.), mostrare B v. intr. pron. **1** [detto di malattia, etc.] manifestarsi **2** [detto di passione, etc.] destarsi, risvegliarsi, sbocciare CONTR. nascondersi, celarsi, occultarsi **3** [detto di pronostico, di parole] rivelarsi, risultare C v. rifl. **1** svelarsi, esternarsi **2** mostrarsi, dimostrarsi.

palése agg. **1** manifesto, visibile, patente, evidente, ovvio, indubbio, aperto (fig.), nudo (fig.) CONTR. astruso, indecifrabile, inespresso, tacito, inintelligibile, recondito (lett.), riposto (lett.) **2** (est.) notorio, noto, risaputo, dichiarato CONTR. inespresso, inintelligibile, arcano **3** [in viso, etc.] stampato, impresso.

paleseménte avv. evidentemente, chiaramente, manifestamente, apertamente, dichiaratamente, esplicitamente, francamente, notoriamente, patentemente, visibilmente CONTR. occultamente, celatamente, copertamente, larvatamente, furtivamente, misteriosamente, arcanamente.

palizzàta s. f. **1** steccato, staccionata

2 (est.) barriera, sbarramento **3** (est.) recinto, recinzione.

pàlla s. f. **1** globo, sfera, boccia **2** [per giocare] pallone **3** testicolo, coglione (volg.), didimo (lett.) **4** [di un'arma] proiettile, pallottola **5** (est.) ostacolo, vincolo.

pallacanèstro s. f. inv. **1** (sport) basket (ingl.) **2** (gener.) sport, gioco.

pallanuòto s. f. inv. (gener.) sport.

pallavólo s. f. inv. **1** volley (ingl.), volley-ball (ingl.) **2** (gener.) sport, gioco.

palleggiàre v. tr. sballottare.

pàllido agg. **1** [rif. al colorito] bianco, cereo, smorto, sbiancato, giallo, terreo, smunto (est.), emaciato (est.), slavato CONTR. colorito, abbronzato, bruno **2** [rif. al colore] chiaro, tenue, scialbo, scolorito, slavato CONTR. vivace, intenso **3** [rif. al suono] (est.) diafano, debole, evanescente.

pallìno s. m. **1** (gener.) munizione **2** (est.) fisima, fissazione, mania, ubbia, chiodo (fig.) **3** (est.) passione, hobby (ingl.).

pallóne s. m. **1** [per giocare] palla **2** (est.) football (ingl.), calcio.

pallóre s. m. bianchezza (raro) CONTR. colorito.

pallòttola s. f. **1** proiettile, palla, cartuccia **2** (gener.) munizione.

pàlma (1) s. f. (gener.) albero, pianta.

pàlma (2) s. f. [della mano] palmo.

palmàre agg. lampante.

palménto s. m. **1** vasca **2** (est.) cantina.

palmipede A s. m. **1** [tipo di] oca, papera **2** (gener.) uccello B agg. [rif. a uccello] palmato.

pàlmo s. m. [della mano] palma.

pàlo s. m. **1** pertica **2** (est.) sostegno **3** [rif. a una persona] piantone, sentinella.

palombàccio s. m. **1** colombo, piccione **2** (gener.) uccello.

palombàro s. m. sommozzatore.

palómbo *s. m.* nocciolo, squalo.

palpàre *v. tr.* **1** toccare, brancicare, tastare, maneggiare, trattare, tenere tra le mani **2** toccare, brancicare, palpeggiare (*est.*), accarezzare, carezzare, massaggiare.

palpeggiàre *v. tr.* **1** maneggiare, palpare, tastare, toccare, brancicare, tenere tra le mani **2** accarezzare, carezzare, massaggiare.

palpitànte *part. pres.; anche agg.* fremente, vibrante.

palpitàre *v. intr.* **1** [*detto di cuore, di vena, etc.*] battere, pulsare, martellare, guizzare (*fig.*), saltellare (*fig.*) **2** [*per la gioia, per la paura*] (*est.*) vibrare, fremere, tremare, agitarsi, commuoversi, emozionarsi.

palpitazióne *s. f.* **1** batticuore, battito, pulsazione, tachicardia (*med.*) **2** (*est.*) trepidazione, commozione, emozione.

pàlpito *s. m.* **1** battito, pulsazione **2** [*di vita*] sussulto, guizzo, alito **3** [*di paura, etc.*] tremito, tremore **4** trasalimento.

paltò *s. m. inv.* pastrano, cappotto.

paludàre *v. tr. e rifl.* ammantare.

palùde *s. f.* **1** pantano, acquitrino, stagno **2** (*est.*) impasse (*fr.*).

palvése *s. m.* V. pavese.

panàre *v. tr.* [*la carne, etc.*] impanare.

pànca *s. f.* (*pl. -che*) **1** panchina, banco CONTR. sedia, divano, sgabello, poltrona **2** (*gener.*) sedile.

panchìna *s. f.* **1** panca **2** (*gener.*) sedile.

pància *s. f.* (*pl. -ce*) **1** ventre, addome, trippa (*pop.*), buzzo (*pop.*), epa (*lett.*), sacco **2** (*est.*) rigonfiamento.

pancièra *s. f.* ventriera.

pandemònio *s. m.* confusione, baraonda, trambusto, caos, casino (*pop.*), putiferio, finimondo, babele, babilonia, parapiglia CONTR. ordine, tranquillità.

pàne *s. m.* **1** (*est.*) pagnotta, vitto **2** [*morale*] (*fig.*) nutrimento, sostenta-

mento, cibo.

pànfilo *s. m.* **1** yacht (*ingl.*) **2** (*gener.*) barca, imbarcazione.

pànico (1) *s. m.* terrore, paura, fifa (*fam.*), sgomento, strizza (*pop.*).

panìco (2) *s. m.* (*pl. -chi*) (*gener.*) erba.

pànico (3) *agg.* [*rif. alla natura*] (*est.*) naturale, ambientale.

panière *s. m.* cesto, canestro, cestino, cesta.

panificàre *v. tr.* fare il pane.

panìno *s. m.* tramezzino, sandwich (*ingl.*).

pànna *s. f.* **1** crema **2** [*della società*] crema, élite (*fr.*) CONTR. feccia, schiuma.

pannèllo *s. m.* **1** riquadro **2** (*tecnol.*) quadro.

pànno *s. m.* **1** tessuto, stoffa, roba (*fam.*) **2** drappo, cencio, straccio **3** coperta **4** abito.

panoràma *s. m.* **1** veduta, visuale, vista, sguardo (*fig.*), prospettiva (*est.*), prospetto (*est.*) **2** (*est.*) paesaggio **3** (*est.*) esposizione, rassegna **4** (*teatr.*) fondale.

pantalóni *s. m. pl.* **1** calzoni, braghe (*pop.*) **2** (*gener.*) indumento.

pantàno *s. m.* **1** palude, acquitrino, stagno **2** (*est.*) fango, melma, mota **3** (*est.*) impiccio, intrigo.

panzàna *s. f.* menzogna, frottola, fandonia, balla (*pop.*), bugia, bomba (*fig.*), bubbola, carota (*fig.*), fola.

papà *s. m. inv.* babbo (*tosc.*), padre, genitore CONTR. figlio, figlia.

papàia *s. f. inv.* (*gener.*) frutto.

papàvero *s. m.* (*gener.*) fiore.

pàpera *s. f.* **1** oca **2** (*gener.*) uccello, palmipede **3** (*est.*) errore, lapsus (*lat.*), sproposito.

pàppa (1) *s. f.* **1** zuppa **2** [*per bambini*] minestrina **3** (*pop.*) sbobba, sbroscia, poltiglia.

pàppa (2) *s. m. inv.* protettore (*euf.*),

sfruttatore, magnaccia (*roman.*), lenone (*lett.*), paraninfo, mezzano, ruffiano.

pappagallescaménte *avv.* a pappagallo, mnemonicamente.

pappagàllo *s. m.* (*gener.*) uccello.

pappàre *v. tr.* **1** divorare, ingozzare **2** (*gener.*) mangiare CONTR. digiunare.

pappatòria *s. f.* **1** mangiata **2** (*est.*) mangiatoia, greppia **3** ruberia, mangeria.

paràbola (1) *s. f.* **1** (*est.*) allegoria, similitudine, metafora **2** (*est.*) favola, racconto.

paràbola (2) *s. f.* **1** traiettoria, percorso **2** [*della vita, della carriera*] (*fig.*) corso, curva.

paracadutàre *v. tr. e rifl.* lanciare con un paracadute.

paracadutìsmo *s. m. sing.* (*gener.*) sport.

paracadutìsta *s. m. e f.* parà.

paràcqua *s. m. inv.* ombrello, parapioggia CONTR. parasole.

paradisiacaménte *avv.* celestialmente, deliziosamente, meravigliosamente.

paradisìaco *agg.* celestiale.

paradìso *s. m.* eden, cielo, empireo, eccelso (*lett.*) CONTR. inferno, tartaro (*lett.*), ade (*lett.*), averno (*lett.*).

paradossàle *agg.* assurdo, illogico, insensato, inverosimile, irragionevole, esagerato (*est.*), stravagante (*est.*), bizzarro (*est.*) CONTR. regolare, normale.

paradossalménte *avv.* assurdamente CONTR. logicamente.

paradòsso *s. m.* assurdità, controsenso.

parafàre *v. tr.* firmare, siglare.

parafrasàre *v. tr.* **1** interpretare, chiarire **2** (*est.*) ripetere.

paràggi *s. m. pl.* dintorni, vicinanze, prossimità.

pàrago *s. m.* (*pl. -ghi*) (*gener.*) pesce.

paragonàbile *agg.* comparabile, confrontabile.

paragonàre *A* *v. tr.* *1* confrontare, comparare, raffrontare *2* (*est.*) avvicinare, accostare, raccostare, ragguagliare, ravvicinare, somigliare, assembrare (*raro*), assomigliare, assimilare, uguagliare, equiparare, opporre, contrapporre, collazionare *B* *v. rifl.* confrontarsi, equipararsi, misurarsi, compararsi, raffrontarsi, commisurarsi, contrapporsi.

paragóne *s. m.* *1* confronto, comparazione, raffronto, parallelo, riscontro, ragguaglio (*raro*), rispetto *2* (*est.*) modello, esemplare, esempio.

paràlisi *s. f. inv.* *1* arresto, blocco, fermata *2* staticità, inattività, passività, stasi *3* apoplessia (*med.*), accidente (*fam.*), colpo (*fam.*).

paralizzàre *v. tr.* *1* bloccare, arrestare, fermare, immobilizzare, impedire il movimento, inceppare, impedire, imbarazzare, congelare (*fig.*) **CONTR.** animare *2* [*le idee, l'espressività*] (*est.*) bloccare, soffocare (*fig.*), inibire, distruggere (*fig.*) **CONTR.** animare, promuovere *3* [*qc. nel traffico*] (*fig.*) imbottigliare.

parallelaménte *avv.* *1* analogamente, ugualmente *2* simmetricamente, collateralmente *3* (*mat.*) **CONTR.** ortogonalmente, perpendicolarmente.

parallelismo *s. m.* analogia, simmetria, consonanza, corrispondenza, somiglianza.

parallèlo (1) *agg.* *1* analogo, corrispondente, equivalente (*est.*) **CONTR.** trasversale *2* (*mat.*) **CONTR.** perpendicolare.

parallèlo (2) *s. m.* paragone, confronto, raffronto.

paralùce *s. m. inv.* (*fot.*) parasole.

paraménto *s. m.* *1* arredo *2* (*relig.*) pianeta.

paràmetro *s. m.* *1* (*mat.*) variabile *2* (*est.*) criterio, misura, norma *3* livello.

paraninfo *s. m.* (*f. -a*) *1* pronubo *2* (*est.*) mezzano, sensale, mediatore, intermediario *3* (*raro*) mezzano, lenone (*lett.*), ruffiano, protettore (*euf.*), pappa (*merid.*), prosseneta (*lett.*).

parànza *s. f.* (*gener.*) barca, imbarcazione.

parapètto *s. m.* *1* balaustra, ringhiera *2* sponda, muro *3* [*di un pozzo*] vera, ghiera, puteale.

parapiglia *s. m. inv.* tafferuglio, putiferio, casino (*pop.*), pandemonio, babele, babilonia, caos, confusione.

parapiòggia *s. m. inv.* paracqua, ombrello **CONTR.** parasole.

paràre *A* *v. tr.* *1* [*qc., q.c.*] ornare, addobbare, decorare, abbigliare *2* riparare, proteggere, difendere, guardare **CONTR.** esporre, scoprire *3* [*un colpo, un danno, etc.*] scansare, schivare, stornare, evitare, fermare, trattenere *4* [*le mani*] porgere, offrire, stendere *B* *v. intr.* [*detto di discorso, etc.*] mirare, andare a finire *C* *v. rifl.* *1* abbigliarsi, bardarsi (*scherz.*) *2* difendersi, proteggersi, coprirsi, guardarsi le spalle *3* presentarsi, opporsi *4* frapporsi, interporsi.

parasóle *s. m. inv.* ombrello **CONTR.** paracqua, parapioggia.

parassita *A* *agg.* [*rif. a un ente, a una società, etc.*] improduttivo, inutile, passivo **CONTR.** produttivo, utile, attivo *B* *s. m.* *1* sfruttatore, scroccone, mignatta (*fig.*) *2* satellite, cortigiano.

paràta *s. f.* *1* [*rif. agli abiti*] gala *2* [*militare, etc.*] sfilata *3* [*di moda, etc.*] rassegna.

paratàssi *s. f. inv.* (*ling.*) coordinazione **CONTR.** ipotassi.

paratìa *s. f.* tramezza, tramezzo, divisorio.

paravènto *s. m.* *1* schermo, riparo *2* (*est.*) divisorio.

parcaménte *avv.* misuratamente, sobriamente, moderatamente, frugalmente **CONTR.** smodatamente, esageratamente, eccessivamente.

parcèlla *s. f.* [*di un professionista*] onorario.

parcellizzàre *v. tr.* frazionare, dividere **CONTR.** accorpare.

parchéggio *s. m.* parking (*ingl.*).

pàrco (1) *agg.* (*pl. m. -chi*) *1* sobrio, frugale, moderato, continente, tempe-

parere

rante **CONTR.** intemperante, smodato, vorace *2* scarso, parsimonioso, avaro **CONTR.** prodigo, generoso.

pàrco (2) *s. m.* (*pl. -chi*) giardino.

parécchio *A* *agg. indef.* *1* molto, numeroso, tanto *2* abbondante, molto, tanto *B* *pron. indef.* molto, mucchio, caterva, moltitudine, massa, decine, centinaia, migliaia **CONTR.** pochi *C* *avv.* tanto, assai, alquanto, abbastanza, apprezzabilmente, molto, notevolmente **CONTR.** poco, niente.

pareggiàre *A* *v. tr.* *1* livellare, uguagliare, parificare, bilanciare, equilibrare, controbilanciare **CONTR.** diversificare, squilibrare *2* [*i diritti, il salario*] livellare, adeguare, equiparare, parequare, uguagliare, ragguagliare **CONTR.** differenziare, sperequare *3* [*il terreno, un muro, etc.*] appianare, piallare, rasare, rullare *4* [*le piante*] cimare *5* [*un conto*] saldare, coprire (*fig.*) *6* [*le spese, etc.*] compensare *7* [*i fogli di carta*] rifilare *B* *v. rifl.* *1* adeguarsi a, equipararsi a **CONTR.** differenziarsi, diversificarsi *2* sdebitarsi *C* *v. intr. pron.* [*detto di terreno, etc.*] uguagliarsi, livellarsi.

pareggiàto *part. pass.; anche agg.* *1* uguagliato *2* [*rif. a scuola*] parificato, equiparato.

paréggio *s. m.* *1* (*banca*) saldo *2* livellamento, perequazione, equilibrio, compensazione *3* [*in una partita*] (*sport*) parità.

parentàdo *s. m.* parentela, famiglia (*est.*).

parènte *s. m. e f.* *1* congiunto, consanguineo, prossimo, familiare, affine *2* genitore.

parentèla *s. f.* *1* consanguineità, prossimità (*raro*) **CONTR.** estraneità *2* parentado *3* (*est.*) somiglianza, rapporto, affinità, attinenza, legame.

parèntesi *s. f. inv.* *1* inciso *2* (*est.*) digressione, divagazione *3* (*est.*) intervallo, intermezzo, pausa, interludio.

parére *A* *v. intr.* *1* sembrare, apparire, comparire (*raro*), figurare, risultare, passare *per*, puzzare *di* (*fig.*), sapere *di* (*fig.*) *2* assomigliare, assembrare (*raro*), rassomigliare *3* [*usato con i pronominali mi, ti, gli, ci, etc.*] pensa-

re, reputare, credere, giudicare **B** *v. intr. impers.* **1** sembrare **2** piacere **C** *s. m.* **1** giudizio, opinione, avviso, stima, sentimento (*raro*), suffragio (*lett.*), impressione, pensiero, tesi **2** consiglio **3** (*est.*) sentenza, responso.

paréte *s. f.* **1** muro **2** tramezza, divisorio **3** [*tra persone*] (*fig.*) muro, ostacolo **4** [*rif. allo zoccolo*] (*veter.*) muraglia.

pàrgolo **A** *s. m.* **1** bambino, bimbo, fanciullo, marmocchio **CONTR.** ragazzo, giovanotto, adolescente, uomo, adulto, vecchio, anziano **2** (*est.*) innocente **B** *agg.* piccolo, grande.

pàri (1) **A** *s. m. sing.* (*gener.*) numero **CONTR.** dispari **B** *agg. inv.* **1** (*mat.*) **CONTR.** dispari **2** uguale, equivalente.

pàri (2) **A** *agg.* **1** uguale, identico, equivalente, equipollente, analogo, compagno (*fam.*), simile, stesso, medesimo **CONTR.** differente, diverso **2** [*rif. a una superficie*] liscio, piano **CONTR.** ondulato, scabro, irregolare **3** [*a un'attività*] adeguato, adatto, idoneo, all'altezza **B** *s. m. pl.* **1** simile, uguale **2** nobile, signore **C** *avv.* a pari merito.

pària *s. m. inv.* intoccabile.

parificàre *v. tr.* pareggiare, bilanciare, uguagliare, assimilare, equiparare, adeguare, perequare **CONTR.** differenziare, sperequare, diversificare.

parificazióne *s. f.* equiparazione.

pariménti *avv.* così, altrettanto, ugualmente, similmente, allo stesso modo, pure **CONTR.** diversamente.

parità *s. f. inv.* **1** uguaglianza, equivalenza **CONTR.** disparità, distinzione **2** (*sport*) pareggio.

parking *s. m. inv.* parcheggio.

parlamentàre (1) *v. intr.* **1** trattare, patteggiare **2** (*est.*) colloquiare, discutere, parlare.

parlamentàre (2) **A** *agg.* **1** assembleare, rappresentativo, democratico **2** diplomatico, formale, protocollare, corretto, cortese **3** [*rif. al comportamento*] diplomatico **B** *s. m. e f.* deputato, senatore.

parlaménto *s. m.* camera.

parlantìna *s. f.* loquacità, loquela, chiacchiera, verbosità, dialettica (*est.*), ciarla (*scherz.*), facondia (*colto*), lingua (*fig.*), eloquenza.

parlàre **A** *v. intr.* **1** favellare, esprimersi, dire *un* **CONTR.** tacere **2** [*con qc.*] comunicare *con*, entrare in comunicazione *con*, discutere *con*, discorrere *con*, conversare *con*, dialogare *con*, chiacchierare *con*, ragionare *con*, confabulare *con*, ciarlare *con*, mormorare *con*, parlottare *con*, colloquiare *con*, parlamentare *con*, intrattenersi *con* (*est.*), abboccarsi *con* (*est.*), conferire *con* **3** [*modi di*] sbraitare, sussurrare, bofonchiare **4** confidarsi, sfogarsi *con* **5** interloquire, prendere la parola **CONTR.** ammutolire, zittirsi **6** fare la spia, cantare (*fig.*) **7** [*detto di oratore, di attore, ecc.*] porgere *un*, declamare **8** (*est.*) narrare *un* **9** [*di un argomento*] trattare *un* **10** [*in una frase negativa*] (*est.*) fiatare **11** [*alla folla*] predicare, concionare, arringare *un* **12** [*di un progetto, ecc.*] (*est.*) pensare *a* **B** *v. tr.* [*una lingua straniera*] conoscere, possedere (*fig.*), esprimersi *in* **C** *v. rifl. rec.* **1** incontrarsi **2** (*est.*) flirtare, amoreggiare.

parlàta *s. f.* **1** cadenza, pronuncia, calata **2** gergo **3** (*est.*) sproloquio **4** [*rif. al sistema ling.*] lingua, idioma.

parlatóre *s. m.* (*f. -trice*) **1** oratore **CONTR.** ascoltatore **2** [*tipo di*] comiziante **3** (*spreg.*) retore.

parlottàre *v. intr.* **1** chiacchierare, ciarlare, cianciare, gracidare (*fig.*), cicalare (*fig.*), cinguettare (*fig.*), ciangottare (*fig.*) **2** bisbigliare, borbottare **3** (*est.*) confabulare, complottare **4** (*gener.*) parlare.

parlottìo *s. m.* **1** cicaleccio, chiacchierio, vocio, ciangottio, cicalio, cinguettio **CONTR.** grido, urlo **2** (*gener.*) rumore, suono.

pàrma *s. f.* [*tipo di*] scudo.

parmigiàno (1) *agg.* di Parma.

parmigiàno (2) *s. m.* grana, reggiano, padano.

parodiàre *v. tr.* mettere in caricatura, mettere in ridicolo, fare la parodia, contraffare, imitare, copiare, rifare.

parodìstico *agg.* caricaturale.

paròla *s. f.* **1** vocabolo, termine, verbo, nome (*est.*) **2** (*ling.*) voce, occorrenza **3** espressione, frase, detto **4** [*spec. al pl.*] chiacchiera, ciancia **5** voce, favella **6** menzione, cenno **7** promessa **8** [*tipo di*] suono, scritta.

parossisticaménte *avv.* esasperatamente.

parotìte *s. f.* orecchioni (*fam.*).

parròcchia *s. f.* **1** chiesa **2** (*est.*) congrega, confraternita.

pàrroco *s. m.* (*gener.*) prete, sacerdote.

parsimònia *s. f.* **1** [*rif. all'atteggiamento*] sobrietà, moderazione, frugalità, avarizia **2** [*dell'energia, ecc.*] (*fig.*) economia, risparmio **CONTR.** spreperо.

parsimoniosaménte *avv.* frugalmente, misuratamente, moderatamente **CONTR.** riccamente, prodigalmente.

parsimonióso *agg.* **1** parco, frugale, sobrio, moderato **CONTR.** generoso, munifico, largo, prodigo **2** (*neg.*) avaro, tirchio.

partàccia *s. f.* (*pl. -ce*) scenata.

pàrte *s. f.* **1** sottoinsieme, pezzo, frazione, sezione, frammento, brandello, lembo, spicchio **CONTR.** tutto, totalità **2** [*di alimenti*] dose, fetta, porzione, razione **3** [*di denaro*] quota, aliquota **4** [*di una moneta, di un disco, ecc.*] faccia, lato, banda **5** [*rif. a un luogo*] direzione, mano (*fig.*), verso, senso **6** [*rif. a un luogo*] paese, plaga (*lett.*), regione, lido (*lett.*) **7** [*della città*] settore, zona, quartiere **8** [*della scienza, ecc.*] settore, branca **9** [*del corpo*] organo **10** [*rif. a un'opera a stampa*] tomo **11** fazione, partito, gruppo **12** ruolo, compito, dovere **13** [*spec. con: fare una*] (*est.*) figura **14** rabbuffo, sgridata.

♦ **a parte** *loc. avv.* distintamente.

partecipànte *s. m. e f.* concorrente.

partecipàre **A** *v. intr.* **1** [*a una riunione, ecc.*] intervenire, aderire, presenziare, assistere **2** [*al lavoro, alla raccolta*] contribuire, concorrere, collaborare **3** [*a uno spettacolo*] (*est.*) esibirsi *in* **4** [*al dolore, alla gioia, ecc.*] (*est.*) unirsi, associarsi, vivere *un*, condividere *un*, compartecipare **B** *v. tr.* [*una notizia, una gioia*] comunicare, informare, annunciare.

partecipazióne *s. f.* **1** intervento, presenza, adesione CONTR. astensione **2** comunicazione, annuncio **3** concorso, collaborazione **4** (*est.*) complicità **5** (*econ.*) cointeressenza **6** interessamento, interesse, coinvolgimento.

partécipe *agg.* **1** compartecipe, interessato, solidale, compagno CONTR. avulso, estraneo **2** accorato, commosso CONTR. impassibile, freddo.

parteggiàre *v. intr.* prendere le parti *di*, tifare, tenere, aderire *a*, fare il tifo, favorire *un*, proteggere *un*, tirare (*fig.*), tenere le parti *di*.

partènza *s. f.* **1** dipartita (*lett.*) CONTR. avvento **2** (*est.*) commiato, distacco **3** [*di una attività*] inizio, principio **4** (*sport*) start (*ingl.*), via, avvio, avviamento CONTR. traguardo, arrivo **5** migrazione.

particolàre A *agg.* **1** peculiare, proprio, precipuo, caratteristico, distintivo, specifico (*est.*), determinato CONTR. complessivo, generale, generico, globale, universale **2** specifico (*est.*), singolare, speciale CONTR. impersonale, comune **3** (*est.*) segreto, personale **B** *s. m.* **1** elemento **2** caratteristica.

particolareggiàre *v. tr.* circostanziare.

particolareggiataménte *avv.* **1** dettagliatamente, analiticamente, minuziosamente CONTR. approssimativamente, a grandi linee **2** diffusamente, distesamente, approfonditamente.

particolareggiàto *part. pass.; anche agg.* dettagliato, minuto, minuzioso.

particolarità *s. f. inv.* peculiarità, specificità, singolarità, unicità, caratteristica.

particolarménte *avv.* **1** specificatamente, peculiarmente, tipicamente CONTR. generalmente, indiscriminatamente **2** massimamente, molto, sensibilmente **3** in particolare **4** individualmente, singolarmente CONTR. generalmente, complessivamente, globalmente.

partigianeria *s. f.* faziosità, parzialità CONTR. imparzialità, serenità (*est.*).

partigiàno A *agg.* fazioso, settario, parziale CONTR. neutrale, obiettivo, indifferente (*est.*) **B** *s. m.* (*f. -a*) antifascista CONTR. fascista.

partire (1) *v. intr.* **1** [*detto di persona, etc.*] andare via, allontanarsi, andarsene, assentarsi, fare un viaggio, sbaraccare (*fam.*) CONTR. restare, arrivare, giungere, pervenire, insediarsi **2** [*detto di mezzo di trasporto*] muoversi, salpare, decollare, avviarsi CONTR. arrivare, bloccarsi, atterrare, attraccare **3** [*detto di strada, etc.*] iniziare, cominciare, dipartirsi CONTR. terminare, finire, concludersi **4** [*detto di ragionamento, etc.*] (*fig.*) muovere, derivare, provenire, basarsi, fondarsi, prendere le mosse, prendere l'avvio **5** [*detto di uccelli, di insetti*] ripartire, migrare, sciamare CONTR. ritornare **6** [*detto di meccanismo*] (*est.*) guastarsi, rompersi **7** [*detto di colpo di fucile, etc.*] (*est.*) esplodere.

partire (2) *v. tr.* dividere, suddividere, spartire, distribuire.

partita *s. f.* **1** sfida, competizione, cimento (*lett.*) **2** gara, derby (*ingl.*) **3** [*di merci*] stock (*ingl.*), blocco, quantità, set (*ingl.*), gruppo.

partito (1) *s. m.* **1** raggruppamento, organizzazione, fazione, setta, parte, colore (*fig.*) **2** [*spec. con: prendere*] risoluzione, decisione, consiglio (*lett.*) **3** [*spec. in loc.: trovarsi a mal*] condizione, stato **4** (*est.*) mezzo, risorsa, via.

partito (2) *agg.* andato, folle, fatto (*fam.*).

partizióne *s. f.* **1** suddivisione, divisione, spartizione **2** [*rif. a testi scritti, etc.*] sezione.

partner *s. m. e f. inv.* **1** compagno, compagna **2** (*est.*) socio **3** [*nella danza*] ballerina, ballerino.

pàrto *s. m.* **1** (*est.*) figlio **2** (*est.*) portato (*lett.*), opera, produzione.

partorire *v. tr.* **1** mettere al mondo, dare alla luce, fare nascere, procreare, generare, figliare, scodellare (*scherz.*), sgravare (*fam.*) **2** [*detto di mente*] (*est.*) produrre, creare, ideare

3 [*odio, danno, etc.*] (*est.*) cagionare, causare.

part time *loc. agg., avv. e sost.* CONTR. full time (*ingl.*).

party *s. m. inv.* **1** ricevimento, rinfresco, trattenimento, veglione, cocktail (*ingl.*) **2** (*gener.*) festa.

parvènza *s. f.* **1** apparenza, simulacro (*fig.*) **2** (*fig.*) velo, ombra, barlume.

parziàle *agg.* **1** limitato, ridotto, ristretto CONTR. totale, complessivo, completo, generale, globale, radicale (*fig.*), intero, unanime **2** (*est.*) settario, ingiusto, fazioso CONTR. equanime, equilibrato, imparziale, neutrale, neutro, obiettivo, oggettivo, spassionato **3** [*rif. a un sentimento*] fazioso, appassionato, relativo, soggettivo CONTR. indifferente, imparziale **4** [*rif. ad anestesia*] (*med.*) locale CONTR. totale, generale.

parzialità *s. f. inv.* **1** faziosità, settarismo, ingiustizia, partigianeria CONTR. serenità, neutralità, equità, imparzialità, obiettività **2** [*l'azione*] favoritismo, preferenza.

parzialménte *avv.* **1** faziosamente, unilateralmente CONTR. imparzialmente, obiettivamente **2** frammentariamente, in parte CONTR. complessivamente, completamente, globalmente, integralmente, interamente, totalmente, radicalmente, assolutamente, compiutamente, esaurientemente **3** ingiustamente CONTR. disinteressatamente, equamente.

pàscere A *v. tr.* **1** [*il bestiame*] pasturare, pascolare **2** [*qc.*] nutrire, alimentare, satollare, saziare **3** [*la mente, il cuore*] (*fig.*) nutrire, alimentare **4** [*qc. con false promesse*] (*neg.*) illudere, imbonire **B** *v. intr.* pascolare, brucare, mangiare **C** *v. rifl.* **1** nutrirsi, alimentarsi, cibarsi **2** [*con speranze, ideali*] (*est.*) appagarsi, dilettarsi, compiacersi.

pascià *s. m. inv.* **1** nababbo, creso, miliardario, signore CONTR. miserabile, disgraziato, poveraccio, diseredato **2** gaudente CONTR. asceta.

pasciùto *part. pass.; anche agg.* **1** satollo, pieno, sazio, soddisfatto CONTR. denutrito, macilento, magro **2** [*rif. a* una persona] grasso, rubicondo, paffuto, rotondo.

pascolàre A v. tr. **1** pascere, pasturare **2** [il cane, i bambini, etc.] (est.) passeggiare **B** v. intr. nutrirsi, pascere.

pàscolo s. m. **1** prato **2** foraggio.

passàbile agg. ammissibile, accettabile, discreto, decente, mediocre, modesto, tollerabile CONTR. inaccettabile, intollerabile, brutto.

passabilménte avv. **1** tollerabilmente, accettabilmente CONTR. insufficientemente **2** sufficientemente, discretamente, mediocremente.

passacàrte s. m. e f. burocrate.

passàggio s. m. **1** varco, adito, accesso, pertugio, apertura, ingresso **2** sfogo, uscita **3** via, strada, canale, comunicazione, collegamento **4** [su un'imbarcazione] transito, traversata **5** transito, movimento, andirivieni, passeggio, traffico **6** [del pallone, etc.] (sport) invio, lancio **7** [di una situazione] cambiamento, mutamento **8** [rif. a un'opera a stampa] passo, brano **9** [di un diritto, di un titolo, etc.] trasferimento, vendita, cessione **10** [di q.c. a qc.] trasmissione **11** [in macchina, etc.] (fig.) strappo.

passànte (1) s. m. e f. viandante.

passànte (2) agg. [rif. a stazione] (ferr.) di transito.

passàre A v. tr. **1** [un valico, un guado, etc.] oltrepassare, scavalcare, guadare, superare, sorpassare, traversare, percorrere, valicare, attraversare **2** [un giornale] (est.) leggere **3** [qc. con la spada, etc.] infilzare, trapassare, ferire **4** [la vita, gli anni] (est.) vivere, condurre, menare, consumare **5** [una spremuta, una salsa] colare, depurare **6** [una storia, una notizia] (est.) tramandare, trasmettere, comunicare **7** [un lucido, una vernice] spalmare, applicare **8** [un oggetto] devolvere, porgere, cedere **9** [difficoltà, prove, etc.] (est.) sopportare, subire, soffrire **10** [un candidato] (est.) promuovere, approvare, ammettere **11** [la merce da un'imbarcazione] (est.) sbarcare, scaricare **12** [un passeggero, etc.] (est.) traghettare **13** [le scarpe, l'argento, etc.] strofinare **14** [il tempo] trascorrere, spendere

B v. intr. **1** circolare, transitare **2** [detto di autobus, etc.] venire, fermare **3** [da un luogo a un altro attiguo] trasferirsi **4** [attraverso q.c.] penetrare, filtrare **5** [detto di fiume, di strada, etc.] entrare, snodarsi, bagnare un, toccare un **6** [dalla mente] uscire, sfuggire **7** [detto di persona] apparire un, sembrare un, parere un **8** [detto di cibo] alterarsi, avariarsi, guastarsi, marcire **9** [detto di dolore, di mode, etc.] cessare, finire **10** [detto di giorni, di anni] (fig.) susseguirsi, fluire, trascorrere, procedere, sgusciare, scivolare, scorrere, correre, succedersi **11** [da un mezzo a un altro] trasbordare **12** [da un corpo ad un altro] trasmigrare **13** [detto di tempo] scadere, terminare **14** [detto di immagini, di ricordi] susseguirsi, fluire, sfilare (fig.) **15** [detto di candidato] (est.) essere promosso, superare gli esami **16** [detto di sogni] (fig.) allontanarsi.

passàta s. f. [di colore, etc.] mano (fig.), strato.

passatèmpo s. m. divertimento, svago, spasso, trastullo, diversivo, gioco, distrazione, divertissement (fr.).

passàto A part. pass.; anche agg. **1** [rif. al tempo] precedente, scorso, altro CONTR. contemporaneo, odierno, futuro, prossimo, venturo **2** [rif. a un modo di fare] superato, vieto **3** (est.) antico **4** (fig.) defunto, finito **B** s. m. **1** ieri (fig.) CONTR. avvenire, domani, futuro, presente, oggi **2** antichità.

passatóia s. f. **1** guida **2** (gener.) tappeto.

passeggèro (1) agg. **1** breve, effimero, momentaneo, fugace, temporale CONTR. durevole, duraturo, perenne, lungo **2** (est.) precario.

passeggèro (2) s. m. (f. -a) viaggiatore.

passeggiàre A v. intr. camminare, circolare, girellare, gironzolare, girare, vagare, deambulare (colto) **B** v. tr. **1** [una città] percorrere **2** [il cane, i bambini] pascolare (scherz.).

passeggiàta s. f. **1** camminata, giro, girata, escursione, gita, scampagnata, vasca (fig.) **2** [rif. a luogo] lungomare (est.), passeggio.

passeggiatrice s. f. peripatetica.

passèggio s. m. **1** passaggio, traffico, andirivieni **2** passeggiata.

pàssera s. f. vulva, natura (pop.), fica (volg.), topa (tosc.), fessa (nap.), potta (tosc.), patata (scherz.), fregna (roman.).

pàssero s. m. (gener.) uccello.

passìbile agg. suscettibile.

passionàle agg. ardente, sanguigno, istintivo, emotivo, caldo (fig.), eccitabile, romantico (est.) CONTR. freddo, indifferente, asettico, cerebrale (est.).

passionalità s. f. inv. impulsività, emotività.

passionalménte avv. emotivamente, istintivamente, ardentemente, appassionatamente CONTR. freddamente, distaccatamente.

passióne s. f. **1** [fisica, morale] patimento, sofferenza, dolore, tormento **2** amore, infatuazione, trasporto, affezione (raro) **3** entusiasmo, dedizione **4** vocazione, propensione **5** [del gioco, etc.] vizio, demone (fig.) **6** furore, veemenza, ardore, forza, furia, calore, enfasi **7** vita, scopo **8** (gener.) sentimento **9** interesse, predilezione, pallino (scherz.), hobby (ingl.).

passività s. f. inv. **1** [morale] apatia, indifferenza, abulia, acquiescenza, rassegnazione (est.), inerzia CONTR. attivismo, energia **2** [fisica] inerzia, inattività, staticità, paralisi (fig.).

passivo (1) agg. **1** apatico, abulico, inerte, inattivo, indifferente, statico (est.) CONTR. attivo, alacre, operoso, indaffarato (econ.) **2** improduttivo, parassita (fig.).

passivo (2) s. m. sing. (econ.) deficit, disavanzo.

pàsso (1) s. m. **1** andatura, ritmo **2** mossa, movenza, movimento **3** (est.) orma, impronta **4** valico, varco **5** (est.) scappata, salto **6** (est.) tentativo, azione **7** [in un libro] (est.) brano, pagina, punto, passaggio, squarcio, stralcio, frammento **8** (est.) atto, risoluzione, decisione.

pàsso (2) agg. [rif. all'uva] secco.

pàsta s. f. **1** amalgama, composto **2** (est.) indole, carattere, fibra **3** dolce, diplomatico **4** pomata, crema.

pasteggiàre v. intr. **1** banchettare, pranzare, cenare **2** (gener.) mangiare.

pastèllo A s. m. dipinto, pittura, quadro (est.) CONTR. olio, acquerello, tempera **B** agg. inv. [rif. a colore] chiaro, tenue.

pastétta s. f. broglio, imbroglio.

pasticca s. f. (pl. -che) pastiglia, confetto, compressa, pillola, cachet (fr.).

pasticciàre v. tr. **1** fare intrugli, intrugliare, paciugare (fam.), fare pasticci **2** [una tela, etc.] imbrattare **3** (est.) confondere.

pasticcino s. m. bonbon (fr.), dolce, biscotto (est.).

pasticcio s. m. **1** [di carne, etc.] sformato **2** guazzabuglio, garbuglio, casino (pop.), imbroglio, inciucio (nap.), zuppa (fig.) **3** guaio.

pastiglia s. f. pasticca, pillola, confetto, compressa, cachet (fr.).

pàsto s. m. **1** desinare, pranzo, cena, colazione **2** [dei militari] rancio.

pastóre s. m. **1** (gener.) cane **2** [di pecore, etc.] guardiano **3** [di anime, etc.] (est.) capo, guida.

pastorizzàre v. tr. sterilizzare.

pasturàre v. tr. pascere, pascolare.

patàcca s. f. (pl. -che) **1** macchia **2** [rif. a un'opera d'arte] falso.

patàta s. f. fica (volg.), fessa (nap.), topa (tosc.), natura (pop.), vulva, passera (pop.), fregna (roman.).

patènte (1) agg. lampante, evidente, ovvio, palese, notorio CONTR. oscuro, incerto.

patènte (2) s. f. [per guidare q.c.] autorizzazione.

patenteménte avv. chiaramente, evidentemente, manifestamente, palesemente CONTR. nascostamente, celatamente.

paternàle A s. f. ramanzina, predica, rimprovero, filippica, sgridata, rabbuffo, ammonimento, sermone, predicozzo (fam.) **B** agg. CONTR. filiale.

pateticaménte avv. compassionevolmente, pietosamente, commoventemente, malinconicamente.

patètico agg. penoso, pietoso, commovente, malinconico, affettato (est.).

patiménto s. m. **1** sofferenza, dolore, pena, tribolazione, tormento, passione, martirio (fig.), tortura (fig.), supplizio (fig.) CONTR. diletto **2** privazione, stento.

pàtina s. f. **1** vernice, colore **2** (est.) vernice, rivestimento, pellicola, film, strato, placca (fig.) **3** (fig.) velo, ombra, tocco.

patìre A v. tr. **1** [pene, dolori, etc.] soffrire **2** [la fame, la sete, etc.] soffrire, temere **3** [offese, etc.] subire, sopportare, sostenere, tollerare **B** v. intr. **1** soffrire, penare, tribolare, angustiarsi, stentare, fare fatica, angosciarsi, morire (fig.) CONTR. godere, gioire, esultare **2** [detto di aspetto] (est.) guastarsi, sciuparsi, deteriorarsi, deperire CONTR. rafforzarsi, riprendersi, prosperare **3** [per qc.] spasimare.

patito A part. pass.; anche agg. **1** sofferto, sudato **2** magro, emaciato, smunto, denutrito, affilato, macilento, sofferente, stentato, deperito CONTR. fiorente, florido, rubicondo **3** amante, fanatico **B** s. m. (f. -a) fan (ingl.), fanatico.

patologico agg. anormale, maniacale, morboso, esagerato (est.) CONTR. sano, normale.

pàtria s. f. nazione, paese, terra, nido (raro), madrepatria.

patrimònio s. m. **1** ricchezza, fortuna, sostanza, averi, beni, proprietà, capitale, roba, censo (raro) **2** [morale] ricchezza, bagaglio (fig.), risorsa, dote, retaggio **3** [rif. a una somma di denaro] fortuna, esagerazione (fig.), eresia (fig.), occhio (fig.).

patriòttico agg. nazionalistico.

patriziàto s. m. nobiltà, aristocrazia CONTR. borghesia, plebe, volgo.

patrizio A agg. aristocratico CONTR. plebeo, popolare **B** s. m. (f. -a) nobile.

patrocinàre v. tr. **1** difendere, assistere, proteggere CONTR. accusare, perseguitare **2** [una candidatura, etc.]

sostenere, appoggiare, propugnare, perorare CONTR. avversare, combattere, respingere.

patrocinàto part. pass.; anche agg. (dir.) difeso, assistito.

patrocinatóre s. m. (f. -trice) **1** avvocato, difensore **2** sostenitore, protettore.

patrocinio s. m. tutela, difesa, protezione, assistenza.

patronimico s. m. cognome.

patteggiàre A v. tr. negoziare, trattare, contrattare, discutere, pattuire, stipulare, concordare (est.) **B** v. intr. trattare, mercanteggiare, venire a patti, parlamentare.

pattinàggio s. m. sing. (gener.) sport.

pàttino s. m. **1** pedalò, moscone **2** (gener.) imbarcazione.

pàtto s. m. **1** accordo, intesa **2** [tra popoli] trattato, alleanza, convenzione **3** contratto (est.), transazione, scritta **4** condizione (est.) **5** (est.) legge.

pattugliaménto s. m. perlustrazione, battuta.

pattuire v. tr. stabilire, fissare, statuire, concordare, convenire, patteggiare, stipulare, contrattare, trattare, concludere (est.), convenzionare (raro).

pattumièra s. f. **1** bidone **2** (gener.) recipiente, contenitore.

paùra s. f. **1** terrore, panico, fifa (fam.), strizza (fam.), spavento CONTR. ardire, ardimento, fegato **2** sgomento, orrore, raccapriccio, gelo (fig.) **3** timore, preoccupazione, batticuore (fig.), ansia, tremore (fig.) **4** timore, sospetto **5** [di qc.] tema, soggezione **6** spettro (fig.), spauracchio **7** (psicol.) fobia **8** (gener.) emozione.

paurosaménte avv. **1** codardamente, vigliaccamente, vilmente, spaventosamente, timorosamente CONTR. intrepidamente, coraggiosamente, prodemente (lett.) **2** (fam.) straordinariamente, eccezionalmente.

pauróso agg. **1** pavido, codardo, timoroso, vigliacco, imbelle CONTR. valoroso, coraggioso, fiero, intrepido, ardito, audace, baldanzoso, bravo, ag-

pausa 398

guerrito (*fig.*) **2** (*fam.*) straordinario, eccezionale **3** [*rif. a un evento, a un incidente*] spaventoso, terribile, terrificante.

pàusa *A* s. f. **1** intervallo, sosta, intermezzo, parentesi (*fig.*) **2** [*nel lavoro*] fermata, break (*ingl.*), interruzione **3** (*mil.*) armistizio, tregua **4** (*est.*) respiro (*fig.*), sollievo, riposo **5** [*nelle vendite, etc.*] (*est.*) stasi, stallo, ristagno *B* inter. (*ingl.*) break, stop.

paventàre *v. tr.* temere, avere timore di, essere timoroso di, provare paura di CONTR. desiderare.

pavése o **palvése** s. m. bandiera.

pavidaménte *avv.* codardamente, vilmente, vigliaccamente, timorosamente CONTR. impavidamente, coraggiosamente, baldanzosamente, audacemente, valorosamente.

pavidità s. f. inv. codardia, pusillanimità, viltà, vigliaccheria CONTR. audacia, ardimento.

pàvido *A* agg. codardo, pauroso, timoroso, imbelle, vile, pusillanime CONTR. coraggioso, intrepido, fiero, baldanzoso, bravo, eroico (*est.*), prode (*poet.*), imperterrito (*est.*) *B* s. m. (*f. -a*) codardo, vigliacco.

pavimentàre *v. tr.* **1** [*una stanza, etc.*] impiantire **2** [*una via, una piazza*] lastricare, selciare, ammattonare (*raro*).

paviménto s. m. **1** impiantito, suolo (*raro*), terra (*est.*) **2** [*tipo di*] selciato.

pavóne s. m. (*gener.*) uccello.

pavoneggiàrsi *v. intr. pron.* **1** esibirsi, fare una esibizione **2** gloriarsi, lodarsi, vantarsi, incensarsi, vanagloriarsi, gonfiarsi (*fig.*), glorificarsi, compiacersi (*est.*), elogiarsi, pompeggiare (*scherz.*) CONTR. umiliarsi, disprezzarsi.

pavònia s. f. farfalla.

pazientàre *v. intr.* abbozzare, avere pazienza CONTR. scalpitare, spazientirsi, friggere, impazientirsi.

paziènte (1) agg. tollerante, indulgente, calmo, tranquillo, mansueto CONTR. impaziente, insofferente, litigioso, ansioso, intollerante, stizzito.

paziènte (2) s. m. e f. **1** ammalato, malato, soggetto, infermo **2** [*in ospedale, etc.*] degente, ricoverato.

pazienteménte *avv.* **1** con pazienza, filosoficamente, flemmaticamente, serenamente, rassegnatamente (*est.*) CONTR. impazientemente, nervosamente, smaniosamente, rabbiosamente (*est.*) **2** diligentemente, meticolosamente.

paziènza s. f. **1** tolleranza, sopportazione, calma (*est.*), mansuetudine (*est.*), rassegnazione (*est.*) CONTR. stizza, impazienza, insofferenza, nervosismo, iracondia, irascibilità **2** (*est.*) precisione, meticolosità **3** (*est.*) assiduità, perseveranza **4** (*gener.*) assiduità, perseveranza, virtù.

pazzaménte *avv.* **1** follemente, mattamente CONTR. equilibratamente, saggiamente **2** (*fam.*) alla follia, pazzescamente, esageratamente, eccessivamente, moltissimo.

pazzescaménte *avv.* **1** (*fam.*) straordinariamente, moltissimo, eccezionalmente CONTR. modestamente, malamente **2** follemente, dissennatamente, insensatamente, pazzamente CONTR. ragionevolmente, equilibratamente, saggiamente.

pazzésco agg. (pl. m. -chi) **1** assurdo, folle, allucinante, insensato, pericoloso (*est.*) **2** (*fam.*) straordinario, eccezionale.

pazzìa s. f. **1** follia, insania, demenza, squilibrio, alienazione CONTR. equilibrio **2** [*l'azione*] stravaganza, stramberia, stranezza **3** [*rif. a un'affermazione*] follia, assurdità **4** (*est.*) frenesia, esaltazione.

pàzzo *A* agg. **1** [*rif. a una persona*] folle, matto, mentecatto, stravagante, strano, scemo, squilibrato, spostato, maniaco CONTR. normale, assennato, savio **2** [*rif. al comportamento*] folle, matto, stravagante, strano, imprevedibile, scriteriato, bizzarro *B* s. m. (*f. -a*) folle, demente, matto, agitato, alienato.

pècca s. f. (pl. -che) imperfezione, vizio, neo (*fig.*), difetto, magagna (*pop.*), errore.

peccàre *v. intr.* **1** mancare, fallire, cadere (*fig.*), sbagliare, errare, fallare

(*lett.*), delinquere (*est.*) **2** [*detto di argomentazioni, etc.*] mancare, sbagliare, difettare.

peccàto s. m. **1** errore, fallo, sbaglio **2** macchia, colpa, difetto, magagna **3** (*ass.*) vizio, male **4** [*tipo di*] sacrilegio (*relig.*).

pechinése (1) agg. (gener.) cinese.

pechinése (2) s. m. (gener.) cane.

pècora s. f. (gener.) mammifero.

peculiàre agg. caratteristico, singolare, proprio, tipico, specifico, pretto CONTR. impersonale, generico, comune, universale.

peculiarità s. f. inv. caratteristica, particolarità, specificità, singolarità, proprietà, qualità, genio (*est.*).

peculiarménte *avv.* caratteristicamente, particolarmente, specificatamente CONTR. comunemente, generalmente.

pedàggio s. m. (gener.) tassa.

pedagogicaménte *avv.* didatticamente.

pedagògo s. m. (f. -a) (raro) precettore, istitutore.

pedànte *A* agg. **1** cavilloso, bizantino, meticoloso, noioso, pesante, saccente, pignolo CONTR. brioso, arguto, fantasioso, spiritoso **2** curialesco (*spreg.*) *B* s. m. e f. pignolo.

pedanteménte *avv.* **1** meticolosamente, scrupolosamente CONTR. sbrigativamente **2** noiosamente, tediosamente CONTR. briosamente, vivacemente **3** burocraticamente **4** insistentemente.

pedanterìa s. f. **1** [*rif. all'atteggiamento*] pignoleria, cavillosità, meticolosità, burocrazia, fiscalismo, formalismo **2** (*spreg.*) saccenteria **3** (*est.*) sottigliezza, minuzia, cavillo.

pedàta s. f. **1** orma, pestata, impronta, vestigia (*lett.*) **2** calcio **3** (*gener.*) colpo.

pederàsta s. m. omosessuale, bucaiolo (*tosc.*), buliccio (*genov.*), recchione (*merid.*), checca (*roman.*), cinedo (*lett.*), diverso, frocio (*roman.*), invertito, effeminato (*est.*).

pedestreménte *avv.* banalmente, ordinariamente, pedissequamente CONTR. estrosamente, genialmente.

pedinàre *v. tr.* seguire, braccare, ricercare, sorvegliare (*est.*), spiare (*est.*).

pedissequaménte *avv.* alla lettera, pedestremente, ciecamente CONTR. autonomamente.

peggioraménto *s. m.* **1** [*di una malattia, della guerra*] aggravamento, inasprimento, complicanza (*est.*) CONTR. miglioramento, progresso **2** [*dell'aspetto fisico*] deterioramento, declino, imbruttimento (*est.*) CONTR. miglioramento, abbellimento **3** [*del livello di vita, etc.*] abbassamento, scadimento, impoverimento CONTR. evoluzione, miglioramento.

peggioràre **A** *v. tr.* **1** [*una situazione*] aggravare, deteriorare, inasprire, riaggravare CONTR. correggere, migliorare, sanare **2** [*qc.*] imbruttire CONTR. abbellire, diventare migliore **3** [*q.c. per l'azione del tempo*] alterare, trasformare **B** *v. intr.* **1** [*detto di situazione, etc.*] deteriorarsi, tralignare, degenerare, complicarsi CONTR. migliorare, sanarsi **2** [*detto di carattere*] (*fig.*) inasprirsi, inacidirsi CONTR. correggersi, perfezionarsi **3** [*detto di clima*] turbarsi, guastarsi, perturbarsi CONTR. mitigarsi, volgere al bello **4** [*detto di prodotto alimentare*] alterarsi, scadere **5** [*detto di situazione economica*] depauperarsi, abbassarsi **6** [*detto di epoca, di persona, etc.*] regredire, imbarbarirsi, decadere CONTR. progredire **7** [*detto di malattia*] aggravarsi CONTR. guarire **C** *v. rifl.* imbruttirsi CONTR. raffinarsi, migliorarsi, abbellirsi.

peggioràto *part. pass.; anche agg.* inasprito, degenerato (*est.*) CONTR. migliorato, affinato (*est.*), digrossato.

pégno *s. m.* **1** garanzia, cauzione **2** (*est.*) acconto, anticipo, deposito **3** [*d'amore*] prova, testimonianza.

pelàme *s. m.* pelo, vello, pelliccia, mantello (*est.*).

pelapatàte *s. m. inv.* sbucciapatate.

pelàre **A** *v. tr.* **1** [*un animale*] spennare, spellare, spelacchiare, spennacchiare **2** [*le patate, etc.*] spellare,

mondare, sbucciare **3** [*qc.*] radere, depilare, sbarbare, rapare (*scherz.*), tosare (*scherz.*) **4** [*detto di vento, di freddo, etc.*] (*fig.*) pungere, scorticare, screpolare **5** [*un cliente, etc.*] (*fig.*) spennare, scorticare, ripulire, rapinare **6** [*gli alberi, gli orti*] spogliare **7** [*detto di doccia troppo calda*] bruciare, cuocere, scottare **B** *v. intr. pron.* perdere i capelli.

pellàccia *s. f.* (*pl. -ce*) **1** vita, pelle (*fig.*) **2** [*rif. a una persona*] duro **3** volpe (*fig.*), imbroglione.

pellàme *s. m.* pelle, cuoio (*est.*).

pèlle *s. f.* **1** cute, epidermide, tegumento, derma (*erron.*) **2** (*est.*) carnagione **3** [*della frutta*] buccia, scorza, corteccia, epicarpo (*bot.*), esocarpo (*bot.*) **4** (*est.*) vita, pellaccia (*pop.*), salute **5** superficie, crosta, rivestimento **6** pellame, cuoio.

pellegrinàggio *s. m.* viaggio, visita.

pellegrino **A** *agg.* **1** ramingo (*lett.*), vagabondo CONTR. stabile **2** forestiero, straniero CONTR. indigeno **B** *s. m.* (*f. -a*) viandante.

pellicàno *s. m.* (*gener.*) uccello.

pelliccia *s. f.* (*pl. -ce*) pelo, pelame, vello, mantello (*est.*).

pellicola (1) *s. f.* **1** membrana **2** buccia, rivestimento **3** patina, strato.

pellicola (2) *s. f.* (*est.*) film, pizza (*gerg.*).

pélo *s. m.* **1** peluria, lanugine **2** pelliccia, mantello, vello, pelame **3** (*est.*) ciglio **4** [*spec. con: per un*] (*est.*) attimo **5** [*spec. in loc.: non spostare di un*] (*fig.*) capello.

pelóso *agg.* irsuto, villoso.

pèlta *s. f.* [*tipo di*] scudo.

pelùria *s. f.* lanugine, calugine (*raro*), pelo.

pèlvi *s. f. inv.* bacino.

péna *s. f.* **1** dolore, angoscia, dispiacere CONTR. gioia, felicità **2** [*in attesa di q.c.*] ambascia, preoccupazione, affanno (*fig.*), cura (*lett.*) **3** [*nei confronti altrui*] (*pos.*) compatimento, cordoglio, compassione, compianto **4** (*neg.*) commiserazione, disprezzo **5**

(*fig.*) tormento, tortura, supplizio, patimento, martirio, croce, dannazione **6** [*nel fare q.c.*] (*est.*) fatica, stento, sforzo **7** castigo, condanna, penitenza, punizione, espiazione **8** multa, ammenda, sanzione.

penàle **A** *agg.* giudiziario **B** *s. f.* multa, penalità.

penalizzàre *v. tr.* **1** punire, castigare CONTR. premiare **2** (*est.*) trascurare.

penàre *v. intr.* **1** soffrire, tribolare, patire, stentare CONTR. godere, gioire **2** [*per qc.*] tormentarsi, angosciarsi, affliggersi, consumarsi, angustiarsi **3** [*per ottenere q.c.*] (*est.*) faticare, sudare (*fig.*), fare fatica.

pencolàre *v. intr.* **1** oscillare, pendere, vacillare, ciondolare, dondolare, ondeggiare, penzolare **2** (*est.*) dubitare, tentennare, titubare, esitare.

pendènte (1) *part. pres.; anche agg.* **1** sospeso, inclinato CONTR. diritto **2** [*rif. a un problema, a una questione*] sospeso, dubbio CONTR. risolto, concluso.

pendènte (2) *s. m.* (*gener.*) gioiello.

pendènza *s. f.* **1** [*del terreno*] dislivello **2** pendio, china, declivio **3** [*rif. a una torre*] inclinazione **4** (*est.*) debito.

pèndere *v. intr.* **1** [*detto di cosa, etc.*] ciondolare, penzolare, dondolare, oscillare, pencolare **2** [*detto di terreno, di muro, etc.*] declinare, essere in declivio, strapiombare, degradare, scendere **3** [*detto di torre, di costruzione*] inclinare, piegarsi, sbilanciare, volgersi **4** [*detto di abito*] ricadere, ricascare, cadere **5** [*detto di tetto*] (*est.*) spiovere, piovere (*fig.*) **6** [*detto di persona*] (*est.*) tentennare, esitare, titubare **7** [*detto di pericolo*] (*est.*) incombere, minacciare **8** [*detto di persona*] (*est.*) propendere, essere incline a, essere propenso a CONTR. avversare un **9** [*detto di situazione, di processo*] (*est.*) essere ancora in corso.

pendice *s. f.* falda.

pendio *s. m.* **1** pendenza, declivio, china, discesa, scarpata, calata, clivo (*colto*) **2** [*del terreno*] pendenza, dislivello.

pendolàre **A** *v. intr.* **1** oscillare, don-

pene

dolare, ondeggiare *2* fare il pendolare *B* agg. oscillatorio *C* s. m. e f. (est.) trasfertista.

pène s. m. membro, fallo (colto), verga (pop.), asta (raro), pisello (fam.), cazzo (pop.), minchia (merid.), belino (genov.), pirla (milan.), bischero (tosc.), uccello (pop.).

pènero s. m. nappa.

penetràbile agg. permeabile CONTR. impermeabile, impenetrabile.

penetrànte part. pres.; anche agg. *1* [rif. a un odore] acuto, pungente, acre *2* [rif. a un discorso, a una battuta] arguto, ironico, tagliente (fig.) CONTR. superficiale *3* [rif. a cosa] aguzzo, appuntito.

penetràre *A* v. intr. *1* entrare, introdursi, entrare dentro, entrare all'interno, internarsi (raro) *2* [in un bosco, etc.] entrare, introdursi, addentrarsi, spingersi *3* [detto di chiodo, di lama, etc.] ficcarsi, conficcarsi CONTR. uscire *4* [detto di polvere, di idee, etc.] infiltrarsi, passare, insinuarsi, infilarsi *5* [in una stanza] (est.) irrompere, invadere un CONTR. uscire *6* [nelle viscere della terra] (fig.) immergersi *7* [in una situazione, etc.] (fig.) incunearsi *8* [detto di idee, di teorie, di mode] espandersi, fare presa (fig.), serpeggiare (fig.) *B* v. tr. *1* [qc. con una lama] trapassare, trafiggere, perforare, infilare *2* [detto di profumo, etc.] permeare, pervadere *3* [il significato di q.c.] intendere, intuire, capire, andare a fondo, leggere (fig.), decifrare.

penetrazióne s. f. *1* introduzione, insinuazione *2* diffusione, infiltrazione *3* (fig.) acutezza, perspicacia.

penísola s. f. (est.) promontorio.

penitènza s. f. *1* privazione, mortificazione *2* castigo, pena, punizione, croce (fig.) *3* espiazione *4* [sacramento] (relig.) confessione.

penitenziàrio *A* s. m. carcere, galera, prigione, gattabuia (scherz.), reclusorio (raro), collegio (gerg.) *B* agg. carcerario.

pénna (1) s. f. *1* [tipo di] biro (est.), stilografica, stilo (fam.) *2* (est.) scrittore *3* [strumento musicale] plettro *4* (mar.) verga, randa, picco, antenna.

pénna (2) s. f. piuma.

pennàcchio s. m. cresta (fig.).

pennùto *A* s. m. uccello, volatile, alipede (lett.), augello (poet.) *B* agg. piumato CONTR. implume, spennato.

penosaménte avv. *1* con fatica, affannosamente, angosciosamente, faticosamente CONTR. piacevolmente *2* tristemente, dolorosamente, crudelmente, gravosamente CONTR. lietamente.

penóso agg. *1* [rif. a una situazione] sgradevole, schiacciante, doloroso, amaro, opprimente, crudele CONTR. lieto, piacevole *2* [rif. a un esame, a un'analisi, a un lavoro] sgradevole, greve (lett.), faticoso, oneroso *3* [rif. all'aspetto] patetico CONTR. piacevole *4* [rif. a un avvenimento] funesto CONTR. lieto, piacevole.

pensàre *A* v. intr. *1* meditare, riflettere, cogitare (lett.), ragionare, ponderare, ponzare, rimuginare, ruminare (fig.), arzigogolare, almanaccare, elaborare mentalmente, fantasticare, concentrarsi, scervellarsi (fam.) *2* avere facoltà intellettive, connettere *3* [nel linguaggio orale] figurarsi, immaginarsi *4* [a una cosa, a un interesse, etc.] dedicarsi, occuparsi di, interessarsi di CONTR. disinteressarsi, fregarsene, infischiarsi *5* [a una persona] (est.) badare, guardare un, provvedere, accudire *6* [in un modo determinato] (est.) sentire *7* [un progetto, etc.] (est.) parlare *B* v. tr. *1* arguire, dedurre, supporre, credere, opinare, giudicare, stimare, ritenere, considerare, presumere, presupporre, trovare (fig.), sospettare, ravvisare, immaginare *2* [usato con la prep. di e verbo all'infinito] contare, decidere, deliberare, proporsi, progettare *3* [un piano, una trovata] escogitare, inventare, concepire, ideare, architettare, macchinare, elucubrare, congetturare *4* [qc. o q.c. in un luogo] immaginare, vedere.

pensàta s. f. *1* trovata, idea, iniziativa (est.) *2* (est.) espediente.

pensièro s. m. *1* idea, concetto *2* [su q.c.] riflessione, considerazione, meditazione, fantasia *3* dottrina, teoria, concezione, filosofia, ideologia *4* disposizione, proposito, decisione, risoluzione (raro), disegno, volontà *5* [per qc.] cruccio, preoccupazione, ansia, apprensione, peso (fig.) *6* convinzione, convincimento, parere *7* (est.) cura, scrupolo *8* (est.) sollecitudine, attenzione, gentilezza *9* (est.) ricordo, dono, regalo *10* (est.) atto, comportamento, gesto *11* (est.) roba.

pensierosaménte avv. pensosamente CONTR. spensieratamente.

pensieróso agg. *1* cogitabondo, meditabondo, assorto *2* (est.) preoccupato, cupo.

pensionàre *A* v. tr. giubilare, mettere a riposo *B* v. intr. pron. andare in pensione.

pensionàto s. m. istituto.

pensióne s. f. *1* vitalizio *2* retta *3* albergo, locanda.

pensosaménte avv. con atteggiamento assorto, pensierosamente CONTR. spensieratamente.

pensóso agg. assorto, pensieroso, meditabondo.

pentiménto s. m. *1* contrizione, rimorso, rimpianto, rincrescimento *2* (gener.) sentimento *3* ripensamento *4* ravvedimento.

pentirsi v. intr. pron. *1* rammaricarsi, rimpiangere un, dolersi, vergognarsi (est.), contristarsi (est.), mordersi le mani (fig.) *2* ravvedersi, redimersi, convertirsi, ricredersi.

penùria s. f. *1* mancanza, deficienza, carenza, scarsità, scarsezza, carestia, assenza, rarità (est.) CONTR. sovrabbondanza, dovizia, eccedenza *2* (est.) indigenza, ristrettezza, povertà *3* (est.) necessità, difficoltà.

penzolàre v. intr. ciondolare, pendere, dondolare, pencolare, ricadere, ricascare.

penzolóni avv. ciondoloni, pendendo verso il basso.

peòcio s. m. *1* mitilo, muscolo, cozza *2* (gener.) mollusco.

peònia s. f. (gener.) fiore.

peòta s. f. (gener.) barca, imbarcazione.

pepàre v. tr. mettere del pepe *a su*, pimentare (*raro*), condire (*impr.*).

peperóne s. m. (*gener.*) ortaggio, verdura.

pèra s. f. (*gener.*) frutto.

peràltro avv. del resto, tuttavia, però.

perbàcco *inter.* misericordia, accidenti, diavolo.

perbène **A** agg. ammodo, dabbene, raccomandabile, onesto, gentile, educato, garbato, corretto, a posto, perlaquale (*fam.*) **CONTR.** debosciato, corrotto, vizioso, maleducato **B** avv. ordinatamente, accuratamente, bene **CONTR.** disordinatamente, male.

perbenìsmo s. m. conformismo.

per càso loc. avv. V. caso.

percènto agg. percentuale.

percentuàle (1) s. f. **1** commissione, provvigione, royalty (*ingl.*), guadagno (*est.*), aliquota **2** [*dell'oro, dell'argento*] titolo.

percentuàle (2) agg. percento.

percentualménte avv. proporzionalmente.

percepire v. tr. **1** [*con i sensi, con la mente, etc.*] avvertire, capire, intendere, apprendere, vedere, scorgere, conoscere, distinguere, riconoscere, sentire, udire, presentire, ravvisare, scoprire **2** [*denaro, etc.*] ricevere, raccogliere, incassare, riscuotere, prendere, esigere (*est.*).

percettìbile agg. visibile, tangibile, avvertibile **CONTR.** impercettibile.

percettibilménte avv. sensibilmente **CONTR.** impercettibilmente.

percettività s. f. inv. ricettività, sensibilità, suscettibilità **CONTR.** ottusità.

percezióne s. f. **1** intuizione, intuito, comprensione (*est.*), immaginazione (*est.*) **2** sensazione, impressione.

perché **A** avv. come mai, per quale motivo **B** cong. poiché, affinché, giacché, acciocché **C** s. m. inv. **1** motivo, motivazione, causa, scopo, ragione, cagione **2** dubbio, interrogativo, domanda, quesito.

perciò cong. pertanto, cosicché, così.

percórrere v. tr. **1** [*una regione, etc.*] attraversare, passare attraverso, passare, viaggiare *per* **2** [*una città, etc.*] (*est.*) perlustrare, girare, visitare, esplorare (*raro*), passeggiare *per* (*raro*), correre *fra* (*raro*), scorrere *fra* **3** [*una strada*] (*anche fig.*) (*est.*) calcare, battere **4** [*una determinata distanza*] (*fig.*) coprire **5** [*il mare*] (*est.*) navigare.

percorrìbile agg. agibile, transitabile, praticabile **CONTR.** inagibile.

percórso s. m. **1** [*in senso fisico*] cammino, strada, via **2** [*in senso temporale*] tragitto, viaggio **3** [*burocratico, etc.*] iter (*lat.*) **4** [*prestabilito*] iter (*lat.*), itinerario, rotta **5** [*di un proiettile, di una palla*] traiettoria, parabola **6** [*di gara*] itinerario, pista, circuito, tracciato **7** [*di un autobus, etc.*] itinerario, linea.

percòssa s. f. **1** battuta, colpo, batosta (*raro*) **2** [*tipo di*] bastonata, legnata, manata, schiaffo, sberla, ceffone, pugno, calcio, manganellata, randellata, scapaccione.

percuòtere **A** v. tr. **1** colpire, battere, picchiare, menare, malmenare, alzare le mani *su*, pestare **2** [*modi di*] vergare (*raro*), legnare, bussare, schiaffeggiare, frustare, sferzare, randellare, bacchettare **3** [*un tappeto, etc.*] sbattere, sbatacchiare **4** [*il metallo*] colpire, battere, martellare **5** [*qc.*] (*est.*) punire **6** [*detto di luce, etc.*] (*fig.*) ferire **7** [*detto di pestilenza, siccità*] (*est.*) flagellare, affliggere **8** [*detto di destino*] perseguitare **9** [*l'animo*] addolorare **B** v. rifl. rec. lottare, picchiarsi, battersi.

pèrdere **A** v. tr. **1** smarrire, abbandonare **CONTR.** trovare, ritrovare, rintracciare, recuperare, reperire, riacquistare, riconquistare **2** [*tempo, denaro, etc.*] sprecare, sciupare, consumare, dissipare, scialacquare, disperdere **CONTR.** recuperare, utilizzare, conservare, guadagnare, riguadagnare **3** [*un'occasione*] lasciarsi sfuggire, giocare, giocarsi, lasciarsi scappare **CONTR.** riavere, prendere **4** [*uno spettacolo, etc.*] lasciarsi sfuggire **5** [*qc.*] screditare, rovinare **B** v. intr. **1** rimetterci, scapitare, soccombere, avere la peggio **CONTR.** vincere, consolidarsi **2**

[*detto di contenitore*] colare **C** v. intr. pron. **1** smarrirsi, disperdersi **CONTR.** orientarsi, orizzontarsi **2** [*moralmente*] (*est.*) smarrirsi, scoraggiarsi, confondersi, disanimarsi, scorarsi, sconcertarsi **CONTR.** riaversi, rinfrancarsi, confortarsi **3** [*detto di profumo, di suono, etc.*] svanire, dissolversi, sfumare, dileguarsi, svaporarsi, dissiparsi **CONTR.** giungere, arrivare **4** [*moralmente*] sprecarsi, dannarsi, bruciarsi (*fig.*) **CONTR.** redimersi **5** [*in un bicchiere d'acqua*] (*fig.*) affogare, annegarsi **6** [*in una situazione*] imbrogliarsi, impegolarsi **7** [*nella forma: perderci*] rimetterci **CONTR.** lucrare.

pèrdita s. f. **1** privazione, mutilazione (*fig.*), spoliazione (*raro*) **2** [*delle facoltà fisiche, etc.*] diminuzione, esaurimento **3** [*economica, morale*] (*est.*) danno, scapito, discapito **CONTR.** vantaggio, tornaconto, guadagno **4** [*di denaro*] deficit, ammanco, disavanzo, rimessa, disvalore **5** [*di q.c.*] morte **6** [*di q.c.*] smarrimento **7** [*di liquidi, di gas*] fuoriuscita, fuga, dispersione **8** [*spec. con: subire una*] (*est.*) sconfitta **CONTR.** vincita **9** [*spec. con: essere in*] (*est.*) svantaggio **10** [*di tempo*] spreco **CONTR.** risparmio.

perdizióne s. f. **1** malora, rovina, sfascio **2** dannazione (*fig.*) **CONTR.** salvezza.

perdonàbile agg. compatibile, giustificabile, scusabile **CONTR.** imperdonabile.

perdonàre v. tr. e intr. **1** [*qc.*] assolvere, graziare, amnistiare (*bur.*), prosciogliere **CONTR.** condannare, giustiziare, vendicare, punire **2** [*una scortesia, un difetto*] scusare, comprendere, compatire, tollerare, sopportare **3** (*relig.*) indulgere *su*, rimettere i peccati **4** [*le offese, i torti subiti*] (*est.*) obliare, dimenticare, scordare **5** [*il castigo, la pena*] (*est.*) abbonare, condonare **6** [*detto di epidemia, di sciagura*] (*est.*) risparmiare.

perdóno s. m. **1** (*relig.*) assoluzione, remissione **2** [*spec. con: chiedere*] venia, misericordia, scusa **3** (*dir.*) condono, amnistia, grazia, indulto.

perduràre v. intr. **1** [*detto di situazione, etc.*] continuare, seguitare, permanere, durare, proseguire **CONTR.** cessare, finire **2** [*nei propositi, etc.*] persistere, insistere, perseverare, ostinarsi, accanirsi, impuntarsi, incaponirsi **CONTR.** desistere, arrendersi, cedere, piegarsi **3** [*detto di sentimento, etc.*] resistere, sopravvivere.

peregrinàre *v. intr.* andare in giro senza meta, errare, ramingare (*lett.*), andare errando, errabondare, vagare, vagabondare, viaggiare **CONTR.** sostare, stare, fermarsi.

peregrinazióne *s. f.* **1** vagabondaggio **2** (*est.*) divagazione.

peregrino *agg.* strampalato, strano, singolare.

perènne *agg.* **1** eterno, perpetuo, imperituro, immortale **CONTR.** caduco, momentaneo, temporaneo, passeggero **2** (*est.*) continuo.

perenneménte *avv.* perpetuamente, eternamente, sempre **CONTR.** fugacemente, temporaneamente, momentaneamente.

perennità *s. f. inv.* perpetuità, durevolezza (*raro*) **CONTR.** caducità.

perentoriaménte *avv.* inderogabilmente, tassativamente, categoricamente **CONTR.** facoltativamente.

perentòrio *agg.* **1** [*rif. a un ordine, etc.*] tassativo, categorico, imperativo, assoluto, sovrano **CONTR.** rimandabile **2** [*rif. all'atteggiamento*] energico, asciutto **CONTR.** dubbio.

perequàre *v. tr.* equiparare, pareggiare, uguagliare, livellare, parificare, uniformare **CONTR.** sperequare.

perequazióne *s. f.* pareggio, livellamento.

perfettaménte *avv.* **1** magnificamente, benissimo, divinamente, impeccabilmente, propriamente **CONTR.** imperfettamente, male **2** bene, finitamente, correttamente, esattamente, finemente **CONTR.** imperfettamente, difettosamente, incompletamente.

perfètto *agg.* **1** esemplare, squisito, eccellente **CONTR.** imperfetto, difettoso, guasto (*fam.*), rovinato **2** [*rif. a un accordo*] (*est.*) completo, intero, totale, pieno **CONTR.** imperfetto, difettoso **3** [*rif. a una persona*] virtuoso **CONTR.** malandato, mediocre **4** [*rif. a un esame, a un'analisi, a un lavoro*] rifinito,

compiuto, ineccepibile **CONTR.** imperfetto, difettoso, mancante, manchevole **5** [*rif. a un compagno, a un amico*] ideale, modello.

perfezionaménto *s. m.* **1** miglioramento, affinamento **2** (*est.*) evoluzione, avanzamento, sviluppo, progresso **3** [*di un libro, articolo*] rifinitura, ritocco.

perfezionàre A *v. tr.* **1** migliorare, affinare, limare (*fig.*), ripulire, raffinare, rifinire, cesellare, leccare (*fig.*), ritoccare, tornire, polire, digrossare **CONTR.** peggiorare, guastare **2** [*un testo, un discorso*] elaborare, rielaborare, depurare, emendare, correggere, completare, integrare **3** [*un progetto, etc.*] (*fig.*) maturare **B** *v. rifl.* **1** (*est.*) raffinarsi, affinarsi (*fig.*), digrossarsi, correggersi **CONTR.** peggiorare **2** [*in una disciplina*] (*est.*) ferrarsi (*fig.*), specializzarsi, temprarsi (*fig.*).

perfezionàto *part. pass.; anche agg.* affinato, migliorato, evoluto, progredito, avanzato, rifinito **CONTR.** abbozzato.

perfezióne *s. t.* **1** eccellenza, esemplarità, ideale (*est.*), vertice (*est.*) **CONTR.** imperfezione **2** [*di un lavoro, etc.*] compiutezza **3** (*est.*) pulizia.

perfidaménte *avv.* malvagiamente, cattivamente, maleficamente, malignamente, iniquamente, diabolicamente, perversamente, scelleratamente **CONTR.** compassionevolmente, misericordiosamente.

perfidia *s. t.* **1** [*qualità dell'animo*] (*neg.*) cattiveria, malvagità, perversità, slealtà **CONTR.** bontà **2** [*l'azione*] cattiveria, malvagità, tradimento (*est.*).

pèrfido *agg.* cattivo, malvagio, maligno, perverso, sleale, venefico (*fig.*), diabolico (*fig.*), rio (*lett.*) **CONTR.** buono, aperto (*est.*).

perfino *avv.* addirittura, finanche, nientemeno, fino.

perforàre A *v. tr.* bucare, forare, trapassare, traforare, trivellare, trapanare, penetrare (*est.*) **B** *v. intr. pron.* [*detto di timpano, etc.*] forarsi, bucarsi.

performance *s. f. inv.* **1** esibizione, prestazione, prova **2** (*est.*) risultato **3** (*est.*) happening (*ingl.*), avvenimen-

to, manifestazione **4** (*ling.*) esecuzione.

pèrgola *s. f.* pergolato, bersò (*fr.*).

pergolàto *s. m.* pergola, bersò (*fr.*).

pericolo *s. m.* **1** rischio, azzardo, cimento (*raro*), repentaglio, incerto **2** (*est.*) probabilità, possibilità, eventualità **CONTR.** sicurezza **3** (*est.*) nube (*fig.*), minaccia.

pericolosaménte *avv.* **1** rischiosamente **CONTR.** impunemente, sicuramente **2** dannosamente, funestamente, nocivamente, perniciosamente.

pericolosità *s. f. inv.* **1** insicurezza, rischiosità **CONTR.** sicurezza **2** [*per la salute*] nocività, dannosità (*raro*), velenosità.

pericolóso *agg.* **1** rischioso, insidioso, avventuroso, preoccupante, critico, esplosivo (*fig.*) **CONTR.** innocuo **2** [*rif. a una sostanza*] cattivo, nocivo, pernicioso, controindicato **CONTR.** innocuo, inoffensivo **3** (*est.*) pazzesco, malvagio **4** [*rif. a un luogo*] (*anche fig.*) pernicioso, controindicato, insalubre **5** [*rif. a una malattia*] grave **CONTR.** inoffensivo.

periferìa *s. f.* **1** sobborgo, hinterland (*ted.*), suburbio, dintorni, cintura (*fig.*) **CONTR.** centro **2** (*raro*) circonferenza, perimetro.

perifèrico *agg.* [*rif. al territorio*] esterno (*est.*), eccentrico **CONTR.** centrale.

perifrasi *s. f. inv.* circonlocuzione.

perimetro *s. m.* **1** contorno, periferia (*raro*), circonferenza (*est.*) **2** (*est.*) recinto **3** (*est.*) ambito, sfera.

periodicaménte *avv.* a intervalli, a periodi, regolarmente, sistematicamente, di tanto in tanto.

periodicità *s. f. inv.* **1** ricorrenza **2** (*est.*) regolarità, sistematicità.

periòdico (1) *agg.* **1** regolare, sistematico **CONTR.** discontinuo, irregolare **2** [*rif. al lavoro, allo studio*] saltuario, stagionale **CONTR.** continuo.

periòdico (2) *s. m.* **1** bollettino, giornale, rivista **2** (*gener.*) stampa.

periodo (1) *s. m.* **1** epoca, era, evo (*lett.*), realtà (*est.*) **2** età, tempo, stagione **3** [*di cambiamento, etc.*] stadio, fase, ciclo **4** [*di tempo*] (*fig.*) arco, tratto, spazio, intervallo.

periodo (2) *s. m.* (*ling.*) frase, orazione, proposizione.

peripatètica *s. f.* (*pl. -che*) prostituta, puttana (*volg.*), sgualdrina, meretrice.

peripezìa *s. f.* vicenda, avventura, vicissitudine, traversìa.

perire *v. intr.* **1** morire, decedere (*colto*), soccombere (*raro*), passare a miglior vita (*euf.*), mancare, crepare (*fam.*), schiantare (*fam.*), tirare le cuoia (*spreg.*) CONTR. vivere, salvarsi **2** [*in battaglia*] cadere **3** [*per amore*] (*est.*) languire **4** [*detto di fama, di ricordo, etc.*] (*est.*) finire, estinguersi, cessare CONTR. prosperare, durare, resistere.

peritàrsi *v. intr. pron.* esitare, vergognarsi CONTR. osare.

perito *A agg.* esperto, abile *B s. m.* esperto.

perizia *s. f.* **1** maestria, abilità, bravura, capacità, valentìa, padronanza, sicurezza, sapienza, destrezza, tecnica, pratica (*est.*), facilità **2** [*spec. con: fare una*] stima, valutazione.

pèrla *A s. f.* **1** (*fam.*) corallo (*erron.*) **2** [*in una relazione, etc.*] chicca (*fig.*), sbaglio, svista **3** [*rif. a una persona*] (*fig.*) delizia, gioiello, portento, prodigio *B agg. inv.* [*rif. al colore*] grigio.

perlustràre *v. tr.* esplorare, battere, ispezionare, visitare, esaminare, percorrere.

perlustrazióne *s. f.* pattugliamento, esplorazione, ricognizione, sopralluogo, controllo.

permalosità *s. f. inv.* suscettibilità, irritabilità, ombrosità.

permalóso *A agg.* suscettibile, ombroso, scontroso, difficile, sensibile, sdegnoso CONTR. accomodante, tollerante, bonario *B s. m.* (*f. -a*) scontroso.

permanènte *part. pres.; anche agg.* **1** duraturo, eterno, incancellabile, indelebile, indimenticabile CONTR. fugace,

provvisorio, transitorio, precario **2** [*rif. a una popolazione*] stanziale.

permanenteménte *avv.* stabilmente, durevolmente CONTR. provvisoriamente, temporaneamente.

permanènza *s. f.* **1** soggiorno, dimora (*raro*), sosta **2** [*di un fenomeno, di una situazione*] esistenza, presenza, durata.

permanère *v. intr.* **1** [*in un luogo*] rimanere, sostare, soggiornare, restare, abitare CONTR. transitare **2** [*detto di situazione, etc.*] perdurare, continuare, persistere CONTR. mutare.

permeàbile *agg.* penetrabile CONTR. impermeabile, stagno.

permeàre *v. tr.* **1** inzuppare, intridere, compenetrare, impregnare **2** [*detto di idee, di cultura, etc.*] (*est.*) penetrare (*fig.*), pervadere, caratterizzare, condizionare, influenzare, influire.

permésso *s. m.* **1** autorizzazione, licenza (*bur.*), privilegio, concessione CONTR. proibizione, divieto, inibizione **2** consenso, approvazione **3** (*mil.*) congedo.

perméttere *A v. tr.* **1** [*qc. a fare q.c.*] autorizzare, dare il permesso *di*, lasciare CONTR. ostacolare, impossibilitare, interdire **2** [*q.c. a qc.*] consentire, concedere CONTR. rifiutare, proibire, vietare **3** [*usato nelle formule di cortesia*] autorizzare *a*, consentire, ammettere, tollerare, sopportare **4** [*un errore, etc.*] (*est.*) comportare, ammettere *B v. intr. pron.* [*usato con la prep. di e il verbo all'infinito*] osare, azzardarsi, arrischiarsi.

pèrmuta *s. f.* scambio, baratto, cambio.

permutàre *v. tr.* cambiare, barattare, tramutare, convertire, scambiare, commutare.

perniciosaménte *avv.* nocivamente, dannosamente, pericolosamente.

pernicióso *agg.* pericoloso, nocivo, dannoso, insalubre (*est.*) CONTR. innocuo, inoffensivo.

pèrno *s. m.* chiave, fulcro.

pèro *s. m.* (*gener.*) albero, pianta.

però *cong.* ma, tuttavia, nondimeno, veramente, tanto, peraltro.

peróne *s. m.* (*anat.*) fibula.

peroràre *A v. tr.* caldeggiare, sostenere, difendere, patrocinare *B v. intr.* concionare, arringare.

perorazióne *s. f.* **1** difesa **2** (*est.*) intercessione, intervento, supplica, raccomandazione **3** [*in una orazione*] epilogo, conclusione.

perpendicolàre *A agg.* (*mat.*) ortogonale CONTR. parallelo *B s. f.* (*mat.*) retta.

perpendicolarménte *avv.* ortogonalmente, a perpendicolo, appiombo, verticalmente CONTR. orizzontalmente, parallelamente.

perpetràre *v. tr.* eseguire, compiere, attuare, effettuare, compire (*raro*), commettere.

perpetuaménte *avv.* per sempre, sempre, eternamente, perennemente, incessantemente CONTR. temporaneamente, provvisoriamente, instabilmente (*est.*).

perpetuàre *A v. tr.* eternare, immortalare, tramandare *B v. intr. pron.* **1** eternarsi, immortalarsi **2** [*detto di situazione*] continuare, durare, estendersi (*fig.*).

perpetuità *s. f.* perennità, eternità.

perpètuo *agg.* perenne, duraturo, imperituro, immortale, ininterrotto, continuo CONTR. caduco, fugace, effimero (*lett.*), temporaneo, temporale.

perplessaménte *avv.* dubbiosamente CONTR. con sicurezza.

perplessità *s. f. inv.* esitazione, titubanza, incertezza, indecisione, irresolutezza, dubbio, imbarazzo.

perplèsso *agg.* dubbioso, indeciso, incerto, titubante, esitante, irresoluto, disorientato, sconcertato CONTR. sicuro, risoluto, deciso.

perquisire *v. tr.* fare una perquisizione *a, in*, rovistare, ispezionare, frugare, rastrellare, investigare (*raro*), esaminare.

perquisizióne *s. f.* ricerca.

perscrutàre v. tr. **1** investigare **2** [il cielo, etc.] scrutare.

persecutóre A s. m. (f. -trice) aguzzino, torturatore, oppressore **B** agg. nemico, avverso.

persecuzióne s. f. **1** vessazione, oppressione **2** [rif. a una persona, etc.] tormento, ossessione, seccatura.

perseguire v. tr. cercare, avere intenzione di, essere deciso a, volere con decisione, inseguire (fig.), ripromettersi di (est.).

perseguitàre v. tr. **1** tormentare, avversare, accanirsi su, vessare, angariare (fig.), maltrattare (fig.), travagliare, flagellare (fig.), incalzare (est.) CONTR. patrocinare, aiutare, beneficare, favorire **2** [detto di situazione, etc.] molestare, opprimere, ossessionare, infastidire, importunare, seccare, tediare, braccare CONTR. divertire, rallegrare.

perseguitàto s. m. (f. -a) vittima, martire (est.) CONTR. oppressore, aguzzino.

perseverànte part. pres.; anche agg. **1** costante, pertinace, fermo, stabile, persistente, insistente, testardo CONTR. incostante, volubile, mutevole **2** (est.) ostinato, tenace.

perseverantemente avv. tenacemente, costantemente CONTR. incostantemente, volubilmente.

perseverànza s. f. costanza, pertinacia, tenacia, tenacità (fig.), resistenza (fig.), ostinazione, insistenza (est.), pazienza, assiduità (est.).

perseveràre v. intr. **1** insistere, ostinarsi, incaponirsi, durare, seguitare, perdurare, persistere, continuare, incallirsi (fig.), proseguire CONTR. mollare, desistere, deflettere **2** [su un argomento, etc.] insistere, fissarsi su, picchiare (fig.).

persiàna s. f. **1** gelosia **2** (est.) scuro (fam.), imposta, anta, battente.

persìno avv. addirittura, anche, ancora.

persistènte part. pres.; anche agg. **1** [rif. al carattere, etc.] tenace, caparbio, ostinato, perseverante CONTR. discontinuo, incostante, volubile **2** [rif.

alla pioggia] (fig.) incessante, martellante.

persistentemente avv. insistentemente, ostinatamente CONTR. debolmente, mitemente.

persistere v. intr. **1** perseverare, perdurare, continuare, ostinarsi, seguitare, proseguire CONTR. deporre, cedere, rinunciare, tralasciare, desistere, convertirsi **2** [di determinate condizioni, etc.] sussistere, permanere **3** [su un argomento] battere, insistere, picchiare (fig.) **4** [detto di tempo, di febbre, etc.] durare, resistere.

persòna s. f. **1** soggetto, individuo, anima (fig.), vita (est.), tale (fam.), tipo, tizio (fam.), sempronio (fam.), caio (fam.), mortale **2** (gener.) essere **3** [tipo di] donna, uomo, signora, signore, maschio, femmina **4** (est.) corpo, figura, corporatura.

personàggio s. m. **1** autorità, potenza, gigante (fig.), personalità, big (ingl.), celebrità, divo **2** tipo, soggetto, elemento, figura, spirito (fig.).

personàle (1) s. m. figura, complessione, fisico, corporatura.

personàle (2) s. m. (est.) staff (ingl.), organico.

personàle (3) s. f. mostra, esposizione.

personàle (4) agg. **1** proprio, individuale, soggettivo, privato, riservato CONTR. sociale **2** particolare, caratteristico CONTR. impersonale, anonimo.

personalità s. f. inv. **1** carattere, indole, temperamento, natura **2** personaggio, big (ingl.), celebrità, autorità, colosso (fig.), gigante (fig.) **3** [piacevole] (est.) verve (fr.), spirito.

personalizzàre v. tr. individualizzare, contraddistinguere, diversificare CONTR. spersonalizzare.

personalménte avv. direttamente, autonomamente, individualmente, di persona, soggettivamente CONTR. impersonalmente.

personificàre v. tr. impersonare, incarnare, rappresentare, simboleggiare.

personificazióne s. f. **1** [della pietà,

etc.] rappresentazione, immagine (fam.), simbolo **2** [di qc.] ritratto, incarnazione.

perspicàce agg. acuto, intuitivo, lungimirante, intelligente, astuto, sagace, volpino (fig.) CONTR. deficiente, tonto, tardo, lento.

perspicàcia s. f. **1** intuito, acume, acutezza, sagacia, fiuto (fig.), naso (fig.) CONTR. ottusità, stolidezza, scemenza, stupidità **2** (est.) scaltrezza, furbizia **3** (est.) lungimiranza.

perspicuaménte avv. chiaramente CONTR. oscuramente.

perspicuità s. f. inv. chiarezza, lucidità, evidenza, trasparenza.

perspicuo agg. evidente, aperto, lucido, chiaro CONTR. oscuro, ambiguo, incomprensibile.

persuadére A v. tr. **1** [qc. di q.c.] convincere, capacitare **2** [qc. a fare q.c.] convincere, indurre, invogliare, esortare, incitare, invitare, consigliare, muovere (raro), commuovere (raro), disporre (raro) CONTR. dissuadere, distogliere **3** soddisfare (raro), piacere, garbare (tosc.) **4** piegare, disarmare (fig.) **5** [qc. del falso] imbonire (fig.) **6** (relig.) convertire, evangelizzare, riconvertire **B** v. rifl. **1** convincersi CONTR. dissuadersi **2** [di q.c. che è avvenuto] convincersi, capacitarsi, rendersi conto **3** [di una situazione] (est.) accorgersi, comprendere un **4** [a fare q.c.] convincersi, indursi, risolversi, decidersi CONTR. dissuadersi **5** (est.) acquietarsi, rassegnarsi **6** (relig.) convertirsi.

persuasióne s. f. **1** convinzione **2** [comune] convinzione, opinione, credenza.

persuasivamente avv. in modo convincente.

persuasìvo agg. convincente, seducente CONTR. dissuasivo, debole (est.).

pertànto cong. perciò, così, dunque.

pèrtica s. f. (pl. -che) stanga, asta, palo, canna.

pertinàce agg. **1** perseverante, insistente, costante, assiduo, cocciuto, testardo CONTR. remissivo, docile, arrendevole **2** [*rif. a un giocatore, etc.*] arrabbiato, incazzato (*volg.*).

pertinàcia *s. f.* **1** [*in senso positivo*] ostinazione, perseveranza, costanza, tenacia **CONTR.** incostanza **2** [*in senso negativo*] ostinazione, caparbietà, insistenza.

pertinènte *agg.* **1** riguardante, relativo, concernente, attinente **CONTR.** avulso **2** spettante *a.*

pertinènza *s. f.* **1** ragione, competenza, spettanza, attinenza, inerenza **2** [*in un discorso*] giustezza, adeguatezza.

pertùgio *s. m.* **1** buco, foro **2** (*est.*) apertura, passaggio, spiraglio, varco.

perturbàre *A v. tr.* **1** [*qc. in senso morale*] turbare, conturbare, sconvolgere, agitare, inquietare **CONTR.** calmare, assopire, placare, quietare, normalizzare **2** [*l'ordine pubblico*] sovvertire, disordinare (*raro*), scompigliare **CONTR.** mantenere, difendere **3** [*le acque*] (*anche fig.*) smuovere *B v. intr. pron.* **1** turbarsi, agitarsi, conturbarsi, sconvolgersi **CONTR.** calmarsi, placarsi, quietarsi **2** [*detto di tempo atmosferico*] guastarsi, peggiorare **CONTR.** migliorare, volgere al bello.

pervàdere *v. tr.* invadere, inondare (*fig.*), diffondersi, impregnare, compenetrare, colmare, riempire, empire, penetrare, permeare.

pervàso *part. pass.; anche agg.* pieno, colmo, zeppo, impregnato.

pervenìre *v. intr.* **1** [*in un luogo*] giungere, arrivare, venire **CONTR.** partire, allontanarsi, procedere **2** [*in un determinato luogo*] esserci **3** [*detto di eredità*] (*est.*) spettare, toccare **4** [*detto di situazione*] (*fig.*) sboccare, sfociare **5** [*a determinate conclusioni*] addivenire.

perversaménte *avv.* diabolicamente, malvagiamente, perfidamente, scelleratamente **CONTR.** rettamente, onestamente, lealmente.

perversióne *s. f.* **1** depravazione, aberrazione, deviazione (*fig.*), immoralità **2** (*est.*) vizio **3** (*est.*) ferocia, spietatezza **4** [*tipo di*] sadismo, masochismo.

perversità *s. f. inv.* malvagità, perfidia,

crudeltà, cattiveria, iniquità.

pervèrso *agg.* **1** degenerato, vizioso, sadico, iniquo, perfido, cattivo, diabolico, distorto, malvagio, rio (*lett.*) **CONTR.** virtuoso, puro, onesto **2** [*rif. al destino*] avverso, contrario.

pervertiménto *s. m.* perversione, depravazione.

pervertìre *A v. tr.* traviare, corrompere, depravare, fuorviare, guastare (*fig.*), demoralizzare (*raro*), intossicare (*fig.*), infettare (*fig.*), lordare (*fig.*), inquinare (*fig.*) **CONTR.** moralizzare, migliorare, educare, correggere *B v. intr. pron.* degenerare, depravarsi, deviare, guastarsi (*fig.*), corrompersi **CONTR.** migliorarsi.

pervertìto *A part. pass.; anche agg.* corrotto, depravato, degenerato, vizioso, deviato, degenere **CONTR.** virtuoso, innocente, puro *B s. m.* (*f. -a*) depravato.

pervicàce *agg.* ostinato, caparbio, testardo, cocciuto, insistente, accanito, irremovibile **CONTR.** arrendevole, docile, remissivo.

pervicàcia *s. f.* **1** [*in senso positivo*] accanimento, costanza, caparbietà, ostinazione **2** [*in senso negativo*] accanimento, caparbietà, ostinazione, testardaggine, cocciutaggine, protervia.

pesànte *part. pres.; anche agg.* **1** greve (*lett.*), opprimente, schiacciante **CONTR.** leggero, lieve, aereo, vaporoso **2** [*rif. al fisico*] massiccio, sodo, tozzo **CONTR.** agile, leggiadro (*lett.*) **3** [*rif. al lavoro, allo studio*] oneroso, gravoso, faticoso **CONTR.** leggero **4** [*rif. a una situazione*] preoccupante, grave, difficile **CONTR.** facile **5** [*rif. a una persona*] pedante, noioso **CONTR.** arguto, frizzante, interessante **6** [*rif. al cielo*] plumbeo **7** [*rif. all'aria*] viziato, irrespirabile **CONTR.** frizzante, pungente, respirabile **8** [*rif. alla compagnia, alla lettura*] noioso, molesto, saccente **CONTR.** arguto, divertente **9** [*rif. a una persona, a una cosa*] peso (*dial.*) **10** [*rif. al cibo, alle bevande*] indigesto **CONTR.** leggero.

pesanteménte *avv.* **1** [*rif. al dormire*] profondamente, sodo **CONTR.** leggerissimamente, leggermente, lievemente **2** con difficoltà **CONTR.** leggermente **3** (*sport*) scorrettamente **4** du-

ramente, severamente.

pesantézza *s. f.* **1** [*rif. a un discorso, a uno spettacolo*] gravezza, gravosità, peso (*fig.*) **CONTR.** scioltezza, scorrevolezza, snellezza, tenuità, agilità, levità **2** [*rif. al clima*] afa **3** [*rif. a una condizione fisica*] sonnolenza **4** [*rif. a una persona, a un film*] noiosità, noia, difficoltà (*est.*).

pesàre *A v. intr.* **1** [*in relazione al peso*] (*est.*) essere **2** [*economicamente, moralmente*] (*fig.*) essere di peso, gravare **3** (*est.*) avere importanza, avere peso, importare, incidere, influire, avere influenza **4** (*est.*) rincrescere, costare, fare fatica, dispiacere **5** (*est.*) infastidire *un*, seccare *un* **6** [*detto di minaccia*] incombere, premere *B v. tr.* **1** ponderare (*raro*) **2** (*est.*) valutare, misurare, considerare, analizzare, esaminare, soppesare, calcolare, giudicare.

pèsca (1) *s. f.* (*pl. -che*) (*gener.*) frutto.

pèsca (2) *s. f.* (*pl. -che*) **1** (*est.*) ritrovamento **2** lotteria, riffa **3** (*gener.*) gioco.

pescàre *v. tr.* **1** [*un pesce*] prendere, catturare **2** [*un oggetto, una notizia*] trovare, reperire (*colto*) **3** [*qc. in fallo*] (*est.*) sorprendere, cogliere sul fatto, beccare (*scherz.*) **4** [*un premio alla lotteria*] (*est.*) prendere, estrarre.

pèsce *s. m.* **1** (*gener.*) animale →animali **2** [*tipo di*].

NOMENCLATURA

Pesci

Pesce: vertebrato acquatico fornito di pinne, corpo generalmente fusiforme, respirazione branchiale, scheletro cartilagineo o osseo.

Pesci cartilaginei:

torpedine: pesce marino cartilagineo con corpo discoidale nudo, bocca e fessure branchiali ventrali e, sul dorso, organi elettrici mediante i quali emette potenti scariche;

razza: pesce marino commestibile a corpo romboidale, coda lunga, denti sulla mandibola e sulla mascella, colore mimetico con il fondo marino;

raia;

manta: pesce marino di grandi dimensioni a forma romboidale appiattita, con pelle scabra nera superiormente e bianca sul ventre, che si nutre di plancton;

pesce sega: pesce marino con un rostro munito di robusti denti, assai raro nel Mediterraneo;

gattuccio: pesce marrone di modeste dimensioni caratteristico per la pelle macchiettata;

gattuccio stellato: gattuccio con macchie più grandi;

cetorino: pesce marino lungo fino a 15 metri, inoffensivo;

squalo: pesce marino con corpo a fuso, bocca ventrale e pinna della coda asimmetrica;

pescecane: (pop.);

palombo: squalo commestibile di piccole dimensioni, mediterraneo, snello, con pelle liscia.

pesce martello: squalo con il capo arrotondato, viviparo, presente nel Mediterraneo;

squalo balena: squalo molto grande, non aggressivo, grigiastro a macchie bianche

squalo tigre: squalo tropicale, bruno-grigio con carni commestibili;

Pesci ossei

trachino: pesce marino con pinna dorsale e opercolo muniti di aculei collegati a ghiandole velenose, comune nelle sabbie presso le rive;

tracina: (dial.);

sarago: pesce marino commestibile, con corpo compresso striato di scuro;

siluro d'Europa;

merluzzo: pesce marino commestibile con corpo massiccio, squame piccole, barbiglio sotto il mento, tre pinne dorsali, che vive in branchi nel Nord dell'Atlantico; la sua pesca ha grande importanza nell'economia;

pesce spada: pesce marino commestibile con lungo corpo snello, privo di squame, nero con il muso allungato in una spada appuntita;

luccio: pesce di acqua dolce con muso allungato e depresso e forti denti, voracissimo predone;

luccio di mare;

luccio imperiale;

sfirena;

aguglia: pesce marino commestibile dal corpo stretto e allungato con mascella e mandibola sottili che formano un caratteristico rostro;

ombrina: pesce marino comune nel Mediterraneo, commestibile, con corto cirro sul mento;

pesce rondine: pesce marino con squame ruvide e amplissime pinne pettorali;

dattilottero;

orata: pesce marino, commestibile, con i fianchi dorati a strisce scure vorace; predilige fondali ricchi di vegetazione;

dentice: pesce marino commestibile carnivoro, voracissimo con denti robusti;

ippocampo: pesce marino dalla forma strana con profilo cavallino, che nuota in posizione verticale;

cavalluccio marino: (pop.);

nasello: pesce marino commestibile simile al merluzzo, con la mandibola più lunga della mascella;

occhiata: pesce marino commestibile con occhi grandi, bocca piccola e denti taglienti;

pesce persico: pesce d'acqua dolce di color verdastro a strisce nere verticali sui fianchi;

piranha: pesce delle acque dolci sudamericane, che vive in branchi, ha denti affilati e robusti, è aggressivo e molto vorace;

aringa: pesce marino, commestibile, tipico dei mari freddi, argenteo sul ventre e blu-verdastro sul dorso;

pesce S. Pietro: pesce marino commestibile con il capo compresso comune nel Mediterraneo;

carassio dorato: pesce di acqua dolce con colorazione varia;

pesce rosso;

spigola: pesce marino commestibile con due spine sulla prima pinna dorsale, carnivoro;

branzino;

sardina: pesce marino, commestibile, verde olivastro e argenteo sul ventre;

sarda;

sardella;

tinca: pesce d'acqua dolce con pelle verde scurissima, abitatore di stagni e di ambienti a fondo melmoso;

trota: pesce di acqua dolce commestibile con livrea dai colori variabi-

li tendente al grigiastro;

pesce luna: pesce marino comune nei mari caldi con colorazione varia e corpo appiattito;

remora: pesce marino con corpo slanciato, che ha sul capo un disco adesivo a ventosa con cui si attacca ad altri pesci, tartarughe o navi per farsi trasportare;

rana pescatrice: pesce marino commestibile a capo largo e appiattito su cui sono impiantate appendici filamentose erettili, bocca enorme e denti robusti;

pescatrice;

sgombro: pesce marino, commestibile, blu metallico con strisce nere;

lacerto: (pop.);

maccarello: (pop.);

sogliola: pesce marino, commestibile dal corpo appiattito, di colore variabile su un lato, mimetico con i fondali sabbiosi;

salmone: pesce commestibile, che abita le acque fredde dell'Atlantico e si riproduce nei fiumi;

storione: pesce lungo oltre tre metri, con quattro barbigli sul lungo muso, bocca ventrale priva di denti, depone le uova nei fiumi;

tonno: pesce marino di grosse dimensioni, commestibile vivente nei mari temperati, con coda forcuta dal peduncolo sottile;

pesce ago: pesce marino con corpo sottilissimo molto comune nel Mediterraneo;

anguilla: pesce commestibile dal corpo lungo e cilindrico, di colore verdastro sul dorso e gialliccio sul ventre: vive nelle acque dolci, ma al momento della riproduzione si porta nelle acque marine;

acciuga: pesce marino commestibile dal dorso azzurrognolo e il ventre argentato che vive in branchi nei mari temperati;

alice;

cefalo: pesce marino commestibile con grosso corpo rivestito da grandi squame argentee;

murena: pesce marino commestibile, con corpo allungato privo di squame e di pinne pettorali, dotato di ghiandole velenose che rendono pericoloso il suo morso;

cernia: pesce marino commestibile con mandibola prominente;

carpa: pesce d'acqua dolce commestibile, con quattro barbigli e il primo raggio della pinna dorsale a forma di spina;

rombo: pesce marino commestibile il cui corpo ha forma grossolanamente romboidale.

pescecàne *s. m.* **1** squalo **2** (*gener.*) pesce **3** (*est.*) affarista.

pescespàda *s. m. inv.* (*gener.*) pesce.

pèsco *s. m.* (*pl. -chi*) (*gener.*) albero.

pesèta *s. f.* (*gener.*) moneta.

péso A *s. m.* **1** (*est.*) fardello, carico, zavorra **2** (*est.*) calibro, mole, consistenza, quantità **3** (*est.*) gravezza, pesantezza **4** (*est.*) influenza, autorità, importanza, prestigio **5** (*est.*) valore, rilievo, forza (*lett.*) **6** (*est.*) onere, responsabilità **7** (*est.*) fastidio, tormento, macigno (*fig.*), mattone (*fig.*), pietra (*fig.*), affanno (*fig.*), pensiero, preoccupazione, angoscia **8** (*fig.*) impiccio, vincolo, palla al piede **9** (*ipp.*) handicap **10** (*est.*) influenza, impatto, ruolo **11** [*tipo di*] moneta **12** [*delle parole, dei fatti*] (*est.*) valore, significato **B** *agg.* [*rif. a una persona, a una cosa*] pesante, noioso.

pessimaménte *avv.* malissimo, terribilmente (*fam.*) **CONTR.** ottimamente, benissimo, eccellentemente, favolosamente, magnificamente, divinamente.

pessimismo *s. m.* disincanto **CONTR.** ottimismo, realismo.

pessimisticaménte *avv.* con pessimismo, con atteggiamento scoraggiato, catastroficamente **CONTR.** ottimisticamente, allegramente.

pèssimo *agg.* **1** cattivo, infimo, disgustoso, osceno, orribile, infame, ultimo (*fam.*) **CONTR.** ottimo, eccellente, ideale, impareggiabile, delizioso **2** (*scherz.*) iniquo **3** [*rif. al tempo atmosferico*] (*fam.*) maledetto **4** [*rif. a un esame, a un'analisi, a un lavoro*] malfatto, brutto **CONTR.** ottimo, eccellente **5** [*rif. al cibo, a una bevanda, etc.*] disgustoso **CONTR.** squisito, prelibato.

pésta *s. f.* traccia, orma, impronta.

pestàggio *s. m.* **1** bastonatura, pestata **2** rissa, zuffa, tafferuglio.

pestàre *v. tr.* **1** calpestare, schiacciare, ammaccare, pigiare, spiaccicare,

calcare **2** [*qc.*] (*est.*) battere, picchiare, prendere a botte, bussare, bastonare, percuotere, prendere a randellate **3** [*le erbe, etc.*] frantumare, sminuzzare, polverizzare **4** [*la carne, etc.*] battere, tritare.

pestàta *s. f.* **1** pedata **2** bastonatura, pestaggio.

pèste *s. f.* **1** morbo, pestilenza **2** (*est.*) fetore, puzzo, lezzo **3** (*est.*) calamità, rovina, disgrazia, flagello **4** [*rif. a un bambino*] diavolo, demonio.

pestilènza *s. f.* **1** peste, morbo **2** fetore, lezzo, puzza (*dial.*) **3** (*est.*) calamità, sciagura, flagello, rovina.

petàrdo *s. m.* castagnetta, castagnola, mortaretto.

petizióne *s. f.* domanda, istanza, supplica, richiesta.

péto *s. m.* vento (*euf.*), aria (*euf.*), scoreggia (*volg.*), flatulenza (*colto*).

petróso *agg.* V. *pietroso*.

pettegolàre *v. intr.* spettegolare, malignare, chiacchierare, ciarlare, cianciare, mormorare.

pettegolézzo *s. m.* chiacchiera, diceria, ciancia, ciarla, maldicenza, ciacola (*ven.*), mormorazione.

pèttegolo A *agg.* maligno **B** *s. m.* (*f. -a*) chiacchierone.

pettinàre A *v. tr.* **1** [*i capelli*] acconciare, ravviare, lisciare, districare, strigliare **2** [*la lana, la seta*] (*est.*) cardare, scardassare **3** [*qc.*] (*est.*) criticare, rimproverare, sgridare **B** *v. rifl.* acconciarsi, ravviarsi, lisciarsi, rassettarsi (*est.*) **CONTR.** spettinarsi.

pettinatùra *s. f.* acconciatura.

pettino *s. m.* pettorina.

pètto *s. m.* **1** torace, busto **CONTR.** schiena **2** (*est.*) seno, cuore.

pettorina *s. f.* pettino.

petulànza *s. f.* **1** insolenza, arroganza, impertinenza, sfrontatezza, impudenza **2** (*est.*) noiosità.

pèzza *s. f.* **1** toppa, rappezzatura **2** stoffa, tessuto **3** benda **4** straccio, cencio **5** documento, carta **6** [*rif. al*

leopardo, *etc.*] chiazza, macchia **7** [*di terra*] appezzamento.

pezzatùra (1) *s. f.* dimensione.

pezzatùra (2) *s. f.* [*sul manto degli animali*] chiazzatura.

pezzènte *s. m. e f.* straccione, poveraccio, mendicante, accattone, barbone **CONTR.** nababbo, miliardario, creso.

pèzzo *s. m.* **1** [*un poco di q.c.*] briciola, fetta, boccone, tocco, morso, parte, brandello, frammento, frazione, scaglia (*fam.*), zolla, tozzo **2** [*in un libro*] brano **3** [*di strada, etc.*] tratto, tronco **4** [*di giornale*] brano, articolo **5** [*rif. ad abiti*] capo **6** [*di tessuto, di carne*] brano, taglio **7** [*di terra*] appezzamento **8** [*di un set*] elemento **9** [*di sigaretta, di candela*] mozzicone **10** [*di cibo*] briciola, fetta, boccone, tocco, morso, assaggio **11** (*mus.*) concerto, sonata.

piacènte *part. pres.; anche agg.* gradevole, attraente, simpatico, ridente **CONTR.** sgradevole, brutto, antipatico.

piacére A *v. intr.* **1** essere piacente, attirare, interessare, incontrare (*fig.*) **CONTR.** disgustare, nauseare, repellere, ributtare, ripugnare **2** [*leggere, dormire, etc.*] gradire, volere **3** garbare (*tosc.*), soddisfare, aggradare, andare a genio, incontrare il favore, quadrare (*fig.*), persuadere (*est.*), andare (*fam.*), gustare (*fam.*), rugare (*scherz.*), dilettare, deliziare, giovare (*est.*) **CONTR.** dispiacere, spiacere **B** *v. intr. pron.* garbarsi (*tosc.*) **C** *s. m.* **1** [*fisico, morale*] godimento, libidine (*scherz.*) **2** [*morale*] gioia, sollievo, vaghezza (*lett.*) **CONTR.** dispiacere, sofferenza, amarezza, dolore **3** onore, soddisfazione, compiacenza, compiacimento **4** divertimento, distrazione, svago **CONTR.** tortura, scocciatura, seccatura, tormento, molestia, disturbo, fastidio **5** [*spec. con: fare un*] favore, servigio, servizio, cortesia, regalo (*fig.*), grazia (*fig.*) **6** (*est.*) gusto, desiderio, volontà, talento (*lett.*), capriccio, genio (*raro*) **CONTR.** schifo, tedio, disgusto **7** (*est.*) delizia, incanto, diletto.

piacévole *agg.* **1** gradevole, amabile, delizioso, ameno, lusinghiero, carezzevole, gradito, avvenente, attraente, simpatico, civile, caro, amoroso, dolce, grazioso, carino **CONTR.** spiacevole, detestabile, irritante, seccante, molesto, increscioso, gravoso, ingrato, abominevole (*fam.*), agghiacciante, raccapricciante, tremendo, squallido, uggioso, schifo (*tosc.*) **2** [*rif. al cibo, a una bevanda, etc.*] gustoso, appetitoso, soddisfacente **CONTR.** abominevole (*fam.*), amaro, aspro, disgustoso, nauseabondo, stucchevole **3** [*rif. a un discorso*] faceto (*colto*), simpatico, divertente **CONTR.** irritante, molesto, increscioso, gravoso, ingrato, stucchevole, fastidioso, ostico, duro, penoso, assillante.

piacevolézza s. f. **1** [*rif. a una persona*] amabilità, cortesia, affabilità, simpatia, gradevolezza **CONTR.** spiacevolezza, odiosità, sgradevolezza, fastidiosità **2** amenità, battuta, facezia.

piacevolménte avv. **1** amenamente, gradevolmente, giocondamente, gioiosamente, graziosamente, squisitamente **CONTR.** spiacevolmente, sgradevolmente, fastidiosamente, penosamente, amaramente, disgustosamente, laidamente **2** briosamente, brillantemente **CONTR.** penosamente, tediosamente.

piaciménto s. m. arbitrio, volere, discrezione (*euf.*).

piàga s. f. (pl. -ghe) **1** ferita (*est.*), lesione, ulcera, scorticatura **2** (*est.*) dolore **3** [*sociale, etc.*] (*fig.*) rovina, morbo, flagello.

piagàre v. tr. ulcerare, esulcerare **CONTR.** cicatrizzare, rimarginare.

piaggeria s. f. adulazione, servilismo, incensamento.

piaggiàre v. tr. lisciare, adulare, lusingare, blandire **CONTR.** insolentire, insultare, disprezzare.

piaggiatóre A s. m. (f. -trice) adulatore, ruffiano (*pop.*) **B** agg. adulatore **CONTR.** insolente, denigratore.

piagnistèo s. m. **1** piagnucolio, lagna **2** lamentela **3** (*gener.*) pianto.

piagnucolàre v. intr. frignare, piangere, gemere, lamentarsi, guaire (*fig.*).

piagnucolio s. m. **1** piagnisteo **2** (*gener.*) pianto.

piagnucolosaménte avv. lagnosamente, lamentosamente.

piagnucolóso agg. appiccicoso (*fam.*), lamentoso, lacrimoso **CONTR.** allegro, gioviale, energico, vitale.

piallàre v. tr. levigare, lisciare, appianare, pareggiare.

piaménte avv. devotamente, religiosamente **CONTR.** irreligiosamente, irriverentemente, sacrilegamente.

piàna s. f. pianura, campo.

piancito s. m. impiantito, suolo (*est.*).

pianeggiànte part. pres.; anche agg. piano **CONTR.** ripido.

pianèta (1) s. m. **1** (*gener.*) astro (*erron.*) **2** (*est.*) destino, sorte **3** [*tipo di*] terra.

pianèta (2) s. f. (*gener.*) paramento.

pianetino s. m. (*astron.*) asteroide.

piàngere A v. intr. **1** gemere, frignare, piagnucolare, versare lacrime, lacrimare, singhiozzare **CONTR.** gioire, gongolare, ridere, rallegrarsi, sghignazzare, ghignare **2** (*est.*) lamentarsi, rammaricarsi, dolersi **3** [*detto di legno, di statua, etc.*] (*est.*) gocciolare, gocciare **B** v. tr. **1** deplorare, lamentare **2** (*est.*) rimpiangere **3** [*lacrime di sangue, etc.*] (*est.*) stillare, versare.

pianificàre v. tr. programmare, organizzare.

pianificazióne s. f. **1** programmazione, organizzazione, progettazione **2** (*est.*) programma.

piàno (1) A agg. **1** [*rif. a una superficie*] piatto, uguale, pari **CONTR.** ondulato **2** [*rif. a uno scritto, a un discorso*] (*est.*) lineare, facile, chiaro, intelligibile, comprensibile **CONTR.** altisonante, cervellotico, complesso, complicato, concettoso, contorto, curialesco, misterioso, bizantino, cavilloso **3** [*rif. a un concetto*] (*est.*) lineare, facile, agevole **CONTR.** cervellotico, complesso, complicato, concettoso, contorto, curialesco, misterioso, difficoltoso, problematico, arduo, aspro, macchinoso **4** quieto, tranquillo **5** [*rif. al suono*] sommesso **CONTR.** altisonante **6** [*rif. allo stile*] semplice, sobrio **CONTR.** bizantino, manierato **7** [*rif. a un pendio, a un sentiero, etc.*] agevole **CONTR.** duro, erto, ripido, scabroso, scosceso **8** [*rif. a un problema, a una questione*] lineare, facile, semplice **CONTR.** spinoso (*fig.*) **B** avv. **1** adagio, lentamente, flemmaticamente **CONTR.** affrettatamente, speditamente, velocemente **2** fiocamente, sommessamente, sottovoce **CONTR.** forte, ad alta voce, acutamente.

piàno (2) s. m. **1** programma, progetto, proposito **2** (*est.*) ordine, schema.

piàno (3) s. m. **1** superficie **2** livello **3** [*spec. al pl. con: disporre q.c. a*] suolo (*pop.*), strato **4** [*di un mobile*] palco, ripiano **5** (*est.*) grado, situazione, condizione.

piàno (4) s. m. pianoforte.

piànta (1) s. f. **1** vegetale **2** [*classi di*] albero, arboscello, erba, arbusto **3** [*tipo di*].

cedro del Libano: albero con chioma larghissima e legno pregiato;

cembro: albero con foglie riunite in fascetti;

cipresso: albero con foglie squamiformi sempreverdi, rami eretti e chioma disposta a piramide;

larice: albero di montagna, con foglie caduche aghiformi legno resistente e di lunga durata, molto usato per costruzioni;

mugo: albero con fusto sdraiato, basso e contorto, che cresce al limite superiore della foresta e dai cui rami giovani si distilla il mugolio;

pino: albero sempreverde con foglie aghiformi e frutto a cono;

pino domestico: mediterraneo, con chioma a ombrello, pigna con semi commestibili;

pino marittimo: molto ricco di resina;

pinastro;

pino silvestre: di montagna, fornisce legno, trementina e catrame vegetale;

sequoia: albero americano gigantesco, sempreverde, alto fino a 100 metri;

betulla: albero, con corteccia biancastra che sfoglia facilmente e da cui si estrae il tannino;

carpine: albero con corteccia liscia e grigia, foglie doppiamente seghettate e legno duro;

leccio: albero simile alla quercia, ma con foglie ovali o lanceolate, sempreverde, con ghiande riunite in gruppi di due o tre;

elce;

ontano: albero, a foglie ovate, vischiose da giovani, con legno usato nelle costruzioni;

alno;

castagno: albero con corteccia grigia, grandi foglie seghettate e frutti commestibili;

cerro: albero ad alto fusto con foglie oblunghe, frutto a ghianda con cupola a squame; foglie ovate e frutti a capsula;

farnia: albero con grosso tronco a corteccia scura, foglie con corto picciolo e ghiande riunite in gruppi;

quercia: albero di alto fusto, con foglie lobate, fiori pendenti, frutti a ghianda, tipico delle zone collinose;

quercia da sughero: albero coltivato per la caratteristica corteccia da cui si ricava il sughero;

sughera;

rovere: albero che può raggiungere grandi dimensioni e fornisce un legno molto robusto;

noce: albero ricche di tannino, frutto secco in un involucro esterno carnoso, prima verde poi nero;

hickory: albero affine al noce tipico del Canada, dal legno duro, un tempo usato per fabbricare sci;

salice: albero frequente nei luoghi umidi, con foglie allungate od ovali;

salice da vimini: i cui rami servono per lavori di intreccio;

salice piangente: coltivato a scopo ornamentale per i rami ripiegati verso terra;

pioppo: albero con foglie espanse, lungo picciolo,, di rapido accrescimento, coltivato per trarne cellulosa;

pioppo bianco: a foglie bianche nella pagina inferiore;

gattice;

bagolaro: albero con fusto liscio, corteccia grigiastra e rami flessibili;

olmo: albero con foglie ovate e scure, piccoli fiori verdi e frutti a samara;

artocarpo: albero tropicale, con grosse infruttescenze sferiche commestibili;

albero del pane:

fico: albero con corteccia grigia, foglie palmato-lobate e frutti dolci e carnosi;

fico del Bengala: albero enorme dell'India caratterizzati da grandi radici aeree che pendono dai rami e si fissano al suolo;

fico delle pagode: albero enorme dell'India caratterizzati da grandi radici aeree che pendono dai rami e si fissano al suolo;

ficus elastica: albero dal cui fusto si ricava la gomma e coltivata in vaso per le belle foglie ovali, coriacee e lucenti;

gelso bianco: albero con foglie cuoriformi usate per l'alimentazione dei bachi da seta, con infruttescenze biancastre;

gelso nero: albero con infruttescenze rossastre o nere, carnose e

succulente, chiamate more;

sicomoro: albero africano da cui gli antichi egizi ricavavano il legno per i sarcofagi;

sandalo: albero tropicale da cui si ricava un'essenza odorosa;

hevea brasiliensis: albero i cui tronchi incisi lasciano sgorgare il lattice da cui si ottiene il caucciù;

ginkgo: albero di alto fusto con foglie a ventaglio e frutti simili a drupe;

platano: albero con grandi foglie palmate e infruttescenze globose pendule avvolte da peluria;

noce moscata: albero il cui frutto a bacca rossa contiene un seme fortemente aromatico;

benzoino: albero arbusto, odoroso con fiori a ombrella o fiori a frutto a drupa; da esso si estrae un olio odoroso usato in profumeria;

alloro: albero sempreverde, con foglie coriacee, lanceolate e aromatiche e infiorescenze giallognole;

avocado: albero, sempreverde, molto alto, con frutti a forma di pera;

canforo: albero da cui si estrae la canfora;

cannella: albero piccolo dalla corteccia aromatica;

cinnamomo: pianta cui appartengono specie che forniscono la cannella e la canfora;

sassafrasso: albero, dell'America settentrionale, utilizzata per il suo legname aromatico e la corteccia usata in medicina come diuretico;

badiana: albero piccolo con frutti odorosi disposti a stella;

magnolia: albero con foglie spesse lucenti e fiori bianchi carnosi molto profumati;

miristica: albero sempreverde, con foglie alterne e piccoli fiori gialli, che produce la noce moscata;

papaia: albero tropicale, che ha foglie palmate a ciuffo in cima al tronco non ramificato e grosso frutto commestibile, detto melone dei tropici;

tamerice: albero tipica dei luoghi salmastri, con foglie a squame e fiori rosei;

tamarisco;

camelia: albero con foglie lucide e

coriacee, fiori doppi dai colori variabili dal bianco al rosso;

baobab: albero tropicale con grosso tronco, grandi fiori e frutti a forma di zucca;

cacao: albero tropicale sempreverde, molto alto, con fiori bianchi o rossi e frutti di forma ovale dai semi a forma di mandorle;

cola: albero con foglie oblunghe coriacee e frutti dotati di proprietà medicinali;

china: albero tropicale con fusto poderoso dalla cui corteccia si ricava la sostanza omonima avente proprietà medicamentose;

tiglio: albero con foglie a cuore seghettate, fiori in infiorescenze dal profumo intenso e frutto a piccola noce;

guaiaco: albero tropicale a foglie coriacee, fiori di vario colore e legno durissimo e resinoso;

carambola: albero di piccole dimensioni con frutti commestibili gialli, carnosi e aciduli;

acero: albero a chioma larga e densa, foglie palmato-lobate, fiori verde giallognoli, e frutti a samara;

itiso: albero piccolo con fiori gialli in grappoli;

maggiociondolo;

anacardio: albero tropicale con fiori in pannocchie e frutti oleosi commestibili ('noci di acagiù') sorretti da peduncoli molto ingrossati anch'essi commestibili;

pistacchio: albero con foglie rosse e frutto simile a un'oliva, con seme verde commestibile;

mango: albero coltivato nelle zone tropicali, che produce frutti polposi commestibili molto profumati;

ippocastano: albero grande con corteccia bruna e screpolata, fiori in appariscenti pannocchie e frutti simili alle castagne ma non commestibili.

mogano: albero tropicale da cui si ricava un legno pregiato bruno rosso;

*****agrume:** albero o arbusto, sempreverde, con fiori bianchi e profumati e frutti succosi, quali arancia, limone e sim;

agrifoglio: albero piccolo, sempreverde con foglie coriacee lucide, dentate e spinose ai margini, e drupe rosse, bianche o rosate;

mate: albero sudamericano le cui foglie si usano per preparare un infuso;

yucca: pianta americana con fusto rivestito di foglie lineari e fiori bianchi o violacei penduli in pannocchie;

eucalipto: albero che supera anche i cento metri di altezza, con foglie ovali da cui si ricava un olio essenziale;

melograno: albero con fiori rossi e frutti commestibili; la sua corteccia ha azione vermifuga;

acacia: albero con fiori riuniti in spighe e frutti a legume;

mimosa: albero spinoso, con foglie pennate, fiori rossi o violetti, frutti a legume;

catecù: albero con corteccia rosso bruna, rami un po' pelosi o con spine, fiori giallognoli riuniti in spighe;

cacciù;

campeggio: albero con foglie persistenti, fiori piccoli gialli e legno rosso molto duro;

carrubo: albero sempreverde con tronco grosso, foglie;

corniolo: albero piccolo con foglie ovali, legno durissimo, e commestibili;

ebano: albero che fornisce un legno pregiato nero e durissimo;

cachi: albero con foglie coriacee e frutti commestibili, dolci, di colore aranciato;

frassino: albero con foglie imparipennate, fiori poco appariscenti, frutto a samara;

olivo: albero sempreverde con foglie coriacee, piccoli fiori biancastri e frutti a drupa;

ornello: albero con foglie composte e fiori odorosi, il cui tronco, se inciso, secerne la manna;

orno;

noce vomica: albero indiano con semi piatti, amari, da cui si estrae la stricnina;

catalpa: albero a foglie opposte e fiori vistosi bianchi o rosei campanulati in pannocchie;

paulonia: albero ornamentale, originario del Giappone, con grossi grappoli di fiori azzurro violacei che sbocciano prima delle foglie;

palma: albero a fusto non ramificato, con foglie grandi;

palma da datteri: albero che dà frutti a bacca bruna con un seme duro;

palma da cocco: pianta tropicale, molto alta, con grosso ciuffo di foglie;

cocco;

noce d'India;

banano: albero tropicale molto alto con grandi foglie aprentisi in una corona nel cui mezzo si formano i fiori e poi i frutti, riuniti in una infruttescenza detta casco;

cassia: albero a foglie composte, fiori gialli riuniti in grappoli, frutto a legume, con proprietà medicinali;

robinia: albero con rami armati di spine, fiori bianchi odorosi, in grappoli;

pseudoacacia;

tuia: pianta cespugliosa o arborescente, sempreverde, con piccole foglie squamiformi;

tamarindo: albero coltivato nelle regioni calde per il frutto a legume di cui si utilizza la polpa per bevande dissetanti e in medicina;

albicocco: albero con fiori bianchi o rosei e frutti rotondi e vellutati di color arancio;

cotogno: albero con fusto contorto e nodoso e frutti commestibili aspri e profumati;

lauroceraso: albero o frutice con foglie simili a piccole mele;

mandorlo: albero che fiorisce prima di mettere le foglie, con fiori bianchi, frutto a drupa che a maturità si apre in due valve lasciando libero il nocciolo contenente i semi commestibili;

melo: albero con frutti commestibili, foglie seghettate e fiori bianchi all'interno e rosei esternamente;

nespolo del Giappone: albero con foglie grandi, lucide e fiori gialli;

resistente, e rizoma sotterraneo perenne;

pesco: albero a foglie seghettate, fiori rosei e frutti commestibili;

sorbo: albero con frutti commestibili;

susino: alberetto con foglie ovali seghettate e rugose, fiori bianchi o rosa e frutto a drupa;

visciolo: alberello forse originario dell'Asia minore, coltivato e naturalizzato, il cui frutto è la ciliegia detta visciola;

amareno: varietà di visciolo con frutti rosso scuro di sapore amarognolo,;

marasco: varietà coltivata di visciolo con frutti a polpa acidula;

ciliegio: albero con foglie ovali, fiori bianchi e frutti rossi commestibili;

pero: albero con foglie ovali, fiori bianchi e odorosi e frutti commestibili;

Arbusto:

arbusto: albero con fusto perenne ramificato fin dalla base;

frutice;

ginepro: arbusto con foglie appuntite e frutti simili a bacche nero blu usati in culinaria, farmacia e liquoreria;

sabina: arbusto velenoso che forma cespugli molto ramosi e dalle cui radici si estrae un liquido usato in medicina;

betel: arbusto rampicante, con foglie acuminate e aromatiche;

cubebe: arbusto rampicante i cui frutti immaturi sono simili ai grani del pepe;

pepe: arbusto rampicante di cui si usano i frutti come spezie;

loranto: arbusto, parassita delle querce, con fiori vistosi;

vischio: arbusto sempreverde parassita di diversi alberi, con foglie cuoiose e frutti a bacca bianchi, globosi e appiccicaticci;

vischio quercino: vischio delle querce usato per preparare la pania;

buganvillea: arbusto con rami spinosi e fiori piccoli di colore variabile dal rosa al porpora;

bosso: arbusto perenne sempreverde con piccole foglie coriacee e lucenti e legno durissimo;

croton: arbusto con foglie spesse, verdi, screziate di bianco o rosso con uso ornamentale;

stella di Natale: arbusto con fiori gialli circondati da grandi brattee rosse disposte a forma di stella;

manioca: arbusto brasiliano con radici a tubero rigonfie ricchissime di amido da cui si estrae la tapioca;

amamelide: arbusto dalle foglie ovali contenenti sostanze con proprietà emostatiche e fiori gialli;

anice stellato: arbusto con frutti composti a forma di stella a otto raggi, di sapore gradevole e molto aromatici;

crespino: arbusto cespuglioso con rami spinosi, foglie seghettate, fiori gialli in grappoli e frutti rossi a bacca;

calicanto: arbusto con fiori molto profumati;

calicanto d'estate: con fiori rossi;

calicanto d'inverno: con fiori gialli che sbocciano in gennaio;

vitalba: arbusto rampicante con foglie picciolate e fiori bianchi riuniti in pannocchie;

cappero: arbusto con foglie ovali e fiori grandi di color bianco o rosa;

tè: arbusto per le foglie sempreverdi coriacee e dentellate, contenenti teina;

ibisco: arbusto, tipica dei tropici, coltivata come pianta ornamentale o per estrarne fibre tessili;

coca: arbusto con fiori biancastri, frutto a drupa rossa allungata e foglie da cui si estrae la cocaina;

lentisco: arbusto mediterranea, basso e ramoso, con frutti a drupa rossi e semi ricchi di olio;

sommacco: arbusto di cui si usano rami, corteccia e foglie ricchi di tannino;

fusaggine: arbusto con piccoli fiori giallognoli e frutti rossi a capsula di forma simile alla berretta di un prete;

cascara sagrada: arbusto con foglie seghettate e piccoli fiori bianchi;

frangola: arbusto con piccoli fiori giallo verdastri, drupe nere, e corteccia con proprietà medicinali;

ramno: arbusto talvolta spinoso con fiori piccoli e frutti a drupa con più noccioli;

vite: arbusto con rami rampicanti, ingrossati ai nodi, fiori verdi in grappoli e frutto a bacca succosa da cui si ricava il vino;

abrostine: arbusto rampicante simile alla vite selvatica, originario dell'America;

vite americana;

vite selvatica;

vite del Canada: vite coltivata per ricoprire i muri;

vite vergine;

mirto: arbusto ramoso sempreverde con fiori bianchi e bacche nere;

mortella;

ginestra: arbusto con fiori gialli odorosi a grappoli e foglie ridotte;

glicine: arbusto rampicante con fiori azzurro violacei o bianchi in grappoli penduli;

oleandro: arbusto o alberello ornamentale sempreverde con fiori rosei, bianchi o gialli, ricco di un succo amaro e velenoso;

rosmarino: arbusto con foglie piccole, lineari, coriacee, usate come aromatico in culinaria;

timo: arbusto dei terreni aridi con fiori rosei e odore aromatico;

agnocasto: arbusto con foglie vellutate nella parte inferiore e fiori violacei raccolti in spighe;

cedrina: arbusto con foglie usate come condimento o in profumeria, e fiori azzurri in pannocchie;

ipecacuana: arbusto brasiliana con radici ramificate;

lantana: arbusto delle zone montuose, con foglie pelose finemente dentate e fiorellini di vario colore;

caprifoglio: arbusto rampicante spontaneo nei boschi di montagna, con fiori profumati di color porpora o biancastri sfumati di giallo;

sambuco: arbusto con fusto e rami ricchi di midollo, grandi infiorescenze bianchicce a ombrello e piccole bacche nere;

caffè: arbusto tropicale sempreverde con fiori bianchi, frutti in drupa rossa con nocciolo contenente uno o due semi;

gardenia: arbusto con foglie sempreverdi e grandi fiori bianchi molto profumati;

passiflora: pianta rampicante con foglie persistenti verde gaio, bellissimi fiori di forma insolita e frutto a bacca;

filodendro: arbusto rampicante ornamentale con fusto scarsamente ramificato e foglie coriacee persistenti;

rosa: arbusto fornito di spine ricurve, con foglie seghettate e fiori grandi variamente profumati e colorati;

camelia: arbusto con foglie sode e lucide e fiori con molti petali, bianchi, rosa, rossi;

rosa del Giappone;

rovo: arbusto, con fusti sdraiati, angolosi, aculeati, foglie bianche inferiormente, fiori rosei e frutti commestibili detti more;

ortensia: arbusto a foglie larghe e fiori a globo, bianchi, azzurri o rosei;

ribes: arbusto con fiori poco appariscenti a grappolo e frutti a bacca commestibili;

prugnolo: arbusto a rami terminanti in lunghe spine, piccole foglie, fiori bianchi, frutti violetti aspri;

pruno;

edera: arbusto sempreverde, rampicante che si attacca per mezzo di piccole radici avventizie ai tronchi degli alberi e ai muri;

uva spina: arbusto a rami lisci con spine a tre punte e bacche tonde, giallicce, commestibili;

azalea: arbusto molto ramificata, con piccole foglie coriacee e grandi fiori di vari colori;

brugo: arbusto sempreverde, con fiori rosei in lunghi grappoli, tipica delle brughiere;

brentolo;

corbezzolo: arbusto o arborea sempreverde con foglie coriacee, e frutto commestibile a bacca rossa, verrucosa;

albatro;

erica: arbusto assai ramoso, con foglie aghiformi e fiori piccoli rosei;

mirtillo: arbusto piccolo comune su Alpi e Appennini, con frutti commestibili a bacca di colore nero bluastro;

rododendro: arbusto caratteristico della flora alpina, con fusto tortuoso, foglie coriacee e fiori rossi in grappoli;

ligustro: arbusto con fiorellini bianchi, coltivato per formare siepi;

gelsomino: arbusto ornamentale con fusto rampicante dai fiori stellati e profumatissimi, bianchi o gialli;

issopo: arbusto spontaneo nella regione mediterranea, utilizzata dalla medicina popolare contro la tosse;

lavanda: arbusto con rametti eretti e fiorellini violetti molto profumati;

spigo;

biancospino: arbusto con rami spinosi, foglie ovali e divise e piccoli fiori bianchi;

ricino: arbusto o erbacea di origine tropicale, con larghe foglie, fiori in grappoli, frutto a capsula spinosa, grossi semi da cui si estrae un olio purgativo, lubrificante e industriale;

sena: arbusto con foglie composte da foglioline oblunghe, appuntite, usate in medicina, fiori gialli in grappoli, frutto a legume;

Erba:

erba: pianta di altezza generalmente limitata con fusto verde e mai legnoso;

malerba: erba inutile o dannosa;

podofillo: erba americana perenne con fiori a otto petali bianchi e rizoma medicinale;

semplice: erba medicinale;

semprevivo: erba con foglie carnose a rosetta e fiori rossicci;

licopodio: erba dei luoghi montuosi, le cui spore ricche di grassi sono utilizzate come polveri assorbenti;

canapa: pianta erbacea con radice a fittone, fusto diritto e ricoperto di peli, foglie strette, lunghe e dentate;

canapa indiana: pianta erbacea dalla quale si estrae la droga omonima usata come analgesico, narcotico e stupefacente;

canapone: pianta erbacea femminile della canapa;

luppolo: erba perenne rampicante con foglie ruvide e cuoriformi, frutti che sembrano piccole nappe verdi contenenti il luppolino;

ortica: pianta erbacea, rizomatosa, a foglie dentellate, ricca di peli urticanti contenenti un liquido caustico, comunissima nei luoghi incolti;

ramiè: pianta erbacea perenne, con foglie bianche inferiormente, utile per le fibre tessili;

amaranto: pianta erbacea a fusto eretto, foglie di color verde brillante e fiori piccoli riuniti in spighe;

garofano: pianta erbacea con fiori

doppi nelle varietà coltivate, di vario colore, profumati, e foglie sottili e allungate;

barbabietola: pianta erbacea con grandi foglie e grossa radice carnosa commestibile;

barbabietola da zucchero: barbabietola dalla cui radice si estrae lo zucchero;

bietolone rosso: pianta erbacea, con foglie commestibili triangolari e fiori verdastri a grappolo;

chenopodio: pianta erbacea che cresce spontanea nei suoli rocciosi, è coltivata a scopo ornamentale o medicinale;

porcellana: pianta erbacea, con fiori gialli e foglie carnose;

spinacio: pianta erbacea con foglie triangolari verde scuro, che si mangiano cotte;

bella di notte: pianta erbacea con foglie ovali e fiori gialli, rossi o bianchi;

erba cipressina: erba con rizoma strisciante e fiori in ombrelle;

portulaca: pianta erbacea delle regioni calde, con fusto prostrato, foglie opposte e carnose, fiori grandi di colore rosso, bianco o giallo;

acetosa: pianta erbacea con fusti eretti e foglie dal sapore acidulo;

ruta: pianta erbacea perenne che cresce nei luoghi aridi e ha fiori gialli a cinque petali, con odore intenso, usata per aromatizzare liquori;

grano saraceno: pianta erbacea annua coltivata per i semi da cui si ricava una farina;

rabarbaro: pianta erbacea dal cui rizoma si ricava una sostanza amara usata in medicina;

mercuriale: pianta erbacea, amara, velenosa, con fiori verdognoli;

mercorella;

fresia: pianta erbacea con fiori campanulati dagli svariati colori;

fritillaria: pianta erbacea con un ciuffo di fiori campanulati color arancio;

giacinto: pianta erbacea con fiori odorosi in grappoli eretti, di vario colore;

giaggiolo: pianta erbacea con foglie a sciabola e grandi fiori azzurri, blu viola o bianchi;

iris;

euforbia: pianta erbacea o legnosa

contenente un latice aspro;

giglio: pianta erbacea con fiori che nella specie più comune sono bianchi, odorosi, a grappolo;

martagone: pianta erbacea con fiori rosa punteggiati di porpora, che cresce nei boschi di montagna;

mughetto: pianta erbacea con foglie ovali e piccoli fiori bianchi a campanula, profumatissimi;

scilla: pianta erbacea bulbosa con fiori azzurri o rossi;

tulipano: pianta bulbosa con foglie allungate e fiore campanulato di vario colore;

cipolla: pianta erbacea con bulbo a squame carnose, concentriche, dall'odore acuto;

colchico: pianta erbacea con fiori rosa lilla che fioriscono in autunno;

asfodelo: pianta erbacea con lunghe foglie e fiori bianchi in grappolo,;

asparago: pianta erbacea con germogli commestibili;

asparagio: (*tosc.*);

sparagio: (*dial.*);

aristolochia: pianta erbacea con foglie a forma di cuore e fiori giallo-verdastri;

ninfea: pianta erbacea acquatica perenne con foglie rotonde, coriacee galleggianti e fiori molto vistosi;

victoria regia: ninfea con enormi foglie inferiormente spinose e grandi fiori profumati;

aconito: pianta erbacea perenne, velenosa e medicinale, con fiori di color azzurro intenso raccolti a grappolo;

adonide: pianta erbacea, con fusto eretto e fiori gialli;

anemone: pianta erbacea con fiori solitari di colore blu o porpora o bianco;

bottone d'oro: pianta erbacea con fiori gialli;

clematide: pianta erbacea rampicante con fiori privi di corolla, ma con calice vistosamente colorato;

delfinio: pianta erbacea con fiori in pannocchia o grappoli di colore azzurro, bianco o lilla;

elleboro: pianta erbacea, velenosa, con fiori bianchi o verdastri;

epatica: pianta erbacea, con foglie cuoriformi di color rosso bruno, e fiori violetti;

erba trinità;

erba nocca: erba velenosa con fiori verdi o rossastri;

favagello: pianta erbacea con tuberi carnosi, breve fusto sdraiato e fiori giallo dorati;

peonia: pianta erbacea con fiori grandissimi e solitari, coltivata a scopo ornamentale, spontanea sui monti;

ranuncolo: pianta erbacea annua o perenne con fiori gialli o bianchi o rosa;

sardonia: pianta erbacea velenosa, con fiori gialli;

agapanto: pianta erbacea perenne con foglie che partono dalla radice e fiori azzurri;

aglio: pianta erbacea con bulbo commestibile a spicchi, usato anche a scopi terapeutici;

borsa di pastore: pianta erbacea a fusto eretto, di forma simile alla borsa in cui il pastore tiene il sale per gli animali;

coclearia: pianta erbacea spontanea, con proprietà medicinali;

barbaforte: pianta erbacea con piccoli fiori e grosse radici dal sapore piccante;

cavolo: pianta erbacea spontanea con fusto eretto, foglie glauche fiori gialli riuniti in grappoli; se ne coltivano per uso alimentare diverse varietà;

cavolo cappuccio;

cavolo rapa;

cavolo di Bruxelles: cavolo a fusto alto su cui si sviluppano germogli commestibili simile a piccole palle;

colza: pianta erbacea con fiori gialli, frutto a siliqua, dai cui semi si estrae un olio usato industrialmente;

crescione: pianta erbacea medicinale con foglie commestibili;

guado: pianta erbacea con piccoli fiori gialli e foglie che, macerate, si usavano un tempo in tintoria;

nasturzio: pianta erbacea con foglie profondamente divise e fiori gialli;

rafano: pianta erbacea coltivata per le radici piccanti, con foglie pelose e dentate, fiori di vari colori in grappoli, frutti a siliqua;

rapa: pianta erbacea coltivata, con piccoli fiori dorati, foglie utili come foraggio e grossa radice carnosa commestibile;

ravizzone: pianta erbacea annua o bienne molto simile al cavolo con foglie superiori abbraccianti il fusto, coltivata per i semi oleiferi;

navone;

ruchetta: pianta erbacea le cui foglie aromatiche si mescolano con l'insalata;

senape: pianta erbacea coltivata per i semi giallo rossastri o rosso nerastri finemente zigrinati, impiegati in medicina e in culinaria;

violacciocca: pianta erbacea spontanea e ornamentale per i fiori purpurei o violacei in grappoli, assai profumati;

celidonia: pianta erbacea con fiori gialli;

papavero: pianta erbacea annua con foglie dentate, fiori grandi e solitari a quattro petali e frutto a capsula;

papavero selvatico: papavero con foglie pelose, fiori rossi a quattro petali, talora con una larga macchia nera alla base, infestante nei campi e fioritura da maggio a luglio;

rosolaccio;

papavero da oppio: papavero dalla cui capsula immatura si ricava l'oppio;

guaderella: pianta erbacea con fusto cavo, fiori gialli in grappoli e frutto a capsula: usata in tintoria;

guada;

reseda: pianta erbacea a fusto ramoso e fiori giallo verdastri a grappolo;

amorino: (*pop.*);

begonia: pianta erbacea ornamentale con fiori e foglie di diverso colore rosso;

dionea: pianta erbacea, carnivora, con foglie dentate con le quali cattura gli insetti;

drosera: pianta erbacea carnivora, tipica di luoghi paludosi, con foglie picciolate e lamina coperta di peli vischiosi;

viola: pianta erbacea con fiori variamente colorati;

viola del pensiero: viola con foglie inferiori cuoriformi e superiori allungate, coltivata per i fiori violetti, gialli e bianchi, molto grandi;

pansé;

viola mammola: viola con foglie cuoriformi, fiori odorosi, violetti, spontanea nei boschi e lungo le siepi;

abelmosco: pianta erbacea aromatica da cui semi si estrae un'essenza dall'odore di muschio;

ambretta;

altea: pianta erbacea perenne con foglie coperte di peluria, fiori a grappolo di color rosa chiaro;

carcadè: pianta erbacea con fiori a calice rosso, carnoso, corolla gialla e frutti a capsula;

cotone: pianta erbacea tropicale, con fiori giallo chiari e frutto a capsula che si apre liberando i semi avvolti da una peluria bianca e lucente impiegata come fibra tessile;

malva: pianta con foglie con lungo picciolo e fiori rosei, da cui si ricava un decotto medicinale;

corcoro: pianta erbacea con fusto cilindrico sottile da cui si ricava la iuta;

cappuccina: pianta erbacea ornamentale con foglie rotonde e fiori di colore giallo aranciato o rosso;

geranio: pianta erbacea e fiori variamente colorati;

lino: pianta annua con fiori celesti i, capsula con semi bruni, oleosi;

acetosella: pianta erbacea con foglie di sapore acidulo; comune nei luoghi ombrosi e umidi;

balsamina: pianta erbacea con fusto traslucido e fiori di vario colore;

begliuomini;

dittamo: pianta erbacea sempreverde e aromatica con fiori bianchi e grandi;

fucsia: pianta cespugliosa con bellissimi fiori penduli di color rosso e azzurro violaceo;

godezia: pianta erbacea ornamentale con fiori dai vivaci colori;

arachide: pianta erbacea, con fiori gialli e frutti a sviluppo sotterraneo con semi commestibili oblunghi, giallastri e spugnosi;

astragalo: pianta con fiori di vari colori in grappoli;

cece: pianta erbacea leguminosa con fusto peloso, foglie composte da foglioline dentate e semi commestibili racchiusi in baccelli;

cicerchia: pianta erbacea rampicante simile al pisello con fiori rosei o rossi, coltivata spec. come foraggio;

dolico: pianta rampicante leguminosa che dà semi commestibili, detti fagioli dell'occhio;

erba medica: pianta erbacea a foglie composte di tre foglioline;

fagiolo: pianta erbacea con fusto rampicante, foglie pelose, fiori in grappoli di color bianco, giallo o purpureo e legume;

fava: pianta erbacea leguminosa con fiori di color bianco e violaceo e legumi scuri contenenti semi verdastri;

fragola: pianta erbacea con foglie seghettate con peli lucenti e frutti rossi commestibili;

cinquefoglie: pianta erbacea perenne con fiori gialli e foglie composte da cinque foglioline dentate;

lenticchia: pianta annuale leguminosa con fusto eretto, frutto a baccello con due semi schiacciati, commestibili;

liquirizia: pianta erbacea con rami flessibili e fiori azzurrognoli e frutto a legume;

lupino: pianta erbacea con fiori biancastri in grappoli, utile come foraggio e per i semi commestibili;

lupinella: pianta erbacea perenne, ottima foraggiera, con foglie pelose e fiori rosa in grappoli;

pisello: pianta annua rampicante, con grandi fiori a corolla a forma di farfalla e frutti con semi commestibili;

soia: pianta erbacea cespugliosa, con frutto a baccello peloso e semi usati per mangime e per l'estrazione dell'olio;

tribolo: pianta erbacea con fiori gialli in grappoli profumati e frutto a legume;

trifoglina: pianta erbacea, molto piccola con fiori gialli e frutto a legume;

trifoglio: pianta erbacea, pelosa, ottima foraggiera, con fiori rossi e frutto a legume;

veccia: pianta erbacea, buona foraggiera, con fiori violacei e frutto a legume;

vulneraria: pianta erbacea foraggiera con grandi fiori gialli e frutto a legume;

sassifraga: pianta erbacea rupestre con foglie carnose e fiori in grappoli;

sanguine: pianta erbacea comunissima nelle siepi con fiori bianchi e drupe nere;

aneto: pianta erbacea aromatica simile al finocchio, fiori gialli e frutto ovoidale;

angelica: pianta erbacea perenne e aromatica, con foglie seghettate e fiori di colore bianco;

anice: pianta erbacea con foglie inferiori arrotondate e fiori bianchi in ombrelle;

carota: pianta erbacea con fiori bianchi e violetti e grossa radice arancione, carnosa e commestibile;

cerfoglio: pianta erbacea aromatica simile al prezzemolo con i fiori bianchi;

cicuta: pianta erbacea, il cui rizoma contiene un latice giallo;

coriandolo: pianta erbacea con fusto eretto, fiori piccoli e bianchi e frutti globosi e aromatici;

cumino: pianta erbacea con fusto sottile e ramoso, con frutto allungato dai semi aromatici e medicinali;

finocchio: pianta erbacea perenne con foglie divise in lobi, fiori gialli e semi aromatici e piccanti;

finocchio dolce: finocchio coltivato per le foglie carnose e bianche commestibili;

pastinaca: pianta erbacea spontanea nelle zone umide, con radice carnosa commestibile;

pimpinella: pianta erbacea coltivata per i frutti che profumano di anice;

prezzemolo: pianta erbacea con foglie frastagliate, aromatiche, utili in cucina;

sedano: pianta erbacea coltivata come ortaggio con foglie aromatiche;

sedano a costola: sedano di cui si mangiano le lunghe coste fogliari;

sedano rapa: sedano di cui si mangia la radice molto ingrossata;

ciclamino: pianta erbacea con foglie cuoriformi e fiori di color rosa violaceo;

primula: pianta erbacea spontanea nelle regioni temperate, con fiori gialli e rosa, simbolo della primavera;

pervinca: pianta erbacea con foglie scure e lucenti e fiori azzurro violacei;

genziana: pianta erbacea con fiori con corolla a campana;

genziana maggiore: genziana caratteristica dei pascoli alpini, la cui radice viene usata in medicina come tonico digestivo;

genzianella: pianta erbacea comune nei pascoli alpini, con fiore solitario azzurro;

acanto: pianta erbacea perenne con grandi foglie e fiori bianchi, rosei o porporini disposti in lunghe spighe;

borragine: pianta erbacea annuale con grosso fusto succoso, grandi foglie rugose e fiori turchini, usato in culinaria;

eliotropio: pianta erbacea con fiori bianchi e proprietà medicinali;

elitropio;

girasole;

polmonaria: erba che cresce nei boschi e ha foglie verdi a macchie bianche e fiori violacei in grappoli;

miosotide: pianta erbacea comune nei luoghi umidi, con piccoli fiori celesti o rosati in grappoli;

nontiscordardimé;

patata: pianta erbacea con radici dai tuberi commestibili, farinosi e zuccherini;

patata americana;

bella di giorno: pianta erbacea i cui fiori aprono le corolle solo con la luce del sole;

convolvolo: pianta erbacea con fusto rampicante e fiori campanulati di colore variabile bianco, rosso o blu;

cuscuta: pianta erbacea con fusto filiforme privo di foglie e radici, che si avvolge in strette spire intorno alle piante di cui è parassita;

gialappa: pianta erbacea messicana dai cui tuberi si estrae una resina impiegata come purgante;

ipomea;

scialappa: (*pop.*);

vilucchio: pianta erbacea a sottile e fusto rampicante, con fiori solitari e rosei a campanule, infestante i campi seminati;

basilico: pianta erbacea con foglie ovali molto aromatiche e fiori

chiari raccolti in spighe, usata in culinaria;

bocca di lupo: pianta erbacea con grandi fiori rosei o bianchi;

maggiorana: pianta erbacea mediterranea molto aromatica, usata in culinaria;

amaraco;

melissa: pianta erbacea di gradevole odore, con foglie grandi e pelose; usata in farmacia per le sue proprietà;

cedronella: (*pop.*);

menta: pianta erbacea con fiori piccoli riuniti in spighe, coltivata per le foglie d'odore acuto e gradevole;

menta piperita: menta ricca di mentolo;

origano: pianta erbacea perenne mediterranea, pelosa, con infiorescenze rosee, aromatica e usata in culinaria;

salvia: pianta erbacea con foglie rugose coperte di peluria grigia, fortemente odorose, usate come condimento o in medicina;

satureia: pianta erbacea aromatica con caule rossastro, e fiori bianchi punteggiati di rosa o violetti nella specie selvatica;

santoreggia;

orobanche: pianta parassita, con spiga di fiori bianchi, la cui radice si attacca a quella delle leguminose;

succiamele: pianta erbacea parassita, con spiga di fiori bianchi, priva di foglie, la cui radice si attacca mediante organi di assorbimento alla radice delle Leguminose;

sesamo: pianta tropicale erbacea dai cui semi si estrae un olio commestibile;

bocca di leone: pianta erbacea con foglie piccole e grappoli di fiori rossi con bocca gialla;

antirrino;

gallinella: pianta erbacea simile alla bocca di leone;

digitale: pianta erbacea con grandi foglie e fiori rosa violetto con corolla a forma di ditale, dai cui semi e foglie si ricava la digitalina usata nella farmacopea;

tassobarbasso: pianta erbacea caratterizzata da una lanugine biancastra;

verbasco;

veronica: pianta erbacea perenne con fusti gracili e fiori bianchi venati di viola, che cresce presso laghi e paludi;

alchechengi: pianta erbacea con foglie ovali, fiori piccoli e bacche di color rosso arancio commestibili;

belladonna: pianta erbacea medicinale con fiori violacei a campana, bacche brune velenose;

datura: pianta con fiori grandi, solitari, generalmente bianchi, e frutto a capsula spinosa;

stramonio: pianta annua, con foglie dentate e corolla bianca a imbuto, usata in farmacia;

dulcamara: pianta erbacea rampicante o strisciante con proprietà medicinali, fiori violacei e frutti rossi a bacca;

giusquiamo: pianta erbacea annuale o biennale con fusto peloso, vischioso, fiori gialli venati di viola, dai cui semi si estraggono alcaloidi;

mandragola: erba velenosa con fiori bianchi, foglie seghettate e grosse radici alle quali un tempo si attribuivano virtù magiche;

melanzana: pianta erbacea di origine asiatica coltivata per i grossi frutti violacei o bianchi, commestibili cotti;

patata: pianta erbacea con fiori in violetti, e tuberi commestibili;

peperone: pianta erbacea a fusto eretto, frutto commestibile coltivata in molte varietà;

petunia: pianta erbacea coltivata per i bei fiori a campanula;

pomodoro: pianta erbacea annua, originaria dell'America, con fusto rampicante e frutto commestibile;

tabacco: pianta erbacea aromatica annua con fusto peloso, grandi foglie e fiori di vario colore;

verbena: pianta erbacea molto perenne, con piccoli fiori molto profumati;

vermena;

lobelia: erba officinale americana con foglie pelose e piccoli fiori in grappoli;

linnea: pianta con fiori profumati, campanulati;

cardo dei lanaioli: pianta erbacea con fiori che, seccati, venivano usati per cardare la lana;

robbia: pianta erbacea le cui radici macinate danno una polvere usata un tempo per tingere in rosso;

valeriana: pianta medicinale erbacea con fusto alto fino a due metri e radice usata come sedativo;

valerianella: piantina con piccoli fiori azzurri;

campanula: pianta erbacea a fiori violetti riuniti in grappoli;

ambrosia: pianta con fiori in grappoli;

abrotano: pianta erbacea perenne con foglie frastagliate e odore fortemente aromatico;

achillea: pianta erbacea con foglie pennate e fiori bianco rosati;

millefoglio;

agerato: pianta erbacea con piccoli fiori azzurri all'apice dei rami;

arnica: pianta erbacea rizomatosa con foglie basali a rosetta e fiori arancione;

artemisia: pianta erbacea con foglie inferiormente lanose e superiormente di color verde scuro, e fiori gialli a grappoli;

assenzio: pianta erbacea perenne aromatica, con foglie pelose e fiori gialli;

astro della Cina: albero perenne con fiori di vario colore;

aster;

bottone d'argento: pianta erbacea con larghi cespi di fiori bianchi;

calendola: pianta erbacea pelosa e dall'odore sgradevole, con i fiori di color giallo aranciato;

calendula;

camomilla: pianta erbacea medicinale con fiori gialli e bianchi;

carciofo: pianta erbacea perenne coltivata con foglie oblunghe, fiori azzurri e frutti commestibili;

cardo: pianta erbacea commestibile, coltivata, affine al carciofo, con foglie biancastre lunghe e carnose;

carlina: pianta erbacea perenne con fiori molto sviluppato e brattee bianche e lucenti disposte a raggiera;

cartamo: pianta erbacea con foglie a margine spinoso e fiori gialli usati anche per sofisticare lo zafferano;

centaurea: pianta erbacea con fiori bianchi, gialli o azzurri;

cicoria: pianta erbacea perenne

con foglie commestibili, e fiori azzurri;

cineraria: pianta erbacea con foglie ricoperte di peluria cinerea nella pagina inferiore e fiori rossi, azzurri o viola;

crisantemo: pianta erbacea con fiori di vario colore;

dalia: pianta erbacea con fiori di vari colori;

dente di leone: pianta erbacea perenne con fiori gialli;

tarassaco;

dragoncello: pianta erbacea, cespugliosa, con fiori a pannocchie; usato per condimento;

elenio: pianta erbacea con foglie rugose e fiori gialli in pannocchie;

fiordaliso: pianta erbacea a fusto eretto, e fiori azzurri;

genepì: pianta erbacea di alta montagna, con foglie frastagliate e fiorellini verdi, usata in liquoreria;

gerbera: pianta erbacea perenne con foglie inferiormente lanose, grandi fiori con colori dall'arancione al rosso;

girasole: pianta annua con grandi a fiori gialli, che si volgono verso il sole e dai cui semi si estrae un olio commestibile;

indivia: pianta erbacea di cui si mangiano le foglie giovani che possono essere molto frastagliate o a lamina espansa:;

indivia riccia;

scarola;

lappa: pianta con foglie grandi, fiori sferici uncinati che si attaccano alle vesti o al vello degli animali, grosse radici carnose con proprietà diuretiche e depurative;

lattuga: pianta erbacea con foglie che si mangiano in insalata coltivata in molte varietà;

margherita: pianta erbacea perenne con grandi fiori bianchi o gialli;

margheritina: pianta erbacea con piccoli fiori bianchi e gialli;

pratolina;

scorzonera: pianta erbacea spontanea dei prati alpini e appenninici, con fiori gialli e varietà coltivate per le radici commestibili dopo cottura;

stella alpina: pianta erbacea alpina con foglie e fiori lanuginosi;

edelweiss;

topinambur: pianta erbacea americana simile al girasole, annua, con fiori gialli e tuberi commestibili;

zinnia: pianta erbacea ornamentale con fiori di vario colore;

cetriolo: pianta erbacea con fusto strisciante, peloso, foglie a forma di cuore, ruvide, e frutti commestibili;

cocomero: pianta erbacea con fusto sdraiato, foglie grandi e frutti commestibili, a polpa rossa con semi neri;

coloquintide: pianta erbacea con fusto sottile che dà frutti amari, usati un tempo come medicinale;

melone: pianta erbacea con fusto strisciante, frutto con polpa succosa e zuccherina;

popone;

cantalupo;

zucca: pianta con fusto strisciante, foglie pelose, grande frutto di forma variabile;

acoro: pianta erbacea con foglie verdi a sciabola e piccoli fiori giallognoli in spiga;

calla: pianta erbacea, palustre con foglie lucide di color verde scuro con fiore bianco a calice;

colocasia: pianta erbacea con foglie grandi, infiorescenza a spadice giallognola e rizoma tuberoso commestibile;

gigaro: pianta erbacea velenosa con fiore a forma di clava di colore violetto;

canna d'India: pianta i cui fusti lunghi e sottili servono per produrre stuoie, intrecci, bastoni da passeggio;

dattero: albero che produce tale frutto;

stiancia: pianta palustre con lunghe foglie usate per lavori di intreccio; fiore con una formazione a colonna formata dallo stelo insieme;

nigritella: pianta erbacea montana a fiori piccoli rosei o rossi a spiga;

orchidea: pianta con radici tuberose, spontanea in alcuni paesi tropicali e generalmente coltivata in serre calde molto ricercata per i grandi e variopinti fiori ornamentali;

vaniglia: pianta rampicante messicana coltivata ai tropici di cui si usano i frutti come condimento e in profumeria;

ananas: pianta con lunghe foglie spinose ai margini, con fiore;

erba miseria: erba ornamentale a fusto ramoso e foglie lineari;

tradescanzia: (*bot.*);

canna indica: pianta erbacea ornamentale con foglie inguainanti lunghe e larghe a volte rosse, fiori rossi o gialli;

abacà: pianta tropicale da cui si ricava la canapa di Manila;

strelitzia: pianta coltivata per i fiori recisi di forma strana con petali arancione e azzurri;

zenzero: pianta erbacea dell'Asia tropicale il cui rizoma è usato come eupeptico e aromatico;

cardamomo: pianta erbacea perenne con fiori biancastri in spighe;

amomo;

agrostide: pianta erbacea con foglie piatte e strette e fiori a pannocchia;

alfa: pianta erbacea spontanea con lunghe foglie a lamina;

avena: pianta erbacea con fusti alti, vuoti ed erbosi, fiori a pannocchie; usata per l'alimentazione animale e umana;

bambù: pianta con fusto lignificato a volte molto alto, foglie strette e fiori a pannocchie;

canna: pianta erbacea con fusto alto e robusto;

canna da zucchero: pianta erbacea e fusto internamente ripieno di un midollo zuccherino;

gramigna: erba perenne che produce gravi danni alle colture;

scagliola: erba a spiga nuda verde e bianca i cui semi si usano come mangime per gli uccelli;

grano: pianta erbacea presente in varie forme coltivate;

frumento;

granturco: pianta erbacea con fusto robusto, fiori a pannocchie terminali e a **spiga:** i suoi frutti gialli sono commestibili e le foglie utili come foraggio;

frumentone;

granone;

mais;

loglio: pianta erbacea annua spontanea e infestante fra le messi, con fiori a spiga rossa;

zizzania: (*pop.*);

miglio: pianta erbacea con pannocchia di piccolissime spighette, frutti costituiti da granelli rotondi e giallicci che servono come mangime per gli uccelli domestici;

orzo: pianta erbacea a foglie ruvide e spiga con spighette disposte in quattro file verticali, utile per biada, per panificazione, per fabbricare la birra;

panico: pianta erbacea con il fiore a pannocchia, coltivata per l'alimentazione degli uccelli;

riso: pianta erbacea coltivata sommersa in acqua, di origine asiatica, con fusto glabro, pannocchia con spighette di un solo fiore e cariossidi commestibili;

saggina: pianta erbacea con fiore a pannocchia, foglie larghe e piatte, alta fino a tre metri; coltivata come foraggio fresco;

sorgo;

segale: pianta erbacea con poche foglie lanceolate;

amarilli: pianta erbacea con foglie allungate a nastro, fiori a calice dai colori intensi;

agave: pianta con foglie carnose che partono dalla radice e fiore a pannocchia;

agave sisalana: varietà di agave dalle cui foglie si ricava la fibra agave;

bucaneve: pianta erbacea con un fiore bianco a fioritura molto precoce;

clivia: pianta erbacea con foglie simili a nastri, spesse e grandi fiori arancioni;

giunchiglia: pianta erbacea con grandi fiori gialli simili a narcisi;

narciso: pianta erbacea dai fiori bianchi e profumati, comune in primavera in montagna;

tuberosa: pianta ornamentale dell'America centrale, con fiori in lunghe spighe bianche e profumate;

biodo: pianta palustre con fiore a spiga di color ruggine;

falasco: pianta erbacea usata per impagliare seggiole, intrecciare sporte e stuoie e costruire capanni da caccia;

papiro: pianta erbacea perenne con i fiori a spighe, dai quali gli antichi egiziani ottenevano fogli per scrivere;

giunco: pianta erbacea alta e sottile che cresce nei luoghi acquitrinosi;

acoro falso: pianta erbacea palustre con fiori gialli;

croco: pianta erbacea spontanea, con fiori di vari colori;

gladiolo: pianta con fiori di vari colori disposti a spiga;

giaggiolo;

zafferano: pianta erbacea con foglie i verdi e fiori da cui si estrae la per estrarre la droga omonima;

aloe: pianta grassa con foglie carnose con spine sui margini, con fiore a pannocchia rossa, gialla o striata; usata in medicina per il succo estratto dalle foglie;

aspidistra: pianta rizomatosa ornamentale con larghe foglie coriacee, molto resistente;

dracena: albero con rami terminanti in ciuffi di foglie, dalla cui corteccia si ricava una gommoresina;

pungitopo: pianta cespugliosa sempreverde con bacche rosse;

sansevieria: pianta ornamentale con foglie che partono dalla radice striate di verde chiaro o giallo;

Muschi: piante prive di radici, con fusticini a foglioline verdi formanti fitti cuscinetti che rivestono rocce o tronchi molto umidi;

muschio;

muschio da spazzole: comune sulla terra di tutti i boschi;

muschio quercino: comune sul terreno e sulle rocce nei boschi di montagna;

sfagno: muschio con ramificazioni regolari, foglioline prive di nervature, colore verde biancastro;

Felci: pianta con radice, fusto e foglie, ma senza fiore e frutto;

felce: pianta con foglie a volte molto grandi sulla cui pagina inferiore si trovano le spore;

capelvenere: felce con grandi foglie composte da foglioline triangolari, coltivata come pianta ornamentale;

felce aquilina: felce con foglie coriacee molto lunghe;

elce maschio: con grandi foglie suddivise e rizoma a proprietà medicinali;

ruta: piccola felce comune sulle rocce e sui muri con foglie piccole, coriacee, verde cupo;

felce di muro;

Piante grasse:
cactus: pianta tropicale con fusto carnoso sempreverde, foglie trasformate in spine e fiori vivacemente colorati;
cereo: pianta grassa, spinosa, a forma di colonna scanalata, alta e ramificata, con vistosi fiori notturni e frutti a bacca carnosa;
echinocactus: pianta grassa con fusto tondeggiante, carnoso e verde e foglie trasformate in spine;
fico d'India: pianta grassa, con foglie trasformate in spine e fusti appiattiti, verdi, simili a foglie successive.

piànta (2) *s. f.* *1* mappa, carta, disegno *2* planimetria.

piantàre A *v. tr.* *1* [*una pianta, i semi*] interrare, coltivare, seminare, ripiantare CONTR. svellere, strappare, sradicare, sbarbare *2* [*un'azienda, etc.*] fondare, impiantare, avviare *3* [*qc.*] lasciare, abbandonare *4* [*il lavoro*] finire, smettere *5* [*un palo, un chiodo, etc.*] conficcare, ficcare, porre, affondare, configgere, infiggere, fissare, inserire, mettere CONTR. svellere, strappare *6* [*le fondamenta, una tenda*] collocare, posare, installare, piazzare, basare CONTR. togliere, levare **B** *v. intr. pron.* *1* [*detto di chiodo, di palo, etc.*] ficcarsi, conficcarsi, configgersi, infiggersi *2* [*detto di persona, etc.*] fermarsi, stabilirsi, impiantarsi, stanziarsi, collocarsi, sistemarsi, piazzarsi *3* [*detto di macchinario, etc.*] fermarsi, bloccarsi, non funzionare più.

piantàto *part. pass.; anche agg.* conficcato CONTR. divelto, estirpato, sradicato.

pianterréno *s. m.* pianoterra.

piànto *s. m.* *1* [*tipo di*] piagnucolio, piagnisteo (*fam.*), lamento (*lett.*) CONTR. riso, sorriso, risata *2* dolore, lutto *3* tristezza *4* [*rif. a una persona*] (*fig.*) lagna, tormento, disastro.

piantonàre *v. tr.* sorvegliare, custodire, vigilare, controllare.

piantóne *s. m.* sentinella, palo (*gerg.*).

pianùra *s. f.* piana, landa (*lett.*) CONTR. collina, montagna.

piàstra *s. f.* *1* lastra, placca, lamina *2* targa *3* (*gener.*) moneta *4* armatura.

piattaménte *avv.* ottusamente, banalmente CONTR. genialmente, vivacemente.

piàtto (1) *agg.* *1* [*rif. a una superficie*] piano *2* scialbo, scipito (*fig.*), inespressivo, insignificante, banale, insipido (*fig.*), impersonale, anonimo, freddo (*fig.*) CONTR. attraente, estroso, vivace, originale *3* [*rif. al mare*] calmo CONTR. burrascoso, agitato *4* [*rif. al viso*] schiacciato, anonimo.

piàtto (2) *s. m.* *1* scodella, tondo (*lig.*), fondina *2* (*gener.*) stoviglie *3* (*est.*) cibo, vivanda, pietanza, portata.

piàttola *s. f.* *1* scarafaggio, blatta, bacherozzo (*roman.*) *2* (*gener.*) insetto *3* [*rif. a una persona*] (*fig.*) impiastro.

piàzza *s. f.* *1* slargo, campo, agorà (*lett.*), piazzale, largo *2* (*est.*) area, spazio *3* posto *4* (*est.*) mercato *5* (*est.*) folla, gente *6* (*mil.*) fortezza.

piazzàle *s. m.* piazza, slargo, campo.

piazzàre A *v. tr.* *1* collocare, situare, sistemare, piantare, porre, mettere, posizionare CONTR. togliere, levare *2* [*merce*] collocare, vendere *3* [*q.c. nel mercato*] immettere, inserire *4* [*un congegno, etc.*] (*est.*) installare, impiantare **B** *v. rifl.* *1* installarsi, stanziarsi, collocarsi, sistemarsi, mettersi, piantarsi *2* [*in una gara*] (*sport*) classificarsi.

piazzàta *s. f.* scenata, sceneggiata, scena, litigio, alterco, chiassata, litigata.

piazzàto *part. pass.; anche agg.* (*sport*) classificato.

picca (1) *s. f.* (*pl. -che*) *1* rivalsa, puntiglio *2* rivalsa, ritorsione, ripicca.

picca (2) *s. f.* (*pl. -che*) lancia.

piccànte *agg.* *1* [*rif. al sapore*] pungente, saporito, acre CONTR. dolce *2* [*rif. a un discorso, a una situazione*] audace, provocante, spinto CONTR. serio, pudico, verecondo (*lett.*) *3* [*rif. allo spirito*] (*fig.*) mordace, sapido, salato.

piccàrsi *v. intr. pron.* *1* presumere, pretendere *2* ostinarsi, impuntarsi, inca-

ponirsi CONTR. arrendersi, piegarsi, cedere *3* impermalirsi, offendersi, adontarsi, risentirsi.

picchettàre *v. tr.* [*il luogo di lavoro*] sorvegliare.

picchiàre A *v. tr.* *1* percuotere, malmenare, menare, suonare (*fig.*), pestare, alzare le mani *su*, prendere a botte, conciare per le feste, battere, colpire *2* [*modi di*] legnare, manganellare, bastonare, sculacciare, randellare, schiaffeggiare, prendere a randellate *3* (*est.*) punire, castigare *4* [*il metallo*] martellare *5* [*il braccio, il viso, etc.*] urtare **B** *v. intr.* *1* [*contro q.c.*] bussare, cozzare, sbatacchiare, sbattere, collidere (*colto*) *2* [*su un argomento*] (*est.*) persistere, perseverare, insistere CONTR. desistere, rinunciare *3* [*detto di sole*] battere (*fig.*), dardeggiare, bruciare (*fig.*) **C** *v. rifl. rec.* menarsi, darsele, azzuffarsi, lottare, percuotersi, malmenarsi, suonarsele, venire alle mani.

picchiàto *part. pass.; anche agg.* [*rif. a una persona*] suonato, svitato, svanito, strambo, balordo CONTR. savio, assennato.

picchiatóre *s. m.* (*f. -trice*) fascista.

picchierellàre *v. tr. e intr.* picchiettare, tamburellare.

picchiettàre (1) *v. tr.* punteggiare, macchiettare, maculare, screziare.

picchiettàre (2) *v. tr. e intr.* picchierellare, tamburellare, crepitare.

picchiòtto *s. m.* battente, battaglio, battiporta.

piccinerìa *s. f.* *1* grettezza, meschinità, ristrettezza *2* (*raro*) avarizia.

piccìno A *agg.* *1* minuscolo, microscopico CONTR. grande, enorme *2* [*rif. alla mentalità*] meschino, gretto *3* (*est.*) umile **B** *s. m.* (*f. -a*) *1* bambino, neonato *2* cucciolo.

piccionàia *s. f.* *1* colombaia *2* soffitta *3* loggione.

picciόne *s. m.* *1* (*gener.*) uccello *2* colombo, palombaccio.

picco (1) *s. m.* (*pl. -chi*) (*mar.*) verga, randa, penna, antenna.

pìcco (2) s. m. (pl. -chi) guglia.

piccolézza s. f. 1 inezia, minuzia, sciocchezza, bazzecola 2 insufficienza, pochezza CONTR. grandezza, grossezza 3 [morale] bassezza, grettezza, meschinità CONTR. grandezza, nobiltà.

pìccolo A agg. 1 minuscolo, microscopico, minimo, infinitesimale, minuto (est.), esile (est.), leggero (est.), basso (est.), nano (fig.) CONTR. grande, grosso, enorme, imponente, gigantesco, gigante, colossale, ciclopico (fig.), incalcolabile, capiente, voluminoso, ingombrante 2 [rif. a una quantità, a un numero] basso (fig.), scarso, esiguo CONTR. imponente, ampio, considerevole, cospicuo, rilevante, ingente, titanico (fig.), largo 3 (temp.) breve 4 [rif. alla mentalità] insignificante, gretto, meschino CONTR. incalcolabile, ineffabile, infernale 5 [rif. a una persona] minuto, esile, basso, nano (fig.), lillipuziano (fig.), pigmeo (fig.), pargolo (lett.) CONTR. grande, grosso, alto, cresciuto, lungo 6 [rif. a un luogo] angusto CONTR. spazioso B s. m. (f. -a) 1 bambino, neonato 2 cucciolo.

pìcnic s. m. inv. spuntino, scampagnata.

piède s. m. 1 estremità 2 [di un mobile] zampa (fig.), base 3 [rif. al bicchiere] gambo, stelo 4 [dello stipendio] (est.) stato, livello (fig.).

piedipiàtti s. m. inv. poliziotto, agente, questurino, guardia, sbirro (spreg.).

piedistàllo s. m. 1 base 2 [spec. con: mettere su un] (fig.) altare.

pièga s. f. (pl. -ghe) 1 grinza, ruga, crespa 2 (geol.) curvatura 3 [rif. a una situazione] (est.) andamento, indirizzo, tendenza.

piegàre A v. tr. 1 curvare, flettere, torcere 2 [un oggetto] ripiegare, ravvolgere 3 [stoffa, carta, etc.] accartocciare, arricciare, increspare, spiegazzare, sgualcire 4 [la testa] inclinare, reclinare, abbassare, chinare, rovesciare 5 [la schiena] arcuare, incurvare, inarcare, inchinare, prosternare, prostrare 6 [lo sguardo, il pensiero] volgere 7 [le vesti, etc.] (raro) raccogliere 8 [qc.] (est.) indurre, persuadere, convincere, soggiogare, asservire,

domare, vincere, umiliare, commuovere B v. intr. [detto di strada, di fiume, etc.] dirigersi, svoltare, snodarsi, deviare, volgere C v. rifl. 1 flettersi, curvarsi, chinarsi, abbassarsi, inchinarsi, prosternarsi, incurvarsi, inarcarsi, arcuarsi CONTR. raddrizzarsi 2 (est.) commuoversi, cedere, capitolare, arrendersi, crollare (fig.), adattarsi, sottomettersi, rassegnarsi CONTR. fronteggiare, intestardirsi, intestarsi, opporsi, ostinarsi, perdurare, piccarsi, ribellarsi, rivoltarsi 3 [a un desiderio, a una richiesta] condiscendere, consentire 4 [per le risa, etc.] torcersi D v. intr. pron. 1 [detto di strada, di fiume, etc.] dirigersi, volgersi, rientrare 2 [detto di torre] inclinarsi, pendere 3 [detto di terreno, etc.] declinare, scendere 4 [detto di sentiero] scartare 5 [detto di persona] ingobbire.

piegàto part. pass.; anche agg. arcuato, curvo, storto, reclinato, inclinato, torto CONTR. allargato, steso, spiegato.

pieghévole (1) agg. 1 [rif. a un materiale] flessibile, trattabile CONTR. rigido 2 [rif. all'animo] versatile, arrendevole, cedevole CONTR. rigido, inflessibile.

pieghévole (2) s. m. dépliant.

pienaménte avv. 1 totalmente, completamente, compiutamente 2 assolutamente, affatto CONTR. per niente, per nulla.

pienézza s. f. 1 compiutezza, interezza 2 [della forma, etc.] colmo, culmine, massimo 3 (est.) maturità, fulgore, rigoglio.

piéno A agg. 1 colmo, zeppo, stipato CONTR. vuoto, libero, privo, scarico, deserto 2 [rif. alla gente] gremito, affollato CONTR. vuoto, libero, deserto 3 [rif. al cibo] (fam.) sazio, gonfio, satollo, pasciuto, sfamato, soddisfatto CONTR. vuoto, digiuno 4 [rif. a un accordo] perfetto 5 gravido, massiccio, denso CONTR. magro, smilzo 6 [rif. a una sostanza] saturo, pregno, impregnato 7 [rif. alla fiducia] totale, completo, intero, assoluto 8 [rif. all'emozione] pervaso 9 [rif. allo stile] (fig.) rotondo, armonioso B s. m. 1 culmine, colmo, apice, apogeo 2 [della festa, della notte] culmine, colmo, cuore, centro 3 [del bosco] folto.

pietà s. f. inv. 1 compassione, commiserazione, compatimento CONTR. indifferenza 2 misericordia, clemenza, mercede (raro) CONTR. spietatezza, inclemenza, efferatezza, implacabilità, inesorabilità, inflessibilità 3 carità, bontà 4 rispetto, devozione, amore, venerazione 5 religiosità 6 (gener.) sentimento.

pietànza s. f. 1 vivanda, portata, piatto, secondo 2 (gener.) cibo.

pietosaménte avv. 1 compassionevolmente, indulgentemente, misericordiosamente CONTR. crudelmente, empiamente 2 pateticamente, drammaticamente, miserevolmente CONTR. riccamente, bene.

pietóso agg. 1 compassionevole, caritatevole, misericordioso CONTR. spietato, crudo, implacabile, inesorabile, inumano 2 (est.) clemente, indulgente, buono 3 [rif. a una scusa, a una ragione] (fam.) patetico, commovente 4 [rif. a una persona] buono, rispettoso, tenero 5 [rif. all'animo] pio, devoto.

piètra s. f. 1 ciottolo, sasso 2 (est.) masso, macigno, roccia 3 (est.) masso, macigno, peso, preoccupazione 4 gemma 5 [tipo di] diamante, rubino, smeraldo, zaffiro, brillante (erron.), ametista, acquamarina, turchese, nefrite 6 (est.) confine.

pietrificàre A v. tr. 1 indurire, cristallizzare, fossilizzare 2 [qc.] (fig.) impietrire, irrigidire, immobilizzare B v. intr. pron. 1 indurirsi, immobilizzarsi, fossilizzarsi 2 [detto di persona, etc.] (fig.) impietrirsi, irrigidirsi.

pietrificàto part. pass.; anche agg. terrorizzato, impaurito, sbigottito.

pietrìsco s. m. (pl. -chi) 1 breccia, ghiaia 2 ciottolo (pl.).

pietróso o **petróso** agg. sassoso, scabro (est.), brullo (est.).

pìffero s. m. zufolo, flauto.

pigiàre A v. tr. 1 [uva, olive, etc.] premere, spremere, pestare, schiacciare 2 [qc. in un luogo] calcare, riempire, stivare, stipare, comprimere, empire, insaccare, forzare B v. intr. pron. stiparsi, accalcarsi, ammassarsi.

pigiatùra s. f. schiacciatura.

pigionànte *s. m. e f.* locatario, inquilino, affittuario **CONTR.** locatore, proprietario, padrone.

pigióne *s. f.* canone, retta, affitto, locazione, fitto (*raro*).

pigliàre *A v. tr.* **1** prendere, catturare, afferrare, acchiappare, acciuffare **2** (*est.*) rubare *B v. intr.* [*detto di pianta, di neve, etc.*] attecchire *C v. intr. pron.* [*una malattia, etc.*] beccarsi (*fam.*), buscarsi.

piglio (1) *s. m.* maniera, atteggiamento, espressione, farsi, tono (*est.*), modo.

piglio (2) *s. m.* presa.

pigmentàre *v. tr.* colorare.

pigmèo *A s. m.* (*f. -a*) (*anche fig.*) nano, lillipuziano **CONTR.** gigante, colosso, titano *B agg.* piccolo, nano **CONTR.** gigante.

pigna o **pina** *s. f.* [*di uva, etc.*] ciocca, grappolo, racemo.

pignoleria *s. f.* pedanteria, cavillosità, meticolosità (*est.*), accuratezza (*est.*), fiscalismo **CONTR.** trascuratezza.

pignòlo (1) *A agg.* fiscale, pedante, molesto **CONTR.** sbrigativo, spiccio, superficiale (*est.*) *B s. m.* (*f. -a*) pedante.

pignòlo (2) *s. m.* V. *pinolo.*

pignoràre *v. tr.* impegnare, espropriare, sequestrare, ipotecare **CONTR.** spignorare.

pigolìo *s. m.* **1** ciangottio, cinguettio **2** (*gener.*) suono, rumore.

pigraménte *avv.* **1** svogliatamente, indolentemente, abulicamente, accidiosamente, oziosamente, fiaccamente, mollemente, apaticamente **CONTR.** laboriosamente, attivamente, operosamente, dinamicamente, cupidamente, desiderosamente, con curiosità **2** apaticamente, lentamente **CONTR.** con curiosità, animatamente, alacremente, sollecitamente.

pigrizia *s. f.* **1** accidia, neghittosità, indolenza, svogliatezza, ignavia, poltroneria, infingardaggine, poltronaggine, negligenza, fannullaggine, malavoglia

CONTR. zelo, attività, lena **2** (*est.*) gravezza, lentezza, fiacca **CONTR.** sveltezza, solerzia.

pigro *agg.* **1** ignavo, infingardo, svogliato, neghittoso, negligente, indolente, abulico, comodo, ozioso **CONTR.** alacre, attivo, dinamico, energico, zelante, diligente, industrioso, studioso, atletico, sportivo (*est.*) **2** (*est.*) inerte **3** [*rif. alla mente*] (*fig.*) torpido, ottuso, tardo, lento.

pilàstro *s. m.* **1** colonna, stele, cippo, erma (*est.*) **2** (*est.*) base, sostegno.

pillola *s. f.* **1** pasticca, pastiglia, compressa, cachet (*fr.*), confetto **2** antinevralgico, antidolorifico, calmante.

pilotàre *v. tr.* **1** guidare, condurre **2** (*est.*) governare, reggere.

piluccàre *v. tr.* **1** spilluzzicare, spizzicare, sbocconcellare, assaggiare, mangiucchiare, spiluccare **2** [*denaro, etc.*] (*est.*) spillare, estorcere.

pimentàre *v. tr.* pepare, mettere del pepe *a.*

pina *s. f.* V. *pigna.*

pinacotèca *s. f.* (*pl. -che*) museo, galleria.

pingue *agg.* **1** grasso, adiposo, tondo **CONTR.** magro, smilzo, secco (*fam.*), scarno **2** [*rif. a un patrimonio, etc.*] lauto, abbondante, ricco **3** [*rif. a un terreno*] ricco, fertile (*est.*).

pinguèdine *s. f.* grassezza, obesità, adiposità **CONTR.** snellezza, magrezza, secchezza (*tosc.*).

pinnàcolo *s. m.* guglia (*arch.*).

pino *s. m.* (*gener.*) albero, pianta.

pinòlo o **pignòlo (2)** *s. m.* (*gener.*) seme.

pinza *s. f.* **1** tenaglia, cane (*fig.*) **2** [*rif. ai granchi, etc.*] tenaglia, chela.

pinzàre *v. tr.* [*detto di insetto, etc.*] mordere, pizzicare, morsicare, pungere.

pinzàta *s. f.* [*di insetti*] pizzico, morso (*est.*), puntura, pinzatura, morsicatura (*est.*).

pinzatùra *s. f.* [*di insetti*] puntura,

pinzata, morso, morsicatura.

pìo *agg.* **1** devoto, osservante, credente, santo, religioso **CONTR.** empio, miscredente, sacrilego **2** [*rif. all'animo*] pietoso, caritatevole **CONTR.** empio, scellerato **3** [*rif. a un'illusione*] vano.

pioggerellàre *v. intr. impers.* piovere piano.

piòggia *s. f.* (*pl. -ge*) **1** (*est.*) acqua, nembo (*lett.*), acquazzone **2** (*est.*) abbondanza, mucchio, moltitudine, monte (*fig.*), diluvio (*fig.*), profusione, fioritura (*fig.*).

piombàre (1) *v. intr.* **1** cadere, crollare, cascare, stramazzare, ricadere, rovesciarsi, precipitare **2** [*nella miseria, etc.*] (*est.*) cadere, crollare, sprofondare, abbandonarsi **3** [*su qc.*] buttarsi, gettarsi, investire *un* **4** arrivare inaspettato, giungere inaspettatamente, presentarsi all'improvviso.

piombàre (2) *v. tr.* **1** [*un pacco, un vagone, etc.*] mettere i piombi, sigillare, chiudere, impiombare, saldare **2** [*un dente, un buco*] otturare.

piòmbo *s. m.* (*gener.*) metallo.

piòvere *A v. intr. impers.* cadere la pioggia, piovigginare, fioccare (*est.*), diluviare, scrosciare, grandinare (*est.*), venire giù, scendere (*est.*) *B v. intr.* **1** [*detto di cenere, di sassi, etc.*] cadere **2** [*detto di liquidi*] gocciolare, scolare, stillare **3** [*detto di tetto, etc.*] pendere, spiovere **4** [*a proposito*] (*est.*) arrivare, giungere, capitare **5** [*detto di richieste, di proteste*] (*est.*) susseguirsi, affluire.

piovigginàre *v. intr. impers.* piovere, piovere piano, cadere la pioggia.

piovigginóso *agg.* piovoso.

piovosità *s. f. inv.* [*rif. al clima*] (*est.*) umidità **CONTR.** siccità.

piovóso *agg.* piovigginoso **CONTR.** sereno.

pipì *s. f. inv.* acqua (*euf.*), orina, piscio (*volg.*), piscia (*volg.*).

pira *s. f.* rogo.

piràta *A s. m.* **1** corsaro, filibustiere, bucaniere **2** (*est.*) predatore, predone **3** (*est.*) ladro, truffatore, imbroglione,

placato

bandito *4* (*est.*) avventuriero *B* agg. [*rif. alla radio, alla televisione, etc.*] abusivo, illegale.

pirla *s. m. inv.* *1* pene, cazzo (*volg.*), pisello (*fam.*), bischero (*tosc.*) *2* bischero (*tosc.*), coglione (*volg.*), stupido.

piroettàre *v. intr.* *1* volteggiare, girare *2* ballare, danzare.

piròga *s. f.* (*pl. -ghe*) *1* (*gener.*) barca, imbarcazione *2* canoa.

piròscafo *s. m.* *1* bastimento, nave, vapore (*genov.*) *2* (*gener.*) barca, imbarcazione.

piscia *s. f.* orina, piscio (*volg.*), pipì (*fam.*), acqua (*euf.*).

pisciatóio *s. m.* vespasiano, orinatoio, gabinetto, latrina.

piscina *s. f.* vasca (*est.*).

piscio *s. m.* orina, piscia (*volg.*), pipì (*fam.*).

pisèllo (1) *s. m.* pene, fallo, verga (*fig.*), cazzo (*volg.*), pirla (*milan.*), belino (*genov.*), bischero (*tosc.*), minchia (*merid.*), uccello (*pop.*).

pisèllo (2) *s. m.* (*gener.*) legume.

pisolino *s. m.* (*est.*) sonno, siesta, riposo.

pispiglio *s. m.* bisbiglio, sussurro.

pisside *s. f.* (*relig.*) ciborio.

pista *s. f.* *1* traccia, orma *2* (*sport*) circuito, percorso *3* (*est.*) cammino, via *4* [*rif. a un nastro magnetico*] (*elab.*) banda.

pistòla *s. f.* *1* (*gener.*) arma *2* rivoltella (*erron.*).

pistolettàta *s. f.* revolverata, rivoltellata.

pitàle *s. m.* *1* orinale *2* (*gener.*) vaso, recipiente, contenitore.

pitoccàre *v. tr. e intr.* mendicare, accattare, elemosinare, chiedere, questuare CONTR. largire, beneficare, donare.

pitoccheria *s. f.* (*spreg.*) taccagneria, tirchieria.

pittima *s. f.* *1* impiastro, cataplasma *2* [*rif. a una persona*] petulante, importuno.

pittóre *s. m.* (*f. -trice*) *1* (*est.*) decoratore, imbianchino, affrescatore *2* [*tipo di*] paesaggista, ritrattista *3* (*gener.*) artista, artigiano.

pittùra *s. f.* *1* (*est.*) dipinto, quadro *2* [*tipo di*] olio, acquerello, tempera, affresco, paesaggio, ritratto, pastello, nudo *3* vernice, colore, tinta *4* (*est.*) descrizione, rappresentazione *5* (*gener.*) arte.

pitturàre *A* *v. tr.* dipingere, verniciare, colorare, colorire *B* *v. rifl.* imbellettarsi, truccarsi CONTR. struccarsi.

più *A* *avv.* *1* maggiormente, in misura maggiore, in maggiore quantità CONTR. meno *2* [*in frasi negative*] oltre *B* *s. m. inv.* CONTR. meno.

piùma *A* *s. f.* *1* penna *2* lanugine *B* agg. inv. [*rif. al peso*] (*sport*) leggero CONTR. massimo.

piumàggio *s. m.* livrea (*fig.*).

piumàto agg. pennuto CONTR. implume.

piumóne *s. m.* imbottita, trapunta.

piuttòsto *avv.* *1* preferibilmente *2* abbastanza, alquanto.

piva *s. f.* zampogna, cennamella (*raro*), cornamusa.

pivèllo *s. m.* (*f. -a*) *1* principiante *2* recluta *3* [*rif. a un ragazzo*] (*scherz.*) poppante, sbarbatello.

pivot *s. m. inv.* centro.

pizia *s. f.* (*gener.*) sacerdotessa.

pizza *s. f.* *1* (*est.*) focaccia *2* [*rif. a una persona*] lagna, seccatore, rompiscatole (*pop.*), rompiballe (*volg.*) *3* [*rif. a uno spettacolo*] (*fig.*) lagna, barba, solfa *4* [*rif. a un film*] (*est.*) pellicola.

pizzicàgnolo *s. m.* (*f. -a*) *1* salumaio, salumiere, norcino *2* (*gener.*) bottegaio, negoziante, commerciante.

pizzicàre *A* *v. tr.* *1* [*detto di insetto*] beccare, pungere, pinzare *2* [*qc.*] pizzicottare *3* [*un ladro, un ricercato*] beccare (*fam.*), sorprendere, cogliere, catturare *4* [*qc. con le parole, etc.*]

(*est.*) stuzzicare, punzecchiare (*fig.*) *B* *v. intr.* [*detto di mani, di naso, etc.*] prudere, frizzare (*fig.*), bruciare (*fig.*).

pizzicheria *s. f.* *1* salumeria, salsamenteria *2* (*gener.*) negozio.

pizzico *s. m.* (*pl. -chi*) *1* pizzicotto *2* [*di insetti*] pinzata, morso *3* [*di q.c.*] punta, frammento, vena (*fig.*), venatura (*fig.*), velo (*fig.*), presa (*fig.*), ombra (*fig.*).

pizzicóre *s. m.* *1* prurito, prurigine *2* (*est.*) capriccio, uzzolo (*tosc.*), voglia.

pizzicottàre *v. tr.* pizzicare.

pizzicòtto *s. m.* pizzico.

pizzo (1) *s. m.* merletto, trina.

pizzo (2) *s. m.* *1* sommità, estremità, punta *2* barba.

pizzo (3) *s. m.* tangente, mazzetta.

placàre *A* *v. tr.* *1* [*il dolore*] calmare, quietare, pacare, sedare, mitigare, lenire, sopire, temperare CONTR. destare, aumentare, accrescere, invelenire, provocare, ridestare, esacerbare, inasprire *2* [*la fame, la sete*] calmare, quietare, pacare, soddisfare, acquietare, appagare, spegnere (*fig.*) CONTR. stimolare, svegliare *3* [*qc.*] tranquillizzare, rabbonire, pacificare, chetare, blandire, consolare, abbonire, addolcire, rasserenare, raddolcire, ammansire (*fig.*), mansuefare (*fig.*) CONTR. crucciare, eccitare, elettrizzare, esagitare, esasperare, indispettire, innervosire, invasare, irritare, aizzare *4* [*le persone tra loro*] rappacificare, riconciliare *B* *v. intr. pron.* *1* [*detto di persona*] calmarsi, tranquillizzarsi, ammansirsi, chetarsi, quietarsi, rabbonirsi CONTR. corrucciarsi, crucciarsi, elettrizzarsi, esagitarsi, esasperarsi, inalberarsi, incattivirsi, indignarsi, indispettirsi, irritarsi, adirarsi *2* [*detto di dolore*] disacerbarsi, mitigarsi, pacarsi, assopirsi (*fig.*) CONTR. esacerbarsi, incrudelire *3* [*detto di clima*] rasserenarsi, raddolcirsi CONTR. infuriare, perturbarsi, rannuvolarsi *4* [*detto di ira, etc.*] sbollire, svanire.

placàto part. pass.; anche agg. *1* spento, estinto CONTR. aumentato, irritato, esasperato, inasprito *2* appagato, pago (*lett.*) *3* ammansito, calmato, assopito (*fig.*) CONTR. inasprito, esacerbato.

pàcca *s. f.* (*pl. -che*) **1** targa, lastra, piastra **2** [*di oro, argento, etc.*] rivestimento, patina.

placcàre *v. tr.* **1** ricoprire (*impr.*) **2** (*est.*) argentare, dorare.

placidaménte *avv.* flemmaticamente, pacificamente CONTR. freneticamente, smaniosamente, ansiosamente, angosciosamente, iratamente, irosamente, rabbiosamente, veementemente.

placidità *s. f. inv.* **1** tranquillità, flemma, lentezza, posatezza, calma CONTR. irrequietezza, angoscia, nervosismo **2** (*neg.*) indolenza.

plàcido *agg.* **1** tranquillo, calmo, sereno CONTR. iracondo, iroso, impetuoso, adirato, arrabbiato, infuriato **2** (*est.*) lento, flemmatico.

placòdo *s. m.* (*gener.*) dinosauro.

plàga *s. f.* (*pl. -ghe*) regione, spiaggia (*lett.*), lido (*lett.*), paese, parte, zona.

plagiàre *v. tr.* **1** [*un'opera altrui*] copiare, contraffare, imitare CONTR. inventare **2** [*qc.*] suggestionare, assoggettare, asservire, irretire, influenzare.

plaid *s. m. inv.* coperta.

planimetria *s. f.* pianta.

plasmàbile *agg.* **1** malleabile, duttile, cereo CONTR. rigido, duro **2** [*rif. al carattere, etc.*] cedevole, arrendevole CONTR. rigido, inflessibile, tetragono.

plasmàre A *v. tr.* **1** [*q.c. con creta, cera*] creare, modellare, forgiare, fare, foggiare, conformare, realizzare, dare forma a, formare CONTR. disfare, distruggere **2** [*qc., l'animo, etc.*] (*est.*) creare, formare, educare, informare, nutrire (*fig.*) **B** *v. rifl.* conformarsi a, adattarsi a.

plasmàto *part. pass.; anche agg.* **1** formato, modellato, sagomato CONTR. deformato, deforme, sformato **2** (*est.*) educato.

plasticàre *v. tr.* plastificare, ricoprire di plastica.

plastificàre *v. tr.* plasticare, ricoprire di plastica.

platelminti *s. m. pl.* **1** (*gener.*) animale **2** [*tipo di*]. →animali

plàtino *agg.* [*rif. ai capelli, alla barba, etc.*] biondo.

plaudire *v. intr.* **1** applaudire, acclamare CONTR. disapprovare, fischiare **2** (*est.*) acconsentire, approvare *un* CONTR. disapprovare.

plausibile *agg.* credibile, accettabile, verosimile, possibile, fondato (*est.*) CONTR. improbabile, impossibile, incredibile, assurdo.

plausibilità *s. f. inv.* **1** ragionevolezza, attendibilità, credibilità **2** correttezza, legittimità **3** sensatezza.

plausibilménte *avv.* credibilmente, verosimilmente, probabilmente, ragionevolmente CONTR. assurdamente.

plàuso *s. m.* elogio, encomio, lode, consenso, applauso CONTR. scherno, dileggio.

playboy *s. m. inv.* seduttore, donnaiolo (*fam.*), libertino, dongiovanni.

plebàglia *s. f.* canaglia, ciurmaglia, gentaglia, marmaglia.

plèbe *s. f. sing.* volgo, popolo CONTR. nobiltà, aristocrazia, patriziato, borghesia.

plebèo A *agg.* volgare, pacchiano, dozzinale, triviale CONTR. elitario, nobile, aristocratico, patrizio, regale **B** *s. m.* (*f. -a*) popolano CONTR. nobile, aristocratico, borghese.

plebiscito *s. m.* **1** referendum **2** (*est.*) votazione **3** (*est.*) consenso.

pleonàsmo *s. m.* superfluità, ridondanza.

plèttro *s. m.* penna.

plico *s. m.* (*pl. -chi*) pacco, involto, busta, pacchetto, collo.

plùmbeo *agg.* **1** scuro, tetro CONTR. chiaro **2** (*anche fig.*) greve, pesante.

pluràle *s. m. sing.* (*ling.*) CONTR. singolare.

pluralità *s. f. inv.* **1** molteplicità, varietà CONTR. singolarità **2** (*est.*) complessità.

pochézza *s. f.* **1** povertà, scarsità, scarsezza, insufficienza, esiguità **2** [*qualità dell'animo*] (*neg.*) piccolezza, meschinità CONTR. grandezza, generosità.

pochissimo *avv.* minimamente CONTR. moltissimo, incommensurabilmente, meravigliosamente.

pòco A *avv.* moderatamente, scarsamente, limitatamente, modicamente, esiguamente, appena, modestamente, poveramente, raramente (*temp.*) CONTR. troppo, molto, parecchio, assai, abbastanza, abbondantemente, copiosamente, eccessivamente, enormemente, grandemente, immensamente, incommensurabilmente, largamente, lautamente, maledettamente, oltremisura **B** *agg. indef.* **1** scarso, inadeguato, insufficiente **2** [*rif. al tempo*] breve, ristretto **3** [*rif. a una spesa*] limitato, modesto, esiguo **4** [*rif. alla luce*] fioco, tenue, basso **5** [*rif. allo spazio*] ristretto, angusto **C** *pron. indef.* piccola quantità **D** *s. m. sing.* poche cose, poche persone.

♦ **a poco a poco** *loc. avv.* adagio, lentamente CONTR. bruscamente, improvvisamente.

podére *s. m.* **1** fattoria, campagna, tenuta, possedimento **2** campo, appezzamento.

poderóso *agg.* potente.

pòdio *s. m.* **1** palco, tribuna **2** trono, seggio, scanno.

poèma *s. m.* **1** canto, carme, poesia (*est.*) **2** (*est.*) meraviglia, splendore.

poesia *s. f.* **1** canto, poema, carme, lirica (*lett.*), tuba (*lett.*), canzone (*raro*) **2** rima, metro (*lett.*) **3** (*est.*) illusione, romanticismo, atmosfera **4** (*gener.*) arte.

poèta *s. m.* (*f. -essa*) **1** cantore, vate (*lett.*) **2** sognatore **3** (*gener.*) scrittore, artista.

poetàre *v. intr.* rimare, verseggiare, versificare.

poeticaménte *avv.* **1** liricamente CONTR. prosaicamente **2** idilliacamente.

poètico *agg.* **1** lirico CONTR. prosaico **2** romantico, sentimentale, suggestivo CONTR. prosaico, rude, realistico.

poggiàre (1) *A v. tr.* appoggiare, posare, adagiare, basare *B v. intr.* **1** appoggiare, sostenersi, gravare, gravitare, riposare (*fig.*) **2** [*detto di ragionamento, tesi*] basarsi, fondarsi, posare, fondare.

poggiàre (2) *v. intr.* [*detto di imbarcazione*] (*mar.*) accostare CONTR. allontanarsi.

pòggio *s. m.* collina, altura, colle, dosso.

poggiòlo *s. m.* balcone, terrazzo, verone (*raro*).

pòi *A avv.* **1** dopo, indi (*lett.*), dipoi (*lett.*), .successivamente, posteriormente CONTR. prima, dapprima, inizialmente, dapprincipio, antecedentemente, anteriormente **2** indi (*lett.*), conseguentemente, quindi **3** (*temp.*) appresso *B s. m. inv.* avvenire, domani, futuro CONTR. passato, ieri; presente, oggi.

poiché *cong.* perché, siccome, giacché, come se.

pointer *s. m. inv.* (*gener.*) cane.

polarizzàre *A v. tr.* accentrare, attirare, attrarre, concentrare CONTR. respingere, allontanare, distrarre *B v. intr. pron.* concentrare la propria attenzione, dedicarsi completamente, volgersi, orientarsi CONTR. allontanarsi, distrarsi.

polèmica *s. f.* (*pl. -che*) **1** discussione, disputa, contesa, zuffa (*fig.*), diatriba (*colto*) **2** aggressività.

polèmico *agg.* grintoso, aggressivo, battagliero, combattivo, litigioso CONTR. conciliante.

polemizzàre *v. intr.* discutere, disputare, litigare, lottare, questionare, controvertere (*lett.*), contendere (*raro*), battagliare, contestare (*ass.*).

polentóne *s. m.* (*f. -a*) settentrionale CONTR. terrone.

poliantèa *s. f.* antologia, florilegio (*lett.*).

policlìnico *s. m.* ospedale.

policromo *agg.* multicolore, variopinto CONTR. monocromatico, monocolore.

polièstere *s. m.* (*gener.*) fibra.

polifagìa *s. f.* bulimia.

poligono *s. m.* [*tipo di*] triangolo, rettangolo, quadrato.

pòlipo *s. m.* **1** (*gener.*) mollusco **2** polpo (*dial.*).

polire *v. tr.* **1** pulire **2** levigare, lisciare **3** (*est.*) perfezionare.

politeàma *s. m. inv.* teatro, arena.

politica *s. f.* **1** scienza, arte **2** (*est.*) astuzia, furbizia, scaltrezza.

polito *part. pass.; anche agg.* levigato, liscio, lucidato CONTR. scabro, ruvido.

polizìa *s. f.* **1** questura, commissariato **2** (*gerg.*) madama **3** (*fam.*) celere.

poliziòtto *s. m.* (*f. -a*) gendarme, agente, questurino, guardia, sbirro (*spreg.*), piedipiatti (*spreg.*).

pòlla *s. f.* sorgente, vena, fonte, rampollo (*raro*).

pòllice *s. m.* alluce.

pollóne *s. m.* gemma, germoglio, virgulto, rampollo (*raro*).

polluzióne (1) *s. f.* inquinamento.

polluzióne (2) *s. f.* eiaculazione involontaria.

pòlo (1) *s. m.* [*di interesse, etc.*] centro, fulcro.

pòlo (2) *s. m. inv.* (*gener.*) sport, gioco.

pòlo (3) *s. f. inv.* maglietta, indumento.

pòlo nord *loc. sost.* artico.

pòlo sud *s. m. inv.* antartico.

pólpa *s. f.* carne, ciccia.

pólpo *s. m.* **1** (*gener.*) mollusco **2** polipo.

poltìglia *s. f.* **1** fanghiglia, melma **2** [*rif. a un alimento*] pappa, sbroscia.

poltrìre *v. intr.* **1** dormire, languire, sonnecchiare, riposare, oziare, ciondolare, bighellonare, covare (*fig.*), cincischiare, giacere (*est.*) CONTR. lavorare, agire, sbracciarsi, fare, industriarsi, operare, affannarsi, vegliare **2**

impoltronirsi, impigrirsi.

poltróna *s. f.* **1** (*gener.*) sedile CONTR. divano, sgabello, sedia, panca **2** [*a teatro, etc.*] posto.

poltronàggine *s. f.* pigrizia, infingardaggine, fannullaggine CONTR. alacrità, dinamismo, laboriosità.

poltróne *agg.* neghittoso, ozioso.

poltronerìa *s. f.* pigrizia, accidia, ignavia, infingardaggine, oziosità (*est.*) CONTR. alacrità, fattività, industriosità.

pólvere *s. f.* **1** cipria **2** [*spec. in loc.: sentire odore di*] (*est.*) battaglia, rissa, zuffa.

polverizzàre *A v. tr.* **1** ridurre in polvere, frantumare, macinare, disgregare, maciullare, pestare, stritolare, sminuzzare, sfarinare, incenerire **2** [*medicinali, vernici*] (*est.*) nebulizzare, vaporizzare **3** [*una torta con il cacao, etc.*] spruzzare, cospargere **4** [*qc.*] (*est.*) annientare, annichilire, annullare, disintegrare **5** [*un record*] (*est.*) superare *B v. intr. pron.* dissolversi, frantumarsi, sminuzzarsi, sfarinarsi.

polverizzatóre *s. m.* getto, gicleur (*fr.*).

pomàta *s. f.* crema, balsamo, pasta, unguento.

pomèlo *s. m.* (*gener.*) agrume.

pomiciàre *A v. tr.* levigare, pulire *B v. intr.* amoreggiare, accarezzarsi, toccarsi.

pómo *s. m.* **1** mela **2** (*gener.*) frutto.

pomodòro *s. m.* (*gener.*) ortaggio.

pómpa *s. f.* **1** [*rif. a una cerimonia, a una festa*] fasto, magnificenza, grandiosità, grandezza, gala, scialo, sontuosità **2** [*rif. al comportamento*] (*est.*) sfoggio, ostentazione **3** [*rif. all'atteggiamento*] superbia **4** (*est.*) esteriorità.

pompeggiàre *v. intr.* pavoneggiarsi, vanagloriarsi.

pompèlmo *s. m.* (*gener.*) agrume.

pomposaménte *avv.* ampollosamente, enfaticamente, retoricamente, grandiosamente, sfarzosamente

CONTR. semplicemente, dimessamente.

pomposità *s. f. inv.* **1** [*rif. a un discorso, etc.*] ampollosità, enfasi, sonorità (*fig.*) **CONTR.** semplicità, modestia **2** [*rif. all'atteggiamento*] prosopopea, alterigia, sicumera.

pompóso *agg.* **1** solenne, retorico **CONTR.** semplice **2** [*rif. a cosa*] sfarzoso, lussuoso, appariscente, fastoso **3** [*rif. a un discorso, a un modo*] tronfio, pretenzioso, enfatico, vanaglorioso, retorico, ampolloso **CONTR.** semplice, lineare, modesto, spicciativo.

ponderàre *v. tr. e intr.* **1** (*est.*) considerare, calcolare, esaminare, soppesare, giudicare, misurare, osservare, valutare, riconsiderare **2** (*raro*) elucubrare, pensare, riflettere **3** pesare.

ponderataménte *avv.* meditatamente, seriamente **CONTR.** leggermente, fanciullescamente (*fig.*), precipitosamente.

ponderatézza *s. f.* saggezza, prudenza, equilibrio (*fig.*) **CONTR.** sventatezza, leggerezza.

ponderàto *part. pass.; anche agg.* misurato, equilibrato, riflessivo, prudente, cauto **CONTR.** fanatico, irresponsabile, irriflessivo, precipitoso, fatuo (*est.*).

ponènte *s. m.* occidente, ovest, occaso (*lett.*) **CONTR.** levante, est, oriente, nord, settentrione, sud, meridione.

pónte *s. m.* **1** cavalcavia, viadotto **2** (*gener.*) struttura **3** (*est.*) collegamento, trait d'union (*fr.*).

pontéggio *s. m.* impalcatura, castello (*fig.*).

pontóne *s. m.* zattera, chiatta.

ponzàre **A** *v. tr.* meditare, pensare *a*, almanaccare **B** *v. intr.* rimuginare, elucubrare, macchinare.

pool *s. m. inv.* cartello, gruppo, squadra, team (*ingl.*), raggruppamento, équipe (*fr.*).

popolàno **A** *agg.* **1** umile, plebeo **2** [*rif. allo stato sociale*] proletario **CONTR.** borghese, nobile **B** *s. m.* (*f. -a*) plebeo **CONTR.** nobile, borghese, aristocratico.

popolàre (1) **A** *v. tr.* **1** ripopolare, abitare **2** [*un locale, etc.*] affollare, riempire **CONTR.** svuotare, vuotare **3** (*est.*) colonizzare **B** *v. intr. pron.* riempirsi, colmarsi **CONTR.** vuotarsi.

popolàre (2) *agg.* **1** plebeo **CONTR.** elitario, esclusivo, signorile, regale, patrizio **2** noto, celebre, famoso **CONTR.** sconosciuto, ignoto, anonimo.

popolarità *s. f. inv.* notorietà, celebrità, fama, successo (*est.*), boom (*est.*).

popolàto *part. pass.; anche agg.* **1** [*rif. a un luogo*] frequentato, gremito, abitato **CONTR.** abbandonato, disabitato, vuoto, romito (*lett.*) **2** [*rif. a una strada, a una piazza, etc.*] (*est.*) trafficato, pieno **CONTR.** disabitato, vuoto.

popolazióne *s. f.* **1** popolo, cittadinanza, gente, abitante, città (*est.*) **2** nazione, stirpe, razza **3** (*stat.*) insieme.

pòpolo *s. m.* **1** gente (*lett.*), nazione, popolazione **2** razza, stirpe, etnia **3** (*est.*) gente (*lett.*), folla **4** plebe, volgo **CONTR.** aristocrazia, borghesia.

popóne *s. m.* **1** melone, cantalupo (*merid.*) **2** (*gener.*) frutto.

póppa (1) *s. f.* **CONTR.** prua (*mar.*).

póppa (2) *s. f.* mammella, zinna (*merid.*), cioccia (*dial.*), tetta (*dial.*), puppa (*tosc.*).

poppànte **A** *s. m. e f.* **1** lattante, neonato, infante, bimbo, bebè **CONTR.** bambino, ragazzo, adolescente, adulto, uomo, anziano, vecchio **2** [*rif. a un adolescente*] pivello (*scherz.*), sbarbatello (*scherz.*) **B** *agg.* (*scherz.*) novellino, inesperto.

poppàre *v. tr.* allattare, succhiare, suggere, tirare.

populisticaménte *avv.* demagogicamente.

porcàio (1) *s. m.* porcile.

porcàio (2) *s. m.* guardiano di porci.

porcàta *s. f.* **1** [*rif. a uno spettacolo*] porcheria, boiata (*pop.*), schifezza, oscenità, sconcezza **2** [*l'azione*] porcheria, mascalzonata, disonestà, iniquità.

porcheria *s. f.* **1** sudiciume, sporcizia, sudicio, lerciume **2** [*rif. a una costruzione*] schifezza (*pop.*), boiata (*pop.*), schifo, bruttura, orrore, scandalo, sconcezza, immondezza **CONTR.** delizia **3** [*l'azione*] mascalzonata, porcata (*volg.*), iniquità **4** [*rif. a una pietanza*] veleno (*fig.*), intruglio.

porcilàia *s. f.* porcile.

porcile *s. m.* **1** porcilaia **2** (*gener.*) stalla **3** [*rif. a un'abitazione*] (*fig.*) stalla, letamaio, topaia, cimiciaio, fogna, cloaca.

porcino (1) *agg.* suino.

porcino (2) *s. m.* (*gener.*) fungo.

pòrco (1) *agg.* **1** [*rif. alla fame, al freddo, etc.*] tremendo **2** [*rif. al lavoro*] indecente, schifoso.

pòrco (2) *s. m.* **1** (*gener.*) mammifero **2** maiale, suino.

pòrgere **A** *v. tr.* **1** dare, tendere, allungare, offrire, prestare, passare **2** [*un medicinale*] somministrare **3** [*aiuto, assistenza*] (*est.*) dare, concedere, accordare **4** [*una richiesta*] (*est.*) presentare, avanzare **5** [*le mani*] (*est.*) parare **6** dare, tendere **B** *v. intr.* declamare, recitare, dire, parlare.

pórpora *s. f.* **1** (*gener.*) colore **2** rosso.

pórre **A** *v. tr.* **1** posare, collocare, deporre, depositare, mettere, piazzare, appoggiare, caricare (*est.*) **CONTR.** levare, togliere **2** [*una pianta*] situare, piantare **3** [*usato con la cong. che e il verbo all'infinito*] (*est.*) supporre, ammettere, asserire **4** [*le scuse, etc.*] (*est.*) rivolgere, presentare **5** [*un argomento*] (*est.*) esporre, impostare **6** [*gli occhi, l'attenzione*] rivolgere, fissare, riporre, concentrare **CONTR.** distogliere **B** *v. rifl.* **1** collocarsi, mettersi, sedersi **CONTR.** levarsi, togliersi **2** disporsi, issarsi **3** [*al lavoro, etc.*] accingersi, apprestarsi.

pòrta *s. f.* **1** [*di una casa, etc.*] ingresso, uscio (*tosc.*), soglia (*est.*), entrata (*est.*) **2** [*di un mobile*] sportello, anta **3** (*est.*) ingresso, varco, accesso, apertura, uscita.

portabagàgli *s. m. inv.* facchino.

portabórse *s. m. e f.* segretario, galoppino.

portacandéle *s. m. inv.* bugia, candeliere, candelabro.

portafortùna *s. m. inv.* amuleto, talismano.

portalèttere *s. m. e f. inv.* postino.

portaménto *s. m.* **1** contegno, atteggiamento, modo, maniera, postura **2** andatura, camminata.

portamonéte *s. m. inv.* borsellino.

portantìna *s. f.* barella, lettiga.

portantino *s. m.* (*f. -a*) infermiere.

portàre *A v. tr.* **1** [*un pacco, etc.*] recare, recapitare, consegnare, dare **CONTR.** ritirare, prelevare, prendere **2** [*persone, animali*] condurre, menare, convogliare, dirigere **3** [*un peso, etc.*] reggere, trasportare, sostenere **4** [*un veicolo*] condurre, guidare **5** [*qc., q.c.*] trascinare, trarre **6** [*un abito, una calzatura*] avere, calzare, avere indosso, indossare, usare, mettere **7** [*una conseguenza*] (*est.*) originare, causare, indurre, generare (*fig.*), cagionare, arrecare, apportare, comportare **8** [*prove*] (*est.*) addurre (*dir.*), presentare, produrre **9** [*una pettinatura, etc.*] (*est.*) avere, tenere **10** [*rancore, odio, etc.*] (*est.*) nutrire (*fig.*), serbare, conservare **11** [*la firma di qc.*] (*est.*) recare **12** [*aiuto, etc.*] (*est.*) recare, dare **13** [*un candidato*] (*est.*) designare *B v. rifl.* **1** comportarsi, agire **2** trasferirsi, andare, recarsi, farsi.

portàta (1) *s. f.* **1** [*rif. a un'arma da fuoco*] gittata, gettata **2** [*rif. a un carico*] capacità, capienza **3** [*di un'imbarcazione*] stazza, tonnellaggio **4** [*rif. a un fiume*] regime (*fig.*) **5** [*rif. a una persona*] (*est.*) calibro, potenza, valore **6** [*rif. a un avvenimento*] (*est.*) importanza, rilievo (*fig.*), respiro, proporzione, dimensione, vastità, estensione.

portàta (2) *s. f.* pietanza, piatto (*fig.*).

portàto (1) *part. pass.; anche agg.* incline, predisposto, propenso **CONTR.** negato (*fam.*).

portàto (2) *s. m.* parto (*fig.*), prodotto, frutto (*fig.*).

---

portatóre *s. m.* (*f. -trice*) **1** latore, corriere **2** facchino.

portènto *s. m.* **1** [*rif. a un avvenimento, etc.*] prodigio, meraviglia, miracolo (*fig.*) **2** [*rif. a una persona*] (*fig.*) prodigio, meraviglia, miracolo, schianto, mostro, cannone, genio, perla, delizia.

portentóso *agg.* **1** prodigioso, meraviglioso, miracoloso, stupefacente **2** [*rif. a un rimedio*] miracoloso, efficace **CONTR.** inefficace.

porticàto *A s. m.* galleria, loggiato *B part. pass.; anche agg.* [*rif. a un luogo*] coperto **CONTR.** scoperto.

pòrtico *s. m.* **1** loggia, loggiato **2** galleria.

portière *s. m.* (*f. -a*) usciere, portinaio, custode (*est.*).

portinàio *A s. m.* (*f. -a*) usciere, portiere, custode (*est.*) *B agg. inv.* custode.

pòrto *s. m.* **1** approdo, scalo **2** baia, cala, rada **3** (*est.*) conclusione.

porzióne *s. f.* **1** fetta, razione, dose **2** quota, parte, frazione **3** taglio.

pòsa *s. f.* **1** [*di q.c.*] collocazione, collocamento **2** riposo, quiete, tregua, sosta **3** [*di una modella*] seduta **4** [*di una persona*] atteggiamento, postura **5** ostentazione, recita, maschera (*fig.*) **6** [*del vino, etc.*] sedimento, posatura, fondo, feccia.

posàre *A v. tr.* deporre, depositare, appoggiare, porre, collocare, mettere, piantare, poggiare, ricollocare, adagiare, coricare, sdraiare, mettere giù **CONTR.** sollevare, togliere, levare *B v. intr.* **1** [*su q.c.*] poggiare, gravitare, riposare (*fig.*) **2** [*detto di ragionamento, etc.*] poggiare, fondarsi, basarsi **3** [*detto di modella, etc.*] stare in posa **4** [*detto di liquido, etc.*] sedimentare, depositare **5** [*detto di persona*] (*est.*) atteggiarsi, fingere, darsi un contegno *C v. intr. pron.* **1** appoggiarsi, adagiarsi, mettersi, fermarsi, riposare (*est.*) **CONTR.** alzarsi, muoversi, agitarsi **2** sedimentarsi.

posàta *s. f.* [*tipo di*] coltello, cucchiaio, forchetta.

posatézza *s. f.* placidità, flemma, calma, tranquillità **CONTR.** irrequietezza.

---

posàto *part. pass.; anche agg.* **1** grave, lento **CONTR.** veloce, spigliato, scattante **2** riflessivo, serio, savio, calmo, tranquillo **CONTR.** irrequieto, lunatico, bizzoso, irriflessivo, frettoloso, fatuo, strambo.

posatùra *s. f.* sedimento, deposito, fondo, residuo, posa, feccia.

posdomàni *avv.* dopodomani.

positìvo *A agg.* **1** [*rif. a una risposta*] (*colto*) affermativo **CONTR.** negativo, deludente **2** [*rif. a una notizia*] certo, sicuro, buono **CONTR.** deludente **3** [*rif. all'effetto*] valido, efficace **CONTR.** deludente, disastroso, contrario **4** [*rif. a una persona*] reale, concreto, valoroso, ottimista **CONTR.** pessimista **5** [*rif. al lavoro, allo studio*] (*fig.*) brillante, promettente **CONTR.** deludente, disastroso *B s. m. inv.* reale, concreto.

posizionàre *v. tr.* ubicare, collocare, piazzare.

posizióne *s. f.* **1** collocazione **2** [*in una gara sportiva*] (*est.*) posto **3** [*del corpo*] postura **5** [*sociale*] condizione, situazione, grado, meta, traguardo.

pospórre *v. tr.* **1** rimandare, posticipare, differire **CONTR.** anticipare **2** [*il lavoro, un interesse*] trascurare, tralasciare **CONTR.** anteporre, preferire.

possànza *s. f.* potenza.

possedére *v. tr.* **1** avere, detenere, avere in abbondanza, avere in mano, avere in proprio possesso, disporre *di*, essere dotati *di*, essere in possesso *di*, essere fornito *di*, essere padrone *di*, essere provvisto *di*, fruire *di*, godere, tenere (*merid.*) **CONTR.** mancare **2** [*l'ira, etc.*] (*est.*) dominare, vincere **3** [*una lingua straniera*] padroneggiare, parlare **4** [*una posizione*] occupare **5** [*una buona salute*] avere, godere *di*.

possediménto *s. m.* **1** proprietà, terra, podere, tenuta **2** (*est.*) colonia, stabilimento, dominio.

possèsso *s. m.* **1** [*di q.c.*] proprietà, controllo, dominio **2** [*di droga, di armi, etc.*] controllo, detenzione (*bur.*) **3** (*est.*) proprietà, ricchezza **4** [*di altri*] (*est.*) balìa **5** [*di una tecnica, di una lingua, etc.*] (*est.*) padronanza, conoscenza.

possessóre s. m. (f. posseditrice) proprietario, detentore.

possibile A agg. 1 probabile, plausibile, presumibile, verosimile, credibile, facile CONTR. impossibile, inattuabile, infattibile, inverosimile, irrealizzabile, proibito (est.) 2 fattibile, eseguibile, sostenibile CONTR. inattuabile, infattibile 3 sostenibile, ammissibile B s. m. inv. CONTR. impossibile.

possibilità s. f. inv. 1 facoltà, opportunità, capacità, potere, libertà (est.), chance (fr.) 2 eventualità, ipotesi, prospettiva, pericolo (est.), caso CONTR. impossibilità 3 probabilità, speranza (est.) CONTR. impossibilità 4 alternativa 5 (est.) mezzo, via, maniera, uscita (fig.), soluzione, via di scampo, modo 6 ricchezza, agio, risorsa, denaro 7 [di usare qc.] uso.

possibilménte avv. preferibilmente, se possibile.

pòsta (1) s. f. giocata, scommessa, puntata, somma.

pòsta (2) s. f. corrispondenza.

postazióne s. f. base.

posteggiàre v. tr. 1 [l'auto, etc.] parcheggiare 2 (est.) lasciare.

postéggio s. m. parcheggio.

pòster s. m. inv. manifesto.

posterióre (1) agg. 1 successivo, seguente, postumo CONTR. anteriore, antecedente 2 retrostante CONTR. antecedente.

posterióre (2) s. m. deretano, culo (volg.), sedere (fam.), didietro.

posteriorménte avv. 1 dietro CONTR. anteriormente, davanti, di fronte, frontalmente, contestualmente 2 (temp.) successivamente, poi, dopo, dipoi CONTR. prima.

posticcio (1) agg. (pl. f. -ce) 1 artificiale, falso, finto CONTR. vero, naturale 2 provvisorio CONTR. stabile.

posticcio (2) s. m. toupet (fr.).

posticipàre v. tr. posporre, prorogare, rinviare, differire, rimandare, ritardare, traccheggiare CONTR. anticipare.

posticipazióne s. f. rinvio, ritardo CONTR. anticipazione.

postilla s. f. 1 nota, annotazione, codicillo (bur.), glossa (lett.), chiosa 2 (est.) clausola.

postillàre v. tr. chiosare, glossare, notare, commentare, fare delle annotazioni a, fare delle chiose a, fare delle note a.

pósto s. m. 1 spazio 2 [di vacanza, etc.] luogo, sito (lett.), località 3 (est.) ambiente 4 [spec. con: trovare un] collocazione, sede, ubicazione 5 posizione, punto 6 (est.) luogo, locale, bar, caffè, ristorante 7 (est.) gabinetto 8 [a sedere] (est.) seggio, sedia, poltrona, sedile 9 (est.) piazza 10 [a tavola] coperto 11 (est.) impiego, lavoro, occupazione, ufficio.

postribolo s. m. casino (pop.), bordello, lupanare (lett.), casa di tolleranza.

postulàre v. tr. 1 ipotizzare, supporre 2 domandare, chiedere, supplicare, invocare, questuare.

postulàto s. m. proposizione, premessa, assioma, lemma.

pòstumo A agg. 1 posteriore CONTR. in vita 2 [rif. alla gloria] tardivo CONTR. in vita, immediato B s. m. [di cose spiacevoli] strascico, traccia, coda (fig.) CONTR. prodromo.

postùra s. f. 1 [di una casa, etc.] posizione 2 [di una persona] posizione, portamento, atteggiamento, pose.

potàre v. tr. tagliare, accorciare, raccorciare, cimare, recidere.

potènte A agg. 1 [rif. a una persona] autorevole, eminente, influente CONTR. insignificante 2 forte, energico, florido (est.) CONTR. debole, fiacco, impotente 3 [rif. a un aiuto, a una cura] efficace, valido B s. m. e f. notabile.

potènza s. f. 1 possanza (lett.) 2 [fisica] forza, vigore, energia 3 [di un medicinale, di un discorso, etc.] efficacia 4 [della moda, etc.] autorità, influsso, influenza 5 [rif. a un medicamento, etc.] capacità, virtù 6 [di tiro] portata, gittata 7 [rif. a un'opera artistica] forza, respiro (fig.), drammaticità 8 [rif. a una persona] autorità, personaggio, gigante (fig.) 9 [rif. a un sentimento] forza, profondità, intensità 10 (elettr.) carico.

potenziàle A s. m. potenzialità B agg. latente CONTR. reale, presente.

potenzialità s. f. potenziale.

potenziaménto s. m. [di un'attività, delle vendite] espansione, sviluppo, crescita, ampliamento, ingrandimento CONTR. diminuzione.

potenziàre v. tr. rafforzare, consolidare, incrementare, ampliare, accrescere, rinforzare, aumentare, alimentare (fig.), sviluppare CONTR. diminuire, indebolire, distruggere B v. intr. pron. rafforzarsi, consolidarsi, invigorirsi CONTR. impoverirsi, indebolirsi.

potére A v. intr. 1 riuscire, essere in grado di, avere la forza di, avere la facoltà di, avere il diritto di 2 essere permesso, essere consentito, essere lecito, essere conveniente 3 essere possibile, essere probabile 4 avere forza, avere autorità, avere gioco B s. m. 1 [di fare q.c.] facoltà, possibilità, mezzo 2 [di un farmaco, di un rimedio] capacità, forza, proprietà, virtù 3 [di agire] facoltà, potestà, autorità, diritto, attribuzione (raro) 4 [su qc.] potestà, autorità, influenza 5 [della legge, etc.] (fig.) braccio 6 governo, dominio, arbitrio, comando, signoria, tirannia, trono (fig.), scettro (fig.).

potestà s. f. inv. 1 potere, autorità 2 (est.) tutela.

pòtta s. f. fica (volg.), fessa (nap.), topa (tosc.), fregna (roman.), natura (pop.), passera (pop.), vulva.

poveràccio s. m. (f. -a) straccione, pezzente, mendicante, accattone, diseredato, disgraziato, miserabile CONTR. nababbo, miliardario, creso, pascià, signore.

poveraménte avv. 1 modestamente, stentatamente, disagiatamente, meschinamente, miseramente, ristrettamente CONTR. riccamente, lussuosamente, preziosamente, fastosamente, grandiosamente, magnificamente, bene 2 scarsamente, poco CONTR. bene, fecondamente, prosperamente.

pòvero A agg. 1 indigente, mendico (lett.), misero, diseredato, bisognoso, mendicante **CONTR.** ricco, benestante, abbiente, agiato, facoltoso, miliardario **2** scarno, insufficiente, magro (*fig.*) **3** brullo, arido **CONTR.** prosperoso, fertile **4** sterile, infecondo **5** disadorno, squallido (*fig.*) **CONTR.** adornato **6** umile, modesto **7** miserabile **B** *s. m.* (*f. -a*) indigente.

CLASSIFICAZIONE

Povero

Povero:

1 Che non possiede beni e sostanze in misura normale e pertanto si trova in condizione di povertà;

2 Che è inferiore alla misura necessaria;

3 Che è privo di q.c.;

4 Che non produce ricchezza;

5 Che dimostra povertà;

6 Che desta pietà per le sue condizioni materiali, fisiche e spirituali.

1 Con riferimento a persona.

  indigente: che non possiede beni e sostanze in misura normale;

  mendico: lett.;

  misero: che si trova in condizione di grande povertà;

  diseredato: che non possiede nulla ed è privo del necessario per vivere;

  bisognoso: che non possiede a sufficienza;

  mendicante: che è così privo di mezzi da chiedere l'elemosina.

2 Con riferimento a cose, discorso, pasto, libro, etc..

  scarno: che è insufficiente

  insufficiente: che non è né sufficiente né bastevole né adeguato;

  magro: fig.;

3 Con riferimento a un luogo.

  brullo: che è privo di vegetazione;

  arido;

4 Con riferimento a terreno.

  sterile: che non dà frutti;

  infecondo.

5 Con riferimento all'aspetto esteriore.

  disadorno: che è privo di ornamenti, semplice e sobrio;

  squallido: che si trova in stato di abbandono e in assoluta mancanza di qualunque cosa;

5 Con riferimento a condizione sociale.

  umile: che appartiene a uno stato sociale non ricco;

  modesto.

---

6 Con riferimento a persona.

  miserabile: che desta commiserazione per la sua estrema povertà.

povertà *s. f. inv.* **1** miseria, indigenza (*colto*), inopia (*lett.*) **CONTR.** ricchezza, agiatezza **2** [*spec. con: essere in, vivere in*] (*est.*) ristrettezza, necessità, bisogno, bolletta (*fam.*) **CONTR.** lusso, benessere, comodità, sfarzo, fasto, magnificenza **3** [*di q.c.*] scarsezza, pochezza, penuria, carestia **CONTR.** superfluità, abbondanza **4** [*qualità dell'animo*] (*neg.*) meschinità, aridità, grettezza **CONTR.** grandezza **5** [*rif. a un luogo, a un ambiente*] angustia, squallore **6** [*rif. a un lavoro*] modestia, mediocrità.

pozióne *s. f.* **1** [*tipo di*] infuso, tisana, decotto **2** [*rif. alla magia*] filtro **3** [*tipo di*] veleno **4** (*gener.*) bevanda.

pózza *s. f.* **1** pozzanghera, gora **2** [*di sangue, etc.*] lago.

pozzànghera *s. f.* pozza, gora.

pózzo *s. m.* cisterna.

pranzàre *v. intr.* **1** pasteggiare, desinare, banchettare **2** (*gener.*) mangiare.

prànzo *s. m.* **1** desinare, colazione **CONTR.** cena **2** (*gener.*) pasto **3** banchetto, convito, convivio.

pràssi *s. f. inv.* **1** pratica, azione (*est.*) **CONTR.** teoria **2** [*secondo la*] norma, consuetudine, usanza, abitudine, legge (*est.*) **3** [*per ottenere q.c.*] iter (*lat.*), procedura, procedimento, modalità.

prataiòlo A *agg.* dei prati **B** *s. m.* (*gener.*) fungo.

pràtica *s. f.* (*pl. -che*) **1** attività, esercizio **CONTR.** teoria **2** esperienza, conoscenza, competenza, perizia **3** [*spec. con: fare*] scuola, training (*ingl.*), tirocinio, addestramento, esercitazione, apprendistato **4** [*spec. con: avere*] dimestichezza, familiarità **5** [*spec. con: essere una*] prassi (*bur.*), uso, usanza, consuetudine **6** documento, fascicolo, incartamento.

praticàbile *agg.* agibile, transitabile, accessibile, percorribile **CONTR.** impraticabile, inagibile, impervio, arduo.

praticaménte *avv.* **1** di fatto, real-

---

mente, concretamente, effettivamente, sostanzialmente **2** di fatto, materialmente, empiricamente **CONTR.** idealmente, teoricamente.

praticànte A *s. m. e f.* **1** apprendista, tirocinante **2** (*relig.*) osservante, professante **B** *part. pres.; anche agg.* [*rif. al sentire religioso*] devoto, osservante.

praticàre *v. tr.* **1** [*un mestiere, etc.*] esercitare, esplicare, professare **2** [*un locale, una persona*] frequentare, bazzicare, trattare **3** [*uno sconto, etc.*] eseguire, fare, applicare, effettuare, operare **4** [*uno sport*] fare.

praticità *s. f. inv.* **1** [*rif. a una persona*] realismo, concretezza **CONTR.** idealismo **2** [*rif. a un oggetto*] funzionalità, comodità, semplicità, utilità **CONTR.** scomodità.

pràtico A *agg.* **1** [*rif. a cosa*] funzionale **CONTR.** scomodo **2** [*rif. a una persona*] esperto, provetto, esercitato, consumato (*fig.*), veterano (*est.*) **CONTR.** ignaro, inesperto **3** concreto, realistico **CONTR.** speculativo, teorico **B** *s. m.* (*f. -a*) **1 CONTR.** teorico **2** perito.

pràto *s. m.* pascolo.

pratolina *s. f.* margherita.

preàmbolo *s. m.* esordio, preliminare, premessa, introduzione, cappello (*fig.*), proemio (*lett.*), prologo, prefazione.

preannunciàre o **preannunziàre** *v. tr.* **1** preavvertire, informare **2** [*un avvenimento*] anticipare, preludere, prevenire, precorrere, predire, preconizzare **3** [*detto di espressione, di viso*] promettere, presagire.

preannùncio o **preannùnzio** *s. m.* **1** preavviso, anticipazione, preavvertimento, preludio **2** (*est.*) predizione, presagio, profezia.

preannunziàre *v. tr.* V. **preannunciare.**

preannùnzio *s. m.* V. **preannuncio.**

preavvertiménto *s. m.* preannuncio, preavviso, anticipazione.

preavvertire *v. tr.* anticipare, preannunciare, preavvisare, premettere, avvertire, informare, prevenire, preludere.

preavvisàre v. tr. preavvertire, prevenire.

preavviso s. m. preannuncio, preavvertimento, anticipazione, prodromo (colto).

precarietà s. f. inv. 1 [rif. a una situazione] provvisorietà, transitorietà, temporaneità, incertezza (est.) CONTR. stabilità 2 [rif. alla salute] instabilità, fragilità, cagionevolezza.

precàrio A agg. 1 temporaneo, transitorio, passeggero, effimero, incerto (propr.) CONTR. eterno, stabile, permanente, durevole 2 [rif. all'equilibrio] incerto (propr.), instabile, ballerino (est.) CONTR. stabile, durevole **B** s. m. (f. -a) (gener.) lavoratore.

precauzionàle agg. preventivo.

precauzióne s. f. 1 [rif. all'atteggiamento] cautela, circospezione, previdenza, prudenza 2 [verso qc.] (est.) rispetto, attenzione 3 [spec. con: avere la] accorgimento, avvertenza 4 [per la salute] prevenzione.

prèce s. f. 1 preghiera, orazione 2 supplica, implorazione.

precedènte A part. pres.; anche agg. 1 anteriore CONTR. futuro, prossimo, successivo 2 (temp.) antecedente, scorso, passato **B** s. m. antefatto, antecedente.

precedenteménte avv. 1 prima, in precedenza, antecedentemente, anteriormente CONTR. successivamente, dipoi, contestualmente 2 sopra, innanzi.

precèdere v. tr. 1 [qc. o q.c. nel tempo] precorrere, anticipare, antecedere (lett.) CONTR. seguire 2 [qc. in una gara, etc.] (est.) superare, arrivare prima di 3 [un corteo, etc.] (est.) aprire, guidare 4 [detto di prefazione] (est.) introdurre 5 [un avvenimento] preludere.

precètto s. m. 1 norma, regola, insegnamento (est.), principio 2 citazione, massima 3 dettame, comando, prescrizione.

precettóre s. m. (f. -trice) istitutore, educatore, aio (raro), pedagogo, insegnante, maestro.

precipitàre A v. tr. 1 scaraventare, scagliare 2 [la partenza] (est.) accelerare **B** v. intr. cadere, cascare, piombare, stramazzare, crollare, rovinare, sprofondare, volare (fig.), franare **C** v. rifl. buttarsi, lanciarsi, gettarsi, tuffarsi, saltare (est.) **D** v. intr. pron. [detto di folla, etc.] accorrere, affrettarsi, correre, galoppare (fig.), muoversi, rovesciarsi (fig.).

precipitàto s. m. (chim.) precipitazione.

precipitazióne s. f. 1 fretta, furia, impeto, frettolosità 2 (est.) impulsività, leggerezza, avventatezza 3 (chim.) precipitato.

precipitosaménte avv. 1 all'impazzata, velocemente, a precipizio CONTR. lentamente, adagio 2 impulsivamente, senza riflettere, irriflessivamente CONTR. ponderatamente, oculatamente.

precipitóso agg. 1 [rif. al comportamento] (fig.) impulsivo, furioso, avventato, temerario CONTR. ponderato, prudente 2 [rif. a un moto, a un movimento] rovinoso CONTR. lento, rallentato 3 [rif. a un pendio, a un sentiero, etc.] (lett.) ripido, scosceso.

precipizio s. m. 1 baratro, burrone, dirupo, forra, strapiombo, abisso 2 (est.) baratro, rovina.

precipuo agg. principale, essenziale, fondamentale, basilare, particolare (est.) CONTR. marginale, secondario.

precisaménte avv. 1 diligentemente, appropriatamente, capillarmente, con precisione, con attenzione, rigorosamente, propriamente CONTR. imprecisamente, circa, approssimativamente, arruffatamente, confusamente, vagamente, genericamente, indeterminatamente, indicativamente, pressappoco, quasi 2 appunto, già, proprio, esattamente.

precisàre v. tr. 1 specificare, circostanziare 2 [il proprio pensiero] definire, puntualizzare, spiegare, chiarire 3 [un argomento] (est.) focalizzare, mettere l'accento su (fig.) 4 [una data, una scadenza] definire, determinare 5 (bur.) certificare 6 [il paragrafo di una legge] distinguere.

precisazióne s. f. 1 chiarimento, spiegazione, chiarificazione 2 (polit.)

distinguo, smentita 3 (est.) inciso.

precisióne s. f. 1 esattezza, nettezza, fedeltà (fig.), nitidezza (est.), rigore CONTR. vaghezza, imprecisione, indefinitezza, indeterminatezza 2 accuratezza, diligenza, coscienziosità, scrupolosità, bravura, pazienza (est.), meticolosità CONTR. imprecisione (fam.), approssimazione 3 [di linguaggio] proprietà 4 [rif. al tempo] puntualità.

preciso agg. 1 giusto, esatto, netto, tondo, delineato (est.) CONTR. impreciso, disordinato, indeterminato, indistinto, astratto 2 [rif. a un esame, a un'analisi, a un lavoro] accurato, scrupoloso, diligente, meticoloso, minuzioso, ordinato CONTR. impreciso, disordinato, indeterminato, indistinto, approssimativo, approssimato 3 [rif. a un orologio] puntuale CONTR. impreciso, inesatto 4 uguale 5 [rif. a un discorso] incisivo, specifico CONTR. disordinato, indeterminato, ambiguo, evasivo, vago, vaporoso (fig.) 6 [rif. al significato] ristretto CONTR. indeterminato, indistinto.

preclùdere v. tr. 1 [un'attività, un gioco] impedire, vietare, proibire CONTR. agevolare, facilitare 2 [il passaggio, etc.] impedire, sbarrare, ostacolare, contrastare CONTR. consentire.

preclusióne s. f. 1 ostacolo, impedimento, resistenza 2 (est.) blocco (fig.), rifiuto, tabù, chiusura (fig.), inibizione.

precòce agg. prematuro, immaturo CONTR. tardivo, lento.

precoceménte avv. 1 presto CONTR. tardivamente 2 prima del tempo, anzitempo, anticipatamente, immaturamente, prematuramente.

precognizióne s. f. preconoscenza.

preconcètto A s. m. 1 pregiudizio, prevenzione 2 (est.) tabù (fig.) **B** agg. [rif. a un'opinione, a un giudizio, etc.] soggettivo CONTR. oggettivo.

preconizzàre v. tr. 1 annunciare, bandire 2 predire, anticipare, presagire, profetare, profetizzare, preannunciare, pronosticare.

preconoscènza s. f. precognizione,

prescienza (*lett.*), antiveggenza, preveggenza.

preconóscere *v. tr.* prevedere, presentire, presagire, antivedere (*lett.*), anticonoscere (*lett.*).

precórrere *v. tr.* **1** [*qc. nella corsa, etc.*] precedere, superare **2** [*un evento, etc.*] preludere, prevenire, anticipare, preannunciare, presagire.

precostituìre *v. intr. pron.* formarsi, farsi.

precursóre *A s. m.* (*f. precorritrice*) antesignano (*colto*), anticipatore, avanguardia **CONTR.** epigono, seguace *B agg.* anticipatore.

prèda *s. f.* **1** bottino, spoglia (*lett.*), refurtiva, malloppo **2** (*est.*) cacciagione **3** [*delle passioni, etc.*] (*fig.*) schiavo, prigioniero.

predàre *v. tr.* **1** razziare, saccheggiare, spogliare, depredare, rapinare **2** [*detto di animale*] (*est.*) catturare.

predatóre *A s. m.* **1** [*rif. a una persona*] (*fig.*) predone, pirata, vampiro, avvoltoio, squalo, sanguisuga **2** [*rif. a animali*] rapace, carnivoro *B agg.* [*rif. agli animali*] rapace.

predecessóre *s. m.* (*f. -a*) **1** antecessore **2** [*spec. al pl.*] antenati, avi, ascendenti, padri, progenitori.

predestinàre *v. tr.* **1** prescegliere, designare, destinare **2** predeterminare, preordinare.

predeterminàre *v. tr.* predestinare, preordinare, prestabilire, destinare, disporre.

prèdica *s. f.* (*pl. -che*) **1** omelia, sermone **2** (*est.*) ramanzina, paternale, filippica, sgridata, rimprovero.

predicàre *A v. tr.* **1** raccomandare, consigliare, esortare, ammonire (*est.*) **2** [*una teoria, etc.*] diffondere, divulgare, propagare **3** [*i meriti, le virtù*] (*est.*) esaltare, lodare, magnificare *B v. intr.* fare un sermone, sermoneggiare, parlare, concionare, arringare *un.*

predicòzzo *s. m.* sermone (*colto*), paternale, ramanzina, filippica, elmo (*fig.*).

predilètto *A part. pass.; anche agg.* preferito, amato, favorito, diletto **CONTR.** disprezzato, trascurato *B s. m.* (*f. -a*) favorito, preferito.

predilezióne *s. f.* **1** preferenza, debole (*fam.*), simpatia **2** [*per q.c.*] (*est.*) inclinazione, interesse, passione **3** [*l'effetto della*] (*est.*) favore, benevolenza, amore.

prediligere *v. tr.* **1** preferire, prescegliere, propendere *per*, anteporre, scegliere, favorire (*est.*), preporre **2** (*est.*) amare, benvolere **CONTR.** detestare, odiare, avversare, aborrire, abominare.

predire *v. tr.* **1** preconizzare, pronosticare, indovinare, profetizzare, presagire, divinare, prevedere, profetare, fatare (*raro*), vaticinare **2** [*il sole, la pioggia, etc.*] (*est.*) preannunciare, annunciare.

predispórre *A v. tr.* **1** [*la tavola, etc.*] disporre, approntare, preparare, apprestare, allestire, apparecchiare, sistemare **2** [*l'occorrente per lavorare*] disporre, approntare, provvedere, preordinare **3** [*un piano, etc.*] concertare, organizzare, prestabilire **4** [*un piano contro qc.*] (*neg.*) ordire **5** [*l'animo*] inclinare **6** [*l'insorgere di un male*] favorire, provocare *B v. rifl.* organizzarsi, prepararsi, premunirsi.

predisposizióne *s. f.* **1** inclinazione, attitudine, vocazione, stoffa (*fig.*), talento, ingegno **2** [*alla malattia, etc.*] (*est.*) facilità **3** [*per gli affari, etc.*] (*est.*) attitudine, stoffa (*fig.*), talento, senso *di.*

predispósto *part. pass.; anche agg.* **1** preordinato, preparato, sistemato **2** [*rif. a elezioni, a nomine, etc.*] addomesticato, truccato **3** [*rif. all'animo*] inclinato, propenso, portato.

predizióne *s. f.* pronostico, previsione, preannuncio (*est.*), profezia, vaticinio (*lett.*), divinazione (*est.*).

predominànza *s. f.* preponderanza, prevalenza, predominio.

predominàre *A v. intr.* **1** imporsi, emergere, spiccare, primeggiare, vincere, sovrastare **CONTR.** soggiacere **2** regnare, avere il predominio, essere il capo, imperare, signoreggiare **3** [*per qualità, etc.*] prevalere, preponderare *B v. tr.* sopraffare, sconfiggere.

predominio *s. m.* **1** egemonia, supremazia, superiorità (*raro*), primato **2** preponderanza, predominanza, prevalenza **3** dominio, signoria, scettro (*fig.*).

predóne *s. m.* predatore, pirata, bandito, squalo (*fig.*), avvoltoio (*fig.*).

prefazióne *s. f.* premessa, preambolo, preludio, proemio, presentazione **CONTR.** conclusione, chiusura.

preferènza *s. f.* **1** predilezione, simpatia, debole (*fam.*) **2** [*l'effetto della*] parzialità, favoritismo, ingiustizia.

preferibilménte *avv.* **1** piuttosto, soprattutto, specialmente **2** possibilmente, se possibile.

preferire *v. tr.* **1** prediligere, preporre, anteporre, privilegiare, propendere *per* **CONTR.** posporre, avversare, odiare, detestare **2** (*est.*) scegliere, selezionare, favorire, prescegliere, optare *per*, eleggere.

preferito *A part. pass.; anche agg.* **1** prediletto, favorito **CONTR.** odiato, disprezzato **2** scelto, selezionato *B s. m.* (*f. -a*) prediletto, favorito.

prefiggere *A v. tr.* decidere, fissare, determinare *B v. intr. pron.* prefissarsi, proporsi, ripromettersi, risolversi *a*, determinarsi, stabilirsi *a.*

prefissàre *v. intr. pron.* prefiggersi.

pregàre *v. tr.* **1** orare, dire le preghiere **CONTR.** bestemmiare, esecrare **2** chiedere, impetrare, richiedere, domandare **3** implorare, supplicare, invocare, scongiurare **4** (*ass.*) invitare, sollecitare, raccomandare.

pregévole *agg.* **1** [*rif. a una persona*] interessante, notevole, notabile, valido, valoroso, apprezzabile (*fig.*), stimabile **CONTR.** inqualificabile, spregevole, empio **2** [*rif. a cosa*] notevole, notabile, apprezzabile (*fig.*), aureo **CONTR.** comune, dozzinale, ordinario, scadente.

preghièra *s. f.* **1** orazione, prece (*lett.*), giaculatoria **CONTR.** bestemmia, imprecazione **2** supplica, implorazione, invocazione, domanda **3** (*est.*) invito **CONTR.** comando **4** (*est.*) raccomandazione.

pregiàre *A v. tr.* considerare, stimare,

pregiato apprezzare, lodare CONTR. spregiare, deridere, disdegnare, disistimare, disprezzare *B v. rifl.* onorarsi.

pregiàto *part. pass.; anche agg.* **1** [*rif. a cosa*] prezioso, notevole CONTR. spregiato, dozzinale, scadente **2** [*rif. a una persona*] stimato, rinomato CONTR. spregevole, abietto.

prègio *s. m.* **1** qualità, valore, dote, requisito, virtù, prerogativa, privilegio, ornamento (*fig.*) CONTR. difetto **2** onore, stima, merito, vanto CONTR. dispregio.

pregiudicàre *A v. tr.* **1** [*il buon nome, etc.*] compromettere, intaccare, ledere **2** [*la salute, etc.*] nuocere, danneggiare CONTR. aiutare, avvantaggiare **3** [*la carriera, etc.*] compromettere, nuocere, danneggiare, ostacolare CONTR. favorire **4** [*l'amicizia, etc.*] guastare, sciupare *B v. intr. pron.* compromettersi.

pregiudizio *s. m.* **1** preconcetto, prevenzione **2** (*est.*) superstizione, tabù (*fig.*), ubbia, credenza **3** [*spec. con: a mio, a tuo, etc.*] svantaggio, danno.

prègno *agg.* **1** gravido **2** (*fig.*) colmo, pieno, saturo CONTR. privo, vuoto.

preistòria *s. f.* (*est.*) antichità.

prelevaménto *s. m.* prelievo.

prelevàre *v. tr.* **1** asportare, prendere, levare, ritirare, togliere, sottrarre CONTR. depositare, versare, portare **2** [*un campione di minerali*] asportare, prendere, estrarre **3** [*qc. alla stazione, etc.*] prendere, rilevare.

prelibatézza *s. f.* **1** [*rif. a un alimento*] raffinatezza, squisitezza, bontà CONTR. schifezza **2** ghiottoneria, leccornia, delikatessen (*ted.*).

prelibàto *part. pass.; anche agg.* squisito, ghiotto, buono, eccellente.

preliévo *s. m.* **1** [*della posta*] levata **2** [*di denaro, di sangue, etc.*] prelevamento **3** (*med.*) asportazione, biopsia.

preliminàre *A s. m.* **1** preambolo, premessa CONTR. conclusione **2** [*commerciale*] compromesso **3** trattativa *B agg.* iniziale CONTR. conclusivo, finale.

prelùdere *v. intr.* **1** preparare *un*, preannunciare *un*, preavvertire *un*, precorrere *un*, precedere *un*, anticipare *un* **2** preparare *un*, introdurre *un*.

prelùdio *s. m.* **1** [*di un lavoro musicale*] (*mus.*) inizio, apertura (*fig.*), ouverture (*fr.*) CONTR. interludio **2** [*di un discorso*] prefazione, introduzione, proemio (*lett.*) **3** [*di avvenimenti*] prodromo (*lett.*), preannuncio.

prematuraménte *avv.* anzitempo, anticipatamente, acerbamente, immaturamente, precocemente CONTR. tardi, tardivamente.

prematùro *A agg.* **1** immaturo, precoce CONTR. tardivo **2** [*rif. a un discorso*] (*est.*) inopportuno, intempestivo, inappropriato *B s. m.* (*f. -a*) neonato.

premeditàre *v. tr.* meditare, ordire, tramare, preparare, prestabilire, architettare.

premeditàto *part. pass.; anche agg.* intenzionale, meditato, studiato CONTR. accidentale.

premeditazióne *s. f.* intenzione, proposito, calcolo (*fig.*), riflessione, meditazione (*raro*).

prèmere *A v. tr.* **1** pigiare, pressare, comprimere **2** [*uva, olive, etc.*] calcare, spremere, strizzare, stringere, schiacciare, calpestare **3** [*detto di dolore, di preoccupazione*] (*est.*) angustiare, tormentare, stringere (*fig.*) **4** [*qc. a fare q.c.*] (*est.*) spingere, incalzare, forzare *B v. intr.* **1** [*detto di peso, di carico*] pesare, gravare, essere di peso **2** (*est.*) importare, interessare, stare a cuore **3** urgere, imporsi **4** insistere.

premèssa *s. f.* **1** introduzione, preambolo, preliminare, prefazione, presentazione CONTR. conclusione **2** (*est.*) base, fondamento, presupposto **3** (*est.*) proposizione, tesi, postulato **4** base.

preméttere *v. tr.* **1** preporre, anteporre, anticipare CONTR. posporre, concludere **2** preavvertire, avvertire.

premiàre *v. tr.* **1** [*qc. per una vittoria*] dare un premio a CONTR. punire, penalizzare **2** [*qc. per un lavoro svolto*] dare una gratifica, retribuire, remune-

rare CONTR. criticare, rimproverare **3** [*qc. per l'impegno, etc.*] gratificare, ricompensare, coronare (*fig.*).

preminènza *s. f.* superiorità, supremazia, dominio (*est.*).

prèmio *A s. m.* **1** ricompensa, retribuzione, rimunerazione, mercede (*lett.*) CONTR. castigo **2** [*per il lavoro svolto*] gratifica, indennità, incentivo, riconoscimento **3** [*morale*] (*est.*) gratificazione, soddisfazione **4** (*est.*) vincita **5** (*est.*) taglia *B agg. inv.* [*rif. a un oggetto*] omaggio.

premolàre *s. m.* (*gener.*) dente.

premunìre *A v. tr.* **1** [*una base militare, etc.*] (*mil.*) fortificare **2** [*contro l'influenza, etc.*] immunizzare, vaccinare, difendere (*est.*), preservare **3** [*contro le delusioni, etc.*] immunizzare, corazzare (*fig.*) **4** [*per ogni evenienza*] predisporre, preparare, provvedere, preordinare *B v. rifl.* **1** [*contro le avversità*] cautelarsi, garantirsi, proteggersi, difendersi **2** (*est.*) assicurarsi **3** [*contro il freddo*] (*est.*) coprirsi **4** [*contro il nemico*] armarsi **5** [*a fare q.c.*] predisporsi, organizzarsi **6** [*del necessario*] provvedersi.

premùra *s. f.* **1** fretta, urgenza **2** [*rif. a un comportamento*] riguardo, gentilezza, affettuosità, tenerezza, zelo, sollecitudine CONTR. trascuratezza **3** [*l'azione*] riguardo, gentilezza, affettuosità, attenzione, carezza (*fig.*).

premuràre *A v. tr.* affrettare *B v. intr. pron.* curarsi, preoccuparsi CONTR. trascurare, disinteressarsi.

premurosaménte *avv.* affettuosamente, amorevolmente, con attenzione, sollecitamente, zelantemente CONTR. trascuratamente.

premuróso *agg.* attento, sollecito, gentile, cortese, accurato (*fig.*) CONTR. scortese, sgarbato, villano, maleducato.

prèndere *A v. tr.* **1** pigliare CONTR. dare, donare, regalare, offrire, perdere, lasciare, abbandonare, cedere, consegnare, depositare, buttare, rendere **2** [*q.c. con energia*] afferrare, agguantare, acciuffare, acchiappare, abbrancare, artigliare (*fig.*) **3** [*qc. sul fatto*] cogliere (*fig.*), pescare (*scherz.*), beccare (*fam.*), sorprendere **4** [*qc.*

(*est.*) arrestare, catturare **5** [*q.c.*] arraffare, rubare, prelevare, ghermire, carpire **6** [*q.c. da terra*] raccogliere **7** [*un salario, etc.*] ricevere, percepire, riscuotere, incassare, guadagnare **8** [*una laurea, etc.*] conseguire **9** [*una bevanda, etc.*] (*est.*) mangiare, ingerire **10** [*un dipendente*] (*est.*) dare lavoro *a*, assumere **11** [*un veicolo, etc.*] servirsi *di*, utilizzare, usare **12** [*un oggetto*] acquistare, procurarsi, comprare **CONTR.** vendere, disfarsi **13** [*una malattia*] contrarre **14** [*una strada, etc.*] imboccare **15** [*il bersaglio*] centrare, colpire **16** [*una città, etc.*] conquistare **B** *v. intr.* **1** andare **2** [*detto di pianta, etc.*] allignare, radicare, attecchire, attaccare **3** [*detto di fuoco, etc.*] appiccarsi **4** [*detto di colla, etc.*] rapprendersi, solidificarsi **5** [*dal papà, etc.*] somigliare *a* **6** iniziare, principiare, accingersi **C** *v. rifl. rec.* azzuffarsi, accapigliarsi, bisticciarsi, acciuffarsi, attaccarsi **D** *v. intr. pron.* **1** [*una malattia, etc.*] contrarre, buscare, beccarsi, buscarsi, venire **2** equipaggiarsi, dotarsi **3** [*di beni, oggetti, etc.*] incamerare, appropriarsi **4** [*la responsabilità*] addossarsi, assumersi **5** [*botte, insulti*] subire, rimediare.

prenotàre *v. tr.* fissare, riservare, fermare, commissionare (*est.*) **CONTR.** disdire.

preoccupànte *part. pres.; anche agg.* pericoloso, grave, brutto, serio, pesante (*est.*) **CONTR.** innocuo.

preoccupàre **A** *v. tr.* destare preoccupazione, crucciare, inquietare, affliggere, tormentare (*fig.*), impensierire, molestare, angustiare, innervosire, allarmare **CONTR.** rassicurare, rasserenare, calmare **B** *v. intr. pron.* **1** affannarsi, angustiarsi, agitarsi (*fig.*), impensierirsi, inquietarsi, innervosirsi, temere *un*, incupirsi (*fig.*), stare in pensiero **CONTR.** rasserenarsi, rassicurarsi, calmarsi, rinfrancarsi **2** curarsi, premurarsi, guardare (*fig.*) **3** [*per qc.*] scalmanarsi (*fig.*), darsi pensiero, prendere a cuore **CONTR.** impiparsi, infischiarsi, fottersene, infischiarsene.

preoccupàto *part. pass.; anche agg.* inquieto, crucciato, pensieroso, spaventato, impaurito, ansioso, apprensivo, affannato (*fig.*), intimidito, teso **CONTR.** allegro, sereno, tranquillo.

preoccupazióne *s. f.* **1** [*spec. con: destare*] apprensione, inquietudine, angustia (*colto*), ansia, timore, paura **2** [*spec. con: avere la*] cruccio, pensiero, incubo, rompicapo (*fam.*), peso (*fig.*), scrupolo (*est.*), carico (*fig.*), pena, pietra (*fig.*), grana (*fam.*), problema, rogna (*fam.*) **3** [*spec. con: prendersi una*] (*est.*) cura, briga.

preordinàre *v. tr.* **1** predisporre, prestabilire, organizzare, preparare, ordinare, disporre **CONTR.** improvvisare **2** predestinare, predeterminare.

preordinàto *part. pass.; anche agg.* predisposto, sistemato, ordinato, preparato **CONTR.** accidentale (*est.*), casuale (*est.*), aleatorio.

preparàre **A** *v. tr.* **1** [*la tavola, etc.*] fare, allestire, approntare, apparecchiare, apprestare **2** [*una strategia, etc.*] disporre, organizzare, predisporre, concertare, preordinare, prestabilire, programmare **CONTR.** improvvisare **3** [*qc.*] allenare, istruire, qualificare **4** [*q.c. da mangiare*] fare, fare da mangiare, cucinare **5** [*un bambino, etc.*] acconciare, vestire **6** [*uno scritto, un progetto*] elaborare, formulare, impostare **7** [*detto di avvenire, di destino*] riservare, serbare, destinare **8** [*materiali, etc.*] lavorare, manipolare **9** [*un avvenimento*] preludere *a*, innescare (*fig.*) **10** [*qc. alla vita, etc.*] premunire, informare **11** [*un abito, etc.*] confezionare **12** [*un incontro*] combinare **13** [*un piano, etc.*] covare (*fig.*), premeditare, ordire (*fig.*) **14** [*un lavoro, etc.*] ordinare, coordinare **15** [*l'occorrente per q.c.*] (*est.*) provvedere **16** [*gli studenti*] (*est.*) insegnare **B** *v. rifl.* **1** accingersi, apprestarsi, disporsi, predisporsi, organizzarsi, avviarsi (*fig.*) **2** apparecchiarsi (*lett.*), aggiustarsi, ordinarsi, acconciarsi, vestirsi, combinarsi (*fam.*) **3** formarsi, allenarsi **4** [*alla carriera, etc.*] indirizzarsi **C** *v. intr. pron.* [*detto di tempo, di crisi, etc.*] avvicinarsi, appressarsi.

preparàto **A** *agg.* **1** pronto, predisposto, preordinato **CONTR.** casuale, estemporaneo, improvvisato **2** [*rif. a una persona*] allenato, addestrato, agguerrito (*fig.*) **3** [*rif. a una persona*] ferrato *in*, finito *per*, degno *di* **CONTR.** incompetente, incapace, principiante **B** *s. m.* preparazione (*est.*), composto, miscuglio.

preparazióne *s. f.* **1** [*di un pranzo, etc.*] allestimento, approntamento (*raro*) **2** [*al lavoro, etc.*] allenamento, addestramento, studio, formazione, training (*ingl.*), avviamento **3** [*di un viaggio, delle vacanze, etc.*] organizzazione, programmazione, progettazione **4** [*di un prodotto*] elaborazione, manipolazione, confezione **5** (*est.*) preparato, composto, miscuglio.

preponderànte *part. pres.; anche agg.* prevalente.

preponderànza *s. f.* **1** prevalenza, predominio, predominanza **2** [*numerica*] maggioranza, superiorità.

preponderàre *v. intr.* **1** predominare, prevalere **2** imperare, emergere, imporsi, vincere **CONTR.** soggiacere.

prepórre *v. tr.* **1** premettere, anteporre **2** (*est.*) mettere a capo, designare, eleggere **3** (*est.*) preferire, prediligere, prescegliere.

prepósto **A** *part. pass.; anche agg.* addetto, assegnato **B** *s. m.* **1** (*relig.*) prevosto, preposito **2** sovrintendente.

prepotènte **A** *agg.* **1** violento, assolutista, dispotico, tirannico, tiranno, tracotante, autoritario, dittatoriale, strafottente, aggressivo, fascista (*spreg.*), rapace (*fig.*) **CONTR.** mite, flessibile, ragionevole **2** [*rif. a un regime politico*] (*est.*) violento, fascista (*spreg.*), oppressivo, repressivo **3** [*rif. al bisogno, alla necessità*] violento, impellente, urgente **B** *s. m. e f.* autocrate, soverchiatore.

prepotenteménte *avv.* arrogantemente, insolentemente, autoritariamente, dispoticamente, dittatorialmente, mafiosamente **CONTR.** liberalmente, democraticamente.

prepotènza *s. f.* **1** [*rif. all'atteggiamento*] violenza, arroganza (*est.*), grinta, aggressività, dispotismo **2** [*l'azione*] ingiustizia, sopruso, angheria, arbitrio, abuso, soperchieria, sopraffazione, prevaricazione, maltrattamento, sevizia, bravata.

prerogatìva *s. f.* **1** privilegio, vantaggio, monopolio **2** dote, caratteristica, singolarità, pregio, requisito, appannaggio **3** (*est.*) capacità, virtù.

présa *s. f.* **1** appiglio **2** [*con il braccio,*

etc.] stretta **3** [*di una città, di un castello, etc.*] conquista, espugnazione, cattura (*est.*) **4** chiappa (*fam.*) **5** [*di sale, etc.*] pizzico (*fam.*).

presàgio *s. m.* **1** annuncio, preannuncio **2** previsione, profezia (*est.*), pronostico, augurio (*lett.*), auspicio (*lett.*).

presagìre *v. tr.* **1** [*un avvenimento, etc.*] presentire, sentire, prevedere, fiutare (*fig.*), indovinare, intuire, intravedere, preconoscere (*raro*), anticonoscere (*raro*), antivedere (*raro*) **2** [*q.c. e dirlo*] preconizzare, predire, profetizzare, augurare (*lett.*), profetare, pronosticare **3** [*un evento, etc.*] preannunciare, precorrere.

prescègliere *v. tr.* **1** preferire, scegliere, prediligere **2** [*q.c. per una carica, un incarico, etc.*] eleggere, predestinare, preporre.

presciènza *s. f.* preconoscenza.

prescìndere *v. intr.* escludere, eccettuare, trascurare, astrarre **CONTR.** considerare, includere.

prescrìvere **A** *v. tr.* **1** ordinare, imporre, comandare, stabilire, statuire, deliberare **2** [*detto di moda, etc.*] imporre, disporre **3** [*un medicinale*] ordinare, consigliare, dare **4** [*un reato, etc.*] estinguere **B** *v. intr. pron.* (*dir.*) estinguersi.

prescrizióne (1) *s. f.* **1** norma, regola, precetto **2** [*del medico*] ricetta (*est.*) **3** (*est.*) indicazione, ordinanza, ordine, comando, disposizione.

prescrizióne (2) *s. f.* (*dir.*) estinzione.

presentàre **A** *v. tr.* **1** [*q.c. a altri*] introdurre, annunciare **2** [*q.c.*] raccomandare, segnalare **3** [*un dono, un omaggio, etc.*] offrire, portare, porgere, donare, consegnare, proferire (*lett.*) **4** [*una soluzione, un piano*] (*est.*) prospettare, proporre, sottoporre **5** [*le dimissioni*] rassegnare (*bur.*) **6** [*la merce*] esporre, esibire, sciorinare, mostrare **7** [*un reclamo, una denuncia*] (*fig.*) porre, sporgere, avanzare **8** [*le scuse*] (*est.*) addurre, produrre **9** [*una trasmissione*] (*est.*) condurre **10** [*un sorriso, etc.*] sfoderare **11** [*gli onori*] rendere **12** [*bugie, etc.*] vendere (*fig.*) **13** [*il viso*] (*est.*)

esporre, volgere, girare **B** *v. rifl.* **1** qualificarsi, dire il proprio nome, essere **2** fare la conoscenza *di* **3** [*in teatro, etc.*] proporsi, esibirsi, mostrarsi, debuttare, prodursi **4** recarsi, andare (*est.*), venire, comparire, ricomparire, sbucare **5** [*detto di ricercato*] costituirsi **6** vendersi *per*, spacciarsi *per* **7** [*di fronte a qc. o q.c.*] pararsi, opporsi **C** *v. intr. pron.* **1** [*detto di occasione*] capitare, offrirsi **2** [*detto di soluzione, etc.*] (*fig.*) prospettarsi, profilarsi, affacciarsi **3** [*detto di panorama*] apparire, mostrarsi **4** [*detto di difficoltà*] insorgere **5** [*detto di situazione*] configurarsi.

presentatóre *s. m.* showman (*ingl.*), annunciatore.

presentatrice *s. f.* showgirl (*ingl.*).

presentazióne *s. f.* **1** [*al pubblico*] introduzione, prefazione, premessa, discorso **2** [*di un'opera d'arte*] (*est.*) prima, vernissage (*fr.*), mostra, vernice **3** [*a qc.*] raccomandazione **4** [*di prove*] (*dir.*) esibizione, produzione **5** [*rif. alla veste tipografica*] (*est.*) edizione, pubblicazione **6** [*di un lavoro a un congresso*] comunicazione, intervento **7** (*dir.*) comparizione, comparsa, esposto **8** [*di q.c. al pubblico*] emissione.

presènte (1) *s. m.* regalo, dono, omaggio.

presènte (2) **A** *agg.* **1** attuale, odierno, corrente **CONTR.** antiquato, vecchio **2** latente **CONTR.** assente **3** [*rif. alla mente*] attento, sveglio **CONTR.** disorientato, frastornato, intronato, sconcertato, stordito, stranito **B** *s. m. inv.* oggi **CONTR.** passato, ieri, futuro, domani, avvenire.

presenteménte *avv.* **1** ora, adesso, in questo momento **2** oggi, oggigiorno, attualmente, correntemente.

presentiménto *s. m.* **1** sensazione, intuizione, sospetto (*est.*) **2** antiveggenza, preveggenza.

presentìre *v. tr.* presagire, preavvertire, intuire, sentire, indovinare, preconoscere, anticonoscere, divinare, antivedere, fiutare (*fig.*), odorare (*fig.*), prevedere, percepire.

presènza *s. f.* **1** [*di qc.*] cospetto **2** (*est.*) esistenza **CONTR.** assenza **3** [*di*

spirito] prontezza **4** partecipazione, intervento **5** vicinanza, assistenza **6** [*in un luogo*] permanenza.

presenziàre *v. tr. e intr.* essere presente *a*, partecipare *a*, intervenire *a*, assistere *a*, essere spettatore *di* **CONTR.** assentarsi, andarsene.

preservàre **A** *v. tr.* **1** salvaguardare, proteggere, difendere, salvare **CONTR.** rovinare, guastare, consumare **2** [*q.c. in buono stato*] (*est.*) custodire, conservare **3** [*un diritto, etc.*] (*est.*) assicurare, garantire **4** [*qc. dai pericoli, etc.*] (*est.*) premunire, cautelare **B** *v. rifl.* **1** conservarsi, mantenersi, riguardarsi **CONTR.** rovinarsi, guastarsi **2** difendersi, proteggersi, stare attento *a*.

preservazióne *s. f.* difesa, salvaguardia.

presidènte *s. m.* (*f. -essa*) dirigente (*est.*).

presidiàre *v. tr.* **1** [*un luogo*] (*est.*) occupare, tenere **CONTR.** sguarnire, abbandonare **2** [*la pace, la moralità*] (*est.*) difendere, proteggere, tutelare, salvaguardare **CONTR.** combattere, osteggiare.

presìdio *s. m.* **1** guarnigione **2** [*di q.c., di qc.*] (*est.*) difesa, protezione, sostegno.

presièdere *v. tr.* governare, reggere, guidare, dirigere, tenere, sovrintendere *a*, vigilare.

prèso *part. pass.; anche agg.* **1** assorbito, occupato, impegnato, indaffarato, affaccendato **CONTR.** vacante **2** innamorato, cotto (*fig.*).

prèssa *s. f.* torchio.

pressànte *part. pres.; anche agg.* impellente, incalzante, irrimandabile, imperioso, urgente **CONTR.** rimandabile, procrastinabile.

pressanteménte *avv.* urgentemente, impellentemente.

pressappòco *avv.* suppergiù, quasi, pressoché, circa, approssimativamente, vagamente **CONTR.** esattamente, precisamente.

pressàre *v. tr.* **1** premere, calcare, comprimere, costringere, schiacciare, serrare, torchiare **2** (*est.*) incalzare, sollecitare, sospingere, incitare CONTR. frenare.

pressióne s. f. *1* forza, sollecitazione, tensione *2* [*morale*] coercizione *3* (*est.*) sollecitazione, insistenza *4* [*delle dita, etc.*] compressione, stretta.

prèsso A *avv.* vicino, dappresso, intorno, accanto, accosto CONTR. discosto, distante *B prep.* vicino a, dappresso a, intorno a, accanto a, accosto a CONTR. discosto da, distante da.

pressoché *avv.* pressappoco, quasi, circa, suppergiù CONTR. esattamente.

prestabilìre *v. tr. 1* [*una strategia, un piano*] programmare, premeditare, preordinare, preparare, predeterminare, predisporre, disporre *2* [*una data, una scadenza*] stabilire, fissare, concordare, stabilire in precedenza *3* [*di fare q.c.*] convenire *4* [*il prezzo*] (*raro*) convenzionare.

prestàre A *v. tr. 1* imprestare, dare in prestito CONTR. restituire *2* [*aiuto*] porgere, offrire, concedere, dare CONTR. negare *B v. rifl.* [*detto di persona, etc.*] offrirsi, adoperarsi, darsi, prodigarsi *C v. intr. pron.* adattarsi, addirsi.

prestazióne s. f. *1* performance (*ingl.*), prova *2* produttività, resa, rendimento *3* servizio, opera.

prestézza s. f. rapidità, prontezza, celerità, sollecitudine (*est.*).

prestigiatóre s. m. (f. *-trice*) illusionista, prestidigitatore.

prestìgio s. m. *1* [*rif. a una persona*] autorità, autorevolezza, influenza, ascendente, peso (*fig.*) *2* [*rif. a una persona, a una cosa*] importanza, valore *3* decoro, dignità CONTR. disdoro.

prestigiosaménte *avv.* lussuosamente, riccamente, sontuosamente, decorativamente CONTR. mediocremente.

prestigióso *agg.* importante, lussuoso, elegante CONTR. modesto, mediocre.

prèstito s. m. *1* mutuo *2* sussidio, finanziamento.

prèsto A *avv. 1* rapidamente, prontamente, velocemente, subito, tempe-

stivamente, celermente, sollecitamente, speditamente CONTR. lentamente, adagio *2* precocemente CONTR. tardi *3* tra poco *B agg. 1* sollecito, rapido, spedito *2* pronto, acconcio, preparato *3* favorevole, propizio. ♦ **a presto** *loc. inter.* arrivederci.

presùmere A *v. tr. 1* ipotizzare, credere, immaginare, figurarsi, opinare, fare delle congetture, presupporre, argomentare, arguire, congetturare, fare delle ipotesi, ritenere, pensare, supporre, reputare *2* [*usato con la prep. di e il verbo all'infinito*] pretendere, esigere, piccarsi, ardire *B v. rifl.* credersi, reputarsi.

presumìbile *agg.* immaginabile, probabile, prevedibile, possibile, verosimile CONTR. improbabile.

presuntuosaménte *avv.* arrogantemente CONTR. umilmente.

presuntuóso A *agg. 1* orgoglioso, superbo, vanitoso, borioso, spocchioso, arrogante, ardito (*lett.*), tracotante, immodesto, altezzoso CONTR. umile, modesto *2* [*rif. all'aria*] sufficiente *B* s. m. (f. *-a*) superbo.

presunzióne s. f. *1* immodestia, vanagloria, boria, burbanza, orgoglio, superbia, alterigia, arroganza, spocchia, alterezza, saccenteria *2* [*spec. con: avere la*] ardire, pretesa *3* (*est.*) opinione, congettura, supposizione.

presuppórre *v. tr. 1* presumere, immaginare, opinare, credere, congetturare, prevedere (*est.*), supporre, pensare, temere (*est.*), dubitare (*est.*) CONTR. constatare *2* [*detto di situazione*] implicare, richiedere, comportare CONTR. escludere, eliminare.

presupposizióne s. f. presupposto, supposizione, congettura.

presuppósto s. m. *1* presupposizione, ipotesi, supposizione *2* premessa, base (*fig.*).

prète s. m. *1* sacerdote, ecclesiastico (*colto*), religioso *2* [*tipo di*] parroco *3* (*pop.*) scaldaletto.

pretèndere A *v. tr. 1* [*giustizia, etc.*] volere, esigere, reclamare, rivendicare, desiderare, ridomandare (*est.*) *2* [*disciplina, etc.*] richiedere, imporre *3* [*di essere qc.*] presumere, reputarsi,

credere, piccarsi (*fam.*), vantare (*raro*) CONTR. negare *4* [*un prezzo troppo alto*] volere, chiedere, sparare (*fig.*) *5* [*q.c. cocciutamente*] asserire, affermare, insistere *su 6* accampare diritti *su*, arrogarsi *7* [*usato con la prep. di e il verbo all'infinito*] intendere *B v. intr.* ambire, aspirare CONTR. rinunciare, rifiutare.

pretenzióso *agg.* appariscente, pomposo, saccente, vanitoso CONTR. modesto, umile, semplice.

pretésa s. f. *1* richiesta *2* (*est.*) ambizione, mira, aspirazione, presunzione *3* (*est.*) esigenza, bisogno.

pretèsto s. m. *1* scusa, cavillo, artificio, ripiego, scappatoia, tergiversazione (*colto*), storia *2* materia, causa, appiglio (*fig.*), attacco (*raro*), argomento, opportunità, occasione, motivo.

pretestuosaménte *avv.* capziosamente, cavillosamente CONTR. semplicemente.

pretestuóso *agg.* fasullo, fittizio, falso, cavilloso (*est.*) CONTR. reale, veritiero.

pretóre s. m. (*gener.*) magistrato.

prètto *agg. 1* sincero, schietto CONTR. fasullo *2* mero, tipico, caratteristico, peculiare.

prevalènte *part. pres.*; *anche agg.* preponderante.

prevalenteménte *avv. 1* principalmente, eminentemente *2* per lo più, di solito.

prevalènza s. f. *1* preponderanza, predominio, predominanza *2* [*numerica*] maggioranza, superiorità.

prevalére *v. intr. 1* [*tra tutti, cose e persone*] predominare, regnare (*fig.*) CONTR. sottostare *2* [*su tutti o su tutto*] imporsi, dominare, preponderare *3* [*in una gara*] vincere, arrivare prima, distanziare *un*.

prevaricazióne s. f. angheria, prepotenza, sopruso, sopraffazione, imposizione.

prevedére *v. tr. 1* [*il futuro*] presagire, indovinare, anticonoscere, antivedere, intuire, anticipare, preconosce-

re, intravedere, aspettarsi, fiutare (*fig.*), presentire, presupporre, prospettare **2** (*est.*) vaticinare, divinare, profetare, pronosticare, predire, profetizzare **3** [*sacrifici, etc.*] comportare **4** [*una determinata spesa*] contemplare, considerare, calcolare, contare, comprendere.

prevedibile *agg.* intuibile, presumibile, probabile, immaginabile **CONTR.** imprevedibile, impensabile, inimmaginabile, inopinabile.

preveggènza *s. f.* antiveggenza, preconoscenza, intuizione, presentimento.

prevenire *v. tr.* **1** [*qc. in un luogo*] precedere **2** [*i tempi, etc.*] precorrere, anticipare **3** preavvertire, preavvisare, avvisare, preannunciare **4** [*un crimine, etc.*] impedire, bloccare, sventare, intralciare **CONTR.** agevolare, facilitare, permettere **5** [*una malattia, un danno*] combattere, ostacolare.

preventivaménte *avv.* **1** in precedenza, prima, anticipatamente **CONTR.** dopo **2** cautelarmente, per salvaguardarsi, cautelativamente.

preventivo (1) *s. m.* stima, valutazione **CONTR.** consuntivo.

preventivo (2) *agg.* (*econ.*) precauzionale, cautelativo.

prevenzióne *s. f.* **1** difesa, cautela, precauzione, profilassi (*med.*) **2** preconcetto, pregiudizio.

previdènte *agg.* provvido, avveduto, oculato, prudente, lungimirante **CONTR.** improvvido, imprudente.

previdènza *s. f.* precauzione, cautela, prudenza, lungimiranza.

previsióne *s. f.* **1** pronostico, predizione, profezia, presagio (*lett.*) **2** calcolo, conto, valutazione, ipotesi **3** (*est.*) prospettiva.

previsto *A part. pass.; anche agg.* (*bur.*) contemplato **CONTR.** imprevisto, inaspettato, inatteso, casuale, impensato (*est.*), inopinabile (*est.*) **B** *s. m. inv.* **CONTR.** imprevisto.

preziosaménte *avv.* riccamente, splendidamente, lussuosamente, fastosamente **CONTR.** poveramente, miseramente.

preziosìsmo *s. m.* **1** [*rif. all'atteggiamento*] ricercatezza, artificio, raffinatezza **2** [*rif. a un artista*] virtuosismo **3** (*est.*) affettazione, formalismo.

preziosità *s. f. inv.* **1** valore **2** [*nello stile*] eleganza **3** [*rif. a un artista*] virtù (*est.*), virtuosità (*colto*), abilità.

prezióso *A agg.* **1** pregiato, costoso, caro (*anche fig.*) **2** [*rif. a cosa*] (*est.*) raro, unico **CONTR.** normale **3** [*rif. a un modo di fare*] ricercato, affettato (*est.*), fine, manierato **CONTR.** semplice, alla mano **4** [*rif. a una persona*] snob, superbo, altezzoso **CONTR.** semplice, alla mano **B** *s. m.* gioia, gioiello.

prèzzo *s. m.* **1** costo, importo, richiesta **2** [*dei preziosi, etc.*] valore **3** [*spec. con: pagare il*] (*fig.*) scotto, fio.

prezzolàre *v. tr.* **1** assoldare, comprare **2** pagare, rimunerare.

prezzolàto *part. pass.; anche agg.* mercenario **CONTR.** volontario.

prigióne *s. f.* **1** carcere, galera, gattabuia (*pop.*), collegio (*gerg.*), gabbia (*pop.*), reclusorio (*tosc.*) **2** [*tipo di*] penitenziario.

prigionìa *s. f.* **1** (*anche fig.*) cattività, carcerazione (*colto*), reclusione (*raro*), detenzione (*spec.*) **CONTR.** libertà **2** (*anche fig.*) schiavitù, servitù **3** [*tipo di*] segregazione, isolamento.

prigionièro *A s. m.* (*f. -a*) **1** forzato, carcerato, galeotto, recluso, detenuto, ergastolano **2** [*delle passioni, dei vizi, etc.*] (*fig.*) schiavo, preda **B** *agg.* **CONTR.** libero.

prima (1) *avv.* **1** anteriormente, precedentemente, in precedenza **CONTR.** poi, successivamente, dipoi, conseguentemente, appresso **2** avanti, dinanzi, innanzi **3** addietro, antecedentemente **CONTR.** contemporaneamente, posteriormente **4** anticipatamente, preventivamente.

prima (2) *s. f.* inaugurazione, vernissage (*fr.*), presentazione, apertura (*fig.*), vernice.

primadònna *s. f.* regina (*fig.*).

primariaménte *avv.* in primo luogo, principalmente, essenzialmente **CONTR.** secondariamente, da ultimo.

primàrio (1) *agg.* principale, essenziale, capitale, basilare, prioritario (*est.*), principe (*raro*) **CONTR.** accessorio, secondario, marginale.

primàrio (2) *s. m.* [*in reparto ospedaliero*] direttore, capo.

primàti *s. m. pl.* (*gener.*) animale, mammifero. →animali

primatìsta *s. m. e f.* campione, recordman (*ingl.*), asso (*est.*).

primàto *s. m.* **1** supremazia, egemonia, predominio **2** (*sport*) record.

primeggiàre *v. intr.* eccellere, essere tra i primi, brillare (*fig.*), distinguersi, essere il migliore, essere superiore, emergere, spiccare, sovrastare, risaltare, predominare, segnalarsi, dominare.

primigènio *agg.* primitivo, primordiale, originario, iniziale **CONTR.** ultimo.

primitivo *A agg.* **1** primigenio, primordiale, arcaico, originario, iniziale **2** barbaro, brado, animalesco, elementare (*est.*) **CONTR.** educato, civile, raffinato **B** *s. m.* (*f. -a*) aborigeno, selvaggio.

primo *A agg.* **1** anteriore, iniziale **CONTR.** ultimo, finale **2** principale, fondamentale, sommo, supremo, principe **B** *s. m.* (*f. -a*) **1** capolista, vincitore **CONTR.** ultimo **2** [*della classe*] migliore.

primordiàle *agg.* **1** primitivo, primigenio, arcaico **2** [*rif. all'esistenza*] arretrato, barbaro **CONTR.** evoluto, civile.

primòrdio *s. m.* origine, inizio, principio, albore (*fig.*) **CONTR.** fine.

principàle (1) *agg.* **1** primario, basilare, capitale, precipuo, prioritario, fondamentale, primo, centrale, principe (*raro*), maestro (*fig.*) **CONTR.** secondario, subalterno (*est.*) **2** [*rif. a una proposizione*] (*ling.*) **CONTR.** subordinato, dipendente.

principàle (2) *s. m. e f.* capo, boss (*ingl.*), padrone, direttore, dirigente, superiore.

principalménte *avv.* **1** prevalentemente, soprattutto, anzitutto, primariamente, essenzialmente, specialmente, maggiormente **CONTR.** secondariamente, accessoriamente, marginalmente **2** soprattutto, anzitutto, primariamente.

principe (1) agg. principale, primario, primo **CONTR.** ultimo.

principe (2) s. m. (f. -essa) **1** sovrano, signore **2** (vocat.) sire (est.) **3** [del foro, etc.] (est.) maestro, autorità.

principiante A part. pres.; anche agg. novizio, tirocinante **CONTR.** esperto, provetto **B** s. m. e f. **1** novizio, pivello (pop.), esordiente, debuttante **2** (mil.) recluta, matricola **3** [nel lavoro] tirocinante, apprendista.

principiare A v. tr. **1** cominciare, iniziare, incominciare, intraprendere **CONTR.** finire, terminare, ultimare, smettere, cessare **2** [l'anno scolastico, etc.] (est.) inaugurare **B** v. intr. **1** esordire, debuttare, fare per la prima volta **2** procedere, accingersi, apprestarsi, iniziare, prendere.

principio (1) s. m. **1** inizio, nascita (fig.) **2** [rif. a un'attività] inizio, esordio (fig.), avvio, partenza, avviamento, debutto (est.) **3** [della civiltà] primordio, albore (lett.), alba (fig.) **CONTR.** tramonto **4** [del bene, del male] (est.) origine, causa, fonte (fig.) **5** [rif. a una guerra, etc.] inizio, entrata.

principio (2) s. m. **1** [di una scienza, etc.] base, fondamento **2** criterio, idea, convinzione, norma (est.), convincimento, concetto, teoria, precetto **3** massima.

prioritario agg. **1** primario, principale **CONTR.** secondario **2** (est.) basilare, fondamentale, essenziale **CONTR.** accessorio.

privacy s. f. inv. intimità.

privare A v. tr. **1** [q.c. a qc.] togliere, levare, espropriare (est.) **CONTR.** donare **2** [qc.] spogliare, derubare, depredare, defraudare **CONTR.** corredare, dotare, provvedere **3** [qc. di provviste, etc.] sfornire **CONTR.** munire, rifornire **4** [le tasche di qc.] (fig.) asciugare (scherz.) **B** v. rifl. **1** disfarsi **CONTR.** corredarsi, munirsi, prendersi **2** rinunciare a, fare a meno **CONTR.** concedersi **3** sacrificare un **4** (ass.) mortificarsi, astenersi.

privatamente avv. riservatamente, in privato, in confidenza **CONTR.** pubblicamente.

privatizzare v. tr. rendere privato, snazionalizzare **CONTR.** nazionalizzare, statalizzare, statizzare, collettivizzare, socializzare.

privato A agg. **1** personale, intimo, riservato, segreto **CONTR.** collettivo, comune, pubblico, statale, sociale **2** familiare **CONTR.** pubblico **B** s. m. inv. **1** privacy (ingl.) **2 CONTR.** pubblico.

privazione s. f. **1** perdita, spoliazione (lett.), mutilazione (fig.), abolizione, soppressione **2** [volontaria] rinuncia, sacrificio **3** [rif. al bere, al mangiare, etc.] astinenza, digiuno, astensione, penitenza (est.) **4** [del fumo, etc.] (raro) mancanza **5** (est.) disagio, patimento, ristrettezza.

privilegiare v. tr. favorire, avvantaggiare, proteggere, facilitare, preferire **CONTR.** osteggiare, avversare, contrariare.

privilegiato part. pass.; anche agg. **1** favorito, fortunato **CONTR.** sfortunato, disgraziato **2** [rif. all'ambiente] esclusivo, elitario.

privilegio s. m. **1** esenzione, immunità, franchigia **2** prerogativa, facoltà, vantaggio (est.) **3** (est.) monopolio, esclusiva **4** (est.) concessione, permesso **5** (est.) onore, merito, pregio **6** caratteristica, dote.

privo agg. mancante, sfornito, digiuno (fig.), sguarnito, spoglio, esente da (est.), immune (est.), vuoto (est.), mutilo (fig.), scarico (est.), sprovvisto **CONTR.** pieno, colmo, pregno, carico, impregnato, saturo, rigurgitante, gravido, dotato, fornito, munito, corredato, provvisto, equipaggiato.

probabile agg. possibile, verosimile, credibile, ammissibile, presumibile, prevedibile **CONTR.** improbabile, assurdo, remoto, imprevedibile, inverosimile (est.).

probabilità s. f. inv. **1** eventualità, possibilità, caso **2** (est.) pericolo **3** (est.) speranza.

probabilmente avv. forse, chissà, eventualmente, plausibilmente, ipoteticamente, quasi (est.) **CONTR.** diffical-

mente, improbabilmente, indubbiamente.

probante agg. convincente.

probità s. f. inv. onestà, integrità, rettitudine, dirittura, serietà, moralità **CONTR.** disonestà.

problema s. m. **1** quesito, interrogativo **2** questione, faccenda (pop.), affare (pop.), nodo (fig.), cosa **3** [rif. a una persona] (fig.) incognita, enigma **4** dubbio, dilemma **5** handicap (ingl.), preoccupazione, grana (pop.), seccatura, rogna (pop.).

problematicamente avv. difficoltosamente **CONTR.** facilmente.

problematico agg. **1** arduo, difficoltoso **CONTR.** facile, piano **2** (fig.) dubbio, incerto, discutibile (est.) **3** [rif. a un discorso, a una situazione] delicato, scomodo, scabroso **CONTR.** facile.

probo agg. [rif. a una persona] onesto, dabbene, corretto, integro, santo, morale, rispettabile **CONTR.** iniquo, debosciato, degenerato, depravato.

proboscide s. f. **1** [rif. alle farfalle] (zool.) tromba, spiritromba **2** (est.) naso.

procacciare A v. tr. **1** procurare, trovare, assicurare, provvedere, cercare (est.) **2** [problemi, etc.] procurare, causare, provocare **3** [le lodi, etc.] (est.) procurare, meritare, valere **4** [l'amicizia, etc.] (est.) accattivare, conciliare **B** v. intr. pron. **1** procurarsi, impossessarsi di **2** [l'amicizia, etc.] guadagnarsi, ottenere **3** [il necessario, etc.] acquistarsi, dotarsi, fornirsi di, provvedersi di, assicurarsi **4** [il denaro, etc.] (est.) buscare (fam.), attingere.

procace agg. **1** sfacciato, provocante **CONTR.** pudico, casto, decente **2** [rif. a un abito] (fig.) vistoso, sexy (ingl.) **CONTR.** pudico, casto, decente.

procacemente avv. **1** impudicamente, prosperosamente (est.) **CONTR.** pudicamente, verecondamente **2** sfacciatamente, sfrontatamente.

procedere v. intr. **1** proseguire, camminare, marciare, avanzare **CONTR.** arrestarsi, retrocedere, fermarsi, indietreggiare, ripiegare **2** [nello studio, etc.] (est.) proseguire, seguitare, continuare **CONTR.** arrestarsi, interrompersi **3** [*detto di affari, di situazioni*] marciare, andare, progredire, svolgersi, svilupparsi, evolversi, tirare (*fam.*), mettersi (*fam.*) **CONTR.** finire, cessare, regredire **4** [*con onestà, etc.*] agire, comportarsi, vivere (*raro*), condursi **5** [*del male, di un fiume, etc.*] (*est.*) provenire, derivare, originarsi, dipendere, scaturire, discendere **6** [*in una direzione*] (*anche fig.*) inoltrarsi, puntare **7** [*a fare q.c.*] cominciare, iniziare, principiare **8** [*detto di persona*] camminare, incedere **9** [*degli anni, del tempo*] passare **10** [*detto di situazione*] sbloccarsi **CONTR.** bloccarsi, insabbiarsi.

procedimènto *s. m.* **1** maniera, metodo, procedura (*colto*), prassi (*bur.*), iter (*lat.*), via, modo, processo **2** [*dei fatti*] svolgimento, corso.

procedùra *s. f.* **1** procedimento, prassi (*bur.*), iter (*lat.*), rito (*fig.*) **2** [*legale*] diritto.

procèlla *s. f.* tempesta, burrasca **CONTR.** bonaccia, calma.

processàre *v. tr.* **1** sottoporre a processo **2** (*est.*) indagare, inquisire, investigare **3** [*i dati*] (*elab.*) elaborare, sottoporre a elaborazione automatica.

processióne *s. f.* corteo, sfilata, fila, teoria (*lett.*).

procèsso *s. m.* **1** [*evolutivo*] corso, sviluppo **2** metodo, procedimento, tecnica (*est.*), sistema (*est.*) **3** (*dir.*) causa, giudizio, udienza, pubblico dibattito, vertenza, affare (*fam.*).

proclàma *s. m.* appello, bando, avviso (*est.*), editto (*est.*).

proclamàre A *v. tr.* **1** [*la verità, l'innocenza*] dichiarare, gridare, affermare, asserire, diffondere, propagare, propalare **2** [*un editto, una legge*] indire, bandire, emanare, emettere un proclama, pubblicare, promulgare **3** [*qc. a una carica*] eleggere, nominare, salutare (*fig.*) **B** *v. rifl.* dichiararsi, affermarsi, professarsi, protestarsi.

proclamàto *part. pass.; anche agg.* **1** dichiarato, giudicato **2** [*rif. a una legge*] (*dir.*) promulgato.

proclamazióne *s. f.* **1** acclamazione

2 [*dei diritti, etc.*] affermazione.

procrastinàbile *agg.* rimandabile **CONTR.** irrimandabile, impellente, imperioso, pressante, urgente.

procrastinàre *v. tr.* differire, rimandare, ritardare, dilazionare, protrarre, rinviare, mettere tempo in mezzo, prorogare, tardare, prolungare (*fig.*), indugiare (*raro*), dilungare (*raro*) **CONTR.** anticipare, avvicinare.

procreàre *v. tr.* **1** generare, concepire, creare, prolificare **2** (*est.*) partorire.

procreazióne *s. f.* generazione, riproduzione (*biol.*).

procùra *s. f.* mandato, delega, incarico.

procuràre A *v. tr.* **1** [*problemi, malessere, etc.*] provocare, arrecare, causare, cagionare, dare **2** [*le lodi, etc.*] fruttare, valere **3** [*risa, etc.*] suscitare **4** [*il necessario*] assicurare, fornire, procacciare, provvedere **5** [*usato con la prep. di e il verbo all'infinito*] cercare, curare, ingegnarsi, sforzarsi, adoperarsi, guardare (*fig.*) **6** [*l'amicizia, etc.*] (*est.*) conciliare, accattivare **B** *v. intr. pron.* **1** acquistare, comprare, prendere, buscare, attingere, procacciarsi **CONTR.** privarsi **2** [*l'amicizia, etc.*] guadagnarsi, cattivarsi, conciliarsi, acquistarsi, conquistare, attirare **3** [*il necessario*] dotarsi *di*, attrezzarsi *di*, fornirsi *di*, provvedersi *di* **4** [*il successo, etc.*] cogliere (*fig.*).

procuratóre *s. m.* (*f. -trice*) avvocato.

pròda *s. f.* riva, sponda, spiaggia, costa, rivale (*raro*).

pròde A *agg.* bravo, valoroso, impavido, coraggioso, audace **CONTR.** vile, pusillanime, vigliacco, pavido (*lett.*), codardo **B** *s. m. e f.* eroe.

prodeménte *avv.* eroicamente, valorosamente, coraggiosamente, intrepidamente **CONTR.** vigliaccamente, paurosamente.

prodézza *s. f.* **1** [*qualità dell'animo*] valore, audacia, gagliardia **CONTR.** viltà **2** [*l'azione*] bravata, guasconata (*colto*), spacconata.

prodigalità *s. f. inv.* **1** [*qualità dell'animo*] generosità, munificenza, libera-

lità **CONTR.** spilorceria, taccagneria, tirchieria **2** [*in denaro, cose, etc.*] profusione, scialo, scialacquamento (*raro*), sperpero **CONTR.** economia.

prodigalménte *avv.* generosamente, liberalmente **CONTR.** parsimoniosamente, grettamente (*est.*).

prodigàre A *v. tr.* **1** [*denaro, beni, etc.*] consumare, spendere, largire, donare, versare, distribuire, sprecare **CONTR.** risparmiare, lesinare, economizzare, misurare **2** [*lodi, complimenti*] (*est.*) largire, distribuire, elargire, profondere, spargere **CONTR.** risparmiare, lesinare, misurare **B** *v. rifl.* adoperarsi, impegnarsi, darsi da fare, affannarsi, occuparsi, prestarsi, sacrificarsi, arrabattarsi.

prodìgio A *s. m.* **1** miracolo, portento **2** [*rif. a una persona*] (*fig.*) meraviglia, splendore, fenomeno, mostro, genio, perla, delizia **B** *agg. inv.* fenomenale, straordinario.

prodigióso *agg.* **1** portentoso, miracoloso, straordinario, eccezionale, fenomenale **CONTR.** comune, ordinario **2** raro, soprannaturale **3** (*fam.*) mostruoso.

pròdigo A *agg.* (*pl. m. -ghi*) generoso, largo, liberale, magnanimo, munifico **CONTR.** parsimonioso, parco, avaro, meschino, sordido **B** *s. m.* (*f. -a*) dissipatore, scialacquatore.

proditoriaménte *avv.* slealmente **CONTR.** fedelmente, lealmente.

prodótto *s. m.* **1** [*di un'epoca, di un'attività, etc.*] risultato, conseguenza, frutto (*fig.*), figlio (*fig.*), portato (*raro*) **2** merce, mercanzia, articolo (*est.*), cosa, produzione (*est.*), realizzazione (*est.*), lavoro (*est.*) **3** (*mat.*) risultato, moltiplicazione.

pròdromo *s. m.* sintomo, indizio, preludio (*lett.*), preavviso, segnale, segno **CONTR.** postumo.

prodùrre A *v. tr.* **1** [*detto di fabbrica*] fare, fabbricare, lavorare (*est.*), costruire (*est.*) **2** [*detto di miniera, etc.*] fornire **3** [*succhi gastrici, etc.*] (*med.*) secernere, elaborare, produrre **4** [*q.c. di artistico, etc.*] creare, comporre **5** [*un dolore, la febbre*] originare, provocare, cagionare, causare, determinare, portare **6** [*una prova, etc.*] portare, addurre (*dir.*), esibire, allegare **7** [*un risultato*] realizzare **8** [*una reazione*] sviluppare **9** [*le scuse*] offrire, presentare, esporre, mostrare **10** [*un vantaggio, etc.*] addurre (*dir.*), apportare **11** [*un determinato guadagno*] fruttare, rendere **12** [*detto di pozzo, sorgente, etc.*] buttare **13** [*un cambiamento*] operare **14** [*un'idea, etc.*] (*fig.*) partorire, generare, concepire, figliare **B** *v. rifl.* esordire, debuttare, presentarsi, esibirsi, recitare **CONTR.** nascondersi, celarsi, occultarsi.

produttivaménte *avv.* con buoni risultati, efficacemente, fecondamente, fertilmente **CONTR.** improduttivamente, svantaggiosamente.

produttività *s. f. inv.* prestazione, rendimento, resa **CONTR.** improduttività.

produttivo *agg.* **1** fecondo, vantaggioso, fruttifero, prolifico (*fig.*) **CONTR.** improduttivo, infruttifero, asciutto (*fig.*), infecondo **2** [*rif. all'effetto*] fecondo, efficace **CONTR.** svantaggioso **3** [*rif. a una persona*] efficiente, industrioso, laborioso **4** [*rif. a un ente, a una società, etc.*] (*fig.*) redditizio **CONTR.** parassita.

produzióne *s. f.* **1** [*rif. a un prodotto industriale*] creazione, fabbricazione, confezione **2** [*rif. a un prodotto intellettuale*] creazione, parto, elaborazione **3** [*di cellule, etc.*] (*med.*) creazione, formazione, proliferazione **4** [*dei campi*] (*agr.*) raccolto **5** [*di una fabbrica, etc.*] (*est.*) rendimento **6** [*di prove, etc.*] (*est.*) presentazione, esibizione **7** (*est.*) merce, prodotto.

proèmio *s. m.* introduzione, esordio, prefazione, preludio (*est.*), inizio, preambolo **CONTR.** conclusione, fine.

profanàre *v. tr.* **1** violare, dissacrare, offendere, sconsacrare, manomettere (*est.*) **2** [*il ricordo, il nome, etc.*] (*est.*) disonorare, contaminare (*fig.*), macchiare (*fig.*), infamare, sciupare (*fig.*), insozzare (*fig.*).

profanàto *part. pass.; anche agg.* **1** [*rif. a un tempio*] violato, infranto **2** (*fig.*) contaminato, toccato **3** [*rif. al nome, alla dignità*] leso.

profanazióne *s. f.* **1** sacrilegio, empietà, eresia **2** (*est.*) violazione, offesa, contaminazione (*fig.*).

profàno **A** *agg.* **1** mondano, laico, terreno **CONTR.** divino **2** [*rif. al sentire religioso*] (*fig.*) empio, sacrilego, scellerato **CONTR.** divino, sacro, sacerdotale, religioso **3** ignorante, incompetente, inesperto **CONTR.** esperto **B** *s. m.* (*f. -a*) **1** inesperto **2 CONTR.** sacro.

proferìre o **profferìre** **A** *v. tr.* **1** [*un giudizio, etc.*] esprimere, manifestare, dire, articolare, emettere, pronunciare, palesare **CONTR.** tacere **2** [*un dono, un omaggio, etc.*] presentare, esibire, offrire **3** [*insulti, parolacce, etc.*] (*fig.*) eruttare, vomitare **4** [*parola*] mettere **B** *v. rifl.* profferirsi, offrirsi, darsi, donarsi, proporsi, esibirsi **CONTR.** rifiutarsi, ritirarsi.

professànte *s. m. e f.* osservante, praticante.

professàre **A** *v. tr.* **1** [*una professione, etc.*] praticare, esercitare, esercire, esercitare una professione *di* **2** [*affetto, simpatia, etc.*] fare professione *di*, dichiarare, confessare, manifestare, ostentare, mostrare, dimostrare **CONTR.** tacere, nascondere, dissimulare, occultare **B** *v. rifl.* dichiararsi, proclamarsi, dimostrarsi, pronunciarsi, dirsi, protestarsi, manifestarsi, riconoscersi **CONTR.** tacere, negarsi, rifiutarsi.

professióne (1) *s. f.* **1** attività, lavoro, mestiere, arte, impiego **2** (*est.*) carriera.

professióne (2) *s. f.* [*di fede, etc.*] dichiarazione, testimonianza, dimostrazione.

professionìsta *s. m. e f.* **1** [*tipo di*] consulente, medico, avvocato, notaio **CONTR.** artigiano, contadino, stipendiato **2** (*gener.*) lavoratore.

professóre *s. m.* (*f. -essa*) **1** docente, insegnante **CONTR.** studente, scolaro **2** (*est.*) educatore, maestro **3** [*di università*] (*est.*) associato.

profèta *s. m.* (*f. -essa*) vate.

profetàre *v. tr. e intr.* divinare, indovinare, preconizzare, prevedere, predire, pronosticare, presagire, antivedere, profetizzare, vaticinare.

profetéssa *s. f.* **1** sibilla (*lett.*) **2** (*est.*) sacerdotessa.

profètico *agg.* fatidico.

profetizzàre *v. tr. e intr.* vaticinare, predire, divinare, pronosticare, indovinare, preconizzare, presagire, profetare, prevedere, preannunciare, antivedere.

profezìa *s. f.* **1** predizione, preannuncio, previsione, annuncio **2** (*est.*) presagio, divinazione, vaticinio (*lett.*), oracolo.

profferìre *v. tr. e rifl.* V. *proferire.*

profferta *s. f.* **1** proposta, offerta **2** [*di amore, etc.*] proposta, offerta, avance (*fr.*).

proficuaménte *avv.* giovevolmente, vantaggiosamente, utilmente, efficacemente **CONTR.** inconcludentemente, infruttuosamente, futilmente, inutilmente, invano, vanamente.

profìcuo *agg.* lucroso, redditizio, vantaggioso, utile (*est.*) **CONTR.** inutile, inefficace.

profilàre **A** *v. tr.* **1** [*con un tratto di matita*] delineare, disegnare **2** [*un abito, una tovaglia*] contornare, orlare, bordare, filettare, listare, ornare **B** *v. intr. pron.* **1** [*detto di campanile, di monte, etc.*] stagliarsi, disegnarsi, spiccare **2** [*detto di situazione, di crisi*] (*est.*) delinearsi, presentarsi, intravedersi, prospettarsi.

profilàssi *s. f. inv.* prevenzione.

profilatóio *s. m.* profilo.

profìlo *s. m.* **1** contorno, sagoma (*est.*) **2** [*di un tessuto*] bordo, bordatura, bordura **3** [*di una persona*] descrizione **4** (*est.*) biografia, vita **5** (*tecnol.*) profilatoio.

profittàre *v. intr.* **1** giovarsi, usare *un*, avvalersi **2** (*neg.*) abusare, approfittare, avvantaggiarsi, sfruttare *un* **3** speculare, lucrare, guadagnare, fare guadagni **CONTR.** perderci, rimetterci, danneggiarsi, scapitare.

profittatóre *s. m.* (*f. -trice*) strozzino, sfruttatore, vampiro (*fig.*), speculatore, sanguisuga (*fig.*).

profìtto *s. m.* **1** [*materiale, morale*] vantaggio, giovamento **CONTR.** scapito, perdita **2** [*materiale*] lucro (*colto*), tornaconto, guadagno **3** [*nella cono-*

scenza, etc.] (*est.*) progresso, avanzamento **4** (*econ.*) utile, frutto (*fig.*), attivo.

profluvio *s. m.* **1** [*di profumo*] flusso, ondata **2** abbondanza, mare (*fig.*), marea (*fig.*), caterva (*fam.*), valanga (*fig.*).

profondaménte *avv.* **1** fortemente, pesantemente **CONTR.** epidermicamente, superficialmente, marginalmente **2** addentro, intensamente.

profóndere *A v. tr.* **1** [*complimenti, etc.*] spargere, elargire, prodigare, spandere, largire, donare **CONTR.** lesinare, risparmiare **2** [*beni, denaro, etc.*] (*est.*) scialacquare, dissipare, sperperare, sciupare, fondere (*fig.*) **CONTR.** risparmiare, economizzare *B v. rifl.* [*in scuse, etc.*] sprofondarsi, diffondersi.

profondità *s. f. inv.* **1** altezza, spessore **2** [*rif. a un sentimento*] intensità, forza, potenza **CONTR.** superficialità **3** [*in un'opera pittorica*] prospettiva, lontananza **4** [*dell'animo*] intimità, interno **5** [*rif. a un argomento, etc.*] gravità, importanza.

profóndo *A agg.* **1** alto, fondo, cavo (*est.*) **CONTR.** superficiale, esterno, epidermico **2** [*rif. allo spazio*] immenso, infinito, totale, sterminato **CONTR.** esterno **3** [*rif. a un sentimento*] incondizionato, intenso, vero, concentrato **CONTR.** superficiale, epidermico, leggero **4** (*est.*) viscerale, interno **5** [*rif. a un ragionamento*] serio **CONTR.** superficiale **6** [*rif. al suono*] (*mus.*) grave, basso **CONTR.** alto, acuto **7** [*rif. al colore*] cupo, scuro **8** [*rif. a un dolore, a una delusione*] straziante, forte, lancinante **CONTR.** superficiale **9** [*rif. a un conoscitore, etc.*] inveterato, esperto **CONTR.** superficiale, epidermico *B s. m. sing.* profondità, fondo.

profumàre *A v. tr.* aromatizzare, odorare **CONTR.** impuzzire, impuzzolentire, impuzzolire, appestare, ammorbare *B v. intr.* olezzare, odorare, sapere (*fig.*) **CONTR.** puzzare, putire.

profumàto *part. pass.; anche agg.* odoroso.

profùmo *s. m.* **1** aroma, fragranza (*colto*), fragore (*lett.*), olezzo (*lett.*), bouquet (*fr.*), sentore (*raro*) **CONTR.** puzzo, tanfo, fetore, lezzo, sito, mia-sma, puzza **2** (*gener.*) odore.

profusaménte *avv.* a profusione, abbondantemente, lautamente, copiosamente **CONTR.** scarsamente, poco.

profusióne *s. f.* **1** [*di denaro, etc.*] sperpero, scialacquamento, dissipazione (*raro*), scialo, spreco, prodigalità (*est.*), larghezza (*fig.*) **CONTR.** economia, risparmio **2** [*di lacrime, di sangue, etc.*] effusione (*colto*), spargimento **3** [*di lodi, etc.*] (*est.*) abbondanza, copia (*lett.*), dovizia, ridondanza, caterva (*fig.*), quantità, pioggia (*fig.*), diluvio (*fig.*), fioritura (*fig.*).

progènie *s. f. inv.* **1** stirpe, prole, discendenza, casata, dinastia **2** (*spreg.*) genia, gentaglia.

progenitóre *s. m.* (*f. -trice*) avo (*lett.*), antenato, ascendente (*colto*), padre **CONTR.** discendente, figlio.

progettàre *v. tr.* **1** ideare, studiare, immaginare, concepire, meditare, pensare, programmare, proporsi, escogitare **2** [*un edificio, un ponte*] disegnare, fare un progetto.

progettazióne *s. f.* **1** programmazione, organizzazione, pianificazione, preparazione **2** [*di una costruzione, etc.*] ideazione, studio, creazione (*est.*).

progètto *s. m.* **1** (*edil.*) schema, disegno (*est.*), studio (*est.*), schizzo, proposta (*est.*) **2** [*di fare q.c.*] idea, proposito, intenzione, programma, piano, intento, veduta (*raro*).

progràmma *s. m.* **1** pianificazione **2** progetto, piano, proposito **3** [*di un partito politico, etc.*] (*est.*) manifesto, dottrina **4** (*elab.*) algoritmo **5** [*alla radio, alla televisione*] (*est.*) trasmissione.

programmàre *A v. tr.* **1** stabilire, prestabilire, progettare, organizzare, preparare, fissare, pianificare **2** [*un piano, etc.*] formulare, elaborare *B v. intr.* scrivere programmi.

programmazióne *s. f.* organizzazione, pianificazione, progettazione, preparazione.

progredire *v. intr.* **1** avanzare, camminare, inoltrarsi, procedere **CONTR.** regredire, retrocedere **2** [*nella conoscenza, etc.*] (*est.*) migliorare, evolver-si, acquistare *un* **CONTR.** decadere, indietreggiare, peggiorare **3** [*detto di specie, etc.*] (*est.*) svilupparsi, crescere **CONTR.** dirazzare, imbarbarirsi **4** [*nella carriera*] farsi strada (*fig.*).

progredito *part. pass.; anche agg.* avanzato, sviluppato, civile, evoluto, migliorato (*est.*), perfezionato (*est.*) **CONTR.** regredito, arretrato, oscurantista, retrivo, retrogrado, depresso, sottosviluppato.

progressivaménte *avv.* gradatamente, gradualmente **CONTR.** repentinamente, bruscamente, subitaneamente.

progressività *s. f. inv.* gradualità.

progressivo *agg.* graduale **CONTR.** istantaneo, subitaneo, improvviso, repentino.

progrèsso *s. m.* **1** [*nella conoscenza, etc.*] sviluppo, avanzamento, evoluzione, profitto (*fig.*), avanzata (*raro*) **CONTR.** arretratezza, peggioramento **2** [*nella capacità, etc.*] miglioramento, affinamento, perfezionamento **CONTR.** regresso **3** (*est.*) sviluppo, civiltà **CONTR.** arretratezza.

proibire *v. tr.* **1** vietare, inibire **CONTR.** permettere, autorizzare, concedere **2** [*detto di agente atmosferico, etc.*] impedire, bloccare, ostacolare, frenare, intralciare, contrastare, arrestare **CONTR.** favorire, facilitare, aiutare **3** [*q.c. a qc.*] interdire, precludere, negare, rifiutare **4** [*qc. dal fare q.c.*] diffidare.

proibito *part. pass.; anche agg.* vietato, negato, tabù (*est.*) **CONTR.** lecito, possibile (*est.*).

proibizióne *s. f.* **1** inibizione, divieto, veto, blocco (*fig.*), tabù **CONTR.** autorizzazione, permesso, licenza **2** (*est.*) inibizione, impedimento, deterrente, ostacolo (*fig.*).

proiettàre *A v. tr.* **1** scagliare, gettare, buttare, lanciare, scaraventare, sbalestrare (*raro*) **2** [*un film, etc.*] trasmettere *B v. rifl.* scagliarsi.

proièttile *s. m.* **1** (*est.*) cartuccia, munizione, pallottola, palla **2** [*rif. alla traiettoria*] proietto.

proiètto *s. m.* proiettile.

pròle s. f. sing. **1** figliolanza, discendenza, progenie (lett.), frutto (fig.) **2** covata, nidiata.

prolèssi s. f. inv. anticipazione.

proletariàto s. m. classe operaia CONTR. capitale, padronato, borghesia.

proliferàre v. intr. **1** (biol.) prosperare, figliare, riprodursi, prolificare **2** [detto di idee, etc.] (fig.) moltiplicarsi, allignare, crescere, espandersi, dilatarsi, allargarsi, diffondersi CONTR. diminuire.

proliferazióne s. f. **1** [di cellule, etc.] riproduzione, produzione, formazione **2** [di un fenomeno, etc.] diffusione, espansione.

prolificàre v. intr. **1** [detto di persona, di animali] procreare, figliare, generare **2** [detto di vegetale] germogliare, gemmare, rampollare **3** [detto di idee, etc.] (est.) riprodursi, espandersi, diffondersi, proliferare, allargarsi, moltiplicarsi CONTR. scomparire, morire, spegnersi.

prolifico agg. **1** fecondo, fertile, produttivo, fecondativo (est.) CONTR. sterile, infecondo **2** [rif. alla mente] geniale CONTR. sterile, infecondo.

prolissaménte avv. verbosamente, diffusamente, lungamente, facondamente CONTR. compendiosamente, concisamente, laconicamente, epigraficamente (fig.).

prolissità s. f. inv. verbosità, lungaggine, noiosità (est.) CONTR. stringatezza, sinteticità, compendiosità, concisione, laconicità, asciuttezza, essenzialità.

prolisso agg. **1** [rif. a una persona, a un discorso] verboso, lungo, ampolloso, noioso (fig.) CONTR. asciutto, breve, conciso, sintetico **2** [rif. a uno scritto] esteso, diffuso, ampio CONTR. asciutto, breve, sintetico, compendioso, corto.

pròlogo s. m. (pl. -ghi) introduzione, esordio, preambolo CONTR. conclusione.

prolungaménto s. m. **1** allungamento, estensione **2** [anche fig.) aggiunta, prosecuzione, coda (fig.), proseguimento (raro), continuo (fam.) **3**

[rif. a una scadenza] (est.) rinvio, dilazione, proroga.

prolungàre A v. tr. **1** [una conversazione, etc.] allungare CONTR. accorciare **2** [una linea ferroviaria] allungare, continuare, estendere CONTR. accorciare, dimezzare **3** [una festa, una cerimonia] protrarre **4** [il soggiorno in un luogo] protrarre, prorogare CONTR. abbreviare **5** [una scadenza, etc.] differire, procrastinare, rimandare, dilazionare, rinviare, dilungare (raro) CONTR. anticipare **B** v. intr. pron. **1** [detto di pontile, etc.] allungarsi, estendersi, protendersi, stendersi CONTR. troncarsi, fermarsi **2** [detto di giornate] (est.) allungarsi **3** [detto di situazione, etc.] durare, proseguire, protrarsi **4** [in spiegazioni] estendersi, dilungarsi.

promemòria s. m. inv. nota, memoria.

proméssa s. f. **1** [spec. con: fare una] giuramento, voto, assicurazione (est.) **2** [spec. con: mantenere una] parola, impegno **3** [spec. con: essere legato da una] (fig.) vincolo **4** [del calcio, della musica] (fig.) speranza.

promettènte part. pres.; anche agg. **1** [rif. a una persona] brillante, interessante, seducente CONTR. scialbo, scontato, deludente **2** [rif. all'esito, a una previsione] positivo CONTR. scontato **3** allettante, seducente.

prométtere A v. tr. **1** impegnarsi a, assicurare, fare una promessa (ass.), incaricarsi di, garantire, giurare **2** [tempo buono, cattivo] annunciare, preannunciare, minacciare (fig.) **B** v. rifl. **1** [a Dio, etc.] votarsi, darsi, offrirsi **2** impegnarsi con, fidanzarsi con.

prominènte agg. rilevato, alto CONTR. cavo, infossato.

prominènza s. f. sporgenza, rilievo, gobba, dosso, rialzo, protuberanza (colto).

promiscuità s. f. inv. **1** mescolanza **2** (est.) confusione.

promontòrio s. m. **1** capo, sporgenza **2** (est.) penisola **3** rilievo.

promòtion s. f. inv. promozione, propaganda, pubblicità.

promotóre A s. m. (f. -trice) **1** banditore **2** (est.) fautore, organizzatore,

fondatore **3** (est.) leader (ingl.) **B** agg. fautore.

promozionàle agg. pubblicitario.

promozióne s. f. **1** [sul lavoro, etc.] avanzamento, miglioramento, avanzata (raro) **2** [di un prodotto] propaganda, pubblicità, réclame (fr.), promotion (ingl.).

promulgàre v. tr. **1** [una legge, etc.] emettere, emanare, pubblicare, bandire, proclamare, decretare, varare (fig.) **2** [una notizia, etc.] (est.) divulgare, diffondere CONTR. nascondere, celare.

promulgàto part. pass.; anche agg. [rif. a una legge] proclamato, diffuso.

promulgazióne s. f. emanazione, pubblicazione (est.).

promuòvere v. tr. **1** [uno studente] diplomare, licenziare, passare, maturare CONTR. bocciare, rimandare, trombare, respingere **2** [qc. nella carriera] decretare la promozione di, avanzare, elevare CONTR. declassare, degradare, destituire, retrocedere **3** [i commerci, gli studi] favorire, incoraggiare, incrementare, valorizzare, sviluppare, proteggere (est.) CONTR. paralizzare **4** [le reazioni, etc.] (est.) stimolare, provocare **5** [un confronto, una ricerca] indire, istituire **6** [una protesta, etc.] avviare, proporre, cominciare (est.), iniziare (est.), appoggiare, approvare, caldeggiare, propagandare, sollecitare, animare, sostenere CONTR. disapprovare **7** [una causa] (dir.) muovere, intentare.

pronosticàre v. tr. predire, profetizzare, presagire, indovinare, augurare (lett.), auspicare, fiutare (fig.), vaticinare, prevedere, profetare, preconizzare, divinare.

pronòstico s. m. previsione, predizione, presagio, vaticinio (lett.), auspicio (lett.), augurio (lett.).

prontaménte avv. rapidamente, velocemente, celermente, presto, subito, immediatamente, sbrigativamente, sollecitamente CONTR. a rilento, tardivamente.

prontézza s. f. **1** [rif. al tempo] lestezza (est.), rapidità, celerità, velocità, prestezza CONTR. lentezza **2** [rif.

pronto *al modo di fare*] solerzia, alacrità **3** [*di spirito*] presenza, accortezza, intuito (*est.*) CONTR. opacità, torpore **4** [*rif. al movimento*] destrezza, agilità CONTR. goffaggine **5** (*raro*) sfacciataggine.

prónto A *agg.* **1** preparato **2** [*rif. a una persona*] sollecito, celere, lesto, spedito, agile, attivo, veloce, vivace, volenteroso (*est.*), elastico (*fig.*) CONTR. appannato, inebetito, tardo, lento, intempestivo **3** [*rif. a una risposta*] immediato CONTR. intempestivo **B** *inter.* hallo.

prontuàrio *s. m.* manuale.

prònubo *s. m.* (*f. -a*) paraninfo.

pronùncia o **pronùnzia** *s. f.* **1** parlata, accento, intonazione, dizione, calata, scansione **2** articolazione **3** (*dir.*) decisione.

pronunciàre o **pronunziàre A** *v. tr.* **1** [*un suono, una parola*] articolare, sillabare, emettere, proferire **2** [*un discorso, etc.*] (*est.*) dire, enunciare, esporre **3** [*un poema, etc.*] (*est.*) declamare, recitare (*fig.*) **4** [*moccoli, invettive*] (*fig.*) scagliare, snocciolare (*scherz.*) **B** *v. intr. pron.* **1** dichiararsi, professarsi **2** [*detto di tribunale*] sentenziare.

pronùnzia *s. f.* V. pronuncia.

pronunziàre *v. tr. e intr. pron.* V. pronunciare.

propagànda *s. f.* **1** [*delle idee*] divulgazione, diffusione, apostolato **2** [*di un prodotto*] promozione, pubblicità, promotion (*ingl.*), réclame (*fr.*), campagna.

propagandàre *v. tr.* divulgare, diffondere, pubblicizzare, introdurre, reclamizzare, promuovere CONTR. nascondere, celare.

propagandista *s. m. e f.* **1** [*di idee*] diffusore, divulgatore, propagatore (*colto*), propugnatore (*est.*), banditore (*raro*), apostolo (*fig.*) **2** [*di un prodotto*] pubblicitario **3** (*est.*) rappresentante, venditore.

propagàre A *v. tr.* **1** [*una notizia, etc.*] diffondere, divulgare, diramare, propalare, proclamare, strombazzare CONTR. nascondere, tacere, celare **2** [*la specie, la razza*] (*biol.*) moltiplica-

re (*est.*) **3** [*la fama, etc.*] dilatare, allargare, estendere, espandere CONTR. contenere, limitare **4** [*allegria, etc.*] comunicare, trasmettere, spargere, spandere (*raro*) **5** [*una teoria, un credo*] (*est.*) predicare **B** *v. intr. pron.* **1** diffondersi, espandersi, attecchire (*fig.*), moltiplicarsi, riprodursi **2** [*detto di calore, di luce*] diffondersi, irradiarsi, raggiare **3** [*detto di incendio, etc.*] diffondersi, comunicarsi, trasmettersi, estendersi CONTR. limitarsi **4** [*detto di chiacchiera, etc.*] diffondersi, divulgarsi, circolare (*fig.*), correre (*fig.*), girare (*fig.*), volare (*fig.*), spargersi **5** [*detto di epidemia, di moda, etc.*] (*fig.*) imperversare, dilagare.

propagàto *part. pass.; anche agg.* divulgato, sparso, moltiplicato.

propagatóre A *s. m.* (*f. -trice*) propagandista, diffusore, divulgatore **B** *agg.* diffusore.

propagazióne *s. f.* **1** [*di idee, etc.*] diffusione, divulgazione **2** [*di germi, etc.*] (*est.*) espansione, moltiplicazione **3** (*fis.*) trasmissione.

propalàre *v. tr.* proclamare, propagare, divulgare, diffondere, raccontare, svelare, rivelare, ridire CONTR. tacere, nascondere, celare.

propalazióne *s. f.* comunicazione, trasmissione, diffusione, volo (*fig.*).

propèndere *v. intr.* essere propenso *a*, essere incline *a*, pendere (*fig.*), inclinare (*fig.*), orientarsi *a*, preferire *un*, simpatizzare, prediligere *un*, tirare (*fam.*), tendere CONTR. avversare, contrariare, osteggiare.

propensióne *s. f.* **1** tendenza, inclinazione, vocazione, attitudine (*est.*), bernoccolo (*fig.*), istinto **2** [*verso una persona*] passione, simpatia.

propènso *part. pass.; anche agg.* **1** orientato, incline CONTR. alieno, indisposto, contrario, sfavorevole **2** disponibile, favorevole, predisposto **3** [*a un'attività*] incline, portato.

propinàre *v. tr.* **1** ammannire, affibbiare, appioppare **2** [*una bevanda, etc.*] mescere (*lett.*), somministrare, dare (*impr.*).

propiziàre A *v. tr.* accattivarsi, ingraziarsi CONTR. urtare, inimicare **B** *v. intr.*

pron. ingraziarsi, accattivarsi, conquistarsi, amicarsi, captare, cattivarsi, conciliarsi CONTR. inimicarsi, urtarsi.

propìzio *agg.* **1** favorevole, secondo (*lett.*), fortunato, fausto (*lett.*), buono, felice, benigno, destro CONTR. avverso, contrario, infausto, infelice **2** opportuno, adatto.

proponiménto *s. m.* **1** proposito, intenzione, disegno (*fig.*), volontà (*est.*), animo (*raro*) **2** (*relig.*) voto.

propórre A *v. tr.* **1** [*una soluzione, etc.*] offrire, consigliare, suggerire, prospettare **2** [*un'idea, etc.*] formulare, presentare, esibire, esporre, avanzare **3** [*qc.*] designare, nominare, deputare, segnalare **4** [*una protesta, etc.*] (*est.*) promuovere, ideare, ispirare **5** [*una data, una scadenza*] stabilire, fissare **6** [*di fare q.c.*] consigliare, suggerire, dire **B** *v. intr. pron.* **1** [*uno scopo, una scadenza*] prefiggersi, stabilirsi **2** pensare, contare, progettare, disegnare (*fig.*) **3** determinarsi *a* **C** *v. rifl.* darsi, presentarsi, offrirsi, proferirsi.

proporzionalménte *avv.* percentualmente, adeguatamente (*est.*) CONTR. inadeguatamente.

proporzionàre *v. tr.* commisurare, equilibrare, adeguare.

proporzionataménte *avv.* in proporzioni esatte, adeguatamente, congruentemente CONTR. sproporzionatamente, sconvenientemente (*est.*).

proporzionàto *part. pass.; anche agg.* **1** adeguato, conformato, commisurato, confacente, consono, corrispondente CONTR. squilibrato **2** [*rif. alle parti del corpo*] (*est.*) armonico, armonioso CONTR. sproporzionato, deforme, difettoso **3** [*rif. al prezzo*] (*est.*) conveniente CONTR. sproporzionato.

proporzióne *s. f.* **1** rapporto, relazione, misura, scala (*fig.*) **2** simmetria, armonia, equilibrio CONTR. sproporzione, asimmetria **3** [*di un fenomeno*] dimensione, estensione, portata.

propòsito *s. m.* **1** intenzione, intendimento, proponimento, volontà, idea (*est.*), pensiero, disegno (*fig.*), progetto, programma, piano (*est.*), animo (*est.*), intento, deliberazione **2** (*est.*) scopo, fine, obiettivo **3** tema, assunto, materia, argomento **4** [*con*] intenzione, premeditazione.

proposizióne *s. f.* **1** (*ling.*) frase, orazione (*raro*), enunciato (*colto*), periodo **2** affermazione, giudizio, enunciazione **3** tesi, premessa, postulato, lemma, assioma.

propósta *s. f.* **1** profferta, offerta, invito **2** [*di amore, etc.*] avance (*fr.*) **3** (*est.*) schema, disegno, progetto.

propriaménte *avv.* **1** esattamente, precisamente, perfettamente **CONTR.** inesattamente, impropriamente **2** (*est.*) tipicamente, specificatamente.

proprietà *s. f. inv.* **1** [*rif. a q.c., a qc.*] qualità, peculiarità, caratteristica, singolarità, dote, attributo **2** appartenenza, dominio, possesso **3** patrimonio, roba, possedimento **4** [*di linguaggio*] eleganza, congruenza, puntualità, precisione **5** [*nel modo di fare*] eleganza, garbo, decoro **6** [*rif. a farmaci, a rimedi*] facoltà, potere, capacità.

proprietàrio *s. m.* (*f. -a*) **1** possessore, padrone, titolare, signore (*est.*), detentore **2** locatore **CONTR.** affittuario, fittavolo, locatario, inquilino, pigionante.

próprio A *agg.* **1** personale, specifico, particolare, soggettivo, distintivo **CONTR.** alieno, altrui **2** [*rif. al linguaggio, etc.*] appropriato, conveniente, opportuno **CONTR.** inopportuno, figurato (*est.*) **3** [*rif. al significato*] (*est.*) particolare, peculiare, caratteristico **CONTR.** traslato **4** (*raff.*) vero **B** *avv.* appunto, precisamente, già, infatti, esattamente, affatto **CONTR.** vagamente, quasi **C** *s. m. sing.* suo, loro.

propugnàre *v. tr.* difendere, sostenere, favorire, patrocinare **CONTR.** avversare, combattere, perseguitare.

propugnatóre *s. m.* (*f. -trice*) sostenitore, difensore, fautore, propagandista (*est.*), apostolo (*fig.*).

pròra *s. f.* **1** prua **2** (*lett.*) nave.

pròroga *s. f.* (*pl. -ghe*) differimento, dilazione, rinvio, sospensione (*est.*), prolungamento (*est.*), aggiornamento.

prorogàre *v. tr.* prolungare, rinviare, rimandare, differire, dilazionare, posticipare, procrastinare, ritardare, ag-

giornare, protrarre, indugiare (*raro*) **CONTR.** anticipare, accelerare.

prorómpere *v. intr.* **1** [*detto di fiume, di folla, etc.*] erompere, straripare, straboccare, irrompere, sboccare, traboccare (*pop.*), fuoriuscire, sfogare **2** [*in lacrime, etc.*] (*fig.*) scoppiare, esplodere, dirompere **3** [*in pianto*] (*fig.*) rompere **4** [*a causa del nervosismo, etc.*] sbottare, scattare **5** [*detto di rivolta, battaglia*] (*fig.*) scoppiare, esplodere, divampare.

prosaicaménte *avv.* materialmente, banalmente (*est.*) **CONTR.** liricamente, poeticamente.

prosàico *agg.* **1** (*est.*) concreto **CONTR.** lirico, poetico, romantico **2** [*rif. a cosa*] banale, scadente, ordinario, comune **3** [*rif. a una persona*] triviale, volgare **CONTR.** poetico, romantico.

prosàpia *s. f.* stirpe, schiatta, lignaggio, ceppo (*fig.*), natale (*lett.*).

prosciògliere *v. tr.* **1** [*qc. da un impegno morale*] sollevare (*fig.*), sciogliere (*fig.*), liberare, esentare, dispensare **CONTR.** vincolare **2** (*est.*) perdonare **3** [*qc. da un'accusa*] (*dir.*) assolvere **CONTR.** condannare.

proscioglimento *s. m.* [*da accusa*] assoluzione, liberazione (*est.*).

prosciugàre A *v. tr.* **1** disseccare, inaridire, asciugare, seccare, essiccare **CONTR.** bagnare **2** [*una palude*] drenare, bonificare, risanare **CONTR.** allagare **3** [*le forze, le energie*] (*est.*) esaurire **4** [*le casse dello stato*] (*est.*) svuotare, spolpare (*fig.*), dissanguare (*fig.*) **CONTR.** rimpolpare, rimpinguare **B** *v. intr. pron.* disseccarsi, asciugarsi, inaridirsi, essiccarsi, seccarsi **CONTR.** impregnarsi, inumidirsi.

prosciugàto *part. pass.; anche agg.* **1** secco, asciutto, asciugato, seccato, esaurito, consumato **CONTR.** umido, bagnato **2** esaurito, consumato.

proscrivere *v. tr.* **1** esiliare, bandire, espellere, scacciare, confinare (*est.*) **2** abolire, vietare, sopprimere, cancellare, proibire, annullare **CONTR.** permettere, accettare, autorizzare.

prosecuzióne *s. f.* continuazione, prosieguo, proseguimento, prolunga-

mento **CONTR.** sosta, tregua.

proseguiménto *s. m.* **1** seguito, continuazione, prosieguo **2** [*di un lavoro, di un contratto*] prolungamento, prosecuzione.

proseguire A *v. tr.* [*il lavoro, etc.*] continuare, seguitare **CONTR.** interrompere, troncare, smettere, sospendere, cessare **B** *v. intr.* **1** [*nel cammino, etc.*] procedere, avanzare, inoltrarsi, camminare (*est.*), tirare (*fam.*) **CONTR.** arrestarsi, fermarsi, recedere, retrocedere, restare **2** [*detto di negoziati, etc.*] continuare, seguitare, seguire **CONTR.** arrestarsi, cessare, sospendere, incagliarsi, interrompersi **3** [*con ostinazione*] persistere, perseverare, insistere **CONTR.** rinunciare, desistere **4** [*nel tempo*] prolungarsi, durare, perdurare.

prosèlito *s. m.* (*f. -a*) **1** seguace, accolito (*colto*), adepto (*colto*), membro (*est.*), iniziato, neofita (*lett.*) **2** (*relig.*) catecumeno, novizio.

prosièguo *s. m.* prosecuzione, proseguimento, continuo (*fam.*), continuazione.

prosopopèa *s. f.* alterigia, sicumera (*colto*), boria, sussiego, pomposità.

prosperaménte *avv.* floridamente, riccamente, agiatamente, con buona sorte **CONTR.** infelicemente, miseramente, poveramente.

prosperàre *v. intr.* **1** essere prospero, essere fiorente **CONTR.** patire, deperire, stentare **2** [*detto di pianta*] attecchire, allignare, crescere, svilupparsi, fiorire **3** proliferare, moltiplicarsi, ingrandirsi, ingrassarsi (*fig.*), migliorare **4** [*detto di amicizia, etc.*] (*est.*) abbondare, regnare (*fig.*) **CONTR.** languire **5** [*detto di civiltà, arte, etc.*] (*fig.*) rifiorire, andare a gonfie vele **CONTR.** languire.

prosperità *s. f. inv.* abbondanza, ricchezza, agiatezza, fortuna (*est.*) **CONTR.** carestia, miseria.

pròspero *agg.* **1** fiorente, florido, redditizio **CONTR.** infruttifero **2** [*rif. all'avvenire, al futuro*] fortunato, roseo (*fig.*), favorevole, felice **CONTR.** infausto, infelice, sfortunato.

prosperosaménte *avv.* floridamente, rigogliosamente, procacemente (*est.*) **CONTR.** stentatamente.

prosperóso *agg.* **1** [*rif. a una regione*] fiorente, florido, rigoglioso, felice **CONTR.** povero **2** [*rif. a una persona*] fiorente, felice, robusto, sano, esuberante **CONTR.** macilento, smunto, magro, sofferente **3** [*rif. a una condizione sociale*] florido, rigoglioso **CONTR.** povero, stentato, misero.

prospettàre A *v. tr.* [*la situazione, etc.*] (*est.*) delineare, presentare, mostrare, esporre, proporre, prevedere **B** *v. intr.* [*detto di edificio, etc.*] affacciarsi, guardare, fronteggiare **C** *v. intr. pron.* **1** [*detto di situazione, etc.*] delinearsi, apparire, mostrarsi, annunciarsi, sembrare, profilarsi **2** [*detto di possibilità*] riproporsi, presentarsi, aprirsi.

prospettiva *s. f.* **1** angolatura, visuale **2** veduta, panorama, vista **3** previsione, possibilità **4** [*in un'opera pittorica*] lontananza, profondità, sfondo **5** [*rif. a una situazione*] (*fig.*) angolatura, aspetto, lato.

prospètto *s. m.* **1** sinossi (*colto*), specchio (*fig.*), specchietto (*fig.*), tavola (*fig.*) **2** [*di una casa, di una costruzione*] facciata, fronte **3** veduta, panorama, visuale, vista.

prospiciènte *agg.* **1** antistante, opposto *a* **CONTR.** retrostante **2** (*est.*) orientato *a*.

prossenèta *s. m.* sensale, mezzano, ruffiano (*volg.*), paraninfo (*lett.*), lenone (*lett.*), intermediario, magnaccia (*volg.*).

prossimità *s. f. inv.* **1** vicinanza, attiguità, contiguità **CONTR.** distanza, lontananza **2** [*rif. a luogo*] adiacenza, circostanza, paraggi, altezza (*fig.*) **3** (*est.*) affinità, analogia, somiglianza **4** (*est.*) consanguineità, parentela.

pròssimo (1) *agg.* **1** adiacente, vicino **CONTR.** passato, remoto, antecedente, precedente **2** [*rif. a un giorno, a un mese, a un anno*] (*temp.*) futuro, venturo, altro **CONTR.** scorso **3** [*rif. a un parente, etc.*] stretto.

pròssimo (2) *s. m.* **1** gente, umanità **2** consanguineo, congiunto, parente.

prosternàre A *v. tr.* abbattere, piega-

re, prostrare, inchinare **B** *v. rifl.* prostrarsi, piegarsi, inginocchiarsi, genuflettersi, inchinarsi.

prostituire A *v. tr.* **1** avviare alla prostituzione, vendere (*est.*) **2** (*est.*) avvilire **CONTR.** nobilitare **B** *v. rifl.* **1** vendersi, fare la vita, battere (*volg.*), puttaneggiare (*volg.*) **2** (*est.*) abbassarsi, avvilirsi.

prostituta *s. f.* etera (*lett.*), sgualdrina, meretrice (*lett.*), puttana (*volg.*), bagascia (*genov.*), troia (*volg.*), battona (*volg.*), zoccola (*merid.*), vacca (*volg.*), scrofa (*volg.*), ragazza squillo (*euf.*), mondana (*euf.*), sacerdotessa di Venere (*euf.*), mignotta (*roman.*), baldracca (*volg.*), peripatetica (*colto*).

prostràre A *v. tr.* **1** [*i nemici, etc.*] abbattere, annientare, prosternare **2** [*qc. in senso fisico*] (*est.*) fiaccare, debilitare, infiacchire, stancare, indebolire, logorare, affaticare, sfinire, spossare, estenuare, stremare, rammollire, piegare **CONTR.** rinvigorire, rafforzare, rinforzare **3** [*qc. in senso morale*] avvilire, umiliare, scoraggiare, disanimare, mortificare, deprimere, accasciare, atterrare (*fig.*) **CONTR.** esaltare, incoraggiare, confortare, rianimare, rinfrancare, sollevare **B** *v. rifl.* **1** inginocchiarsi, prosternarsi, genuflettersi **CONTR.** alzarsi, ergersi, rizzarsi **2** (*est.*) abbassarsi, avvilirsi, umiliarsi, annullarsi, annichilirsi **CONTR.** esaltarsi, rianimarsi **3** fiaccarsi, accasciarsi, rammollirsi (*fig.*) **CONTR.** entusiasmarsi, rinfrancarsi.

prostrato *part. pass.; anche agg.* abbattuto, affranto, avvilito, depresso, tronco (*fig.*), stracco, esausto **CONTR.** instancabile, forte, vigoroso.

prostrazióne *s. f.* **1** [*fisica*] sfinimento, debolezza, stanchezza, esaurimento, spossatezza **2** [*morale*] abbattimento, scoraggiamento, avvilimento, depressione (*fig.*).

protagonismo *s. m.* esibizionismo, istrionismo, divismo.

protagonista *s. m. e f.* **1** [*di un romanzo, etc.*] (*fig.*) eroina, eroe **2** mattatore.

protèggere A *v. tr.* **1** [*il benessere, la salute*] difendere, salvaguardare, tutelare, guardare (*fig.*), cautelare, ga-

rantire, assicurare **CONTR.** danneggiare, rovinare **2** [*qc.*] difendere, sostenere, soccorrere, appoggiare, aiutare, beneficare **CONTR.** danneggiare, rovinare, nuocere, avversare, combattere **3** [*le arti, la scienza, etc.*] favorire, promuovere, patrocinare **CONTR.** nuocere, avversare **4** [*qc. in un concorso, etc.*] privilegiare, parteggiare *per* **5** [*dal sole, dalla pioggia*] riparare, parare, ricoprire (*fig.*), coprire (*fig.*) **6** [*un luogo, un castello*] presidiare, fortificare, corazzare **7** [*sé stessi, etc.*] mimetizzare, schermare **8** [*un segreto*] custodire, mantenere **9** [*la flora, la fauna, etc.*] mantenere, conservare, preservare **10** [*la prole*] covare, vegliare **11** [*detto di divinità*] benedire **12** [*dal freddo, dal caldo*] isolare **13** [*detto di guardia del corpo*] scortare **14** [*qc. dal pericolo*] scampare, salvare **B** *v. rifl.* **1** difendersi, guardarsi le spalle, pararsi, preservarsi, premunirsi, cautelarsi, garantirsi, salvaguardarsi, salvarsi **2** [*dal freddo, dal caldo*] difendersi, ripararsi, schermirsi.

proteifórme *agg.* multiforme **CONTR.** uniforme.

protèndere A *v. tr.* tendere, allungare, distendere **CONTR.** ritirare **B** *v. rifl.* sporgersi **CONTR.** ritirarsi **C** *v. intr. pron.* [*detto di pontile, etc.*] estendersi, prolungarsi, spingersi, stendersi, allungarsi, sporgere.

protèrvia *s. f.* **1** arroganza, superbia, iattanza, insolenza, sfrontatezza, boria, albagia (*colto*) **2** ostinazione, pervicacia.

protèso *part. pass.; anche agg.* **1** (*anche fig.*) diritto, rivolto **CONTR.** chiuso **2** sporgente.

protèsta *s. f.* **1** opposizione, dissenso **2** reclamo, lagnanza, lamentela, rimostranza, recriminazione **3** [*di gratitudine, etc.*] attestazione, dichiarazione.

protestàre A *v. tr.* **1** [*la propria innocenza*] attestare, affermare, palesare **2** [*la merce, etc.*] rifiutare, respingere **B** *v. intr.* opporsi, insorgere, ribellarsi, reagire, contrastare, lamentarsi, reclamare, gridare, strepitare, contestare *un*, brontolare, mugugnare (*genov.*), manifestare, lagnarsi, sbraitare, schiamazzare, mormorare, vociferare **CONTR.** accettare, ammettere, approvare, appoggiare, consentire, rassegnarsi **C** v. rifl. proclamarsi, professarsi, dichiararsi, riconoscersi.

protètto A part. pass.; anche agg. **1** immune, difeso, coperto, riparato **CONTR.** incustodito, abbandonato **2** favorito, aiutato **CONTR.** abbandonato **B** s. m. (f. -a) favorito, beniamino.

protettoràto s. m. governatorato.

protettóre s. m. (f. -trice) **1** difensore, paladino, sostenitore **2** (est.) avvocato, patrocinatore (lett.) **3** [di un minore] tutore **4** [di una prostituta] lenone (lett.), ruffiano, paraninfo, pappa (dial.), magnaccia (dial.) **5** [degli artisti] mecenate.

protezióne s. f. **1** difesa, riparo, tutela, presidio (fig.), scudo (fig.), barriera (fig.) **2** assistenza, soccorso, appoggio (fig.), sostegno, patrocinio, auspicio (colto) **3** (est.) asilo, ricovero, rifugio **4** favoreggiamento, favoritismo **5** immunità, copertura **6** [delle tenebre] favore, complicità **7** [in loc.: sotto la] (fig.) ombra, ala, egida, manto **8** (est.) scorta.

protocollàre (1) v. tr. inventariare, registrare.

protocollàre (2) agg. rituale, formale.

protòtipo A s. m. campione, modello, esempio, archetipo (colto), esemplare **B** agg. primitivo.

protozòi s. m. pl. **1** (gener.) animale **2** [tipo di]. →animali

protràrre A v. tr. **1** [una relazione nel tempo] prolungare, allungare, continuare **CONTR.** abbreviare **2** [una scadenza, etc.] procrastinare, differire, prorogare, rimandare, rinviare, dilazionare, ritardare **CONTR.** anticipare, raccorciare **B** v. intr. pron. durare, prolungarsi, continuare **CONTR.** cessare, finire.

protuberànza s. f. **1** sporgenza, escrescenza, rilievo, rigonfiamento, prominenza **2** gobba **3** [sulla testa] bernoccolo, bitorzolo, bozza.

pròva s. f. **1** esame, test (ingl.), verifica, accertamento **2** concorso, gara, competizione, cimento (lett.) **3** [per ottenere q.c.] (est.) tentativo, sforzo (fig.), esperimento **4** [di colpa, etc.]

testimonianza, riprova, indizio, conferma **5** [per dimostrare q.c.] dimostrazione, argomento, ragione, argomentazione **6** [di abilità, di coraggio] dimostrazione, performance (ingl.), prestazione, saggio **7** [d'amore] testimonianza, pegno, atto.

provàre A v. tr. **1** [un veicolo, uno strumento] collaudare, controllare, verificare **2** [un farmaco, etc.] collaudare, sperimentare, testare **3** [i sentimenti altrui] (est.) saggiare, analizzare, appurare, scandagliare (fig.) **4** [la fame, la miseria, etc.] sperimentare, esperire (raro) **5** [amore, odio, etc.] (est.) avere, nutrire (fig.), sentire **6** [una pietanza, etc.] assaggiare **7** (ass.) arrischiarsi a, tentare, azzardare **8** [le accuse] dimostrare, confermare, comprovare, documentare, testimoniare, attestare **9** [se q.c. è vero] riscontrare, constatare, assodare **10** [un esercizio, etc.] (ass.) esercitarsi in **11** [un capo di vestiario] misurare **12** [una sensazione] vivere **13** [detto di lavoro, di sforzo, etc.] indebolire, fiaccare **B** v. rifl. **1** cimentarsi, misurarsi, tentare **2** [nella forma: provarci] buttarsi (fam.), tentare **3** [nella forma: provarci] esercitarsi, cimentarsi, misurarsi.

provàto part. pass.; anche agg. **1** collaudato, sperimentato, verificato **CONTR.** gratuito (est.) **2** [in volto] tirato, stanco **CONTR.** disteso, sereno.

proveniènte part. pres.; anche agg. **1** nativo, originario di, oriundo **2** derivato, conseguente.

proveniènza s. f. origine, fonte, derivazione, matrice, estrazione.

provenìre v. intr. **1** venire, giungere, arrivare **2** (est.) derivare, emanare, procedere, discendere, nascere (fig.), sprigionarsi, essere il prodotto, originarsi, partire, scaturire **3** (est.) dipendere, conseguire.

provènto s. m. rendita, guadagno, incasso, introito, entrata, rientro (fig.), assegnamento (lett.).

provèrbio s. m. adagio, detto, massima, aforisma (lett.).

provètto agg. valente, esperto, pratico, abile, competente **CONTR.** inesperto, novizio, principiante, tirocinante.

provìncia s. f. **1** città **2** [nel diritto canonico] circoscrizione **3** (est.) territorio, paese, terra.

provìno s. m. campione.

provocànte part. pres.; anche agg. **1** piccante, audace, osé (fr.), stimolante (est.) **CONTR.** pudico, verecondo [rif. a una persona] attraente, procace **CONTR.** pudico, verecondo.

provocàre v. tr. **1** [una reazione] causare, determinare, originare, produrre, dare origine a, occasionare, cagionare (lett.), innescare, scatenare, generare, implicare **CONTR.** impedire, rallentare, ritardare **2** [una reazione emotiva] destare, suscitare **3** [l'appetito] stuzzicare, muovere, stimolare **CONTR.** mitigare **4** [l'odio, etc.] aizzare, attizzare (fig.), accendere (fig.) **CONTR.** calmare, placare **5** [dolore, gioia, etc.] procurare, arrecare **6** [una risposta, etc.] sollecitare **7** [qc. a battersi, etc.] sfidare **CONTR.** blandire **8** [sessualmente] eccitare **9** [paura, etc.] incutere **10** [detto di situazione] comportare **11** [conseguenze] procacciare, costare (fig.), creare, fruttare (fig.) **12** [allergia, etc.] dare, indurre **13** [una malattia, etc.] predisporre.

provocatoriaménte avv. oltraggiosamente, ingiuriosamente, offensivamente **CONTR.** mitemente, rispettosamente.

provocazióne s. f. **1** sfida **2** (est.) istigazione, incitamento **3** (est.) offesa, ingiuria.

provvedére A v. intr. **1** [a un problema, etc.] rimediare, sopperire **2** curare, predisporre, pensare, deliberare **B** v. tr. **1** [q.c.] procacciare, procurare, acquistare, preparare, approntare, disporre **2** [i mezzi necessari] fornire, rifornire, dotare, munire, premunire, corredare **CONTR.** sfornire, privare **C** v. rifl. corredarsi, dotarsi, fornirsi, armarsi (fig.), munirsi, premunirsi, procurarsi, procacciarsi.

provvediménto s. m. **1** riparo, rimedio, cautela (est.), accorgimento (est.), misura **2** decisione, decreto, ordinanza, delibera.

provvidenziàle agg. **1** divino **2** opportuno, adeguato, giusto, tempestivo **CONTR.** inopportuno, rovinoso, nefasto, fatale.

provvidenzialménte *avv.* casualmente, per fortuna **CONTR.** disgraziatamente.

pròvvido *agg.* *1* previdente, prudente, saggio, avveduto **CONTR.** imprevidente, avventato *2* opportuno, benefico, tempestivo **CONTR.** disastroso, esiziale.

provvigióne *s. f.* *1* percentuale, commissione *2* (*est.*) stipendio *3* (*neg.*) tangente.

provvisoriaménte *avv.* momentaneamente, al momento, temporaneamente **CONTR.** sempre, permanentemente, perpetuamente, durevolmente, duraturamente, incancellabilmente, definitivamente.

provvisorietà *s. f. inv.* *1* [*di una situazione*] precarietà, temporaneità, instabilità, transitorietà **CONTR.** stabilità *2* [*delle cose, etc.*] vanità, caducità.

provvisòrio *agg.* *1* transitorio, temporaneo, momentaneo **CONTR.** decisivo, definitivo *2* posticcio **CONTR.** permanente *3* (*temp.*) transitorio **CONTR.** durevole, eterno.

provvista *s. f.* *1* [*spec. con: fare*] rifornimento, approvvigionamento *2* [*spec. con: essere una*] approvvigionamento, scorta, riserva, viveri *3* [*di merci*] stock (*ingl.*), assortimento.

provvisto *part. pass.; anche agg.* fornito, munito, equipaggiato, corredato **CONTR.** privo, sprovvisto, digiuno (*fig.*).

prudènte *agg.* *1* [*rif. all'atteggiamento*] cauto, oculato, attento, accorto, diplomatico, giudizioso, misurato, ponderato, previdente **CONTR.** avventato, azzardato, irragionevole, irresponsabile, irriflessivo, inconsulto, precipitoso *2* [*rif. a una persona*] assennato, avveduto, savio, saggio, maturo, riflessivo **CONTR.** avventato, azzardato, irragionevole, irresponsabile, irriflessivo, audace, ardito, imprevedibile, improvvido, imprudente, incauto, sventato, temerario *3* (*est.*) sospettoso, circospetto.

prudenteménte *avv.* *1* assennatamente, avvedutamente, giudiziosamente, saviamente **CONTR.** inavvedutamente, imprevidentemente, dissennatamente, malaccortamente *2* guar-

dingamente, cautamente **CONTR.** sconsideratamente, incautamente, avventatamente, azzardatamente, rischiosamente, temerariamente *3* discretamente.

prudènza *s. f.* *1* cautela, circospezione, oculatezza, previdenza, giudizio, assennatezza, avvedutezza, accortezza, saggezza, diplomazia, tatto (*fig.*), tattica, ponderatezza, precauzione **CONTR.** sventatezza, sbadataggine, imprudenza, sconsideratezza, temerarietà, temerità, avventatezza, faciloneria, incoscienza, leggerezza *2* riserbo, riservatezza, discrezione.

prudenziàle *agg.* precauzionale.

prudenzialménte *avv.* cautelarmente, cautelativamente.

prùdere *v. intr.* formicolare, frizzare, bruciare, pizzicare.

pruderie *s. f. inv.* (*est.*) puritanesimo.

prùgna *s. f.* *1* (*gener.*) frutto *2* susina.

pruìna *s. f.* brina.

prunàio *s. m.* *1* pruneto *2* [*rif. a situazione*] (*fig.*) ginepraio.

prùno *s. m.* *1* rovo, spina, spino (*dial.*) *2* (*gener.*) albero, pianta.

prurigine *s. f.* *1* pizzicore, prurito *2* (*est.*) voglia, smania.

prurito *s. m.* *1* pizzicore, prurigine (*lett.*), formicolio *2* (*est.*) voglia, capriccio, velleità, smania.

psicanàlisi *s. f. inv.* V. *psicoanalisi.*

psicanalista *s. m. e f.* V. *psicoanalista.*

psicanalizzàre *v. tr.* V. *psicoanalizzare.*

psicastènico A *s. m.* (*f. -a*) (*psicol.*) psicolabile, nevrotico, nevrastenico *B agg.* nevrotico **CONTR.** equilibrato, sano.

psiche (1) *s. f.* mente, spirito, anima, interno, inconscio.

psiche (2) *s. f.* specchio.

psiche (3) *s. f.* (*gener.*) farfalla.

psicoanàlisi o **psicanàlisi** *s. f. inv.* analisi (*gerg.*), psicoterapia, terapia.

psicoanalista o **psicanalista** *s. m. e f.* psicoterapeuta, psicoterapista, analista (*gerg.*).

psicoanalizzàre o **psicanalizzàre** *v. tr.* analizzare, interpretare (*est.*).

psicologìa *s. f.* (*gener.*) scienza, disciplina.

psicòsi *s. f. inv.* ossessione, turba.

psicoterapèuta *s. m. e f.* psicoterapista, psicoanalista, analista (*gerg.*).

psicoterapìa *s. f.* analisi (*gerg.*), terapia (*gerg.*), psicoanalisi.

psicoterapista *s. m. e f.* psicoterapeuta, psicoanalista.

pub *s. m. inv.* bar.

pubblicaménte *avv.* *1* ufficialmente, notoriamente **CONTR.** confidenzialmente, riservatamente *2* davanti a tutti, apertamente **CONTR.** riservatamente, in privato, privatamente, individualmente.

pubblicàre *v. tr.* *1* divulgare, proclamare, diffondere, propagare, presentare, rendere di pubblico dominio *2* [*una legge, etc.*] bandire, emanare, promulgare *3* [*un segreto*] svelare, rivelare *4* [*un libro, un documento*] stampare, tirare, editare.

pubblicazióne *s. f.* *1* [*tipo di*] articolo, libro, rivista, giornale, opuscolo *2* diffusione, divulgazione, stampa, apparizione *3* [*rif. alla veste tipografica*] (*est.*) presentazione, edizione *4* [*di una legge*] emanazione, promulgazione (*bur.*).

pubblicista *s. m. e f.* (*gener.*) scrittore.

pubblicità *s. f.* réclame (*fr.*), promozione, propaganda, promotion (*ingl.*), divulgazione, diffusione.

pubblicitàrio A *s. m.* (*f. -a*) propagandista *B agg.* promozionale.

pubblicizzàre *v. tr.* diffondere, divulgare, propagandare, lanciare (*fig.*), fare conoscere, reclamizzare.

pùbblico (1) *agg.* *1* comune, generale **CONTR.** privato, familiare, riservato, individuale *2* sociale, collettivo, statale **CONTR.** privato *3* [*rif. a un luogo, a un giardino*] aperto, accessibile

CONTR. chiuso, privato, inaccessibile.

pùbblico (2) *s. m. inv.* gente, folla, teatro (*fig.*), stadio (*fig.*), assemblea (*est.*).

pùbe *s. m.* inguine (*anat.*).

pubertà *s. f. inv.* adolescenza, sviluppo (*fam.*) **CONTR.** infanzia, maturità, vecchiaia.

pudicaménte *avv.* castamente, decentemente, morigeratamente, onestamente, verecondamente, timidamente **CONTR.** dissolutamente, lascivamente, licenziosamente, lussuriosamente, libidinosamente, oscenamente, sconciamente, scostumatamente, procacemente, svergognatamente.

pudicìzia *s. f.* pudore, verecondia, vergogna, modestia **CONTR.** immodestia, impudicizia.

pudìco *agg.* (*pl. m. -chi*) **1** [*rif. al comportamento*] vergognoso, timido, modesto, umile, verecondo **CONTR.** impudico, inverecondo, dissoluto, licenzioso, lussurioso, libertino, libidinoso, osceno, piccante, osé, audace, azzardato **2** [*rif. a un abito*] modesto, umile, castigato, decente **CONTR.** osceno, osé, audace, azzardato, procace, provocante, sexy (*ingl.*) **3** [*rif. al linguaggio, etc.*] castigato **CONTR.** scurrile, spinto.

pudóre *s. m.* **1** riserbo, vergogna, pudicizia, verecondia, modestia **CONTR.** sfacciataggine, sfrontatezza, impudenza, indecenza **2** discrezione, ritegno, ritrosia **3** [*spec. con: senza*] decenza.

puerìle *agg.* fanciullesco, infantile, bambinesco, immaturo (*est.*) **CONTR.** adulto, maturo.

puerilità *s. f. inv.* **1** [*qualità intellettuale*] (*neg.*) scemenza, sciocchezza, stupidaggine, idiozia, dabbenaggine, semplicioneria, cretineria **2** [*l'azione*] scemenza, sciocchezza, stupidaggine, idiozia, corbelleria, castroneria (*pop.*), stronzata (*volg.*), cretinata (*pop.*).

puerilménte *avv.* bambinescamente, fanciullescamente, infantilmente, innocentemente **CONTR.** saggiamente (*est.*).

puerìzia *s. f.* fanciullezza, infanzia.

pugilàto *s. m. sing.* **1** boxe (*fr.*) **2** (*gener.*) sport.

pùgile *s. m.* boxeur (*fr.*).

pugnàce *agg.* battagliero, bellicoso, combattivo.

pugnalàre *v. tr.* accoltellare, colpire con il pugnale, ferire, stilettare (*raro*).

pugnalàta *s. f.* **1** (*gener.*) colpo **2** coltellata, stilettata.

pugnàle *s. m.* **1** (*gener.*) arma **2** coltello.

pugnàre *v. intr.* lottare.

pugnitòpo *s. m.* V. *pungitopo*.

pùgno *s. m.* **1** colpo, manata, cazzotto (*pop.*), percossa, diretto (*gerg.*) **2** [*di persone*] (*fig.*) manciata, manipolo, brancata (*fam.*), mannello [*di cose*] manciata.

pùlce *s. f.* (*gener.*) insetto.

pulcèlla o **pulzèlla** *s. f.* **1** fanciulla, ragazza, donzella, vergine **2** femmina.

pulédro *s. m.* (*f. -a*) (*gener.*) cavallo.

pulìre A *v. tr.* **1** tergere (*colto*), detergere, nettare (*raro*) **CONTR.** insudiciare, lordare, sporcare, insozzare **2** [*modi di*] spazzolare, lavare, sciacquare, sgrassare, smacchiare, fregare (*est.*), sfregare (*est.*), rigovernare, spolverare, spazzare, scopare **CONTR.** imbrattare, impataccare, impiastrare, impiastricciare, macchiare, ungere, infangare **3** [*il viso, etc.*] struccare **4** [*l'ambiente, l'acqua*] bonificare, disinfettare, disinquinare, purificare **CONTR.** contaminare **5** [*il cavallo*] (*est.*) spazzolare, strigliare **6** [*un condotto, una tubatura*] (*est.*) spurgare **7** [*una superficie*] levigare, pomiciare (*raro*), lisciare, polire, lucidare, rifinire **8** [*le tasche, al gioco*] (*est.*) ripulire (*fig.*), vuotare **9** [*il linguaggio*] (*fig.*) purgare, forbire **10** [*l'animo dai peccati*] mondare **B** *v. rifl.* **1** lavarsi, detergersi, nettarsi (*raro*) **CONTR.** imbrattarsi, impataccarsi, insozzarsi, insudiciarsi, lordarsi, macchiarsi, sporcarsi **2** [*la bocca*] forbirsi (*raro*) **3** [*il viso*] struccarsi.

pulìto *agg.* **1** lindo, terso, nitido, aset-

tico, sterilizzato, disinfettato, mondo **CONTR.** sporco, macchiato, infetto, imbrattato, impiastrato, inzaccherato, lordo (*lett.*), sordido, sozzo (*pop.*), sudicio **2** (*est.*) bianco, immacolato **CONTR.** sporco, macchiato **3** [*rif. a una persona*] dabbene, leale, onesto **CONTR.** sporco, indecente, laido, disonesto, sconcio **4** [*rif. all'aria*] fresco **CONTR.** viziato.

pulitùra *s. f.* **1** pulizia **2** lucidata (*fam.*) **3** [*di un articolo, di un libro*] rifinitura, ritocco **4** (*est.*) toeletta.

pulìzia *s. f.* **1** nitidezza (*raro*), igiene, nettezza (*raro*), nitore, lindore, lindura (*raro*), lucentezza, ordine (*est.*) **CONTR.** sudiciume, sudicio, sozzura, sporcizia, lordura, lerciume **2** [*nello stile*] eleganza, perfezione **3** [*morale*] onestà, correttezza **4** [*di una casa, etc.*] cura, pulitura (*raro*).

pullman *s. m. inv.* **1** corriera, autobus **2** (*gener.*) veicolo, autoveicolo.

pullòver *s. m. inv.* maglione, maglia.

pullulàre *v. intr.* **1** [*detto di acqua, etc.*] scaturire, sgorgare, gorgogliare **2** [*detto di luogo*] (*est.*) brulicare, formicolare, essere gremito, essere pieno **3** [*detto di pianta, etc.*] germogliare, rampollare, germinare, gemmare.

pùlpito *s. m.* cattedra (*est.*).

pulsàre *v. intr.* **1** [*detto di cuore, etc.*] palpitare, battere, martellare (*fig.*), saltellare (*fig.*) **2** [*per il traffico, etc.*] (*fig.*) palpitare, vibrare, fervere, brulicare.

pulsazióne *s. f.* battito, palpito, palpitazione.

pulsióne *s. f.* spinta, impulso, istinto.

pulzèlla *s. f.* V. *pulcella*.

punch *s. m. inv.* (*gener.*) liquore.

pungènte *part. pres.; anche agg.* **1** [*rif. a un odore*] penetrante, acuto, acre, acido **CONTR.** dolce **2** [*rif. al sapore*] piccante, aspro, agro, acido **CONTR.** dolce **3** [*rif. a un discorso, a una battuta*] (*fig.*) acido, caustico, sarcastico, brusco, mordace, salato, salace, corrosivo, maligno, sardonico **CONTR.** dolce, bonario, simpatico **4** [*rif. a uno strumento*] tagliente **CONTR.** smussato, arrotondato **5** [*rif. all'aria*] stimo-

pungere 446 **puntàre (3)**

lante, frizzante **CONTR.** pesante, greve.

pùngere v. tr. 1 [detto di ago, etc.] bucare, ferire, trafiggere 2 [detto di insetto] pizzicare, punzecchiare, beccare, pinzare, morsicare (est.), mordere (est.) 3 [la pelle, la gola, etc.] graffiare, irritare 4 [detto di vento] pelare 5 [qc.] (est.) incitare (fig.), spronare 6 [qc. con le parole] (est.) molestare, tormentare, criticare, motteggiare.

pungiglióne s. m. aculeo, spina, ago.

pungitòpo o **pugnitòpo** s. m. (bot.) brusco (dial.).

pungolàre v. tr. 1 [gli animali al lavoro] (est.) stimolare, incitare, spronare 2 [qc.] sollecitare, esortare, consigliare, scuotere (fig.) **CONTR.** frenare, scoraggiare.

pùngolo s. m. 1 stimolo, incentivo, spinta (fig.) 2 (est.) tormento, assillo (fig.), tarlo (fig.), chiodo (fig.).

punire A v. tr. 1 castigare **CONTR.** premiare, ricompensare 2 penalizzare 3 condannare **CONTR.** graziare, amnistiare 4 [modi di] picchiare, battere, percuotere 5 [un soldato] (mil.) consegnare 6 (est.) dannare **B** v. rifl. mortificarsi, umiliarsi.

punizióne s. f. 1 castigo, pena, penitenza, sanzione, lezione (est.) 2 (est.) croce (fig.), tormento 3 (est.) rappresaglia, vendetta.

pùnta s. f. 1 [del naso, etc.] estremità 2 aculeo 3 [di un monte] cima, apice, vetta 4 [di alberi, etc.] cuspide, colmo 5 capo 6 [di un fazzoletto] pizzo 7 [rif. a un movimento artistico] avanguardia 8 [di q.c.] (est.) pizzico, frammento, scaglia.

puntàre (1) A v. tr. 1 [un'arma] rivolgere, dirigere, drizzare, spianare 2 [una somma di denaro] scommettere, fare una puntata, giocare d'azzardo, giocare 3 [lo sguardo] fissare, guardare, volgere, tendere **B** v. intr. 1 avanzare, dirigersi, avviarsi, procedere, convergere, indirizzarsi **CONTR.** retrocedere 2 indirizzarsi, aspirare a, avere come obiettivo un 3 affidarsi a, contare, confidare in.

puntàre (2) v. tr. [la preda] (est.) fiutare.

puntàre (3) v. tr. [i meriti, etc.] appuntare.

puntàta (1) s. f. 1 stoccata, colpo 2 gomitata 3 scappata, incursione.

puntàta (2) s. f. 1 giocata, scommessa 2 (est.) posta.

puntàta (3) s. f. [di un romanzo, di un film] (est.) episodio.

punteggiàre v. tr. 1 picchiettare, macchiettare 2 [un discorso] (est.) intercalare, inframmezzare, alternare.

puntéggio s. m. punto (pl.).

puntellàre A v. tr. sorreggere, sostenere, reggere, rincalzare, rinforzare **CONTR.** abbattere, atterrare, demolire **B** v. rifl. appoggiarsi, sostenersi, reggersi, assicurarsi.

puntiglio s. m. 1 ostinazione, accanimento, caparbietà, volontà (est.) 2 (est.) rivalsa, picca, ripicca (est.) fissazione, capriccio.

puntigliosaménte avv. caparbiamente, ostinatamente, tenacemente.

puntiglióso agg. ostinato, caparbio, accanito, bisbetico **CONTR.** conciliante, remissivo, arrendevole.

pùnto (1) s. m. 1 luogo, posto, posizione (raro) 2 [spec. con: oltrepassare il] segno, termine, limite 3 (est.) momento, attimo, istante 4 [in un libro, etc.] passo, brano 5 segno, macchia 6 [di colore] gradazione, tonalità 7 argomento, questione 8 (sport) punteggio, grado 9 (est.) vertice 10 (med.) sutura.

pùnto (2) A agg. indef. alcuno, nessuno **B** avv. niente, per nulla **CONTR.** moltissimo, molto, del tutto.

puntuàle agg. esatto, preciso **CONTR.** ritardatario.

puntualità s. f. inv. 1 tempestività 2 [di linguaggio] esattezza, proprietà 3 precisione, diligenza, scrupolosità.

puntualizzàre v. tr. 1 focalizzare, precisare, mettere l'accento (fig.), definire 2 fare il punto della situazione.

puntualménte avv. 1 con puntualità, al tempo stabilito 2 diligentemente, esattamente, fedelmente, con attenzione **CONTR.** intempestivamente, ine-

sattamente, imprecisamente.

puntùra s. f. 1 [di insetti] pinzatura, morso, morsicatura, pinzata (dial.) 2 trafittura, fitta 3 (med.) iniezione.

punzecchiàre A v. tr. 1 [detto di insetto, etc.] pizzicare, pungere 2 [qc.] (est.) motteggiare, molestare, ferire, canzonare, tormentare, irritare, infastidire **B** v. rifl. rec. attaccarsi.

punzóne s. m. conio.

pùpa s. f. 1 bambola, vamp (ingl.) 2 bambina.

pupàzzo s. m. burattino, fantoccio, marionetta.

pùpo s. m. (f. -a) 1 bambino, bimbo, infante, bebè 2 fantoccio, burattino, marionetta.

pùppa s. f. mammella, zinna (merid.), cioccia (dial.), poppa (tosc.), tetta (dial.).

puraménte avv. 1 castamente, illibatamente **CONTR.** dissolutamente, disonestamente 2 esclusivamente, unicamente, soltanto.

pùre A avv. 1 anche, fino, parimenti **CONTR.** neanche, neppure 2 già 3 (lett.) davvero **B** cong. nondimeno, tuttavia, eppure.

purézza s. f. 1 [di alimenti, etc.] genuinità, schiettezza **CONTR.** sofisticazione 2 [rif. al diamante] trasparenza, limpidità 3 candore, integrità, onestà 4 castità, verginità, illibatezza 5 [rif. al clima, etc.] sanità 6 (gener.) virtù.

purgànte A agg. lassativo **CONTR.** astringente **B** s. m. (gener.) farmaco.

purgàre A v. tr. 1 [l'aria, etc.] depurare, purificare, ripulire, pulire **CONTR.** inquinare, corrompere 2 [uno scritto] (est.) raffinare, rettificare, castigare (fig.) 3 [l'animo] mondare 4 [i peccati, le colpe] (est.) emendare, espiare, riparare, scontare, pagare 5 [un condotto, una tubatura] espurgare, spurgare 6 [la seta nei processi industriali] sgommare **B** v. rifl. 1 depurarsi (raro) 2 purificarsi, mondarsi.

purificàre A v. tr. 1 depurare, disinquinare, disinfettare, ripulire, disintossicare, purgare, pulire **CONTR.** contagiare, contaminare, corrompere, guastare, inquinare **2** [*un peccato, etc.*] (*est.*) riparare **3** [*un elemento*] rettificare **4** [*un liquido*] chiarire, defecare, chiarificare, decantare **CONTR.** intorbare, intorbidare **5** [*la lingua, i modi*] raffinare **6** [*l'animo*] mondare **B** *v. intr. pron.* [*dalle scorie*] depurarsi, filtrarsi, purgarsi, liberarsi **CONTR.** intorbidarsi, lordarsi **C** *v. rifl.* mondarsi, liberarsi.

puritanésimo *s. m.* **1** intransigenza, moralismo, integralismo **2** pruderie (*fr.*).

pùro **A** *agg.* **1** netto, genuino **CONTR.** impuro, infetto, contaminato, corrotto, alterato, viziato **2** mero (*lett.*), schietto, semplice **3** onesto, casto, illibato, intatto **CONTR.** corrotto, immorale, impudico, licenzioso, lubrico, osceno, perverso, pervertito **4** (*fig.*) candido, immacolato, mondo **CONTR.** macchiato **5** [*rif. all'acqua*] cristallino, limpido **CONTR.** impuro, inquinato **B** *s. m.* (*f. -a*) onesto **CONTR.** corrotto.

purtròppo *avv.* **1** sfortunatamente, infelicemente, sciaguratamente, disgraziatamente **CONTR.** fortunatamente **2** ormai.

pus *s. m. inv.* materia (*pop.*).

pusillànime **A** *agg.* vigliacco, codardo, vile, pavido **CONTR.** prode (*poet.*),
audace, animoso, coraggioso, eroico, fiero **B** *s. m. e f.* codardo, vigliacco.

pusillanimità *s. f. inv.* vigliaccheria, codardia, pavidità, viltà **CONTR.** coraggio, valore, audacia.

pùstola *s. f.* brufolo, bolla.

puteàle *s. m.* [*di un pozzo*] vera, ghiera, parapetto.

putifèrio *s. m.* confusione, bailamme, parapiglia, pandemonio, babilonia (*fig.*), casino (*pop.*), baraonda, vespaio (*fig.*), scandalo (*est.*), chiasso.

putire *v. intr.* puzzare **CONTR.** profumare.

putrefàre *v. intr. pron.* **1** [*detto di carne, etc.*] decomporsi, corrompersi, imputridire **2** [*detto di cibo*] rovinarsi, guastarsi, alterarsi, marcire **3** [*detto di legno, etc.*] corrodersi, infradiciarsi.

putrefàtto *part. pass.; anche agg.* fradicio, marcio, corrotto, putrido **CONTR.** sano, intatto.

pùtrido **A** *agg.* marcio, putrefatto, fradicio, guasto, infetto **CONTR.** sano, integro **B** *s. m. sing.* putridume, corruzione (*fig.*).

putridùme *s. m.* **1** marcescenza **2** (*est.*) corruzione.

putsch *s. m. inv.* golpe, colpo di stato, rivolta.

puttàna *s. f.* prostituta, sgualdrina, meretrice (*lett.*), etera (*lett.*), bagascia (*genov.*), mignotta (*roman.*), troia (*tosc.*), zoccola (*volg.*), vacca (*volg.*), scrofa (*volg.*), ragazza squillo, sacerdotessa di Venere (*euf.*), mondana, baldracca (*volg.*), battona (*volg.*), peripatetica (*colto*).

puttaneggiàre *v. intr.* **1** prostituirsi, vendersi, battere (*volg.*) **2** (*est.*) civettare.

pùzza *s. f.* **1** lezzo, pestilenza, fetore, miasma, tanfo **CONTR.** aroma, fragranza, profumo **2** (*gener.*) odore.

puzzàre *v. intr.* **1** putire (*lett.*) **CONTR.** odorare, olezzare, profumare **2** [*detto di ospite*] (*est.*) annoiare, infastidire **3** [*di imbroglio*] (*est.*) sapere (*fig.*), sembrare un, parere un, odorare (*fig.*) **4** [*detto di opera artistica, etc.*] assomigliare a, risentire.

puzzle *s. m. inv.* **1** (*gener.*) gioco **2** rompicapo.

pùzzo *s. m.* **1** tanfo, miasma, lezzo, fetore, sito (*tosc.*), peste (*est.*), olezzo (*scherz.*) **CONTR.** aroma, fragore, profumo **2** (*gener.*) odore.

puzzolènte *agg.* fetido.

q, Q

qua *avv.* qui, in questo luogo **CONTR.** in altro luogo, altrove, là.

quadèrno *s. m.* [*tipo di*] notes, agenda, taccuino, fascicolo, diario, album, albo.

quadràngolo A *s. m.* (*mat.*) poligono **B** *agg.* (*anche fig.*) tetragono, quadrato.

quadràre (1) *v. tr.* (*mat.*) dare forma quadrata *a.*

quadràre (2) *v. intr.* 1 [*detto di conto, etc.*] tornare, essere esatto 2 [*detto di ragionamento, etc.*] (*est.*) corrispondere, coincidere, combaciare, adattarsi, calzare (*fig.*), concordare, collimare 3 piacere, soddisfare, garbare (*tosc.*) **CONTR.** dispiacere, urtare.

quadràto (1) *agg.* 1 solido, robusto 2 [*rif. a una persona*] assennato, equilibrato, giudizioso **CONTR.** squilibrato, debole 3 (*mat.*) quadrangolo, quadro.

quadràto (2) *s. m.* 1 (*gener.*) poligono 2 (*sport*) ring.

quadrìvio *s. m.* crocevia, incrocio, crocicchio.

quàdro (1) *s. m.* 1 dipinto, tavola, tela, pittura, olio (*est.*), tempera (*est.*), acquerello (*est.*), pastello (*est.*) 2 (*est.*) visione, veduta, scena 3 (*est.*) descrizione, resoconto 4 tabella, schema, sinossi 5 (*tecnol.*) pannello 6 dirigente, funzionario.

quàdro (2) *agg.* 1 quadrato 2 [*rif. al fisico*] (*fig.*) robusto, massiccio, grosso **CONTR.** debole.

quadruplicàre *v. tr.* 1 moltiplicare 2 (*est.*) ingrandire.

quagliàre *v. intr.* 1 coagulare, cagliare, cagliarsi, rapprendere 2 (*est.*) concludere.

quàlche *agg. indef. sing.* 1 alcuno, certo, taluno 2 un po' di.

qualcòsa *pron. indef. sing.* 1 un po', abbastanza, molto 2 qualcuno.

qualcùno A *pron. indef. sing.* 1 alcuni, qualcheduno 2 [*spec. in prop. interr. o dubitative*] nessuno **B** *s. m. sing.* personaggio, personalità.

quàle A *agg. interr.* che, chi, che razza di **B** *agg. escl.* che **C** *agg.* identico, uguale **D** *pron. interr.* chi, che **E** *pron. rel.* che, cui **F** *pron. indef.* alcuni, altri, gli uni, gli altri, l'uno, l'altro **G** *avv.* in qualità di, in veste di.

qualificàre A *v. tr.* 1 giudicare, distinguere 2 [*qc. per il lavoro*] preparare, formare 3 caratterizzare, definire **B** *v. rifl.* 1 [*in un concorso, etc.*] classificarsi 2 presentarsi, dire il proprio nome, definirsi, dichiararsi 3 specializzarsi, aggiornarsi.

qualificazióne *s. f.* 1 titolo 2 (*sport*) giudizio, valutazione.

qualità *s. f. inv.* 1 [*rif. a una persona*] caratteristica, requisito, peculiarità, attributo, numero (*fig.*), merito 2 caratteristica, proprietà (*est.*), dote, virtù, pregio, risorsa 3 [*rif. a un'auto, etc.*] (*est.*) marca, tipo 4 [*rif. a un oggetto prezioso*] (*est.*) valore 5 [*rif. a una persona*] (*est.*) natura, indole 6 [*tipo di*] lealtà, emotività, bontà, onestà, correttezza, educazione, schiettezza, rettitudine, arrendevolezza, dolcezza, mitezza, amabilità, cordialità, disponibilità, affabilità, socievolezza, umanità, altruismo 7 (*est.*) lega (*fig.*), tinta (*fig.*), specie, sorta, genere, razza.

qualóra *cong.* se, quando, allorché, ove.

qualsìasi *agg. indef.* tutto, ogni, qualunque.

qualsivòglia *agg. indef.* qualsiasi.

qualùnque A *agg. indef.* 1 qualsiasi 2 [*rif. a una persona*] comune, ordinario **CONTR.** ragguardevole, importante, singolare 3 [*spec. con: riuscire a*] ogni **B** *agg. indef. rel.* l'uno o l'altro.

qualunquìsta A *agg.* qualunquistico, indifferente **B** *s. m. e f.* conformista.

qualunquìstico *agg.* qualunquista.

quand'ànche *loc. cong.* V. *anche.*

quàndo A *avv.* 1 come 2 (*temp.*) allorquando, allorché, mentre **B** *cong.* 1 nel momento in cui 2 [*con valore avversativo*] mentre, laddove 3 [*con valore condizionale*] se, qualora **C** *s. m. inv.* modalità, tempo, momento **CONTR.** come.

quantificàre *v. tr.* quantizzare, misurare, valutare, calcolare, determinare, specificare.

quantità *s. f. inv.* 1 numero 2 entità, volume, peso, grandezza, misura 3 quota, contingente, quoziente 4 (*gener.*) dimensione 5 copia (*lett.*), profusione 6 [*di merci*] (*est.*) partita, assortimento.

quantizzàre *v. tr.* quantificare, misurare, calcolare, determinare, valutare, specificare.

quànto *s. m. sing.* quantità, portata, ammontare.

quantùnque *cong.* benché, sebbene, nonostante.

quarantèna *s. f.* isolamento, segregazione.

quartière *s. m.* 1 rione, settore, zona, sestiere (*lett.*), borgo, sobborgo, parte 2 (*est.*) comando (*raro*) 3 appartamento, alloggio 4 (*arald.*) quarto.

quàrto *s. m.* (*arald.*) quartiere.

quàsi A *avv.* 1 approssimativamente, circa, pressappoco, pressoché, all'incirca **CONTR.** proprio, esattamente, precisamente 2 forse, probabilmente **B** *cong.* come, come se.

quattrìno *s. m.* soldo, moneta, denaro.

quél *agg. e pron. dimostr.* V. *quello.*

quéllo o **quél A** *agg. dimostr.* **CONTR.**

questo **B** *pron. dimostr.* **1** codesto **2** come, quanto.

quèrcia *s. f. (pl. -ce)* **1** *(gener.)* albero, pianta **2** rovere, leccio.

querèla *s. f.* **1** denunzia **2** lamento, doglianza *(colto)*.

querelàre A *v. tr. (dir.)* citare, denunciare, accusare **B** *v. intr. pron.* lamentarsi, rammaricarsi, lagnarsi, dolersi, deplorare, compiangere **CONTR.** complimentarsi, rallegrarsi.

quèrulo *agg.* **1** lamentevole **2** *[rif. a un vecchio, etc.]* piagnucoloso.

quesìto *s. m.* **1** interrogativo, domanda **2** problema, questione **3** *(est.)* test *(ingl.)*.

questionàre *v. intr.* discutere, polemizzare, litigare, altercare, bisticciare, ragionare, dissertare, competere *(est.)*, contendere, contrastare *(raro)*, disputare **CONTR.** pacificarsi, rappacificarsi.

questióne *s. f.* **1** problema, quesito, domanda, punto *(fig.)* **2** *[spec. con: porre in]* dubbio, discussione **3** controversia, disputa, lite, litigio, diverbio, vertenza *(bur.)* **4** obiezione **5** affare *(fam.)*, storia.

quèsto A *agg. dimostr.* **1** codesto **CONTR.** quello **2** siffatto, simile, tale **B** *pron. dimostr.* **CONTR.** quello.

quèstua *s. f.* colletta.

questuànte *s. m. e f.* accattone, barbone, mendicante, mendico.

questuàre A *v. intr.* elemosinare, pitoccare **B** *v. tr.* elemosinare, accattare, mendicare, postulare.

questùra *s. f. (est.)* polizia, commissariato.

questurìno *s. m.* poliziotto, sbirro *(spreg.)*, agente, piedipiatti *(spreg.)*.

qui *avv.* qua, in questo luogo **CONTR.** altrove, in altro luogo, colà, là.

quiescènza *s. f.* **1** inerzia, riposo, inattività **2** docilità, arrendevolezza.

quietaménte *avv.* tranquillamente, serenamente, pacatamente, rilassatamente, chetamente **CONTR.** agitatamente, nervosamente, smaniosamente.

quietànza *s. f.* ricevuta.

quietanzàre *v. tr.* saldare.

quietàre A *v. tr.* **1** *[il dolore]* acquietare, calmare, placare, sedare, attutire, chetare **CONTR.** esasperare **2** *[qc.]* acquietare, calmare, pacificare, rabbonire, rappacificare **CONTR.** esasperare, irritare, provocare, innervosire, scaldare **3** *[lo stomaco, etc.]* saziare, appagare **B** *v. intr. pron.* **1** *[detto di persona]* calmarsi, tranquillizzarsi, acquietarsi, rabbonirsi, chetarsi, raddolcirsi, scazzarsi *(volg.)* **CONTR.** esasperarsi, incollerirsi, inquietarsi, irritarsi, innervosirsi, incazzarsi, rodersi, scaldarsi, scalmanarsi, scatenarsi **2** *[detto di dolore]* assopirsi, attutirsi, placarsi, mitigarsi.

quietàto *part. pass.; anche agg.* **1** mitigato, addolcito, rabbonito, calmato, rappacificato, conciliato, sopito, allentato **CONTR.** irritato, esasperato **2** *(fig.)* appagato, contento.

quiète *s. f.* **1** immobilità, inerzia **2** silenzio, calma, pace, tranquillità **3** riposo, requie, posa, sonno *(est.)* **CONTR.** affanno, ambascia **4** *[rif. al clima]* bonaccia.

quièto *agg.* **1** *[rif. a un luogo, a una persona]* tranquillo, calmo, silenzioso, silente *(lett.)* **2** *[rif. a una persona]* sereno, pacifico, buono, pacato **CONTR.** agitato, teso, irrequieto, alterato, irritabile, affannato, ansimante, apprensivo, concitato, stravolto, adirato, irato, arrabbiato, irascibile, indemoniato *(fig.)*, rissoso **3** fermo, immobile **4** *[rif. all'esistenza]* sereno, piano **CONTR.** agitato, affannato, concitato, burrascoso, convulso, tumultuoso **5** *[rif. a un bambino]* tranquillo **CONTR.** agitato.

quindi A *cong.* indi, poi, dunque, conseguentemente, così **B** *avv. (temp.)* successivamente, poi, più tardi.

quisquìlia *s. f.* bagattella, inezia, minuzia, nonnulla, bazzecola, stupidaggine, aggeggio.

quiz *s. m. inv.* rebus, indovinello, enigma, rompicapo, test *(ingl.)*.

quòta *s. f.* **1** *[di cibo, etc.]* quantità, porzione, razione, fetta **2** *[di felicità, etc.]* dose, parte **3** *[di denaro]* tangente, aliquota, rata **4** *[di un terreno, di una casa, etc.]* frazione **5** *(geogr.)* altitudine, livello, altezza.

quotàre A *v. tr.* **1** valutare, stimare, apprezzare **2** *[una società in borsa]* fissare, determinare **B** *v. rifl. [per una contribuzione]* obbligarsi.

quotidianaménte *avv.* ogni giorno, giornalmente, tutti i giorni, giorno per giorno **CONTR.** raramente, saltuariamente.

quotidianità *s. f. inv.* **1** consuetudine, abitudine **2** *(est.)* ovvietà, banalità **CONTR.** stranezza, originalità.

quotidiàno (1) *agg.* **1** solito, abituale, giornaliero **CONTR.** raro, insolito **2** *(est.)* ordinario.

quotidiàno (2) *s. m. (gener.)* giornale.

quoziènte *s. m.* **1** *(mat.)* rapporto, cifra **2** *(est.)* quantità.

r, R

rabberciàre *v. tr.* **1** [*q.c.*] rimediare, arrangiare, accomodare, raffazzonare, rappezzare, rattoppare, racconciare, riparare, raggiustare, acciabattare **CONTR.** rompere **2** [*uno scritto, etc.*] (*est.*) correggere, sistemare, rimaneggiare.

rabberciatùra *s. f.* rappezzatura, accomodamento, rattoppo.

ràbbia *s. f.* **1** idrofobia **2** collera, ira, sdegno, furore, indignazione **3** esasperazione, accanimento, furia **4** stizza, dispetto, disappunto **5** veleno (*fig.*), odio, astio, rancore **6** bile (*fig.*), invidia.

rabbiosaménte *avv.* irosamente, arrabbiatamente, furiosamente, collericamente **CONTR.** placidamente, pazientemente (*est.*).

rabbióso *agg.* infuriato, adirato, furioso, arrabbiato, irato, accanito, collerico, irascibile, bilioso **CONTR.** mite, calmo, placido.

rabbonìre *A v. tr.* **1** ammansire, placare, calmare, acquietare, blandire, conciliare, chetare, pacificare, quietare, sedare, rassicurare, rasserenare, tranquillizzare **CONTR.** imbestialire, inasprire, indispettire, innervosire, irritare, istigare, agitare, eccitare, infiammare, esasperare, esacerbare, invelenire **2** [*un animale*] domare, mansuefare *B v. intr. pron.* **1** calmarsi, tranquillizzarsi, quietarsi, acquietarsi, chetarsi, placarsi, rassicurarsi, raddolcirsi **CONTR.** corrucciarsi, imbestialirsi, inalberarsi, inasprirsi, incattivirsi, incavolarsi, incazzarsi, incollerirsi, incrudelire, indispettirsi, inferocire, infuriarsi, ingrugnarsi, invelenirsi, irritarsi, adirarsi, eccitarsi, esasperarsi **2** [*detto di animali*] calmarsi, tranquillizzarsi, ammansirsi.

rabbonìto *part. pass.; anche agg.* quietato, rappacificato, ammansito, conciliato **CONTR.** esacerbato, inasprito, indispettito.

rabbrividìre *v. intr.* **1** [*per il freddo*] (*est.*) infreddolirsi, rattrappirsi, intirizzirsi **2** [*per la paura, per il dolore, etc.*] fremere, raccapricciare, inorridire, raggelare (*fig.*).

rabbuffàre *A v. tr.* **1** [*i capelli, etc.*] scompigliare, disordinare, arruffare, scapigliare, spettinare **CONTR.** ordinare, riordinare, pettinare, lisciare, ravviare **2** [*qc.*] sgridare, rimproverare, rimbottare, strapazzare, riprendere, rampognare **CONTR.** lodare, elogiare, encomiare, approvare *B v. intr. pron.* rannuvolarsi, annuvolarsi, oscurarsi **CONTR.** rasserenarsi.

rabbùffo *s. m.* sgridata, rimprovero, ramanzina, parte, paternale, rimbrotto **CONTR.** lode, elogio.

rabbuiàre *A v. intr.* rannuvolare, oscurare, offuscare, incupire **CONTR.** illuminare, schiarire *B v. intr. pron.* **1** [*detto di persona, etc.*] (*est.*) corrucciarsi, incupirsi, ingrunarsi, adombrarsi, turbarsi, inquietarsi, adirarsi **CONTR.** calmarsi, rasserenarsi, distendersi **2** [*detto di cielo, di tempo, etc.*] oscurarsi, rannuvolarsi, annuvolarsi, annottare, abbuiarsi, ottenebrarsi **CONTR.** rasserenarsi.

raccapezzàre *A v. tr.* **1** [*q.c.*] raggranellare, raccogliere, racimolare, ritrovare, raccattare, raccozzare, radunare, raggruzzolare **2** [*il significato*] afferrare, intendere *B v. intr. pron.* **1** orientarsi, orizzontarsi, ritrovarsi **CONTR.** disorientarsi, smarrirsi **2** (*est.*) capire **CONTR.** confondersi.

raccapricciànte *part. pres.; anche agg.* **1** agghiacciante, spaventoso **CONTR.** rasserenante, piacevole **2** (*est.*) orrido, orribile, orripilante, mostruoso.

raccapricciàre *v. intr.* inorridire, agghiacciare (*fig.*), raggelare (*fig.*), rabbrividire (*fig.*) **CONTR.** distendere, rasserenare.

raccapriccio *s. m.* **1** ribrezzo, orrore, impressione, senso **2** terrore, spavento, paura.

raccattàre *v. tr.* **1** raccogliere, sollevare, riprendere, ripigliare **2** radunare,

raggranellare, racimolare, raccozzare, raccapezzare (*raro*).

racchiùdere *v. tr.* **1** comprendere, contenere, includere, delimitare, cingere, circoscrivere, limitare, abbracciare (*fig.*), capire (*raro*) **2** (*est.*) implicare, comportare, significare **CONTR.** escludere **3** [*q.c. nel cuore, etc.*] (*fig.*) albergare, nascondere (*lett.*).

raccògliere *A v. tr.* **1** cogliere, raccattare, riprendere, ripigliare, sollevare **CONTR.** gettare **2** [*frutta, cereali, etc.*] cogliere, mietere, spigolare, falciare **3** [*cose disordinatamente*] raccapezzare, raccozzare, conglobare, ammassare **4** [*cose ordinatamente*] collezionare, fare una collezione di **5** [*uno stipendio, etc.*] percepire, ricevere, ricavare, trarre, conseguire, guadagnare **6** [*denaro*] raggranellare, racimolare, accumulare, rastrellare (*fig.*) **CONTR.** disseminare, spandere, gettare **7** [*persone*] adunare, radunare, chiamare, convocare, fare venire, accentrare, concentrare **CONTR.** dividere, sbandare, disperdere **8** [*informazioni*] (*fig.*) attingere **9** [*un consiglio*] (*fig.*) accogliere, prendere **10** [*le vesti, etc.*] (*est.*) ripiegare, piegare **CONTR.** dispiegare **11** [*qc. in un luogo*] (*est.*) ospitare **12** [*la simpatia, il favore*] guadagnarsi, incontrare (*fig.*) *B v. rifl.* **1** [*in una determinata posizione fisica*] comporsi, accomodarsi, rannicchiarsi **2** (*est.*) concentrarsi, riflettere, chiudersi (*fig.*) **CONTR.** deconcentrarsi, distrarsi *C v. intr. pron.* **1** [*detto di persone*] ammassarsi, riunirsi, radunarsi, raggrupparsi, adunarsi, accentrarsi, convenire, accalcarsi, stiparsi, concentrarsi **CONTR.** sparpagliarsi **2** [*detto di nuvole, etc.*] ammassarsi, accumularsi, addensarsi **CONTR.** disperdersi **3** [*detto di acqua, etc.*] (*est.*) confluire **CONTR.** disperdersi **4** [*intorno a qc.*] stringersi.

raccoglimento *s. m.* concentrazione, meditazione, silenzio (*fig.*).

raccoglitóre *s. m.* album, albo.

451

radiazione

raccòlta *s. f.* **1** antologia, florilegio (*colto*), selezione **2** collezione, collana, serie, corpo (*fig.*), insieme **3** adunata.

raccòlto (1) *part. pass.; anche agg.* **1** assorto, meditabondo, cogitabondo **2** [*rif. a un luogo*] tranquillo, intimo, calmo, silenzioso **3** [*rif. al comportamento*] misurato, dignitoso, discreto, temperato **CONTR.** smodato, esagerato, eccessivo, sregolato.

raccòlto (2) *s. m.* **1** mietitura, messe **2** [*della frutta, etc.*] produzione.

raccomandàre A *v. tr.* **1** [*q.c. al muro, etc.*] assicurare, fissare, agganciare, fermare **CONTR.** togliere, sganciare **2** [*una lettera, un pacco*] affidare, consegnare, rimettere **3** [*un medico, una pietanza*] consigliare, suggerire, ricordare **CONTR.** sconsigliare **4** [*qc. presso altri*] presentare, introdurre **5** [*un candidato, etc.*] appoggiare, segnalare, caldeggiare **CONTR.** denigrare, screditare, calunniare, diffamare **6** [*usato con la prep. di e il verbo all'infinito*] consigliare, suggerire, ricordare, avvertire, pregare, esortare, ammonire, comandare, predicare **CONTR.** sconsigliare **B** *v. rifl.* **1** chiedere, implorare, supplicare, scongiurare **2** appoggiarsi (*fig.*), affidarsi, ricorrere, rimettersi.

raccomandazióne *s. f.* **1** intercessione, presentazione, perorazione, segnalazione (*fig.*), appoggio (*fig.*), ufficio (*fig.*), interessamento **2** consiglio, sollecitazione, esortazione, avvertimento, preghiera (*est.*).

raccomodàre *v. tr.* **1** riparare, accomodare, aggiustare, rassettare, racconciare **CONTR.** rompere, guastare **2** (*neg.*) raffazzonare **3** [*un abito, etc.*] rammendare, rattoppare, ricucire **4** [*una casa, etc.*] riadattare, riattare, risistemare.

racconciàre A *v. tr.* **1** riparare, risistemare, raccomodare, rabberciare, accomodare, aggiustare, rassettare, riattare, ordinare, raggiustare, rifare (*est.*) **CONTR.** rompere, guastare **2** (*neg.*) raffazzonare **3** [*un abito, etc.*] rappezzare, rattoppare **B** *v. rifl.* rassettarsi.

raccontàre *v. tr.* **1** [*un episodio, un incidente*] descrivere, dire, riferire, re-

lazionare, esporre **2** [*una storia, una novella*] recitare, contare, narrare **3** [*un pettegolezzo*] ridire, riportare, spifferare, propalare (*raro*) **4** [*un segreto*] confessare, confidare, rivelare (*fig.*), soffiare (*fig.*) **5** [*un avvenimento a qc.*] ragguagliare *su*.

raccontàto *part. pass.; anche agg.* narrato, riferito, descritto, esposto, riportato.

raccontìno *s. m.* **1** fatterello, aneddoto, episodio **2** favola, fiaba.

raccónto *s. m.* **1** esposizione, narrazione, descrizione, resoconto, cronistoria **2** fola, conto (*lett.*), novella, leggenda, storia, fiaba, aneddoto, parabola.

raccorciàre *v. tr.* **1** accorciare, tagliare **CONTR.** allungare **2** [*un racconto, etc.*] abbreviare, scorciare (*fig.*) **CONTR.** prolungare **3** [*i rami*] potare.

raccordàre *v. tr.* allacciare, collegare, congiungere, connettere, unire, abboccare **CONTR.** disgiungere, separare, dividere, staccare.

raccòrdo *s. m.* **1** collegamento, connessione, allacciamento **2** [*tra strade, etc.*] (*est.*) svincolo, bretella (*fig.*) **3** giunto, attacco.

raccostàre *v. tr.* **1** accostare, riavvicinare **CONTR.** allontanare, disgiungere, dividere, separare **2** raffrontare, confrontare, paragonare, riscontrare (*raro*).

raccozzàre *v. tr.* raccattare, raccapezzare, raccogliere, radunare, raggranellare, racimolare **CONTR.** disperdere, dividere, disseminare, sparpagliare.

racèmo *s. m.* [*di uva, etc.*] grappolo, pigna (*dial.*), ciocca (*pop.*).

racimolàre *v. tr.* **1** raccattare, raccapezzare, raccogliere, raccozzare **CONTR.** disperdere, spargere, diffondere, buttare **2** [*denaro*] rimediare, raggranellare, raggruzzolare (*fam.*).

ràda *s. f.* **1** golfo, baia, cala, porto (*est.*) **2** (*gener.*) insenatura.

raddensàre *v. tr.* addensare, condensare, concentrare **CONTR.** diluire, sciogliere, liquefare.

raddirizzàre *v. tr. e rifl.* V. *raddrizzare.*

raddolcìre A *v. tr.* **1** dolcificare, edulcorare (*colto*), inzuccherare, zuccherare, addolcire **2** [*l'animo*] (*est.*) contemperare, lenire (*raro*), mitigare, placare, calmare, sedare, temperare, disacerbare, rammorbidire (*fig.*), ammollire (*raro*) **CONTR.** inacerbire, inacidire, inasprire, irritare, esacerbare, amareggiare, invelenire **B** *v. intr. pron.* **1** rabbonirsi, placarsi, calmarsi, quietarsi, addolcirsi, rammorbidirsi (*fig.*) **CONTR.** inasprirsi, inacidirsi, incrudelire, inferocire, invelenirsi, irritarsi [*detto di tempo, etc.*] (*est.*) mitigarsi, rasserenarsi **CONTR.** inasprirsi.

raddoppiàre A *v. tr.* **1** duplicare **CONTR.** sdoppiare **2** doppiare, geminare, binare (*raro*) **3** accrescere, aumentare, intensificare **CONTR.** diminuire, calare **4** [*le vivie, etc.*] aumentare **CONTR.** diradare **B** *v. intr.* **1** accrescersi **2** intensificarsi **CONTR.** calare, diminuire **C** *v. rifl.* duplicarsi.

raddrizzàre o **raddirizzàre A** *v. tr.* **1** drizzare **CONTR.** contorcere **2** [*il busto, la testa, etc.*] drizzare, rizzare **CONTR.** curvare, flettere, inarcare, incurvare **3** [*qc.*] correggere, educare **CONTR.** depravare, guastare, corrompere **4** [*una situazione*] rettificare, aggiustare (*fig.*) **B** *v. rifl.* **1** drizzarsi, rizzarsi, rialzarsi **CONTR.** contorcersi, incurvarsi, inarcarsi, piegarsi, raggomitolarsi, inginocchiarsi **2** correggersi, ravvedersi, riabilitarsi **CONTR.** guastarsi, corrompersi.

ràdere A *v. tr.* **1** rasare, fare la barba **2** [*la peluria*] sbarbare (*scherz.*), depilare **3** [*i capelli*] pelare (*scherz.*), rapare, tosare (*scherz.*), cimare (*fam.*) **4** (*est.*) raschiare, limare **5** [*un muro, etc.*] rasentare, sfiorare **6** [*una casa al suolo, etc.*] diroccare, demolire **B** *v. rifl.* sbarbarsi, rasarsi.

radézza *s. f.* **1** rarità **2** infrequenza.

radiàre (1) *v. tr.* espellere, depennare, cancellare, cassare, allontanare (*est.*), mandare via **CONTR.** iscrivere, accogliere, ammettere.

radiàre (2) *v. intr.* raggiare, splendere.

radiazióne *s. f.* espulsione.

ràdica s. f. (pl. -che) 1 (bot.) saponaria 2 radice.

radicàle (1) agg. 1 totale, energico CONTR. parziale, blando 2 [rif. all'atteggiamento] rivoluzionario, estremo, innovativo CONTR. conservatore.

radicàle (2) s. m. (chim.) residuo.

radicalizzàre A v. tr. estremizzare, acuire CONTR. attenuare, moderare B v. intr. pron. impiantarsi.

radicalménte avv. completamente, totalmente, del tutto, diametralmente CONTR. parzialmente, in parte.

radicàre A v. intr. allignare, barbicare, barbificare, attaccare, attecchire, crescere, mettere radici, prendere (fam.) B v. intr. pron. 1 abbarbicarsi CONTR. staccarsi 2 [in un luogo] insediarsi, stabilirsi, stanziarsi, impiantarsi, fermarsi, inserirsi 3 [detto di situazione, di vizio] incancrenirsi (fig.).

radicàto part. pass.; anche agg. 1 inveterato, incallito, viscerale (est.) CONTR. sradicato 2 (fig.) saldo, fermo.

radice s. f. 1 radica (dial.), barba (pop.) 2 (est.) fonte, origine, causa, germe (fig.), madre (fig.) 3 (est.) base 4 (ling.) tema CONTR. terminazione, uscita, desinenza.

radiodiffóndere v. tr. radiotrasmettere, trasmettere, diffondere.

radióso agg. 1 solare, raggiante, sfolgorante, smagliante, splendente CONTR. cupo, tetro, torvo 2 [rif. a un giorno, a un evento] (fig.) felice, gioioso, lieto, beato.

radiotrasméttere v. tr. radiodiffondere, trasmettere, diffondere.

ràdo agg. 1 scarso, rarefatto, diradato CONTR. denso, fitto, folto 2 (temp.) raro.

radunàre A v. tr. 1 adunare, fare venire, congregare, riunire, convocare, chiamare, accentrare CONTR. allontanare 2 [il bestiame] adunare, imbrancare, raccogliere CONTR. sparpagliare, disperdere 3 [oggetti vari] (est.) fare venire, accumulare, ammonticchiare, ammucchiare, affastellare, ammassare, raccozzare, raccapezzare (raro), conglobare, assembrare,

conferire (raro) CONTR. dividere 4 [un po' di denaro] raccattare CONTR. distribuire 5 [oggetti particolari] collezionare B v. intr. pron. ritrovarsi, riunirsi, raccogliersi, affollarsi, adunarsi, ammassarsi, assembrarsi, accentrarsi, congregarsi CONTR. disperdersi, sparpagliarsi, dividersi, sbandarsi.

radùno s. m. adunanza, adunata, riunione, convegno, assembramento.

radùra s. f. spianata, spiazzo.

raffazzonàre v. tr. 1 rabberciare, rattoppare, racconciare, raccomodare, raggiustare, rappezzare, ricucire 2 [un lavoro] (neg.) acciabattare, abborracciare.

raffazzonàto part. pass.; anche agg. improvvisato, affrettato CONTR. accurato.

raffermàre A v. tr. 1 [qc. al suo posto] confermare, riconfermare 2 [un vincolo, etc.] rafforzare, rinnovare CONTR. indebolire, affievolire, diminuire, allentare B v. intr. pron. [detto di gelatina] indurirsi, rassodarsi CONTR. liquefarsi.

ràffica s. f. (pl. -che) 1 [di aria, di vento] folata 2 [di un'arma da fuoco] scarica, sventagliata 3 [di fatti, di eventi, etc.] successione, moltitudine.

raffiguràre A v. tr. 1 riconoscere, ravvisare, individuare 2 riprodurre, rappresentare, rendere, descrivere, esprimere, effigiare, figurare, simboleggiare 3 [qc. con la mente] configurare, supporre B v. rifl. descriversi, dipingersi, rappresentarsi.

raffigurazióne s. f. rappresentazione, simbolo (est.), effigie (est.).

raffinàre A v. tr. 1 [un prodotto] sottoporre a raffinazione, depurare, purificare 2 [i modi, i costumi] (est.) perfezionare, migliorare, ingentilire, dirozzare CONTR. imbarbarire, inzotichire, peggiorare 3 [la voce, il carattere] perfezionare, educare 4 [un oggetto] disgrossare, sgrossare, digrossare, lisciare (est.) 5 [uno scritto] perfezionare, migliorare, sgrossare, purgare (fig.) B v. rifl. dirozzarsi, diventare più fine, digrossarsi, incivilirsi, perfezionarsi, migliorarsi CONTR. involgarirsi, peggiorarsi, imbarbarirsi, inselvatichirsi.

raffinataménte avv. elegantemente, aristocraticamente, signorilmente, finemente, forbitamente, artisticamente, ricercatamente CONTR. grossolanamente, rozzamente.

raffinatézza s. f. 1 [qualità dell'animo] finezza, distinzione, delicatezza, signorilità, aristocrazia (fig.) CONTR. trivialità, volgarità 2 [rif. a una vivanda, etc.] squisitezza, prelibatezza, eccellenza 3 [rif. al modo di fare] stile, eleganza, ricercatezza, preziosismo.

raffinàto A part. pass.; anche agg. 1 [rif. a una persona] distinto, delicato, signorile, fine, colto (est.) CONTR. grossolano, inelegante, grezzo, zotico, primitivo 2 [rif. a cosa] affinato, minuzioso, digrossato, rifinito CONTR. domestico 3 [rif. a un modo di fare] sofisticato, squisito, bizantino, elegante, chic (fr.), scelto, snob (ingl.) CONTR. grossolano, inelegante, grezzo B s. m. (f. -a) signore, dandy (ingl.).

rafforzaménto s. m. irrobustimento CONTR. indebolimento.

rafforzàre A v. tr. 1 [il fisico, i muscoli] irrobustire, rinvigorire, tonificare, fortificare, temprare CONTR. indebolire, fiaccare, logorare, intorpidire, esaurire, estenuare, infiacchire, prostrare 2 [il suono, etc.] intensificare, potenziare CONTR. infievolire, ovattare 3 [un'opinione] (est.) confermare, convalidare, confortare 4 [il vincolo di amicizia] (est.) rinforzare, rinsaldare, consolidare, rinfrancare, sancire, rassodare (fig.) CONTR. minare, disgregare 5 [una lettera alfabetica] (ling.) geminare, binare 6 [i toni, i contrasti] (est.) caricare 7 [una costruzione, etc.] (est.) corazzare B v. intr. pron. 1 fortificarsi, irrobustirsi, rinvigorirsi, potenziarsi, rinsaldarsi, temprarsi, temperarsi, rassodarsi CONTR. indebolirsi, debilitarsi, infrollirsi, rammollirsi 2 [detto di dubbio, etc.] intensificarsi, consolidarsi, confermarsi CONTR. indebolirsi, infievolirsi.

raffreddàre A v. tr. 1 refrigerare, rinfrescare, gelare, ghiacciare CONTR. riscaldare, scaldare, arroventare 2 [qc.] (est.) disamorare, disinnamorare CONTR. entusiasmare 3 [un sentimento] (est.) affievolire, indebolire, attenuare, intiepidire CONTR. accendere 4 [l'entusiasmo, etc.] (est.) smorzare (fig.), reprimere, frenare (fig.), bloc-

453
raggruppare

care, rallentare (*fig.*) **5** [*i salari, etc.*] (*est.*) congelare (*fig.*), contenere **B** v. intr. pron. **1** [*detto di aria, etc.*] rinfrescare, infreddolirsi **CONTR.** scaldarsi **2** infreddarsi, prendere il raffreddore **3** [*in una relazione amorosa*] (*est.*) disamorarsi, disinnamorarsi, intiepidirsi **CONTR.** infervorarsi **4** [*detto di entusiasmo*] (*fig.*) indebolirsi, attenuarsi, affievolirsi, smorzarsi, sbollire **CONTR.** rafforzarsi.

raffrenàre A v. tr. **1** trattenere, frenare, comprimere, contenere, moderare, fermare **CONTR.** incitare, eccitare, istigare, aizzare, esaltare **2** [*il pianto, etc.*] trattenere, frenare, contenere, reprimere, padroneggiare **B** v. rifl. limitarsi, contenersi, trattenersi, padroneggiarsi, controllarsi, frenarsi, moderarsi **CONTR.** sfrenarsi, esaltarsi, eccitarsi.

raffrontàre A v. tr. confrontare, paragonare, comparare, collazionare (*colto*), accostare, riscontrare (*raro*), raccostare, ragguagliare, ravvicinare (*est.*) **B** v. rifl. confrontarsi, paragonarsi, compararsi.

raffrónto s. m. confronto, paragone, parallelo, comparazione, riscontro, collazione (*colto*).

ràfia s. f. (*gener.*) fibra.

ragàzza s. f. **1** fanciulla, adolescente, pulcella (*lett.*), donzella **CONTR.** lattante, bambina, donna **2** compagna, donna (*fam.*), fidanzata, innamorata **3** zitella, signorina, vergine **4** (*est.*) figlia **5** (*est.*) colf, domestica, cameriera.

ragazzìna s. f. fanciulla, adolescente, bimba **CONTR.** lattante, donna.

ragazzìno s. m. adolescente, fanciullo, bimbo **CONTR.** adulto, uomo, anziano, vecchio, lattante.

ragàzzo s. m. **1** fanciullo, adolescente, giovane, giovinetto, giovanotto **CONTR.** infante, neonato, pargolo, poppante, lattante, vecchio **2** maschio **3** compagno, boy (*ingl.*), boy-friend (*ingl.*), fidanzato, innamorato **4** commesso, garzone, fattorino **5** domestico **6** [*rif. a una persona matura*] (*spreg.*) bambino.

raggelàre A v. tr. agghiacciare (*fig.*), impietrire (*fig.*), annichilire, raccapric-

ciare, gelare (*fig.*), congelare (*fig.*) **B** v. intr. e intr. pron. **1** [*detto di persona*] congelarsi, irrigidirsi **CONTR.** scaldarsi, sgelarsi **2** (*est.*) rabbrividire.

raggiànte part. pres.; anche agg. **1** radioso, sfavillante, brillante, sfolgorante, rilucente **CONTR.** scuro, tetro **2** [*rif. a una persona*] radioso (*fig.*), sfavillante (*fig.*), esultante, contento, felice, giulivo **CONTR.** triste, mesto, avvilito, infelice **3** [*rif. al sorriso*] smagliante, radioso.

raggiàre A v. intr. **1** risplendere, splendere, sfavillare, dardeggiare, lampeggiare, radiare, scintillare, baleggiare, sfolgorare, luccicare, brillare **2** [*detto di calore, di luce, etc.*] propagarsi, diffondersi **3** [*detto di occhi, di sguardo*] lampeggiare, luccicare, ridere **B** v. tr. **1** [*gioia, etc.*] riflettere, irradiare, emanare, diffondere, saettare **2** (*raro*) illuminare, rischiarare.

ràggio s. m. **1** [*di speranza, etc.*] (*fig.*) sprazzo, lampo, guizzo **2** [*di luce, di sole*] (*est.*) barlume, lista, filo, balenio, striscia, fascio **3** (*mat.*) retta **4** [*l'azione*] (*est.*) sprazzo, ambito, spazio **5** [*di una ruota*] razza **6** [*in un carcere*] (*est.*) settore, ala, braccio, reparto **7** (*est.*) distanza.

raggiràre v. tr. **1** [*qc.*] rigirare, circuire, abbindolare, beffare, inculare (*volg.*), imbrogliare, ingannare, fottere (*volg.*), fregare (*pop.*), gabbare, impastocchiare, infinocchiare (*volg.*), ingarbugliare, intrappolare, bidonare (*pop.*), mistificare, prendere per il culo (*volg.*), truffare, circonvenire (*colto*), irretire **2** [*le leggi, le norme*] rigirare, frodare, eludere, aggirare **3** [*un ostacolo, etc.*] eludere, aggirare, evitare.

raggìro s. m. manovra, imbroglio, trucco, inganno, maneggio, truffa, frode, inghippo, tranello, trappola, fregatura (*pop.*).

raggiùngere v. tr. **1** [*un luogo*] arrivare a in, giungere a in **2** [*una vetta, etc.*] (*fig.*) conquistare, guadagnare **3** [*qc. nella corsa*] (*anche fig.*) riprendere, uguagliare **4** [*un bersaglio*] (*est.*) colpire, azzeccare, centrare **CONTR.** fallire **5** [*un successo, una vittoria*] (*est.*) ottenere, conseguire, cogliere (*fig.*) **6** [*l'età*] (*fig.*) sfiorare **7** [*una temperatura, etc.*] (*fig.*) toccare **8**

[*detto di cifra in denaro*] (*est.*) ammontare a **9** [*un punteggio*] (*est.*) totalizzare.

raggiungìbile agg. accessibile **CONTR.** irraggiungibile, inaccessibile, inarrivabile.

raggiustàre o **riaggiustàre** v. tr. **1** aggiustare, accomodare, riattare, racconciare, riordinare, rassettare, rabberciare, raffazzonare, comporre (*est.*) **CONTR.** rompere, guastare **2** [*qc. in una relazione*] (*est.*) pacificare, rappacificare, appaciare.

raggomitolàre A v. tr. **1** aggomitolare, ravvolgere **CONTR.** sgomitolare, svolgere, dipanare **2** [*le gambe*] rannicchiare, ripiegare **B** v. rifl. (*est.*) acciambellarsi, accoccolarsi, rannicchiarsi, avvolgersi, ravvolgersi, accucciarsi, rincantucciarsi **CONTR.** stendersi, distendersi, raddrizzarsi, stirarsi.

raggranchiàre v. tr. rattrappire.

raggranellàre v. tr. raccattare, raccogliere, racimolare, raggruzzolare, rimediare, raccozzare (*raro*), raccapezzare (*raro*) **CONTR.** disperdere, sparpagliare.

raggrinzàre A v. tr. aggrottare, corrugare, arricciare, increspare, aggrinzare, contrarre **CONTR.** distendere, stirare **B** v. intr. pron. [*detto di volto, etc.*] contrarsi, incresparsi, corrugarsi **CONTR.** distendersi, appianarsi, rasserenarsi.

raggrumàre A v. tr. coagulare, aggrumare, rapprendere, condensare **CONTR.** sciogliere, liquefare **B** v. intr. pron. coagularsi, cagliarsi, impazzare (*cuc.*), rapprendersi, aggrumarsi, condensarsi **CONTR.** sciogliersi, liquefarsi.

raggruppaménto s. m. **1** insieme **2** concentramento, ammassamento, branco **3** [*politico, culturale*] partito, area, schieramento **4** (*est.*) cartello, trust (*ingl.*), pool (*ingl.*).

raggruppàre A v. tr. concentrare, accentrare, riunire, ammassare **CONTR.** disperdere, dividere, separare, sparpagliare **B** v. intr. pron. riunirsi in gruppo, raccogliersi, riunirsi, ammassarsi, intrupparsi (*est.*) **CONTR.** dividersi, separarsi, sparpagliarsi.

raggruzzolàre v. tr. racimolare, raggranellare, raccapezzare CONTR. disperdere, sparpagliare.

ragguagliàre A v. tr. **1** pareggiare, livellare, spianare, uguagliare CONTR. differenziare **2** [qc.] informare, istruire, erudire **3** [q.c. a qc.] raccontare, relazionare **4** paragonare, confrontare, raffrontare, comparare **B** v. intr. pron. aggiornarsi, informarsi.

ragguàglio s. m. **1** informazione, notizia, indicazione, relazione (est.) **2** comparazione, confronto, paragone.

ragguardévole agg. **1** [rif. a una persona] insigne, illustre, importante, considerevole, stimabile, notabile, rilevante, influente CONTR. comune, qualunque **2** [rif. a cosa] rilevante, cospicuo, ingente, grande.

ragionaménto s. m. **1** argomentazione, dimostrazione, disamina, dissertazione (raro) **2** inferenza, deduzione, riflessione **3** [spec. con: scambiare un, fare un] (est.) discorso, conversazione **4** (est.) argomento, via **5** (est.) raziocinio.

ragionàre v. intr. **1** discutere, discorrere, conversare, parlare, dissertare, disputare, favellare, questionare, trattare, disquisire, conferire (raro), raziocinare (raro), cavillare, sillogizzare **2** riflettere, connettere, pensare, dedurre, congetturare.

ragionataménte avv. **1** razionalmente, logicamente CONTR. irrazionalmente, illogicamente, mnemonicamente (est.) **2** apposta, di proposito.

ragióne s. f. **1** discernimento, giudizio, logica (est.), raziocinio (est.), buon senso (fam.) CONTR. cuore, sentimento **2** motivo, cagione, causa, motivazione, movente **3** [spec. in loc.: farsi] giustizia **4** argomentazione, prova, dimostrazione, argomento, giustificazione **5** (est.) competenza, appartenenza, pertinenza, inerenza **6** [spec. con: dare] (est.) soddisfazione, conto CONTR. torto.

ragionévole agg. **1** equilibrato, razionale, sensato, logico (est.), raziocinante CONTR. irragionevole, dissennato, insensato, ingiustificato, delirante, farneticante, fanatico, balordo, folle, prepotente (est.) **2** [rif. al prezzo] equilibrato, razionale, modico, discre-

to CONTR. insensato, ingiustificato, folle, incongruo.

ragionevolézza s. f. **1** plausibilità, attendibilità, credibilità CONTR. assurdità, irragionevolezza, esorbitanza **2** legittimità **3** saggezza, sensatezza **4** [rif. ai prezzi] modicità, modestia.

ragionevolménte avv. **1** fondatamente, plausibilmente, verosimilmente CONTR. pazzescamente **2** logicamente, razionalmente, sensatamente, riflessivamente CONTR. pazzescamente, assurdamente, illogicamente, irragionevolmente, irriflessivamente, capricciosamente, animalescamente.

ragliàre v. intr. **1** [detto di persona] sbraitare, vociare, strepitare, berciare, abbaiare (fig.) **2** (est.) sragionare, vaneggiare.

ràgna s. f. **1** tramaglio **2** (gener.) rete.

ragnatéla s. f. rete.

ràgno (1) s. m. **1** (gener.) pesce, spigola **2** branzino.

ràgno (2) s. m. **1** (gener.) animale →animali **2** [tipo di].

NOMENCLATURA

Ragni

Ragni: insetti con corpo diviso in capotorace e addome uniti da un sottile peduncolo, otto zampe e ghiandole addominali il cui secreto, coagulandosi all'aria, forma il caratteristico filo.

argironeta: ragno acquatico caratteristico per l'aspetto argenteo conferitogli dal piccolo strato d'aria trattenuta dai peli del corpo, e per la tela a forma di campana costruita sott'acqua;

migale: ragno di grosse dimensioni, nerastro, peloso e velenoso dell'America tropicale;

epeira: ragno caratterizzato da una serie di macchie a forma di croce sul dorso, che intesse ampie tele fra i rami e bozzoli tondi per le sue uova;

hogna: ragno di grande potenza dell'Europa centro orientale e delle confinanti regioni calde mediterranee;

tarantola: ragno dell'Europa meridionale, con corpo peloso, grigio a

disegni bianchi e neri e con morso velenoso ma non mortale;

teutana domestica: ragno tra i più comuni, con corpo globulare, vive specialmente nelle vecchie case abbandonate.

rallegràre A v. tr. **1** ricreare, dilettare, allietare, divertire, sollazzare, esilarare, inebriare, svagare, consolare, illuminare (fig.), rendere contento CONTR. contristare, corrucciare, crucciare, flagellare, funestare, immalinconire, incupire, infastidire, perseguitare, rattristare, addolorare, affliggere, accorare, infelicitare, rammaricare **2** [un discorso, uno stile] (fig.) infiorare **B** v. intr. pron. **1** [per la gioia altrui, etc.] congratularsi, felicitarsi, compiacersi, complimentarsi CONTR. condolersi, dispiacersi, spiacersi, deplorare, compiangere, commiserare **2** gioire, gongolare, esultare, allietarsi, dilettarsi, godere, ridere, consolarsi (est.) CONTR. immalinconire, immusonirsi, rattristarsi, angosciarsi, piangere, accorarsi, addolorarsi, amareggiarsi, sconfortarsi, diventare malinconico.

rallentaménto s. m. **1** [della produzione, etc.] diminuzione, calo, abbassamento, decremento **2** [del moto] decelerazione CONTR. accelerazione, accelerata **3** [delle visite, etc.] diradamento **4** [nella consegna di q.c.] (est.) ritardo **5** [economico] (est.) recessione.

rallentàre A v. tr. **1** [il ritmo] moderare, attenuare, abbassare, diminuire, ridurre CONTR. aumentare, affrettare **2** [lo sviluppo] frenare, decelerare, ritardare CONTR. affrettare, accelerare **3** [le visite] diradare, rarefare (raro) CONTR. aumentare, moltiplicare **4** [un nodo, una corda, etc.] (raro) allentare **5** [l'entusiasmo, etc.] (fig.) raffreddare **B** v. intr. [detto di sviluppo economico] diminuire **C** v. intr. pron. [detto di sviluppo economico] indebolirsi, attenuarsi CONTR. crescere.

rallentàto part. pass.; anche agg. **1** [rif. al passo] allentato CONTR. affrettato, veloce, precipitoso **2** (fig.) diradato, diminuito CONTR. aumentato.

ramanzina s. f. predica, paternale, fillippica, sgridata, rabbuffo, tirata, sermone, predicozzo (fam.) CONTR. lode, elogio.

ramàzza *s. f.* **1** scopa, granata (*tosc.*) **2** (*gener.*) arnese.

ramazzàre *v. tr.* **1** scopare, spazzare, nettare **2** (*gener.*) pulire.

ràme *s. m. sing.* (*gener.*) metallo, minerale **CONTR.** oro, argento, ferro.

ramificàre *v. intr.* produrre rami *B v. intr. pron.* **1** biforcarsi, diramarsi, bipartirsi **2** [*detto di azienda, etc.*] espandersi, dilatarsi.

ramingàre *v. intr.* errare, errabondare, girovagare, vagare, vagabondare, peregrinare.

ramìngo *agg.* (*pl. m. -ghi*) **1** errante, randagio, vagabondo, pellegrino, nomade (*est.*) **CONTR.** stabile, fermo, stanziale **2** [*rif. agli animali*] randagio.

rammaricàre *A v. tr.* amareggiare, rattristare, addolorare, angustiare, crucciare **CONTR.** rallegrare, confortare, consolare *B v. intr. pron.* **1** rimpiangere, pentirsi (*est.*), crucciarsi, rattristarsi, affliggersi, accorarsi, angustiarsi **CONTR.** rallegrarsi, gioire, allietarsi, esultare **2** [*con qc.*] querelarsi, dolersi, dispiacersi, deplorare *un*, rincrescersi, spiacersi, recriminare **CONTR.** compiacersi, congratularsi **3** lagnarsi, lamentarsi, piangere, sospirare.

rammaricàto *part. pass.; anche agg.* spiacente, dispiaciuto, dolente, addolorato, angustiato, amareggiato, triste **CONTR.** lieto, contento, rallegrato.

rammàrico *s. m.* **1** rimpianto, rimorso, contrizione, dispiacere, rincrescimento **2** amarezza, dolore, afflizione **3** lamento, lagnanza.

rammendàre *v. tr.* **1** rappezzare, raccomodare, rattoppare, ricucire **2** (*gener.*) cucire.

rammèndo *s. m.* rattoppo, rappezzatura.

rammentàre *A v. tr.* **1** ricordare, rievocare, commemorare, rimembrare (*lett.*) **CONTR.** obliare, dimenticare **2** [*qc. di q.c.*] (*est.*) ammonire, avvertire **3** (*est.*) ricordare, sembrare, rassomigliare **4** (*est.*) nominare, menzionare, citare, mentovare (*lett.*) **5** [*una proposta*] ricordare, suggerire **6** [*l'aiuto dato*] (*est.*) rin-

---

facciare *B v. intr. pron.* ricordarsi, rimembrarsi, risovvenirsi **CONTR.** dimenticarsi, scordarsi.

rammodernàre *v. tr.* ammodernare, rimodernare, svecchiare, rinnovare, aggiornare.

rammollimènto *s. m.* **1** [*dei tessuti cutanei*] rilassamento **CONTR.** rassodamento, indurimento **2** [*rif. alle capacità intellettuali*] rincoglionimento (*volg.*).

rammollìre *A v. tr.* **1** [*un materiale, etc.*] rendere mollo, ammorbidire, ammollire, rammorbidire **CONTR.** indurire, assodare, rassodare **2** [*qc.*] (*est.*) indebolire, estenuare, infiacchire, debilitare, sfibrare, illanguidire, snervare, prostrare **CONTR.** rafforzare, rinforzare, rinvigorire **3** [*qc. emotivamente*] (*est.*) impietosire, intenerire, commuovere **CONTR.** indurire *B v. intr. pron.* **1** [*detto di materia, di tessuto, etc.*] sfibrarsi, ammorbidirsi, ammollirsi **CONTR.** indurirsi, rassodarsi, assodarsi **2** [*detto di persona, di mente, etc.*] (*est.*) sfibrarsi, indebolirsi, infiacchirsi, debilitarsi, illanguidirsi, snervarsi, estenuarsi, prostrarsi **CONTR.** rafforzarsi, rinvigorirsi **3** (*est.*) impietosirsi, intenerirsi, commuoversi **CONTR.** indurirsi **4** (*est.*) rimbambirsi (*fam.*), rimbecillirsi (*fam.*), rincretinirsi (*fam.*), rincoglionire (*volg.*), rammorbidirsi (*fig.*), rincoglionirsi (*volg.*).

rammorbidìre *A v. tr.* **1** rammollire, ammorbidire **CONTR.** indurire **2** [*il carattere, i colori*] mitigare, raddolcire, attenuare, ingentilire, temperare **CONTR.** indurire, inasprire *B v. intr. pron.* **1** [*detto di cosa, etc.*] rammollirsi, ammorbidirsi **CONTR.** indurirsi **2** [*detto di carattere*] mitigarsi, raddolcirsi, ingentilirsi, temperarsi **CONTR.** indurirsi, inasprirsi.

ràmo *s. m.* **1** frasca, fronda **2** (*est.*) derivazione **3** [*rif. ai fiumi, etc.*] (*fig.*) braccio **4** [*della scienza, etc.*] (*est.*) campo, specialità, branca, settore, sfera.

ramoscèllo *s. m.* frasca, fronda.

ràmpa (1) *s. f.* **1** salita, erta (*colto*) **2** [*di scala*] tratto.

ràmpa (2) *s. f.* zampa, branca, gamba.

---

rampicàre *v. intr.* [*detto di piante, di animali*] aggrapparsi, arrampicarsi, appigliarsi, salire.

rampognàre *v. tr.* redarguire (*colto*), rimproverare, biasimare, rimbrottare, sgridare, strapazzare (*fig.*), rabbuffare, strigliare (*fig.*), riprendere **CONTR.** lodare, elogiare, encomiare, approvare.

rampollàre *v. intr.* **1** [*detto di pianta, etc.*] germinare, germogliare, gemmare, gettare, prolificare, pullulare, ributtare **2** [*detto di liquido, etc.*] zampillare, scaturire **3** [*detto di qc.*] (*est.*) discendere.

rampòllo (1) *s. m.* **1** figlio, bambino, figliolo, virgulto **2** (*bot.*) virgulto, pollone, germoglio.

rampòllo (2) *s. m.* polla, sorgente.

ràna *s. f.* (*gener.*) anfibio.

ràncido *A agg.* **1** [*rif. al cibo*] guasto, vecchio, corrotto (*est.*), marcio **CONTR.** fresco **2** [*rif. alle idee*] (*fig.*) guasto, vecchio, antiquato, sorpassato, superato **CONTR.** nuovo, moderno, attuale *B s. m. sing.* rancidume, vecchiume.

ràncio *s. m.* pasto, desinare, sbobba (*gerg.*).

rancóre *s. m.* **1** odio, acrimonia, astio, malanimo, ruggine (*fig.*), veleno (*fig.*), risentimento, malumore, rabbia, amarezza, animosità **2** (*gener.*) sentimento.

rancoróso *agg.* animoso, astioso, malevolo, velenoso (*fig.*) **CONTR.** indulgente, conciliante.

rànda *s. f.* **1** (*mar.*) verga, penna, picco, antenna **2** (*gener.*) arnese.

randàgio *agg.* [*rif. a una persona*] errante, ramingo (*lett.*), vagabondo, nomade (*est.*) **CONTR.** stabile, fermo.

randellàre *v. tr.* **1** prendere a randellate, bussare, bastonare, legnare, manganellare, malmenare **2** (*gener.*) picchiare, percuotere.

randellàta *s. f.* **1** bastonata, manganellata, legnata **2** (*gener.*) percossa, botta.

randèllo *s. m.* **1** clava, mazza, man-

rango 456

ganello **2** (*gener.*) bastone.

ràngo *s. m.* (*pl. -ghi*) **1** livello **2** [*sociale*] ceto, classe, grado, ordine **3** (*mil.*) schiera, riga, ordinanza.

rannicchiàre *A* v. tr. ripiegare, raggomitolare **CONTR.** distendere, sdraiare, allungare, spiegare, stirare *B* v. rifl. **1** acquattarsi, rincantucciarsi **CONTR.** distendersi, stendersi, stirarsi, allungarsi, sdraiarsi **2** accoccolarsi, accovacciarsi, raggomitolarsi, raccogliersi, ripiegarsi, aggomitolarsi, accucciarsi, appollaiarsi.

rannodàre v. tr. riannodare, ricollegare, ricongiungere.

rannuvolàre *A* v. tr. oscurare, offuscare, rabbuiare, annuvolare, velare **CONTR.** rischiarare, rasserenare, illuminare, distendere *B* v. intr. pron. **1** [*detto di cielo*] rabbuiarsi, annuvolarsi **CONTR.** rasserenarsi **2** [*detto di persona, etc.*] (*est.*) rabbuiarsi, accigliarsi, aggrondarsi, chiudersi, ingrugnarsi, rabbuffarsi, turbarsi, rattristarsi, corrucciarsi **CONTR.** rasserenarsi, distendersi, placarsi **3** [*detto di occhi*] offuscarsi, velarsi **4** [*detto di volto*] oscurarsi, incupirsi.

rantolàre v. intr. **1** agonizzare **2** ansimare, boccheggiare, respirare (*impr.*).

ràntolo *s. m.* respiro, ansito.

ranùncolo *s. m.* (*gener.*) fiore.

rapàce *A* agg. **1** avido, ingordo, cupido, prepotente **CONTR.** generoso, altruista **2** [*rif. agli animali*] predatore *B* s. m. **1** predatore, carnivoro **2** (*gener.*) animale.

rapàre *A* v. tr. radere, rasare, tosare (*scherz.*), pelare (*scherz.*) *B* v. rifl. rasarsi.

ràpida *s. f.* cateratta, cascata.

rapidaménte avv. **1** velocemente, prontamente, celermente, alla svelta, presto, subito, immediatamente, sollecitamente, tempestivamente **CONTR.** adagio, flemmaticamente **2** (*temp.*) fugacemente, fuggevolmente, brevemente **3** brevemente, sommariamente.

rapidità *s. f. inv.* velocità, prontezza, sveltezza, urgenza, lestezza, prestez-

za (*raro*), celerità, brevità **CONTR.** lentezza.

ràpido (1) agg. **1** veloce, celere, svelto, spedito **CONTR.** lento **2** [*rif. a un moto, a un movimento*] brusco, nervoso **CONTR.** lento, pacato **3** (*temp.*) breve, istantaneo **CONTR.** lungo **4** [*rif. al passo*] affrettato.

ràpido (2) *s. m.* treno.

rapiménto *s. m.* **1** ratto (*lett.*), sequestro **2** estasi, ebbrezza **3** (*est.*) emozione, incanto, commozione.

rapina *s. f.* **1** (*est.*) scippo, estorsione, furto, colpo, sottrazione (*bur.*) **2** (*est.*) saccheggio **3** (*est.*) depredazione (*colto*), spoliazione, ruberia, abuso, taglieggiamento **4** (*gener.*) reato.

rapinàre v. tr. **1** [*qc. di q.c.*] derubare, spogliare, predare, depredare, pelare (*scherz.*) **2** [*q.c. a qc.*] estorcere, carpire, sottrarre, appropriarsi *di*, impossessarsi *di*, trafugare, rubare, involare **3** [*un negozio, etc.*] svaligiare, saccheggiare.

rapire v. tr. **1** [*qc.*] sequestrare, rubare (*pop.*) **2** [*un segreto*] ghermire, sottrarre **3** [*detto di libro, di spettacolo*] (*est.*) inebriare, avvincere, estasiare, attrarre, incantare, affascinare, entusiasmare, ammaliare, sedurre **CONTR.** disgustare, ripugnare, repellere.

rapito part. pass.; anche agg. **1** sequestrato, sottratto, rubato **2** (*fig.*) ebbro.

rappaciàre v. tr. ravvicinare (*fig.*), conciliare *B* v. rifl. rec. conciliarsi.

rappacificàre *A* v. tr. **1** riconciliare, accordare, raggiustare (*raro*), ravvicinare (*fig.*) **CONTR.** dividere, inimicare **2** quietare, calmare, acquietare, placare **CONTR.** irritare, esasperare, inasprire *B* v. rifl. rec. pacificarsi, riconciliarsi, ravvicinarsi (*fig.*), riaccomodarsi (*fig.*) **CONTR.** contendere, disgustarsi, litigare, questionare.

rappacificàto part. pass.; anche agg. quietato, rabbonito, ammansito, conciliato **CONTR.** adirato, irritato.

rappezzàre v. tr. **1** cucire, rammendare, rattoppare, aggiustare, accomodare, riparare, raggiustare, riaccomodare, racconciare **2** [*una situazione*] (*est.*) rabberciare, raffazzonare, rimediare.

rappezzatùra *s. f.* **1** rattoppo, rammendo **2** (*est.*) toppa, pezza, tassello **3** (*fig.*) rabberciatura, accomodamento, accomodatura, rattoppatura.

rappigliàre *A* v. tr. rassodare, rapprendere, coagulare *B* v. intr. pron. rassodarsi, indurirsi, solidificarsi, rapprendersi, coagularsi **CONTR.** sciogliersi, liquefarsi.

rapportàre *A* v. tr. **1** [*un pettegolezzo*] riferire, riportare, ridire **2** [*q.c., qc. ad altro*] confrontare, ricondurre **3** [*un disegno*] (*raro*) riprodurre *B* v. intr. pron. ricollegarsi, riferirsi.

rappòrto (1) *s. m.* **1** [*tra persone*] legame, contatto, vincolo, relazione, confronto (*est.*) **2** [*tra cose, tra eventi, etc.*] attinenza, correlazione, nesso, collegamento, connessione **3** [*tra persone, tipo di*] dipendenza, somiglianza, vicinanza, affinità, parentela **4** [*tra cose, tipo di*] dipendenza, somiglianza, proporzione, concatenazione, aderenza, analogia **5** (*mat.*) quoziente **6** (*geogr.*) scala **7** [*sessuale*] amplesso, coito.

rappòrto (2) *s. m.* **1** informazione, resoconto, esposizione, rendiconto, relazione **2** [*alle autorità*] (*est.*) denunzia **3** (*tecnol.*) modulo.

rappresàglia *s. f.* ritorsione, rivalsa, vendetta, ripicca, reazione, punizione.

rappresentànte *s. m. e f.* **1** esponente, agente, incaricato **2** [*di uno stato*] ambasciatore **3** [*di una casa farmaceutica, etc.*] propagandista.

rappresentànza *s. f.* delegazione.

rappresentàre *A* v. tr. **1** [*qc., q.c.*] raffigurare, dipingere, disegnare, ritrarre, effigiare, riprodurre **2** [*qc.*] (*est.*) fungere da, fare le veci di **3** impersonare, incarnare, caratterizzare, personificare **4** [*le caratteristiche*] (*est.*) delineare, configurare, descrivere, narrare, mostrare **5** impersonare, incarnare, caratterizzare, simboleggiare, esprimere, significare, figurare **6** [*una scena, una commedia*] eseguire, mimare, rendere, interpretare, recitare **7** (*est.*) essere, costituire **B** *v. rifl.* dipingersi, raffigurarsi.

rappresentativaménte *avv.* significativamente, decorativamente.

rappresentazióne *s. f.* **1** raffigurazione, simbolo (*est.*), immagine (*est.*), personificazione, pittura (*fig.*), concetto (*est.*) **2** [*teatrale*] spettacolo, recita.

raraménte *avv.* poco, sporadicamente, eccezionalmente, di rado, poche volte, di tanto in tanto, infrequentemente, talora **CONTR.** frequentemente, sovente, quotidianamente, reiteratamente, abitualmente, di solito, correntemente, costantemente.

rarefàre **A** *v. tr.* **1** [*la nebbia, etc.*] diradare, dilatare **CONTR.** addensare, condensare **2** [*il traffico, etc.*] (*est.*) rallentare **3** [*il bosco, etc.*] sfoltire **CONTR.** infittire, infoltire, ispessire **B** *v. intr. pron.* **1** [*detto di gas*] dilatarsi **CONTR.** addensarsi, condensarsi **2** [*detto di nebbia, etc.*] (*est.*) diradarsi **CONTR.** infittirsi, infoltirsi, ispessirsi.

rarefàtto *part. pass.; anche agg.* rado, diradato **CONTR.** denso, fitto.

rarità *s. f. inv.* **1** unicità, singolarità, eccezionalità **CONTR.** banalità, volgarità **2** scarsezza, radezza (*raro*), penuria **3** [*nel senso del tempo*] infrequenza (*raro*) **CONTR.** frequenza.

ràro *agg.* **1** inconsueto, infrequente, inusitato, prodigioso (*fig.*), singolare (*est.*) **CONTR.** frequente, quotidiano, usuale, comune **2** [*rif. a cosa*] prezioso **CONTR.** comune **3** (*temp.*) rado.

rasàre **A** *v. tr.* **1** [*il viso*] radere, sbarbare **2** [*la testa*] (*scherz.*) rapare, tosare **3** [*le gambe, etc.*] depilare **4** [*un prato, un terreno*] pareggiare, livellare, spianare, levigare (*est.*), lisciare (*est.*) **B** *v. rifl.* radersi, sbarbarsi, raparsi (*scherz.*).

raschiàre **A** *v. tr.* grattare, carteggiare, graffiare, limare, radere, fregare, raspare, scrostare, abradere, scarnificare, scarnare, scarificare (*lett.*), scarnire, levigare (*est.*), ripulire (*est.*)

B *v. intr.* grattare.

raschiatùra *s. f.* abrasione, cancellatura.

rasentàre *v. tr.* **1** lambire, sfiorare **2** (*est.*) strisciare, avvicinarsi, approssimarsi, accostarsi, frisare (*raro*), radere (*raro*) **CONTR.** allontanarsi, scostarsi.

ràso *s. m.* (*gener.*) stoffa.

ràspa *s. f.* (*gener.*) utensile.

raspàre **A** *v. tr.* **1** limare, lisciare, molare, raschiare **2** [*la gola*] (*est.*) grattare, irritare **3** (*est.*) rubare **B** *v. intr.* **1** [*detto di gallina, etc.*] razzolare, ruspare **2** [*spec. di cavalli*] zampare.

ràspo *s. m.* graspo, grappolo.

rasségna *s. f.* **1** (*mil.*) rivista, esame, ispezione **2** antologia, scelta **3** [*dello stato dell'arte*] resoconto, descrizione, panorama (*fig.*) **4** (*est.*) mostra, esposizione, concorso, fiera, festival.

rassegnàre **A** *v. tr.* [*le dimissioni*] presentare, consegnare **CONTR.** ritirare **B** *v. rifl.* **1** [*alla sorte, etc.*] assoggettarsi, adattarsi, adeguarsi, conformarsi, sottostare **CONTR.** opporsi, ribellarsi, reagire, rodersi **2** arrendersi, piegarsi (*fig.*), cedere, capitolare, inchinarsi (*fig.*), chinarsi (*fig.*), sottomettersi **CONTR.** protestare, insorgere, ricalcitrare **3** [*a fare q.c., etc.*] persuadersi.

rassegnataménte *avv.* pazientemente, filosoficamente.

rassegnazióne *s. f.* **1** sopportazione, pazienza **2** accettazione **CONTR.** ribellione **3** passività, inerzia **CONTR.** combattività.

rasserenànte *part. pres.; anche agg.* confortevole, confortante, consolante **CONTR.** raccapricciante, agghiacciante, spaventoso.

rasserenàre *v. tr.* **1** [*il cielo, il viso*] schiarire **CONTR.** rannuvolare, offuscare, oscurare **2** [*qc.*] calmare, tranquillizzare, blandire, confortare, consolare, placare, rabbonire, rinfrancare, rassicurare, acquietare, rincuorare **CONTR.** conturbare, crucciare, indispettire, innervosire, inquietare, invasare, agitare, sconvolgere, turbare, inasprire, angosciare, preoccupare **B**

v. intr. pron. **1** [*detto di cielo, etc.*] schiarirsi, allargarsi (*fig.*) **CONTR.** offuscarsi, oscurarsi, rannuvolarsi, annebbiarsi **2** [*detto di persona, etc.*] (*est.*) confortarsi, consolarsi, allietarsi, chetarsi, placarsi, raddolcirsi, calmarsi, rinfrancarsi, rassicurarsi, rincuorarsi, acquietarsi, tranquillizzarsi, distendersi **CONTR.** conturbarsi, corrucciarsi, dannarsi, imbronciarsi, immusonirsi, inacidirsi, incupirsi, infuriarsi, ingrugnarsi, inquietarsi, preoccuparsi, rabbuffarsi, rabbuiarsi, agitarsi, turbarsi, sconvolgersi, rodersi, arrabbiarsi.

rassettàre o **riassettàre** **A** *v. tr.* **1** riordinare **CONTR.** disordinare, scompigliare **2** riparare, racconciare, riassestare, raccomodare, raggiustare, accomodare, aggiustare, rifare, riattare, ricomporre **CONTR.** disfare, guastare **B** *v. rifl.* riordinarsi, comporsi, sistemarsi, pettinarsi, racconciarsi, ricomporsi **CONTR.** scompigliarsi, spettinarsi.

rassicuràre **A** *v. tr.* rasserenare, incoraggiare, rincuorare, rinfrancare, confortare, acquietare, calmare, consolare, rabbonire, riconfortare, tranquillizzare **CONTR.** preoccupare, allarmare, disorientare, inquietare, intimidire, impaurire, spaventare, agitare, sconvolgere, turbare, avvilire, scoraggiare **B** *v. intr. pron.* calmarsi, tranquillizzarsi, rabbonirsi, rasserenarsi, rincuorarsi, rinfrancarsi, acquietarsi, riconfortarsi **CONTR.** inquietarsi, intimorirsi, preoccuparsi, allarmarsi, impaurirsi, spaventarsi, agitarsi, turbarsi, sconvolgersi, avvilirsi, scoraggiarsi.

rassicuràto *part. pass.; anche agg.* confortato, rincuorato **CONTR.** terrorizzato, spaventato, impaurito.

rassodaménto *s. m.* indurimento **CONTR.** rilassamento, rammollimento.

rassodàre **A** *v. tr.* **1** assodare, indurire, rapprendere, rappigliare (*raro*), solidificare **CONTR.** diluire, disfare, fondere, rammollire, ammorbidire, sciogliere **2** [*il potere, etc.*] (*fig.*) consolidare, rinsaldare, rafforzare **CONTR.** indebolire **B** *v. intr. pron.* **1** indurirsi, solidificarsi, rapprendersi, coagularsi, rappigliarsi, addensarsi, condensarsi, assodarsi, raffermarsi (*tosc.*) **CONTR.** disciogliersi, disfarsi, fondersi, rammollirsi, ammorbidirsi, liquefarsi **2**

consolidarsi, rinsaldarsi, rafforzarsi **CONTR.** indebolirsi.

rassomigliàre *A v. intr. e rifl. rec.* sembrare *un*, ricordare *un*, rammentare *un*, accostarsi, somigliare, assomigliare, arieggiare *un* (*fig.*), parere *un* **CONTR.** differire, dissomigliare, distinguersi, differenziarsi *B v. tr.* paragonare.

rastrellaménto *s. m. 1* [*di un luogo*] battuta, controllo, ispezione *2* [*rif. a persone*] (*est.*) cattura, sequestro.

rastrellàre *v. tr. 1* [*merci*] raccogliere, sequestrare, accaparrare *2* [*qc.*] (*raro*) controllare, perquisire *3* [*un luogo*] controllare, ispezionare, frugare.

rastremàre *A v. tr.* restringere, diminuire, affusolare, ridurre, assottigliare **CONTR.** ingrossare *B v. intr. pron.* restringersi, assottigliarsi, affusolarsi **CONTR.** ingrossarsi.

ràta *s. f.* quota, tangente.

rateàre *v. tr.* rateizzare, dilazionare, suddividere.

rateazióne *s. f. 1* rateizzazione *2* rateo.

rateizzàre *v. tr.* rateare, dilazionare, suddividere.

rateizzazióne *s. f. 1* rateazione *2* rateo, dilazione (*est.*).

ràteo *s. m.* rateizzazione, rateazione.

ratìfica *s. f.* approvazione, conferma, convalida, sanzione (*fig.*) **CONTR.** abrogazione, annullamento, smentita.

ratificàre *v. tr. 1* [*un accordo*] convalidare, sottoscrivere, siglare, firmare **CONTR.** inficiare, invalidare, rescindere, infirmare *2* [*il pensionamento, etc.*] approvare, autorizzare, confermare, comprovare, riconoscere *3* [*un comportamento, etc.*] sancire, legittimare, omologare, codificare, varare (*fig.*), sanzionare **CONTR.** respingere.

rattenére *A v. tr.* trattenere, ritenere *B v. rifl. 1* sostare, fermarsi *2* temperarsi, contenersi, dominarsi.

rattizzàre *v. tr. V. riattizzare.*

ràtto (1) *s. m.* rapimento, sequestro.

ràtto (2) *s. m. 1* topo, sorcio *2*

(*gener.*) roditore.

ràtto (3) *A agg. 1* rapido, veloce, celere, lesto, scattante, fulmineo, repentino, presto **CONTR.** lento, tardo, flemmatico, lungo *2* ripido, scosceso, erto, dirupato **CONTR.** piano, pianeggiante *B avv.* presto, prontamente, subito, immediatamente **CONTR.** lentamente, lento, piano, adagio.

rattoppàre *v. tr. 1* cucire, raccomodare, rammendare, rappezzare, aggiustare, accomodare, riparare, racconciare **CONTR.** lacerare *2* [*una situazione*] (*est.*) rabberciare, raffazzonare, rimediare.

rattoppatùra *s. f.* accomodatura, aggiustatura, rappezzatura, rattoppo.

rattòppo *s. m. 1* rappezzatura, rammendo, aggiustatura, rattoppatura *2* (*est.*) toppa *3* [*rif. a una situazione*] (*fig.*) rabberciatura.

rattrappire *A v. tr. 1* contrarre, aggranchire, raggranchiare, anchilosare, ritrarre (*raro*) *2* intirizzire, intorpidire *B v. intr. pron. 1* [*detto di corpo*] contrarsi, rabbrividire *2* [*detto di arti*] intorpidirsi, intirizzirsi, anchilosarsi **CONTR.** distendersi, allungarsi, stirarsi.

rattristàre *A v. tr. 1* addolorare, amareggiare, affliggere, sconfortare, contristare, accorare, angustiare, crucciare, desolare, immalinconire, corrucciare, deprimere, martirizzare (*fig.*), martoriare (*fig.*), rendere triste **CONTR.** allietare, confortare, consolare, dilettare, divertire, esilarare, inebriare, rallegrare, deliziare, divagare, ricreare, sollazzare *2* [*il giorno, la festa*] attristare, incupire, funestare **CONTR.** allietare, rallegrare *B v. intr. pron.* accorarsi, addolorarsi, amareggiarsi, crucciarsi, deprimersi, contristarsi, dolersi, immalinconire, intristirsi, rammaricarsi, rannuvolarsi, affliggersi, attristarsi, angustiarsi, desolarsi (*raro*) **CONTR.** compiacersi, confortarsi, consolarsi, dilettarsi, divertirsi, esultare, gioire, giubilare, godere, allietarsi, rallegrarsi, deliziarsi, divagarsi, ricrearsi, ridere.

rattristàto *part. pass.; anche agg.* mesto, accorato, sconsolato **CONTR.** allegro, contento, felice.

ràuco *agg.* (*pl. m. -chi*) [*rif. alla voce*]

fioco, debole **CONTR.** squillante, limpido.

ravvedérsi *v. intr. pron.* redimersi, pentirsi, correggersi, convertirsi, emendarsi, ricredersi, raddrizzarsi (*fig.*), migliorarsi.

ravvediménto *s. m.* pentimento, contrizione, conversione (*est.*), ripensamento.

ravviàre *A v. tr. 1* riordinare, ordinare, comporre **CONTR.** disordinare *2* [*i capelli*] pettinare, lisciare **CONTR.** rabbuffare, spettinare *B v. rifl.* pettinarsi, riordinarsi, lisciarsi **CONTR.** disordinarsi, spettinarsi.

ravvicinàre *A v. tr. 1* avvicinare, accostare, approssimare **CONTR.** allontanare, scostare *2* (*est.*) confrontare, raffrontare, paragonare, riscontrare, comparare *3* [*qc.*] (*est.*) rappacificare, rappaciare, riconciliare, accordare **CONTR.** allontanare, inimicare *B v. rifl. rec.* rappacificarsi, riconciliarsi.

ravviluppàre *A v. tr. 1* avviluppare, avvolgere, ravvolgere, inviluppare **CONTR.** svolgere *2* aggrovigliare, intricare, arruffare **CONTR.** districare, sciogliere *B v. rifl. 1* avvolgersi, ravvolgersi **CONTR.** svolgersi *2* aggrovigliarsi, intricarsi **CONTR.** districarsi, sciogliersi.

ravvisàre *v. tr. 1* scorgere, vedere *2* identificare, conoscere, raffigurare, riconoscere, discernere, distinguere *3* (*est.*) percepire, pensare.

ravvivàre *A v. tr. 1* [*l'atmosfera, una festa*] vivacizzare, animare, movimentare, vivificare *2* [*un sentimento*] (*fig.*) risuscitare, destare, ridestare, attizzare, riaccendere, riattizzare **CONTR.** smorzare, spegnere *3* [*i ricordi*] (*est.*) risuscitare, rinverdire *4* [*la memoria*] rinfrescare *5* [*qc.*] rianimare, rinvigorire, rincuorare, incoraggiare, aiutare, incitare **CONTR.** disanimare, scoraggiare, abbattere, avvilire *6* [*le speranze, etc.*] rinnovare *B v. intr. pron. 1* [*detto di festa*] animarsi, rianimarsi, vivacizzarsi **CONTR.** smorzarsi, spegnersi *2* [*detto di viso*] (*est.*) colorarsi, colorirsi, imporporarsi **CONTR.** smorzarsi, spegnersi, impallidire, scolorirsi *3* [*detto di odio, di ostilità*] (*est.*) rinfocolarsi **CONTR.** spegnersi *4* [*detto di amicizia, etc.*] vivificarsi, rifiorire (*fig.*) **5** [*detto di persona*] rinvigorirsi, riconfortarsi, rincuorarsi **CONTR.** disanimarsi, scoraggiarsi, abbattersi, avvilirsi.

ravvòlgere *A* v. tr. **1** [*q.c. nella carta o sim.*] fasciare, piegare, involgere, inviluppare (*raro*), involtare **CONTR.** svolgere, sfasciare **2** [*q.c. o qc. in una coperta*] avvolgere, avvoltolare, avviluppare, avvoltolare, ravvoltolare **3** [*un gomitolo di filato*] raggomitolare **CONTR.** svoltolare *B* v. rifl. avvolgersi, avvoltolarsi, ravvoltolarsi, ravvilupparsi, avvilupparsi, involgersi, fasciarsi, raggomitolarsi (*fig.*) **CONTR.** svolgersi, svoltolarsi.

ravvoltolàre *A* v. tr. ravvolgere, inviluppare, avviluppare **CONTR.** svolgere *B* v. rifl. avvilupparsi, ravvolgersi, avvoltolarsi, involgersi **CONTR.** svolgersi, svoltolarsi.

raziocinàre v. intr. ragionare, riflettere, sillogizzare (*raro*) **CONTR.** farneticare, divagare, fantasticare.

raziocinio s. m. **1** logica, criterio, intelletto, ragione **2** ragionamento.

razionàle *A* agg. **1** ragionevole, intellettivo **CONTR.** illogico, irrazionale, assurdo **2** [*rif. a un ragionamento*] logico, rigoroso, coerente **3** [*rif. a uno strumento*] funzionale **CONTR.** illogico, irrazionale **4** [*rif. a una persona*] ragionevole, concreto, pratico **CONTR.** farneticante, lunatico *B* s. m. sing. **CONTR.** irrazionale.

razionalità s. f. inv. **1** logica, coerenza, rigore **CONTR.** irrazionalità, incoerenza **2** scientificità **3** (*est.*) funzionalità.

razionalménte avv. **1** cerebralmente, logicamente, matematicamente, ragionatamente, ragionevolmente **CONTR.** emotivamente, intuitivamente, irragionevolmente, irrazionalmente, istintivamente, animalescamente (*fig.*) **2** (*neg.*) calcolatamente.

razióne s. f. **1** porzione, parte **2** dose, quota.

ràzza (1) s. f. **1** [*rif. a animali, a vegetali*] genere, specie **2** [*rif. agli esseri umani*] etnia, popolo, nazione, popolazione **3** schiatta (*lett.*), generazione, discendenza, stirpe, famiglia, seme (*fig.*), sangue (*fig.*) **4** [*rif. a og-*

getti, etc.] genere, specie, tipo, qualità, sorta, varietà **5** [*in una ruota*] raggio.

ràzza (2) s. f. (*gener.*) pesce.

ràzza (3) s. f. raggio, ruota.

razzìa s. f. **1** scorreria **2** (*est.*) saccheggio, ruberia, furto, depredazione, sacco (*lett.*) **3** retata **4** [*di generi alimentari*] requisizione, incetta.

razziàre v. tr. predare, saccheggiare, depredare, spogliare.

razzolàre v. intr. **1** raspare, ruspare, grattare **2** [*in un cassetto, etc.*] (*ass.*) frugare, rovistare.

re s. m. **1** sovrano, sultano, zar, monarca, imperatore, scià, sire (*vocat.*), maestà (*vocat.*) **CONTR.** suddito, vassallo **2** (*est.*) signore, padrone **CONTR.** servo **3** [*in un'attività*] (*est.*) campione.

reagìre v. intr. **1** [*verbalmente*] replicare, protestare, scattare (*est.*), rivoltarsi (*fam.*), rispondere **2** [*a un sopruso*] ribellarsi, opporsi **CONTR.** subire **3** [*detto di popolo*] ribellarsi, sollevarsi (*fig.*), insorgere **CONTR.** sottomettersi, rassegnarsi **4** [*detto di persona*] (*est.*) resistere **CONTR.** adattarsi **5** [*detto di sostanza*] (*chim.*) combinarsi.

reàle (1) *A* agg. **1** vero, certo, effettivo, autentico, verace **CONTR.** irreale, apparente, immaginario, astratto, ideale, fallace, fittizio, chimerico, cinematografico (*fig.*), fantastico, leggendario, poetico (*est.*) **2** positivo, concreto, tangibile, toccabile, materiale, corporeo, fisico **CONTR.** potenziale **3** sincero (*tosc.*) **CONTR.** pretestuoso *B* s. m. sing. concreto **CONTR.** astratto.

reàle (2) agg. regio, regale.

reàle (3) s. m. (*gener.*) moneta.

realismo s. m. **1** oggettività **CONTR.** ottimismo, pessimismo, idealismo **2** praticità, concretezza **CONTR.** idealismo, spiritualismo **3** (*est.*) disincanto **4** [*rif. alle parole, alle immagini*] crudezza, scabrosità.

realista s. m. e f. **1** monarchico **2** [*rif. a una corrente artistica*] naturalista **3** [*rif. a una persona*] **CONTR.** utopista, sognatore, visionario, idealista.

realisticaménte avv. **1** concretamente **CONTR.** utopisticamente, astrattamente, chimericamente, immaginosamente, illusoriamente **2** duramente, crudamente **CONTR.** con tatto **3** (*est.*) materialmente **CONTR.** idealisticamente, ideologicamente.

realìstico agg. **1** oggettivo, concreto, pratico, positivo, vero **CONTR.** idealistico, astratto, teoretico, illusorio, utopistico, fantasioso, fantastico, favoloso, figurato **2** [*rif. a uno spettacolo, etc.*] (*fig.*) crudo.

realizzàbile agg. eseguibile, fattibile, attuabile, effettuabile **CONTR.** irrealizzabile, impossibile.

realizzabilità s. f. attuabilità.

realizzàre *A* v. tr. **1** [*un progetto, etc.*] effettuare, attuare, concretizzare, concretare, eseguire, fare **2** [*un modello, un abito*] (*est.*) creare, produrre, confezionare **3** [*un affare, un accordo*] (*est.*) concludere **4** [*una scultura, etc.*] creare, plasmare, forgiare **5** [*un'impresa*] compiere, compire **6** [*un risultato*] (*est.*) conseguire **7** [*q.c. con la mente*] (*est.*) comprendere, capire, intendere, vedere (*fig.*) **8** [*un gol*] (*sport*) segnare **9** [*una determinata somma*] (*est.*) guadagnare **10** [*i sogni, le aspirazioni*] materializzare, coronare, esaudire, soddisfare *B* v. intr. guadagnare (*ass.*) *C* v. intr. pron. **1** [*detto di sogni*] avverarsi, attuarsi, concretarsi, concretizzarsi, materializzarsi **2** [*detto di profezie, etc.*] verificarsi, adempiersi, compiersi **3** [*detto di cambiamento*] operarsi *D* v. rifl. autoaffermarsi, affermarsi, esprimersi.

realizzàto part. pass.; anche agg. **1** fatto **2** [*rif. a una persona*] appagato, soddisfatto **CONTR.** frustrato (*psicol.*), inappagato, insoddisfatto.

realizzazióne s. f. **1** attuazione, esecuzione, effettuazione, compimento, effetto, adempimento **2** creazione, opera, lavoro, prodotto **3** [*rif. a una persona*] affermazione **4** [*di una speranza*] coronamento.

realménte avv. **1** veramente, davvero, certamente, effettivamente, autenticamente **CONTR.** apparentemente, chimericamente, immaginosamente, simbolicamente (*est.*) **2** concretamente, praticamente.

realtà *s. f. inv.* **1** vero, verità **2** concretezza, tangibilità CONTR. apparenza **3** [*dei fatti*] (*est.*) evidenza **4** esistenza, vita, essere **5** mondo, natura, terra **6** società **7** ambiente **8** civiltà **9** epoca, periodo, evo (*lett.*), tempo.

reàme *s. m.* regno.

reàto *s. m.* **1** delitto, infrazione, illecito, colpa, crimine, misfatto, illegalità **2** [*tipo di*] delitto, genocidio, furto, rapina, assassinio.

reazionàrio *agg.* retrogrado, oscurantista, retrivo CONTR. libertario, liberale.

reazióne (1) *s. f.* **1** risposta, effetto, rispondenza, ripercussione, riflesso, replica **2** [*tipo di*] rappresaglia, opposizione, ribellione, ripicca, rivalsa CONTR. sopportazione **3** (*chim.*) combinazione, sintesi.

reazióne (2) *s. f.* [*rif. a un'epoca*] oscurantismo, repressione.

rèbus *s. m. inv.* **1** indovinello, quiz **2** enigma, mistero, rompicapo (*fam.*).

recalcitrànte *agg.* V. ricalcitrante.

recalcitràre *v. intr.* V. ricalcitrare.

recapitàre *v. tr.* consegnare, portare, recare, rimettere, inoltrare (*est.*).

recàpito *s. m.* **1** domicilio, indirizzo **2** (*est.*) consegna.

recàre **A** *v. tr.* **1** portare, menare, condurre, ricondurre **2** [*le prove*] addurre (*dir.*) **3** [*un pacco, una lettera*] portare, recapitare, consegnare, riportare **4** [*i prigionieri*] menare, trasportare, tradurre **5** [*una notizia*] riferire, annunciare **6** [*q.c. con sé*] (*est.*) avere **7** [*q.c. ad esempio*] (*est.*) citare **8** [*un danno, un vantaggio*] (*est.*) arrecare, cagionare, produrre, causare, apportare, determinare, indurre **B** *v. rifl.* andare, dirigersi, indirizzarsi, portarsi, condursi (*raro*), trasferirsi, presentarsi (*est.*).

recchióne *s. m.* omosessuale, buliccio (*genov.*), gay (*ingl.*), finocchio (*volg.*), checca (*roman.*), pederasta (*colto*), cinedo (*lett.*), diverso, frocio (*roman.*).

recèdere *v. intr.* **1** ritirarsi, arretrare, indietreggiare, retrocedere, ripiegare,

rinculare (*pop.*) CONTR. avanzare, proseguire, progredire **2** [*da un'idea, da un proposito*] ritirarsi, desistere, rinunciare a, mollare, deflettere, declinare un, abbandonare un, rimuoversi CONTR. proseguire, progredire, continuare.

recensióne *s. f.* valutazione, giudizio, critica.

recensìre *v. tr.* criticare, giudicare, esaminare.

recensóre *s. m.* (*f. -a*) critico, esegeta (*colto*).

recènte *agg.* **1** nuovo, ultimo, fresco, giovane, neonato (*fig.*), fanciullo (*fig.*) CONTR. vecchio, visto, inattuale, superato **2** (*est.*) attuale, odierno CONTR. vecchio, arcaico, inveterato.

rècere *v. intr.* vomitare, rimettere, vomire (*lett.*).

recessióne *s. f.* **1** depressione, crisi, involuzione, rallentamento (*fig.*), ristagno (*fig.*), congiuntura, riflusso (*fig.*), impoverimento **2** [*da un impegno*] recesso (*raro*), rifiuto.

recèsso *s. m.* **1** nascondiglio, rifugio **2** recessione (*raro*), rifiuto.

recettività *s. f. inv.* V. ricettività.

recìdere **A** *v. tr.* **1** [*un arto, un dito, etc.*] tagliare, troncare, tranciare, mozzare, amputare **2** [*uno stelo, etc.; in senso fig. una vita*] falciare **3** [*i rami*] potare **4** [*il grano, etc.*] falciare, mietere, segare **5** [*q.c. da un corpo*] eliminare **6** [*una relazione affettiva*] (*est.*) interrompere **B** *v. intr. pron.* tagliarsi.

recidiva *s. f.* (*med.*) ricaduta.

recingere *v. tr.* chiudere, contornare, circondare, recintare, cingere.

recintàre *v. tr.* recingere, circondare, chiudere.

recìnto *s. m.* **1** palizzata, staccionata, cinta, cerchia, recinzione **2** (*est.*) perimetro **3** (*est.*) box (*ingl.*), chiuso.

recinzióne *s. f.* staccionata, recinto, steccato, palizzata, cerchia, rete (*est.*).

recipiènte *s. m.* **1** (*gener.*) contenitore **2** [*tipo di*] ampolla, anfora, baratto-

lo, bicchiere, boccale, bottiglia, brocca, caraffa, catinella, catino, chicchera, ciotola, conca, coppa, coppo, giara, orcio, pattumiera, pitale, scodella, vaso, tazza, lattina, latta.

reciprocità *s. f.* corrispondenza, contraccambio.

reciproco *agg.* scambievole, vicendevole, mutuo CONTR. unilaterale.

recisaménte *avv.* categoricamente, risolutamente, decisamente CONTR. timidamente, debolmente.

recisióne *s. f.* **1** troncamento, taglio, amputazione **2** [*rif. all'atteggiamento*] (*est.*) decisione, bruschezza.

reciso *part. pass.; anche agg.* **1** mozzo, amputato, tronco **2** [*rif. a un discorso*] (*est.*) secco, breve, categorico, laconico CONTR. vacillante, titubante, indeciso.

rècita *s. f.* **1** spettacolo, rappresentazione **2** (*est.*) recitazione **3** (*est.*) commedia, farsa, posa.

recitàre **A** *v. tr.* **1** [*un poema, etc.*] declamare, leggere, porgere **2** [*un'opera teatrale*] interpretare, rappresentare, drammatizzare, prodursi in **3** [*una storia*] (*est.*) raccontare, dire, narrare **4** [*moccoli, invettive*] (*est.*) pronunciare, snocciolare **B** *v. intr.* **1** giocare **2** (*est.*) mentire.

recitazióne *s. f.* **1** interpretazione **2** recita.

reclamàre **A** *v. intr.* lamentarsi, protestare, lagnarsi, contestare un, ricorrere (*dir.*) **B** *v. tr.* **1** richiedere, rivendicare, esigere, domandare, chiedere, pretendere, volere, ridomandare **2** (*est.*) necessitare di.

réclame *s. m. inv.* propaganda, pubblicità, promozione.

reclamizzàre *v. tr.* pubblicizzare, propagandare, diffondere, lanciare (*fig.*), valorizzare.

reclàmo *s. m.* rimostranza, lagnanza, lamentela, protesta, recriminazione.

reclinàre *v. tr.* chinare, piegare, inclinare, rovesciare CONTR. alzare, rialzare, sollevare, ergere.

reclinàto *part. pass.; anche agg.* **1** piegato, inclinato CONTR. ritto, eretto 2 [*rif. alle membra*] abbandonato.

reclusióne *s. f.* carcerazione, segregazione, isolamento, detenzione, prigionia, cattività.

reclùso *s. m.* (*f. -a*) galeotto, carcerato, prigioniero, detenuto.

reclusòrio *s. m.* **1** carcere, galera, penitenziario, prigione, gattabuia (*scherz.*) **2** [*per gli anziani*] ospizio.

rècluta *s. f.* **1** matricola, tuba (*gerg.*), coscritto **2** novizio, principiante, tirocinante, pivello (*fam.*).

reclutaménto *s. m.* arruolamento.

reclutàre *v. tr.* **1** (*mil.*) arruolare, coscrivere CONTR. congedare **2** assumere, ingaggiare, assoldare CONTR. licenziare **3** [*capitali, etc.*] (*econ.*) drenare (*fig.*).

recòndito *agg.* **1** segreto, nascosto, riposto CONTR. palese, manifesto, ovvio **2** occulto, misterioso, astruso.

rècord **A** *agg. inv.* [*rif. a un evento*] straordinario, eccezionale **B** *s. m. inv.* primato.

rècordman *s. m. inv.* campione, primatista.

recriminàre *v. intr.* lagnarsi, lamentarsi, rammaricarsi.

recriminazióne *s. f.* rimostranza, lagnanza, lamentela, protesta, reclamo.

recuperàre o **ricuperàre** *v. tr.* **1** riacquistare, ritrovare, riscattare, riconquistare, ripigliare CONTR. perdere, smarrire **2** trovare, scovare, rinvenire **3** [*qc.*] salvare, redimere **4** [*lo svantaggio*] rimontare, rientrare di **5** [*materiali*] riutilizzare, riciclare CONTR. gettare **6** [*una mina, l'ancora, etc.*] salpare.

recùpero o **ricùpero** *s. m.* **1** [*di oggetti*] ritrovamento **2** [*di un vantaggio, della salute*] ripresa, rimonta **3** [*della moda, delle tradizioni, etc.*] riesumazione (*fig.*), rilancio **4** [*di beni impegnati*] riscatto.

redarguire *v. tr.* rampognare, rimproverare, rimbrottare, sgridare, strapazzare, richiamare, correggere (*est.*) CONTR. lodare, elogiare.

redattóre *s. m.* (*f. -trice*) **1** estensore **2** [*tipo di*] giornalista, scrittore.

redazióne *s. f.* **1** stesura, scrittura **2** composizione.

redditìzio *agg.* lucroso, proficuo, vantaggioso, rimunerativo CONTR. costoso, improduttivo.

rèddito *s. m.* **1** entrata, introito **2** rendimento, resa.

redènto *part. pass.; anche agg.* affrancato, liberato CONTR. condannato, schiavo.

redenzióne *s. f.* **1** liberazione, riscatto, affrancamento **2** [*nel cristianesimo*] salvezza, salvazione CONTR. dannazione **3** (*est.*) riparo, scampo.

redìgere *v. tr.* **1** scrivere, svolgere, stendere, comporre **2** [*un modulo, etc.*] compilare, riempire.

redìmere **A** *v. tr.* riscattare, affrancare, recuperare, liberare, guarire (*est.*), salvare **B** *v. rifl.* pentirsi, ravvedersi, riabilitarsi, riscattarsi, mondarsi (*est.*), affrancarsi, guarire (*fig.*) CONTR. dannarsi, fuorviare, perdersi.

rèdine *s. f.* **1** briglia **2** (*est.*) comando, direzione, governo.

rèdini *s. f. pl.* **1** briglia **2** [*di un governo, di un'industria*] (*est.*) guida.

referèndum *s. m. inv.* plebiscito, votazione (*est.*).

refèrto *s. m.* **1** relazione **2** reperto.

rèfill *s. m. inv.* cartuccia, ricambio.

rèfolo *s. m.* [*di vento*] folata, buffo, soffio, alito.

refrain *s. m. inv.* ritornello.

refrattarietà *s. f.* [*al dolore, etc.*] immunità, indifferenza, insensibilità.

refrattàrio *agg.* renitente, ricalcitrante, riluttante, resistente.

refrigeràre *v. tr.* raffreddare, rinfrescare, gelare CONTR. scaldare.

refurtiva *s. f.* bottino, preda, malloppo.

regalàre *v. tr.* **1** donare, offrire, dare ad altri CONTR. prendere, derubare **2** [*denaro, etc.*] devolvere, elargire, lar-

gire **3** (*gener.*) dare **4** (*est.*) concedere, accordare.

regàle *agg.* **1** reale, regio CONTR. plebeo, popolare **2** (*est.*) sontuoso, splendido, solenne CONTR. plebeo, popolare, misero, umile.

regàlo *s. m.* **1** dono, omaggio, presente, ricordo (*fig.*), pensiero (*fig.*), sorpresa (*est.*) **2** mancia, elargizione **3** (*est.*) favore, piacere, cortesia **4** (*est.*) donazione, lascito.

reggènza (**1**) *s. f.* (*ling.*) regime.

reggènza (**2**) *s. f.* governatorato.

règgere **A** *v. tr.* **1** [*q.c. tra le mani*] portare, tenere **2** [*un paese, un'azienda*] pilotare (*fig.*), governare, guidare (*fig.*), dirigere, gestire, amministrare, condurre, presiedere, comandare **3** [*una pressione*] (*anche fig.*) sostenere, sopportare, soffrire (*fig.*), tollerare **4** [*qc.*] sostenere, sorreggere **5** [*un muro, etc.*] sorreggere, puntellare, trattenere **6** [*detto di verbo*] (*ling.*) volere **B** *v. intr.* **1** resistere, tenere CONTR. mollare, desistere **2** [*detto di clima, di oggetto, etc.*] durare **3** [*detto di ragionamento, etc.*] (*fig.*) stare in piedi **4** [*detto di imbarcazione, etc.*] resistere, tenere, tenere il mare **C** *v. rifl.* appoggiarsi, sostenersi, tenersi, puntellarsi, stare, assicurarsi **D** *v. intr. pron.* **1** appoggiare, gravare **2** [*detto di ragionamento, di teoria*] fondarsi, basarsi.

règgia *s. f.* (*pl. -ge*) (*gener.*) casa CONTR. tugurio, spelonca, stamberga, abituro, capanna, catapecchia, tana, topaia.

reggiàno (**1**) *agg.* di Reggio.

reggiàno (**2**) *s. m. inv.* grana, parmigiano.

reggiménto *s. m.* moltitudine, folla, caterva, mucchio, turba.

reggiséno *s. m.* (*gener.*) indumento.

regime *s. m.* **1** (*spreg.*) governo, dittatura, autoritarismo, tirannide **2** [*di vita, etc.*] regola, sistema **3** [*alimentare*] dieta **4** [*rif. ai verbi*] (*ling.*) reggenza **5** [*rif. a una macchina*] funzionamento **6** [*di un fenomeno*] andamento **7** [*rif. ai fiumi*] portata.

regina *s. f.* **1** sovrana, maestà

regio

(*vocat.*) **2** primadonna **3** [*negli scacchi*] donna **4** [*nella carta da gioco*] dama.

règio *agg.* **1** reale, regale, sovrano **CONTR.** popolare **2** sovrano, statale.

regióne *s. f.* **1** territorio, paese, plaga (*poet.*), sponda (*lett.*), terra, parte, area **2** luogo, zona **3** [*della fantasia, dell'arte*] (*fig.*) dominio, campo.

registràre *v. tr.* **1** scrivere, segnare, appuntare, memorizzare, annotare, mettere a verbale, notare, protocollare **2** catalogare, censire, elencare, enumerare, inventariare, rubricare, schedare **3** immatricolare, iscrivere, matricolare **4** [*una canzone, una voce*] incidere **5** [*q.c. nella memoria*] (*fig.*) incidere **6** [*un meccanismo*] regolare **7** [*un brevetto*] (*est.*) depositare.

registrazióne *s. f.* **1** annotazione **2** [*di canzoni, di musica*] (*mus.*) incisione, trascrizione, trasporto **3** [*di un meccanismo*] regolazione, sistemazione **4** [*a q.c.*] iscrizione, immatricolazione **5** [*rif. alla contabilità*] scritturazione **6** [*di una nascita*] (*est.*) denunzia.

registro *s. m.* [*di bordo*] diario, giornale.

regnàre *v. intr.* **1** essere re **2** dominare, prevalere, predominare, imperare **3** [*detto di sentimenti, di amicizia*] (*fig.*) allignare, prosperare, fiorire, esserci, abbondare.

règno *s. m.* **1** [*in senso fisico*] reame (*lett.*) **CONTR.** repubblica **2** [*in senso politico*] trono, corona, monarchia **3** (*gener.*) stato **4** (*est.*) dominio, governo, dominazione.

règola (1) *s. f.* **1** norma **CONTR.** anomalia **2** (*est.*) norma, direttiva, prescrizione, dettame, legge, precetto, termine (*lett.*), consuetudine, governo (*raro*), convenzione **3** [*di vita, etc.*] metodo, sistema, regime **4** [*nel fare q.c.*] modo, misura, criterio **5** [*di religiosi*] ordine.

règola (2) *s. f.* mestruo, mestruazioni.

regolamentàre *A v. tr.* disciplinare, regolare **CONTR.** liberalizzare *B agg.* legale, normale, conforme, regolare **CONTR.** addomesticato (*fig.*), irregolare.

regolaménto *s. m.* **1** normativa, ordinamento **2** [*di un debito*] pagamento, estinzione (*fig.*).

regolàre *A v. tr.* **1** [*il traffico, la caccia*] limitare, ordinare, disciplinare, normalizzare, regolamentare **2** [*la spesa, etc.*] limitare, ridurre, moderare, misurare **3** [*un meccanismo*] assestare, aggiustare, registrare **4** [*una questione*] sistemare, definire, risolvere **5** [*una situazione, etc.*] coordinare, governare, dirigere *B v. rifl.* [*nel dire, fare*] disciplinarsi, misurarsi, moderarsi, controllarsi, contenersi, governarsi *C agg.* **1** [*rif. a un moto, a un movimento*] uniforme, ordinato, costante, periodico **CONTR.** irregolare, eccezionale, discontinuo, disuguale, ineguale, agitato, disordinato, scomposto, caotico **2** [*rif. al comportamento*] normale, consueto, usuale, corretto **CONTR.** discontinuo, paradossale, anomalo, anormale, arbitrario **3** [*rif. a una pratica, a un documento*] regolamentare, valido **4** [*rif. a una relazione*] legittimo **CONTR.** clandestino **5** (*temp.*) periodico.

regolarità *s. f. inv.* **1** periodicità **CONTR.** irregolarità **2** legalità, normalità **3** sistematicità.

regolarizzàre *v. tr. e rifl.* normalizzare, legalizzare, legittimare.

regolarménte *avv.* **1** con regolarità, a intervalli regolari, periodicamente, costantemente, sempre, di solito **CONTR.** irregolarmente, episodicamente **2** normalmente, in modo naturale **CONTR.** irregolarmente, abnormemente **3** metodicamente **CONTR.** bizzarramente, strambamente **4** legalmente **CONTR.** abusivamente, arbitrariamente, clandestinamente, con frode.

regolàto *part. pass.; anche agg.* **1** [*rif. a un esame, a un'analisi, a un lavoro*] ordinato, metodico **2** [*rif. al comportamento*] misurato, moderato, sobrio, temperante, morigerato **CONTR.** sregolato, smodato, eccessivo **3** [*rif. al traffico*] ordinato, disciplinato **CONTR.** sregolato, caotico **4** [*rif. a un problema, a una questione*] sistemato, risolto.

regolazióne *s. f.* [*di un meccanismo*] registrazione, sistemazione, controllo (*est.*).

regredìre *v. intr.* **1** retrocedere, arretrare, indietreggiare **2** imbarbarirsi, peggiorare.

regredito *part. pass.; anche agg.* imbarbarito, involuto (*fig.*) **CONTR.** progredito.

regressióne *s. f.* **1** [*rif. alla civiltà*] involuzione, regresso **2** [*rif. a una epidemia*] attenuazione, calo, diminuzione.

regrèsso *s. m.* **1** decadenza, decadimento **2** arretramento, involuzione, regressione, retrocessione **CONTR.** sviluppo, progresso, avanzata.

reinserìre *A v. tr.* **1** ricollocare, rimettere **2** [*qc. nella società civile*] (*est.*) recuperare, reintegrare *B v. rifl.* reintegrarsi.

reintegràre *A v. tr.* **1** [*le leggi, le regole, etc.*] ristabilire, restaurare, ripristinare **2** [*qc.*] ricollocare (*fig.*), riabilitare, reinserire **3** [*qc. di un danno*] risarcire, indennizzare *B v. rifl.* reinserirsi.

reintegrazióne *s. f.* **1** risarcimento, restituzione **2** restauro, ripristino **3** [*di una persona*] ricollocazione, riassunzione, restaurazione (*raro*).

reiteràre *v. tr.* **1** iterare, replicare, ripetere, rifare **2** [*verbalmente*] replicare, ripetere, ribadire, ridire.

reiteratamènte *avv.* ripetutamente, più volte, spesso **CONTR.** raramente, infrequentemente.

reiteràto *part. pass.; anche agg.* replicato, ripetuto.

reiterazióne *s. f.* replica, ripetizione.

relativamènte *avv.* **1** limitatamente, abbastanza poco **CONTR.** poco, troppo **2** a proposito di, rispetto, unilateralmente **CONTR.** assolutamente, categoricamente, matematicamente.

relativo *agg.* **1** riguardante, concernente, pertinente, spettante, attinente **2** [*rif. a un'opinione, a un giudizio*] soggettivo, parziale **CONTR.** assoluto, completo, categorico, incondizionato, totale **3** [*rif. al tempo*] scarso, limitato **CONTR.** illimitato.

relàx *s. m. inv.* **1** rilassamento, riposo, distensione **2** (*est.*) svago, divertimento.

relazionàre *v. tr.* **1** [*q.c.*] raccontare, descrivere **2** [*qc. su q.c.*] ragguagliare, informare *di.*

relazióne (1) *s. f.* **1** [*tra cose, tra fatti, etc.*] rapporto, legame, nesso, connessione, attinenza, contatto **2** [*tipo di*] rapporto, somiglianza, affinità, analogia, aderenza, vicinanza, proporzione, concatenazione, dipendenza, rispetto **3** [*tra persone*] amicizia, amore, vincolo, storia, avventura, flirt (*ingl.*), tresca (*neg.*).

relazióne (2) *s. f.* **1** descrizione, esposizione, resoconto, ragguaglio, rendiconto, cronistoria, rapporto, referto (*med.*) **2** (*est.*) scritto, elaborato.

relegàre *v. tr.* **1** confinare, segregare, isolare **2** (*est.*) internare, rinchiudere.

religióne *s. f.* **1** fede, confessione, credo **2** [*rif. all'arte, etc.*] culto, rispetto, venerazione.

religiósa *s. f.* monaca, suora, sorella.

religiosaménte *avv.* **1** devotamente, misticamente, piamente **CONTR.** irreligiosamente, sacrilegamente **2** scrupolosamente, accuratamente, con attenzione.

religiosità *s. f. inv.* **1** spiritualità **2** [*verso la divinità*] devozione, pietà **3** [*spec. con: conservare q.c. con*] devozione, rispetto **4** [*di un luogo*] sacralità.

religióso A *agg.* **1** [*rif. a un luogo*] sacro, santo **CONTR.** profano **2** [*rif. a una persona*] pio, credente, devoto **CONTR.** empio, infedele **3** [*rif. al silenzio, al rispetto*] santo, riverente, rispettoso, ossequioso **CONTR.** sprezzante **4** [*rif. all'attenzione, alla cura*] scrupoloso **CONTR.** trascurato, negligente **B** *s. m.* (*f. -a*) [*tipo di*] monaco, frate, sacerdote, prete, missionario.

reliquàrio *s. m.* V. *reliquiario.*

reliquia *s. f.* **1** cimelio **2** vestigia (*lett.*).

reliquiàrio o **reliquàrio** *s. m.* custodia, ciborio.

relitto *s. m.* **1** [*rif. a una imbarcazione*] rottame, avanzo, carcassa, carcame **2** [*rif. a una persona*] (*fig.*) carcame, rudere, larva, catorcio.

remake *s. m. inv.* rifacimento, riedizione, rielaborazione.

remàre *v. intr.* vogare, remeggiare (*raro*), remigare (*lett.*).

remeggiàre *v. intr.* vogare, remare, remigare (*lett.*).

remigàre *v. intr.* vogare, remare, remeggiare (*raro*).

reminiscènza *s. f.* memoria, ricordo.

remissióne *s. f.* perdono, assoluzione, condono (*bur.*).

remissivaménte *avv.* docilmente, arrendevolmente, ubbidientemente **CONTR.** irriducibilmente, ostinatamente, testardamente, insubordinatamente (*est.*).

remissività *s. f. inv.* acquiescenza, docilità, mitezza, condiscendenza, arrendevolezza, umiltà.

remissivo *agg.* condiscendente, sottomesso, deferente, docile, accomodante, adattabile, compiacente, ubbidiente **CONTR.** accanito, cocciuto, irremovibile, pertinace, pervicace, puntiglioso, aggressivo, bellicoso, combattivo, riottoso.

rèmora (1) *s. f.* indugio, freno.

rèmora (2) *s. f.* (*gener.*) pesce.

remòto *agg.* **1** (*temp.*) lontano, ultimo **CONTR.** vicino, prossimo **2** [*rif. alle possibilità, etc.*] improbabile **CONTR.** probabile **3** [*rif. a un luogo*] nascosto, distante, isolato, romito (*lett.*), discosto **CONTR.** vicino, prossimo.

remuneràre *v. tr.* pagare, premiare, compensare, ricompensare.

réna *s. f.* V. *arena (2).*

rèndere A *v. tr.* **1** restituire, ridare, riconsegnare, dare, ritornare (*tosc.*), ridonare, tornare **CONTR.** prendere, derubare **2** [*denaro, etc.*] restituire, rifondere, rimborsare **3** [*qc. alla famiglia*] ricondurre **4** [*l'idea di qc. o q.c.*] (*est.*) rappresentare, raffigurare, rispecchiare, fare **5** [*un regalo, etc.*] ricambiare, contraccambiare, scambiare **6** [*detto di case, di terreni, etc.*] fruttare, valere **7** [*gli onori*] tributare, presentare **8** [*bello, brutto, etc.*] trasformare, ridurre **9** [*detto di pozzo, di sorgente, etc.*] produrre **10** [*la stima, etc.*] riconciliare **B** *v. rifl.* [*simpatico, gradito, etc.*] farsi, diventare, divenire.

rendez-vous *s. m. inv.* appuntamento.

rendicónto *s. m.* **1** [*rif. alla contabilità*] resoconto, consuntivo, bilancio, rapporto **2** [*di fatti, di eventi, etc.*] descrizione, esposizione, relazione, narrazione **3** (*est.*) nota, memoria.

rendiménto *s. m.* **1** resa, produttività, prestazione (*est.*), produzione (*est.*) **2** resa, guadagno, rendita, interesse, reddito, frutto (*fig.*).

rèndita *s. f.* **1** rendimento, provento, frutto **2** vitalizio, assegnamento (*lett.*), appannaggio.

renèlla *s. f.* arena.

renitènte A *agg.* riluttante, contrario (*est.*), ricalcitrante, refrattario, resistente **CONTR.** ottemperante, ubbidiente, docile, remissivo **B** *s. m. e f.* disertore.

renitènza *s. f.* resistenza, ripugnanza, riluttanza, ritrosia.

rèo A *agg.* **1** (*erron.*) colpevole, responsabile **CONTR.** innocente **2** malvagio, crudele, cattivo, scellerato, rio (*lett.*) **B** *s. m.* (*f. -a*) colpevole, responsabile **CONTR.** innocente.

repàrto *s. m.* **1** sezione, settore, ufficio (*est.*) **2** (*mil.*) schiera, compagnia, drappello, ordine, divisione **3** [*in un edificio*] braccio, ala, raggio.

repellènte *part. pres.; anche agg.* ripugnante, nauseante, disgustoso, schifoso, nauseabondo, ributtante **CONTR.** attraente, affascinante, avvincente, invitante, invogliante, incantevole, ammirevole, appetitoso, delizioso, fatale, seducente.

repèllere *v. tr.* ripugnare, disgustare, schifare, nauseare **CONTR.** rapire, piacere, attrarre.

repentàglio *s. m.* pericolo, cimento (*lett.*).

repentinaménte *avv.* improvvisamente, d'improvviso, bruscamente, fulmineamente, istantaneamente, subitaneamente **CONTR.** gradualmente, progressivamente.

repentino agg. 1 improvviso, inatteso CONTR. graduale, progressivo 2 (temp.) subitaneo, istantaneo.

reperire v. tr. trovare, ritrovare, rinvenire, pescare (fig.) CONTR. smarrire, perdere.

repèrto s. m. 1 (est.) antichità, vestigia 2 (med.) referto.

rèplica s. f. (pl. -che) 1 risposta, reazione (est.) 2 obiezione 3 [di uno spettacolo, etc.] reiterazione, ripetizione.

replicàre v. tr. 1 [un'azione] ripetere, rifare, iterare, reiterare 2 [q.c. a un discorso] eccepire, ribattere, controbattere, ridire, rimbeccare, rispondere, reagire, contraddire, ribadire, opporre, obiettare 3 [un'opera teatrale, etc.] ripresentare.

replicàto part. pass.; anche agg. ripetuto, reiterato.

reportage s. m. inv. 1 [di giornale] articolo, servizio, cronaca 2 [televisivo, etc.] inchiesta.

repressióne s. f. [degli istinti] mortificazione, soffocamento, compressione (raro) 2 (psicol.) rimozione 3 [rif. a un'epoca] reazione, oscurantismo.

repressivo agg. soffocante, opprimente, prepotente, vessatorio, coercitivo CONTR. liberale, democratico.

represso part. pass.; anche agg. 1 mortificato, umiliato CONTR. soddisfatto, felice, appagato 2 (psicol.) soffocato, castrato, costretto, frenato.

reprimere A v. tr. 1 [una rivolta, etc.] soffocare, sopprimere, stroncare, sedare, vincere, domare, schiacciare, fiaccare CONTR. favorire, aiutare, incitare, aizzare, istigare 2 [le emozioni, etc.] dissimulare, dominare, comprimere, contenere, frenare, raffrenare, raffreddare (fig.), padroneggiare, mortificare, strangolare (fig.) CONTR. manifestare 3 [il riso, il pianto, etc.] dissimulare, costringere, rintuzzare, trattenere, arrestare CONTR. scatenare B v. rifl. trattenersi, dominarsi, controllarsi, frenarsi, contenersi, padroneggiarsi, moderarsi CONTR. eccitarsi, esaltarsi, scatenarsi.

reprint s. m. inv. ristampa, riproduzione.

repùbblica s. f. (pl. -che) (gener.) stato CONTR. regno, monarchia.

repulsióne s. f. ripugnanza, disgusto, ribrezzo, nausea, schifo (pop.), avversione CONTR. simpatia, attrazione.

reputàre o **riputàre** A v. tr. 1 [qc.] credere, stimare, considerare, giudicare, valutare, conoscere, tenere (fig.), avere (fig.) 2 opinare, presumere, ritenere B v. rifl. stimarsi, considerarsi, valutarsi, giudicarsi, presumersi, credersi, chiamarsi, pretendere di (est.).

reputazióne o **riputazióne** s. f. 1 nome, nomina, fama, nominanza, voce (fig.) 2 stima, considerazione, credito, onore, aura (fig.).

rèquie s. f. inv. quiete, calma, riposo, tranquillità, tregua.

requisire v. tr. 1 sequestrare, confiscare, espropriare CONTR. restituire, svincolare 2 [merce, etc.] incettare, accaparrare.

requisito s. m. 1 titolo, qualità, caratteristica, prerogativa, numero (fig.), pregio 2 (est.) titolo, condizione.

requisizióne s. f. 1 [di beni] sequestro, confisca, esproprio 2 [di generi alimentari] razzia, incetta.

rèsa (1) s. f. 1 rendimento, prestazione, produttività 2 (econ.) guadagno, utile, reddito.

rèsa (2) s. f. capitolazione, cedimento, caduta (fig.).

rèsa (3) s. f. [di q.c.] restituzione.

rescindere v. tr. 1 tagliare, troncare 2 [un contratto] rompere, sciogliere, disdire, annullare, cassare, invalidare CONTR. convalidare, ratificare, confermare.

rescissióne s. f. [di un contratto, etc.] risoluzione, annullamento, scioglimento (fig.).

resecàre v. tr. 1 segare, tagliare 2 [un arto] tagliare, amputare.

residènte A agg. abitante, domiciliato B s. m. e f. abitante.

residènza s. f. 1 domicilio, sede 2 (est.) dimora, abitazione 3 (est.) soggiorno.

residuàre v. intr. avanzare, sopravanzare, rimanere, restare, eccedere (est.) CONTR. mancare, difettare.

residuo A agg. rimanente, restante, avanzato B s. m. 1 resto, avanzo, rimanenza 2 [del vino, di liquidi, etc.] feccia, sedimento, posatura 3 scarto, scoria, impurità 4 detrito 5 (chim.) radicale.

resistènte part. pres.; anche agg. 1 (anche fig.) solido, saldo, tetragono, rigido, temprato CONTR. debole, cedevole, ricalcitrante, refrattario 2 [rif. al fisico] gagliardo, valido CONTR. moscio 3 [rif. a una persona] (fig.) riluttante CONTR. arrendevole, cedevole, moscio 4 [a una situazione] (pop.) rotto.

resistènza s. f. 1 [fisica] forza, vitalità, fiato (fig.) 2 [morale] tenacia, perseveranza, costanza 3 [rif. ai materiali] solidità, robustezza 4 [rif. ai materiali] tenuta, durata 5 [rif. ai materiali] consistenza, durezza, tempra, durevolezza 6 tenacia, adesività, vischiosità, tenacità 7 [a qc., a q.c.] opposizione, ribellione 8 (est.) preclusione, ostacolo (fig.).

resistere v. intr. 1 [detto di alimento, di abito, etc.] durare, tenere, mantenersi, reggere, conservarsi CONTR. sciuparsi, deteriorarsi, rovinarsi 2 [al nemico, etc.] opporsi, difendersi, fare fronte, lottare, contrastare un CONTR. disarmare, fuggire, mollare 3 [alla forza pubblica, etc.] (est.) disubbidire, reagire, ricalcitrare CONTR. piegarsi 4 [a un clima, etc.] (est.) durare, tenere, mantenersi 5 [al dolore, al calore, etc.] reggere un, sopportare un, tollerare un 6 [alle tentazioni, etc.] respingere un, vincere un CONTR. cedere 7 [detto di ricordo, etc.] mantenersi, vivere, perdurare, persistere, continuare 8 [in una posizione, etc.] mantenersi, rimanere, incaponirsi, ostinarsi, impuntarsi, tenere duro.

resocónto s. m. 1 rapporto, relazione 2 [di fatti, di eventi, etc.] descrizione, racconto, rassegna, narrazione, cronaca, cronistoria 3 [della situazione economica] rendiconto, bilancio, quadro (fig.).

respìngere v. tr. **1** [i nemici, etc.] ricacciare, ributtare, risospingere **2** [qc] allontanare, cacciare, scacciare CONTR. invitare, richiamare **3** [una tesi, etc.] confutare, ribattere, rintuzzare **4** [uno studente] non promuovere, bocciare, riprovare, trombare (volg.) CONTR. licenziare, promuovere **5** [una proposta, etc.] disdegnare, non approvare, disapprovare, scartare, rigettare, resistere a CONTR. accogliere, accettare **6** [un dono, etc.] disdegnare, rifiutare, ricusare CONTR. gradire **7** [un pacco, una lettera] rispedire, rimandare, protestare (bur.) **8** [il pallone, nel calcio] (sport) rimandare, rinviare **9** [le responsabilità] declinare CONTR. accettare **10** [qc. da un club, un circolo] escludere, estromettere, espellere CONTR. accogliere **11** [la fortuna] disdegnare, voltare le spalle alla fortuna **12** [la moglie, etc.] ripudiare.

respìnto A part. pass.; anche agg. e s. m. e f. rifiutato, bocciato B s. m. (f. -a) bocciato.

respiràre A v. intr. **1** introdurre aria nei polmoni CONTR. espirare **2** (est.) alitare **3** (est.) ansimare, sbuffare, boccheggiare, rantolare **4** (est.) vivere **5** fermarsi, distendersi, rilassarsi, rifiatare, riposare, riaversi, tirare il fiato (fig.), fiatare CONTR. affannarsi, affaccendarsi B v. tr. [aria, etc.] immagazzinare.

respìro s. m. **1** (est.) fiato, alito, anelito **2** [tipo di] ansito, rantolo **3** (est.) sollievo, riposo, pausa, ossigeno (fig.) **4** [rif. a un'opera d'arte] portata, potenza.

responsàbile A agg. **1** garante CONTR. ignaro, incosciente, irresponsabile **2** consapevole, avveduto, conscio **3** colpevole, reo (erron.) B s. m. e f. **1** reo, colpevole CONTR. innocente **2** [di un gruppo, etc.] dirigente.

responsabilità s. f. inv. **1** onere, peso (fig.), carico (fig.) **2** assennatezza, giudizio, maturità CONTR. incoscienza, irresponsabilità, leggerezza **3** [di qc., di q.c.] tutela **4** [nel fare q.c.] scrupolo, diligenza, coscienza **5** [di un reato] (est.) colpa.

responsabilizzàre v. tr. e intr. pron. corresponsabilizzare.

responsabilménte avv. coscientemente, coscienziosamente CONTR. incoscientemente, irresponsabilmente.

respònso s. m. **1** [dell'oracolo] risposta, auspicio, augurio, oracolo (est.) **2** (est.) parere, giudizio, opinione.

rèssa s. f. calca, affollamento, assembramento, folla.

rèsta s. f. **1** arista (lett.) **2** [di pesce] lisca, spina.

restànte A part. pres.; anche agg. altro, rimanente, residuo B s. m. sing. resto.

restàre v. intr. **1** [in un luogo] rimanere, fermarsi, trattenersi, stazionare, stare, arrestarsi CONTR. proseguire, andarsene, migrare, partire, allontanarsi **2** [in una condizione] permanere **3** (est.) sopravvivere **4** [simpatico, gradito, etc.] rimanere, essere, riuscire **5** [detto di cibo, di oggetti, etc.] avanzare, residuare, eccedere, sopravanzare **6** [detto di costruzione, etc.] essere situato **7** [detto di vento, etc.] (est.) smettere, desistere **8** [detto di ricordo, etc.] (est.) mantenersi.

restaurant s. m. inv. ristorante, trattoria.

restauràre A v. tr. **1** risistemare, ritoccare, riparare, riattare, riadattare, sistemare, ristrutturare, risanare, ricostruire, innovare, accomodare CONTR. guastare, deteriorare, distruggere, danneggiare **2** [un dipinto, etc.] risistemare, ritoccare, rinfrescare **3** [gli usi, i costumi, etc.] ripristinare, restabilire, reintegrare B v. rifl. rifiorire, abbellirsi.

restaurazióne s. f. **1** [di status quo] ristabilimento, ripristino, restauro **2** [al potere, etc.] reintegrazione.

restàuro s. m. riparazione, rifacimento, ripristino, riattamento, restaurazione (raro), reintegrazione (raro), rimodernamento, svecchiamento.

restìo agg. riluttante, ritroso, schivo, contrario CONTR. disposto, compiacente.

restituìre v. tr. **1** ridare, rendere, riportare, ritornare (tosc.), riconsegnare, ridonare, tornare (tosc.), cedere (est.) **2** [il saluto, un regalo] ricambiare, contraccambiare, scambiare **3** [gli

usi, i costumi, etc.] rimettere, ristabilire, ripristinare, reintegrare **4** [il denaro prestato, etc.] liquidare, rimborsare, rifondere **5** [l'affetto, la stima, etc.] riconciliare.

restituzióne s. f. resa, ritorno, reintegrazione (est.).

rèsto s. m. **1** avanzo, residuo, rimanenza, scarto (neg.), scoria (neg.), detrito (neg.) **2** [di una civiltà, etc.] rudere, vestigia **3** [di un tessuto] scampolo.

restrìngere A v. tr. **1** ridurre, diminuire CONTR. ampliare, ingrandire, aumentare, espandere, estendere, ingrossare, allargare **2** [le spese, le indagini] ridurre, diminuire, contrarre, limitare, contenere, circoscrivere, localizzare, delimitare, comprimere CONTR. aumentare, ampliare **3** [una salsa, etc.] concentrare CONTR. diluire **4** [un racconto, un discorso] ridurre, compendiare, riassumere, ricapitolare, riepilogare (lett.) **5** [un abito] ridurre, rimpicciolire, impiccolire CONTR. allargare **6** [una colonna] rastremare **7** [la sapienza, etc.] (est.) coartare (lett.) B v. intr. pron. **1** diminuire CONTR. dilatarsi, espandersi, ingrandirsi, ampliarsi, ingrossarsi, crescere, allargarsi **2** [nelle spese] limitarsi, moderarsi, contenersi, rientrare **3** [detto di abito, etc.] impicciolirsi, impiccolirsi, rimpicciolirsi, ridursi, ritirarsi **4** [detto di colonna] rastremarsi.

restringiménto s. m. **1** [nelle strade, nelle tubature, etc.] strozzatura CONTR. ampliamento, allargamento **2** (med.) stenosi **3** [delle spese, etc.] restrizione, riduzione, limitazione, contrazione **4** [rif. ai metalli, ai tessuti] contrazione, ritiro.

restrizióne s. f. **1** limitazione, freno, riserva **2** [in un contratto, etc.] (est.) clausola, eccezione **3** limitazione, restringimento, riduzione **4** [economica] (est.) austerità.

resuscitàre v. tr. e intr. V. risuscitare.

retàggio s. m. **1** eredità **2** [culturale, etc.] eredità, patrimonio.

retàta s. f. (fig.) razzia.

rète s. f. **1** [tipo di] tramaglio, giacchio, ragna, rivale **2** (est.) reticolato, griglia, grata, reticolo **3** (est.) recinzione **4**

(*fig.*) intrico, ragnatela **5** [*di strade, di tubature, etc.*] (*est.*) intreccio, sistema **6** (*est.*) agguato, inganno, trappola, imboscata **7** (*est.*) gol.

reticènza *s. f.* riluttanza, riserbo, ritrosia.

reticolàto *s. m.* **1** rete, grata, griglia, reticolo **2** (*est.*) barriera.

reticolo *s. m.* **1** rete, reticolato, griglia, grata **2** (*est.*) intreccio, disegno, trama.

rètore *s. m.* (*f. -trice*) oratore, parlatore.

retoricaménte *avv.* ampollosamente, enfaticamente, pomposamente, accademicamente **CONTR.** stringatamente, succintamente, sinteticamente.

retòrico *agg.* (*neg.*) magniloquente, ampolloso, enfatico, ridondante, altisonante, pomposo **CONTR.** conciso, essenziale, scarno.

retràrre *v. tr. e rifl.* V. *ritrarre (2) A.*

retribuire *v. tr.* stipendiare, pagare, ricompensare, premiare, compensare, corrispondere, rimunerare, rimborsare, assoldare (*est.*).

retribuzióne *s. f.* **1** stipendio, paga, mensile, compenso, salario, onorario **2** (*est.*) rimunerazione, mercede (*lett.*), ricompensa, premio.

retrivo *A agg.* retrogrado, antiquato, reazionario, conservatore, borbonico (*fig.*), arretrato, ottuso **CONTR.** evoluto, progredito, rivoluzionario *B s. m.* (*f. -a*) conservatore, antiprogressista.

retroazióne *s. f.* feedback (*ingl.*).

retrocèdere *A v. intr.* **1** [*detto di truppe, etc.*] arretrare, indietreggiare, rinculare, ritirarsi, ripiegare **CONTR.** avanzare, procedere, proseguire **2** [*da un atteggiamento, etc.*] recedere, desistere, abbandonare *un* **3** [*nei costumi, negli studi*] regredire **CONTR.** progredire *B v. tr.* riportare indietro, declassare, degradare **CONTR.** promuovere, avanzare.

retrocessióne *s. f.* arretramento, ripiegamento, regresso **CONTR.** avanzata, avanzamento, conquista.

retrògrado *A agg.* retrivo, antiquato, borbonico (*fig.*), reazionario, arretrato **CONTR.** avanzato, progredito, innovativo, rivoluzionario *B s. m.* (*f. -a*) conservatore **CONTR.** progressista.

retrostànte *agg.* dietro, posteriore **CONTR.** antistante, di fronte, prospiciente.

retrotèrra *s. m. inv.* **1** [*rif. a territorio*] hinterland **2** [*culturale*] background.

rètta (1) *s. f.* **1** pensione **2** pigione, fitto, locazione.

rètta (2) *s. f.* [*spec. con: dare, prestare*] ascolto.

rètta (3) *s. f.* (*mat.*) raggio, linea, riga.

rettaménte *avv.* **1** onestamente, correttamente, lealmente, giustamente, bene, coscientemente, dirittamente, fedelmente, moralmente, sanamente **CONTR.** disonestamente, corrottamente, perversamente **2** (*est.*) onorevolmente **CONTR.** criminalmente, delittuosamente.

rettàngolo *s. m.* (*gener.*) poligono (*mat.*) **CONTR.** cerchio, quadrato, triangolo.

rettifica *s. f.* (*pl. -che*) modifica, variazione, modificazione, correzione.

rettificàre *v. tr.* **1** raddrizzare, aggiustare **CONTR.** piegare, curvare **2** [*un documento, etc.*] emendare, correggere, migliorare, rimediare, cambiare **3** [*una notizia, etc.*] spiegare, smentire, chiarire **4** [*una sostanza*] purificare, purgare **5** [*un oggetto*] molare, rifinire.

rettificàto *part. pass.; anche agg.* corretto, modificato, smentito (*giorn.*).

rèttile *s. m.* **1** (*gener.*) animale →animali **2** [*tipo di*].

NOMENCLATURA
Rettili

Rettili: vertebrati con corpo rivestito di squame cornee e talvolta forniti di dermascheletro osseo, a respirazione polmonare e riproduzione ovipara, ovovivipara o vivipara.

testuggine: rettile terrestre, d'acqua dolce o marina, con il corpo protetto dal carapace costituito da uno scudo dorsale e da un piastrone ventrale in cui possono ritirarsi il corpo, gli arti e la coda;

tartaruga;

coccodrillo: rettile fluviale tropicale di grosse dimensioni con corpo lungo e poderoso coperto da una salda corazza di scudi ossei, fornito di coda lunga e robusta, testa depressa e ampia bocca armata di denti;

alligatore: rettile fluviale di grosse dimensioni di color scuro o nerastro, con muso lungo e arrotondato per cui si distingue dal coccodrillo; caratteristico dei grandi fiumi americani;

caimano: rettile fluviale simile al coccodrillo da cui si differenzia per le dimensioni inferiori e per il muso meno appuntito;

gaviale: rettile fluviale indiano simile al coccodrillo, con muso stretto e lungo;

ramarro: rettile terrestre simile alla lucertola, di colore verdastro, che vive nei prati, boschi, sassaie, cacciando insetti;

lucertola: rettile terrestre eurasiatico e africano che ha il corpo coperto di scagliette minutissime, il capo di placche ossee, la coda sottile facilmente rigenerabile e la lingua bifida;

geco: rettile terrestre simile alla lucertola ma con corpo tozzo, pelle a squame verrucose, dita a spatola munite di lamelle adesive per arrampicarsi sui muri;

tarantola dei muri;

camaleonte: rettile terrestre simile a una lucertola, ma più corto e tozzo, con tronco compresso, coda prensile, occhi grandi e sporgenti, lingua protrattile; è capace di variare il colore della pelle;

scinco: rettile terrestre con muso appuntito, zampe robuste, squame lucide ed embricate, che vive sprofondato nelle sabbie;

varano: rettile terrestre lungo da due a quattro metri, con forma che ricorda la lucertola, agilissimo e predatore, cacciato per la pelle;

iguana: rettile terrestre arboricolo di grosse dimensioni, che vive nell'America centromeridionale, verdastro, con lunga coda e cresta sul dorso;

basilisco: rettile terrestre tropicale con caratteristiche creste laminari erettili sul capo e sul dorso, di colore verdastro con fasce nere;

*****serpente:** rettile con corpo allungato, cilindrico, senza arti, rivestito di squame e, in alcune specie, ghiandole secernenti liquidi velenosi, situate nella testa.

rettilìneo *A* agg. [*rif. alla direzione*] diritto *B* s. m. [*rif. a strada, etc.*] rettifilo.

rettitùdine s. f. *1* onestà, integrità, probità, drittura, trasparenza (*fig.*), moralità **CONTR.** disonestà *2* (*gener.*) qualità.

rètto *A* agg. *1* diritto, verticale **CONTR.** arcuato, curvo, obliquo *2* [*rif. a una persona*] morale, onesto, degno, probo, corretto **CONTR.** delittuoso, iniquo, ambiguo, debosciato, degenerato, depravato, dissoluto, infedele, ingannevole *3* [*rif. a un'azione*] corretto, giusto, esatto **CONTR.** delittuoso, iniquo, criminoso *B* s. m. (f. -a) giusto, onesto.

reverènte part. pres.; anche agg. V. *riverente.*

reverènza s. f. V. *riverenza.*

revisionàre v. tr. *1* controllare, rivedere, riesaminare, ripassare (*fig.*) *2* (*est.*) correggere, migliorare, innovare.

revisióne s. f. *1* verifica, controllo, riscontro *2* (*est.*) aggiornamento *3* (*est.*) correzione.

rèvoca s. f. (pl. *-che*) *1* abrogazione, soppressione, cancellazione, annullamento, ritiro, cassazione *2* ritrattazione, disdetta (*lett.*).

revocàre v. tr. *1* [*una legge, una norma*] abrogare, annullare, cassare, cancellare, abolire, eliminare, sopprimere **CONTR.** emanare, approvare, emettere, sanzionare *2* [*un appuntamento, etc.*] disdire **CONTR.** fissare *3* [*un decreto, un permesso*] ritirare *4* [*qc. da un incarico*] esonerare, rimuovere.

revolveràta s. f. *1* pistolettata, rivoltellata *2* sparo.

riabbracciàre v. tr. abbracciare di nuovo, rivedere (*est.*).

riabilitàre *A* v. tr. *1* reintegrare (*est.*) **CONTR.** condannare, disonorare, diffa-

mare *2* [*una strada, etc.*] ripristinare *3* [*un invalido*] recuperare **CONTR.** inabilitare *B* v. intr. pron. redimersi, raddrizzarsi (*fig.*) **CONTR.** degradarsi, screditarsi, disonorarsi.

riaccèndere *A* v. tr. *1* [*il fuoco*] attizzare, riattizzare **CONTR.** spegnere *2* [*i sentimenti, le emozioni*] (*fig.*) risvegliare, ridestare, ravvivare, rinvigorire, vivificare, inverdire, risuscitare, rinnovare, riprodurre *3* [*qc.*] (*est.*) rieccitare **CONTR.** abbattere, avvilire *B* v. intr. pron. [*detto di passione, etc.*] ridestarsi, risvegliarsi, sbocciare (*fig.*).

riacchiappàre v. tr. riafferrare, riacciuffare, riprendere.

riacciuffàre v. tr. riafferrare, riacchiappare, riprendere.

riaccomodàre *A* v. tr. accomodare di nuovo, rappezzare *B* v. rifl. rec. rappacificarsi, riconciliarsi.

riaccompagnàre v. tr. riportare, ricondurre.

riacquistàre v. tr. *1* ricomprare **CONTR.** rivendere *2* recuperare, riprendere, riguadagnare, riavere, riottenere, riconquistare **CONTR.** perdere.

riadattàre v. tr. raccomodare, rimodernare, rinnovare, restaurare, aggiustare, riparare.

riaddormentàre v. tr. riassopire **CONTR.** ridestare.

riaffacciàre *A* v. tr. *1* affacciare di nuovo *2* manifestare nuovamente *B* v. rifl. [*alla finestra, etc.*] riapparire *C* v. intr. pron. [*detto di ricordi*] riaffiorare, riemergere.

riaffermàre *A* v. tr. *1* riconfermare, attestare, ribadire, ridire, confermare *2* [*la fede in qc., etc.*] riconfermare, attestare, rinnovare.

riafferràre *A* v. tr. *1* riacchiappare, riaguantare, riacciuffare, ripigliare *2* riappropriarsi di, rimpadronirsi di **CONTR.** rinunciare a *B* v. rifl. riattaccarsi.

riaffioràre v. intr. *1* [*detto di muffa, etc.*] rifiorire, riemergere *2* [*detto di ricordo*] (*fig.*) emergere.

riaffondàre v. tr. affondare **CONTR.** riemergere.

riaffrescàre v. tr. ridipingere, ripitturare.

riaggiustàre v. tr. V. *raggiustare.*

riaggravàre v. tr. e intr. pron. peggiorare, acuire, inacerbire **CONTR.** migliorare.

riaguantàre v. tr. riafferrare, riprendere **CONTR.** rilasciare.

riallacciàre *A* v. tr. *1* ricollegare, ricongiungere, riconnettere *2* [*un'amicizia, etc.*] riprendere, rinnovare *B* v. intr. pron. *1* rifarsi, richiamarsi, ricollegarsi (*fig.*), riannodarsi (*fig.*), riportarsi, risalire (*fig.*) *2* basarsi, attenersi, fondarsi.

riallineàre v. tr. *1* allineare di nuovo *2* [*una moneta*] (*econ.*) svalutare **CONTR.** rivalutare.

rialzàre *A* v. tr. *1* sollevare, alzare, issare, risollevare **CONTR.** coricare, reclinare, abbassare, adagiare, rosciare *2* [*un edificio, etc.*] elevare, sopraelevare **CONTR.** abbattere *3* [*i prezzi, etc.*] aumentare, rincarare, accrescere **CONTR.** calare, diminuire, ribassare *B* v. rifl. risollevarsi, raddrizzarsi **CONTR.** affossarsi, ricadere.

rialzàto part. pass.; anche agg. rilevato, sollevato **CONTR.** atterrato, basso.

riàlzo s. m. *1* [*dei prezzi, etc.*] rincaro, aumento **CONTR.** calo *2* [*nelle strade, etc.*] prominenza, rilievo, rilevato (*raro*).

rianalizzàre v. tr. riconsiderare, riesaminare.

riandàre v. intr. *1* tornare *2* (*est.*) ricordare un, rievocare un.

rianimàre *A* v. tr. *1* consolare, rincuorare, galvanizzare *2* [*una festa, etc.*] ravvivare *B* v. intr. pron. *1* riaversi, rinvenire **CONTR.** svenire *2* animarsi, rincuorarsi, consolarsi, invigorirsi, rinvigorirsi **CONTR.** demoralizzarsi, deprimersi, disanimarsi, desolarsi, abbattersi, scoraggiarsi, avvilirsi, sconfortarsi *3* [*detto di festa, etc.*] animarsi, ridestarsi, ravvivarsi, movimentarsi.

rianimàto part. pass.; anche agg. sollevato, confortato, rincuorato **CONTR.** sconfortato, demoralizzato, atterrito.

riannodàre *A* v. tr. rannodare, riconnettere **B** v. intr. pron. [detto di rapporti] riallacciarsi.

riapertùra s. f. [delle trattative, etc.] ripresa.

riapparire v. intr. **1** [detto di sintomo, etc.] ripresentarsi, ricomparire, rimanifestarsi CONTR. scomparire, sparire, eclissarsi, dileguarsi **2** [detto di sole, etc.] riaffacciarsi, rispuntare.

riapparizione s. f. ricomparsa.

riappiccicàre v. tr. incollare, riconnettere, saldare CONTR. scollare.

riappropriàrsi v. intr. pron. riafferrare un.

riaprire A v. tr. **1** [una porta, una finestra] aprire, spalancare **2** [un'attività] ricominciare, riprendere, iniziare, avviare, cominciare CONTR. chiudere, concludere, finire **3** [una strada, una ferrovia] riattivare, ripristinare **4** [un negozio, etc.] (est.) rinnovare **B** v. intr. pron. spalancarsi.

riarruolàre v. tr. richiamare, riconvocare.

riàrso part. pass.; anche agg. **1** assetato, disidratato, asciutto CONTR. umido, bagnato **2** [rif. a un luogo] arso, brullo CONTR. umido **3** [rif. al clima] (fig.) torrido CONTR. umido, freddo, temperato.

riascoltàre v. tr. risentire, riudire.

riassalire v. tr. riattaccare, riassaltare.

riassaltàre v. tr. riassalire.

riassestàre v. tr. **1** risistemare, raggiustare, accomodare, riparare CONTR. guastare, distruggere, disfare **2** risistemare, rassettare, riordinare CONTR. disordinare, scompigliare.

riassettàre v. tr. e rifl. V. rassettare.

riassètto s. m. riordinamento, riorganizzazione, risistemazione.

riassopire v. tr. e intr. pron. riaddormentare CONTR. ridestare.

riassorbire v. tr. **1** assorbire **2** [denaro, forze, etc.] impegnare, inghiottire (fig.), risucchiare (fig.).

riassùmere v. tr. [un discorso, un racconto] ricapitolare, riepilogare, compendiare, sintetizzare, abbreviare, condensare (fig.), accorciare, ridurre, restringere, schematizzare, stringere (fig.), sunteggiare.

riassuntivo agg. sintetico, succinto CONTR. esteso, ampio.

riassùnto s. m. **1** sunto, compendio, sommario, ricapitolazione, riepilogo, estratto (est.), sintesi (est.) **2** [organizzato graficamente] (fig.) specchietto.

riassunzióne s. f. reintegrazione.

riattaccàre A v. tr. **1** ricongiungere, riconnettere, saldare **2** [un discorso, etc.] riprendere, ricominciare, ripigliare **3** riassalire **B** v. intr. pron. **1** unirsi, ricongiungersi **2** riafferrarsi.

riattaménto s. m. restauro, ripristino.

riattàre v. tr. riparare, racconciare, raccomodare, ristrutturare, restaurare, risistemare, accomodare, raggiustare, ripristinare, rinnovare, rifare, ricostruire, rassettare CONTR. distruggere, guastare, disfare.

riattivàre v. tr. [una strada, etc.] ripristinare, rimettere in uso, riaprire CONTR. disattivare.

riattizzàre o **rattizzàre** v. tr. **1** attizzare, riaccendere, accendere **2** [un sentimento] ravvivare, ridestare.

riattraversàre v. tr. [un valico, un guado] ripassare.

riavére A v. tr. recuperare, riacquistare, riprendere, riguadagnare, riconquistare, ritrovare, riottenere, rimpadronirsi di CONTR. riperdere **B** v. intr. pron. **1** sollevarsi, riprendersi, respirare (scherz.), rifiatare (scherz.) **2** rinvenire, rianimarsi **3** rimettersi, guarire, migliorare **4** ricomporsi.

riavviàre v. tr. ricominciare.

riavvicinaménto s. m. conciliazione, pacificazione.

riavvicinàre A v. tr. **1** raccostare **2** [qc.] riconciliare **B** v. rifl. rec. riconciliarsi.

ribadire A v. tr. **1** replicare, riaffermare, ridire, reiterare CONTR. negare **2** controbattere **3** [una tesi, etc.] confer-

mare, riconfermare, confortare **4** [q.c. con un chiodo, etc.] fissare, ribattere **B** v. intr. pron. [detto di opinione, etc.] confermarsi, acquistare credito.

ribaltaménto s. m. rovesciamento, capovolgimento.

ribaltàre A v. tr. **1** capovolgere, rovesciare, invertire, rivolgere, balzare (raro) **2** [la situazione, etc.] capovolgere, rovesciare, mutare **B** v. intr. pron. rovesciarsi.

ribassàre A v. tr. **1** [i prezzi] calare, diminuire, abbassare (fig.) CONTR. rialzare, aumentare, crescere **2** [la merce] (econ.) deprezzare, svendere, diminuire il prezzo di CONTR. rincarare **B** v. intr. [detto di prezzi, etc.] scemare, scendere, calare.

ribàsso s. m. **1** [dei prezzi, etc.] diminuzione, calo, abbassamento (raro) **2** [spec. con: fare un] sconto, riduzione.

ribàttere v. tr. **1** [il pallone, etc.] rinviare, rimandare, respingere, ributtare, rilanciare **2** (est.) controbattere, rispondere, replicare, soggiungere, argomentare, confutare, infirmare CONTR. approvare, assentire, ammettere **3** rimbeccare, contraddire, rintuzzare, contrastare, opporsi a **4** [un tappeto, etc.] sbattere, scuotere **5** [q.c. con un chiodo, etc.] ribadire.

ribellàre A v. tr. istigare, sobillare **B** v. intr. pron. **1** [all'autorità] opporsi, rivoltarsi, reagire, protestare, ricalcitrare, disubbidire CONTR. conformarsi, piegarsi, rassegnarsi, soggiacere, subire, sottostare, adeguarsi, tollerare, ubbidire **2** [detto di popolo] opporsi, insorgere, sollevarsi (fig.), tumultuare, levarsi CONTR. rassegnarsi, allinearsi **3** [detto di equipaggio] ammutinarsi.

ribèlle A agg. **1** [rif. allo spirito] indisciplinato, indocile, indomito, disubbidiente, contrario, insubordinato CONTR. docile, ottemperante **2** [rif. al carattere, etc.] combattivo, turbolento CONTR. docile, ottemperante, ubbidiente, mite, subordinato **3** [rif. all'atteggiamento] sedizioso, sovversivo, rivoluzionario, fazioso CONTR. ottemperante, ubbidiente **4** [rif. a una persona] (est.) inadempiente, inosservante CONTR. docile, ottemperante, ubbidiente, mite **B** *s. m. e f.* rivoluzionario **CONTR.** conformista.

ribellióne *s. f.* **1** [*in armi*] insurrezione, rivolta, sommossa, sollevazione, tumulto, sedizione, sollevamento, rivoluzione **2** [*a qc., a q.c.*] reazione, resistenza, opposizione, contestazione **CONTR.** allineamento, rassegnazione, remissività **3** [*rif. a un atto*] disubbidienza **CONTR.** sopportazione, sottomissione, ubbidienza.

ribes *s. m. inv.* (*gener.*) frutto.

riboccàre *v. intr.* **1** traboccare, strapiare, rigurgitare **2** eccedere, abbondare **CONTR.** mancare, scarseggiare.

ribollire *v. intr.* **1** bollire, lessare **2** [*detto di mare, etc.*] gorgogliare, spumeggiare **3** [*per l'ansia*] (*est.*) ardere (*fig.*), fervere (*lett.*), fremere, agitarsi **4** [*a causa dell'ira, etc.*] (*fig.*) accendersi, riscaldarsi, vibrare, scoppiare.

ribrézzo *s. m.* raccapriccio, schifo, ripugnanza, disgusto, senso (*fig.*), repulsione, orrore **CONTR.** attrazione.

ributtànte *part. pres.; anche agg.* ripugnante, schifoso, disgustoso, turpe, repellente **CONTR.** attraente, affascinante, invitante.

ributtàre A *v. tr.* **1** [*il pallone, etc.*] rilanciare, ribattere, rinviare, rimandare **2** [*quanto ingerito*] vomitare, rigettare, rigurgitare **3** [*il nemico*] respingere, ricacciare, risospingere, cacciare, allontanare, fugare **B** *v. intr.* **1** nauseare, ripugnare, disgustare **CONTR.** attrarre, affascinare, piacere **2** [*detto di pianta, etc.*] germogliare, rampollare.

ricacciàre *v. tr.* **1** scacciare, espellere, cacciare, ributtare, risospingere **CONTR.** accogliere **2** [*le preoccupazioni, etc.*] respingere, allontanare, fugare **3** rificcare, rimettere, conficcare, incastrare **CONTR.** svellere.

ricadére *v. intr.* **1** ricascare, cadere **CONTR.** rialzarsi **2** [*nel vizio, etc.*] (*fig.*) ricascare, ripiombare **3** [*detto di stoffa, etc.*] (*est.*) piombare, penzolare, pendere, ciondolare, scendere, spiovere **4** [*detto di colpe, etc.*] (*est.*) toccare, incidere, spettare, riversarsi.

ricalcàre *v. tr.* **1** riprodurre, copiare, lucidare, ricopiare **2** [*le orme, in senso fig.*] (*est.*) ripetere, seguire, calca-

re **3** [*lo stile di qc.*] (*est.*) imitare.

ricalcitrànte o **recalcitrànte** *agg.* insubordinato, ribelle, turbolento **CONTR.** ubbidiente.

ricalcitràre o **recalcitràre** *v. intr.* **1** [*detto di animale*] impuntarsi, scalciare, impennarsi **CONTR.** ubbidire **2** impuntarsi, opporsi, resistere, disubbidire, rifiutarsi, ribellarsi, rivoltarsi **CONTR.** ubbidire, cedere, sottomettersi, rassegnarsi, acconsentire.

ricamàre *v. tr.* cucire, lavorare con l'ago, miniare, operare, trapuntare.

ricambiàre A *v. tr.* **1** contraccambiare, restituire, rendere, ripagare, corrispondere, ricompensare, scambiare, cambiare **2** rimodificare, ritrasformare **3** [*il torto ricevuto*] (*est.*) vendicare **B** *v. rifl. rec.* [*un dono, etc.*] scambiarsi, contraccambiarsi.

ricàmbio *s. m.* **1** scambio **2** [*rif. a pezzi di*] riserva, scorta, rispetto (*mar.*) **3** (*med.*) metabolismo **4** [*di una penna*] cartuccia, refill (*ingl.*).

ricàmo *s. m.* **1** [*rif. a un oggetto ben lavorato*] (*fig.*) trina **2** [*rif. a cose superflue*] (*fig.*) frangia, fronzolo.

ricantàre *v. tr.* ridire, ripetere.

ricapitolàre *v. tr.* **1** riassumere, riepilogare, compendiare, sintetizzare, condensare, ridurre, restringere **CONTR.** ampliare, allungare, estendere, diluire **2** (*est.*) ripetere, ridire.

ricapitolazióne *s. f.* riepilogo, riassunto, sintesi (*est.*).

ricascàre *v. intr.* **1** ricadere, ripiombare, riprecipitare **2** [*detto di stoffa, etc.*] (*est.*) ricadere, pendere, penzolare.

ricattàre *v. tr.* spremere (*fam.*).

ricàtto *s. m.* **1** estorsione, taglieggiamento **2** (*est.*) intimidazione.

ricavàre *v. tr.* **1** [*q.c. dal sottosuolo*] trarre, estrarre, cavare **2** [*q.c. da altre sostanze*] ottenere **3** [*informazioni, etc.*] (*fig.*) trarre, attingere **4** [*soddisfazioni, etc.*] (*fig.*) raccogliere, rimediare, mietere, riscuotere **5** [*denaro*] (*est.*) rimediare, guadagnare, incassare **6** [*q.c. con la mente*] (*est.*) dedurre, derivare, desumere (*colto*), evincere, capire, estrapolare, rilevare

7 [*idee, etc.*] (*est.*) mutuare, prendere da altri.

ricavàto A *s. m.* **1** guadagno, profitto **2** vantaggio, frutto, utilità **B** *part. pass.; anche agg.* dedotto.

riccaménte *avv.* **1** agiatamente, comodamente, splendidamente, lussuosamente, bene, prestigiosamente, prosperamente, preziosamente **CONTR.** poveramente, miseramente, miserevolmente, pietosamente **2** abbondantemente, ampiamente, copiosamente, fecondamente **CONTR.** parsimoniosamente, scarsamente.

ricchézza *s. f.* **1** abbondanza, dovizia, copia (*lett.*) **CONTR.** povertà, miseria, indigenza, carestia, scarsezza, scarsità, inopia, fame **2** opulenza, agiatezza, lusso, prosperità, sovrabbondanza, agio **CONTR.** stento, squallore, necessità **3** splendore, sontuosità, magnificenza, grandiosità **4** beni, denaro, fortuna, oro, sostanza, moneta, averi, soldo, patrimonio, possesso **5** [*di merci, etc.*] varietà, assortimento **6** esuberanza, fertilità, fecondità **7** risorsa, possibilità **8** censo.

ricciolo A *agg.* [*rif. ai capelli*] ricciuto **CONTR.** liscio **B** *s. m.* cirro (*lett.*).

ricciùto *agg.* [*rif. ai capelli*] ricciolo **CONTR.** liscio.

ricco A *agg.* (*pl. m. -chi*) **1** facoltoso, abbiente, benestante, agiato **CONTR.** povero, misero, umile, miserabile, miserevole, mendicante, mendico **2** abbondante, ampio, copioso, cospicuo, lauto, dovizioso, sostanzioso, pingue, grasso (*fig.*) **CONTR.** povero, misero, scarno **3** denso, carico **4** sontuoso, opulento **5** florido, fiorente **6** fertile, fecondo, generoso **CONTR.** povero, sterile **B** *s. m.* (*f. -a*) riccone, miliardario, possidente, nababbo.

CLASSIFICAZIONE

Ricco

Ricco:

1 Che possiede beni e sostanze in misura superiore al normale;

2 Che è oltre la misura necessaria;

3 Che dimostra ricchezza per abbondanza e lusso;

4 Che produce ricchezza.

1 Con riferimento a persona.

   facoltoso: che possiede molti beni materiali;

abbiente: che possiede una certa ricchezza e vive agiatamente;

benestante: che possiede mezzi finanziari sufficienti per vivere con una certa larghezza;

agiato: che possiede mezzi finanziari sufficienti a vivere negli agi.

2 Con riferimento a cose.

abbondante: che è in quantità superiore a quella necessaria;

ampio: (*est.*);

copioso;

cospicuo: che è in quantità superiore a quella necessaria e pertanto degno di considerazione;

lauto;

dovizioso;

sostanzioso: che è in misura superiore alla media e pertanto ha consistenza ed attiene alla sostanza

pingue;

grasso: (*fig.*).

2 Con riferimento a cose, a situazioni, discorsi, luoghi, etc..

denso: che è pieno;

carico: che è colmo.

3 Con riferimento a cose.

sontuoso: che dimostra ricchezza per l'abbondanza e il fasto;

opulento.

3 Con riferimento a un'azienda, a una situazione, etc..

florido: che dimostra ricchezza perché in buona salute e prosperoso;

fiorente.

4 Con riferimento a un terreno, etc..

fertile: che produce molto;

fecondo;

generoso.

ricérca *s. f.* (*pl. -che*) *1* investigazione, indagine, analisi, osservazione, studio, esame, esplorazione, sondaggio (*est.*), speculazione (*est.*) *2* (*est.*) perquisizione *3* (*est.*) battuta, caccia (*fig.*) *4* (*est.*) elaborato, scritto *5* [*di affetto, etc.*] (*est.*) richiesta, bisogno.

ricercàre *v. tr. 1* [*una persona, un animale*] cercare, braccare, pedinare, cacciare *2* [*un fine, un obiettivo*] cercare, avere di mira *3* [*le cause di q.c., etc.*] indagare, investigare, cercare di sapere, cercare di scoprire *4* [*la giustizia, la pace*] (*est.*) richiedere, esigere, chiedere *5* [*le parole adatte, etc.*] (*est.*) studiare, scegliere.

ricercataménte *avv.* affettatamente, elegantemente, raffinatamente, leziosamente, studiatamente **CONTR.** semplicemente, disinvoltamente.

ricercatézza *s. f. 1* affettazione, artificiosità, artificio **CONTR.** semplicità *2* eleganza, raffinatezza *3* preziosismo.

ricercàto *part. pass.; anche agg. 1* [*rif. all'atteggiamento*] prezioso, manierato, affettato, studiato, elegante, snob (*ingl.*) **CONTR.** negletto *2* [*rif. a idee, a scritti*] prezioso, concettoso **CONTR.** liscio, disinvolto, semplice.

ricercatóre *s. m.* (*f. -trice*) analista, studioso.

ricètta *s. f. 1* prescrizione *2* [*della felicità, etc.*] (*est.*) cura, rimedio, segreto, formula.

ricettàcolo *s. m. 1* covo, nido, rifugio *2* [*rif. ai fiori*] (*bot.*) talamo.

ricettàre (1) *v. tr.* accogliere, alloggiare, ospitare.

ricettàre (2) *v. tr.* [*un medicinale*] prescrivere.

ricettività o **recettività** *s. f. inv. 1* suscettibilità, sensibilità, percettività *2* [*di un albergo*] capienza.

ricètto *s. m. 1* asilo, ricovero, riparo, rifugio *2* [*di delinquenti, etc.*] (*fig.*) sentina (*colto*), covo, nido.

ricévere *v. tr. 1* [*un regalo, un pacco, etc.*] accettare **CONTR.** dare, devolvere, dispensare, donare, mandare *2* [*lo stipendio, il denaro*] percepire, riscuotere, incassare **CONTR.** dare, consegnare, pagare *3* [*detto di casa, di albergo*] accettare, ospitare, ammettere, accogliere *4* [*un segnale*] (*est.*) percepire, raccogliere (*fig.*), intercettare, captare **CONTR.** inviare, diramare, spedire *5* [*detto di recipiente*] trattenere, contenere *6* [*un'offesa*] (*est.*) subire, sopportare *7* [*un beneficio, un'utilità*] (*est.*) trarre *8* [*una sensazione*] (*est.*) avere, riportare *9* [*qc. con applausi*] (*est.*) salutare **CONTR.** licenziare *10* [*uno schiaffo, un pugno*] (*est.*) buscare, beccarsi, prendere *11* dare udienza a **CONTR.** congedare *12* [*detto di terreno*] assorbire.

ricevimento *s. m. 1* trattenimento, festa, party (*ingl.*) *2* [*tipo di*] serata, ballo, rinfresco, drink (*ingl.*), cocktail

(*ingl.*) *3* trattamento (*raro*), accoglienza.

ricevùta *s. f.* bolla, contrassegno, quietanza, bolletta, figlia (*fig.*), riscontro.

richiamàre A *v. tr. 1* [*qc.*] riconvocare **CONTR.** allontanare, respingere *2* (*mil.*) riarruolare, mobilitare *3* [*alla mente*] rammentare, ricordare, evocare, rievocare *4* [*le truppe, un diplomatico*] ritirare *5* [*lo stile di qc.*] rammentare, ricordare, arieggiare *6* [*qc.*] riprendere, rimproverare, sgridare, redarguire, ammonire, strigliare (*fig.*), correggere **CONTR.** lodare, encomiare, elogiare, approvare *7* [*l'attenzione*] attirare, calamitare, allettare **B** *v. intr. pron. 1* rifarsi, riallacciarsi, riferirsi, ricollegarsi, riportarsi *2* attenersi, basarsi.

richiàmo *s. m. 1* invito, appello *2* ammonimento, ammonizione *3* [*modi di*] segno, gesto, voce, grido *4* (*est.*) allettamento, attrazione, lusinga *5* analogia *6* [*verbale*] allusione *7* [*in un libro, in uno scritto*] rimando, riferimento, asterisco (*est.*), citazione (*est.*) *8* [*per la caccia*] zimbello, specchietto *9* [*di un ambasciatore, etc.*] ritiro.

richièdere *v. tr. 1* chiedere, ridomandare, ricercare, volere, desiderare, domandare *2* [*sacrifici, etc.*] esigere, costare, comportare, presupporre, importare (*raro*) *3* [*assistenza, aiuto, etc.*] esigere, necessitare *4* (*est.*) commettere (*colto*), commissionare, comandare *5* (*est.*) pregare *6* [*una risposta*] (*est.*) sollecitare *7* [*aiuto*] (*est.*) chiamare *8* [*disciplina, etc.*] (*est.*) esigere, pretendere *9* [*giustizia, etc.*] pretendere, reclamare, rivendicare.

richièsta *s. f. 1* domanda, interrogativo, petizione (*bur.*) *2* esigenza, pretesa *3* [*di affetto, etc.*] (*est.*) bisogno, ricerca *4* [*di merci, etc.*] ordinazione, commessa *5* [*di q.c.*] prezzo.

richiùdere *v. tr.* sigillare, serrare.

riciclàre A *v. tr. 1* recuperare, riutilizzare, riusare, riconvertire *2* [*qc.*] (*est.*) riqualificare, aggiornare **B** *v. rifl.* riconvertirsi.

ricognizióne *s. f. 1* esplorazione, perlustrazione *2* (*est.*) indagine, verifica, esame *3* riconoscimento, identificazione.

ricollegàre *A v. tr.* *1* collegare, unire, ricongiungere, riunire, congiungere, legare **CONTR.** dividere, separare, disunire, allontanare *2* [*il telefono, etc.*] (*est.*) allacciare, riallacciare, attaccare (*fam.*) **CONTR.** staccare, isolare *3* [*oggetti metallici*] saldare *4* [*i fili*] rannodare, ricucire *5* [*le idee, etc.*] riconnettere, concatenare, accomunare, associare, abbinare (*fig.*) *B v. intr. pron.* [*detto di discorso, etc.*] riferirsi, richiamarsi, rapportarsi, legarsi (*fig.*), ricongiungersi (*fig.*), riallacciarsi (*fig.*), riportarsi *C v. rifl.* [*con il telefono, etc.*] mettersi in comunicazione, prendere la linea, collegarsi, connettersi.

ricollocàre *v. tr.* *1* [*q.c.*] rimettere, riporre, mettere, posare, deporre, risistemare **CONTR.** togliere, ritogliere, levare *2* [*qc.*] reintegrare, reinserire.

ricollocazióne *s. f.* reintegrazione.

ricolmàre *A v. tr.* *1* [*il bicchiere, etc.*] colmare, riempire, empire **CONTR.** svuotare, vuotare *2* [*qc. con affetto, doni*] colmare, riempire, empire, coprire, ricoprire *3* [*un luogo, etc.*] stipare, stivare, saturare **CONTR.** sgomberare *4* [*qc. di nozioni, etc.*] farcire, impinzare *B v. intr. pron.* *1* riempirsi, colmarsi *2* impregnarsi.

ricoloràre *v. tr.* ridipingere.

ricominciàre *A v. tr.* *1* [*un discorso*] riattaccare, ripigliare *2* [*un'attività*] riaprire, riavviare *B v. intr.* *1* [*detto di spettacolo, di gara*] riprendere *2* [*a lavorare, a studiare*] rimettersi, tornare.

ricomparire *v. intr.* *1* riapparire, ritornare, apparire, presentarsi, mostrarsi **CONTR.** sparire, scomparire, eclissarsi, dileguarsi *2* [*detto di sole, etc.*] riapparire, rispuntare, spuntare *3* [*detto di capelli*] rispuntare *4* [*detto di sintomo, etc.*] manifestarsi *5* [*detto di muffa, etc.*] (*fig.*) rifiorire, riemergere.

ricompàrsa *s. f.* ritorno, ripresentazione.

ricompènsa *s. f.* *1* [*in denaro*] premio, mancia, mercede (*lett.*), gratifica *2* [*morale*] (*est.*) riconoscimento, gratificazione *3* (*est.*) compenso, rimune-

razione, retribuzione, pagamento, paga *4* (*est.*) indennizzo *5* (*est.*) mazzetta *6* taglia.

ricompensàre *v. tr.* *1* compensare, premiare, gratificare, dare una gratifica a **CONTR.** punire *2* pagare, retribuire, remunerare *3* contraccambiare, corrispondere, ricambiare *4* [*i sacrifici fatti*] (*fig.*) compensare, risarcire (*raro*), ripagare.

ricomperàre *v. tr.* V. ricomprare.

ricompórre *A v. tr.* *1* [*un meccanismo*] rimontare, ricongiungere, riconnettere **CONTR.** disfare, distruggere, demolire, rompere, decomporre *2* [*le vesti, etc.*] riordinare, rassettare *3* [*un gruppo, etc.*] riorganizzare, riformare, ricostituire *4* [*una lite, un diverbio*] (*fig.*) ricucire *5* [*un lavoro, un'opera*] rimaneggiare, rifare, rifondere (*raro*) *6* [*uno schema*] (*est.*) ripetere *B v. rifl.* *1* rassettarsi, risistemarsi **CONTR.** scomporsi, agitarsi, turbarsi *2* riaversi, riprendersi.

ricomposizióne *s. f.* rimaneggiamento, rifacimento, rimodernamento.

ricompràre o **ricomperàre** *v. tr.* riacquistare.

riconciliàre *A v. tr.* *1* pacificare, accomodare, riunire, rappacificare, ravvicinare, appaciare, accordare, riavvicinare **CONTR.** disunire, dividere, inimicare *2* [*la stima, l'affetto*] ridare, restituire, rendere **CONTR.** togliere, levare *B v. rifl. rec.* pacificarsi, rappacificarsi, ravvicinarsi, riaccomodarsi, appaciarsi, riavvicinarsi, conciliarsi **CONTR.** guastarsi, inimicarsi, litigare, allontanarsi.

riconciliazióne *s. f.* pacificazione, conciliazione.

ricondùrre *v. tr.* *1* riportare, guidare, recare, rimenare, riaccompagnare *2* [*qc. alla famiglia*] (*est.*) rendere *3* (*est.*) rapportare *4* [*il merito di q.c.*] (*est.*) ascrivere, attribuire.

riconfermàre *v. tr.* riaffermare, confermare, ripetere, ribadire, ridire, raffermare (*raro*), rinnovare **CONTR.** contraddire, negare.

riconficcàre *v. tr.* rificcare.

riconfortàre *A v. tr.* consolare, sollevare (*fig.*), rincuorare, incoraggiare,

rassicurare, ristorare (*fig.*) **CONTR.** demoralizzare, scoraggiare, sconfortare, deprimere, avvilire *B v. intr. pron.* rincuorarsi, consolarsi, rassicurarsi, ravvivarsi **CONTR.** demoralizzarsi, disperarsi, avvilirsi, scoraggiarsi, deprimersi.

ricongiùngere *A v. tr.* *1* [*parti tra loro*] riunire, ricollegare, riconnettere, rimontare, ricomporre **CONTR.** dividere, disunire, separare, allontanare, staccare *2* [*con la colla, con una saldatura*] incollare, riattaccare, attaccare, aggiuntare, saldare **CONTR.** staccare *3* [*tubi, fili, etc.*] allacciare, riallacciare, rannodare **CONTR.** staccare *B v. rifl.* [*detto di persona ai suoi cari*] riunirsi, ricollegarsi, riconnettersi **CONTR.** dividersi, allontanarsi *C v. intr. pron.* riattaccarsi.

riconnèttere *A v. tr.* connettere, ricongiungere, riunire, ricollegare, ricomporre, riallacciare, riattaccare, riappiccicare, riannodare, ricucire **CONTR.** dividere, disunire, separare, allontanare, staccare *B v. rifl.* ricongiungersi, connettersi, collegarsi, unirsi **CONTR.** separarsi, staccarsi, allontanarsi.

riconoscènte *part. pres.; anche agg.* grato, obbligato, memore (*fig.*) **CONTR.** ingrato, dimentico (*est.*).

riconoscènza *s. f.* *1* gratitudine, paga (*iron.*) **CONTR.** ingratitudine *2* (*est.*) obbligazione.

riconóscere *A v. tr.* *1* [*qc.*] individuare, identificare, conoscere, raffigurare (*raro*), ravvisare, discernere (*raro*) **CONTR.** confondere *2* [*la superiorità altrui*] ammettere, constatare, convenire, convincersi di, dichiarare **CONTR.** misconoscere *3* [*la colpa*] individuare, ammettere, confessare **CONTR.** negare *4* [*qc. come figlio, etc.*] accettare, legittimare **CONTR.** disconoscere *5* [*che qc. ha ragione, etc.*] ammettere, consentire *6* [*lo stile di qc.*] distinguere, percepire *7* [*qc. o q.c. stupido, etc.*] giudicare *8* [*la pensione, etc.*] ratificare *9* [*le intenzioni altrui*] (*fig.*) decifrare *B v. rifl.* dichiararsi, confessarsi, chiamarsi, conoscersi, professarsi, protestarsi.

riconoscimento *s. m.* *1* [*di una organizzazione, etc.*] accettazione *2* [*di colpa, etc.*] ammissione, confessione

riconquistare

3 [*di un figlio, etc.*] ricognizione (*raro*), identificazione, agnizione (*lett.*) **CONTR.** disconoscimento **4** (*est.*) gratificazione, ricompensa, compenso, premio, gratifica.

riconquistàre *v. tr.* riprendere, riguadagnare, recuperare, riacquistare, ripigliare, riottenere, riavere (*est.*) **CONTR.** perdere.

riconsegnàre *v. tr.* ridare, rendere, riportare, restituire, rimandare (*est.*).

riconsideràre *v. tr.* **1** ripensare *a*, ruminare (*fig.*), ponderare **2** [*la posizione di qc.*] rivedere, riesaminare, rianalizzare, vagliare, verificare.

ricontrollàre *v. tr.* riesaminare.

riconvertire *A v. tr.* **1** [*una banconota, una moneta in oro*] trasformare **2** (*est.*) riciclare **3** [*qc.*] convincere, persuadere **CONTR.** dissuadere, distogliere **B** *v. rifl.* riciclarsi.

riconvocàre *v. tr.* **1** richiamare **2** (*mil.*) richiamare, riarruolare.

ricopèrto *part. pass.; anche agg.* sparso, disseminato, cosparso.

ricopiàre *v. tr.* **1** copiare, trascrivere **2** ricalcare, riprodurre **3** [*qc. su carta speciale*] lucidare.

ricoprire *A v. tr.* **1** coprire, foderare **CONTR.** scoprire **2** [*modi di*] incartare, placcare, tappezzare, incrostare **3** [*un bambino*] avvolgere, fasciare, vestire **CONTR.** denudare **4** [*una macchia, un buco*] nascondere, celare, occultare **5** [*il suolo di tappeti, etc.*] cospargere, costellare **6** [*q.c. con la terra*] sotterrare **7** [*qc. o q.c. dal vento*] riparare, proteggere **8** [*il suolo di neve, etc.*] ammantare **9** [*una carica, una funzione*] (*est.*) rivestire, esercitare, occupare, tenere **10** [*qc. di attenzioni, cure*] (*fig.*) colmare, riempire, circondare, ricolmare, sommergere, inondare **B** *v. rifl.* **1** coprirsi, fasciarsi, vestirsi, avvolgersi, ripararsi **CONTR.** denudarsi, scoprirsi **2** [*di gloria, etc.*] (*fig.*) ammantarsi **C** *v. intr. pron.* [*di neve, di fiori, etc.*] rivestirsi, ammantarsi.

ricordàre *A v. tr.* **1** [*qc., un episodio, etc.*] rammentare, ripensare (*lett.*), rimembrare (*lett.*), rimpiangere (*est.*), risovvenire *di* **CONTR.** dimenticare,

obliare, scordare **2** rammentare, fare venire alla mente, evocare, rievocare **3** memorizzare, registrare, tenere a memoria, tenere a mente **4** [*qc. o q.c. nel discorso*] (*est.*) menzionare, mentovare (*lett.*), narrare, nominare **5** (*est.*) avere già visto **6** [*eventi del passato*] (*est.*) rivangare, riesumare, riandare *a* **7** [*un aiuto dato*] (*est.*) rinfacciare **8** [*qc. o q.c. solennemente*] (*est.*) commemorare, celebrare **9** [*un'opera altrui, etc.*] (*est.*) rassomigliare *a*, avvicinarsi *a*, somigliare *a*, assomigliare *a*, echeggiare, arieggiare, richiamare **10** [*q.c. a qc.*] (*est.*) raccomandare **B** *v. intr. pron.* rammentarsi, risovvenirsi, rimembrarsi **CONTR.** dimenticarsi, scordarsi, obliare.

ricòrdo *s. m.* **1** memoria, reminiscenza, rimembranza (*lett.*) **CONTR.** oblio **2** [*di una persona, di un'epoca*] rimpianto, nostalgia **3** [*di fatti, di eventi, etc.*] rievocazione, commemorazione **4** [*di un'epoca, di una civiltà*] vestigia (*lett.*), traccia, orma, testimonianza, cimelio **5** (*est.*) regalo, dono, pensiero **6** (*est.*) autobiografia **7** (*med.*) anamnesi **8** souvenir (*fr.*).

ricorrènza *s. f.* **1** (*est.*) festività, solennità, festa, celebrazione **2** periodicità **3** (*ling.*) occorrenza.

ricórrere *v. intr.* **1** rivolgersi, appoggiarsi, indirizzarsi (*fig.*), appellarsi, invocare *un*, raccomandarsi, implorare *un*, affidarsi **2** [*detto di fenomeni*] ritornare, ripetersi, ripresentarsi **3** [*detto di ricorrenza, etc.*] cadere, venire **4** [*a uno strumento*] utilizzare *un*, valersi *di*, servirsi *di*, adoperare *un* **5** (*dir.*) reclamare.

ricostituènte *s. m.* tonico, corroborante.

ricostituire *A v. tr.* **1** [*una società, etc.*] rifare, ricomporre, riformare, ripristinare, riordinare, rinnovare **CONTR.** disfare, sciogliere, disciogliere **2** [*l'organismo*] (*fig.*) corroborare, rinvigorire, rinforzare, fortificare, tonificare **CONTR.** debilitare, indebolire, infiacchire **B** *v. intr. pron.* **1** [*detto di società, etc.*] riformarsi, rifarsi, ricrearsi **CONTR.** sciogliersi, disciogliersi, disgregarsi **2** [*in salute*] corroborarsi, rinvigorirsi, rimettersi **CONTR.** debilitarsi, indebolirsi, infiacchirsi.

ricostruire *v. tr.* **1** rifare, riedificare, ri-

fabbricare **CONTR.** disfare, abbattere, demolire, distruggere, diroccare **2** restaurare, rinnovare, riparare, riattare, ripristinare **CONTR.** rovinare **3** [*un rapporto*] (*fig.*) ricucire **CONTR.** guastare.

ricoveràre *A v. tr.* **1** [*qc. in ospedale, etc.*] ospitare, accogliere **2** [*qc. in manicomio, etc.*] rinchiudere, internare **B** *v. rifl.* **1** [*in un ospedale, etc.*] internarsi **2** rifugiarsi, nascondersi, riparare.

ricoveràto *A part. pass.; anche agg.* degente **B** *s. m.* (*f. -a*) paziente, degente.

ricòvero *s. m.* **1** [*rif. a un luogo*] asilo, rifugio, albergo (*lett.*), riparo (*lett.*), tetto (*fig.*), ricetto (*lett.*) **2** [*spec. con: dare, offrire*] asilo, albergo (*lett.*), ospitalità, protezione **3** [*per gli anziani*] ospizio **4** (*est.*) baracca, panna.

ricreàre (1) *A v. tr.* **1** [*detto di spettacolo, etc.*] divertire, rallegrare, svagare, sollazzare, deliziare, allietare, dilettare, intrattenere, distrarre, divagare (*colto*), rilassare (*est.*), sollevare (*fig.*), confortare, consolare, rigenerare (*fig.*), rinvigorire, ritemprare, vivificare **CONTR.** affliggere, avvilire, demoralizzare, rattristare, annoiare **2** [*detto di bevanda, etc.*] ristorare, rifocillare **B** *v. rifl.* **1** svagarsi, distrarsi, divertirsi, deliziarsi, divagarsi, dilettarsi, spassarsela (*fam.*), confortarsi (*est.*), consolarsi (*fig.*), rilassarsi (*est.*), sollazzarsi, giocare (*est.*) **CONTR.** annoiarsi, affliggersi, demoralizzarsi, rattristarsi **2** ritemprarsi, sollevarsi, ristorarsi **CONTR.** svigorirsi, abbattersi, infiacchirsi.

ricreàre (2) *A v. tr.* [*una società, etc.*] rifare, riorganizzare, ripristinare, rinnovare **CONTR.** rovinare, distruggere **B** *v. intr. pron.* [*detto di partito, di fila, etc.*] riformarsi, ricostituirsi.

ricrédere *A v. intr.* credere nuovamente **B** *v. intr. pron.* **1** disingannarsi **2** pentirsi, ravvedersi.

ricréscere *v. intr.* [*detto di capelli*] rinascere, rispuntare.

ricucinàre *v. tr.* ricuocere, rifare (*impr.*).

ricucire *v. tr.* **1** cucire, raccomodare, rammendare, acconciare (*raro*) **CONTR.** scucire, rompere **2** (*est.*) ricollegare, riconnettere **3** [*una ferita*] (*med.*) suturare **4** (*est.*) unire, riunire, accozzare, raffazzonare **5** [*un rapporto, etc.*] (*fig.*) rimarginare, ricomporre, ricostruire.

ricuòcere *v. tr.* ricucinare, rifare (*impr.*).

ricuperàre *v. tr.* V. *recuperare.*

ricùpero *s. m.* V. *recupero.*

ricùrvo *agg.* ingobbito, curvo **CONTR.** dritto.

ricùsa *s. f.* **1** rifiuto, sconfessione, abiura, ripudio **2** rifiuto, rinuncia **3** opposizione.

ricusàre *v. tr.* **1** [*un regalo, un'offerta*] rifiutare, respingere, disdegnare **CONTR.** accettare, gradire **2** [*un invito*] rifiutare, declinare **CONTR.** accettare, accogliere **3** [*un prestito*] rifiutare, negare **4** [*una proposta, etc.*] (*est.*) scartare, bocciare, escludere (*fig.*) **CONTR.** accogliere.

ridacchiàre *v. intr.* (*gener.*) ridere.

ridàre *v. tr.* **1** restituire, rendere, riconsegnare, ritornare, ridonare, tornare (*tosc.*) **CONTR.** trattenere, tenere **2** (*est.*) riportare, rimandare, rinviare **3** [*le spese sostenute, etc.*] rifondere, rimborsare, ripagare **4** [*la vernice, etc.*] ripassare, stendere.

ridda *s. f.* (*fig.*) turbine, turbinio, vortice, giostra, carosello.

ridènte *part. pres.; anche agg.* gaio, allegro, gioioso, ameno, piacente, bello **CONTR.** cupo, tetro, squallido, malinconico, desolato.

ridere **A** *v. intr.* **1** [*modi di*] sorridere, sghignazzare, ghignare, ridacchiare, sogghignare, sbellicarsi (*fam.*), scompisciarsi (*fam.*), sganasciarsi (*fam.*), smascellarsi (*fam.*) **CONTR.** gemere, lamentarsi, piangere, rattristarsi, lagnarsi **2** [*per q.c.*] (*est.*) gioire, esultare, rallegrarsi **CONTR.** rattristarsi **3** [*detto di occhi, etc.*] (*est.*) brillare, splendere, luccicare, raggiare, rifulgere, rilucere, risplendere, scintillare, sfolgorare, sfavillare, fiammeggiare (*fig.*) **CONTR.** incupirsi **4** [*detto di fortuna, etc.*] (*est.*) arridere **CONTR.** avversare **B** *v. intr. pron.* **1** burlarsi **2** (*fam.*) infischiarsi, fregarsene, infischiarsene **CONTR.** considerare.

ridestàre **A** *v. tr.* **1** risvegliare, destare **CONTR.** riaddormentare, riassopire **2** [*l'interesse, etc.*] (*est.*) ravvivare, fomentare, stimolare, rianimare, rinvigorire (*fig.*), risuscitare (*fig.*), riaccendere (*fig.*), riattizzare (*fig.*), rinfocolare **CONTR.** spegnere, calmare, placare, mitigare, smorzare **3** [*qc., l'animo*] (*est.*) rieccitare, scuotere (*fig.*), eccitare, infiammare (*fig.*) **4** [*un sentimento, etc.*] (*est.*) inverdire, vivificare, rinnovare **5** [*un dolore*] (*est.*) rinnovare **6** [*le speranze, i ricordi*] (*fig.*) risuscitare **B** *v. intr. pron.* **1** risvegliarsi, destarsi, scuotersi **CONTR.** dormire, addormentarsi, assopirsi **2** [*detto di sentimento, etc.*] risorgere, riaccendersi (*fig.*), rianimarsi, rinvigorirsi, vivificarsi, rinascere (*fig.*) **CONTR.** spegnersi.

ridicolàggine *s. f.* **1** spiritosaggine, amenità **2** goffaggine.

ridicoleggiàre *v. tr.* deridere, ridicolizzare.

ridicolizzàre *v. tr.* ridicoleggiare, deridere.

ridicolménte *avv.* grottescamente, comicamente, goffamente, buffamente **CONTR.** seriamente, severamente.

ridìcolo **A** *agg.* **1** buffo, comico, spassoso, divertente, farsesco **CONTR.** drammatico, tragico **2** (*est.*) meschino, misero, inadeguato, esiguo, irrisorio **CONTR.** favoloso, enorme, notevole **B** *s. m. sing.* comico.

ridimensionàre *v. tr.* **1** [*un'azienda*] riorganizzare, strutturare **2** [*un episodio, un evento*] sdrammatizzare, sgonfiare **3** [*un episodio storico, etc.*] demistificare.

ridipìngere *v. tr.* ripitturare, ricolorare, ritinteggiare, riaffrescare (*est.*), ritoccare (*est.*), dipingere (*impr.*).

ridìre *v. tr.* **1** ripetere, dire (*impr.*) **CONTR.** tacere **2** ribadire, reiterare **3** confermare, riconfermare, riaffermare **4** replicare, controbattere, eccepire, obiettare **5** (*est.*) ricapitolare **6** riportare, riferire, spifferare (*scherz.*), rivelare, svelare, propalare, divulgare, diffondere, ricantare (*fig.*), confidare, chiacchierare *di su* (*est.*) **CONTR.** tacere, nascondere **7** raccontare, narrare, esporre **8** (*ass.*) osservare, criticare, biasimare, disapprovare **CONTR.**

lodare, elogiare, esaltare, decantare.

ridiventàre *v. intr.* [*nell'aspetto, etc.*] tornare, rifarsi (*fam.*).

ridomandàre *v. tr.* **1** richiedere **2** pretendere, reclamare, esigere, volere.

ridonàre *v. tr.* ridare, restituire, rendere, riportare **CONTR.** togliere, levare.

ridondànte *part. pres.; anche agg.* **1** strapieno, traboccante, gonfio **CONTR.** disadorno, austero **2** [*rif. a un discorso*] magniloquente, retorico, altisonante **3** superfluo, soverchio (*lett.*) **CONTR.** essenziale, conciso.

ridondànza *s. f.* **1** sovrabbondanza, abbondanza, esuberanza, superfluità **CONTR.** scarsità, mancanza, sinteticità, snellezza **2** [*di parole*] (*ling.*) pleonasmo (*lett.*) **3** [*in un testo scritto*] profusione (*lett.*), fioritura (*fig.*), svolazzo (*fig.*).

ridondàre *v. intr.* **1** sovrabbondare, abbondare, essere ridondante **CONTR.** scarseggiare, mancare **2** eccedere, traboccare, rigurgitare (*fig.*), straripare (*fig.*).

ridòtto (1) *part. pass.; anche agg.* **1** limitato, breve, corto **CONTR.** immenso **2** [*rif. al prezzo*] abbassato, scontato **CONTR.** ingrandito **3** (*est.*) parziale (*fig.*), mutilato, semplificato **CONTR.** ingrandito, allargato.

ridòtto (2) *s. m.* vestibolo.

ridùrre **A** *v. tr.* **1** rendere, mutare, trasformare, modificare (*est.*) **2** [*qc. a fare q.c.*] costringere, obbligare, indurre **3** condurre, riportare, ricondurre **4** (*raro*) adunare **5** [*un abito, etc.*] restringere, rimpicciolire, rimpicciolire **CONTR.** allargare **6** [*un abito, una gonna, etc.*] accorciare, adattare **7** [*le visite*] rallentare, diradare **CONTR.** moltiplicare **8** [*lo stipendio, etc.*] contrarre, decurtare, falcidiare (*fig.*), alleggerire (*fig.*), tagliare (*fig.*) **CONTR.** aumentare **9** [*i prezzi*] diminuire, scemare, abbassare **CONTR.** aumentare **10** [*le spese*] limitare, contenere, regolare **11** [*un discorso, un testo*] abbreviare, compendiare, riassumere, ricapitolare, condensare, riepilogare **CONTR.** espandere **12** [*un discorso, un testo*] (*neg.*) mutilare (*fig.*), menomare (*fig.*), impoverire **13** [*q.c.*] assottigliare, rastremare **CONTR.** ingrossare, ingrandire **B** v. intr. pron. **1** [in miseria, etc.] ritrovarsi **2** [fisicamente] conciarsi **3** [detto di abito, etc.] impicciolirsi, impiccolirsi, restringersi **4** [detto di visite, etc.] diradarsi **CONTR.** aumentare **5** [detto di tessuto, etc.] ritirarsi, rientrare **6** [detto di tenore di vita, etc.] abbassarsi **CONTR.** elevarsi **7** [detto di tempo, etc.] accorciarsi **CONTR.** dilatarsi, estendersi **8** [detto di dolore, etc.] attenuarsi **CONTR.** aumentare **9** [detto di scorte, etc.] assottigliarsi **C** v. rifl. [su un monte, etc.] rifugiarsi, nascondersi, ritirarsi.

riduttivo agg. limitativo.

riduzióne s. f. **1** [della produzione] diminuzione, abbassamento, calo, decremento, contrazione **CONTR.** aumento **2** [delle capacità] minorazione **3** [dei prezzi, etc.] sconto, ribasso **4** [della libertà, etc.] (est.) limitazione, restrizione **5** [margine di] tolleranza, scarto **6** [di un romanzo, di un film, etc.] adattamento, arrangiamento **7** [della pena, della condanna, etc.] abbuono, accorciamento (raro), sconto.

rieccitàre v. tr. e intr. pron. risvegliare, ridestare, riaccendere (fig.), ravvivare.

riecheggiàre A v. intr. echeggiare, risuonare, rintronare, rimbombare, rombare **B** v. tr. [un'influenza altrui] riflettere, risentire di, mostrare l'influenza di.

riedificàre v. tr. ricostruire, rifare, rifabbricare.

riedizióne s. f. **1** copia **2** [di un film, etc.] remake (ingl.).

rieducàre v. tr. correggere, riprendere, migliorare.

rielaboràre v. tr. rifare, rimaneggiare, rivedere **2** (est.) adattare, aggiornare, perfezionare **3** [un'opera artistica, etc.] (est.) usufruire di, valersi di.

rielaborazióne s. f. **1** rifacimento, rimaneggiamento **2** [di un film, etc.] remake (ingl.).

rieléggere v. tr. [qc. capo, ministro, etc.] rinominare, rifare.

riemèrgere v. intr. **1** riaffiorare, ricomparire **CONTR.** riaffondare **2** [detto di muffa] riaffiorare, ricomparire, rifiorire (fig.).

riempìre A v. tr. **1** [un recipiente] colmare, empire, abboccare **CONTR.** vuotare, svuotare **2** [un modulo, etc.] (est.) compilare, redigere, scrivere **3** [qc. di cibo, di dolci, etc.] impinzare, saziare, rimpinzare, ingozzare **4** [un luogo con persone] stipare, stivare, pigiare, gremire, affollare, popolare, accalcare **5** [un luogo con oggetti] stipare, stivare, pigiare **6** [qc. di affetto, etc.] (fig.) ricoprire, coprire, ricolmare **7** [un panino, un toast, etc.] imbottire, farcire **8** [un ambiente] occupare, intasare, ingombrare **CONTR.** sgomberare **9** [un ambiente di gas, etc.] impregnare, pervadere, saturare **10** [qc. di richieste] (fig.) sommergere, subissare **11** [un ambiente di acqua] allagare **12** [un testo di citazioni] (fig.) inzeppare, infittire, costellare, lardellare **13** [qc. di lodi, di onori, etc.] (fig.) ricoprire, coprire, inondare **14** [le casse dello stato] rimpinguare **15** [il mercato di un prodotto] inflazionare **B** v. intr. pron. **1** colmarsi, ricolmarsi **CONTR.** vuotarsi **2** [detto di terreno, etc.] imbeversi, impregnarsi **3** [di muffa, di neve, etc.] coprirsi **4** ingrassarsi **C** v. rifl. ingozzarsi, satollarsi, appesantirsi, impinzarsi, abbuffarsi, rimpinzarsi, saziarsi.

rientrànza s. f. **1** sacca, avvallamento, cavità, incavo, concavità **2** ansa, incurvatura **CONTR.** sporgenza, gobba.

rientràre v. intr. **1** tornare, rincasare, ritornare **2** [detto di tessuto, etc.] restringersi, ritirarsi, ridursi **CONTR.** allargarsi, allungarsi, estendersi **3** [detto di fiume, etc.] incurvarsi, piegarsi **CONTR.** allargarsi **4** [uno svantaggio] recuperare **5** [detto di speranze] dissolversi, dileguarsi.

rièntro s. m. **1** ritorno, rimpatrio **2** [in casa, in caserma, etc.] ritirata, ritiro **3** [di denaro] (est.) provento, entrata.

riepilogàre v. tr. riassumere, ricapitolare, compendiare, sintetizzare, condensare (fig.), abbreviare, ridurre, restringere, stringere, concludere (est.) **CONTR.** estendere, allungare, analizzare.

riepìlogo s. m. (pl. -ghi) sommario, sunto, riassunto, ricapitolazione, sintesi (est.), conclusione (est.), compendio.

riesaminàre v. tr. revisionare, riconsiderare, ricontrollare, riscontrare, rivedere, ripassare, rianalizzare, esaminare, verificare, riguardare, riprovare.

riesumàre v. tr. **1** [un cadavere, etc.] disseppellire, dissotterrare, esumare **CONTR.** seppellire, sotterrare, interrare, inumare, tumulare **2** [il passato, etc.] ricordare, evocare, rievocare **CONTR.** dimenticare, obliare **3** [le tradizioni, gli usi] disseppellire, dissotterrare, ritrovare, ripristinare, riscoprire, rinnovare **4** [una questione, etc.] (fig.) risollevare.

riesumazióne s. f. **1** disseppellimento, esumazione (colto), dissotterramento **2** [di una moda, delle tradizioni, etc.] (est.) recupero, rilancio.

rievocàre v. tr. **1** rammentare, ricordare, ripensare a, rimembrare (lett.), riparlare di, riandare a **CONTR.** dimenticare, obliare **2** [un evento storico, etc.] celebrare, commemorare **3** [gli usi, i costumi] (fig.) disseppellire, dissotterrare, riesumare **4** [il passato, etc.] (fig.) rivangare **5** [qc.] citare, menzionare **6** [q.c. alla mente] richiamare, evocare.

rievocazióne s. f. **1** ricordo, memoria **2** celebrazione, commemorazione.

rifabbricàre v. tr. riedificare, ricostruire, rifare.

rifaciménto s. m. **1** [di testi scritti, etc.] rielaborazione, rimaneggiamento, ricomposizione **2** [di un film, etc.] remake (ingl.), copia, riproduzione **3** [di una casa, etc.] rinnovamento, restauro, ripristino, rimodernamento.

rifàre A v. tr. **1** [un'azione] replicare, ripetere, reiterare **2** [un edificio, etc.] riedificare, rifabbricare, ristrutturare, rimodernare, ricostruire, riattare **CONTR.** danneggiare, abbattere, distruggere **3** [un'opera artistica, etc.] rielaborare, rimaneggiare, rifondere (fig.) **4** [il letto, la stanza, etc.] rassettare, riordinare **CONTR.** disfare, sfare **5** [un abito, etc.] riparare, accomodare, racconciare (raro) **6** [qc. capo, presidente] rieleggere, rinominare **7** [qc., i modi di qc.] imitare, scimmiottare, mimare, parodiare, contraffare, riprodurre **8** [un alimento, etc.] ricuinare, cucinare, ricuocere **9** [una società, un club] ricomporre, ricreare, ricostituire, riformare **10** [*una richiesta, etc.*] rinnovare **11** [*una mappa, etc.*] riprodurre, riportare **12** [*le scuse, etc.*] (*est.*) ripresentare **B** *v. intr. pron.* **1** riallacciarsi, richiamarsi, basarsi *su*, attenersi, prendere come modello *un* **2** [*di un danno, etc.*] risarcirsi, rivalersi **3** [*bello, brutto, etc.*] ridiventare **4** [*nel fisico e moralmente*] ricostituirsi, ristabilirsi, rimettersi, ristorarsi **5** [*detto di fila, etc.*] riformarsi **6** [*in senso economico, etc.*] rimontare.

rifàtto *part. pass.; anche agg.* [*rif. a un'opera d'arte*] riprodotto, imitato **CONTR.** autentico.

riferiménto *s. m.* **1** allusione, accenno, cenno **2** rimando, rinvio, richiamo, citazione (*est.*) **3** (*est.*) attinenza, nesso, connessione.

riferire A *v. tr.* **1** [*una chiacchiera, etc.*] ridire, rapportare, riportare **CONTR.** tacere **2** [*un segreto, etc.*] confessare, confidare, rivelare, svelare, spifferare **CONTR.** nascondere **3** [*un avvenimento, etc.*] raccontare (*est.*), contare (*lett.*), descrivere, narrare, esporre (*est.*) **4** [*una notizia*] (*est.*) recare **5** [*le parole altrui*] citare **6** [*il successo, l'insuccesso*] attribuire, ascrivere **B** *v. intr. pron.* **1** alludere, fare riferimento, accennare **2** [*a un giudizio già emesso*] richiamarsi, fondarsi *su*, ricollegarsi, rapportarsi (*raro*), riportarsi (*raro*) **3** concernere *un*, riguardare *un* **4** [*a un argomento*] toccare *un*, vertere *su*.

riferito *part. pass.; anche agg.* [*rif. a un discorso*] riportato, raccontato.

riffa (1) *s. f.* **1** pesca **2** (*gener.*) gioco.

riffa (2) *s. f.* violenza, prepotenza.

rifiatàre *v. intr.* **1** fiatare, respirare, tirare il fiato **CONTR.** affaticarsi **2** riposare, rimettersi, riaversi, distendersi, rilassarsi **CONTR.** affaticarsi, affannarsi, affaccendarsi, lavorare, faticare.

rificcàre A *v. tr.* rinfilare, riconficcare, ripiantare, ricacciare, introdurre, configgere **CONTR.** svellere, estirpare, sconficcare, divellere **B** *v. intr. pron.* [*un abito, un anello*] rimettersi, rinfilarsi **CONTR.** togliersi.

rifilàre (1) *v. tr.* **1** [*uno schiaffo, etc.*] appioppare, affibbiare, mollare, assestare, allungare **2** [*la responsabilità*] accollare, addossare **3** [*una cosa brutta e inutile*] sbolognare (*scherz.*).

rifilàre (2) *v. tr.* [*la carta, una superficie*] squadrare, pareggiare, uguagliare, livellare, rifinire (*est.*).

rifinire *v. tr.* **1** perfezionare, cesellare (*fig.*), ritoccare, limare (*fig.*), lucidare (*fig.*), leccare (*fig.*), lisciare (*fig.*), tornire, digrossare, ripulire (*fig.*), pulire (*fig.*), completare (*est.*), finire (*est.*), terminare (*est.*) **2** [*la pietra*] (*est.*) conciare, squadrare, rifilare **3** [*un'edizione, etc.*] curare **4** [*qc.*] consumare, esaurire **CONTR.** rinforzare, rafforzare.

rifinito *part. pass.; anche agg.* **1** accurato, perfezionato, perfetto, compiuto **CONTR.** incompleto, grezzo, abbozzato, impostato **2** [*rif. a una persona*] raffinato, curato **CONTR.** rozzo, grossolano.

rifinitùra *s. f.* **1** pulitura, perfezionamento **2** decorazione, ornamento.

rifiorire *v. intr.* **1** [*detto di civiltà, di arte, etc.*] rinascere (*fig.*), riprosperare, risorgere (*fig.*), prosperare, espandersi, restaurarsi **CONTR.** decadere, deteriorarsi, guastarsi, rovinarsi, declinare **2** [*detto di persona*] rigenerarsi, guarire, migliorare, rinvigorirsi, ripigliare, ringiovanire **CONTR.** deperire, intristire, sfinirsi, spossarsi, estenuarsi, stancarsi **3** [*detto di muffa, etc.*] ricomparire, riaffiorare, rispuntare, riemergere, emergere **4** [*detto di amicizia, etc.*] rinnovarsi, ravvivarsi **CONTR.** distruggersi.

rifiutàre A *v. tr.* **1** respingere, ricusare, rigettare, scartare, escludere, disdegnare, sdegnare, contestare **CONTR.** accettare, accogliere **2** [*un incarico, etc.*] declinare, sottrarsi *a*, rinunciare *a*, disdire, astenersi *da*, abdicare *a* **CONTR.** desiderare, pretendere, reclamare, assumere **3** negare, proibire, non concedere, rispondere di no **CONTR.** acconsentire, concedere, permettere, consentire, esaudire **4** [*il cibo*] (*est.*) vomitare **CONTR.** digerire, tollerare **5** [*la moglie, il figlio*] rinnegare, ripudiare **CONTR.** accettare, volere **6** [*la merce*] (*est.*) protestare **CONTR.** accettare **7** [*la fortuna*] voltare le spalle alla fortuna **B** *v. intr. pron.* esimersi, negarsi, ricalcitrare (*fig.*), eludere *un*, scansarsi (*fig.*) **CONTR.** conformarsi, acconsentire.

rifiùto (1) *s. m.* **1** rinuncia **2** diniego, ricusa **3** [*di un credo, di un ideale*] ripudio, sconfessione, abiura **CONTR.** adesione, accoglimento, accettazione **4** negazione, opposizione, veto, preclusione, ostracismo **CONTR.** autorizzazione **5** [*di una persona, del cibo*] rigetto *per*, intolleranza *a* **6** [*di un impegno*] (*raro*) recessione, recesso.

rifiùto (2) *s. m.* **1** avanzo, scoria, scarto **2** immondizia, spazzatura, immondezza, ciarpame **3** [*di società*] (*fig.*) schiuma, feccia.

riflessióne (1) *s. f.* **1** meditazione, considerazione, ragionamento, pensiero, osservazione (*est.*) **2** ripensamento **3** premeditazione, calcolo **4** [*rif. al suono*] ripercussione.

riflessióne (2) *s. f.* [*di luce, etc.*] riflesso, riverbero.

riflessivaménte *avv.* giudiziosamente, sensatamente, ragionevolmente **CONTR.** irriflessivamente, leggermente, superficialmente.

riflessivo *agg.* giudizioso, posato, prudente, ponderato, assennato **CONTR.** impulsivo, ardito, avventato, temerario.

riflèsso *s. m.* **1** riverbero, riflessione (*raro*) **2** rispondenza, reazione.

riflèttere A *v. tr.* **1** [*un'immagine*] rimandare, riverberare, ripercuotere **2** [*uno stato d'animo, etc.*] (*est.*) rispecchiare (*fig.*), manifestare, mostrare, svelare, rivelare, significare **CONTR.** nascondere, celare **3** [*un'influenza altrui*] (*fig.*) riecheggiare **4** [*gioia, etc.*] (*fig.*) raggiare, irraggiare **B** *v. intr.* meditare, pensare, ragionare, congetturare, lambiccarsi, ponderare, ripensare, almanaccare, spremersi, scervellarsi (*fam.*), compenetrarsi, filosofare, filosofeggiare, raccogliersi, cogitare (*lett.*), rimuginare, concentrarsi **CONTR.** delirare **C** *v. intr. pron.* **1** [*detto di immagine, di suono*] rimbalzare, ripercuotersi **2** [*detto di stelle nell'acqua*] rispecchiarsi, specchiarsi **3** [*nel volto, etc.*] rispecchiarsi, trasparire **4** [*detto di inflazione, etc.*] ripercuotersi, influire, avere un peso.

rifluire *v. intr.* **1** scorrere, fluire **2** ritornare **3** [*detto di merci, di denaro, etc.*] confluire.

riflùsso *s. m.* **1** marea **2** [*rif. a un'epoca*] involuzione, recessione.

rifocillàre *A v. tr.* ristorare, nutrire, ricreare, satollare CONTR. affamare *B v. rifl.* mangiare, ristorarsi, nutrirsi, saziarsi CONTR. digiunare.

rifocillàto *part. pass.; anche agg.* ristorato, confortato, sfamato CONTR. affamato, digiuno.

rifóndere *v. tr.* **1** [*qc. di q.c.*] ripagare, indennizzare, risarcire, rimborsare, dare un indennizzo *a*, pagare **2** [*q.c. a qc.*] (*est.*) rendere, restituire, ridare CONTR. incamerare **3** [*un'opera scritta, etc.*] ricomporre, rimaneggiare, rifare.

rifórma *s. f.* **1** innovazione, miglioramento (*est.*), novità (*est.*) **2** [*di una legge, etc.*] (*est.*) emendamento, correzione **3** [*di un ente, di un istituto, etc.*] riordino, riorganizzazione.

riformàre *A v. tr.* **1** [*la società*] rifare, correggere, modificare, mutare, cambiare, innovare, migliorare, svecchiare, rinnovare, trasformare, riordinare **2** [*una legge, una norma*] rifare, correggere, modificare, emendare, rivedere **3** [*un'associazione, un club*] ricomporre, ricostituire **4** [*qc. dal servizio militare*] (*mil.*) scartare, congedare *B v. intr. pron.* [*detto di partito, di fila, etc.*] ricostituirsi, rifarsi, ricrearsi CONTR. sciogliersi, disfarsi, rompersi.

riforniménto *s. m.* **1** approvvigionamento, provvista, scorta, riserva **2** (*est.*) soccorso, sussidio.

rifornire *A v. tr.* fornire, corredare, munire, provvedere, equipaggiare, attrezzare, approvvigionare CONTR. sfornire, privare *B v. rifl.* corredarsi, munirsi.

rifrequentàre *v. tr.* [*l'anno scolastico, etc.*] ripetere.

rifugiàrsi *v. intr. pron.* **1** fuggire, ricoverarsi, riparare, scampare (*est.*) **2** [*su un monte, etc.*] ritirarsi, ridursi (*est.*).

rifùgio *s. m.* **1** [*spec. con: dare, offrire*] ricovero, ricetto, asilo (*lett.*), albergo, alloggio, riparo (*lett.*), ospizio (*lett.*) **2** [*di delinquenti, etc.*] ricetto, ritrovo, nascondiglio, covo (*fig.*), tana (*fig.*), nido (*fig.*), ricettacolo **3** [*di montagna*] ricovero, baita, malga **4** [*rif. a una persona*] (*est.*) protezione, sostegno, sollievo.

rifùlgere *v. intr.* **1** fiammeggiare, fulgere, rutilare, folgorare **2** [*detto di occhi, etc.*] (*fig.*) ridere.

riga *s. f.* (*pl. -ghe*) **1** rigo, linea, tratto, solco, segno, frego, venatura, rigatura **2** [*di persone*] fila, teoria (*colto*), coda (*fig.*) **3** [*dei capelli*] scriminatura, divisa (*fam.*) **4** [*tipo di*] fila, diagonale, retta **5** (*mil.*) rigo, linea, rango, schiera **6** [*di stampa*] striscia, lista.

rigàgnolo *s. m.* rivolo.

rigàre *v. tr.* **1** solcare, segnare, incavare **2** sfregiare, graffiare.

rigattière *s. m.* ferrivecchi, sfattino (*tosc.*), straccivendolo.

rigatùra *s. f.* **1** segno, sciupatura, rigo, sfregio, riga **2** scanalatura.

rigeneràre *A v. tr.* **1** [*detto di cura, di cosmetico, etc.*] ringiovanire **2** [*detto di aria salubre, etc.*] corroborare, fortificare, irrobustire, tonificare **3** [*detto di buona lettura*] (*est.*) confortare, ricreare *B v. intr. pron.* **1** riprodursi, rinascere, rinnovarsi (*est.*) **2** [*detto di tessuto*] (*est.*) cicatrizzarsi **3** rifiorire (*fig.*).

rigettàre *v. tr.* **1** rifiutare, respingere, ributtare **2** vomitare, rimettere (*fam.*), rovesciare.

rigètto *s. m.* intolleranza, rifiuto.

rigidaménte *avv.* **1** duramente, severamente, rigorosamente, inflessibilmente, austeramente, acerbamente CONTR. con indulgenza, compiacentemente, con atteggiamento comprensivo, con atteggiamento disponibile, clementemente **2** inflessibilmente CONTR. flessibilmente, flessuosamente, sinuosamente, elasticamente.

rigidézza *s. f.* **1** [*rif. a materiali, a oggetti*] rigidità, durezza, indeformabilità CONTR. tenerezza, morbidezza, duttilità **2** [*rif. al carattere*] (*fig.*) rigore, austerità, severità, inflessibilità, cocciutaggine, intransigenza **3** [*rif. al clima*] durezza, rigore, crudezza, asprezza CONTR. mitezza.

rigidità *s. f. inv.* **1** rigidezza, durezza, rigore, fiscalismo (*est.*), inflessibilità CONTR. arrendevolezza, adattabilità,

flessibilità **2** [*rif. al clima*] asprezza, crudezza CONTR. mitezza **3** immobilità, staticità.

rigido *agg.* **1** [*rif. a un materiale*] duro, resistente, inflessibile CONTR. elastico, pieghevole, flessibile, plasmabile, cedevole, versatile, duttile, floscio **2** [*rif. all'atteggiamento*] inflessibile, severo, austero, rigoroso, spartano, moralista, ristretto (*spreg.*) CONTR. flessibile, cedevole, versatile, conciliante, accomodante, arrendevole, compiacente, comprensivo, condiscendente, eclettico, indulgente, moderato, moscio (*fam.*), sinuoso (*neg.*) **3** [*rif. al clima*] crudo (*fig.*), aspro, inclemente, freddo CONTR. dolce, mite, temperato.

rigiràre *A v. tr.* **1** rimescolare **2** volgere, voltolare **3** [*qc.*] (*est.*) ingannare, imbrogliare, raggirare **4** [*un assegno*] (*est.*) trasferire *B v. rifl.* rivoltarsi, muoversi, agitarsi, girarsi.

rigiro *s. m.* **1** viluppo, garbuglio **2** imbroglio, intrigo, raggiro.

rigo *s. m.* (*pl. -ghi*) **1** [*di stampa*] riga **2** riga, linea, tratto, rigatura, sciupatura, segno, solco.

rigóglio *s. m.* **1** [*rif. alle piante*] (*bot.*) fioritura **2** [*di iniziative, etc.*] (*est.*) esuberanza **3** [*della giovinezza, etc.*] (*est.*) pienezza.

rigogliosaménte *avv.* floridamente, prosperosamente CONTR. stentatamente.

rigoglióso *agg.* fiorente, florido, prosperoso, esuberante, vigoroso, vivace, fresco (*est.*) CONTR. brullo, stentato, vizzo.

rigonfiaménto *s. m.* **1** gonfiore, gonfiezza **2** (*est.*) protuberanza, borsa, gobba, pancia **3** (*bot.*) ampolla.

rigonfiàre *A v. intr.* **1** [*detto di livello di acque, etc.*] montare, ingrossare **2** lievitare *B v. intr. pron.* gonfiarsi di nuovo.

rigóre *s. m.* **1** [*rif. al clima*] asprezza, rigidezza, rigidità, inclemenza, crudezza CONTR. mitezza **2** [*rif. all'atteggiamento*] austerità, severità, durezza, intransigenza **3** [*morale*] dirittura **4** [*rif. a un metodo*] (*est.*) esattezza, razionalità, logica, coerenza **5**

[*rispetto al vero*] verità, fedeltà, oggettività **6** [*nell'esecuzione*] precisione, accuratezza, scrupolo, meticolosità **7** (*med.*) contrattura, spasmo.

rigorosaménte *avv.* **1** precisamente, esattamente, attentamente CONTR. approssimativamente, sbrigativamente, superficialmente **2** rigidamente, severamente CONTR. indulgentemente **3** aritmeticamente, matematicamente.

rigorosità *s. f. inv.* **1** serietà **2** precisione.

rigoróso *agg.* **1** [*rif. a una persona*] rigido, intransigente, fiscale CONTR. antidogmatico, tollerante, indulgente **2** [*rif. allo stile, al metodo*] austero, razionale, coerente (*est.*), preciso, pignolo, scrupoloso CONTR. negligente, trascurato.

rigovernàre *v. tr.* **1** [*le stoviglie, etc.*] lavare, pulire, sciacquare **2** [*la casa*] ordinare.

riguadagnàre *v. tr.* riconquistare, riacquistare, riavere, riprendere, recuperare CONTR. perdere.

riguardànte *part. pres.; anche agg.* concernente, relativo, pertinente, attinente, spettante.

riguardàre **A** *v. tr.* **1** guardare **2** [*i compiti, gli esercizi*] rivedere, correggere, controllare **3** [*un progetto, etc.*] esaminare, considerare, riesaminare **4** concernere, trattare, vertere *su*, essere relativo *a*, riferirsi *a*, consistere *in* **5** interessare, appartenere *a*, competere *a*, spettare *a*, toccare *a* **B** *v. intr.* mirare, aspirare **C** *v. rifl.* **1** preservarsi, conservarsi, difendersi **2** astenersi, trattenersi.

riguàrdo *s. m.* **1** delicatezza, attenzione, cura, cautela, tatto (*fig.*), carezza (*fig.*), premura **2** rispetto, stima, considerazione, deferenza, venerazione **3** [*in loc.: riguardo a*] relazione, attinenza, nesso.

riguardóso *agg.* rispettoso, ossequioso.

rigurgitànte *part. pres.; anche agg.* colmo, traboccante, strapieno, zeppo CONTR. vuoto, privo.

rigurgitàre **A** *v. intr.* **1** straripare, tracimare, riboccare **2** [*detto di mezzi, di*

ricchezze, etc.] ridondare **B** *v. tr.* vomitare, vomire (*lett.*), ributtare, rimettere (*fam.*).

rilanciàre *v. tr.* **1** ributtare, ribattere, rimandare, rinviare **2** [*la moda, l'uso di q.c.*] riproporre.

rilàncio *s. m.* **1** [*della palla, etc.*] rimando, rinvio **2** [*della moda, delle tradizioni, etc.*] (*fig.*) riesumazione, recupero.

rilasciaménto *s. m.* rilassamento, allentamento.

rilasciàre *v. tr.* **1** dimettere, liberare, fare uscire, mollare (*fam.*) CONTR. detenere, fermare **2** [*un documento, etc.*] consegnare **3** [*un'autorizzazione*] accordare, concedere **4** [*la cintura*] allentare **5** [*i nervi, i muscoli*] rilassare, distendere, sciogliere (*fig.*).

rilassaménto *s. m.* **1** [*momento di*] abbandono **2** sollievo, riposo, relax (*ingl.*), distensione, sopore **3** [*rif. ai tessuti*] cedimento, rammollimento CONTR. rassodamento.

rilassànte *part. pres.; anche agg.* distensivo, riposante, ristoratore, confortante CONTR. stancante, stressante, logorante, sfiancante.

rilassàre **A** *v. tr.* **1** [*i nervi*] distendere, calmare CONTR. irritare **2** [*i muscoli*] sciogliere, rilasciare CONTR. irrigidire, aggranchire **3** [*qc.*] ricreare, divertire, ritemprare (*fig.*) CONTR. innervosire, estenuare, logorare **B** *v. rifl.* **1** (*fig.*) respirare, rifiatare, scaricarsi CONTR. estenuarsi **2** svagarsi, riposarsi, ricrearsi CONTR. innervosirsi **3** (*est.*) distendersi, adagiarsi, riposare **C** *v. intr. pron.* [*detto di disciplina, etc.*] indebolirsi, allentarsi.

rilassataménte *avv.* quietamente, pacificamente, tranquillamente CONTR. nervosamente, ansiosamente.

rilassàto *part. pass.; anche agg.* **1** tranquillo, riposato, disteso, abbandonato CONTR. agitato, concitato, convulso, estenuato **2** [*rif. a un tipo di vita*] (*fig.*) molle, morbido CONTR. difficoltoso.

rilegàre *v. tr.* legare, montare.

rilevaménto *s. m.* accertamento, rilevazione, sondaggio.

rilevànte *part. pres.; anche agg.* **1** considerevole, importante, notevole, ragguardevole, sensibile, grave CONTR. indifferente, insignificante, piccolo **2** ingente, grande, cospicuo CONTR. insignificante, piccolo.

rilevànza *s. f.* importanza, gravità, rilievo (*fig.*), valore CONTR. irrilevanza.

rilevàre *v. tr.* **1** ricavare **2** [*qc. da una carica*] rimuovere, sospendere **3** [*qc. in un compito*] sostituire **4** [*qc. alla stazione, etc.*] prelevare **5** [*beni, case, etc.*] acquistare **6** [*i dati di una popolazione*] (*est.*) censire, misurare **7** (*est.*) concludere, dedurre **8** (*est.*) constatare, notare, riscontrare, appuntare **9** (*est.*) osservare, rimarcare, obiettare, eccepire.

rilevàto **A** *part. pass.; anche agg.* rialzato, prominente, sporgente CONTR. infossato **B** *s. m.* rialzo.

rilevatóre *s. m.* detector.

rilevazióne *s. f.* rilevamento, accertamento.

rilièvo *s. m.* **1** prominenza, protuberanza, escrescenza **2** (*est.*) dorsale, dosso, duna, promontorio, collina, rialzo, cresta CONTR. avvallamento **3** (*est.*) nota, osservazione, obiezione, eccezione, considerazione **4** [*spec. con: dare, mettere in*] (*est.*) evidenza, spicco, risalto, peso (*fig.*), portata (*fig.*), importanza, rilevanza, interesse.

rilucènte *part. pres.; anche agg.* splendente, brillante, raggiante CONTR. opaco.

rilùcere *v. intr.* **1** splendere, brillare, luccicare, fulgere, ridere (*fig.*) **2** [*detto di persona*] distinguersi, affermarsi.

riluttànte *part. pres.; anche agg.* restio, contrario, ritroso, resistente, renitente, ricalcitrante CONTR. disposto.

riluttànza *s. f.* ripugnanza, renitenza, reticenza, ritrosia.

rìma (1) *s. f.* **1** consonanza **2** (*est.*) poesia.

rìma (2) *s. f.* fessura, crepatura, spaccatura.

rimandàbile *agg.* procrastinabile CONTR. irrimandabile, perentorio, pressante, urgente.

rimandàre v. tr. **1** ridare, riconsegnare **2** [un regalo non gradito] rinviare, rispedire, respingere, rifiutare **3** [il pallone, etc.] (sport) rinviare, ribattere, rilanciare, ribattere **4** [un clandestino, etc.] rimpatriare **5** [un incontro, una scadenza] differire, procrastinare, posticipare, rimettere (raro) CONTR. anticipare **6** [una riunione, etc.] (est.) aggiornare, spostare, posporre **7** [un pagamento, etc.] posporre, prorogare, protrarre, dilungare, dilatare, prolungare, tardare, ritardare **8** [qc.] tracheggiare **9** [l'immagine] (est.) riflettere, ripercuotere, ripetere **10** [uno studente] (est.) non promuovere CONTR. promuovere.

rimandàto A part. pass.; anche agg. **1** rinviato **2** rinviato, accantonato B s. m. (f. -a) [a scuola] CONTR. promosso.

rimàndo s. m. **1** [della palla, etc.] rinvio, rilancio **2** [di un pagamento, etc.] rinvio, dilazione, differimento **3** [nei testi scritti] richiamo, riferimento, cenno, citazione.

rimaneggiaménto s. m. **1** rifacimento, rimodernamento, rielaborazione **2** [tipografico] ricomposizione.

rimaneggiàre v. tr. rifare, rielaborare, rimpastare (fig.), ricomporre, rifondere, rabberciare (est.).

rimanènte A part. pres.; anche agg. altro, restante, residuo, avanzato B s. m. sing. **1** resto **2** [spec. al pl.] gli altri.

rimanènza s. f. **1** avanzo, residuo, scampolo, resto **2** [di merci] giacenza, saldo.

rimanére v. intr. **1** [in un luogo] restare, fermarsi, trattenersi, sostare, soggiornare (est.), permanere CONTR. migrare **2** [rispetto all'ubicazione] restare, trovarsi, essere **3** [senza soldi, etc.] restare, ritrovarsi **4** [in una posizione, etc.] restare, mantenersi, resistere **5** [in piedi, in attesa, etc.] restare, stare **6** [detto di cibo, etc.] restare, residuare, avanzare (fig.), crescere **7** [in relazione al tempo, allo spazio o al lavoro] restare, mancare **8** restare, sopravvivere.

rimanifestàre v. intr. pron. riapparire, ripresentarsi.

rimarcàre v. tr. **1** (est.) marcare **2** notare, rilevare, osservare.

rimàre v. intr. versificare, poetare, verseggiare.

rimarginàre A v. tr. **1** cicatrizzare **2** [un rapporto, etc.] (fig.) ricucire, saldare B v. intr. pron. [detto di ferita] cicatrizzarsi, chiudersi, saldarsi (fig.).

rimasticàre v. tr. **1** [detto di animali] ruminare **2** [q.c.] (est.) ripensare a, rimuginare **3** [il lavoro altrui] (est.) scopiazzare, rimpastare.

rimbalzàre A v. intr. **1** [da un posto all'altro] sbalzare (raro) **2** diffondersi, ripercuotersi **3** [detto di immagine, suono] (est.) riflettersi B v. tr. sgridare.

rimbambìre A v. intr. istupidire, rincretinire, rimbecillire (pop.), rincoglionire (volg.) CONTR. infurbirsi, scaltrirsi B v. intr. pron. rincoglionirsi (volg.), rincretinirsi, rimbecillirsi (pop.), rammollirsi (fig.).

rimbeccàre A v. tr. **1** [q.c. a qc.] replicare, ribattere, controbattere **2** [qc.] contraddire, dare sulla voce a, rimproverare B v. rifl. rec. litigarsi.

rimbecillìre A v. intr. istupidire, rimminchionire (volg.), rimbambire, rincretinire, rincoglionire B v. intr. pron. rammollirsi, rincoglionirsi (volg.), rimbambirsi, rincretinirsi.

rimboccàre v. tr. [la coperta, etc.] rincalzare.

rimbombànte part. pres.; anche agg. risonante.

rimbombàre v. intr. risuonare, riecheggiare, echeggiare, suonare, rombare, rintronare, ruggire (fig.), rumoreggiare, tuonare.

rimbómbo s. m. **1** boato, tuono, rombo **2** (gener.) suono, rumore, risonanza.

rimborsàre v. tr. **1** [qc. di q.c.] risarcire, ripagare, pagare, dare un indennizzo a, indennizzare, retribuire **2** [un danno prodotto] risarcire, ripagare, pagare, rifondere **3** [il denaro dovuto] rendere, restituire, ridare.

rimbórso s. m. **1** [dei danni, etc.] risarcimento CONTR. esborso **2** [di una trasferta, etc.] indennità.

rimbottàre v. tr. rabbuffare, sgridare, rimproverare.

rimbrottàre v. tr. brontolare, rampognare, redarguire, ammonire.

rimbròtto s. m. sgridata, rimprovero, rabbuffo, cicchetto (fam.).

rimediàre A v. intr. **1** [a un errore] riparare un, ovviare, porre rimedio, rabberciare un (fig.), rappezzare un (fig.), rattoppare un (fig.), rettificare un **2** [a una situazione] (est.) risolvere un, medicare un (fig.), curare un (fig.), sanare un (fig.), tamponare un (fig.) **3** [a una mancanza, a un errore] (est.) compensare, provvedere, supplire B v. tr. **1** [denaro, etc.] racimolare, raggranellare **2** [schiaffi, una malattia, etc.] buscarsi, prendersi **3** [un abito, etc.] accomodare, aggiustare **4** [una cena, etc.] arrangiare **5** [un compenso, una lode] ricavare.

rimèdio s. m. **1** farmaco, medicina, medicamento, medicinale **2** [spec. con: porre un] (est.) scampo, riparo **3** (est.) provvedimento, espediente, scappatoia, ripiego, compromesso, toppa (fig.) **4** [per la felicità] (est.) ricetta, segreto, cura, antidoto.

rimembrànza s. f. **1** ricordo, memoria **2** autobiografia.

rimembràre A v. tr. **1** rammentare, ricordare, rievocare **2** (est.) menzionare B v. intr. pron. rammentarsi, ricordarsi.

rimenàre v. tr. **1** ricondurre, riportare **2** agitare, mescolare, rimescolare, strapazzare (fig.).

rimescolàre A v. tr. **1** rimestare, rigirare, rimenare **2** buttare all'aria, disordinare, confondere, rovistare (est.) **3** [l'animo] (est.) sconvolgere, turbare, scombussolare, sommuovere (raro) **4** [il passato, etc.] (fig.) rimestare, rovistare (est.), rivangare B v. intr. pron. conturbarsi, agitarsi (fig.).

rimescolìo s. m. **1** mescolanza **2** [interiore] (est.) emozione, turbamento.

rimèssa (1) s. f. **1** perdita **2** scapito.

rimèssa (2) s. f. **1** [luogo dove si noleggia] noleggio **2** autorimessa, garage (fr.) **3** [di q.c.] consegna **4** [di denaro] pagamento, versamento.

rimestàre v. tr. **1** mescolare, mischiare, rimescolare **2** [*modo di*] frullare **3** manipolare **4** [*più cose tra loro*] (*est.*) confondere.

riméttere A v. tr. **1** [*q.c. al suo posto*] ricollocare, riporre, reinserire **2** [*un incontro, una gita*] differire, rimandare, rinviare **3** [*una lettera, un pacco*] inviare, rispedire, recapitare, spedire, consegnare, restituire, raccomandare **4** [*i peccati*] condonare, perdonare, scusare **5** vomitare, rigettare (*fam.*), vomire (*lett.*), ricacciare (*fam.*), recere (*lett.*), rovesciare (*fam.*), rigurgitare **6** [*qc. a giudizio*] demandare, deferire **7** [*una controversia*] affidare **8** [*detto di cura, di rimedio*] guarire, irrobustire **9** [*tempo*] recuperare, riguadagnare **10** [*nella forma: rimetterci*] perderci, scapitare, rovinarsi (*est.*) B v. intr. pron. **1** riprendersi, riaversi, migliorare, ristabilirsi, guarire, risollevarsi (*fig.*), risanarsi (*raro*), sanarsi (*raro*), rinvigorirsi **2** [*un'attività*] ricominciare un, ripigliare un, riprendere un (*scherz.*) **3** [*un abito, un anello*] rificcarsi, rinfilarsi **4** [*economicamente*] riprenderci, riaversi, rifiatare (*fig.*), tornare a galla (*fig.*), rifarsi **5** [*detto di tempo*] volgere al bello C v. rifl. affidarsi, raccomandarsi.

rimiràre A v. tr. guardare con meraviglia, contemplare, osservare, guardare (*impr.*) B v. rifl. guardarsi, mirarsi, osservarsi.

rimmel s. m. inv. **1** (*gener.*) trucco, cosmetico **2** mascara.

rimminchionìre v. intr. rincoglionire (*volg.*), rimbecillire, rincretinire.

rimodernaménto s. m. **1** rifacimento, rimaneggiamento, ricomposizione **2** [*di un locale*] rinnovamento, restauro, svecchiamento.

rimodernàre A v. tr. modernizzare, rammodernare, riadattare, rifare (*impr.*) B v. rifl. modernizzarsi, aggiornarsi, innovarsi.

rimodificàre v. tr. ricambiare.

rimónta s. f. recupero.

rimontàre A v. intr. **1** rifarsi **2** [*in bicicletta, ecc.*] risalire B v. tr. **1** [*i pezzi di q.c.*] ricomporre, ricongiungere **2** [*il fiume, ecc.*] risalire **3** [*il capo, il promontorio*] doppiare, superare, oltre-

passare **4** [*lo svantaggio*] recuperare.

rimorchiàre v. tr. trainare.

rimòrchio s. m. traino.

rimòrso s. m. **1** pentimento, rincrescimento, rammarico, rimpianto (*est.*), tormento, cruccio (*est.*), spina (*fig.*) **2** (*gener.*) sentimento.

rimostrànza s. f. reclamo, lamentela, lagnanza, protesta, doglianza (*lett.*), recriminazione.

rimozióne s. f. **1** [*di oggetti*] spostamento **2** [*da una carica, da una sede, etc.*] deposizione, destituzione, esclusione **3** [*di idee, di pensieri*] sgombero, allontanamento, repressione, liberazione **4** [*di ostacoli*] sgombero, eliminazione.

rimpadronìrsi v. intr. pron. riafferrare un, riavere un, riprendere un.

rimpastàre v. tr. **1** rimaneggiare **2** [*l'opera altrui*] rimaneggiare, rimasticare (*fig.*), scopiazzare.

rimpatriàre A v. intr. tornare in patria CONTR. emigrare, espatriare B v. tr. [*un clandestino, etc.*] espellere, bandire, rimandare.

rimpàtrio s. m. rientro, ritorno.

rimpiàngere v. tr. **1** rammaricarsi di, pentirsi di (*est.*), dolersi di **2** (*est.*) piangere (*fig.*), sospirare, desiderare, ricordare, lacrimare (*lett.*).

rimpiànto s. m. **1** [*di q.c., di qc. perduto*] nostalgia, malinconia, vagheggiamento, ricordo (*est.*), desio (*lett.*), melanconia **2** [*l'azione*] rammarico, rincrescimento, rimorso, pentimento **3** (*gener.*) sentimento.

rimpiattàre A v. tr. nascondere, occultare, imboscare, rincantucciare B v. rifl. celarsi, occultarsi, nascondersi, rintanarsi.

rimpiazzàre v. tr. sostituire, subentrare a, supplire, fungere da, fare le veci di.

rimpicciolìre A v. tr. **1** rimpiccolire, ridurre, diminuire, contrarre, impicciolire, impiccolire **2** [*un abito*] accorciare **3** [*un testo, un lavoro, etc.*] (*est.*) menomare (*fig.*) B v. intr. pron. [*detto di abito, etc.*] restringersi.

rimpiccolìre v. tr. rimpicciolire, ridurre, diminuire, restringere.

rimpinguàre v. tr. [*le casse dello stato*] impinguare, arricchire, rinsanguare (*fig.*), riempire CONTR. impoverire, dissanguare, prosciugare.

rimpinzàre A v. tr. **1** [*lo stomaco*] colmare, riempire, imbottire, stipare, empire, impinzare **2** [*qc.*] ingozzare, satollare, saziare **3** [*un testo di errori*] (*raro*) inzeppare, saturare, affollare, lardellare B v. rifl. **1** (*gener.*) mangiare **2** impinzarsi, satollarsi, ingozzarsi, abbuffarsi, riempirsi, saziarsi, divorare.

rimpolpàre v. tr. **1** impolpare, ingrassare **2** [*le casse dello stato*] impolpare, ingrassare, rinsanguare CONTR. spolpare, prosciugare.

rimproveràre v. tr. ammonire, sgridare, redarguire, rampognare, strigliare (*fig.*), rabbuffare, rimbeccare, rimbottare (*raro*), strapazzare (*fig.*), pettinare (*fig.*), richiamare, brontolare (*fam.*), gridare, ripassare (*scherz.*) CONTR. lodare.

rimpròvero s. m. **1** appunto, osservazione, sgridata, predica, ammonimento, ammonizione, paternale, tirata (*fam.*), rabbuffo, rimbrotto, cicchetto (*fam.*), accusa (*est.*) **2** [*degno di*] riprensione, biasimo CONTR. encomio, lode.

rimuginàre v. tr. e intr. elucubrare, ruminare (*fig.*), almanaccare, fantasticare, meditare, ponzare (*scherz.*), riflettere, pensare, rimasticare (*fig.*).

rimuneràre v. tr. compensare, retribuire, prezzolare (*neg.*).

rimunerativo agg. lucroso, redditizio.

rimunerazióne s. f. **1** ricompensa, compenso, gratificazione (*est.*), dono, premio **2** (*est.*) retribuzione, paga, stipendio.

rimuòvere A v. tr. **1** [*q.c. da un luogo*] togliere, scostare, muovere, smuovere, spostare **2** [*qc. da un incarico, etc.*] destituire, deporre, cacciare, scacciare, revocare, giubilare, rilevare (*fig.*), disarcionare (*fig.*), sbalzare (*fig.*) **3** [*una crosta, un ostacolo*] staccare, levare, strappare, cavare **4** [*qc. da un proposito, etc.*] (*est.*) dis-

suadere 5 [*gli ostacoli, etc.*] eliminare, cancellare (*fig.*), elidere (*colto*) **B** *v. intr. pron.* deflettere, desistere, recedere.

rinàscere *v. intr.* **1** [*a nuova vita, etc.*] rivivere **2** [*detto di persona*] rifiorire (*fig.*), riprosperare, ringiovanire, risuscitare (*fig.*) **3** [*detto di cellule, etc.*] rigenerarsi, riprodursi **4** [*detto di capelli*] ricrescere, rispuntare **5** [*detto di amore, etc.*] (*fig.*) risorgere, ridestarsi, accendersi.

rinàscita *s. f.* rinnovamento.

rincalzàre *v. tr.* **1** rimboccare **2** [*le fondamenta, etc.*] rinforzare, puntellare.

rincantucciàre A *v. tr.* **1** nascondere, rimpiattare **2** [*le gambe*] ripiegare **B** *v. rifl.* rannicchiarsi, nascondersi, raggomitolarsi.

rincaràre A *v. tr.* rialzare, aumentare, crescere **B** *v. intr.* [*detto di prezzi*] salire, risalire, crescere.

rincàro *s. m.* rialzo, aumento (*fam.*), crescita (*fig.*) **CONTR.** abbassamento.

rincasàre *v. intr.* rientrare *in*, tornare *a*.

rinchiùdere A *v. tr.* **1** [*qc. in casa, in prigione*] chiudere, imprigionare, incarcerare, segregare, confinare, carcerare, trattenere, barricare, rinserrare, relegare **2** [*qc. in una clinica*] chiudere, ricoverare, internare **3** [*q.c. nel cuore*] (*fig.*) chiudere, contenere, nascondere **CONTR.** effondere **B** *v. rifl.* **1** isolarsi, estraniarsi, appartarsi **2** celarsi, nascondersi **3** barricarsi (*fig.*), confinarsi, murarsi (*fig.*).

rincoglionimènto *s. m.* intronamento, rammollimento.

rincoglionìre A *v. intr.* istupidire, rammollirsi, rimminchionire (*volg.*), rimbambire, rimbecillire **B** *v. intr. pron.* rimbambirsi, rammollirsi, istupidirsi, rimbecillirsi, rincretinirsi.

rincoràre *v. tr. e intr. pron.* V. *rincuorare*.

rincórrere *v. tr.* **1** inseguire, cercare di raggiungere **2** cercare di superare.

rincréscere A *v. intr.* dolere, costare (*fig.*), bruciare (*fig.*), gravare (*fig.*),

pesare (*fig.*) **B** *v. intr. pron.* dispiacersi, amareggiarsi, rammaricarsi, compiangersi (*raro*).

rincrescimènto *s. m.* **1** rammarico, dolore, rimorso, pentimento **2** rammarico, rimpianto **3** (*gener.*) sentimento.

rincretinìre A *v. intr.* istupidire, rimbambire, rimbecillire, rimminchionire **CONTR.** infurbirsi, scaltrirsi **B** *v. intr. pron.* rammollirsi, rimbambirsi, rincoglionirsi (*volg.*), rimbecillirsi **CONTR.** infurbirsi.

rincrudìre A *v. intr.* esacerbare, esasperare, inasprire **CONTR.** diminuire **B** *v. intr.* **1** [*detto di temperatura, di clima*] irrigidirsi **2** [*detto di passione, etc.*] acuirsi, esacerbarsi.

rinculàre *v. intr.* **1** indietreggiare, arretrare, retrocedere, ritrarsi, recedere (*raro*) **CONTR.** avanzare **2** [*detto di eserciti, di soldati*] (*mil.*) ritirarsi, ripiegare.

rincuoràre o **rincoràre A** *v. tr.* confortare, consolare, incoraggiare, rasserenare, rassicurare, riconfortare, ravvivare (*fig.*) **CONTR.** demoralizzare, deprimere, disanimare, intimidire, confondere **B** *v. intr. pron.* animarsi, rasserenarsi, rassicurarsi, ravvivarsi, riconfortarsi, rianimarsi, consolarsi **CONTR.** demoralizzarsi, deprimersi, disanimarsi, desolarsi.

rincuoràto *part. pass.; anche agg.* sollevato, rianimato, confortato, rassicurato **CONTR.** atterrito, impaurito, spaventato, terrorizzato, intimorito, intimidito, angustiato, inconsolabile (*est.*).

rinfacciàre *v. tr.* **1** [*l'aiuto dato*] rammentare, ricordare **2** [*una manchevolezza*] rimproverare.

rinfilàre A *v. tr.* rificcare **B** *v. intr. pron.* [*un abito, un anello*] rificcarsi, rimettersi **CONTR.** sfilarsi, togliersi.

rinfocolàre A *v. tr.* **1** attizzare **2** [*le passioni*] (*fig.*) attizzare, ridestare, accendere **B** *v. intr. pron.* ravvivarsi, attizzarsi **CONTR.** smorzarsi.

rinfoderàre *v. tr.* infoderare, inguainare.

rinforzàre A *v. tr.* **1** [*il potere, l'amicizia*] rafforzare, consolidare, potenziare, rinsaldare **CONTR.** indebolire **2** [*gli argini, etc.*] rincalzare, armare,

guarnire **CONTR.** indebolire **3** [*l'organismo, etc.*] ingagliardire, invigorire, irrobustire, corroborare, ricostituire **CONTR.** indebolire, debilitare, logorare, minare, prostrare, rifinire, spossare **4** [*una tesi*] confortare (*fig.*), avvalorare **CONTR.** indebolire **5** [*una struttura edilizia*] rafforzare, consolidare, rinsaldare, puntellare **CONTR.** indebolire **6** [*un reparto, un esercito*] (*mil.*) potenziare **B** *v. intr. e intr. pron.* **1** irrobustirsi **2** [*detto di vento, etc.*] aumentare **CONTR.** diminuire.

rinfòrzo *s. m.* **1** supporto, sostegno **2** [*spec. con: venire in*] sostegno, aiuto, appoggio, soccorso.

rinfrancàre A *v. tr.* corroborare, rafforzare, rasserenare, rassicurare, tranquillizzare **CONTR.** impaurire, costernare **B** *v. intr. pron.* rassicurarsi, rasserenarsi, tranquillizzarsi **CONTR.** impaurirsi, allarmarsi, preoccuparsi.

rinfrancàto *part. pass.; anche agg.* incoraggiato, animato.

rinfrescàre A *v. tr.* **1** refrigerare, raffreddare **2** [*un abito, una casa*] rinnovare **3** [*un'amicizia*] ravvivare **4** [*i ricordi*] ravvivare, inverdire **5** [*un dipinto, etc.*] restaurare **B** *v. intr. e intr. pron.* [*detto di aria, etc.*] raffreddarsi **C** *v. rifl.* lavarsi, sistemarsi, ristorarsi.

rinfrésco *s. m.* (*pl. -chi*) **1** party (*ingl.*), cocktail (*ingl.*), ricevimento, trattenimento, trattamento **2** (*gener.*) festa.

ring *s. m. inv.* quadrato.

ringalluzzire *v. intr.* imbaldanzire, insuperbire, alzare la cresta (*scherz.*).

ringhièra *s. f.* parapetto, balaustra, corrimano.

ringiovanimènto *s. m.* rinnovamento, ripresa (*est.*).

ringiovanìre A *v. intr.* (*fig.*) rifiorire, rinascere, rinnovarsi **CONTR.** decadere, invecchiare **B** *v. tr.* [*detto di cura, di cosmetico, etc.*] rigenerare.

ringraziàre *v. tr.* benedire, essere grato *a*, rendere grazie *a*.

rinnegamènto *s. m.* ripudio.

rinnegàre *v. tr.* **1** [*le affermazioni fatte*] negare, ritrattare, contraddire **2**

[*una religione, un credo*] ripudiare, rifiutare, abiurare, sconfessare **3** [*un figlio, un parente*] disconoscere, misconoscere, fingere di non conoscere, maledire (*est.*).

rinnovaménto *s. m.* **1** rimodernamento, svecchiamento, rifacimento **2** [*rif. a una persona*] rinascita, ringiovanimento.

rinnovàre *A v. tr.* **1** [*una richiesta, etc.*] rifare, iterare **2** [*il passaporto, etc.*] rifare **3** [*un regolamento, etc.*] aggiornare, svecchiare, migliorare, modernizzare, riformare, innovare **4** [*una costruzione*] svecchiare, ammodernare, rammodernare **5** [*una casa, un albergo*] rinfrescare, riattare, ricostruire (*est.*), riadattare **6** [*un abito, etc.*] incignare (*tosc.*), inaugurare **7** [*le usanze, etc.*] (*fig.*) rinverdire, riesumare **8** [*le speranze, etc.*] (*fig.*) risvegliare, riaccendere, risuscitare, ravvivare **9** [*sentimenti, la fede*] riaffermare, raffermare **10** [*qc. al suo posto*] riconfermare (*fig.*) **11** [*una società, etc.*] (*est.*) ricostituire, ricreare, riaprire **12** [*il dolore, etc.*] (*fig.*) risuscitare, ridestare **13** [*un'amicizia, etc.*] (*fig.*) rialacciare *B v. intr. pron.* **1** [*detto di cellule, etc.*] rigenerarsi, riprodursi **2** [*detto di società, di ditta, etc.*] innovarsi, modernizzarsi, trasformarsi **3** [*detto di persona*] rifiorire (*fig.*), ringiovanire.

rinomànza *s. f.* fama, notorietà, celebrità, nomea (*spreg.*), gloria (*est.*).

rinomàto *agg.* famoso, pregiato, stimato, insigne, celebre, conosciuto, famigerato (*spreg.*) **CONTR.** ignoto, sconosciuto.

rinominàre *v. tr.* rieleggere, rifare.

rinsaldàre *A v. tr.* [*l'amicizia, etc.*] (*fig.*) consolidare, rafforzare, rinvigorire, rinforzare, corroborare, cementare *B v. intr. pron.* rassodarsi, consolidarsi, rafforzarsi.

rinsanguàre *v. tr.* [*le casse dello stato*] rimpolpare, rimpinguare **CONTR.** dissanguare, svuotare.

rinsavire *v. tr.* mettere giudizio **CONTR.** impazzire, ammattire, diventare matto, diventare pazzo.

rinserràre *v. tr.* **1** [*qc.*] rinchiudere, imprigionare, segregare **2** [*q.c.*] rinchiudere, riporre.

rintanàre *A v. tr.* nascondere *B v. rifl.* **1** [*detto di animale*] infilarsi nella tana, infilarsi in una buca **2** [*detto di persona*] (*est.*) nascondersi, rimpiattarsi, imbucarsi, confinarsi, celarsi.

rintoccàre *v. intr.* battere, suonare, risuonare.

rintòcco *s. m.* (*pl. -chi*) **1** tocco, battuta (*raro*) **2** (*gener.*) suono.

rintracciàre *v. tr.* trovare, scovare **CONTR.** perdere.

rintronàre *A v. intr.* rimbombare, echeggiare, riecheggiare, rombare, rumoreggiare *B v. tr.* intontire, stordire.

rintronàto *part. pass.; anche agg.* **1** stordito, inebetito, frastornato, sconvolto **CONTR.** presente, sveglio **2** (*est.*) ubriaco, sbronzo.

rintuzzàre *v. tr.* **1** [*la passione, etc.*] soffocare, reprimere **2** [*un'offesa, etc.*] ribattere, confutare, controbattere **3** [*un attacco*] respingere, fronteggiare.

rinùncia o **rinùnzia** *s. f.* **1** rifiuto, ricusa **2** [*a una carica, a un'attività, etc.*] abbandono *di*, abdicazione, ritiro *da* **3** [*a un diritto, a un titolo*] cessione *di* **4** [*cerimonia di*] (*est.*) spoliazione, distacco **5** [*per ottenere, per fare q.c.*] (*est.*) sacrificio, privazione **6** [*spec. con: essere capaci di*] (*relig.*) abnegazione **7** [*a una religione, a una dottrina*] abiura **8** [*ai piaceri fisici, etc.*] mortificazione, astinenza *da*, astensione *da* **9** [*a q.c. in favore di altri*] concessione.

rinunciàre o **rinunziàre** *v. intr.* **1** abbandonare (*ass.*), desistere, mollare (*fam.*) **CONTR.** persistere, lottare **2** [*a una carica, etc.*] abdicare, rifiutare *un*, dimettersi *da* **CONTR.** accettare **3** capitolare, arrendersi, cedere **4** (*est.*) astenersi *da*, recedere *da* **5** spogliarsi *di* (*fig.*), privarsi *di*, sacrificare *un*, sacrificarsi **6** [*a un'idea, a un sentimento*] deporre *un*, disfarsi *di*, deflettere *da* **7** (*ass.*) tirare i remi in barca (*fig.*).

rinùnzia *s. f.* V. *rinuncia.*

rinunziàre *v. intr.* V. *rinunciare.*

rinvangàre *v. tr.* **1** rivangare, rovistare **2** rievocare.

rinveniménto *s. m.* scoperta, ritrovamento.

rinvenìre (1) *v. tr.* ritrovare, recuperare, reperire (*colto*), scoprire, trovare.

rinvenìre (2) *v. intr.* riaversi.

rinverdìre *v. tr.* inverdire, ravvivare, rinnovare, risuscitare.

rinviàre *v. tr.* **1** [*un regalo, un plico, etc.*] rimandare, respingere, rispedire, ridare (*est.*) **2** [*il pallone, etc.*] (*sport*) rimandare, ributtare, rilanciare, ribattere **3** [*l'inizio di q.c.*] differire, dilazionare, posticipare, procrastinare, indugiare (*raro*) **4** [*una riunione, etc.*] aggiornare, rimettere **5** [*un pagamento, etc.*] prorogare, protrarre, prolungare, spostare **6** [*un progetto, etc.*] (*fig.*) accantonare, affossare.

rinviàto *part. pass.; anche agg.* accantonato, rimandato.

rinvigoriménto *s. m.* rafforzamento.

rinvigorìre *A v. tr.* **1** irrobustire, rafforzare, tonificare, temprare, indurire, corroborare, ingagliardire **CONTR.** indebolire, debilitare, spossare, esaurire, estenuare, fiaccare **2** [*l'amicizia, l'amore*] rinsaldare, consolidare, fortificare, vivificare, ravvivare, riaccendere, ridestare **CONTR.** indebolire, infievolire, minare **3** [*qc.*] (*est.*) aiutare, confortare **4** [*lo spirito*] (*est.*) ricreare, ritemprare *B v. intr. pron.* **1** invigorirsi, irrobustirsi, rafforzarsi **CONTR.** debilitarsi, deperire, esaurirsi, fiaccarsi, spossarsi, infrollirsi **2** [*detto di amicizia, di amore*] (*fig.*) ravvivarsi, rianimarsi, ridestarsi, rifiorire **CONTR.** illanguidirsi, infievolirsi, raffreddarsi **3** [*in salute*] ricostituirsi, rimettersi.

rinvìo *s. m.* **1** [*della palla, etc.*] rimando, rilancio **2** [*nei testi scritti*] rimando, riferimento **3** [*di una riunione*] aggiornamento, prolungamento (*fig.*), differimento, sospensione, posticipazione **4** [*di un pagamento, etc.*] dilazione, proroga.

rio (1) *agg.* reo, malvagio, perverso, iniquo, cattivo, scellerato, tristo, bieco, empio, perfido, infame **CONTR.** buono, benigno, mansueto.

rio (2) *s. m.* ruscello, fiume.

rioccupàre *v. tr.* riprendere.

rióne *s. m.* quartiere, borgo, settore, zona, sestiere (*lett.*).

riordinaménto *s. m.* riassetto, riordino, riorganizzazione, risistemazione.

riordinàre *A v. tr.* **1** fare ordine, sistemare, accomodare, raggiustare, rassettare, riassestare, ricomporre, sbaraccare (*est.*), sbarazzare (*est.*), assettare **CONTR.** disordinare, dissestare **2** [*le vesti, i capelli*] ravviare, ripulire **3** [*una società, etc.*] (*est.*) rifare, riformare, ricostituire *B v. rifl.* rassettarsi, ravviarsi.

riórdino *s. m.* riordinamento, riorganizzazione, risistemazione, riforma (*est.*).

riorganizzàre *A v. tr.* **1** ricomporre, ricreare **2** [*un'azienda*] ridimensionare *B v. intr. pron.* darsi un nuovo assetto.

riorganizzazióne *s. f.* riassetto, risistemazione, riordinamento, riordino, riforma (*est.*).

riottenére *v. tr.* riacquistare, riavere, riconquistare.

riottóso *agg.* **1** ritroso, restio, riluttante, ricalcitrante, caparbio **CONTR.** docile, remissivo, arrendevole **2** iroso, litigioso, rissoso **CONTR.** mite, pacifico.

ripagàre *v. tr.* **1** [*i danni arrecati*] indennizzare, rimborsare, rifondere, ridare (*impr.*) **2** [*i favori ricevuti*] compensare, ricambiare, contraccambiare, corrispondere **3** [*i sacrifici fatti*] compensare, ricompensare.

riparàre (1) *A v. tr.* **1** [*un meccanismo, etc.*] aggiustare, accomodare, raccomodare, correggere (*est.*) **CONTR.** danneggiare, guastare, rompere **2** [*una costruzione, etc.*] riadattare, restaurare, riattare, risanare, ricostruire (*impr.*), rifare (*impr.*) **3** [*q.c.*] rattoppare, riassestare, rabberciare, rappezzare, rassettare, racconciare, acconciare **4** [*q.c., qc. dalla luce, dal sole, etc.*] difendere, proteggere, schermare, parare, ricoprire **5** [*un'ingiustizia*] rimediare a, ovviare a, tamponare **6** [*una situazione*] (*fig.*) rattoppare, sanare, medicare, curare **7** [*gli errori*] espiare, purgare **8** [*il cammino, etc.*] (*est.*) difendere *B v. rifl.* **1** ricoprirsi, coprirsi **2** [*dal sole, dal freddo*] proteggersi, schermirsi, difendersi **3** proteggersi, guardarsi le spalle, salvaguardarsi.

riparàre (2) *v. intr.* rifugiarsi, ricoverarsi (*lett.*).

riparàto *part. pass.; anche agg.* **1** acconciato, accomodato **CONTR.** incustodito, scoperto **2** coperto *da*, difeso *da*, protetto.

riparazióne *s. f.* **1** [*di oggetti*] aggiustatura, accomodatura, restauro, ripristino **2** [*a un'offesa, a un danno*] risarcimento, indennizzo, compenso, soddisfazione (*est.*) **3** (*est.*) ammenda, espiazione.

riparlàre *v. intr.* rievocare *un*.

ripàro *s. m.* **1** protezione, rifugio, asilo, ricovero, ricetto (*raro*) **2** (*est.*) alloggio, dimora **3** [*contro q.c., qc.*] (*fig.*) scudo, muro, schermo, paravento, bastione, fortificazione, barriera, argine, barricata **4** rimedio, provvedimento, toppa (*fam.*) **5** [*dal sole*] (*est.*) ombra **6** (*est.*) redenzione, scampo, consiglio **7** [*spec. con: sotto il*] egida (*lett.*).

ripartìre (1) *v. intr.* partire.

ripartire (2) *A v. tr.* **1** suddividere, dividere, frazionare, distribuire, assegnare, impartire (*raro*) **2** [*le risorse, etc.*] dislocare *B v. intr. pron.* dividersi.

ripartito *part. pass.; anche agg.* distribuito, diviso.

ripartizióne *s. f.* **1** divisione, suddivisione, spartizione, frazionamento, distribuzione **2** (*est.*) assegnazione.

ripassàre *v. tr.* **1** [*un valico, un guado, etc.*] riattraversare **2** [*la vernice, etc.*] ridare, stendere **3** rivedere, revisionare, controllare, riesaminare **4** [*una lezione*] ripetere **5** [*qc.*] riprendere, rimproverare.

ripassàta *s. f.* rifinitura, revisione.

ripensaménto *s. m.* **1** riflessione, considerazione **2** [*di idee, di pensieri*] cambiamento, mutamento **3** [*rispetto a una azione compiuta*] pentimento, ravvedimento.

ripensàre *A v. intr.* riconsiderare, meditare, ruminare (*fig.*), riflettere, rimasticare *un* (*fig.*), tornare (*fig.*) *B v. tr.* rievocare, rivangare, ricordare.

ripercórrere *v. tr.* calcare.

ripercuòtere *A v. tr.* **1** [*i suoni*] (*mus.*) ripetere, ribattere **2** [*l'immagine*] riflettere, rimandare *B v. intr. pron.* **1** [*detto di immagine*] riflettersi, riverberarsi **2** [*detto di suoni*] rimbalzare, risuonare.

ripercussióne *s. f.* **1** rispondenza, reazione **2** risvolto (*fig.*), effetto, conseguenza **3** [*rif. al suono*] riflessione.

ripescàre *v. tr.* recuperare.

ripétere *A v. tr.* **1** [*un'azione, etc.*] rifare, iterare, reiterare, replicare **2** [*la lezione*] ripassare, ricapitolare **3** [*le stesse cose*] ridire **4** [*lo stile altrui*] (*est.*) ricalcare, riprodurre, echeggiare, copiare, imitare **5** (*est.*) intercalare, parafrasare **6** [*lo stesso schema*] ricomporre **7** [*l'immagine*] ripercuotere, rimandare **8** [*quanto già detto*] (*est.*) confermare, riconfermare **9** [*l'anno scolastico*] rifrequentare *B v. intr. pron.* ricorrere, ritornare, tornare.

ripetitivo *agg.* [*rif. a un gesto, a un lavoro, etc.*] meccanico, monotono, noioso (*est.*).

ripetizióne *s. f.* **1** reiterazione **2** [*di uno spettacolo, etc.*] replica **3** [*in una canzone, etc.*] ritornello.

ripetutaménte *avv.* reiteratamente, frequentemente, spesso, più volte, sovente, insistentemente (*est.*) **CONTR.** saltuariamente.

ripetùto *part. pass.; anche agg.* **1** replicato, reiterato **CONTR.** saltuario, sporadico **2** frequente, molteplice, numeroso.

ripiàno *s. m.* palco, piano.

ripiantàre *v. tr.* **1** piantare **2** rificcare.

ripìcca *s. f.* (*pl. -che*) **1** [*l'azione*] dispetto, rivalsa, rappresaglia, vendetta, reazione **2** [*stato d'animo*] rivalsa, rappresaglia, vendetta, puntiglio, picca.

rìpido *agg.* scosceso, impervio, erto, disagevole, scomodo, arduo, precipitoso (*lett.*) **CONTR.** piano, agevole.

ripiegaménto *s. m.* ritirata, arretramento, retrocessione, cedimento.

ripiegàre *A v. intr.* indietreggiare, ritirarsi, rinculare, recedere, retrocedere **CONTR.** avanzare, procedere **B** v. tr. **1** piegare **2** [le gambe] raccogliere, rannicchiare, rincantucciare, raggomitolare **C** v. rifl. **1** curvarsi **2** rannicchiarsi, contorcersi, raggomitolarsi.

ripiègo s. m. (pl. -ghi) **1** compromesso **2** rimedio, pretesto, espediente **3** surrogato.

ripigliàre A v. tr. **1** recuperare, riafferrare, riconquistare **2** raccattare, raccogliere **3** [un discorso] riattaccare, ricominciare **4** [un lavoro, un'attività] rimettersi a **B** v. intr. e intr. pron. **1** migliorare, guarire, rimettersi **2** [detto di pianta] rifiorire.

ripiombàre A v. intr. ricadere, ricascare, sprofondare **B** v. tr. sigillare.

ripitturàre v. tr. ridipingere, riaffrescare, ritinteggiare.

ripopolàre v. tr. popolare.

ripórre v. tr. **1** mettere a posto, mettere, porre, ricollocare, rimettere **2** conservare, immagazzinare **3** (est.) nascondere, imbucare, rinserrare.

riportàre A v. tr. **1** ricondurre, recare, rimenare, ridurre (raro), riaccompagnare **2** [q.c.] restituire, ridare, riconsegnare, ridonare **3** [un successo, etc.] riscuotere, conseguire, ottenere **4** [una chiacchiera] raccontare, ridire, riferire, rapportare (raro) **5** [l'impressione, etc.] avere, ricevere **6** [una notizia] comunicare, rendere noto **7** [brani o frasi altrui] citare **8** [una mappa, etc.] riprodurre, rifare **B** v. intr. pron. **1** [agli anni passati] (fig.) risalire **2** [a q.c. detto in precedenza] ricollegarsi, riferirsi, richiamarsi, riallacciarsi.

riportàto part. pass.; anche agg. riferito, raccontato, descritto.

riposànte part. pres.; anche agg. ristoratore, distensivo, rilassante **CONTR.** stancante, logorante, sfiancante.

riposàre (1) A v. intr. **1** rilassarsi, rifiatare (fig.), fiatare (fig.), respirare (fig.) **CONTR.** faticare, sgobbare **2** (est.) posarsi, fermarsi, sostare **3** (est.) dormire **4** (est.) poltrire **5** [usato nelle lapidi mortuarie] (est.) giacere **6** [su q.c.] (est.) gravitare, posare, poggiare **B** v. tr. ristorare, dare sollievo

a **CONTR.** logorare, estenuare **C** v. intr. pron. **1** rilassarsi, svagarsi **CONTR.** affaticarsi **2** fermarsi, rifiatare (fig.).

riposàre (2) v. tr. (est.) collocare.

riposàto part. pass.; anche agg. fresco, disteso, rilassato, ristorato, calmo (est.) **CONTR.** esausto, estenuato, sfinito, stremato, trafelato.

ripòso s. m. **1** quiete, tranquillità, pace, calma **2** (est.) ristoro, sollievo, rilassamento, relax (ingl.) **3** (est.) respiro (fig.), requie, posa (fig.), tregua, sosta (fig.), pausa **4** quiescenza, letargo **5** (est.) sonno, siesta, pisolino (fam.) **6** (est.) vacanza, distrazione.

ripostiglio s. m. **1** nascondiglio, bugigattolo (spreg.), stanzino, sgabuzzino (fam.), cantuccio (est.), sottoscala (est.) **2** cantina **3** dispensa **4** (gener.) stanza, vano.

ripósto A part. pass.; anche agg. **1** accantonato, risparmiato **2** (fig.) segreto, nascosto, recondito, intimo (est.) **CONTR.** manifesto, palese, evidente **B** s. m. dispensa.

riprecipitàre v. intr. ricascare.

riprèndere A v. tr. **1** [un territorio, una carica] rioccupare, riconquistare **2** [q.c., un lavoro, etc.] riacquistare, recuperare, riavere, riguadagnare, rimpadronirsi di, ritirare **CONTR.** interrompere **3** [un'attività] (est.) riaprire, continuare **4** [un evaso] riagguantare, riacchiappare, riacciuffare **5** [qc. in una gara sportiva] raggiungere **6** [un discorso, etc.] riattaccare **7** [q.c. da terra] raccogliere, raccattare **8** [un'amicizia, un rapporto] (fig.) riallacciare **9** girare, filmare, fotografare, prendere una foto a **10** [qc.] richiamare, ammonire, rabbuffare, rampognare, ripassare, gridare, criticare, biasimare **CONTR.** lodare **11** [qc. nel parlare] correggere, censurare, rieducare **B** v. intr. [a lavorare, a studiare] rimettersi, tornare, seguitare, ricominciare **C** v. intr. pron. [nella salute] riaversi, rimettersi, migliorare, sollevarsi **D** v. rifl. **1** ricomporsi **2** [da un errore commesso] correggersi **3** [in relazione al successo] sostenersi, tornare a galla (fig.).

riprensióne s. f. critica, disapprovazione, rimprovero, biasimo, osservazione.

riprésa s. f. **1** recupero, incremento, aumento **2** [di un automezzo] accelerazione **3** [delle tráttativa, etc.] riapertura (fig.) **CONTR.** sospensione, stallo, stasi, arresto, fermata, interruzione **4** [rif. a una persona] (est.) ringiovanimento, recupero **5** (sport) tempo **6** [da una malattia] recupero, miglioramento.

ripresentàre A v. tr. **1** [le scuse] rifare **2** [un'opera teatrale] replicare **B** v. intr. pron. ritornare, riapparire, riproporsi, ricorrere, rimanifestarsi **C** v. rifl. [davanti a qc.] tornare.

ripresentazióne s. f. ritorno, ricomparsa.

ripristinàre v. tr. **1** [qc. in una carica] reintegrare, riabilitare **2** [una costruzione] restaurare, riattare, ricostruire **3** [l'ordine, etc.] ricostituire, ristabilire **4** [le tradizioni, gli usi] (fig.) disseppellire, dissotterrare, riesumare, riscoprire, risuscitare **5** [una strada, etc.] riattivare, riaprire **6** [una società] ricreare.

ripristino s. m. **1** [di edifici] restauro, rifacimento, riparazione, riattamento **2** [delle tradizioni, etc.] ristabilimento **3** [di un regime] restaurazione, reintegrazione.

riprodótto part. pass.; anche agg. rifatto, imitato, copiato, simulato, contraffatto **CONTR.** autentico.

riprodùrre A v. tr. **1** rifare, copiare, ripetere, ricopiare, ricalcare, rapportare (raro) **2** duplicare, fotocopiare, xerocopiare **3** [un volo aereo, etc.] simulare **4** [un determinato ambiente] raffigurare, rappresentare **5** [i dati di q.c., etc.] riportare **6** [il volto di qc.] (fig.) effigiare **7** [le emozioni di un tempo] riaccendere, suscitare **B** v. rifl. [detto di cellule] rigenerarsi, rinnovarsi, moltiplicarsi, proliferare, prolificare, propagarsi, rinascere.

riproduzióne s. f. **1** (biol.) procreazione, generazione **2** [di cellule, etc.] proliferazione, moltiplicazione **3** [di un romanzo, etc.] rifacimento, reprint (ingl.), ristampa **4** [tipo di] stampa, immagine, incisione **5** (est.) rifacimento, imitazione, copia, duplicato, facsimile.

ripromèttere v. intr. pron. prefiggersi, perseguire, aspettarsi.

ripropórre A v. tr. rilanciare B v. intr. pron. 1 [detto di situazioni, di eventi] ripresentarsi 2 [detto di situazione] prospettarsi C v. rifl. contare, fare conto di.

riprosperáre v. intr. rifiorire, rinascere, risorgere.

ripròva s. f. riscontro, verifica, controllo, prova.

riprovàre (1) v. tr. 1 riesaminare 2 dimostrare, confermare.

riprovàre (2) v. tr. 1 biasimare, disapprovare, deplorare, detestare (est.) CONTR. encomiare, approvare 2 [i costumi morali, etc.] condannare, censurare, flagellare (fig.) 3 [qc. agli esami] respingere.

riprovazióne s. f. condanna, disapprovazione, biasimo, deplorazione CONTR. approvazione, lode.

riprovévole agg. biasimevole, deplorevole, inqualificabile, indegno, discutibile (est.), criticabile, censurabile CONTR. irreprensibile, lodevole.

ripudiàre v. tr. 1 [la moglie, etc.] rifiutare, respingere 2 [un credo relig., politico] respingere, rinnegare, sconfessare, abiurare.

ripùdio s. m. sconfessione, disconoscimento, rinnegamento, rifiuto, ricusa, abbandono.

ripugnànte part. pres.; anche agg. repellente, ributtante, disgustoso, nauseante, sgradevole, nauseabondo, abominevole, odioso, tetro (raro), schifo (tosc.) CONTR. affascinante, allettante, attraente, avvincente, invogliante, invitante, appetitoso.

ripugnànza s. f. 1 avversione, repulsione, ribrezzo, disgusto, vomito, schifo, senso, nausea CONTR. attrazione, simpatia 2 riluttanza, renitenza.

ripugnàre v. intr. disgustare, nauseare, schifare, repellere, dispiacere, ributtare CONTR. piacere, rapire.

ripulire A v. tr. 1 pulire, detergere, nettare, lavare CONTR. impiastrare, impiastricciare, macchiare 2 [eliminando cose inutili] sbaraccare, riordinare, sbarazzare 3 [un condotto, un pozzo] espurgare, epurare (raro), purgare 4 [l'aria, l'acqua, etc.] purificare, bonificare, depurare, decontaminare CONTR. corrompere, avvelenare 5 [le patate, le carote] pelare, raschiare 6 [il piatto, per la fame] leccare 7 [i modi, etc.] (est.) ingentilire 8 [l'ambiente] (est.) moralizzare, risanare 9 [un testo scritto] (est.) pulire, emendare, rifinire, perfezionare B v. rifl. detergersi, lavarsi CONTR. sporcarsi, macchiarsi.

riputàre v. tr. e rifl. V. reputare.

riputazióne s. f. V. reputazione.

riquàdro s. m. pannello.

riqualificàre A v. tr. aggiornare, riciclare, istruire (impr.) B v. rifl. aggiornarsi.

riqualificazióne s. f. aggiornamento.

risàcca s. f. (pl. -che) maretta, tirannia (mar.).

risalíre A v. intr. 1 [in bicicletta, a cavallo] rimontare CONTR. smontare 2 [detto di prezzi] rincarare, aumentare 3 [agli anni passati] (fig.) riportarsi 4 [detto di idea, di concetto, etc.] ascendere, riallacciarsi, ispirarsi B v. tr. 1 [il fiume, etc.] rimontare 2 [lo svantaggio] (sport) annullare.

risaltàre v. intr. brillare, spiccare, campeggiare, dominare, trionfare, troneggiare, balzare (fig.), staccare (fam.), primeggiare, distaccarsi.

risàlto s. m. spicco, rilievo.

risanàre A v. tr. 1 sanare, guarire 2 (est.) bonificare, disinfestare, prosciugare 3 riparare, restaurare 4 [l'ambiente] moralizzare, ripulire (fig.) B v. intr. pron. 1 sanarsi, rimettersi, ristabilirsi 2 [detto di ferita, etc.] cicatrizzarsi, guarire.

risapùto part. pass.; anche agg. notorio, noto, palese, conosciuto CONTR. inaudito, sconosciuto.

risarciménto s. m. indennizzo, compenso, riparazione, reintegrazione, rimborso, ammenda (est.), compensazione, indennità.

risarcíre A v. tr. indennizzare, ricompensare, compensare, rifondere, rimborsare, dare un indennizzo a, pagare, reintegrare (raro) B v. intr. pron. 1

[di un danno] rifarsi 2 [detto di ferita] chiudersi, cicatrizzarsi.

risàta s. f. riso, ilarità CONTR. pianto.

riscaldàre A v. tr. 1 scaldare, sgelare CONTR. raffreddare, congelare, gelare 2 [l'uovo] (est.) covare 3 [gli animi] (est.) accendere (fig.), eccitare, elettrizzare (fig.), infiammare (fig.) CONTR. ghiacciare B v. rifl. scaldarsi C v. intr. pron. 1 [detto di stanza, di casa] scaldarsi CONTR. ghiacciarsi 2 [detto di ambiente, di situazione] animarsi, vivacizzarsi CONTR. gelarsi 3 accalorarsi, infervorarsi, eccitarsi, infiammarsi (fig.), ribollire (fig.).

riscàldo s. m. irritazione.

riscattàre A v. tr. 1 [un oggetto impegnato] recuperare, spignorare, disimpegnare 2 [qc. in senso morale] redimere, salvare (fig.) 3 [qc. dalle colpe, etc.] (fig.) lavare, mondare 4 [qc., un popolo, etc.] liberare, emancipare, affrancare B v. rifl. 1 affrancarsi, redimersi 2 [dal peccato] redimersi.

riscàtto s. m. 1 affrancamento, liberazione 2 [morale] redenzione, salvamento (est.), salvazione (est.) 3 [di un oggetto dato in pegno] (est.) svincolo, recupero.

rischiaràre A v. tr. 1 illuminare, fare luce, aggiornare (raro), irradiare (raro), irraggiare (raro), raggiare (raro) CONTR. oscurare, ottenebrare 2 [detto di alba, di luna, etc.] (fig.) imbiancare 3 [la voce] (fig.) schiarire 4 [la mente] (fig.) illuminare, schiarire, snebbiare 5 [i liquidi, vino, etc.] chiarificare B v. intr. e intr. pron. 1 [detto di cielo, di orizzonte] schiarirsi 2 [detto di tempo] schiarirsi, volgere al bello 3 [detto di viso] (est.) animarsi, ravvivarsi.

rischiàre A v. tr. 1 [la vita, etc.] azzardare, arrischiare, giocarsi, osare (est.) 2 [una determinata somma] giocare, scommettere 3 [la buona riuscita di q.c.] azzardare, arrischiare, compromettere 4 [la morte, etc.] (fig.) sfiorare B v. intr. impers. esserci il pericolo C v. intr. esporsi a, avventurarsi, compromettersi.

rischio s. m. 1 azzardo, pericolo, cimento (lett.), insidia (est.), incerto 2 (est.) costo 3 (est.) scommessa.

rischiaménte *avv.* azzardatamente, pericolosamente, imprudentemente, avventatamente **CONTR.** impunemente, prudentemente.

rischiosità *s. f. inv.* pericolosità.

rischióso *agg.* **1** [*rif. a un'impresa*] pericoloso, avventato, aleatorio (*est.*) **CONTR.** sicuro, tranquillo **2** [*rif. a un viaggio*] avventuroso **CONTR.** sicuro.

risciacquàre *v. tr.* lavare, sciacquare.

riscontràre *A v. tr.* **1** constatare, trovare, rilevare **2** raffrontare, collazionare, comparare, raccostare, ravvicinare, riesaminare **3** provare, verificare *B v. intr.* [*detto di opinioni*] corrispondere, collimare, concordare.

riscóntro *s. m.* **1** riprova, conferma **2** verifica, revisione, controllo **3** collazione (*colto*), paragone, confronto, raffronto **4** [*nelle dimensioni*] corrispondenza, simmetria **5** [*a una lettera, etc.*] risposta, ricevuta **6** [*di aria*] (*est.*) corrente.

riscoprìre *v. tr.* [*gli usi, le tradizioni*] ripristinare, disseppellire (*fig.*), riesumare (*fig.*).

riscossióne *s. f.* ritiro, esazione, incasso.

riscuòtere *v. tr.* **1** introitare, incassare, intascare, percepire, ricavare, prendere, ritirare, esigere (*est.*) **CONTR.** dare, pagare **2** [*attestati di stima*] (*est.*) ricevere **3** [*successo*] conseguire, ottenere, riportare **4** [*benefici, etc.*] trarre.

risentiménto *s. m.* **1** rancore, acrimonia, malanimo, odio, ruggine (*fig.*), acredine **2** indignazione **3** (*gener.*) sentimento.

risentìre *A v. tr.* **1** riascoltare **2** [*le conseguenze di q.c.*] sentire, subire, subire le conseguenze di *B v. intr.* mostrare l'influenza, riecheggiare *un*, puzzare (*fig.*), sapere (*fig.*) *C v. intr. pron.* offendersi, adontarsi, indignarsi, sdegnarsi, corrucciarsi, crucciarsi, impennarsi, piccarsi, cuocersi (*fig.*).

riserbàre *v. tr. e rifl.* V. *riservare*.

riserbatézza *s. f.* V. *riservatezza*.

riserbàto *part. pass.; anche agg.* V. *riservato*.

risèrbo *s. m.* **1** riservatezza, ritegno **CONTR.** esibizionismo **2** [*nel fare, nel trattare*] circospezione, prudenza, reticenza, pudore, delicatezza **CONTR.** improntitudine.

risèrva *s. f.* **1** [*di caccia*] bandita **2** [*di cose*] provvista, scorta, rifornimento **3** [*q.c. a cui si subordina il consenso*] eccezione, condizione, restrizione, limitazione **4** [*rif. a una persona*] riservista **5** [*rif. a pezzi di*] ricambio, rispetto (*mar.*).

riservàre o **riserbàre** *A v. tr.* **1** [*un posto a sedere, etc.*] prenotare, impegnare **2** [*q.c. per altri momenti*] salvare, conservare **3** [*un'abitazione per q.c.*] preparare, destinare, adibire **4** [*le forze, il tempo, etc.*] (*fig.*) consacrare *B v. rifl.* risparmiarsi, tenersi a disposizione.

riservataménte *avv.* **1** contegnosamente, con atteggiamento taciturno **CONTR.** sfacciatamente **2** confidenzialmente, privatamente, segretamente **CONTR.** pubblicamente, apertamente.

riservatézza o **riserbatézza** *s. f.* **1** riserbo, ritegno, modestia (*est.*), serietà (*est.*) **2** [*nel fare, nel trattare*] discrezione, prudenza, circospezione **3** [*spec. con: chiedere a q.c.*] segreto, silenzio (*fig.*).

riservàto o **riserbàto** *part. pass.; anche agg.* **1** privato, personale, confidenziale, segreto (*est.*) **CONTR.** pubblico **2** [*rif. al carattere, etc.*] sostenuto, contegnoso, scostante, schivo, chiuso, introverso, taciturno, discreto, verecondo, vergognoso **CONTR.** appicciccoso, assillante, insistente, indiscreto, corrivo, curioso, impertinente, sfrontato, saccente, saputello, ingombrante, invadente, grandioso.

riservìsta *s. m. e f.* (*sport*) riserva.

risguàrdo *s. m.* [*negli abiti, etc.*] risvolto.

risièdere *v. intr.* **1** abitare, alloggiare, dimorare, albergare, domiciliarsi **2** [*detto di problema, etc.*] consistere, fondarsi.

risistemàre *A v. tr.* **1** ammodernare, racconciare, restaurare, riattare, raccomodare, riassestare, ristrutturare **CONTR.** rompere **2** [*un oggetto*] ricol-

locare *B v. rifl.* ricomporsi.

risistemazióne *s. f.* riassetto, riorganizzazione, riordinamento, riordino.

rìsma *s. f.* **1** [*di carta, etc.*] mazzo, pacco **2** [*rif. a persone*] sorta, genere, stampo, specie, genia, tipo.

rìso (1) *s. m.* (*pl. -a*) **1** risata, sorriso **CONTR.** pianto **2** [*causa di*] allegria, allegrezza (*raro*), ilarità.

rìso (2) *s. m. sing.* (*gener.*) cereale.

risolàre o **risuolàre** *v. tr.* solare, fare la suola *a*.

risollevàre *A v. tr.* **1** rialzare **2** [*una questione*] (*fig.*) riesumare **3** [*gli animi*] consolare, confortare, tirare su (*fig.*) *B v. intr. pron.* **1** rialzarsi **2** [*moralmente*] consolarsi, tirarsi su (*fig.*) **CONTR.** demoralizzarsi, deprimersi, disanimarsi **3** [*fisicamente*] rimettersi, guarire.

risòlto *part. pass.; anche agg.* [*rif. a un problema, a una questione*] definito, deciso, concluso, regolato **CONTR.** indefinito, pendente (*fig.*).

risolutaménte *avv.* decisamente, determinatamente, fermamente, energicamente, fieramente, francamente, gagliardamente, recisamente, bravamente **CONTR.** debolmente, timidamente.

risolutézza *s. f.* determinazione, decisione, fermezza, saldezza, sicurezza, energia, vigore, volontà **CONTR.** titubanza, indecisione, irresolutezza.

risolutìvo *agg.* **1** decisivo, determinante, cruciale, definitivo, chiave **CONTR.** incerto, dubbio **2** (*est.*) finale, ultimo.

risolùto *part. pass.; anche agg.* [*rif. a una persona*] deciso, energico, determinato, dispotico, sbrigativo **CONTR.** incerto, indeciso, irresoluto, insicuro, dubbioso, abulico, perplesso, fluttuante (*fig.*), influenzabile.

risoluzióne *s. f.* **1** [*di un problema*] soluzione, chiave **2**, definizione **2** [*di un quesito*] soluzione, chiarimento, spiegazione **3** [*di un contratto, etc.*] (*est.*) annullamento, rescissione, scioglimento **4** decisione, deliberazione, conclusione **5** (*est.*) decisione, consiglio (*lett.*), partito (*fig.*), passo

risolvere 486

(fig.), iniziativa, espediente, metodo, pensiero *(lett.)* **6** [*rif. all'atteggiamento*] fermezza, determinazione, sicurezza **CONTR.** esitazione, incertezza, insicurezza **7** [*di un composto*] *(chim.)* scomposizione.

risòlvere *A v. tr.* **1** [*una situazione*] definire, sistemare **2** [*una questione*] dirimere, regolare, appianare, saldare *(fig.)* **3** [*un dubbio, etc.*] *(fig.)* sciogliere, chiarire **4** [*un problema*] districare, sbrogliare, disbrigare, sbrigare, venire a capo *di*, rimediare **5** [*q.c.*] *(est.)* combinare, compicciare **6** [*a andare, a fare, etc.*] decidere, determinare, deliberare *di* **7** [*un contratto, etc.*] *(dir.)* sciogliere, annullare *B v. intr. pron.* **1** determinarsi, decidersi, prefiggersi, indursi, persuadersi, volere *un* **2** [*detto di festa, etc.*] concludersi, finire, terminare **3** [*detto di difficoltà, etc.*] appianarsi **4** [*detto di malattia*] *(med.)* guarire, scomparire, esitare.

risonànte *part. pres.; anche agg.* rimbombante.

risonànza *s. f.* **1** clamore, eco, scalpore **2** [*dei passi, etc.*] rimbombo **3** [*di una stanza, di un ambiente*] sonorità.

risonàre *v. intr. e tr.* V. *risuonare.*

risórgere *v. intr.* **1** [*detto di amore, etc.*] *(fig.)* risuscitare **2** [*detto di amore, di speranze, etc.*] *(fig.)* rinascere, rivivere, ridestarsi **3** [*detto di persona*] *(est.)* rinascere, rifiorire *(fig.)*, risperare.

risórsa *s. f.* **1** partito, scappatoia, mezzo, espediente **2** qualità, dote, possibilità **3** ricchezza, patrimonio.

risospingere *v. tr.* respingere, ributtare, ricacciare.

risovvenire *A v. intr.* ricordare *B v. intr. pron.* ricordarsi, rammentarsi.

risparmiàre *v. tr.* **1** [*le forze, etc.*] economizzare, lesinare, fare economia *di* **CONTR.** consumare, dilapidare, dissipare, prodigare, profondere, sprecare, sperperare, largheggiare **2** [*denaro, beni, etc.*] *(est.)* serbare, accumulare, ammucchiare, ammassare **3** [*qc.*] salvare, perdonare **4** [*un fastidio, etc.*] *(est.)* evitare.

risparmiàto *part. pass.; anche agg.* ri-

posto, conservato, accantonato.

rispàrmio *s. m.* **1** [*di q.c.*] economia, parsimonia **CONTR.** scialo, sciupio, sciupo, sperpero, spreco, dissipazione, profusione **2** [*nel comprare*] economia, convenienza **3** *(est.)* accumulazione *(raro)*, gruzzolo.

rispecchiàre *A v. tr.* **1** riflettere **2** [*lo stato d'animo*] rendere, esprimere, rivelare *B v. intr. pron.* [*detto di stelle, di luna, etc.*] riflettersi *C v. rifl.* specchiarsi.

rispedire *v. tr.* rinviare, rimandare, rimettere *(colto)*, respingere.

rispettàbile *agg.* **1** [*rif. a una persona*] stimabile, onorevole **CONTR.** biasimevole, spregevole **2** *(fig.)* onesto, dabbene, probo **3** [*rif. a un patrimonio, etc.*] *(impr.)* considerevole, cospicuo, notevole **CONTR.** misero, trascurabile.

rispettabilménte *avv.* onorevolmente, degnamente.

rispettàre *v. tr.* **1** onorare, stimare, ammirare, osseqiare, riverire, temere *(est.)* **CONTR.** disprezzare, maltrattare, offendere, oltraggiare **2** [*le leggi, i regolamenti*] osservare, ubbidire *a*, tenersi *a* **CONTR.** infrangere, violare, trasgredire **3** [*le promesse, gli impegni*] mantenere, tenere fede *a*, ottemperare *a* **CONTR.** derogare.

rispettàto *part. pass.; anche agg.* **1** [*rif. a una persona*] onorato, stimato **CONTR.** disprezzato **2** [*rif. a un ordine, a un comando*] eseguito, onorato *(fig.)* **CONTR.** inosservato, violato.

rispètto *s. m.* **1** [*rif. all'atteggiamento*] deferenza, ossequio, riguardo, riverenza, pietà *(lett.)* **CONTR.** sfrontatezza, irriverenza **2** [*stato d'animo*] timore, soggezione **3** [*sentimento*] considerazione, stima **CONTR.** spregio, sdegno **4** [*modo di fare*] *(est.)* cautela, precauzione **5** relazione, attinenza, paragone **6** [*rif. a pezzi di*] *(est.)* ricambio, riserva **7** [*per l'arte, etc.*] venerazione, religione, culto **8** [*della legge, etc.*] osservanza, ubbidienza *a*.

rispettosaménte *avv.* ossequiosamente, deferentemente, ubbidientemente **CONTR.** irrispettosamente, irriverentemente, offensivamente, oltraggiosamente, ingiuriosamente,

provocatoriamente, disinvoltamente *(euf.)*, impudentemente *(euf.)*, sfrontatamente, spudoratamente.

rispettóso *agg.* **1** ossequioso, riverente, devoto, pietoso, osservante, religioso *(fig.)* **CONTR.** irrispettoso, irriverente, indiscreto, impertinente, strafottente, derisore, derisorio, disinvolto, impudente, ingiurioso **2** *(est.)* deferente, ubbidiente, disciplinato, sottomesso, subordinato.

risplèndere *v. intr.* **1** splendere, brillare, scintillare, luccicare, fulgere, lustrare, tralucere *(raro)* **2** [*detto di neve, etc.*] albeggiare **3** [*detto di sguardo, di occhi, etc.*] irradiare, ardere *(fig.)*, raggiare, sfavillare, dardeggiare, fiammeggiare *(fig.)*, lampeggiare, rutilare, folgorare, ridere *(fig.)*.

rispondènza *s. f.* **1** conformità, accordo, armonia, simmetria, unione *(est.)* **2** riflesso, ripercussione, reazione, effetto.

rispóndere *v. intr.* **1** ribattere, controbattere, replicare, reagire **CONTR.** interrogare, interpellare, domandare **2** [*detto di informazioni, etc.*] corrispondere, coincidere **3** [*alle aspettative, etc.*] soddisfare, confarsi.

rispósta *s. f.* **1** replica **CONTR.** domanda **2** responso **3** reazione **4** [*a una lettera, etc.*] riscontro.

rispuntàre *v. intr.* **1** [*detto di fiori*] fiorire **2** [*detto di capelli*] ricrescere, rinascere **3** [*detto di sole, etc.*] riapparire, ricomparire.

rissa *s. f.* **1** zuffa, tafferuglio, mischia, pestaggio, lite, litigata, litigio **2** [*spec. in loc.: sentire odore di*] *(fig.)* polvere.

rissóso *agg.* litigioso, bellicoso, violento, aggressivo **CONTR.** quieto, calmo.

ristabiliménto *s. m.* **1** ripristino, restaurazione **2** [*rif. a una persona*] guarigione.

ristabilire *A v. tr.* **1** [*l'ordine, etc.*] restaurare, ripristinare, reintegrare **2** [*gli usi, i costumi, etc.*] *(fig.)* restituire **3** [*detto di cura, di rimedio*] sanare, guarire *B v. intr. pron.* risanarsi, rimettersi, migliorare, guarire, sanarsi, rifarsi.

ristagnàre (1) *A* v. intr. **1** stagnare **2** ingorgarsi **3** [*detto di pratica in un ufficio*] giacere **4** [*detto di economia, di sviluppo*] arrestarsi, languire (*fig.*) *B* v. intr. pron. fermarsi.

ristagnàre (2) v. tr. [*le pentole, etc.*] saldare, chiudere.

ristàgno s. m. (*est.*) recessione, calo, crisi, stasi, arresto, pausa.

ristàmpa s. f. reprint (*ingl.*), riproduzione.

ristàre v. intr. **1** fermarsi, sostare **2** smettere, desistere, cessare.

ristoppàre v. tr. intasare, accecare (*fig.*).

ristorànte s. m. restaurant (*fr.*), trattoria, posto.

ristoràre *A* v. tr. **1** rifocillare **2** [*l'animo*] ricreare, consolare, confortare, riconfortare, vivificare **3** corroborare **4** riposare, dare sollievo a *B* v. rifl. **1** ricrearsi, rifarsi **2** rifocillarsi **3** rinfrescarsi.

ristoràto part. pass.; anche agg. fresco, riposato, rifocillato CONTR. stanco, estenuato, tronco (*fig.*).

ristoratóre (1) agg. (f. -*trice*) confortante, consolante, riposante, rilassante, distensivo CONTR. logorante, stressante, stancante.

ristoratóre (2) s. m. (f. -*trice*) oste.

ristòro s. m. riposo, sollievo, conforto, sosta (*est.*), balsamo (*fig.*).

ristrettaménte avv. **1** angustamente, strettamente CONTR. largamente **2** grettamente, meschinamente CONTR. largamente, apertamente, intelligentemente **3** poveramente, miseramente.

ristrettézza s. f. **1** angustia, scarsità, penuria, miseria CONTR. opulenza **2** bisogno, stento, privazione **3** [*rif. alla visione del mondo*] angustia, cecità (*fig.*), limitatezza, piccineria, povertà, grettezza.

ristrètto agg. **1** [*rif. allo spazio*] scarso, angusto CONTR. aperto, lungo, allargato, ampio, largo, dilatato, illimitato, sterminato, spazioso, vasto **2** [*rif. al significato*] rigoroso, preciso, rigi-

do, parziale (*est.*) CONTR. elastico **3** [*rif. all'ambiente*] esclusivo, elitario CONTR. aperto **4** [*rif. al caffè, al sugo, etc.*] concentrato CONTR. lungo, allungato **5** [*rif. a una quantità, a un numero*] piccolo CONTR. innumerevole.

ristrutturàre v. tr. ammodernare, restaurare, riattare, adattare, rifare, sistemare, risistemare.

risucchiàre v. tr. **1** aspirare **2** [*energie, etc.*] assorbire, riassorbire.

risultàre v. intr. **1** [*come deduzione logica*] conseguire, discendere (*fig.*), derivare (*fig.*) **2** [*dalle prove, dalle testimonianze*] (*fig.*) venire fuori, emergere, scaturire, uscire **3** [*da una combinazione*] venire fuori **4** [*detto di pronostico, di parole*] dimostrarsi, palesarsi, rivelarsi **5** [*detto di sforzi, di tentativi*] dimostrarsi, rivelarsi, riuscire **6** [*primo in una gara, etc.*] riuscire, essere **7** [*in una lista di persone*] figurare, esserci, comparire **8** [*in una certa veste, in un ruolo*] figurare, parere, apparire **9** [*usato impersonalmente*] constare, essere noto **10** [*detto di abitazione, etc.*] consistere, comprendere un **11** [*detto di conti, di operazioni*] (*fig.*) tornare **12** [*detto di lavoro, di opera, etc.*] (*fig.*) venire.

risultàto s. m. **1** conseguenza, effetto, esito, figlio (*fig.*), frutto (*fig.*), prodotto (*fig.*), messe (*fig.*) **2** successo, riuscita **3** (*sport*) performance (*ingl.*) **4** (*mat.*) totale, cifra.

risuolàre v. tr. V. risolare.

risuonàre o **risonàre** *A* v. tr. suonare di nuovo *B* v. intr. **1** suonare, rimbombare **2** echeggiare, riecheggiare **3** [*nella testa, nel cuore*] rintoccare **4** [*detto di evento, di nome, etc.*] echeggiare, riecheggiare, correre (*fig.*), essere noto.

risuscitàre o **resuscitàre** *A* v. tr. **1** [*le speranze, etc.*] (*fig.*) ridestare, rinverdire, rinnovare **2** [*le tradizioni, gli usi*] ripristinare **3** [*la passione, l'odio, etc.*] (*fig.*) rinverdire, ravvivare, riaccendere, risvegliare *B* v. intr. **1** risorgere **2** (*est.*) ritemprarsi, rinascere.

risvegliàre *A* v. tr. **1** ridestare, scuotere, destare, svegliare, interrompere il sonno di CONTR. riaddormentare **2** [*gli animi*] ridestare, scuotere, destare, eccitare, stimolare, rieccitare, riac-

cendere, fomentare **3** [*i ricordi, l'amore, etc.*] inverdire, rinnovare, risuscitare (*fig.*) *B* v. intr. pron. **1** destarsi, ridestarsi **2** [*detto di passione, etc.*] (*fig.*) sbocciare, riaccendersi, palesarsi (*est.*).

risvòlto s. m. **1** [*negli abiti, etc.*] risguardo **2** (*est.*) effetto, conseguenza, ripercussione.

ritàglio s. m. scampolo, avanzo.

ritardàre *A* v. intr. fare tardi, tardare, dimorare (*lett.*), indugiare CONTR. anticipare *B* v. tr. **1** procrastinare, differire, rimandare, dilazionare, prorogare, posticipare, protrarre CONTR. anticipare **2** [*una consegna*] tardare **3** [*il passo*] rallentare, allentare (*fig.*) CONTR. affrettare, allungare **4** [*una reazione*] rallentare CONTR. provocare.

ritàrdo s. m. **1** indugio **2** [*nella produzione*] rallentamento, arresto **3** (*est.*) posticipazione CONTR. anticipo.

ritégno s. m. riserbo, riservatezza, pudore, discrezione, freno (*fig.*), misura, controllo CONTR. superbia, sfacciataggine, sfrontatezza.

ritempràre *A* v. tr. **1** corroborare, tonificare, rinvigorire, irrobustire **2** [*lo spirito*] ricreare, rilassare *B* v. rifl. fortificarsi, corroborarsi (*raro*), risuscitare (*fig.*), ricrearsi.

ritenére (1) *A* v. tr. **1** pensare, opinare, trovare (*fig.*), credere, immaginare, presumere, congetturare **2** [*qc. colpevole, innocente*] giudicare, stimare, considerare, reputare **3** [*qc. come padre, parente*] tenere *B* v. rifl. reputarsi, stimarsi, credersi, considerarsi, giudicarsi, sentirsi, valutarsi, vedersi, tenersi *di da*, supporsi, contarsi.

ritenére (2) v. tr. **1** [*le lacrime*] trattenere, rattenere, arrestare, fermare, frenare, reprimere **2** [*una percentuale*] trattenere.

ritinteggiàre v. tr. ridipingere, ripitturare.

ritiràre *A* v. tr. **1** [*la mano, etc.*] ritrarre CONTR. distendere **2** [*un permesso, la patente*] confiscare, riprendere **3** [*denaro da un conto*] riprendere, prelevare CONTR. depositare, portare **4** [*lo stipendio*] riscuotere **5** [*le truppe*] richiamare **6** [*un impegno, etc.*] (*est.*)

disdire, revocare, annullare **7** [*quanto già detto*] ritrattare **B** *v. rifl.* **1** indietreggiare, ripiegare, recedere, arretrare, rinculare, retrocedere, fare marcia indietro **CONTR.** inoltrarsi **2** licenziarsi, dimettersi, lasciare il posto di lavoro, estromettersi **3** assentarsi, appartarsi, chiudersi **4** [*in una competizione*] cedere, abbandonare, desistere, cessare **CONTR.** lottare **5** [*su un monte, etc.*] confinarsi, esiliarsi, isolarsi, rifugiarsi, ridursi **C** *v. intr. pron.* **1** [*detto di tessuto, etc.*] ridursi, rientrare, restringersi, accorciarsi **2** [*detto di acque, etc.*] defluire, arretrare.

ritiràta (1) *s. f.* **1** fuga, arretramento, ripiegamento **CONTR.** avanzata **2** [*in casa, in caserma*] rientro.

ritiràta (2) *s. f.* gabinetto, latrina, cesso (*pop.*), toilette (*fr.*), bagno, toeletta.

ritiro *s. m.* **1** [*di denaro, etc.*] riscossione, esazione **2** [*di un mandato, etc.*] revoca, richiamo (*fig.*) **3** [*da una attività*] abbandono di, rinuncia a **4** [*rif. ai metalli, ai tessuti, etc.*] contrazione, restringimento.

ritmàre *v. tr.* scandire, marcare.

ritmico *agg.* cadenzato, armonico **CONTR.** disuguale, disarmonico, scomposto.

ritmo *s. m.* **1** cadenza, tempo, battuta **2** andatura, passo **3** [*delle stagioni, etc.*] (*est.*) avvicendamento, successione **4** [*delle vendite, etc.*] (*est.*) andamento **5** [*in un'opera di teatro, etc.*] (*est.*) svolgimento **6** [*della vita, etc.*] (*est.*) frenesia.

rito *s. m.* **1** cerimonia, funzione **2** (*est.*) culto **3** (*est.*) rituale, costume, procedura, cerimoniale, usanza.

ritoccàre *v. tr.* **1** correggere, modificare, perfezionare, rifinire, mutare (*impr.*) **2** restaurare, ridipingere.

ritócco *s. m.* pulitura, perfezionamento, miglioramento, modifica.

ritògliere *v. tr.* spostare **CONTR.** ricollocare.

ritornàre A *v. intr.* **1** [*detto di fenomeno, di febbre*] ripresentarsi, ricomparire, tornare, venire, rivenire **2** [*detto di fenomeno ripetitivo*] ripetersi, ricorrere **3** [*in un luogo*] rifluire **4** [*a casa, etc.*] rientrare, rincasare, essere di ritorno **5** [*ad abitare*] tornare, venire **B** *v. tr.* [*q.c.*] restituire, rendere, ridare.

ritornèllo *s. m.* **1** refrain (*fr.*) **2** ripetizione **3** intercalare.

ritórno *s. m.* **1** rientro, rimpatrio **2** [*di q.c.*] restituzione **3** [*di un fenomeno*] ricomparsa, ripresentazione.

ritorsióne *s. f.* rivalsa, rappresaglia, vendetta, picca (*fam.*).

ritràrre (1) A *v. tr.* **1** rappresentare, figurare (*raro*) **2** dipingere, disegnare, effigiare, esemplare (*raro*), copiare (*est.*) **3** fare fotografie a, fotografare, prendere una foto di **4** (*est.*) raccontare, descrivere **B** *v. rifl.* dipingersi.

ritràrre (2) o **retràrre A** *v. tr.* **1** [*la mano, etc.*] tirare indietro, ritirare **2** rattrappire (*raro*) **CONTR.** distendere **B** *v. rifl.* **1** indietreggiare, rinculare, arretrare **2** sottrarsi, esimersi.

ritrasformàre *v. tr.* ricambiare.

ritrattàre *v. tr.* rinnegare, negare, sconfessare, ritirare, disdire.

ritrattazióne *s. f.* **1** disdetta, revoca **2** [*di q.c. che è stato detto*] negazione, sconfessione, smentita.

ritrattista *s. m. e f.* (*gener.*) pittore.

ritràtto A *s. m.* **1** effigie, immagine, simulacro, figura **2** descrizione **3** (*est.*) biografia **4** (*fig.*) specchio, personificazione, fotografia, incarnazione **5** dipinto, olio **6** (*gener.*) fotografia **7** (*gener.*) pittura **B** *part. pass.; anche agg.* copiato.

ritrosia *s. f.* **1** timidezza, reticenza, scontrosità, pudore **CONTR.** sfacciataggine, spavalderia **2** riluttanza, renitenza.

ritróso *agg.* **1** restio, riluttante, riottoso **2** schivo, scontroso, ombroso **CONTR.** estroverso, aperto, trattabile.

ritrovaménto *s. m.* **1** rinvenimento **2** [*archeologico, etc.*] rinvenimento, scoperta, recupero.

ritrovàre A *v. tr.* rinvenire, recuperare, riavere, reperire (*colto*), riesumare, raccapezzare (*raro*) **B** *v. rifl.* **1** raccapezzarsi, orizzontarsi, orientarsi **2** [*in un luogo*] capitare **3** [*senza soldi, etc.*] rimanere **4** [*povero, etc.*] (*neg.*) ridursi, conciarsi **C** *v. intr. pron.* [*in un luogo*] stare, trovarsi **D** *v. rifl. rec.* incontrarsi, radunarsi, riunirsi.

ritròvo *s. m.* **1** locale, club (*ingl.*), circolo **2** (*est.*) rifugio.

ritto (1) *agg.* alzato, in piedi **CONTR.** inclinato, reclinato, ingobbito, coricato.

ritto (2) *s. m. sing.* [*di una maglia*] diritto **CONTR.** rovescio.

rituàle A *agg.* usuale, consueto, abituale, solito **CONTR.** insolito, inconsueto **B** *s. m.* **1** cerimoniale, rito **2** (*est.*) uso, norma.

riudire *v. tr.* riascoltare.

riunióne *s. f.* **1** adunanza, consesso, assemblea, assembramento, raduno, adunata, concentrazione **2** (*bur.*) sessione, convocazione **3** [*tipo di*] conferenza, congresso, meeting (*ingl.*), simposio, convegno, convention (*ingl.*) **4** [*tipo di*] incontro, vertice (*fig.*), seduta, summit (*ingl.*) **5** [*tra persone*] (*raro*) congiungimento.

riunire A *v. tr.* **1** [*cose o pezzi tra loro*] collegare, ricollegare, riconnettere, ricucire, comporre **CONTR.** disgiungere **2** [*più oggetti insieme*] affastellare, concentrare, collezionare, assommare, conglobare, conglomerare **CONTR.** disseminare **3** [*più persone insieme*] congregare, imbrancare, raggruppare, adunare, convocare, radunare, accentrare **CONTR.** disperdere **4** [*due persone tra loro*] ricongiungere, riconciliare **CONTR.** dividere **B** *v. intr. pron.* ritrovarsi, raggrupparsi, adunarsi, concentrarsi, affollarsi, assembrarsi, convenire, radunarsi, raccogliersi, congregarsi **C** *v. rifl. rec.* [*detto di sposi, etc.*] congiungersi, ricongiungersi, fondersi (*fig.*).

riusàre *v. tr.* riutilizzare, recuperare, riciclare.

riuscire *v. intr.* **1** potere, essere in grado di **2** affermarsi, arrivare (*fig.*), sfondare (*fig.*) **3** cavarsela, disimpegnarsi **4** [*detto di festa, di incontro*] concludersi, finire **5** divenire, diventare, essere, venire (*fig.*), dimostrarsi, restare, risultare.

riuscita *s. f.* **1** esito, risultato, effetto,

fine (*est.*) **2** vittoria, successo, trionfo.

riuscito *part. pass.; anche agg.* compiuto **CONTR.** mancato, fallito.

riutilizzàbile *agg.* adeguabile, adattabile **CONTR.** inutilizzabile, inutile.

riutilizzàre *v. tr.* riusare, recuperare, riciclare, recuperare.

riva *s. f.* **1** spiaggia, litorale, sponda, proda, costa, lido, argine **2** (*est.*) estremità, margine, orlo.

rivàle (1) *s. m. e f.* concorrente, competitore, oppositore (*est.*), avversario, sfidante, antagonista, nemico.

rivàle (2) *s. m.* proda.

rivàle (3) *s. m.* (*gener.*) rete.

rivaleggiàre *v. intr.* competere, gareggiare, disputare, confrontarsi, concorrere, contendere *un*.

rivalérsi *v. intr. pron.* vendicarsi, rifarsi.

rivalità *s. f. inv.* **1** competizione, antagonismo, contrasto, concorrenza **2** (*est.*) gelosia.

rivàlsa *s. f.* **1** compensazione, rivincita **2** (*est.*) ripicca, ritorsione, rappresaglia, vendetta, reazione, puntiglio, picca.

rivalutàre *A v. tr.* [*gli stipendi, etc.*] elevare *B v. intr. pron.* aumentare di valore.

rivangàre *v. tr. e intr.* **1** [*il passato, etc.*] (*fig.*) rinvangare (*raro*), rimescolare, rovistare **2** rievocare *un*, ripensare *a*, ricordare *un*.

rivedére *A v. tr.* **1** avere già visto **2** [*un testo scritto*] correggere, aggiornare, chiosare, emendare, rielaborare, criticare, censurare, vedere **3** [*un congegno, etc.*] ripassare, revisionare, riesaminare, riguardare (*impr.*), controllare **4** [*le leggi, le norme*] (*est.*) correggere, aggiornare, riformare, innovare **5** [*le persone care*] (*est.*) riabbracciare **6** [*la propria posizione*] riconsiderare *B v. rifl. rec.* incontrarsi.

rivedùta *s. f.* riguardata, revisione.

rivelàre *A v. tr.* **1** [*un segreto altrui*] svelare, spifferare, dire, ridire, propalare, raccontare, riferire, pubblicare (*fig.*) **CONTR.** coprire **2** [*un segreto*

proprio] confessare, confidare **3** [*un furto, etc.*] denunciare, notificare (*bur.*) **4** [*le proprie idee, etc.*] dichiarare **5** [*una personalità*] caratterizzare, denotare, indicare **CONTR.** coprire, dissimulare **6** [*un atteggiamento*] manifestare, esprimere, mostrare, palesare **7** [*gioia, felicità, etc.*] (*fig.*) riflettere, trasudare, rispecchiare, tradire **CONTR.** mimetizzare **8** [*la via della felicità*] insegnare *B v. rifl.* **1** manifestarsi, scoprirsi, svelarsi, mostrarsi, confessarsi **2** (*ass.*) dichiararsi *C v. intr. pron.* **1** trasparire, trapelare **2** [*detto di pronostico, di parole*] palesarsi, risultare, dimostrarsi.

rivelazióne *s. f.* **1** confessione, palesamento (*raro*), confidenza, indiscrezione **2** sorpresa, scoperta **3** [*divina*] teofania (*colto*).

rivéndere *v. tr.* **1** vendere **2** [*qc. in astuzia, etc.*] superare.

rivendicàre *v. tr.* reclamare, richiedere, pretendere, avocarsi (*colto*).

rivéndita *s. f.* negozio, bottega, spaccio, vendita (*est.*).

rivenìre *v. intr.* tornare, ritornare.

riverberàre *A v. tr.* riflettere *B v. intr. pron.* riflettersi, ripercuotersi.

rivèrbero *s. m.* **1** riflesso, riflessione (*raro*), baleno **2** (*est.*) calore.

riverènte o **reverènte** *part. pres.; anche agg.* rispettoso, ossequioso, deferente, devoto, religioso (*fig.*) **CONTR.** impudente, irrispettoso, sfacciato.

riverènza o **reverènza** *s. f.* **1** deferenza, ossequio, rispetto **2** venerazione, devozione **3** inchino, genuflessione.

riverìre *v. tr.* **1** rispettare, ossequiare, onorare, inchinarsi *a* (*fig.*), temere (*est.*), venerare, lodare **2** salutare, complimentarsi, sberrettarsi (*scherz.*), scappellarsi (*scherz.*).

riversàre *A v. tr.* **1** rovesciare, effondere (*lett.*) **2** [*la responsabilità*] (*est.*) scaricare *B v. intr. pron.* **1** [*detto di folla, etc.*] affluire, concorrere (*lett.*), accorrere **2** [*detto di fiume, etc.*] sfociare, sboccare **3** [*detto di liquidi, di affetto, etc.*] spandersi, invadere, effondersi, rovesciarsi **4** [*detto di effetto*] (*fig.*) ricadere.

rivestiménto *s. m.* **1** protezione, copertura, involucro **2** [*rif. agli animali, alla frutta*] guscio, buccia **3** tegumento, membrana, pelle **4** [*tipo di*] veste, camicia, coperta, fodera **5** patina, vernice, pellicola, placca.

rivestìre *A v. tr.* **1** ricoprire, coprire, vestire, avvolgere **CONTR.** denudare, spogliare **2** [*un divano, etc.*] ricoprire, coprire, foderare, fasciare **3** [*i prati di neve, etc.*] (*est.*) ammantare **4** [*una carica, una posizione*] assumere *B v. rifl.* **1** coprirsi, vestirsi, fasciarsi **CONTR.** denudarsi, spogliarsi **2** [*detto di gloria, etc.*] ricoprirsi, ammantarsi.

rivincita *s. f.* **1** compensazione **2** (*est.*) vendetta, rivalsa.

rivista (1) *s. f.* varietà, avanspettacolo, cabaret (*fr.*).

rivista (2) *s. f.* **1** periodico, rotocalco, giornale **2** (*gener.*) stampa, pubblicazione.

rivista (3) *s. f.* rassegna, ispezione.

rivìvere *v. intr.* **1** rinascere, risorgere **2** [*detto di amore, etc.*] (*fig.*) rinascere, risorgere, accendersi.

rivo *s. m.* ruscello.

rivòlgere *A v. tr.* **1** girare, rovesciare, ribaltare (*raro*), voltolare (*raro*) **2** [*lo sguardo, etc.*] girare, indirizzare, dirigere, drizzare, puntare, volgere, muovere, ficcare **3** [*parole, ricordi, etc.*] destinare **4** [*la mente, l'attenzione*] indirizzare, applicare, porre *B v. rifl.* **1** dirigersi, indirizzarsi **2** indirizzarsi, ricorrere, appoggiarsi **3** adire (*colto*), applicarsi.

rivolgiménto *s. m.* **1** sconvolgimento, rovesciamento, sovvertimento **2** (*est.*) mutamento, cambiamento **3** [*morale*] turbamento.

rivolo *s. m.* rigagnolo, ruscello.

rivòlta *s. f.* insurrezione, sommossa, sollevazione, tumulto, sollevamento, ribellione, sedizione, rivoluzione.

rivoltàre *A v. tr.* **1** rovesciare, capovolgere, voltare, voltolare (*raro*) **2** [*pagina*] (*est.*) girare, cambiare **3** [*la terra, le zolle*] (*est.*) vangare **4** [*la sorte, il destino*] (*est.*) mutare, invertire (*fig.*) *B v. intr. pron.* **1** [*detto di popolo*] insorgere, ribellarsi, reagire, solle-

rivoltella varsi, opporsi, tumultuare (*est.*) **2** [*detto di persona*] disubbidire, ricalcitrare **C** *v. rifl.* [*in un letto*] rigirarsi, girarsi, voltarsi.

rivoltèlla *s. f.* **1** (*gener.*) arma **2** (*erron.*) pistola.

rivoltelláta *s. f.* revolverata, pistolettata.

rivòlto *part. pass.; anche agg.* diritto, proteso, indirizzato.

rivoltóso *agg., s. m.* (*f. -a*) ribelle.

rivoluzionàre *v. tr.* capovolgere, stravolgere.

rivoluzionàrio A *agg.* **1** [*rif. allo stile, al metodo*] innovativo, avanzato **CONTR.** antiquato, vecchio **2** [*rif. alle idee, a una persona*] sovversivo, ribelle, radicale **CONTR.** conservatore, benpensante, tradizionalista **B** *s. m.* (*f. -a*) ribelle **CONTR.** benpensante, conformista, borghese, conservatore, qualunquista.

rivoluzióne *s. f.* **1** rivolta, insurrezione, ribellione **2** [*morale*] (*est.*) terremoto (*fig.*), scompiglio, sconvolgimento **3** [*l'effetto della*] cambiamento, mutamento **4** (*est.*) confusione, casino (*pop.*), disordine, baraonda.

rizzàre A *v. tr.* **1** drizzare **CONTR.** coricare, flettere **2** raddrizzare **B** *v. rifl.* alzarsi, levarsi, sollevarsi, drizzarsi, raddrizzarsi **CONTR.** coricarsi, prostrarsi, inchinarsi.

roast beef *s. m. inv.* arrosto.

ròba *s. f. sing.* **1** proprietà, patrimonio **2** materiale, materia, sostanza **3** arnese, aggeggio **4** cosa, faccenda, affare **5** mercanzia, merce, articolo **6** discorso, pensiero **7** opera, lavoro **8** stoffa, abito, indumento, panno **9** cibo, bevanda **10** droga.

robót *s. m. inv.* automa.

robustézza *s. f.* **1** [*rif. a una persona*] forza, gagliardia, vigore **CONTR.** gracilità **2** [*rif. a un oggetto, a una sostanza*] resistenza, durezza, solidità **CONTR.** fragilità **3** [*nello stile*] efficacia, incisività.

robùsto *agg.* **1** [*rif. a una persona*] forte, vigoroso, prosperoso, grasso, grosso, quadro (*fig.*) **CONTR.** debole,

esile, mingherlino, gracile, macilento, emaciato, deperito, denutrito, esaurito (*est.*), malandato (*est.*) **2** [*rif. a cosa*] (*anche fig.*) solido, grande, massiccio, quadrato, stabile **CONTR.** debole, malandato (*est.*), fragile, diafano **3** [*rif. all'animo*] saldo, gagliardo, intrepido, coraggioso **CONTR.** debole, fragile **4** [*rif. a un discorso*] incisivo, eloquente **CONTR.** debole.

ròcca (1) *s. f.* fortezza, roccaforte.

ròcca (2) *s. f.* **1** [*per filare*] conocchia **2** (*gener.*) attrezzo.

rocchétto *s. m.* bobina.

ròccia *s. f.* (*pl. -ce*) **1** rupe, scoglio, masso, pietra **2** [*tipo di*].

INFORMAZIONE

Roccia

Le rocce sono di vari tipi:
roccia effusiva o ignea: ottenuta per raffreddamento di un magma fuoriuscito sulla superficie della terra o raffreddato appena al di sotto di essa;
basalto;
roccia intrusiva: ottenuta per il raffreddamento di un magma solidificato in profondità nella crosta terrestre;
gabbro;
granito;
roccia metamorfica: roccia che è stata alterata nella sua composizione chimica o nella sua struttura fisica dalla elevata temperatura o dall'altissima pressione;
gneiss;
scisto;
roccia piroclastica: formata da frammenti e ceneri vulcaniche;
roccia sedimentaria: formata dai detriti trasportati dall'acqua, dal vento, o dal ghiaccio cementati tra loro;
arenaria;
argilla;
calcare;
dolomia;
tufo: roccia formata da polveri, ceneri e cristalli eruttati da un vulcano e cementati;
conglomerato: composta da frammenti di altre rocce, cementati tra di loro;
breccia.

rodàre *v. tr.* **1** abituare, allenare **2** adattare, assestare.

ródere A *v. tr.* **1** [*detto di acido, etc.*] consumare, corrodere, erodere, forare, intaccare, smangiare, mangiare **2** masticare, brucare, rosicchiare, mordere, rosicare, scarnire **3** [*l'animo*] (*fig.*) consumare, limare **B** *v. rifl.* struggersi (*fig.*), fremere, friggere (*fig.*), spazientirsi, consumarsi (*fig.*), macerarsi (*fig.*), tormentarsi, logorarsi (*fig.*), affliggersi, crucciarsi, travagliarsi **CONTR.** rasserenarsi, placarsi, allietarsi, quietarsi, rassegnarsi.

rodiménto *s. m.* **1** [*morale*] cruccio, tormento, logorio (*fig.*), struggimento, tarlo (*fig.*), tortura (*fig.*) **2** erosione, corrosione (*raro*).

roditóri *s. m. pl.* **1** (*gener.*) animale, mammifero →animali **2** [*tipo di*] **3** rosicanti (*pop.*).

NOMENCLATURA

Roditori

Roditori: mammiferi privi di canini ma con incisivi molto sviluppati a crescita continua.
arvicola: mammifero simile a un topo, con corpo più tarchiato e coda breve, che arreca danni alle coltivazioni;
ghiro: mammifero con folta pelliccia grigia e lunga coda, che d'inverno cade in letargo;
marmotta: mammifero dal capo tozzo, fitto mantello grigio-giallastro, zampe corte con unghie atte a scavare, specie negli arti anteriori;
tamia: mammifero americano simile a uno scoiattolo con mantello rosso bruno striato longitudinalmente;
lepre: mammifero con lunghe orecchie, pelliccia in genere grigio scura, corta coda e zampe posteriori atte al salto;
coniglio: mammifero con pelame di vario colore, lunghe orecchie, occhi grandi e sporgenti e incisivi ben sviluppati;
ratto: mammifero affine al topo, ma di dimensioni maggiori;
topo: mammifero molto diffuso con lunga coda coperta di squamette cornee, occhi e orecchie ben sviluppate, zampe posteriori più lunghe delle anteriori;
topo muschiato: mammifero simile

a un grosso ratto ma con la coda più corta, che vive gregario nelle zone paludose americane ed è allevato per la pelliccia pregiata;

criceto: mammifero con corpo tozzo, coda breve, pelame rosso-giallastro e nero e caratteristiche tasche sulle guance;

cavia: mammifero con orecchie brevi, privo di coda; usata per esperimenti nei laboratori scientifici;

porcellino d'India;

cincilla: mammifero originario delle Ande, con lunga e folta coda, allevato per la sua pregiata pelliccia color grigio;

castoro: mammifero vivente lungo i fiumi e costruttore di dighe di tronchi: con folto pelame bruno, coda piatta squamosa, zampe posteriori palmate e grossi denti incisivi con smalto color rosso-arancione;

istrice: mammifero che si ciba di vegetali: è rivestito di peli nerastri e, sul dorso, di lunghi aculei;

porcospino;

scoiattolo: mammifero con grandi occhi vivaci e lunga coda, arboricolo e vivacissimo.

rogàre v. tr. **1** contrarre, stipulare, stendere **2** [un matrimonio] celebrare.

rògna s. f. preoccupazione, grana (pop.), bega (pop.), scocciatura, fastidio, problema.

rògo s. m. (pl. -ghi) **1** (est.) fuoco, falò, incendio **2** pira, auto da fé.

rollàre (1) v. tr. arrotolare.

rollàre (2) o **rullàre (2)** v. intr. **1** oscillare, dondolare, ballare **2** [detto di imbarcazione] rullare, beccheggiare.

rollìno s. m. V. rullino.

romanticìsmo s. m. **1** poesia, atmosfera **2** (gener.) movimento, corrente.

romàntico A agg. **1** poetico, lirico **CONTR.** prosaico, terreno (est.) **2** [rif. a una persona] sentimentale, tenero, appassionato **B** s. m. (f. -a) **1** sentimentale, sognatore **2** poeta.

romanzàre v. tr. (est.) esagerare, enfatizzare.

romanzière s. m. (f. -a) (gener.) scrittore.

romànzo agg. (ling.) neolatino.

rombàre v. intr. rimbombare, rumoreggiare, risuonare, strepitare, rintronare, tuonare, echeggiare, riecheggiare, ronzare.

ròmbo (1) s. m. **1** fragore, frastuono, strepito, tuono, boato, rimbombo **2** (gener.) rumore.

ròmbo (2) s. m. losanga.

ròmbo (3) s. m. (gener.) pesce.

romìto agg. solitario, appartato, isolato, remoto, deserto, selvatico (est.) **CONTR.** affollato, popolato, frequentato.

ròmpere A v. tr. **1** spaccare, spezzare, scassare, sconquassare, fracassare, frantumare, sfasciare, sgangherare, distruggere, sfracellare, squarciare, stritolare **CONTR.** ricomporre, riparare, aggiustare, rabberciare, unire, raccomodare, raggiustare, accomodare, assestare, risistemare, racconciare, ordinare **2** [le stoviglie, etc.] crepare, incrinare, scheggiare, lesionare **CONTR.** ricomporre, riparare, aggiustare, rabberciare **3** [una porta, etc.] sforzare (raro), forzare, scassinare, rovinare, dissaldare **4** [un tessuto, la carta, etc.] lacerare, sbrindellare, sbranare, stracciare, strappare, ridurre in pezzi **CONTR.** rattoppare, rappezzare, ricucire **5** [l'ordine sociale, etc.] scompigliare, scomporre **CONTR.** riordinare, riformare **6** [un rapporto, etc.] troncare **7** [un arto] fratturare **8** [un contratto, etc.] scindere, rescindere **9** [qc.] (est.) infastidire **10** [un accordo, patto, etc.] violare, tradire (fig.), infrangere (raro), frangere **11** [un pacco, un abito, etc.] disfare **12** [un ramo, un albero, etc.] (raro) scendere **B** v. intr. **1** [in pianto, etc.] prorompere, dirompere, scoppiare (fig.) **2** [con qc.] inimicarsi un **CONTR.** pacificarsi **3** [con le tradizioni, etc.] (est.) distaccarsi da **C** v. intr. pron. **1** [detto di albero, etc.] spezzarsi, spaccarsi, troncarsi, schiantarsi, stroncarsi **2** [detto di oggetto] fracassarsi, scassarsi, sganghierarsi, sconquassarsi **3** [detto di parti del corpo] tagliarsi, maciullarsi, ferirsi, sfracellarsi, aprirsi (fam.) **4** [detto di carta, stoffa, etc.] tagliarsi, spezzettarsi, sminuzzarsi, lacerarsi, stracciarsi, strapparsi, scucirsi **5** [detto di fila, etc.] scomporsi,

scompigliarsi, disfarsi, scompaginarsi **CONTR.** ricomporsi, riformarsi **6** [detto di vaso, etc.] sbriciolarsi, incrinarsi, infrangersi, sgretolarsi, frantumarsi, creparsi, screpolarsi **7** [detto di meccanismo, etc.] guastarsi, deteriorarsi, danneggiarsi, sciuparsi, rovinarsi, partire (fig.) **CONTR.** funzionare **8** [detto di persona] (volg.) scoglionarsi (volg.) **9** [detto di onda marina] frangersi.

rompibàlle o **rompipàlle** s. m. e f. rompiscatole (pop.), scocciatore (fam.), seccatore (volg.), pizza (fig.), attaccabottoni (fam.), importuno.

rompicàpo s. m. **1** rebus, quiz (ingl.), indovinello **2** preoccupazione, fastidio, molestia **3** puzzle (ingl.).

rompipàlle s. m. e f. V. rompibàlle.

rompiscàtole A s. m. e f. seccatore, rompiballe (pop.), scocciatore, pizza (fam.), attaccabottoni (scherz.), impiastro (fig.), importuno **B** agg. importuno.

ròncola s. f. ronca.

ronfàre v. intr. **1** fare le fusa **2** russare.

ronzàre v. intr. **1** rombare, fischiare, rumoreggiare **2** [detto di insetto, etc.] (est.) volare **3** [detto di idea, etc.] (fig.) girare, mulinare, frullare, agitarsi, vorticare.

ronzìno s. m. brenna, rozza.

ronzìo s. m. **1** brusio, brontolio, sussurro, fruscio, rumorio **2** (gener.) rumore, suono.

ròsa (1) A s. f. (gener.) fiore **B** agg. [tipo di] incarnato, salmone.

ròsa (2) s. f. (gener.) colore.

ròseo agg. **1** [rif. al futuro, alla carriera] (fig.) lieto, felice, prospero, brillante, fortunato **2** roseo **CONTR.** cereo, terreo **B** s. m. sing. (gener.) colore.

rosicànte s. m. **1** roditore **2** (gener.) animale.

rosicàre v. tr. **1** [detto di animali] rodere, rosicchiare **2** [detto di persone] (est.) sbocconcellare, mangiucchiare, sgranocchiare **3** [detto di acido, etc.] (est.) corrodere, intaccare, sgretolare **4** [una promessa, tempo, etc.] (fig.) strappare.

rosicchiàre v. tr. **1** [detto di animali] rosicare, rodere **2** [detto di persona] sbocconcellare, mangiucchiare, sgranocchiare **3** (gener.) mangiare **4** [detto di acido, etc.] corrodere, intaccare, forare (est.).

rosolàre A v. tr. arrostire, abbrustolire, crogiolare (raro), friggere, soffriggere, dorare (fig.), saltare (fig.) **B** v. intr. pron. **1** dorarsi **2** [al sole] (est.) arrostirsi (fig.), abbronzarsi, crogiolarsi.

ròspo s. m. (gener.) anfibio.

rosseggiàre v. intr. **1** fiammeggiare, rutilare (lett.) **2** imporporarsi.

rossétto s. m. (gener.) belletto, trucco, cosmetico.

ròsso A agg. **1** scarlatto, vermiglio **2** [rif. al viso] (fig.) rubicondo, arroventato CONTR. impallidito, scolorito, smunto, terreo **3** [tipo di] corallo, sangue, cremisi, granata, mattone, ruggine **B** s. m. **1** (gener.) colore CONTR. blu, giallo, verde **2** [tipo di] carnicino, vermiglio, scarlatto, porpora, cremisi, amaranto, carminio **3** [dell'uovo] tuorlo.

róssola s. f. (gener.) fungo.

rossóre s. m. vampa, vampata.

ròstro s. m. **1** becco **2** [di una imbarcazione] uncino.

rotazióne s. f. **1** giro **2** (est.) avvicendamento, successione, turno, vicenda, alternanza.

roteàre A v. intr. turbinare, volteggiare, frullare, librarsi, ruotare **B** v. tr. girare, torcere, mulinare, ruotare.

rotèlla s. f. **1** (anat.) rotula **2** (gener.) scudo.

rotocàlco s. m. rivista, giornale.

rotolàre A v. intr. ruzzolare, sdrucciolare, scivolare, ruzzolare **B** v. tr. arrotolare, girare, avvolgere, voltolare.

ròtolo s. m. **1** involto **2** bobina, rullino, rullo.

rotondeggiàre v. intr. tondeggiare.

rotóndo agg. **1** circolare, tondo, sferico, globulare **2** [rif. a un discorso, a uno scritto] (fig.) pieno, armonioso **3** [rif. a un numero, a una cifra] intero **4**

[rif. al viso] paffuto CONTR. affilato, magro.

ròtta (1) s. f. cammino, via, direzione, percorso.

ròtta (2) s. f. **1** [di un argine, etc.] breccia, apertura, spaccatura **2** [di un esercito] disfatta, fuga.

rottàme s. m. **1** [rif. a cose] relitto, carcame, avanzo, carcassa **2** [rif. a una persona] relitto, carcame, rudere.

ròtto A part. pass.; anche agg. **1** troncato, spezzato, frantumato, infranto, strappato, lacerato, rovinato CONTR. cementato, intero **2** [a una situazione] (spreg.) avvezzo, resistente **B** s. m. rottura, strappo.

rottùra s. f. **1** danno, danneggiamento, avaria, guasto CONTR. aggiustamento **2** (med.) troncamento, strappo, lesione, frattura **3** effrazione (bur.), scasso **4** [di un patto, della tregua, etc.] troncamento, cessazione, violazione **5** [del fronte] sfondamento **6** (est.) noia, seccatura, scocciatura (fam.) **7** (fis.) fissione **8** [dei rapporti] scioglimento, interruzione, taglio (fig.), allontanamento, distacco, spaccatura, divisione.

ròtula s. f. rotella.

roulotte s. f. inv. caravan.

routinàrio o **rutinàrio** agg. **1** normale, comune, quotidiano, consueto, solito CONTR. originale, anomalo, bizzarro, stravagante, capriccioso, curioso, eclatante, unico **2** [rif. a un'impresa] quotidiano, ordinario CONTR. stravagante, formidabile, inenarrabile, inusitato, leggendario, prodigioso, strabiliante.

rovènte agg. **1** cocente, bollente, arroventato, caldo, acceso CONTR. freddo, gelido **2** [rif. al clima, alla stagione] torrido CONTR. freddo.

róvere s. m. **1** quercia, leccio **2** (gener.) albero.

rovesciaménto s. m. **1** rivolgimento, capovolgimento, ribaltamento, cambiamento **2** [di un governo, etc.] abbattimento, caduta, crollo, eliminazione.

rovesciàre A v. tr. **1** riversare, buttare, versare, spargere, spandere, scaricare, scodellare **2** capovolgere, invertire, rivoltare, ribaltare, rivolgere, voltare **3** [il nemico] atterrare, demolire, abbattere, travolgere, sgominare **4** [le responsabilità] (fig.) riversare, buttare, gettare **5** rimettere, vomitare, rigettare **6** [l'ordine sociale, etc.] capovolgere, invertire, modificare, cambiare, trasformare, stravolgere CONTR. mantenere **7** [la testa] reclinare, chinare, piegare CONTR. rialzare, ergere, drizzare **B** v. intr. pron. **1** [detto di frana, di fiume, etc.] riversarsi, piombare, franare, sfociare, gettarsi **2** [detto di auto, etc.] capovolgersi, ribaltarsi, cappottare **3** [detto di liquido, etc.] versarsi, spandersi, spargersi **4** [detto di folla, etc.] (est.) riversarsi, precipitarsi, accorrere **5** [detto di persona, etc.] (raro) sdraiarsi.

rovèscio A s. m. **1** contrario, opposto, inverso **2** sberla, manata, schiaffo **3** [finanziario] crac, crollo (fig.), tracollo **4** [di pioggia] scroscio, scarica, valanga, subisso, acquazzone **5** [di un abito] interno, dritto **6** (mar.) spalla **7** (est.) disgrazia, rovina, sconfitta **B** agg. inverso CONTR. diritto.

rovina s. f. **1** [di un muro, etc.] caduta, crollo **2** [della civiltà, etc.] distruzione, disfacimento, dissoluzione, sfacelo, sfascio **3** (est.) danno, disgrazia, disastro, catastrofe, calamità, subisso (raro), rovescio, piaga (fig.), flagello (fig.), peste (fig.), pestilenza (fig.), cataclisma **4** (econ.) fallimento, bancarotta, tracollo, crack (ingl.), naufragio (fig.), crac **5** [di una impresa, etc.] (fig.) frana, fracasso **6** [di un oggetto, etc.] scempio, strage **7** [morale] perdizione, precipizio **8** violenza, furia **9** [di edifici, etc.] maceria, vestigia (lett.), rudere.

rovinàre A v. tr. **1** guastare, danneggiare, scassare, distruggere, fracassare, rompere, sconquassare, devastare, demolire, maciullare CONTR. ricostruire, ricreare **2** deteriorare, sciupare **3** [un'opera artistica] massacrare (fig.), assassinare (fig.), sconciare **4** [un luogo] saccheggiare **5** [un abito, etc.] gualcire, logorare, consumare, ammaccare, cincischiare **6** [qc.] nuocere a, ledere CONTR. preservare, proteggere, favorire **7** [qc. in senso morale] (fig.) perdere, trasformare **8** [un regime politico] destabilizzare **9** [il viso, una statua, etc.] sfregiare, deturpare, sfigurare **10** [*una famiglia, etc.*] disgregare, disfare, incrinare **CONTR.** salvare **11** [*una situazione*] dissestare **CONTR.** migliorare, sanare **12** [*l'aria, l'ambiente*] avvelenare, alterare, viziare, inquinare **13** [*il buon nome, etc.*] oscurare **14** [*un patrimonio*] disperdere **B** *v. intr.* **1** crollare, cadere, franare, scoscendere (*raro*) **2** [*detto di civiltà, etc.*] (*est.*) precipitare, decadere **CONTR.** fiorire, rifiorire **C** *v. intr. pron.* **1** [*detto di cibo, etc.*] danneggiarsi, guastarsi, alterarsi, deteriorarsi, putrefarsi **CONTR.** conservarsi, preservarsi **2** [*detto di cose*] danneggiarsi, rompersi, scassarsi **3** [*in senso economico*] (*est.*) rimetterci, scapitare, dissestarsi, scottarsi, andare in fallimento, fallire **4** [*detto di abito, etc.*] cincischiarsi, sgualcirsi **5** [*detto di persona, etc.*] deperire **D** *v. rifl.* **1** [*con un'esperienza neg.*] bruciarsi **2** [*sborsando denaro*] dissanguarsi **3** (*est.*) compromettersi.

rovinàto *part. pass.; anche agg.* **1** rotto, ammaccato **CONTR.** perfetto, integro, salvo **2** (*est.*) malandato, consumato, sgualcito, logorato, logoro **3** (*anche fig.*) demolito, devastato, bruciato.

rovinosaménte *avv.* (*propr.*) calamitosamente, catastroficamente, disastrosamente.

rovinóso *agg.* **1** disastroso, dannoso, funesto, fatale, catastrofico **CONTR.** provvidenziale, vantaggioso **2** [*rif. al vento, al mare*] impetuoso, furioso **3** [*rif. a un moto, a un movimento*] precipitoso.

rovistàre *v. tr.* **1** frugare, perquisire **2** [*il passato, etc.*] (*fig.*) rivangare, rimescolare, investigare **3** [*detto di maiale*] grufolare **4** (*ass.*) razzolare, ruspare.

róvo *s. m.* (*est.*) spina, pruno.

royalty *s. f. inv.* percentuale.

ròzza *s. f.* brenna, ronzino.

rozzaménte *avv.* **1** villanamente, volgarmente, zoticamente, cafonescamente, goffamente, barbaramente, incivilmente, scortesemente **CONTR.** civilmente, elegantemente, delicatamente, dottamente, elaboratamente, forbitamente, artisticamente **2** grossolanamente, materialmente, grezzamente sgraziatamente **CONTR.** ele-

gantemente, aristocraticamente, cavallerescamente, diplomaticamente, finemente, raffinatamente.

rozzézza *s. f.* **1** [*rif. all'atteggiamento*] inciviltà, grossolanità, zoticaggine, maleducazione, volgarità, ruvidità (*fig.*), rudezza, ruvidezza (*fig.*), grossezza (*fig.*) **CONTR.** signorilità, squisitezza, acutezza, finezza **2** [*rif. a un'epoca*] barbarie.

rózzo *agg.* **1** [*rif. a cosa*] grezzo, scabro, ruvido, grossolano **CONTR.** rifinito, assottigliato **2** [*rif. a una persona*] (*spreg.*) grezzo, grossolano, villano, zotico, sgarbato, screanzato, indelicato, inelegante, incivile, ordinario, cafone, sgraziato, materiale (*est.*), rude, brado (*est.*) **CONTR.** rifinito, assottigliato, aggraziato, affinato, affabile, delicato, cortese, cavalleresco, incivilito, civilizzato, diplomatico, distinto, elegante, avvenente, artificioso, bizantino (*fig.*) **3** (*fig.*) selvaggio, barbaro, rustico, selvatico.

rubàre *v. tr.* **1** [*q.c.*] sottrarre, togliere, portare via, fregare (*fam.*), grattare (*fig.*), soffiare (*fig.*), pigliare, acciuffare (*raro*), graffiare (*fig.*), involare (*fig.*), raspare (*fig.*), arraffare (*fam.*), sgraffignare (*fig.*), sgraffiare (*fig.*), asportare, prendere (*impr.*) **2** [*un segreto industriale*] appropriarsi di, impadronirsi di, impossessarsi di, ghermire, carpire, trafugare **3** [*qc. di q.c.*] rapinare, truffare, borseggiare, derubare, spogliare (*fig.*) **4** [*qc.*] rapire **5** [*sul peso, sulla qualità, etc.*] rapinare, frodare **6** [*denaro, capitali*] sottrarre, togliere, estorcere, mangiare (*fig.*) **7** [*la parola*] (*fig.*) sottrarre, togliere di bocca.

rubàto *agg.* **1** sottratto **2** [*rif. a una persona*] rapito.

ruberìa *s. f.* **1** rapina, furto, spoliazione, estorsione, sottrazione, ladrocinio, mangeria (*pop.*), mangiatoia (*pop.*), pappatoria **2** razzia, saccheggio, sacco.

rubicóndo *agg.* **1** rosso **CONTR.** diafano **2** [*rif. a una persona*] (*est.*) pasciuto **CONTR.** diafano, cadaverico, cereo, patito.

rubino *s. m.* (*gener.*) pietra, gemma, minerale **CONTR.** diamante, zaffiro, smeraldo.

rubrìca *s. f.* (*pl. -che*) agenda.

rubricàre *v. tr.* elencare, registrare, annotare.

rùde *agg.* **1** [*rif. a una persona*] rozzo, grossolano, rustico **CONTR.** elegante, caro **2** [*rif. all'atteggiamento*] brusco, burbero, scostante **CONTR.** poetico, languido, mellifluo.

rudeménte *avv.* **1** crudamente, aspramente, duramente **2** sgarbatamente **CONTR.** affabilmente, amorevolmente, carezzevolmente, melliflua mente.

rùdere *s. m.* **1** [*rif. a una persona*] rottame, relitto, cencio, larva **2** [*rif. a edifici*] avanzo, resto, rovina **3** [*rif. a un'auto*] carcassa.

rudézza *s. f.* **1** rozzezza **2** asprezza, severità **CONTR.** svenevolezza, dolcezza **3** (*est.*) franchezza.

ruffiàno *s. m.* (*lt. -a*) **1** paraninfo, mezzano, lenone (*lett.*), protettore (*euf.*), pappa (*dial.*), prosseneta (*lett.*), magnaccia (*pop.*) **2** satellite, adulatore, cortigiano, piaggiatore, tirapiedi, lacchè.

rùga *s. f.* (*pl. -ghe*) grinza, piega, solco, crespa.

rugàre A *v. tr.* infastidire, molestare **B** *v. intr.* interessare, piacere.

rugby *s. m. inv.* (*gener.*) sport.

rùggine (1) *s. f.* **1** (*est.*) risentimento, rancore, astio, malanimo, inimicizia **2** sozzura, sporcizia.

rùggine (2) *agg.* rosso.

ruggire *v. intr.* **1** [*detto di animale*] urlare **2** [*detto di persona, etc.*] (*est.*) urlare, strepitare, gridare, vociare, sbraitare, tuonare (*fig.*) **CONTR.** bisbigliare, sussurrare **3** [*detto di vento, di tempesta, etc.*] (*est.*) rumoreggiare, ululare (*fig.*), rimbombare.

rugiàda *s. f.* guazza (*fam.*).

rugóso *agg.* [*rif. alla pelle*] vizzo, avvizzito, sfiorito (*fig.*) **CONTR.** liscio, compatto.

rullàre (1) *v. intr.* risuonare.

rullàre (2) *v. intr.* V. *rollare (2).*

rullàre (3) v. tr. [il terreno] comprimere, spianare, pareggiare.

rullìno o **rollìno** s. m. rotolo.

rùllo s. m. **1** cilindro **2** rotolo.

ruminàre v. tr. **1** masticare, biascicare, rimasticare **2** [un progetto] (est.) ripensare a, rimuginare, meditare, pensare, riconsiderare.

rumóre s. m. **1** (gener.) suono **2** chiasso, baccano, fracasso, frastuono, strepito, schiamazzo CONTR. silenzio **3** interferenza **4** [tipo di] botta, botto, schiocco, schianto, scoppio, rombo, ronzio, mormorio, brontolio, parlottio, pigolio, rumorio, vocio, tonfo, sussurro, fruscio, bisbiglio, bisbiglio, rimbombo, sussurrio **5** (est.) scalpore, chiacchiera, diceria.

rumoreggiàre v. intr. **1** fare rumore, emettere suoni, risuonare CONTR. tacere **2** [modi di] strepitare, rintronare, rombare, gemere, rimbombare, schiamazzare, gorgogliare, brontolare, crepitare, mormorare, bisbigliare, borbottare, ronzare, frusciare, stormire, scrosciare, fischiare, cigolare, scricchiolare, stridere, tamburellare, tintinnare, ruggire, muggire, ululare.

rumorìo s. m. **1** mormorio, brusio, brontolio, gorgoglio, ronzio **2** (gener.) suono, rumore.

rumorosaménte avv. chiassosa-

mente, clamorosamente, fragorosamente CONTR. chetamente, di soppiatto, silenziosamente.

rumoróso agg. **1** chiassoso CONTR. silenzioso **2** [rif. a un avvenimento] clamoroso, strepitoso, eclatante.

ruòlo s. m. **1** [in uno spettacolo] parte **2** parte, funzione, incarico, ufficio, compito **3** (est.) importanza, influenza, peso (fig.), impatto (fig.) **4** organico **5** [spec. con: avere il] gioco, azione.

ruotàre A v. intr. [detto di attività, di indotto] (est.) gravitare, operare B v. tr. [la spada, etc.] roteare, mulinare.

rùpe s. f. **1** roccia **2** (est.) scoglio.

ruràle A agg. contadino, agricolo CONTR. urbano, civico, civile B s. m. e f. contadino.

ruscèllo s. m. rivolo, rio.

ruspàre A v. intr. [detto di pollo] raspare, razzolare, grattare **2** (est.) rovistare, frugare B v. tr. [il terreno] spianare, livellare.

russàre v. intr. ronfare (fam.).

rùstico (1) agg. **1** contadino, villereccio, campagnolo CONTR. cittadino **2** [rif. al carattere, etc.] rozzo, scontroso, schivo, rude, schietto (est.), semplice (est.) CONTR. affabile.

rùstico (2) s. m. (gener.) edificio.

rutilàre v. intr. **1** rosseggiare **2** (est.) risplendere, scintillare, rifulgere, sfavillare, brillare, sfolgorare.

rutinàrio agg. V. routinario.

ruttàre v. intr. eruttare.

ruvidézza s. f. **1** [rif. a una superficie] ruvidità, asprezza, scabrosità (colto), asperità **2** [rif. al carattere, a modi] (est.) ruvidità, asprezza, scortesia, rozzezza, durezza, spigolo (fig.).

ruvidità s. f. inv. **1** [rif. a una superficie] scabrosità, ruvidezza **2** [rif. al comportamento] (est.) scortesia, villania, rozzezza.

rùvido agg. **1** [al tatto] scabro, ispido, duro CONTR. liscio, levigato, polito, molato, smerigliato, lubrico (lett.), uguale, arrotato, carezzevole, morbido, soffice, sdrucciolevole (est.) **2** [rif. a una persona] rozzo, brusco, burbero, aspro CONTR. delicato, gentile, garbato.

ruzzàre v. intr. scherzare, giocare.

ruzzolàre A v. intr. scivolare, sdrucciolare, cadere, cascare, rotolare, capitombolare B v. tr. rotolare, voltolare.

ruzzolóne s. m. caduta, capitombolo.

s, S

sàbbia *A* s. f. arena *B* agg. [*rif. al colore*] marrone.

sabotàre *v. tr.* **1** danneggiare, distruggere **2** (*est.*) svalutare, denigrare **3** (*est.*) intralciare, impedire, ostacolare CONTR. aiutare, favorire.

sàcca s. f. (*pl. -che*) **1** bisaccia **2** [*tipo di*] sacco, zaino, valigia **3** (*gener.*) borsa, sporta **4** (*dial.*) tasca **5** rientranza, incurvatura, insenatura.

saccaròsio s. m. (*gener.*) zucchero, glucide.

saccènte *A* agg. borioso, pedante, pretenzioso, saputello CONTR. timido, riservato *B* s. m. e f. saputello, sputasentenze (*spreg.*).

saccenteria s. f. pedanteria, presunzione CONTR. modestia, umiltà.

saccheggiàre *v. tr.* **1** depredare, svaligiare, rapinare, predare, razziare, spogliare **2** [*un luogo*] (*est.*) devastare, distruggere, rovinare, desolare (*poet.*).

saccheggiàto part. pass.; *anche agg.* [*rif. a una casa, a un'abitazione*] (*lett.*) desolato, squallido, devastato.

sacchéggio s. m. sacco, razzia, rapina, ruberia, depredazione, devastazione.

sàcco (1) s. m. (*pl. -chi*) **1** sacca, bisaccia, zaino **2** saio **3** stomaco, pancia **4** collo, balla.

sàcco (2) s. m. (*pl. -chi*) [*rif. alla quantità*] sterminio (*fam.*), mucchio, fracco (*pop.*).

sàcco (3) s. m. (*pl. -chi*) saccheggio, razzia, ruberia, devastazione.

sacerdotàle agg. **1** clericale, ecclesiastico CONTR. profano, laico (*est.*), secolare **2** [*rif. a un abito*] talare.

sacerdòte s. m. **1** [*tipo di*] monaco, prete, frate, padre (*vocat.*), druido (*celt.*), parroco CONTR. laico, secolare **2** (*gener.*) religioso, ecclesiastico **3**

[*rispetto a un ideale*] (*fig.*) missionario, apostolo.

sacerdotéssa s. f. [*tipo di*] profetessa, pizia (*lett.*), sibilla (*lett.*).

sacràle agg. sacro.

sacralità s. f. [*di un luogo*] religiosità.

sacramentàre *v. tr.* **1** giurare, asserire, assicurare **2** imprecare, bestemmiare.

sacràre *v. tr.* consacrare, dedicare, intitolare CONTR. sconsacrare.

sacràrio s. m. **1** santuario, cappella **2** (*raro*) tabernacolo.

sacrestàno s. m. V. *sagrestano*.

sacrificàre *A* *v. tr.* **1** [*al dio*] offrire, immolare, ammazzare (*est.*), uccidere (*est.*) **2** [*la libertà, gli agi*] privarsi di, rinunciare a, abbandonare **3** [*un interesse, un'idea*] (*est.*) mortificare, umiliare **4** [*il tempo, la vita, etc.*] (*est.*) sprecare, sciupare **5** [*un pezzo di rivista, etc.*] (*est.*) eliminare, togliere, tagliare *B* *v. intr.* [*alla bellezza, etc.*] (*raro*) ossequiare un *C* *v. rifl.* **1** immolarsi, martirizzarsi **2** prodigarsi, consacrarsi **3** rinunciare.

sacrificio o **sacrifizio** s. m. **1** rinuncia, privazione CONTR. vantaggio **2** dedizione, abnegazione **3** martirio, olocausto, immolazione **4** [*agli dei, etc.*] (*est.*) offerta **5** (*relig.*) messa **6** [*necessario per ottenere*] (*fig.*) costo.

sacrifizio s. m. V. *sacrificio*.

sacrilegaménte avv. empiamente, irreligiosamente CONTR. religiosamente, piamente, devotamente.

sacrilègio s. m. **1** profanazione, empietà **2** peccato, colpa.

sacrilego agg. (*pl. m. -ghi*) profano, empio, irriverente (*est.*) CONTR. pio, devoto, credente.

sàcro (1) *A* agg. **1** divino, santo, religioso CONTR. profano, temporale **2** in-

violabile, intangibile, tabù **3** dedicato *B* s. m. sing. CONTR. profano.

sàcro (2) s. m. (*gener.*) osso.

sacrosànto agg. **1** inviolabile, intangibile, inderogabile, sacro (*fig.*) **2** appropriato, benfatto, meritato.

sàdico agg. **1** perverso, degenerato, depravato, vizioso **2** [*rif. a un delitto*] atroce, sanguinario.

sadismo s. m. **1** (*est.*) cattiveria, crudeltà, ferocia **2** (*gener.*) perversione (*psicol.*) CONTR. masochismo.

saètta s. f. **1** freccia, strale (*lett.*), dardo **2** lampo, folgore, fulmine **3** [*in una imprecazione*] (*fam.*) colpo, accidente.

saettàre *v. tr.* **1** [*q.c.*] (*est.*) lanciare, scagliare, gettare **2** [*detto di occhi*] (*raro*) raggiare, dardeggiare.

sàga s. f. (*pl. -ghe*) leggenda (*est.*), storia.

sagàce agg. accorto, furbo, scaltro, dritto, perspicace, aperto, oculato, sottile, astuto CONTR. tardo, lento.

sagaceménte avv. astutamente, scaltramente, furbamente, acutamente CONTR. ottusamente, stoltamente.

sagàcia s. f. finezza (*est.*), accortezza, arguzia, acume, scaltrezza, avvedutezza, perspicacia, discernimento, fiuto (*fig.*), intelligenza, furbizia CONTR. stupidità, sconsideratezza, scemenza, scempiaggine.

saggézza s. f. **1** avvedutezza, senno, giudizio, equilibrio, prudenza, ponderatezza, ragionevolezza CONTR. balordaggine, imprudenza, sconsideratezza, demenza **2** (*est.*) sapienza, saviezza.

saggiaménte avv. **1** assennatamente, avvedutamente, giudiziosamente, sensatamente, saviamente, sapientemente CONTR. insensatamente, forsennatamente, pazzamente, mattamente, pazzescamente (*est.*) **2**

(*spreg.*) saviamente CONTR. puerilmente, fanciullescamente.

saggiàre *v. tr.* **1** provare, esaminare, testare, verificare, esperire (*colto*), sperimentare **2** [*la solidità di q.c.*] (*est.*) tastare **3** [*l'animo, la mente*] (*fig.*) scandagliare, sondare **4** [*il cibo, etc.*] assaggiare, degustare, assaporare **5** [*il coraggio di qc.*] (*est.*) cimentare (*lett.*), mettere alla prova, tentare.

sàggio (1) A *agg.* savio, assennato, accorto, avveduto, giudizioso, prudente CONTR. insensato, svitato (*fam.*), sconsiderato, scriteriato, folle, capriccioso, tocco B *s. m.* (*f. -a*) sapiente, dotto.

sàggio (2) *s. m.* **1** mostra, dimostrazione **2** test, prova, esperimento **3** assaggio, campione **4** studio, dissertazione, elaborato, scritto, monografia **5** (*econ.*) tasso.

saggista *s. m. e f.* **1** (*gener.*) scrittore **2** critico.

sàgoma *s. f.* **1** figura, linea, silhouette (*fr.*), profilo (*est.*) **2** forma, modello **3** [*rif. a una persona*] tipo.

sagomàre *v. tr.* modellare, conformare, formare, foggiare, scantonare (*est.*).

sagomàto *part. pass.; anche agg.* formato, modellato, plasmato, delineato CONTR. informe, sformato.

sagrestàno o **sacrestàno** *s. m.* chierico.

sàio *s. m.* tonaca, sacco.

sàla *s. f.* **1** (*gener.*) stanza, ambiente, locale, vano **2** soggiorno, salone, salotto, living (*ingl.*) **3** [*in una scuola*] aula.

salàcca *s. f.* (*pl. -che*) **1** (*gener.*) pesce **2** aringa.

salàce *agg.* mordace, caustico, pungente, mordente, salato, scurrile (*est.*), spinto (*est.*) CONTR. benevolo, morigerato.

salamàndra *s. f.* (*gener.*) anfibio.

salàre *v. tr.* **1** mettere il sale a **2** [*il pesce, etc.*] marinare **3** [*la scuola*] marinare, bigiare (*gerg.*).

salariàre *v. tr.* **1** stipendiare, pagare **2** (*est.*) assoldare.

salariàto A *s. m.* (*f. -a*) **1** stipendiato, dipendente **2** [*tipo di*] impiegato, operaio **3** mercenario B *agg.* dipendente.

salàrio *s. m.* stipendio, paga, mensile, retribuzione, mercede (*lett.*).

salataménte *avv.* costosamente, a caro prezzo.

salàto A *part. pass.; anche agg.* **1** [*rif. al gusto*] sapido, saporito CONTR. insipido, sciapo **2** [*rif. a un discorso, etc.*] (*fig.*) pungente, piccante, ironico, mordace, salace B *s. m. sing.* **1** [*gastronomia*] CONTR. dolce **2** salume.

sàlda *s. f.* amido, appretto.

saldaménte *avv.* **1** fermamente, fortemente, duramente, solidamente, stabilmente, costantemente CONTR. instabilmente **2** (*temp.*) tenacemente CONTR. fuggevolmente.

saldàre A *v. tr.* **1** piombare, stagnare CONTR. dissaldare **2** [*oggetti, pezzi tra loro*] riappiccicare, incollare, congiungere, attaccare, ricongiungere, riattaccare, appiccicare, ricollegare CONTR. separare, distaccare, disunire **3** [*una pietra al metallo*] legare CONTR. separare **4** [*i colori tra loro*] (*est.*) coordinare, armonizzare, fondere (*fig.*) **5** [*una ferita*] (*est.*) rimarginare **6** [*una questione, etc.*] (*est.*) risolvere, comporre, definire **7** [*un debito, un conto*] (*est.*) estinguere, liquidare, pagare, pareggiare, quietanzare, soddisfare (*fig.*) CONTR. contrarre, fare, aprire B *v. intr. pron.* **1** congiungersi, attaccarsi **2** [*detto di ferita, etc.*] cicatrizzarsi, rimarginarsi CONTR. aprirsi.

saldàto *part. pass.; anche agg.* (*anche fig.*) cementato, legato CONTR. diviso, amputato.

saldézza *s. f.* fermezza, risolutezza, decisione, energia, determinazione CONTR. indecisione, instabilità, incostanza, leggerezza, superficialità.

sàldo (1) *agg.* **1** fisso, immobile CONTR. movibile, malfermo, malsicuro, barcollante **2** (*est.*) resistente, forte, sodo, robusto CONTR. barcollante, cadente, flaccido **3** [*rif. all'amicizia, etc.*] tenace, stabile, duraturo, durevo-

le CONTR. vacillante **4** [*rif. alle idee*] fermo, irremovibile, radicato.

sàldo (2) *s. m.* **1** (*banca*) pareggio CONTR. acconto **2** [*di merci*] rimanenza, giacenza **3** (*est.*) liquidazione, svendita.

sàle *s. m.* **1** senso, sapore **2** (*est.*) saviezza, senno, giudizio **3** (*est.*) arguzia, mordacità **4** (*est.*) mare.

saliènte *agg.* importante, notevole, rilevante.

salire A *v. intr.* **1** [*nell'aria*] elevarsi, innalzarsi, ascendere, sollevarsi CONTR. discendere, scendere **2** [*su un monte, etc.*] arrampicarsi, inerpicarsi **3** [*su una sedia, un cavallo*] arrampicarsi, issarsi, montare **4** [*su un mezzo, etc.*] imbarcarsi, inforcare *un*, saltare CONTR. scendere, sbarcare **5** [*detto di pianta, etc.*] rampicare, crescere **6** [*detto di astro*] alzarsi, levarsi, sorgere, spuntare CONTR. declinare, tramontare **7** [*agli onori, etc.*] assurgere, arrivare CONTR. decadere **8** [*detto di prezzi*] crescere, rincarare CONTR. decrescere, diminuire, calare, abbassarsi B *v. tr.* [*una montagna*] scalare CONTR. discendere, scendere.

salita *s. f.* **1** arrampicata, ascesa, scalata, ascensione CONTR. discesa **2** rampa, erta (*colto*) CONTR. declivio, china, calata **3** [*rif. a un aereo, etc.*] volo.

sàlma *s. f.* cadavere, corpo, spoglia (*lett.*).

salmóne A *s. m. e f.* (*gener.*) pesce B *agg.* [*rif. al colore*] rosa.

salóne (1) *s. m.* **1** (*gener.*) locale, stanza, vano **2** sala, salotto.

salóne (2) *s. m.* mostra.

salòtto *s. m.* **1** soggiorno, living (*ingl.*), salone, sala **2** (*gener.*) stanza, ambiente, locale, vano.

salpàre A *v. intr.* **1** [*detto di imbarcazione*] levare le vele, levare l'ancora CONTR. attraccare, ormeggiare **2** (*est.*) levare le vele, partire, andarsene CONTR. arrivare, giungere B *v. tr.* [*una mina, l'ancora*] sollevare, recuperare CONTR. calare, gettare.

salpinge *s. f.* (*anat.*) tuba.

sàlsa s. f. sugo, intingolo, condimento.

salsamenteria s. f. 1 salumeria, pizzicheria 2 (*gener.*) negozio, bottega.

saltàre A v. intr. 1 balzare, guizzare, scattare 2 [*su q.c., qc.*] gettarsi, lanciarsi, slanciarsi, scagliarsi, buttarsi, precipitarsi, zompare (*roman.*) 3 [*per la paura, etc.*] sussultare, sobbalzare, trasalire 4 [*detto di mina, etc.*] esplodere, brillare 5 [*su un mezzo*] salire, montare CONTR. scendere 6 (*est.*) ballare, danzare 7 [*detto di valvola*] (*est.*) fondersi **B** v. tr. 1 [*un fosso, etc.*] oltrepassare, attraversare 2 [*un particolare, una parola*] omettere, tralasciare, sorvolare *su* 3 [*la scuola*] (*gerg.*) disertare, marinare (*gerg.*), bigiare (*gerg.*), bucare (*gerg.*) 4 [*la carne, etc.*] (*est.*) rosolare.

saltellàre v. intr. 1 balzellare, ballonzolare, salterellare, sgambettare 2 ballare 3 [*detto di cuore*] (*est.*) palpitare, battere, pulsare CONTR. fermarsi.

salterellàre v. intr. 1 saltellare, balzellare, ballonzolare, sgambettare 2 (*est.*) ballare.

sàlto s. m. 1 volo (*fig.*), scatto (*est.*), balzo (*est.*), guizzo (*est.*) 2 [*di*] divario, dislivello, scarto 3 volo (*fig.*), capatina, scappata, volata (*fig.*), passo 4 [*di una pagina, di una riga, etc.*] (*est.*) omissione, lacuna 5 [*rif. al tempo*] intervallo.

saltuariaménte avv. occasionalmente, di tanto in tanto, talvolta, ogni tanto, sporadicamente CONTR. ripetutamente, quotidianamente, giornalmente, incessantemente, ininterrottamente, consecutivamente, assiduamente, insistentemente (*est.*).

saltuàrio agg. occasionale, sporadico CONTR. ripetuto, periodico.

salùbre agg. salutare, sano CONTR. insalubre, nocivo, venefico, malsano, insano.

salubreménte avv. igienicamente, salutarmente.

salubrità s. f. inv. 1 (*est.*) sanità CONTR. nocività, dannosità 2 [*l'effetto della*] (*est.*) beneficio.

salumàio s. m. (f. -a) 1 salumiere, pizzicagnolo 2 (*gener.*) bottegaio, negoziante.

salùme s. m. affettato.

salumeria s. f. 1 pizzicheria, salsamenteria 2 (*gener.*) negozio, bottega.

salumière s. m. 1 salumaio, pizzicagnolo, norcino (*tosc.*) 2 (*gener.*) bottegaio, negoziante.

salutàre (1) A v. tr. 1 [*qc.*] congedare, licenziare 2 [*modi di*] inchinarsi, inginocchiarsi, genuflettersi, riverire, scappellarsi 3 [*qc. con calore, etc.*] (*est.*) ricevere, dare il benvenuto *a* 4 [*qc. re, presidente, etc.*] (*est.*) proclamare, acclamare 5 [*andare a*] (*est.*) trovare, visitare **B** v. rifl. rec. accomiatarsi, congedarsi.

salutàre (2) agg. salubre, sano CONTR. insalubre, insano.

salutarménte avv. salubremente.

salùte s. f. 1 benessere 2 salvezza, salvamento 3 (*est.*) vita, fibra, vigore, forza (*pop.*) CONTR. debilitazione, deperimento 4 vita, pelle (*fam.*).

salùto s. m. 1 commiato, congedo 2 [*tipo di*] addio, benvenuto, arrivederci.

salvaguardàre A v. tr. 1 [*i diritti altrui, etc.*] tutelare, difendere, cautelare, garantire, aiutare (*raro*) CONTR. compromettere, colpire 2 [*qc., q.c. da una calamità*] preservare, proteggere CONTR. colpire, danneggiare 3 [*l'onore di qc., etc.*] custodire, conservare 4 [*la pace, la moralità*] (*fig.*) presidiare CONTR. offendere **B** v. rifl. cautelarsi, difendersi, ripararsi, proteggersi, tutelarsi CONTR. esporsi, offrirsi, presentarsi.

salvaguàrdia s. f. tutela, custodia, difesa, mantenimento.

salvaménto s. m. 1 salvezza, salvazione (*raro*), salute (*lett.*), salvataggio (*raro*) 2 [*morale*] (*est.*) redenzione (*lett.*), riscatto.

salvàre A v. tr. 1 strappare alla morte 2 [*qc. da un pericolo*] liberare, scampare 3 [*qc. da un danno*] proteggere 4 [*l'onore, la dignità*] proteggere, difendere, tutelare, custodire, conservare CONTR. distruggere 5 [*qc. da un vizio*] liberare, redimere, riscattare, recuperare CONTR. dannare, rovinare, compromettere, perdere 6 [*la vita*] risparmiare (*fig.*) CONTR. uccidere 7

[*q.c. per gli assenti*] (*est.*) serbare, riservare **B** v. rifl. 1 [*dal pericolo, etc.*] sfuggire, liberarsi, scampare CONTR. morire, perire 2 [*in una situazione*] cavarsela, farla franca 3 [*dagli attacchi, etc.*] (*est.*) difendersi, proteggersi, tutelarsi 4 (*relig.*) andare in paradiso CONTR. dannarsi, andare all'inferno.

salvatàggio s. m. 1 salvamento 2 (*est.*) aiuto, soccorso.

salvàtico agg.; anche s. m. sing. V. *selvatico.*

salvazióne s. f. 1 salvezza, salvamento 2 [*morale*] (*est.*) redenzione, riscatto.

sàlve inter. buondì, buongiorno, arrivederci, ciao.

salvézza s. f. salvazione, salvamento, salute (*lett.*), scampo CONTR. perdizione.

salviétta s. f. 1 tovagliolo 2 asciugamano, tovaglia (*merid.*).

sàlvo (1) agg. illeso, incolume, indenne, intatto CONTR. rovinato, morto (*est.*).

sàlvo (2) prep. eccetto, fuorché, tranne, meno.

sambùca s. f. zampogna (*mus.*).

sanaménte avv. 1 igienicamente 2 (*est.*) moralmente, rettamente, onestamente.

sanàre A v. tr. 1 risanare, curare CONTR. contagiare, infettare 2 [*una ferita*] guarire, cicatrizzare 3 [*la situazione, etc.*] (*est.*) rimediare, riparare, ristabilire, migliorare CONTR. peggiorare, rovinare, deteriorare 4 [*i difetti, gli errori*] (*est.*) correggere 5 [*un luogo*] bonificare, disinfestare 6 [*una legge, una norma*] (*est.*) emendare **B** v. intr. pron. 1 guarire, risanarsi, rimettersi, ristabilirsi CONTR. ammalarsi, peggiorare 2 [*detto di ferita*] (*est.*) guarire, cicatrizzarsi.

sancire v. tr. 1 decretare, statuire, deliberare, disporre, sanzionare, stabilire, fissare 2 [*un accordo, etc.*] ratificare, convalidare, confermare, firmare 3 [*gli usi, i costumi, etc.*] (*est.*) consolidare, rafforzare, consacrare CONTR. annullare.

sandalo

sàndalo (1) *s. m. (gener.)* albero.

sàndalo (2) *s. m. (gener.)* calzatura.

sandolino *s. m. (gener.)* barca, imbarcazione.

sandwich *s. m. inv.* tramezzino, panino, tartina.

sàngue A *s. m. sing.* **1** *(est.)* spirito, forza, vigore, coraggio **2** *(est.)* razza, stirpe, discendenza, famiglia, nazione **3** *[spec. con: suggere il] (raro)* vena **4** *(gener.)* liquido **B** *agg. inv.* rosso.

sanguigno A *agg.* aggressivo, irascibile, violento, eccitabile, passionale *(est.)* **CONTR.** pacato, calmo **B** *s. m.* *[rif. al colore]* rosso.

sanguinàrio A *agg.* feroce, sadico, atroce, bestiale, crudele **B** *s. m. (f. -a)* belva.

sanguinosaménte *avv.* **1** cruentemente **2** violentemente, crudelmente.

sanguinóso *agg.* **1** insanguinato **2** *[rif. a un evento]* cruento, inumano, efferato **3** *[rif. alla sconfitta, al dolore]* grave, amaro.

sanguisùga *s. f. (pl. -chè)* **1** mignatta **2** *(gener.)* verme **3** *[rif. a una persona]* profittatore, vampiro *(fig.)*, avvoltoio *(fig.)*, predatore *(fig.)*.

sanità *s. f. inv.* **1** *[intellettuale] (est.)* normalità **CONTR.** follia **2** *[rif. a un luogo, al clima, etc.]* salubrità, purezza.

sàno A *agg.* **1** vegeto, fiorente, florido, prosperoso **CONTR.** malato, infetto, contaminato, insalubre, guasto, corrotto, marcio, tocco *(raro)* **2** *[rif. a una persona]* incorruttibile, onesto **CONTR.** malato, marcio, ammalato, infermo, indisposto, malaticcio, acciaccato, sciancato *(pop.)*, cagionevole, emaciato, sofferente **3** *[rif. a cosa]* incorruttibile, integro, intero **CONTR.** marcio, sgualcito, malandato, sgangherato, putrefatto, putrido **4** *[rif. all'ambiente]* salutare, salubre **CONTR.** insalubre, guasto, corrotto, marcio, malsano, insano, patologico **B** *s. m. (f. -a)* **CONTR.** malato.

santificàre *v. tr.* **1** deificare, canonizzare, beatificare, consacrare **2** *[il nome di qc.] (est.)* benedire, venerare, adorare, celebrare, onorare **3** *[le feste] (est.)* celebrare, osservare.

santificazióne *s. f.* canonizzazione.

sànto A *agg.* **1** divino, sacro, intangibile, inviolabile, religioso **CONTR.** diabolico, empio **2** *[rif. a una persona] (fig.)* religioso, pio, benedetto, probo *(est.)*, giusto *(est.)*, onesto *(est.)*, buono **CONTR.** diabolico, empio **3** *[rif. a un rimedio, a una punizione] (fam.)* efficace **B** *s. m. (f. -a)* beato.

santóne *s. m. (f. -a)* **1** monaco, eremita, asceta, anacoreta **2** stregone, guru **3** *(neg.)* bigotto, baciapile.

santuàrio *s. m.* **1** sacrario, tempio **2** *(gener.)* chiesa.

sanzionàre *v. tr.* **1** codificare, ratificare, approvare, decretare **CONTR.** abolire, abrogare **2** *[un impegno, un accordo] (raro)* sancire, convalidare, confermare, consacrare *(fig.)* **CONTR.** invalidare, annullare, cancellare, cassare, revocare, sopprimere.

sanzióne *s. f.* **1** *(est.)* pena, punizione, multa, contravvenzione **2** *[di una norma, di una legge]* approvazione, conferma, convalida, ratifica, decreto *(raro)* **CONTR.** abrogazione, annullamento **3** *[nel pubblico impiego] (dir.)* censura.

sapére A *v. tr.* **1** conoscere **CONTR.** ignorare **2** intendersi di, avere cognizione di **3** essere ben informato di, essere al corrente di, essere a conoscenza di **4** *(est.)* intuire, sentire **5** *(est.)* apprendere, udire **6** *(est.)* constare, essere consapevole di, avere coscienza di, rendersi conto di, avere chiaro di **B** *v. intr.* **1** *[di profumo, etc.]* olezzare, profumare, odorare **2** *[di truffa, etc.]* puzzare, sembrare un, parere un **3** *[di influsso altrui]* sembrare un, parere un, risentire **C** *v. intr. impers.* essere noto, constare **D** *s. m.* sapienza, scienza, scibile.

sàpido *agg.* **1** *[rif. a una pietanza]* salato, saporito **CONTR.** insipido, scipito, sciocco *(dial.)* **2** *[rif. a un discorso, a una battuta]* piccante *(fig.)*, spiritoso, mordace *(fig.)* **CONTR.** insipido, scipito.

sapiènte A *agg.* dotto, colto, istruito, erudito, savio, esperto **CONTR.** ignorante, incolto, illetterato **B** *s. m. e f.* dotto, erudito **CONTR.** ignorante, illetterato.

sapienteménte *avv.* saggiamente, assennatamente, accortamente, dottamente, intelligentemente **CONTR.** ignorantemente, male.

sapiènza *s. f.* **1** cultura, istruzione, scienza, sapere **CONTR.** ignoranza **2** *(est.)* saggezza, saviezza, avvedutezza **CONTR.** avventatezza, imprudenza **3** *(est.)* abilità, perizia **CONTR.** inesperienza, incapacità.

saponària *s. f.* radica.

sapóre *s. m.* **1** gusto, sale *(fam.)*, gustosità **2** sfumatura, tono.

saporito *part. pass.; anche agg.* **1** gustoso, appetitoso, sapido, buono, salato, piccante **CONTR.** delicato, insipido, sciapo **2** salato, piccante.

saputèllo A *agg.* saccente, petulante **CONTR.** timido, riservato **B** *s. m. (f. -a)* saccente, sputasentenze.

sàrago *s. m. (pl. -ghi) (gener.)* pesce.

sarcàsmo *s. m.* ironia, irrisione, mordacità, scherno, umorismo.

sarcasticaménte *avv.* causticamente, mordacemente, beffardamente **CONTR.** complimentosamente, mellifluamente.

sarcàstico *agg.* mordace, sprezzante, ironico, maligno, caustico, irrisorio, pungente, feroce **CONTR.** mellifluo *(est.)*, lusinghiero *(est.)*.

sarcòfago *s. m. (pl. -ghi)* arca, bara, tomba, avello *(lett.)*.

sardina *s. f. (gener.)* pesce.

sardònico *agg.* *[rif. a una risata]* maligno, beffardo, ironico, mordace *(est.)*, pungente *(est.)*.

sartoria *s. f.* atelier *(fr.)*, boutique *(fr.)*.

sàsso *s. m.* **1** pietra, masso, macigno, blocco, ciottolo **2** *[funerario]* lastra, lapide.

sassóso *agg.* pietroso.

satèllite (1) *s. m. (spreg.)* parassita, cortigiano, ruffiano, sgherro, sbirro.

satèllite (2) *s. m.* **1** *(gener.)* astro **2** *[tipo di]* luna.

satinàre *v. tr.* lucidare *(est.)*.

sàtira *s. f.* **1** canzonatura, caricatura **2** (*est.*) ironia.

satirico *A agg.* burlesco, caustico, ironico, arguto, mordace **CONTR.** drammatico (*teatr.*), tragico (*teatr.*) *B s. m.* (*f. -a*) autore, scrittore.

satollàre *A v. tr.* nutrire, rifocillare, rimpinzare, saziare, pascere (*poet.*), sfamare, saturare (*raro*) **CONTR.** affamare *B v. rifl.* riempirsi, rimpinzarsi, saziarsi, sfamarsi **CONTR.** digiunare.

satòllo *agg.* sazio, pieno, pasciuto, sfamato, soddisfatto (*est.*) **CONTR.** affamato, assetato, avido (*fig.*), digiuno.

saturàre *v. tr.* **1** empire, colmare, ricolmare, riempire **CONTR.** vuotare, svuotare **2** [*con il cibo*] rimpinzare, satollare, saziare.

saturazióne *s. f.* **1** sazietà, colmo **2** (*est.*) noia, fastidio.

satùrnia *s. f.* (*gener.*) farfalla.

sàturo *agg.* **1** colmo, pieno, pregno, gravido, impregnato **CONTR.** privo, vuoto **2** [*rif. a una persona*] (*fig.*) stufo.

sàuro (1) *agg.* [*rif. al cavallo*] rosso (*impr.*).

sàuro (2) *s. m.* **1** rettile **2** [*tipo di*] dinosauro, camaleonte, iguana, geco, lucertola, triceratopo, tirannosauro.

saviaménte *avv.* saggiamente, assennatamente, sensatamente, prudentemente **CONTR.** balordamente, stupidamente, insensatamente, stranamente (*est.*).

saviézza *s. f.* saggezza, senno, giudizio, equilibrio, sapienza (*est.*), sale (*fig.*) **CONTR.** stoltezza, stupidità, sconsideratezza, imprudenza, demenza.

sàvio *A agg.* **1** saggio, accorto, avveduto, assennato, giudizioso, prudente, sensato, posato, maturo (*est.*) **CONTR.** pazzo, matto, folle, alienato, picchiato (*fam.*), demente (*spreg.*), mentecatto (*spreg.*), beota, capriccioso (*est.*), spostato, svitato (*fam.*), toccato (*fam.*), vaneggiante **2** (*est.*) sapiente *B s. m.* (*f. -a*) saggio **CONTR.** matto, pazzo.

saziàre *A v. tr.* **1** riempire, satollare,

rimpinzare, pascere (*scherz.*), sfamare, empire (*raro*), nutrire (*est.*), alimentare **CONTR.** affamare **2** (*neg.*) saturare, stuccare, nauseare, stomacare, disgustare **3** [*lo stomaco*] (*est.*) quietare **4** [*un desiderio, una voglia*] (*est.*) appagare, soddisfare *B v. rifl.* **1** impinzarsi, riempirsi, rifocillarsi, satollarsi, rimpinzarsi, sfamarsi **CONTR.** digiunare **2** (*est.*) appagarsi, contentarsi, accontentarsi.

sazietà *s. f. inv.* **1** saturazione **CONTR.** fame **2** (*est.*) disgusto, nausea.

sàzio *agg.* **1** pieno, satollo, pasciuto, sfamato **CONTR.** affamato, assetato, avido (*fig.*), digiuno **2** (*est.*) stufo, nauseato.

sbaciucchiàre *v. tr.* baciare, dare baci a.

sbadatàggine *s. f.* **1** negligenza, trascuratezza, incuria, sventatezza, inavvertenza, leggerezza, imprudenza (*est.*) **CONTR.** attenzione, cura, cautela, prudenza, diligenza, scrupolo **2** [*l'azione*] dimenticanza, disattenzione, svista, errore.

sbadataménte *avv.* **1** distrattamente, inavvedutamente, inavvertitamente **2** negligentemente, trascuratamente **CONTR.** diligentemente, esattamente, gelosamente (*est.*).

sbadàto *A agg.* distratto, sventato, disattento, noncurante, sconsiderato, svagato **CONTR.** attento, esatto (*est.*) *B s. m.* (*f. -a*) distratto.

sbafàre *v. tr.* scroccare.

sbagliàre *A v. tr.* **1** [*il colpo, il bersaglio*] fallire, fare cilecca, mancare **CONTR.** imbroccare, indovinare **2** [*una persona per un'altra*] scambiare, confondere **3** [*un calcolo, ecc.*] errare *B v. intr.* errare, fallire, mancare, cadere (*fig.*), fallare (*lett.*), sgarrare, peccare, equivocare (*est.*) *C v. intr. pron.* ingannarsi, errare, equivocarsi, imbrogliarsi (*fam.*).

sbagliàto *part. pass.; anche agg.* **1** errato, erroneo, scorretto, inesatto, storto (*est.*) **CONTR.** giusto, indovinato **2** [*rif. a una interpretazione, etc.*] distorto **CONTR.** giusto, indovinato.

sbàglio *s. m.* **1** errore, fallo, inesattezza, imprecisione **2** svista, disattenzio-

ne, perla **3** equivoco, cantonata, granchio (*fig.*), gaffe (*fr.*) **4** (*est.*) peccato.

sbalestràre *A v. tr.* **1** [*q.c.*] scaraventare, scagliare, gettare, proiettare, sbalzare **2** [*un dipendente*] trasferire, spostare, cacciare **3** [*qc. in senso psichico*] (*est.*) disorientare, sconcertare, turbare, confondere **4** [*qc. in senso economico*] (*est.*) dissestare, sbancare, sbilanciare *B v. intr.* divagare, sragionare **CONTR.** ragionare.

sballàre (1) *A v. tr.* disfare, aprire, scartare, sviluppare (*raro*) **CONTR.** imballare, incassare, avvolgere, avviluppare *B v. intr.* [*al gioco delle carte*] eccedere.

sballàre (2) *v. tr.* ingrandire, sparare (*fig.*), inventare.

sballottàre *v. tr.* agitare, scuotere, sbatacchiare, palleggiare.

sbalordiménto *s. m.* stupore, sorpresa, sbigottimento, sconcerto, confusione, stordimento (*est.*) **CONTR.** indifferenza, freddezza.

sbalordire *A v. tr.* **1** [*qc. con un colpo*] stordire, tramortire **2** disorientare, frastornare, turbare, confondere, intontire, istupidire **3** sconcertare, stupire, strabiliare, sbigottire, meravigliare **4** abbacinare, affascinare, ammaliare *B v. intr. e intr. pron.* (*est.*) impressionarsi, sconcertarsi.

sbalordito *part. pass.; anche agg.* allibito, stupito, stupefatto, turbato, scioccato, sgomento.

sbalzàre (1) *A v. tr.* **1** [*q.c.*] lanciare, sbalestrare, scaraventare **2** [*qc.*] allontanare, cacciare, rimuovere *B v. intr.* **1** [*da una sedia, etc.*] balzare, scattare **2** [*da un luogo all'altro*] rimbalzare **3** [*detto di temperatura*] andare (*fig.*).

sbalzàre (2) *v. tr.* **1** cesellare **2** modellare.

sbàlzo *s. m.* **1** spostamento rapido **2** oscillazione **3** progresso, avanzamento.

sbancàre (1) *A v. tr.* **1** [*al gioco*] vincere **2** spogliare, rovinare, dissestare, sbalestrare *B v. intr. pron.* [*al gioco, etc.*] rovinarsi *C v. intr.* [*detto di banco*] mollare, lasciare.

sbancare

sbancàre (2) *v. tr.* [*un terreno*] (*est.*) livellare.

sbandàre (1) A *v. tr.* **1** [*un esercito, etc.*] (*mil.*) smobilitare, sciogliere, disciogliere **CONTR.** raccogliere, ordinare **2** [*un gruppo*] disperdere, scompigliare, sparpagliare **B** *v. intr. pron.* separarsi, disperdersi, sciogliersi, dividersi **CONTR.** organizzarsi.

sbandàre (2) *v. intr.* **1** [*detto di imbarcazione*] inclinarsi **2** [*detto di veicolo, etc.*] deviare.

sbandàta *s. f.* **1** deviazione, errore (*est.*) **2** (*est.*) infatuazione, cotta (*scherz.*).

sbandieràre *v. tr.* **1** [*i propri meriti, etc.*] (*est.*) sfoggiare, vantare, esaltare, ostentare, sciorinare, sfoderare (*fig.*) **CONTR.** nascondere, mascherare, occultare **2** [*una notizia, etc.*] divulgare, strombazzare.

sbaraccàre A *v. tr.* sbarazzare, sgomberare, riordinare (*est.*), ripulire (*est.*) **B** *v. intr.* **1** andarsene, levare le tende (*fig.*), levare l'ancora (*fig.*), partire, prendere il largo (*scherz.*) **2** [*un'attività*] cessare (*ass.*).

sbaragliàre *v. tr.* debellare, sgominare, disperdere, scompigliare, sparpagliare, battere, sconfiggere, distruggere, vincere **CONTR.** riordinare, riunire, riorganizzare.

sbarazzàre A *v. tr.* sgomberare, ripulire, riordinare, liberare, sbaraccare, smucchiare (*fam.*) **CONTR.** impicciare, ingombrare, impacciare, intralciare **B** *v. intr. pron.* **1** scaricarsi, alleggerirsi **2** disfarsi, gettare via *un*, liberarsi.

sbarazzino A *agg.* birichino, giovanile **B** *s. m.* (*f. -a*) monello.

sbarbàre A *v. tr.* **1** sradicare, estirpare, divellere, svellere **CONTR.** piantare, conficcare, interrare **2** [*piante, animali*] cimare, tosare **3** [*qc.*] radere, rasare, depilare, pelare (*scherz.*) **B** *v. rifl.* radersi, rasarsi.

sbarbatèllo *s. m.* (*iron.*) pivello, poppante.

sbarcàre A *v. intr.* [*da un mezzo*] discendere, smontare, scendere, arrivare (*est.*) **CONTR.** imbarcare, salire, imbarcarsi, montare **B** *v. tr.* **1** [*qc. da un'imbarcazione, da un mezzo*] scari-

care, passare **CONTR.** caricare, imbarcare **2** [*un periodo, etc.*] trascorrere, superare.

sbàrra *s. f.* **1** bastone, spranga, barra, asta, stanga **2** (*est.*) confine.

sbarraménto *s. m.* **1** ostruzione, occlusione, otturamento **2** barriera, palizzata, barricata, chiusa, terrapieno.

sbarràre *v. tr.* **1** bloccare, chiudere, barricare, sprangare, serrare, tappare **CONTR.** aprire, spalancare **2** [*un condotto, una tubatura*] ostruire, otturare **3** [*gli occhi*] spalancare, allargare, sgranare, dilatare **CONTR.** chiudere **4** [*la carriera, etc.*] (*est.*) bloccare, barrare, ostacolare, precludere **CONTR.** favorire.

sbarràto *part. pass.; anche agg.* **1** chiuso, sprangato, ostruito (*est.*) **CONTR.** aperto, spalancato **2** [*rif. all'occhio*] spalancato, dilatato, vitreo **CONTR.** chiuso.

sbatacchiàre A *v. intr.* urtare, collidere, picchiare **B** *v. tr.* **1** [*i tappeti, etc.*] sbattere, percuotere **2** [*qc.*] sballottare.

sbàttere A *v. tr.* **1** [*i tappeti, etc.*] sbatacchiare, percuotere **2** [*qc. fuori*] (*est.*) buttare, cacciare **3** [*q.c.*] scaraventare, gettare, scagliare, lanciare **4** [*qc. in carcere*] schiaffare **5** [*le uova, il latte, etc.*] agitare, frullare, mescolare **6** [*qc.*] (*volg.*) chiavare, fottere, scopare **7** agitare **8** buttare **B** *v. intr.* **1** [*detto di bandiera, etc.*] gonfiarsi, sventolare **2** [*contro q.c.*] cozzare, picchiare **3** [*detto di acqua nel secchio*] sguazzare, sciaguattare, sciabordare, guazzare **4** [*a terra*] cadere con violenza **5** [*detto di ali*] frullare **C** *v. intr. pron.* **1** agitarsi, dibattersi **CONTR.** calmarsi **2** [*nella forma: sbattersene*] disinteressarsi, impiparsi (*volg.*), infischiarsene (*pop.*), non dare importanza a, fregarsene (*pop.*).

sbavaménto *s. m.* sbavatura.

sbavàre *v. intr.* [*detto di colore, etc.*] spandersi, spargersi.

sbavatùra *s. f.* **1** sbavamento **2** [*nel parlare, nello scrivere*] (*est.*) digressione, svolazzo (*fig.*).

sbeccàre *v. tr.* slabbrare, sbreccare, scheggiare, sbocconcellare (*fig.*).

sbeccucciàre *v. tr.* sboccare, sboccellare, sbreccare, scheggiare.

sbeffàre *v. tr.* canzonare, coglionare (*volg.*), beffare, beffeggiare, deridere, schernire.

sbellicàrsi *v. intr. pron.* **1** (*fam.*) smascellarsi, scompisciarsi, sganasciarsi, sganherarsi **2** (*gener.*) ridere **3** [*per le risa*] (*fig.*) crepare, morire, scoppiare.

sbendàre A *v. tr.* sfasciare **CONTR.** fasciare, bendare **B** *v. rifl.* sfasciarsi **CONTR.** bendarsi, fasciarsi.

sbèrcia *s. f.* schiappa.

sbèrla *s. f.* **1** schiaffo, ceffone, manrovescio, sganascione, rovescio, scapaccione **2** (*gener.*) colpo, percossa **3** (*est.*) umiliazione, sconfitta.

sberrettàrsi *v. rifl.* scappellarsi, riverirsi, ossequiare.

sbertucciàre *v. tr.* **1** gualcire, sgualcire, spiegazzare, sformare **CONTR.** lisciare **2** (*est.*) schernire, beffare, malmenare.

sbevazzàre *v. intr.* bere.

sbiadire A *v. intr. e intr. pron.* **1** [*detto di colori*] impallidire, spegnersi (*lett.*), stingere, scolorire, schiarirsi **CONTR.** ravvivarsi, intensificarsi **2** [*detto di ricordo*] affievolirsi, annebbiarsi (*fig.*), indebolirsi **B** *v. tr.* scolorire, schiarire, spegnere, dilavare **CONTR.** colorire, ravvivare.

sbiancàre A *v. tr.* **1** sbianchire, imbiancare, imbianchire **2** [*la biancheria*] candeggiare **B** *v. intr. e intr. pron.* [*detto di persona, etc.*] impallidire, scolorire, scolorarsi, sbianchire, trascolorare (*lett.*), illividire **CONTR.** arrossire, colorirsi, imporporarsi.

sbiancàto *part. pass.; anche agg.* impallidito, pallido, spento (*est.*).

sbianchìre A *v. tr.* **1** [*panni, tessuti*] sbiancare, imbiancare, candeggiare **CONTR.** annerire **2** [*la verdura, la carne*] (*raro*) sbollentare, scottare **B** *v. intr. e intr. pron.* [*detto di persona, etc.*] sbiancare, impallidire **CONTR.** arrossire, imporporarsi.

sbigottiménto *s. m.* turbamento, smarrimento, sconcerto, sgomento,

sbalordimento, stupore, costernazione, confusione, stordimento (*raro*) CONTR. indifferenza.

sbigottìre *A v. tr.* **1** atterrire, disanimare, impaurire, impressionare, turbare, sgomentare, intimorire, spaventare, costernare, sconvolgere, avvilire, scoraggiare **2** sbalordire, sconcertare, meravigliare *B v. intr. pron.* **1** turbarsi, sgomentarsi, smarrirsi, terrorizzarsi, atterrirsi, impressionarsi, disanimarsi, impaurirsi, scoraggiarsi, avvilirsi, spaventarsi, inorridire **2** meravigliarsi, strabiliare.

sbigottìto *part. pass.; anche agg.* **1** attonito, stupito, stupefatto, meravigliato **2** spaventato, impaurito, terrorizzato, atterrito, impietrito, sgomento.

sbilanciaménto *s. m.* squilibrio CONTR. bilanciamento.

sbilanciàre *A v. tr.* **1** squilibrare CONTR. controbilanciare, bilanciare, equilibrare **2** [*qc. in senso economico*] (*est.*) dissestare, sbalestrare *B v. intr.* pendere, pencolare *C v. rifl.* **1** esporsi, compromettersi, arrischiarsi CONTR. contenersi, controllarsi **2** [*economicamente*] (*est.*) dissestarsi.

sbirciàre *v. tr.* **1** occhieggiare, adocchiare **2** (*gener.*) guardare.

sbirciàta *s. f.* sguardo, guardata, occhiata.

sbirro (1) o **birro (1)** *agg.* (*dial.*) furbo, vivace CONTR. addormentato, scemo.

sbirro (2) o **birro (2)** *s. m.* (*f. -a*) poliziotto, gendarme, agente, questurino (*spreg.*), satellite (*lett.*), sgherro (*neg.*), gorilla (*fig.*), scherano (*lett.*), piedipiatti (*spreg.*).

sbizzarrìre *A v. tr.* togliere i vizi *B v. intr. pron.* scapricciarsi, sbrigliarsi.

sbloccàre *A v. tr.* **1** togliere il blocco *a* CONTR. bloccare, imbottigliare, interrompere, impacciare, intralciare, intasare **2** [*un condotto, una tubatura*] stasare, liberare CONTR. intasare **3** [*i prezzi*] liberalizzare CONTR. frenare, vincolare **4** [*la merce in dogana*] svincolare **5** [*la fantasia, etc.*] liberare, sfrenare **6** [*qc.*] (*est.*) disinibire, sciogliere (*fig.*), togliere le inibizioni *a B v. rifl.* disinibirsi, liberarsi CONTR. bloccar-

si, frenarsi, inibirsi *C v. intr. pron.* **1** [*detto di pratica, di lavoro*] procedere CONTR. insabbiarsi, fermarsi **2** [*detto di cerniera, etc.*] scorrere CONTR. bloccarsi.

sbòbba *s. f.* rancio, pappa (*scherz.*), sbroscia (*fam.*).

sboccàre *A v. intr.* **1** [*detto di fiume, etc.*] gettarsi, riversarsi, andare, confluire, sfociare, scaricarsi, versarsi, immettersi, irrompere, prorompere CONTR. nascere **2** [*detto di strada, etc.*] terminare, comunicare, condurre, finire, arrivare, giungere CONTR. cominciare, iniziare **3** [*detto di situazione*] pervenire, concludersi *B v. tr.* [*un vaso, un piatto, etc.*] sbreccare, sbeccucciare, sbocconcellare.

sboccàto *part. pass.; anche agg.* [*rif. al linguaggio*] volgare, spudorato, triviale.

sbocciàre *v. intr.* **1** [*detto di fiori, etc.*] fiorire, aprirsi, schiudersi, germogliare, gettare (*fam.*), dischiudersi CONTR. appassire, sfiorire, seccare **2** [*detto di amore, di poesia, etc.*] fiorire, nascere, sorgere, scaturire, manifestarsi, palesarsi, risvegliarsi, riaccendersi.

sbòccio *s. m.* fioritura.

sbòcco *s. m.* (*pl. -chi*) **1** [*rif. ai fiumi, etc.*] bocca, foce **2** [*di una strada*] uscita **3** [*per le merci, etc.*] approdo, mercato, apertura (*fig.*) **4** [*di liquidi*] fuoriuscita **5** [*rif. a una situazione*] (*est.*) uscita, esito, soluzione.

sbocconcellàre *v. tr.* **1** spilluzzicare, mangiucchiare, piluccare, spizzicare, rosicare, rosicchiare, spiluccare **2** [*un vaso, un piatto*] sboccare, sbeccare, sbreccare, sbeccucciare.

sbollentàre *v. tr.* [*carne, verdure*] scottare, sbianchire (*raro*).

sbollìre *v. intr.* **1** [*detto di ira, etc.*] (*est.*) calmarsi, placarsi, scemare, cessare CONTR. acuirsi, esacerbarsi, esasperarsi **2** [*detto di entusiasmo, di sentimento*] (*fig.*) raffreddarsi **3** cessare di bollire.

sbolognàre *v. tr.* [*qc.*] rifilare, appioppare, affibbiare.

sbòrnia *s. f.* ubriacatura, sbronza

(*fam.*), balla (*fam.*), ciucca (*fam.*), cotta (*fam.*).

sborniàre *A v. tr.* inebriare, ubriacare *B v. rifl.* sbronzarsi, avvinazzarsi, ubriacarsi.

sborràre *v. intr.* **1** eiaculare (*colto*), godere (*est.*), venire (*pop.*), raggiungere l'orgasmo **2** sgorgare.

sborsàre *v. tr.* pagare, versare, snocciolare (*scherz.*), dare (*impr.*), scucire (*fig.*), sganciare (*fig.*).

sbottàre *v. intr.* **1** [*in pianto, etc.*] erompere, esplodere (*fig.*), scoppiare (*fig.*), prorompere CONTR. contenersi **2** inveire, sfogarsi, scattare CONTR. frenarsi, trattenersi, ingoiare, subire.

sbottonàre *A v. tr.* slacciare, aprire, sganciare *B v. rifl.* confidarsi, aprirsi, scoprirsi CONTR. tacere.

sbottonàto *part. pass.; anche agg.* slacciato, aperto, allentato.

sbozzàre *v. tr.* **1** dirozzare, digrossare, disgrossare, sgrossare CONTR. finire, rifinire, terminare, compiere **2** [*un progetto*] (*est.*) delineare, schizzare, abbozzare, schematizzare.

sbracàre *v. intr. pron.* [*per qc.*] (*est.*) sbracciarsi, adoperarsi, affaticarsi CONTR. disinteressarsi, infischiarsene, fregarsene.

sbracciàrsi *v. intr. pron.* **1** gesticolare **2** sbracarsi, adoperarsi, affannarsi, ingegnarsi, sforzarsi CONTR. oziare, poltrire, fregarsene, disinteressarsi.

sbraitàre *v. intr.* **1** gridare, urlare, schiamazzare, strillare, starnazzare, vociare, protestare, strepitare, berciare, ragliare (*fig.*), latrare (*fig.*), ruggire (*fig.*), ululare (*fig.*), abbaiare (*fig.*) CONTR. mormorare, bisbigliare, sussurrare **2** (*est.*) litigare **3** (*gener.*) parlare.

sbranàre *A v. tr.* **1** squarciare, dilaniare, fare a pezzi, straziare, smembrare, squartare, divorare (*est.*) **2** [*un foglio, etc.*] (*est.*) stracciare, strappare, rompere **3** [*l'animo*] (*fig.*) squarciare, dilaniare, lacerare **4** [*un nemico, etc.*] (*est.*) attaccare, aggredire *B v. rifl. rec.* (*est.*) bisticciare, litigarsi.

sbrandellàre *v. tr.* stracciare, strappare.

sbreccàre

sbreccàre v. tr. sbeccare, sboccare, sbocconcellare (fig.), sbeccucciare, scheggiare.

sbriciolàre A v. tr. 1 [il pane, etc.] sminuzzare, spezzettare 2 [un libro, un oggetto] (est.) frantumare, disintegrare, stritolare, spappolare 3 [modi di] tritare, grattugiare, triturare, grattare, tagliuzzare, sfarinare, sfaldare B v. intr. pron. rompersi, spappolarsi, sfaldarsi, disintegrarsi, frantumarsi, stritolarsi, spezzettarsi, sfarinarsi.

sbrigàre A v. tr. 1 [un lavoro] disbrigare, finire, terminare, spicciare CONTR. insabbiare, protrarre 2 [una pratica] (bur.) disbrigare, evadere, espletare, accelerare, disimpegnare 3 [un problema] districare, sbrogliare, risolvere 4 [un cliente] (est.) soddisfare, servire, accontentare B v. intr. pron. 1 affrettarsi, spicciarsi, galoppare (fig.) CONTR. dimorare, fermarsi, indugiare, rallentare 2 disimpegnarsi, sbrogliarsi, liberarsi.

sbrigativaménte avv. 1 frettolosamente, in fretta, prontamente, sollecitamente CONTR. approfonditamente, rigorosamente, meticolosamente, pedantemente (spreg.) 2 superficialmente, sommariamente CONTR. approfonditamente.

sbrigativo agg. 1 spiccio, lesto CONTR. pignolo, accurato, diligente, scrupoloso 2 [rif. a un esame, a un'analisi, a un lavoro] malfatto, affrettato CONTR. pignolo, accurato, scrupoloso 3 [rif. all'atteggiamento] brusco, risoluto, spicciativo, frettoloso (est.), superficiale CONTR. incerto (est.), titubante (est.).

sbrigliàre A v. tr. [la fantasia, etc.] liberare, sfrenare, scatenare CONTR. imbrigliare, ostacolare, impedire, frenare, domare B v. intr. pron. sbizzarrirsi, sfrenarsi, scapricciarsi (raro) CONTR. contenersi, frenarsi, dominarsi.

sbrindellàre v. tr. 1 lacerare, stracciare, strappare, dilaniare 2 (gener.) rompere.

sbrindellóne s. m. (f. -a) straccione, sciattone, sciamannato CONTR. damerino, gagà.

sbrodolàre v. rifl. 1 intrugliarsi, insudiciarsi, imbrodolarsi 2 (gener.) sporcarsi.

sbrogliàre A v. tr. 1 [un nodo, etc.] districare, disfare, sciogliere, dipanare CONTR. imbrogliare, ingarbugliare 2 [una questione] (est.) sbrigare, risolvere, disincagliare (fig.) CONTR. complicare, intricare B v. rifl. spicciarsi, sbrigarsi, cavarsela, districarsi, arrangiarsi, disbrigarsi, liberarsi CONTR. imbrogliarsi, ingarbugliarsi, intricarsi, impegolarsi, invischiarsi.

sbrónza s. f. sbornia, ubriacatura, balla (dial.), ciucca (fam.).

sbronzàrsi v. rifl. ubriacarsi, sborniarsi, avvinazzarsi.

sbrónzo agg. ubriaco, brillo, ebbro, alticcio, rintronato (est.), stordito (est.) CONTR. sobrio.

sbròscia s. f. pappa (scherz.), poltiglia (spreg.), sbobba (spreg.).

sbruffàre A v. tr. 1 spruzzare, aspergere (colto), irrorare, schizzare 2 [qc. con regalie, etc.] (ass.) corrompere B v. intr. vantarsi, vanagloriarsi.

sbucàre A v. intr. 1 uscire 2 (est.) apparire, presentarsi B v. tr. stanare, snidare.

sbucciàre A v. tr. 1 [patate, mele, etc.] mondare, pelare 2 [piselli, fave, etc.] sgusciare 3 [le ginocchia, etc.] escoriare, spellare, scorticare B v. intr. pron. escoriarsi, spellarsi, scorticarsi.

sbucciatùra s. f. spellatura, abrasione (colto), escoriazione (colto), graffio (est.), sgraffio (est.), graffiatura (est.).

sbudellàre v. tr. 1 sventrare, sbuzzare (tosc.) 2 (est.) ferire, accoltellare 3 (gener.) ammazzare, uccidere.

sbuffàre v. intr. 1 [detto di cavallo] scalpitare, ansimare (est.), respirare (est.), fumare (est.) 2 [detto di locomotiva, etc.] soffiare.

sbugiardàre v. tr. smentire, svergognare, smascherare.

sbullettàre v. tr. schiodare.

sburràre v. tr. scremare, spannare, sfiorare (raro).

sbuzzàre v. tr. sbudellare, sventrare.

scàbbia s. f. rogna.

scàbro agg. 1 [rif. a una superficie] ruvido, aspro, ineguale CONTR. liscio, polito, levigato, molato, arrotato, lubrico (lett.), sdrucciolevole, uguale, pari 2 [rif. al terreno] (fig.) brullo, pietroso CONTR. uguale, pari, morbido 3 [rif. a uno scritto, a un discorso] essenziale, conciso 4 [rif. a un materiale] rozzo.

scabrosità s. f. inv. 1 [rif. a una superficie] asprezza, ruvidità, ruvidezza, asperità (colto), irregolarità CONTR. levigatezza, morbidezza, lisciezza 2 [rif. a argomenti] (est.) crudezza, realismo, delicatezza 3 [rif. a testi scritti] (est.) difficoltà CONTR. facilità, semplicità.

scabróso agg. 1 [rif. a un pendio, a un sentiero, etc.] difficile, malagevole, arduo CONTR. piano 2 [rif. a un argomento] (est.) difficile, arduo, delicato, spinoso (fig.).

scacchièra s. f. dama.

scacciàre v. tr. 1 [qc.] mettere alla porta, espellere, cacciare CONTR. invitare 2 [qc. da una casa in affitto] sfrattare CONTR. installare 3 [qc. da un lavoro] licenziare 4 [qc. da un paese, etc.] bandire, proscrivere, esiliare 5 [il nemico] disperdere, respingere 6 [i pensieri spiacevoli] fugare, ricacciare, rimuovere.

scàcco s. m. (pl. -chi) insuccesso, fiasco (fig.), smacco.

scadènte part. pres.; anche agg. 1 difettoso, imperfetto, mediocre, dozzinale, prosaico CONTR. pregevole, pregiato, scelto 2 insufficiente, scarso.

scadènza s. f. 1 termine, limite 2 (est.) pagamento.

scadére v. intr. 1 [detto di prodotto alimentare] deteriorarsi, passare, decadere, degradarsi 2 [detto di tempo, di pagamento, etc.] terminare, concludersi, finire 3 [detto di fama, di stima] deperire, declinare 4 [detto di oggetto] svalutarsi, deprezzarsi 5 [detto di famiglia, di situazione] degenerare, peggiorare, depauperarsi, impoverirsi CONTR. migliorare.

scadiménto s. m. 1 [della civiltà, etc.] decadenza, declino CONTR. miglioramento, incremento 2 [del livello di vita, etc.] (est.) deterioramento, abbassamento, peggioramento 3 degradazione, degrado.

scadùto *part. pass.; anche agg.* **1** vecchio (*fig.*) CONTR. fresco **2** CONTR. corrente.

scaffàle *s. m.* palco.

scagionàre *A* *v. tr.* **1** discolpare, scolpare, difendere (*est.*) CONTR. denunciare, incolpare, accusare, imputare, incriminare, tacciare **2** (*est.*) giustificare, scusare *B* *v. rifl.* **1** discolparsi, scolparsi CONTR. incolparsi, accusarsi, incriminarsi **2** (*est.*) giustificarsi, difendersi, scusarsi.

scàglia *s. f.* **1** squama **2** pezzo, scheggia, punta, falda (*raro*).

scagliàre (1) *A* *v. tr.* **1** lanciare, proiettare, tirare, buttare, gettare, scaraventare, sbalestrare, saettare, avventare (*raro*), sbattere, catapultare, inviare, precipitare **2** [*invettive*] (*est.*) lanciare, pronunciare, eruttare (*fig.*), vomitare (*fig.*) **3** [*munizioni*] sparare, scaricare *B* *v. rifl.* **1** assalire *un*, avventarsi, buttarsi, gettarsi, lanciarsi, proiettarsi, disserrarsi (*lett.*), scatenarsi (*est.*), tuffarsi (*fig.*), saltare (*est.*), scattare (*est.*) **2** [*a parole*] (*est.*) assalire *un*, inveire, apostrofare *un*.

scagliàre (2) *v. intr. pron.* **1** [*detto di pesce*] squamarsi **2** [*detto di roccia, etc.*] sfaldarsi.

scaglionàre *v. tr.* frazionare, distribuire.

scagnòzzo *s. m.* (*f. -a*) tirapiedi (*spreg.*), accolito.

scàla *s. f.* **1** [*di uso casalingo*] scaleo **2** scalinata, gradinata, scalone **3** [*di valori, di numeri*] sequenza, successione, serie, gamma **4** rapporto, proporzione, misura **5** [*di colori, etc.*] (*est.*) gradazione, ordinamento **6** [*nelle carte da gioco*] (*est.*) mano (*fig.*) **7** (*biol.*) sequenza.

scalàre (1) *v. tr.* **1** [*una vetta*] ascendere, conquistare, salire, arrampicarsi *su*, inerpicarsi *su*, issarsi *su* CONTR. scendere, discendere **2** [*qc. in un'elezione, etc.*] scavalcare, superare **3** [*una somma da un conto*] detrarre, dedurre, togliere.

scalàre (2) *agg.* graduato, graduale, progressivo, proporzionale, a scala.

scalàta *s. f.* arrampicata, ascensione, ascesa, salita CONTR. discesa.

scalatóre *s. m.* (*f. -trice*) arrampicatore.

scalcagnàto *part. pass.; anche agg.* male in arnese, malridotto, scalcinato.

scalciàre *v. intr.* calciare, ricalcitrare.

scalcinàto *part. pass.; anche agg.* malridotto, scalcagnato, male in arnese.

scaldalètto *s. m.* prete (*fig.*).

scaldàre *A* *v. tr.* **1** riscaldare CONTR. raffreddare, refrigerare, raggelare **2** [*un ferro*] riscaldare, arroventare **3** [*un alimento surgelato*] scongelare CONTR. congelare, gelare **4** [*le uova*] (*est.*) covare **5** [*gli animi*] (*est.*) eccitare, infiammare (*fig.*), accendere (*fig.*), infervorare, entusiasmare, agitare (*fig.*), appassionare, elettrizzare, commuovere, turbare CONTR. calmare, placare, quietare *B* *v. intr. pron.* **1** [*detto di casa, di ambiente*] riscaldarsi CONTR. ghiacciarsi, raffreddarsi **2** [*detto di animi*] (*est.*) accendersi, scalmanarsi, eccitarsi, infervorarsi, infiammarsi (*fig.*), accaldarsi (*fig.*), accalorarsi, animarsi, entusiasmarsi, appassionarsi, elettrizzarsi, commuoversi, turbarsi CONTR. calmarsi, quietarsi, placarsi **3** [*in una discussione*] accendersi, arrabbiarsi, perdere le staffe (*fig.*) *C* *v. rifl.* riscaldarsi.

scalèo *s. m.* scala.

scalétta *s. f.* traccia, abbozzo, schema, scheletro (*fig.*).

scalfìre *v. tr.* **1** incidere, graffiare, intagliare, segnare (*impr.*) **2** [*la sensibilità*] toccare, intaccare.

scalfittùra *s. f.* scorticatura, sgraffiatura, incisione (*est.*), taglio (*est.*), graffio (*est.*), graffiatura (*est.*).

scalinàta *s. f.* scala, gradinata, scalone.

scalìno *s. m.* **1** gradino **2** [*sociale*] (*est.*) condizione, grado.

scalmanàrsi *v. intr. pron.* **1** gesticolare, agitarsi, affaccendarsi, scaldarsi (*fig.*), preoccuparsi CONTR. calmarsi, quietarsi **2** (*est.*) affaticarsi, accaldarsi, affannarsi, sudare CONTR. raffreddarsi, riposarsi.

scàlo *s. m.* approdo, porto.

scalógna *s. f.* sfortuna, avversità CONTR. fortuna.

scalóne *s. m.* scalinata, scala.

scalpellàre *v. tr.* incidere, intagliare, scheggiare.

scalpitàre *v. intr.* **1** sbuffare, agitarsi, fremere, essere agitato, non riuscire a stare fermo, mordere il freno CONTR. pazientare **2** [*detto di cavallo*] zampare, soffiare (*est.*).

scalpóre *s. m.* **1** rumore, chiasso, clamore **2** (*est.*) curiosità, interesse, impressione, eco (*fig.*), risonanza.

scaltraménte *avv.* accortamente, astutamente, furbamente, furbescamente, machiavellicamente (*fig.*), maliziosamente, sagacemente CONTR. idiotamente, stupidamente, goffamente (*fig.*).

scaltrézza *s. f.* astuzia, furbizia, malizia, destrezza, perspicacia, furberia, sagacia, politica (*est.*) CONTR. stupidità, stoltezza, scemenza, sciocchezza, semplicioneria.

scaltrìre *A* *v. tr.* svegliare, smaliziare, dirozzare CONTR. istupidire, rincretinire *B* *v. intr. pron.* smaliziarsi, svegliarsi (*fig.*), infurbirsi, ammaliziarsi (*raro*) CONTR. rimbecillire, rincretinire, rimminchionire, istupidire, rimbambire.

scàltro *agg.* astuto, furbo, accorto, sveglio, sagace, lesto, dritto (*fam.*), malizioso, marpione, volpino (*fig.*) CONTR. ingenuo, candido, babbeo, ebete, citrullo, cretino, fesso, grullo (*tosc.*), imbecille, scemo, sciocco, sempliciotto, coglione (*volg.*), minchione (*pop.*), scempio (*lett.*).

scalzàre *v. tr.* **1** [*il piede*] denudare CONTR. calzare **2** [*un muro*] (*est.*) abbattere, atterrare, demolire **3** [*una pianta*] (*est.*) sradicare, svellere, divellere **4** [*qc. da un impiego*] (*est.*) sostituire, spodestare **5** [*qc. in senso fig.*] (*est.*) indebolire.

scambiàre *A* *v. tr.* **1** [*q.c.*] cambiare, commutare, tramutare, barattare, convertire, permutare, cedere (*est.*) **2** [*qc. o q.c. per altro*] confondere, sbagliare, equivocare CONTR. discernere, distinguere **3** [*gli auguri, etc.*] ricambiare, contraccambiare, rendere, restituire **B** *v. rifl. rec.* [*auguri, etc.*] ricambiarsi, contraccambiarsi, darsi, farsi.

scambiévole *agg.* reciproco, vicendevole, mutuo **CONTR.** unilaterale.

scambievolménte *avv.* vicendevolmente, a vicenda, mutuamente.

scàmbio *s. m.* **1** [*tipo di*] compravendita, baratto, permuta, cambio **2** mercato, commercio **3** [*rif. a una persona*] confusione, errore **4** [*di doni*] ricambio **5** [*rif. ai treni*] (*ferr.*) deviatoio.

scampagnàta *s. f.* camminata, passeggiata, escursione, gita, picnic (*est.*).

scampanellàta *s. f.* sonata, trillo.

scampàre A *v. tr.* **1** [*un pericolo*] scansare, sfuggire, evitare, schivare, scapolare (*fam.*), evadere **2** [*qc.*] liberare, salvare, tutelare, proteggere **B** *v. intr.* **1** salvarsi, sottrarsi **2** rifugiarsi, nascondersi.

scàmpo (1) *s. m.* salvezza, liberazione, rimedio (*est.*), soluzione (*est.*), redenzione (*raro*), riparo.

scàmpo (2) *s. m.* **1** (*zool.*) nefrope, gamberone (*fam.*) **2** (*gener.*) crostaceo.

scàmpolo *s. m.* avanzo, rimanenza, resto, taglio, ritaglio.

scanalàre *v. tr.* incavare, scannellare.

scanalatùra *s. f.* incavo, scannellatura, rigatura.

scandagliàre *v. tr.* **1** [*il fondo marino*] (*est.*) sondare, esplorare, saggiare, esaminare, provare **2** [*qc., l'animo di qc., etc.*] (*est.*) inquisire, interrogare, investigare, osservare, indagare **3** [*il rischio, etc.*] (*est.*) sondare, esplorare, saggiare, soppesare, calcolare, tastare (*fig.*).

scandalizzàre A *v. tr.* offendere, turbare, disgustare, scioccare **CONTR.** edificare **B** *v. intr. pron.* **1** indignarsi, sdegnarsi, turbarsi, vergognarsi **2** (*est.*) formalizzarsi.

scandalizzàto *part. pass.; anche agg.* turbato, schifato, disgustato.

scàndalo *s. m.* **1** [*spec. con: provocare uno*] sconvolgimento, turbamento **2**

[*spec. con: essere uno*] indecenza, oscenità, sconcezza, indegnità, vergogna, orrore, porcheria **3** [*spec. con: fare*] (*est.*) chiasso, clamore, putiferio.

scandalóso *agg.* **1** [*rif. a una persona, a una cosa*] immorale, vergognoso, infame **CONTR.** casto **2** [*rif. al comportamento*] (*est.*) indecente, osceno, sconcio **CONTR.** casto, verecondo, morale **3** (*scherz.*) eccessivo, smodato.

scandìre *v. tr.* **1** [*le lettere*] sillabare, articolare, staccare **CONTR.** balbettare, balbutire **2** [*le parole*] (*est.*) accentare, accentuare **CONTR.** barbugliare, biascicare, borbottare, farfugliare **3** [*il tempo*] battere, ritmare, cadenzare, marcare **4** [*le ore*] (*est.*) scoccare, suonare.

scannàre A *v. tr.* **1** [*il bestiame*] ammazzare, macellare, mattare, sgozzare **2** [*qc.*] (*est.*) ammazzare, trucidare, assassinare, fare fuori, fare la pelle *a*, uccidere **B** *v. rifl. rec.* ammazzarsi.

scannellàre *v. tr.* scanalare.

scannellatùra *s. f.* scanalatura.

scànno *s. m.* **1** (*gener.*) sedile, sedia **2** trono (*est.*), seggio **3** (*est.*) grado **4** podio.

scansàre A *v. tr.* **1** [*qc.*] evitare, schivare, fuggire **CONTR.** avvicinare, cercare **2** [*un pericolo*] scampare, scongiurare, parare, eludere, scapolare **CONTR.** affrontare, fronteggiare **3** [*un ostacolo*] aggirare **B** *v. rifl.* **1** scostarsi, discostarsi, allontanarsi, staccarsi **CONTR.** avvicinarsi, accostarsi **2** (*est.*) esimersi, rifiutarsi.

scansióne *s. f.* articolazione, pronuncia.

scantinàto *s. m.* seminterrato, cantina, fondo (*pop.*) **CONTR.** soffitta, sottotetto.

scantonàre A *v. intr.* scappare, svignarsela (*fam.*) **B** *v. tr.* sagomare (*est.*).

scapacció ne *s. m.* **1** (*gener.*) colpo, percossa **2** schiaffo, sberla, manata.

scapigliàre *v. tr. e intr. pron.* rabbuffare, scarmigliare, spettinare, arruffare **CONTR.** pettinare, ravviare, lisciare, acconciare.

scapitàre *v. intr.* perdere, rimetterci, rovinarsi **CONTR.** guadagnare, profittare.

scàpito *s. m.* discapito, danno, perdita, detrimento, svantaggio, rimessa **CONTR.** vantaggio, guadagno, profitto.

scapolàre (1) A *v. tr.* **1** [*un ostacolo*] (*mar.*) doppiare **2** [*un pericolo, una noia*] sfuggire, scampare, evitare, scansare, evadere **CONTR.** incontrare, incappare *in*, incorrere *in* **B** *v. intr.* svignarsela (*fam.*), sottrarsi, liberarsi.

scapolàre (2) *s. m.* (*gener.*) distintivo.

scàpolo *agg.; anche s. m.* celibe.

scappàre *v. intr.* **1** fuggire, svignarsela (*fam.*), squagliarsela (*fig.*), alzare i tacchi (*scherz.*), fare fagotto (*scherz.*), levare le tende (*fam.*), filare (*fam.*), scantonare, sgattaiolare, darsela a gambe (*fam.*), dileguarsi (*fig.*), allontanarsi, telare (*fam.*) **CONTR.** arrivare, presentarsi, accorrere, appressarsi **2** [*dal carcere*] fuggire, svignarsela (*fam.*), evadere, prendere il largo (*fam.*) **CONTR.** consegnarsi **3** [*detto di liquidi*] fuoriuscire **4** [*in un luogo*] correre, affrettarsi, fare un salto (*fam.*), fare una scappata (*fam.*), fare una corsa **CONTR.** trattenersi **5** [*dalle mani*] sguisciare, sfuggire, scivolare **6** [*detto di pazienza*] (*est.*) perdere *un* **7** [*da piangere, da ridere*] (*est.*) sfuggire, avere voglia di, venire (*fig.*).

scappàta *s. f.* corsa, puntata, salto (*fig.*), passo, viaggio (*est.*), incursione (*fig.*).

scappatóia *s. f.* pretesto, espediente, appiglio (*fig.*), rimedio, risorsa, sotterfugio.

scappellàre *v. rifl.* **1** sberrettarsi (*est.*) riverire, salutare, ossequiare.

scapricciàre A *v. tr.* togliere i grilli dalla testa **B** *v. intr. pron.* sbizzarrirsi, scatenarsi, sfogarsi, sbrigliarsi **CONTR.** contenersi, frenarsi, moderarsi, trattenersi.

scarabàttola *s. f.* V. *carabattola*.

scarabocchiàre *v. tr.* sgorbiare, scrivere, disegnare, scribacchiare.

scarabòcchio *s. m.* ghirigoro, sgorbio, frego.

scaracchiàre *v. intr.* scatarrare, espettorare, sputacchiare, sputare.

scarafàggio *s. m.* **1** (*gener.*) insetto **2** blatta, piattola, bacherozzo (*roman.*).

scaramanzìa *s. f.* scongiuro.

scaramùccia *s. f.* **1** [*verbale*] schermaglia, controversia **2** tafferuglio, zuffa.

scaraventàre *v. tr.* **1** sbattere, proiettare, scagliare, gettare, buttare, lanciare, avventare (*raro*), sbalestrare **2** [*q.c. nel vuoto*] sbattere, proiettare, precipitare **3** [*qc. in un'altra sede*] trasferire, spostare **4** [*qc. di sella*] sbalzare.

scarceràre *v. tr.* liberare, dimettere **CONTR.** detenere, imprigionare, incarcerare, carcerare.

scardassàre *v. tr.* **1** [*la lana*] cardare, pettinare **2** (*est.*) maltrattare, bistrattare, malmenare, strapazzare.

scardinàre *v. tr.* dissestare, sgangherare, scassinare (*est.*) **CONTR.** incardinare.

scàrica *s. f.* (*pl. -che*) **1** [*di un'arma da fuoco*] raffica, sventagliata **2** [*una grande quantità di q.c.*] (*fig.*) raffica, rovescio, subisso, valanga **3** [*di intestino*] evacuazione **4** [*di elettricità*] scossa.

scaricàre *A v. tr.* **1** [*qc. di un peso*] liberare, alleggerire, sgravare **CONTR.** caricare, gravare **2** [*la merce*] depositare, deporre, sbarcare, passare (*est.*) **3** [*liquidi*] versare **4** [*i colpi di un'arma*] sparare **5** [*un ordigno*] disattivare **6** [*l'ira, etc.*] sfogare **7** [*le pile, la batteria*] esaurire **8** [*la responsabilità*] riversare, addossare **9** [*una serie di insulti*] scagliare, rovesciare **10** [*un recipiente*] svuotare, vuotare *B v. rifl.* **1** liberarsi, alleggerirsi, sbarazzarsi, sgravarsi **CONTR.** gravarsi, caricarsi **2** [*in senso morale*] (*est.*) sfogarsi, distendersi, rilassarsi *C v. intr. pron.* **1** [*detto di fiume, etc.*] gettarsi, sfociare, sboccare, finire **2** [*detto di fulmine*] scoppiare (*fam.*) **3** [*detto di pila, etc.*] esaurirsi.

scàrico *agg.* (*pl. m. -chi*) **1** sgombro, libero, vuoto *di*, privo *di* **CONTR.** carico, pieno **2** [*rif. a un meccanismo*] esaurito.

scarificàre *v. tr.* scarnificare, scarnare, scarnire, raschiare, spolpare.

scarlàtto *A agg.* rosso, vermiglio *B s. m.* **1** (*gener.*) colore **2** rosso.

scarmigliàre *A v. tr.* arruffare, scapigliare, spettinare, scarruffare **CONTR.** pettinare, ravviare, lisciare *B v. intr. pron.* arruffarsi, spettinarsi.

scarnàre *v. tr.* scarificare (*colto*), scarnire, spolpare, raschiare, scarnificare.

scarnificàre *v. tr.* scarnire, raschiare, spolpare, scarificare (*colto*), scarnare.

scarnire *v. tr.* scarnificare, scarificare (*colto*), scarnare, raschiare, spolpare.

scàrno *agg.* **1** [*rif. a una persona*] magro, affilato (*fig.*), smunto, emaciato, smilzo **CONTR.** pingue **2** [*rif. alle idee*] (*fig.*) insufficiente, povero **CONTR.** ricco **3** [*rif. allo stile*] spoglio, essenziale **CONTR.** ampolloso, retorico.

scàrpa (1) *s. f.* **1** calzatura, calzare (*lett.*) **2** [*spec. in loc.: essere una*] (*fig.*) zero, schiappa, cane **CONTR.** asso, campione, genio.

scàrpa (2) *s. f.* scarpata.

scarpàro *s. m.* **1** calzolaio, ciabattino **2** [*rif. a una persona, spec. a un medico*] (*fig.*) cane.

scarpàta *s. f.* **1** pendio, burrone **2** terrapieno, argine.

scarpinàta *s. f.* camminata.

scarruffàre *v. tr.* scarmigliare, spettinare, scompigliare, arruffare.

scarsaménte *avv.* poco, limitatamente, modestamente, poveramente, magramente **CONTR.** assai, abbastanza, ampiamente, abbondantemente, copiosamente, doviziosamente (*lett.*), considerevolmente, consistentemente, enormemente, largamente, lautamente, profusamente, sufficientemente.

scarseggiàre *v. intr.* difettare, mancare **CONTR.** eccedere, ridondare, abbondare.

scarsézza *s. f.* **1** penuria, scarsità,

mancanza, povertà, carestia **CONTR.** abbondanza, ricchezza, dovizia (*lett.*), esuberanza **2** insufficienza, inadeguatezza, pochezza **3** (*est.*) rarità.

scarsità *s. f. inv.* penuria, mancanza, carenza, scarsezza, insufficienza, ristrettezza, pochezza **CONTR.** superfluità, abbondanza, ricchezza.

scàrso *agg.* **1** inadeguato, insufficiente, carente, manchevole, deludente (*est.*), scadente (*est.*) **CONTR.** abbondante, copioso, lauto, cospicuo, dovizioso, indicibile, strepitoso, infinito, numeroso, opulento, soverchio (*lett.*) **2** [*rif. a un pasto, a un guadagno*] frugale, modesto, misero, esiguo, ristretto, magro, parco, piccolo **CONTR.** abbondante, copioso, lauto, cospicuo, strepitoso, sostanzioso **3** [*rif. a un abito*] corto, stretto **CONTR.** abbondante, largo **4** (*temp.*) rado, infrequente **5** [*rif. allo stipendio, alla paga*] (*est.*) basso **CONTR.** abbondante, lauto, copioso, cospicuo, strepitoso, favoloso **6** [*rif. al tempo*] (*est.*) limitato, relativo **CONTR.** abbondante, largo **7** [*rif. a un rimedio*] inefficace **CONTR.** strepitoso, efficace **8** [*rif. a una persona*] (*fam.*) negato **CONTR.** ferrato.

scartabellàre *v. tr.* (*est.*) consultare, esaminare, dare una scorsa a.

scartàre (1) *v. tr.* sballare, scartocciare, aprire, sfasciare, sviluppare (*raro*) **CONTR.** imballare, incartare, involgere, involtare.

scartàre (2) *v. tr.* **1** eccettuare, escludere, eliminare, tralasciare, rifiutare, lasciare fuori, liquidare, respingere, ricusare **CONTR.** scegliere, recuperare **2** (*mil.*) inabilitare, riformare **CONTR.** arruolare, abilitare.

scartàre (3) *A v. intr.* deviare, piegarsi *B v. tr.* (*sport*) superare, dribblare.

scartàta *s. f.* scarto, deviazione.

scàrto (1) *s. m.* avanzo, resto, scoria, residuo, ciarpame (*est.*), rifiuto.

scàrto (2) *s. m.* **1** scartata, salto **2** (*est.*) deviazione, spostamento **3** [*tra persone, tra cose*] differenza, distanza, disavanzo, distacco **4** [*margine di*] tolleranza, riduzione.

scartocciàre *v. tr.* **1** aprire, scartare,

svolgere, disfare, sfasciare **CONTR.** accartocciare, incartare, fasciare **2** [*il granoturco*] spannocchiare.

scassàre (1) *A v. tr.* **1** rompere, spaccare, sfasciare, sconquassare, sfondare, sforzare, rovinare, guastare, disfare **2** [*una serratura, etc.*] scassinare, forzare **3** [*il terreno*] dissodare *B v. intr. pron.* rompersi, rovinarsi, guastarsi, sconquassarsi, spaccarsi, sfasciarsi.

scassàre (2) *v. tr.* [*la merce*] levare, togliere.

scassinaménto *s. m.* scasso.

scassinàre *v. tr.* forzare, sfondare, scassare, sforzare, scardinare, manomettere, rompere, sconquassare, sgangherare, aprire (*est.*).

scàsso *s. m.* effrazione, rottura, scassinamento.

scatarràre *v. intr.* scaracchiare, espettorare, sputacchiare, sputare.

scatenàre *A v. tr.* **1** [*il popolo*] aizzare, sollevare, incitare, istigare, spingere **CONTR.** mansuefare, reprimere, contenere, moderare, frenare **2** [*una conseguenza*] provocare, causare **3** [*l'animo*] eccitare, destare (*fig.*), accendere (*fig.*) **4** [*la fantasia*] sfrenare, sbrigliare **5** [*un essere vivente*] sciogliere **CONTR.** legare, incatenare *B v. intr. pron.* **1** [*detto di guerra, etc.*] scoppiare, divampare **CONTR.** cessare **2** [*detto di epidemia, etc.*] imperversare, infuriare **3** [*detto di popolo*] insorgere, sollevarsi, agitarsi (*raro*) **CONTR.** calmarsi, quietarsi **4** [*detto di fantasia*] (*fig.*) galoppare *C v. rifl.* **1** [*dalle catene*] sciogliersi, liberarsi **2** sfrenarsi, folleggiare, scapricciarsi **CONTR.** dominarsi, reprimersi, contenersi, frenarsi, moderarsi, trattenersi **3** [*contro qc. o q.c.*] gettarsi, scagliarsi, inveire.

scàtola *s. f.* **1** (*gener.*) contenitore **2** [*tipo di*] astuccio, custodia, cofanetto.

scattànte *part. pres.; anche agg.* **1** [*rif. a una persona*] sveglio, attivo, veloce, agile (*fig.*) **CONTR.** lento, impacciato **2** [*rif. a un moto, a un movimento*] nervoso **CONTR.** lento, misurato.

scattàre *v. intr.* **1** balzare, saltare, slanciarsi, sbalzare (*raro*) **2** [*a causa*

dell'ira, del nervosismo*] scoppiare (*fig.*), sbottare, prorompere, erompere **CONTR.** frenarsi, moderarsi, contenersi, trattenersi **3** [*detto di molla, di congegno, etc.*] liberarsi, funzionare **4** [*detto di ora legale, etc.*] cominciare **CONTR.** finire **5** [*contro qc.*] scoppiare (*fig.*), scagliarsi, reagire **6** [*per paura, etc.*] trasalire **7** [*detto di meccanismo*] scroccare (*raro*).

scàtto *s. m.* **1** (*gener.*) moto, movimento **2** [*tipo di*] balzo, salto, slancio, sussulto **3** [*di rabbia*] impeto, scoppio **4** [*di un meccanismo*] scoppio **5** [*spec. rif. ai cavalli*] (*sport*) spunto, sprint (*ingl.*).

scaturire *v. intr.* **1** [*detto di acqua, etc.*] sgorgare, fuoriuscire, erompere, fluire, pullulare, zampillare, rampollare (*raro*), uscire (*impr.*) **2** [*detto di corso d'acqua*] nascere, originarsi, derivare, provenire, sorgere **3** [*detto di amore, di poesia*] (*fig.*) sbocciare **4** [*detto di odore*] emanare, sprigionarsi **5** [*come deduzione logica*] (*est.*) conseguire, risultare **6** [*detto di bene, di male, etc.*] (*est.*) procedere, dipendere.

scavalcàre *v. tr.* **1** [*un ponte, etc.*] passare, oltrepassare, valicare, passare sopra **2** [*qc.*] sopravanzare, sorpassare, superare, scalare **3** [*detto di cavallo*] disarcionare, appiedare.

scavallàre *v. intr.* **1** scorrazzare **2** fare il diavolo a quattro.

scavàre *v. tr.* **1** [*detto di acqua*] erodere, corrodere (*est.*) **2** [*il viso, le guance*] incavare, smagrire **3** (*est.*) disseppellire, dissotterrare, estrarre, esumare **4** [*il fiume, etc.*] (*est.*) dragare **5** (*est.*) indagare, approfondire, investigare, scrutare.

scavàto *part. pass.; anche agg.* **1** [*rif. a una persona*] smunto, emaciato, magro **2** incavato.

scavezzàre *v. tr.* spezzare.

scàvo *s. m.* **1** [*della manica, della scollatura*] incavatura, incavo **2** [*nel terreno*] solco, fosso, buca.

scazzàrsi *v. intr. pron.* **1** scoglionarsi (*volg.*), annoiarsi, seccarsi, infastidirsi, scocciarsi (*pop.*) **2** calmarsi, quietarsi, distendersi **CONTR.** incazzarsi, incavolarsi, arrabbiarsi, irritarsi.

scégliere *v. tr.* **1** prescegliere, preferire **2** anteporre, prediligere **3** [*un candidato*] designare, eleggere, votare, delegare, nominare **4** [*una via, in senso fig.*] optare per, orientarsi a, decidere **5** selezionare, discernere, separare **6** [*le parole adatte, etc.*] (*est.*) ricercare.

scelleràggine *s. f.* **1** infamia, atrocità, iniquità, cattiveria **2** [*l'azione*] infamia, atrocità, iniquità, cattiveria, delitto, misfatto.

scelleratàmente *avv.* criminosamente, criminalmente, empiamente, iniquamente, esecrabilmente, perversamente, perfidamente, malvagiamente **CONTR.** onestamente, umanamente.

scelleratézza *s. f.* **1** nefandezza, atrocità, infamia, cattiveria **2** [*l'azione*] misfatto, delitto, canagliata, turpitudine.

scelleràto *A agg.* **1** [*rif. al sentire religioso*] infame, iniquo, nefando, sciagurato, delittuoso, criminoso, cattivo, malvagio, reo, rio (*lett.*) **CONTR.** pio, buono **2** [*rif. al sentire religioso*] profano (*est.*) *B s. m.* (*f. -a*) malvagio, infame.

scélta *s. f.* **1** decisione, dilemma, alternativa, bivio (*fig.*), opzione **2** [*tra più candidati, etc.*] selezione, elezione **3** [*dei dati, etc.*] (*est.*) spoglio (*fig.*), classificazione **4** [*di merci, etc.*] (*est.*) varietà, assortimento **5** [*di opere, di brani*] (*est.*) selezione, antologia, crestomazia (*lett.*), rassegna.

scélto *part. pass.; anche agg.* **1** selezionato, eletto, nominato, preferito (*est.*), favorito (*est.*) **CONTR.** dozzinale, ordinario, scadente **2** speciale, eccellente, elegante (*est.*), raffinato (*est.*) **3** [*rif. a una persona*] abile, specializzato.

scemàre *A v. tr.* **1** [*i prezzi*] calare, diminuire, ridurre, mitigare, ribassare **CONTR.** maggiorare, moltiplicare, aumentare **2** [*le scorte, etc.*] diminuire, ridurre, assottigliare *B v. intr.* **1** [*detto di luce, etc.*] attenuarsi, declinare, digradare, decrescere **2** [*in quanto al peso*] assottigliarsi **3** [*detto di debito, etc.*] scalare **4** [*detto di gioia, vivacità*] languire, mancare **5** [*detto di ira, etc.*] attenuarsi, sbollire.

scemènza s. f. 1 idiozia, scempiaggine, stupidaggine, stoltezza, imbecillità, stupidità, demenza, stolidezza, cretineria, dissennatezza, puerilità, imbecillaggine CONTR. intelligenza, sagacia, perspicacia, scaltrezza 2 [*l'azione*] idiozia, scempiaggine, stupidaggine, cretinata, baggianata, corbelleria 3 [*rif. a un libro, etc.*] scempiaggine, baggianata, cacca (*volg.*).

scémo A agg. 1 [*rif. a una persona*] stupido, imbecille, idiota, pazzo (*est.*) CONTR. marpione (*spreg.*), furbo, scaltro, sbirro (*dial.*) 2 [*rif. a cosa*] (*est.*) scempio, insulso B s. m. (f. -a) idiota, imbecille.

scempiàggine s. f. scemenza, stupidaggine, idiozia, sciocchezza, cretineria, imbecillità CONTR. sagacia, ingegno, intelligenza.

scèmpio (1) s. m. 1 strazio, massacro, strage, sterminio, eccidio 2 [*di un'opera pittorica, etc.*] danno, deturpamento, deturpamento 3 (*est.*) sciupio, rovina 4 [*di un'opera teatrale, etc.*] strazio, massacro.

scèmpio (2) A agg. 1 [*rif. a cosa*] semplice CONTR. doppio 2 [*rif. a una consonante*] (*ling.*) semplice, breve 3 sciocco, scemo CONTR. intelligente, sveglio, scaltro B s. m. (f. -a) scemo, sciocco, citrullo.

scèna s. f. 1 scenata, piazzata, sceneggiata 2 (*est.*) teatro, palcoscenico 3 [*spec. con: lasciare la*] (*est.*) attività 4 [*spec. con: assistere a una*] (*est.*) fatto, azione, avvenimento, situazione 5 [*rif. al teatro*] (*est.*) scenario, fondale 6 (*est.*) scenario, fondale, veduta (*fig.*), vista (*fig.*), spettacolo, quadro (*fig.*).

scenàrio s. m. 1 apparato scenico, scena (*est.*), fondale (*est.*) 2 [*di un romanzo, di un film, etc.*] sfondo, paesaggio, ambiente 3 (*cine*) sceneggiatura (*est.*), canovaccio (*est.*).

scenàta s. f. 1 scena, piazzata, sceneggiata, chiassata 2 (*est.*) litigio.

scéndere A v. intr. 1 [*da un luogo posto in alto*] discendere CONTR. issarsi, salire, inerpicarsi, scalare, arrampicarsi 2 [*detto di terreno, etc.*] pendere, abbassarsi, digradare, scoscendere (*poet.*) 3 [*detto di abito, etc.*] pendere, cadere, ricadere 4 [*detto di neve, etc.*] piovere, fioccare 5 [*detto di fiume, etc.*] defluire, fluire 6 [*in un albergo, etc.*] fermarsi, sostare 7 [*a compromessi, etc.*] abbassarsi, piegarsi, indursi 8 [*detto di prezzi, etc.*] abbassarsi, calare, decrescere, ribassare 9 [*da un'imbarcazione, da un aereo*] smontare, sbarcare CONTR. imbarcarsi 10 [*detto di notte, di sera*] discendere, cadere, calare B v. tr. 1 [*una scala, etc.*] discendere CONTR. salire 2 [*un cesto, etc.*] calare.

scendilètto s. m. (*gener.*) tappeto.

sceneggiàta s. f. 1 messinscena (*pop.*) 2 scenata, piazzata, litigio (*est.*), scena, litigata.

sceneggiatùra s. f. 1 (*cine*) scenario (*est.*) 2 messinscena (*fig.*).

scenograficaménte avv. spettacolarmente.

scervellàrsi v. intr. pron. arrovellarsi, lambiccarsi, almanaccare, torturarsi, spremersi, ammattire (*fig.*), impazzire (*fig.*), pensare, riflettere.

scetticìsmo s. m. 1 incredulità CONTR. convinzione 2 (*est.*) indifferenza CONTR. fiducia, fede 3 (*est.*) diffidenza, sfiducia, disincanto CONTR. ottimismo.

scèttico A agg. 1 incredulo, dubbioso, diffidente CONTR. credulone, ingenuo, semplicione 2 [*rif. all'atteggiamento*] (*filos.*) indifferente, imperturbabile B s. m. (f. -a) (*filos.*) aporetico.

scèttro s. m. 1 verga 2 (*est.*) potere, predominio.

sceveràre o **scevràre** v. tr. selezionare, vagliare, separare, distinguere, differenziare, discernere CONTR. mescolare, mischiare, confondere.

scevràre v. tr. V. sceverare.

schèda s. f. modulo.

schedàre v. tr. catalogare, registrare.

schedàrio s. m. casellario.

schedatùra s. f. 1 catalogazione, classificazione 2 [*della popolazione*] censimento.

schèggia s. f. (pl. -ge) scaglia, briciola, frammento.

scheggiàre v. tr. 1 rompere, sbeccare, sbreccare, sbeccucciare, crepare 2 scalpellare.

schèletro s. m. 1 ossa, carcassa (*est.*) 2 [*di una costruzione, etc.*] (*est.*) anima, ossatura, armatura, telaio 3 [*di un romanzo, di un film, etc.*] (*fig.*) schema, trama, scaletta.

schèma s. m. 1 abbozzo, scheletro (*fig.*), disegno, proposta, traccia, scaletta, idea (*est.*), progetto (*est.*), quadro 2 [*di una città, etc.*] sistema, abitudine 3 [*di battaglia, di gioco*] modulo, ordine, piano 4 [*di un romanzo, etc.*] (*fig.*) trama, orditura, intreccio, struttura.

schemàtico agg. 1 sommario 2 [*rif. a idee, a un ragionamento*] (*spreg.*) rigido, limitato.

schematizzàre v. tr. 1 riassumere, condensare, sunteggiare CONTR. sviluppare 2 accennare, sbozzare, modellare 3 (*est.*) semplificare.

scheràno s. m. sgherro, sbirro, gorilla (*fig.*), giannizzero.

schèrma s. f. sing. (*gener.*) sport.

schermàglia s. f. battibecco (*est.*), discussione, scaramuccia, disputa.

schermàre v. tr. 1 riparare, velare, nascondere 2 riparare, difendere, corazzare, proteggere.

schermatùra s. f. 1 isolamento 2 (*est.*) maschera, schermo.

schermìre A v. intr. [*un colpo di spada*] evitare, schivare B v. rifl. 1 negarsi, sottrarsi, esimersi, eludere, nicchiare, sfuggire CONTR. esporsi 2 [*dal sole, freddo, etc.*] difendersi, proteggersi, ripararsi 3 (*sport*) destreggiarsi.

schérmo s. m. 1 riparo, difesa, schermatura 2 (*fig.*) paravento, maschera, velo 3 (*est.*) video 4 (*est.*) cinema.

schernìre v. tr. deridere, sfottere (*pop.*), dileggiare, beffeggiare, vilipendere, beffare, irridere, burlare, canzonare, coglionare (*volg.*), disprezzare, farsi beffe di, fischiare, insultare, minchionare (*pop.*), motteggiare, offendere, prendere per i fondelli (*pop.*), sbeffare, sbertucciare (*raro*), scherzare (*dial.*) CONTR. adulare, elogiare, lodare.

schernito *part. pass.; anche agg.* deriso, dileggiato, irriso.

schérno *s. m.* derisione, dileggio, spregio, sarcasmo, ironia, motteggio, beffa, irrisione, canzonatura **CONTR.** elogio, adulazione, plauso, ammirazione.

scherzàre *A v. tr.* deridere, dileggiare, motteggiare, schernire, canzonare *B v. intr.* **1** giocare, ruzzare (*tosc.*), trastullarsi **2** ironizzare.

schérzo *s. m.* **1** gioco **2** facezia, frizzo, battuta, celia, amenità **3** burla, motteggio, tiro (*fig.*), bidone (*pop.*) **4** (*est.*) ciancia **5** (*mus.*) capriccio.

scherzosaménte *avv.* burlescamente, per scherzo, giocosamente, beffardamente, facetamente **CONTR.** seriamente, austeramente, solennemente, severamente, drammaticamente.

scherzóso *agg.* giocoso, brioso, faceto, allegro, burlesco **CONTR.** austero, serio.

schiacciànte *part. pres.; anche agg.* **1** opprimente, soffocante, pesante, penoso **2** [*rif. a una prova, a un'accusa, etc.*] irrefutabile, incontestabile.

*∗**schiacciàre** *A v. tr.* **1** [*un oggetto*] appiattire, deformare, ammaccare **2** [*qc.*] opprimere, tiranneggiare, annientare, annichilire, umiliare, reprimere **3** [*q.c. con i piedi*] calpestare, calcare, pressare **4** [*uva, olive, granaglie*] frangere, pestare, pigiare, torchiare, spremere, macinare, battere **5** [*parti del corpo*] stritolare, sfracellare, spappolare **6** [*il busto, il ventre*] premere, comprimere *B v. intr. pron.* **1** appiattirsi, farsi piatto, deformarsi **2** schiantarsi, maciullarsi, sfracellarsi.

schiacciàta *s. f.* focaccia.

schiacciàto *part. pass.; anche agg.* **1** ammaccato, sformato **2** [*rif. al viso*] piatto.

schiacciatùra *s. f.* **1** pigiatura **2** [*rif. alla carta, al tessuto, etc.*] (*est.*) acciaccatura, ammaccatura, deformazione.

schiaffàre *v. tr.* [*qc. in carcere*] sbattere, buttare.

schiaffeggiàre *v. tr.* (*gener.*) percuotere, picchiare.

schiàffo *s. m.* **1** ceffone, sberla, manrovescio, pacca, sganascione (*scherz.*), rovescio, scapaccione **CONTR.** carezza **2** (*gener.*) colpo, percossa **3** [*morale*] (*est.*) umiliazione, mortificazione.

schiamazzàre *v. intr.* vociare, gridare, strepitare, sbraitare, rumoreggiare, tumultuare, gracchiare (*fig.*), starnazzare (*fig.*), protestare (*est.*), litigare (*est.*).

schiamàzzo *s. m.* rumore, chiasso, baraonda, strepito, vocio, chiassata, vociare **CONTR.** silenzio.

schiantàre *A v. intr.* crepare (*pop.*), schiattare (*fam.*), morire, perire (*lett.*), decedere (*colto*), scoppiare (*fig.*) *B v. tr.* **1** fracassare, spaccare, stroncare **2** [*il cuore*] (*est.*) spezzare, ferire *C v. intr. pron.* **1** rompersi, abbattersi, crollare, schiacciarsi, fracassarsi **2** [*in un incidente d'auto, etc.*] ammazzarsi.

schiànto *s. m.* **1** scoppio, esplosione, rumore **2** [*al cuore*] (*est.*) strappo, dolore, fitta **3** [*rif. a una persona*] (*est.*) portento, bellezza, meraviglia.

schiàppa *s. f.* (*fig.*) mezza cartuccia, sbercia, scarpa, cane **CONTR.** asso, atleta, campione.

schiarire *A v. tr.* **1** [*l'ambiente, etc.*] illuminare **CONTR.** incupire, oscurare **2** [*la mente*] (*est.*) illuminare, snebbiare **CONTR.** offuscare, ottenebrare, annebbiare **3** [*un bosco, etc.*] diradare, sfoltire **4** [*i capelli*] tingere, decolorare **5** [*i colori*] sbiadire **CONTR.** ravvivare **6** [*la voce*] rischiarare **7** [*il vino*] chiarificare, illimpidire **8** [*il cielo*] rasserenare *B v. intr. pron.* **1** [*detto di cielo*] rasserenarsi, rischiarare, imbiancarsi (*fig.*), allargarsi (*fig.*) **CONTR.** scurirsi, abbuiarsi, diventare nuvoloso, diventare oscuro **2** [*detto di persona*] impallidire **CONTR.** abbronzarsi **3** [*detto di tessuto*] sbiadire, scolorire, stingere **4** [*detto di vino, etc.*] depurarsi **CONTR.** intorbidarsi, diventare meno chiaro, diventare torbido *C v. intr. impers.* farsi giorno.

schiàtta *s. f.* stirpe, discendenza, lignaggio, ceppo (*fig.*), prosapia (*colto*), razza, genia, seme (*fig.*), casata,

dinastia.

schiattàre *v. intr.* **1** morire, crepare, schiantare **2** [*per l'ira, per la rabbia*] (*fig.*) schiantare, vibrare, scoppiare, fremere.

schiàva *s. f.* ancella (*est.*).

schiavista *A s. m.* **1** negriero, negriere (*raro*) **2** (*est.*) aguzzino, sfruttatore *B agg.* schiavistico.

schiavistico *agg.* opprimente **CONTR.** liberale.

schiavitù *s. f. inv.* **1** cattività, prigionia, ceppo (*fig.*), catena (*fig.*) **CONTR.** libertà **2** (*est.*) oppressione **3** (*est.*) asservimento, soggezione, dipendenza **CONTR.** autonomia, indipendenza, emancipazione.

schiavizzàre *v. tr.* sottomettere **CONTR.** emancipare, rendere libero, affrancare, liberare.

schiàvo *A s. m.* (*f. -a*) **1** servo, prigioniero **CONTR.** signore **2** [*delle passioni, etc.*] (*fig.*) prigioniero, preda *B agg.* dipendente, sottomesso, soggiogato **CONTR.** affrancato, libero, emancipato, redento (*lett.*).

schièna *s. f.* **1** dorso, tergo, groppone (*scherz.*), spalla **CONTR.** petto **2** [*rif. agli animali*] groppa.

schienàle *s. m.* spalliera.

schièra *s. f.* **1** (*est.*) stuolo, moltitudine, folla, massa, gruppo **2** (*mil.*) reparto, ordine, rango, riga, colonna **3** numero **4** [*di eventi, etc.*] (*fig.*) catena.

schieraménto *s. m.* **1** allineamento, ordinamento, disposizione **2** [*di una squadra*] formazione, composizione **3** [*politico, etc.*] insieme, coalizione, area, raggruppamento.

schieràre *A v. tr.* allineare, ordinare, disporre, mettere in fila **CONTR.** scompigliare *B v. rifl.* **1** allinearsi, ordinarsi **2** mettersi dalla parte di.

schiettaménte *avv.* spontaneamente, sinceramente, apertamente, candidamente, naturalmente, francamente, genuinamente, chiaramente, veracemente, senza peli sulla lingua **CONTR.** doppiamente, artificiosamente, con tatto (*iron.*), falsamente, fintamente, ambiguamente, enigmaticamente, mascheratamente, elusivamente, leziosamente, mellifluamente, affettatamente, viscidamente (*fig.*).

schiettézza *s. f.* **1** franchezza, sincerità, chiarezza, lealtà (*est.*) **CONTR.** ipocrisia, falsità, doppiezza **2** [*rif. agli alimenti*] genuinità, purezza **CONTR.** adulterazione, falsificazione, sofisticazione **3** [*rif. al modo di fare*] (*est.*) semplicità **4** (*gener.*) qualità.

schiètto *agg.* **1** [*rif. a una persona*] (*fig.*) sincero, franco, leale, chiaro, trasparente, aperto, rustico (*est.*) **CONTR.** ambiguo, bugiardo, infido, sfuggente, insincero, artificioso, bieco, losco, finto, insidioso, insinuante, dolciastro (*fig.*), mellifluo, scivoloso (*fig.*), subdolo, untuoso (*fig.*), viscido (*fig.*) **2** (*est.*) netto, genuino, puro, autentico, mero, nudo, pretto **CONTR.** artificioso, artificiale, sforzato, tirato (*fig.*) **3** [*rif. al fisico*] (*fig.*) asciutto **4** [*rif. a un discorso*] sincero, aperto, franco **CONTR.** ambiguo, bugiardo, infido, insincero, insidioso, insinuante, subdolo.

schifàre *A v. intr.* nauseare, disgustare, ripugnare, repellere **CONTR.** gradire *B v. tr.* disprezzare, dispregiare, sprezzare **CONTR.** apprezzare *C v. intr. pron.* nausearsi, stomacarsi, disgustarsi.

schifàto *part. pass.; anche agg.* nauseato, stomacato, disgustato, scandalizzato, infastidito.

schifézza *s. f.* **1** [*rif. a uno spettacolo, a un'azione*] porcheria, boiata (*pop.*), schifo (*fam.*), merda (*volg.*), cacca (*volg.*), porcata (*pop.*), sconcio **CONTR.** delizia, bellezza, meraviglia **2** [*rif. a un alimento*] porcheria, schifo (*fam.*), veleno (*fig.*) **CONTR.** delizia, bontà, prelibatezza, ghiottoneria, leccornia **3** [*rif. a un ambiente*] sporcizia, sozzura **4** [*rif. a una costruzione*] porcheria, boiata (*pop.*), bruttura.

schifiltóso *agg., s. m.* (*f. -a*) schizzinoso, sofistico.

schifo (1) *A s. m.* **1** [*per q.c., per qc.*] nausea, avversione, disgusto, repulsione, ribrezzo, ripugnanza, vomito (*fig.*), controstomaco, impressione (*pop.*) **CONTR.** piacere, attrazione, gradimento **2** [*rif. a una persona, a*

uno spettacolo, etc.] orrore, schifezza, porcheria **CONTR.** bellezza, capolavoro *B agg.* (*tosc.*) schifoso, ripugnante **CONTR.** gradevole, allettante, piacevole.

schifo (2) *s. m.* (*gener.*) imbarcazione.

schifóso *agg.* **1** brutto, laido, sozzo, turpe, osceno, repellente, ributtante, schifo (*tosc.*), porco (*fig.*) **CONTR.** eccellente, meraviglioso **2** (*anche iron.*) (*pop.*) grande, smisurato **3** [*rif. al comportamento*] obbrobrioso.

schiòcco *s. m.* (*pl. -chi*) **1** botto, scoppio, detonazione (*est.*) **2** (*gener.*) rumore.

schiodàre *A v. tr.* **1** togliere, sbullettare, sconficcare, levare (*impr.*) **CONTR.** conficcare, inchiodare **2** [*qc. da un luogo*] (*est.*) distogliere, distrarre (*colto*) *B v. rifl.* togliersi, andarsene **CONTR.** inchiodarsi.

schiòppo *s. m.* **1** (*gener.*) arma **2** archibugio, fucile.

schiribizzo *s. m.* V. *sghiribizzo.*

schiùdere *A v. tr.* **1** [*l'animo*] aprire, disserrare, dischiudere, dissuggellare **CONTR.** serrare **2** [*le ali, etc.*] spiegare, dispiegare **3** [*le imposte*] socchiudere **CONTR.** tappare *B v. intr. pron.* **1** [*detto di fiore*] sbocciare, fiorire, nascere (*fig.*), aprirsi **2** [*detto di finestra, etc.*] aprirsi, disserrarsi (*raro*)

schiùma *s. f.* **1** spuma [*della società*] (*fig.*) feccia, rifiuto **CONTR.** fiore, crema, élite (*fr.*), panna **3** [*di vento*] (*fig.*) bava.

schiùso *part. pass.; anche agg.* aperto.

schivàre *v. tr.* **1** [*una persona*] sfuggire, evitare, scansare, fuggire **2** [*un pericolo*] sfuggire, evitare, scansare, eludere (*fam.*), scampare, parare **3** [*un ostacolo*] scansare, aggirare **4** [*un colpo di spada*] schermire.

schivo *agg.* **1** ritroso, sdegnoso, restio **CONTR.** accessibile, disponibile **2** (*est.*) timido, riservato, introverso, rustico, ombroso, vergognoso, selvatico (*fig.*).

schizzàre *A v. tr.* **1** [*acqua, sangue, etc.*] sprizzare, sbruffare (*raro*) **2** [*odio, rancore, bile, etc.*] (*fig.*) spriz-

zare, emanare **3** [*le vesti, etc.*] sporcare, insudiciare **4** [*un viso, un paesaggio*] disegnare, delineare **5** [*un racconto, un film*] abbozzare, sbozzare *B v. intr.* **1** [*detto di liquido, etc.*] zampillare **2** [*detto di persona*] (*est.*) guizzare, scappare, correre **3** [*detto di schegge, pezzi*] volare.

schizzinóso *agg., s. m.* (*f. -a*) schifiltoso, sofistico.

schizzo *s. m.* **1** abbozzo, disegno, traccia, progetto, bozza, bozzetto **2** [*di inchiostro, etc.*] macchia **3** [*di liquidi*] spruzzo, zampillo, sprazzo (*raro*).

sci *s. m. inv.* (*gener.*) sport.

scia *s. f.* **1** traccia, solco **2** (*est.*) esempio, orma (*fig.*), corrente (*fig.*).

scià *s. m. inv.* sovrano, re.

sciàbola *s. f.* (*gener.*) arma, lama.

sciabolàta *s. f.* **1** (*gener.*) colpo **2** fendente.

sciabordàre *A v. tr.* agitare *B v. intr.* [*detto di acqua nel secchio*] sguazzare, sbattere, sciaguattare, guazzare.

sciacquàre *v. tr.* lavare, pulire, risciacquare, rigovernare.

sciaguattàre *A v. intr.* sguazzare, guazzare, sbattere, sciabordare *B v. tr.* agitare.

sciagùra *s. f.* **1** disastro, catastrofe, calamità, disgrazia, tragedia, sventura, accidente, pestilenza (*est.*), cataclisma (*est.*) **2** (*est.*) dramma, lutto.

sciaguratamente *avv.* sfortunatamente, infelicemente, purtroppo, disgraziatamente.

sciaguràto *A agg.* **1** sventurato, sgraziato, tristo, miserando **CONTR.** fortunato, felice **2** [*rif. a una persona*] miserabile, scellerato, iniquo **CONTR.** felice **3** [*rif. a un evento, a un incidente*] malaugurato, triste **CONTR.** felice *B s. m.* (*f. -a*) disgraziato.

scialacquaménto *s. m.* **1** prodigalità **2** profusione, sperpero.

scialacquàre *v. tr.* [*un patrimonio*] dilapidare, dissipare, divorare, disperdere, perdere, profondere, spargere, spandere **CONTR.** lesinare.

scialacquatóre s. m. (f. *-trice*) dilapidatore, dissipatore.

sciàlbo agg. **1** [*rif. allo sguardo*] insignificante, inespressivo CONTR. aguzzo, arguto **2** [*rif. al colorito*] (*est.*) grigio, scolorito, smorto, pallido, slavato CONTR. acceso **3** [*rif. a una persona, a una cosa*] (*fig.*) insipido, scipito, insulso, piatto, banale, neutro, amorfo, sfuocato, impersonale CONTR. appariscente, vistoso, eccentrico, eclatante, effervescente, fantasioso, fantastico, promettente **4** [*rif. a un discorso*] insipido, scipito CONTR. animato.

sciàlle s. m. **1** stola, sciarpa (*est.*) **2** (*gener.*) indumento.

sciàlo s. m. **1** sperpero, sciupo (*colto*), sciupio, spreco, dissipazione CONTR. risparmio **2** pompa, magnificenza, sfoggio, abbondanza, prodigalità, profusione CONTR. economia, austerity.

scialùppa s. f. (*gener.*) barca, imbarcazione.

sciamannàto s. m. (f. *-a*) sciattone, sbrindellone.

sciamàno s. m. stregone, negromante (*est.*), mago (*est.*).

sciamàre v. intr. muoversi in massa, partire.

sciàme s. m. **1** nugolo **2** stuolo, nembo (*fig.*), moltitudine, marea (*fig.*).

sciancàto A part. pass.; anche agg. storpio, deforme, malandato CONTR. sano B s. m. (f. *-a*) storpio, invalido.

sciàpo agg. insipido, sciocco CONTR. salato, saporito.

sciàrpa s. f. stola, scialle (*est.*).

sciatteria s. f. **1** [*rif. a una persona, a un luogo*] ineleganza, incuria CONTR. eleganza, cura, accuratezza, meticolosità **2** [*rif. a un luogo, a un ambiente*] trasandatezza, trascuratezza, disordine, abbandono CONTR. eleganza.

sciàtto agg. **1** trasandato, trascurato, dimesso, inelegante, volgare (*est.*), negletto (*lett.*) CONTR. agghindato, azzimato, elegante, leccato **2** [*rif. a un esame, a un'analisi, a un lavoro*] affrettato, negligente, raffazzonato.

sciattóne s. m. (f. *-a*) straccione, sbrindellone, sciamannato.

scibile s. m. scienza, sapere.

scientificità s. f. inv. (*est.*) razionalità.

sciènza s. f. **1** sapienza, sapere **2** (*raro*) conoscenza, cognizione (*pl.*) **3** [*persona di*] (*est.*) cultura CONTR. ignoranza **4** (*est.*) scibile **5** disciplina, dottrina, materia **6** [*tipo di*] medicina, fisica, matematica, ingegneria, astronomia, biologia, filosofia, agraria, economia, informatica, diritto, politica, psicologia, farmacologia, chimica, acustica, glottologia.

scimmia s. f. **1** (*gener.*) animale, mammifero →animali **2** [*tipo di*].

NOMENCLATURA

Scimmie

Scimmia: mammifero dei primati con corpo coperto di peli a eccezione della faccia, alluce opponibile e dentatura simile a quella dell'uomo.

bertuccia: scimmia senza coda con pelame color grigio bruno, con muso, piedi e mani color carne umana;

tarsio spettro: scimmia con testa rotonda e grande, orecchie e occhi molto sviluppati, dita lunghe e armate di unghie piatte, coda con ciuffo terminale, diffusa nell'Indomalesia;

cercopiteco: scimmia erbivora dell'Africa tropicale e equatoriale, di piccole dimensioni;

babbuino: scimmia africana cinocefala, con pelo liscio di color bruno olivastro, onnivora;

amadriade: scimmia africana di grossa taglia con muso canino, il cui maschio adulto ha una folta criniera argentata;

mandrillo: scimmia africana di indole molto selvaggia, con il muso solcato da pieghe cutanee verticali e coda ridottissima;

gorilla: scimmia africana, alta più di un uomo e con pelo bruno nerastro;

macaco: scimmia asiatica con coda pendente non prensile, callosità nelle natiche e arti anteriori non più lunghi dei posteriori;

orango: scimmia di Borneo o Sumatra con lunghi arti anteriori, mantello bruno rossiccio, faccia circondata, nei maschi, da due cuscinetti adi-

posi laterali, onnivora;

scimpanzé: scimmia africana a pelame scuro, di carattere docile e vivace, addomesticabile;

gibbone: scimmia di medie dimensioni, molto agile, con lunghe braccia, testa piccola, senza coda;

scimmia lanosa: scimmia dell'America meridionale con coda prensile molto robusta.

scimmiottàre v. tr. **1** imitare, emulare, copiare **2** [*qc. per beffa*] (*est.*) mimare, rifare, contraffare, parodiare.

scimpanzé s. m. inv. (*gener.*) scimmia.

scindere A v. tr. **1** dividere, separare, staccare, disunire, distinguere, discernere CONTR. ricollegare **2** [*un gruppo di persone*] smembrare, disaggregare, dissociare, dissolvere **3** [*un problema*] articolare, frazionare, decomporre (*est.*) **4** [*q.c. in vari pezzi*] (*est.*) fendere, rompere, spaccare CONTR. ricollegare B v. intr. pron. dividersi, separarsi, spaccarsi, frazionarsi.

scintillànte part. pres.; anche agg. brillante, lucente, splendente, sfavillante CONTR. opaco, scuro, velato.

scintillàre v. intr. **1** luccicare, brillare, risplendere, sfavillare, splendere, fiammeggiare (*fig.*), ardere (*fig.*) **2** (*est.*) rutilare (*lett.*), baluginare, raggiare, dardeggiare, lampeggiare **3** [*detto di occhi, di sguardo*] luccicare, brillare, sfavillare, splendere, folgorare, ridere.

scintillio s. m. **1** luccichio, sfavillio, balenio, guizzo, sfolgorio **2** lucentezza, luminosità.

scioccaménte avv. stupidamente, idiotamente, balordamente, stoltamente CONTR. intelligentemente, ingegnosamente.

scioccàre o **shoccàre**, **choccàre**, **shockàre** v. tr. sbalordire, conturbare, impressionare, turbare, scandalizzare.

scioccàto part. pass.; anche agg. impressionato, turbato, sbalordito.

sciocchézza s. f. **1** [*qualità intellettuale*] (*neg.*) stupidaggine, balordaggine, cretineria, puerilità CONTR. furberia, scaltrezza, intelligenza **2** [*rif. a un regalo*] bagattella, inezia, minuzia, piccolezza, bazzecola **CONTR.** meraviglia **3** [*rif. a una frase, etc.*] sproposito, bestialità, amenità **4** [*l'azione*] imprudenza, stupidata, scempiaggine, fesseria (*pop.*), castroneria (*pop.*), corbelleria (*pop.*), minchiata (*volg.*).

sciòcco A agg. (*pl. m. -chi*) **1** stolido, grullo, cretino, semplicione, sempliciotto, fesso, balordo, insulso, gonzo, tondo, beota, babbeo, citrullo, farsesco (*fig.*), coglione (*volg.*), minchione (*pop.*), scempio (*lett.*) **CONTR.** furbo, scaltro, accorto, astuto, marpione (*spreg.*), lungimirante **2** (*est.*) infantile, fanciullesco **3** [*rif. a una pietanza*] insipido, sciapo **CONTR.** sapido **4** [*rif. a una speranza, a un tentativo*] vano **CONTR.** lungimirante **B** s. m. (*f. -a*) **1** cretino, stupido, imbecille, citrullo, coglione, deficiente, fesso **2** credulone, sempliciotto.

sciògliere A v. tr. **1** [*un nodo*] disfare, snodare, sbrogliare, dipanare, districare, disciogliere, svolgere **CONTR.** fermare, stringere **2** [*un prigioniero*] rilasciare, slegare, liberare, mollare, scatenare (*raro*) **3** [*i muscoli*] (*est.*) sgranchire (*fam.*), rilassare **4** [*una sostanza*] squagliare (*raro*), liquefare, fondere, dissolvere, diluire **CONTR.** raddensare, raggrumare, rapprendere, addensare, cagliare, rassodare **5** [*una persona dai problemi*] (*est.*) prosciogliere, disimpacciare **CONTR.** impastoiare **6** [*i dubbi, le riserve, etc.*] (*est.*) rilasciare, sgranchire, dissipare, spiegare, risolvere **7** [*un impegno*] (*est.*) sgranchire, disdire **8** [*un voto*] (*est.*) soddisfare, adempiere a **9** [*un contratto*] (*est.*) rescindere, annullare **10** [*un esercito*] sbandare, smobilitare **CONTR.** ricostituire **11** [*un'imbarcazione*] disancorare **B** v. rifl. **1** svincolarsi, liberarsi, slegarsi, scatenarsi (*raro*) **CONTR.** legarsi **2** disimpegnarsi **CONTR.** impegnarsi **3** [*in pianto, etc.*] (*est.*) sdilinquirsi **C** v. intr. pron. **1** fondersi, liquefarsi, disciogliersi, disintegrarsi (*est.*), disfarsi (*est.*) **CONTR.** condensarsi, raggrumarsi, rappigliarsi, rapprendersi, cagliare, assodarsi **2** [*detto di tensione*] (*fig.*) dissolversi, allentarsi **3** [*detto di gruppo*] disperdersi, sbandarsi **CONTR.** ricostituirsi, riformarsi **4** [*detto di imbarcazione*] disancorarsi **5** [*detto di membra*] sgranchirsi.

scioglimento s. m. **1** [*della neve, del ghiaccio, etc.*] liquefazione, fusione **CONTR.** rassodamento **2** [*di un gruppo, etc.*] (*est.*) disgregazione, rottura (*fig.*), scissione, divisione **CONTR.** unione, congiungimento, fusione **3** [*di una situazione*] (*est.*) epilogo, conclusione, risoluzione **4** [*di un vincolo*] (*est.*) liberazione **5** [*di un contratto*] (*raro*) rescissione.

scioltamente avv. scorrevolmente, agilmente, facilmente **CONTR.** stentatamente, difficoltosamente.

scioltezza s. f. **1** [*di membra*] agilità, destrezza **CONTR.** lentezza, pesantezza **2** [*rif. all'atteggiamento*] (*est.*) disinvoltura, spigliatezza, naturalezza, noncuranza, semplicità **CONTR.** impaccio, timidezza, soggezione **3** [*nel parlare*] scorrevolezza (*fig.*), fluidità (*fig.*), facilità.

sciòlto part. pass.; anche agg. **1** fuso, liquefatto **2** [*rif. all'atteggiamento*] disinvolto, spigliato, spedito **CONTR.** affettato **3** [*rif. a uno scritto*] agile, fluente, fluido, corrente **CONTR.** frenato **4** [*rif. alle membra*] agile, snodato.

scioperare v. intr. incrociare le braccia.

scioperato A agg. inoperoso, ozioso, neghittoso, infingardo, disoccupato, vagabondo (*fig.*) **CONTR.** attivo, alacre, laborioso, operoso, dinamico, industrioso **B** s. m. (*f. -a*) (*est.*) vagabondo.

sciorinare v. tr. **1** [*la merce*] stendere, esporre, presentare **2** [*i propri meriti*] esibire, sfoggiare, sbandierare **CONTR.** nascondere, mascherare.

scipito agg. **1** insipido, scondito **CONTR.** sapido **2** [*rif. a una persona, a un discorso*] scialbo, insulso, insignificante, piatto **CONTR.** estroso.

scippo s. m. furto, rapina.

sciròcco s. m. (*pl. -chi*) (*gener.*) vento.

scisma s. m. scissione, frattura (*fig.*), spaccatura (*fig.*) **CONTR.** unione, fusione.

scissione s. f. **1** divisione, separazione, frazionamento (*est.*) **CONTR.** unione **2** [*di un partito politico, etc.*] scisma, secessione, frattura (*fig.*), spac-

catura (*fig.*), scioglimento (*fig.*) **CONTR.** fusione **3** (*fis.*) fissione.

sciupàre A v. tr. **1** rovinare, danneggiare, guastare **2** [*un libro*] gualcire, deturpare **3** [*un abito, le scarpe*] gualcire, deformare, logorare, sformare **4** [*la bellezza di qc., q.c.*] alterare, assassinare (*fig.*), profanare (*fig.*) **5** [*un ricordo, un nome, etc.*] (*fig.*) insozzare, macchiare **6** [*un capitale*] (*est.*) buttare, consumare, dissipare, profondere **CONTR.** conservare, economizzare **7** [*il proprio tempo*] (*est.*) buttare, consumare, sacrificare, perdere **8** [*una situazione*] (*est.*) pregiudicare, sputtanare (*volg.*) **9** [*una calza, un collant*] smagliare **B** v. intr. pron. **1** [*detto di cibo*] alterarsi, guastarsi **2** [*detto di oggetto, etc.*] logorarsi, rompersi **3** [*detto di persona*] deperire, patire, invecchiare **CONTR.** conservarsi **4** [*detto di libro*] ammaccarsi.

sciupàto part. pass.; anche agg. **1** logoro, consumato, sgualcito **CONTR.** conservato, intatto **2** [*rif. al viso*] appassito, avvizzito, vizzo, sfiorito, deturpato, deformato (*est.*) **CONTR.** fresco, liscio **3** [*rif. al cibo, a una bevanda, etc.*] guasto, marcio.

sciupatùra s. f. **1** rigatura, ammaccatura, segno, rigo **2** deturpazione, sfregio, deturpamento.

sciupìo s. m. **1** spreco, spreco, dissipazione, scialo **CONTR.** risparmio, economia **2** [*di un oggetto*] (*fig.*) scempio, strazio, sciupo.

sciùpo s. m. sperpero, sciupio, scialo, spreco, dissipazione **CONTR.** economia, risparmio.

sciupóne s. m. (*f. -a*) sprecone.

scivolàre v. intr. **1** sdrucciolare, slittare, cadere, cascare, ruzzolare, accasciarsi, rotolare **2** [*dalle mani*] sfuggire, scappare, sgusciare **3** [*detto di sci sulla neve, etc.*] scorrere **4** [*detto di tempo*] (*fig.*) scorrere, fluire, passare.

scivolóso agg. **1** sdrucciolevole **2** [*rif. a una persona*] infido, sfuggente **CONTR.** sincero, schietto.

sclèra s. f. [*parte dell'occhio*] sclerotica, bianco (*pop.*).

scleròtica s. f. (*pl. -che*) [*parte del-*

l'occhio] bianco (*pop.*), sclera (*anat.*).

scoccàre *v. tr.* **1** [*le ore*] battere, scandire **2** [*un oggetto*] tirare, lanciare, trarre (*lett.*) **3** [*uno sguardo, bacio*] mandare, inviare.

scocciàre A *v. tr.* importunare, infastidire, tediare, annoiare, assillare, seccare, incomodare, dare fastidio, disturbare, rompere (*volg.*) CONTR. deliziare, dilettare, divertire B *v. intr. pron.* annoiarsi, seccarsi, tediarsi, infastidirsi, stufarsi, indispettirsi, scazzarsi (*volg.*) CONTR. divertirsi, compiacersi, deliziarsi, dilettarsi.

scocciàto *agg.* **1** seccato **2** (*est.*) tediato, annoiato, stufo, stanco.

scocciatóre *s. m.* (*f. -trice*) seccatore, rompiscatole (*pop.*), rompiballe (*volg.*), impiastro (*fam.*), attaccabottoni (*fam.*).

scocciatùra *s. f.* **1** seccatura, noia, fastidio, molestia, rottura (*pop.*) CONTR. divertimento, piacere, spasso **2** (*est.*) grana (*fam.*), guaio, rogna (*pop.*).

scodèlla *s. f.* **1** ciotola, fondina, tazza, coppa, piatto **2** (*gener.*) recipiente, contenitore, stoviglie.

scodellàre *v. tr.* **1** versare, spiattellare, rovesciare **2** (*est.*) partorire **3** [*bugie, etc.*] (*est.*) dire.

scodinzolàre *v. intr.* sculettare.

scòglio *s. m.* **1** rupe, masso, roccia **2** (*est.*) blocco, impedimento, ostacolo, barriera (*fig.*), difficoltà.

scoglionàre *v. tr. e intr. pron.* scazzarsi (*volg.*), rompersi (*volg.*), annoiarsi, seccarsi, tediarsi CONTR. divertirsi.

scolàre A *v. intr.* **1** colare, piovere, spiovere **2** [*detto di recipiente, etc.*] sgocciolare, stillare, gocciolare, gocciare, gemere (*raro*) B *v. tr.* (*gener.*) bere.

scolàro *s. m.* (*f. -a*) **1** alunno, allievo, discente (*colto*), studente, giovane CONTR. maestro, docente, insegnante, professore **2** discepolo, seguace, imitatore CONTR. maestro.

scollàre A *v. tr.* sconnettere, separare, dissaldare (*est.*) CONTR. incollare

B *v. intr. pron.* staccarsi.

scollatùra (1) *s. f.* décolleté (*fr.*).

scollatùra (2) *s. f.* scollamento.

scollegàre *v. tr.* disconnettere, scorporare, separare CONTR. collegare.

scoloràre A *v. tr.* sbiancare B *v. intr. pron.* **1** sbiancare, impallidire **2** sbiadire, scolorire, stingere.

scolorìre A *v. tr.* **1** [*i colori*] dilavare, sbiadire, stingere **2** [*i tessuti*] (*est.*) imbianchire, sbiancare, imbiancare, candeggiare B *v. intr.* [*detto di colori*] schiarirsi, sbiadire, stingere, smontare (*fig.*) C *v. intr. pron.* **1** [*in viso*] impallidire CONTR. ravvivarsi **2** [*detto di tessuti*] stingersi.

scolorìto *part. pass.; anche agg.* **1** scialbo, spento, grigio, slavato **2** [*in volto*] slavato, pallido, impallidito CONTR. rosso.

scolpàre A *v. tr.* **1** scagionare, discolpare CONTR. denunciare, accusare **2** (*est.*) difendere, scusare, giustificare B *v. rifl.* giustificarsi, discolparsi, scagionarsi, difendersi CONTR. accusarsi.

scolpìre A *v. tr.* **1** (*est.*) intagliare, intarsiare, incidere, modellare **2** [*un ricordo, un nome*] (*fig.*) imprimere, fissare B *v. intr. pron.* [*nella memoria*] fissarsi, imprimersi.

scombinàre *v. tr.* **1** scomporre, disordinare, scompaginare **2** [*un affare, un matrimonio*] mandare a monte CONTR. combinare, organizzare.

scómbro *s. m.* V. sgombro (*2*).

scombussolàre A *v. tr.* **1** sconvolgere, turbare, conturbare CONTR. normalizzare, equilibrare **2** confondere, frastornare, imbarazzare (*est.*), rimescolare (*fig.*) **3** [*l'ordine sociale, etc.*] sovvertire **4** [*i progetti*] incasinare (*pop.*), scompaginare, guastare **5** incasinare (*pop.*), disordinare B *v. intr. pron.* conturbarsi, sconcertarsi, sconvolgersi, agitarsi (*fig.*).

scomméssa *s. f.* **1** giocata, puntata (*est.*) **2** (*est.*) somma, posta **3** [*spec. con: essere una*] (*est.*) rischio.

scomméttere (1) *v. tr.* puntare, giocare d'azzardo, fare una puntata, giocarsi (*fam.*), giocare, rischiare.

scomméttere (2) *v. tr.* [*cose tra loro*] disunire.

scomodaménte *avv.* disagiatamente CONTR. comodamente, agiatamente, confortevolmente, agevolmente.

scomodàre *v. tr. e rifl.* incomodare, disturbare, infastidire, molestare, essere di troppo (*ass.*).

scomodità *s. f. inv.* **1** disagio, noia, fastidio CONTR. comodità, conforto **2** (*est.*) irrazionalità CONTR. praticità, funzionalità.

scòmodo *agg.* **1** [*rif. a un luogo*] disagevole, incomodo, scosceso, ripido, angusto CONTR. comodo, agevole, confortevole, accogliente **2** [*rif. a un argomento*] (*fig.*) difficile, problematico CONTR. facile **3** [*rif. a un tipo di vita*] disagiato CONTR. comodo, facile, agiato **4** [*rif. a cosa*] irrazionale (*fig.*) CONTR. comodo, funzionale, pratico.

scompaginàre A *v. tr.* **1** scombussolare, scompigliare, disordinare **2** [*truppe nemiche*] disgregare, disperdere **3** [*un affare, un matrimonio*] mandare a monte, scombinare **4** [*le idee, etc.*] (*est.*) confondere, arruffare (*fig.*) B *v. intr. pron.* **1** [*detto di fila*] scomporsi, rompersi **2** [*detto di truppe*] disgregarsi, scompigliarsi.

scompagnàre *v. tr.* disunire, dissociare, disgiungere, disaccoppiare CONTR. accoppiare, appaiare.

scomparìre *v. intr.* **1** sparire, dileguarsi, disparire (*lett.*), eclissarsi, andarsene, togliersi di mezzo (*fam.*) CONTR. comparire, materializzarsi, riapparire, ricomparire, manifestarsi **2** (*est.*) evadere, fuggire **3** [*detto di speranze, etc.*] (*fig.*) franare, dissolversi, svanire, disperdersi, volatilizzarsi **4** (*est.*) mancare, morire **5** [*in pubblico*] sfigurare CONTR. emergere **6** [*detto di malattia*] (*est.*) risolversi, esitare (*raro*) **7** [*detto di astro*] calare.

scompàrsa *s. f.* **1** sparizione CONTR. comparsa, apparizione **2** morte, dipartita **3** [*di una specie, etc.*] estinzione (*euf.*) **4** [*del sole, della luna*] eclisse.

scompigliàre A *v. tr.* **1** ingarbugliare, scomporre, disordinare, scompaginare CONTR. organizzare **2** confondere, perturbare **3** [*i capelli*] arruffare, rabbuffare, scarruffare **4** [*un esercito, etc.*] sbandare, sbaragliare **CONTR.** schierare **5** [*l'ordine sociale, etc.*] sconvolgere, sovvertire **6** [*un ambiente, una casa*] incasinare (*pop.*), mettere a soqquadro, mettere in disordine **CONTR.** rassettare, riassestare **7** [*i piani*] (*fig.*) rompere (*fam.*) **B** *v. intr. pron.* [*detto di fila, etc.*] rompersi, scompaginarsi.

scompiglio *s. m.* caos, confusione, agitazione, trambusto, subbuglio, rivoluzione (*fig.*), tempesta (*fig.*), terremoto (*fig.*), sconvolgimento, casino (*pop.*), arruffio **CONTR.** ordine, pace, tranquillità.

scompisciàre A *v. tr.* imbrattare di orina **B** *v. intr. pron.* **1** (*fam.*) sbellicarsi, sganasciarsi, sgangherarsi **2** (*gener.*) ridere **3** [*per le risa*] (*fig.*) scoppiare.

scompórre A *v. tr.* **1** disgregare, dividere **CONTR.** comporre, assemblare, conglomerare **2** disfare, decomporre, rompere, smontare **3** disordinare, scompigliare, disarticolare, disorganizzare, scombinare **B** *v. intr. pron.* **1** sfaldarsi, disgregarsi, rompersi, scompaginarsi **2** turbarsi, agitarsi (*fig.*) **CONTR.** ricomporsi.

scomposizióne *s. f.* **1** divisione, frazionamento, disgregazione, disaggregazione **CONTR.** composizione, unificazione **2** (*est.*) analisi **CONTR.** sintesi **3** [*di un composto*] (*chim.*) risoluzione.

scompósto *part. pass.; anche agg.* **1** [*rif. a un moto, a un movimento*] convulso, febbrile, nevrotico, disordinato, sgraziato **CONTR.** ritmico, regolare **2** [*rif. all'atteggiamento*] sgraziato, sguaiato, sconveniente **CONTR.** dignitoso, distinto.

scomùnica *s. f.* (*pl. -che*) anatema.

scomunicàre *v. tr.* espellere, interdire, maledire (*est.*).

sconcertàre A *v. tr.* confondere, stupire, meravigliare, sbalordire, impressionare, disorientare, conturbare, fare specie (*fam.*), frastornare, ghiacciare (*fig.*), sbigottire, agghiacciare (*fig.*), stupefare, sbalestrare **B** *v. intr. pron.* disorientarsi, impressionarsi, conturbarsi, scombussolarsi, sbalordire, perdersi (*fig.*), rimanere perplesso.

sconcertàto *part. pass.; anche agg.* disorientato, confuso, perplesso **CONTR.** presente, attento.

sconcèrto *s. m.* sbalordimento, sbigottimento, turbamento, sconvolgimento **CONTR.** indifferenza.

sconcézza *s. f.* **1** [*rif. a un'espressione verbale*] oscenità **2** [*rif. a un'azione, a uno spettacolo, etc.*] indecenza, indegnità, scandalo, vergogna, porcata (*volg.*), porcheria **CONTR.** meraviglia, bellezza.

sconciaménte *avv.* oscenamente, indecentemente, impudicamente, spudoratamente, indecorosamente, disonestamente, immondamente **CONTR.** pudicamente, decentemente.

sconciàre *v. tr.* sfregiare, rovinare, deturpare.

scóncio A *agg.* (*pl. f. -ce*) [*rif. al comportamento*] vergognoso, immorale, indecente, sudicio, turpe, scandaloso, libertino (*est.*), impudico **CONTR.** pulito, verecondo (*lett.*), casto **B** *s. m.* schifezza, vergogna.

sconclusionàto *part. pass.; anche agg.* irrazionale, delirante, vaneggiante, farneticante, assurdo, folle, balordo, incoerente, farraginoso **CONTR.** coerente, logico.

scondìto *agg.* scipito, insipido.

sconfessàre *v. tr.* **1** [*q.c. detta in precedenza*] rinnegare, smentire, disconoscere, ritrattare **2** [*un'idea*] disapprovare **CONTR.** accettare **3** [*un ideale, un credo, etc.*] rinnegare, ripudiare, abiurare.

sconfessióne *s. f.* **1** abiura, rifiuto, ricusa, ripudio **CONTR.** accettazione, approvazione, consenso **2** negazione, smentita, ritrattazione **CONTR.** affermazione, confessione.

sconficcàre *v. tr.* levare (*impr.*), schiodare.

sconfiggere (1) *v. tr.* **1** annientare, debellare, sbaragliare, sgominare, battere **2** [*qc. in una gara sportiva*] vincere, predominare (*raro*), superare **3** [*qc. in un'elezione*] trombare (*volg.*).

sconfiggere (2) *v. tr.* [*un chiodo, etc.*] estrarre, levare.

sconfinaménto *s. m.* [*rif. a un argomento*] digressione, divagazione.

sconfinàto *part. pass.; anche agg.* sterminato, illimitato, immenso, infinito, enorme **CONTR.** limitato.

sconfìtta *s. f.* **1** disfatta, annientamento (*est.*) **CONTR.** vittoria, conquista **2** (*est.*) perdita, insuccesso, fallimento, botta (*fig.*), sberla (*fig.*), smacco, batosta (*fig.*), rovescio **CONTR.** successo, trionfo, affermazione.

sconfortàre A *v. tr.* rattristare, amareggiare, addolorare, affliggere, deprimere, desolare, costernare, disanimare **CONTR.** confortare, consolare, riconfortare, corroborare **B** *v. intr. pron.* amareggiarsi, affliggersi, contristarsi, desolarsi, disanimarsi, disperarsi **CONTR.** rallegrarsi, rianimarsi.

sconfortàto *part. pass.; anche agg.* accorato, triste, depresso, abbattuto, avvilito **CONTR.** confortato, allegro, entusiasta, rianimato.

sconfòrto *s. m.* **1** scoramento, scoraggiamento, abbattimento, demoralizzazione, avvilimento, depressione (*fig.*), amarezza, costernazione, smarrimento, disperazione, tristezza, infelicità **CONTR.** euforia, gioia, allegria **2** (*gener.*) sentimento.

scongelàre *v. tr.* sgelare, scaldare (*est.*) **CONTR.** congelare.

scongiuràre *v. tr.* **1** [*qc.*] supplicare, implorare, pregare, raccomandarsi a **2** [*una grazia, etc.*] impetrare (*lett.*), domandare **3** [*un pericolo, etc.*] allontanare, fugare, scansare, esorcizzare.

scongiùro *s. m.* esorcismo.

sconnèsso *part. pass.; anche agg.* sconclusionato **CONTR.** coerente.

sconnèttere *v. tr.* **1** disconnettere **CONTR.** connettere, unire **2** scollare.

sconosciùto A *agg.* **1** [*rif. a una persona*] estraneo **CONTR.** conosciuto, celebre, illustre, insigne, eminente, famoso, affermato, arrivato, popolare, famigerato (*spreg.*), matricolato (*spreg.*) **2** [*rif. a un luogo*] ignoto, inesplorato, misterioso **CONTR.** conosciuto, familiare **3** [*rif. a uno scritto*] inedito **CONTR.** conosciuto, celebre, rinomato, risaputo, notorio **B** *s. m.* (*f. -a*) **1**

(fig.) zero, nullità **2** forestiero.

sconquassàre *A v. tr.* sfasciare, scassare, spaccare, rovinare, rompere, fracassare, dissestare, fare a pezzi, guastare, scassinare, sganasciare *B v. intr. pron.* rompersi, scassarsi.

sconsacràre *v. tr.* dissacrare, profanare **CONTR.** consacrare.

sconsideratamènte *avv.* avventatamente, inavvedutamente, irriflessivamente, imprevidentemente, incautamente, imprudentemente, follemente, leggermente, ciecamente **CONTR.** con coscienza, oculatamente, prudentemente, sensatamente.

sconsideratézza *s. f.* **1** temerarietà, incoscienza, sventatezza, faciloneria, avventatezza, irresponsabilità, immaturità **CONTR.** sagacia, saggezza, saviezza, prudenza, senno, avvertenza, avvedutezza, calcolo **2** [*l'azione*] imprudenza, leggerezza.

sconsideràto *A agg.* avventato, irriflessivo, sventato, incauto, incosciente, irresponsabile, corrivo, sbadato, leggero, improvvido **CONTR.** assennato, avveduto, cauto, oculato, saggio, circospetto *(est.)* *B s. m.* (f. -a) irresponsabile.

sconsigliàre *v. tr.* dissuadere, scoraggiare, distogliere *(est.)* **CONTR.** consigliare, esortare, raccomandare.

sconsolatamènte *avv.* disperatamente, desolatamente, inconsolabilmente, accoratamente.

sconsolàto *part. pass.; anche agg.* **1** [*rif. a una persona*] inconsolabile **CONTR.** allegro, contento, felice **2** [*rif. all'atteggiamento*] desolato, afflitto, rattristato, accorato, addolorato **CONTR.** allegro.

scontàre *v. tr.* **1** [*le colpe, i peccati*] pagare, espiare, purgare *(fig.)* **2** [*una somma, pena, etc.*] detrarre, diminuire, abbonare, defalcare **CONTR.** aumentare **3** diminuire il prezzo *di a.*

scontàto *part. pass.; anche agg.* **1** banale, convenzionale, ovvio, trito, vecchio, prevedibile, vieto **CONTR.** imprevedibile, inimmaginabile, promettente *(est.)* **2** [*rif. al prezzo*] ridotto.

scontentàre *v. tr.* non accontentare, lasciare insoddisfatto, contrariare, di-

spiacere *a* **CONTR.** contentare, accontentare, lusingare *(est.)*.

scontentézza *s. f.* **1** insoddisfazione **CONTR.** soddisfazione **2** malumore, malinconia, depressione *(fig.)*, noia, mestizia, malcontento, infelicità, melanconia **CONTR.** contentezza, buonumore, allegria, letizia.

scontènto *A agg.* malcontento, insoddisfatto, inappagato, depresso, abbattuto **CONTR.** appagato, orgoglioso, pago *(lett.)* *B s. m.* insoddisfazione, malumore, nervosismo *(est.)*, irritazione *(est.)* **CONTR.** soddisfazione, buonumore, allegria, gioia, appagamento.

scónto *s. m.* **1** diminuzione, ribasso, riduzione **CONTR.** aumento, sovrapprezzo, rincaro, supplemento **2** *(banca)* riduzione, abbuono, detrazione **CONTR.** aggiunta **3** *(est.)* beneficio.

scontràre *A v. tr.* **1** [*qc.*] incontrare, intoppare, incrociare **2** [*qc., q.c. violentemente*] colpire, investire, cozzare *B v. rifl. rec.* **1** azzuffarsi, affrontarsi, accapigliarsi, combattere, duellare, litigarsi, fare un duello, lottare, investirsi **CONTR.** conciliarsi **2** urtarsi, sfiorarsi *C v. intr. pron.* **1** [*con qc.*] imbattersi *in*, incocciare *un*, incontrarsi, intopparsi *in* **2** urtarsi, bocciare **3** [*detto di idee, etc.*] divergere, collidere.

scontrino *s. m.* biglietto, ticket *(ingl.)*, cedola.

scóntro *s. m.* **1** collisione, urto, cozzo, impatto **2** mischia, battaglia **3** *(sport)* duello, combattimento, gara **4** [*verbale*] *(est.)* discussione, alterco, bisticcio **5** *(tecnol.)* finecorsa.

scontrosità *s. f. inv.* ritrosia, misantropia *(colto)*, chiusura, selvatichezza **CONTR.** socievolezza.

scontróso *agg.* ombroso, permaloso, difficile, rustico, bisbetico, intrattabile, ispido, burbero, ritroso, difficoltoso, inavvicinabile *(est.)*, inaccessibile *(est.)*, selvatico *(fig.)* **CONTR.** affabile, alla mano, disponibile, compiacente, gioviale, socievole, ospitale, amoroso, bonario, agevole *(tosc.)*, accessibile *(fig.)*, trattabile.

sconveniènte *agg.* **1** [*rif. al comportamento*] disdicevole, scorretto, indecente, scomposto *(est.)* **CONTR.** adat-

to, appropriato, conveniente, decente, decoroso **2** [*rif. agli affari*] svantaggioso **3** [*rif. a una risposta*] inadeguato, inopportuno, intempestivo, infelice, inconveniente **CONTR.** adatto, appropriato, conveniente, calzante.

sconvenientemènte *avv.* indegnamente, inopportunamente, deplorevolmente, indecentemente, indecorosamente, fuori luogo, importunamente **CONTR.** convenientemente, con convenienza, doverosamente, idoneamente, acconciamente; proporzionatamente *(est.)*.

sconveniènza *s. f.* inopportunità, indelicatezza, indecenza.

sconvenire *v. intr. e intr. pron.* disdire, stonare, non andare bene **CONTR.** confarsi, convenire, giovare.

sconvòlgere *A v. tr.* **1** scompigliare, disordinare, disorganizzare **CONTR.** ordinare **2** [*l'ordine sociale, etc.*] sovvertire *(raro)*, capovolgere *(fig.)*, sommuovere, intorbidare *(fig.)*, perturbare **3** [*detto di vento*] devastare, guastare **4** [*i progetti, etc.*] scombussolare, mandare a monte **5** [*l'animo*] *(est.)* sbigottire, turbare, commuovere, confondere, conturbare, rimescolare *(fig.)* **CONTR.** rasserenare, rassicurare **6** [*i lineamenti del viso*] *(fig.)* sfigurare *B v. intr. pron.* **1** turbarsi, conturbarsi, scombussolarsi **CONTR.** rassicurarsi, rasserenarsi **2** [*detto di clima*] perturbarsi **CONTR.** rasserenarsi.

sconvolgimènto *s. m.* **1** [*sociale*] disordine, scompiglio, sovvertimento, rivoluzione, rivolgimento **CONTR.** assetto, sistemazione **2** [*atmosferico, etc.*] terremoto, bufera, cataclisma, devastazione **3** [*morale*] turbamento, sconcerto, agitazione, scandalo.

sconvòlto *part. pass.; anche agg.* **1** agitato **2** [*rif. a una persona*] stravolto, alterato, rintronato, stordito *(est.)*.

scoop *s. m. inv. (fig.)* bomba, colpo.

scoordinàre *v. tr. (est.)* disorganizzare **CONTR.** coordinare.

scópa *s. f.* **1** granata, ramazza *(gerg.)* **2** *(gener.)* arnese.

scopàre *A v. tr.* **1** spazzare, ramazzare, nettare *(raro)*, pulire **2** [*una donna*] *(volg.)* chiavare, fottere, trombare, sbattere, possedere sessualmente **B** v. intr. fare all'amore, fare l'amore, andare a letto.

scopàta s. f. **1** spazzata **2** (est.) amplesso, chiavata (volg.), copula (colto), coito (colto), accoppiamento.

scoperchiàre v. tr. **1** [una tomba] aprire CONTR. coprire **2** [una pentola] scoprire.

scopèrta s. f. **1** invenzione, idea, trovata **2** rivelazione **3** rinvenimento, ritrovamento.

scopèrto (1) part. pass.; anche agg. **1** visibile CONTR. coperto **2** [rif. a un discorso] (fig.) aperto, franco, sincero CONTR. coperto **3** [rif. a un luogo, a una persona] inerme, indifeso, incustodito, espugnabile CONTR. coperto, fortificato, riparato, porticato **4** [rif. alle parti del corpo] nudo CONTR. coperto **5** [con indumenti] nudo, spogliato, svestito CONTR. coperto, imbacuccato, vestito.

scopèrto (2) s. m. [in conto bancario] rosso.

scopiazzàre v. tr. rimasticare (fig.), rimpastare (fig.), copiare.

scòpo s. m. **1** meta, fine, mira, obiettivo, ideale, finalità, aspirazione, effetto **2** (ass.) intendimento, proposito **3** traguardo (fig.), segno, oggetto **4** (fig.) vita, passione.

scoppiàre (1) v. intr. **1** [detto di bomba, di oggetto] esplodere **2** [detto di guerra, di rivolta, etc.] divampare, deflagrare (colto), scatenarsi **3** [dal ridere] (est.) crepare (fig.), schiantare (fig.), sbellicarsi, scompisciarsi **4** [detto di pila, etc.] (est.) scaricarsi **5** [a causa dell'ira, etc.] (est.) vibrare, schiattare, fremere, ribollire (fig.), dare in escandescenze **6** [in applausi, in fischi, etc.] dirompere (lett.), sbottare, prorompere, erompere, rompere, scrosciare (raro), crosciare **7** morire.

scoppiàre (2) v. tr. [due cose, persone] dividere, separare, spaiare.

scoppiettàre v. intr. **1** crepitare **2** (est.) friggere.

scòppio s. m. **1** esplosione, deflagrazione, detonazione, colpo **2** schiocco (raro), botta (pop.), schianto, rumore

3 [di una malattia, di una guerra] (est.) esplosione, manifestarsi **4** [di un meccanismo] scatto **5** [di sentimenti, di idee] (fig.) esplosione, ventata **6** [di risa, di applausi, etc.] (fig.) esplosione, scroscio, subisso **7** [di rabbia, etc.] (est.) esplosione, sfogo.

scoprire **A** v. tr. **1** [q.c.] scoperchiare CONTR. coprire **2** [un divano, etc.] sfoderare CONTR. ricoprire **3** [qc.] svestire, denudare (fam.) CONTR. imbaccucare, intabarrare **4** [il fianco, in senso fig.] esporre CONTR. parare **5** [qc. che mente, etc.] smascherare **6** [il proprio animo] (fig.) mettere a nudo **7** [le proprie idee] palesare, mostrare, manifestare CONTR. mimetizzare **8** [qc. tra la folla, etc.] individuare, identificare **9** [i sentimenti di altri] (est.) avvertire, percepire, intuire **10** [q.c.] (est.) trovare, rinvenire **11** [qc. in flagrante] beccare (scherz.), cogliere sul fatto **12** [una cura, una teoria] inventare, fondare, ideare **B** v. rifl. **1** denudarsi, spogliarsi, alleggerirsi CONTR. coprirsi, imbaccucarsi, intabarrarsi, ricoprirsi, fasciarsi **2** (est.) rivelarsi, sbottonarsi (fig.) CONTR. mimetizzarsi, nascondersi **3** [nella necessità di q.c.] trovarsi, vedersi (fig.).

scoraggiaménto s. m. **1** avvilimento, demoralizzazione, sconforto, scoramento (lett.), abbattimento, depressione (fig.), prostrazione CONTR. baldanza, coraggio, animo, fiducia, ottimismo, esultanza **2** costernazione, smarrimento CONTR. sicurezza.

scoraggiàre **A** v. tr. **1** avvilire, deprimere, demoralizzare, costernare (raro), disanimare, invilire (raro), prostrare, sbigottire (est.), scorare, sfiduciare CONTR. consolare, rassicurare, ravvivare, riconfortare, imbaldanzire **2** frustrare, sconsigliare, disincentivare CONTR. incoraggiare, incentivare **B** v. intr. pron. deprimersi, avvilirsi, demoralizzarsi, abbattersi, disperarsi, disanimarsi, accasciarsi (fig.), perdersi (est.), confondersi (est.), esanimarsi (raro), perdersi d'animo, scorarsi, sbigottirsi (est.), sfiduciarsi CONTR. imbaldanzirsi, ravvivarsi, rianimarsi, riconfortarsi, inorgoglirsi, invigorirsi, rassicurarsi.

scoraggiàto part. pass.; anche agg. avvilito, depresso, demoralizzato, smontato, abbattuto, sfiduciato (est.), disperato CONTR. confortato.

scoraménto s. m. abbattimento, demoralizzazione, sconforto, scoraggiamento, depressione (fig.), amarezza, sfiducia, abbandono, avvilimento CONTR. entusiasmo, euforia, ottimismo.

scoràre **A** v. tr. disanimare, scoraggiare, avvilire CONTR. consolare, incoraggiare **B** v. intr. pron. perdersi, avvilirsi, scoraggiarsi, disanimarsi CONTR. animarsi.

scorciàre **A** v. tr. raccorciare, accorciare, tagliare CONTR. allungare **B** v. intr. pron. [detto di giornate] accorciarsi CONTR. allungarsi.

scórcio s. m. (fig.) affresco, squarcio.

scordàre (1) **A** v. tr. **1** [q.c., qc.] dimenticare, obliare (colto), cancellare (fig.) CONTR. ricordare, rammentare **2** [l'arte di fare q.c.] disimparare CONTR. imparare **3** [un appuntamento, etc.] (est.) dimenticare, trascurare **4** [un oggetto] (est.) smarrire, lasciare **5** [le offese, i torti subiti] (est.) perdonare **B** v. intr. pron. dimenticarsi CONTR. rammentarsi, ricordarsi.

scordàre (2) v. tr. (mus.) guastare l'accordatura.

scordàto part. pass.; anche agg. **1** dimenticato, obliato, cancellato **2** (est.) trascurato.

scorèggia s. f. (pl. -ge) peto, vento (euf.), flatulenza (colto), aria (euf.).

scòrfano s. m. (f. -a) (gener.) pesce.

scòrgere v. tr. **1** intravedere, ravvisare, vedere **2** [i sentimenti di altri] ravvisare, intuire, percepire.

scòria s. f. **1** rifiuto, resto, scarto, detrito, avanzo **2** residuo, impurità.

scorpacciàta s. f. mangiata, abbuffata (pop.), strippata (pop.).

scorpióne s. m. (gener.) aracnide.

scorporàre v. tr. separare, scollegare CONTR. incorporare, inglobare.

scòrporo s. m. divisione, separazione CONTR. accorpamento.

scorrazzàre v. intr. girare, correre, scavallare (fam.).

scòrrere **A** v. intr. **1** [detto di liquido

in un condotto] circolare, defluire **CONTR.** ingorgarsi **2** *[in senso contrario]* rifluire **3** *[detto di tempo, etc.]* colare **4** *[detto di cerniera, etc.]* sbloccarsi **5** *[detto di sci sulla neve, etc.]* scivolare **6** *[detto di tempo]* *(est.)* trascorrere, passare *(fig.)*, fluire **7** *[detto di immagini]* *(est.)* essere logico, correre *(fig.)*, filare *(fig.)* **8** *(est.)* sfilare *(fig.)* **B** *v. tr.* **1** *[un libro, un giornale]* consultare, esaminare, leggere **2** *[un territorio]* percorrere, girare.

scorreria *s. f.* razzia, incursione, scorribanda.

scorrettaménte *avv.* **1** slealmente **CONTR.** correttamente, giustamente **2** indelicatamente, senza riguardi, pesantemente **CONTR.** correttamente, giustamente **3** erroneamente, impropriamente, con errori **CONTR.** correttamente, esattamente.

scorrettézza *s. f.* **1** errore, inesattezza, irregolarità, imprecisione **CONTR.** appropriatezza **2** *[nella forma]* vizio *(fig.)* **3** *[qualità dell'animo]* *(neg.)* disonestà, slealtà **CONTR.** correttezza **4** *[l'azione]* mancanzevolezza, villania, mascalzonata **CONTR.** delicatezza, cortesia.

scorrètto *agg.* **1** errato, sbagliato, inesatto, erroneo **2** *[rif. a un tiro, a un colpo]* disonesto, sleale, mancino, sconveniente *(est.)*, disdicevole *(est.)*, corsaro *(fig.)* **3** *[rif. al comportamento]* *(est.)* corsaro *(fig.)*, villano **CONTR.** corretto, irreprensibile, sportivo *(est.)*.

scorrévole *agg.* **1** fluente, fluido **2** *[rif. a uno scritto, a un discorso]* *(fig.)* fluente, fluido, liscio, agile, articolato, corrente **CONTR.** ostico, difficoltoso.

scorrevolézza *s. f.* **1** fluidità **CONTR.** viscosità **2** *[nello stile]* *(fig.)* fluidità, snellezza, agilità, scioltezza, disinvoltura **CONTR.** pesantezza, gravezza.

scorrevolménte *avv.* agevolmente, facilmente, fluidamente, agilmente, scioltamente **CONTR.** difficoltosamente, stentatamente.

scorribánda *s. f.* incursione, scorreria.

scorriménto *s. m.* **1** *[di liquidi]* deflusso **2** spostamento **3** *[di una data]* *(fig.)* slittamento.

scórso (1) *agg.* *[rif. a un giorno, a un mese, a un anno]* precedente, passato, antecedente, altro **CONTR.** prossimo, venturo *(lett.)*.

scórso (2) *s. m.* errore.

scòrta *s. f.* **1** protezione, sorveglianza, accompagnamento, guida **2** *[di persone]* *(est.)* corteo, corteggio, compagnia, seguito **3** *[spec. con: fare una]* provvista, rifornimento, viveri **4** ricambio, riserva.

scortàre *v. tr.* **1** accompagnare, condurre, menare *(fam.)*, convogliare **2** *(est.)* proteggere, fiancheggiare.

scortése *agg.* *[rif. all'atteggiamento]* maleducato, sgarbato, villano, incivile, offensivo **CONTR.** cortese, affabile, garbato, gentile, amorevole, premuroso, compiacente, cavalleresco, accogliente, ospitale.

scorteseménte *avv.* villanamente, sgarbatamente, bruscamente, incivilmente, rozzamente, sfacciatamente **CONTR.** cortesemente, galantemente, graziosamente, amabilmente, amorevolmente, civilmente.

scortesìa *s. f.* **1** *[rif. al comportamento]* villania, maleducazione, inciviltà, ruvidezza *(fig.)*, ruvidità *(fig.)*, sfrontatezza, cafoneria, indelicatezza, sgarbatezza **CONTR.** cortesia, gentilezza, educazione, finezza, delicatezza, tatto, amabilità, compitezza, garbo **2** *[l'azione]* villania, sgarbo, villanata, sgarberia **CONTR.** cortesia, gentilezza, delicatezza.

scorticàre **A** *v. tr.* **1** spellare, escoriare, abradere *(raro)*, pelare, sbucciare **2** *[le mani, etc.]* spellare, screpolare **B** *v. intr. pron.* spellarsi, sbucciarsi, sgraffiarsi, escoriarsi.

scorticatùra *s. f.* abrasione *(colto)*, spellatura, escoriazione *(colto)*, sgraffiatura, scalfittura, graffio *(est.)*, piaga *(est.)*, graffiatura *(est.)*, sgraffio *(est.)*.

scòrza *s. f.* **1** *[rif. agli alberi]* cortecia **2** *[rif. alla frutta, etc.]* guscio, buccia, epicarpo *(colto)*, esocarpo *(colto)* **3** *[rif. agli esseri viventi]* *(est.)* guscio, pelle, corpo **4** *[rif. agli esseri umani]* *(est.)* pelle *(fig.)*, temperamento, carattere **5** *(est.)* esteriorità, apparenza, crosta *(fig.)* **CONTR.** in-

terno.

scoscéndere **A** *v. tr.* rompere, spaccare, spezzare **B** *v. intr. e intr. pron.* **1** franare, smottare, rovinare **2** scendere, discendere.

scoscéso *part. pass.; anche agg.* *[rif. a un pendio, a un sentiero, etc.]* ripido, impervio, erto, aspro, precipitoso, disagevole *(est.)*, scomodo *(est.)* **CONTR.** piano.

scòssa *s. f.* **1** *[elettrica]* scarica **2** *(est.)* dolore, fitta **3** contrarietà, danno **4** *[per paura, etc.]* *(est.)* sussulto, trasalimento, tremito **5** *[rif. al terreno, a un oggetto]* *(est.)* vibrazione **6** *[spec. con: dare una]* *(est.)* crollo, scotimento *(raro)*.

scòsso *part. pass.; anche agg.* impressionato, turbato, commosso **CONTR.** calmo.

scostànte *part. pres.; anche agg.* sprezzante, superbo, freddo, gelido, rude, aspro *(est.)*, glaciale, burbero, sdegnoso, spocchioso, inavvicinabile, inaccessibile, riservato **CONTR.** cordiale, gioviale, alla mano, disponibile, familiare *(est.)*.

scostàre **A** *v. tr.* **1** separare, allontanare, discostare *(raro)* **CONTR.** ravvicinare **2** staccare, rimuovere **3** *[qc.]* evitare, sfuggire **CONTR.** avvicinare **B** *v. rifl.* **1** discostarsi, scansarsi, allontanarsi **CONTR.** accostarsi, rasentare, avvicinarsi **2** *[dalla norma]* *(fig.)* allontanarsi, deviare **C** *v. intr. pron.* *[detto di idee]* divergere.

scostumatamente *avv.* dissolutamente, immoralmente, lascivamente, licenziosamente, oscenamente **CONTR.** pudicamente, decentemente.

scostumatézza *s. f.* **1** *[rif. al comportamento]* maleducazione, villania **2** *[rif. ai costumi]* immodestia, impudicizia, sfacciataggine **CONTR.** costumatezza.

scostumàto *agg., s. m. (f. -a)* dissoluto **CONTR.** costumato.

scotiménto *o* **scuotiménto** *s. m.* crollo, scossa *(fig.)*.

scòtta (1) *s. f.* fune, corda.

scòtta (2) *s. f.* siero.

scottàre A v. tr. **1** [la pelle] bruciare, ustionare, pelare (scherz.), irritare (est.) **2** [verdura, carne] sbollentare, sbianchire **3** [l'animo] (est.) mortificare, ferire (fig.) **B** v. intr. **1** essere molto caldo, bruciare **2** [detto di merce rubata, etc.] essere pericoloso **C** v. intr. pron. **1** bruciarsi, ustionarsi, abbrustolirsi, cuocersi (fig.) **2** [per una brutta esperienza] rovinarsi.

scottatùra s. f. ustione (med.), bruciatura.

scòtto s. m. [spec. con: pagare lo] (fig.) prezzo, fio.

scovàre v. tr. **1** scoprire, trovare, individuare, rintracciare **2** (est.) recuperare **3** [un metodo, etc.] (est.) escogitare, ideare **4** [la selvaggina] (est.) stanare, snidare, levare.

scozzàre v. tr. [le carte da gioco] mescolare, mischiare, tagliare.

scrànna s. f. **1** scranno **2** (gener.) sedile, sedia.

scrànno s. m. **1** seggio, stallo **2** scranna **3** (gener.) sedile, sedia.

screanzàto A agg. insolente, maleducato, incivile, villano, zotico, rozzo CONTR. educato, civile, urbano **B** s. m. (f. -a) maleducato, villano, insolente.

screditàre A v. tr. denigrare, calunniare, disonorare, diffamare, demolire (fig.), infamare, discreditare, deridere (est.), dissacrare (raro), infangare (fig.), offuscare (fig.), perdere (est.), vituperare, squalificare CONTR. accreditare, vantare, raccomandare **B** v. intr. pron. discreditarsi, infamarsi, infangarsi (fig.), sputtanarsi (volg.) CONTR. riabilitarsi.

screditàto part. pass.; anche agg. disonorato, diffamato, sputtanato.

scremàre v. tr. sburrare, spannare (raro), sfiorare (raro).

screpolàre A v. tr. [la pelle] scorticare, pelare (fam.) **B** v. intr. pron. [detto di muro, di parete] sgretolarsi, fendersi, rompersi, incrinarsi, creparsi.

screziàre v. tr. picchiettare, variegare, maculare (colto).

screziatùra s. f. variegatura.

scrèzio s. m. disaccordo, dissapore, discordanza, contrasto, dissenso, crepa (fig.).

scribacchiàre v. tr. **1** (gener.) scrivere **2** scarabocchiare.

scricchiolàre v. intr. **1** [detto di strutture lignee] cigolare, gemere (fig.), rumoreggiare (impr.) **2** [detto di gesso sulla lavagna] stridere **3** [detto di foglie secche] crepitare, crocchiare.

scriminatùra s. f. divisa (fam.), riga.

scriteriàto A agg. sventato, incosciente, incauto, stolto, insensato, pazzo CONTR. saggio, assennato, giudizioso **B** s. m. (f. -a) pazzo, incosciente.

scritta s. f. **1** iscrizione **2** [tipo di] frase, parola **3** [privata, etc.] patto, contratto, scrittura **4** dicitura **5** stampigliatura.

scritto s. m. **1** elaborato, composizione **2** testo, lettura **3** lettera, missiva **4** (est.) scrittura, calligrafia **5** [tipo di] lettera, missiva, articolo, opera, saggio, relazione, ricerca.

scrittóre s. m. (f. -trice) **1** (fig.) penna **2** [tipo di] romanziere, saggista, poeta, pubblicista, articolista, giornalista, redattore **3** autore **4** (gener.) artista.

scrittùra s. f. **1** calligrafia, grafia, mano (fig.), scritto (est.) **2** [privata] scritta, documento, contratto, nota **3** stesura, redazione **4** [di un attore, etc.] (est.) ingaggio, scritturazione (raro).

scritturàre v. tr. ingaggiare, assumere.

scritturazióne s. f. **1** scrittura, ingaggio, assunzione CONTR. licenziamento **2** [rif. alla contabilità] registrazione.

scrivania s. f. **1** (gener.) mobile **2** tavolo.

scrivere v. tr. **1** annotare, segnare, notare (raro), registrare (est.) **2** [un documento] (bur.) compilare, redigere, stendere **3** [un'opera letteraria, etc.] comporre **4** [una lettera a qc.] corrispondere con, essere in corrispondenza con **5** [detto di scrittori] (est.) dire, affermare, sostenere **6** [q.c. nella mente] (fig.) fissare, imprimere **7** [una storia, etc.] (est.) descrivere **8** [un modulo, etc.] (est.) empire, riempire **9** [modi di] scribacchiare, scarabocchiare, manoscrivere, scrivere a mano, dattiloscrivere.

scroccàre A v. intr. scoccare, scattare **B** v. tr. sbafare.

scroccóne s. m. (f. -a) parassita, sfruttatore.

scròfa s. f. **1** [la femmina del maiale] troia **2** (est.) prostituta, puttana (volg.), vacca (volg.), mondana, mignotta (roman.), meretrice (colto), bagascia (genov.), baldracca (volg.), battona (est.), sgualdrina, zoccola (merid.).

scrollàre v. tr. **1** crollare, muovere, scuotere, agitare, squassare **2** [la coda] muovere, scuotere, agitare, dimenare **3** [la testa] muovere, scuotere, agitare, tentennare.

scrosciàre v. intr. **1** [detto di pioggia, di neve, etc.] fioccare, piovere, cadere **2** [detto di foglie secche] crosciare (raro), crepitare, rumoreggiare **3** [detto di applausi] crosciare (raro), esplodere (fig.), scoppiare (fig.).

scròscio s. m. **1** rovescio **2** [di risa, di applausi, etc.] (fig.) scoppio, esplosione.

scrostàre v. tr. raschiare.

scrùpolo s. m. **1** preoccupazione, timore, pensiero, apprensione, inquietudine **2** [nel fare q.c.] coscienza, diligenza, responsabilità, meticolosità, rigore, cura CONTR. sbadataggine, incuria, negligenza, disattenzione, superficialità **3** (est.) ubbia, fisima.

scrupolosaménte avv. **1** accuratamente, attentamente, meticolosamente, diligentemente, con precisione, coscienziosamente, metodicamente, pedantemente, religiosamente, esattamente CONTR. approssimativamente, arrabbiatamente **2** (est.) gelosamente.

scrupolosità s. f. **1** diligenza, attenzione, cura, accuratezza, precisione, coscienziosità CONTR. incuria, negligenza, disattenzione, superficialità **2** (est.) puntualità.

scrupolóso agg. **1** [rif. a una persona] coscienzioso, diligente, onesto **CONTR.** superficiale, negligente, sbrigativo, spregiudicato **2** [*rif. a un esame, a un'analisi, a un lavoro*] accurato, meticoloso, minuzioso, preciso **CONTR.** approssimato, raffazzonato **3** [*rif. all'attenzione, alla cura*] meticoloso, religioso (*enf.*).

scrutàre *v. tr.* **1** guardare intensamente, osservare, guardare, esaminare, contemplare **2** [*una situazione*] analizzare, vagliare, scavare (*fig.*) **3** [*il cielo*] esplorare, perscrutare **4** [*i misteri naturali, etc.*] indagare, investigare.

scrutinàre *v. tr.* **1** fare uno scrutinio *di* **2** [*le schede*] vagliare, esaminare.

scucire *A v. tr.* **1** disfare, sdrucire **CONTR.** cucire, ricucire **2** [*denaro*] (*est.*) snocciolare (*scherz.*), sputare (*pop.*), sborsare, sganciare, spendere, tirare fuori *B v. intr. pron.* disfarsi, rompersi, sdrucirsi, strapparsi.

scuderia *s. f.* **1** (*gener.*) stalla **2** (*est.*) clan (*celt.*), squadra, team (*ingl.*).

scudisciàre *v. tr.* frustare, fustigare.

scudisciàta *s. f.* frustata, staffilata.

scudiscio *s. m.* staffile, frustino, frusta (*est.*), sferza (*raro*), nervo (*est.*).

scùdo *s. m.* **1** [*tipo di*] insegna, targa, brocchiere, clipeo, parma, pelta, rotella **2** (*est.*) corazza **3** (*est.*) riparo, difesa, protezione.

sculacciàre *v. tr.* (*gener.*) picchiare.

sculettàre *v. intr.* ancheggiare, dimenarsi, dimenare i fianchi, scodinzolare.

scultóre *s. m.* (*f. -trice*) (*gener.*) artista.

scultùra *s. f.* **1** [*tipo di*] statua, busto, monumento, bronzo **2** (*gener.*) arte.

scuòcere *v. intr. pron.* diventare scotto.

scuòla *s. f.* **1** [*tipo di*] università, accademia, liceo, media, elementare **2** (*est.*) insegnamento **3** (*est.*) pratica, esercizio, addestramento **4** [*rif. agli animali*] (*est.*) ammaestramento **5** (*est.*) indirizzo **6** stile, metodo, tecnica, maniera **7** dottrina **8** (*gener.*) edificio.

scuòtere *A v. tr.* **1** scrollare, agitare, sballottare, squassare **2** [*la coda*] dimenare, menare, muovere, vibrare, divincolare **3** [*la testa*] scrollare, muovere, crollare, tentennare **4** [*l'animo*] (*est.*) turbare, commuovere, impressionare **5** [*qc.*] (*est.*) spronare, incitare, pungolare (*fig.*), galvanizzare (*fig.*), eccitare **CONTR.** paralizzare **6** [*l'interesse*] (*fig.*) svegliare, destare, ridestare, risvegliare **7** [*un governo, un regime*] (*est.*) destabilizzare *B v. intr. pron.* **1** darsi una mossa (*fam.*) **CONTR.** impigrirsi, impoltronirsi, infingardirsi **2** ridestarsi.

scuotiménto *s. m.* V. *scotimento*.

scùre *s. f.* accetta, ascia, mannaia.

scurire *A v. tr.* **1** abbronzare **CONTR.** schiarire **2** [*detto di fumo, etc.*] (*est.*) annerire, affumicare, tingere, sporcare **3** [*detto di ossido*] annerire, abbrunire, rendere nero **4** [*i colori in un dipinto*] incupire **5** [*un ambiente*] oscurare *B v. intr.* **1** imbrunire, farsi buio, annottare **2** [*detto di metallo*] diventare nero *C v. intr. pron.* **1** abbronzarsi **CONTR.** schiarirsi **2** [*i capelli*] tingersi **3** [*detto di clima, di viso, etc.*] incupirsi **4** [*detto di oggetto*] annerire.

scùro (1) *A agg.* **1** [*rif. al colore*] nero, bruciato **CONTR.** chiaro, bianco, sgargiante **2** [*rif. alla pelle*] bruno, abbronzato, dorato **CONTR.** chiaro, bianco **3** [*rif. all'umore, al tempo*] (*fig.*) cupo, plumbeo, tetro **4** [*rif. al viso*] fosco (*fig.*), turbato, triste **CONTR.** raggiante **5** [*rif. a un liquido*] torbido **CONTR.** chiaro *B s. m.* [*rif. a un colore*] bruno **CONTR.** chiaro.

scùro (2) *s. m.* persiana, battente.

scurrìle *agg.* triviale, volgare, sguaiato, osceno, sporco, salace (*est.*) **CONTR.** castigato, pudico.

scurrilità *s. f. inv.* volgarità, trivialità, impudicizia.

scùsa *s. f.* **1** [*spec. con: chiedere*] perdono, ammenda, venia **2** giustificazione, attenuante, argomento, scusante **3** cavillo, appiglio (*fig.*), storia, pretesto.

scusabilménte *avv.* tollerabilmente.

scusànte *s. f.* attenuante, scusa, giustificazione **CONTR.** aggravante.

scusàre *A v. tr.* **1** [*qc.*] perdonare, giustificare, scagionare, scolpare, difendere, discolpare, capire (*est.*), compatire (*est.*), comprendere (*est.*) **2** [*i peccati, gli errori*] perdonare, comprendere (*est.*), rimettere, condonare *B v. rifl.* **1** giustificarsi, difendersi, spiegarsi, discolparsi, scagionarsi **2** (*est.*) dolersi.

sdebitàrsi *v. rifl.* disobbligarsi, disimpegnarsi, pareggiarsi **CONTR.** indebitarsi.

sdegnàre *A v. tr.* disprezzare, spregiare, rifiutare, disdegnare, odiare (*est.*) **CONTR.** apprezzare *B v. intr. pron.* **1** indignarsi, scandalizzarsi **CONTR.** compiacersi **2** adirarsi, infuriarsi, irritarsi, esasperarsi, inalberarsi, insprirsi, invelenirsi, corrucciarsi **3** risentirsi, adontarsi, offendersi.

sdégno *s. m.* **1** indignazione, ira, collera, rabbia, stizza, dispetto **2** (*est.*) disgusto, disprezzo **CONTR.** rispetto, stima.

sdegnosaménte *avv.* arrogantemente, disdegnosamente, superbamente, con sdegno, con alterigia **CONTR.** affabilmente, amichevolmente, cordialmente, gentilmente (*est.*).

sdegnóso *agg.* sprezzante, superbo, spocchioso, scostante, schivo, aristocratico (*fig.*) **CONTR.** ingordo, avido.

sdilinquirsi *v. intr. pron.* sciogliersi (*fig.*).

sdolcinatézza *s. f.* svenevolezza.

sdolcinàto *agg.* languido, svenevole, stucchevole **CONTR.** crudo, brusco, rude.

sdolcinatùra *s. f.* moina, smanceria, smorfia, svenevolezza.

sdoppiàre *A v. tr.* **1** separare **CONTR.** raddoppiare, appaiare **2** geminare *B v. rifl.* (*psicol.*) dissociarsi *C v. intr. pron.* dividersi.

sdraiàre *A v. tr.* adagiare, coricare, stendere, posare **CONTR.** alzare, sollevare *B v. rifl.* stendersi, allungarsi, coricarsi, distendersi, rovesciarsi **CONTR.** drizzarsi, rannicchiarsi.

sdraiàto *part. pass.; anche agg.* steso, coricato, allungato **CONTR.** alzato, in piedi.

sdrammatizzàre v. tr. sgonfiare, ridimensionare **CONTR.** gonfiare, caricare.

sdrucciolàre v. intr. scivolare, ruzzolare, cascare, cadere, rotolare.

sdrucciolévole agg. scivoloso, lubrico (lett.) **CONTR.** scabro, ruvido.

sdrucire A v. tr. scucire, disfare B v. intr. pron. scucirsi.

se cong. 1 posto che, nel caso che, nell'eventualità che, ove 2 qualora, quando 3 eccetto che, tranne che, fuorché 4 dato che, dal momento che, poiché 5 quand'anche, ammesso che 6 come se 7 come, quanto.

sebbène cong. 1 benché, quantunque 2 [con valore avversativo] così.

sèbo s. m. grasso.

seccaménte avv. bruscamente, asciuttamente **CONTR.** delicatamente, con tatto, gentilmente.

seccànte part. pres.; anche agg. fastidioso, importuno, noioso, molesto, irritante, increscioso **CONTR.** piacevole, gradevole.

seccàre (1) A v. tr. 1 [frutta, fiori, etc.] essiccare, disidratare, asciugare, disseccare 2 [alimenti] liofilizzare 3 [un prato, etc.] inaridire **CONTR.** inzuppare, irrorare, bagnare 4 [l'erba, il raccolto, etc.] bruciare, arrostire, ardere (raro) 5 [un corso d'acqua] prosciugare 6 [la pelle] (est.) irruvidire B v. intr. [detto di fiore] appassire, avvizzire, morire **CONTR.** fiorire, sbocciare, nascere C v. intr. pron. 1 inaridirsi, disseccarsi, essiccarsi **CONTR.** infradiciarsi 2 [detto di corso d'acqua] asciugarsi, prosciugarsi.

seccàre (2) A v. tr. 1 infastidire, importunare, incomodare, disturbare, asfissiare (fig.), scocciare, dare fastidio a, molestare, perseguitare 2 inquietare, indispettire, indisporre, contrariare, crucciare 3 annoiare, tediare, stufare, pesare su (fig.) **CONTR.** deliziare, dilettare, interessare, divertire B v. intr. pron. 1 annoiarsi, infastidirsi, scocciarsi, tediarsi, stufarsi (pop.), scazzarsi (volg.), scogliionarsi (volg.) **CONTR.** compiacersi, deliziarsi, dilettarsi, divagarsi, divertirsi 2 indignarsi 3 crucciarsi.

seccàto part. pass.; anche agg. 1 secco, asciugato, prosciugato 2 (fig.) stufo, stanco, annoiato, infastidito, tediato, scocciato, insofferente, stizzito, irritato, indispettito 3 [rif. a una risorsa, a un bene] (fig.) esaurito.

seccatóre s. m. (f. -trice) disturbatore, importuno, scocciatore, rompiscatole (fam.), pizza (scherz.), rompiballe (volg.), attaccabottoni (scherz.).

seccatùra (1) s. f. disturbo, molestia, scocciatura (fam.), fastidio, noia, grana (pop.), rottura (pop.), guaio, impiccio, cruccio, tormento (scherz.), strazio (scherz.), persecuzione (fig.), problema **CONTR.** piacere, divertimento, gioia.

seccatùra (2) s. f. essiccazione, essiccamento.

secchézza s. f. 1 [rif. alla gola, etc.] arsura 2 [rif. al terreno] aridità **CONTR.** umidità, umidezza 3 [rif. al clima] siccità **CONTR.** umidità 4 [fisica] magrezza **CONTR.** pinguedine, adiposità, obesità, grassezza 5 [rif. al modo di fare] bruschezza, laconicità **CONTR.** cordialità, espansività.

sécco A agg. (pl. m. -chi) 1 arso, arido, seccato, disidratato, asciutto, prosciugato, asciugato, assetato (est.) **CONTR.** imbevuto, fradicio, impregnato, intriso, zuppo, inzuppato, madido 2 [rif. a un fiore] avvizzito, appassito **CONTR.** verde 3 [rif. a un rifiuto, a una risposta] (fig.) arso, duro, netto, brusco 4 [rif. a un moto, a un movimento] (fig.) brusco, improvviso, reciso **CONTR.** lento 5 [rif. a una risorsa, a un bene] esaurito 6 [rif. a una persona] magro **CONTR.** adiposo, corpulento, formoso, obeso, pingue (lett.) 7 [rif. al vino] brusco, aspringo (est.) **CONTR.** amabile, dolce 8 [rif. all'uva] passo B s. m. sing. aridità, siccità, secchezza.

secèrnere v. tr. 1 produrre, elaborare 2 emettere, espellere.

secessióne s. f. scissione, separazione **CONTR.** unione, fusione.

secolàre A agg. 1 vetusto, antico, vecchio **CONTR.** sacerdotale, clericale 2 laico, mondano, terreno, temporale B s. m. e f. laico **CONTR.** sacerdote.

secolarizzàre v. tr. laicizzare.

sècolo s. m. 1 epoca, era, età, evo (lett.) 2 tempo 3 [rif. al tempo impiegato] (fig.) eternità.

secondàre v. tr. 1 assecondare, incoraggiare, compiacere, condiscendere a **CONTR.** contrariare, contrastare 2 [la carriera, etc.] favorire, facilitare, agevolare 3 [qc.] (est.) favorire, fiancheggiare, sostenere.

secondariaménte avv. 1 accessoriamente, marginalmente, in secondo luogo **CONTR.** primariamente, principalmente, fondamentalmente, essenzialmente, necessariamente 2 in un secondo tempo **CONTR.** primariamente.

secondàrio agg. accessorio, marginale, complementare, superfluo, trascurabile, minore (est.), accidentale (est.) **CONTR.** primario, precipuo, principale, prioritario, irrinunciabile, elementare, fondamentale, basilare, maestro, capitale.

secondino s. m. (f. -a) carceriere, custode, guardia.

secóndo (1) agg. 1 (est.) altro, nuovo, differente 2 (est.) inferiore 3 favorevole, propizio.

secóndo (2) A avv. secondamente, in secondo luogo B cong. 1 nella maniera in cui 2 se, nel caso, nell'ipotesi che C prep. 1 lungo, nella direzione di 2 nel modo richiesto 3 stando a, conformemente a 4 in rapporto a, in proporzione a 5 in base a, in dipendenza di.

secóndo (3) s. m. attimo **CONTR.** ora, minuto.

secóndo (4) s. m. pietanza.

sèdano s. m. (gener.) ortaggio.

sedàre v. tr. 1 placare, calmare, acquietare, quietare, chetare, mitigare, pacare, pacificare, rabbonire, raddolcire, attenuare 2 [una rivolta, etc.] reprimere.

sedativo A s. m. 1 calmante, tranquillante, ansiolitico, antispasmodico, analgesico, antidolorifico, antinevralgico, anestetico (est.), antispastico, antalgico, barbiturico **CONTR.** eccitante, tonico, stimolante 2 (gener.) farmaco B agg. [rif. all'effetto] tranquillante, soporifero **CONTR.** eccitante.

sède s. f. **1** alloggio, dimora, residenza, domicilio **2** [*spec. con: trovare la*] collocazione, spazio, posto **3** (*est.*) località, luogo **4** (*est.*) ufficio.

sedére A v. intr. sedersi **B** v. intr. pron. **1** [*a tavola, etc.*] assidersi (*lett.*), mettersi, porsi **2** [*in un divano, etc.*] accomodarsi, adagiarsi **3** [*in un luogo*] trovarsi, fermarsi **C** s. m. **1** deretano, posteriore, didietro, fondoschiena, culo (*volg.*) **2** [*di un oggetto*] fondo, base.

sèdia s. f. **1** (*gener.*) sedile **2** seggiola (*tosc.*) **3** [*tipo di*] seggiolino, seggiolone, scanno (*raro*), scranno (*raro*), scranna (*raro*), stallo (*raro*), seggio, trono **CONTR.** divano, poltrona, sgabello, panca.

sedile s. m. **1** [*tipo di*] panca, sgabello, sedia, seggiola, scranna (*raro*), seggio, scranno, stallo (*raro*), scanno (*raro*), panchina, banco, sofà, poltrona, divano, ottomana, trono, seggiolone, seggiolino **2** posto.

CLASSIFICAZIONE

Sedile

Sedile: oggetto fatto per sedervi, di forma e materiali vari.

Sedia: sedile per una sola persona costituito da una spalliera, un piano orizzontale, due, tre o quattro gambe o piedi uniti o no da traverse;

seggiola: (*tosc.*);

seggiolino: sedia piccola e bassa per bambini;

seggiolone: sedia pieghevole;

seggiolone: 1) sedia grande e pesante per una persona, in legno, talvolta imbottito e ricoperto di cuoio o tessuto, con o senza braccioli; 2) sedia alta per bambini munita di un piano ribaltabile che serve d'appoggio al piatto e al bicchiere e impedisce al bambino seduto di cadere in avanti;

scranna: sedia con braccioli e schienale particolarmente alti;

stallo: sedia di legno con braccioli per persone importanti;

scanno: sedia con braccioli per persone importanti;

poltrona: sedia ampia con i braccioli, imbottita;

seggio: sedia importante e solenne destinata ad alti personaggi;

trono: seggio per sovrani, principi, pontefici e sim. in funzioni solenni, collocato sopra uno o più ordini di scalini, di forma varia;

sgabello: sedile per una persona, senza spalliera, con quattro gambe unite da traverse;

panca: sedile per più persone costituito da un'asse orizzontale o quattro gambe o piedi;

divano: sedile basso, imbottito, a due o più posti con schienale e braccioli;

sofà;

ottomana: divano alla turca con materasso o cuscini per spalliera, trasformabile in letto;

stallo: sedile di legno con braccioli e dorsale unito ad altri uguali e allineati su cui siedono le persone riunite a convegno;

scanno: sedile con braccioli e dorsale unito ad altri uguali e allineati su cui siedono le persone riunite a convegno;

panchina: sedile in ferro, legno o pietra per più persone posta all'aperto;

banca: sedile lungo e stretto fornito o no di schienale.

sedimentàre A v. intr. finire sul fondo, posare, depositare **B** v. intr. pron. depositarsi, posarsi.

sediménto s. m. **1** deposito, posatura, residuo, fondo, posa, feccia **2** [*rif. all'esperienza, etc.*] (*fig.*) deposito, accumulo.

sedizióne s. f. sommossa, sollevamento, ribellione, insurrezione, rivolta, levata.

sediziòso A agg. sovversivo, ribelle, fazioso, fanatico **CONTR.** conforme, allineato **B** s. m. (f. -a) sovversivo, ribelle.

seducènte part. pres.; anche agg. **1** [*rif. a una persona*] attraente, affascinante, fatale, avvenente, incantevole **CONTR.** repellente **2** [*rif. alle parole*] convincente, persuasivo **CONTR.** repellente **3** (*est.*) invitante, promettente **4** [*rif. allo sguardo*] (*fig.*) fatale, assassino, ladro.

seducenteménte avv. lusinghevolmente, in modo accattivante, in modo affascinante, in modo allettante, amabilmente.

sedùrre v. tr. **1** affascinare, attrarre,

avvincere, ammaliare, innamorare, stregare, irretire, conquistare, fare innamorare, fascinare, incantare, rapire (*fig.*), invischiare (*fig.*), arruffianare (*pop.*) **CONTR.** disamorare, respingere **2** [*qc.*] (*est.*) disonorare **3** [*detto di denaro, di vita facile*] (*est.*) corrompere.

sedùta s. f. **1** sessione, riunione, assemblea, tornata (*est.*) **2** [*di una modella*] posa **3** [*dal medico, etc.*] visita.

seduttóre A s. m. **1** playboy (*ingl.*), donnaiolo, conquistatore, dongiovanni **2** (*est.*) corruttore **B** agg. affascinante.

seduttrice s. f. (*fig.*) maliarda, strega, sirena.

seduzióne s. f. **1** lusinga, allettamento, attrazione, adescamento (*lett.*) **2** attrattiva, malia, fascino, sex appeal (*ingl.*).

segàre v. tr. **1** falciare, mietere, recidere, resecare (*colto*), troncare (*est.*), tagliare **2** [*un lavoro, un candidato*] (*est.*) bocciare, trombare (*volg.*).

sèggio s. m. **1** sedia, scranno (*raro*), stallo (*raro*), scanno (*raro*), trono, podio, cattedra **2** (*gener.*) sedile **3** (*est.*) posto, carica.

sèggiola s. f. **1** sedia **2** (*gener.*) sedile.

seggiolino s. m. (*gener.*) sedile, sedia.

seggiolóne s. m. (*gener.*) sedile, sedia.

seghettàre v. tr. frastagliare.

segnalàre A v. tr. **1** [*detto di sintomo, etc.*] avvisare, annunciare, comunicare, anticipare, denunciare (*est.*) **2** [*qc., q.c.*] additare **3** designare, proporre, raccomandare, presentare **B** v. rifl. **1** distinguersi, evidenziarsi, emergere, brillare (*fig.*), affermarsi, primeggiare **2** [*in un ambiente, etc.*] affermarsi, introdursi.

segnalatóre (1) s. m. (f. -trice) avvisatore (*raro*).

segnalatóre (2) s. m. **1** indicatore, spia (*fig.*) **2** (*gener.*) strumento.

segnalazióne *s. f.* **1** indicazione **2** (*est.*) segnale, avviso, allarme **3** [*di notizie, etc.*] (*est.*) trasmissione, comunicazione **4** [*rif. a una persona*] (*est.*) raccomandazione **5** [*di una persona, etc.*] (*est.*) citazione, menzione.

segnàle *s. m.* **1** segno **2** segnalazione, avviso, allarme **3** sintomo, spia, prodromo (*med.*).

segnàre *v. tr.* **1** indicare **2** registrare, notare, annotare, scrivere (*est.*) **3** [*un mobile, etc.*] rigare, solcare, scalfire, graffiare **4** [*q.c. con un marchio*] bollare, marcare, marchiare, contraddistinguere, contrassegnare **5** [*l'inizio, la fine di q.c.*] annunciare **6** [*un gol*] realizzare.

ségno *s. m.* **1** [*di q.c.*] segnale, indizio, sintomo, prodromo **2** [*di proprietà*] marchio **3** [*di saluto*] cenno, gesto, richiamo **4** [*spec. con: lasciare il*] impronta, orma, traccia, vestigia (*lett.*) **5** [*indicatore di q.c.*] punto, linea **6** [*spec. con: passare il*] punto, limite, misura, grado **7** [*distintivo*] nota, contrassegno **8** [*spec. con: raggiungere*] bersaglio (*fig.*), scopo, fine **9** [*di un partito politico, etc.*] simbolo, immagine, bandiera, insegna **10** [*su q.c.*] rigatura, sciupatura, venatura, tratto, rigo, riga, frego **11** [*sul viso, sul corpo*] marchio, cicatrice **12** [*di speranza, etc.*] (*fig.*) spiraglio, accenno **13** [*di fede, di affetto, etc.*] attestazione, dimostrazione, testimonianza **14** [*rif. a cose spiacevoli*] (*fig.*) strascico.

segregàre A *v. tr.* rinchiudere, imprigionare, incarcerare, confinare, relegare, emarginare, isolare, rinserrare, interdire, internare CONTR. liberare **B** *v. rifl.* isolarsi, nascondersi, chiudersi, celarsi, serrarsi CONTR. uscire.

segregazióne *s. f.* **1** isolamento, quarantena **2** (*est.*) prigionia, carcerazione, reclusione, detenzione CONTR. libertà **3** [*in Sud Africa*] apartheid (*ingl.*).

segretaménte *avv.* **1** in segreto, occultamente, arcanamente, nascostamente, celatamente, copertamente, furtivamente, clandestinamente, alla chetichella, misteriosamente CONTR. apertamente, manifestamente, visibilmente **2** confidenzialmente, riservatamente, ufficiosamente (*est.*).

segretàrio *s. m.* (*f. -a*) portaborse (*spreg.*).

segréto (1) *agg.* **1** [*rif. a un luogo*] (*lett.*) nascosto, appartato, riposto, sotterraneo (*est.*) CONTR. conosciuto, noto **2** occulto, celato, arcano CONTR. noto **3** [*rif. all'amore*] sotterraneo (*est.*), clandestino CONTR. legittimo **4** [*rif. a un pensiero*] intimo, recondito CONTR. noto **5** intimo, privato, particolare CONTR. noto, divulgato **6** [*rif. al tono di voce*] (*fig.*) riservato, confidenziale.

segréto (2) *s. m.* **1** mistero, enigma, arcano (*lett.*) **2** [*rif. a un professionista*] riservatezza, silenzio **3** [*della felicità, etc.*] ricetta, rimedio **4** [*della famiglia, etc.*] intimità **5** [*tra persone*] (*est.*) confidenza.

seguàce *s. m. e f.* **1** discepolo, allievo, scolaro, epigono (*lett.*), imitatore (*spreg.*) CONTR. precursore, maestro, antesignano, anticipatore **2** proselito, accolito, adepto, iniziato, aderente, devoto **3** simpatizzante, tifoso, aficionado (*sp.*), fautore CONTR. nemico, oppositore, avversario.

seguènte *part. pres.; anche agg.* successivo, conseguente (*est.*), posteriore (*fig.*) CONTR. antecedente, anteriore.

segùgio *s. m.* (*gener.*) cane.

seguìre A *v. tr.* **1** [*q.c.*] pedinare, inseguire, tallonare, tenere dietro *a* CONTR. precedere **2** [*q.c.*] scortare, accompagnare, corteggiare (*est.*) **3** [*q.c. in una fila*] essere in coda *a* **4** [*il comportamento di q.c.*] (*est.*) imitare, emulare, comportarsi allo stesso modo di **5** [*le orme di q.c.*] (*fig.*) ricalcare **6** [*una condotta, etc.*] (*fig.*) tenere **7** [*q.c. o q.c. con gli occhi*] (*est.*) guardare, osservare **8** [*un cliente, etc.*] (*fig.*) curare, coltivare **9** [*q.c.*] (*est.*) curare, assistere, prendersi cura *di* **10** [*uno spettacolo, etc.*] (*est.*) interessarsi *a* **11** [*i consigli, etc.*] (*est.*) attenersi *a*, conformarsi *a* CONTR. disattendere **12** [*il parere altrui*] accettare, aderire *a*, accodarsi *a*, assecondare **13** [*il pensiero, il discorso*] intendere **B** *v. intr.* **1** fare seguito, conseguire, derivare, susseguire **2** [*detto di negoziati, etc.*] seguitare, continuare, proseguire **3** [*in senso dinastico*] succedere **4** accadere, avvenire.

seguitàre A *v. intr.* proseguire, durare, perdurare, perseverare, continuare, persistere, procedere, seguire CONTR. smettere, terminare **B** *v. tr.* [*il racconto, il lavoro*] continuare, proseguire, riprendere.

seguito *s. m.* **1** [*di persone*] accompagnamento, corteo, contorno, corteggio, scorta, codazzo (*iron.*), compagnia **2** (*est.*) consenso, aderenza (*fig.*), favore **3** claque (*fr.*), tifoseria **4** [*di fatti, di eventi, etc.*] sequela, serie, sfilza **5** [*di un romanzo, di un film, etc.*] continuazione, proseguimento **6** [*di una vicenda*] conseguenza, esito, strascico (*fig.*) CONTR. antecedente.

selciàre *v. tr.* lastricare, pavimentare.

selciàto *s. m.* pavimento.

selènico *agg.* lunare.

selezionaménto *s. m.* selezione.

selezionàre *v. tr.* scegliere, discernere, sceverare, filtrare, separare, preferire (*est.*).

selezionàto *part. pass.; anche agg.* **1** scelto, eletto, preferito **2** (*est.*) speciale.

selezióne *s. f.* **1** scelta, distinzione (*est.*) **2** [*in base alle attitudini*] valutazione **3** [*di testi scritti, etc.*] raccolta, antologia, crestomazia (*lett.*), florilegio (*lett.*) **4** (*tel.*) combinazione **5** (*est.*) concorso.

self-control *s. m. inv.* autocontrollo, controllo CONTR. impulsività.

sèlla *s. f.* **1** barda (*lett.*) **2** [*dei pantaloni*] cavallo.

sellàre *v. tr.* bardare, mettere i finimenti *a*.

sèlva *s. f.* **1** bosco, boscaglia, macchia, foresta **2** (*raro*) albero (*poet.*), legno (*poet.*) **3** [*di persone*] (*est.*) moltitudine, mucchio, massa.

selvaggiaménte *avv.* **1** brutalmente, barbaramente CONTR. educatamente, civilmente **2** efferatamente, inumanamente CONTR. umanamente.

selvaggìna *s. f.* caccia, cacciagione.

selvàggio A *agg.* **1** [*rif. agli animali*] selvatico, brado CONTR. addomesticato **2** [*rif. a una persona*] barbaro, incivile, zotico, rozzo **CONTR.** civile **3** [*rif. a un delitto*] disumano, crudele, feroce, bestiale, efferato **4** [*rif. al terreno*] (*est.*) selvatico, aspro **5** [*rif. allo sguardo*] fiero, indomito **B** *s. m.* (*f. -a*) aborigeno, barbaro, primitivo.

selvatichézza *s. f.* misantropia, scontrosità.

selvàtico o **salvàtico** *A agg.* **1** [*rif. agli animali*] selvaggio, libero **CONTR.** addestrato, ammaestrato, ammansito, domato, domestico, ubbidiente **2** [*rif. a un luogo*] solitario, romito (*lett.*) **3** [*rif. al terreno*] selvaggio, aspro, incolto **4** [*rif. a una persona*] (*lett.*) barbaro, zotico, rozzo, scontroso, schivo **B** *s. m. sing.* lezzo.

sembiànte *s. m.* **1** effigie (*lett.*), aspetto, apparenza, sembianza, aria (*fig.*) **2** volto, viso.

sembiànza *s. f.* **1** aspetto, apparenza, sembiante (*colto*), vista **2** immagine, somiglianza **3** fattezza, lineamento.

sembràre *A v. intr.* **1** parere, avvicinarsi *a*, rassomigliare *a*, somigliare *a*, assomigliare *a*, rammentare, assembrare *a* (*raro*) **2** prospettarsi, apparire, comparire (*raro*) **3** puzzare di (*fig.*), sapere di (*fig.*) **B** *v. intr. impers.* **1** parere **2** [*per buono, etc.*] passare.

sème *s. m.* **1** embrione, germe **2** [*della frutta*] (*est.*) nocciolo, chicco, endocarpo (*lett.*), granello **3** razza, discendenza, schiatta, stirpe, frutto (*fig.*) **4** (*biol.*) sperma **5** [*della discordia, etc.*] (*est.*) origine, causa **6** [*nelle carte da gioco*] (*est.*) colore, simbolo.

semenzàio *s. m.* vivaio.

sémina *s. f.* seminagione, seminatura.

seminàre *v. tr.* **1** spargere, disseminare, diffondere **2** piantare **3** [*panico, odio, etc.*] (*est.*) diffondere, suscitare.

seminterràto *s. m.* scantinato.

semitrasparènte *agg.* traslucido.

semmài *A avv.* tutt'al più, caso mai **B** *cong.* eventualmente, caso mai, ove.

sémola *s. f.* **1** crusca **2** (*est.*) efelide, lentiggine.

sémplice *A agg.* **1** facile, elementare, agevole (*est.*), scempio (*raro*), piano **CONTR.** affettato, lezioso, artefatto, artificiale, artificioso, costruito, forzato, complicato, concettoso, bizantino (*fig.*), lussuoso, prezioso, ricercato **2** [*rif. a una persona*] candido, ingenuo, inesperto (*est.*), credulone, innocente, semplicione, genuino, rustico (*fig.*), bonario **CONTR.** affettato, artefatto, costruito, altezzoso, arrogante, borioso, caricato, capzioso, austero, malizioso, manierato **3** [*rif. a un abito*] lineare, liscio **CONTR.** lezioso, lussuoso, austero **4** mero, puro, solo **CONTR.** arduo **5** familiare, casalingo **6** [*rif. a un'impresa*] fattibile, eseguibile **CONTR.** laborioso, travagliato **7** [*rif. a un discorso*] facile, elementare **CONTR.** artefatto, costruito, complicato, concettoso, bizantino (*fig.*), altisonante, ambiguo, ampolloso, articolato, astruso, cavilloso, tortuoso, complesso, curialesco, macchinoso, pomposo **8** [*rif. all'animo*] candido, innocente **CONTR.** contorto, involuto, contaminato **9** scempio (*raro*) **CONTR.** doppio, duplice **B** *s. m. e f.* semplicioto, semplicione.

semplicemènte *avv.* **1** candidamente, con semplicità **CONTR.** astutamente, con malizia **2** soltanto, solo, unicamente **CONTR.** enigmaticamente **3** elementarmente, facilmente **CONTR.** capziosamente, cavillosamente, complicatamente, elaboratamente, macchinosamente, sofisticamente **4** dimessamente, modestamente, umilmente **CONTR.** altezzosamente, arrogantemente, alteramente, tronfiamente **5** alla buona, democraticamente, alla mano **CONTR.** affettatamente, artificiosamente, complimentosamente, leziosamente **6** discorsivamente **CONTR.** capziosamente, cavillosamente, sofisticamente, enfaticamente, pomposamente, pretestuosamente, ricercatamente, solennemente, trionfalmente.

semplicióne *A agg.* credulone, ingenuo, semplice, candido, sciocco **CONTR.** diffidente, incredulo, scettico **B** *s. m.* (*f. -a*) (*spreg.*) minchione.

semplicioneria *s. f.* dabbenaggine, balordaggine, candore (*fig.*), ingenuità, puerilità **CONTR.** furberia, scaltrezza, avvedutezza, destrezza, furbizia.

sempliciòtto *A agg.* credulone, bab-

beo, ingenuo, candido, sciocco, grullo, tondo **CONTR.** marpione, furbo, scaltro **B** *s. m.* (*f. -a*) credulone, sciocco, babbeo, citrullo, grullo **CONTR.** furbo, dritto.

semplicità *s. f. inv.* **1** naturalezza, disinvoltura, scioltezza **CONTR.** impaccio **2** [*nel vestire, etc.*] sobrietà **CONTR.** stravaganza, ricercatezza, sfarzo, solennità, sontuosità, fasto, leziosaggine, splendore, magnificenza **3** [*qualità dell'animo*] candore, ingenuità, inesperienza, innocenza **4** [*nel fare, nel trattare*] freschezza (*fig.*), genuinità, spontaneità, schiettezza **CONTR.** artificiosità, affettazione, ampollosità, boria, pomposità, sicumera, spocchia, albagia, burbanza, iattanza, enfasi **5** [*a comprendersi*] chiarezza, linearità, comprensibilità **CONTR.** oscurità, tortuosità **6** [*a farsi*] facilità, praticità **CONTR.** difficoltà, scabrosità, complessità **7** [*rif. al comportamento*] umiltà, modestia **CONTR.** superbia, sussiego.

semplificàre *v. tr.* **1** [*la vita*] facilitare, agevolare **CONTR.** complicare **2** [*un problema, un discorso*] sfrondare (*fig.*), snellire (*fig.*), banalizzare, schematizzare, elementarizzare, alleggerire (*fig.*), rendere semplice **CONTR.** ingarbugliare **3** sfrondare (*fig.*), snellire (*fig.*), banalizzare.

semplificàto *part. pass.*; *anche agg.* ridotto **CONTR.** complicato.

sèmpre *avv.* **1** eternamente, perpetuamente, perennemente, continuamente **CONTR.** giammai, mai **2** regolarmente, immancabilmente **3** eternamente, indelebilmente **CONTR.** provvisoriamente.

semprònio *s. m.* persona, individuo **CONTR.** tizio, caio.

senàto *s. m.* camera.

senatóre *s. m.* (*f. -trice*) parlamentare.

senilità *s. f. inv.* vecchiaia, decrepitezza, vecchiezza (*lett.*) **CONTR.** giovinezza, adolescenza.

senior *A agg.* anziano, decano **CONTR.** junior (*ingl.*), giovane **B** *s. m. inv.* anziano.

sènno *s. m.* giudizio, discernimento,

saggezza, saviezza, intelligenza (*est.*), cervello (*fig.*), criterio, sale (*fig.*), sentimento (*fam.*), assennatezza, buonsenso **CONTR.** dissennatezza, sconsideratezza, leggerezza, insania, follia.

sennò *cong.* V. *se no.*

se no o **sennò** *loc. cong.* altrimenti, oppure.

séno *s. m.* **1** petto **2** [*della madre*] utero, ventre, grembo **3** (*est.*) animo, cuore **4** [*della terra*] viscere, interno **5** (*anat.*) cavità **6** [*di mare*] insenatura, baia.

sensàle *s. m.* **1** mediatore, intermediario, tramite, faccendiere (*iron.*) **2** (*est.*) prosseneta (*lett.*), paraninfo (*lett.*), mezzano.

sensataménte *avv.* ragionevolmente, riflessivamente, saggiamente, saviamente, assennatamente, avvedutamente, giudiziosamente **CONTR.** insensatamente, avventatamente, imprudentemente, sconsideratamente.

sensatézza *s. f.* plausibilità, ragionevolezza, buonsenso **CONTR.** balordaggine, insensatezza.

sensàto *agg.* **1** [*rif. a un discorso*] ragionevole, logico, coerente, razionale **CONTR.** insensato, assurdo, bislacco, cervellotico **2** [*rif. a una persona*] savio, assennato, giudizioso, avveduto **CONTR.** insensato, balordo, folle, vanesio.

sensazionàle *agg.* [*rif. a una notizia*] bomba (*fig.*), straordinario **CONTR.** insignificante, banale.

sensazióne *s. f.* **1** impressione, presentimento, percezione, intuizione, senso (*fam.*) **2** [*spec. con: destare*] ammirazione, meraviglia, interesse, stupore, sorpresa, disgusto **CONTR.** disinteresse **3** (*est.*) stimolo.

sensìbile *agg.* **1** [*rif. all'animo*] delicato, buono, garbato, aperto **CONTR.** insensibile, arido **2** [*rif. a una persona*] suscettibile, permaloso, animato, emotivo **CONTR.** insensibile, arido **3** [*rif. a una quantità, a un numero*] notevole, rilevante.

sensibilità *s. f. inv.* **1** impressionabilità, suscettibilità, emotività **CONTR.** insensibilità, indifferenza, freddezza,

aridità **2** (*est.*) finezza, delicatezza, bontà, squisitezza, coscienza, disponibilità **CONTR.** insensibilità, indifferenza, durezza, brutalità, chiusura **3** (*est.*) intuito, vista (*fig.*), occhio (*fig.*), ricettività, percettività.

sensibilizzàre *v. tr.* rendere sensibile, rendere cosciente, rendere consapevole.

sensibilménte *avv.* **1** materialmente, percettibilmente, tangibilmente **CONTR.** impercettibilmente, insensibilmente **2** particolarmente, notevolmente, considerevolmente, molto.

sensitiva *s. f.* **1** mimosa **2** (*gener.*) pianta, albero.

sensitivo A *agg.* sensibile **B** *s. m.* (*f. -a*) medium.

sènso (1) *s. m.* **1** [*spec. al pl. con: perdere i*] coscienza, conoscenza **2** significato, costrutto **3** [*di solitudine, di pietà*] impressione, sentimento, sensazione, moto (*fig.*) **4** significato, sale (*fig.*), sugo (*fig.*), valore, spirito **5** [*del dovere, etc.*] coscienza, consapevolezza **6** [*rif. a una parola, a una frase*] significato, accezione, uso (*est.*), suono (*raro*) **7** [*spec. con: fare in quel, dire in quel*] maniera, modo **8** [*ai sensi della legge*] (*bur.*) conformità **9** [*spec. al pl.*] sensualità, istinto **10** [*spec. con: fare*] impressione, raccapriccio, ribrezzo, ripugnanza **11** [*spec. al pl.*] carne (*fig.*), corpo **12** [*tipo di*] olfatto, gusto, tatto, udito, vista **13** [*degli affari*] attitudine a, inclinazione a, predisposizione per **14** [*rif. a un discorso, a uno scritto*] argomento, contenuto, messaggio **15** coerenza, logica **16** [*per giudicare q.c.*] (*est.*) criterio.

sènso (2) *s. m.* direzione, verso, parte, lato.

sensuàle *agg.* voluttuoso, libidinoso, erotico.

sensualità *s. f. inv.* **1** erotismo, sex appeal (*ingl.*) **2** senso (*pl.*).

sensualménte *avv.* eroticamente, voluttuosamente, lussuriosamente, libidinosamente.

sentènza *s. f.* **1** giudizio, decisione, verdetto **2** avviso, parere, opinione **3** detto, massima, adagio, aforisma

(*colto*).

sentenziàre A *v. tr.* **1** asserire, dichiarare **2** [*detto di tribunale*] decidere, giudicare, pronunciarsi **B** *v. intr.* sputare sentenze (*spreg.*), salire in cattedra (*fig.*).

sentièro *s. m.* **1** viottolo, viuzza **2** (*gener.*) strada, via **3** [*individuale*] (*fig.*) cammino.

sentimentàle A *agg.* poetico, romantico, lirico, spirituale **CONTR.** arido, cinico, disincantato **B** *s. m. e f.* romantico.

sentimentalismo *s. m.* romanticismo.

sentiménto *s. m.* **1** sensazione **2** [*tipo di*] amore, trasporto, delicatezza, tenerezza, passione (*est.*), rimorso, rimpianto, rincrescimento, risentimento, pentimento, pietà, odio, nostalgia, carità, gratitudine, gelosia, invidia, ira, ambizione, antipatia, sconforto, angoscia, tristezza, disprezzo, rancore, dolore, mestizia **CONTR.** freddezza, distacco, indifferenza, noncuranza **3** [*del dovere, etc.*] (*est.*) coscienza, senso, consapevolezza **4** [*spec. con: esprimere un, essere un*] (*est.*) parere, opinione, idea, convinzione **5** (*est.*) emotività **CONTR.** ragione **6** [*spec. con: dedicarsi con tutto il*] (*est.*) anima, dedizione **7** [*rif. a una persona*] (*est.*) senno, giudizio.

sentìna *s. f.* covo (*fig.*), nido (*fig.*), ricetto (*lett.*).

sentinèlla *s. f.* guardiano, sorvegliante, vigilante, piantone (*mil.*), vedetta (*mil.*), palo (*fig.*), guardia.

sentìre A *v. tr.* **1** [*con l'udito*] udire, ascoltare **2** [*con la mente*] captare, presagire, presentire, capire, percepire **3** [*un sentimento, etc.*] provare, avere, nutrire (*fig.*), concepire (*fig.*) **4** [*un esperto, etc.*] vedere (*fig.*), consultare, interpellare **5** [*le conseguenze*] risentire, subire **6** [*una pietanza, etc.*] provare, assaggiare **7** [*q.c.*] sapere, apprendere **8** [*q.c.*] informarsi di **9** [*la stanchezza*] provare, avvertire **10** [*q.c. in un certo modo*] vedere (*fig.*), pensare **11** [*la mancanza di qc. o q.c.*] soffrire per **B** *v. rifl.* credersi, considerarsi, ritenersi, stimarsi, vedersi **C** *v. intr.* [*rif. all'odore, etc.*] sapere **D** *v. intr. pron.* **1** [*bene, male, etc.*]

stare **2** [*nella forma: sentirsela*] fidarsi, avere il coraggio **3** [*nella forma: sentirsela*] essere disposto a **4** [*nella forma: sentirsela*] fidarsi, sentirsi capace **E** *s. m. sing.* sentimento, sensibilità.

sentito *part. pass.; anche agg.* caldo, affettuoso, cordiale, vivo, fervido, appassionato, accorato **CONTR.** inavvertito.

sentóre *s. m.* **1** impressione, indizio, puzzo (*fig.*), puzza (*fig.*) **2** (*est.*) odore.

sènza **A** *prep.* **1** privo di **CONTR.** con **2** escludendo, con assenza di **B** *cong.* non.

senz'àltro *avv.* V. *altro.*

separàre **A** *v. tr.* **1** [*qc., q.c.*] allontanare, dividere, isolare **CONTR.** unire **2** [*q.c.*] allontanare, distanziare, scostare, spaiare **CONTR.** appaiare, raccostare **3** [*oggetti uniti tra loro*] disunire, distaccare, disgiungere, scollare, scorporare, sdoppiare **CONTR.** congiungere, raccordare, ricongiungere, saldare **4** [*un fiore dalla pianta*] tagliare, staccare **5** [*q.c. in un gruppo*] distinguere, discernere, sceverare, smistare, spartire, selezionare **CONTR.** conglobare, raggruppare **6** [*le responsabilità*] scindere, differenziare **7** [*un gruppo*] smembrare, disaggregare, disgregare **8** [*una sostanza*] disaggregare, decomporre **CONTR.** fondere, mescolare, mischiare, mischiare, legare **9** [*un lavoro letterario*] articolare **10** [*un paragrafo da un altro*] inserire uno spazio tra **11** [*l'audio dal video, etc.*] scollegare, disconnettere **CONTR.** connettere, ricollegare, riconnettere **12** [*detto di distanza tra paesi*] intercorrere **B** *v. intr. pron.* **1** scindersi, staccarsi, disgiungersi, distaccarsi, disunirsi **CONTR.** congiungersi, riconnettersi **2** [*detto di gruppo*] disperdersi, sbandarsi **CONTR.** fondersi, raggrupparsi **3** [*detto di insieme*] frazionarsi, disgregarsi **C** *v. rifl. rec.* dividersi, lasciarsi, divorziare (*est.*) **CONTR.** sposarsi, unirsi, accasarsi, accoppiarsi **D** *v. rifl.* appartarsi.

separataménte *avv.* **1** disgiuntamente, distintamente **CONTR.** insieme, unitamente, collettivamente, cumulativamente **2** (*temp.*) simultaneamente **CONTR.** insieme, contemporanea-

mente.

separàto **A** *part. pass.; anche agg.* disgiunto, diviso, mozzo, mutilato, avulso, esterno a (*fig.*) **CONTR.** fuso, amalgamato, aderente, contiguo **B** *s. m.* (*f. -a*) (*erron.*) divorziato.

separazióne *s. f.* **1** divisione, scissione, distinzione, scorporo, spaiamento (*raro*) **CONTR.** unione, fusione, abbinamento, accomunamento **2** [*tra persone*] distacco, addio, allontanamento **3** [*tra coniugi*] divisione, divorzio **CONTR.** matrimonio, sposalizio **4** [*politica, culturale*] scissione, secessione.

sepólcro *s. m.* arca, urna, tomba, tumulo, avello (*lett.*), sepoltura (*raro*).

sepoltùra *s. f.* **1** interramento, tumulazione, inumazione, seppellimento **CONTR.** disseppellimento, esumazione, dissotterramento **2** (*est.*) funerale, esequie **3** (*est.*) tomba, sepolcro.

seppelliménto *s. m.* tumulazione, sepoltura, inumazione, interramento **CONTR.** disseppellimento, esumazione, dissotterramento.

seppellire *v. tr.* **1** tumulare, sotterrare, inumare, interrare, mettere in una fossa **CONTR.** disseppellire, dissotterrare, esumare, riesumare **2** [*un episodio, una pratica*] nascondere, occultare, affossare (*fig.*), infossare (*fig.*).

sèppia **A** *s. f.* (*gener.*) mollusco **B** *agg. inv.* [*rif. a colore*] bruno.

sequèla *s. f.* serie, insieme, sfilza, catena (*fig.*), seguito, fila, successione, concatenazione (*est.*).

sequènza *s. f.* **1** serie **2** (*elab.*) frame (*ingl.*), stringa [*nelle carte da gioco*] scala, successione.

sequestràre *v. tr.* **1** [*i beni, etc.*] requisire, espropriare, confiscare, pignorare **2** [*qc.*] rapire, catturare **3** [*le merci, etc.*] (*est.*) rastrellare, accaparrare.

sequestràto *part. pass.; anche agg.* rapito.

sequèstro *s. m.* **1** rapimento, cattura (*est.*), ratto **2** requisizione, confisca, esproprio, rastrellamento (*fig.*).

sèra *s. f.* **1** tramonto, crepuscolo, im-

brunire, vespro (*lett.*), vespero (*lett.*) **CONTR.** mattina, mattino **2** [*di festa*] serata **3** (*est.*) vecchiaia, morte.

seràta *s. f.* **1** sera **CONTR.** mattinata **2** (*est.*) ricevimento, festa.

serbàre **A** *v. tr.* **1** accantonare, conservare, custodire, mantenere, risparmiare **CONTR.** sperperare **2** [*q.c. per gli assenti*] accantonare, salvare **3** [*rancore, etc.*] (*fig.*) nutrire, portare **4** [*un destino, un avvenire*] (*est.*) preparare **B** *v. rifl.* conservarsi, mantenersi.

serbatóio *s. m.* bacino, cisterna, deposito.

serenaménte *avv.* **1** tranquillamente, beatamente, pacificamente, idilliacamente, quietamente, bellamente **CONTR.** furiosamente, irosamente, tempestosamente (*fig.*) **2** fiduciosamente, filosoficamente, imperturbabilmente, pacatamente, pazientemente **CONTR.** angosciosamente, ansiosamente, con agitazione **3** obiettivamente **CONTR.** biecamente, loscamente.

serenità *s. f. inv.* **1** tranquillità, beatitudine, benessere, equilibrio, armonia **CONTR.** inquietudine, agitazione, ansia, ansietà, affanno, angoscia, stordimento, stress, nervosismo, apprensione, emotività, ira, irritazione **2** [*in un discorso*] tranquillità, calma, pacatezza **3** [*di giudizio*] obiettività, imparzialità **CONTR.** partigianeria, parzialità.

seréno **A** *agg.* **1** [*rif. al tempo atmosferico*] bello **CONTR.** brutto, nuvoloso, nebbioso, piovoso, annebbiato, coperto, nero, cupo, burrascoso, capriccioso **2** [*rif. a una persona*] calmo, beato, quieto, pacifico, spassionato, spensierato, placido, pacato, obiettivo (*est.*), equanime (*est.*) **CONTR.** cupo, ansioso, apprensivo, agitato, alterato, provato, accigliato, addolorato, afflitto, affranto, amareggiato, arrabbiato, indispettito, corrucciato, imbronciato, oscurato in volto, crucciato, disperato, esagitato, appassionato, frenetico, inquieto, insofferente, iracondo, irato, iroso, nevrotico, preoccupato **B** *s. m. sing.* **1** calma, quiete **2** [*rif. al dormire, etc.*] aria aperta.

sergènte *s. m. e f.* (*gener.*) militare.

seriaménte *avv.* **1** coscienziosamente, assennatamente, ponderatamente

CONTR. bambinescamente, giocosamente, ironicamente, umoristicamente, scherzosamente, spiritosamente **2** gravemente, austeramente **CONTR.** scherzosamente, spiritosamente, allegramente, beffardamente, buffamente, burlescamente, comicamente, facetamente, fatuamente, frivolamente, grottescamente, ridicolmente.

sèrie s. f. inv. **1** sfilata, fila, catena (fig.), collana (fig.), sfilza, seguito, sequela, numero, gamma, mazzo (pop.) **2** sequenza, successione, classe **3** [di francobolli, etc.] collezione, raccolta **4** [nelle carte da gioco] sequenza, scala (fig.), mano (fig.) **5** [di alberi, etc.] filare **6** (sport) categoria **7** [di conferenze, etc.] ciclo, gruppo.

serietà s. f. inv. **1** onestà, coscienziosità, probità, attendibilità, solidità, affidabilità, integrità, maturità **CONTR.** disonestà, incoscienza **2** [con] applicazione, impegno **CONTR.** superficialità, incuria, disattenzione, faciloneria **3** riservatezza, severità **CONTR.** vanità, volubilità, frivolezza, fatuità, allegria **4** [rif. a fatti, a eventi] gravità, importanza.

sèrio A agg. **1** [rif. a una persona] dabbene, coscienzioso, affidabile, bravo, posato **CONTR.** frivolo, fatuo, arguto, beffardo, ironico, chiassoso, giocoso, gioviale, farneticante (est.), vacuo (raro) **2** [rif. a un sentimento] profondo, forte, fondato **CONTR.** frivolo, chiassoso **3** [rif. al tono di voce] solenne, grave **CONTR.** frivolo, arguto, beffardo, ironico, chiassoso, farneticante (est.), scherzoso, burlesco, umoristico, irrisorio, piccante **4** [in volto] acciglíato, triste, cupo, severo, imbronciato, corrucciato **5** [rif. a una malattia] preoccupante **6** [rif. a cosa] importante, preoccupante **CONTR.** frivolo, fatuo, ironico, giocoso, scherzoso, umoristico, faceto, comico, buffo, futile, leggero, ameno, strambo, vezzoso **B** s. m. sing. **CONTR.** faceto.

sermóne s. m. **1** predica, omelia **2** discorso, conversazione **3** (est.) paternale, ramanzina, predicozzo (fam.), concione.

sermoneggiàre v. intr. predicare.

seròtino agg. [rif. alla nascita, alla morte] tardivo **CONTR.** prematuro.

serpeggiànte part. pres.; anche agg. sinuoso.

serpeggiàre v. intr. **1** [detto di sentiero] snodarsi **2** [detto di malcontento, etc.] circolare, diffondersi **3** [detto di dubbio, etc.] (fig.) penetrare, infiltrarsi.

serpènte s. m. **1** (gener.) rettile →rettili, animali **2** [tipo di].

NOMENCLATURA

Serpenti

Serpente: rettile con corpo allungato, cilindrico, senza arti, rivestito di squame e, in alcune specie, ghiandole secernenti liquidi velenosi.

Serpe;

anaconda: serpente tropicale di grosse dimensioni, non velenoso, che conduce vita semiacquatica;

boa: serpente di grosse dimensioni, con tronco poderoso, dorso bruno chiaro con macchie scure sui fianchi e ventre giallo punteggiato di nero;

crotalo: serpente con apparato velenoso sviluppatissimo e l'estremità della coda munita di un sonaglio formato di anelli cornei articolati l'uno con l'altro;

serpente a sonagli;

cobra: serpente molto velenoso, che gonfia il collo se irritato e che, sul dorso, ha una macchia chiara a forma di occhiali;

naia;

serpente dagli occhiali;

aspide: cobra color giallo paglia scuro con fasce trasversali sul dorso, vive in alcune zone dell'Africa;

pitone: serpente arboricolo e non velenoso, lungo fino a 10 m, di cui sono note diverse specie che vivono nei paesi tropicali;

serpente corallo: serpente con anelli rosso corallo;

mamba: serpente arboricolo velenoso del centro Africa;

vipera: serpente velenoso con testa triangolare distinta dal corpo cilindrico terminante con una coda sottile;

vipera dal corno: vipera con un cornetto molle all'apice del muso;

vipera del deserto: vipera più grossa della vipera comune, con grandi macchie sul dorso, vive in Africa e in Arabia;

biscia d'acqua: serpe non velenosa di colore verde grigiastro con macchie nere, vive presso i corsi d'acqua;

muso di porcello: serpente variopinto dei deserti della Florida, scava gallerie nella sabbia e si nutre di rane;

mocassino: serpente velenoso e pericoloso che vive negli stagni della Florida.

sèrra s. f. giardino, vivaio.

serràre A v. tr. **1** chiudere, bloccare, richiudere, sbarrare, chiavare (raro) **CONTR.** aprire, dischiudere, disserrare, schiudere, spalancare **2** ostruire, otturare **3** circondare, stringere, cingere **4** [qc.] (est.) costringere, opprimere, pressare (fig.) **B** v. rifl. chiudersi, tapparsi, segregarsi.

serràta s. f. **1** chiusura **CONTR.** apertura **2** blocco.

serratamènte avv. strettamente.

serràto part. pass.; anche agg. **1** [rif. a un discorso] stringato, conciso **CONTR.** aperto **2** [rif. al ritmo, a una serie] incalzante, veloce, spedito **3** [rif. a una stoffa] compatto, fitto, denso **4** chiuso.

serratùra s. f. chiusura, toppa (est.).

sèrto s. m. corona, ghirlanda.

sèrva s. f. ancella (raro), domestica, fantesca (colto) **CONTR.** padrona.

servàggio s. m. sudditanza, vassallaggio, sottomissione (est.) **CONTR.** signoria, dominio, autorità.

servìgio s. m. cortesia, piacere, beneficio, ufficio, lavoro.

servilìsmo s. m. adulazione, piaggeria, cortigianeria, umiltà (est.) **CONTR.** alterigia, orgoglio.

servìre A v. intr. **1** giovare, avere il compito di, aiutare **2** bisognare, occorrere, accomodare **3** [detto di rimedio, etc.] giovare, avere il compito di, valere **4** [di servizi pubblici, etc.] dotare, fornire **B** v. tr. **1** [bevande, etc.] mescere (lett.), offrire **2** [la divinità] dedicarsi a, consacrarsi a **3** [i clienti, etc.] fornire, sbrigare, soddisfare (est.), accontentare (est.) **4** fare il domestico a, essere a servizio di **C** v. intr.

pron. **1** approfittare, avvalersi, giovarsi, ricorrere *a* **2** utilizzare *un*, prendere *un*, adoperare *un*, fruire, usare *un*.

servitóre *s. m.* (*f. -trice*) **1** domestico, cameriere, servo (*spreg.*), dipendente, sottoposto CONTR. padrone, signore **2** (*gener.*) lavoratore.

servitù *s. f. inv.* **1** oppressione, suddittanza, soggezione, subordinazione, prigionia (*est.*), cattività (*est.*) CONTR. libertà, liberazione, emancipazione **2** legame, vincolo **3** (*est.*) obbligo, onere (*lett.*) **4** (*raro*) servizio CONTR. padrone, signore.

servizi *s. m. pl.* gabinetto, cesso (*pop.*), toilette (*fr.*), toeletta.

servizio *s. m.* **1** prestazione, opera, lavoro **2** incarico, ministero (*lett.*) **3** [*di un giornale, della televisione*] (*est.*) articolo, trasmissione, reportage (*fr.*) **4** cortesia, favore, piacere **5** affare (*pop.*), faccenda **6** [*in casa*] servitù **7** completo, set (*ingl.*), attrezzatura.

sèrvo (1) *s. m.* (*f. -a*) **1** servitore, domestico, cameriere, dipendente, sottoposto CONTR. padrone, signore, re **2** schiavo, vassallo **3** (*spreg.*) lacchè.

sèrvo (2) *s. m.* (*gener.*) fungo.

sessióne *s. f.* riunione, seduta, tornata.

sestière *s. m.* rione, quartiere, settore, zona.

set *s. m. inv.* **1** servizio, insieme, completo, attrezzatura **2** (*tennis*) partita.

séta *s. f.* (*gener.*) fibra, filato, tessuto, stoffa.

setacciàre *v. tr.* colare, vagliare, crivellare.

setàccio *s. m.* vaglio, crivello, buratto.

setàle *s. m.* (*pesca*) finale, bava.

séte *s. f. sing.* **1** arsura, bruciore (*fig.*) **2** [*di ricchezze*] (*est.*) brama, voglia, avidità, bramosia.

sètta *s. f.* **1** fazione, partito **2** congrega, congregazione, confraternita, comunità.

settàrio *A agg.* **1** fazioso, partigiano, parziale, chiuso CONTR. imparziale,

obiettivo **2** (*est.*) fanatico *B s. m.* (*f. -a*) [*tipo di*] massone, piduista.

settarismo *s. m.* **1** fanatismo **2** parzialità, faziosità **3** chiusura (*fig.*), limitatezza CONTR. apertura, liberalità, tolleranza.

settentrionàle *A agg.* **1** nordico CONTR. antartico, australe **2** [*rif. a una regione*] nordico, alto CONTR. meridionale *B s. m. e f.* polentone (*spreg.*) CONTR. meridionale, terrone.

settentrióne *s. m.* nord, mezzanotte, tramontana (*lett.*), borea (*lett.*) CONTR. sud, mezzogiorno, levante, occidente, meridione, oriente, ovest, ponente.

sètter *s. m. inv.* (*gener.*) cane.

settóre *s. m.* **1** area, zona, spazio **2** [*in un ospedale*] (*est.*) sezione, reparto, corsia **3** [*della città*] parte, quartiere, rione, sestiere (*raro*), sobborgo **4** [*di posti*] (*est.*) ordine **5** (*est.*) ambito, campo, dominio, sfera (*fig.*), specialità, branca, ramo (*fig.*), universo (*fig.*) **6** [*in un carcere*] raggio, ala (*fig.*), braccio (*fig.*).

severaménte *avv.* **1** con severità, rigorosamente, burberamente, arcignamente, rigidamente, ferreamente, fiscalmente, pesantemente CONTR. indulgentemente, bonariamente **2** austeramente, solennemente CONTR. allegramente, scherzosamente, ridicolmente, spiritosamente.

severità *s. f. inv.* **1** asprezza, durezza, inclemenza, insensibilità, intransigenza, rigidezza, rigore, rudezza CONTR. dolcezza, bonarietà, clemenza, mitezza, tolleranza, bonomia **2** [*rif. all'atteggiamento*] austerità, serietà, solennità CONTR. gaiezza, allegria **3** [*rif. a una costruzione, etc.*] austerità, sobrietà CONTR. sfarzo.

sevèro *agg.* **1** [*rif. a una persona*] rigido, duro, burbero, fiero (*est.*) CONTR. indulgente, tenero, ironico, arguto, beffardo **2** [*rif. all'aspetto*] (*est.*) serio, austero, grave CONTR. buffo, comico **3** [*rif. al comportamento*] terribile, inquisitorio, agro CONTR. indulgente, ironico, mondano, vacuo **4** [*rif. a un luogo, a una persona*] disadorno, sobrio.

sevizia *s. f.* **1** tormento, tortura, mal-

trattamento, violenza **2** (*est.*) prepotenza.

seviziàre *v. tr.* torturare, martirizzare, martoriare, maltrattare, malmenare, incrudelire *su*.

sex appeal *s. m. inv.* sensualità, charme (*fr.*), seduzione, fascino.

sexy *agg.* erotico, eccitante, avvenente, procace.

sezionàre *v. tr.* **1** decomporre, dividere **2** (*anat.*) dissecare, anatomizzare, dissezionare.

sezióne *s. f.* **1** (*est.*) taglio, spaccatura **2** [*di q.c.*] parte, fetta **3** (*est.*) reparto, settore, ufficio **4** [*rif. a testi scritti, etc.*] tomo, partizione (*raro*).

sfaccendàre *v. intr.* lavorare, fare le faccende.

sfacchinàre *v. intr.* **1** sgobbare, faticare, affaticarsi, sudare (*fig.*) **2** (*gener.*) lavorare.

sfacciatàggine *s. f.* insolenza, impertinenza, impudenza, improntitudine, sfrontatezza, spavalderia, irriverenza, prontezza (*est.*), audacia (*est.*), coraggio (*est.*), ardire, indecenza CONTR. timidezza, ritrosia, ritegno, discrezione, pudore, soggezione, modestia.

sfacciataménte *avv.* impudentemente, sfrontatamente, spudoratamente, disinvoltamente, scortesemente, villanamente, irrispettosamente, irriverentemente, svergognatamente (*est.*), procacemente (*est.*) CONTR. dimessamente, discretamente, riservatamente, con riguardo, verecondamente (*lett.*).

sfacciàto *A agg.* **1** sfrontato, impertinente, arrogante, impudente, spudorato, irrispettoso, strafottente, ardito CONTR. riverente, ossequioso, vergognoso **2** (*anche iron.*) (*est.*) disinvolto CONTR. diplomatico **3** [*rif. a un abito*] (*fig.*) vistoso, chiassoso, procace CONTR. dimesso *B s. m.* (*f. -a*) impertinente, insolente.

sfacèlo *s. m.* **1** [*di un organo*] dissoluzione, decomposizione **2** disfacimento, rovina, sfascio (*raro*), subisso, massacro (*fig.*) **3** (*est.*) casino, disorganizzazione.

sfaldaménto *s. m. (est.)* franamento, smottamento, cedimento, crollo, frana.

sfaldàre *A v. tr.* sbriciolare, spappolare, corrodere *(est.)* **B** *v. intr. pron.* disgregarsi, scomporsi, spappolarsi, squamarsi, sbriciolarsi, scagliarsi, corrodersi *(est.)*.

sfamàre *A v. tr.* **1** dare da mangiare *a*, nutrire, cibare, alimentare, satollare *(scherz.)*, saziare **CONTR.** affamare **2** *(est.)* mantenere **B** *v. intr. pron.* mangiare, satollarsi, saziarsi.

sfamàto *part. pass.; anche agg.* **1** satollo, pieno, sazio, rifocillato **CONTR.** affamato, digiuno **2** soddisfatto, appagato.

sfàre *A v. tr.* disfare **CONTR.** fare, comporre, rifare **B** *v. intr. pron.* disciogliersi.

sfarfallaménto *s. m.* tremolio.

sfarfallàre *v. intr.* **1** svolazzare **2** *[detto di luce]* tremolare.

sfarinàre *A v. tr.* polverizzare, sbriciolare **B** *v. intr. pron.* polverizzarsi, sbriciolarsi.

sfàrzo *s. m.* **1** fasto, grandiosità, splendore, magnificenza, sontuosità, gala **CONTR.** severità, modestia, miseria, semplicità, povertà, sobrietà **2** ostentazione, sfoggio **3** *(spreg.)* vistosità.

sfarzosaménte *avv.* lussuosamente, fastosamente, sontuosamente, grandiosamente, chiassosamente, pomposamente **CONTR.** umilmente, dimessamente, modestamente.

sfarzosità *s. f. inv.* lusso, fasto.

sfarzóso *agg.* lussuoso, fastoso, pomposo, grandioso, sontuoso, splendido **CONTR.** modesto, povero.

sfasciàre (1) *A v. tr.* **1** scassare, distruggere, spaccare, sconquassare, fracassare, fare a pezzi, infrangere, rompere, sfracellare, sganasciare **CONTR.** aggiustare, accomodare **2** *[gli argini, etc.]* rompere, sfiancare **B** *v. intr. pron.* crollare, scassarsi, sfracellarsi, infrangersi *(colto)*.

sfasciàre (2) *A v. tr.* **1** sbendare **CONTR.** fasciare, bendare **2** *[un pacco, un involto]* scartare, scartocciare,

spacchettare, disfare **CONTR.** imballare, incartare, impaccare, involtare **B** *v. rifl.* sbendarsi **CONTR.** bendarsi, fasciarsi.

sfàscio *s. m.* rovina, sfacelo, perdizione, malora, dissoluzione *(fig.)*.

sfattino *s. m.* rigattiere, ferrivecchi *(pop.)*.

sfàtto *part. pass.; anche agg.* svigorito, sfinito, spossato, stremato, stanco.

sfavillànte *part. pres.; anche agg.* *(anche fig.)* scintillante, lucente, splendente, luminoso, raggiante, sfolgorante, smagliante **CONTR.** opaco, appannato.

sfavillàre *v. intr.* **1** scintillare, brillare, luccicare, splendere, risplendere, raggiare, folgorare, rutilare **2** *[detto di occhi, etc.]* dardeggiare, fiammeggiare *(fig.)*, ridere *(fig.)*.

sfavillio *s. m.* scintillio, luccichio, brillio, sfolgorio.

sfavorévole *agg.* **1** negativo **CONTR.** favorevole, propenso **2** *[rif. all'esito, a una previsione]* negativo, infausto, cattivo, infelice, avverso **CONTR.** favorevole, propizio.

sfavorevolménte *avv.* svantaggiosamente, avversamente, contrariamente, negativamente **CONTR.** favorevolmente, vantaggiosamente.

sfèra *s. f.* **1** palla, globo, tondo, boccia **2** orbita, perimetro **3** *(fig.)* ambito, settore, campo, ramo **4** *(est.)* campo *(fig.)*, ambiente **5** *[rif. al sole] (fig.)* tondo, occhio *(poet.)*.

sfèrico *agg.* tondo, rotondo, globulare.

sferistèrio *s. m.* circo, anfiteatro.

sferràre *v. tr.* *[un calcio, un pugno]* dare, tirare, lanciare.

sfèrza *s. f.* **1** scudiscio, frusta, staffile **2** *[del sole, etc.] (fig.)* violenza **3** *(est.)* critica, censura.

sferzàre *v. tr.* **1** frustare, fustigare, flagellare **2** *(gener.) (est.)* percuotere **3** criticare, criticare aspramente.

sfiammàre *v. tr.* sgonfiare, disinfiammare **CONTR.** infiammare.

sfiancànte *part. pres.; anche agg.* stan-

cante **CONTR.** rilassante, riposante.

sfiancàre *A v. tr.* **1** *[qc.]* affaticare, logorare, spossare, stremare, defatigare *(lett.)* **2** *[gli argini]* sfasciare **B** *v. rifl.* debilitarsi, affaticarsi **C** *v. intr. pron.* *[detto di cuore]* cedere.

sfiatàre *v. rifl.* gridare, sgolarsi.

sfibràre *A v. tr.* **1** spossare, estenuare, fiaccare, stremare, indebolire, debilitare **2** *[le fibre tessili]* rammollire, gramolare **B** *v. rifl.* debilitarsi, fiaccarsi **C** *v. intr. pron.* *[detto di tessuti, etc.]* rammollirsi, consumarsi, logorarsi.

sfida *s. f.* **1** provocazione, disfida *(lett.)* **2** partita, gara, competizione, duello, tenzone *(lett.)*, cimento *(lett.)*, torneo.

sfidànte *s. m.* avversario, antagonista, controparte, rivale.

sfidàre *v. tr.* **1** provocare **2** *[il pericolo]* affrontare, esporsi *a* **CONTR.** eludere.

sfidùcia *s. f.* **1** diffidenza, scetticismo, incredulità **CONTR.** fiducia **2** scoramento, avvilimento, abbandono, depressione *(fig.)* **CONTR.** coraggio, ottimismo, speranza.

sfiduciàre *A v. tr.* demoralizzare, disanimare, scoraggiare, deprimere **CONTR.** incoraggiare, animare **B** *v. intr. pron.* scoraggiarsi, disanimarsi, sgonfiarsi *(fig.)* **CONTR.** incoraggiarsi, animarsi.

sfiduciàto *part. pass.; anche agg.* **1** depresso, demoralizzato, scoraggiato, avvilito **CONTR.** fiducioso, speranzoso **2** *(fig.)* diffidente, sospettoso.

sfiga *s. f.* *(pl. -ghe)* sfortuna, iella *(pop.)* **CONTR.** fortuna.

sfigàto *agg.* sfortunato, iellato.

sfiguràre *A v. tr.* **1** deturpare, sfregiare, imbruttire, rovinare, devastare **CONTR.** imbellire, abbellire **2** *[i lineamenti del viso] (est.)* sconvolgere, stravolgere **B** *v. intr.* **1** *[detto di persone]* scomparire *(fam.)* **CONTR.** figurare **2** *[detto di oggetto]* fare brutta mostra.

sfiguràto *part. pass.; anche agg.* *[rif. al viso]* deturpato, devastato **CONTR.** bello.

sfilacciàre *A v. tr.* [*detto di calze, di collant*] sfilarsi, smagliarsi *B v. intr. pron.* disgregarsi.

sfilàre (1) *v. intr.* **1** marciare, passare **2** [*detto di immagini*] susseguirsi, succedersi, scorrere (*fig.*).

sfilàre (2) *A v. tr.* [*la giacca, etc.*] togliere, levare **CONTR.** infilare, conficcare *B v. intr. pron.* **1** [*un abito, un anello*] togliersi, levarsi **CONTR.** infilarsi, indossare, mettersi, rinfilarsi **2** [*detto di calze, etc.*] smagliarsi, sfilacciarsi.

sfilàta *s. f.* **1** corteo, processione, teoria (*colto*) **2** serie.

sfilza *s. f.* sequela, serie, fila, insieme, seguito, catena (*fig.*).

sfiniménto *s. m.* stanchezza, abbattimento, prostrazione, spossatezza, esaurimento, languore, estenuazione **CONTR.** energia, forza, vigore, gagliardia.

sfinire *A v. tr.* stremare, spossare, esaurire, stancare, estenuare, prostrare *B v. rifl.* indebolirsi, stancarsi, affaticarsi, debilitarsi, consumarsi, esaurirsi, distruggersi, stremarsi.

sfinitézza *s. f.* debolezza, fiacchezza, stanchezza, esaurimento, debilitazione, spossamento, indebolimento **CONTR.** energia, forza, vigore.

sfinito *part. pass.; anche agg.* esausto, estenuato, esaurito, debilitato, stanco, spossato, stremato, sfatto, svigorito **CONTR.** fresco, riposato.

sfioràre (1) *A v. tr.* **1** (*anche fig.*) lambire, baciare **2** accarezzare, carezzare **3** [*con la lingua*] leccare **4** [*un muro, etc.*] frisare (*raro*), strisciare **5** [*il suolo, etc.*] rasentare, radere **6** [*la vittoria, etc.*] (*fig.*) rasentare, raggiungere **7** [*la cinquantina, etc.*] raggiungere, toccare (*fig.*) **8** [*un argomento*] toccare (*fig.*), accennare a **9** [*la morte*] rischiare *B v. rifl. rec.* **1** toccarsi, accarezzarsi **2** scontrarsi.

sfioràre (2) *v. tr.* sburrare, scremare, spannare.

sfiorire *v. intr.* **1** [*detto di fiori, di bellezza, etc.*] avvizzire, appassire **CONTR.** fiorire, sbocciare **2** [*detto di moda*] decadere **3** [*detto di persona*] avvizzire, invecchiare.

sfiorito *part. pass.; anche agg.* **1** appassito, avvizzito, vizzo, sciupato **CONTR.** fresco, giovane **2** [*rif. alla mente*] (*fig.*) appassito, vizzo, appannato, invecchiato.

sfizio *s. m.* uzzolo (*tosc.*), voglia, capriccio, divertimento, idea, curiosità.

sfizióso *agg.* capriccioso, divertente, spiritoso.

sfociàre *v. intr.* **1** [*detto di fiumi*] sboccare, confluire, gettarsi, versarsi, andare, finire, riversarsi, imboccare, comunicare *con*, rovesciarsi, scaricarsi **CONTR.** derivare, nascere **2** [*detto di strada, etc.*] sboccare, condurre **3** [*detto di situazione*] (*fig.*) sboccare, pervenire.

sfoderàre (1) *v. tr.* **1** [*la spada*] sguainare **CONTR.** infoderare, inguainare **2** [*la propria cultura, etc.*] (*est.*) ostentare, sfoggiare, sbandierare **3** [*un sorriso*] (*est.*) mostrare, presentare.

sfoderàre (2) *v. tr.* [*un divano, etc.*] scoprire **CONTR.** foderare.

sfogàre *A v. tr.* **1** [*l'ira, etc.*] scaricare, manifestare **2** [*una voglia, un capriccio*] appagare, soddisfare *B v. intr.* [*detto di gas, etc.*] fuoriuscire, esalare, prorompere *C v. intr. pron.* **1** confidarsi, aprirsi, liberarsi, parlare, scaricarsi **2** sbottare **3** sfrenarsi, scapricciarsi.

sfoggiàre *v. tr.* sciorinare, sbandierare, sfoderare, ostentare, esibire.

sfoggiàto *part. pass.; anche agg.* esibito, ostentato **CONTR.** nascosto, celato.

sfòggio *s. m.* **1** mostra, ostentazione, esibizione **2** pompa, sfarzo, scialo.

sfòglia *s. f.* strato, falda, lamina.

sfogliàre (1) *v. tr.* [*una pianta*] sfrondare.

sfogliàre (2) *v. tr.* [*un libro, una rivista*] consultare.

sfogliàta *s. f.* (*gener.*) torta.

sfògo *s. m.* (*pl. -ghi*) **1** sbocco, passaggio, apertura **2** [*di sentimenti, di idee*] (*fig.*) esplosione, manifestazione, effusione, scoppio **3** [*sulla pelle*] eruzione, esantema (*colto*).

sfolgorànte *part. pres.; anche agg.* radioso, splendente, raggiante, smagliante, sfavillante **CONTR.** opaco.

sfolgoràre *v. intr.* **1** balenare, raggiare, brillare, fiammeggiare, lampeggiare, rutilare **2** [*detto di occhi, etc.*] brillare, fiammeggiare, ridere (*fig.*).

sfolgorio *s. m.* bagliore, luccichio, scintillio, sfavillio.

sfollàre *A v. tr.* [*un locale*] sgomberare, evacuare **CONTR.** gremire, affollare, accentrarsi *B v. intr.* andarsene, allontanarsi, diradarsi.

sfoltiménto *s. m.* diradamento **CONTR.** infoltimento.

sfoltire *A v. tr.* [*una pianta, un bosco*] diradare, alleggerire (*fig.*), schiarire (*fig.*), diramare **CONTR.** infittire, infoltire, ispessire *B v. intr. pron.* [*detto di nebbia, etc.*] diradarsi **CONTR.** infittirsi, infoltirsi.

sfoltito *part. pass.; anche agg.* **1** rarefatto, rado, diradato **CONTR.** folto, fitto, spesso **2** [*rif. al ritmo, a una serie*] (*est.*) rallentato **CONTR.** fitto.

sfondàre *A v. tr.* scassinare, scassare, forzare *B v. intr.* diventare qualcuno, arrivare (*fig.*), riuscire, affermarsi, farsi una posizione, farsi strada, fare carriera.

sfóndo *s. m.* **1** [*in un'opera pittorica*] (*teatr.*) campo, fondo, prospettiva **2** scenario, paesaggio **3** (*fig.*) ambiente, clima, atmosfera.

sforacchiàre *v. tr.* crivellare, foracchiare, bucherellare, fare dei piccoli buchi, forare.

sformàre *v. tr.* **1** [*il corpo, etc.*] deformare, sciupare **2** [*q.c.*] deformare, sciupare, sbertucciare, gualcire, deturpare (*est.*).

sformàto (1) *part. pass.; anche agg.* alterato, deformato, ammaccato, schiacciato, sgualcito **CONTR.** plasmato, modellato, sagomato.

sformàto (2) *s. m.* [*di carne, etc.*] pasticcio.

sfornire *v. tr.* privare **CONTR.** corredare, dotare, fornire, rifornire.

sfornito *part. pass.; anche agg.* privo,

sprovveduto, sguarnito **CONTR.** fornito, armato, corredato, equipaggiato.

sfortùna s. f. **1** malasorte, disdetta, iella (fam.), sfiga (volg.), scalogna (fam.) **CONTR.** fortuna **2** avversità, disgrazia, disastro, sventura **CONTR.** successo.

sfortunataménte avv. disgraziatamente, malauguratamente, sventuratamente, sciaguratamente, purtroppo, infelicemente **CONTR.** fortunatamente, con buon esito, con buona sorte, faustamente (lett.).

sfortunàto agg. **1** iellato, sfigato (volg.) **CONTR.** fortunato, beato, privilegiato **2** [rif. a una persona, a un evento] disgraziato, infelice **CONTR.** brillante **3** [rif. a un giorno, a un evento] disgraziato, infelice, infausto, avverso, maledetto **CONTR.** benedetto, prospero, fausto, fortunato.

sforzàre A v. tr. **1** forzare, scassinare, scassare, rompere **2** [qc.] coartare, costringere **3** [gli occhi, etc.] affaticare, logorare B v. intr. pron. arrabattarsi, industriarsi, ingegnarsi, adoperarsi, brigare, aiutarsi, impegnarsi, lottare, sbracciarsi, faticare, arrovellarsi, lambiccarsi, cercare, procurare.

sforzàto part. pass.; anche agg. [rif. al sorriso] tirato, affettato, falso **CONTR.** genuino, schietto.

sfòrzo s. m. **1** fatica, strapazzo, impegno **2** (est.) difficoltà, pena **3** tentativo, prova **4** [per vomitare] conato.

sfóttere v. tr. deridere, burlare, dileggiare, schernire, vilipendere, beffeggiare, coglionare (volg.).

sfracellàre o **sfragellàre** A v. tr. **1** [un arto, un dito] schiacciare, massacrare, dilaniare, spappolare, stritolare **2** [q.c.] rompere, fracassare **3** [un'auto] fracassare, sfasciare B v. intr. pron. rompersi, sfasciarsi, schiacciarsi.

sfragellàre v. tr. e intr. pron. V. sfracellare.

sfrattàre v. tr. **1** [qc. dalla sua casa] cacciare, sloggiare, scacciare **2** [un contadino] (agr.) escomiare, licenziare **3** (est.) espellere, bandire, esiliare.

sfrecciàre v. intr. volare (fig.), dirigersi.

sfregaménto s. m. attrito.

sfregàre A v. tr. **1** strofinare, strusciare, stropicciare, fregare **2** pulire, grattare **3** frizionare, massaggiare, lisciare B v. rifl. [contro q.c.] strusciarsi, strofinarsi.

sfregiàre A v. tr. **1** sfigurare, deturpare, ferire **2** [un monumento, etc.] devastare, rovinare (est.), rigare, sconciare (raro) B v. intr. pron. ferirsi.

sfrégio s. m. **1** taglio, ferita, bruciatura, graffio **2** [su un libro] (est.) rigatura, sciupatura **3** [sul viso] deturpazione, cicatrice, deturpamento (raro) **4** insulto, oltraggio, sgarro (merid.), offesa.

sfrenàre A v. tr. sbrigliare, scatenare, sbloccare **CONTR.** contenere, imbrigliare, moderare, mortificare, raffrenare B v. intr. pron. **1** scatenarsi, sfogarsi, sbrigliarsi **CONTR.** dominarsi, raffrenarsi, frenarsi **2** [detto di tempesta] imperversare, infuriare **3** [detto di fantasia, etc.] (fig.) galoppare.

sfrenataménte avv. smodatamente, senza misura, follemente, incontinentemente, dissolutamente, sregolatamente **CONTR.** morigeratamente, misuratamente.

sfrenatézza s. f. dissolutezza, sregolatezza, incontinenza, licenza (est.) **CONTR.** misura, moderazione, sobrietà, temperanza.

sfrenàto part. pass.; anche agg. smodato, esagerato, sregolato, frenetico (est.), licenzioso (fig.), dissoluto (fig.), incontinente **CONTR.** castigato, contenuto, controllato, continente.

sfrigolàre v. intr. crepitare.

sfrondàre v. tr. **1** [un discorso, un testo] (est.) semplificare, alleggerire (fig.), snellire (fig.) **CONTR.** appesantire **2** [una pianta] sfogliare.

sfrontataménte avv. arrogantemente, impudentemente, sfacciatamente, disinvoltamente (euf.), spavaldamente, insolentemente, irrispettosamente, irriverentemente, procacemente **CONTR.** modestamente, discretamente, rispettosamente, verecondamente (lett.).

sfrontatézza s. f. impudenza, sfacciataggine, insolenza, arroganza, tra-

cotanza, improntitudine, cinismo (est.), scortesia (est.), protervia, petulanza, immodestia, impudicizia **CONTR.** rispetto, timidezza, pudore, ritegno, modestia.

sfrontàto A agg. impudente, sfacciato, spudorato, arrogante, impertinente, disinvolto, irrispettoso **CONTR.** timido, riservato B s. m. (f. -a) impertinente, sfacciato, impudente.

sfruttàre v. tr. **1** impiegare, utilizzare, godere di **2** abusare di, approfittare di, profittare di **3** prendere per il collo (fig.).

sfruttatóre s. m. (f. -trice) **1** profittatore, speculatore, avvoltoio (fig.) **2** strozzino, usuraio **3** [del lavoro altrui] negriero (fig.), schiavista (fig.) **4** [dei mezzi altrui] parassita (fig.), scroccone **5** [di prostitute] pappa (gerg.), magnaccia.

sfuggènte part. pres.; anche agg. **1** [rif. a un discorso] evasivo, elusivo, ambiguo **CONTR.** leale, schietto, franco **2** [rif. a un concetto] impercettibile, inafferrabile **3** [rif. a una persona] elusivo **CONTR.** leale, schietto, franco.

sfuggire A v. tr. **1** [un pericolo] evitare, schivare, eludere, fuggire **2** [una persona molesta] evitare, schivare, scapolare, scostare, scampare **3** [le tasse, etc.] evadere B v. intr. **1** [dalle mani] scappare, svicolare, sgusciare **2** [dal carcere] scappare, evadere **3** [ai doveri, alle responsabilità] sottrarsi, schermirsi **4** (est.) salvarsi **5** [dalla mente] (fig.) scappare, passare **CONTR.** tornare.

sfumàre A v. intr. **1** [detto di nebbia, etc.] svanire, dissolversi, dileguarsi, evaporare **CONTR.** comparire **2** [detto di sogni, etc.] (est.) svanire, dissolversi, dileguarsi, perdersi, andare in fumo (fig.), tramontare (fig.), franare (fig.) **3** [detto di colore] digradare B v. tr. **1** [i colori, le linee, etc.] attenuare, ammorbidire, ombreggiare **2** [i capelli] accorciare.

sfumàto A part. pass.; anche agg. [rif. al colore] vago, impreciso, indefinito, indeciso, morbido (est.), impallidito (est.) **CONTR.** carico B s. m. sing. chiaroscuro.

sfumatùra s. f. **1** gradazione, tonalità, nuance (fr.) **2** (est.) tinta, colorazione **3** [un poco di q.c.] (est.) traccia, vena (fig.), venatura **4** (fig.) sapore, tono.

sfuocàto part. pass.; anche agg. **1** [rif. a una fotografia] mosso **2** [rif. a una persona] insignificante, scialbo.

sgabèllo s. m. **1** (gener.) sedile CONTR. divano, poltrona, sedia, panca **2** desco (raro).

sgabuzzino s. m. **1** bugigattolo, stanzino, ripostiglio, sottoscala (est.) **2** (gener.) stanza, ambiente, locale.

sgambettàre v. intr. **1** dimenare le gambe **2** fare lo sgambetto a **3** correre, saltellare, salterellare.

sganasciàre A v. tr. fracassare, sconquassare, sfasciare B v. intr. pron. **1** fracassarsi **2** [per le risa] (est.) sbellicarsi, scompisciarsi, sgangherarsi, smascellarsi, ridere.

sganascióne s. m. ceffone, sberla, manrovescio, schiaffo.

sganciàre v. tr. **1** staccare CONTR. agganciare **2** [una cintura, i bottoni] aprire, slacciare, sbottonare **3** [denaro] sborsare, scucire (fig.), spendere, tirare fuori **4** [bombe] lanciare.

sgangheràre A v. tr. rompere, scardinare, scassinare B v. intr. pron. **1** rompersi **2** [per le risa] sganasciarsi, sbellicarsi, smascellarsi, scompisciarsi.

sgangheràto part. pass.; anche agg. malandato, ammaccato CONTR. intero, sano.

sgarbataménte avv. **1** scortesemente, indelicatamente, incivilmente, ineducatamente, cafonescamente, irrispettosamente CONTR. garbatamente, cortesemente, galantemente, con buone maniere, civilmente, educatamente, affabilmente, complimentosamente, contegnosamente **2** bruscamente, rudemente CONTR. amorevolmente, adorabilmente, amabilmente, graziosamente, carezzevolmente, delicatamente.

sgarbatézza s. f. bruschezza, scortesia, villania, ineducazione, inurbanità, maleducazione.

sgarbàto A agg. scortese, maleducato, villano, rozzo, brusco, burbero

CONTR. garbato, carino, gentile, cordiale, cortese, premuroso, ospitale, amorevole, carezzevole, tenero, manieroso (neg.) B s. m. (f. -a) villano, maleducato (est.).

sgarberìa s. f. villania, villanata, scortesia, dispetto CONTR. cortesia, gentilezza, delicatezza.

sgàrbo s. m. **1** [l'azione] scortesia, villania, dispetto, villanata, maltrattamento, sgarro (merid.) CONTR. cortesia, gentilezza, delicatezza **2** [nel modo di fare] scortesia, villania CONTR. cortesia, gentilezza, delicatezza, tatto, garbo, educazione.

sgargiànte agg. **1** [rif. a un abito] (fig.) vistoso, chiassoso, appariscente CONTR. sobrio, scuro **2** [rif. al colore] vivo, vivace, intenso, forte, acceso CONTR. scuro, cupo.

sgarràre v. tr. e intr. sbagliare.

sgàrro s. m. sgarbo, sfregio (fig.), oltraggio, insulto, offesa.

sgasàre v. intr. pron. deprimersi CONTR. gasarsi.

sgattaiolàre v. intr. svignarsela (fam.), fuggire, scappare, nascondersi (est.).

sgelàre v. tr. e intr. **1** disgelare **2** scongelare **3** (est.) riscaldare.

sghémbo agg. obliquo, storto, traverso CONTR. dritto.

sghèrro s. m. sbirro (spreg.), scherano (lett.), gorilla (fig.), giannizzero (lett.), satellite (est.), cane (fig.).

sghignazzàre v. intr. **1** ghignare (est.) **2** (gener.) ridere CONTR. piangere.

sghiribizzo o **schiribizzo** s. m. ghiribizzo, uzzolo (tosc.), fantasia, grillo (fig.), capriccio, estro, velleità.

sgobbàre v. intr. sfacchinare, lavorare, faticare, sudare, affaticarsi CONTR. riposare.

sgocciolàre v. tr. e intr. gocciolare, colare, scolare (fam.), stillare, gocciare (raro).

sgolàrsi v. intr. pron. gridare, sfiatarsi.

sgomberàre o **sgombràre** A v. tr. **1**

[un magazzino, etc.] liberare, sbarazzare, vuotare CONTR. empire, riempire, inzeppare **2** [una casa, un locale, etc.] evacuare, sbaraccare (fam.), sfollare CONTR. affollare B v. intr. pron. vuotarsi.

sgómbero (**1**) o **sgómbro** (**3**) s. m. **1** rimozione, allontanamento, liberazione **2** trasloco **3** evacuazione.

sgómbero (**2**) agg. V. sgombro (1).

sgombràre v. tr. e intr. pron. V. sgomberare.

sgómbro (**1**) o **sgómbero** (**2**) agg. **1** (anche fig.) vuoto, libero, scarico, vacante (est.) CONTR. carico, oberato, sovraccarico, stipato **2** libero, aperto CONTR. ostruito.

sgómbro (**2**) o **scómbro** s. m. (gener.) pesce.

sgómbro (**3**) s. m. V. sgombero (1).

sgomentàre A v. tr. costernare, disanimare, impaurire, intimidire, intimorire, sbigottire CONTR. consolare B v. intr. pron. **1** disperarsi, disanimarsi, abbattersi **2** turbarsi, impaurirsi, terrorizzarsi, intimorirsi.

sgoménto (**1**) s. m. **1** turbamento **2** sbigottimento **3** paura, terrore, panico CONTR. animo, coraggio, ardimento, sicurezza.

sgoménto (**2**) agg. sbigottito, disorientato, frastornato, sbalordito, atterrito, spaventato, terrorizzato CONTR. sicuro.

sgominàre v. tr. debellare, sconfiggere, sbaragliare, annientare, vincere, rovesciare (est.).

sgomitolàre v. tr. svolgere CONTR. raggomitolare.

sgommàre v. tr. **1** togliere la gommatura CONTR. ingommare **2** [la seta] purgare.

sgonfiàre A v. tr. **1** svuotare, afflosciare CONTR. gonfiare **2** [un edema] (est.) sfiammare, disinfiammare CONTR. enfiare, infiammare **3** [un episodio, un evento] minimizzare, smontare, sdrammatizzare, ridimensionare CONTR. dilatare, montare B v. intr. pron. **1** [detto di torta, di panna, etc.] afflosciarsi, smontare CONTR. gonfiarsi **2**

disinfiammarsi CONTR. infiammarsi, enfiarsi **3** [*detto di persona*] smontarsi, demoralizzarsi, sfiduciarsi.

sgorbiàre *v. tr.* scarabocchiare.

sgòrbio *s. m.* **1** scarabocchio, baffo (*fig.*) **2** [*rif. a una persona*] (*fig.*) mostro.

sgorgàre A *v. intr.* **1** scaturire, fuoriuscire, erompere, fluire, zampillare, pullulare **2** [*detto di gas, di odori*] sprigionarsi, effluire, emanare **3** [*dal cuore, etc.*] derivare, venire **B** *v. tr.* [*un condotto, una tubatura*] sturare, stappare CONTR. ingorgare.

sgozzàre *v. tr.* **1** (*gener.*) uccidere **2** scannare.

sgradévole *agg.* **1** [*rif. a cosa, a persona*] antipatico, spiacevole, sgradito, irritante, increscioso CONTR. gradevole, bello, carino, ameno, delicato, amabile, caro, attraente, avvincente (*est.*) **2** [*rif. al lavoro, allo studio*] ripugnante, ingrato, difficile, gravoso, penoso, triste CONTR. gradevole, bello, avvincente (*est.*) **3** [*rif. al sapore*] (*est.*) cattivo, aspro CONTR. gradevole, delicato, amabile, appetitoso, delizioso, dolce **4** [*rif. al suono*] (*est.*) stridulo, stridente, disarmonico CONTR. gradevole, amabile **5** [*rif. all'aspetto*] (*fig.*) brutto, deforme, disarmonico CONTR. gradevole, bello, carino, ameno, attraente, piacente **6** [*rif. alla verità, etc.*] (*fig.*) crudo, forte.

sgradevolézza *s. f.* **1** [*l'azione*] spiacevolezza **2** [*fisica*] bruttezza **3** [*rif. al carattere*] odiosità, antipatia, molestia CONTR. piacevolezza **4** [*rif. a un odore, a un sapore, etc.*] fastidiosità, spiacevolezza CONTR. piacevolezza.

sgradevolménte *avv.* **1** in modo non gradevole, antipaticamente, fastidiosamente, detestabilmente, disgustosamente CONTR. piacevolmente, lusinghevolmente, gradevolmente, soavemente **2** disarmonicamente, disarmoniosamente.

sgradìre *v. tr.* mal gradire CONTR. gradire.

sgradìto *part. pass.; anche agg.* antipatico, sgradevole, fastidioso, importuno, spiacevole, malaccetto, odioso CONTR. gradito, accetto, benaccetto,

caro, grato, amato.

sgraffiàre A *v. tr.* **1** graffiare **2** [*un mobile, una superficie*] incidere **3** (*est.*) rubare **B** *v. intr. pron.* spellarsi, scorticarsi, escoriarsi.

sgraffiatùra *s. f.* graffiatura, graffio, scorticatura, escoriazione (*colto*), scalfittura, lacerazione, spellatura, sgraffio (*pop.*).

sgraffignàre *v. tr.* grattare (*fig.*), carpire, fregare (*pop.*), graffiare (*fig.*), soffiare (*fig.*), rubare.

sgràffio *s. m.* graffiatura, sgraffiatura, graffio (*pop.*), scorticatura, escoriazione (*colto*), spellatura, sbucciatura (*pop.*).

sgranàre (1) *v. tr.* [*gli occhi*] sbarrare, spalancare.

sgranàre (2) *v. tr.* [*i piselli, etc.*] sbucciare.

sgranàre (3) *v. tr.* (*gener.*) mangiare.

sgranchìre A *v. tr.* [*le gambe*] distendere, stirare, sciogliere **B** *v. intr. pron.* [*detto di muscoli*] sciogliersi CONTR. informicolirsi, ingranchirsi.

sgranocchiàre *v. tr.* **1** rosicare, rosicchiare, masticare (*est.*) **2** (*gener.*) mangiare.

sgrassàre *v. tr.* pulire CONTR. ingrassare.

sgravàre A *v. tr.* **1** liberare, alleggerire CONTR. gravare, appesantire, caricare **2** [*qc. in senso morale*] liberare, scaricare, alleviare **B** *v. intr.* partorire *un.*

sgràvio *s. m.* alleggerimento, diminuzione CONTR. aggravio.

sgraziataménte *avv.* goffamente, rozzamente, disarmonicamente, disarmoniosamente CONTR. aggraziatamente, con grazia, disinvoltamente, leggiadramente, armoniosamente.

sgraziàto *agg.* **1** [*rif. al portamento*] goffo, disarmonico, scomposto CONTR. aggraziato, armonioso, garbato, distinto **2** [*rif. all'aspetto*] inelegante, rozzo CONTR. aggraziato, distinto, bello, grazioso, carino, leggiadro **3** [*rif. al fisico*] deforme, tozzo CONTR. armonioso, bello, grazioso,

leggiadro, felino (*fig.*).

sgretolaménto *s. m.* frantumazione.

sgretolàre A *v. tr.* corrodere, disgregare, rosicare **B** *v. intr. pron.* disgregarsi, disfarsi, sminuzzarsi, frantumarsi, screpolarsi, spezzarsi, distruggersi, rompersi, corrodersi.

sgrezzàre *v. tr.* ingentilire, dirozzare, incivilire, affinare, migliorare.

sgridàre *v. tr.* rimproverare, ammonire, richiamare, strapazzare (*scherz.*), pettinare (*fig.*), brontolare, rabbuffare, rampognare, redarguire, rimbalzare (*tosc.*), strigliare (*fig.*), rimbottare, dare sulla voce a (*fam.*).

sgridàta *s. f.* rimprovero, rabbuffo, rimbrotto, parte, ramanzina (*est.*), predica (*est.*), paternale (*est.*), tirata (*est.*) CONTR. lode, elogio.

sgrinfia *s. f.* V. grinfia.

sgrossàre *v. tr.* digrossare, dirozzare, disgrossare, raffinare, sbozzare.

sguaiataménte *avv.* volgarmente, maleducatamente CONTR. compostamente, compitamente, contegnosamente, compassatamente.

sguaiàto *agg.* chiassoso, scurrile, volgare, triviale, scomposto CONTR. contegnoso, educato, grazioso, composto.

sguainàre *v. tr.* sfoderare CONTR. infoderare, inguainare.

sgualcìre A *v. tr.* gualcire, ammaccare, stropicciare, piegare, sbertucciare **B** *v. intr. pron.* cincischiarsi, rovinarsi.

sgualcìto *part. pass.; anche agg.* stropicciato, stazzonato, sciupato, rovinato, spiegazzato, logoro (*est.*), sformato CONTR. sano, integro, stirato, ordinato.

sgualdrìna *s. f.* prostituta, meretrice, etera (*lett.*), puttana (*volg.*), bagascia (*genov.*), zoccola (*merid.*), baldracca (*volg.*), troia (*volg.*), vacca (*volg.*), battona (*volg.*), mignotta (*roman.*), sacerdotessa di Venere (*euf.*), ragazza squillo, mondana, scrofa (*volg.*), peripatetica (*lett.*).

sguàrdo *s. m.* **1** occhiata, guardata, sbirciata **2** (*est.*) vista, veduta, pano-

sguarnire

532

sguarnire rama **3** (*est.*) cipiglio, espressione **4** (*lett.*) vista, aspetto **5** (*poet.*) occhio, ciglio.

sguarnire *v. tr.* **1** [*un forte, una caserma, etc.*] (*mil.*) disarmare CONTR. corredare, fornire, fortificare, guarnire, munire, presidiare **2** [*un abito, un appartamento*] (*est.*) impoverire, spogliare CONTR. decorare, abbellire.

sguarnito *part. pass.; anche agg.* **1** sfornito, sprovveduto, privo CONTR. corredato, fornito **2** [*rif. a un luogo*] disadorno, spoglio, nudo CONTR. ornato, addobbato.

sguàttero *s. m.* (*f. -a*) **1** lavapiatti **2** vassallo (*lett.*).

sguazzàre *v. intr.* **1** guazzare, nuotare, galleggiare **2** (*est.*) godere, gioire, divertirsi **3** [*detto di acqua nel secchio*] sbattere, sciaguattare, sciabordare.

sgusciàre (1) *v. tr.* [*i piselli, etc.*] mondare, sbucciare, sgranare.

sgusciàre (2) *v. intr.* **1** entrare, passare **2** [*dalle mani*] scivolare, scappare, sfuggire.

sgusciàto *agg.* [*rif. a un frutto*] mondo.

shoccàre *v. tr.* V. *scioccare*.

shockàre *v. tr.* V. *scioccare*.

shopping *s. m. inv.* spesa (*pl.*), compra (*pl.*), acquisto (*pl.*).

shorts *s. m. inv.* calzoni.

show *s. m. inv.* **1** spettacolo **2** (*est.*) esibizione, numero.

showgirl *s. f. inv.* soubrette (*fr.*), presentatrice (*est.*).

showman *s. m. inv.* **1** presentatore, mattatore **2** (*est.*) esibizionista.

sì A *avv.* certamente, naturalmente, veramente, certo CONTR. no **B** *s. m. inv.* CONTR. no.

sibilàre *v. intr.* fischiare.

sibilla *s. f.* sacerdotessa, profetessa.

sicàrio *s. m.* killer (*ingl.*), assassino, omicida CONTR. vittima.

sicché o **sì che** *cong.* così che, e per-

ciò, e quindi.

siccità *s. f. inv.* arsura, aridità, secchezza CONTR. piovosità, umidità.

siccóme *cong.* poiché, giacché, come, dal momento che.

sicofànte *s. m.* spia, delatore, calunniatore, confidente.

sicumèra *s. f.* prosopopea, superbia, alterigia, boria, immodestia, pomposità, arroganza, burbanza (*colto*) CONTR. umiltà, modestia, semplicità.

sicuraménte *avv.* **1** evidentemente, inconfutabilmente, sicuro, chiaramente, eccome, immancabilmente, incontrovertibilmente, indubbiamente, certo, certamente CONTR. con incertezza, dubbiosamente, dubitativamente **2** fidatamente CONTR. pericolosamente.

sicurézza *s. f.* **1** [*rif. all'atteggiamento*] baldanza, spavalderia, risolutezza, aplomb (*fr.*), risoluzione CONTR. scoraggiamento, timidezza, insicurezza, sgomento, smarrimento, esitazione, indecisione, incertezza **2** [*morale*] certezza, confidenza, fiducia, convincimento, convinzione affidamento, fidabilità CONTR. dubbio, sospetto **3** [*per il futuro*] garanzia CONTR. pericolo, pericolosità **4** [*rif. a una costruzione*] stabilità, solidità **5** [*nel fare q.c.*] (*est.*) abilità, destrezza, perizia.

sicùro A *agg.* **1** [*rif. al carattere, etc.*] deciso, impavido, spavaldo, audace CONTR. confuso, inaffidabile, incerto, approssimativo **2** [*rif. agli affari*] certo, indubbio, consolidato CONTR. incerto **3** [*rif. a una persona*] fidato, affidabile, fido, confidente CONTR. confuso, inaffidabile, incerto, dubbioso, esitante, evasivo, indeciso, insicuro, malsicuro, perplesso, sgomento **4** [*rif. a una notizia*] certo, indubbio, fidato, indubitabile, positivo CONTR. confuso, inaffidabile, incerto, opinabile **5** [*rif. a cosa*] certo CONTR. aleatorio, dubbio, rischioso **B** *avv.* eccome, certo, certamente, sicuramente, senza dubbio **C** *s. m. sing.* **1** certo CONTR. incerto **2** riparo, coperto.

sièsta *s. f.* riposo, pisolino (*fam.*), sonno.

siffàtto *agg.* simile, tale.

sigarétta *s. f.* **1** cicca (*pop.*) **2** [*di filato*] spagnoletta **3** [*preparata con droga, etc.*] spinello.

sigillàre *v. tr.* suggellare (*lett.*), chiudere, richiudere, piombare, impiombare, mettere i piombi *a*, ripiombare CONTR. dissigillare, dissuggellare, aprire.

sigillo *s. m.* bolla, bollo, suggello (*lett.*).

sigla *s. f.* **1** abbreviazione, abbreviatura, acronimo, simbolo (*est.*) **2** (*est.*) cifra, monogramma.

siglàre *v. tr.* **1** firmare, parafare (*raro*) **2** [*un accordo*] sottoscrivere, approvare, accettare, ratificare, stipulare **3** [*una camicia, etc.*] cifrare.

significàre *v. tr.* **1** denotare, indicare, riflettere, dire (*fig.*) **2** [*detto di parola, di immagine, etc.*] rappresentare, valere, simboleggiare **3** [*lode, condanna, etc.*] suonare (*fig.*), esprimere, racchiudere (*fig.*) **4** [*un sacrificio, etc.*] (*est.*) comportare.

significativaménte *avv.* **1** eloquentemente **2** rappresentativamente.

significatività *s. f. inv.* importanza CONTR. marginalità, insignificanza.

significativo *agg.* espressivo, eloquente, forte (*fig.*) CONTR. insignificante, trascurabile.

significàto *s. m.* **1** senso **2** (*est.*) valore, importanza, peso (*fig.*), spirito **3** [*di un vocabolo*] (*ling.*) accezione **4** [*di un vocabolo*] (*ling.*) uso **5** [*spec. con: essere senza, essere con*] costrutto **6** [*di una parola, di una frase*] (*fig.*) suono.

signóra *s. f.* **1** (*gener.*) persona, donna CONTR. uomo **2** moglie, consorte, coniuge CONTR. marito **3** cliente **4** dama, gentildonna, lady (*ingl.*), nobildonna CONTR. cameriera, colf, collaboratrice domestica, domestica.

signóre *s. m.* **1** gentiluomo, galantuomo, nobiluomo CONTR. villano, buzzurro, cafone, bifolco, barbone **2** sovrano, principe, sire, re, sultano CONTR. vassallo, suddito **3** (*est.*) padrone, proprietario CONTR. servitù, servo, schiavo, servitore, sottoposto, cameriere, domestico, lacchè **4** (*gener.*) uomo, persona CONTR. donna **5** cliente **6** spettatore **7** nababbo, creso, pascià, miliardario **CONTR.** poveraccio, disgraziato.

signoreggiàre v. intr. **1** predominare, imperare, avere il predominio, dominare **2** [detto di edificio, etc.] soprastare, grandeggiare **3** [detto di persona] (est.) largheggiare.

signoria s. f. **1** dominio, autorità, predominio, egemonia, potere **CONTR.** sudditanza, dipendenza, servaggio, vassallaggio **2** (gener.) governo.

signorìle agg. **1** [rif. all'atteggiamento] distinto, elegante, raffinato, squisito **CONTR.** popolare **2** [rif. a una casa, a un'abitazione] elegante, lussuoso **CONTR.** popolare.

signorilità s. f. inv. distinzione, grazia, garbo, cortesia, finezza, raffinatezza, eleganza (est.), nobiltà (fig.), aristocrazia (fig.) **CONTR.** villania, maleducazione, rozzezza, volgarità, cafoneria, spilorceria, tirchieria.

signorilménte avv. **1** distintamente, elegantemente, nobilmente, raffinatamente **CONTR.** barbaramente, ineducatamente, incivilmente **2** dignitosamente **3** generosamente, munificamente.

signorina s. f. **1** ragazza **2** (spreg.) zitella.

silènte agg. **1** silenzioso, tacito, muto **CONTR.** chiassoso **2** (est.) quieto, tranquillo.

silènzio s. m. **1** (est.) quiete, calma, pace, sonno (fig.) **CONTR.** schiamazzo, rumore, chiasso, fracasso, cagnara, baccano, caciara, frastuono, animazione **2** oblio, dimenticanza **3** (est.) segreto, riservatezza **4** (est.) raccoglimento.

silenziosaménte avv. **1** tacitamente, in silenzio, chetamente **CONTR.** chiassosamente, clamorosamente, fragorosamente, rumorosamente, strepitosamente **2** subdolamente, nascostamente **CONTR.** clamorosamente.

silenzióso agg. **1** muto, silente (lett.), taciturno, tacito (est.) **CONTR.** chiacchierone, ciarliero, loquace **2** [rif. a un luogo] (est.) tranquillo, quieto **CONTR.** chiassoso, rumoroso, strepitoso.

silhouette s. f. inv. linea, figura, sagoma, fisico, corporatura.

sillabàre v. tr. **1** scandire, articolare, compitare, pronunciare **2** balbettare, farfugliare, cominciare a parlare.

sillabàrio s. m. abbecedario.

sillogizzàre v. intr. filosofare, ragionare, raziocinare, almanaccare (raro).

siluràre v. tr. **1** [qc.] destituire **2** [un progetto, etc.] mandare a monte.

silver s. m. inv. argento.

simboleggiàre v. tr. raffigurare, rappresentare, esprimere, personificare, significare, dire (fig.), figurare.

simbolicaménte avv. emblematicamente **CONTR.** concretamente, realmente.

simbòlico agg. figurato, metaforico, allegorico **CONTR.** esplicito.

simbolo s. m. **1** emblema, figura, immagine, segno, allegoria **2** (est.) bandiera, stemma, insegna, vessillo **3** [della pietà, etc.] raffigurazione, rappresentazione, personificazione **4** sigla, abbreviazione, acronimo **5** [nelle carte da gioco] (est.) seme.

similàre agg. analogo, affine, simile, somigliante, vicino, omogeneo (est.) **CONTR.** diverso, differente.

simile A agg. **1** affine, analogo, somigliante, similare, identico, compagno (fam.) **CONTR.** altro, diverso, differente, dissimile, contrapposto, discrepante, divergente, imparagonabile, ineguagliabile, lontano **2** (est.) vicino, conforme **3** siffatto, tale **4** convergente **B** s. m. e f. pari, uguale.

similitùdine s. f. parabola.

similménte avv. così, altrettanto, allo stesso modo, ugualmente, parimenti, analogamente, analogicamente, uniformemente **CONTR.** diversamente, differentemente, difformemente, discordemente (est.).

similòro s. m. inv. orpello.

simmetria s. f. parallelismo, equilibrio, proporzione, armonia, convenienza (raro), rispondenza, riscontro

CONTR. asimmetria, disarmonia, discordanza, sproporzione, squilibrio, irregolarità.

simmetricaménte avv. parallelamente.

simpatia s. f. **1** [spec. con: avere, destare, etc.] affetto, benevolenza, amicizia **CONTR.** antipatia, astio, malanimo **2** [spec. con: guardare con, trattare con, etc.] favore **CONTR.** avversione, livore **3** [per qc.] propensione, preferenza, debole (fam.), predilezione **CONTR.** repulsione, ripugnanza **4** [tra persone] affinità, attrazione, intesa **CONTR.** incompatibilità, attrito **5** [nel modo di fare] piacevolezza, gradevolezza, amabilità **CONTR.** antipatia, spiacevolezza, odiosità, molestia.

simpaticaménte avv. gentilmente, affabilmente **CONTR.** antipaticamente, indisponentemente, odiosamente.

simpàtico A agg. **1** caro, gradevole, piacevole, divertente, spassoso, piacente, delizioso **CONTR.** antipatico, detestabile, molesto, odioso **2** [rif. a un discorso, a una battuta] carino **CONTR.** pungente **B** s. m. (f. -a) **CONTR.** antipatico.

simpatizzànte s. m. e f. fautore, sostenitore, tifoso, seguace, amico, aficionado (sp.) **CONTR.** nemico, antagonista, avversario.

simpatizzàre v. intr. socializzare, legare, propendere per.

simpòsio s. m. **1** congresso, convegno, meeting (ingl.), conferenza, riunione, convention (ingl.) **2** (lett.) banchetto, convito, convivio.

simulàcro s. m. **1** effigie (colto), ritratto, immagine, statua **2** (est.) parvenza.

simulàre v. tr. **1** [amicizia, etc.] fingere, dissimulare **2** [il verso di un animale] contraffare, imitare, copiare **3** [qc.] impersonare, fare finta di essere, fingere di essere **4** [un volo aereo, etc.] (tecnol.) riprodurre **5** [gioia, allegria, etc.] ostentare.

simulataménte avv. falsamente, fintamente, ipocritamente **CONTR.** sinceramente, francamente, lealmente.

simulàto part. pass.; anche agg. **1** finto, falso, menzognero, ostentato (est.)

simulatore 534

CONTR. vero, verace **2** riprodotto, copiato.

simulatóre s. m. (f. -trice) bugiardo, impostore, commediante, fariseo (fig.).

simulazióne s. f. **1** finzione **2** doppiezza, ipocrisia **3** imitazione.

simultaneaménte avv. contemporaneamente, contestualmente, insieme, allo stesso tempo.

simultaneità s. f. inv. coincidenza, concomitanza, contemporaneità, sincronia.

simultàneo agg. **1** contemporaneo, sincrono **CONTR.** diacronico **2** [rif. a un moto, a un movimento] (est.) concorde.

sinagòga s. f. (pl. -ghe) (gener.) chiesa, tempio.

sinceraménte avv. apertamente, schiettamente, francamente, cordialmente, candidamente, genuinamente, lealmente, spontaneamente, veracemente **CONTR.** simulatamente, bugiardamente, calunniosamente, ingannevolmente, mendacemente (colto), fintamente, obliquamente (fig.).

sinceràre **A** v. tr. rendere persuaso **B** v. intr. pron. accertarsi, assicurarsi.

sincerità s. f. inv. **1** franchezza, schiettezza, lealtà **CONTR.** falsità, doppiezza, fallacia, ipocrisia **2** (est.) buonafede **3** [rif. al vino, etc.] (est.) autenticità, genuinità **CONTR.** adulterazione, sofisticazione.

sincèro agg. **1** [rif. a una persona] franco, schietto, leale, chiaro (fig.), limpido (fig.), candido (fig.), scoperto (fig.), devoto **CONTR.** ambiguo, bugiardo, insincero, ipocrita, mendace, doppio **2** [rif. a cosa] autentico, reale, vero, pretto **CONTR.** ambiguo, finto, ingannevole, fittizio, coperto, insidioso **3** [rif. allo sguardo] franco **CONTR.** ambiguo, traverso.

sincope s. f. (ling.) troncamento.

sincronia s. f. coincidenza, concomitanza, contemporaneità, simultaneità.

sincrono agg. simultaneo, contemporaneo **CONTR.** diacronico.

sindacàre v. tr. **1** criticare, censurare, biasimare, commentare **2** controllare.

sindrome s. f. sintomatologia.

singhiozzàre v. intr. (gener.) piangere.

singhiózzo s. m. singulto (colto).

singolàre (1) agg. particolare, speciale, insolito, inconsueto, straordinario, strano, caratteristico, unico, raro, originale, eccezionale, peculiare, eccentrico, peregrino **CONTR.** comune, qualunque, tipo.

singolàre (2) s. m. sing. **1** (ling.) **CONTR.** plurale **2** [nel tennis] **CONTR.** doppio.

singolarità s. f. inv. **1** unicità, rarità (est.) **CONTR.** pluralità, varietà **2** caratteristica, proprietà, prerogativa, peculiarità, particolarità, specificità **3** originalità, eccentricità **CONTR.** normalità, monotonia.

singolarménte avv. **1** individualmente, particolarmente, distintamente **CONTR.** generalmente, globalmente, assemblearmente, collegialmente, collettivamente, coralmente, universalmente **2** curiosamente.

singolo **A** s. m. (f. -a) individuo **CONTR.** collettività **B** agg. **CONTR.** doppio.

singùlto s. m. singhiozzo.

sinistràre v. tr. funestare, devastare.

sinistro (1) **A** agg. **1** [rif. a una persona, allo sguardo] bieco, torvo, minaccioso, torbido (fig.) **2** [rif. a un evento, a un incidente] funesto **3** [rif. alle parti del corpo] mancino, manco **CONTR.** destro, diritto **B** s. m. [rif. a una persona] mancino **CONTR.** destro.

sinistro (2) s. m. incidente.

sinòssi s. f. inv. specchio, specchietto, prospetto, quadro.

sìntesi s. f. inv. **1** fusione, combinazione, somma **CONTR.** scomposizione, analisi **2** riepilogo, compendio, estratto, sommario, ricapitolazione, riassunto **3** (chim.) reazione.

sinteticaménte avv. **1** sommariamente, succintamente, concisamente **CONTR.** ampollosamente, retorica-

mente **2** (propr.) **CONTR.** analiticamente.

sinteticità s. f. inv. essenzialità, stringatezza, brevità (est.) **CONTR.** verbosità, prolissità, ridondanza.

sintètico agg. **1** breve, conciso, succinto, stringato, riassuntivo, sommario **CONTR.** prolisso, verboso (colto) **2** [rif. a un materiale] artificiale **CONTR.** naturale.

sintetizzàre v. tr. **1** compendiare, condensare, riassumere, abbreviare, tagliare (fig.) **CONTR.** allungare, diluire **2** riepilogare, ricapitolare.

sintomatologia s. f. sindrome.

sìntomo s. m. (med.) prodromo, indizio, indice, espressione, segnale, spia, segno, annuncio.

sintonizzàre **A** v. tr. cercare un canale **B** v. intr. pron. entrare in sintonia, mettersi su una lunghezza d'onda.

sinuosaménte avv. flessuosamente **CONTR.** rigidamente, inflessibilmente.

sinuosità s. f. inv. **1** meandro, tortuosità **2** [del corpo] curva **3** [del fiume, etc.] ansa.

sinuóso agg. tortuoso, flessuoso **CONTR.** rigido, inflessibile.

sipàrio s. m. tela, telone, tenda, cortina, velo.

sire s. m. sovrano, principe, signore, re.

sirèna s. f. **1** (est.) seduttrice, maliarda, fata **CONTR.** strega **2** (gener.) donna.

siringàre **A** v. tr. **1** (est.) bucare **2** (med.) cateterizzare (colto) **B** v. rifl. bucarsi, farsi (gerg.).

sisma o **sismo** s. m. terremoto.

sismo s. m. V. sisma.

sistèma s. m. **1** struttura, organismo **2** [nervoso, cellulare, etc.] apparato **3** [tolemaico, etc.] teoria **4** [per ottenere q.c.] (est.) modo, maniera, strada (fig.), tattica **5** tecnica, metodo, processo **6** [di vita] (est.) ordine, regola, schema (fig.), consuetudine, abitudine, regime **7** [di strade, di tubature, *etc.*] (*fig.*) rete, intreccio **8** [*di una organizzazione*] formula.

sistemàre *A* v. tr. **1** disporre, situare, piazzare, mettere, collocare **2** [*un ferito, etc.*] distendere **3** [*un'antenna, un congegno*] installare, montare **4** [*un'imbarcazione, un camion, etc.*] caricare **5** [*le truppe, etc.*] distribuire **6** [*un fabbricato, una casa*] restaurare, ristrutturare, accomodare **7** [*un locale, etc.*] fare ordine *in*, mettere a posto, riordinare **8** [*un ente, un'azienda*] strutturare **9** [*q.c.*] assestare, aggiustare, rabberciare **10** [*qc.*] (*est.*) acconciare **11** [*qc. per le feste*] (*est.*) conciare, condire (*fig.*), arrangiare **12** [*un viaggio, etc.*] (*est.*) organizzare, predisporre **13** [*una questione*] (*est.*) risolvere, definire, regolare *B* v. rifl. **1** alloggiare, collocarsi, accomodarsi, piazzarsi **2** sposarsi **3** lavarsi, rinfrescarsi, acconciarsi, aggiustarsi, combinarsi (*fam.*), rassettarsi **4** disporsi, mettersi, piantarsi **5** [*nel lavoro*] piazzarsi.

sistematicaménte avv. metodicamente, ordinatamente, periodicamente **CONTR.** disordinatamente, caoticamente, confusamente.

sistematicità s. f. inv. periodicità, regolarità.

sistemàtico *A* agg. **1** metodico, organico, coerente, omogeneo, costante **CONTR.** disordinato, caotico **2** (*temp.*) periodico *B* s. m. (f. -a) studioso, naturalista.

sistematizzàre v. tr. rendere sistematico.

sistemàto part. pass.; anche agg. **1** ordinato, allocato, predisposto, preordinato, stivato (*est.*) **2** [*rif. a un problema, a una questione*] regolato **CONTR.** indefinito.

sistemazióne s. f. **1** organizzazione, assetto **CONTR.** sconvolgimento **2** (*est.*) collocazione, disposizione, collocamento (*raro*), ordine **CONTR.** dislocamento **3** [*spec. con: cercare una*] (*est.*) lavoro, occupazione, posto **4** [*di un meccanismo*] regolazione, registrazione.

sito (1) s. m. luogo, località, ambiente, posto, ubicazione, posizione.

sito (2) s. m. **1** puzzo, miasma, tanfo

CONTR. profumo, olezzo (*lett.*) **2** (*gener.*) odore.

situàre *A* v. tr. piazzare, porre, collocare, sistemare, localizzare, ubicare, mettere *B* v. intr. pron. inquadrarsi, collocarsi, inserirsi.

situazióne s. f. **1** stato, condizione **2** circostanza, occasione, caso, momento (*est.*) **3** [*sociale*] (*est.*) posizione, grado, piano **4** (*est.*) faccenda, cosa **5** [*spec. con: assistere a una*] scena, azione **6** contesto, clima, atmosfera, ambiente.

sketch s. m. inv. [*rif. a uno spettacolo*] numero.

slabbràre *A* v. tr. deformare, sbeccare (*est.*) *B* v. intr. [*detto di liquido*] traboccare *C* v. intr. pron. [*detto di stoviglie*] sbeccarsi.

slacciàre v. tr. e intr. pron. **1** [*una cintura, un bottone*] sbottonare, aprire, sganciare, allentare (*est.*) **CONTR.** allacciare **2** [*le stringhe, i lacci*] slegare, snodare.

slacciàto part. pass.; anche agg. sbottonato, aperto, allentato.

slanciàre v. intr. pron. buttarsi, correre, saltare, scattare.

slàncio s. m. **1** scatto, volo (*fig.*), balzo **2** [*di passione, etc.*] impeto, impulso **3** [*rif. a un modo di fare*] foga, fervore, carica, voga, vivacità **4** (*est.*) ala (*poet.*), anelito.

slang s. m. inv. gergo.

slàrgo s. m. (pl. -ghi) piazza, piazzale, largo.

slattàre v. tr. divezzare, svezzare **CONTR.** allattare.

slavàto agg. **1** scolorito, pallido, spento, smorto, scialbo **CONTR.** colorito, acceso **2** [*rif. allo stile*] smorto, scialbo.

sleàle agg. **1** [*rif. a una persona*] scorretto, disonesto, infedele, perfido **CONTR.** leale, fedele, aperto, affidabile, fidato, fido, cavalleresco, incorruttibile, sportivo (*est.*) **2** [*rif. a un tiro, a un colpo*] (*scherz.*) mancino.

slealménte avv. disonestamente, scorrettamente, proditoriamente, dop-

piamente, falsamente, obliquamente (*fig.*) **CONTR.** lealmente, giustamente, apertamente, fedelmente, fidatamente.

slealtà s. f. inv. **1** falsità, disonestà, scorrettezza, perfidia, malvagità, fallacia, malafede **CONTR.** lealtà, correttezza, onestà **2** [*spec. con: subire una*] tradimento, torto **3** [*coniugale, etc.*] infedeltà.

slegàre *A* v. tr. **1** [*un nodo*] districare, disciogliere **CONTR.** fermare **2** [*le stringhe, i lacci*] slacciare, snodare **CONTR.** stringere, legare, allacciare **3** [*un pacco*] spacchettare, aprire **CONTR.** impaccare, impacchettare **4** [*un prigioniero*] liberare, sciogliere **CONTR.** legare *B* v. rifl. sciogliersi.

slip s. m. inv. **1** mutande **2** (*gener.*) indumento.

slittaménto s. m. **1** scorrimento, spostamento **2** [*ideologico*] (*fig.*) deviazione.

slittàre v. intr. scivolare.

slògan s. m. inv. motto, formula.

slogàre v. tr. (*med.*) lussare, disarticolare.

sloggiàre *A* v. tr. sfrattare, cacciare, espellere, bandire *B* v. intr. andarsene, allontanarsi.

smaccataménte avv. evidentemente, esageratamente, smodatamente **CONTR.** alla chetichella, copertamente.

smaccàto agg. **1** esagerato, caricato, eccessivo, appariscente (*est.*) **CONTR.** moderato **2** [*rif. al sapore*] nauseante, forte.

smacchiàre (1) v. tr. (*gener.*) pulire **CONTR.** macchiare.

smacchiàre (2) v. tr. disboscare.

smàcco s. m. (pl. -chi) **1** sconfitta, insuccesso, scacco **CONTR.** vittoria, successo **2** (*est.*) vergogna, umiliazione.

smagliànte agg. (*anche fig.*) radioso, caloroso, luminoso, sfavillante, sfolgorante **CONTR.** smorto, spento.

smagliàre (1) *A* v. tr. sciupare

smagliare

(*impr.*), rompere **B** *v. intr. pron.* [*detto di calze, etc.*] sfilarsi, sfilacciarsi.

smagliàre (2) *v. intr.* luccicare, brillare, risplendere.

smagrìre A *v. tr.* [*il viso, etc.*] snellire, scavare (*fig.*) **B** *v. intr.* assottigliarsi, dimagrirsi.

smaliziàre A *v. tr.* **1** scaltrire, svegliare **2** disincantare, disilludere **B** *v. intr. pron.* scaltrirsi, svegliarsi **CONTR.** rincoglionirsi.

smaltàre *v. tr.* verniciare, laccare.

smaltìre *v. tr.* **1** [*i rifiuti, etc.*] eliminare **2** [*il cibo, le bevande*] digerire **3** [*la merce*] liquidare, vendere **4** [*le offese, gli insulti*] (*est.*) sopportare, tollerare.

smàlto *s. m.* **1** vernice **2** (*est.*) esteriorità **3** [*l'effetto dello*] (*est.*) brillantezza.

smammàre *v. intr.* togliersi di torno (*fam.*), andarsene, squagliarsela (*scherz.*), togliersi di mezzo (*fam.*), togliersi dai piedi (*scherz.*).

smanceria *s. f.* **1** [*spec. al pl.*] moina, complimenti, vezzo, convenevoli, storie, carezza **2** sdolcinatura, leziosaggine, affettazione.

smanceróso *agg.* svenevole.

smangiàre *v. tr.* corrodere, erodere, intaccare, consumare, rodere (*raro*).

smània *s. f.* **1** inquietudine, ansia, nervosismo, irrequietezza (*est.*) **2** (*est.*) avidità, desiderio, brama, voglia, frenesia **3** [*sessuale*] (*fig.*) prurito, prurigine, fregola.

smaniàre *v. intr.* **1** agitarsi **2** concupire *un* (*lett.*), desiderare *un*, bramare *un*.

smaniosaménte *avv.* impazientemente, nervosamente, affannosamente, vogliosamente **CONTR.** pazientemente, quietamente, placidamente.

smanióso *agg.* **1** agitato, inquieto, spiritato, esagitato **CONTR.** indifferente, pacato **2** avido, desideroso, bramoso.

smantellaménto *s. m.* [*di una costruzione*] abbattimento, atterramento (*raro*), diroccamento, distruzione **CONTR.** edificazione.

smantellàre *v. tr.* demolire, disfare, spianare, abbattere, distruggere, diroccare.

smantellàto *part. pass.; anche agg.* abbattuto, demolito, smontato **CONTR.** costruito.

smargiassàta *s. f.* spacconata, vanteria, millanteria, fanfaronata, bravata, guasconata.

smargiàsso *s. m.* ammazzasette, fanfarone, gradasso, spaccone.

smarriménto *s. m.* **1** [*di un oggetto*] perdita **2** [*della lucidità mentale*] offuscamento, stordimento, svenimento, deliquio **3** [*rif. a uno stato d'animo*] turbamento, confusione, sbigottimento, costernazione, sconforto, scoraggiamento, disorientamento, frastornamento **CONTR.** calma, sicurezza.

smarrìre A *v. tr.* **1** perdere **2** (*est.*) scordare, dimenticare **B** *v. intr. pron.* **1** disorientarsi, perdersi **2** disorientarsi, sbigottirsi, turbarsi, confondersi, impaurirsi, intimidirsi, imbrogliarsi (*fig.*), affogare (*fig.*), avvilirsi, rimanere perplesso.

smarrito *part. pass.; anche agg.* **1** perduto **2** sbigottito, confuso, disorientato.

smascellàrsi *v. intr. pron.* **1** (*fam.*) sbellicarsi, sganasciarsi, sgangherarsi **2** (*gener.*) ridere **3** [*per la risa*] (*fig.*) crepare, scoppiare.

smascheràre *v. tr.* scoprire, sbugiardare, svergognare, smentire (*est.*).

smazzàre *v. tr.* mescolare.

smembràre *v. tr.* **1** dividere, separare, scindere, frazionare **2** [*un gruppo di persone*] disgregare, disperdere **3** [*un corpo*] (*est.*) dilaniare, sbranare.

smentìre *v. tr.* **1** [*quanto già affermato*] sconfessare, negare, contraddire, rettificare, disdire (*raro*) **2** [*qc.*] sbugiardare, svergognare, smascherare **3** [*le aspettative, etc.*] deludere **4** [*qc.*] sconfessare.

smentita *s. f.* **1** ritrattazione, disdetta, negazione, sconfessione **CONTR.** conferma, convalida, ratifica **2** (*est.*) precisazione.

smentito *part. pass.; anche agg.* rettificato.

smeràldo A *s. m.* (*gener.*) pietra, gemma, minerale **CONTR.** diamante, zaffiro, rubino **B** *agg.* [*rif. a colore*] verde.

smerciàre *v. tr.* negoziare, vendere, commerciare, esitare (*raro*).

smèrcio *s. m.* vendita, spaccio, diffusione **CONTR.** acquisto.

smerigliàre *v. tr.* molare.

smerigliàto *part. pass.; anche agg.* **1** molato, lucidato, levigato **CONTR.** ruvido **2** traslucido.

sméttere A *v. tr.* **1** finire, mollare, piantare, lasciare, interrompere, tralasciare (*est.*) **CONTR.** cominciare, iniziare, principiare, proseguire, seguitare, continuare **2** farla finita, tagliare corto **B** *v. intr.* **1** restare, ristare (*lett.*) **2** desistere, fermarsi, cessare **CONTR.** insistere **3** (*est.*) disimparare.

militarizzàre *v. tr.* togliere le milizie, demilitarizzare, smobilitare **CONTR.** militarizzare.

smilzo *agg.* magro, snello, asciutto, esile, scarno **CONTR.** grasso, pieno, pingue, tarchiato, tozzo.

sminàre *v. tr.* dragare, bonificare **CONTR.** minare.

sminuìre A *v. tr.* **1** [*un episodio, un evento*] minimizzare, impicciolire, impiccolire **2** [*qc.*] deprezzare, invilire (*raro*) **3** [*la fama*] (*fig.*) offuscare **4** [*la vittoria, etc.*] (*fig.*) mutilare **B** *v. rifl.* sottovalutarsi, deprezzarsi, umiliarsi (*est.*) **CONTR.** gonfiarsi, insuperbirsi.

sminuzzàre A *v. tr.* frantumare, tritare, sbriciolare, spezzettare, grattugiare, stritolare, triturare, disgregare, disintegrare, frammentare, pestare, polverizzare, tagliuzzare, smozzicare **B** *v. intr. pron.* sgretolarsi, frantumarsi, polverizzarsi, rompersi.

sminuzzàto *part. pass.; anche agg.* infranto, rotto, spezzato, frantumato **CONTR.** integro.

smistàre *v. tr.* **1** decentrare, distaccare **CONTR.** accentrare **2** separare, suddividere.

smisurataménte *avv.* immensamente, eccessivamente, incommensurabilmente, moltissimo, enormemente **CONTR.** esiguamente, limitatamente.

smisuràto *agg.* **1** sproporzionato, enorme, eccessivo, schifoso (*fam.*), straordinario, smodato, madornale, incalcolabile, ciclopico, soverchio (*lett.*) **CONTR.** commisurato, limitato, contenuto **2** intemperante.

smobilitàre *v. tr.* **1** [*un militare*] congedare **2** [*un esercito*] disarmare, sbandare, sciogliere **CONTR.** mobilitare **3** [*una zona*] smilitarizzare **4** [*un servizio, etc.*] disattivare.

smoccolàre *v. tr.* bestemmiare, imprecare, inveire, sproloquiare.

smodataménte *avv.* eccessivamente, sfrenatamente, immoderatamente, incontinentemente, senza misura, in modo incontenibile, smaccatamente **CONTR.** parcamente, moderatamente, con misura, con moderazione, frugalmente, morigeratamente, castigatamente.

smodatézza *s. f.* **1** eccesso, esagerazione **CONTR.** moderatezza, misura, frugalità **2** (*est.*) incontinenza, intemperanza **CONTR.** temperanza.

smodàto *agg.* **1** eccessivo, smisurato, sfrenato, scandaloso (*scherz.*), irragionevole **CONTR.** contenuto, regolato, castigato, frugale, parco, continente **2** [*rif. all'atteggiamento*] intemperante, incontinente, sfrenato, eccessivo **CONTR.** contenuto, regolato, raccolto.

smoderataménte *avv.* troppo, oltremodo, eccessivamente, esageratamente, immoderatamente, dirottamente **CONTR.** moderatamente, misuratamente, morigeratamente.

smoderatézza *s. f.* esagerazione, eccesso, dismisura **CONTR.** moderatezza, misura.

smog *s. m. inv.* nebbia (*erron.*).

smontàre **A** *v. tr.* **1** distruggere, scomporre **CONTR.** installare, montare, unire **2** [*un dolce, etc.*] affosciare, sgonfiare **3** [*un episodio*] minimizzare **4** [*qc.*] deprimere **B** *v. intr.* **1** [*da un mezzo*] scendere, sbarcare, discende-

re **CONTR.** montare, risalire **2** [*detto di colore*] scolorire, stingere **3** [*detto di soufflé*] sgonfiarsi **4** [*dal turno di lavoro*] finire, staccare (*fam.*) **C** *v. intr. pron.* **1** deprimersi **CONTR.** gasarsi **2** [*detto di dolce, di panna, etc.*] afflosciarsi, sgonfiarsi **CONTR.** alzarsi.

smontàto *part. pass.; anche agg.* **1** smantellato **2** demoralizzato, depresso, scoraggiato.

smòrfia *s. f.* **1** moina, sdolcinatura **2** verso, imitazione.

smòrto *agg.* **1** [*rif. al colorito*] spento, pallido, slavato, scialbo, terreo, cadaverico, grigio, giallo, opaco **CONTR.** smagliante **2** [*rif. allo sguardo*] (*fig.*) spento, ottuso **CONTR.** aguzzo, allegro, intenso, emozionante **3** [*rif. a una persona*] inerte **CONTR.** emozionante, brillante, effervescente, esuberante, spumeggiante.

smorzàre **A** *v. tr.* **1** [*un fuoco*] spegnere, estinguere, domare (*fig.*) **CONTR.** appiccare il fuoco **2** [*la sete, la fame*] estinguere, domare (*fig.*), attenuare, attutire **3** [*la luce, la voce*] attenuare, affievolire **4** [*il dolore*] attenuare, sopire, calmare **CONTR.** ridestare, intensificare **5** [*l'entusiasmo, etc.*] (*fig.*) spegnere, intiepidire, raffreddare, agghiacciare, indebolire **CONTR.** ridestare, ravvivare, destare **6** [*i colori*] attenuare, schiarire **B** *v. intr. pron.* **1** [*detto di dolore, di fame, etc.*] attenuarsi, calmarsi, estinguersi, attutirsi **CONTR.** accrescersi **2** [*detto di sentimento, etc.*] (*fig.*) intiepidirsi, morire, raffreddarsi **CONTR.** accrescersi, ravvivarsi, rinfocolarsi **3** [*detto di luce, etc.*] impallidire.

smottaménto *s. m.* frana, franamento, sfaldamento, colata (*est.*).

smottàre *v. intr.* franare, scoscendere, cedere.

smozzicàre *v. tr.* **1** spezzettare, sminuzzare **2** [*le parole, le frasi*] spezzettare, biascicare, interrompere.

smucchiàre *v. tr.* sbarazzare (*est.*) **CONTR.** accatastare, ammucchiare.

smùnto *part. pass.; anche agg.* **1** emaciato, scavato, affilato, magro, scarno, incavato, patito (*est.*), sofferente (*est.*) **CONTR.** prosperoso **2** [*rif. al colorito*] cadaverico, pallido **CONTR.** co-

lorito, rosso **3** [*rif. al viso*] (*fig.*) scavato, affilato **CONTR.** paffuto.

smuòvere **A** *v. tr.* **1** [*q.c.*] rimuovere **2** [*le acque, in senso fig.*] sommuovere, muovere, perturbare **3** [*qc.*] mobilitare **4** [*qc. da un'idea*] distogliere **B** *v. intr. pron.* darsi una mossa.

smussàre *v. tr.* **1** arrotondare, ottundere, spuntare **2** [*il carattere*] (*est.*) temperare, addolcire (*fig.*).

smussàto *part. pass.; anche agg.* **1** arrotondato **CONTR.** affilato, appuntito, acuto, pungente **2** [*rif. a una lama, a un coltello*] spuntato **CONTR.** arrotato.

snaturàre *v. tr.* falsare, falsificare, denaturare (*raro*).

snaturàto **A** *agg.* [*rif. a una persona*] degenere, disumano, inumano **B** *s. m.* (*f. -a*) degenere.

snazionalizzàre *v. tr.* privatizzare **CONTR.** nazionalizzare, socializzare.

snebbiàre *v. tr.* [*la mente, le idee, etc.*] (*fig.*) rischiarare, schiarire.

snellézza *s. f.* **1** sottigliezza, magrezza **CONTR.** grassezza, pinguedine, obesità, adiposità **2** [*rif. ai testi scritti*] (*fig.*) fluidità, scorrevolezza, agilità **CONTR.** pesantezza, ridondanza.

snellire **A** *v. tr.* **1** [*il viso, etc.*] smagrire **CONTR.** ingrossare **2** [*un discorso, un testo*] (*est.*) sfrondare (*fig.*), semplificare **3** [*una pratica burocratica*] semplificare **B** *v. intr. pron.* smagrirsi.

snellito *part. pass.; anche agg.* dimagrito, assottigliato **CONTR.** ingrossato, arrotondato (*fam.*).

snèllo *agg.* **1** [*rif. al fisico*] magro, smilzo, asciutto, sottile **CONTR.** grasso, corpulento, tozzo, obeso, adiposo **2** [*nei movimenti*] agile, leggero.

snervànte *part. pres.; anche agg.* spossante.

snervàre **A** *v. tr.* estenuare, stancare, svigorire, spossare, indebolire, debilitare, rammollire (*fig.*) **CONTR.** irrobustire, rafforzare, fortificare **B** *v. intr. pron.* **1** estenuarsi, debilitarsi, indebolirsi, rammollirsi (*fig.*) **CONTR.** irrobustirsi **2** [*in carcere, etc.*] estenuarsi, marcire (*fig.*).

snidàre *v. tr.* stanare, trovare, scoprire, sbucare (*raro*), scovare.

sniffàre *v. tr.* **1** (*gener.*) fiutare, aspirare **2** (*est.*) drogarsi.

sniffàta *s. f.* tiro, annusata, fiutata.

snob *A agg. inv.* [*rif. all'atteggiamento*] ricercato, raffinato, stravagante CONTR. alla mano *B s. m. e f. inv.* dandy (*ingl.*).

snocciolàre *v. tr.* **1** [*una somma di denaro*] scucire (*fig.*), sborsare, pagare **2** [*la verità, etc.*] spifferare (*scherz.*), spiattellare (*fam.*) **3** [*moccoli, invettive*] recitare, pronunciare.

snodàre *A v. tr.* **1** districare, sciogliere, disfare, dipanare, slegare, slacciare CONTR. annodare, legare **2** [*un arto*] disarticolare *B v. intr. pron.* **1** [*detto di strada, di sentiero*] piegare, correre, passare, serpeggiare **2** [*detto di elementi rigidi*] articolarsi.

snodàto *part. pass.; anche agg.* **1** [*rif. a un meccanismo*] articolato, mobile **2** [*nei movimenti*] sciolto, agile CONTR. impacciato, goffo.

snòdo *s. m.* giunzione, giuntura, congiunzione, articolazione, connessione.

snudàre *v. tr.* denudare, svestire CONTR. vestire, coprire.

soàve *agg.* **1** delicato, amabile, tenero, dolce, tranquillo, carezzevole, vago, bello CONTR. agro, amaro, aspro, atroce (*iperb.*) **2** [*rif. al suono*] armonioso CONTR. aspro, stridente.

soavemènte *avv.* dolcemente, deliziosamente, blandamente, carezzevolmente, melodiosamente CONTR. sgradevolmente, aspramente, spiacevolmente.

sobbalzàre *v. intr.* trasalire, sussultare, balzare (*est.*), saltare (*est.*).

sobbàlzo *s. m.* balzo, scossa, trasalimento, sussulto.

sobbarcàre *v. intr. pron.* addossarsi *un*, attribuirsi *un*, accollarsi *un*, gravarsi, investirsi CONTR. esimersi.

sobbórgo *s. m.* (*pl. -ghi*) **1** periferia CONTR. centro **2** [*anticamente*] borgo **3** quartiere, zona, settore.

sobillàre *v. tr.* fomentare, eccitare, aizzare, istigare, infiammare (*fig.*).

sobillazióne *s. f.* subornazione, istigazione, incitamento.

sobriaménte *avv.* **1** parcamente, frugalmente, morigeratamente, misuratamente CONTR. eccentricamente, frivolamente, fastosamente, follemente **2** morigeratamente, castigatamente CONTR. cupidamente, dissipatamente, incontinentemente, voracemente, mondanamente (*est.*).

sobrietà *s. f. inv.* **1** moderazione, temperanza, parsimonia, frugalità, economia CONTR. sregolatezza, sfrenatezza, eccesso, esagerazione **2** [*rif. a una costruzione, etc.*] semplicità, austerità, severità CONTR. sfarzo, imponenza **3** [*nel parlare*] asciuttezza CONTR. ampollosità **4** [*nel vestire, etc.*] semplicità, modestia CONTR. vistosità.

sòbrio *agg.* **1** parco, frugale, parsimonioso CONTR. sregolato, ingordo, vorace **2** [*rif. all'aspetto*] severo, austero, spartano, disadorno CONTR. vezzoso, pacchiano, sgargiante, chiassoso **3** [*rif. al comportamento*] (*fig.*) temperato, contenuto, temperante, controllato, morigerato, regolato, casto CONTR. sregolato, audace **4** austero, spartano CONTR. ubriaco, sbronzo, ebbro, alticcio (*scherz.*), brillo (*fam.*) **5** [*rif. allo stile*] piano.

socchiùdere *v. tr.* **1** [*le imposte*] schiudere, dischiudere, accostare, avvicinare CONTR. spalancare **2** [*gli occhi*] abbassare, stringere CONTR. spalancare.

soccómbere *v. intr.* **1** avere la peggio, perdere **2** soggiacere CONTR. vincere **3** morire, perire, cadere (*fig.*).

soccórrere *v. tr.* **1** aiutare, assistere **2** (*est.*) proteggere, appoggiare, favorire, beneficare, spalleggiare.

soccórso *A s. m.* **1** aiuto, assistenza, difesa, protezione **2** (*est.*) rifornimento, sussidio, sovvenzione **3** [*spec. al pl.*] rifornimento, rinforzo **4** (*est.*) salvataggio *B part. pass.; anche agg.* aiutato, assistito.

sociàle *agg.* **1** pubblico, comune, civico CONTR. privato, personale **2** [*rif. a una persona*] socievole.

socialismo *s. m.* comunismo.

socializzàre *v. intr.* **1** nazionalizzare, statalizzare, collettivizzare CONTR. snazionalizzare, privatizzare **2** familiarizzare, privatizzarsi, fare amicizia, fare combriccola, fraternizzare, inserirsi *in*, simpatizzare CONTR. estraniarsi, isolarsi.

socializzazióne *s. f.* **1** inserimento, affiatamento CONTR. segregazione **2** nazionalizzazione, statalizzazione CONTR. privatizzazione.

società *s. f. inv.* **1** comunità, collettività **2** corporazione, associazione, clan (*celt.*), club (*ingl.*), organizzazione **3** [*economica*] compagnia, ditta, trust (*ingl.*), casa, agenzia **4** realtà, civiltà.

sociévole *agg.* **1** cordiale, affabile, cortese, affettuoso CONTR. appartato, intrattabile, scontroso, solitario **2** sociale.

socievolézza *s. f.* **1** affabilità, amabilità, comunicativa, cortesia CONTR. misantropia, scontrosità, suscettibilità **2** (*gener.*) qualità.

sòcio *s. m.* (*f. -a*) **1** alleato, partner (*ingl.*), coadiutore, collaboratore, compagno CONTR. antagonista, nemico **2** associato, iscritto, membro **3** (*est.*) complice, compare, correo, connivente.

soddisfacènte *part. pres.; anche agg.* **1** esauriente CONTR. deludente **2** gradevole, piacevole, lusinghiero (*est.*).

soddisfàre *A v. tr.* **1** [*un gusto, un desiderio*] contentare, accontentare, appagare, assecondare, esaudire, sfogare (*fig.*) CONTR. contrariare, frustrare **2** [*un debito*] onorare, pagare, saldare, coprire (*fig.*) **3** [*qc.*] gratificare, compiacere, lusingare CONTR. lasciare insoddisfatto **4** [*la fame*] placare, saziare, acquietare **5** [*la sete*] placare, spegnere **6** [*a qc.*] piacere, garbare (*tosc.*), persuadere, andare (*fam.*), convincere (*est.*) **7** [*un obbligo morale*] adempiere *a*, ottemperare *a*, assolvere **8** [*un voto*] adempiere *a*, sciogliere (*fig.*) **9** [*un sogno*] conseguire (*raro*), realizzare **10** [*un cliente*] (*est.*) sbrigare, servire *B v. intr.* [*ai principi di qc.*] corrispondere, rispondere (*fig.*), quadrare (*fig.*), collimare (*fig.*) *C v. intr. pron.* appagarsi, contentarsi, essere soddisfatto.

soddisfàtto *part. pass.; anche agg.* **1** pago, appagato, realizzato **CONTR.** deluso, annoiato, avvilito, malcontento, inappagato, insoddisfatto, assetato, avido, frustrato, represso, mortificato, dispiaciuto, disgustato, nauseato **2** contento, felice, entusiasta **3** pieno, satollo, pasciuto, sfamato, sazio.

soddisfazióne *s. f.* **1** gratificazione, appagamento, premio (*fig.*), onore (*est.*) **CONTR.** delusione, disinganno, mortificazione **2** piacere, gioia, contentezza, compiacimento, compiacenza (*raro*) **CONTR.** insoddisfazione, scontentezza, scontento, malumore, avvilimento, amarezza, frustrazione, malcontento, umiliazione **3** [*spec. con: essere di mia, tua, etc.*] gusto, gradimento **4** [*spec. con: esserci, non esserci, etc.*] (*fig.*) gusto, sugo **5** [*di un desiderio, di una richiesta*] adempimento a **6** [*rif. a un'offesa, a un danno*] riparazione **7** [*spec. con: dare*] ragione, conto **8** [*spec. in loc.: voler togliersi la*] desiderio, voglia.

sòdo A *agg.* **1** compatto, duro **CONTR.** flaccido, floscio, gelatinoso, molle, moscio **2** [*rif. alle mani, alle membra*] pesante, forte **CONTR.** moscio, molle **3** solido, saldo **B** *avv.* pesantemente, forte **C** *s. m. sing.* astratto.

sodomizzàre *v. tr.* inculare (*volg.*).

sofà *s. m. inv.* **1** divano, canapè **2** (*gener.*) sedile.

sofferènte A *part. pres.; anche agg.* **1** patito, smunto **CONTR.** sano, prosperoso **2** malato **B** *s. m.* (*f. -a*) infelice.

sofferènza *s. f.* **1** [*fisica, morale*] dolore, patimento, male, tormento, martirio, tortura **CONTR.** godimento, piacere, sollievo **2** [*morale*] afflizione, struggimento, passione **CONTR.** gioia, diletto **3** (*est.*) disagio, molestia **4** stento (*pl.*).

soffermàre *v. intr. pron.* **1** trattenersi, fermarsi, sostare, dimorare, indugiare, tardare (*est.*) **CONTR.** affrettarsi, sbrigarsi, spicciarsi, muoversi **2** [*a parlare, a scrivere*] diffondersi.

sofferto *part. pass.; anche agg.* patito, sudato, guadagnato **CONTR.** gratuito, gratis.

soffiàre A *v. tr.* **1** fare la spia, cantare (*fig.*), raccontare **2** sottrarre, rubare,

fregare, sgraffignare **B** *v. intr.* **1** alitare, ansimare **2** sbuffare, scalpitare **3** [*detto di vento, etc.*] spirare, infuriare, fischiare, tirare.

sòffice *agg.* **1** cedevole, morbido, vaporoso **CONTR.** ispido, ruvido **2** dolce.

sóffio *s. m.* [*di vento, etc.*] folata, refolo (*poet.*), fiato (*fig.*), alito (*fig.*).

soffìtta *s. f.* solaio, mansarda (*est.*), sottotetto, piccionaia (*scherz.*) **CONTR.** scantinato.

soffìtto *s. m.* **1** volta, cielo (*fig.*) **2** tangenza.

soffocaménto *s. m.* **1** dispnea (*med.*), affanno **2** strozzatura, strangolamento, strozzamento **3** [*morale*] (*est.*) repressione, mortificazione **CONTR.** valorizzazione.

soffocànte *part. pres.; anche agg.* opprimente, schiacciante, repressivo, oppressivo, vessatorio.

soffocàre *v. tr.* **1** strangolare, strozzare, asfissiare, affogare (*raro*) **2** [*una rivolta, etc.*] domare, reprimere, stroncare, rintuzzare, sopprimere, dominare, frenare **CONTR.** alimentare **3** [*qc.*] opprimere, angariare, comprimere, paralizzare (*fig.*) **4** [*un incendio*] domare, estinguere, spegnere **5** [*un suono*] sopraffare, sovrastare.

soffocàto *part. pass.; anche agg.* **1** represso, mortificato, stroncato **2** oppresso, gravato **3** [*rif. al suono*] basso, fioco, ovattato.

soffregàre *v. tr.* fregare, frizionare.

soffrìggere *v. tr.* dorare, rosolare, friggere, cucinare (*impr.*).

soffrìre A *v. tr.* **1** [*prove, difficoltà*] patire, subire, passare **2** [*dolori, fatiche*] sopportare, reggere, tollerare, durare (*fam.*) **3** [*il freddo, il caldo*] patire, temere, sentire **B** *v. intr.* **1** patire, tribolare, penare, stare male, morire *per* (*fig.*) **CONTR.** godere, gioire, esultare **2** (*est.*) stentare **3** [*per amore*] spasimare.

sofìsma *s. m.* **1** cavillo, arzigogolo, capziosità **2** (*filos.*) fallacia (*raro*).

sofisticaménte *avv.* cavillosamente **CONTR.** semplicemente.

sofisticàre A *v. tr.* adulterare, alterare, manipolare, falsare, contraffare, fatturare, falsificare **B** *v. intr.* cavillare, sottilizzare.

sofisticàto *part. pass.; anche agg.* **1** [*rif. a un concetto*] sottile, bizantino, cervellotico **2** [*rif. al cibo, a una bevanda, etc.*] adulterato, alterato, contraffatto, falsificato, manipolato, manomesso **CONTR.** casalingo, genuino **3** [*rif. a una persona*] (*est.*) raffinato, elegante, chic (*fr.*) **CONTR.** grossolano, zotico.

sofisticazióne *s. f.* **1** alterazione, manipolazione, falsificazione, contraffazione **2** [*di alimenti*] adulterazione **CONTR.** genuinità, purezza.

sofisticherìa *s. f.* sottigliezza, cavillo, arzigogolo, capziosità.

sofìstico A *agg.* cavilloso, capzioso, pignolo, meticoloso **B** *s. m.* (*f. -a*) schizzinoso, schifiltoso.

soggettivaménte *avv.* arbitrariamente, personalmente **CONTR.** oggettivamente, obiettivamente.

soggettìvo *agg.* **1** personale, individuale, proprio **CONTR.** oggettivo, imparziale, spassionato **2** (*est.*) relativo, parziale, preconcetto.

soggètto (1) *agg.* **1** soggiogato, dipendente, sottoposto, subordinato, subalterno **CONTR.** libero da, indipendente, autonomo **2** [*rif. a malattie, a entusiasmi, etc.*] esposto, incline **CONTR.** immune da.

soggètto (2) *s. m.* **1** argomento, tema **2** (*ling.*) attore, attante **3** (*med.*) individuo, paziente, persona **4** (*scherz.*) individuo, tipo, personaggio, elemento (*fig.*), numero (*fig.*).

soggezióne *s. f.* **1** timore, tema, imbarazzo, vergogna, rispetto, paura **CONTR.** disinvoltura, scioltezza, spigliatezza, sfacciataggine, spavalderia **2** (*est.*) subordinazione, sottomissione, dipendenza, giogo (*fig.*), sudditanza, schiavitù **CONTR.** indipendenza, autonomia, libertà, supremazia, sovranità **3** (*dir.*) vincolo, servitù.

sogghignàre *v. intr.* **1** ridere sotto i baffi, ghignare **2** (*gener.*) ridere.

soggiacére *v. intr.* **1** sottostare, dipendere *da*, essere soggetto, essere

soggiogare sottoposto CONTR. imperare, predominare, preponderare **2** soccombere, cedere CONTR. insorgere, ribellarsi **3** [alle norme, etc.] (est.) adeguarsi.

soggiogàre v. tr. **1** domare, dominare, sottomettere, assoggettare, sottoporre, asservire, piegare, vincere **2** (est.) affascinare, ammaliare, conquistare, invasare (raro).

soggiogàto part. pass.; anche agg. **1** schiavo CONTR. affrancato, libero, indipendente **2** soggetto, sottoposto.

soggiornàre v. intr. **1** stazionare, permanere, sostare, rimanere **2** abitare, villeggiare, campeggiare.

soggiórno s. m. **1** permanenza, dimora (lett.), sosta, residenza (est.) **2** tinello, sala, living (ingl.), salotto **3** (gener.) stanza, ambiente, locale, vano.

soggiùngere v. tr. [q.c. nel discorso] ribattere, aggiungere.

sòglia s. f. **1** (est.) entrata, ingresso, porta **2** [del dolore] (est.) valore minimo, livello minimo **3** [della maturità, etc.] limitare.

sògliola s. f. **1** (gener.) pesce **2** lingua.

sognàre **A** v. tr. **1** desiderare, vagheggiare, bramare **2** immaginare, fantasticare **B** v. intr. fantasticare, fare castelli in aria, vaneggiare.

sognatóre **A** s. m. (f. -trice) **1** idealista, utopista, illuso, poeta (scherz.), visionario **2** [rif. a una persona] CONTR. realista **B** agg. vago, vaneggiante.

sógno s. m. **1** visione **2** astrazione, illusione (fig.), miraggio (fig.), mito, utopia **3** aspirazione, ideale, anelito, desiderio **4** fantasticheria, fantasia (fig.) **5** [rif. a una persona, a un luogo] fiaba (fig.), favola (fig.), incanto, meraviglia.

sòia s. f. (gener.) legume.

solàio s. m. soffitta, sottotetto.

solaménte avv. solo, soltanto, unicamente, esclusivamente CONTR. anche, inoltre.

solàre (1) o **suolàre** v. tr. risolare, fare la suola a.

solàre (2) agg. **1** luminoso, radioso, brillante CONTR. oscuro, cupo **2** lampante, evidente CONTR. oscuro, dubbio, confuso.

solarità s. f. inv. **1** trasparenza CONTR. enigmaticità **2** splendore.

solatìo agg. soleggiato.

solcàre v. tr. **1** rigare **2** [il viso, etc.] segnare **3** [il terreno] arare, dissodare **4** [il mare] attraversare, fendere, tagliare, traversare.

sólco s. m. (pl. -chi) **1** scavo **2** (est.) incavatura, incavo **3** [sulla pelle] (est.) ruga, grinza, crespa, riga **4** [di spuma, etc.] (est.) scia, striscia **5** (est.) strada, canale, canalone **6** (est.) traccia, rigo.

soldàto s. m. (f. -essa) **1** (gener.) militare, milite CONTR. civile, borghese, ufficiale **2** (est.) combattente, guerriero, belligerante, armigero (lett.), armato.

sòldo s. m. **1** baiocco (scherz.), quattrino, denaro, palanca (genov.) **2** moneta **3** ricchezza (fam.), grana (pop.) **4** paga, stipendio **5** [spec. in loc.: non valere un] baiocco (scherz.), palanca (genov.), niente.

sóle s. m. **1** (gener.) astro, stella CONTR. luna **2** (est.) luce CONTR. buio, ombra **3** (est.) giorno **4** (est.) splendore, bellezza **5** (est.) amato, amore.

soleggiàre v. tr. esporre al sole.

soleggiàto part. pass.; anche agg. solatio.

solènne agg. **1** imponente, maestoso, serio, austero, regale, grande CONTR. leggero, spicciativo **2** [rif. a un discorso] ampolloso, enfatico, formale, pomposo CONTR. leggero, informale **3** (antifr.) matricolato, famoso.

solenneménte avv. **1** austeramente, gravemente, severamente CONTR. discorsivamente, semplicemente, scherzosamente, gioiosamente **2** ufficialmente, formalmente CONTR. ufficiosamente, confidenzialmente.

solennità s. f. inv. **1** [rif. a una cerimonia, a una casa] imponenza, maestosità, fasto CONTR. semplicità, mode-stia **2** [rif. all'atteggiamento] austerità, formalità, severità **3** ricorrenza, festività.

solennizzàre v. tr. festeggiare, celebrare.

solèrte agg. zelante, volenteroso, alacre, operoso, attivo, sollecito CONTR. ignavo, inattivo, infingardo, neghittoso.

solèrzia s. f. alacrità, operosità, sveltezza, prontezza, vivacità (est.), dinamismo, energia, attività, lena CONTR. pigrizia, lentezza, fiacca, neghittosità, accidia, fannullaggine, ignavia, infingardaggine.

sòlfa s. f. (fig.) lagna (fam.), zuppa (fam.), pizza (fam.), barba (fam.), noia, storia, musica, tiritera (scherz.), menata (volg.).

solforàre v. tr. dare lo zolfo a.

solidàle agg. unito, compartecipe CONTR. ostile, avverso.

solidaménte avv. saldamente, duramente, fermamente, indistruttibilmente, forte, con forza CONTR. instabilmente, fragilmente.

solidarietà s. f. inv. fratellanza, amicizia, unione, accordo, cameratismo, unità (fig.), compattezza (est.) CONTR. egoismo, inimicizia.

solidarizzàre v. intr. **1** fare amicizia, fraternizzare **2** esprimere solidarietà a.

solidificàre **A** v. tr. **1** coagulare, consolidare, rassodare CONTR. disciogliere, disfare, fondere, liquefare, squagliare **2** (est.) congelare **B** v. intr. pron. cagliarsi, consolidarsi, rapprendersi, indurirsi, rassodarsi, rappigliarsi, prendere CONTR. disciogliersi, disfarsi, fondersi, liquefarsi, diventare liquido.

solidificazióne s. f. (chim.) condensazione CONTR. liquefazione.

solidità s. f. inv. **1** compattezza, durezza, corpo (est.) CONTR. debolezza, fragilità **2** [rif. a una costruzione] stabilità (est.), resistenza, sicurezza CONTR. debolezza, fragilità, instabilità **3** [rif. ai colori] stabilità (est.) CONTR. instabilità **4** [fisica] forza (est.), robustezza CONTR. instabilità, leggerezza, incostanza **5** [*morale*] (*est.*) forza, fermezza, serietà **CONTR.** esiguità, levità **6** [*rif. a argomenti, etc.*] (*est.*) serietà, consistenza.

sòlido (1) *agg.* **1** stabile, resistente, forte, robusto **2** [*rif. a un materiale*] consistente, sodo **CONTR.** liquido, liquefatto, gelatinoso **3** [*rif. al carattere, etc.*] concreto, quadrato (*fig.*) **4** (*mat.*) tridimensionale **5** [*rif. a un'impresa*] avviato, prospero.

sòlido (2) *s. m.* corpo, oggetto **CONTR.** liquido, gas.

solilòquio *s. m.* monologo **CONTR.** colloquio.

solingo *agg.* (*pl. m. -ghi*) solitario, solo.

solitaménte *avv.* di solito, abitualmente, per lo più, comunemente, ordinariamente, generalmente, tradizionalmente, volgarmente **CONTR.** insolitamente, inconsuetamente, eccezionalmente, incidentalmente (*est.*).

solitàrio (1) *agg.* **1** [*rif. a un luogo*] appartato, isolato, deserto, romito (*lett.*), selvatico **CONTR.** frequentato, affollato **2** [*rif. a una persona*] introverso, solo **CONTR.** socievole.

solitàrio (2) *s. m.* **1** gioco **2** brillante.

sòlito *A agg.* usuale, abituale, quotidiano, usato (*lett.*), ordinario (*est.*), rituale (*est.*), uso (*lett.*) **CONTR.** anomalo, strano, eccezionale, innovativo, insolito, inusitato, alternativo, anticonformista *B s. m. sing.* consueto, normale.

solitùdine *s. f.* **1** isolamento **CONTR.** compagnia **2** [*rif. a uno stato*] abbandono.

sollazzàre *A v. tr.* dilettare, divertire, ricreare, svagare, rallegrare, allietare, deliziare **CONTR.** rattristare *B v. intr. pron.* compiacersi, deliziarsi, dilettarsi, giocare, distrarsi, divertirsi, ricrearsi.

sollàzzo *s. m.* divertimento, spasso, diletto, svago **CONTR.** fastidio, noia.

sollecitaménte *avv.* **1** premurosamente **CONTR.** negligentemente **2** prontamente, presto, rapidamente, tempestivamente **CONTR.** lentamente, pigramente, trascuratamente.

sollecitàre *v. tr.* **1** [*qc.*] affrettare, incalzare, pungolare (*fig.*), spingere, animare, pressare (*fig.*) **2** [*qc.*] spronare, incitare, esortare, consigliare (*est.*) **3** [*qc.*] chiamare, invitare, pregare **4** [*q.c.*] domandare, chiedere, richiedere **5** [*la ribellione*] istigare, stimolare, provocare **6** [*un'iniziativa, etc.*] promuovere.

sollecitazióne *s. f.* **1** incitamento, stimolo, esortazione, invito, istigazione, subornazione (*colto*), pressione **2** (*fis.*) forza **3** (*est.*) raccomandazione, ufficio (*raro*).

sollécito *agg.* premuroso, attento, solerte, affaccendato, pronto, zelante, svelto, volenteroso, appassionato (*est.*), studioso (*lett.*) **CONTR.** infingardo, neghittoso.

sollecitùdine *s. f.* **1** cura, diligenza, zelo, studio (*lett.*) **CONTR.** trascuratezza, noncuranza, indifferenza **2** fretta, prestezza (*raro*), urgenza **CONTR.** lentezza **3** premura, pensiero, affanno (*fig.*), attenzione.

solleóne *s. m.* canicola.

solleticàre *v. tr.* **1** titillare, vellicare, fare il solletico a **2** (*est.*) eccitare, lusingare, attirare, attrarre, invogliare, stimolare, stuzzicare.

sollevaménto *s. m.* **1** [*di pesi*] elevamento, innalzamento **CONTR.** abbassamento **2** [*rif. al popolo, etc.*] (*est.*) insurrezione, sommossa, rivolta, ribellione, sedizione.

sollevàre *A v. tr.* **1** levare in alto, elevare, alzare, innalzare, levare, issare **CONTR.** abbassare **2** [*la testa, etc.*] rialzare, drizzare **CONTR.** posare, reclinare **3** [*q.c. da terra*] rialzare, raccattare, raccogliere **CONTR.** coricare, sdraiare, deporre, depositare **4** [*le mine, l'ancora*] salpare **5** [*qc. da un'accusa*] prosciogliere **6** [*qc. da un'accusa*] esimere, sospendere **7** [*il popolo*] scatenare, aizzare, istigare **8** [*l'animo, etc.*] (*fig.*) confortare, corroborare, consolare, riconfortare, ricreare **CONTR.** opprimere, contristare, crucciare, demoralizzare, deprimere, disanimare, prostrare *B v. intr. pron.* **1** [*detto di torre, etc.*] ergersi **CONTR.** crollare **2** [*da terra*] staccarsi **3** [*moralmente*] (*est.*) svagarsi, ricrearsi **4** [*fisicamente*] riaversi, riprendersi **5** [*detto di popolo*] insorgere, ribellarsi, reagire, rivoltarsi, disubbidire, scatenarsi **6** [*a una carica importante*] (*fig.*) assurgere, elevarsi, salire *C v. rifl.* [*dal letto, etc.*] levarsi, alzarsi, drizzarsi, rizzarsi, muoversi **CONTR.** coricarsi.

sollevàto *part. pass.; anche agg.* **1** rianimato, confortato, rincuorato **CONTR.** addolorato, affranto, angustiato, atterrito, devastato **2** (*fig.*) affrancato, liberato **CONTR.** gravato **3** [*rif. a cosa*] rialzato, alzato **CONTR.** abbassato, adagiato, allungato.

sollevazióne *s. f.* insurrezione, ribellione, rivolta, sommossa, levata, tumulto.

sollièvo *s. m.* **1** [*morale*] conforto, consolazione, piacere (*fig.*) **CONTR.** tortura, sofferenza **2** [*fisico*] ristoro, respiro (*fig.*), riposo, rilassamento, pausa (*est.*) **3** [*rif. a una persona*] (*fig.*) rifugio.

sólo *A agg.* **1** solitario, solingo (*lett.*), isolato (*est.*) **2** unico **3** [*rif. a cosa*] semplice *B avv.* solamente, esclusivamente, semplicemente, soltanto, unicamente **CONTR.** inoltre, anche *C cong.* **1** ma, però **2** nonostante, sebbene *D s. m.* (*f. -a*) unico *E s. m.* [*spec. al pl.*] solista.

soltànto *avv.* solamente, solo, appena, unicamente, esclusivamente, puramente, semplicemente **CONTR.** inoltre.

soluzióne *s. f.* **1** [*di un problema*] (*mat.*) risoluzione **2** spiegazione **3** (*est.*) alternativa, scampo, uscita (*fig.*), possibilità, sbocco **4** [*di liquidi*] (*chim.*) miscela **5** [*spec. con: prendere una, preferire una, etc.*] decisione.

sòma *s. f.* **1** carico **2** (*est.*) onere, impegno.

somàro *A s. m.* **1** asino, ciuco, ciuccio (*merid.*) **2** [*rif. a una persona*] (*est.*) ignorante, bestia (*fig.*) *B agg.* ignorante **CONTR.** colto, istruito.

somigliànte *part. pres.; anche agg.* simile, similare, analogo, affine, vicino **CONTR.** differente, diverso.

somigliànza *s. f.* **1** rassomiglianza **CONTR.** dissomiglianza **2** [*di gusti, etc.*] (*fig.*) analogia, affinità, vicinanza, omogeneità **CONTR.** differenza, diversità **3** [*tra idee, etc.*] (*est.*) prossimità (*fig.*), parallelismo, equivalenza, rapporto, relazione, corrispondenza, concordanza, equivalenza **CONTR.** discrepanza.

somigliàre A *v. tr. e intr.* assomigliare *a*, sembrare *un*, ricordare *un*, accostarsi *a*, avvicinarsi *a*, rassomigliare *a*, prendere *da*, assembrare *a* (*raro*) **CONTR.** differire, dissomigliare, distare **B** *v. tr.* paragonare.

sòmma *s. f.* **1** (*mat.*) addizione **CONTR.** sottrazione **2** totale, importo, cifra **CONTR.** differenza **3** [*disponibile*] budget (*ingl.*) **4** (*est.*) compendio, sintesi **5** (*est.*) scommessa (*colto*), posta **6** (*est.*) sostanza, conclusione, essenza **7** [*di più società, di interessi*] (*est.*) fusione, unione.

sommaménte *avv.* estremamente, moltissimo, straordinariamente **CONTR.** minimamente, appena.

sommàre A *v. tr.* **1** addizionare, aggiungere, assommare (*raro*), fare l'addizione, fare la somma **CONTR.** dedurre, defalcare, detrarre **2** annettere, conglobare **B** *v. intr.* ammontare.

sommariaménte *avv.* **1** sbrigativamente, frettolosamente, rapidamente **CONTR.** accuratamente **2** grossolanamente, per sommi capi, all'ingrosso, a grandi linee, succintamente, sinteticamente **CONTR.** capillarmente, dettagliatamente.

sommàrio A *s. m.* **1** riassunto, compendio (*colto*), sintesi, riepilogo, sunto **2** (*est.*) indice **B** *agg.* **1** sintetico **CONTR.** meticoloso, minuzioso **2** approssimativo.

sommèrgere A *v. tr.* **1** inabissare, immergere **2** inondare, allagare, invadere **3** [*qc. di chiacchiere, etc.*] (*fig.*) inondare, riempire, subissare **4** [*q.c., qc.*] (*est.*) inghiottire, ricoprire **5** [*il ricordo*] (*est.*) estinguere, annullare **6** [*qc. nei debiti, nei guai*] (*est.*) ingolfare **B** *v. intr. pron.* affondare **CONTR.** galleggiare.

sommessaménte *avv.* piano, flebilmente, sottovoce **CONTR.** ad alta voce, forte.

sommésso *agg.* **1** [*rif. al suono*] basso, debole, fioco, impercettibile, piano, contenuto **2** [*rif. all'atteggia-*

mento] umile, sottomesso.

somministràre *v. tr.* **1** dare, porgere, fornire **2** [*una medicina, etc.*] propinare, apprestare **3** [*un sacramento*] (*relig.*) amministrare **4** [*uno schiaffo, etc.*] affibbiare, appioppare.

sommità *s. f. inv.* **1** culmine, vertice, vetta, cresta, cima, colmo, dosso, crinale, pizzo, sommo **CONTR.** base, fondo **2** [*della carriera, etc.*] (*fig.*) culmine, apice, apogeo.

sómmo A *agg.* **1** massimo, supremo, sovrano **CONTR.** infimo **2** massimo, sovrano, insigne, eccelso, sublime, primo **3** [*rif. a una decisione*] (*fig.*) supremo, ultimo **B** *s. m.* sommità, colmo, apice.

sommòssa *s. f.* rivolta, ribellione, sedizione, insurrezione, tumulto, sollevazione, sollevamento (*raro*), turbolenza (*raro*).

sommozzatóre *s. m.* (*f. -trice*) **1** uomo rana, sub (*ell.*) **2** [*tipo di*] palombaro.

sommuòvere *v. tr.* **1** smuovere, agitare, rimescolare (*fig.*) **CONTR.** calmare **2** [*le acque*] sconvolgere, intorbidare **3** [*il popolo*] istigare.

sonàglio *s. m.* campanello.

sònar *s. m.* ecogoniometro.

sonàre *v. tr., intr. e rifl. rec.* V. *suonare.*

sonàta *s. f.* **1** concerto, pezzo **2** scampanellata **3** (*est.*) fregatura.

sonàto *part. pass.; anche agg.* V. *suonato.*

sondàggio *s. m.* **1** ricerca, rilevamento **2** [*di opinioni, etc.*] (*est.*) ricerca, inchiesta, indagine, esame.

sondàre *v. tr.* **1** saggiare, tastare il polso *a* (*fig.*), scandagliare (*fig.*) **2** indagare, esaminare, studiare, interrogare.

sonerìa *s. f.* V. *suoneria.*

sonnacchióso *agg.* sonnolento.

sonnecchiàre *v. intr.* **1** dormicchiare, appisolarsi, poltrire (*est.*) **2** (*gener.*) dormire.

sonnìfero A *s. m.* **1** (*farm.*) stupefa-

cente, ipnotico, barbiturico, tranquillante, narcotico **2** (*gener.*) farmaco **B** *agg.* soporifero.

sònno *s. m.* **1** dormita, siesta, riposo, pisolino **CONTR.** veglia **2** torpore **3** letargo **4** (*est.*) silenzio, quiete, pace.

sonnolènto *agg.* sonnacchioso.

sonnolènza *s. f.* **1** torpore, sopore **CONTR.** eccitazione **2** (*est.*) pesantezza, gravezza, lentezza **CONTR.** alacrità, vivacità, dinamismo.

sòno *s. m.* V. *suono.*

sonorità *s. f.* **1** [*in una stanza. etc.*] risonanza, acustica **2** [*nel parlare, nello scrivere*] ampollosità, pomposità.

sonòro A *agg.* **1** [*rif. al suono*] alto, squillante, cristallino **CONTR.** attutito, fesso **2** [*rif. a un discorso*] altisonante, enfatico, magniloquente **B** *s. m. sing.* voce (*impr.*).

sontuosaménte *avv.* fastosamente, lussuosamente, sfarzosamente, prestigiosamente **CONTR.** mediocremente, miseramente, squallidamente.

sontuosità *s. f. inv.* magnificenza, grandiosità, fasto, sfarzo, lusso, ricchezza, splendore, pompa **CONTR.** miseria, modestia, semplicità.

sontuóso *agg.* **1** lussuoso, maestoso, sfarzoso, magnifico, fastoso, regale **CONTR.** austero, misero **2** [*rif. a un pasto*] (*est.*) lauto, ricco **CONTR.** misero, parco, frugale.

soperchierìa o **soverchierìa** *s. f.* sopruso, sopraffazione, prepotenza, angheria, violenza.

sopìre A *v. tr.* acquietare, lenire, calmare, attenuare, smorzare, mitigare, placare **CONTR.** destare, esacerbare, inasprire, acutizzare **B** *v. intr. pron.* **1** addormentarsi, appisolarsi, assopirsi **CONTR.** svegliarsi **2** [*detto di dolore, etc.*] acquietarsi, attutirsi **CONTR.** acutizzarsi.

sopìto *part. pass.; anche agg.* **1** mitigato, addolcito (*fig.*), calmato, quietato, attenuato, alleviato **CONTR.** inasprito (*fig.*), esacerbato **2** addormentato **CONTR.** sveglio.

sopóre *s. m.* **1** sonnolenza **2** (*est.*) rilassamento.

soporifero *agg.* sedativo, narcotico, sonnifero **CONTR.** eccitante, stimolante, stuzzicante, spassoso.

sopperire *v. intr.* **1** supplire, compensare, controbilanciare **2** provvedere.

soppesàre *v. tr.* valutare, vagliare, giudicare, considerare, scandagliare (*fig.*), ponderare, misurare, calcolare, pesare (*fig.*), bilanciare, calibrare, studiare (*fig.*).

sopportàbile *agg.* tollerabile, ammissibile, accettabile, vivibile, comprensibile (*est.*), giustificabile (*est.*) **CONTR.** intollerabile, insopportabile, insostenibile, opprimente (*est.*), terribile.

sopportabilménte *avv.* tollerabilmente **CONTR.** insopportabilmente, intollerabilmente.

sopportàre *A v. tr.* **1** [*dolori, fatiche*] patire, soffrire, passare, durare (*fam.*) **2** [*una situazione*] tollerare, reggere (*fig.*) **3** accettare, permettere, ammettere **4** [*q.c. di sgradevole*] (*fig.*) digerire, ingozzare, inghiottire, ingoiare, smaltire **5** [*qc. in un gruppo*] (*est.*) accettare, accogliere, ricevere **6** [*qc.*] (*est.*) compatire, perdonare **7** [*il dolore, etc.*] reggere (*fig.*), resistere *a B v. rifl. rec.* tollerarsi, compatirsi.

sopportazióne *s. f.* **1** tolleranza, pazienza **CONTR.** intolleranza, impazienza **2** accettazione, rassegnazione **CONTR.** reazione, ribellione.

soppressióne *s. f.* **1** [*di norme, etc.*] liquidazione, eliminazione, abrogazione, cancellazione, annullamento, revoca, taglio (*fig.*), abolizione **CONTR.** instaurazione, emanazione **2** [*della libertà, etc.*] liquidazione, eliminazione, abolizione, privazione **3** [*di qc.*] uccisione, assassinio.

sopprimere *v. tr.* **1** [*una legge, etc.*] annullare, cancellare, abolire, abrogare, revocare **2** [*una legge*] proscrivere (*bur.*) **3** [*q.c. da un testo*] elidere, espungere, levare **4** [*una rivolta, etc.*] reprimere, soffocare **5** [*qc.*] eliminare, uccidere, distruggere.

sópra *A avv.* **1** su, superiormente, addosso **CONTR.** abbasso, di sotto, giù, sotto **2** precedentemente *B prep.* **1** [*un certo limite*] oltre **2** [*un argomento, una materia*] su, intorno a, riguar-

do a **3** [*un popolo, una regione*] su **4** dopo **5** [*il livello del mare, etc.*] oltre, più in su, al di là **6** di più *C agg. inv.* [*un certo piano, etc.*] superiore.

sopraccìglio *s. m.* ciglio.

sopraelevàre *v. tr.* alzare, rialzare.

sopraffàre *v. tr.* **1** soverchiare, dominare, opprimere **2** superare, vincere, travolgere, predominare (*raro*) **3** [*un suono*] soffocare (*fig.*).

sopraffazióne *s. f.* sopruso, soperchieria, prepotenza, angheria, violenza, prevaricazione.

sopraggiùngere *A v. intr.* **1** arrivare, giungere, venire **2** [*detto di evento*] capitare, accadere, avvenire, succedere, sopravvenire, incogliere *B v. tr.* [*detto di malore, etc.*] cogliere (*fig.*).

sopralluògo *s. m.* (*pl. -ghi*) perlustrazione, visita, ispezione, controllo (*est.*).

soprannaturàle o **sovrannaturàle** *A agg.* **1** sovrumano, trascendente, divino, celeste **CONTR.** umano, terreno **2** [*rif. a un evento*] (*fig.*) miracoloso (*est.*), prodigioso (*est.*) **CONTR.** naturale *B s. m. sing.* arcano.

soprannóme *s. m.* appellativo, epiteto (*spreg.*), nomignolo, nome.

soprannominàre *A v. tr.* chiamare, denominare, designare *B v. rifl.* chiamarsi.

soprappiù *s. m. inv.* soverchio, sovrabbondanza, eccesso, superfluo.

soprapprèzzo *s. m.* V. *sovrapprezzo.*

soprastàre *v. intr.* **1** governare (*ass.*) **2** [*detto di edificio, etc.*] signoreggiare.

sopravalutàre *v. tr.* e *rifl.* V. *sopravvalutare.*

sopravanzàre *A v. tr.* sorpassare, scavalcare, superare *B v. intr.* **1** [*detto di tempo, etc.*] avanzare, restare, residuare (*raro*) **2** [*detto di cibo, etc.*] abbondare.

sopravvalutàre o **sopravalutàre** *v. tr.* apprezzare (*impr.*) **CONTR.** sottovalutare *B v. rifl.* vanagloriarsi **CONTR.** sottovalutarsi, diminuirsi.

sopravvenire *v. intr.* [*detto di un evento, etc.*] sopraggiungere, avvenire, capitare, accadere, succedere, intervenire.

sopravvènto (1) *s. m. sing.* dominio, padronanza, controllo.

sopravvènto (2) *avv.* **CONTR.** sottovento.

sopravvivere *v. intr.* **1** vivere **CONTR.** morire **2** [*vivere solo clinicamente*] (*fig.*) vegetare **3** arrangiarsi, galleggiare (*fig.*), campare (*fam.*) **4** [*detto di ricordo*] durare, mantenersi, perdurare, restare, rimanere.

soprintèndere *v. intr.* V. *sovrintendere.*

soprùso *s. m.* prepotenza, soperchieria, sopraffazione, angheria, abuso, illegalità, prevaricazione.

sorbire *v. tr.* **1** sorseggiare, centellinare, succhiare **2** (*gener.*) bere **3** [*un gelato, un sorbetto*] (*est.*) leccare.

sórcio *s. m.* (*f. -a*) **1** ratto, topo **2** (*gener.*) roditore.

sordidézza *s. f.* **1** sozzura **2** grettezza, spilorceria.

sòrdido *agg.* **1** sozzo, sporco, immondo **CONTR.** pulito, lindo **2** squallido, gretto, meschino.

Sordido

Sordido:
1 Sudicio;
2 Moralmente abietto.

1 Con riferimento a luogo.
  sporco: che non è pulito, che è imbrattato e insudiciato;
  sozzo;
2 Con riferimento a persona.
  squallido: (*est.*) desolato moralmente;
  gretto;
  meschino;

sordità *s. f. inv.* ottusità, durezza (*fig.*).

sórdo *A agg.* **1** [*rif. a una persona*] non udente **2** [*rif. al suono*] fesso, ovattato **CONTR.** squillante, stridulo **3** [*rif. a un sentimento*] tacito, celato *B s. m.* (*f. -a*) non udente (*euf.*).

sorèlla *A s. f.* **1** suora, monaca, reli-

sorgente giosa CONTR. frate 2 (*raro*) germana (*lett.*) CONTR. fratello *B agg.* affine, simile.

sorgènte *s. f.* 1 fonte, fontana (*lett.*), polla, vena, rampollo (*raro*) CONTR. foce 2 (*est.*) origine, causa CONTR. conseguenza 3 [*di idee*] (*fig.*) fucina.

◦ **sórgere** *A v. intr.* 1 [*detto di astro*] alzarsi, spuntare, apparire, salire, levarsi CONTR. tramontare, coricarsi 2 [*detto di amore, etc.*] nascere, sbocciare, germinare, incominciare CONTR. declinare 3 [*detto di acqua, etc.*] scaturire, emergere 4 [*a potenza, etc.*] elevarsi, assurgere 5 [*detto di edificio, etc.*] elevarsi, insistere (*lett.*) *B s. m. sing.* 1 alba CONTR. declino 2 [*del sole, etc.*] spuntare, levare.

sormontaménto *s. m.* superamento, sorpasso.

sormontàre *v. tr.* 1 oltrepassare, soverchiare, superare, vincere 2 [*la soglia, etc.*] oltrepassare, varcare.

sorpassàre *v. tr.* 1 superare, sopravanzare, oltrepassare, scavalcare, passare, trapassare (*raro*) doppiare 2 [*i limiti*] superare, oltrepassare, trascendere.

sorpassàto *part. pass.; anche agg.* superato, antico, antiquato, inattuale, anacronistico, rancido (*fig.*) CONTR. audace, nuovo.

sorpàsso *s. m.* superamento, sormontamento, travalicamento.

sorprendènte *part. pres.; anche agg.* 1 stupefacente 2 (*est.*) eccezionale, meraviglioso.

sorprendeménte *avv.* stranamente, inconsuetamente CONTR. comunemente, ordinariamente, banalmente.

sorprèndere *A v. tr.* 1 [*qc. sul fatto*] cogliere, beccare (*pop.*), trovare, pescare (*fig.*), pizzicare (*scherz.*), prendere (*fig.*) 2 [*qc. con un racconto, etc.*] meravigliare, stupire, confondere, incantare, stupefare *B v. intr. pron.* stupirsi, meravigliarsi, stupefarsi, trasecolare, essere meravigliato.

sorprésa *s. f.* 1 improvvisata 2 [*spec. con: destare*] meraviglia, stupore, sbalordimento, sensazione 3 (*est.*) regalo, dono 4 [*rif. a una persona*]

(*est.*) rivelazione.

sorpréso *agg.* meravigliato, attonito, stupito, stupefatto, intontito (*est.*) CONTR. indifferente, impassibile.

sorrèggere *v. tr.* 1 sostenere, puntellare, reggere 2 (*est.*) aiutare, confortare, consolare, rincuorare.

sorridere *v. tr.* (*gener.*) ridere.

sorriso *s. m.* 1 riso CONTR. pianto 2 [*rif. alla natura*] (*est.*) letizia, bellezza, splendore.

sorsàta *s. f.* boccata, sorso, goccio (*est.*), goccia (*est.*).

sorseggiàre *v. tr.* 1 sorbire, centellinare, assaporare, bere a piccoli sorsi CONTR. tracannare 2 (*gener.*) bere.

sórso *s. m.* sorsata, boccata, goccio (*est.*), goccia (*est.*).

sòrta *s. f. sing.* specie, tipo, stampo, qualità, risma (*spreg.*), stampa (*spreg.*), genere, razza.

sòrte *s. f.* 1 destino, fato, caso, fortuna, stella (*fig.*), pianeta (*fig.*) 2 vita, futuro 3 (*est.*) avventura.

sorteggiàre *v. tr.* estrarre.

sortéggio *s. m.* estrazione.

sortilègio *s. m.* incantesimo, maleficio, malia, fattura, stregoneria.

sortita *s. f.* 1 uscita, irruzione 2 (*est.*) uscita, battuta, motto, trovata.

sorvegliànte *s. m. e f.* vigilante, guardiano, custode, sentinella, capoccia (*gerg.*), guardia.

sorvegliànza *s. f.* 1 [*rif. a un servizio*] controllo, vigilanza, guardia 2 assistenza, tutela, custodia, cura 3 (*est.*) veglia 4 (*est.*) scorta.

sorvegliàre *A v. tr.* 1 badare, vigilare, vegliare, custodire 2 [*qc.*] pedinare, controllare, tenere d'occhio, studiare (*fig.*), spiare 3 [*un luogo*] (*est.*) piantonare, picchettare 4 [*un lavoro, un'attività*] (*est.*) dirigere *B v. rifl. rec.* controllarsi.

sorvolàre *v. tr. e intr.* 1 passare sopra a 2 [*un argomento, etc.*] glissare, saltare (*fig.*).

sospèndere *v. tr.* 1 appendere, solle-

vare, appiccare 2 [*un'attività*] interrompere, chiudere, cessare 3 [*qc. da un incarico*] destituire, rilevare 4 [*un'inchiesta, etc.*] congelare (*fig.*), insabbiare (*fig.*), non fare procedere 5 [*gli studi, etc.*] (*est.*) interrompere, chiudere, tralasciare 6 [*una relazione affettiva*] (*fig.*) troncare.

sospensióne *s. f.* 1 [*del lavoro, etc.*] interruzione, intervallo, blocco, fermata (*est.*) CONTR. ripresa 2 [*di una riunione, etc.*] dilazione (*est.*), differimento, proroga, rinvio 3 [*delle ostilità*] (*est.*) armistizio, tregua 4 [*rif. a uno stato d'animo*] incertezza, apprensione, suspense (*ingl.*).

sospéso *part. pass.; anche agg.* 1 incerto, dubbioso, titubante 2 [*rif. a un problema, a una questione*] pendente (*fig.*) CONTR. deciso, definito 3 [*rif. a un'azione*] tronco (*fig.*).

sospettàre *A v. tr.* credere, pensare, immaginare *B v. intr.* temere, avere dei dubbi, dubitare, diffidare, non avere fiducia.

sospètto (1) *s. m.* 1 dubbio, diffidenza, incredulità (*est.*) CONTR. certezza, sicurezza 2 [*di q.c.*] timore, paura, presentimento CONTR. convinzione 3 [*su qc.*] (*fig.*) ombra.

sospètto (2) *agg.* [*rif. a una persona, a un luogo, etc.*] ambiguo, dubbio, equivoco, infido CONTR. fidato, leale.

sospettóso *agg.* diffidente, dubbioso, cauto, sfiduciato (*est.*), prudente (*est.*), circospetto (*fig.*) CONTR. fiducioso, speranzoso, baldanzoso, confidente (*est.*).

sospingere *v. tr.* 1 muovere 2 (*est.*) incitare, pressare.

sospiràre *A v. tr.* 1 desiderare, vagheggiare, aspettare (*est.*) 2 rimpiangere *B v. intr.* lamentarsi, rammaricarsi.

sospiro *s. m.* 1 gemito, lamento 2 [*prima di morire*] respiro 3 brama, desiderio.

sòsta *s. f.* 1 [*durante un viaggio, etc.*] fermata, tappa (*est.*) CONTR. prosecuzione 2 [*durante il lavoro, etc.*] tregua, pausa, interruzione, arresto, break (*ingl.*), fermo CONTR. prosecuzione 3 [*dopo una fatica, etc.*] (*est.*)

ristoro, riposo, posa **4** [*durante una guerra*] (*est.*) tregua, armistizio **5** [*in un luogo*] (*est.*) soggiorno, permanenza.

sostantivo *s. m.* **1** nome CONTR. aggettivo, verbo **2** (*gener.*) categoria.

sostànza *s. f.* **1** materia CONTR. forma, apparenza, superficie, esteriorità **2** elemento **3** materiale, roba (*fam.*) **4** [*parte fondamentale di q.c.*] (*fig.*) essenza, succo, somma, sugo (*fam.*) **5** patrimonio, ricchezza, beni, averi, effettivo **6** [*tipo di*] torba, carbone, lignite, litantrace, antracite, carbon coke, acido, base, aggressivo, derivato.

sostanziàle *agg.* fondamentale, essenziale, basilare CONTR. formale, accidentale, esteriore, esterno, estrinseco.

sostanzialménte *avv.* **1** fondamentalmente, essenzialmente CONTR. apparentemente, superficialmente **2** materialmente, praticamente.

sostanzióso *agg.* **1** cospicuo, notevole, ingente, considerevole **2** [*rif. a un pasto, a un guadagno*] cospicuo, notevole, ingente, considerevole, lauto, ricco CONTR. scarso, insufficiente **3** [*rif. al cibo, a una bevanda, etc.*] nutriente CONTR. povero.

sostàre *v. intr.* **1** soffermarsi, indugiare, arrestarsi, rimanere, ristare (*lett.*), stazionare, rattenersi (*raro*), fermarsi CONTR. vagare, peregrinare **2** dimorare, permanere, soggiornare **3** [*in un albergo, etc.*] scendere **4** (*est.*) riposare **5** [*detto di autobus*] fermare.

sostégno *s. m.* **1** appoggio, base, appiglio, supporto, bastone (*fig.*), braccio (*fig.*), pilastro (*fig.*), palo (*fig.*) **2** [*della famiglia, etc.*] (*est.*) appoggio, aiuto, assistenza, conforto, interessamento, protezione **3** [*a una ipotesi, etc.*] avallo **4** [*economico*] sovvenzione, sussidio **5** [*militari*] presidio, rinforzo **6** [*rif. a una persona*] (*fig.*) rifugio, bastone **7** [*di qc.*] egida.

sostenére A *v. tr.* **1** affermare, teorizzare, dichiarare, gridare (*est.*), scrivere (*est.*), dire (*est.*) **2** [*qc.*] aiutare, proteggere, favorire, fiancheggiare, affiancare, confortare, assecondare, assistere, consolare, difendere, secondare CONTR. osteggiare **3** [*una causa*] appoggiare, patrocinare, cal-

deggiare, spalleggiare, perorare, propugnare, promuovere **4** [*una situazione*] tollerare, patire, reggere **5** (*est.*) mantenere, cibare (*raro*) **6** [*una partita*] affrontare, giocare **7** [*una tesi*] avallare **8** [*un peso*] sorreggere, portare **9** [*una costruzione, etc.*] puntellare **B** *v. rifl.* **1** reggersi, appoggiarsi, puntellarsi, poggiare, tenersi, assicurarsi **2** provvedere a sé stesso, mantenersi, sostentarsi **3** alimentarsi, nutrirsi, cibarsi.

sostenibile *agg.* **1** [*rif. a un argomento*] difendibile, logico CONTR. insostenibile **2** [*rif. a un motivo, a una ragione*] (*est.*) tollerabile CONTR. insostenibile **3** possibile, fattibile.

sostenitóre A *s. m.* (*f. -trice*) **1** propugnatore, fautore, patrocinatore, difensore, protettore CONTR. avversario, nemico, oppositore **2** (*est.*) tifoso, fan (*ingl.*) **3** (*est.*) amico, simpatizzante **B** *agg.* promotore.

sostentaménto *s. m.* mantenimento, nutrimento, pane (*fig.*).

sostentàre A *v. tr.* **1** mantenere, governare (*est.*) **2** alimentare, nutrire **B** *v. rifl.* **1** alimentarsi, nutrirsi, mangiare **2** mantenersi, provvedere a sé stesso, sostenersi.

sostenùto *part. pass.; anche agg.* **1** [*rif. all'atteggiamento*] contegnoso, riservato, austero, grave CONTR. espansivo, faceto, familiare, domestico **2** (*fig.*) aiutato, appoggiato **3** [*rif. alla velocità*] elevato.

sostituire *v. tr.* **1** cambiare, mutare, convertire **2** [*qc.*] fungere *da*, succedere *a*, subentrare *a*, supplire *a*, fare le veci *di*, funzionare *da* **3** (*est.*) rimpiazzare, scalzare, rilevare.

sostitùto *s. m.* (*f. -a*) **1** supplente CONTR. titolare **2** [*di un attore*] controfigura, doppio **3** (*est.*) surrogato (*spreg.*), succedaneo.

sottàna *s. f.* gonna.

sotterfùgio *s. m.* **1** imbroglio, trucco **2** scappatoia.

sotterraménto *s. m.* seppellimento, inumazione.

sotterràneo A *agg.* (*fig.*) nascosto, segreto, latente, occulto (*est.*) CONTR. esterno, superficiale **B** *s. m.* (*gener.*)

locale.

sotterràre *v. tr.* **1** seppellire, tumulare, inumare, interrare, infossare, ricoprire (*est.*) CONTR. riesumare, dissotterrare, disseppellire **2** (*est.*) nascondere, occultare.

sottigliézza *s. f.* **1** [*rif. alle dimensioni*] esilità, snellezza CONTR. ottusità **2** [*nel ragionare*] (*est.*) pedanteria, sofisticheria, capziosità **3** (*est.*) pedanteria, sofisticheria, minuzia, cavillo, arzigogolo, formalismo **4** [*rif. all'ingegno*] (*est.*) finezza, acutezza, acume **5** [*rif. a un'imbarcazione*] (*est.*) leggerezza **6** [*rif. a una imbarcazione*] (*est.*) esilità **7** [*rif. a un profumo, etc.*] (*est.*) freschezza, delicatezza.

sottile *agg.* **1** [*rif. alle parti del corpo*] esile, snello, minuto, magro, elegante (*fig.*) CONTR. grosso, spesso, massiccio, tarchiato **2** [*rif. al suono*] (*erron.*) tenue, leggero **3** [*rif. a una sensazione*] fine, acuto CONTR. grossolano **4** [*rif. al lavoro, allo studio*] sofisticato, astruso, cavilloso, bizantino (*fig.*), arguto **5** [*rif. a una stoffa*] trasparente CONTR. spesso **6** [*rif. a una lama, a un coltello*] aguzzo, affilato **7** [*rif. a un abito*] (*fig.*) vaporoso.

sottilissimaménte *avv.* impalpabilmente.

sottilizzàre *v. intr.* cavillare, sofisticare.

sottilménte *avv.* **1** argutamente, acutamente, finemente CONTR. goffamente, grossolanamente **2** cavillosamente.

sottintèndere *v. tr.* **1** insinuare, accennare *a*, alludere *a*, fare allusione *a*, implicare, comportare **2** (*est.*) omettere.

sottintéso *part. pass.; anche agg.* indiretto, implicito, intuibile, tacito, alluso CONTR. esplicito, manifesto.

sótto *avv.* abbasso, inferiormente, nella parte inferiore, giù CONTR. sopra, su, in alto.

sottoinsième *s. m.* frazione, parte, subset (*ingl.*).

sottolineàre *v. tr.* (*est.*) accentuare, evidenziare, focalizzare, calcare (*fig.*).

sottomésso *part. pass.; anche agg.* **1** umile, sommesso, docile, remissivo, disciplinato, ubbidiente, rispettoso *di* CONTR. indomito, imperioso **2** umiliato *da*, costretto *a*, sottoposto CONTR. esente, affrancato **3** (*est.*) schiavo *di*.

sottométtere *A v. tr.* **1** assoggettare, soggiogare, asservire, sottoporre, domare, umiliare, atterrare (*fig.*), schiavizzare, infeudare (*raro*) **2** [*un territorio*] (*est.*) conquistare **3** [*una scelta*] subordinare, condizionare *B v. rifl.* **1** cedere, piegarsi (*fig.*), inchinarsi (*fig.*), annullarsi, chinarsi (*fig.*), ubbidire CONTR. dirigere **2** [*a q.c. di sgradevole*] sottoporsi, rassegnarsi, assoggettarsi, umiliarsi (*est.*) **3** [*al nemico*] capitolare, darsi CONTR. disubbidire, reagire, ricalcitrare.

sottomissióne *s. f.* **1** [*di un popolo*] conquista **2** [*atto di*] umiliazione CONTR. ribellione, disubbidienza **3** [*rif. a uno stato d'animo*] soggezione, devozione, umiltà CONTR. superbia **4** [*rif. all'atteggiamento*] docilità, ubbidienza CONTR. disubbidienza, indipendenza **5** [*rif. a una condizione sociale*] servaggio, sudditanza, vassallaggio, assoggettamento, asservimento CONTR. autonomia.

sottopórre *A v. tr.* **1** sottomettere, assoggettare, soggiogare **2** [*qc. a giudizio altrui*] deferire (*bur.*), presentare *B v. rifl.* **1** sottomettersi **2** [*a un intervento, etc.*] subire *un*, affrontare *un*.

sottopósto *A part. pass.; anche agg.* **1** soggiogato, sottomesso, soggetto, subalterno, vassallo **2** costretto **3** [*rif. a un'idea, a un progetto*] illustrato, spiegato, esposto *B s. m.* dipendente, subalterno, subordinato, servitore, servo (*spreg.*), lacchè (*spreg.*), suddito (*spreg.*), vassallo (*spreg.*) CONTR. superiore, signore, padrone, sultano.

sottoscàla *s. m. inv.* **1** bugigattolo, sgabuzzino, ripostiglio **2** (*gener.*) locale.

sottoscrivere *v. tr.* **1** firmare, siglare **2** (*est.*) ratificare, approvare, accettare.

sottostànte *part. pres.; anche agg.* inferiore CONTR. superiore.

sottostàre *v. intr.* **1** dipendere *da*, soggiacere, essere soggetto, essere sottoposto, ubbidire CONTR. sovrasta-

re, dirigere, imperare, prevalere, primeggiare **2** [*agli insulti, etc.*] subire *un* **3** (*est.*) rassegnarsi CONTR. disubbidire, ribellarsi, insorgere.

sottosviluppàto *agg.* [*rif. a una regione*] depresso, arretrato CONTR. civilizzato, progredito, sviluppato.

sottosvilùppo *s. m.* arretratezza, miseria.

sottotétto *s. m.* **1** solaio, soffitta, mansarda CONTR. scantinato **2** (*gener.*) locale.

sottovalutàre *A v. tr.* **1** misconoscere, ignorare, trascurare CONTR. sopravvalutare **2** denigrare, deridere, deprezzare *B v. rifl.* diminuirsi, svalutarsi, sminuirsi, deprezzarsi CONTR. sopravvalutarsi.

sottovóce *avv.* piano, sommessamente, flebilmente, bassamente, a voce bassa CONTR. forte, ad alta voce.

sottràrre *A v. tr.* **1** diminuire, togliere, levare, detrarre, decurtare, dedurre, defalcare CONTR. aggiungere, addizionare, completare **2** estorcere, carpire, soffiare, trafugare, rubare, rapinare, prelevare, distrarre, involare, rapire (*raro*) **3** confiscare, espropriare *B v. rifl.* **1** [*a una presa, etc.*] svincolarsi *da* **2** [*alla vista di qc.*] ritrarsi, celarsi (*raro*), nascondersi **3** [*a un impegno*] schermirsi, rifiutare *un*, esimersi, dispensarsi, esonerarsi **4** [*a un pericolo, etc.*] eludere *un*, sfuggire *un*, scansare *un*, scapolare *un*, evitare *un*, fuggire *un* **5** [*alle imposte, etc.*] evadere *un* **6** [*alle leggi*] (*raro*) derogare *da*.

sottràtto *part. pass.; anche agg.* rapito, rubato.

sottrazióne *s. f.* **1** furto, rapina, ruberia **2** detrazione, deduzione, defalco CONTR. aggiunta **3** (*mat.*) differenza CONTR. somma, addizione.

soubrette *s. f. inv.* showgirl (*ingl.*).

souvenir *s. m. inv.* ricordo.

sovènte *avv.* frequentemente, spesso, ripetutamente CONTR. raramente, di tanto in tanto, talvolta, mai.

soverchiàre *v. tr.* **1** sormontare, oltrepassare **2** sopraffare, vincere.

soverchieria *s. f.* V. *soperchieria*.

sovèrchio *A agg.* eccessivo, esagerato, smisurato, superfluo, ridondante CONTR. mancHevole, insufficiente, scarso *B s. m.* eccesso, soprappiù, superfluo CONTR. necessario.

sovesciàre *v. tr.* concimare.

sovrabbondànte *part. pres.; anche agg.* eccedente, esuberante CONTR. carente.

sovrabbondànza *s. f.* **1** eccedenza, ridondanza, esagerazione, esuberanza, soprappiù, esorbitanza CONTR. deficienza, mancanza, penuria, miseria **2** (*est.*) ricchezza, agiatezza, opulenza, lusso.

sovrabbondàre *v. intr.* abbondare, crescere (*fam.*), essere di troppo, ridondare, straripare (*fig.*).

sovraccaricàre *A v. tr.* **1** appesantire, aggravare, caricare, oberare, opprimere (*est.*) **2** [*un mezzo di trasporto*] affollare, stipare *B v. rifl.* appesantirsi.

sovraccàrico *part. pass.; anche agg.* (*pl. m. -chi*) (*fig.*) oberato, oppresso, gravato CONTR. sgombro, vuoto.

sovràna *s. f.* regina, maestà (*vocat.*).

sovranità *s. f. inv.* **1** dominio, egemonia, autorità, supremazia CONTR. soggezione, dipendenza, sudditanza **2** (*est.*) superiorità.

sovrannaturàle *agg.; anche s. m. sing.* V. *soprannaturale*.

sovràno *A s. m.* (*f. -a*) **1** signore, padrone CONTR. suddito, vassallo, subalterno **2** signore, monarca, sultano, sire (*vocat.*) **3** [*tipo di*] re, imperatore, scià, zar, negus, principe (*est.*) *B agg.* **1** regio **2** sommo, superiore **3** [*rif. a un ordine, a un comando*] imperativo, supremo, perentorio.

sovrappórre *A v. tr.* **1** mettere sopra, porre sopra, appoggiare **2** [*una corona*] imporre *B v. intr. pron.* **1** interferire, intersecarsi **2** innestarsi.

sovrapprèzzo *o* **soprapprèzzo** *s. m.* [*rif. al treno, etc.*] supplemento.

sovrastàre *v. tr. e intr.* **1** dominare, elevarsi, grandeggiare, guardare dall'alto **2** [detto di minaccia, etc.] incombere **3** [detto di persona] eccellere, predominare, primeggiare **4** [un suono] (fig.) soffocare.

sovrintèndere o **soprintèndere** v. intr. presiedere.

sovrumàno agg. **1** superiore, soprannaturale, divino CONTR. umano, terreno **2** (fig.) eccelso, enorme, bestiale (fam.).

sovvenzionàre v. tr. finanziare.

sovvenzióne s. f. **1** finanziamento, sussidio, aiuto, sostegno, ausilio, soccorso (raro) **2** (est.) dotazione.

sovversivo A agg. ribelle, sedizioso, rivoluzionario, fazioso CONTR. conformista **B** s. m. (f. -a) rivoluzionario, ribelle.

sovvertimènto s. m. turbamento, sconvolgimento, rivolgimento, terremoto (fig.).

sovvertire v. tr. sconvolgere, turbare, scompigliare, scombussolare, capovolgere, perturbare, confondere, intorbidare (fig.), disordinare (raro).

sozzaménte avv. luridamente, sudiciamente CONTR. onestamente.

sózzo agg. **1** laido, sporco, lordo, imbrattato CONTR. bianco, pulito, mondo **2** (fig.) sordido, turpe, immorale, brutto, schifoso.

sozzùra s. f. sporcizia, schifezza, lordura, ruggine (pop.), bruttura (est.) CONTR. pulizia, lindore, nitore.

spaccàre A v. tr. **1** rompere, lacerare, scassare, sconquassare, sfasciare, fendere, squarciare, crepare, fracassare, infrangere, schiantare, scoscendere (raro) **2** scindere, aprire, dividere **B** v. intr. pron. **1** rompersi, spezzarsi, creparsi, fendersi, guastarsi, infrangersi, scassarsi **2** aprirsi, dividersi, scindersi **3** [detto di roccia] (est.) esplodere.

spaccatùra s. f. **1** rottura, fenditura, taglio, crepa, spacco, falla, fessura (est.), crepatura, sezione (est.), rima (raro), rotta (raro) **2** [di una gamba, etc.] frattura **3** [in un gruppo, in un partito, etc.] (est.) rottura, frattura, divisione, scissione, scisma CONTR. unione, fusione.

spacchettàre v. tr. sfasciare, slegare CONTR. fasciare, impaccare, impacchettare.

spacciàre A v. tr. **1** [merce, droga] vendere, commerciare, esitare (raro) **2** uccidere **B** v. rifl. vendersi, presentarsi, mascherarsi.

spacciàto part. pass.; anche agg. condannato, fregato (fam.), spedito (fam.).

spàccio s. m. **1** smercio, vendita, diffusione **2** [rif. al luogo] (est.) bottega, negozio, rivendita.

spàcco s. m. (pl. -chi) **1** spaccatura, fenditura, crepa **2** (est.) apertura **3** [in un abito] taglio, strappo.

spacconàta s. f. **1** [l'azione] smargiassata, bravata, guasconata, prodezza **2** [rif. a un discorso] smargiassata, millanteria, vanteria, fanfaronata.

spaccóne s. m. (f. -a) ammazzasette, fanfarone, smargiasso.

spàda s. f. **1** fioretto, brando (lett.), gladio (lett.) **2** (gener.) arma **3** [rif. a una persona] lama, spadaccino **4** trafittura, dolore.

spadaccìno s. m. (f. -a) spada, lama.

spadroneggiàre v. intr. **1** dominare, fare il bello e il cattivo tempo **2** [detto di moda, etc.] furoreggiare.

spagnolétta s. f. [di filato] sigaretta (fig.).

spagnuòlo s. m. (gener.) cane.

spàgo (1) s. m. corda, fune.

spàgo (2) s. m. (fam.) paura, fifa.

spaiaménto s. m. separazione, divisione CONTR. abbinamento, accoppiamento, appaiamento.

spaiàre v. tr. separare CONTR. abbinare, appaiare.

spalancàre v. tr. **1** aprire, dissigillare, dissuggellare CONTR. sbarrare, chiudere, serrare **2** [gli occhi] sbarrare, sgranare, dilatare, aprire CONTR. socchiudere, chiudere **3** [le braccia] allargare.

spalancàto part. pass.; anche agg. **1**

aperto CONTR. chiuso, sbarrato, sprangato **2** [rif. all'occhio] sbarrato.

spàlla s. f. **1** omero (anat.) **2** dorso, schiena **3** [rif. alla carne bovina] colletto **4** [rif. a una montagna] falda **5** [rif. ai fiumi, etc.] argine **6** (mar.) rovescio.

spallàta s. f. spintone, spinta.

spalleggiàre v. tr. affiancare, sostenere, appoggiare, aiutare, favorire, fiancheggiare, soccorrere.

spallièra s. f. [del letto] testiera.

spallìna s. f. [negli abiti, etc.] bretella.

spalmàre v. tr. **1** stendere, cospargere, applicare **2** [la vernice, etc.] applicare, passare, distendere.

spalmàto part. pass.; anche agg. [rif. a una crema, a un olio, etc.] steso, sparso, cosparso.

spàndere A v. tr. **1** versare, spargere, disseminare, gettare, rovesciare CONTR. raccogliere **2** [una notizia] propagare, diffondere, divulgare **3** [un odore] effondere (lett.), espandere **4** [un patrimonio] scialacquare, sperperare, profondere **B** v. intr. pron. **1** versarsi, spargersi, rovesciarsi **2** [detto di notizia, etc.] diffondersi, circolare, divulgarsi, volare (fig.) **3** [detto di odore] effondersi **4** [detto di colore] versarsi, sbavare **5** [detto di folla, etc.] riversarsi.

spànna s. f. palmo.

spannàre v. tr. sburrare, scremare, sfiorare.

spannocchiàre v. tr. scartocciare.

spappolàre A v. tr. disfare, sbriciolare, schiacciare, maciullare, sfaldare, sfracellare **B** v. intr. pron. sfaldarsi, disfarsi, sbriciolarsi.

sparàre (1) A v. tr. **1** [le munizioni] esplodere, scaricare, scagliare **2** [uno schiaffo, un pugno] (est.) appioppare, affibbiare **3** [prezzi assurdi] (est.) esigere, pretendere **4** [menzogne] (est.) inventare **B** v. rifl. (gener.) uccidersi, suicidarsi, ammazzarsi.

sparàre (2) v. intr. **1** [detto di abito, di camicia] tirare **2** [detto di colore] abbagliare (ass.).

spàrgere *A v. tr.* **1** sparpagliare, versare, spandere, rovesciare (*est.*) **CONTR.** raccogliere **2** [*le notizie, etc.*] diffondere, divulgare, propagare, diramare **3** [*odio, zizzania*] seminare, disseminare **4** [*il denaro, etc.*] dissipare, scialacquare **5** [*affetto, etc.*] elargire, profondere **6** [*le energie, etc.*] prodigare, disperdere **CONTR.** risparmiare **7** [*su q.c.*] cospargere, gettare **8** [*un odore*] effondere (*lett.*) *B v. intr. pron.* **1** [*detto di morbo, etc.*] diffondersi, effondersi, dilagare, propagarsi **2** [*detto di sale, di olio, etc.*] sparpagliarsi, spandersi, rovesciarsi (*est.*), versarsi **3** [*detto di notizia, etc.*] divulgarsi, girare, diramarsi **4** [*detto di colore*] sbavare.

spargiménto *s. m.* **1** [*di sangue*] versamento **2** [*di liquidi, di gas*] diffusione, dispersione, effusione (*raro*) **3** [*di solidi*] disseminazione **4** [*dei beni, delle ricchezze*] profusione.

sparire *v. intr.* **1** allontanarsi, scomparire, dileguarsi, andarsene **CONTR.** apparire, comparire, mostrarsi, riapparire, ricomparire **2** (*est.*) evadere **3** [*detto di speranze, etc.*] dissolversi, andare in fumo (*fig.*), involarsi, annullarsi **CONTR.** formarsi, materializzarsi, nascere.

sparizióne *s. f.* **1** scomparsa **CONTR.** apparizione, comparsa **2** [*del sole, etc.*] eclisse **3** [*rif. a una razza, etc.*] estinzione.

sparlàre *v. intr.* spettegolare, malignare, chiacchierare, ciarlare, mormorare, fare pettegolezzi, bisbigliare, cianciare, diffamare *un*, denigrare *un*.

spàro *s. m.* **1** tiro, colpo, botto **2** [*tipo di*] fucilata, revolverata.

sparpagliaménto *s. m.* diffusione, disseminazione **CONTR.** ammucchiamento, ammassamento, accumulazione.

sparpagliàre *A v. tr.* **1** [*un esercito*] disperdere, sbandare, disordinare, sbaragliare **2** [*q.c.*] spargere, disseminare **3** [*le sedi di q.c.*] decentrare *B v. intr. pron.* **1** disperdersi, dividersi **CONTR.** radunarsi, raggrupparsi, raccogliersi, convenire **2** [*detto di fogli, di foglie, etc.*] volare, spargersi.

sparpagliàto *part. pass.; anche agg.* sparso, disseminato, distribuito

CONTR. concentrato.

spàrso *part. pass.; anche agg.* **1** diffuso, disseminato, moltiplicato, propagato, cosparso **CONTR.** concentrato **2** cosparso, spalmato **3** [*rif. a una notizia*] diffuso, propagato, divulgato **4** [*rif. a un gruppo*] sparpagliato.

spartàno *agg.* **1** fiero, austero, rigido **CONTR.** molle **2** [*rif. allo stile*] (*est.*) fiero, austero, sobrio, disadorno **CONTR.** delicato.

spartire *v. tr.* **1** dividere, suddividere, frazionare, partire (*raro*) **2** condividere, dispensare, distribuire **3** separare, disgiungere, distinguere.

spartizióne *s. f.* **1** ripartizione, suddivisione, divisione, partizione **2** [*l'effetto della*] (*est.*) assegnazione, distribuzione.

spasimàre *v. intr.* patire, soffrire.

spàsmo *s. m.* contrazione, contrattura, crampo, rigore.

spassàre *A v. tr.* divertire, giocare *B v. intr. pron.* [*nella forma: spassarsela*] godersela, divertirsi, godere, ricrearsi, fare una bella vita, baloccarsi (*raro*), fare follie.

spassionataménte *avv.* disinteressatamente, obiettivamente, imparzialmente **CONTR.** faziosamente, interessatamente.

spassionàto *agg.* equo, imparziale, obiettivo, oggettivo, neutrale, sereno (*est.*) **CONTR.** parziale, soggettivo.

spàsso *s. m.* **1** divertimento, passatempo, svago, sollazzo **CONTR.** noia, scocciatura **2** [*rif. a una persona*] zimbello, trastullo.

spassosaménte *avv.* in modo divertente, allegramente, gioiosamente, comicamente **CONTR.** malinconicamente, mestamente, tristemente.

spassóso *agg.* divertente, spiritoso, simpatico, buffo, esilarante, ridicolo **CONTR.** noioso, tedioso, soporifero (*fig.*).

spauràcchio *s. m.* **1** paura, spettro (*fig.*) **2** (*fig.*) mostro, orco.

spaurire *A v. tr.* impaurire, intimidire, spaventare *B v. intr. pron.* impaurirsi,

spaventarsi, intimorirsi.

spavaldaménte *avv.* baldanzosamente, arrogantemente, sfrontatamente, temerariamente **CONTR.** umilmente, modestamente.

spavaldería *s. f.* **1** [*rif. al comportamento*] baldanza, arroganza, sicurezza, audacia, sfacciataggine **CONTR.** timidezza, ritrosia, soggezione **2** [*l'azione*] imprudenza.

spavàldo *A agg.* impavido, baldanzoso, sicuro, ardito, audace, imprudente **CONTR.** esitante, titubante, indeciso *B s. m.* (f. *-a*) temerario.

spaventàre *A v. tr.* **1** impaurire, intimorire, intimidire, terrorizzare, atterrire, agitare, spaurire **CONTR.** rassicurare **2** agghiacciare (*fig.*), inorridire, impietrire, terrificare, ghiacciare (*fig.*), sbigottire **3** (*est.*) minacciare *B v. intr. pron.* **1** intimorirsi, impaurirsi, terrorizzarsi, atterrirsi, impressionarsi, inorridire, prendere paura, sbigottirsi, spaurirsi, intimidirsi, farsela addosso (*scherz.*) **CONTR.** rassicurarsi **2** (*est.*) sussultare, trasalire.

spaventàto *part. pass.; anche agg.* impaurito, terrorizzato, intimorito, intimidito, sbigottito, preoccupato, atterrito, sgomento **CONTR.** rassicurato, rincuorato, imperterrito (*est.*).

spavènto *s. m.* **1** paura, fifa (*pop.*), batticuore (*fig.*), terrore, raccapriccio **2** [*rif. a una persona*] (*fig.*) orrore, mostro.

spaventosaménte *avv.* paurosamente, orribilmente.

spaventóso *agg.* **1** agghiacciante, terrificante, pauroso, orribile, terribile, tremendo, orrido, raccapricciante **CONTR.** rasserenante, confortante **2** (*fam.*) incredibile, straordinario **3** [*rif. a un evento naturale*] pauroso, disastroso.

spaziàre *A v. intr.* muoversi *B v. tr.* indentare, inserire uno spazio *tra*.

spazientìrsi *v. intr. pron.* **1** [*per l'ansia, etc.*] fremere, friggere (*fig.*), rodersi (*fig.*) **CONTR.** pazientare **2** perdere la pazienza, inquietarsi, arrabbiarsi, impazientirsi (*raro*), innervosirsi **CONTR.** calmarsi.

spàzio *s. m.* **1** vuoto **2** (*est.*) cosmo **3**

(*est.*) area, superficie, piazza **4** (*est.*) posto, sede **5** [*rif. a un'attività*] (*est.*) ambito, margine, settore, raggio **6** [*rif. al tempo*] (*est.*) intervallo, periodo **7** (*est.*) distanza.

spaziosità *s. f. inv.* larghezza, ampiezza.

spazióso *agg.* [*rif. a un luogo*] ampio, vasto, largo, aperto, esteso, lato (*lett.*) CONTR. angusto, ristretto.

spazzàre *v. tr.* scopare, ramazzare, pulire (*impr.*), nettare (*raro*) CONTR. sporcare.

spazzàta *s. f.* scopata.

spazzatùra *s. f.* **1** immondizia, immondezza, sporcizia, rifiuto **2** zavorra **3** chincaglieria, paccottiglia.

spazzino *s. m.* (*f. -a*) operatore ecologico (*euf.*), netturbino.

spàzzola *s. f.* brusca.

spazzolàre *v. tr.* **1** [*un cavallo*] strigliare **2** (*gener.*) pulire.

speaker *s. m. e f. inv.* annunciatore.

specchiàrsi *A* *v. rifl.* guardarsi allo specchio, guardarsi, rispecchiarsi *B* *v. intr. pron.* riflettersi.

specchiétto *s. m.* **1** specchio, prospetto, riassunto, sinossi (*lett.*) **2** [*per gli uccelli*] richiamo.

spècchio *s. m.* **1** [*di virtù*] modello, esempio **2** [*di qc.*] (*fig.*) ritratto, immagine **3** prospetto, specchietto, sinossi (*colto*) **4** (*est.*) cristallo.

speciàle *agg.* **1** particolare, singolare, specifico (*est.*) **2** distinto, selezionato, scelto CONTR. comune, normale.

specialista *s. m. e f.* padrone, conoscitore.

specialità *s. f. inv.* **1** caratteristica **2** ramo, settore **3** esclusiva.

specializzàre *A* *v. tr.* [*un'azienda, un settore*] limitare l'attività *B* *v. rifl.* perfezionarsi, ferrarsi (*fig.*), qualificarsi.

specializzàto *part. pass.; anche agg.* scelto, esperto CONTR. inesperto, novello.

specialménte *avv.* soprattutto, maggiormente, preferibilmente, principal-

mente, massimamente, specie CONTR. generalmente.

spècie *A* *s. f. inv.* **1** immagine, apparenza, aspetto **2** tipo, qualità, varietà, classe **3** [*rif. a una persona*] tipo, sorta, stampo (*fig.*), stampa (*fig.*), risma (*spreg.*), genere, razza **4** [*spec. con: fare*] (*est.*) meraviglia, impressione, stupore *B* *avv.* specialmente CONTR. generalmente.

specificàre *v. tr.* **1** chiarire, definire, determinare, individuare, precisare **2** (*est.*) quantificare, quantizzare.

specificataménte *avv.* particolarmente, peculiarmente, tipicamente, propriamente CONTR. genericamente.

specificità *s. f. inv.* peculiarità, particolarità, singolarità, caratteristica CONTR. genericità.

specifico *A* *agg.* **1** caratteristico, peculiare, tipico, proprio CONTR. generale, generico, globale, complessivo **2** determinato, particolare, concreto (*est.*), preciso (*est.*) **3** [*rif. a un aiuto, a una cura*] particolare, speciale, mirato *B* *s. m. sing.* specificità.

speciosità *s. f. inv.* [*di una teoria*] inconsistenza, infondatezza, fallacia (*colto*) CONTR. consistenza, validità, fondatezza.

speculàre (1) *A* *v. intr.* **1** meditare, filosofare, filosofeggiare **2** lucrare, guadagnare, fare guadagni, profittare *B* *v. tr.* indagare, osservare.

speculàre (2) *agg.* simmetrico CONTR. asimmetrico.

speculativo *agg.* concettuale, teorico, teoretico, astratto CONTR. pratico, concreto.

speculatóre *s. m.* (*f. -trice*) **1** trafficante, affarista, faccendiere **2** (*spreg.*) sfruttatore, usuraio, strozzino, profittatore.

speculazióne *s. f.* **1** ricerca, meditazione (*est.*) **2** investimento, lucro.

spedire *v. tr.* **1** inviare, mandare, inoltrare, indirizzare, rimettere, dirigere, diramare CONTR. ricevere **2** imbucare, impostare.

speditaménte *avv.* **1** velocemente, celermente, presto CONTR. lentamen-

te, piano **2** correntemente, fluidamente.

spedito *part. pass.; anche agg.* **1** [*rif. al passo*] veloce, svelto, rapido, serrato CONTR. lento **2** [*rif. a una persona*] (*est.*) veloce, pronto, facile, sciolto, disinvolto, spigliato CONTR. lento **3** [*rif. all'animo*] franco **4** (*fam.*) morto, spacciato.

speditóre *A* *s. m.* (*f. -trice*) mittente *B* *agg.* che spedisce.

spedizióne *s. f.* **1** invio **2** impresa, esplorazione, viaggio **3** (*mil.*) campagna **4** (*est.*) équipe (*fr.*).

spègnere o **spèngere** *A* *v. tr.* **1** [*il fuoco, un incendio*] estinguere, soffocare (*fig.*) CONTR. appiccare il fuoco, accendere, riaccendere, incendiare, infiammare **2** [*la luce, la televisione*] chiudere CONTR. accendere **3** [*l'ispirazione*] (*fig.*) inaridire **4** [*il colore*] sbiadire, attenuare, smorzare CONTR. ravvivare **5** [*la sete*] placare, soddisfare **6** [*il motore*] disattivare CONTR. accendere, attivare **7** [*una lite*] sedare, pacare CONTR. fomentare *B* *v. intr. pron.* **1** [*detto di specie, ecc.*] estinguersi **2** [*detto di passioni, ecc.*] inaridirsi, languire, sbiadire, svanire, esaurirsi, fuggire, dileguarsi CONTR. destarsi, ravvivarsi, ridestarsi, vivificarsi **3** morire, decedere.

spegnimènto *s. m.* **1** [*di una specie, ecc.*] estinzione **2** [*di un motore, ecc.*] chiusura CONTR. attivazione.

spelacchiàre *A* *v. tr.* pelare *B* *v. intr. pron.* perdere il pelo.

spellàre *A* *v. tr.* **1** sbucciare, escoriare, abradere, scorticare **2** [*un frutto, ecc.*] sbucciare, pelare *B* *v. intr. pron.* sbucciarsi, scorticarsi, sgraffiarsi, escoriarsi.

spellatùra *s. f.* scorticatura, sbucciatura, abrasione (*colto*), escoriazione (*colto*), sgraffiatura, graffiatura, sgraffio.

spelónca *s. f.* (*pl. -che*) **1** caverna, antro, grotta **2** tugurio, cimiciaio CONTR. reggia **3** (*gener.*) casa.

spèndere *v. tr.* **1** [*denaro*] tirare fuori, scucire (*fig.*), sganciare (*fig.*) **2** [*un capitale*] dilapidare, macinare (*fig.*) CONTR. intascare, introitare **3** [*ener-

gie] prodigare, disperdere, sprecare *4* [*il tempo*] impiegare, trascorrere, dare, passare, consacrare (*fig.*).

spèngere *v. tr. e intr. pron.* V. *spegnere.*

spennacchiàre *v. tr.* spennare, spiumare, togliere le penne, pelare.

spennàre *v. tr. 1* spennacchiare, togliere le penne, spiumare, pelare *2* [*qc. al gioco*] (*fig.*) pelare.

spennàto *part. pass.; anche agg.* implume (*est.*) CONTR. pennuto.

spennellàre *v. tr.* verniciare, dare una mano di vernice *a*.

spensierataménte *avv.* gaiamente, allegramente, senza pensieri, beatamente CONTR. pensierosamente, pensosamente, lagnosamente (*est.*).

spensieratézza *s. f. 1* allegria, gioia, letizia, contentezza CONTR. tristezza, malinconia *2* incoscienza, frivolezza, leggerezza CONTR. assennatezza.

spensieràto *agg.* tranquillo, allegro, sereno, beato CONTR. assorto, cogitabondo, meditabondo, afflitto (*est.*), angosciato (*est.*), frenetico (*est.*), cupo (*fig.*).

spènto *part. pass.; anche agg. 1* [*rif. al colore*] smorto, scolorito, grigio, slavato, sbiancato CONTR. acceso, appariscente, brillante, ardente, smagliante *2* [*rif. al rumore*] attutito, attenuato, placato (*est.*) *3* [*rif. alla civiltà*] (*fig.*) estinto, morto *4* [*rif. a una persona*] (*fig.*) inanimato, stanco CONTR. appariscente, allegro, arguto, effervescente (*fig.*), spumeggiante (*fig.*), emozionante, fantasioso, esuberante, grintoso *5* [*rif. al motore*] disattivato CONTR. acceso, attivato, avviato *6* [*rif. ai sentimenti, alle passioni*] placato (*est.*), morto (*fig.*), stanco, sopito CONTR. ardente (*fig.*), esplosivo (*fig.*).

sperànza *s. f. 1* fiducia, assegnamento, aspettativa, fede, attesa, confidenza (*raro*) CONTR. sfiducia, dubbio, incertezza *2* (*est.*) illusione, miraggio (*fig.*), chimera *3* possibilità, probabilità *4* (*est.*) promessa *5* (*est.*) ottimismo.

speranzóso *agg.* fiducioso, ottimista CONTR. disperato, sfiduciato, sospettoso.

speràre *A v. tr. 1* augurare, auspicare *2* attendere *3* aspettarsi, attendersi *4* credere, stimare, contare (*est.*), supporre, lusingarsi *B v. intr.* confidare, fidare, fare assegnamento *su.*

spèrdere *v. tr.* disperdere.

sperequàre *v. tr.* squilibrare CONTR. perequare, equiparare, livellare, pareggiare, parificare.

spergiuràre *v. intr. e tr. 1* giurare il falso *2* giurare, assicurare.

spergiùro *s. m.* bugiardo, mentitore.

sperimentalménte *avv.* empiricamente CONTR. teoricamente.

sperimentàre o **esperimentàre** *v. tr. 1* verificare, saggiare, testare, assaggiare, vedere (*est.*) *2* misurare, cimentare, mettere alla prova *3* provare, tentare, esperire (*colto*) *4* [*alcune sensazioni*] provare, vivere *5* [*un metodo*] attuare.

sperimentàto *part. pass.; anche agg. 1* collaudato, provato, verificato *2* (*est.*) conosciuto, noto.

spèrma *s. m. inv.* seme.

speronàre *v. tr.* urtare, urtare con la prua (*mar.*).

speróne *s. m.* calcare.

sperperàre *v. tr. 1* [*beni, denaro*] dilapidare, dissipare, sprecare, consumare, mangiare (*fig.*), divorare (*fig.*), fondere (*fig.*) CONTR. economizzare, lesinare, risparmiare, serbare, accantonare *2* [*energie, forze, etc.*] (*fig.*) spandere, disperdere, profondere.

spèrpero *s. m.* spreco, dissipazione, sciupio, scialo, sciupo, prodigalità, profusione, scialacquamento, consumo (*est.*) CONTR. economia, parsimonia, risparmio, accumulazione.

spersonalizzàre *v. tr.* rendere neutro CONTR. personalizzare.

spésa *s. f. 1* esborso, uscita CONTR. incasso, introito *2* compra, acquisto CONTR. vendita *3* [*spec. con: fare*] shopping (*ingl.*).

spessaménte *avv.* fittamente.

spésso *A agg. 1* denso, compatto CONTR. fine *2* fitto, folto CONTR. dira-

dato *3* grosso, doppio CONTR. sottile *4* numeroso *B avv.* sovente, frequentemente, generalmente, reiteratamente, ripetutamente CONTR. di tanto in tanto, talvolta, episodicamente, infrequentemente, difficilmente (*est.*).

spessóre *s. m. 1* profondità, volume, grossezza, larghezza, altezza, massa *2* [*rif. a uno scritto, a un discorso*] (*fig.*) profondità, consistenza, corpo, valore.

spettacolarménte *avv. 1* scenograficamente *2* spettacolosamente, fantasticamente, vistosamente CONTR. squallidamente, miseramente.

spettàcolo *s. m. 1* trattenimento, recita, happening (*ingl.*), manifestazione, rappresentazione, show (*ingl.*) *2* (*est.*) vista, visione, scena *3* [*televisivo*] trasmissione.

spettacolosaménte *avv.* spettacolarmente, grandiosamente, magnificamente, splendidamente CONTR. squallidamente, dimessamente.

spettànte *agg.* pertinente, relativo, riguardante CONTR. alieno, estraneo.

spettànza *s. f.* pertinenza, attinenza, appartenenza, inerenza.

spettàre *v. intr. 1* toccare, competere, riguardare, concernere, essere di competenza *di*, stare, incombere *2* [*detto di eredità*] toccare, appartenere, venire *3* [*detto di responsabilità, etc.*] (*est.*) pervenire, ricadere.

spettatóre *s. m.* (*f. -trice*) *1* signore, ascoltatore *2* [*a fatti, a eventi, etc.*] testimone, teste.

spettegolàre *v. intr.* fare pettegolezzi, chiacchierare, sparlare, mormorare, malignare, ciarlare, bisbigliare, cianciare, cicalare, pettegolare.

spettinàre *A v. tr.* scarmigliare, scarruffare, scapigliare, arruffare, rabbuffare CONTR. pettinare, ravviare *B v. rifl. e intr. pron.* arruffarsi, scarmigliarsi CONTR. pettinarsi, rassettarsi, ravviarsi.

spèttro *s. m. 1* ombra, fantasma, larva, apparizione, spirito, maschera, visione *2* [*di q.c.*] (*est.*) paura, minaccia, spauracchio.

speziàle *s. m.* farmacista.

speziàre *v. tr.* aromatizzare, assaporire.

spèzie *s. f. pl.* **1** droga **2** condimento **3** [*tipo di*] zafferano, curry (*ingl.*).

spezzàre *A v. tr.* **1** infrangere, frantumare, rompere, fracassare, frangere, schiantare **2** [*un arto*] fratturare, troncare **3** [*il pane, etc.*] dividere **4** [*la resistenza*] (*est.*) fiaccare, stroncare (*fig.*) **5** [*il cuore*] (*fig.*) ferire *B v. intr. pron.* **1** spaccarsi, rompersi, tagliarsi, infrangersi, frantumarsi, guastarsi, stritolarsi, sgretolarsi, stroncarsi **2** [*detto di relazione, etc.*] (*fig.*) troncarsi.

spezzàto *A part. pass.; anche agg.* troncato (*anche fig.*), rotto, infranto, frantumato **CONTR.** cementato, intero *B s. m.* **1** (*cuc.*) spezzatino **2** (*gener.*) abito.

spezzettàre *A v. tr.* sbriciolare, sminuzzare, tagliuzzare, frantumare, tritare, triturare, frammentare, dividere, smozzicare *B v. intr. pron.* rompersi, sbriciolarsi, infrangersi.

spia *s. f.* **1** delatore, confidente, informatore, sicofante (*lett.*), canarino (*fig.*) **2** [*di una crisi, di una malattia, etc.*] indizio, sintomo, segnale **3** [*in un apparecchio*] segnalatore.

spiaccicàre *v. tr.* **1** pestare **2** [*una parola, in frase neg.*] (*est.*) dire.

spiacènte *part. pres.; anche agg.* dolente, dispiaciuto, rammaricato.

spiacére *A v. intr.* dispiacere **CONTR.** piacere, garbare, gustare *B v. intr. pron.* dispiacersi, rammaricarsi, dolersi (*colto*) **CONTR.** felicitarsi, rallegrarsi.

spiacévole *agg.* **1** sgradevole, fastidioso, increscioso, ingrato, grave, gravoso, sgradito, cattivo (*est.*), deplorevole (*est.*) **CONTR.** piacevole, incantevole, divertente, gustoso, appetitoso (*est.*) **2** (*fig.*) duro, crudo, ostico, amaro, triste **CONTR.** dolce.

spiacevolézza *s. f.* sgradevolezza, odiosità, bruttezza **CONTR.** piacevolezza, simpatia, gradevolezza.

spiacevolménte *avv.* antipaticamente, fastidiosamente, molestamente **CONTR.** piacevolmente, soavemente.

spiàggia *s. f.* (*pl. -ge*) plaga (*poet.*), riva, lido, litorale, proda, sponda.

spianàre *A v. tr.* **1** [*un terreno, etc.*] livellare, levigare, appianare, lisciare, rullare (*raro*), ruspare (*raro*), ragguagliare (*raro*), rasare **2** [*un edificio, etc.*] demolire, smantellare, diroccare, distruggere **CONTR.** elevare **3** [*una strada, etc.*] aprire **4** [*una tovaglia, etc.*] aprire, spiegare, stendere **5** [*un'arma*] puntare *B v. intr. pron.* [*detto di terreno*] livellarsi.

spianàta *s. f.* radura, spiazzo.

spiàre *v. tr.* **1** ascoltare, origliare **2** [*qc.*] pedinare, sorvegliare, osservare, studiare (*fig.*) **3** [*qc.*] indagare, inquisire **4** (*ass.*) curiosare.

spiàta *s. f.* delazione, denunzia.

spiattellàre *v. tr.* spifferare (*fam.*), snocciolare (*gerg.*), scodellare (*gerg.*), vuotare il sacco (*fig.*), fare la spia.

spiàzzo *s. m.* spianata, radura.

spiccàre *A v. intr.* **1** [*detto di persona*] brillare, distinguersi, elevarsi, emergere, primeggiare **2** evidenziarsi, predominare, campeggiare, dominare, risaltare, fiammeggiare (*fig.*), trionfare (*fig.*), troneggiare, profilarsi, staccare *B v. tr.* **1** [*un fiore, un frutto*] staccare, staccare dall'albero **2** [*un mandato*] (*bur.*) emettere.

spicchio *s. m.* parte, lembo.

spicciàre *A v. tr.* sbrigare *B v. intr. pron.* **1** affrettarsi, sbrigarsi, galoppare (*fig.*) **CONTR.** dimorare, fermarsi, soffermarsi **2** sbrogliarsi, districarsi.

spicciativo *agg.* **1** sbrigativo, affrettato **CONTR.** solenne, pomposo **2** lesto, svelto **3** [*rif. al tono di voce*] brusco **CONTR.** pomposo.

spiccio (1) o spicciolo (1) *agg.* (*pl. f. -ce*) breve, sbrigativo, svelto, lesto, affrettato (*est.*) **CONTR.** pignolo, cavilloso.

spiccio (2) *s. m.* V. *spicciolo (2)*.

spicciolo (1) *agg.* V. *spiccio (1)*.

spicciolo (2) o spiccio (2) *s. m.* moneta.

spìcco *s. m.* (*pl. -chi*) rilievo, risalto.

spiegàbile *agg.* definibile, descrivibile **CONTR.** indefinibile, indescrivibile, inenarrabile, ineffabile, inesprimibile.

spiegàre *A v. tr.* **1** [*le ali, le braccia*] stendere, spianare, dispiegare, distendere, estendere, schiudere **2** [*un pacco*] svolgere, sviluppare (*raro*) **3** [*le proprie idee, etc.*] esporre, manifestare, mostrare, dire (*raro*), dichiarare, esprimere, esplicare, esplicitare, precisare, motivare, notificare, giustificare, definire **4** [*il funzionamento di q.c.*] descrivere, illustrare, dimostrare, delucidare **5** [*un problema*] illuminare, chiarire, chiarificare **6** [*un testo scritto*] (*est.*) interpretare, chiosare, commentare, rettificare **7** [*la filosofia, etc.*] (*est.*) volgarizzare, divulgare, fare conoscere **8** [*un enigma, etc.*] (*fig.*) venire a capo di, sciogliere, districare, dipanare *B v. intr. pron.* [*detto di vele al vento*] aprirsi, svolgersi *C v. rifl.* **1** esprimersi **2** capacitarsi **3** giustificarsi, scusarsi.

spiegàto *part. pass.; anche agg.* **1** steso **CONTR.** piegato **2** svolto **3** illustrato, sottoposto **4** definito.

spiegazióne *s. f.* **1** illustrazione, descrizione, delucidazione, dimostrazione, chiarimento, precisazione, chiarificazione, istruzione, nota (*est.*) **2** interpretazione, giustificazione, motivazione **3** [*di un problema*] (*ling.*) definizione **4** [*di un problema*] definizione, risoluzione, soluzione.

spiegazzàre *v. tr.* gualcire, piegare, sbertucciare (*raro*), stropicciare.

spiegazzàto *part. pass.; anche agg.* stropicciato, stazzonato, sgualcito **CONTR.** stirato, teso, liscio.

spiegazzatùra *s. f.* sgualcitura.

spietataménte *avv.* crudelmente, efferatamente, ferocemente, impietosamente, diabolicamente, disumanamente, empiamente **CONTR.** compassionevolmente, con carità, con clemenza, misericordiosamente, cristianamente.

spietatézza *s. f.* **1** efferatezza, crudeltà, ferocia, disumanità, bestialità, atrocità **CONTR.** mansuetudine, mitezza, umanità **2** inesorabilità, implacabilità **CONTR.** pietà, indulgenza, misericordia.

spietàto *agg.* **1** crudele, inumano, feroce, terribile, brutale, barbaro, disumano, inesorabile, inclemente, insensibile, implacabile **CONTR.** pietoso, compassionevole, misericordioso, impietosito **2** [*rif. a un delitto*] crudele, inumano, feroce, terribile, brutale, barbaro, disumano, atroce, efferato, crudo **3** (*fig.*) accanito, ostinato.

spifferàre A *v. tr.* rivelare, raccontare, snocciolare (*scherz.*), spiattellare (*gerg.*), ridire, riferire, vociferare, fare la spia **B** *v. intr.* [*detto di vento, di aria*] fischiare.

spigliataménte *avv.* disinvoltamente **CONTR.** compassatamente, goffamente.

spigliatézza *s. f.* disinvoltura, scioltezza, naturalezza, vivacità, brio, spontaneità, aplomb (*fr.*), brillantezza **CONTR.** soggezione, impaccio, imbarazzo, goffaggine.

spigliàto *agg.* [*rif. al comportamento*] disinvolto, naturale, sciolto, spiritoso, franco, spedito **CONTR.** affettato, contegnoso, goffo, impacciato.

spignoràre *v. tr.* riscattare **CONTR.** impegnare, pignorare, ipotecare.

spigola *s. f.* **1** branzino, ragno **2** (*gener.*) pesce.

spigolàre *v. tr.* andare in cerca di, raccogliere qua e là, raccogliere (*impr.*).

spigolo *s. m.* **1** angolo, cantonata **2** taglio **3** [*spec. al pl.*] (*est.*) ruvidezza, durezza.

spilla *s. f.* **1** spillo (*dial.*) **2** (*gener.*) gioiello **CONTR.** collana, anello, bracciale, orecchino.

spillàre *v. tr.* **1** [*denaro, etc.*] estorcere, cavare (*fig.*), carpire, piluccare (*scherz.*) **2** [*il vino, etc.*] attingere.

spillo *s. m.* **1** spilla **2** (*est.*) niente.

spilluzzicàre *v. tr.* mangiucchiare, sbocconcellare, piluccare, spizzicare, assaggiare, spiluccare **CONTR.** divorare.

spilorceria *s. f.* avarizia, taccagneria, tirchieria, grettezza, meschinità, eso-

sità **CONTR.** generosità, larghezza, munificenza, prodigalità, signorilità.

spilórcio A *agg.* avaro, tirchio, taccagno, gretto, meschino **CONTR.** munifico, generoso, splendido **B** *s. m.* (*f. -a*) tirchio, taccagno, avaro.

spiluccàre *v. tr.* piluccare, spizzicare, sbocconcellare, spilluzzicare, assaggiare.

spina *s. f.* **1** aculeo **2** [*rif. alle piante*] rovo, spino (*dial.*), pruno **3** (*est.*) tribolazione, cruccio, dolore, afflizione, tormento, rimorso **4** (*elettr.*) spino (*dial.*), spinotto, cannella **5** [*rif. agli insetti*] (*zool.*) aculeo, spinotto, pungiglione **6** (*enol.*) cannella **7** (*mar.*) golfare **8** [*di pesce*] lisca, resta.

spinaròlo *s. m.* **1** (*zool.*) spinello **2** (*gener.*) pesce.

spinèllo (1) *s. m.* **1** canna **2** sigaretta.

spinèllo (2) *s. m.* (*zool.*) spinarolo.

spingere A *v. tr.* **1** urtare, premere **2** [*un carro, etc.*] muovere, condurre **3** [*qc.*] incitare, indurre, indirizzare, stimolare, spronare, invitare, esortare, incalzare, incentivare, istigare, sollecitare, motivare **CONTR.** disincentivare, dissuadere **4** [*un cavallo, un veicolo*] (*est.*) lanciare **5** [*un chiodo nel muro, etc.*] (*est.*) cacciare, conficcare **6** [*q.c.*] forzare **B** *v. intr. pron.* **1** urtarsi **2** [*detto di persona*] osare, avventurarsi **3** [*detto di ponte, di strada, etc.*] protendersi **4** andare, avventarsi, penetrare, arrivare, giungere, ficcarsi, gettarsi.

spino A *agg.* spinoso **B** *s. m.* spina, pruno.

spinóne *s. m.* (*gener.*) cane.

spinóso *agg.* **1** ispido **CONTR.** liscio **2** [*rif. a un problema, a una questione*] difficile, scabroso, doloroso (*est.*), delicato **CONTR.** piano, lineare **3** (*bot.*) spino.

spinòtto *s. m.* spina, cannella.

spinta *s. f.* **1** impulso, pulsione **2** (*est.*) stimolo, incentivo, motivazione, carica (*est.*), molla (*fig.*), motore (*fig.*), pungolo (*fig.*) **CONTR.** freno, ostacolo, impedimento, demotivazio-

ne, deterrente **3** (*est.*) interessamento, facilitazione, agevolazione, aiuto, appoggio (*fig.*) **4** spintone, gomitata, spallata.

spinto *part. pass.; anche agg.* **1** disposto, incline **CONTR.** casto, pudico **2** esagerato, eccessivo **3** [*rif. a un discorso, a una battuta*] piccante, salace, osé, audace **CONTR.** casto, pudico.

spintóne *s. m.* spinta, gomitata, spallata.

spiòvere (1) *v. intr. impers.* cessare di piovere.

spiòvere (2) *v. intr.* **1** scolare **2** [*detto di tettoia*] sporgere, piovere (*raro*), pendere **3** [*detto di capelli*] ricadere.

spira *s. f.* voluta, anello, spirale.

spiràglio *s. m.* **1** fessura, fenditura, apertura, pertugio **2** [*di speranza, etc.*] barlume, segno, indizio.

spiràle *s. f.* **1** voluta, spira, anello **2** [*di affari, di pensieri, etc.*] (*fig.*) giro, vortice.

spiràre (1) *v. intr.* [*detto di vento, etc.*] alitare, aleggiare, tirare, soffiare.

spiràre (2) *v. intr.* morire, decedere (*colto*), trapassare (*lett.*), finire.

spiritàto A *agg.* **1** [*rif. a una persona*] invasato, indemoniato **CONTR.** pacato **2** ossessionato, frenetico, agitato, smanioso, esagitato **B** *s. m.* (*f. -a*) indemoniato, ossesso.

spirito (1) *s. m.* **1** intelletto, anima, interno (*fig.*) **CONTR.** corpo, carne **2** (*est.*) anima, personaggio **3** (*est.*) fantasma, spettro, demone, ombra, genio **4** morale, animo, psiche **5** attitudine, inclinazione, disposizione **6** personalità, verve (*fr.*), ironia, humour (*fr.*), umorismo, comicità, brio **7** [*del discorso, etc.*] significato, senso, valore **8** (*est.*) energia, sangue (*fig.*).

spirito (2) *s. m.* alcool.

spiritosàggine *s. f.* facezia, frizzo, battuta, lazzo, motto, divertissement (*fr.*), arguzia, ridicolaggine (*est.*).

spiritosaménte *avv.* brillantemente, briosamente, argutamente, amenamente, facetamente **CONTR.** seriamente, severamente.

spiritóso agg. *1* spassoso, esilarante, sfizioso, divertente, faceto, sapido (*fig.*), umoristico, ironico *2* spigliato, brillante **CONTR.** antipatico, noioso, pedante *3* arguto, acuto, ingegnoso.

CLASSIFICAZIONE

Spiritoso

Spiritoso: che è ricco di spirito, di arguzia, di umorismo.

Con riferimento a discorso, battuta.

spassoso: che dà spasso, che diverte;

esilarante: che rende ilare, allegro;

sfizioso: che diverte perché insolito;

divertente: che rende ilare svagando.

faceto: che è piacevole, arguto, ricco di umorismo, di arguzia e di brio;

sapido: (*fig.*) che denota prontezza e vivacità d'ingegno miste a uno spirito sottile;

umoristico: che è detto e fatto con umorismo;

ironico: che è detto e fatto con ironia.

Con riferimento a persona.

spigliato: che si mostra disinvolto, franco e privo di impacci;

brillante: (*fig.*) che spicca, suscita ammirazione e ha successo per spirito e vivacità.

Con riferimento alle capacità intellettive.

arguto: che ha prontezza e vivacità d'ingegno miste a uno spirito sottile;

acuto: che sa penetrare nell'intimo delle cose con intelligenza cogliendone ogni particolarità, ogni sfumatura;

ingegnoso: che denota ingegno sottile e acuto.

spiritrómba s. f. (*zool.*) tromba, proboscide.

spirituàle agg. *1* mentale, intellettuale, cerebrale, sentimentale (*est.*) **CONTR.** materiale, corporeo, fisico, animalesco (*est.*) *2* incorporeo, immateriale, trascendente **CONTR.** terreno, immanente, temporale.

CLASSIFICAZIONE

Spirituale

Spirituale:
1 Attinente alla realtà della vita intellettuale;
2 Attinente alla vita dell'anima secondo il credo religioso.

1

mentale: che è relativo alla mente;

intellettuale: che riguarda l'intelletto e i suoi prodotti;

cerebrale: che è relativo al cervello e alle sue possibilità.

sentimentale: che è relativo alla vita emotiva.

2

immateriale: che non ha corpo;

incorporeo;

trascendente: (*filos.*) che è al di là dei limiti di ogni conoscenza possibile.

spiritualismo s. m. idealismo **CONTR.** realismo.

spiritualità s. f. inv. *1* interiorità *2* (*est.*) religiosità *3* misticismo.

spiritualizzàre v. tr. (*est.*) idealizzare **CONTR.** materializzare.

spiritualménte avv. contemplativamente, misticamente **CONTR.** fisicamente, materialmente.

spiumàre v. tr. e rifl. togliere le penne, spennare, spennacchiare.

spizzicàre v. tr. spilluzzicare, spiluzzicare, sbocconcellare, piluccare, mangiucchiare, spiluccare.

splendènte part. pres.; anche agg. scintillante, sfavillante, brillante, luminoso, lucente, lucido, lustro, radioso, sfolgorante, rilucente, aureo (*fig.*) **CONTR.** opaco, fosco, oscuro.

splèndere v. intr. *1* brillare, risplendere, rilucere (*raro*), luccicare, scintillare, raggiare, sfavillare, dardeggiare, fulgere, radiare *2* [*detto di fortuna, etc.*] (*fig.*) ridere.

splendidaménte avv. riccamente, munificamente, preziosamente, lussuosamente, luminosamente, fulgidamente, magnificamente, spettacolosamente **CONTR.** grettamente, miseramente, miserevolmente, squallidamente.

splèndido A agg. *1* stupendo, fantastico, meraviglioso, sfarzoso, mirabile, lussuoso, superbo, regale, leggiadro (*lett.*) **CONTR.** orribile, orrido *2* [*rif. a cosa*] regale, notevole, ottimo, eccelso *3* [*rif. a una quantità, a un numero*] cospicuo, lauto *4* [*rif. all'atteggiamento*] altero **CONTR.** austero *5* [*rif. a una persona*] munifico, liberale **CONTR.** avaro, spilorcio B s. m. (f. -a) generoso, munifico.

splendóre s. m. *1* [*rif. al sole, ai metalli, alle pietre*] luminosità, nitore, lucentezza, lucore, lucidità **CONTR.** opacità *2* (*raro*) bagliore *3* [*rif. a una persona*] fulgore, bellezza, solarità *4* [*rif. a una festa, agli abiti*] magnificenza, sfarzo, lusso, sontuosità, fasto **CONTR.** miseria, modestia, semplicità, squallore *5* [*di un casato*] ricchezza, nobiltà *6* [*rif. a una persona, a un luogo*] (*fig.*) poema, meraviglia, sole, prodigio **CONTR.** mostro *7* (*est.*) decoro, lustro, vanto *8* [*rif. alla natura*] (*fig.*) sorriso, letizia.

spòcchia s. f. boria, millanteria, superbia, presunzione, alterigia **CONTR.** modestia, umiltà, semplicità.

spocchióso agg. borioso, superbo, altero, presuntuoso, scostante, sdegnoso, vanitoso **CONTR.** deferente, umile, modesto.

spodestàre v. tr. detronizzare, scalzare (*fig.*), destituire.

spoetizzàre v. tr. banalizzare, togliere la poesia a.

spòglia s. f. *1* cadavere, salma *2* abito, vestito, veste *3* [*di guerra, etc.*] preda, bottino.

spogliàre A v. tr. *1* svestire, denudare **CONTR.** vestire, intabarrare, parare, coprire, rivestire *2* [*qc. di q.c.*] sbancare, depredare, rapinare, pelare (*fig.*), privare, derubare *3* [*q.c. a qc.*] togliere, rubare *4* [*un negozio, etc.*] svaligiare *5* [*un luogo*] desolare, devastare, predare, razziare, espropriare, saccheggiare *6* [*un abito, un appartamento*] (*est.*) sguarnire **CONTR.** decorare, guarnire B v. rifl. *1* svestirsi, denudarsi, scoprirsi, alleggerirsi **CONTR.** intabarrarsi, rivestirsi *2* (*est.*) rinunciare.

spogliarèllo s. m. strip-tease (*ingl.*).

spogliàto *part. pass.; anche agg.* svestito, denudato CONTR. vestito, coperto, imbacuccato.

spogliatóio *s. m.* **1** gabinetto, camerino, cabina **2** (*gener.*) locale, vano.

spòglio (1) A *agg.* **1** nudo, disadorno, sguarnito, scarno (*est.*), privo (*est.*) CONTR. adornato, agghindato, ricco **2** esente, immune **B** *s. m.* **1** spoliazione (*raro*) **2** [*dei dati*] ordinamento, scelta, classificazione.

spòglio (2) *s. m.* vestiario.

spoliazióne (1) *s. f.* **1** spoglio, ruberia, furto, rapina **2** privazione, perdita.

spoliazióne (2) *s. f.* [*cerimonia di*] (*est.*) rinuncia, distacco.

spolmonàrsi *v. intr. pron.* gridare, urlare.

spolpàre *v. tr.* **1** scarnificare, scarificare (*colto*), scarnare, scarnire **2** [*le casse dello stato*] (*est.*) svuotare, prosciugare CONTR. rimpolpare.

spoltronire *v. tr.* svegliare CONTR. impigrire, impoltronire.

spolveràre (1) *v. tr.* pulire (*impr.*) CONTR. impolverare.

spolveràre (2) *v. tr.* [*un dolce, etc.*] cospargere.

spolveràta (1) *s. f.* ripassata (*fam.*), spazzolata.

spolveràta (2) *s. f.* spargimento.

spolverino *s. m.* soprabito.

spolverizzàre *v. tr.* cospargere, spruzzare.

spónda *s. f.* **1** [*del letto*] ciglio, bordo, orlo **2** [*di un ponte*] parapetto **3** regione, paese **4** [*del mare, del fiume*] riva, proda, litorale, spiaggia.

spònsor *s. m. e f. inv.* mecenate, finanziatore.

spontaneaménte *avv.* **1** schiettamente, genuinamente, candidamente, naturalmente, sinceramente, disinvoltamente, ingenuamente CONTR. coattivamente, forzatamente **2** naturalmente, fisiologicamente CONTR. innaturalmente **3** intuitivamente CONTR. cerebralmente, meditatamente **4** naturalmente CONTR. studiatamente, cerimoniosamente, artificiosamente.

spontaneità *s. f. inv.* **1** immediatezza, naturalezza, autenticità, genuinità, istintività, franchezza, semplicità, freschezza, istintualità CONTR. sussiego, impaccio, artificiosità, sforzo, artificio, affettazione, burbanza, formalismo **2** esuberanza, vivacità, spigliatezza.

spontàneo *agg.* **1** istintivo, inconscio, innato CONTR. forzato, imposto, coercitivo **2** naturale, autentico, fresco (*est.*), grazioso (*est.*) CONTR. artificioso, innaturale, artefatto, artificiale, lezioso, manierato, caricato, meccanico (*est.*), teatrale **3** [*rif. a una rappresentazione*] estemporaneo **4** [*rif. a un aiuto, a una cura*] volontario.

spopolàto *part. pass.; anche agg.* deserto, disabitato, abbandonato, vuoto CONTR. popoloso, gremito.

spòra *s. f.* (*est.*) germe, uovo (*fig.*).

sporadicaménte *avv.* raramente, eccezionalmente, saltuariamente, talvolta, talora CONTR. assiduamente, frequentemente.

sporàdico *agg.* saltuario CONTR. ripetuto, abituale, frequente.

sporcàre A *v. tr.* **1** insudiciare, insozzare, conciare, lordare CONTR. pulire, lavare, detergere, nettare, forbire, mondare, spazzare, tergere **2** [*modi di*] impiastrare, inzaccherare, imbrattare, impiastricciare, impolverare, macchiare, maculare (*raro*), schizzare, impataccare, impeciare, infangare, immelmare **3** (*est.*) annerire, scurire **4** [*l'ambiente*] contaminare CONTR. depurare **B** *v. rifl.* **1** insudiciarsi, insozzarsi, lordarsi, conciarsi (*est.*) CONTR. detergersi, lavarsi, nettarsi, pulirsi, depurarsi, forbirsi, ripulirsi **2** [*modi di*] macchiarsi, imbrattarsi, farsi delle macchie, farsi delle patacche, impiastricciarsi, imbrodolarsi, sbrodolarsi, immelmarsi, impataccarsi, impiastrarsi, impiastricciarsi, infangarsi **C** *v. intr. pron.* **1** [*detto di muro, di abito*] macchiarsi **2** [*detto di ambiente*] contaminarsi, degradarsi.

sporcizia *s. f.* **1** lordura, sozzura, sudiciume, immondizia, immondezza, spazzatura, ruggine (*fig.*) CONTR. pulizia, nitore, nettezza, nitidezza, lindo-re, igiene **2** [*l'azione*] schifezza, porcheria.

spòrco A *agg.* (*pl. m. -chi*) **1** imbrattato, impiastrato, inzaccherato, macchiato, lordo CONTR. pulito **2** sudicio, sozzo CONTR. pulito **3** inquinato **4** sordido, osceno, turpe, scurrile, volgare **B** *s. m. sing.* sudiciume, sporcizia.

CLASSIFICAZIONE

Sporco

Sporco:
1 Che è imbrattato di materia che lascia traccia, segno;
2 Non pulito;
3 Non pulito da un punto di vista morale.

1

imbrattato: insudiciato con liquidi o materie appiccicose;

impiastrato: spalmato di materia unta e appiccicaticcia;

inzaccherato: schizzato di fango;

macchiato: sporcato o imbrattato con macchie;

lordo.

2

sudicio: che non è lavato né pulito;

sozzo.

2 Con riferimento ad aria, acqua, etc..

inquinato: che è stato sporcato o infettato con sostanze nocive.

3 Con riferimento a cose, o comportamenti.

sordido: che è sporco, lordo e sozzo;

osceno: che secondo il comune sentimento, offende il pudore;

turpe: che è osceno e che provoca schifo, nausea o orrore;

scurrile: che dimostra una comicità licenziosa triviale e sguaiata;

volgare: che è assolutamente privo di finezza, distinzione, garbo e signorilità.

sporgènte *part. pres.; anche agg.* rilevato, proteso CONTR. cavo.

sporgènza *s. f.* **1** prominenza, protuberanza, escrescenza CONTR. rientranza, avvallamento **2** [*tipo di*] gobba, promontorio, ansa **3** bitorzolo **4** cresta.

spòrgere A *v. intr.* **1** [*detto di tetto, etc.*] spiovere **2** [*dall'acqua*] (*est.*)

emergere **3** [*detto di pontile, etc.*] protendersi, allungarsi **B** *v. tr.* [*un reclamo, una denuncia*] presentare, avanzare **C** *v. rifl.* protendersi.

sport **A** *s. m. inv.* [*tipo di*] basket (*ingl.*), pallacanestro, volley-ball (*ingl.*), tennis, calcio, football (*ingl.*), rugby (*ingl.*), pallavolo, baseball (*ingl.*), cricket (*ingl.*), ginnastica, sci, pattinaggio, equitazione, ippica, polo, ciclismo, automobilismo, motociclismo, nuoto, pallanuoto, vela, surf (*ingl.*), pugilato, boxe, lotta, alpinismo, scherma, karate (*giapp.*), judo (*giapp.*), sumo (*giapp.*), biliardo, paracadutismo **B** *agg. inv.* sportivo.

spòrta *s. f.* borsa, sacca, cesta.

sportèllo *s. m.* **1** anta, battente **2** porta **3** [*di banca, etc.*] filiale, succursale, agenzia **4** (*est.*) cassa, biglietteria.

sportivo **A** *agg.* **1** atletico **CONTR.** pigro (*est.*) **2** [*rif. allo spirito*] leale, corretto **CONTR.** scorretto, sleale **B** *s. m.* (*f. -a*) **1** atleta **2** (*est.*) tifoso.

spòsa *s. f.* **1** moglie, coniuge, consorte, donna, compagna **CONTR.** nubile **2** [*il giorno delle nozze*] fidanzata.

sposalizio *s. m.* nozze, matrimonio **CONTR.** divorzio, separazione.

sposàre **A** *v. tr.* **1** [*qc.*] congiungere in matrimonio, coniugare, congiungere (*raro*) **2** [*una figlia*] maritare, accasare, collocare **3** [*una donna*] impalmare **4** [*una causa, etc.*] (*fig.*) abbracciare **B** *v. rifl. rec.* **1** legarsi, coniugarsi, maritarsi, sistemarsi, accasarsi (*fam.*), congiungersi, accoppiarsi, appaiarsi (*pop.*) **CONTR.** dividersi, divorziarsi **2** legarsi, unirsi, mescolarsi.

spòso *s. m.* **1** marito, coniuge, consorte, compagno, uomo **2** [*il giorno delle nozze*] fidanzato.

spossaménto *s. m.* spossatezza, fiacchezza, sfinitezza, debilitazione, debolezza, esaurimento **CONTR.** energia, forza, vigore.

spossànte *part. pres.; anche agg.* snervante.

spossàre **A** *v. tr.* sfiancare, debilitare, estenuare, fiaccare, esaurire, sfibrare, affaticare, sfinire, snervare (*fig.*), esanimare (*raro*), indebolire, macerare

(*fig.*), prostrare **CONTR.** rinvigorire, rinforzare **B** *v. intr. pron.* faticare, debilitarsi, esaurirsi, estenuarsi, fiaccarsi, indebolirsi **CONTR.** rinvigorirsi, rifiorire.

spossatézza *s. f.* spossamento, fiacchezza, sfinimento, debolezza, debilitazione, prostrazione, deperimento, estenuazione **CONTR.** energia, forza, vigore.

spossàto *part. pass.; anche agg.* **1** affaticato, indebolito, sfinito, estenuato, esaurito, stremato, svigorito, sfatto (*fam.*), tronco (*fig.*), stracco (*fam.*) **CONTR.** vigoroso, energico, instancabile **2** [*rif. a uno stato d'animo*] (*fig.*) affranto.

spossessàre *v. tr.* espropriare.

spostaménto *s. m.* **1** [*degli ostacoli, etc.*] rimozione **2** [*di un oggetto*] dislocamento **3** (*raro*) trasporto **4** (*fis.*) scorrimento, slittamento, deviazione **5** movimento, scarto **6** [*di popoli, etc.*] migrazione, emigrazione, decentramento **7** [*di denaro, etc.*] (*est.*) circolazione **8** [*di un'auto, etc.*] (*est.*) inversione, manovra **9** [*di parole nella frase*] inversione.

spostàre **A** *v. tr.* **1** rimuovere, dislocare, movimentare, trasportare, muovere, togliere (*est.*), ritogliere (*est.*), toccare (*est.*), levare (*est.*), manomettere (*est.*) **2** [*qc. in un'altra città*] trapiantare (*fig.*), scaraventare (*fig.*) **3** [*q.c. in modo disordinato*] dissestare, sbalestrare [*un appuntamento, etc.*] differire, dilazionare, rimandare, rinviare **B** *v. rifl.* **1** viaggiare, andare, muoversi **CONTR.** fermarsi **2** camminare, circolare **C** *v. intr. pron.* [*detto di lancetta di orologio*] cambiare posizione.

spostàto **A** *part. pass.; anche agg.* **1** alienato, squilibrato, dissennato, strambo, pazzo, folle **CONTR.** savio, assennato **2** trasferito **B** *s. m.* (*f. -a*) matto, pazzo, folle, psicolabile.

sprànga *s. f.* (*pl. -ghe*) sbarra, barra.

sprangàre *v. tr.* chiudere, sbarrare **CONTR.** aprire.

sprangàto *part. pass.; anche agg.* sbarrato, chiuso **CONTR.** aperto, spalancato.

spràzzo *s. m.* **1** [*di speranza, etc.*]

raggio, lampo, guizzo **2** [*di acqua, etc.*] spruzzo, schizzo, zampillo.

sprecàre **A** *v. tr.* **1** sperperare, dissipare, dilapidare, buttare, spendere, consumare, divorare (*fig.*), liquefare (*fig.*), prodigare, sputtanare (*volg.*), disperdere **CONTR.** economizzare, misurare, risparmiare **2** [*il tempo*] (*fig.*) perdere, sacrificare **B** *v. rifl.* (*fig.*) perdersi, bruciarsi.

sprèco *s. m.* (*pl. -chi*) sciupio, sperpero, sciupo (*raro*), scialo (*fam.*), dissipazione, strazio (*fig.*), perdita, consumo (*est.*), profusione **CONTR.** economia, risparmio.

sprecóne *s. m.* (*f. -a*) sciupone.

spregévole *agg.* **1** miserabile, ignobile, indegno, vile, misero, basso, abietto, inqualificabile, sudicio (*est.*) **CONTR.** pregevole, apprezzabile, pregiato, aureo (*fig.*) **2** [*rif. a una persona*] (*est.*) ignobile, abietto **CONTR.** onorevole, rispettabile, eccellente.

spregevolménte *avv.* abiettamente, bassamente, turpemente, vergognosamente, ignominiosamente **CONTR.** lodevolmente.

spregiàre *v. tr.* disprezzare, sdegnare, disistimare, disdegnare, aborrire, deridere, sprezzare **CONTR.** magnificare, onorare, pregiare, venerare.

spregiàto *part. pass.; anche agg.* disprezzato, vilipeso **CONTR.** pregiato.

sprègio *s. m.* **1** disprezzo, disdegno, derisione, irrisione, scherno **CONTR.** stima, apprezzamento, rispetto, considerazione **2** (*est.*) ingiuria, dispetto.

spregiudicatézza *s. f.* cinismo.

spregiudicàto *agg.* **1** libero, evoluto **CONTR.** conformista, scrupoloso **2** (*est.*) cinico.

sprèmere **A** *v. tr.* **1** premere, pigiare, schiacciare **2** [*qc.*] (*est.*) ricattare, dissanguare (*fig.*) **3** [*q.c.*] estorcere **4** [*qc. in un interrogatorio*] (*fig.*) torchiare **B** *v. intr. pron.* scervellarsi, lambiccarsi, torturarsi, riflettere.

spremùta *s. f.* **1** (*gener.*) bevanda **2** succo.

sprezzànte *part. pres.; anche agg.* **1**

sdegnoso, scostante, superbo, altezzoso, borioso **2** [*rif. a una risata*] cinico, beffardo, sarcastico, disilluso **3** (*est.*) irriverente **CONTR.** devoto, religioso (*fig.*) **4** [*rif. al denaro*] indifferente, insensibile **CONTR.** ingordo, avido.

sprezzanteménte *avv.* disdegnosamente **CONTR.** bonariamente, amorosamente.

sprezzàre *v. tr.* disprezzare, spregiare, dispregiare, schifare **CONTR.** magnificare.

sprèzzo *s. m.* **1** disprezzo, disdegno **CONTR.** stima **2** noncuranza **CONTR.** attenzione, interesse.

sprigionàre A *v. tr.* emanare, esalare, irradiare, irraggiare, sprizzare, effondere (*lett.*), sviluppare, espandere **B** *v. intr. pron.* **1** sgorgare, scaturire, provenire **2** effondersi, emanare, espandersi, svilupparsi.

sprint A *s. m. inv.* scatto, spunto **B** *agg. inv.* [*rif. ad automobile*] veloce.

sprizzàre *v. tr.* **1** schizzare, zampillare **2** [*gioia, etc.*] (*est.*) sprigionare, irradiare, irraggiare.

sprofondàre A *v. intr.* **1** [*in un fosso, etc.*] piombare, cadere **2** [*detto di imbarcazione*] inabissarsi **3** [*detto di costruzione*] crollare, franare **4** [*detto di persona*] annegarsi, immergersi **CONTR.** galleggiare, stare a galla **5** [*nei guai, etc.*] infossarsi, ingolfarsi **6** [*nel sonno, nel vizio*] ripiombare **B** *v. tr.* inabissare, affondare, mandare a fondo, tuffare, precipitare **C** *v. rifl.* **1** [*in saluti*] profondersi **2** [*nel lavoro, nello studio*] immergersi, dedicarsi a **3** [*su un divano, etc.*] abbandonarsi.

sproloquiàre *v. intr.* **1** blaterare, straparlare, vaneggiare **2** bestemmiare, smoccolare.

sprolòquio *s. m.* **1** tirata, parlata, concione **2** (*est.*) bestemmia.

spronàre *v. tr.* stimolare, incitare, spingere, esortare, sollecitare, pungere (*fig.*), pungolare (*fig.*), scuotere.

sproporzionataménte *avv.* **1** abnormemente, inadeguatamente **CONTR.** proporzionatamente, adeguatamente **2** (*est.*) incongruamente.

sproporzionàto *agg.* **1** [*rif. alle parti del corpo*] disarmonico **CONTR.** armonico, armonioso, proporzionato **2** (*est.*) inadeguato **CONTR.** adeguato **3** (*est.*) smisurato, eccessivo, enorme **CONTR.** commisurato, confacente, corrispondente, equo.

sproporzióne *s. f.* disarmonia, asimmetria, inadeguatezza, incongruità **CONTR.** proporzione, simmetria, equilibrio, armonia.

spropositàto *part. pass.; anche agg.* **1** (*fig.*) esagerato, enorme, eccessivo, madornale **CONTR.** esatto, giusto **2** erroneo.

spropòsito *s. m.* **1** sciocchezza, eresia (*fig.*), stupidaggine, bestialità, castroneria (*fam.*) **2** [*grammaticale*] sciocchezza, errore, strafalcione (*fam.*), papera (*fig.*) **3** [*una grande quantità di q.c.*] eresia (*fig.*), enormità, esagerazione.

spropriàre *v. tr.* V. *espropriare*.

sprovvedùto A *agg.* **1** sfornito, sguarnito, inerme (*fig.*) **CONTR.** agguerrito **2** [*rif. a una persona*] impreparato, malaccorto, ingenuo, credulone **CONTR.** accorto, assennato, lungimirante, destro **B** *s. m.* (*f. -a*) ingenuo, credulone.

sprovvisto *agg.* privo **CONTR.** provvisto, fornito.

spruzzàre *v. tr.* **1** [*q.c. con l'acqua*] aspergere, bagnare, irrorare **2** [*con la vaniglia, etc.*] spolverizzare, polverizzare, sbruffare, cospargere, costellare, imperlare (*fig.*).

sprùzzo *s. m.* schizzo, getto, zampillo, sprazzo (*raro*).

spudorataménte *avv.* **1** disonestamente, sconciamente, impudicamente **CONTR.** dimessamente **2** impudentemente, sfacciatamente **CONTR.** con riguardo, rispettosamente, vergognosamente.

spudoratézza *s. f.* impudenza.

spudoràto A *agg.* impudente, sfacciato, sfrontato, insolente, arrogante **CONTR.** verecondo, timoroso, vergognoso **B** *s. m.* (*f. -a*) sfacciato, impudente.

spùgne *s. f. pl.* **1** (*gener.*) animale **2** [*tipo di*]. →animali

spugnòla *s. f.* (*gener.*) fungo.

spulciàre *v. tr.* consultare, controllare.

spùma *s. f.* **1** schiuma **2** (*cuc.*) mousse (*fr.*).

spumànte *s. m.* champagne (*erron.*).

spumàre *v. intr.* spumeggiare, frizzare, essere effervescente, essere gassato.

spumeggiànte *part. pres.; anche agg.* **1** frizzante, effervescente **CONTR.** spento, smorto **2** (*anche fig.*) effervescente, brillante, vivace, brioso.

spumeggiàre *v. intr.* **1** [*detto di mare*] ribollire **2** [*detto di vino, etc.*] spumare, frizzare, essere gassato, essere effervescente.

spuntàre (1) A *v. tr.* **1** [*le piante*] cimare, accorciare, tosare, tagliare in punta **2** [*le ali*] (*fig.*) tarpare **3** [*gli angoli*] smussare, ottundere (*raro*) **B** *v. intr.* **1** [*detto di persona*] apparire, comparire, arrivare, giungere inaspettatamente **2** [*detto di astro*] nascere, salire, sorgere, ricomparire **CONTR.** coricarsi **3** [*detto di pianta, etc.*] nascere, fare capolino, germinare, germogliare, gettare, occhieggiare **4** [*detto di dubbio, di qualità, etc.*] (*fig.*) salire, affiorare, emergere, trasparire, vibrare **C** *v. intr. pron.* **1** perdere la punta **2** [*detto di rabbia*] smussarsi **D** *s. m. sing.* [*del sole, etc.*] levare.

spuntàre (2) *v. tr.* [*un elenco, etc.*] controllare (*est.*).

spuntàto *part. pass.; anche agg.* smussato, arrotondato **CONTR.** affilato, appuntito.

spuntino *s. m.* picnic, merenda.

spùnto (1) *s. m.* **1** idea, suggerimento **2** (*est.*) occasione.

spùnto (2) *s. m.* [*rif. al vino*] (*enol.*) acidità, brusco.

spùnto (3) *s. m.* [*spec. rif. ai cavalli*] (*sport*) scatto, sprint (*ingl.*).

spurgàre *v. tr.* stasare, sturare, pulire, purgare.

sputacchiàre v. intr. scaracchiare (pop.), scatarrare, sputare.

sputàre A v. tr. 1 [sentenze, etc.] vomitare 2 [felicità, etc.] trasudare 3 [denaro] (fig.) scucire 4 [fiamme] lanciare B v. intr. scaracchiare, scatarrare, sputacchiare.

sputtanàre A v. tr. 1 discreditare 2 [una somma, il tempo] sprecare, sciupare B v. rifl. discreditarsi, screditarsi.

squàdra (1) s. f. 1 compagnia, brigata, comitiva, gruppo 2 [di lavoro] team (ingl.), pool (ingl.), équipe (fr.) 3 [in uno spettacolo] troupe (fr.) 4 (autom.) clan (celt.), scuderia (fig.) 5 (sport) formazione.

squàdra (2) s. f. (gener.) attrezzo.

squadràre (1) v. tr. 1 rifilare, tagliare 2 [una pietra] conciare, rifinire.

squadràre (2) v. tr. osservare, guardare.

squagliàre (1) A v. tr. sciogliere, struggere, fondere, liquefare, disfare, stemperare, disciogliere CONTR. solidificare B v. intr. pron. disciogliersi, colare.

squagliàre (2) v. intr. pron. 1 [nella forma: squagliarsela] fuggire, andarsene, scappare, smammare (scherz.), filare, telare (tosc.) CONTR. comparire 2 [nella forma: squagliarsela dal carcere] evadere.

squalificàre v. tr. 1 colpire con la squalifica, degradare, declassare 2 (est.) screditare.

squallidaménte avv. miseramente, desolatamente CONTR. magnificamente, splendidamente, sontuosamente, spettacolarmente, spettacolosamente.

squàllido agg. 1 desolato, devastato, disadorno, sordido, lugubre (est.) CONTR. bello, piacevole 2 [rif. all'esistenza] (est.) disadorno, misero, povero CONTR. piacevole 3 [rif. a una persona] pallido, smunto, emaciato CONTR. bello, piacevole.

squallóre s. m. 1 miseria, trascuratezza, abbandono CONTR. splendore, ricchezza 2 [l'effetto dello] (est.) tristezza, desolazione 3 [rif. a uno spet-

tacolo] (est.) tristezza, tedio, grigiore 4 [rif. all'animo] (est.) miseria, povertà, meschinità.

squàlo s. m. 1 (gener.) pesce 2 [tipo di] pescecane, nocciolo, palombo 3 [rif. a una persona] (fig.) predatore, avvoltoio, predone.

squàma s. f. scaglia.

squamàre v. intr. pron. scagliarsi, sfaldarsi.

squarciàre A v. tr. fendere, spaccare, lacerare, crepare, sbranare (fig.), rompere, tagliare, aprire B v. intr. pron. 1 lacerarsi, strapparsi 2 creparsi 3 (est.) esplodere.

squàrcio s. m. 1 [in un tessuto] strappo 2 apertura 3 [in un'imbarcazione] falla 4 [della pelle] lacerazione, ferita 5 [rif. a un'epoca, etc.] (est.) affresco, scorcio 6 [di un testo letterario] (est.) stralcio, passo, frammento, brano.

squartàre v. tr. 1 dividere 2 sbranare.

squassàre A v. tr. agitare, scrollare, scuotere, muovere B v. intr. pron. agitarsi.

squèro s. m. cantiere.

squilibràre v. tr. 1 sperequare, sbilanciare CONTR. equilibrare, pareggiare 2 dissestare.

squilibràto A part. pass.; anche agg. 1 spostato, dissennato, demente, mentecatto, strambo, alienato, pazzo, folle CONTR. equilibrato, quadrato (fig.) 2 [rif. allo stile] disarmonico CONTR. equilibrato, armonioso B s. m. (f. -a) pazzo, folle, maniaco.

squilibrio s. m. 1 sbilanciamento CONTR. equilibrio, simmetria 2 [mentale] (est.) instabilità, incoerenza, pazzia, follia CONTR. stabilità, coerenza 3 [economico] divario, differenza, abisso.

squillànte part. pres.; anche agg. [rif. al suono] acuto, chiaro, sonoro CONTR. rauco, sordo.

squillàre v. intr. suonare, trillare, tintinnare.

squillo (1) s. m. suono, trillo.

squillo (2) s. f. e agg. inv. prostituta.

squisitaménte avv. 1 deliziosamente, piacevolmente, eccellentemente CONTR. disgustosamente, volgarmente 2 finemente, elegantemente CONTR. volgarmente.

squisitézza s. f. 1 [qualità dell'animo] delicatezza, sensibilità, finezza, garbo, tatto (fig.) CONTR. volgarità, grossolanità, rozzezza 2 [alimentare] prelibatezza, delikatessen (ted.), leccornia 3 [rif. a pietanze] raffinatezza.

squisito agg. 1 eccellente, delizioso, gradevole, delicato, raffinato, perfetto CONTR. pessimo, orribile, disgustoso 2 [rif. ai modi, al gusto] raffinato, perfetto, signorile CONTR. volgare, triviale, ordinario.

sradicàre v. tr. 1 strappare, estirpare, svellere, sbarbare, scalzare, asportare, cavare CONTR. ficcare, piantare 2 [un'abitudine, etc.] (est.) eliminare, togliere, distruggere, levare CONTR. instillare, radicare.

sradicàto A part. pass.; anche agg. divelto, estirpato CONTR. radicato, piantato B s. m. (f. -a) outsider (ingl.).

sragionàre v. intr. vaneggiare, delirare, farneticare, sbalestrare, straparlare, folleggiare, ragliare (fig.) CONTR. ragionare.

sregolataménte avv. 1 senza regola, senza misura, sfrenatamente, disordinatamente CONTR. misuratamente, moderatamente 2 (est.) dissipatamente, dissolutamente, licenziosamente CONTR. onestamente, pudicamente.

sregolatézza s. f. sfrenatezza, incontinenza, dissolutezza, licenza, disordine (est.) CONTR. sobrietà, misura, moderazione.

sregolàto agg. 1 disordinato, irregolare CONTR. regolato 2 [rif. al comportamento] sfrenato, dissoluto, licenzioso, intemperante, libertino CONTR. sobrio, raccolto.

srotolàre v. tr. svolgere, stendere, distendere CONTR. arrotolare.

stabbiàre v. tr. concimare.

stàbile (1) agg. 1 [rif. a un edificio, a una costruzione] saldo, fermo, solido, invariato, robusto, massiccio CONTR.

incerto, insicuro, precario, fragile, instabile, malfermo, posticcio, ballerino **2** durevole, costante, immutabile, invariabile **3** [*rif. a una persona*] perseverante **CONTR.** incerto, insicuro, precario, agitato, ramingo (*lett.*), randagio (*lett.*), pellegrino, vagabondo **4** solido, consolidato, duraturo **CONTR.** fugace (*est.*) **5** [*rif. a una popolazione*] stanziale, fisso **CONTR.** nomade.

stàbile (2) *s. m.* edificio.

stabiliménto *s. m.* **1** fabbrica, industria, officina **2** [*termale, ospedaliero*] complesso **3** [*spec. al pl.*] colonia, possedimento.

stabilire A *v. tr.* **1** deliberare, decretare, decidere, statuire, disporre, sancire, volere **2** [*una data, etc.*] concertare, fissare, programmare, concordare, prestabilire, determinare **3** [*un piano*] pattuire, concludere, definire, convenire, combinare **4** [*una situazione*] assodare, chiarire, constatare **5** [*una determinata somma*] (*est.*) assegnare, destinare **6** [*una cura, un rimedio*] (*est.*) prescrivere **7** [*le condizioni*] dettare **8** [*un candidato*] designare, eleggere, proporre **9** [*un'amicizia*] intrecciare, instaurare, iniziare **B** *v. rifl.* insediarsi, stanziarsi, radicarsi, impiantarsi, fermarsi, installarsi, piantarsi, fissarsi, nidificare, tornare (*tosc.*) **C** *v. intr. pron.* [*uno scopo, una scadenza*] proporsi, prefiggersi, darsi.

stabilità *s. f. inv.* **1** solidità, sicurezza **CONTR.** instabilità, precarietà, caducità, provvisorietà, temporaneità **2** [*rif. al carattere*] fermezza, costanza, equilibrio, linearità **CONTR.** volubilità, squilibrio **3** [*rif. al clima*] invariabilità **CONTR.** variabilità, mutevolezza.

stabilito *part. pass.; anche agg.* determinato, misurato, istituito, fissato, disposto **CONTR.** imprevisto, occasionale, fortuito.

stabilizzàre A *v. tr.* consolidare, definire **CONTR.** destabilizzare **B** *v. intr. pron.* consolidarsi, confermarsi.

stabilménte *avv.* **1** saldamente, fermamente **CONTR.** fugacemente, instabilmente, volubilmente **2** durevolmente, permanentemente, costantemente, immutabilmente, invariabilmente **CONTR.** fugacemente.

staccàre A *v. tr.* **1** [*un frutto dall'albero*] spiccare, strappare, cogliere **2** [*cose unite tra loro*] disgiungere, dividere, scindere, distaccare, separare, isolare **CONTR.** congiungere, connettere, ricollegare, riconnettere, incollare, ingommare, raccordare, ricongiungere, appiccicare, attaccare **3** [*un quadro dalla parete*] scostare, rimuovere, sganciare **CONTR.** affiggere, affissare, fermare **4** [*un dito, etc.*] amputare, mozzare **5** [*gli occhi, l'attenzione*] (*est.*) allontanare, distogliere, distrarre **6** [*un avversario nella corsa*] (*sport*) distanziare **7** [*le sillabe, le parole*] spiccare, scandire **B** *v. intr.* **1** [*dal lavoro*] smontare **2** [*detto di colori*] risaltare, spiccare **C** *v. rifl.* **1** separarsi, disgiungersi, distaccarsi, disunirsi, disancorarsi **CONTR.** unirsi, aggrapparsi, congiungersi, radicarsi, riconnettersi, appiccicarsi **2** [*da un'occupazione, etc.*] distogliersi, scansarsi **3** (*est.*) disamorarsi, disaffezionarsi, disinnamorarsi **D** *v. intr. pron.* **1** [*detto di veicolo da terra*] alzarsi, sollevarsi **2** [*detto di bottone*] venire via **3** [*detto di intonaco*] cadere, venire giù.

staccionàta *s. f.* palizzata, recinzione, steccato, recinto (*est.*).

stadèra *s. f.* bilancia.

stàdio (1) *s. m.* fase, grado, periodo.

stàdio (2) *s. m.* **1** campo **2** anfiteatro **3** (*est.*) pubblico.

staff *s. m. inv.* gruppo, team (*ingl.*), troupe (*fr.*), personale, équipe (*fr.*).

staffilàre *v. tr.* frustare, fustigare, flagellare.

staffilàta *s. f.* frustata, scudisciata.

staffile *s. m.* nervo, nerbo, frusta, scudiscio, frustino, sferza.

stagionàre A *v. tr.* frollare, invecchiare, maturare **B** *v. intr. pron.* invecchiare.

stagionàto *part. pass.; anche agg.* **1** [*rif. al vino, al formaggio*] invecchiato **CONTR.** fresco, giovane **2** [*rif. a una persona*] attempato, anziano **CONTR.** giovane.

stagióne *s. f.* **1** periodo **2** (*est.*) tempo, epoca, età **3** (*est.*) anno **4** [*della raccolta di frutta*] campagna.

stagliàre *v. intr. pron.* profilarsi.

stagnànte *part. pres.; anche agg.* fermo, immobile **CONTR.** corrente, fluente.

stagnàre (1) *v. tr.* **1** saldare **2** [*il sangue*] tamponare.

stagnàre (2) *v. intr.* **1** ristagnare **CONTR.** fluire, dilagare, correre **2** (*est.*) incombere.

stàgno (1) *agg.* impenetrabile, impermeabile **CONTR.** permeabile.

stàgno (2) *s. m.* palude, acquitrino, pantano, lago (*erron.*).

stàio *s. m.* **1** cilindro, tuba **2** (*gener.*) cappello.

stàlla *s. f.* [*tipo di*] scuderia, porcile.

stàllo (1) *s. m.* arresto, fermata, blocco, stasi, pausa **CONTR.** ripresa.

stàllo (2) *s. m.* **1** scranno, seggio, cattedra **2** (*gener.*) sedile, sedia.

stallóne *s. m.* (*gener.*) cavallo.

stambèrga *s. f.* (*pl. -ghe*) **1** baracca, topaia, tugurio, cimiciaio, abituro, bugigattolo, tana, antro, casupola, catapecchia **CONTR.** reggia, palazzo **2** (*gener.*) casa.

stambùgio *s. m.* **1** buco, bugigattolo **CONTR.** palazzo **2** (*gener.*) casa.

stàmpa *s. f.* **1** riproduzione, illustrazione **2** pubblicazione, diffusione, divulgazione **3** [*tipo di*] giornale, periodico, rivista **4** giornalista (*pl.*) **5** [*rif. a una persona*] (*est.*) specie, sorta.

stampàre *v. tr.* **1** imprimere **2** pubblicare, editare, tirare **3** [*q.c. nella mente, etc.*] imprimere, incidere, conficcare.

stampàto (1) *part. pass.; anche agg.* [*in viso, etc.*] impresso, manifesto, evidente, palese **CONTR.** confuso.

stampàto (2) *s. m.* modulo, modello.

stampèlla *s. f.* gruccia.

stampigliatùra *s. f.* iscrizione, dicitura, scritta.

stàmpo *s. m.* **1** modello, impronta, forma **2** [*rif. a una persona*] (*est.*) indole, carattere **3** [*rif. a una persona*] specie, sorta, categoria, genere, tipo, risma (*spreg.*).

stanàre *v. tr.* snidare, scovare, sbucare (*raro*), braccare (*est.*).

stancaménte *avv.* debolmente, fiaccamente **CONTR.** infaticabilmente, indefessamente, fattivamente, appassionatamente (*est.*).

stancànte *part. pres.; anche agg.* sfiancante **CONTR.** riposante, rilassante.

stancàre *A v. tr.* **1** affaticare, fiaccare, debilitare, sfinire, estenuare, indebolire, logorare, prostrare, intontire (*est.*) **2** annoiare, tediare, infastidire, snervare, stuccare (*fig.*), venire a noia **CONTR.** divertire **3** (*est.*) disgustare, molestare **CONTR.** invogliare **B** *v. intr. pron.* **1** affaticarsi, sfinirsi, esaurirsi, infiacchirsi, debilitarsi, estenuarsi, indebolirsi, logorarsi **CONTR.** rifiorire **2** annoiarsi, stufarsi (*fam.*) **CONTR.** divertirsi.

stanchézza *s. f.* sfinitezza, sfinimento, debolezza, fiacchezza, logoramento, prostrazione, stracca (*sett.*), estenuazione, fatica (*est.*), ubriachezza (*fig.*) **CONTR.** vigore, energia.

stànco *agg.* (*pl. m. -chi*) **1** sfinito, esaurito, estenuato, affaticato, debilitato, sfatto (*fam.*), stremato, tirato, spento (*est.*), provato **CONTR.** ristorato, infaticabile (*est.*), instancabile (*est.*) **2** (*est.*) seccato, annoiato, tediato, scocciato.

standardizzàre *v. tr.* normalizzare, unificare, massificare (*iron.*), uniformare.

stànga *s. f.* (*pl. -ghe*) barra, sbarra, pertica.

stangàta *s. f.* colpo.

stànza *s. f.* **1** ambiente, camera, locale, vano **2** [*tipo di*] sala, soggiorno, salotto, tinello, ripostiglio, bugigattolo, cucina, bagno, camera da letto, camerino, cesso (*volg.*), dispensa, salone, sgabuzzino, studio, stanzino, living (*ingl.*), toeletta **3** [*di una prigione, di un convento*] cella **4** [*in una scuola*] aula **5** [*per lavoro impiegatizio*] ufficio.

stanziàle *agg.* [*rif. a una popolazione*] fisso, stabile, permanente **CONTR.**

nomade, errante.

stanziàre *v. intr. pron.* insediarsi, stabilirsi, impiantarsi, radicarsi, fermarsi, piantarsi, piazzarsi, nidificare.

stanzino *s. m.* **1** bugigattolo, ripostiglio, sgabuzzino **2** (*gener.*) locale, stanza, vano.

stappàre *A v. tr.* **1** [*una bottiglia*] sturare **CONTR.** stasare, sgorgare, liberare **CONTR.** intasare **B** *v. intr. pron.* sturarsi, liberarsi **CONTR.** otturarsi.

star *s. m. e f. inv.* astro, attrice, vedette (*fr.*), attore, stella, celebrità, divo.

stàre *A v. intr.* **1** trovarsi, essere, ritrovarsi **2** essere situato **3** vivere, abitare, dimorare, domiciliarsi **CONTR.** peregrinare **4** [*in un catalogo*] (*est.*) figurare, essere compreso **5** [*giovani, in salute, etc.*] mantenersi, conservarsi, tenersi **6** [*detto di incombenza, di turno*] dipendere da, toccare, competere, spettare **7** [*detto di problema, di argomento*] consistere, basarsi su, reggersi su **8** [*come prezzo*] costare **9** [*alle regole, etc.*] attenersi, osservare un **10** [*in piedi, in attesa, etc.*] restare, rimanere **11** [*bene, male, etc.*] sentirsi **12** [*detto di abito, etc.*] attagliarsi **13** [*a quanto si racconta*] credere, dare retta **B** *v. intr. pron.* **1** [*nella forma: starci; rif. a una proposta*] accettare un, approvare un **2** [*nella forma: starci; in un gruppo, etc.*] entrare.

starnazzàre *v. intr.* schiamazzare, strepitare, sbraitare, gracchiare (*fig.*), vociare, gridare.

start *s. m. inv.* via, partenza, avvio **CONTR.** arrivo.

stasàre *v. tr.* sturare, stappare, disintasare, spurgare, sbloccare **CONTR.** intasare, ostruire, otturare.

stàsi *s. f. inv.* stallo, paralisi, inerzia, ristagno, pausa (*est.*), inattività **CONTR.** avvio, ripresa.

statàle (1) *agg.* nazionale, pubblico, regio **CONTR.** privato.

statàle (2) *s. m. e f.* impiegato.

statalizzàre *v. tr.* socializzare, nazionalizzare, collettivizzare, statizzare (*raro*) **CONTR.** privatizzare.

statalizzazióne *s. f.* nazionalizzazione **CONTR.** privatizzazione.

staticità *s. f. inv.* **1** immobilità, rigidità **CONTR.** mobilità **2** (*est.*) passività, paralisi (*fig.*).

stàtico *agg.* **1** fermo, immobile **CONTR.** mobile **2** inerte, inattivo, passivo **CONTR.** dinamico.

statizzàre *v. tr.* nazionalizzare, statalizzare, collettivizzare **CONTR.** privatizzare.

stàto (1) *s. m.* **1** [*fisico, morale*] condizione, disposizione **2** [*economico*] situazione, condizione **3** [*socio-economico*] grado, ceto, condizione, rango.

stàto (2) *s. m.* **1** paese, nazione **2** (*est.*) governo **3** [*tipo di*] repubblica, regno, monarchia, impero, confederazione, dittatura.

stàtua *s. f.* **1** simulacro, bronzo **2** (*gener.*) scultura, monumento.

statuire *v. tr.* stabilire, deliberare, decretare, sancire, prescrivere, pattuire.

statùra *s. f.* **1** altezza **2** (*est.*) lunghezza, taglia, mole **3** [*rif. a una persona*] (*est.*) elevatezza, distinzione **4** [*rif. agli affari, etc.*] (*est.*) importanza.

statùto *s. m.* carta, costituzione, breve (*lett.*).

stazionaménto *s. m.* bivacco.

stazionàre *v. intr.* restare, sostare, trattenersi, soggiornare.

stàzza *s. f.* **1** [*rif. a una imbarcazione*] portata, tonnellaggio **2** volume.

stazzonàto *part. pass.; anche agg.* stropicciato, sgualcito, spiegazzato **CONTR.** stirato.

steccàre *v. tr.* **1** irrigidire **2** (*est.*) contornare.

steccàto *s. m.* palizzata, staccionata, barriera (*est.*), recinzione (*est.*).

stèle *s. f.* colonna, cippo, pilastro, erma (*raro*).

stélla *s. f.* **1** astro, lampada (*lett.*) **2** [*rif. a una persona*] (*fig.*) gemma **3** lume (*lett.*), sole **4** star (*ingl.*), vedette (*fr.*), divo **5** destino, sorte **6** asterisco.

♦ **stella alpina** *loc. sost.* **1** edelweiss (*ted.*) **2** (*gener.*) fiore.

♦ **stella marina** *loc. sost.* (*gener.*) celenterato.

stélla (2) *s. f.* (*gener.*) imbarcazione.

stélla alpìna *loc. sost.* V. *stella (1).*

stélla marìna *loc. sost.* V. *stella (1).*

stèlo *s. m.* **1** (*bot.*) fusto, gambo, caule **2** [*di una lampada, etc.*] (*est.*) asta, piede.

stèmma *s. m.* **1** insegna, emblema, simbolo **2** [*nobiliare*] blasone.

stemperàre o **stempràre** *v. tr.* **1** diluire, disciogliere, squagliare, struggere, liquefare, dissolvere **CONTR.** concentrare, condensare **2** (*est.*) intridere, mischiare.

stempràre *v. tr.* V. *stemperare.*

stendàrdo *s. m.* **1** insegna, bandiera, gonfalone, vessillo **2** (*bot.*) vessillo.

stèndere A *v. tr.* **1** [*le gambe*] distendere, allungare, stirare **CONTR.** contrarre **2** [*la merce in pubblico*] sciorinare **3** [*la vernice, etc.*] ridare, ripassare **4** [*le mani*] parare, tendere **5** [*qc. o q.c. al suolo*] sdraiare **6** [*il burro, la crema, etc.*] spalmare **7** [*la sfoglia*] spianare **8** [*un tappeto*] srotolare, svolgere **9** [*le ali, le braccia*] spiegare **10** [*un contratto*] (*est.*) redigere, stipulare, compilare, rogare, trascrivere (*dir.*) **11** [*un testo*] (*est.*) redigere, scrivere **B** *v. rifl.* [*detto di persona*] allungarsi, distendersi, coricarsi, sdraiarsi, adagiarsi **CONTR.** drizzarsi, raggomitolarsi, rannicchiarsi **C** *v. intr. pron.* [*detto di penisola, di strada, etc.*] estendersi, prolungarsi, protendersi, correre (*fig.*).

stenòsi *s. f. inv.* restringimento.

stentàre *v. intr.* faticare, penare, soffrire, tribolare, fare fatica, patire **CONTR.** prosperare.

stentataménte *avv.* **1** difficilmente, faticosamente, difficoltosamente, duramente, laboriosamente **CONTR.** fluidamente, scioltamente, scorrevolmente, correntemente **2** poveramente, meschinamente **CONTR.** florida-

mente, prosperosamente, rigogliosamente **3** appena.

stentàto *part. pass.; anche agg.* **1** [*rif. a un bambino*] patito, malsano, tirato, misero (*est.*), triste (*est.*) **CONTR.** florido **2** [*rif. al lavoro, allo studio*] faticoso, difficoltoso, stento (*tosc.*) **CONTR.** fluente, fluido **3** [*rif. al sorriso*] artificioso, forzato **4** [*rif. allo sviluppo, etc.*] difficile **CONTR.** prosperoso, rigoglioso.

stènto (1) *s. m.* pena, patimento, sofferenza, miseria, ristrettezza **CONTR.** abbondanza, agio, benessere, ricchezza.

stènto (2) *agg.* stentato **CONTR.** fluente, fluido.

stèrco *s. m.* (*pl. -chi*) escrementi, merda (*volg.*), feci, letame (*est.*).

stèrile *agg.* **1** [*rif. a una persona*] infecondo **CONTR.** fecondo, prolifico **2** [*rif. al terreno*] improduttivo, infruttifero, povero, arido, asciutto **CONTR.** fecondo **3** [*rif. alle parole*] (*fig.*) inefficace, vano, inutile **CONTR.** fertile **4** (*med.*) sterilizzato, asettico.

sterilità *s. f. inv.* **1** infecondità **CONTR.** fecondità, fertilità, feracità, ubertà **2** (*est.*) inefficacia, improduttività, vacuità, vanità **CONTR.** efficacia, utilità.

sterilizzàre *v. tr.* **1** disinfettare **2** pastorizzare **3** (*med.*) vasectomizzare.

sterilizzàto *part. pass.; anche agg.* **1** [*rif. agli animali*] castrato **2** sterile, asettico, disinfettato, pulito **CONTR.** infetto, contaminato.

sterlìna *s. f.* (*gener.*) moneta.

sterminàre *v. tr.* falcidiare, annientare, macellare, decimare.

sterminàto *agg.* immenso, infinito, sconfinato, illimitato, profondo (*est.*) **CONTR.** limitato, ristretto.

sterminio *s. m.* distruzione, strage, massacro, scempio (*est.*), devastazione (*est.*), annientamento, eliminazione **2** (*fig.*) mucchio, sacco (*pop.*), subisso.

sterzàre *v. intr. e tr.* svoltare, voltare, girare, curvare.

stéso *part. pass.; anche agg.* **1** teso, al-

lungato, sdraiato, coricato **CONTR.** in piedi, alzato **2** [*rif. al lavoro, allo studio*] svolto, eseguito **3** [*rif. a una crema, a un olio, etc.*] spalmato, cosparso **4** [*rif. a una stoffa*] allargato, spiegato **CONTR.** piegato.

stésso A *agg. dimostr.* **1** medesimo, identico **2** persino, anche **B** *pron. dimostr.* medesimo.

stesùra *s. f.* redazione, scrittura.

steward *s. m. inv.* accompagnatore, assistente.

stigmatizzàre o **stimmatizzàre** *v. tr.* censurare, biasimare, bollare (*fig.*), marchiare (*fig.*), frustare (*fig.*), fustigare (*fig.*).

stigmatizzàto *part. pass.; anche agg.* criticato, biasimato, disapprovato **CONTR.** elogiato, lodato.

stìle *s. m.* **1** [*di vita*] (*est.*) modo, maniera, contegno, condotta, usanza, costume, tenore **2** [*spec. con: avere*] (*est.*) eleganza, gusto, raffinatezza, classe, tono (*fig.*), carattere (*fig.*) **3** [*rif. a un'opera artistica*] tocco, mano, tecnica (*est.*) **4** [*rif. ad abiti*] (*est.*) taglio, foggia **5** [*di un'opera d'arte*] tendenza, scuola, genere (*est.*), forma (*est.*), indirizzo.

stilettàre *v. tr.* pugnalare.

stilettàta *s. f.* pugnalata, coltellata.

stilìsta *s. m.* (*ingl.*) designer.

stìlla *s. f.* lacrima, goccia, gocciola.

stillàre A *v. intr.* gocciolare, sgocciolare, scolare (*fam.*), trasudare, gemere (*lett.*), colare, gocciare, lacrimare, piovere (*fig.*), fuoriuscire **B** *v. tr.* **1** distillare, filtrare **2** [*q.c. nell'animo*] (*raro*) infondere, instillare **3** [*sangue, acqua, etc.*] piangere (*fig.*), versare.

stìlo *s. f. inv.* **1** stilografica **2** (*gener.*) penna.

stilogràfica *s. f.* **1** (*gener.*) penna **2** stilo.

stìma *s. f.* **1** [*di q.c.*] valutazione, misurazione, perizia, estimo (*econ.*), preventivo (*est.*), calcolo (*est.*) **2** [*verso qc.*] fiducia, ammirazione, considerazione, venerazione **CONTR.** disistima, disprezzo, sprezzo, dispregio **3**

[*spec. con: godere di*] autorità, conto, credito, pregio (*raro*), rispetto, reputazione **CONTR.** discredito **4** concetto, opinione, parere, giudizio **5** [*spec. con: essere degno di*] riguardo **6** [*spec. con: esprimere, manifestare*] apprezzamento **CONTR.** sdegno.

stimàbile agg. **1** [*rif. a una persona*] pregevole, ragguardevole, considerevole, apprezzabile, rispettabile, encomiabile (*est.*) **CONTR.** deplorevole (*est.*), disprezzabile **2** [*rif. a cosa*] valutabile.

stimàre o **estimàre** A v. tr. **1** valutare, giudicare, ritenere, reputare, credere, considerare, opinare, pensare, conoscere (*est.*) **2** apprezzare, ammirare, rispettare, pregiare (*raro*), valorizzare, tenere in considerazione **CONTR.** disistimare, disprezzare, misconoscere, odiare, detestare, dispregiare **3** contare, sperare, calcolare, immaginare **4** valutare, misurare, quotare **B** v. rifl. considerarsi, sentirsi, ritenersi, reputarsi, giudicarsi, contarsi, credersi, tenersi, supporsi.

stimàto part. pass.; anche agg. **1** ammirato, onorato, lodato, rispettato (*est.*), apprezzato **CONTR.** deriso, dileggiato, irriso, demolito (*fig.*), disprezzato **2** pregiato, famoso, noto, rinomato, autorevole.

stimmatizzàre v. tr. V. stigmatizzare.

stimolànte A part. pres.; anche agg. **1** eccitante, elettrizzante, stuzzicante, interessante (*est.*) **CONTR.** soporifero, noioso, tedioso **2** [*rif. all'atteggiamento*] pungente, provocante **CONTR.** umile **3** (*med.*) tonico **B** s. m. **1** eccitante, tonico, corroborante, afrodisiaco **CONTR.** sedativo, calmante, tranquillante, ansiolitico **2** (*gener.*) farmaco.

stimolàre v. tr. **1** spronare, incitare, incalzare, affrettare (*raro*), incoraggiare, spingere, esortare, pungolare (*fig.*), incentivare, invogliare **2** istigare, fomentare, promuovere **3** eccitare, infiammare (*fig.*) **4** [*l'interesse, l'appetito*] destare, risvegliare, ridestare, suscitare, provocare **CONTR.** placare **5** [*l'ingegno*] aguzzare, affilare **CONTR.** ottundere **6** [*l'amor proprio*] stuzzicare, sollecitare, vellicare (*fig.*), motivare, solleticare (*fig.*) **7** [*i musco-*

li] tonificare.

stìmolo s. m. **1** incentivo, pungolo (*fig.*), sollecitazione, spinta, molla (*fig.*), motore (*fig.*), movente (*est.*), alimento (*fig.*), carica (*fig.*) **2** impulso, estro (*fig.*) **3** (*est.*) esca (*fig.*), invito, suggestione, sensazione.

stìngere A v. intr. scolorire, sbiadire, schiarirsi, scolorire, smontare **B** v. intr. pron. scolorirsi.

stipàre A v. tr. stivare, affollare, riempire, gremire, sovraccaricare, pigiare, insaccare, inzeppare, ricolmare, rimpinzare, costringere (*est.*) **B** v. intr. pron. accalcarsi, ammassarsi, assieparsi, concentrarsi, raccogliersi, insaccarsi (*fig.*), pigiarsi.

stipàto part. pass.; anche agg. pieno, zeppo, gremito, stivato, affollato **CONTR.** sgombro, vuoto.

stipendiàre v. tr. retribuire, pagare, salariare.

stipendiàto A s. m. (f. -a) salariato, dipendente, impiegato **CONTR.** professionista **B** agg. dipendente **CONTR.** autonomo.

stipèndio s. m. **1** salario, paga, mensile, pagnotta (*fam.*), soldo **2** retribuzione, provvigione, compenso, onorario, rimunerazione.

stìpsi s. f. inv. (*med.*) stitichezza.

stipulàre v. tr. **1** [*un contratto*] stendere, stringere, siglare, concludere, patteggiare, pattuire, rogare (*bur.*) **2** [*un matrimonio*] contrarre, celebrare.

stiramènto s. m. strappo.

stiràre A v. tr. **1** distendere, stendere **2** lisciare, levigare **CONTR.** gualcire, increspare, raggrinzare **3** [*le gambe*] sgranchire **CONTR.** rannicchiare **B** v. rifl. allungarsi, distendersi **CONTR.** raggomitolarsi, rannicchiarsi, rattrappirsi.

stìrpe s. f. **1** lignaggio, schiatta, casato, famiglia, casa, casata, sangue (*fig.*), genia, prosapia (*raro*), ceppo (*fig.*), nascita (*est.*), natale (*est.*), seme (*fig.*), razza, dinastia **2** etnia, popolazione, popolo **3** progenie, discendenza, generazione.

stivàre v. tr. riempire, stipare, gremire,

colmare, ingombrare, pigiare, ricolmare, inzeppare.

stivàto agg. **1** allocato (*lett.*), sistemato **2** stipato.

stìzza s. f. ira, collera, rabbia, sdegno, dispetto, bile (*fig.*), impazienza, irritazione **CONTR.** pazienza, calma.

stizzìre A v. tr. indispettire, irritare, urtare, indisporre, fare diventare nervoso **B** v. intr. pron. indispettirsi, inquietarsi, indignarsi, arrabbiarsi, adirarsi, corrucciarsi, esasperarsi, incollerirsi, impennarsi (*fig.*), impermalirsi, imbizzarrirsi.

stizzìto part. pass.; anche agg. indispettito, irritato, seccato, arrabbiato, adirato **CONTR.** paziente, tollerante, conciliante.

stizzóso agg. bizzoso, capriccioso, collerico, nevrastenico, bisbetico, irascibile **CONTR.** indulgente, tollerante, bonario.

stoccàre v. tr. immagazzinare, mettere in magazzino.

stoccàta s. f. **1** colpo, puntata **2** (*est.*) frecciata, allusione, battuta.

stock s. m. inv. **1** [*di merci*] blocco, partita, insieme **2** assortimento, disponibilità, provvista.

stòffa s. f. **1** (*gener.*) tessuto **2** panno, pezza, roba (*fam.*) **3** [*tipo di*] **4** [*rif. a una persona*] (*est.*) capacità, attitudine, talento, predisposizione **5** (*est.*) tempra.

Stoffa

Le stoffe, usate sia nell'abbigliamento, sia nella tappezzeria si distinguono a seconda della fibra da cui provengono o a seconda del tipo di lavorazione o del luogo in cui sono state prodotte. Le stoffe possono derivare da fibre naturali quali la lana, il cotone, il lino, la canapa e la seta o da fibre artificiali quali la viscosa e l'acetato. Alcune stoffe, qualunque sia la fibra con cui sono prodotte sono indicate con un nome che fa riferimento al tipo di lavorazione, è il caso ad es. del velluto che può essere prodotto con la lana, la seta e il co-

tone ma che deve il suo nome al risultato di un ciclo di lavorazione molto particolare.

La nostra classificazione pertanto è divisa in base alle principali fibre anche nel caso che un tipo particolare di esecuzione del stoffa venga applicato a più fibre; nel caso invece di una stoffa riconoscibile solo per il tipo di lavorazione la classificazione è indipendente.

lana: stoffa ottenuta dalla fibra omonima;

drap: stoffa di lana morbida e lucida;

mohair: stoffa morbida ottenuta con fibre di lana mohair;

velours: stoffa pelosa di lana, simile al velluto;

vigogna: stoffa soffice e calda ottenuta con la lana dell'animale omonimo;

alpaca: stoffa di lana fatto col pelo dell'animale omonimo;

cachemire: stoffa leggera e morbida di lana omonima;

cammello: stoffa morbida di lana un tempo lavorata con pelo di cammello, oggi con pelo di capre pregiate;

casentino: stoffa di lana ruvida e pesante;

crepella: stoffa di lana, leggera e morbida, con lieve increspatura, per vesti femminili;

fresco: stoffa di lana particolarmente leggera per abiti estivi;

merino: stoffa di lana merino;

panno: stoffa di lana cardata, pesante, pelosa, per cappotti, abiti pesanti, tappeti da biliardo e sim. (*est.*);

bigello: panno grossolano a pelo lungo di color bigio;

cilicio: panno ruvido e grossolano di pelo di capra;

fustagno: panno di poco pregio, per lo più di cotone, con una faccia vellutata e l'altra no;

lenci: panno di cotone molto compatto in vasta gamma di colori per la fabbricazione di bambole, fiori artificiali, cuscini;

pannolenci;

loden: panno piuttosto pesante, fortemente follato e a pelo lungo e disteso, reso impermeabile con particolari trattamenti;

pettinato: stoffa di lana ottenuta con filati pettinati;

orbace: stoffa di lana grezza fatta a mano, tipica della Sardegna, usata spec. per i costumi locali;

shetland: stoffa ruvida e pelosa, ricavata dalla lana di pecora delle omonime isole britanniche;

tartan: stoffa di lana a quadri larghi di vario colore, usata specialmente nella confezione dei kilt scozzesi;

duvetina: stoffa leggera, generalmente di lana, molto morbida;

grisaille: stoffa, spec. di lana, di filati grigi, o bianchi e neri con effetto di grigio;

gabardine: stoffa di lana o cotone lavorata a sottile diagonale o a minuta spina di pesce;

jersey: stoffa a maglia, spec. di lana;

flanella: stoffa di lana o cotone a trama piuttosto rada, non rasata dal diritto;

lanetta: stoffa mista, di lana e cotone;

angora: stoffa di lana di capre o di conigli mista a lana di pecora;

tweed: stoffa sportiva in lana a grossa trama, solitamente a due colori, fabbricata in Scozia;

pannolano: stoffa di lana morbida e fitta, usata spec. per coperte;

pannilano;

seta: stoffa ottenuta dalla fibra omonima;

mussola: stoffa trasparente di seta, lana o cotone;

chiffon: stoffa leggerissima e trasparente, di seta o di fibre sintetiche;

faglia: stoffa di seta a coste fortemente rilevate;

faille;

moire: stoffa di seta a riflessi cangianti, che presenta marezzatura;

broccato: stoffa di seta pesante a ricci o brocchi, talvolta con fili d'oro e d'argento;

brillantino: stoffa operata in lucido di seta o fibra artificiale;

lampasso: stoffa di seta originaria della Cina, a grandi disegni colorati su fondi cupi;

shantung: stoffa di seta originaria della Cina, con superficie ineguale;

damasco: stoffa di seta lavorata a fiorami su un fondo di egual colore;

broccatello: stoffa damasco a disegni satinati;

imprimé: stoffa di seta o cotone stampata a colori;

surah: stoffa molto morbida, in seta o cotone;

taffettà: stoffa di seta o di fibra artificiale, frusciante e molto compatta;

georgette: stoffa di seta o di lana, di aspetto rugoso;

voile: stoffa trasparente, molto leggera, di seta o cotone, o fibra sintetica usata per tende, filtri, vesti femminili;

crêpe de Chine: stoffa di seta ottenuta da un filato estremamente ritorto;

cotone: stoffa ricavata dalla fibra del cotone;

opalina: stoffa di cotone leggera e semitrasparente;

bordatino: stoffa di cotone forte, a righe sottili, adatta spec. per grembiulini;

piqué: stoffa di cotone di due tessuti applicati uno sull'altro e uniti da punti che formano disegni in rilievo;

millerighe: piqué con disegno a linee molto fitte;

cretonne: stoffa di cotone, stampata a colori vivaci, usata spec. per tappezzerie;

indiana: stoffa di cotone stampata a vivaci colori per abiti e tappezzerie;

garza: stoffa rada e leggera di cotone, usata spec. per bende e tendaggi;

spugna: stoffa di cotone soffice e porosa, usata spec. per accappatoi da bagno e asciugamani;

organza: stoffa leggera di cotone, più fine della mussola, usata spec. per abiti femminili e guarnizioni;

oxford: stoffa di cotone, usata spec. per camicie da uomo;

percalle: stoffa di cotone molto leggera, per grembiuli, vestaglie, camicie da uomo;

tarlatana: stoffa di cotone molto leggera e apprettata;

ghinea: stoffa di cotone grossolana spec. per lenzuola;

giaconetta: stoffa leggerissima di cotone, molto apprettata e rigida;

teletta: stoffa di cotone rada molto resistente;

satin: stoffa di cotone che imita all'apparenza e al tatto la seta;

rigatino: stoffa di cotone a righe

minute per grembiuli;

madras: stoffa leggera e trasparente di cotone a righe o quadrati di colori vivaci, di origine indiana; usata per abbigliamento o arredamento;

ciniglia: stoffa di cotone fatta con un filato a cordoncino morbido o peloso;

calicot: stoffa di cotone stampata proveniente dall'India;

calicò;

cambrì: stoffa di cotone finissima usata per biancheria;

carolina: stoffa di cotone per grembiuli, a disegni minuti, a righe o a riquadri;

denim: stoffa molto robusta di cotone ritorto, generalmente azzurro scuro, usata per tute da lavoro e per i jeans;

nanchino: stoffa di cotone chiara e leggera, usata per abiti estivi;

zefir: stoffa di cotone particolarmente delicata e leggera;

stamigna: stoffa di cotone a tela rada ma resistente;

lino: stoffa ottenuta dalla fibra omonima;

bisso: stoffa di lino, rada e sostenuta, per ricamo;

fiandra: stoffa di lino, usata spec. per tovaglioli;

batista: stoffa di lino o cotone con armatura a tela, assai fine;

*tela: stoffa di lino, cotone o canapa a tessitura classica;

linone: stoffa finissima di lino;

canapa: stoffa ruvida ottenuta con la fibra omonima;

acetato: stoffa di acetato di cellulosa usata spec. per abiti estivi e capi sportivi;

viscosa: stoffa ottenuta da una soluzione di cellulosa, usata spec. per abiti estivi e camicette;

lurex: stoffa dall'aspetto metallico e lucente, usata spec. per abiti da sera;

poliestere: stoffa leggera e resistente usata per molti capi di abbigliamento a basso costo;

canneté: stoffa con sottili coste in rilievo;

cerato: stoffa apprettata con sostanze cerose;

chintz: stoffa resa lucida da uno speciale finissaggio;

ciré: stoffa trattata con sostanze cerose lucida e liscia solo su una fac-

cia;

rasato: stoffa liscia, lucente come il raso;

reps: stoffa pesante a coste rilevate;

vergatino: stoffa a righe sottili e di colore diverso;

foulard: stoffa leggera di seta, cotone, fibre artificiali, usata per fazzoletti, fodere, vestaglie, cravatte;

gobelin: stoffa ad arazzo intrecciata a mano, di alto pregio;

mussola: stoffa trasparente di seta, lana o cotone;

popeline: stoffa di qualsiasi fibra caratterizzata dall'ordito più fine della trama;

ragnatela: stoffa molto leggera;

raso: stoffa di qualsiasi fibra caratterizzata dall'intreccio minimo dei fili, per cui la stoffa prende aspetto liscio e lucente;

tulle: stoffa finissima a velo, i cui fili sottili di cotone, seta o nailon formano una rete di maglie poligonali;

velo: stoffa finissima e trasparente, di cotone, seta o altra fibra;

crespo: stoffa fino di seta, lana e sim. ondulata e granulosa;

felpa: stoffa morbida di lana, cotone o altre fibre, pelosa solo su una faccia;

velluto: stoffa di seta, cotone, lana o fibra artificiale, che presenta su una delle due facce una superficie pelosa;

matelassé: stoffa di lana o seta, o altre fibre leggermente imbottita e trapuntata usata per vestaglie e coperte.

stoicaménte *avv.* coraggiosamente, eroicamente.

stoino *s. m.* **1** stuoia, zerbino **2** (*gener.*) tappeto.

stòla *s. f.* scialle, sciarpa.

stolidézza *s. f.* scemenza, stupidaggine, cretineria, idiozia, imbecillità **CONTR.** acume, intelligenza, vivacità, perspicacia.

stolidità *s. f. inv.* ottusità, stupidità.

stòlido A *agg.* tonto, sciocco, imbecille, ottuso, duro **CONTR.** furbo, intelligente **B** *s. m.* (*f. -a*) cretino, stupido.

stoltaménte *avv.* stupidamente, insensatamente, scioccamente, ottusamente **CONTR.** acutamente, furba-

mente, sagacemente, accortamente.

stoltézza *s. f.* scemenza, imbecillità, stupidità, idiozia, demenza, cretineria, dissennatezza **CONTR.** saviezza, scaltrezza, intelligenza, acume.

stòlto A *agg.* **1** [*rif. a una persona*] scriteriato, stupido, imbecille, grullo, tonto **CONTR.** accorto, astuto, dritto **2** [*rif. a un discorso, a un modo*] insensato, illogico **CONTR.** coerente **B** *s. m.* (*f. -a*) stupido, idiota, cretino, citrullo, tordo (*fig.*).

stomacàre A *v. tr.* disgustare, nauseare, saziare **B** *v. intr. pron.* disgustarsi, nausearsi, schifarsi.

stomacàto *part. pass.; anche agg.* nauseato, disgustato, schifato.

stomachévole *agg.* disgustoso, nauseante, schifoso.

stòmaco *s. m.* **1** sacco **2** (*est.*) coraggio, animo.

stonàre *v. intr.* **1** discordare, dissonare, non armonizzare, sconvenire **2** [*detto di nota*] (*mus.*) crescere (*gerg.*).

stonàto *part. pass.; anche agg.* **1** [*rif. al suono*] disarmonico **CONTR.** armonioso, armonico **2** [*rif. a un elemento*] inopportuno.

stonatùra *s. f.* errore.

stop *inter.* break (*ingl.*), pausa.

stòrcere *v. tr.* **1** distorcere **2** (*med.*) lussare, distarticolare.

stordiménto *s. m.* **1** turbamento, confusione, intontimento, annebbiamento, smarrimento, ottundimento, disorientamento, frastornamento, intronamento **CONTR.** calma, serenità **2** sbigottimento, sbalordimento **3** ebbrezza.

stordire *v. tr.* **1** tramortire **2** narcotizzare **3** [*detto di alcool, di successo, etc.*] dare alla testa **4** [*qc.*] (*est.*) confondere, disorientare, frastornare, intontire, istupidire, rintronare, inebetire, sbalordire.

stordito A *part. pass.; anche agg.* **1** frastornato, intontito, inebetito, rintronato, sconvolto **CONTR.** lucido, presente **2** (*est.*) turbato, confuso **3** (*fig.*)

ubriaco, sbronzo, ebbro **B** s. m. (f. -a) sconsiderato, irresponsabile, sventato.

stòria s. f. **1** [tipo di] storiografia **2** [dell'autore] biografia **3** [in senso romanzesco] favola, leggenda, saga **4** [di fatti avvenuti] narrazione, racconto, cronaca **5** [amorosa] (est.) vicenda, relazione **6** favola, faccenda, questione **7** favola, scusa, balla (volg.), bugia, pretesto, bubbola **8** (pop.) zuppa, musica, solfa, tiritera, menata **9** [spec. al pl.] vicissitudine.

stòrico A agg. **1** del passato **2** reale, vero **B** s. m. (f. -a) storiografo.

stòrie s. f. pl. cerimonie, convenevoli, smancerie.

storiografia s. f. (gener.) storia.

storióne s. m. (gener.) pesce.

stormire v. intr. frusciare, crepitare, rumoreggiare (est.), mormorare, sussurrare.

stòrmo s. m. **1** [di uccelli] volo, volata, nugolo, nube (fig.), nuvola (fig.) **2** [di persone] gruppo, branco, moltitudine.

stornàre v. tr. **1** sviare, distogliere, fuorviare, distrarre **2** dissuadere **3** [un assegno] trasferire, girare **4** [un colpo] parare.

stórno (1) s. m. (gener.) uccello.

stórno (2) s. m. [di denaro, etc.] distrazione.

stòrpio A agg. deforme, sciancato, malformato, malfatto **CONTR.** ben fatto **B** s. m. (f. -a) invalido.

stòrto A agg. **1** curvo, sghembo, piegato, arcuato, torto **CONTR.** dritto **2** [rif. a una interpretazione, etc.] sbagliato **CONTR.** esatto **3** [rif. a idee, a scritti] (fig.) contorto **B** avv. **1** obliquamente **2** [rif. al guardare] biecamente, di sbieco, torvamente, minacciosamente, ostilmente **CONTR.** benevolmente, bonariamente, dolcemente.

stoviglie s. f. pl. **1** vasellame, terraglie **2** [tipo di] piatto, bicchiere, tazza, ciotola, coppa, scodella, fondina, boccale, chicchera.

strabiliànte part. pres.; anche agg. **1** inverosimile, incredibile, inaudito **CONTR.** normale, ordinario, banale **2** (est.) favoloso, fantastico, meraviglioso **CONTR.** banale **3** (fig.) cinematografico.

strabiliàre A v. tr. meravigliare, stupire, sbalordire, abbacinare **B** v. intr. stupefarsi, sbigottirsi.

straboccàre v. intr. prorompere, traboccare.

stràcca s. f. sing. stanchezza.

stracciàre A v. tr. sbrindellare, strappare, lacerare, dilaniare (fig.), straziare (fig.), sbranare (fig.), sbrandellare (fig.), rompere **B** v. intr. pron. rompersi.

stracciàto part. pass.; anche agg. **1** lacerato, strappato **2** [rif. al prezzo] esiguo, basso **CONTR.** alto.

stràccio s. m. **1** strofinaccio, cencio, drappo, panno, pezza **2** [rif. agli abiti] cencio **3** [rif. a una persona] (fig.) strofinaccio, cencio.

straccióne s. m. (f. -a) **1** pezzente, barbone, poveraccio, miserabile **2** sciattone, sbrindellone **CONTR.** damerino, figurino.

straccivéndolo s. m. (f. -a) rigattiere.

stràcco agg. (pl. m. -chi) fiacco, stanco, esausto.

stràda s. f. **1** [per raggiungere un luogo] via, cammino, percorso **2** [tipo di] viale, corso, sentiero, viottolo, calle (ven.), carruggio (genov.), mulattiera, autostrada, arteria, vicolo, vico, viuzza, camionabile, chiasso **3** [spec. con: fare] (est.) carriera, fortuna **4** solco, apertura, passaggio, varco **5** [spec. con: scegliere una] (est.) condotta, comportamento, contegno **6** [per ottenere q.c.] (est.) sistema, mezzo, modo, maniera **7** [spec. in loc.: trovarsi in, sulla] (est.) miseria **8** (est.) viaggio.

strafalcióne s. m. sproposito, errore.

strafottènte A agg. tracotante, arrogante, sfacciato, prepotente **CONTR.** timido, timoroso, rispettoso **B** s. m. e f. impertinente, sfacciato.

stràge s. f. **1** [di persone] massacro, eccidio, sterminio, carneficina, macello, ecatombe, genocidio **2** [di cose] scempio, rovina, distruzione **3** (est.) mare (fig.), mucchio, enormità.

stràlcio s. m. passo, brano, frammento, squarcio.

stràle s. m. saetta, dardo, freccia.

stramazzàre v. intr. cadere, cascare, crollare, piombare, precipitare.

strambaménte avv. bizzarramente, stranamente **CONTR.** regolarmente, giudiziosamente.

stramberia s. f. stravaganza, stranezza, bizzarria, pazzia **CONTR.** normalità.

stràmbo agg. stravagante, strano, bizzarro, bislacco, buffo, squilibrato (est.), spostato (est.), picchiato (est.) **CONTR.** normale, posato, serio.

stràme s. m. foraggio, lettiera, letame, lettime.

strampalàto agg. [rif. alle idee] peregrino, balzano, bislacco, strano **CONTR.** assennato, saggio, serio.

stranaménte avv. **1** bizzarramente, curiosamente, eccentricamente, strambamente **CONTR.** saviamente, giudiziosamente **2** impensabilmente, inconsuetamente, sorprendentemente.

stranézza s. f. **1** anomalia, novità (est.), curiosità (est.), capriccio (est.) **2** (est.) bizzarria, stravaganza, estrosità, eccentricità, stramberia, pazzia, originalità, anormalità **CONTR.** normalità, quotidianità, banalità.

strangolaménto s. m. **1** soffocamento, strozzamento **2** strozzatura.

strangolàre A v. tr. **1** soffocare, strozzare, impiccare **2** (gener.) (est.) uccidere, ammazzare **3** [una rivolta, etc.] stroncare, reprimere **B** v. rifl. **1** impiccarsi, appiccarsi (raro) **2** (gener.) suicidarsi, ammazzarsi, uccidersi.

straniàre v. rifl. estraniarsi, alienarsi, allontanarsi.

stranièro A agg. **1** [rif. a un paese] estero, forestiero **CONTR.** natale, nativo, natio (*lett.*) **2** [*rif. a una persona*] (*fig.*) forestiero, estraneo, alieno (*est.*), allogeno (*colto*) **CONTR.** aborigeno, nativo **B** *s. m.* (*f. -a*) **1** barbaro, forestiero, allogeno (*colto*) **CONTR.** aborigeno, indigeno, autoctono **2** (*est.*) immigrato **3** (*est.*) nemico **4** [*ih epoca latina*] gentile.

stranito *agg.* frastornato, inebetito, intontito, turbato, stupito (*est.*) **CONTR.** lucido, presente, consapevole.

stràno *agg.* **1** insolito, inusitato, peregrino, originale, nuovo **CONTR.** normale, banale, consueto, solito **2** diverso **CONTR.** normale, consueto, solito **3** [*rif. al comportamento*] imprevedibile **CONTR.** prevedibile, consueto, solito **4** [*rif. a una persona*] strambo, bislacco, curioso, pazzo, singolare, bizzarro, buffo, capriccioso, eccentrico, tocco (*fam.*) **CONTR.** normale, banale **5** [*rif. a un avvenimento*] inverosimile **CONTR.** normale, consueto, solito **6** [*rif. a un argomento*] cervellotico, astruso **CONTR.** normale, banale.

straordinariaménte *avv.* eccezionalmente, favolosamente, meravigliosamente, sommamente, oltremodo, formidabilmente, incomparabilmente, incredibilmente, inconsuetamente, indescrivibilmente, clamorosamente, indicibilmente, magicamente, paurosamente, pazzescamente, strepitosamente, stupendamente **CONTR.** abitualmente, usualmente, comunemente, banalmente, ordinariamente.

straordinàrio A *agg.* **1** prodigioso, miracoloso, insolito, disusato, diverso, inaudito, inconsueto, pazzesco (*est.*), fenomenale **CONTR.** abituale, consueto, ovvio **2** prodigioso, fenomenale, indicibile, eclatante, singolare, eccezionale, formidabile, meraviglioso, mirabile, favoloso **3** indicibile, eclatante, grande, mondiale, atomico, smisurato, divino (*fig.*) **4** spaventoso, terribile, infernale, pauroso **5** [*rif. a un'impresa*] fenomenale, leggendario, memorabile, sensazionale, mitico **B** *s. m.* (*f. -a*) [*rif. al lavoro*] extra.

straparlàre *v. intr.* **1** cianciare **2** sproloquiare, vaneggiare, sragionare, farneticare.

strapazzàre A *v. tr.* **1** maltrattare, bistrattare, malmenare, scardassare

(*fig.*), tartassare **2** sgridare, rimproverare, rabbuffare, rampognare, redarguire **3** [*un oggetto*] maltrattare, bistrattare, rimenare (*fam.*) **B** *v. rifl.* faticare.

strapàzzo *s. m.* **1** fatica, sforzo **2** stravizio.

strapièno *agg.* traboccante, rigurgitante, gonfio, colmo, ridondante **CONTR.** vuoto.

strapiombàre *v. intr.* pendere.

strapiómbo *s. m.* baratro, burrone, forra, precipizio.

strappàre A *v. tr.* **1** sradicare, svellere, divellere, staccare **CONTR.** ficcare, infiggere, piantare **2** [*q.c. di mano a qc.*] levare, togliere **3** [*un dente*] estirpare, asportare, cavare **4** [*un libro, un abito, etc.*] stracciare, sbranare (*fig.*), sbrindellare, lacerare, sbrandellare, dilaniare (*fig.*), straziare (*fig.*), rompere **5** [*una promessa, etc.*] (*est.*) estorcere, riuscire ad ottenere **6** [*un segreto*] (*est.*) estorcere, carpire, ghermire **7** [*una ricompensa; tempo*] (*fig.*) beccare, rosicare **8** [*applausi, fischi, etc.*] (*est.*) provocare, suscitare **9** [*qc. da altro*] allontanare **10** [*la crosta, l'involucro*] rimuovere **B** *v. intr. pron.* lacerarsi, tagliarsi, squarciarsi, rompersi, scucirsi.

strappàto *part. pass.; anche agg.* **1** divelto **2** [*rif. a una stoffa*] stracciato, rotto, lacerato.

stràppo *s. m.* **1** lacerazione, rottura, squarcio, spacco **2** [*alla regola*] (*est.*) infrazione, eccezione **3** [*muscolare*] (*est.*) stiramento **4** [*al cuore*] (*est.*) schianto **5** (*est.*) tirata, strattone **6** [*in macchina, etc.*] (*est.*) passaggio.

straripàre *v. intr.* **1** traboccare, tracimare, rigurgitare, dilagare, prorompere, riboccare **2** traboccare, ridondare, abbondare, sovrabbondare.

strascicàre *v. tr.* **1** trascinare **2** [*i tempi*] (*est.*) dilazionare.

stràscico *s. m.* (*pl. -chi*) **1** [*negli abiti*] (*fig.*) coda **2** [*di persone*] codazzo (*spreg.*), seguito, corteo, accompagnamento **3** [*di cose spiacevoli*] (*est.*) segno, traccia, conseguenza, continuazione, postumo **4** [*spec. al pl.*] (*fig.*) frangia (*pl.*).

strascinàre *v. tr.* trainare.

strass *s. m. inv.* vetro, cristallo.

stratagèmma *s. m.* espediente, accorgimento, invenzione, astuzia, artificio, inganno (*est.*), tranello (*est.*), trappola (*est.*), mezzuccio (*est.*), inghippo.

strategia *s. f.* (*fig.*) disegno **CONTR.** tattica.

stratigrafia *s. f.* (*med.*) tomografia.

stràto *s. m.* **1** sfoglia, pellicola, film, foglio, patina **2** mano (*fig.*), vernice (*est.*), velo, passata, superficie (*est.*) **3** [*spec. al pl. con: disporre q.c. a*] suolo (*pop.*), piano, palco **4** classe, ceto, casta **5** [*di neve, di ghiaccio*] (*fig.*) coltre, manto, tappeto.

strattóne *s. m.* tirata, strappo.

stravagànte A *agg.* originale, fantasioso, bizzarro, bislacco, lunatico, chimerico, pazzo, balordo, matto, audace, toccato, paradossale, strambo, tocco **CONTR.** banale, ordinario **B** *s. m.* e *f.* eccentrico, originale.

stravagànza *s. f.* bizzarria, stranezza, eccentricità, originalità, stramberia, pazzia **CONTR.** normalità, semplicità.

straviziàre *v. intr.* bagordare, bisbocciare, fare bagordi, fare baldoria, fare bisboccia, fare gozzoviglie, gozzovigliare.

stravìzio *s. m.* **1** baldoria, bagordo, baccanale (*lett.*), crapula (*raro*), gozzoviglia **2** eccesso, disordine, strapazzo.

stravòlgere *v. tr.* **1** [*il viso, etc.*] alterare, sfigurare **2** [*l'animo*] turbare, agitare **3** [*la vita*] rivoluzionare **4** [*la verità*] distorcere, travisare **5** [*la situazione, etc.*] (*fig.*) invertire, rovesciare.

stravolgiménto *s. m.* **1** travisamento **2** falsificazione, alterazione, deformazione **3** turbamento.

stravòlto *part. pass.; anche agg.* [*rif. a uno stato d'animo*] turbato, alterato, sconvolto **CONTR.** quieto.

straziànte *part. pres.; anche agg.* dilaniante, insopportabile, acuto, profondo, tremendo, terribile.

straziàre v. tr. 1 [un corpo] dilaniare, sbranare, lacerare 2 [qc.] tormentare, torturare, brutalizzare, martoriare 3 [l'animo] (fig.) ferire, ulcerare (raro), limare 4 [un libro, un abito] strappare, stracciare.

stràzio s. m. 1 [rif. a uno stato d'animo] (fig.) lacerazione, tormento, tortura, supplizio 2 [rif. a un corpo] scempio 3 [rif. a cose, a oggetti] sciupio, spreco 4 [rif. a uno spettacolo, a una persona] (est.) noia, seccatura, fastidio.

strèga s. f. (pl. -ghe) 1 maga, fattucchiera CONTR. fata 2 [rif. a una donna brutta] befana CONTR. madonna, sirena 3 seduttrice.

stregàre v. tr. 1 fatturare 2 [qc.] ammaliare, incantare, sedurre, fare innamorare 3 [detto di libro, di spettacolo] attrarre, avvincere.

stregóne s. m. 1 sciamano, mago (est.), negromante (est.) 2 (est.) santone, guaritore.

stregoneria s. f. incantesimo, sortilegio, fattura, magia.

stremàre A v. tr. 1 sfinire, fiaccare, sfiancare, sfibrare, esaurire, svigorire, debilitare, indebolire, massacrare (fig.), prostrare 2 [un terreno, etc.] sfibrare, esaurire, indebolire, depauperare B v. rifl. fiaccarsi, indebolirsi, sfinirsi.

stremàto part. pass.; anche agg. esausto, estenuato, sfinito, spossato, debilitato, sfatto (fam.), stanco, tronco (fig.) CONTR. fresco, riposato.

strenuaménte avv. 1 coraggiosamente, valorosamente, audacemente, arditamente, intrepidamente CONTR. svogliatamente, fiaccamente 2 fino in fondo, fino all'ultimo.

strepitàre v. intr. 1 gridare, sbraitare, ragliare (fig.), ruggire (fig.), garrire (fig.), gracchiare (fig.), starnazzare (fig.) 2 rumoreggiare, schiamazzare 3 (est.) protestare 4 rombare.

strèpito s. m. baccano, schiamazzo, frastuono, chiasso, rombo, urlo, chiassata, clamore, rumore.

strepitosaménte avv. 1 clamorosamente CONTR. silenziosamente, tacitamente 2 clamorosamente, eccezionalmente, straordinariamente CONTR. banalmente, ordinariamente.

strepitóso agg. 1 [rif. alla gloria, alla bellezza, etc.] eclatante, eccezionale, enorme, grandioso CONTR. modesto, scarso 2 [rif. a un rumore] eclatante, rumoroso, chiassoso CONTR. silenzioso.

stress s. m. inv. tensione, logorio CONTR. calma, serenità.

stressànte part. pres.; anche agg. logorante CONTR. distensivo, rilassante, ristoratore.

strétta s. f. 1 pressione, abbraccio, amplesso (lett.) 2 [su qc., su q.c.] (est.) morso (fig.), presa 3 [rif. a un passaggio] gola, strettoia 4 [economica] strozzatura 5 [rif. alla folla] (est.) calca, assedio 6 [in una fase negoziale] (est.) conclusione 7 [di cuore] (est.) turbamento, fitta 8 [spec. al pl. con: trovarsi alle] bisogno.

strettaménte avv. 1 limitatamente, ristrettamente CONTR. largamente, ampiamente 2 serratamente.

strettézza s. f. angustia CONTR. ampiezza, larghezza.

strétto A agg. 1 [rif. allo spazio] angusto, scarso, breve CONTR. largo, aperto, ampio, esteso, lato (lett.), immenso, infinito, dilatato, disteso, capiente, enorme, abbondante 2 [rif. a un parente, etc.] prossimo 3 [rif. a un abito] aderente CONTR. largo, ampio, abbondante, allentato, comodo 4 (fig.) avaro CONTR. largo 5 [rif. a un nastro] basso 6 [rif. all'amicizia, etc.] cementato (fig.) CONTR. allargato 7 [rif. al significato] intrinseco CONTR. traslato B s. m. strettoia.

strettóia s. f. 1 [rif. a un passaggio] stretta, gola, stretto (raro) 2 [rif. a una situazione] (est.) difficoltà, angustia.

stricnina s. f. (gener.) alcaloide, veleno.

stridènte part. pres.; anche agg. 1 [rif. al suono] stridulo, acuto CONTR. melodioso, soave 2 (est.) sgradevole.

stridere v. intr. 1 cigolare, scricchiolare 2 [detto di animali] fischiare, frinire, garrire (raro), rumoreggiare, strillare 3 [detto di marcia di autoveicolo] grattare, crosciare 4 [detto di colori] (est.) contrastare.

stridulaménte avv. acutamente, cacofonicamente (est.).

stridulo agg. 1 [rif. al suono] stridente, aspro, acuto CONTR. melodioso, fesso, sordo 2 (est.) sgradevole.

strigliàre v. tr. 1 [il cavallo, etc.] pulire, pettinare (est.), spazzolare 2 [qc.] (est.) rampognare, richiamare, rimproverare, sgridare.

strillàre v. intr. gridare, urlare, sbraitare, blaterare, stridere (lett.).

strillo s. m. 1 grido, urlo, acuto (est.) 2 (gener.) suono.

strimpellàre v. tr. suonare, grattare (fig.).

strinàre A v. tr. bruciare, avvampare B v. intr. pron. bruciarsi.

stringa s. f. (pl. -ghe) 1 laccio, nastro (est.) 2 [di caratteri] (elab.) sequenza.

stringataménte avv. brevemente, succintamente, concisamente, compendiosamente, laconicamente, in poche parole CONTR. lungamente, distesamente, dettagliatamente, ampollosamente, facondamente, retoricamente.

stringatézza s. f. concisione, essenzialità, laconicità, compendiosità, sinteticità, brevità, asciuttezza CONTR. verbosità, prolissità, loquacità, loquela, facondia.

stringàto part. pass.; anche agg. conciso, sintetico, succinto, compendioso, laconico, breve, serrato (est.), nervoso (est.) CONTR. ampio, ampolloso, diffuso, tronfio (est.).

stringere A v. tr. 1 [q.c. tra le mani] impugnare saldamente, serrare, impugnare, brandire (lett.), tenere, afferrare (est.), tenere in mano, tenere tra le mani CONTR. lasciare, mollare 2 [qc. o q.c. tra le braccia] avviluppare, abbracciare, avvinghiare 3 [il tappo, la cintura] avvitare, legare, allacciare, annodare CONTR. sciogliere, slegare **4** [*un accordo*] (*est.*) concludere, stipulare CONTR. sciogliere **5** [*detto di veste, di scarpe, etc.*] strizzare, comprimere, premere, opprimere **6** [*la città*] cingere, circondare **7** [*una salsa, etc.*] condensare, coagulare CONTR. sciogliere, disciogliere **8** [*gli occhi*] strizzare, contrarre, socchiudere CONTR. allargare **9** [*un racconto*] (*est.*) riepilogare, riassumere, abbreviare, venire al dunque, venire al sodo (*fam.*) **B** v. intr. [*detto di tempo, etc.*] incalzare, premere **C** v. intr. pron. **1** [*detto di liquidi, etc.*] cagliarsi, coagularsi, rapprendersi **2** [*detto di vestito, etc.*] rimpicciolirsi, deformarsi CONTR. allargarsi **D** v. rifl. rec. avvinghiarsi, abbracciarsi, allacciarsi, avvincersi **E** v. rifl. accostarsi, avvicinarsi, raccogliersi.

strip s. m. inv. striscia, comics (*ingl.*), fumetto.

strippàta s. f. scorpacciata, mangiata, abbuffata (*pop.*).

striscia s. f. **1** [*di territorio*] lembo, lingua (*fig.*), tratto, fascia (*fig.*), zona **2** traccia (*est.*), riga, solco **3** (*est.*) comics (*ingl.*), strip (*ingl.*), fumetto **4** [*di tessuto, di carta, etc.*] lista, banda **5** [*di luce*] fascio, raggio.

strisciàre A v. tr. **1** [*i piedi*] strofinare **2** [*un muro, etc.*] rasentare, sfiorare **B** v. intr. (*est.*) umiliarsi CONTR. montarsi, insuperbire.

stritolàre A v. tr. **1** rompere, sminuzzare, frantumare, schiacciare, macinare, maciullare, polverizzare, sbriciolare **2** disintegrare, distruggere, infrangere (*raro*), sfracellare **B** v. intr. pron. infrangersi, sbriciolarsi, spezzarsi.

strizza s. f. paura, fifa (*fam.*), terrore, panico.

strizzàre v. tr. **1** premere, stringere **2** [*gli occhi*] stringere, contrarre.

strofinàccio s. m. **1** cencio, straccio **2** [*da cucina*] drappo, canovaccio.

strofinàre A v. tr. **1** sfregare, fregare, strusciare, frisare, lisciare, passare, strisciare **2** (*est.*) massaggiare, frizionare **B** v. rifl. **1** strusciarsi, fregarsi, sfregarsi **2** (*est.*) adulare, incensare.

strofinàto part. pass.; anche agg. [*rif. all'occhio*] stropicciato.

strofinìo s. m. attrito.

strombazzàre v. tr. sbandierare, propagare.

stroncàre A v. tr. **1** [*un albero, etc.*] spezzare, troncare, schiantare **2** [*una vita*] (*fig.*) spezzare, mietere **3** [*un lavoro*] (*est.*) criticare, demolire (*fig.*) **4** [*una rivolta, etc.*] (*est.*) domare, reprimere, strangolare (*fig.*), soffocare (*fig.*) **B** v. intr. pron. rompersi, spezzarsi.

stroncàto part. pass.; anche agg. **1** demolito, distrutto **2** [*rif. a un'opera d'arte*] (*fig.*) demolito, distrutto, criticato CONTR. apprezzato, lodato **3** [*rif. a un moto, a un movimento*] soffocato **4** ucciso, ammazzato.

stronzàta s. f. stupidata, stupidaggine, cretinata, cacca (*fig.*), cattiveria, canagliata, vigliaccata, carognata, cretineria, puerilità, iniquità.

strónzo s. m. (f. -a) carogna (*fig.*), mascalzone, gaglioffo, manigoldo, canaglia.

stropicciàre v. tr. **1** sfregare, massaggiare **2** ammaccare, spiegazzare (*est.*), gualcire, sgualcire, cincischiare.

stropicciàto part. pass.; anche agg. **1** [*rif. a un abito*] sgualcito, stazzonato, spiegazzato CONTR. stirato **3** (*dial.*) strofinato.

stròzza s. f. gola.

strozzaménto s. m. strangolamento, soffocamento.

strozzàre v. tr. **1** strangolare, soffocare **2** (*gener.*) uccidere **3** [*un tubo, un condotto*] (*est.*) ostruire, occludere, otturare.

strozzatùra s. f. **1** soffocamento, strangolamento **2** [*in strade, in tubature, etc.*] restringimento, riduzione **3** [*economica*] stretta.

strozzinàggio s. m. **1** usura **2** (*est.*) furto, ladrocinio.

strozzino s. m. **1** usuraio **2** sfruttatore, profittatore, speculatore.

struccàre A v. tr. pulire, detergere CONTR. truccare, dipingere (*est.*) **B** v. rifl. pulirsi, detergersi CONTR. truccarsi, dipingersi (*scherz.*), imbellettarsi.

struggènte part. pres.; anche agg. **1** [*rif. all'amore*] tormentoso, doloroso **2** [*rif. allo sguardo*] languido.

strùggere A v. tr. **1** liquefare, squagliare, stemperare, disfare, fondere **2** (*est.*) tormentare, estenuare **B** v. intr. pron. **1** [*detto di burro, di cera, etc.*] fondersi, disfarsi, disciogliersi, colare (*est.*) **2** [*moralmente*] (*est.*) torturarsi, rodersi, friggere (*fig.*), divorarsi **3** [*fisicamente, moralmente*] (*est.*) logorarsi, consumarsi (*fig.*), distruggersi (*fig.*), estenuarsi, languire **4** [*detto di passione, etc.*] (*fig.*) ardere, bruciare, vibrare.

struggiménto s. m. **1** ansia, angoscia, tormento, sofferenza, rodimento (*fig.*) **2** desiderio, nostalgia **3** languore.

strumentàre v. intr. e tr. arrangiare, armonizzare.

strumentàrio s. m. attrezzatura, equipaggiamento, arsenale (*iron.*).

struménto s. m. **1** utensile, arnese, attrezzo, congegno, apparecchio, dispositivo **2** (*est.*) mezzo, tramite, intermediario **3** [*tipo di*] chiave, macchina, segnalatore, tenaglia.

strusciàre A v. tr. strofinare, sfregare, fregare **B** v. rifl. strofinarsi, sfregarsi, fregarsi.

strùtto A s. m. **1** (*gener.*) grasso **2** sugna **B** part. pass.; anche agg. sciolto, liquefatto.

struttùra s. f. **1** costituzione, composizione **2** [*fisica*] costituzione, ossatura, corpo (*est.*), membratura, conformazione **3** [*di un'azienda, di un ente, etc.*] (*est.*) sistema, organizzazione, organismo, meccanismo (*fig.*) **4** [*della pelle, della carta, di un tessuto*] (*est.*) grana (*fig.*) **5** [*di un'opera d'arte*] (*est.*) architettura, forma **6** [*interna*] (*est.*) ossatura, intelaiatura, impalcatura, armatura, impianto **7** [*tipo di*] palazzo, edificio, ponte, diga **8** [*di un romanzo, di un film, etc.*] ossatura, orditura, schema.

strutturàre A v. tr. **1** organizzare, sistemare, ordinare, congegnare (*raro*) **2** [*un'azienda*] (*est.*) ridimensionare **B** v. intr. pron. **1** conformarsi **2** [*detto di organismo*] organizzarsi.

struziomimo s. m. (*gener.*) dinosauro.

stuccàre (1) v. tr. (*est.*) decorare.

stuccàre (2) v. tr. saziare, nauseare, stancare.

stuccatóre s. m. (f. *-trice*) decoratore.

stucchévole agg. dolciastro, sdolcinato, nauseante **CONTR.** piacevole, gradevole.

stùcco agg. (pl. m. *-chi*) noioso, sofistico.

studènte s. m. (f. *-essa*) scolaro, alunno, allievo, discepolo **CONTR.** maestro, docente, insegnante, professore.

studiàre A v. tr. **1** (*est.*) imparare, istruirsi **2** [*un problema*] esaminare, sviscerare, considerare, valutare **3** [*l'atteggiamento di qc.*] osservare, sorvegliare, spiare **4** [*una disciplina, un'arte*] coltivare (*fig.*) **5** [*la soluzione di problema*] indagare, investigare, ricercare **6** [*le parole i gesti di qc.*] soppesare **7** [*l'animo*] sondare **8** [*un documento, etc.*] consultare **9** [*usato con la prep. di e il verbo all'infinito*] cercare, escogitare, trovare, inventare, ideare, progettare, cercare **B** v. intr. pron. curarsi, ingegnarsi, industriarsi, sforzarsi.

studiatamènte avv. **1** affettatamente, ricercatamente **CONTR.** naturalmente **2** volutamente, intenzionalmente **CONTR.** involontariamente, spontaneamente.

studiàto part. pass.; anche agg. **1** meditato, approfondito **CONTR.** accidentale, fortuito **2** [*rif. all'atteggiamento*] affettato, manierato, ricercato, artificioso, manieroso, teatrale **CONTR.** estemporaneo, improvvisato **3** (*est.*) premeditato **CONTR.** inconscio, intuitivo, istintivo.

stùdio s. m. **1** indagine, analisi, ricerca, osservazione, esame **2** (*est.*) elaborato, monografia, dissertazione, saggio **3** [*di una costruzione, etc.*] progetto, disegno, preparazione, boz-

zetto, progettazione **4** [*tipo di*] atelier (*fr.*), ufficio, laboratorio, bottega, ambulatorio **5** sollecitudine, cura, diligenza **6** [*nel medioevo*] università, ateneo **7** (*gener.*) locale, vano, ambiente, stanza.

studióso A agg. **1** diligente, volenteroso, zelante **CONTR.** pigro, svogliato, negligente **2** zelante, premuroso, sollecito **CONTR.** negligente **B** s. m. (f. *-a*) cultore, ricercatore.

stufàre A v. tr. infastidire, seccare, annoiare, tediare, venire a noia a **B** v. intr. pron. tediarsi, annoiarsi, scocciarsi, stancarsi, seccarsi, infastidirsi.

stùfo agg. **1** (*fam.*) annoiato, tediato, seccato, scocciato **CONTR.** contento, allegro **2** (*fig.*) saturo, sazio.

stuòia s. f. **1** (*gener.*) tappeto **2** [*tipo di*] stoino, zerbino.

stuòlo s. m. schiera, moltitudine, folla, massa, mucchio, caterva, turba, sciame (*fig.*).

stupefacènte (1) agg. meraviglioso, stupendo.

stupefacènte (2) s. m. **1** droga, narcotico, sonnifero **2** [*tipo di*] eroina, hascisc, cocaina.

stupefàre A v. tr. meravigliare, sorprendere, sconcertare **B** v. intr. pron. stupirsi, meravigliarsi, sorprendersi, strabiliare, trasecolare.

stupefàtto part. pass.; anche agg. stupito, attonito, sorpreso, sbalordito, sbigottito, meravigliato **CONTR.** impassibile, indifferente.

stupendamènte avv. meravigliosamente, incantevolmente, straordinariamente **CONTR.** orrendamente.

stupèndo agg. **1** meraviglioso, mirabile **CONTR.** obbrobrioso, orribile, orripilante **2** (*fam.*) splendido, fantastico, inenarrabile.

stupidàggine s. f. **1** [*l'azione*] sciocchezza, stupidata, cretinata, stronzata (*volg.*), scemenza, scempiaggine, corbelleria (*tosc.*) **2** [*qualità intellettuale*] (*neg.*) sciocchezza, balordaggine, idiozia, stolidezza, puerilità, imbecillaggine **3** [*rif. a un regalo*] (*est.*) inezia, quisquilia, bazzecola **4** [*rif. a

una frase, etc.*] sproposito, bestialità, amenità **CONTR.** arguzia.

stupidamènte avv. scioccamente, ottusamente, stoltamente, idiotamente, balordamente, animalescamente **CONTR.** intelligentemente, saviamente, ingegnosamente, argutamente, acutamente, astutamente, furbamente, scaltramente.

stupidàta s. f. stronzata (*volg.*), stupidaggine, sciocchezza.

stupidità s. f. inv. **1** stoltezza, scemenza, imbecillità, idiozia, ottusità, torpore, cretineria, dissennatezza, dappocaggine **CONTR.** intelligenza, scaltrezza, furberia, astuzia, sagacia, saviezza, arguzia, acume, furbizia, perspicacia, ingegno **2** demenza, follia **CONTR.** assennatezza, equilibrio.

stùpido A agg. scemo, stolto, imbecille, cretino, fesso, demente, dissennato, ebete, citrullo, torpido (*fig.*), addormentato (*fig.*), gonzo (*pop.*), minchione **CONTR.** intelligente, aperto (*est.*), sveglio, pronto **B** s. m. (f. *-a*) cretino, imbecille, sciocco, coglione (*volg.*), stolto, pirla (*milan.*), bischero (*tosc.*), citrullo, deficiente, grullo (*tosc.*), fesso, tordo (*fig.*).

stupìre A v. tr. **1** sbalordire, sorprendere, sconcertare, strabiliare, meravigliare, incantare **2** abbagliare **3** impietrire **4** intontire, istupidire, disorientare **B** v. intr. **1** trasecolare, annichilire **2** farse specie **C** v. intr. pron. **1** meravigliarsi, sorprendersi, stupefarsi, essere meravigliato **2** disorientarsi.

stupìto part. pass.; anche agg. sorpreso, meravigliato, attonito, stupefatto, sbigottito, stranito, sbalordito.

stupóre s. m. **1** sbigottimento, sorpresa, meraviglia, sbalordimento **CONTR.** indifferenza, disinteresse, freddezza, noncuranza **2** [*spec. con: fare*] sensazione, specie (*raro*) **3** (*raro*) intontimento.

stupràre v. tr. violentare, deflorare, fare violenza a, violare.

stùpro s. m. violenza carnale.

sturàre A v. tr. **1** [*una bottiglia*] stappare, aprire **2** [*un condotto, una tubatura*] stasare, sgorgare, liberare, disintasare, spurgare **B** v. intr. pron. aprirsi, stapparsi **CONTR.** intasarsi, otturarsi.

stuzzicànte *part. pres.; anche agg.* allettante, invitante, invogliante, stimolante, appetitoso, tonico *(fig.)* **CONTR.** soporifero, noioso.

stuzzicàre *v. tr.* **1** irritare, provocare, indispettire, pizzicare *(fig.)* **CONTR.** pacare **2** [*l'appetito*] stimolare **3** [*l'amor proprio, etc.*] eccitare, solleticare.

su *A avv.* **1** lassù, sopra, in alto, in su, al piano superiore, dall'alto **CONTR.** giù, sotto, dabbasso, di sotto, in basso, inferiormente **2** addosso *B prep.* **1** sopra **CONTR.** giù, sotto, dabbasso, di sotto, in basso, inferiormente **2** addosso **3** [*rif. a un argomento*] intorno **4** [*rif. a un orario*] verso, intorno a, circa **5** [*rif. a una richiesta*] dietro.

suadènte *agg.* [*rif. al tono di voce*] insinuante, melato, vellutato **CONTR.** brusco, volgare.

sub *s. m. e f. inv.* sommozzatore.

subaltèrno *A agg.* dipendente, inferiore, soggetto, sottoposto, subordinato **CONTR.** principale *B s. m.* dipendente, gregario, sottoposto, subordinato, vassallo (*spreg.*), suddito (*spreg.*) **CONTR.** superiore, dirigente, capo, comandante, sovrano, sultano, caposquadra.

subbùglio *s. m.* scompiglio, baraonda, agitazione, confusione, disordine, trambusto, fermento, bordello (*pop.*), maretta (*fam.*) **CONTR.** calma, pace, tranquillità, ordine.

subdolaménte *avv.* ipocritamente, doppiamente, silenziosamente, chetamente, falsamente, viscidamente **CONTR.** francamente, lealmente.

sùbdolo *agg.* **1** falso, ingannevole, insincero, infido, doppio, obliquo (*est.*), tortuoso (*est.*) **CONTR.** diretto, franco, schietto **2** [*rif. al tono di voce*] *(fig.)* viscido, mellifluo, untuoso.

subentràre *v. intr.* **1** succedere **2** supplire *un*, sostituire *un*, rimpiazzare *un*.

subìre *v. tr.* **1** [*q.c. di doloroso*] patire, soffrire, passare **CONTR.** causare **2** [*un esame, angherie, etc.*] sottostare a

3 [*un'operazione, etc.*] sottostare a, sottoporsi a, affrontare **4** [*i torti*] *(fig.)* ingozzare, ingoiare **5** [*botte, insulti*] (*est.*) incassare, ricevere, prendersi **6** [*le conseguenze*] (*est.*) risentire, sentire.

subissàre *v. tr.* [*qc. di chiacchiere, etc.*] sommergere *(fig.)*, riempire *(fig.)*.

subìsso *s. m.* **1** rovina, sterminio, sfacelo **2** *(fig.)* scarica, valanga, rovescio, fracco (*pop.*), alluvione, caterva **3** [*di applausi, etc.*] *(fig.)* scoppio.

subitaneaménte *avv.* improvvisamente, all'improvviso, repentinamente **CONTR.** gradualmente, progressivamente.

subitàneo *agg.* **1** [*rif. a un moto, a un movimento*] repentino, improvviso, imprevisto, brusco **CONTR.** progressivo, graduale **2** [*rif. a una risposta*] immediato, istantaneo **CONTR.** intempestivo.

sùbito *avv.* istantaneamente, immediatamente, prontamente, rapidamente, presto, adesso, ora, direttamente **CONTR.** dopo, più tardi, intempestivamente, tardi.

sublimàre *v. tr.* elevare *(fig.)*, innalzare, esaltare, trasfigurare.

sublimazióne (1) *s. f. (psicol.)* compensazione.

sublimazióne (2) *s. f. (fis.)* purificazione (*est.*).

sublìme *A agg.* **1** divino, celeste, empireo (*lett.*) **2** [*rif. all'animo*] nobile, illustre, eccelso **CONTR.** basso, ignobile, abietto **3** [*rif. a una vetta, a una cima*] elevato **CONTR.** basso **4** [*rif. a una persona*] eccellente, insigne, sommo **CONTR.** ignobile, abietto *B s. m. sing.* sublimità.

sublimità *s. f. inv.* **1** [*qualità dell'animo*] elevatezza, nobiltà, altezza (*raro*) **CONTR.** bassezza, indegnità, meschinità, volgarità **2** [*rif. a un'opera d'arte*] magnificenza, grandiosità.

subodoràre *v. tr.* accorgersi *di*, fiutare *(fig.)*, odorare *(fig.)*.

subordinàre *v. tr.* condizionare, sottomettere.

subordinàto *A part. pass.; anche agg.* **1** disciplinato, ubbidiente, rispettoso **CONTR.** insubordinato, disubbidiente, indisciplinato, ribelle **2** inferiore, subalterno, soggetto **CONTR.** indipendente **3** (*ling.*) dipendente **CONTR.** principale *B s. m.* dipendente, subalterno, suddito, sottoposto **CONTR.** dirigente, capo, comandante, superiore.

subordinazióne *s. f.* **1** dipendenza, soggezione, servitù **CONTR.** libertà, autonomia, indipendenza **2** inferiorità **CONTR.** supremazia, superiorità **3** [*nelle proposizioni*] (*ling.*) dipendenza, ipotassi.

subornazióne *s. f.* **1** corruzione **2** (*est.*) istigazione, sobillazione, incitamento, sollecitazione.

subset *s. m. inv.* sottoinsieme.

subùrbio *s. m.* periferia, hinterland (*ted.*), cintura, dintorni **CONTR.** centro.

succedàneo *agg.; anche s. m.* surrogato, sostituto.

succèdere *A v. intr.* **1** subentrare, sostituire *un*, supplire *un* **2** sopraggiungere, sopravvenire, intervenire, avverarsi, avvenire, verificarsi, accadere, capitare, occorrere, effettuarsi, finire, andare (*fam.*), essere **3** [*nel tempo*] avere luogo, seguire **4** [*nello spazio*] (*raro*) seguire, tenere dietro *B v. intr. pron.* sfilare, susseguirsi, passare.

successióne *s. f.* **1** avvicendamento, rotazione, alternanza, ritmo *(fig.)* **2** [*di fatti, di eventi, etc.*] catena *(fig.)*, continuità, raffica *(fig.)*, sequela **3** [*di numeri, di valori*] serie, scala, sequenza **4** [*di alberi, etc.*] filare.

successivaménte *avv.* **1** poi, dopo, conseguentemente, dipoi, quindi, appresso **CONTR.** prima, precedentemente, antecedente, dapprincipio, dapprima **2** appresso, posteriormente **CONTR.** avanti.

successìvo *agg.* **1** seguente, conseguente **CONTR.** antecedente, precedente **2** posteriore, contiguo, altro.

succèsso *s. m.* **1** [*buono, cattivo*] esito, risultato, riuscita **2** (*ass.*) affermazione, vittoria, trionfo, ascesa *(fig.)*, boom (*ingl.*) **CONTR.** insuccesso, fallimento, sconfitta, sfortuna, smacco **3** popolarità (*est.*) **4** fortuna.

successóre *s. m.* (*f. succeditrice*) epigono (*colto*) CONTR. antenato.

succhiàre *v. tr.* **1** [*il latte*] suggere, poppare, tirare **2** [*detto di terreno*] assorbire **3** [*una bevanda*] sorbire.

succintaménte *avv.* brevemente, concisamente, sinteticamente, sommariamente, stringatamente, compendiosamente, laconicamente CONTR. estesamente, retoricamente, diffusamente.

succinto *agg.* **1** corto, breve, stringato, conciso, sintetico, compendioso, riassuntivo CONTR. diffuso, ampio **2** [*rif. a un abito*] corto CONTR. lungo.

sùcco *s. m.* (*pl. -chi*) **1** sugo, linfa **2** [*di uno scritto, di un discorso*] (*fig.*) essenza, nocciolo, sostanza **3** [*di frutta, etc.*] spremuta **4** (*gener.*) bevanda.

succóso *agg.* **1** sugoso **2** (*est.*) sostanzioso.

succursàle *s. f.* filiale, sportello, agenzia CONTR. centrale.

sud *s. m. inv.* mezzogiorno, meridione CONTR. settentrione, nord, levante, est, oriente, ovest, occidente, ponente.

sudàre A *v. intr.* **1** traspirare **2** (*est.*) sgobbare, sfacchinare, lavorare, fare fatica **3** (*est.*) penare **4** (*est.*) accaldarsi, scalmanarsi **5** (*est.*) bollire (*fig.*), avere caldo, fumare (*fig.*) **B** *v. tr.* **1** trasudare, grondare **2** [*il pane, etc.*] (*est.*) guadagnarsi.

sudàto *part. pass.; anche agg.* **1** bagnato **2** sofferto, patito, guadagnato.

sudditànza *s. f.* soggezione, servitù, servaggio, sottomissione, vassallaggio CONTR. signoria, sovranità, indipendenza, autonomia.

sùddito *s. m.* (*f. -a*) **1** dipendente, subalterno, subordinato, sottoposto CONTR. capo, padrone, superiore, dirigente, signore **2** vassallo CONTR. re, sovrano, sultano.

suddividere A *v. tr.* **1** dividere, frazionare, decomporre, partire (*raro*) spartire (*lett.*), ripartire, dispensare **3** (*est.*) lottizzare **4** (*est.*) rateare, rateizzare **5** (*est.*) distinguere, smistare **6** [*un libro in capitoli*] articolare **B** *v.*

intr. pron. articolarsi, dividersi.

suddivisióne *s. f.* divisione, spartizione, ripartizione, frazionamento, partizione.

sudiciaménte *avv.* luridamente, sozzamente, torbidamente.

sùdicio A *agg.* **1** sporco, lordo, unto, bisunto, imbrattato, impiastrato, inzaccherato CONTR. pulito, lindo, netto **2** (*fig.*) sconcio, turpe, immorale, indecente **3** [*rif. a una persona*] (*est.*) spregevole **B** *s. m.* lordura, sudiciume, lerciume, porcheria (*est.*) CONTR. pulizia.

sudicióne *s. m.* (*f. -a*) sporcaccione.

sudiciùme *s. m.* **1** sporcizia, porcheria, lerciume, letame, lezzo, untume, sudicio, unto CONTR. pulizia **2** (*est.*) immoralità, disonestà CONTR. moralità, onestà **3** (*est.*) bruttura.

sudorazióne *s. f.* traspirazione.

sudóre *s. m.* (*est.*) fatica, lavoro, fiato (*fig.*).

sufficiènte A *agg.* **1** accettabile, discreto (*est.*) CONTR. insufficiente, carente, deficiente, manchevole **2** [*rif. all'atteggiamento*] borioso, presuntuoso CONTR. deficiente, manchevole **B** *s. m. sing.* necessario, indispensabile.

sufficienteménte *avv.* abbastanza, assai, bastantemente, discretamente, esaurientemente, passabilmente, quanto basta CONTR. insufficientemente, scarsamente.

sufficiènza *s. f.* **1** idoneità CONTR. insufficienza **2** (*est.*) condiscendenza, degnazione, superbia, alterigia, sussiego CONTR. cordialità, affabilità, cortesia.

suffragàre *v. tr.* avvalorare, avallare, appoggiare, aiutare.

suffràgio *s. m.* **1** voto **2** consenso, approvazione CONTR. biasimo, disapprovazione **3** (*est.*) aiuto, appoggio (*fig.*).

suggellàre *v. tr.* **1** sigillare CONTR. dissigillare, dissuggellare **2** [*un'amicizia, etc.*] (*est.*) confermare.

suggèllo *s. m.* bollo, sigillo.

sùggere *v. tr.* succhiare, tirare, poppare.

suggeriménto *s. m.* **1** consiglio, avvertimento, indicazione, imbeccata (*fig.*), voce, monito **2** (*est.*) spunto, ispirazione.

suggerire *v. tr.* **1** [*la risposta*] dire **2** [*qc.*] consigliare, dare consigli *a*, esortare, ammonire, avvertire, imbeccare (*fig.*), imboccare (*fig.*) **3** [*una soluzione*] raccomandare, indicare, proporre, insegnare, rammentare (*est.*), dettare **4** [*simpatia, etc.*] ispirare, suscitare.

suggestionàbile *agg.* influenzabile, emotivo CONTR. impassibile, freddo.

suggestionàre *v. tr.* influenzare, plagiare (*est.*).

suggestióne *s. f.* **1** ispirazione, istigazione, stimolo **2** impressione, fascino, incanto.

suggestivo *agg.* **1** affascinante, attraente, emozionante, avvincente, poetico (*est.*) CONTR. brutto, orrendo, repellente **2** (*est.*) convincente.

sùgo *s. m.* (*pl. -ghi*) **1** succo **2** salsa, condimento, intingolo **3** (*est.*) unto **4** [*di uno scritto, di un discorso*] (*est.*) senso, essenza (*fig.*), sostanza (*fig.*) **5** (*est.*) gusto (*fig.*), soddisfazione.

sugóso *agg.* succoso.

suicidàrsi *v. rifl.* **1** ammazzarsi, darsi la morte, uccidersi, togliersi la vita **2** [*modi di*] affogarsi, annegarsi, spararsi, impiccarsi, avvelenarsi, strangolarsi, bruciarsi, incendiarsi, darsi fuoco.

suino A *s. m.* **1** (*gener.*) mammifero **2** maiale, porco **B** *agg.* porcino.

sultàno *s. m.* (*f. -a*) **1** sovrano, re, monarca CONTR. suddito, vassallo **2** padrone, signore CONTR. sottoposto, subalterno.

summit *s. m. inv.* vertice, riunione, incontro.

sumo *s. m. inv.* (*gener.*) sport.

sunteggiàre *v. tr.* compendiare, riassumere, schematizzare.

sùnto *s. m.* compendio, riassunto, sommario, riepilogo, estratto CONTR. analisi.

sùo *s. m. sing.* proprio.

suolàre *v. tr.* V. *solare (1).*

suòlo *s. m.* **1** terreno, terra, pavimento, impiantito, piàncito (*raro*) **2** [*terrestre*] superficie **3** (*est.*) luogo, paese **4** [*spec. al pl. con: disporre q.c. a*] strato, piano.

suonàre o **sonàre A** *v. tr.* **1** strimpellare (*neg.*) **2** [*un pezzo musicale*] eseguire **3** [*le ore*] battere, scandire **4** [*qc.*] (*est.*) picchiare, menare (*fam.*), bastonare **5** [*lode, condanna, etc.*] significare, esprimere **B** *v. intr.* **1** [*detto di telefono, etc.*] squillare, trillare **2** [*detto di fischi, di rumori, etc.*] rimbombare, risuonare **3** [*detto di ore, di campane*] rintoccare **4** [*detto di vetro*] tintinnare **C** *v. rifl. rec.* [*nella forma: suonarsele*] darsele, menarsi (*fam.*), picchiarsi.

suonàto o **sonàto** *part. pass.; anche agg.* picchiato, balordo, svitato, svanito, tonto.

suoneria o **soneria** *s. f.* **1** campanello **2** (*est.*) allarme.

suòno o **sòno** *s. m.* **1** [*tipo di*] canto, melodia, rintocco, vibrazione, rumore, squillo, verso, rumorio, brusio, mormorio, parlottio, pigolio, vocio, sussurro, ronzio, fruscio, bisbiglio, bisbiglio, urlo, acuto, strillo, grido, rimbombo, sussurrio **2** (*poet.*) voce, parola **3** (*est.*) tono, tonalità **4** [*di una parola, di una frase*] (*est.*) senso, significato **5** (*ling.*) fonema **6** fama.

suòra *s. f.* sorella (*vocat.*), monaca, religiosa CONTR. frate.

superaménto *s. m.* travalicamento, sormontamento, sorpasso.

superàre *v. tr.* **1** [*qc. negli sport, etc.*] vincere, battere, sopraffare, eclissare (*fig.*), passare, avanzare (*raro*) **2** [*un ostacolo*] sorpassare, scavalcare, sormontare, attraversare **3** [*i limiti*] oltrepassare, travalicare, trapassare, valicare, varcare (*raro*), trascendere, passare oltre **4** [*qc. nella corsa, etc.*] sopravanzare, distaccare, distanziare, precorrere, precedere **5** [*qc. nel calcio*] (*sport*) scartare (*fig.*) **6** [*un*

record] (*fig.*) polverizzare, bruciare **7** [*un suono*] coprire (*fig.*) **8** [*un capo, un promontorio*] oltrepassare, rimontare **9** [*qc. in astuzia*] rivendere **10** [*un periodo*] sbarcare (*fig.*), trascorrere **11** [*qc. in un'elezione*] scalare, sconfiggere.

superàto *part. pass.; anche agg.* obsoleto, sorpassato, antiquato, vecchio, antico, passato, visto, rancido (*fig.*) CONTR. attuale, recente, in (*ingl.*).

superbaménte *avv.* arrogantemente, ambiziosamente, altezzosamente, boriosamente, tronfiamente, disdegnosamente, imperiosamente, sdegnosamente CONTR. umilmente, modestamente, dimessamente, familiarmente, democraticamente (*est.*).

supèrbia *s. f.* **1** [*rif. all'atteggiamento*] alterigia, arroganza, sicumera, iattanza, spocchia, protervia, burbanza, alterezza, pompa, albagia (*colto*) CONTR. umiltà, modestia, semplicità, misura, ritegno, sottomissione **2** [*verso altri*] disdegno, sufficienza, degnazione CONTR. semplicità, cordialità, affabilità, gioivalità **3** [*sentimento*] immodestia, boria, presunzione, orgoglio, vanagloria CONTR. umiltà.

supèrbo *agg.* **1** [*rif. a una persona*] arrogante, altero, sprezzante, presuntuoso, scostante, sdegnoso, aristocratico (*iron.*), spocchioso, tronfio, orgoglioso CONTR. umile, alla mano, modesto **2** [*rif. a cosa*] grandioso, imponente, magnifico, splendido, prezioso CONTR. modesto, misero, povero.

superficiàle A *agg.* **1** epidermico, esterno, estrinseco CONTR. penetrante, profondo, sotterraneo, viscerale **2** [*rif. a un esame, a un'analisi, a un lavoro*] affrettato, approssimato, malfatto, approssimativo, sbrigativo, inaccurato, grossolano CONTR. approfondito, esauriente, scrupoloso **3** [*rif. a una persona*] frivolo, fatuo CONTR. diligente, meticoloso, pignolo **4** [*rif. all'amicizia, etc.*] apparente, formale CONTR. intimo **5** [*rif. al comportamento*] avventato, leggero, irriflessivo **B** *s. m. e f.* facilone.

superficialità *s. f. inv.* **1** [*rif. a uno scritto, a un discorso*] genericità, approssimazione CONTR. profondità,

coerenza (*est.*) **2** facıloneria, sventatezza CONTR. diligenza, scrupolo, scrupolosità **3** [*rif. al carattere*] fatuità, frivolezza, futilità CONTR. serietà, saldezza.

superficialménte *avv.* **1** (*anche fig.*) epidermicamente, grossolanamente, marginalmente, sbrigativamente CONTR. addentro, intimamente, profondamente, sostanzialmente **2** apparentemente, esteriormente CONTR. accuratamente, approfonditamente, attentamente, cavillosamente, con attenzione, con precisione, coscienziosamente, riflessivamente, rigorosamente **3** futilmente.

superficie *s. f.* (*pl. superfici*) **1** piano **2** (*est.*) crosta, pelle, esterno, buccia CONTR. interno **3** (*est.*) esteriorità, apparenza CONTR. sostanza, essenza **4** (*est.*) strato, mano **5** (*est.*) area, estensione, spazio **6** [*terrestre*] suolo **7** (*gener.*) misura (*mat.*).

superfluità *s. f. inv.* **1** inutilità, oziosità CONTR. utilità, necessità, essenzialità **2** eccedenza, eccesso, esuberanza, ridondanza CONTR. deficienza, insufficienza, povertà, scarsità **3** (*ling.*) pleonasmo.

supèrfluo A *agg.* **1** ridondante, inutile, soverchio (*lett.*) CONTR. essenziale, indispensabile **2** (*est.*) accessorio, secondario, marginale **B** *s. m.* soverchio, soprappiù CONTR. necessario, indispensabile, fabbisogno.

superióre A *agg.* **1** maggiore, sovrano CONTR. inferiore **2** [*rif. all'atteggiamento*] indifferente, distaccato **3** più alto CONTR. inferiore, sottostante **4** [*rif. alla mente*] eccezionale, sovrumano CONTR. inferiore **B** *s. m.* capo, dirigente, comandante, principale CONTR. suddito, sottoposto, subalterno, dipendente, subordinato, vassallo.

superiorità *s. f. inv.* **1** [*numerica*] predominio, preponderanza, prevalenza CONTR. inferiorità **2** predominio, egemonia, preminenza, supremazia, sovranità (*fig.*), dominio CONTR. inferiorità, subordinazione, dipendenza **3** [*qualità dell'animo*] (*est.*) nobiltà.

superiorménte *avv.* sopra CONTR. inferiormente, giù.

sùpero *s. m.* eccedenza, avanzo.

superstizióne s. f. **1** credenza **2** pregiudizio, ubbia **3** tabù (fig.).

suppellèttile s. f. arredo.

suppergiù avv. circa, pressoché, pressappoco, grossomodo, orientativamente, per sommi capi.

supplementàre agg. extra, in più.

suppleménto s. m. **1** integrazione, extra, aggiunta CONTR. sconto **2** [rif. al treno, etc.] extra, sovrapprezzo **3** [rif. a un'opera letter.] integrazione, aggiornamento, appendice.

supplènte A agg. CONTR. titolare, di ruolo B s. m. e f. sostituto CONTR. titolare.

sùpplica s. f. (pl. -che) **1** invocazione, implorazione, preghiera, perorazione, prece (poet.) CONTR. comando, ordine, intimazione **2** (est.) petizione, domanda, istanza.

supplicàre v. tr. e intr. pregare, impetrare (lett.), implorare, scongiurare, chiedere, postulare (colto), invocare, raccomandarsi a.

supplìre A v. intr. sopperire, compensare, rimediare, integrare un (est.), adempiere (raro) B v. tr. rimpiazzare, sostituire, subentrare a, succedere a.

supplizïàre v. tr. martirizzare, martoriare, vessare.

supplìzio s. m. **1** [fisico] tortura, martirio **2** [morale] (est.) tormento, patimento, strazio, pena.

suppórre A v. tr. **1** pensare, presumere, presupporre, credere, opinare, immaginare, congetturare, ipotizzare, postulare, fare delle congetture, fare delle ipotesi, raffigurare (fig.), configurare (raro) **2** (fam.) porre, ammettere, mettere **3** immaginarsi, figurarsi, fingere **4** arguire, dedurre **5** (est.) sperare, confidare B v. rifl. [importante, bravo, etc.] credersi, stimarsi, ritenersi.

suppórto s. m. base, sostegno, fondamento, rinforzo, appoggio, fondamenta.

supposizióne s. f. ipotesi, congettura, idea (est.), opinione (est.), presunzione (colto), presupposizione.

suppuràre v. intr. marcire (pop.).

supremazìa s. f. egemonia, predominio, autorità, sovranità, preminenza, primato, superiorità CONTR. inferiorità, soggezione, subordinazione.

suprèmo agg. **1** (lett.) sommo, massimo, eccelso (est.), primo (est.) CONTR. infimo, minimo **2** (fig.) estremo, ultimo **3** sovrano (dir.).

surf s. m. inv. (gener.) sport.

surgelàre v. tr. congelare, ghiacciare, gelare.

surrogàto A s. m. **1** sostituto, succedaneo **2** (est.) compensazione, ripiego **3** [rif. a un prodotto] (est.) imitazione B agg. succedaneo.

suscettìbile agg. **1** passibile CONTR. calmo, mite **2** [rif. a una persona] permaloso, ombroso, sensibile, difficoltoso.

suscettibilità s. f. inv. **1** ricettività, sensibilità, emotività, percettività CONTR. indifferenza, impassibilità, imperturbabilità **2** ombrosità, permalosità, irritabilità, irascibilità, iracondia CONTR. cordialità, equilibrio, socievolezza.

suscitàre v. tr. **1** provocare, cagionare, determinare, generare, originare, creare **2** [rispetto, paura, etc.] ispirare, incutere, infondere, mettere **3** [l'odio, il dubbio, etc.] attizzare, fomentare, seminare, insinuare **4** [fame, sete, desideri] eccitare, destare, sviluppare, svegliare, dare (fig.), stimolare **5** [pena, dolore, gioia, etc.] procurare, suggerire (fig.) **6** [le emozioni di un tempo] riprodurre **7** [gli applausi, i fischi] (fig.) strappare.

susina s. f. **1** (gener.) frutto **2** prugna.

suspense s. f. inv. **1** ansia, incertezza, apprensione, trepidazione, sospensione (fig.) **2** emozione.

susseguìre A v. intr. e tr. seguire B v. intr. pron. **1** [detto di eventi, di richieste, etc.] (fig.) fioccare, grandinare, piovere **2** [detto di giorni, di anni] (fig.) sfilare, passare, succedersi.

sussìdio s. m. **1** aiuto, sostegno, soccorso, ausilio (fig.), rifornimento (est.) **2** sovvenzione (est.), prestito,

finanziamento.

sussiègo s. m. (pl. -ghi) gravità, degnazione, sufficienza, alterigia, affettazione, prosopopea, ostentazione CONTR. cordialità, semplicità, spontaneità, cortesia, gentilezza, naturalezza, modestia, umiltà, giovialità.

sussìstere v. intr. **1** esistere, essere **2** durare, persistere.

sussultàre v. intr. **1** trasalire, sobbalzare, saltare, balzare **2** (est.) spaventarsi, impaurirsi.

sussùlto s. m. **1** [del cuore] palpito, guizzo, balzo **2** scossa, trasalimento, brivido, scatto.

sussurràre A v. tr. **1** parlare piano, parlare sottovoce, bisbigliare, mormorare, borbottare, confabulare, dire sottovoce, bisbigliare CONTR. gridare, urlare, sbraitare, ruggire (fig.) **2** (gener.) parlare B v. intr. **1** [detto di fronde, etc.] stormire **2** mormorare CONTR. urlare.

sussurrìo s. m. **1** bisbiglio CONTR. grido, urlo **2** (gener.) suono, rumore **3** (est.) lamentela.

sussùrro s. m. **1** bisbiglio, mormorio, fruscio, ronzio CONTR. grido, urlo **2** suono, rumore.

sutùra s. f. punto.

suturàre v. tr. cucire, ricucire.

suvvìa inter. orsù, forza.

svagàre A v. tr. distrarre, divertire, sollazzare, ricreare, dilettare, deliziare, rallegrare, divagare, baloccare CONTR. annoiare B v. intr. pron. **1** distrarsi, ricrearsi, divagarsi, divertirsi, giocare (est.) CONTR. lavorare **2** rilassarsi, riposarsi, sollevarsi (fig.).

svagàto part. pass.; anche agg. disattento, distratto, sbadato, assente (est.) CONTR. assorto, intento, cogitabondo (colto), fisso (fam.).

svàgo s. m. (pl. -ghi) divertimento, distrazione, passatempo, spasso, diletto, sollazzo, trastullo, piacere, divertissement (fr.), interesse, hobby (ingl.), relax (ingl.).

svaligiàre v. tr. saccheggiare, depredare, rapinare, svuotare, spogliare.

svalorizzazióne s. f. deprezzamento, svalutazione CONTR. valorizzazione.

svalutàre A v. tr. 1 (est.) inflazionare 2 [la moneta] (econ.) riallineare 3 (est.) denigrare, disprezzare CONTR. valorizzare B v. intr. pron. deprezzarsi, scadere C v. rifl. diminuirsi, disprezzarsi, degradarsi, sottovalutarsi CONTR. stimarsi, magnificarsi, vanagloriarsi, vantarsi.

svalutazióne s. f. deprezzamento, svalorizzazione (fam.) CONTR. apprezzamento.

svanire v. intr. 1 [detto di sogni, di soldi, etc.] sfumare, disperdersi, dissolversi 2 [detto di persona, etc.] dileguarsi, scomparire, disparire (raro) 3 [detto di essenze, di odori, etc.] sfumare, volatilizzarsi, evaporare, vaporizzarsi, svaporarsi 4 [detto di sogni, di speranze] (fig.) volatilizzarsi, annullarsi, perdersi, tramontare, infrangersi, franare 5 [detto di facoltà, di memoria] (est.) esaurirsi, indebolirsi 6 [detto di desideri, di voglie, etc.] languire, placarsi, attenuarsi, spegnersi (fig.), morire (fig.).

svanito part. pass.; anche agg. 1 esaurito, estinto 2 (fig.) distratto, suonato, svitato, balordo, picchiato.

svantàggio s. m. danno, detrimento, scapito, discapito, perdita, pregiudizio CONTR. vantaggio, guadagno, utile, tornaconto, utilità (est.).

svantaggiosaménte avv. dannosamente, sfavorevolmente, male CONTR. produttivamente, vantaggiosamente, utilmente, bene.

svantaggióso agg. dannoso, sconveniente, negativo, cattivo, nocivo CONTR. vantaggioso, fruttifero, produttivo (est.).

svaporàre A v. intr. evaporare, volatilizzarsi, vaporizzarsi B v. intr. pron. perdersi, esaurirsi, svanire, dileguarsi.

svariàto part. pass.; anche agg. molteplice, diverso, vario CONTR. uguale, uniforme, monotono.

svarióne s. m. sfarfallone, sproposito.

svecchiaménto s. m. rimodernamento, restauro, rinnovamento.

svecchiàre v. tr. 1 innovare, rammodernare, rinnovare 2 [le leggi, etc.] riformare.

svegliàre A v. tr. 1 interrompere il sonno, risvegliare, scuotere (est.), chiamare (est.), fare alzare CONTR. assopire, addormentare 2 [la fame, la sete, etc.] destare, suscitare, eccitare CONTR. placare 3 [qc.] scaltrire, smaliziare, spoltronire, infurbire CONTR. istupidire, ottundere B v. intr. pron. 1 destarsi CONTR. addormentarsi, appisolarsi, sopirsi, crollare 2 (est.) scaltrirsi, smaliziarsi 3 [detto di malattia, etc.] (est.) manifestarsi.

svéglio agg. 1 (fig.) svelto, attivo, scattante CONTR. addormentato, sopito (lett.), assopito, intorpidito 2 (fig.) astuto, scaltro, intelligente, marpione (scherz.) CONTR. beota, candido, citrullo, cretino, ebete, fesso, inebetito, insulso, intontito, rintronato, tonto, scempio (lett.).

svelàre A v. tr. 1 [un segreto] confessare, rivelare, confidare CONTR. coprire, nascondere 2 [le proprie intenzioni] mostrare, palesare, dichiarare CONTR. dissimulare, mascherare 3 [un segreto altrui] (est.) tradire, propalare, pubblicare, ridire, riferire, risuggellare (fig.) 4 [detto di indizio] tradire, lasciare intravedere, riflettere (fig.) 5 [l'animo] (fig.) mettere a nudo B v. rifl. palesarsi, rivelarsi, manifestarsi.

svèllere v. tr. 1 strappare, sradicare, estirpare, sbarbare, scalzare, divellere CONTR. ficcare, piantare, ricacciare, rificcare 2 [un vizio, un'abitudine] (est.) eliminare, togliere.

sveltézza s. f. 1 rapidità, velocità, lestezza CONTR. lentezza, lungaggine 2 (est.) solerzia, alacrità CONTR. pigrizia, torpore 3 (est.) abilità.

sveltire A v. tr. accelerare B v. intr. pron. diventare svelto CONTR. diventare pigro, diventare stupido, diventare torpido.

svèlto agg. 1 lesto, rapido, sollecito, celere, veloce, franco, spiccio CONTR. addormentato, intorpidito 2 [rif. a un esame, a un'analisi, a un lavoro] spiccio, spicciativo, affrettato CONTR. lungo 3 [rif. al passo] agile, elastico (fig.), spedito CONTR. lento 4 [rif. a

svéndere v. tr. liquidare, ribassare, vendere (impr.).

svéndita s. f. saldo, liquidazione.

svenévole agg. languido, lezioso, sdolcinato CONTR. energico, vivace.

svenevolézza s. f. leziosaggine, sdolcinatura CONTR. rudezza, asciuttezza.

sveniménto s. m. 1 deliquio, mancamento, collasso, smarrimento, mancanza (raro) 2 (gener.) malore (pop.).

svenire v. intr. mancare, venire meno, afflosciarsi CONTR. rinvenire.

sventagliàta s. f. [di un'arma da fuoco] raffica, scarica.

sventàre v. tr. neutralizzare, ostacolare, prevenire.

sventatézza s. f. superficialità, imprudenza, leggerezza, faciloneria, sbadataggine, temerità, sconsideratezza CONTR. assennatezza, prudenza, ponderatezza, avvedutezza, accortezza.

sventàto A agg. 1 [rif. a una persona] imprudente, sconsiderato, scriteriato, sbadato, incosciente, incauto, irriflessivo CONTR. prudente, cauto, giudizioso 2 [rif. a un'impresa] avventato, insensato B s. m. (f. -a) sconsiderato, stordito.

sventolàre A v. tr. sbattere, muovere (impr.) B v. intr. [detto di bandiera] garrire.

sventràre v. tr. 1 sbudellare, sbuzzare 2 (gener.) ammazzare, uccidere.

sventùra s. f. 1 calamità, fatalità, disgrazia, sciagura, male, afflizione (est.) CONTR. fortuna 2 sfortuna, disdetta, iella (pop.) CONTR. fortuna.

sventuratamÉnte avv. sfortunatamente, disgraziatamente, fatalmente, malauguratamente CONTR. fortunatamente.

sventuràto A agg. 1 disgraziato, umile, tapino, tristo, infelice, sciagurato (pegg.) CONTR. fortunato, fausto 2 [*rif. a un giorno, a un evento*] sciagurato (*pegg.*), infausto, malaugurato, triste CONTR. fortunato, fausto *B s. m.* (*f. -a*) disgraziato, sciagurato.

sverginàre *v. tr.* **1** deflorare **2** disonorare **3** fare violenza a.

svergognàre *v. tr.* **1** sbugiardare, smascherare, smentire, disonorare (*est.*) **2** umiliare, mortificare.

svergognataménte *avv.* impudicamente, sfacciatamente (*est.*) CONTR. timidamente, pudicamente.

svergognàto *agg.* spudorato.

svestire *A v. tr.* spogliare, denudare, scoprire, snudare CONTR. vestire, coprire, intabarrare, imbacuccare *B v. rifl.* **1** spogliarsi, denudarsi CONTR. vestirsi, coprirsi, intabarrarsi, imbacuccarsi **2** (*est.*) cambiarsi.

svestito *part. pass.; anche agg.* spogliato, denudato, nudo CONTR. coperto, imbacuccato.

svezzàre *v. tr.* **1** smettere di allattare, slattare (*fam.*) CONTR. allattare **2** disabituare, disassuefare, divezzare CONTR. abituare.

sviaménto *s. m.* **1** deviazione, distrazione **2** traviamento.

sviàre *A v. tr.* **1** dirottare, deviare (*fig.*), fuorviare, depistare CONTR. indirizzare, instradare **2** [*qc. dagli studi, etc.*] fuorviare, distrarre, distogliere, dissuadere **3** [*l'attenzione, etc.*] distogliere, stornare CONTR. indirizzare, accentrare *B v. intr. pron.* distogliersi.

svignàre *v. intr. pron.* **1** [*nella forma: svignarsela*] fuggire, andarsene, sgattaiolare, scapolare, scappare, scantonare **2** [*nella forma: svignarsela dal carcere*] fuggire, andarsene, evadere.

svigorire *A v. tr.* indebolire, snervare, fiaccare, stremare, debilitare, infiacchire, macerare (*fig.*), evirare (*fig.*), isterilire (*fig.*) CONTR. fortificare, ingagliardire, invigorire, irrobustire, temprare *B v. intr. pron.* decadere, deperire, imbolsire, languire, illanguidirsi, indebolirsi, infiacchirsi, infievolirsi, infrollirsi CONTR. fortificarsi, invigorirsi, irrobustirsi.

svigorito *part. pass.; anche agg.* spos-

sato, indebolito, sfatto (*fam.*), sfinito, distrutto (*fig.*) CONTR. forte, energico.

svilire *A v. tr.* degradare, avvilire, invilire (*raro*), deprezzare *B v. rifl.* disprezzarsi, umiliarsi, denigrarsi, deprezzarsi CONTR. lodarsi, vantarsi.

svillaneggiàre *v. tr.* maltrattare, insultare, ingiuriare, offendere, insolentire, oltraggiare, vituperare (*raro*).

sviluppàre (1) *A v. tr.* **1** ampliare, aumentare, incrementare, arricchire, accrescere, crescere (*raro*) CONTR. diminuire **2** [*un argomento, etc.*] ampliare, estendere, elaborare CONTR. schematizzare **3** [*una reazione*] suscitare, causare, produrre **4** [*un gas*] sprigionare **5** [*un'attività*] esplicare, promuovere **6** [*una facoltà, una qualità*] (*est.*) potenziare, alimentare (*fig.*) *B v. intr. pron.* **1** [*detto di cultura, etc.*] crescere, prosperare, estendersi, espandersi, dilatarsi, evolversi, ampliarsi, progredire CONTR. decrescere, regredire **2** [*detto di incendio, etc.*] estendersi, espandersi, dilatarsi, formarsi, diffondersi, sprigionarsi **3** [*detto di sentimento, amicizia*] (*fig.*) crescere, prosperare, germogliare, allignare, attecchire, fiorire **4** [*detto di situazione, etc.*] maturarsi, procedere **5** [*detto di organismo*] formarsi, organizzarsi **6** [*detto di malattia*] insorgere **7** [*detto di melodia, etc.*] diffondersi, sprigionarsi, dispiegarsi *C v. rifl.* liberarsi, districarsi *D v. intr. pron.* farsi adulto.

sviluppàre (2) *v. tr.* [*un pacco, etc.*] sballare, spiegare, aprire, scartare, disfare CONTR. inviluppare, legare.

sviluppàto *part. pass.; anche agg.* **1** [*rif. a una persona*] adulto **2** evoluto, progredito, migliorato CONTR. sottosviluppato, arretrato **3** [*rif. a un argomento*] svolto, eseguito, approfondito.

sviluppo *s. m.* **1** accrescimento, incremento, aumento, espansione, potenziamento CONTR. diminuzione, calo **2** [*di uno scritto, di un discorso*] svolgimento, elaborazione, elaborato **3** [*di una teoria*] perfezionamento **4** [*in un'epoca, etc.*] evoluzione, progresso (*est.*), civiltà (*est.*), processo CONTR. regresso, involuzione, arretratezza, decadenza **5** [*rif. a una fase, a un'età*] crescita, pubertà.

svincolàre *A v. tr.* **1** [*qc.*] affrancare, emancipare **2** [*la merce in dogana*] sbloccare, liberare *B v. rifl.* **1** sciogliersi, liberarsi, disciogliersi, sbloccarsi CONTR. vincolarsi, legarsi **2** emanciparsi **3** esimersi, esonerarsi, sottrarsi **4** disobbligarsi, disimpegnarsi CONTR. impegnarsi **5** [*da una situazione*] (*est.*) uscire.

svincolo (1) *s. m.* liberazione, riscatto.

svincolo (2) *s. m.* collegamento, raccordo.

sviolinàta *s. f.* adulazione.

svisàre *v. tr.* deformare, cambiare.

svisceràre *v. tr.* approfondire, investigare, studiare.

svista *s. f.* disattenzione, distrazione, sbaglio, errore, abbaglio (*fig.*), cantonata (*fig.*), granchio (*fig.*), perla (*fig.*), sbadataggine.

svitàre *v. tr.* allentare (*est.*) CONTR. avvitare, invitare (*raro*).

svitàto *A part. pass.; anche agg.* (*fig.*) balordo, suonato, svanito, picchiato, tonto CONTR. savio, saggio, assennato, equilibrato *B s. m.* (*f. -a*) pazzo, matto.

svogliataménte *avv.* **1** indolentemente, pigramente, abulicamente, accidiosamente, controvoglia, fiaccamente, mollemente, negligentemente CONTR. alacremente, dinamicamente, energicamente, fervidamente, indefessamente, instancabilmente, strenuamente, fervorosamente **2** controvoglia, controstomaco CONTR. bramosamente, cupidamente, avidamente, appetitosamente, ghiottamente, golosamente **3** negligentemente CONTR. con cura, fattivamente.

svogliatézza *s. f.* **1** abulia, apatia, accidia, pigrizia, infingardaggine, fiacca CONTR. volontà **2** (*est.*) negligenza, malavoglia CONTR. accuratezza.

svogliàto *agg.* **1** apatico, abulico, disinteressato, infingardo, pigro, negligente CONTR. infervorato, zelante, assiduo, desideroso (*est.*), famelico (*fig.*), ghiotto (*fig.*), voglioso, studioso **2** inappetente.

svuotare

svolazzàre *v. intr.* **1** aleggiare, fluttuare, frullare, volare **2** [*con la mente*] (*fig.*) vagare.

svolàzzo *s. m.* **1** ghirigoro, fronzolo, arabesco, fregio, abbellimento **2** [*nel parlare, nello scrivere*] ridondanza, sbavatura.

svòlgere *A v. tr.* **1** [*un pacco*] sciogliere, spiegare, svoltolare, scartocciare CONTR. inviluppare, involgere, raggomitolare, ravviluppare, ravvolgere, ravvoltolare **2** [*un rotolo di filato*] srotolare, sgomitolare, dipanare CONTR. fasciare, impacchettare, incartare, involtare **3** [*una bandiera, un tappeto*] distendere **4** [*un'attività*] esplicare **5** [*un'esistenza, una vita, etc.*] condurre **6** [*una lezione, un seminario*] (*est.*) tenere **7** [*un tema, una relazione*] elaborare, redigere, sten-

dere *B v. intr. pron.* **1** [*detto di bandiera*] liberarsi, spiegarsi, svoltolarsi CONTR. ravvilupparsi, ravvolgersi, ravvoltolarsi **2** [*detto di conferenza, di evento*] tenersi, avvenire, procedere **3** [*detto di processo*] celebrarsi **4** [*detto di situazione, etc.*] evolversi.

svolgiménto *s. m.* **1** andamento, sviluppo, corso, procedimento **2** elaborazione **3** [*di una malattia*] decorso **4** [*nei testi scritti*] (*fig.*) azione, ritmo.

svòlta *s. f.* **1** curva **2** volta (*raro*), giro **3** [*nella storia, nella vita*] (*est.*) cambiamento, mutamento.

svoltàre (1) *v. intr.* **1** girare, voltare, deviare, piegare, curvare, volgere **2** [*detto di veicolo, etc.*] sterzare.

svoltàre (2) *v. tr.* [*un pacco*] sfasciare.

svòlto *agg.* **1** [*rif. a un argomento*] eseguito, steso, sviluppato **2** [*rif. a una stoffa*] spiegato.

svoltolàre *A v. tr.* svolgere CONTR. ravvolgere *B v. intr. pron.* svolgersi CONTR. ravvolgersi, ravvoltolarsi.

svuotàre *A v. tr.* **1** vuotare CONTR. ricolmare, riempire **2** [*q.c. di significato*] sgonfiare **3** [*un negozio, etc.*] svaligiare **4** [*una zona, ambiente*] evacuare CONTR. gremire, popolare, saturare **5** [*un recipiente*] scaricare **6** [*qc.*] esaurire **7** [*le casse dello stato*] (*fig.*) spolpare, prosciugare CONTR. colmare, rinsanguare *B v. rifl. e intr. pron.* **1** alleggerirsi, scaricarsi **2** evacuare, cacare (*volg.*), defecare **3** [*in relazione all'energia*] (*est.*) esaurirsi **4** [*detto di recipiente*] vuotarsi CONTR. colmarsi.

t, T

tabèlla *s. f.* quadro.

tabellóne *s. m.* **1** cartellone **2** tavola.

tabernàcolo *s. m.* sacrario, ciborio (*colto*), edicola, cappella.

tabù *A s. m. inv.* **1** (*est.*) divieto, veto, proibizione, blocco (*fig.*) **2** (*est.*) superstizione, preconcetto, preclusione, pregiudizio *B agg. inv.* **1** sacro, inviolabile CONTR. violabile **2** intoccabile, vietato, proibito CONTR. lecito.

taccagnerìa *s. f.* avarizia, spilorceria, tirchieria, grettezza, esosità CONTR. generosità, prodigalità.

taccàgno *A agg.* tirchio, avaro, spilorcio, meschino, gretto CONTR. magnanimo, munifico, largo *B s. m.* (*f. -a*) avaro, spilorcio.

tacciàre *v. tr.* accusare, incolpare, bollare CONTR. discolpare, scagionare.

tacciàto *part. pass.; anche agg.* bollato, diffamato.

taccuino *s. m.* agenda, blocco, notes, quaderno, diario (*est.*).

tacére *A v. intr.* zittirsi, stare zitto, azzittirsi, ammutolire, chetarsi (*tosc.*), essere silenzioso (*est.*), interrompersi (*est.*) CONTR. parlare, conversare, dialogare, interloquire, sbottonarsi, confidarsi, manifestarsi *B v. tr.* non dire, omettere, celare (*fig.*), nascondere (*fig.*) CONTR. dire, palesare, confessare, confidare, dichiarare, manifestare, narrare, riferire *C s. m. sing.* silenzio.

tachicardìa *s. f.* [*del cuore*] palpitazione.

tacitaménte *avv.* **1** silenziosamente, in silenzio, senza parlare CONTR. clamorosamente, strepitosamente **2** in segreto, nascostamente CONTR. esplicitamente, apertamente.

tàcito *agg.* **1** muto, silenzioso, silente **2** [*rif. a un rimprovero, a un assenso*] sottinteso, implicito, alluso, indiretto, nascosto (*fig.*), inespresso CONTR.

esplicito, palese **3** [*rif. a un sentimento*] nascosto (*fig.*), sordo CONTR. esplicito, palese.

tacitùrno *agg.* **1** [*rif. a una persona*] silenzioso, riservato CONTR. chiacchierone, ciarliero, eloquente, loquace **2** [*rif. al carattere, etc.*] chiuso, introverso, cupo CONTR. estroverso, aperto.

tafàno *s. m.* **1** (*zool.*) assillo **2** (*gener.*) insetto.

tafferùglio *s. m.* baruffa, lite, zuffa, rissa, pestaggio, scaramuccia, parapiglia (*fam.*).

tàglia (1) *s. f.* **1** statura, mole, costituzione, corporatura **2** [*di abiti*] misura **3** (*gener.*) dimensione.

tàglia (2) *s. f.* ricompensa, premio.

taglialégna *s. m. inv.* boscaiolo.

tagliàre *A v. tr.* **1** [*un arto, la testa, etc.*] troncare, tranciare, mozzare, recidere, amputare, resecare (*colto*) **2** [*un brano da un testo*] abbreviare, accorciare, ridurre, sintetizzare, censurare, mutilare (*fig.*), espungere **3** [*un albero*] segare, potare, abbattere **4** [*i capelli*] raccorciare, scorciare **5** [*la strada*] incrociare, intersecare **6** [*le pietre, etc.*] (*est.*) squadrare **7** separare, dividere, frazionare **8** [*l'erba, il grano, etc.*] segare, falciare, mietere **9** [*detto di imbarcazione*] fendere, solcare **10** [*un legame, una relazione*] rescindere, interrompere **11** [*l'addome, etc.*] (*est.*) aprire, squarciare **12** [*i finanziamenti*] decurtare **13** [*le ali, in senso fig.*] tarpare **14** [*le carte da gioco*] scozzare **15** [*qc. non necessaria*] sacrificare, eliminare *B v. intr. pron.* **1** [*detto di persona, di animali*] ferirsi **2** [*detto di ponte, di rapporto, etc.*] spezzarsi, rompersi **3** [*detto di abito, di foglio, etc.*] lacerarsi, strapparsi **4** [*detto di legame, etc.*] recidersi **5** [*detto di strade, etc.*] incrociarsi, intersecarsi.

taglieggiaménto *s. m.* ricatto, rapina.

tagliènte *A agg.* **1** [*rif. a una lama, a un coltello*] affilato, arrotato, molato, appuntito **2** [*rif. a un discorso, a una battuta*] (*fig.*) pungente, mordace CONTR. bonario, benevolo *B s. m.* filo.

tàglio *s. m.* **1** ferita, lesione, scalfittura, incisione, recisione **2** [*l'effetto del*] sfregio, cicatrice **3** [*di q.c.*] eliminazione, soppressione **4** [*in q.c.*] apertura, fenditura, spacco, spaccatura, crepa **5** [*di q.c.*] sezione, pezzo, porzione, scampolo **6** [*nel fare q.c.*] stile, maniera, tecnica **7** [*rif. ad abiti*] (*est.*) stile, linea, foggia **8** [*rif. a una persona*] indole, natura **9** [*rif. a merce, a banconota*] formato, misura, dimensione **10** [*rif. a uno scritto, a un discorso*] stile, impostazione, impronta **11** (*est.*) spigolo **12** (*est.*) filo **13** [*tra due persone*] (*est.*) distacco, rottura (*fig.*), allontanamento.

tagliuzzàre *v. tr.* spezzettare, frastagliare, sbriciolare, sminuzzare, cincischiare.

tàlamo *s. m.* **1** camera nuziale, letto (*est.*) **2** [*rif. ai fiori*] (*bot.*) ricettacolo.

talàre *agg.* [*rif. all'abito*] sacerdotale CONTR. borghese.

tàle *A agg. dimostr.* **1** simile, siffatto, cosiffatto, del genere, così **2** quello, questo **3** un certo *B agg. indef.* un certo *C pron. dimostr.* questa persona, quella persona *D pron. indef.* uno, un tizio *E s. m. e f.* persona, tizio (*pop.*).

talènto (1) *s. m.* **1** inclinazione, attitudine, ingegno, capacità, stoffa (*fig.*), dote, arte (*est.*), predisposizione **2** [*rif. a una persona*] genio, cima (*fig.*) **3** [*spec. con: avere*] voglia, desiderio, piacere.

talènto (2) *s. m.* (*gener.*) moneta.

talismàno *s. m.* amuleto, portafortuna.

tallonàre *v. tr.* inseguire, incalzare, marcare (*sport*), seguire.

talloncino *s. m.* biglietto, cedola, ticket (*ingl.*).

tallóne *s. m.* calcagno (*pop.*).

talménte *avv.* così, tanto.

talóra *avv.* talvolta, qualche volta, sporadicamente, di tanto in tanto, non spesso, raramente, di rado CONTR. mai, giammai.

talùno **A** *agg. indef.* [*spec. al pl.*] alcuno, certo **B** *pron. indef.* [*spec. al pl.*] alcuno, certuno, certe persone.

talvòlta *avv.* talora, saltuariamente, di tanto in tanto, non spesso, qualche volta, alle volte, sporadicamente, episodicamente CONTR. spesso, sovente, correntemente, abitualmente.

tamburellàre *v. intr. e tr.* picchiettare, rumoreggiare, crepitare, picchierellare.

tamponàre *v. tr.* **1** [*la fuoriuscita di liquidi*] stagnare, fermare, arginare **2** [*un errore, una mancanza*] rimediare, riparare.

tàna *s. f.* **1** rifugio, buca, covo (*spreg.*), nido, nascondiglio **2** [*di banditi, etc.*] (*est.*) rifugio, covo (*spreg.*), nido, nascondiglio **3** [*rif. agli animali*] (*est.*) buca, covile, giaciglio **4** [*rif. a persone*] buco, topaia, stamberga, tugurio, abituro CONTR. reggia **5** (*gener.*) casa.

tanàglia *s. f.* V. *tenaglia.*

tànfo *s. m.* **1** puzzo, fetore, miasma, lezzo, sito (*tosc.*), puzza CONTR. profumo, olezzo (*poet.*), aroma, fragore (*colto*) **2** (*gener.*) odore.

tangènte *s. f.* **1** quota, rata (*est.*) **2** mazzetta (*gerg.*), bustarella (*fam.*), pizzo (*gerg.*), provvigione (*euf.*), mancia (*euf.*).

tangènza *s. f.* soffitto.

tangibile *agg.* **1** (*propr.*) toccabile, percettibile CONTR. ideale, intangibile, intoccabile, inviolabile (*est.*), vago (*est.*) **2** (*est.*) effettivo, reale, concreto **3** evidente, manifesto.

tangibilità *s. f. inv.* concretezza, realtà (*est.*) CONTR. incorporeità.

tangibilménte *avv.* concretamente, sensibilmente CONTR. impalpabilmente, impercettibilmente.

tànto **A** *agg. indef.* **1** molto **2** molto, abbondante, parecchio **3** altrettanto **4** tot **B** *avv.* **1** molto, assai, parecchio, talmente **2** così, in questo modo, in questa maniera **3** così, altrettanto **C** *pron. indef.* **1** [*al pl.*] molte persone **2** [*in correlazione con: quanto*] altrettanto **3** molto, parecchio **4** tot **D** *pron. dimostr.* ciò, questo, una tale cosa **E** *cong.* comunque, tuttavia, però, ma **F** *s. m.* una certa somma.

tapino **A** *agg.* **1** sventurato, infelice, disgraziato, miserando CONTR. felice, fortunato **2** (*est.*) meschino **B** *s. m.* (*f. -a*) misero, infelice.

tàppa *s. f.* **1** fermata, sosta **2** [*della vita, della carriera*] (*est.*) fase **3** [*rif. a un processo*] (*dir.*) fase, grado.

tappàre **A** *v. tr.* **1** (*anche fig.*) mettere il tappo *a*, chiudere, coprire, turare CONTR. stappare, forare, schiudere, aprire **2** [*un condotto, una tubatura*] chiudere, ostruire, sbarrare **3** chiudere, murare **B** *v. rifl.* [*in casa, etc.*] chiudersi, trincerarsi, serrarsi **C** *v. intr. pron.* otturarsi, ingorgarsi, intasarsi.

tappéto *s. m.* **1** [*tipo di*] guida, corsia, passatoia, scendiletto, stuoia, stoino **2** [*da tavolo*] (*est.*) tovaglia **3** [*di neve, di ghiaccio*] (*fig.*) manto, coltre, strato.

tappezzàre *v. tr.* **1** ricoprire **2** (*est.*) decorare, ornare.

tàra (1) *s. f.* malattia, difetto, magagna (*fam.*).

tàra (2) *s. f.* contenitore, imballo.

taràntola *s. f.* **1** (*gener.*) aracnide **2** geco (*pop.*).

taràto *agg.* malato, anormale.

tarchiàto *agg.* tozzo, massiccio, grosso CONTR. alto, sottile, smilzo.

tardàre **A** *v. intr.* **1** fare tardi, ritardare CONTR. anticipare **2** indugiare, soffermarsi, dimorare (*lett.*), trattenersi **B** *v. tr.* procrastinare, rimandare, ritardare CONTR. anticipare.

tàrdi *avv.* **1** in ritardo CONTR. subito, presto, tempestivamente **2** tardivamente CONTR. prematuramente.

tardivaménte *avv.* **1** tardi, in ritardo CONTR. anzitempo **2** CONTR. immaturamente, precocemente, prematura-

mente **3** intempestivamente CONTR. prontamente.

tardivo *agg.* **1** [*rif. a una persona*] lento, ottuso CONTR. precoce **2** [*rif. alla nascita, alla morte*] serotino CONTR. prematuro **3** [*rif. alla gloria*] (*est.*) postumo CONTR. immediato.

tàrdo *agg.* **1** [*rif. al tempo*] inoltrato **2** (*est.*) estremo, ultimo **3** [*rif. all'ingegno*] ottuso, lento, lungo, grave CONTR. sagace, perspicace, pronto **4** [*rif. a una persona*] addormentato (*fig.*), intorpidito, pigro (*est.*) CONTR. sagace, alacre, astuto, lesto **5** [*rif. al passo*] lento CONTR. affrettato.

tàrga *s. f.* (*pl. -ghe*) **1** (*est.*) cartello, insegna **2** placca, piastra **3** (*gener.*) scudo.

tàrlo *s. m.* **1** tarma, tignola **2** insetto **3** [*della gelosia, etc.*] (*est.*) tormento, assillo (*fig.*), ossessione, rodimento (*fig.*), pungolo (*fig.*), baco (*fig.*).

tàrma *s. f.* **1** tignola, tarlo **2** (*gener.*) verme, insetto.

taròcco (1) *s. m.* (*pl. -chi*) [*nel gioco delle carte*] trionfo.

taròcco (2) *s. m.* (*pl. -chi*) (*gener.*) arancio, frutto.

tarpàre *v. tr.* **1** spuntare, tagliare, tagliare in punta **2** (*est.*) frustrare, tarpare le ali *a*.

tartagliàre *v. intr.* balbettare, balbutire (*lett.*), parlare a stento, intaccare.

tàrtaro (1) *s. m.* inferno, inferi, ade (*lett.*) CONTR. paradiso, cielo.

tàrtaro (2) *s. m.* gruma, gromma, incrostazione.

tàrtaro (3) **A** *s. m.* (*f. -a*) mongolo **B** *agg.* dei tartari.

tartarùga *s. f.* (*pl. -ghe*) **1** (*gener.*) anfibio **2** [*di terra, di acqua dolce*] testuggine.

tartassàre *v. tr.* **1** malmenare, maltrattare, strapazzare, tormentare (*fig.*), angariare **2** (*est.*) tassare.

tartìna *s. f.* canapè (*fr.*), sandwich (*ingl.*), tramezzino, crostino.

tàsca *s. f.* (*pl. -che*) **1** sacca, borsa **2** [*pietanza a base di carne*] cima.

tàssa s. f. **1** imposta, tributo, canone **2** [tipo di] pedaggio (fig.) **3** [di successione, etc.] diritto **4** (est.) imposizione, angheria.

tassàre v. tr. **1** depredare, spogliare, tartassare (fig.) **2** [i terreni] censire.

tassativaménte avv. perentoriamente, assolutamente, obbligatoriamente CONTR. facoltativamente.

tassatìvo agg. imperativo, perentorio, categorico, obbligatorio, assoluto CONTR. facoltativo, libero.

tassèllo s. m. **1** tessera, elemento **2** (est.) toppa, rappezzatura.

tàsso (1) s. m. **1** (banca) saggio (raro) **2** [alcolico] gradazione, grado.

tàsso (2) s. m. (gener.) animale.

tàsso (3) s. m. (gener.) albero.

tassonomìa s. f. classificazione.

tastàre v. tr. **1** palpare, palpeggiare, toccare, maneggiare **2** saggiare, esplorare, esperire (raro), scandagliare (fig.) **3** (est.) frugare.

tàttica s. f. (pl. -che) **1** (est.) sistema, metodo CONTR. strategia **2** (est.) prudenza, accortezza, diplomazia, astuzia.

tàtto s. m. **1** (est.) delicatezza, garbo, finezza, squisitezza, prudenza, riguardo, accortezza, discrezione, maniera CONTR. sgarbo, scortesia, indelicatezza, indiscrezione **2** (gener.) senso CONTR. olfatto, gusto, udito, vista.

tavèrna s. f. osteria, cantina, mescita, trattoria, bettola (spreg.), bistrot (fr.), gargotta.

tàvola s. f. **1** asse **2** tavolo, desco (lett.) **3** prospetto, quadro, tabellone.

tavolàto s. m. palco, assito.

tàvolo s. m. **1** tavola, desco (lett.) **2** [da lavoro] banco, bancone **3** [da studio] scrivania.

tàzza s. f. **1** ciotola, coppa, scodella, boccale, chicchera (raro) **2** (gener.) recipiente, contenitore, stoviglie.

team s. m. inv. squadra, gruppo, staff (ingl.), troupe (fr.), pool (ingl.), scuderia (fig.), équipe (fr.).

teatràle agg. **1** (neg.) artificioso, appariscente, forzato, studiato CONTR. spontaneo, sincero **2** (est.) drammatico.

teatrànte s. m. e f. commediante.

teàtro s. m. **1** [tipo di] arena, politeama, anfiteatro **2** (est.) pubblico **3** scena **4** (gener.) edificio.

tècnica s. f. (pl. -che) **1** metodo, sistema, processo **2** (est.) stile, maniera, perizia, abilità, scuola **3** [nel tagliare, etc.] stile, maniera, taglio.

tèda s. f. fiaccola, face (poet.).

tediàre A v. tr. **1** [detto di persona, di cosa] annoiare, stancare, stufare CONTR. deliziare, dilettare, divertire **2** [detto di persona] incomodare, infastidire, scocciare, importunare, perseguitare, seccare B v. intr. pron. annoiarsi, scocciarsi (fam.), seccarsi, stufarsi (fam.), infastidirsi, scoglionarsi (volg.) CONTR. dilettarsi, divagarsi, divertirsi.

tediàto part. pass.; anche agg. annoiato, seccato, stufo, scocciato, stanco CONTR. divertito.

tèdio s. m. **1** noia, fastidio, uggia, afa (tosc.) CONTR. gioia, piacere **2** [rif. a un luogo, a una situazione] tristezza, squallore.

tediosaménte avv. noiosamente, pedantemente, barbosamente (fam.), molestamente, uggiosamente (poet.) CONTR. brillantemente, piacevolmente.

tediòso agg. noioso, uggioso, monotono, molesto, fastidioso CONTR. divertente, spassoso, stimolante, elettrizzante (fig.), frizzante (fig.).

tèflon s. m. inv. (gener.) fibra.

tégola s. f. **1** [tipo di] coppo, marsigliese **2** (est.) guaio, disgrazia.

teguménto s. m. **1** cute, pelle, epidermide, derma **2** membrana, rivestimento, buccia, involucro.

tèla s. f. **1** (gener.) tessuto, stoffa **2** [tipo di] **3** telone, sipario **4** (est.) dipinto, quadro **5** [in un romanzo] (fig.) trama.

Tela
Tela: tessuto di lino, cotone o canapa a tessitura classica.

anchina: tela di cotone di color giallo, originaria di Nanchino;
bambagina: tela di cascame di cotone;
bisso: tela finissima antica di lino, rado e sostenuto, per ricamo;
cambrì: tela di cotone finissima, per biancheria, analoga alla batista;
canovaccio: tela rada usata come sostegno di ricami;
cotonina: tela leggera di cotone;
incerata: tela spalmata di cera, catrame, pece o paraffina, impermeabile all'acqua;
jeans: tela grossa di cotone, molto resistente, quasi sempre blu;
denim;
madapolam: tela di cotone fine, leggera, usata per biancheria;
olona: tela robusta e resistente di cotone per vele, zaini, brande e sim.;
pannello: tela non troppo consistente;
pelle d'uovo: tela finissima, per biancheria;
sacco: tela da sacco;
tela medievale: tela a trama piuttosto larga, di colore grigio, usata per ricami;
traliccio: tela robusta di lino o canapa per foderare materassi e guanciali.

telàio s. m. **1** anima, ossatura, armatura, intelaiatura **2** [di un mezzo meccanico, etc.] (fig.) scheletro.

telàre v. intr. filare (fam.), scappare, fuggire, squagliarsela (fam.).

tèle s. f. inv. televisione, televisore (erron.), tivù (fam.).

telefonàre A v. tr. [una notizia, etc.] (est.) comunicare B v. intr. chiamare un.

teleologìa s. f. finalità.

telerìa s. f. biancheria, lingeria.

telétta s. f. V. *toeletta.*

televisióne s. f. tivù (fam.), tele (fam.), televisore (erron.).

televisóre s. m. televisione (erron.), tivù (fam.), tele (fam.).

tèlo (1) *s. m.* **1** fulmine **2** dardo, freccia.

tèlo (2) *s. m.* telone.

telóne *s. m.* sipario, tela, telo, tenda.

tèma (1) *s. m.* **1** [*di discussione, etc.*] soggetto, argomento, contenuto, oggetto, motivo, leitmotiv (*ted.*), concetto, materia **2** [*scolastico*] componimento, composizione, compito **3** assunto, tesi, proposito **4** (*ling.*) radice **CONTR.** terminazione, uscita, desinenza.

tèma (2) *s. f.* timore, soggezione, paura.

temerariaménte *avv.* **1** azzardatamente, imprudentemente, irriflessivamente **CONTR.** avvedutamente, cautamente, prudentemente **2** spavaldamente, arditamente, audacemente.

temerarietà *s. f. inv.* **1** audacia, baldanza (*est.*) **CONTR.** prudenza, cautela **2** temerità, imprudenza, incoscienza, sconsideratezza, leggerezza.

temerario A *agg.* **1** [*rif. a una persona*] intrepido, audace, ardito, baldanzoso **CONTR.** cauto, insicuro, prudente, riflessivo, circospetto **2** [*rif. a un discorso, a un modo*] imprudente, precipitoso, avventato, ingiustificato (*est.*) **CONTR.** cauto, prudente, riflessivo, circospetto **B** *s. m.* (*f. -a*) impavido, sconsiderato.

temére A *v. tr.* **1** avere timore *di*, provare paura *di*, essere timoroso *di*, paventare (*lett.*) **2** (*est.*) riverire, rispettare **CONTR.** impiparsi *di*, infischiarsi *di* **3** (*est.*) sospettare, diffidare *di*, dubitare *di* **CONTR.** fidarsi, confidare **4** (*est.*) credere, presupporre **5** [*il freddo, il caldo, etc.*] (*est.*) patire, soffrire **B** *v. intr.* **1** darsi pensiero, stare in pensiero, preoccuparsi *di* **2** disperare, perdersi d'animo.

temerità *s. f. inv.* **1** ardire, audacia, temerarietà, baldanza (*est.*) **CONTR.** prudenza, calcolo, cautela **2** sventatezza, leggerezza.

tèmpera *s. f.* **1** (*est.*) pittura **CONTR.** olio, acquerello, pastello **2** dipinto, quadro.

temperamatite *s. m. inv.* temperino.

temperaménto (1) *s. m.* indole, na-

tura, carattere, animo, tempra (*fig.*), personalità, ingegno, scorza (*fig.*).

temperaménto (2) *s. m.* moderazione, attenuazione, freno (*fig.*), accomodamento (*est.*).

temperànte *agg.* controllato, moderato, continente, parco, sobrio, austero (*est.*), misurato, regolato **CONTR.** intemperante, lascivo, libidinoso, licenzioso, cupido (*est.*), ingordo (*est.*).

temperànza *s. f.* **1** misura, sobrietà, moderazione **CONTR.** intemperanza, smodatezza, sfrenatezza **2** continenza, astinenza **3** (*gener.*) virtù.

temperàre A *v. tr.* **1** [*il carattere*] mitigare, frenare, placare, raddolcire (*fig.*), smussare (*fig.*) **2** [*i colori, etc.*] (*fig.*) addolcire, ingentilire, ammorbidire, rammorbidire **3** [*il vino con l'acqua, etc.*] (*anche fig.*) annacquare, mescolare, miscelare **4** [*il linguaggio*] moderare **5** [*una discussione*] conciliare **6** [*una matita*] appuntire, fare la punta *a*, affilare, aguzzare **B** *v. rifl.* padroneggiarsi, rattenersi, frenarsi **C** *v. intr. pron.* **1** [*detto di carattere, etc.*] fortificarsi, rafforzarsi **2** [*detto di carattere*] rammorbidirsi.

temperàto *part. pass.; anche agg.* **1** [*rif. al clima*] dolce **CONTR.** rigido, freddo **2** [*rif. al comportamento*] controllato, sobrio **3** [*rif. a un discorso, a una battuta*] moderato.

temperatùra *s. f.* **1** clima **2** febbre, ipertermia (*med.*).

temperino *s. m.* **1** coltello **2** temperamatite.

tempèsta *s. f.* **1** burrasca, bufera, procella (*lett.*) **CONTR.** bonaccia, calma **2** [*tipo di*] tormenta, ciclone, uragano, fortunale, acquazzone **3** [*in famiglia, etc.*] (*est.*) scompiglio, confusione, agitazione **CONTR.** calma **4** [*di colpi*] (*est.*) gragnola.

tempestivaménte *avv.* **1** opportunamente, al momento giusto, per tempo **CONTR.** intempestivamente, inopportunamente, tardi (*est.*) **2** rapidamente, sollecitamente, presto.

tempestività *s. f. inv.* **1** opportunità **CONTR.** inopportunità **2** (*est.*) puntualità.

tempestosaménte *avv.* burrascosa-

mente, violentemente **CONTR.** idilliacamente, serenamente.

tempestóso *agg.* **1** [*rif. al tempo atmosferico*] burrascoso, nuvoloso **2** [*rif. al mare*] burrascoso, agitato, impetuoso **CONTR.** calmo, immobile **3** [*rif. a un pensiero, etc.*] agitato, inquieto, turbato.

tèmpio o **tèmplo** *s. m.* (*pl. templi*) **1** [*tipo di*] chiesa, santuario, duomo, basilica, moschea, sinagoga, cattedrale, abbazia **2** [*in gergo massone*] loggia.

tèmplo *s. m.* V. tempio.

tèmpo *s. m.* **1** periodo, epoca, era, età, volta, secolo, stagione, realtà (*est.*) **2** [*utile, favorevole, etc.*] periodo, occasione, momento **3** [*spec. con: segnare il*] ritmo **4** [*di fare q.c.*] ora **5** clima **6** (*sport*) ripresa.

temporàle (1) *s. m.* **1** bufera, burrasca, uragano, ciclone **2** (*est.*) lite.

temporàle (2) *agg.* **1** passeggero, caduco, temporaneo, transitorio **CONTR.** eterno, duraturo, perpetuo **2** mondano, secolare **CONTR.** sacro, spirituale.

temporàle (3) *s. f.* (*gener.*) proposizione (*ling.*).

temporaneaménte *avv.* momentaneamente, provvisoriamente **CONTR.** durevolmente, permanentemente, perennemente, eternamente, perpetuamente, definitivamente (*est.*).

temporaneità *s. f. inv.* provvisorietà, transitorietà, precarietà **CONTR.** stabilità, perennità.

temporàneo *agg.* **1** transitorio, provvisorio, momentaneo, breve, temporale **CONTR.** interminabile, perenne, perpetuo, continuo (*est.*) **2** (*est.*) precario **3** (*est.*) caduco.

temporeggiàre *v. intr.* indugiare, mettere tempo in mezzo, tergiversare, traccheggiare, nicchiare, prendere tempo.

temporizzatóre *s. m.* timer (*ingl.*).

tèmpra *s. f.* **1** resistenza, durezza **CONTR.** fragilità, delicatezza **2** [*rif. a una persona*] costituzione, stoffa (*fig.*), fibra (*fig.*), vigore, temperamento, indole **3** [*rif. al suono*] timbro.

tempràre A *v. tr.* **1** irrobustire, rinvigorire, rafforzare, fortificare, indurire, forgiare CONTR. indebolire, svigorire **2** [*il metallo*] addolcire **B** *v. rifl.* **1** irrobustirsi **2** perfezionarsi, ferrarsi (*fig.*) **C** *v. intr. pron.* [*detto di carattere, etc.*] fortificarsi, rafforzarsi.

tempràto *part. pass.; anche agg.* [*rif. all'animo*] agguerrito (*fig.*), forte, resistente CONTR. debole, fiacco.

tenàce *agg.* **1** [*rif. a un sentimento*] forte, saldo, fermo, gagliardo CONTR. volubile, incostante **2** [*rif. a una persona*] costante, assiduo, ostinato, caparbio CONTR. volubile, incostante **3** [*rif. a una persona*] accanito, perseverante, insistente, persistente CONTR. volubile, incostante **4** [*rif. a un materiale*] viscoso, colloso.

tenacemènte *avv.* perseverantemente, caparbiamente, puntigliosamente, ostinatamente, cocciutamente, testardamente CONTR. fiaccamente, debolmente.

tenàcia *s. f.* **1** (*est.*) costanza, fermezza, ostinazione, perseveranza, pertinacia, accanimento CONTR. incostanza, volubilità **2** [*rif. al metallo*] resistenza, durezza, compattezza CONTR. fragilità **3** [*rif. alla colla, etc.*] resistenza, adesività, vischiosità.

tenacità *s. f. inv.* **1** [*rif. ai metalli*] durezza, compattezza CONTR. fragilità **2** [*rif. alla colla, etc.*] vischiosità, resistenza, adesività **3** [*rif. al carattere*] (*est.*) fermezza, perseveranza.

tenàglia o **tanàglia** *s. f.* **1** [*rif. ai crostacei*] chela **2** pinza, cane (*fig.*) **3** (*gener.*) strumento.

tènda *s. f.* **1** cortina **2** telone, sipario **3** (*est.*) baracca, casetta.

tendènza *s. f.* **1** inclinazione, disposizione, propensione, attitudine, vocazione **2** indirizzo, orientamento, stile (*est.*), piega (*fig.*), direzione (*fig.*) **3** (*est.*) impulso, ispirazione **4** [*politica*] (*est.*) tinta (*fig.*), opinione.

tèndere A *v. tr.* **1** [*q.c.*] tirare **2** [*i muscoli*] contrarre, irrigidire **3** [*un oggetto a qc.*] allungare, porgere, offrire **4** [*i panni al sole*] stendere **5** [*le braccia al sole, etc.*] protendere, alzare **6** [*l'o-*

recchio, lo sguardo] dirigere **B** *v. intr.* **1** ambire, mirare, aspirare, anelare, puntare, tirare **2** finire, andare a finire, dirigersi **3** [*detto di tempo*] volgersi, buttare **4** [*detto di persona*] inclinare (*fig.*), propendere **5** [*al bene, al male, etc.*] intendere (*raro*).

tèndine *s. m.* nervo.

tendòpoli *s. f. inv.* accampamento, attendamento.

tènebra *s. f.* **1** oscurità, buio, ombra, bruno (*lett.*) CONTR. luce, luminosità **2** ignoranza **3** [*rif. a un'epoca*] oscurantismo.

tenebrióne *s. m.* **1** verme della farina **2** (*gener.*) verme.

tenebrosità *s. f. inv.* enigmaticità, ambiguità CONTR. chiarezza.

tenènte *s. m. e f.* (*gener.*) militare.

teneramènte *avv.* dolcemente, affettuosamente, amorevolmente, blandamente, idilliacamente (*est.*) CONTR. duramente, aspramente, arcignamente.

tenére A *v. tr.* **1** avere in mano, reggere, stringere CONTR. lasciare, mollare, ridare (*est.*) **2** [*detto di recipiente*] contenere **3** [*una posizione militare*] (*mil.*) mantenere (*est.*), presidiare, difendere CONTR. abbandonare, cedere **4** [*una spazio*] (*est.*) occupare, coprire **5** [*un posto, una carica*] (*est.*) ricoprire, esercitare, esercire **6** [*qc.*] (*est.*) trattenere, frenare, bloccare **7** [*il potere, il comando*] detenere **8** [*un'assemblea*] (*est.*) dominare, presiedere **9** [*una posizione*] assumere, osservare, seguire **10** [*qc. a cena*] (*est.*) invitare **11** [*un pacco, una valigia*] badare, custodire **12** [*una conferenza, etc.*] (*est.*) svolgere **13** [*qc. come padre, parente*] (*est.*) considerare, reputare, ritenere, trattare **14** [*una pettinatura, etc.*] (*est.*) portare **15** possedere, avere **B** *v. intr.* **1** resistere, reggere **2** [*detto di pianta*] attecchire **3** [*alle regole formali, etc.*] badare **4** (*sport*) tifare, parteggiare **5** [*a un progetto, a qc.*] ambire *un*, avere a cuore *un* **C** *v. rifl.* **1** afferrarsi, reggersi, appigliarsi, sostenersi **2** [*giovane, in forma, etc.*] mantenersi, conservarsi CONTR. trascurarsi **3** [*dall'ira, etc.*] trattenersi, frenarsi, controllarsi, dominarsi, astenersi **4** [*ai regolamenti,*

etc.] attenersi, limitarsi, stare, rispettare *un* **5** [*offeso, contento, etc.*] ritenersi, stimarsi **6** [*a destra, a sinistra, etc.*] stare, camminare **D** *v. intr. pron.* [*detto di avvenimento, di festa*] svolgersi, celebrarsi.

tenerézza *s. f.* **1** [*rif. alle linee, ai colori, etc.*] (*fig.*) delicatezza, morbidezza CONTR. durezza, rigidezza **2** [*rif. ai metalli, etc.*] (*est.*) fragilità CONTR. durezza **3** (*est.*) dolcezza, affetto, amore **4** [*l'azione*] (*est.*) affettuosità, premura **5** (*gener.*) sentimento.

tènero A *agg.* **1** morbido, molle CONTR. duro, sgarbato **2** [*rif. all'animo*] delicato, dolce CONTR. duro, severo **3** [*rif. all'atteggiamento*] (*est.*) affettuoso, amoroso, gentile, romantico CONTR. duro, sgarbato, severo **4** [*rif. a cosa*] (*lett.*) delicato, bello, soave CONTR. duro **5** [*rif. a un insegnante, a un educatore*] indulgente, pietoso CONTR. duro, sgarbato, severo **B** *s. m.* [*fra due persone*] simpatia.

tènnis *s. m. inv.* (*gener.*) sport.

tenóre *s. m.* **1** modo, maniera, comportamento, stile **2** [*di uno scritto, di un discorso*] senso.

tensióne *s. f.* **1** ansia, ansietà, nervosismo CONTR. tranquillità **2** (*med.*) stress (*ingl.*), logorio **3** pressione **4** [*tra persone, tra stati*] contrasto, irrigidimento, maretta (*fam.*) CONTR. distensione.

tentàre *v. tr.* **1** provare **2** arrischiare, azzardare, buttarsi **3** sperimentare, saggiare, esperire (*colto*) **4** [*qc.*] allettare, attirare **5** [*usato con la prep. di e il verbo all'infinito*] (*fig.*) provare, vedere, cercare, guardare.

tentativo *s. m.* **1** prova, esperimento, cimento (*lett.*) **2** (*est.*) sforzo, passo, conato **3** [*rif. a un'opera pittorica*] (*est.*) abbozzo **4** (*est.*) azione, iniziativa.

tentazióne *s. f.* **1** lusinga, allettamento **2** voglia, desiderio, capriccio, curiosità.

tentennàre A *v. tr.* [*la testa*] oscillare, dondolare, crollare (*raro*), scrollare, scuotere **B** *v. intr.* **1** traballare, barcollare, vacillare, ballare (*fig.*) **2** ciondolare, pencolare, pendere, fluttuare **3**

(*est.*) dubitare, esitare, titubare, nicchiare, tergiversare, indugiare, ondeggiare (*fig.*) **CONTR.** decidersi.

tènue (1) *agg.* **1** esile, sottile, leggero **CONTR.** forte, grosso **2** [*rif. al suono*] lieve, debole **CONTR.** forte, carico, vivo **3** [*rif. al colore*] pallido, chiaro **CONTR.** forte, carico **4** [*rif. alla luce*] fioco **CONTR.** vivo **5** [*rif. alla pena*] (*fig.*) esiguo, irrilevante **6** [*rif. alla speranza, alla felicità*] fragile **CONTR.** forte.

tènue (2) *s. m.* (*gener.*) intestino.

tenuità *s. f. inv.* **1** fragilità, esilità, levità, leggerezza, finezza, esiguità **CONTR.** pesantezza, grossezza, voluminosità, intensità **2** [*di argomenti*] vaghezza, debolezza **CONTR.** forza.

tenùta (1) *s. f.* **1** [*rif. a un recipiente*] capacità, capienza **2** [*di un automezzo*] assetto **3** [*di un atleta*] resistenza.

tenùta (2) *s. f.* **1** abbigliamento, mise (*fr.*), completo, insieme, vestito **2** divisa, uniforme.

tenùta (3) *s. f.* podere, terra, campagna, fattoria, fondo, possedimento.

tenzóne *s. f.* sfida, duello, gara (*est.*), battaglia (*est.*).

teofanìa *s. f.* rivelazione.

teorètico *agg.* speculativo, teorico **CONTR.** realistico.

teoria (1) *s. f.* **1** dottrina **CONTR.** pratica, prassi **2** sistema **3** idea, congettura **4** pensiero, credenza, principio, opinione, filosofia.

teoria (2) *s. f.* processione, corteo, fila, sfilata, coda, riga.

teoricaménte *avv.* **1** idealmente, filosoficamente **CONTR.** empiricamente, sperimentalmente, fisicamente, praticamente **2** ipoteticamente **CONTR.** effettivamente.

teòrico A *agg.* **1** concettuale, speculativo, teoretico, conoscitivo **CONTR.** pratico **2** (*est.*) astratto **3** (*est.*) utopistico, ideale **B** *s. m.* (*f. -a*) pensatore **CONTR.** pratico.

teorizzàre *v. tr.* sostenere.

teppista *s. m. e f.* **1** vandalo, distruttore **2** delinquente, malvivente **3** [*rif. a*

un bambino] monello.

terapèutico *agg.* curativo, medicinale, medico.

terapìa *s. f.* **1** cura **2** psicoterapia, psicoanalisi.

tèrgere *v. tr.* pulire, detergere, nettare, lucidare (*est.*) **CONTR.** sporcare, impiastrare, impiastricciare, macchiare.

tergiversàre *v. intr.* **1** nicchiare, temporeggiare, tentennare, titubare, esitare, fluttuare (*fig.*), traccheggiare (*est.*), indugiare **CONTR.** decidersi **2** (*est.*) barcamenarsi, destreggiarsi.

tergiversazióne *s. f.* pretesto, cavillo.

tèrgo *s. m.* (*pl. -a*) schiena, dorso.

terminàle (1) A *agg.* estremo, ultimo, finale **CONTR.** iniziale **B** *s. m.* estremità.

terminàle (2) *s. m.* unità periferica (*elab.*).

terminàre A *v. tr.* **1** [*un lavoro, un'attività*] finire, completare, ultimare, compiere, compire, cessare **CONTR.** cominciare, incominciare, iniziare, principiare, impiantare, intraprendere, sbozzare **2** [*una discussione, etc.*] cessare, definire, limitare **CONTR.** intavolare **3** [*un discorso, etc.*] concludere, chiudere **CONTR.** seguitare **4** [*una pratica, un lavoro*] disbrigare, espletare, evadere, sbrigare **2** [*q.c.*] rifinire **CONTR.** imbastire, impostare, abbozzare **B** *v. intr.* **1** [*detto di rapporto, di trattative*] concludersi, finire, chiudersi, consumarsi **2** [*detto di strada, di fiume, etc.*] finire, condurre, imboccare, sboccare **CONTR.** partire **3** [*detto di tempo*] scadere, passare **CONTR.** decorrere **4** [*detto di attività*] interrompersi **5** [*detto di cibo, etc.*] finire **6** [*detto di festa, etc.*] concludersi, risolversi **7** [*detto di vento, etc.*] finire, desistere.

terminàto *part. pass.; anche agg.* finito, compiuto, concluso, definito (*est.*) **CONTR.** accennato, impostato.

terminazióne *s. f.* **1** (*ling.*) uscita, desinenza **CONTR.** tema, radice **2** conclusione, fine.

tèrmine (1) *s. m.* **1** [*di q.c.*] fine, epilogo, compimento **CONTR.** inizio, av-

vio, avviamento **2** [*di arrivo*] punto, grado, meta, oggetto **3** [*nel senso dello spazio*] confine, limite **4** [*nel senso del tempo*] scadenza **5** [*della vita, della carriera*] finire (*poet.*), tramonto (*lett.*) **6** [*spec. con: oltrepassare il*] regola, convenzione, condizione, legge **7** [*di confronto, di paragone*] (*est.*) elemento.

tèrmine (2) *s. m.* (*est.*) parola, vocabolo, espressione, voce, locuzione, nome.

termosifóne *s. m.* calorifero.

tèrra *s. f.* **1** mondo, universo, globo, pianeta, realtà (*est.*) **2** patria, paese, regione, lido (*lett.*), contrada (*poet.*), territorio, provincia **3** (*est.*) terreno, suolo, pavimento **4** [*spec. al pl.*] (*est.*) fondo, tenuta, possedimento **5** (*est.*) campagna **6** città, borgo **7** [*tipo di*] argilla, creta, arena **8** (*gener.*) elemento **CONTR.** aria, acqua.

terracòtta *s. f.* cotto, mattone.

terraférma *s. f.* **1** continente **2** costa.

terràglie *s. f. pl.* stoviglie.

terranòva *s. m. inv.* (*gener.*) cane.

terrapièno *s. m.* **1** argine, muro, diga, sbarramento **2** scarpata.

terràzza *s. f.* terrazzo, loggia, altana (*tosc.*), veranda, balcone, verone (*raro*).

terràzzo *s. m.* terrazza, balcone, poggiolo, verone (*colto*).

terremòto *s. m.* **1** sisma **2** [*sociale*] (*est.*) sconvolgimento, rivoluzione, scompiglio, sovvertimento **3** [*rif. a un bambino*] (*est.*) monello, demonio (*fig.*), diavolo (*fig.*).

terréno (1) *agg.* **1** mondano, profano, umano, secolare **CONTR.** spirituale, divino, celeste, soprannaturale, sovrumano **2** (*est.*) prosaico **CONTR.** romantico.

terréno (2) *s. m.* **1** area, appezzamento, zolla (*raro*) **2** terra, suolo **3** [*tipo di*] campo, orto **4** (*est.*) territorio, ambiente **5** [*rif. a una disciplina*] (*est.*) ambiente, ambito.

tèrreo *agg.* [*rif. al colorito*] livido, olivastro, pallido, smorto, cereo, cadave-

terribile

rico **CONTR.** roseo, rosso.

terribile *agg.* **1** orrendo, spaventoso, agghiacciante, tremendo, orripilante, pauroso, terrificante **2** [*rif. al dolore, al freddo*] (*iperb.*) eccessivo, straordinario, infernale, atroce, straziante **CONTR.** sopportabile, tollerabile **3** [*rif. a uno sbaglio, a un equivoco*] vergognoso **CONTR.** tollerabile **4** [*rif. a una persona*] severo, crudele, spietato, implacabile **CONTR.** buono, gentile, affabile **5** [*rif. a un evento naturale*] furioso, disastroso **6** [*rif. a una situazione*] drammatico, difficile **7** [*rif. al rumore*] indiavolato.

terribilménte *avv.* atrocemente, orribilmente, orrendamente, pessimamente, maledettamente (*fam.*) **CONTR.** ottimamente, benissimo.

terrificànte *part. pres.; anche agg.* pauroso, spaventoso, terribile, tremendo **CONTR.** allettante, attraente.

terrificàre *v. tr.* terrorizzare, atterrire, spaventare, impaurire.

territòrio *s. m.* **1** terra, paese, lido (*poet.*), regione, provincia, distretto, zona **2** (*fig.*) terreno, ambiente.

terróne *s. m.* (*f. -a*) meridionale **CONTR.** polentone, settentrionale.

terróre *s. m.* **1** paura, spavento, panico, sgomento, strizza (*fam.*) **2** orrore, raccapriccio.

terrorizzàre **A** *v. tr.* atterrire, terrificare, agghiacciare (*fig.*), spaventare, impaurire, impietrire (*fig.*), ghiacciare (*fig.*) **B** *v. intr. pron.* spaventarsi, impaurirsi, sgomentarsi, sbigottirsi.

terrorizzàto *part. pass.; anche agg.* atterrito, spaventato, impaurito, sbigottito, impietrito, sgomento **CONTR.** rassicurato, rincuorato.

tèrso *part. pass.; anche agg.* **1** pulito, asettico, lindo, mondo **2** [*rif. al cielo*] nitido, limpido **CONTR.** velato, brumoso, caliginoso, fumoso.

tésa *s. f.* [*del cappello*] ala, falda.

tèschio *s. m.* cranio.

tèsi *s. f. inv.* **1** proposizione, enunciato, premessa **CONTR.** antitesi, ipotesi **2** (*est.*) assunto, tema, argomento **3** (*est.*) opinione, idea, parere, avviso.

tèso *part. pass.; anche agg.* **1** [*rif. a una persona*] agitato, preoccupato, inquieto **CONTR.** disteso, quieto **2** [*rif. alle mani, alle ali*] steso, allargato, aperto **CONTR.** disteso **3** [*rif. a una corda*] allungato, tirato **CONTR.** allentato, cadente, cascante.

tèssera *s. f.* **1** carta, documento **2** [*di un puzzle, di un problema, etc.*] elemento, tassello.

tèssere *v. tr.* **1** intessere, intrecciare, ordire **CONTR.** disfare **2** (*est.*) tramare, architettare.

tessùto *s. m.* **1** panno, pezza **2** (*erron.*) filo **3** [*tipo di*] **4** [*di bugie, etc.*] (*est.*) intreccio, trama.

INFORMAZIONE

Tessuto

Tessuto: strato flessibile formato da uno, da due o più sistemi di fili che si incrociano e si intrecciano fra loro.

*stoffa: tessuto usato per l'abbigliamento e la tappezzeria;

*tela: tessuto di cotone, lino, canapa a tessitura classica.

alcantara: tessuto che imita la consistenza e la morbidezza del camoscio, impiegato per confezionare abiti e accessori o per rivestire divani, poltrone, cuscini e sim.;

bandinella: tessuto rado e leggero molto apprettato usato per imballare tessuti e per modelli di sartoria;

bavella: tessuto ricavato dal cascame del filo di seta prodotto dalle bave esterne del bozzolo;

gore-tex: tessuto in politetrafluoroetilene e nylon ottenuto con una particolare tecnologia che lo rende impermeabile all'acqua ma non all'aria, usato spec. per indumenti sportivi e in applicazioni mediche;

moquette: tessuto in lana ruvida o fibre sintetiche, usato per rivestire pavimenti;

peluche: tessuto con pelo lungo e morbido, usato spec. per pupazzi;

pile: tessuto sintetico, morbido, idrorepellente e fortemente isolante, costituito da un supporto di maglia sul quale sono fissati peli più o meno fitti;

stuoia: tessuto di giunchi, canne, paglia, sparto per tappeti, tendaggi, graticci;

---

test *s. m. inv.* **1** verifica, controllo, esame **2** prova, saggio, esperimento **3** (*est.*) quesito, quiz.

tèsta *s. f.* **1** capo, capoccia, zucca (*scherz.*), cocuzza (*dial.*), crapa (*scherz.*) **2** [*rif. a capacità intellettuali*] (*est.*) cranio (*fig.*), cervello, ingegno **3** [*spec. con: alzare la*] (*fig.*) cresta **4** [*spec. in loc.: perdere la*] (*fig.*) tramontana, direzione **5** [*di spillo*] capocchia.

testardàggine *s. f.* caparbietà, cocciutaggine, ostinazione, pervicacia, durezza **CONTR.** duttilità, docilità.

testardaménte *avv.* caparbiamente, ostinatamente, cocciutamente, tenacemente **CONTR.** arrendevolmente, remissivamente.

testàrdo **A** *agg.* **1** caparbio, cocciuto, ostinato, pervicace **CONTR.** malleabile, condiscendente **2** (*est.*) accanito **B** *s. m.* (*f. -a*) testone (*fam.*), zuccone (*fam.*), cocciuto.

testàre **A** *v. tr.* verificare, provare, saggiare, sperimentare, controllare **B** *v. intr.* fare testamento.

testàta *s. f.* capocciata, craniata, zuccata.

tèste *s. m. e f.* **1** testimone **2** [*a fatti, a eventi*] spettatore.

testìcolo *s. m.* palla (*pop.*), coglione (*volg.*), didimo (*lett.*).

testièra *s. f.* [*del letto*] spalliera.

testimòne (1) *s. m. e f.* **1** teste **2** [*a fatti, a eventi, etc.*] spettatore.

testimòne (2) *s. m.* [*campione di roccia*] carota.

testimoniànza *s. f.* **1** dichiarazione, affermazione, asserzione **2** [*in tribunale, etc.*] deposizione **3** [*di fede, etc.*] (*est.*) attestato, prova, attestazione, professione **4** [*prova materiale di q.c.*] (*est.*) indizio, argomento **5** [*di amore, etc.*] ricordo, pegno, memoria, segno, monumento (*fig.*).

testimoniàre **A** *v. tr.* attestare, certificare, dichiarare, asserire, provare **B** *v. intr.* deporre, fare una testimonianza.

tèsto (1) *s. m.* **1** composizione, scritto **2** [*tipo di*] articolo, libro.

tèsto (2) *s. m.* [*per i testaroli*] formella.

testùggine *s. f.* **1** (*gener.*) rettile **2** [*di mare*] tartaruga.

tetràggine *s. f.* cupezza CONTR. allegria.

tetràgono *agg.* **1** quadrangolo (*mat.*) **2** forte, fermo, resistente, caparbio (*est.*).

tetraménte *avv.* cupamente CONTR. festosamente.

tètro *agg.* **1** scuro, fosco, lugubre, buio CONTR. radioso, raggiante **2** [*rif. al viso*] buio, triste, malinconico, acciglia to, cupo, funereo CONTR. radioso, raggiante **3** [*rif. a un luogo*] brullo, squallido CONTR. ridente **4** [*rif. al cielo*] plumbeo **5** ripugnante.

tètta *s. f.* mammella, zinna (*merid.*), cioccia (*dial.*), poppa (*tosc.*), puppa (*tosc.*).

tètto *s. m.* **1** copertura CONTR. fondamenta **2** (*est.*) ricovero, casa, dimora, abitazione **3** (*est.*) carriera, vetta (*fig.*), top (*ingl.*) CONTR. base, inizio **4** [*spec. con: superare il*] (*est.*) top (*ingl.*), limite.

tic *s. m. inv.* abitudine, vizio.

tìcchio *s. m.* **1** tic **2** capriccio, ghiribizzo.

ticket *s. m. inv.* **1** scontrino, biglietto, talloncino **2** buono.

tiepidézza *s. f.* [*rif. a un sentimento*] fiacchezza CONTR. ardore, calore, entusiasmo.

tièpido *agg.* **1** [*rif. a un sentimento*] debole, fiacco, moderato CONTR. appassionato, caloroso **2** [*rif. alla temperatura, al clima*] mite, dolce CONTR. rigido, freddo.

tifàre *v. intr.* parteggiare, tenere.

tifóne *s. m.* uragano, ciclone.

tifoserìa *s. f.* seguito, claque (*fr.*).

tifóso A *s. m.* (*f. -a*) **1** sostenitore, simpatizzante, seguace, aficionado (*sp.*), fan (*ingl.*), appassionato CONTR. avversario, nemico **2** (*erron.*) sportivo **B** *agg.* fanatico, entusiasta.

tignòla *s. f.* **1** tarma, tarlo **2** (*gener.*) farfalla, insetto.

tìgre *s. f.* (*gener.*) mammifero.

timbràre *v. tr.* bollare, vidimare, marchiare, marcare, obliterare (*bur.*).

timbro *s. m.* **1** marca, contrassegno, marchio, bollo **2** (*erron.*) voce, tono, tempra (*raro*), modulazione.

timer *s. m.* temporizzatore.

timidaménte *avv.* **1** timorosamente CONTR. animosamente, baldanzosamente, gagliardamente, boriosamente **2** pudicamente, verecondamente CONTR. svergognatamente **3** debolmente CONTR. fortemente, imperiosamente, recisamente, risolutamente, ferreamente.

timidézza *s. f.* **1** ritrosia CONTR. audacia, ardire, coraggio **2** [*rif. a un gesto, etc.*] (*est.*) impaccio, esitazione, indecisione, vaghezza CONTR. scioltezza, sfrontatezza, baldanza, disinvoltura, sfacciataggine, spavalderia, improntitudine, aplomb, sicurezza, decisione.

timido *agg.* **1** vergognoso, insicuro, timoroso, pudico, schivo, verecondo CONTR. baldanzoso, saccente, saputello, sfrontato, strafottente **2** (*est.*) impacciato CONTR. disinvolto **3** (*est.*) imbelle, vile CONTR. baldanzoso, agguerrito, animoso, impavido **4** [*rif. a un gesto, a un comportamento*] indeciso, vago CONTR. ardito.

timóne *s. m.* **1** governo, comando, guida, direzione **2** (*est.*) carro.

timóre *s. m.* **1** apprensione, trepidazione, batticuore (*fig.*), preoccupazione, ansietà CONTR. ardire, coraggio, audacia, ardimento **2** paura, soggezione, rispetto, fifa (*fam.*), tema (*lett.*), vergogna CONTR. scherno, disprezzo **3** sospetto, dubbio, scrupolo.

timorosaménte *avv.* pavidamente, paurosamente, timidamente, dubbiosamente CONTR. ardimentosamente, arditamente, valorosamente.

timoróso *agg.* pauroso, pavido, timido, incerto, insicuro CONTR. ardito, audace, animoso, azzardato, impavido, imperterrito, spudorato, strafottente.

tinèllo *s. m.* **1** soggiorno, living (*ingl.*) **2** (*gener.*) stanza, ambiente, locale,

vano.

tìngere A *v. tr.* **1** colorare, colorire, dipingere, inverniciare, verniciare **2** [*i capelli*] schiarire, scurire **B** *v. rifl.* **1** scurirsi, abbronzarsi, colorarsi **2** [*il viso, etc.*] truccarsi, dipingersi.

tinòzza *s. f.* vasca.

tinta *s. f.* **1** colore, vernice, pittura **2** (*est.*) colore, colorazione, sfumatura **3** [*politica*] (*est.*) tendenza, opinione **4** indole, qualità **5** [*per i capelli*] cachet (*fr.*), tintura.

tinteggiàre *v. tr.* dare la tinta a, colorare, dipingere, verniciare, imbiancare.

tintinnàre *v. intr.* **1** squillare **2** [*detto di vetro*] suonare **3** (*est.*) rumoreggiare.

tintùra *s. f.* **1** [*per i capelli*] tinta, cachet (*fr.*) **2** [*di erbe, etc.*] estratto **3** [*per le scarpe, etc.*] crema, vernice.

tipicaménte *avv.* caratteristicamente, particolarmente, specificatamente, propriamente CONTR. genericamente.

tipico *agg.* **1** caratteristico, esemplare (*est.*) **2** pretto, peculiare, specifico **3** classico, tradizionale, medio **4** tipo.

tipo A *s. m.* **1** [*rif. a una persona*] figura, personaggio, tomo (*scherz.*), soggetto (*scherz.*), sagoma (*scherz.*), numero (*fig.*), elemento (*est.*), individuo, persona, macchietta (*scherz.*) **2** [*rif. a cose*] esempio, modello, esemplare, campione **3** [*rif. a persone, a cose*] specie, genere, categoria, sorta (*spreg.*), varietà, stampo (*fig.*), razza, qualità, risma (*spreg.*), natura **4** [*rif. a una moneta, etc.*] impronta, conio **B** *agg. inv.* tipico, medio, modello (*est.*) CONTR. singolare, eccezionale.

tiranneggiàre *v. tr.* angariare, opprimere, schiacciare, vessare (*colto*), dominare.

tirannìa (1) *s. f.* **1** dittatura, tirannide, dominazione, oppressione, dispotismo CONTR. libertà **2** (*est.*) potere, forza.

tirannìa (2) *s. f.* risacca, maretta.

tirannicaménte *avv.* dispoticamente, vessatoriamente CONTR. democraticamente.

tirànnico agg. 1 autoritario, dispotico, assolutista CONTR. democratico, liberale 2 [rif. a un regime politico] dittatoriale, oppressivo, assoluto CONTR. democratico, liberale 3 [rif. a una persona] (est.) prepotente, crudele, violento CONTR. tollerante.

tirànnide s. f. tirannia, dittatura, regime CONTR. democrazia.

tirànno A agg. dispotico, prepotente **B** s. m. (f. -a) oppressore.

tirannosàuro s. m. (gener.) dinosauro, sauro.

tirànte s. m. laccio, fune, catena, legaccio.

tirapièdi s. m. e f. inv. scagnozzo, ruffiano, lacchè.

tiràre A v. tr. 1 [un oggetto] tendere, allungare 2 [q.c.] buttare, scagliare, lanciare, gettare 3 [il latte] suggere, succhiare, poppare 4 [un peso, un carro] trascinare, trarre, attrarre, condurre, trainare 5 [una linea, un solco] tracciare 6 [un libro, un volantino] stampare, pubblicare 7 [con una pistola] sparare 8 [con un arco] scoccare 9 [un pugno, etc.] sferrare 10 [una carta da gioco] buttare, giocare 11 [detto di terreno] assorbire **B** v. intr. 1 procedere, proseguire 2 tendere, mirare, aspirare 3 [detto di colore, etc.] assomigliare, richiamare un 4 parteggiare per, propendere per 5 [a piovere, etc.] minacciare di, essere sul punto di 6 [detto di vento, etc.] spirare, soffiare.

tiràta s. f. 1 strappo, strattone 2 [di sigaretta] boccata 3 (est.) rimprovero, sgridata 4 [lungo discorso] ramanzina, filippica, invettiva, sproloquio.

tiràto part. pass.; anche agg. 1 [rif. a una corda] allungato, teso 2 [rif. a un discorso, a un modo] (fig.) stentato, sforzato CONTR. schietto 3 [rif. al viso] provato, stanco.

tirchieria s. f. 1 avarizia, spilorceria, taccagneria CONTR. generosità, prodigalità, magnanimità, munificenza 2 [qualità dell'animo] (neg.) grettezza, meschinità CONTR. signorilità.

tirchio A agg. 1 avaro, taccagno (fam.), spilorcio (fam.), parsimonioso CONTR. generoso, munifico 2 (est.)

gretto, sordido **B** s. m. (f. -a) avaro.

tiritèra s. f. (fig.) musica, solfa, storia, zuppa.

tiro s. m. 1 [animali da] traino 2 [dei dadi, della palla, etc.] lancio 3 sparo, fucilata 4 [di sigaretta] (est.) boccata 5 [di cocaina] (est.) annusata, sniffata 6 (est.) scherzo, burla.

tirocinànte A s. m. e f. apprendista, principiante, allievo, praticante, recluta, matricola, novizio CONTR. maestro, insegnante, docente **B** agg. principiante, novizio (fig.) CONTR. maestro, esperto, provetto.

tirocinio s. m. 1 apprendistato, avviamento, addestramento, training (ingl.) 2 pratica, esperienza.

tisàna s. f. 1 pozione, infuso, decotto 2 (gener.) bevanda.

titànico agg. gigantesco, ciclopico, colossale, enorme, imponente (est.) CONTR. minuscolo, piccolo, microscopico.

titàno s. m. colosso, gigante, ciclope CONTR. lilliputiano, nano, pigmeo.

titillàre v. tr. fare il solletico a, solleticare, vellicare (lett.).

titolàre (1) A v. tr. (fig.) chiamare **B** v. intr. [detto di giornali] (fig.) uscire.

titolàre (2) A s. m. e f. padrone, proprietario CONTR. sostituto, supplente **B** agg. di ruolo CONTR. precario, incaricato, supplente.

titolo s. m. 1 [di un libro, etc.] intestazione 2 denominazione, qualificazione 3 (est.) veste (fig.), autorità, carica, dignità, grado, requisito, diritto, condizione 4 (est.) appellativo, epiteto 5 documento 6 (dir.) motivazione 7 [di oro, argento] percentuale 8 [di dizionario] (ling.) lemma, entrata.

titubànte part. pres.; anche agg. 1 esitante, dubbioso, sospeso, indeciso, vacillante, perplesso, incerto, ondeggiante (fig.) CONTR. sbrigativo, spavaldo 2 [rif. a un discorso] sospeso, incerto CONTR. sbrigativo, reciso.

titubànza s. f. esitazione, indecisione, indugio, perplessità CONTR. decisione, risolutezza.

titubàre v. intr. 1 esitare, tentennare, vacillare (fig.), nicchiare, dubitare, pencolare (fig.), pendere (fig.) CONTR. osare, decidersi 2 (est.) tergiversare.

tivù s. f. televisione, televisore (erron.), tele (fam.).

tìzio s. m. (f. -a) individuo, persona, tale CONTR. caio, sempronio.

toccàbile agg. tangibile, concreto, reale CONTR. intangibile, intoccabile.

toccàre A v. tr. 1 sfiorare, accarezzare, palpare, tastare, palpeggiare, maneggiare 2 [qc., q.c.] urtare, colpire 3 [un oggetto] spostare, manomettere 4 [una certa altezza, etc.] arrivare a (fig.), raggiungere, giungere (fig.) 5 [detto di fiume] bagnare, lambire (fig.) 6 [una città, etc.] passare per 7 [un tema, un argomento] (est.) sfiorare, trattare, accennare a, riguardare, riferirsi a 8 [qc., gli interessi di qc.] (est.) danneggiare, nuocere a 9 [qc., l'animo di qc.] (est.) commuovere, impressionare, scalfire (fig.), emozionare, interessare **B** v. intr. 1 capitare, avvenire, accadere 2 [detto di eredità, etc.] spettare, venire (fig.), pervenire 3 [detto di compito, etc.] spettare, competere, dipendere da, stare (fam.) 4 [detto di colpe, di conseguenze] incombere su, ricadere su **C** v. rifl. rec. 1 urtarsi, sfiorarsi 2 (fam.) pomiciare.

toccàto part. pass.; anche agg. 1 manomesso, violato, profanato 2 commosso, impietosito 3 [rif. a una persona] matto, stravagante CONTR. savio, assennato.

tócco (1) s. m. (pl. -chi) 1 carezza 2 [pittorico] mano, stile, tratto 3 [di campana] rintocco, battuta.

tócco (2) s. m. (pl. -chi) 1 indizio, accenno, cenno 2 [un poco di q.c.] pezzo, zolla, patina.

tócco (3) part. pass.; anche agg. (pl. m. -chi) 1 [rif. a un frutto] ammaccato, guasto CONTR. intatto, sano 2 [rif. a una persona] stravagante, strano, bislacco, bizzarro CONTR. assennato, giudizioso, saggio.

toelètta o tolètta, telètta, toelètte s. f. 1 toilette (fr.), gabinetto, bagno, servizi, cesso (volg.), ritirata 2 [per gli

attori] camerino **3** (*gener.*) mobile **4** stanza, vano.

toelètte *s. f. inv.* V. *toeletta.*

tògliere A *v. tr.* **1** [*q.c.*] levare **CONTR.** dare, elargire, fornire, assegnare **2** [*una cifra da una somma*] detrarre, sottrarre, dedurre, defalcare, diminuire, scalare (*est.*) **CONTR.** aggiungere **3** [*qc. di q.c.*] privare, spogliare **4** [*un dente, etc.*] sradicare, svellere, cavare, estirpare, asportare, estrarre, trarre **CONTR.** piantare, conficcare, configgere, innestare **5** [*una legge, etc.*] abolire, depennare, eliminare, obliterare **CONTR.** confermare **6** [*q.c.*] espropriare, rubare, portare via, prelevare **7** [*q.c. o qc. da un luogo*] (*est.*) spostare, rimuovere, schiodare (*scherz.*) **CONTR.** porre, posare, ricollocare, piazzare **8** [*un brano da un testo*] espungere (*colto*) **CONTR.** completare, inserire **9** [*un fastidio, etc.*] evitare **10** [*un vestito, un anello*] (*fig.*) sfilare **CONTR.** infilare **11** [*il dubbio*] eliminare, bandire **12** [*un pezzo in un giornale*] sacrificare **13** (*ling.*) elidere **B** *v. rifl.* [*da una situazione*] levarsi, schiodarsi (*fig.*), trarsi, andarsene **CONTR.** ficcarsi, mettersi, porsi **C** *v. intr. pron.* [*un abito, un anello*] sfilarsi, levarsi **CONTR.** indossare, mettersi, rificcarsi, rinfilarsi.

toilette (1) *s. f.* **1** toeletta, servizi, bagno, gabinetto, cesso (*pop.*), ritirata **2** [*per gli attori*] camerino **3** (*gener.*) mobile.

toilette (2) *s. f.* mise (*fr.*), insieme, vestito, completo, abbigliamento.

tòlda *s. f.* coperta.

tolétta *s. f.* V. *toeletta.*

tolleràbile *agg.* **1** sopportabile, ammissibile, accettabile **CONTR.** insostenibile, intollerabile **2** [*rif. a un argomento*] (*est.*) sostenibile **CONTR.** insostenibile, intollerabile, terribile **3** [*rif. a un'opera teatrale, etc.*] passabile, mediocre **CONTR.** terribile.

tollerabilménte *avv.* **1** sopportabilmente **CONTR.** intollerabilmente, insopportabilmente **2** scusabilmente, accettabilmente, passabilmente.

tollerànte *part. pres.; anche agg.* **1** indulgente, corrivo **CONTR.** fiscale, intollerante, intransigente, rigoroso, auste-

ro **2** (*est.*) comprensivo, generoso, paziente **CONTR.** permaloso, stizzito, stizzoso, acerbo (*fig.*) **3** [*rif. all'atteggiamento*] (*est.*) liberale, democratico **CONTR.** assolutista, autoritario, tirannico, fascista (*spreg.*).

tollerànza *s. f.* **1** pazienza, sopportazione **CONTR.** intolleranza, insofferenza **2** liberalità, comprensione, indulgenza, mansuetudine **CONTR.** severità, intransigenza, settarismo, faziosità **3** [*margine di*] (*est.*) scarto, riduzione.

tolleràre A *v. tr.* **1** [*un dolore*] patire, soffrire **2** [*una situazione*] sopportare, reggere, sostenere, resistere *a* **3** (*est.*) accettare, ammettere, permettere **CONTR.** rifiutare **4** [*q.c. di sgradevole*] (*fig.*) inghiottire, digerire, ingoiare, smaltire **5** [*qc. in un gruppo di amici*] (*est.*) accettare, ammettere, accogliere **6** [*qc.*] perdonare, compatire **B** *v. rifl. rec.* sopportarsi, compatirsi.

tómba *s. f.* **1** [*tipo di*] sepolcro (*colto*), urna, arca, sarcofago, fossa, tumulo (*raro*), avello (*lett.*) **2** (*est.*) sepoltura.

tombìno *s. m.* canaletto, pozzetto, chiusino.

tómbola *s. f.* (*gener.*) gioco.

tómbolo (1) *s. m.* ruzzolone, capitombolo.

tómbolo (2) *s. m.* **1** [*per i pizzi*] rullo **2** (*gener.*) attrezzo.

tòmo (1) *s. m.* **1** volume **2** [*rif. a un'opera a stampa*] sezione, parte.

tòmo (2) *s. m.* tipo (*scherz.*), campione (*iron.*), figura.

tònaca *s. f.* (*pl. -che*) saio, tunica.

tonalità *s. f. inv.* **1** sfumatura, gradazione, nuance (*fr.*), tono, punto (*fig.*) **2** (*mus.*) armonica, suono.

tonàre *v. intr.* V. *tuonare.*

tondeggiàre *v. intr.* rotondeggiare.

tóndo A *agg.* **1** circolare, rotondo, sferico, globulare **CONTR.** incavato **2** [*rif. a un numero, a una cifra*] preciso, esatto **3** sciocco, sempliciotto **B** *s. m.* **1** globo, circolo, sfera, cerchio, circonferenza **CONTR.** quadrato **2** piatto, sto-

viglie (*gener.*) **3** [*rif. al sole*] occhio.

tónfo *s. m.* **1** botto **2** (*gener.*) rumore.

tònico A *agg.* [*rif. al cibo, alle bevande*] eccitante, stimolante, stuzzicante, corroborante **B** *s. m.* **1** cordiale, stimolante **CONTR.** sedativo, calmante, tranquillante **2** (*med.*) ricostituente, corroborante **3** (*gener.*) farmaco.

tonificàre *v. tr.* **1** dare tono *a,* rinvigorire, fortificare, rafforzare, irrobustire, ricostituire, rigenerare (*fig.*), ritemprare **CONTR.** debilitare, esanimare, indebolire **2** [*detto di medicamento, etc.*] stimolare, corroborare.

tonnellàggio *s. m.* stazza, portata.

tónno *s. m.* (*gener.*) pesce.

tòno *s. m.* **1** volume, suono, voce (*est.*) **2** (*mus.*) timbro (*est.*), modulazione **3** nota, intonazione (*fig.*) **4** carattere, modo, piglio, farsi, espressione, accento **5** stile, tenore, foggia **6** nuance (*fr.*), tonalità, colore **7** [*spec. con: avere*] stile, classe **8** [*nel parlare*] nota, misura **9** energia, vigore **10** (*fig.*) sapore, sfumatura.

tonsùra *s. f.* chierica.

tonsuràre *v. tr.* tosare.

tónto *agg.* fesso, balordo, stolido, suonato, svitato, beota, stolto, citrullo, minchione (*pop.*) **CONTR.** perspicace, intelligente, sveglio.

top (1) *s. m. inv.* [*della carriera, etc.*] (*fig.*) apice, vertice, culmine, apogeo, tetto, cima.

top (2) *s. m. inv.* canottiera.

tòpa *s. f.* vulva, passera (*volg.*), fica (*volg.*), natura (*pop.*), fessa (*nap.*), potta (*tosc.*), patata (*fam.*), fregna (*roman.*).

topàia *s. f.* **1** abituro, stamberga, tugurio, cimiciaio, bugigattolo, buco (*fig.*), tana, antro, porcile (*fig.*) **CONTR.** reggia **2** (*gener.*) casa.

tòpica *s. f.* errore, sbaglio.

tòpo *s. m.* **1** ratto, sorcio, zoccola (*nap.*) **2** (*gener.*) roditore, mammifero.

tòppa *s. f.* **1** pezza, rappezzatura, rat-

toppo, tassello 2 (*est.*) riparo, rimedio **3** serratura.

toràce *s. m.* petto, busto.

tórba *s. f.* **1** (*gener.*) sostanza **2** carbone.

torbidaménte *avv.* (*anche fig.*) sudiciamente, oscuramente **CONTR.** limpidamente, nitidamente, chiaramente.

tórbido *agg.* **1** [*rif. a un liquido*] impuro, opaco, scuro **CONTR.** chiaro, limpido, trasparente, cristallino **2** [*rif. a una persona, allo sguardo*] ambiguo, sinistro, equivoco **CONTR.** limpido, cristallino.

tórcere A *v. tr.* **1** attorcigliare **2** [*un fil di ferro*] piegare **CONTR.** drizzare **3** [*gli occhi, lo sguardo*] roteare, volgere, dirigere **4** [*il corpo*] contorcere **B** *v. intr.* [*detto di strada, etc.*] voltare **C** *v. rifl.* **1** [*per le risa, etc.*] contorcersi, piegarsi **2** [*nei problemi*] (*fig.*) aggrovigliarsi.

torchiàre *v. tr.* pressare, schiacciare, spremere.

tórchio *s. m.* pressa.

tórcia *s. f.* (*pl. -ce*) fiaccola.

tórdo *s. m.* **1** (*gener.*) uccello **2** (*est.*) stupido, stolto.

tórlo *s. m.* V. *tuorlo.*

tórma o **tùrma** *s. f.* **1** [*di persone*] insieme, gruppo, mucchio (*spreg.*), accozzaglia **2** [*di idee, di pensieri*] insieme **3** [*di animali*] mandria, branco, gregge, armento.

torménta *s. f.* bufera, tempesta.

tormentàre A *v. tr.* **1** martirizzare, martoriare, dilaniare, straziare, torturare, brutalizzare **2** (*est.*) ossessionare, angosciare, importunare, perseguitare, vessare, fare angherie *a*, dare fastidio *a*, angariare, pungere (*fig.*), punzecchiare (*fig.*) **3** (*est.*) angosciare, affliggere, desolare, impensierire, crucciare, travagliare, preoccupare, accorare, struggere (*fig.*) **4** [*qc. con richieste*] (*fig.*) ossessionare, assediare, premere **5** [*qc. con domande*] desolare, tartassare, assillare **6** [*detto di pestilenza, etc.*] (*fig.*) affliggere, flagellare **B** *v. rifl.* torturarsi (*fig.*), logorarsi (*fig.*), dannarsi (*fig.*),

accorarsi, penare, angosciarsi, angustiarsi, crucciarsi, cuocersi (*fig.*), friggere (*fig.*), affliggersi, arrovellarsi, dilaniarsi, divorarsi, macerarsi, rodersi.

tormentàto *part. pass.; anche agg.* **1** martoriato, torturato **2** [*rif. all'animo*] ossessionato, afflitto, angosciato, angustiato **CONTR.** divertito (*est.*) **3** [*rif. a una decisione*] difficoltoso, travagliato.

torménto *s. m.* **1** [*fisico*] sofferenza, dolore **2** [*morale*] sofferenza, strazio, patimento, pena, cruccio, struggimento, incubo, croce (*fig.*), angoscia, logorio, supplizio (*fig.*), spina (*fig.*), rodimento, pungolo (*fig.*), passione, aculeo (*fig.*), rimorso, lacerazione **CONTR.** gioia, letizia, piacere **3** [*rif. a un'idea fissa*] (*fig.*) assillo, chiodo, morso, baco, tarlo **4** [*rif. a una situazione, alla vita*] (*est.*) tribolazione, martirio (*fig.*), inferno (*fig.*), dannazione (*fig.*) **5** [*rif. a una persona, etc.*] (*est.*) fastidio (*fig.*), molestia, seccatura, peso (*fig.*), carico (*fig.*) **6** [*rif. a uno spettacolo, etc.*] (*fig.*) strazio, pianto, disastro **7** sevizia, tortura **8** [*rif. a un fenomeno, etc.*] persecuzione **9** (*est.*) punizione.

tormentosaménte *avv.* angosciosamente, burrascosamente (*fig.*).

tormentóso *agg.* **1** doloroso, crudele, struggente **2** [*rif. a un dubbio*] fastidioso, molesto, assillante (*est.*), feroce (*iperb.*) **3** [*rif. all'esistenza*] travagliato, difficoltoso **CONTR.** felice, lieto.

tornacónto *s. m.* interesse, vantaggio, profitto, guadagno, convenienza, comodo **CONTR.** svantaggio, danno, perdita.

tornànte (1) *agg.* [*nel calcio*] (*gener.*) giocatore.

tornànte (2) *s. m.* curva.

tornàre A *v. intr.* **1** [*in un luogo*] ritornare, rivenire, riandare (*est.*) **CONTR.** fuggire **2** [*a casa, etc.*] rientrare, rincasare **CONTR.** uscire **3** [*in un luogo*] (*est.*) stabilirsi, venire **4** [*davanti a qc.*] ripresentarsi **5** [*detto di evento, di situazione*] ripetersi **6** [*con la memoria*] ripensare **7** [*detto di aspetto, etc.*] ridiventare **8** [*detto di conti, etc.*] attagliarsi, quadrare, corrispondere, risultare, calzare (*fig.*) **9** [*a proposito*]

(*est.*) cadere, capitare, giungere **10** [*a fare q.c.*] ricominciare, riprendere **B** *v. tr.* [*q.c. a qc.*] restituire, rendere, ridare.

tornàta *s. f.* sessione, seduta.

tornèo *s. m.* **1** gara, competizione, contesa (*lett.*), sfida **2** [*spettacolo d'armi*] giostra.

tornìre *v. tr.* levigare, rifinire, perfezionare, cesellare (*est.*).

torpidézza *s. f.* ottusità, lentezza, opacità (*fig.*) **CONTR.** dinamismo.

tórpido *agg.* **1** intorpidito **CONTR.** fervido **2** (*est.*) lento, indolente, pigro, stupido **CONTR.** fervido, lesto.

torpóre *s. m.* **1** sonnolenza, sonno **CONTR.** vivacità, sveltezza, operosità, dinamismo, verve **2** (*est.*) stupidità, ottusità, lentezza, indifferenza.

torrefàre *v. tr.* tostare, abbrustolire.

tórrido *agg.* caldo, infuocato, rovente, riarso (*fig.*) **CONTR.** glaciale, freddo.

torsèllo *s. m.* conio.

tórso *s. m.* busto.

tórta *s. f.* dolce.

tòrto (1) *part. pass.; anche agg.* piegato, storto, curvo **CONTR.** diritto.

tòrto (2) *s. m.* **1** ingiustizia, offesa, villania, angheria, oltraggio, slealtà **CONTR.** gentilezza **2** [*spec. con: avere*] colpa **CONTR.** ragione.

tortuosità *s. f. inv.* **1** sinuosità **2** [*rif. a pensieri, a frasi, etc.*] (*est.*) ambiguità, complessità **CONTR.** linearità, semplicità.

tortuóso *agg.* **1** sinuoso, flessuoso **CONTR.** piano, semplice **2** [*rif. a un ragionamento*] complesso, complicato, astruso **CONTR.** piano, semplice **3** [*rif. allo stile*] (*fig.*) curialesco, cavilloso **CONTR.** piano, semplice **4** [*rif. al comportamento*] ambiguo, subdolo **CONTR.** piano, esplicito.

tortùra *s. f.* **1** tormento, sevizia **2** [*fisica, morale*] tormento, martirio, supplizio, sofferenza, strazio **CONTR.** piacere, gioia, diletto, godimento **3** [*morale*] croce (*fig.*), patimento, pena, rodimento, inferno (*fig.*) CONTR. sollievo, conforto.

torturàre A *v. tr.* **1** seviziare, martirizzare, martoriare, straziare, tormentare, crocifiggere, fare angherie a, angariare, dilaniare **2** affliggere, angustiare, angosciare, assillare, lacerare (*fig.*) B *v. rifl.* **1** (*est.*) tormentarsi, logorarsi (*fig.*), struggersi (*fig.*), angosciarsi, accorarsi, macerarsi (*fig.*), martirizzarsi (*fig.*) **2** [*per ricordare q.c.*] (*fig.*) scervellarsi, spremersi.

torturàto *part. pass.; anche agg.* tormentato, martoriato.

torturatóre *s. m.* (*f. -trice*) aguzzino, carnefice, persecutore (*est.*) CONTR. vittima.

tórvo *agg.* [*rif. allo sguardo*] bieco, sinistro, cupo, minaccioso, malevolo, losco CONTR. luminoso, radioso.

tosàre A *v. tr.* **1** [*gli ovini*] tonsurare **2** [*le piante*] cimare, spuntare **3** [*qc.*] radere, rapare (*scherz.*), rasare, sbarbare, pelare (*scherz.*) B *v. rifl.* radersi, raparsi.

tossicità *s. f. inv.* velenosità (*raro*).

tòssico (1) A *s. m.* veleno B *agg.* velenoso, venefico CONTR. innocuo.

tòssico (2) *s. m.* (*f. -a*) drogato, tossicodipendente.

tossicodipendènte *s. m. e f.* drogato, tossico (*fam.*).

tostàre *v. tr.* **1** abbrustolire, arrostire (*est.*), cuocere (*impr.*) **2** [*il caffè*] torrefare **3** (*est.*) bruciare.

tòsto (1) A *avv.* subito, rapidamente, presto B *agg.* presto, veloce, improvviso.

tòsto (2) *agg.* [*rif. ad una persona*] deciso, risoluto, duro.

tot A *agg. indef.* **1** [*al pl.*] tanto, molto **2** [*rif. a un giorno, etc.*] tale B *pron. indef.* un tanto, una certa quantità.

totàle A *agg.* **1** intero, pieno, completo, radicale CONTR. parziale, relativo **2** [*rif. alla fiducia, all'amore*] completo, assoluto, profondo, incondizionato CONTR. parziale, relativo **3** (*est.*) universale, globale, complessivo CONTR. parziale, relativo **4** (*anche iron.*)

(*est.*) perfetto CONTR. relativo B *s. m.* (*mat.*) somma, risultato (*est.*), cifra.

totalità *s. f. inv.* **1** completezza, interezza, integrità **2** tutto CONTR. parte.

totalizzàre *v. tr.* conseguire, raggiungere.

totalménte *avv.* completamente, assolutamente, pienamente, affatto, integralmente, interamente, radicalmente, generalmente, diametralmente CONTR. per niente, in parte, parzialmente.

toupet *s. m. inv.* posticcio.

tourniquet *s. m. inv.* tornante.

tovàglia *s. f.* **1** [*da tavola*] tappeto **2** asciugamano, salvietta.

tovagliòlo *s. m.* salvietta.

tòzzo (1) *agg.* **1** [*rif. a cosa*] grosso, massiccio, pesante **2** [*rif. a una persona*] grosso, massiccio, tarchiato, sgraziato (*est.*) CONTR. snello, smilzo.

tòzzo (2) *s. m.* pezzo, morso.

traballàre *v. intr.* **1** barcollare, oscillare, tentennare **2** [*detto di tavolo, etc.*] ballare, ballonzolare, essere malfermo **3** [*detto di governo, etc.*] vacillare, perdere stima (*est.*).

traboccànte *part. pres.; anche agg.* colmo, gonfio, rigurgitante, strapieno, ridondante CONTR. vuoto *un*.

traboccàre *v. intr.* **1** fuoriuscire, straripare, prorompere, riboccare (*raro*), straboccare **2** (*est.*) essere eccedente, ridondare, abbondare CONTR. difettare, mancare.

tracannàre *v. tr.* **1** ingurgitare, trangugiare, ingoiare, ingollare, inghiottire CONTR. bere a piccoli sorsi, libare, sorseggiare **2** (*gener.*) bere.

tracheggiàre A *v. intr.* aspettare, temporeggiare, tergiversare B *v. tr.* indugiare, differire, rimandare, posticipare.

tràccia *s. f.* (*pl. -ce*) **1** striscia, linea, scia, solco **2** [*di uomo, di animale*] orma, impronta, pesta **3** [*del passato*] vestigia, ricordo, memoria **4** [*di q.c.*] (*est.*) segno, indizio, pista **5** [*spec. con: perdere la*] (*lett.*) cammino **6** [*per realizzare q.c.*] abbozzo, scalet-

---

ta, schizzo, schema **7** [*un poco di q.c.*] (*est.*) venatura (*fig.*), vena (*fig.*), sfumatura, accenno, cenno **8** [*di cose spiacevoli*] segno, strascico, postumo.

tracciàre *v. tr.* **1** [*una linea, un solco*] tirare **2** [*un profilo, un quadro*] disegnare, tratteggiare, abbozzare, descrivere **3** [*una strada*] (*anche fig.*) aprire.

tracciàto *s. m.* circuito, linea, percorso.

tracimàre *v. intr.* straripare, dilagare, fuoriuscire, rigurgitare.

tracimazióne *s. f.* travalicamento.

tracòllo *s. m.* rovina, crollo (*fig.*), crack (*ingl.*), crac, rovescio (*fig.*).

tracotànte *agg.* arrogante, prepotente, strafottente, insolente, presuntuoso, borioso CONTR. dimesso, umile, modesto B *s. m. e f.* insolente, presuntuoso.

tracotànza *s. f.* arroganza, insolenza, sfrontatezza, iattanza, boria, millanteria, burbanza CONTR. umiltà, affabilità, cordialità.

tradescànzia *s. f.* **1** (*bot.*) miseria **2** (*gener.*) pianta.

tradiménto *s. m.* **1** inganno **2** slealtà, perfidia **3** [*tra coniugi*] adulterio, infedeltà **4** [*rispetto alle aspettative*] delusione **5** [*di un credo, ideale*] abbandono, abiura.

tradìre *v. tr.* **1** ingannare **2** [*le aspettative, etc.*] deludere, disattendere, eludere **3** [*le origini, il carattere*] svelare, lasciare intravedere, rivelare **4** [*un compagno, etc.*] (*fig.*) vendere **5** [*i patti, gli accordi*] rompere, disertare, violare.

tradizionàle *agg.* **1** convenzionale, consueto, abituale CONTR. anticonformista, alternativo, avanzato, audace **2** (*est.*) classico, tipico.

tradizionalista *agg.* [*rif. a una persona*] benpensante, conservatore CONTR. rivoluzionario.

tradizionalménte *avv.* **1** culturalmente, per tradizione, convenzionalmente CONTR. originariamente, in modo nuovo **2** usualmente, abitualmente, solitamente.

tradizióne s. f. consuetudine, costume, usanza, uso, credenza (est.), leggenda (est.).

tradùrre (1) v. tr. **1** volgere in altra lingua, volgere **2** [la grafia, etc.] interpretare, decifrare, decodificare **3** [un testo complicato] volgarizzare, semplificare **4** [un programma] (elab.) compilare **5** [una parola] (est.) dire, chiamare.

tradùrre (2) v. tr. [da un luogo ad un altro] trasferire, trasportare, recare.

traduzióne s. f. versione.

trafelàto agg. ansimante, ansante CONTR. fresco, riposato.

trafficànte s. m. e f. **1** commerciante, mercante **2** speculatore, faccendiere, affarista.

trafficàre A v. intr. **1** commerciare, negoziare **2** (est.) brigare, armeggiare, intrallazzare, intrigare, aggeggiare **B** v. tr. vendere, mercanteggiare (raro).

trafficàto part. pass.; anche agg. [rif. a una strada, a una piazza, etc.] frequentato, popolato (est.) CONTR. deserto.

tràffico s. m. **1** [di navi, di aerei, di auto] movimento **2** [di auto, persone] circolazione **3** [in un luogo] andirivieni, passaggio, passeggio **4** [di droga, etc.] (est.) commercio, giro, mercato **5** [di onorificenze, etc.] (est.) mercimonio **6** [tra persone] tresca.

trafiggere v. tr. **1** infilzare, trapassare, infilare, crivellare (est.), penetrare (raro) **2** (est.) pungere, ferire.

trafilétto s. m. **1** (giorn.) articolo **2** commento, nota.

trafittùra s. f. **1** fitta, bruciore, dolore, spada (fig.) **2** ferita, puntura.

traforàre v. tr. bucare, forare, perforare.

tràforo s. m. galleria, tunnel.

trafugàre v. tr. rubare, sottrarre, asportare, arraffare, rapinare.

tragèdia s. f. **1** catastrofe, disastro,

sciagura, disgrazia, fatalità (est.) **2** (iron.) dramma CONTR. commedia, farsa.

traghettàre v. tr. **1** [qc., q.c.] trasbordare, trasportare **2** [un guado, un fiume] attraversare, valicare, passare.

tràgico agg. **1** [rif. a un evento, a un incidente] doloroso, luttuoso, funesto, mortale, letale, cruento, catastrofico CONTR. ridicolo **2** [rif. a un'opera teatrale] (propr.) di tragedia, drammatico CONTR. farsesco, comico, satirico.

tragitto s. m. **1** cammino, percorso, viaggio **2** cammino, percorso, itinerario.

traguàrdo s. m. **1** (sport) arrivo CONTR. partenza **2** (est.) meta, fine, scopo **3** [sociale] (est.) posizione.

traiettòria s. f. **1** orbita, parabola **2** (fig.) percorso.

trainàre v. tr. **1** tirare, strascinare, trascinare **2** [un veicolo] rimorchiare.

training s. m. inv. tirocinio, addestramento, avviamento, pratica, esperienza, preparazione, apprendistato.

tràino s. m. **1** [animali da] tiro **2** rimorchio.

tralasciàre v. tr. **1** trascurare, omettere, lasciare, mancare, saltare (fig.) **2** (est.) dimenticare, negligere (lett.) **3** [gli studi, etc.] abbandonare, interrompere, smettere, sospendere **4** [qc.] scartare, lasciare fuori, escludere CONTR. considerare **5** [q.c.] (est.) lasciare perdere, non prendere in considerazione **6** [un lavoro, un interesse] posporre **7** [la vendetta, etc.] desistere da.

tralignàre v. intr. **1** degenerare, dirazzare, deviare, peggiorare, decadere **2** [detto di pianta, etc.] dirazzare, imbastardirsi, inselvatichire.

tralùcere v. intr. **1** trasparire, intravedersi **2** risplendere.

tràma s. f. **1** congiura, cospirazione, macchinazione, maneggio **2** [di un romanzo, di un film, etc.] (fig.) intreccio, tessuto, tela, scheletro, orditura, ordito, azione, canovaccio, reticolo (raro) **3** [di gioco] schema.

tramàglio s. m. **1** (gener.) rete **2** ragna.

tramandàre v. tr. trasmettere, trasferire, perpetuare (est.), passare (impr.).

tramàre v. tr. **1** tessere, intessere **2** [un piano, etc.] ordire, architettare, meditare, macchinare, concertare, premeditare **3** [contro qc.] complottare, congiurare, cospirare, armeggiare, manovrare, intrigare **4** [un alibi] fabbricare (fig.).

trambùsto s. m. pandemonio, casino (pop.), baraonda, caos, scompiglio, subbuglio CONTR. tranquillità, pace.

tramèzza s. f. parete, paratia, divisorio.

tramezzino s. m. sandwich (ingl.), panino, tartina, canapè (fr.).

tramèzzo A s. m. paratia, divisorio, assito **B** avv. nel mezzo.

tràmite s. m. **1** mezzo, canale (fig.), via (fig.), veicolo (fig.), strumento (fig.) **2** mediatore, intermediario, sensale.

tramontàna s. f. **1** borea **2** (gener.) vento **3** nord, settentrione, mezzanotte **4** [spec. in loc.: perdere la] (est.) direzione, testa.

tramontàre v. intr. **1** [detto di astro] calare, coricarsi (fig.) CONTR. levarsi, salire, sorgere **2** [detto di parabola, di stella] (fig.) declinare, discendere, decadere, esaurirsi **3** [detto di speranze, etc.] (fig.) svanire, morire, sfumare CONTR. destarsi, nascere.

tramónto s. m. **1** occaso (lett.), crepuscolo, sera, vespro, vespero (poet.) CONTR. alba, aurora **2** [della vita, della carriera] (est.) termine, declino, decadenza, declinare CONTR. inizio, principio.

tramortire v. tr. **1** (est.) sbalordire, intontire, stordire **2** (est.) narcotizzare.

tramutàre A v. tr. **1** mutare, cambiare, convertire **2** permutare, scambiare, commutare **3** [una pianta] trapiantare **4** [il vino, etc.] (est.) travasare **B** v. intr. pron. trasformarsi, mutarsi, modificarsi, cambiare.

tranciàre v. tr. tagliare, recidere (est.).

tranèllo s. m. 1 trappola, raggiro, stratagemma, inganno 2 [spec. con: tendere un] agguato, imboscata, insidia.

trangugiàre v. tr. 1 (gener.) ingerire 2 [liquidi] tracannare, bere CONTR. centellinare 3 [solidi] mangiare, ingoiare, inghiottire, ingozzare, divorare, ingozzarsi CONTR. assaporare.

trànne prep. meno, eccetto, fuorché, salvo, oltre a, fuori.

tranquillaménte avv. serenamente, beatamente, quietamente, pacificamente, rilassatamente, flemmaticamente, pacatamente, idilliacamente, comodamente, bellamente, chetamente, fiduciosamente, filosoficamente, imperturbabilmente, bonariamente CONTR. affannosamente, agitatamente, ansiosamente, con agitazione, angosciosamente, disperatamente, febbrilmente, convulsamente, concitatamente, freneticamente, impazientemente, arrabbiatamente, collericamente, iratamente, burrascosamente.

tranquillànte A s. m. 1 (farm.) sonnifero, sedativo (farm.), calmante, analgesico (farm.), anestetico (farm.), ansiolitico (farm.) CONTR. stimolante, eccitante, tonico 2 (gener.) farmaco B part. pres.; anche agg. [rif. all'effetto] sedativo.

tranquillità s. f. inv. 1 quiete, calma, pace, ordine (est.) CONTR. subbuglio, scompiglio, trambusto, cagnara, baccano, baraonda, caciara, pandemonio 2 quiete, calma, riposo, requie, distensione, serenità, pace CONTR. apprensione, ansietà, ansia, angoscia, eccitazione, inquietudine, trepidazione, agitazione, tensione, irrequietezza, turbamento 3 [nel modo di fare] lentezza, placidità, pacatezza, posatezza CONTR. nervosismo 4 [rif. al clima] bonaccia.

tranquillizzàre A v. tr. calmare, acquietare, placare, rasserenare, consolare, abbonire, pacificare, chetare, confortare, rabbonire, rassicurare, distendere (fig.), assopire, rinfrancare CONTR. eccitare, angustiare, impensierire, turbare B v. intr. pron. placarsi, quietarsi, calmarsi, rassicurarsi, con-

fortarsi, rabbonirsi, rasserenarsi, rinfrancarsi CONTR. agitarsi, angustiarsi, eccitarsi, adirarsi, arrabbiarsi.

tranquillo agg. 1 calmo, quieto, placido, posato, rilassato, spensierato CONTR. ansioso, nervoso, nevrastenico (psicol.), inquieto, eccitabile, irrequieto, preoccupato, apprensivo, affannato, ansante, ansimante, concitato, addolorato, afflitto, confuso 2 pacifico, buono, innocuo, inoffensivo, pacato, paziente CONTR. ansante, ansimante, addolorato, afflitto, agitato, alterato, turbolento, aggressivo, arrabbiato, adirato, irato, bilioso, bizzoso, iracondo, collerico, iroso, furioso, infuriato, indemoniato, eccitato, esagitato, impaziente, insofferente, litigioso 3 [rif. all'esistenza] piano (fig.), liscio (fig.), sereno, spensierato CONTR. furioso, burrascoso, convulso, febbrile, frenetico, movimentato 4 [rif. a un luogo] silenzioso, silente, soave (est.), raccolto CONTR. movimentato.

transazióne s. f. accordo, aggiustamento, intesa, patto, compromesso, accomodamento.

transitàbile agg. percorribile, agibile, praticabile CONTR. impraticabile.

transitàre v. intr. circolare, passare CONTR. permanere.

trànsito s. m. passaggio.

transitorietà s. f. inv. precarietà, temporaneità, provvisorietà.

transitòrio agg. 1 precario, labile, caduco, temporale CONTR. continuo, permanente 2 [rif. alla gloria, alla bellezza, etc.] breve (lett.), fugace, effimero (lett.) 3 [rif. a una legge] provvisorio, temporaneo, momentaneo CONTR. definitivo.

trapanàre v. tr. forare, bucare, perforare.

trapassàre A v. tr. 1 trafiggere, forare, bucare, perforare, crivellare, infilzare 2 valicare, attraversare 3 [il tempo] (fig.) consumare 4 [un avversario] passare, superare, sorpassare 5 [un ordine] trasgredire 6 [la mente] (fig.) penetrare B v. intr. morire, finire, spirare, decedere.

trapàsso s. m. decesso, morte.

trapelàre v. intr. 1 trasparire, intrave-

dersi, rivelarsi, traspirare (raro) 2 [detto di liquido, etc.] filtrare, gocciolare, gocciare 3 [detto di notizia, etc.] diffondersi.

trapiantàre v. tr. 1 spostare, trasferire, trasportare 2 [le piante] travasare, cambiare di vaso a, tramutare.

tràppola s. f. 1 [spec. con: tendere una] tranello, imboscata, insidia, rete (fig.), laccio (fig.) 2 inganno, truffa, raggiro, stratagemma.

trapùngere v. tr. 1 trapuntare 2 (gener.) cucire.

trapùnta s. f. coperta, imbottita, piumone.

trapuntàre v. tr. 1 (gener.) cucire 2 ricamare, trapungere (lett.).

tràrre A v. tr. 1 [un peso, un carro] tirare, trascinare 2 [qc. al supplizio, etc.] (anche fig.) portare, condurre 3 [i dadi, etc.] (raro) lanciare, scoccare, scagliare 4 [qc. a fare q.c.] attirare, spingere, allettare, attrarre 5 [un dente] (fig.) levare, cavare, estrarre 6 [beneficio, utilità, etc.] derivare, ricavare, ottenere, riscuotere, raccogliere, ricevere, attingere (fig.) 7 [le conclusioni] dedurre, desumere 8 [una somma di denaro] detrarre 9 [qc. dall'impaccio] (est.) levare, cavare, togliere B v. rifl. levarsi, togliersi.

trasaliménto s. m. sussulto, scossa, palpito, balzo.

trasalìre v. intr. 1 sobbalzare, sussultare, balzare, saltare, tremare, scattare 2 (est.) spaventarsi, impaurirsi.

trasandatézza s. f. 1 incuria, sciatteria, trascuratezza CONTR. cura 2 [rif. a un luogo] disordine, abbandono CONTR. ordine.

trasandàto part. pass.; anche agg. sciatto, disordinato, malandato, dimesso, inelegante, negletto (lett.) CONTR. elegante, azzimato, acconciato, agghindato.

trasbordàre A v. tr. trasferire, trasportare, traghettare B v. intr. passare.

trascendènte part. pres.; anche agg. (filos.) soprannaturale, spirituale (est.) CONTR. immanente.

trascéndere *A v. tr.* superare, oltrepassare, sorpassare *B v. intr.* passare i limiti, passare la misura, trasmodare, eccedere, esagerare, travalicare.

trascinànte *part. pres.; anche agg.* travolgente, appassionante, avvincente, esaltante.

trascinàre *A v. tr.* **1** strascicare, tirare, trarre, trainare **2** menare, condurre, convogliare, portare **3** [*qc. a fare q.c.*] coinvolgere, attrarre, implicare, indurre, muovere **4** [*detto di persona, di libro, di film*] coinvolgere, attrarre, commuovere, avvincere, affascinare *B v. intr. pron.* [*detto di situazione, etc.*] andare avanti, continuare.

trascoloràre *v. intr.* **1** cambiare colore **2** [*detto di persona, etc.*] impallidire, sbiancare, illividire, emozionarsi (*est.*), turbarsi (*est.*).

trascórrere *A v. tr.* **1** [*il tempo*] consumare, spendere (*fig.*), passare, impiegare, usare **2** [*un periodo di tempo*] (*fig.*) attraversare, superare **3** [*una vita, l'esistenza, etc.*] vivere, condurre, menare (*fig.*) *B v. intr.* [*detto di tempo*] scorrere, correre (*fig.*), decorrere, passare, fluire (*fig.*).

trascrìvere *v. tr.* **1** copiare, ricopiare **2** stendere **3** cifrare, codificare **4** (*ling.*) traslitterare.

trascrizióne *s. f.* **1** registrazione **2** [*per pianoforte, per archi*] (*mus.*) arrangiamento, trasporto.

trascuràbile *agg.* marginale, irrilevante, irrisorio, secondario, minimo, insignificante CONTR. essenziale, significativo, considerevole, cospicuo, rispettabile, notevole, autorevole, notabile, culminante (*est.*), madornale (*neg.*).

trascuràre *A v. tr.* **1** [*gli affari, la famiglia*] non curarsi di, disinteressarsi di CONTR. curare, occuparsi, darsi, dedicarsi, accudire **2** [*q.c.*] omettere, dimenticare, scordare (*raro*), negligere (*lett.*), mancare CONTR. premurarsi **3** [*un episodio, un particolare*] omettere, tralasciare, prescindere *da*, lasciare perdere, ignorare, non prendere in considerazione, posporre (*est.*) CONTR. considerare **4** [*l'idea, etc.*] (*est.*) abbandonare **5** [*la situazione, etc.*] sottovalutare **6** [*qc.*] penalizzare, cacare (*fig.*), disprezzare (*volg.*) *B v.*

rifl. lasciarsi andare, non curarsi CONTR. curarsi, tenersi.

trascurataménte *avv.* **1** negligentemente, sbadatamente, inelegantemente, ciondoloni CONTR. accuratamente, premurosamente, sollecitamente, zelantemente **2** sciattamente CONTR. distintamente, elegantemente.

trascuratézza *s. f.* **1** sciatteria, trasandatezza CONTR. cura, meticolosità, pignoleria **2** [*rif. a uno stato*] incuria, abbandono, squallore, desolazione **3** [*l'azione*] negligenza, dimenticanza, sbadataggine, inadempienza, inavvertenza CONTR. sollecitudine, premura.

trascuràto *part. pass.; anche agg.* **1** [*rif. a una persona*] sciatto, negligente, noncurante, dimentico CONTR. acconciato, agghindato, leccato, azzimato **2** [*rif. a cosa*] dimenticato, abbandonato, scordato, negletto **3** [*rif. al lavoro, allo studio*] affrettato, inosservato, disatteso CONTR. approfondito, rigoroso, zelante, minuto (*est.*) **4** [*rif. all'aspetto*] sciatto, incolto **5** negletto CONTR. aiutato, assistito, favorito, prediletto **6** [*rif. all'attenzione, alla cura*] negligente CONTR. religioso (*enf.*).

trasecolàre *v. intr.* meravigliarsi, sorprendersi, stupefarsi, stupire.

trasferiménto *s. m.* **1** [*di sede*] cambiamento, comando (*bur.*), distacco (*bur.*) **2** (*est.*) trasloco, trasporto, dislocamento **3** [*di un diritto, di un titolo, etc.*] passaggio, vendita, cessione **4** (*banca*) girata **5** (*tecnol.*) stampaggio transfer **6** [*di popoli, etc.*] emigrazione.

trasferìre *A v. tr.* **1** trasportare, trasbordare, trapiantare, traslocare, tradurre (*lett.*) **2** [*un diritto, un'eredità*] trasmettere, cedere, devolvere **3** [*militari, impiegati*] distaccare, dislocare, comandare, mandare, deferire, sbalestrare (*raro*), scaraventare **4** [*il denaro*] girare, stornare **5** [*l'esperienza, etc.*] trasmettere, tramandare **6** [*un assegno*] (*fig.*) rigirare *B v. intr. pron.* **1** traslocarsi, andarsene, emigrare, espatriare, portarsi, andare, recarsi, passare CONTR. insediarsi traslocarsi, cambiare casa.

trasfèrta *s. f.* missione.

trasfertìsta *s. m.* (*f. -a*) (*est.*) pendolare.

trasfiguràre *v. tr.* **1** trasformare **2** idealizzare, sublimare.

trasfóndere *v. tr.* **1** [*un'idea, un sentimento*] comunicare, trasmettere, instillare, inculcare, incutere **2** (*raro*) travasare.

trasformàre *A v. tr.* **1** cambiare, mutare, variare **2** [*un lavoro, un'industria*] riconvertire, riformare, diversificare **3** [*in oro, etc.*] convertire **4** [*la realtà, etc.*] camuffare (*fig.*), alterare, modificare **5** [*una persona*] camuffare (*fig.*), travestire **6** [*una situazione*] capovolgere, rovesciare, commutare **7** [*qc.*] trasfigurare, idealizzare **8** [*in bene, in male*] (*impr.*) rendere **9** [*qc.*] (*est.*) ridurre, peggiorare, rovinare **10** [*q.c., qc.*] (*est.*) migliorare *B v. intr. pron.* **1** modificarsi, tramutarsi, mutarsi, convertirsi, rinnovarsi, cambiare, divenire, diventare **2** [*detto di situazione, etc.*] cambiare, mutare, evolversi, degenerare (*fig.*), maturarsi **3** [*in un'altra persona*] trasmutarsi.

trasformàto *part. pass.; anche agg.* **1** cambiato, mutato, modificato **2** (*est.*) adattato.

trasformazióne *s. f.* **1** cambiamento, mutamento, metamorfosi (*colto*), evoluzione **2** [*di cellule, etc.*] (*biol.*) mutazione, alterazione (*neg.*), degenerazione (*neg.*) **3** (*mat.*) corrispondenza **4** [*industriale, etc.*] conversione.

trasgredìre *v. tr. e intr.* **1** [*le leggi, etc.*] infrangere *un*, violare *un*, disubbidire *a*, offendere *un* (*est.*), eludere *un* (*est.*) CONTR. osservare, rispettare **2** [*i patti, etc.*] contravvenire *a* CONTR. mantenere, ottemperare **3** [*i limiti*] (*raro*) trapassare *un* (*raro*), oltrepassare *un*.

trasgressióne *s. f.* infrazione, violazione, inosservanza, elusione, inadempienza, deroga *a*.

traslàto *A part. pass.; anche agg.* [*rif. al significato*] esteso, figurato, metaforico CONTR. stretto, proprio *B s. m.* tropo, metafora.

traslitteràre *v. tr.* trascrivere.

traslocàre A v. tr. trasferire, trasportare, dislocare **B** v. intr. pron. trasferirsi, cambiare casa.

traslòco s. m. (pl. -chi) **1** trasferimento **2** (est.) sgombero.

traslùcido agg. semitrasparente, smerigliato **CONTR.** opaco.

trasméttere A v. tr. **1** [l'esperienza, etc.] dare, passare, tramandare, trasferire **2** [una notizia, etc.] dare, diramare, diffondere **3** [un'idea, etc.] dare, comunicare, infondere, trasfondere, instillare, imprimere (fig.) **4** [una malattia, etc.] comunicare, attaccare, veicolare **5** [un pacco, una lettera] inoltrare, inviare **6** [il patrimonio, etc.] devolvere **7** [un film] proiettare, mandare in onda **8** [una trasmissione] mandare in onda, radiotrasmettere, radiodiffondere **B** v. intr. pron. **1** [detto di malattia, etc.] attaccarsi, comunicarsi, appiccarsi **2** [detto di notizia, etc.] diramarsi, propagarsi **3** [detto di caratteristiche] trasmigrare.

trasmigràre v. intr. **1** emigrare, espatriare **2** [detto di caratteristiche] trasmettersi **3** [da un corpo ad un altro] passare.

trasmissióne s. f. **1** [di q.c. a qc.] passaggio, alienazione, cessione **2** (fis.) diffusione, propagazione **3** [di notizie, etc.] diffusione, comunicazione, segnalazione, propalazione **4** [di una malattia, etc.] (est.) diffusione, propagazione, contagio **5** programma, servizio, spettacolo.

trasmodàre v. intr. trascendere, eccedere, passare la misura, esorbitare.

trasmutàre v. rifl. trasformarsi.

trasparènte (1) agg. **1** diafano, limpido, chiaro, cristallino **CONTR.** torbido, annebbiato, appannato **2** (anche iron.) (fig.) diafano, sottile **CONTR.** torbido **3** [rif. a una persona] cristallino (fig.), schietto **4** [rif. a uno scritto] (fig.) comprensibile, intuibile **CONTR.** torbido **5** [rif. all'aria] nitido **CONTR.** caliginoso **6** [rif. alle calze] velato.

trasparènte (2) s. m. lucido.

trasparènza (1) s. f. **1** limpidezza, perspicuità, chiarezza **CONTR.** opacità **2** [morale] (est.) onestà, rettitudine, candore (fig.), solarità (fig.) **CONTR.**

equivocità **3** [rif. al diamante, etc.] purezza.

trasparènza (2) s. f. [per lavagna luminosa] lucido.

trasparìre v. intr. **1** trapelare, tralucere (lett.), intravedersi, comparire, delinearsi, manifestarsi, spuntare **2** [detto di odori] (raro) esalare **3** [detto di dubbio, di qualità] (fig.) vibrare **4** [detto di sentimento nel volto] rivelarsi, riflettersi.

traspiràre v. intr. **1** (est.) sudare **2** [di felicità, etc.] manifestarsi, trapelare, trasparire **3** [detto di odori] (raro) esalare.

traspirazióne s. f. **1** evaporazione **2** sudorazione.

trasportàre v. tr. **1** trasferire, traslocare, tradurre, spostare, trapiantare **2** [q.c., qc.] trasbordare, traghettare **3** [la merce] movimentare, convogliare, muovere **4** [qc.] condurre, portare **5** [q.c.] recare.

traspòrto (1) s. m. **1** trasferimento, spostamento **2** esequie, funerale **3** (mus.) trascrizione, registrazione.

traspòrto (2) s. m. **1** [di rabbia] impeto, impulso, accesso **2** (est.) entusiasmo, passione, amore **CONTR.** indifferenza **3** (gener.) sentimento.

trastullàre A v. tr. **1** divertire, baloccare **2** (est.) illudere, lusingare **B** v. rifl. **1** divertirsi, giocare, giocherellare, scherzare **2** gingillarsi, baloccarsi, perdere tempo, aggeggiare, cincischiare.

trastùllo s. m. **1** gioco, passatempo, svago, divertimento, distrazione, diversivo **2** (spreg.) zimbello, spasso **3** gioco, giocattolo.

trasudàre A v. intr. stillare, gemere (lett.), gocciolare, lacrimare, gocciare, distillare, sudare (raro) **B** v. tr. **1** filtrare **2** [felicità] (est.) rivelare, manifestare, esprimere, palesare, sputare (fig.).

trasversàle agg. traverso, obliquo, diagonale **CONTR.** parallelo, dritto.

trasversalménte avv. diagonalmente, obliquamente **CONTR.** direttamente (anche fig.).

tràtta (1) s. f. cambiale.

tràtta (2) s. f. [delle bianche, etc.] commercio.

trattàbile agg. **1** [rif. a un materiale] malleabile, pieghevole **CONTR.** intrattabile **2** [rif. a un argomento] facile **CONTR.** intrattabile **3** [rif. a una persona] (fig.) affabile, agevole (tosc.) **CONTR.** intrattabile, ritroso, scontroso.

trattaménto s. m. **1** [spec. in loc.: fare un buon, cattivo, etc.] accoglienza **2** (med.) cura **3** [dei dati, etc.] elaborazione, manipolazione.

trattàre A v. tr. **1** [un tema, un argomento] abbordare, toccare (fig.), dibattere (est.), vagliare, affrontare **2** [un affare, etc.] concludere, combinare, negoziare, pattuire, patteggiare, mediare **3** [una ferita, un malato] curare, medicare **4** [un genere di persone] frequentare, praticare **5** [un materiale] manipolare, lavorare, elaborare **6** maneggiare, palpare, accarezzare **7** [una situazione, etc.] affrontare **8** [qc. come un padre, etc.] tenere **B** v. intr. discutere, discorrere, disquisire, dissertare, disputare, ragionare, parlare **2** [detto di libro, di discorso, etc.] vertere, riguardare un **3** parlamentare, patteggiare, mercanteggiare, contrattare, intavolare trattative, colloquiare (est.), conferire (est.).

trattatìva s. f. negoziato, contrattazione, preliminare (est.).

trattàto (1) s. m. convenzione, alleanza, accordo, patto.

trattàto (2) s. m. monografia, dissertazione, libro (est.).

tratteggiàre A v. tr. **1** delineare, abbozzare, accennare, tracciare, dipingere (est.), disegnare (est.), modellare (fig.) **2** (est.) descrivere **B** v. intr. [con la matita, etc.] ombreggiare.

trattenère A v. tr. **1** frenare, rattenere, fermare, raffrenare (lett.), ritenere **CONTR.** lasciare **2** [l'emozione, il pianto] frenare, rattenere, arginare (fig.), tenere a freno, reprimere, vincere (fig.), contenere **3** [qc.] (est.) legare, arrestare, imprigionare, rinchiudere **4** [qc.] intrattenere, ricevere, agganciare (fig.) **5** [a qc. di fare q.c.] impedire **CONTR.** incitare, istigare **6** [il denaro, i beni, etc.] immobilizzare,

confiscare, congelare (*fig.*), incamerare, conservare **7** [*qc.c. presso di sé*] tenere **CONTR.** ridare, consegnare, dare **8** [*il colpo, etc.*] (*raro*) parare **9** [*qc., q.c.*] reggere **10** [*una somma di denaro*] detrarre **B** v. rifl. **1** contenersi, dominarsi, reprimersi, controllarsi, tenersi, frenarsi, raffrenarsi **CONTR.** scapricciarsi, scatenarsi **2** astenersi, riguardarsi **CONTR.** sbottare, scattare **3** [*in un luogo*] aspettare, fermarsi, soffermarsi, tardare, dimorare, attardarsi, indugiare, restare, stazionare, rimanere **CONTR.** scappare.

trattenimento s. m. **1** ricevimento, spettacolo, rinfresco, party (*ingl.*) **2** (*gener.*) festa.

trattenuta s. f. ritenuta.

trattino s. m. lineetta.

tratto (1) s. m. **1** [*di strada, etc.*] pezzo, striscia, tronco **2** [*tra un luogo e l'altro*] (*est.*) distanza **3** [*di scala*] (*est.*) rampa **4** [*di tempo*] (*est.*) periodo, intervallo, arco (*fig.*) **5** [*di gentilezza, etc.*] (*est.*) moto, gesto, impulso (*raro*) **6** [*di penna, etc.*] segno, riga, rigo, linea **7** [*pittorico*] tocco **8** [*spec. al pl.*] lineamento **9** [*nel fare, nel trattare*] (*est.*) modo, maniera.
♦ **ad un tratto** loc. avv. all'improvviso.

tratto (2) part. pass.; anche agg. derivato.

trattoria s. f. taverna, locanda, ristorante (*est.*), restaurant (*fr.*).

travagliare A v. tr. affliggere, angustiare, tormentare, crucciare, inquietare, perseguitare, contristare, crocifiggere (*fig.*) **B** v. intr. pron. angosciarsi, crucciarsi, dannarsi, rodersi (*fig.*) **CONTR.** rallegrarsi.

travagliato part. pass.; anche agg. **1** [*rif. a una decisione*] tormentato **CONTR.** semplice, immediato **2** [*rif. all'esistenza*] tormentoso **CONTR.** semplice.

travalicamento s. m. **1** superamento, sorpasso (*est.*) **2** esagerazione **3** [*di liquidi*] tracimazione.

travalicare A v. intr. eccedere, trascendere, esagerare **B** v. tr. oltrepassare, superare.

travasare v. tr. **1** [*un liquido*] versare, rovesciare **2** [*una pianta*] trapiantare,

cambiare di vaso a **3** [*olio, vino*] tramutare **4** [*un'idea, un sentimento*] trasfondere.

traversare v. tr. **1** attraversare, varcare, valicare, passare **2** [*i mari*] (*est.*) solcare (*fig.*) **3** incrociare, intersecare.

traversata s. f. **1** crociera, passaggio (*est.*) **2** (*gener.*) viaggio **3** (*ass.*) navigazione.

traversia s. f. peripezia, guaio, disgrazia, vicissitudine, difficoltà, tribolazione, avventura (*est.*).

traverso A agg. **1** trasversale, obliquo, diagonale **2** [*rif. allo sguardo*] (*fig.*) infido, bieco **CONTR.** leale, sincero **B** s. m. (*mar.*) fianco, lato.

travestimento s. m. maschera, copertura, camuffamento, mascheramento.

travestire A v. tr. **1** camuffare, mascherare, truccare **2** (*est.*) trasformare, cambiare, alterare **B** v. rifl. **1** camuffarsi, mascherarsi, truccarsi **2** fingersi, contraffarsi (*raro*).

traviare v. tr. corrompere, pervertire, fuorviare, guastare (*fig.*), inquinare (*fig.*), deviare.

travisamento s. m. **1** [*della realtà, etc.*] falsificazione, stravolgimento, deformazione **2** (*est.*) allucinazione **3** (*est.*) malinteso, fraintendimento.

travisare v. tr. **1** cambiare, distorcere, falsare, stravolgere, deformare **2** intendere una cosa per un'altra, equivocare, fraintendere.

travisato part. pass.; anche agg. falsato, distorto, frainteso.

travolgente part. pres.; anche agg. **1** [*rif. a una persona, a un evento*] trascinante, appassionante, entusiasmante, atomico (*iperb.*) **CONTR.** insignificante **2** [*rif. a un evento naturale*] impetuoso, violento.

travolgere v. tr. **1** investire, abbattere, rovesciare **2** (*est.*) sopraffare.

trebbiare v. tr. (*est.*) battere.

tregua s. f. **1** (*dir.*) armistizio **2** [*della lotta, etc.*] (*est.*) sospensione, pausa **CONTR.** prosecuzione **3** (*est.*) sosta,

riposo, requie, posa, pace, calma **4** [*rispetto a un pagamento*] (*est.*) dilazione.

tremare v. intr. **1** fremere, trasalire **2** [*detto di aria*] (*poet.*) palpitare, vibrare **3** [*detto di cose molli*] tremolare **4** trepidare, avere paura, essere in ansia **5** [*detto di vista*] offuscarsi, confondersi.

tremendo agg. **1** agghiacciante, terrificante, spaventoso, terribile **CONTR.** delizioso, piacevole **2** [*rif. al dolore*] insopportabile, dilaniante, straziante, duro **3** [*rif. a una calamità*] disastroso, spaventoso, terribile **4** [*rif. a un bambino*] (*fam.*) irrequieto, vivace **5** [*rif. alla fame, al freddo, etc.*] porco, cane.

tremito s. m. palpito, brivido, fremito, scossa (*pop.*), tremore.

tremolare A v. intr. **1** oscillare, vacillare **2** [*detto di stelle*] brillare **3** [*detto di suoni, etc.*] vibrare **4** [*detto di immagine riflessa*] ondeggiare **5** [*detto di cose molli*] tremare **B** s. m. sing. tremolio.

tremolio s. m. **1** oscillazione, vibrazione, tremolare **2** [*della luce*] brillio.

tremore s. m. **1** palpito, tremito, brivido **2** [*rif. a uno stato d'animo*] (*est.*) paura, trepidazione, ansia, inquietudine.

treno (1) s. m. **1** (*gener.*) veicolo **2** [*tipo di*] diretto, espresso, accelerato.

treno (2) s. m. (*gener.*) canto.

trepidare v. intr. tremare, avere paura, essere in ansia.

trepidazione s. f. ansia, apprensione, timore, palpitazione, batticuore (*fig.*), tremore, emozione, suspense (*ingl.*) **CONTR.** tranquillità.

tresca s. f. (*pl. -che*) **1** intrigo, traffico, imbroglio **2** [*tra persone*] relazione, adulterio (*est.*).

triangolo s. m. (*gener.*) poligono (*mat.*) **CONTR.** cerchio, quadrato, rettangolo.

tribolare A v. intr. **1** penare, stentare, fare fatica, soffrire, patire **CONTR.** gioire **2** affannarsi, angosciarsi **B** v. tr. contristare, tormentare.

tribolazióne s. f. **1** patimento, tormento, afflizione, angoscia, spina (fig.), croce (fig.) **2** [rif. a una persona] angoscia, molestia, fastidio **3** traversia, difficoltà, avventura.

tribolo (1) s. m. rovo, sterpo.

tribolo (2) s. m. preoccupazione, tribolazione.

tribù s. f. inv. **1** clan, famiglia, gente **2** [molte persone] branco, moltitudine.

tribùna s. f. podio.

tributàre v. tr. [onori, etc.] rendere.

tributariaménte avv. fiscalmente.

tribùto s. m. **1** canone, imposta, tassa **2** [morale] dovere, imposizione.

triceràtopo s. m. (gener.) dinosauro, sauro.

tricosòma s. m. (gener.) verme.

tridimensionàle agg. solido.

triglia s. f. (gener.) pesce.

trillàre v. intr. **1** [detto di orologio] squillare, suonare **2** [detto di uccelli] gorgheggiare.

trillo s. m. **1** [del telefono, etc.] scampanellata, squillo **2** [rif. agli uccelli, etc.] gorgheggio.

trina s. f. merletto, pizzo, gala (est.).

trincàre v. tr. (gener.) bere.

trinceràre A v. tr. fortificare **B** v. intr. pron. **1** barricarsi, tapparsi **2** (est.) fortificarsi **3** (est.) nascondersi.

trionfalménte avv. vittoriosamente, grandiosamente, fastosamente CONTR. modestamente, semplicemente.

trionfàre v. intr. **1** vincere, prevalere CONTR. fallire, perdere **2** (est.) esultare **3** [detto di colori] risaltare, spiccare.

triónfo s. m. **1** vittoria, successo, affermazione, riuscita (pop.) CONTR. sconfitta, fallimento **2** [celeste] glorificazione **3** [carta da gioco] tarocco.

trip s. m. inv. [rif. alla droga] viaggio.

triplicàre v. tr. moltiplicare, accresce-

re CONTR. diminuire.

trippa s. f. pancia (pop.), ventre, addome, buzzo (pop.).

tripudiàre v. intr. esultare, gioire, giubilare, gongolare, godere (est.).

tripùdio s. m. **1** esultanza, gioia, gaudio, allegria CONTR. tristezza, afflizione, mestizia **2** [una grande quantità di q.c.] (fig.) festa, orgia.

triste agg. **1** mesto, addolorato, infelice, affranto, sconfortato, serio, avvilito, rammaricato CONTR. allegro, gioioso, festoso, beato, esultante, raggiante **2** (est.) sgradevole, spiacevole, amaro, doloroso CONTR. gioioso, festoso, esilarante **3** stentato, misero, meschino, nero (fig.) **4** malaugurato, sventurato, sciagurato **5** fosco, tetro, oscuro, scuro, lugubre CONTR. gioioso, ameno **6** luttuoso CONTR. gioioso, festoso **7** lacrimoso.

CLASSIFICAZIONE

Triste
Triste:
1 Che non è felice;
2 Che procura tristezza;
3 Che ispira tristezza.
1 Con riferimento a persona.
  mesto: che è in preda a un dolore profondo e malinconico;
  addolorato: che prova dolore, che si affligge;
  rammaricato: che prova rincrescimento e si duole;
  serio: che è severo, accigliato e triste insieme;
  affranto: che è prostrato dal dolore;
  sconfortato: che ha perso la fiducia e la speranza;
  avvilito: che si è perso d'animo e non riesce a rallegrarsi;
  infelice: che non è felice perché non riesce a realizzare i propri desideri.
1 Con riferimento a esperienza.
  spiacevole: che risulta sgradito;
  sgradevole;
  amaro: che viene da scoramento e dolore;
  doloroso: che è pieno di dolore.
1 Con riferimento all'esistenza.
  stentato: che è pieno di sofferenza e privazioni;
  misero: che è sventurato e infe-

lice;
  meschino: che si trova in uno stato di infelicità;
  nero: (fig.) che è caratterizzato da sventure e dolori.
1 Con riferimento a giorno, mese, anno.
  malaugurato: che non è propizio;
  sventurato;
  sciagurato.
2 Con riferimento a luogo.
  fosco: (fig.) che è oscuro, cupo e induce tristezza;
  tetro;
  oscuro;
  scuro;
  lugubre: che richiama immagini di sventura, dolore e lutto.
2 Con riferimento ad un evento, un incidente.
  luttuoso: che è causa di dolore e lutto.
3 Con riferimento a una vicenda, a un film, ecc..
  lacrimoso: (fig.) che è commovente e causa di lacrime.

tristeménte avv. mestamente, malinconicamente, amaramente, dolorosamente, accoratamente, penosamente, desolatamente, cupamente CONTR. allegramente, felicemente, lietamente, gioiosamente, giulivamente, gaiamente, festosamente, giocondamente, spassosamente, amenamente, beatamente.

tristézza s. f. **1** [rif. a uno stato d'animo] malinconia, amarezza, afflizione, infelicità, sconforto, depressione (fig.), avvilimento, nostalgia, mestizia, melanconia, angor (fig.) CONTR. allegria, gioia, felicità, spensieratezza, tripudio, allegrezza, beatitudine, contentezza, gaudio, letizia, vivacità **2** [rif. a un luogo, a una situazione] squallore, tedio, grigiore (fig.), pianto (fig.), cupezza, desolazione **3** (gener.) sentimento.

tristo agg. **1** (lett.) sventurato, sciagurato, infelice CONTR. felice, fortunato **2** [rif. a una persona] malvagio, infido, losco, rio (lett.) CONTR. buono **3** [rif. al mondo, ecc.] (pop.) boia, cane.

tritàre v. tr. triturare, sbriciolare, sminuzzare, spezzettare, frantumare, grattugiare, macinare, maciullare, pestare, battere.

trito (1) agg. (fig.) vieto, frusto, scon-

trito tato, banale, ovvio, vecchio, convenzionale CONTR. nuovo, originale.

trito (2) s. m. [in cucina] battuto.

trituràre v. tr. macinare, tritare, sbriciolare, spezzettare, sminuzzare, frammentare, frullare, maciullare.

trivellàre v. tr. forare, bucare, perforare.

triviàle agg. 1 [rif. a una persona] scurrile, volgare, sguaiato, plebeo CONTR. educato, garbato, fine 2 [rif. a cosa] ovvio, prosaico, banale CONTR. fine.

trivialità s. f. inv. 1 volgarità CONTR. raffinatezza, eleganza 2 banalità, ovvietà CONTR. originalità.

trivio s. m. crocevia.

troglodita s. m. e f. cavernicolo.

tròia s. f. 1 meretrice, etera (lett.), prostituta, puttana (volg.), battona (volg.), bagascia (genov.), zoccola (merid.), mignotta (roman.), sgualdrina, vacca (volg.), sacerdotessa di Venere (euf.), ragazza squillo, mondana, baldracca (volg.), scrofa (volg.) 2 [la femmina del maiale] scrofa.

tròmba s. f. 1 trombettiere 2 (mus.) tuba 3 [rif. alle farfalle] (zool.) spiritromba, proboscide (pop.).

trombàre v. tr. 1 [un candidato] bocciare, respingere, segare (fig.) CONTR. promuovere 2 scopare (volg.), chiavare (volg.), fottere (volg.) 3 [un nemico, etc.] sconfiggere.

trombettière s. m. 1 tromba 2 (zool.) agami.

troncaménto s. m. 1 [di un arto] amputazione, mozzamento, rottura 2 [dei rapporti] cessazione (colto), interruzione 3 (ling.) aferesi, apocope, elisione, sincope.

troncàre A v. tr. 1 recidere, tagliare, mozzare, spezzare, segare 2 [un corpo, una pianta] mutilare 3 [il discorso] interrompere (est.), accorciare 4 [una vita] stroncare, mietere (fig.) 5 [una relazione affettiva] (fig.) rescindere, rompere, sospendere CONTR. continuare, proseguire 6 [una questione] dirimere (dir.), concludere B v.

intr. pron. 1 rompersi 2 [detto di relazione, etc.] (est.) spezzarsi, interrompersi CONTR. prolungarsi.

troncàto part. pass.; anche agg. 1 spezzato, rotto, mozzo 2 [rif. a una parola] tronco.

trónco (1) agg. (pl. m. -chi) 1 [rif. a cosa] reciso, mozzato, mozzo 2 [rif. a un'azione] interrotto, sospeso CONTR. continuo 3 [rif. a una persona] spossato, stremato, prostrato CONTR. ristorato 4 [rif. a una parola] troncato.

trónco (2) s. m. (pl. -chi) 1 [rif. agli alberi] fusto 2 (est.) ceppo, ciocco 3 [rif. al corpo umano] busto 4 [rif. a una strada, etc.] tratto, pezzo.

troneggiàre v. intr. 1 grandeggiare, dominare 2 (est.) spiccare, risaltare.

tronfiaménte avv. boriosamente, altezzosamente, superbamente, ambiziosamente, con alterigia CONTR. semplicemente, umilmente.

trónfio agg. 1 [rif. a una persona] gonfio, borioso, superbo CONTR. umile, discreto 2 [rif. allo stile] (est.) ampolloso, pomposo, altisonante CONTR. stringato.

tròno s. m. 1 seggio, scanno, podio (est.), cattedra 2 (gener.) sedile 3 (est.) regno, potere, corona (fig.).

tròpo s. m. (ling.) metafora, traslato.

tròppo A agg. indef. 1 [rif. al numero] abbondante, eccessivo 2 molto, numeroso, grande B pron. indef. 1 [al pl.] tante persone 2 quantità esagerata C avv. oltremodo, eccessivamente, smoderatamente, esageratamente CONTR. poco, insufficientemente, relativamente D s. m. sing. eccesso.

tròta s. f. (gener.) pesce.

troupe s. f. inv. gruppo, squadra, équipe (fr.), staff (ingl.), team (ingl.).

trovàre A v. tr. 1 [un oggetto perduto] recuperare, reperire (colto), rintracciare, rinvenire CONTR. perdere, dimenticare 2 [qc.] sorprendere, cogliere, pescare (fig.), scovare, snidare 3 (est.) ritenere, giudicare, pensare 4 accorgersi di, vedere, riscontrare 5 scoprire, inventare, escogitare 6 [qc.] incontrare, salutare, visitare 7 [un lavoro, un contratto] (est.) procacciare

8 [il numero, la regola] estrarre, estrapolare, dedurre 9 [usato con la prep. di e il verbo all'infinito] studiare, cercare B v. intr. pron. 1 [bene, male, etc.] essere, stare, ritrovarsi 2 [in un luogo] esserci, sedersi 3 arrivare, capitare, giungere, convenire 4 [detto di casa, di persona, di cosa] rimanere 5 [in un museo] (est.) figurare, vedersi 6 [detto di sentimenti] esserci, allignare C v. rifl. rec. incontrarsi, vedersi D v. rifl. [nella necessità di q.c.] scoprirsi, vedersi.

trovàta s. f. 1 idea, pensata, invenzione, scoperta, artificio, iniziativa 2 battuta, lazzo, sortita, gag (ingl.).

truccàre A v. tr. 1 imbellettare, dipingere CONTR. struccare 2 [qc.] camuffare, travestire, mascherare 3 [un gioco, etc.] alterare, falsificare (scherz.) B v. rifl. 1 tingersi, imbellettarsi, abbellirsi, dipingersi (est.), pitturarsi (scherz.), colorirsi CONTR. struccarsi 2 mascherarsi, travestirsi, camuffarsi.

truccàto part. pass.; anche agg. 1 modificato 2 alterato, falsificato, manomesso, contraffatto 3 [rif. a elezioni, a nomine, etc.] addomesticato, predisposto, viziato.

trùcco s. m. (pl. -chi) 1 artificio, accorgimento, mezzuccio, inghippo 2 (est.) imbroglio, frode, raggiro, inganno, sotterfugio 3 maquillage (fr.), imbellettamento (scherz.) 4 belletto, cosmetico, vernice (scherz.) 5 [tipo di] ombretto, fard (ingl.), rimmel (ingl.), mascara, cipria, rossetto.

trucidàre v. tr. ammazzare, assassinare, scannare, macellare, mattare, fare fuori, massacrare, affettare (fig.).

truck s. m. inv. 1 autocarro 2 (gener.) veicolo, autoveicolo, automezzo.

trùffa s. f. frode, imbroglio, raggiro, inganno, trappola (fig.), fregatura (pop.), bidone (pop.), chiavata (volg.).

truffàre v. tr. 1 frodare, ingannare, imbrogliare, fregare (fam.), gabbare, giocare, intrappolare, bidonare (pop.), raggirare, defraudare 2 [modi di] barare, rubare.

truffatóre s. m. (f. -trice) 1 imbroglione, impostore, lestofante, mistificatore, pirata (fig.), filibustiere (fig.), turlupinatore **2** [*tipo di*] baro.

trust *s. m. inv.* **1** cartello (*econ.*), alleanza, società, coalizione, holding (*ingl.*), raggruppamento **2** (*est.*) monopolio.

tsar *s. m. inv.* V. *zar.*

tùba *s. f.* **1** (*mus.*) tromba **2** poesia **3** cilindro, staio **4** (*gener.*) cappello **5** (*anat.*) salpinge **6** recluta.

tubàre *v. intr.* (*est.*) amoreggiare.

tubazióne *s. f.* condotta, conduttura.

tubercolòsi *s. f. inv.* (*med.*) tisi.

tùbo *s. m.* **1** (*anat.*) canale, condotto, vaso (*bot.*) **2** [*spec. in loc.: non valere un*] (*pop.*) niente **3** [*di un organo*] (*mus.*) canna.

tucàno *s. m.* (*gener.*) uccello.

tucùl *s. m. inv.* (*gener.*) casa.

tuffàre *A v. tr.* immergere, sprofondare *B v. rifl.* **1** immergersi, gettarsi in acqua **2** [*nel vuoto*] gettarsi, buttarsi, lanciarsi, precipitarsi **3** [*nella mischia*] infilarsi, scagliarsi **4** [*nello studio, nel gioco*] concentrarsi, dedicarsi *a.*

tugùrio *s. m.* **1** abituro, stamberga, cimiciaio, topaia, spelonca, tana, antro CONTR. villa, reggia **2** (*gener.*) casa.

tulipàno *s. m.* (*gener.*) fiore.

tùlle *s. m.* velo, garza.

tumefàre *v. tr. e intr. pron.* **1** gonfiare **2** (*est.*) inturgidirsi.

tumefazióne *s. f.* gonfiore, edema, tumore (*raro*), enfiagione (*colto*).

tumóre *s. m.* **1** cancro (*pop.*), blastoma (*med.*), neoplasia (*med.*), neoplasma (*med.*), male (*fam.*) **2** gonfiore, tumefazione.

tumulàre *v. tr.* inumare, seppellire, sotterrare CONTR. dissotterrare, esumare, riesumare.

tumulazióne *s. f.* sepoltura, inumazione, interramento, seppellimento CONTR. esumazione.

tùmulo *s. m.* **1** (*est.*) sepolcro, tomba **2** cumulo, catasta.

tumùlto *s. m.* **1** fracasso, frastuono **2**

[*rif. a uno stato d'animo*] (*est.*) agitazione, fermento **3** [*di popolo*] (*est.*) agitazione, turbolenza (*raro*), sommossa, rivolta, insurrezione, sollevazione, ribellione.

tumultuàre *v. intr.* **1** ribellarsi, insorgere, rivoltarsi **2** schiamazzare, gridare.

tumultuóso *agg.* **1** [*rif. a una persona*] agitato, inquieto CONTR. quieto, pacifico **2** [*rif. a una riunione, a una assemblea*] agitato, movimentato CONTR. quieto, pacifico **3** [*rif. all'emozione*] (*fig.*) agitato, confuso, contraddittorio.

tùnica *s. f.* (*pl. -che*) **1** tonaca **2** (*gener.*) abito, veste, indumento.

tùnnel *s. m. inv.* traforo, galleria.

tuonàre o **tonàre** *v. intr.* **1** [*detto di suono*] rombare, rimbombare **2** [*detto di persona, etc.*] (*est.*) ruggire (*fig.*), inveire.

tuòno *s. m.* rombo, boato, frastuono, fragore, rimbombo.

tuòrlo o **tòrlo** *s. m.* rosso (*fam.*), vitello (*biol.*) CONTR. albume.

turàre *v. tr.* **1** tappare, mettere il tappo *a* **2** [*un condotto, una tubatura*] chiudere, ostruire, otturare.

tùrba (1) *s. f.* caterva, reggimento, stuolo.

tùrba (2) *s. f.* (*psicol.*) complesso, psicosi.

turbaménto *s. m.* **1** [*rif. a uno stato d'animo*] agitazione, ansia, inquietudine CONTR. tranquillità, pace **2** [*tipo di*] smarrimento, sbigottimento, sgomento, stordimento, sconcerto, frastornamento **3** emozione, commozione, impressione (*fam.*), stretta (*fig.*), effetto (*fam.*), rimescolio (*fig.*) **4** vergogna, scandalo, sconvolgimento **5** [*sociale*] rivolgimento, sovvertimento, stravolgimento.

turbàre *A v. tr.* **1** [*un liquido*] agitare, scuotere, intorbidare, rendere torbido **2** [*un rapporto, un'amicizia*] (*fig.*) guastare, incrinare, offuscare, annuvolare **3** [*qc. o l'animo di qc.*] scombussolare, sconvolgere, impressionare, esagitare, sbalestrare CONTR. rasserenare, rassicurare, tranquillizzare

4 commuovere, appassionare, emozionare, contristare **5** [*qc. sessualmente*] conturbare, eccitare **6** molestare, avvelenare (*fig.*), disturbare, inquietare, impensierire **7** imbarazzare **8** sbalordire, sbigottire, scandalizzare, scioccare, rimescolare (*fig.*) **9** [*l'ordine pubblico*] sovvertire, destabilizzare, perturbare, stravolgere *B v. intr. pron.* **1** [*detto di tempo*] guastarsi, annuvolarsi, peggiorare, perturbarsi, rabbuiarsi, rannuvolarsi CONTR. rasserenarsi **2** [*detto di acque, etc.*] intorbidarsi **3** [*detto di persona*] sgomentarsi, smarrirsi, impressionarsi, confondersi, disorientarsi CONTR. rassicurarsi, ricomporsi **4** emozionarsi, commuoversi, trascolorare (*est.*) **5** conturbarsi, eccitarsi **6** adirarsi, scomporsi, alterarsi, indispettirsi, inquietarsi, scaldarsi **7** impensierirsi, contristarsi **8** sbigottirsi, allibire, scandalizzarsi, sconvolgersi.

turbàto *part. pass.; anche agg.* **1** impressionato, emozionato, commosso, scosso, impietosito (*est.*) CONTR. imperturbabile, impassibile **2** [*rif. all'animo*] impressionato, stordito, stravolto, stranito, allibito, sbalordito, scioccato, alterato **3** (*est.*) scandalizzato **4** [*rif. al viso*] (*fig.*) fosco, scuro **5** [*rif. a un pensiero*] (*fig.*) agitato, tempestoso.

turbinàre *v. intr.* mulinare, girare, roteare, vorticare.

tùrbine *s. m.* **1** vortice, ciclone, bufera, mulinello **2** (*est.*) ridda, turbinio (*fig.*), confusione.

turbinìo *s. m.* **1** vortice, turbine **2** (*est.*) ridda, confusione, caos.

turbinosaménte *avv.* vorticosamente.

turbolènto *agg.* **1** [*rif. a una persona*] inquieto, indisciplinato, ribelle, disubbidiente, cattivo CONTR. tranquillo **2** [*rif. a un'epoca*] burrascoso.

turbolènza *s. f.* **1** disordine, tumulto, agitazione, sommossa **2** [*rif. al clima*] burrasca.

turchése (1) *s. m.* **1** blu **2** (*gener.*) colore.

turchése (2) *s. m.* (*gener.*) pietra.

turchìno *A agg.* azzurro, blu *B s. m.* **1**

turgido

(*erron.*) blu, celeste, violetto **2** (*gener.*) colore.

tùrgido *agg.* **1** gonfio, tumido **2** [*rif. a piante, a animali*] fiorente **3** [*rif. allo stile*] ampolloso.

turlupinàre *v. tr.* abbindolare, beffare, fregare (*fam.*), imbrogliare, infinocchiare (*volg.*), mistificare, circonvenire (*raro*).

turlupinatóre *s. m.* (*f. -trice*) mistificatore, imbroglione, truffatore, impostore **CONTR.** galantuomo.

tùrma *s. f.* V. *torma*.

tùrno *s. m.* **1** avvicendamento, rotazione **2** volta, vece **3** [*al gioco*] giro.

turnover *s. m. inv.* avvicendamento.

tùrpe *agg.* **1** (*lett.*) brutto, deforme **CONTR.** bello, grazioso, leggiadro **2** vergognoso, ignobile, infame, empio, immorale, sconcio, sporco, sozzo, laido, ributtante, nefando, sudicio, schifoso, mostruoso, bieco **CONTR.** nobile, onesto, onorevole.

turpeménte *avv.* abiettamente, spregevolmente, bassamente, luridamente, laidamente **CONTR.** nobilmente, onorevolmente, onestamente, dignitosamente.

turpitùdine *s. f.* **1** nefandezza, scelleratezza, atrocità, aberrazione **2** misfatto, crimine, delitto.

tutèla *s. f.* **1** [*di qc.*] potestà su, responsabilità **2** [*di qc., di q.c.*] (*est.*) protezione, vigilanza, sorveglianza, cura, custodia, egida (*colto*) **3** protezione, difesa, patrocinio, salvaguardia.

tutelàre A *v. tr.* **1** custodire, conservare **2** garantire, difendere, salvaguardare, proteggere, presidiare (*raro*) **3** [*detto di divinità*] (*est.*) benedire, assistere **4** [*qc. da un pericolo*] (*est.*) liberare, salvare, scampare **B** *v. rifl.*

cautelarsi, garantirsi, salvaguardarsi, salvarsi **C** *agg.* **1** tutorio **2** difensore, protettore, patrocinatore.

tutóre *s. m.* (*f. -trice*) **1** custode **2** [*di qc.*] protettore, difensore, paladino (*lett.*).

tuttavìa *cong.* ciononostante, nondimeno, comunque, però, pure, tanto, veramente, peraltro.

tùtto A *agg. indef.* **1** [*rif. al numero*] intero, completo **2** ogni, qualsiasi **3** soltanto, esclusivamente **B** *pron. indef.* **1** ogni cosa **2** insieme **3** [*spec. con: in*] complessivamente **C** *avv.* completamente, interamente **D** *s. m. inv.* **1** totalità **CONTR.** niente **2** unità **CONTR.** parte, fetta, frazione.

tuttóra *avv.* ancora, ancora adesso, anche oggi.

tzigàno *s. m.; anche agg.* (*f. -a*) V. *zigano*.

u, U

ubbìa *s. f.* fisima, pregiudizio, fissazione, mania, superstizione, scrupolo (*est.*), pallino (*scherz.*).

ubbidiènte o **obbediènte** *part. pres.; anche agg.* **1** ottemperante, docile, disciplinato (*est.*), remissivo, mansueto, disciplinato (*est.*), rispettoso (*est.*), osservante, adempiente, sottomesso (*est.*), subordinato **CONTR.** disubbidiente, ribelle, indisciplinato, renitente, discolo **2** [*rif. agli animali*] addomesticato, mansueto **CONTR.** selvatico.

ubbidientemènte *avv.* docilmente, remissivamente, rispettosamente, disciplinatamente **CONTR.** indocilmente, insubordinatamente.

ubbidiènza o **obbediènza** *s. f.* **1** disciplina **CONTR.** disubbidienza **2** (*est.*) docilità, mitezza **3** [*atto di*] sottomissione **CONTR.** ribellione **4** [*alle leggi, etc.*] rispetto *di*, osservanza *di* **CONTR.** inosservanza, disprezzo.

ubbidire o **obbedire** *v. intr.* **1** [*a qc.*] dare ascolto, dare retta, ascoltare *un* **CONTR.** disubbidire, ricalcitrare **2** [*a q.c.*] ottemperare **3** (*est.*) dipendere *da*, dovere ubbidienza, chinarsi (*fig.*), sottomettersi, inchinarsi (*fig.*), sottostare **CONTR.** comandare, ordinare.

ubertà *s. f. inv.* fertilità, fecondità, feracità **CONTR.** sterilità.

ubicàre *v. tr.* situare, mettere, collocare, posizionare.

ubicazióne *s. f.* posizione, posto, sito (*lett.*).

ubriacàre A *v. tr.* **1** fare bere, sborniare **2** [*detto di vino, di felicità, etc.*] (*anche fig.*) inebriare, dare alla testa (*fam.*) **B** *v. rifl.* **1** avvinazzarsi, sborniarsi, sbronzarsi, bere (*impr.*) **2** [*di felicità*] inebriarsi, eccitarsi.

ubriacatùra *s. f.* **1** sbornia, sbronza, balla (*dial.*), ciucca (*dial.*) **2** (*est.*) esaltazione, eccitazione **3** (*est.*) infatuazione, innamoramento.

ubriachézza *s. f.* **1** [*rif. allo stato di*]

alterazione, ebbrezza **2** [*rif. a uno stato cronico*] etilismo, alcolismo **3** (*est.*) confusione, stanchezza.

ubriàco A *agg.* (*pl. m. -chi*) **1** sbronzo, brillo, alticcio, ebbro (*colto*) **CONTR.** sobrio **2** stordito, rintronato **B** *s. m.* (*f. -a*) ubriacone, avvinazzato.

ubriacóne *s. m.* (*f. -a*) beone.

uccellagióne *s. f.* caccia.

uccellànda *s. f.* [*rif. a un luogo*] uccelliera.

uccellièra *s. f.* **1** gabbia, voliera **2** [*rif. a un luogo*] uccellanda.

uccèllo (1) *s. m.* **1** pennuto (*fam.*), volatile, alipede (*lett.*), augello (*poet.*) **2** (*gener.*) animale →animali **3** [*tipo di*].

Uccelli

Uccelli: vertebrati con corpo coperto di penne e piume, becco corneo, riproduzione ovipara.

beccapesci: uccello marino con becco nero slanciato dalla punta gialla, coda sviluppata e forcuta, piedi palmati neri, si nutre di pesci;

cormorano: uccello acquatico che si nutre di pesci, con corpo allungato, zampe brevi e palmate, collo lungo e becco robusto;

marangone;

pellicano: uccello tropicale con enorme becco munito, nella parte inferiore, di un sacco dilatabile per immagazzinare il cibo, spec. pesci;

tucano: uccello con piumaggio nero, che vive nelle foreste dell'America meridionale, caratteristico per il gigantesco becco giallo, ricurvo e compresso ai lati;

fregata: uccello dei mari intertropicali, con piedi palmati e volo molto veloce;

torcicollo: uccello insettivoro di piccole dimensioni a zampe brevi, becco dritto e collo mobilissimo;

rondone: uccello tutto nero con go-

la bianca, con sagoma analoga a quella della rondine;

pinguino: uccello acquatico, gregario, con portamento eretto, buon nuotatore, con ali ridotte a moncherini e quindi inetto al volo;

picchio: uccello dal becco robustissimo e dalla lunga lingua, specializzato nell'arrampicarsi sui tronchi;

colombo: uccello la cui specie più comune presenta;

piumaggio grigio azzurro, iridescente sul collo, due fasce nere sulle ali e zampe color corallo;

tortora: uccello affine al colombo dal piumaggio di colori delicati, addomesticabile, che ha verso monotono e ripetuto a lungo;

cuculo: uccello con coda lunga e morbido piumaggio grigio sulle parti superiori e bianco striato di grigio su quelle inferiori, la cui femmina depone le uova nel nido di uccelli di altre specie;

colibrì: uccello dallo splendido piumaggio con lingua adatta a suggere il nettare dai fiori;

uccello mosca;

gabbiano: uccello acquatico con becco lungo e robusto, testa grande, ali molto lunghe, piedi palmati e piumaggio bianco con ali e dorso grigi;

rondine di mare: uccello con corpo molto slanciato, becco lungo e sottile, che si nutre di pesci;

serpentario: uccello africano divoratore di serpenti, con lunghe zampe, ciuffo di penne erigibili sulla nuca e coda con penne timoniere molto lunghe;

grifone: uccello rapace diurno affine all'avvoltoio, con piumaggio cinerino e capo coperto di piumino bianco; si nutre di carogne;

grifo;

astore: uccello rapace simile allo sparviero ma di maggiori dimensioni;

gheppio: uccello affine al falco, ma più piccolo, di colore fulvo o cenerino a macchie;

falchetto;

aquila: uccello rapace di grande statura con zampe piumate fino alle dita, forti artigli e becco robusto ricurvo;

uccello di Giove: (*lett.*);

poiana: uccello rapace diurno con ali molto lunghe e carattere timido;

condor: uccello rapace di grosse dimensioni, dell'America;

avvoltoio: uccello rapace, con testa nuda e becco uncinato, collo dalla pelle rugosa, grande apertura alare e forti zampe ricoperte da un ciuffo di piume;

falco: uccello predatore diurno con robusto becco ricurvo e possenti artigli;

sparviero: uccello rapace diurno con testa piccola, ali brevi, piumaggio grigio sul dorso e bianco rossiccio sul ventre;

nibbio: uccello rapace con coda biforcuta, ali lunghissime e becco adunco;

gallina: uccello femmina adulta del gallo, più piccola del maschio, con livrea a colori meno vivaci e coda più breve, allevata per le uova e la carne;

faraona: uccello dal piumaggio scuro con macchie biancastre oppure grigie orlate di nero nelle specie domestiche, in grado di alzarsi in volo in caso di pericolo;

fagiano: uccello con lunga coda, piumaggio dai vivaci colori nel maschio, volo pesante, carni molto pregiate;

pernice: uccello con corpo rotondeggiante e piumaggio che varia di colore secondo le specie;

pernice grigia;

pernice bianca: pernice con piumaggio bianco nell'inverno e bruno macchiettato sul dorso nell'estate;

pavone: uccello originario dell'India e di Ceylon, noto per la bellissima coda del maschio;

uccello di Giunone: (*lett.*);

starna: uccello affine alla pernice, grigiastro con strisce scure dorsali;

quaglia: uccello migratore commestibile dal piumaggio bruniccio macchiettato che vive nella vegetazione bassa;

folaga: uccello acquatico palustre con piumaggio prevalentemente nero azzurro e becco che presenta una caratteristica espansione cornea che a volte si prolunga fino alla sommi-

tà del capo;

tacchino: uccello di origine americana con capo e collo nudi e verrucosi, piumaggio a tinte metalliche, coda erigibile a ruota nei maschi, allevato per le carni;

cicogna: uccello migratore con lunghe zampe rosse e becco rosso;

cicogna bianca: cicogna con penne bianche e grandi ali dalle estremità nere;

airone: uccello acquatico con gambe sottili, becco lungo e diritto e ali larghe e molto lunghe;

airone cinerino: airone con piumaggio grigio;

fenicottero: uccello con lunghissime zampe prive di piume e piedi palmati, collo allungato e mobilissimo, becco largo e lungo piegato ad angolo, piumaggio di color roseo e penne remiganti nere;

fiammingo;

alzavola: uccello affine all'anatra selvatica, caratterizzato dalla grande macchia verde che adorna il capo del maschio;

fischione: uccello affine all'anatra, con abitudini notturne, diffuso nell'Europa settentrionale ove vive in vicinanza dell'acqua;

oca: uccello con gambe corte, dita del piede palmate, nuotatore, con abbondante piumaggio, allevato per la carne e il piumino;

oca selvatica: oca con piumaggio bruno cinerino con zone più chiare;

*****anatra:** uccello acquatico commestibile con piedi palmati, becco largo e piatto, piumaggio variopinto su fondo grigio;

gallo cedrone: uccello selvatico delle regioni montuose, dal piumaggio nerastro, commestibile;

urogallo;

ibis: uccello con lungo becco sottile e ricurvo;

ibis rosso: ibis americano con piumaggio rosso vivo;

ibis sacro: ibis africano con testa e collo nudi e neri e piumaggio bianchissimo;

marabù: uccello asiatico e africano, con collo nudo, candide penne sulla coda, che si nutre di rifiuti;

cigno: uccello acquatico vivente a terra, caratterizzati dal collo lungo e flessuoso;

cigno reale: cigno di grande mole;

beccafico: uccello canoro, bigio, simile alla capinera ma privo di calotta nera sul capo; si nutre di frutta;

lucherino: uccello di piccole dimensioni dal piumaggio giallo verdastro, con voce sottile e armoniosa;

cornacchia: uccello simile al corvo ma con becco più grosso e più incurvato, coda arrotondata e piumaggio completamente nero;

cornacchia grigia: cornacchia con piumaggio in parte grigio;

capinera: piccolo uccello canoro con zampette esili, capo nerissimo nel maschio e color ruggine nella femmina;

cutrettola: uccello simile al passero, che cammina sul terreno non saltellando, ma battendo ritmicamente la lunga coda;

ballerina;

batticoda;

caprimulgo: uccello con piumaggio grigio bruno e ali lunghe, testa grande e occhi molto sviluppati, becco corto con estremità ricurva, con abitudini crepuscolari, insettivoro;

nottolone;

succiacapre: (*pop.*);

pispola: uccello facilmente addomesticabile, con piumaggio scuro striato sul dorso e chiaro sul ventre, stazionario sui monti italiani;

verzellino: uccello simile al canarino, ma con piumaggio verde olivastro sul dorso, che per il canto melodioso spesso è tenuto in cattività;

verdone: uccello a coda forcuta, di colore verde dorato sul dorso e giallastro sul ventre, con becco breve e conico e canto melodioso;

verdello;

luì: uccello con piumaggio olivastro o giallo verdastro, becco corto e sottile;

gazza: uccello con aspetto simile al corvo, dal piumaggio bianco, grigio e nero a riflessi verdi o violetti, che usa impossessarsi degli oggetti luccicanti;

ghiandaia: uccello assai comune e grazioso, con ciuffo erettile sul capo e remiganti striate di nero e azzurro;

corvo: uccello con corpo massiccio, robuste zampe, piumaggio nero a riflessi violacei e un'area nuda e biancastra alla base del becco, per la quale si distingue dalla cornacchia;

fringuello: uccello dal canto melodioso con dorso bruno e petto rossiccio;

merlo: uccello, nero con becco giallo il maschio, bruno rossastra e becco scuro la femmina, onnivoro, addomesticabile;

pettirosso: uccello vivace e buon cantore, con piumaggio abbondantissimo e colorato di rosso sul collo e sul petto;

cinciallegra: uccello canoro che vive in gruppo di preferenza nei boschi montani;

cincia;

averla: uccello predatore di media grandezza, con becco uncinato, gambe lunghe e unghie robuste, coda larga a ventaglio;

velia;

canarino: uccello con piumaggio verde screziato di grigio e giallo chiaro e interamente giallo in talune specie di allevamento;

passero: uccello dal piumaggio grigio misto di bruno e nero, becco corto conico, che si nutre di insetti e di cereali;

pigliamosche: uccello molto piccolo con piumaggio bruno e bianco che vive nei boschi;

rondine: uccello con lunghe ali falcate, coda forcuta, piumaggio densissimo nero sul dorso e bianco sul ventre;

ciuffolotto: uccello dal piumaggio denso, soffice, rigonfio, variamente colorato;

cardellino: uccello canoro, dal piumaggio variamente colorato di nero, giallo, rosso e bianco; si ciba di semi, specialmente di cardo;

capirosso;

storno: uccello gregario con corpo slanciato, becco diritto, canto melodioso;

tordo: uccello bruno, biancastro nella parte inferiore, di passo, che vive fra i cespugli ed è selvaggina pregiata;

scricciolo: uccello molto piccolo con piccola coda diritta e corta, denso piumaggio bruno rossiccio, voce trillante e melodiosa;

reattino;

zigolo: uccello molto piccolo con coda forcuta e becco conico con margini ripiegati in dentro;

paradisea: uccello tropicale onnivoro con vistoso piumaggio nel maschio, caratteristico per due ciuffi

laterali di penne allungatissime;

uccello del paradiso;

uccello lira: uccello australiano dalla forma di lira;

allodola: uccello con piumaggio grigio bruno e bianco sul ventre, becco acuto, lunga unghia posteriore; durante il volo emette un trillo armonioso;

usignolo: uccello slanciato, insettivoro, bruno, rossiccio, vivace, con dolcissimo canto;

otarda: uccello essenzialmente corridore con zampe robuste, piumaggio cinerino sul collo e sul ventre, nerastro sulle altre parti del corpo;

gru: uccello che vive nelle zone ricche d'acqua, con zampe e collo lunghi, becco dritto e appuntito;

assiolo: uccello rapace notturno con livrea grigia venata di nero e due ciuffetti di penne auricolari ai lati del capo;

chiù;

barbagianni: uccello rapace notturno con piumaggio abbondante giallo rossiccio macchiettato di grigio;

gufo: uccello rapace notturno con capo grande, occhi frontali, becco breve e adunco, piume morbide e due ciuffi di penne e rettili sul capo;

allocco: uccello rapace notturno, affine al gufo ma privo di ciuffi sul capo, di colore grigio bruno macchiato di bianco;

civetta: uccello rapace notturno, con capo grosso, becco adunco, occhi gialli, piumaggio bruno grigio macchiato di bianco: si ammaestra e si usa come richiamo per attirare uccelli;

cuculo: uccello con coda lunga e morbido piumaggio grigio sulle parti superiori e bianco striato di grigio su quelle inferiori, la cui femmina depone le uova nel nido di uccelli di altre specie;

albatro: uccello oceanico per lo più bianco, con lunghe ali scure adatte al volo continuato e zampe palmate;

diomedea;

procellaria: uccello grande volatore, nero e bianco, che vola sfiorando le onde e nidifica sulle scogliere;

uccello delle tempeste;

struzzo: uccello di grandi dimensioni con ali inadatte al volo, zampe lunghe e prive di penne, piede a due dita, collo lungo e sottile;

emù: uccello simile allo struzzo ma

più piccolo, con corpo tozzo e tre dita nelle zampe;

struzzo australiano;

pappagallo: uccello arrampicatore, con la parte superiore del becco ricurva e l'inferiore corta, lingua carnosa e piumaggio dai colori vivaci;

ara: pappagallo di grosse dimensioni e piumaggio di color rosso vivo, giallo, blu o verde;

cacatua: pappagallo con grande becco robusto e testa sormontata da un ciuffo erettile di penne variopinte;

cinerino: pappagallo dal piumaggio color cenere e coda rossa, ottimo parlatore;

cocorita: pappagallo di piccole dimensioni dal piumaggio verde o cilestrino;

parrocchetto: pappagallo di piccole dimensioni;

pavoncella: uccello con corpo slanciato, ali lunghe, becco sottile e diritto, e un ciuffo di penne nella parte posteriore del capo, che vive presso le paludi e si nutre di piccoli animali acquatici;

beccaccino: uccello commestibile, migratore, più piccolo della beccaccia, con zampe più lunghe e ventre quasi bianco;

beccaccia: uccello commestibile migratore con zampe brevi, becco lungo e diritto, piumaggio molto mimetico col terreno;

porciglione: uccello con becco lungo e leggermente incurvato, ali brevi, zampe lunghe e sottili, denso piumaggio, che vive presso le paludi e si ciba di animali acquatici;

voltapietre: uccello con ampie ali che vive sulle spiagge e cerca il nutrimento sotto le pietre che volta con il robusto becco;

pittima: uccello con lunghe zampe, becco diritto lungo e sottile con il quale cerca fra il fango animaletti di cui si nutre;

piviere: uccello di piccole dimensioni, becco corto e lunghe ali a punta;

upupa: uccello dal lungo becco curvo a sciabola, ciuffo erettile sul capo, piumaggio delicato a colori contrastanti e voce monotona;

martin pescatore: uccello con grossa testa, lungo becco forte e diritto, piccolo corpo, colori bellissimi e grande abilità nel catturare pesci;

uccello di S. Maria;

fetonte: uccello marino tropicale con becco diritto più lungo del capo;

uccello del sole;

uccello dell'oceano;

calandra: uccello con piumaggio bruno chiazzato di nero, è caratterizzata dal canto melodioso e dalla capacità di imitare quello degli altri uccelli;

martino: uccello dell'Asia sudorientale, affine allo storno;

mellifago: uccello australiano con lingua protrattile sfrangiata come un pennello per raccogliere nettare da fiori o insetti;

rampichino: piccolo uccello abile nel camminare sui tronchi, con becco a sciabola per catturare insetti.

uccèllo (2) *s. m.* pene, fallo (*colto*), verga, cazzo (*volg.*), minchia (*merid.*), pisello (*fam.*), bischero (*tosc.*), membro.

uccìdere A *v. tr.* **1** ammazzare, assassinare, eliminare, liquidare, sopprimere, finire, distruggere, fare fuori, fare la pelle *a* (*pop.*), spacciare (*fam.*), fare la festa (*pop.*), fare secco (*pop.*) **2** [*il bestiame*] abbattere (*fam.*), macellare, mattare **3** [*modi di*] avvelenare, sbudellare, scannare, sventrare, sgozzare, annegare, strangolare, strozzare **4** [*qc. con lo sguardo*] (*fig.*) fulminare **5** [*qc. in un rito religioso*] sacrificare **6** [*i ricordi, etc.*] (*fig.*) cancellare **B** *v. rifl.* **1** suicidarsi, ammazzarsi, darsi la morte, farla finita **2** [*modi di*] avvelenarsi, impiccarsi, spararsi, annegarsi, affogarsi, strangolarsi.

uccisìóne *s. f.* **1** [*rif. all'atto di uccidere*] esecuzione, eliminazione, soppressione **2** [*l'azione*] delitto, omicidio, assassinio.

uccìso *part. pass.; anche agg.* stroncato (*fam.*), ammazzato.

udiènza *s. f.* **1** (*dir.*) processo **2** ascolto.

udìre *v. tr.* **1** intendere, sentire, percepire **2** [*le parole, i consigli*] intendere, capire, ascoltare **3** [*una notizia*] (*est.*) apprendere, sapere.

udìto *s. m.* **1** orecchio (*fig.*) **2** (*gener.*) senso **CONTR.** olfatto, gusto, tatto, vista.

uditóre o **auditóre** *s. m.* (*f. -trice*) ascoltatore.

ufficiàle *s. m. e f.* (*gener.*) militare **CONTR.** soldato.

ufficializzàre *v. tr.* **1** rendere pubblico **2** canonizzare, formalizzare.

ufficialménte *avv.* **1** formalmente, pubblicamente **CONTR.** ufficiosamente **2** (*est.*) solennemente **CONTR.** discorsivamente.

ufficiàre *v. tr.* (*relig.*) officiare, celebrare.

ufficio o **officio** *s. m.* **1** incarico, mansione, incombenza, missione, funzione, ruolo, ministero (*raro*) **2** (*est.*) carica, onore **3** dovere, obbligo **4** (*est.*) beneficio, favore, servigio **5** (*est.*) intervento, raccomandazione, sollecitazione **6** (*est.*) posto, occupazione **7** [*rif. a un luogo*] atelier (*fr.*), studio, ambulatorio, gabinetto, sede **8** [*di q.c.*] dipartimento, reparto, sezione, stanza.

ufficiosaménte *avv.* segretamente, confidenzialmente **CONTR.** ufficialmente, formalmente, solennemente.

ùggia *s. f.* (*pl. -ge*) noia, tedio, fastidio, molestia, disgusto.

uggiosaménte *avv.* tediosamente, noiosamente, barbosamente **CONTR.** gioiosamente, gaiamente.

uggióso *agg.* tedioso, noioso, fastidioso, molesto, malinconico **CONTR.** piacevole, bello.

uguagliaménto *s. m.* livellamento, pareggiamento.

uguagliànza o **eguaglianza** *s. f.* **1** identità **CONTR.** eterogeneità **2** [*sociale*] (*est.*) parità, equivalenza, corrispondenza, equilibrio **CONTR.** differenza, disuguaglianza **3** [*nel trattamento*] parità, omogeneità, uniformità **CONTR.** differenza.

uguagliàre o **eguagliàre A** *v. tr.* **1** parificare, uniformare **CONTR.** differenziare, diversificare **2** [*gli stipendi*] livellare, adeguare, perequare, equiparare, ragguagliare **CONTR.** differenziare, diversificare **3** [*una superficie*] parificare, uniformare, livellare, pareggiare, rifilare **4** [*i vizi, i meriti*] (*raro*) controbilanciare **5** [*la capacità, lo stile*] (*est.*) assimilare, paragonare, confrontare **B** *v. rifl.* livellarsi, pareggiarsi **CONTR.** differenziarsi, diversificarsi **C** *v. intr. pron.* equivalersi.

uguàle o **eguàle A** *agg.* **1** identico, invariato **CONTR.** disuguale, diverso, ineguale, differente, discrepante, disomogeneo, alternativo, altro, difforme, lontano (*est.*), cambiato, modificato, multiforme, mutato, opposto, svariato **2** (*est.*) pari, equivalente, equipollente **CONTR.** disuguale, diverso, differente, disomogeneo **3** [*rif. allo stile, al metodo*] (*fig.*) uniforme, omogeneo, equilibrato, coerente **CONTR.** disuguale, diverso, differente, discrepante, disomogeneo **4** [*rif. a una superficie*] uniforme, piano, liscio **CONTR.** disomogeneo, scabro, ruvido **5** [*rif. alla voce*] monotono **CONTR.** alterato **6** [*rif. a una copia*] fedele, preciso **CONTR.** disuguale, diverso, differente **B** *avv.* ugualmente, parimenti **C** *s. m. e f.* pari, simile.

ugualménte *avv.* **1** altrettanto, similmente, parimenti, analogamente, analogicamente, parallelamente, uniformemente **CONTR.** altrimenti, differentemente **2** equamente, indifferentemente, imparzialmente.

ùhi *inter.* ah, ahi, ohi.

ùlcera *s. f.* piaga, lesione, ferita (*est.*).

ulceràre *v. tr.* **1** piagare, esulcerare (*med.*) **2** [*l'animo*] (*fig.*) ferire, straziare.

ultimàre *v. tr.* concludere, terminare, finire, completare, chiudere, compiere, compire (*lett.*) **CONTR.** principiare, iniziare.

ùltimo A *agg.* **1** estremo, terminale **CONTR.** primo, iniziale, primigenio, principe (*raro*) **2** definitivo, decisivo, risolutivo, conclusivo **CONTR.** favorito (*est.*) **3** (*temp.*) estremo, recente **4** (*temp.*) estremo, tardo, remoto **5** (*fig.*) sommo, supremo **6** (*fig.*) infimo, pessimo **B** *s. m.* (*f. -a*) **CONTR.** primo.

ululàre *v. intr.* **1** [*per il dolore, etc.*] (*est.*) urlare, gridare, sbraitare **2** [*detto di vento, di cascata, etc.*] (*est.*) rumoreggiare, ruggire (*fig.*).

ululàto *s. m.* (*est.*) urlo, grido.

umanaménte *avv.* benignamente, cristianamente, benevolmente, clementemente, caritatevolmente, compassionevolmente, dolcemente **CONTR.** inumanamente, disumanamente, bestialmente, brutalmente, crudelmente, efferatamente, ferocemente, malvagiamente, scelleratamente, selvaggiamente.

umanità *s. f. inv.* **1** genere umano, prossimo, universo (*fig.*), mondo (*fig.*) **2** (*est.*) generosità, altruismo, affabilità, dolcezza, gentilezza, bontà, nobiltà **CONTR.** ferinità, crudeltà, spietatezza, cattiveria, bestialità, disumanità **3** (*gener.*) qualità.

umanizzàre *v. tr.* ingentilire, civilizzare, incivilire **CONTR.** disumanizzare, disumanare, abbrutire.

umàno *A agg.* **1** mortale, terreno **CONTR.** soprannaturale, divino, sovrumano **2** [*rif. a una persona*] altruista, generoso, magnanimo, buono, affabile **CONTR.** inumano, disumano, malvagio, cattivo, crudele, bestiale, brutale, atroce, crudo, dispotico, feroce, mostruoso **3** [*rif. all'istinto*] **CONTR.** bestiale, animalesco *B s. m.* uomo **CONTR.** androide, animale.

umbràtile *agg.* introverso, timido.

umettàre *A v. tr.* inumidire **CONTR.** essiccare *B v. intr. pron.* inumidirsi, bagnarsi.

umidézza *s. f.* umidità **CONTR.** secchezza, aridità.

umidificàre *v. tr.* idratare **CONTR.** disidratare.

umidità *s. f. inv.* **1** umidezza (*raro*) **CONTR.** secchezza, aridità, arsura **2** (*est.*) piovosità **CONTR.** siccità.

ùmile *agg.* **1** [*rif. all'aspetto*] modesto, dimesso **CONTR.** maestoso, regale **2** [*rif. all'atteggiamento*] modesto, sottomesso, sommesso, pudico **CONTR.** fiero, orgoglioso, altero, arrogante, superbo, altezzoso, borioso, immodesto, impertinente, impudente, presuntuoso, pretenzioso, spocchioso, gonfio, tracotante, vanitoso, tronfio, vanaglorioso **3** [*rif. a una condizione sociale*] (*est.*) misero, povero, minuto (*fig.*) **CONTR.** nobile, elevato, alto **4** (*lett.*) sventurato **5** [*rif. all'esistenza*] (*est.*) misero, povero, meschi-

no, piccino, modesto **CONTR.** stimolante, ricco, grandioso.

umiliàre *A v. tr.* **1** mortificare, ferire (*fig.*), bistrattare, svergognare, avvilire, calpestare (*fig.*), atterrare (*fig.*), deprimere, prostrare, frustrare, degradare, invilire (*raro*) **CONTR.** esaltare, glorificare, elevare, gratificare, deificare, divinizzare, insuperbire, osse-quiare, rendere baldanzoso **2** sottomettere, annientare, annichilire, piegare, schiacciare **3** [*un interesse, un'idea*] (*fig.*) sacrificare *B v. rifl.* **1** abbassarsi (*fig.*), diminuirsi, avvilirsi, degradarsi, sminuirsi, svilirsi **CONTR.** gloriarsi, gonfiarsi, lodarsi, millantarsi, pavoneggiarsi, innalzarsi (*est.*) **2** inchinarsi (*fig.*), chinarsi (*fig.*), curvarsi (*fig.*), sottomettersi, prostrarsi, strisciare (*fig.*) **3** (*est.*) annullarsi (*fig.*), annichilirsi, mortificarsi, punirsi.

umiliàto *part. pass.; anche agg.* **1** avvilito, mortificato, irriso, vilipeso **CONTR.** insuperbito **2** [*rif. a un sentimento*] (*est.*) represso, sottomesso **CONTR.** esaltato, alimentato.

umiliazióne *s. f.* **1** offesa, mortificazione **CONTR.** soddisfazione **2** [*l'effetto dell'*] (*est.*) smacco, avvilimento, depressione (*fig.*) **3** (*fig.*) boccone, schiaffo, sberla, pacca **4** [*atto di*] sottomissione.

umilménte *avv.* **1** modestamente, dimessamente, semplicemente **CONTR.** alteramente, altezzosamente, arrogantemente, boriosamente, con alterigia, tronfiamente, superbamente, disdegnosamente **2** miseramente, poveramente **CONTR.** sfarzosamente (*est.*), spavaldamente **3** (*est.*) modestamente **CONTR.** orgogliosamente, ambiziosamente, presuntuosamente.

umiltà *s. f. inv.* **1** modestia, semplicità **CONTR.** orgoglio **2** remissività, sottomissione, deferenza, servilismo **CONTR.** superbia, alterigia, arroganza, sussiego, saccenteria, sicumera, spocchia, tracotanza, alterezza, albagia, boria, burbanza, iattanza, millanteria.

umóre (1) *s. m.* **1** stato d'animo, animo (*fam.*), fantasia (*merid.*), morale, vena (*fig.*) **2** (*est.*) indole, carattere.

umóre (2) *s. m.* **1** liquido **2** (*bot.*) linfa.

umorìsmo *s. m.* **1** arguzia, spirito **2** comicità **3** ironia, sarcasmo.

umoristicaménte *avv.* comicamente, facetamente **CONTR.** drammaticamente, seriamente.

umorìstico *agg.* **1** divertente, spiritoso **CONTR.** serio **2** [*rif. a un discorso, a una battuta*] comico, faceto, arguto **CONTR.** serio.

unànime *agg.* concorde, generale, universale, collettivo, uniforme, monolitico (*fig.*), compatto (*est.*) **CONTR.** discorde, parziale.

unanimeménte *avv.* coralmente, tutti insieme, concordemente, tutti d'accordo **CONTR.** discordemente.

unanimità *s. f. inv.* compattezza, unità, concordia (*est.*) **CONTR.** dissenso.

uncìno *s. m.* rostro (*lett.*).

ùngere *A v. tr.* **1** [*il motore*] oliare, ingrassare, lubrificare **2** [*i capelli*] impomatare **3** [*qc.*] (*relig.*) consacrare **4** (*est.*) lusingare, blandire, adulare, incensare, lisciare (*fig.*), lustrare (*fig.*) *B v. rifl.* cospargersi di crema.

unghiàta *s. f.* graffio.

unguènto *s. m.* pomata, balsamo.

ungulàti *s. m. pl.* **1** (*gener.*) animale, mammifero →animali **2** [*tipo di*].

NOMENCLATURA

Ungulati

Ungulati: mammiferi con unghia a zoccolo.
bue: mammifero maschio adulto castrato dei bovini addomesticati;
  bue muschiato: mammifero ruminante con vello lunghissimo e ondulato, corna larghe e appiattite alla base;
pecora: mammifero ruminante diffuso con molte razze in tutto il mondo e allevato spec. per la lana, la carne, la pelle, il latte;
  muflone: pecora selvatica esclusiva della Sardegna e della Corsica, con corna sviluppatissime solo nei maschi, peli corti;
giraffa: mammifero ruminante africano giallastro con macchie bruno-rosse, collo lunghissimo, zampe anteriori più lunghe delle posteriori,

due o tre protuberanze ossee sulla fronte, lingua lunghissima e protrattile;

zebra: mammifero africano con aspetto intermedio fra quello del cavallo e quello dell'asino e pelame chiaro a strisce nere;

asino: mammifero più piccolo del cavallo e con orecchie più lunghe, grigio e biancastro sul ventre con lunghi crini all'estremità della coda;

okapi: mammifero africano ruminante con arti zebrati e corpo nerastro;

vigogna: mammifero simile al lama, di color giallo rossiccio sul dorso e bianco ventralmente;

wapiti: mammifero ruminante dell'America del Nord, con pelame bruno e corna assai sviluppate, simile al cervo;

cervo: mammifero ruminante con coda corta, pelame bruno rossiccio e nel maschio corna ossee caduche, che ricrescono in primavera con un palco in più;

daino: mammifero ruminante il cui maschio ha corna allargate e appiattite alle estremità, per cui si distingue dal cervo;

renna: mammifero ruminante con corna nel maschio e nella femmina, coda breve, arti robusti e zoccoli larghi adatti a camminare sulla neve delle regioni artiche in cui vive;

camoscio: mammifero ruminante agilissimo, con corna brevi, erette e ricurve a uncino e pelo fitto bruno o grigio;

caribù: mammifero ruminante delle regioni artiche simile alla renna ma più robusto e con corna più ampie;

capra: mammifero ruminante domestico con gambe brevi e robuste, testa corta e larga alla fronte con barba sul mento, corna curvate all'indietro e pelo liscio e lungo;

mosco: mammifero ruminante che vive nelle montagne asiatiche, simile al capriolo, privo di corna, il cui maschio ha nella regione inguinale ghiandole che versano in una piccola borsa un prodotto odorosissimo;

stambecco: mammifero ruminante alpino affine alla capra, grigio rossastro con corna massicce inanellate curvate a scimitarra;

alce: mammifero ruminante con labbro superiore prominente, corna palmate e pelame bruno-nero; carat-

teristico delle regioni fredde;

antilope: mammifero ruminante dei paesi caldi, snello e veloce, con corna cave e occhi molto espressivi;

cudù: antilope africana con lunghe corna elicoidali e pelo grigiastro con strie verticali bianche sui fianchi;

alpaca: mammifero domestico tipico delle Ande, pregiato per il pelo morbido e lungo;

cavallo: mammifero domestico erbivoro, con collo eretto ornato di criniera, piede fornito di un solo dito protetto dallo zoccolo, variamente denominato secondo il colore del mantello;

gazzella: mammifero africano ruminante con corpo agile ed elegante, e corna inanellate nel maschio;

lama: mammifero americano a corpo snello, collo lungo e arcuato, mantello fittissimo, lungo e morbido, nero o macchiato; allevato soprattutto in Perù per trasporto, lana e carne;

tapiro: mammifero notturno simile nell'aspetto a un suino, con coda rudimentale, muso terminante in una breve proboscide, che vive in luoghi paludosi;

babirussa: mammifero simile a un piccolo maiale, con quattro grandi zanne arcuate verso l'alto nel maschio; caratteristico delle isole Molucche;

cinghiale: mammifero con zanne formate dai canini inferiori che sporgono dalle labbra ripiegati verso l'alto, pelo ruvido, occhi piccoli, coda corta e attorcigliata;

facocero: mammifero africano affine al cinghiale, con pelle rugosa ricoperta da pochissime setole, grossa testa con criniera che si prolunga sul dorso e canini sporgenti e ricurvi;

yak: mammifero ruminante delle montagne asiatiche, con mantello lanoso di peli ondulati;

toro: mammifero adulto dei bovini, destinato alla riproduzione;

gnu: mammifero africano ruminante dal corpo simile a quello di un cavallo, ma con robuste corna arcuate verso l'alto che ricordano quelle del bufalo;

dromedario: mammifero ruminante simile al cammello, ma con una sola gobba, con labbro superiore diviso in due e mantello di color fulvo;

zebù: mammifero domestico dell'Africa e dell'India con una gobba sul dorso;

cammello: mammifero ruminante con due gobbe dorsali, pelo lanoso e abbondante e testa assai piccola;

bisonte: mammifero selvatico ruminante, con la parte anteriore del tronco molto più sviluppata di quella posteriore, gibbosità dorsale, fronte convessa e larga, corna brevi e lunghi peli sul corpo;

bufalo: mammifero ruminante con arti robusti, pelame duro e setoloso, corna larghe assai sviluppate e fronte convessa;

ippopotamo: mammifero non ruminante, con corpo massiccio e pelle spessa, zampe brevi, amplissima bocca a dentatura completa e robustissima, alimentazione erbivora;

rinoceronte: mammifero con testa voluminosa e lungo muso portante uno o due corni;

rinoceronte africano: rinoceronte generalmente nero con due corni;

rinoceronte indiano: rinoceronte con un solo corno e colore grigio bruno;

elefante: mammifero con lunga proboscide e caratteristiche zanne, considerato il più grosso animale terrestre vivente;

elefante africano: elefante con grandi orecchie e zanne molto sviluppate;

elefante indiano: con orecchie e zanne più piccole dell'elefante africano;

lamantino: mammifero marino con arti anteriori trasformati in pinne e posteriori assenti, con coda arrotondata e provvisto dei soli denti molari;

manato;

dugongo: mammifero marino erbivoro con largo muso, setole intorno alla bocca, arti anteriori trasformati in pinne, corpo simile a quello di una foca che termina in una pinna caudale piatta.

unicaménte avv. soltanto, solamente, esclusivamente, puramente, semplicemente, solo.

unicità s. f. inv. **1** eccezionalità, rarità, particolarità (est.), singolarità (est.) **2** unità CONTR. molteplicità.

ùnico A agg. **1** solo, singolare CONTR.

molteplice, numeroso **2** [*rif. alla ricchezza, alla bellezza*] ineffabile, inarrivabile, incomparabile, ineguagliabile, impareggiabile, imparagonabile, inenarrabile, inimitabile **CONTR.** ordinario **3** (*est.*) esclusivo **4** (*est.*) prezioso **B** *s. m.* (*f. -a*) solo.

unicum *s. m. inv.* **1** unità **2** esemplare.

unificàre A *v. tr.* **1** normalizzare, standardizzare **2** (*est.*) identificare, fondere **CONTR.** distinguere **B** *v. rifl. rec.* [*detto di partiti politici, etc.*] unirsi, fondersi **CONTR.** dividersi **C** *v. intr. pron.* [*detto di strade, di fiumi, etc.*] unirsi **CONTR.** diramarsi.

unificazióne *s. f.* fusione, aggregazione, accorpamento **CONTR.** scomposizione, disgregazione, disaggregazione.

uniformàre A *v. tr.* **1** normalizzare, massificare, standardizzare **CONTR.** differenziare **2** [*il salario*] normalizzare, uguagliare, livellare, appiattire (*fig.*), bilanciare, perequare (*bur.*) **CONTR.** diversificare **3** [*le scelte, etc.*] accordare, conformare, adeguare **CONTR.** contraddistinguere **B** *v. rifl.* conformarsi, adeguarsi, allinearsi, adattarsi, ottemperare (*est.*) **CONTR.** evidenziarsi, distinguersi.

unifórme (1) *agg.* **1** uguale, concorde, unanime, regolare **CONTR.** disuguale, difforme, molteplice **2** monotono (*neg.*), grigio (*fig.*) **CONTR.** vario, variato, multiforme, proteiforme, svariato.

unifórme (2) *s. f.* **1** divisa, tenuta, livrea **2** (*gener.*) veste.

uniformeménte *avv.* **1** con uniformità, similmente, ugualmente **CONTR.** variamente, diversamente **2** monotonamente, noiosamente.

uniformità *s. f. inv.* **1** omogeneità, coerenza **CONTR.** difformità, varietà **2** [*di trattamento*] uguaglianza **3** [*rif. a idee*] monotonia, grigiore (*fig.*) **4** [*tra idee*] conformità, concordanza, accordo.

unilateralménte *avv.* relativamente, parzialmente **CONTR.** bilateralmente.

unióne *s. f.* **1** [*tra persone*] (*est.*) accordo, coesione, solidarietà, fratellanza, concordia, attaccamento, affiatamento **CONTR.** discordia, disaccordo **2**

[*tra idee*] (*est.*) concordanza, convergenza (*fig.*), rispondenza, comunione (*fig.*), unità **3** [*di interessi, etc.*] (*est.*) alleanza, coalizione, fusione (*fig.*), blocco (*fig.*), somma (*fig.*) **CONTR.** scissione, separazione, spaccatura **4** [*di q.c.*] connubio, accoppiamento, abbinamento, accostamento, accomunamento, appaiamento **5** [*di stati, di enti, etc.*] connubio, accorpamento, aggregazione, federazione, confederazione **CONTR.** scioglimento, secessione **6** congiungimento (*raro*), matrimonio.

unìre A *v. tr.* **1** [*i vari pezzi in un tutto*] attaccare, comporre, montare, commettere (*raro*), giungere **CONTR.** separare, smontare, disgiungere, dissociare, distaccare, disunire, dividere, frammentare, frazionare, disgregare, rompere **2** [*sostanze, etc.*] mischiare, mescolare, mettere insieme **CONTR.** disaggregare, disciogliere, decomporre **3** [*i metalli, etc.*] amalgamare, fondere, legare **4** [*i cavi elettrici*] collegare, connettere, allacciare, ricollegare, innestare, congiungere **CONTR.** isolare, connettere, disconnettere **5** [*q.c. a una lettera*] allegare, accludere, includere **6** [*una cosa ad un'altra*] accompagnare, accoppiare, abbinare, accostare, avvicinare, combinare **CONTR.** spaiare **7** [*paesi tra di loro*] collegare, raccordare **8** [*una sostanza ad un'altra*] addizionare, aggiungere **9** [*pezzi di tessuto tra loro*] cucire, aggiuntare, ricucire **10** [*una proprietà ad un'altra*] annettere, assommare **11** [*qc. a una compagnia*] aggregare, alleare **12** [*q.c. in un tutto*] conglobare, incorporare, immedesimare (*raro*) **13** [*detto di ideali, etc.*] (*est.*) accomunare **B** *v. rifl. rec.* **1** aggregarsi, allearsi, confederarsi, federarsi, associarsi, unificarsi, fondersi **CONTR.** dividersi **2** mescolarsi, accompagnarsi, accoppiarsi, appaiarsi, sposarsi, maritarsi, legarsi **CONTR.** separarsi **C** *v. intr. pron.* **1** aggregarsi, mescolarsi, amalgamarsi, combinarsi **2** [*detto di qualità, etc.*] esistere, esserci, coesistere **3** [*detto di strada, di corso d'acqua*] convergere, confluire, unificarsi, incontrarsi **CONTR.** dividersi, biforcarsi **4** congiungersi, attaccarsi **D** *v. rifl.* **1** affiancare *un*, condividere *un*, venire in aiuto di **2** incorporarsi, inserirsi, partecipare, prendere parte, mischiarsi **3** collegarsi, riattaccarsi, riconnettersi.

unità *s. f. inv.* **1** [*di vedute*] omogeneità, convergenza, concordia, unanimità, identità **CONTR.** divergenza, disaccordo **2** [*rif. a un'opera d'arte*] omogeneità, organicità, compiutezza, armonia **3** unicità **4** indivisibilità, tutto, unicum **5** (*est.*) unione, accordo, affiatamento, solidarietà **6** [*complesso organico di q.c.*] (*mil.*) brigata, corpo d'armata, divisione **7** [*ogni singolo elemento*] (*mil.*) nave, aereo.

unitaménte *avv.* insieme, congiuntamente **CONTR.** distintamente, separatamente, disgiuntamente.

unitàrio *agg.* **1** unico, monolitico **CONTR.** frammentario, vario **2** [*rif. allo stile, al metodo*] armonico, coerente, continuo **CONTR.** frammentario, vario, discontinuo.

unito *part. pass.; anche agg.* **1** legato, aderente (*est.*) **CONTR.** disunito, disgiunto, diviso, amputato, avulso (*est.*), distinto (*est.*) **2** [*rif. a un gruppo*] solidale, compartecipe **CONTR.** disunito, diviso **3** [*rif. a una stoffa*] compatto, fitto **4** [*rif. al colore*] fuso, amalgamato.

universàle A *agg.* **1** generale, totale, globale, universo (*lett.*) **CONTR.** peculiare, particolare, singolare **2** [*rif. alla verità, etc.*] assoluto **3** unanime **CONTR.** singolo, individuale **4** [*rif. a un problema, a una questione*] generale, universo (*lett.*), mondiale **CONTR.** specifico, singolo **B** *s. m. sing.* totalità.

universalménte *avv.* ecumenicamente, generalmente, comunemente **CONTR.** singolarmente.

università *s. f. inv.* **1** (*gener.*) scuola **CONTR.** elementare, media, liceo, accademia **2** ateneo **3** [*nel medioevo*] studio.

univèrso A *s. m.* **1** cosmo, mondo **2** terra **3** natura, creato **4** (*est.*) umanità **5** (*est.*) ambiente, settore **B** *agg.* intero, universale.

ùnto (1) A *part. pass.; anche agg.* **1** bisunto (*raff.*), grasso, sudicio **2** (*relig.*) eletto **3** [*rif. a un meccanismo*] ingrassato **B** *s. m.* **1** grasso, sugo **2** untume, sudiciume.

Ùnto (2) *s. m.* (*anton.*) Cristo.

untùme s. m. 1 grasso, unto 2 (est.) sudiciume.

untuóso agg. 1 oleoso, grasso, viscido CONTR. schietto 2 [rif. al comportamento] viscido, mellifluo, subdolo, infido.

uòmo o **òmo** s. m. (pl. uomini) 1 (gener.) essere, umano (lett.), creatura, persona, animale (est.) 2 maschio CONTR. femmina 3 individuo 4 adulto CONTR. infante, poppante, neonato, pargolo, bambino, bimbo, fanciullo, adolescente, giovinetto, ragazzino 5 (est.) operaio, dipendente, domestico 6 signore CONTR. signora 7 sposo, amante, compagno, marito, amico.
♦ **uomo rana** loc. sost. sommozzatore.
♦ **accorruomo** inter. a me, aiuto.

uòmo ràna loc. sost. V. uomo.

uòpo s. m. bisogno, necessità.

uòvo o **òvo** s. m. (pl. -a) (est.) germe, spora.

uppercut s. m. inv. cazzotto.

ùpupa s. f. 1 bubbola 2 (gener.) uccello.

uragàno s. m. 1 ciclone, tifone 2 tempesta, burrasca, bufera, temporale.

urbanaménte avv. educatamente, civilmente, cortesemente, bene, compitamente CONTR. cafonescamente, villanamente, maleducatamente, zoticamente.

urbanità s. f. inv. civiltà, educazione, correttezza, creanza, decoro, compitezza, cortesia, gentilezza, costumatezza CONTR. inurbanità, maleducazione, inciviltà.

urbàno agg. 1 cittadino, civico CONTR. rurale, agricolo, campagnolo, contadino 2 [rif. al comportamento] civile, cortese, educato, gentile CONTR. villano, incivile, screanzato.

ùrbe s. f. inv. città.

urgènte part. pres.; anche agg. irrimandabile, impellente, pressante CONTR. rimandabile, procrastinabile.

urgenteménte avv. pressantemente, impellentemente.

urgènza s. f. 1 premura, rapidità, sollecitudine, fretta 2 necessità, bisogno, esigenza.

ùrgere A v. tr. incalzare, spingere, premere, incitare B v. intr. 1 imporsi 2 abbisognare, necessitare, occorrere.

urina s. f. V. orina.

urlàre A v. intr. gridare, sbraitare, strillare, esclamare (est.), blaterare, vociferare, spolmonarsi (scherz.), ululare (fig.), latrare (fig.), ruggire (fig.), abbaiare (fig.), berciare CONTR. confabulare, bisbigliare, sussurrare, mormorare B v. tr. [q.c.] gridare.

ùrlo A s. m. [di animale] grido, ululato B s. m. (pl. f. -a) 1 [umano] grido, strillo, acuto (est.) 2 (est.) bisbiglio, mormorio, parlottio, sussurro, sussurrio 2 (est.) strepito, fragore 3 (gener.) suono.

ùrna s. f. 1 vaso 2 [spec. al pl.] tomba, sepolcro 3 (est.) votazione 4 (gener.) contenitore.

urrà inter. viva, evviva.

urtàre A v. tr. 1 cozzare, battere, picchiare, cozzare, sbatacchiare, toccare, bocciare, arrotare, speronare, investire, colpire, scontrarsi con, spingere 2 [qc.] (est.) indisporre, offendere, irritare, indispettire, stizzire, dispiacere a CONTR. conciliare, placare, propiziare 3 imbattersi in, incappare in, incocciare, intoppare B v. rifl. rec. toccarsi, spingersi, scontrarsi, investirsi.

urtàto part. pass.; anche agg. [da veicolo con ruote] arrotato, investito, colpito.

ùrto A s. m. 1 scontro, collisione, impatto, investimento, cozzo 2 [l'effetto dell'] (est.) colpo, botta 3 [di schiere armate] carica B agg. inv. [rif. alle dosi dei medicinali] massiccio, forte CONTR. normale.

usànza s. f. 1 consuetudine, tradizione, uso, prassi (bur.), costumanza (lett.), abitudine, pratica, costume 2 (est.) moda, voga.

usàre v. tr. 1 impiegare, adoperare, utilizzare, fare uso di, servirsi di 2 [la benevolenza di qc.] fruire di, valersi di, avvalersi di, usufruire di, godere, profittare di 3 [un veicolo] maneggiare, manovrare 4 [un abito, un profumo] portare 5 [un diritto] esercitare 6 [il tempo] impiegare, trascorrere 7 [una tecnica, etc.] applicare, adottare 8 [cose altrui] prendere, consumare.

usàto part. pass.; anche agg. 1 solito, abituale, consueto CONTR. alternativo, nuovo 2 [rif. a un abito] logorato, vecchio 3 [rif. a una strada, a una piazza, etc.] (lett.) frequentato.

usbèrgo s. m. (pl. -ghi) armatura.

uscière s. m. (f. -a) 1 fattorino, valletto, inserviente, messo 2 portiere, portinaio, custode.

ùscio s. m. porta.

uscire v. intr. 1 andare fuori, andarsene, avviarsi CONTR. entrare, entrare all'interno 2 scaturire, derivare, risultare 3 [detto di liquido, etc.] fuoriuscire, colare, effluire (raro), defluire (lett.) CONTR. infiltrarsi 4 [da una situazione] svincolarsi, liberarsi CONTR. infilarsi, ficcarsi, intrufolarsi, imbarcarsi, infognarsi 5 [dal nulla, etc.] comparire, sbucare 6 [detto di odore] scaturire, emanare 7 [detto di libro, etc.] essere emesso, essere pubblicato 8 [di mente] passare 9 [detto di chiodo, etc.] venire fuori CONTR. penetrare, introdursi, configgersi, entrare dentro.

uscita s. f. 1 porta CONTR. entrata 2 apertura, sbocco, passaggio, varco CONTR. ingresso 3 [di liquidi, etc.] deflusso, esito (raro) 4 (est.) possibilità, soluzione, via di scampo 5 [in massa, etc.] (est.) sortita 6 [di denaro] spesa CONTR. incasso 7 (ling.) desinenza, terminazione CONTR. tema, radice 8 [divertente] (est.) sortita, battuta, lazzo.

usignòlo s. m. (gener.) uccello.

ùso A s. m. 1 utilizzazione, impiego, utilizzo, consumo (est.), applicazione (est.) 2 [della ragione, etc.] facoltà, possibilità 3 abitudine, consuetudine, usanza, tradizione, costume, cerimonia (est.), costumanza (raro), rituale (est.), norma, pratica 4 [rif. a un vocabolo] (est.) senso, significato B agg. abituato, solito, avvezzo CONTR. disabituato, disavvezzo.

ustionàre A v. tr. bruciare, scottare B v. intr. pron. bruciarsi, scottarsi.

ustióne s. f. bruciatura, scottatura (fam.).

usuàle *agg.* **1** abituale, consueto CONTR. anomalo, alternativo, inconsueto, raro (*est.*) **2** (*est.*) solito, comune, corrente **3** (*est.*) convenzionale **4** (*est.*) normale, regolare, rituale (*est.*).

usualménte *avv.* **1** di solito, comunemente, normalmente, tradizionalmente, correntemente, volgarmente CONTR. straordinariamente, eccezionalmente **2** banalmente **3** convenzionalmente CONTR. straordinariamente, eccezionalmente.

usufruire *v. intr.* **1** valersi, giovarsi, usare *un*, utilizzare *un*, approfittare, avvalersi, godere, beneficiare **2** (*est.*) valersi, rielaborare.

usùra (1) *s. f.* logoramento, consunzione, logorio.

usùra (2) *s. f.* strozzinaggio (*fam.*).

usuràio *s. m.* (*f. -a*) strozzino (*fam.*), sfruttatore, speculatore.

usurpàre *v. tr.* **1** impadronirsi, appropriarsi, carpire **2** [*un trono, un posto, etc.*] invadere, occupare.

utensìle **A** *s. m.* attrezzo, arnese, strumento, congegno, ordigno **B** *agg. inv.* [*rif. a macchina*] lavorativo.

ùtero *s. m.* **1** (*est.*) viscere **2** (*euf.*) ventre, seno, grembo, alveo (*raro*).

ùtile **A** *agg.* **1** [*rif. agli affari*] vantaggioso, grasso CONTR. inutile, infruttifero, parassita (*fig.*), dannoso **2** favorevole, proficuo, fruttifero CONTR. inutile, infruttifero **3** [*rif. a una persona*] valido CONTR. inutile, futile **4** [*rif. a un aiuto, a una cura*] efficace CONTR. inutile, dannoso, inefficiente, vano **5** [*rif. a cosa*] comodo CONTR. inutile, infruttifero **B** *s. m.* **1** profitto, vantaggio, guadagno, resa CONTR. svantaggio, detrimento **2** comodo.

utilità *s. f. inv.* **1** beneficio, guadagno, giovamento, convenienza, vantaggio, interesse, comodo CONTR. svantaggio, danno **2** efficacia, validità, praticità (*est.*) CONTR. sterilità, inutilità, vanità, inefficacia, futilità, inanità.

utilizzàbile *agg.* fruibile, godibile CONTR. inservibile, inutilizzabile.

utilizzàre *v. tr.* **1** usare, servirsi *di*, fare uso *di*, adoperare, impiegare **2** [*la benevolenza altrui*] giovarsi *di*, usufruire *di*, sfruttare, valersi *di*, ricorrere a **3** [*una tecnica*] applicare, adottare **4** [*il tempo*] (*est.*) consumare **5** [*una cosa altrui*] (*est.*) prendere **6** [*una stanza, un locale*] adibire.

utilizzazióne *s. f.* **1** impiego, uso, utilizzo **2** (*est.*) consumo **3** (*est.*) valorizzazione.

utilizzo *s. m.* **1** uso, impiego, utilizzazione **2** (*est.*) consumo.

utilménte *avv.* **1** efficacemente, fruttuosamente, giovevolmente, proficuamente CONTR. inconcludentemente, inutilmente, invano, svantaggiosamente, nocivamente **2** (*est.*) fattivamente CONTR. inconcludentemente, inutilmente, futilmente, vanamente.

utopia *s. f.* ideale, mito, sogno, illusione, chimera, astrazione.

utopista *s. m. e f.* idealista, sognatore, illuso (*est.*), visionario CONTR. realista.

utopisticaménte *avv.* chimericamente, idealisticamente, illusoriamente CONTR. realisticamente.

utopìstico *agg.* **1** idealistico CONTR. realistico **2** chimerico, illusorio, fantastico **3** (*est.*) astratto, teorico **4** (*est.*) irrealizzabile.

ùva *s. f.* (*gener.*) frutto.

ùzzolo *s. m.* desiderio, voglia, capriccio, sfizio, ghiribizzo, grillo (*fig.*), pizzicore (*fig.*), sghiribizzo.

v, V

vacànte *part. pres.; anche agg.* libero, vuoto, sgombro, disponibile (*est.*) **CONTR.** occupato, preso.

vacànza *s. f.* **1** riposo **2** festa (*est.*) **CONTR.** lavoro **3** [*rif. a un periodo*] villeggiatura.

vàcca *s. f.* (*pl. -che*) **1** mucca, giovenca (*lett.*) **2** [*rif. a una donna*] (*est.*) sgualdrina, prostituta, meretrice (*lett.*), puttana (*volg.*), troia (*volg.*), zoccola (*merid.*), bagascia (*genov.*), battona (*volg.*), mignotta (*roman.*), scrofa (*volg.*), mondana, baldracca (*volg.*).

vaccàro *s. m.* bovaro, buttero (*tosc.*), mandriano, cowboy (*ingl.*), guardiano.

vaccinàre *v. tr.* immunizzare, premunire.

vaccino (1) *agg.* [*rif. al latte, etc.*] di mucca.

vaccino (2) *s. m.* [*tipo di*] antipolio, antitetanico, antidifterico, anticolerico, antivaioloso.

vacillànte *part. pres.; anche agg.* **1** malfermo, barcollante, incerto, cadente (*est.*) **CONTR.** fermo, immobile **2** [*rif. al carattere, etc.*] titubante, esitante, indeciso **CONTR.** risoluto.

vacillàre *v. intr.* **1** pencolare, ondeggiare, oscillare, barcollare, traballare, ciondolare, tentennare **CONTR.** stare fermo **2** [*in senso morale*] pencolare, oscillare, tentennare, titubare, dubitare **3** [*detto di liquido, etc.*] ondeggiare, fluttuare **4** [*detto di persona, etc.*] claudicare, essere malfermo **5** [*detto di fiamma*] tremolare.

vacuità *s. f. inv.* fatuità, inutilità, sterilità (*fig.*), vuotaggine, vuotezza **CONTR.** validità, consistenza.

vàcuo *A agg.* **1** vuoto **CONTR.** serio, severo **2** vuoto, frivolo, futile *B s. m. sing.* vuoto.

vagabondàggio *s. m.* **1** peregrinazione **2** (*est.*) fannullaggine.

vagabondàre *v. intr.* **1** girovagare, girellare, gironzolare, circolare, deambulare (*colto*), errabondare, peregrinare, ramingare (*lett.*) **2** bighellonare, ciondolare, oziare **3** [*da un argomento a un altro*] divagare, vagare (*fig.*).

vagabóndo *A agg.* **1** ramingo (*lett.*), randagio (*lett.*), pellegrino **CONTR.** stabile **2** scioperato, ozioso, inattivo **CONTR.** laborioso, operoso, attivo **3** [*rif. agli animali*] randagio (*lett.*) *B s. m.* (*f. -a*) **1** girovago, nomade, giramondo **2** (*est.*) clochard (*fr.*), barbone **3** (*est.*) fannullone, scioperato.

vagaménte *avv.* confusamente, evasivamente, genericamente, approssimativamente, indeterminatamente, nebulosamente, imprecisamente, pressappoco **CONTR.** precisamente, proprio, aritmeticamente (*fig.*).

vagàre *v. intr.* **1** errare, vagabondare, ramingare (*lett.*), girovagare, aggirarsi, girellare, gironzolare, passeggiare, camminare, peregrinare, vagolare (*lett.*) **2** [*con la mente*] (*est.*) divagare, fantasticare, svolazzare (*fig.*).

vagellàre *v. intr.* vaneggiare, farneticare, delirare.

vagheggiaménto *s. m.* **1** (*est.*) rimpianto **2** ammirazione.

vagheggiàre *v. tr.* **1** desiderare, aspirare a, bramare, sospirare, agognare, sognare, accarezzare (*fig.*), anelare a, inseguire, ambire a un, corteggiare (*fig.*), fantasticare **2** mirare (*lett.*), guardare, contemplare, ammirare.

vaghézza (1) *s. f.* **1** bellezza, grazia, attrattiva **CONTR.** bruttezza **2** [*spec. con: avere*] voglia, desiderio **3** piacere, diletto.

vaghézza (2) *s. f.* **1** indefinitezza, indeterminatezza, imprecisione, nebulosità **CONTR.** precisione, esattezza **2** [*di argomenti*] (*est.*) fragilità, leggerezza, debolezza, esiguità, levità, te-

nuità **3** [*qualità dell'animo*] (*est.*) timidezza, indecisione.

vagina *s. f.* **1** (*erron.*) vulva **2** guaina, fodero.

vagliàre *v. tr.* **1** valutare, considerare, sceverare (*colto*), esaminare, analizzare, scrutare, soppesare (*fig.*), scrutinare, controllare, riconsiderare (*est.*), giudicare (*est.*) **2** [*il grano, la sabbia, etc.*] cribrare (*raro*), passare al vaglio, setacciare, crivellare, filtrare, colare **3** [*una questione, etc.*] (*est.*) dibattere, trattare, discutere.

vàglio *s. m.* setaccio, buratto, crivello.

vàgo *A agg.* (*pl. m. -ghi*) **1** indefinito, indistinto, indeterminato, generico, generale **CONTR.** determinato, preciso, tangibile **2** [*rif. a un discorso*] (*est.*) approssimativo, impreciso, ambiguo, evasivo (*est.*) **3** [*rif. a una sensazione*] amabile, soave, bello **4** bramoso, voglioso **5** [*rif. a un paesaggio, etc.*] indefinibile, sfumato, incerto **6** [*rif. a un gesto, a un comportamento*] timido *B s. m. sing.* vaghezza, incertezza.

vagolàre *v. intr.* vagare.

valànga *s. f.* (*pl. -ghe*) [*di cose, di persone*] scarica, mucchio, subisso (*fig.*), rovescio (*fig.*), profluvio (*lett.*), caterva.

valènte *part. pres.; anche agg.* **1** eccellente, provetto, esperto, abile, fine **CONTR.** incapace, inetto, incompetente **2** (*fig.*) valoroso **CONTR.** esaurito.

valentìa *s. f.* abilità, maestria, perizia, competenza, bravura **CONTR.** imperizia, incapacità, inettitudine, incompetenza.

valére *A v. intr.* **1** [*detto di persona, etc.*] essere meritevole **2** [*detto di cosa, etc.*] contare **3** [*detto di rimedio, etc.*] eccellere, giovare, servire **4** importare *B v. intr. e tr.* **1** [*detto di cosa, etc.*] costare **2** [*detto di numero, di segno, etc.*] equivalere, corrispondere **3**

[*detto di parola, etc.*] significare **4** [*detto di case, di terreni, etc.*] rendere **C** *v. tr.* [*lode, etc.*] procurare, fruttare, procacciare, meritare **D** *v. intr. pron.* **1** avvalersi, fruire, giovarsi, utilizzare *un*, usare *un*, adoperare *un*, esercitare *un*, fare uso, godere, ricorrere a **2** [*di un'opera artistica*] (*est.*) rielaborare *un*, usufruire.

valicàre *v. tr.* **1** varcare, oltrepassare, superare, traversare, attraversare, scavalcare, passare, trapassare (*raro*) **2** [*un corso d'acqua*] traghettare, guadare.

vàlico *s. m.* (*pl. -chi*) varco, passo.

validaménte *avv.* efficacemente, vigorosamente, gagliardamente **CONTR.** debolmente, fiaccamente.

validità *s. f. inv.* **1** efficacia, bontà, efficienza, utilità **CONTR.** inutilità, inefficacia, vacuità **2** [*nel tempo*] durata **3** [*di un consiglio, etc.*] forza **CONTR.** inefficacia, inutilità **4** [*rif. a un oggetto prezioso*] valore.

vàlido *agg.* **1** forte, vigoroso, resistente, gagliardo, potente **CONTR.** debole, impotente **2** [*rif. a un tiro, a un colpo*] (*sport*) buono **CONTR.** debole **3** [*rif. a un aiuto, a una cura*] utile, efficace **CONTR.** debole **4** [*rif. a una persona*] bravo, capace, dotato, pregevole, apprezzabile **CONTR.** debole, finito **5** [*rif. a un giudizio*] positivo, consistente **CONTR.** inutile **6** [*rif. al matrimonio, etc.*] legittimo **CONTR.** illegittimo **7** [*rif. a un documento, a una firma, etc.*] autentico **8** [*rif. a un sospetto, a un motivo*] fondato **CONTR.** infondato.

valigia *s. f.* **1** borsa, sacca **2** (*est.*) bagaglio.

vallàta *s. f.* valle **CONTR.** montagna.

vàlle *s. f.* **1** vallata, conca **CONTR.** monte **2** (*lett.*) mondo.

vallétto *s. m.* (*f. -a*) fattorino, usciere, garzone, lacchè.

vallóne *s. m.* canalone, burrone.

valóre *s. m.* **1** coraggio, eroismo, ardimento, prodezza (*colto*) **CONTR.** viltà, pusillanimità **2** [*economico*] prezzo, costo **3** [*rif. a un'opera d'arte*] pregio, qualità, preziosità, validità, prestigio (*est.*) **4** [*rif. a un vocabolo*] significa-

to, accezione, senso (*est.*), spirito (*est.*) **5** [*rif. a avvenimenti, etc.*] importanza, portata (*fig.*), peso (*fig.*), consistenza (*fig.*), entità, calibro (*fig.*), spessore (*fig.*), rilevanza, merito, livello (*fig.*) **6** [*rif. a un rimedio, etc.*] (*est.*) bontà, efficacia, funzione, virtù **CONTR.** inefficacia **7** [*rif. all'ingegno, etc.*] misura, capacità.

valorizzàre *v. tr.* **1** [*le doti, i pregi, etc.*] esaltare, fare risaltare **CONTR.** svilire **2** [*un abito, una casa, etc.*] (*est.*) arricchire, adornare, migliorare, impreziosire **CONTR.** depauperare **3** [*un oggetto*] stimare, valutare **CONTR.** deprezzare, svalutare **4** [*un prodotto industriale*] fare conoscere, promuovere, reclamizzare.

valorizzazióne *s. f.* **1** esaltazione, accentuazione **CONTR.** deprezzamento, svalorizzazione, soffocamento **2** (*est.*) utilizzazione.

valorosaménte *avv.* arditamente, coraggiosamente, audacemente, arditamente, eroicamente, gloriosamente, prodemente, strenuamente, virilmente (*fig.*) **CONTR.** pavidamente, timorosamente, vigliaccamente.

valoróso A *agg.* **1** prode, coraggioso, audace, gagliardo, agguerrito, impavido, eroico **CONTR.** pauroso, vigliacco, vile **2** [*rif. all'animo*] (*lett.*) bravo, valente, chiaro **CONTR.** vile **3** (*est.*) positivo, pregevole **B** *s. m.* (*f. -a*) eroe.

valùta *s. f.* **1** moneta, denaro **2** [*rif. ai preziosi, etc.*] costo, prezzo.

valutàbile *agg.* stimabile **CONTR.** incalcolabile.

valutàre A *v. tr.* **1** [*q.c.*] giudicare, stimare, quotare, valorizzare **2** [*i pro e i contro*] soppesare, tenere in considerazione, calcolare, contare, conteggiare, quantificare, considerare, ponderare, pesare (*fig.*), misurare **3** [*qc.*] giudicare, stimare, vagliare, reputare, classificare, apprezzare (*est.*), criticare (*est.*) **4** [*il valore, etc.*] determinare, quantizzare **5** [*una situazione*] (*est.*) studiare **6** [*un gesto, una parola*] (*est.*) intérpretare **B** *v. rifl.* reputarsi, considerarsi, giudicarsi, credersi, ritenersi, contarsi (*raro*).

valutazióne *s. f.* **1** misurazione, ana-

lisi, esame **2** [*della spesa*] calcolo, conto, perizia, bilancio, stima, preventivo, previsione **3** [*dei testi scritti, etc.*] (*est.*) recensione **4** (*est.*) giudizio, critica, apprezzamento **5** [*delle attitudine*] (*est.*) selezione, classificazione, qualificazione.

vamp *s. f. inv.* bambola (*fig.*), pupa (*gerg.*).

vàmpa *s. f.* **1** fiammata, fiamma, vampata **2** (*est.*) rossore **3** [*nella donna in menopausa*] vampata, caldana, calore.

vampàta *s. f.* **1** vampa, fiammata **2** (*est.*) rossore **3** [*nella donna in menopausa*] vampa, caldana.

vampiro *s. m.* (*f. -a*) [*rif. a una persona*] profittatore, sanguisuga (*fig.*), predatore (*fig.*), avvoltoio (*fig.*).

vanaglòria *s. f.* boria, presunzione, millanteria, superbia, albagia (*colto*), megalomania **CONTR.** modestia.

vanagloriàrsi *v. rifl.* vantarsi, lodarsi, pavoneggiarsi, incensarsi, gonfiarsi (*fig.*), gloriarsi, glorificarsi, innalzarsi (*fig.*), millantarsi, pompeggiare, sbruffare, sopravvalutarsi **CONTR.** denigrarsi, svalutarsi.

vanaglorióso *agg.* pomposo, vanesio, vanitoso, immodesto **CONTR.** umile, discreto.

vanaménte *avv.* inutilmente, invano, inconcludentemente, infruttuosamente, futilmente (*est.*) **CONTR.** utilmente, proficuamente.

vàndalo A *agg.* barbaro, incolto **CONTR.** civile **B** *s. m.* (*f. -a*) teppista, distruttore.

vaneggiànte *part. pres.; anche agg.* **1** delirante, farneticante, visionario **CONTR.** assennato, savio **2** [*rif. a un discorso*] (*est.*) sconclusionato.

vaneggiàre *v. intr.* **1** sragionare, delirare, farneticare, straparlare, sproloquiare, vagellare (*tosc.*), ragliare (*fig.*) **2** folleggiare, fantasticare, sognare (*fig.*).

vanèsio A *agg.* vanitoso, fatuo, frivolo (*fig.*), vanaglorioso, vuoto (*est.*) **CONTR.** equilibrato, sensato, discreto, concreto **B** *s. m.* (*f. -a*) vanitoso, vezzoso.

vanéssa s. f. (gener.) farfalla.

vangàre v. tr. lavorare con la vanga, scavare con la vanga, zappare (erron.), dissodare, rivoltare, lavorare la terra (impr.).

vanificàre v. tr. neutralizzare, rendere vano, frustrare (est.), mortificare, mandare in fumo.

vanità s. f. inv. 1 fatuità, futilità, frivolezza, debolezza (est.), incorporeità (lett.) CONTR. serietà 2 inutilità, inefficacia, sterilità (fig.), inanità (est.) CONTR. utilità 3 caducità, brevità, illusorietà, provvisorietà 4 immodestia, ostentazione CONTR. modestia 5 (est.) ambizione.

vanitóso A agg. borioso, spocchioso, gonfio (fig.), presuntuoso, pretenzioso, vanesio, fatuo, vanaglorioso, immodesto CONTR. umile, modesto, discreto **B** s. m. (f. -a) vanesio, ambizioso (est.).

vàno (1) agg. 1 aereo, incorporeo CONTR. utile, efficace 2 futile, frivolo, fatuo, vuoto (fig.) 3 inutile, inefficace, infecondo, sterile, infruttifero 4 sciocco 5 [rif. a un'illusione] pio (iron.).

vàno (2) s. m. 1 ambiente, stanza, locale, camera 2 [tipo di] cella, bagno, bugigattolo, camera da letto, camerino, cesso (volg.), dispensa, tinello, studio, stanzino, sala, living (ingl.), salone, cucina, soggiorno, spogliatoio, toeletta, ripostiglio, salotto.

vantàggio s. m. 1 guadagno, profitto, utile, tornaconto, comodo (pop.) CONTR. perdita, scapito, discapito 2 giovamento, beneficio (est.), miglioramento, utilità CONTR. svantaggio, sacrificio, detrimento 3 prerogativa, privilegio 4 (est.) opportunità 5 [in una gara] (sport) distacco.

vantaggiosaménte avv. convenientemente, favorevolmente, giovevolmente, proficuamente CONTR. svantaggiosamente, sfavorevolmente, nocivamente.

vantaggióso agg. 1 utile, proficuo, produttivo, fruttifero, redditizio (est.), lucroso (est.) CONTR. svantaggioso, dannoso, infruttifero 2 favorevole 3 [rif. al prezzo] economico 4 [rif. agli affari] (fam.) buono, grasso CONTR.

rovinoso, disastroso.

vantàre A v. tr. 1 gloriare, magnificare, esaltare, lodare, decantare, ingrandire (fig.), millantare, ostentare, sbandierare CONTR. denigrare, disprezzare, screditare, detrarre (raro), oscurare (fig.) 2 [di essere qc.] pretendere di, arrogarsi di 3 [molti amici, etc.] (est.) contare, annoverare **B** v. rifl. 1 gloriarsi, lodarsi, pavoneggiarsi, incensarsi (fig.), vanagloriarsi, esaltarsi, gonfiarsi (fig.), glorificarsi, magnificarsi, millantarsi (raro), sbruffare, darsi arie (est.) CONTR. svalutarsi, diminuirsi, disprezzarsi, denigrarsi (est.), mortificarsi, svilirsi 2 (est.) adornarsi, onorarsi, fregiarsi.

vanteria s. f. millanteria, smargiassata, ostentazione, spacconata, fanfaronata.

vànto s. m. gloria, onore, lustro, pregio, orgoglio (est.), splendore (fig.) CONTR. disonore, disdoro (lett.), vergogna.

vapóre (1) s. m. 1 [spec. al pl.] fumo, nebbia, effluvio 2 (poet.) stella cadente, fiamma 3 esalazione.

vapóre (2) s. m. 1 bastimento, nave, piroscafo 2 (gener.) imbarcazione, barca.

vaporétto s. m. (gener.) barca, imbarcazione.

vaporizzàre A v. tr. nebulizzare, polverizzare CONTR. condensare, liquefare **B** v. intr. pron. evaporare, svanire, svaporare, volatilizzarsi.

vaporizzazióne s. f. evaporazione CONTR. liquefazione.

vaporóso agg. 1 [rif. a un abito] sottile, leggero CONTR. pesante, grosso 2 [rif. a un materiale] morbido, soffice 3 [rif. all'aspetto] diafano, evanescente 4 [rif. a un discorso] indeterminato, vago CONTR. preciso.

varàre v. tr. 1 [una legge, etc.] emanare, promulgare, approvare, omologare (bur.), ratificare (bur.) CONTR. abrogare, respingere 2 [un'imbarcazione] inaugurare.

varcàre v. tr. 1 [la soglia, etc.] oltrepassare, superare, valicare, traversare, attraversare, sormontare 2 [l'età]

(fig.) superare 3 [i limiti] (est.) oltrepassare, superare, eccedere.

vàrco s. m. (pl. -chi) 1 passaggio, passo, valico, via, strada 2 apertura, breccia, pertugio 3 uscita, ingresso, porta.

varecchina s. m. V. varechina.

varechìna o **varecchina, varichìna** s. f. candeggina, lisciva.

variàbile (1) agg. 1 [rif. al tempo atmosferico] mutevole, instabile, dubbio CONTR. invariabile 2 [rif. all'atteggiamento] (est.) incostante, fluttuante, mobile CONTR. invariabile, costante, immutabile, inalterabile 3 [rif. a un moto, a un movimento] discontinuo, ineguale CONTR. costante, immutabile, inalterabile.

variàbile (2) s. f. (stat.) parametro.

variabilità s. f. inv. 1 mutevolezza CONTR. invariabilità 2 [rif. al carattere] (est.) incostanza, volubilità CONTR. stabilità 3 [rif. al tempo] instabilità, incertezza 4 [nel ritmo] irregolarità.

variaménte avv. 1 in modo variato, in più maniere CONTR. monotonamente, uniformemente 2 differentemente, diversamente.

variàre A v. tr. 1 [un'idea, una veste, etc.] cambiare, mutare, cangiare (lett.), alternare (est.), avvicendare (est.) 2 [un progetto, etc.] trasformare, modificare (est.), correggere, modulare 3 [l'attività] diversificare, differenziare 4 [una legge, etc.] (est.) emendare **B** v. intr. 1 [detto di prezzi] oscillare 2 [detto di tempo, etc.] modificarsi, mutarsi 3 [detto di stagioni, etc.] avvicendarsi.

variàto part. pass.; anche agg. vario, diverso, ineguale CONTR. uniforme, invariato.

variazióne s. f. 1 modifica, cambiamento, mutamento, modificazione 2 [di quanto detto, scritto in precedenza] modifica, correzione, rettifica, emendamento 3 [di attività] differenziazione, diversificazione 4 [dei prezzi, etc.] (fig.) oscillazione, modulazione.

varichìna s. f. V. varechina.

variegàre *v. tr.* macchiettare, screziare.

variegatùra *s. f.* screziatura.

varietà (1) *s. f. inv.* **1** molteplicità, pluralità, complessità (*est.*), eterogeneità (*est.*) CONTR. singolarità **2** diversità, divario CONTR. uniformità **3** assortimento, scelta, gamma, ricchezza **4** tipo, razza, specie, genere.

varietà (2) *s. m. inv.* avanspettacolo, cabaret (*fr.*), rivista.

vàrio *A* *agg.* **1** disuguale, multiforme, diverso, differente, variato CONTR. unitario, uniforme **2** numeroso, molteplice, svariato **3** [*rif. al carattere, etc.*] incostante, mutevole *B* *agg. indef.* [*solo pl.*] disparati, parecchi *C* *pron. indef.* [*solo pl.*] disparate persone, parecchie persone.

variopìnto *agg.* multicolore, policromo CONTR. monocolore, monocromatico.

vàsca *s. f.* (*pl. -che*) **1** [*tipo di*] tinozza, conca, piscina, palmento (*merid.*) **2** (*est.*) passeggiata.

vascèllo *s. m.* **1** bastimento **2** (*gener.*) barca, imbarcazione.

vasectomizzàre *v. tr.* sterilizzare.

vasellàme *s. m.* stoviglie.

vàso *s. m.* **1** (*gener.*) recipiente **2** [*tipo di*] urna, conca, calice, anfora, barattolo, ampolla, brocca, caraffa, orinale, pitale, catino, catinella **3** (*est.*) ceramica **4** (*anat.*) canale, tubo **5** (*mar.*) invasatura.

vassallàggio *s. m.* servaggio, sottomissione, sudditanza CONTR. signoria.

vassàllo *A* *s. m.* (*f. -a*) **1** suddito CONTR. signore, re, sovrano, sultano **2** (*est.*) sottoposto, dipendente, subalterno CONTR. superiore, dirigente, capo, comandante **3** servo, sguattero *B* *agg.* sottoposto CONTR. indipendente.

vassóio *s. m.* guantiera.

vastità *s. f. inv.* **1** ampiezza, grandezza CONTR. angustia **2** portata (*est.*).

vàsto *agg.* grande, esteso, ampio, spazioso, disteso (*est.*) CONTR. limita-

to, ristretto.

vàte *s. m.* **1** profeta **2** (*est.*) poeta.

vaticinàre *v. tr.* predire, profetizzare, pronosticare, profetare, prevedere, indovinare, divinare.

vaticìnio *s. m.* profezia, predizione, pronostico, divinazione, auspicio, oracolo.

vecchiàia *s. f.* **1** vecchiezza, senilità, sera (*poet.*) CONTR. giovinezza, adolescenza, infanzia, pubertà, maturità, gioventù **2** [*rif. a persone, a cose, ad animali*] vecchiezza, decrepitezza.

vecchièzza *s. f.* **1** [*rif. a persone*] vecchiaia, senilità CONTR. giovinezza, gioventù **2** [*rif. a q.c.*] decrepitezza CONTR. freschezza.

vècchio *A* *agg.* **1** [*rif. a una persona*] anziano, attempato, canuto (*est.*) CONTR. giovane, nuovo, fresco **2** [*rif. alle idee*] frusto, trito, vieto, superato, antiquato, scontato, visto CONTR. nuovo, fresco, alternativo, altro, rivoluzionario **3** [*rif. a un abito*] frusto, liso, usato, logoro, consunto CONTR. nuovo, recente **4** [*rif. a un fiore*] appassito CONTR. fresco **5** [*rif. a cosa*] arcaico, secolare, antico, vetusto CONTR. nuovo, recente, inedito **6** esperto, grande, cauto CONTR. giovane, novello **7** [*rif. a una questione, a un problema*] (*fig.*) rancido **8** annoso *B* *s. m.* (*f. -a*) **1** anziano, vegliardo, nonno (*est.*) CONTR. neonato, lattante, infante, poppante, pargolo, bimbo, bimba, bambino, bambina, fanciullo, giovinetto, ragazzino, adolescente, ragazzo, giovane, giovanotto, adulto **2** (*fam.*) genitore **3** antenato *C* *s. m. sing.* antico CONTR. moderno, nuovo.

vecchiùme *s. m.* anticaglia, ciarpame CONTR. modernità, attualità, novità.

vèce *s. f.* **1** funzione, mansione **2** volta, turno.

vedére *A* *v. tr.* **1** [*modi di*] distinguere con gli occhi, avere davanti agli occhi, scorgere, ravvisare, intravedere, avvistare **2** (*est.*) guardare **3** [*usato con la prep. di e il verbo all'infinito*] tentare, provare, cercare, considerare **4** (*est.*) percepire, accorgersi *di*, realizzare, notare, trovare **5** (*est.*) sentire, intendere, capire **6** visitare, andare a trova-

re **7** [*uno spettacolo*] essere spettatore *di*, assistere a **8** [*i conti, uno scritto*] rivedere **9** [*una proposta*] esaminare, giudicare **10** incontrare, imbattersi *in* **11** [*qc., q.c. con la fantasia*] (*est.*) guardare, pensare, immaginare **12** [*le conseguenze*] (*est.*) sperimentare *B* *v. rifl. rec.* **1** incontrarsi, trovarsi **2** frequentarsi, incontrarsi abitualmente *C* *v. intr. pron.* [*da una situazione, etc.*] emergere *D* *v. rifl.* **1** credersi, ritenersi, sentirsi **2** [*nella necessità di q.c.*] scoprirsi, accorgersi, essere, trovarsi, trovarsi.

vedétta (1) *s. f.* vedette (*fr.*).

vedétta (2) *s. f.* sentinella, guardia.

vedétta (3) *s. f.* imbarcazione.

vedette *s. f. inv.* vedetta (*raro*), astro (*fig.*), star (*ingl.*), divo, stella (*fig.*).

vedìbile *agg.* visibile CONTR. invisibile.

vedùta *s. f.* **1** visuale, panorama, vista, visione, sguardo (*raro*), prospetto, prospettiva **2** [*pittorica, fotografica*] quadro, scena **3** [*spec. in loc.: fare buona, cattiva, etc.*] apparenza, mostra, figura **4** (*est.*) opinione, idea **5** (*est.*) mira, progetto.

veemènte *agg.* **1** violento, impetuoso, forte, intenso CONTR. calmo, pacato **2** [*rif. all'animo*] violento, focoso, ardente (*fig.*), cocente, fiero CONTR. calmo, pacato.

veementeménte *avv.* irruentemente, impetuosamente, violentemente CONTR. placidamente, blandamente, con calma.

veemènza *s. f.* **1** [*rif. al vento, alle persone*] impeto, irruenza, violenza, furia, furore, forza, impetuosità CONTR. calma **2** [*rif. a persone*] intensità, passione, calore (*fig.*), enfasi, foga, ardore CONTR. pacatezza.

vegetàle *A* *s. m.* pianta CONTR. animale *B* *agg.* verde (*est.*).

vegetàre *v. intr.* **1** [*detto di pianta, etc.*] fiorire, crescere CONTR. appassire **2** [*detto di persona, etc.*] vivacchiare, sopravvivere, campare.

vegetazióne *s. f.* verdura, verzura (*lett.*), verde.

vègeto agg. [rif. a una persona] (est.) sano, vigoroso, verde (est.) **CONTR.** debole, fiacco, ammalato, infermo, malaticcio, malato, crepato (scherz.), estinto.

véglia s. f. **1** nottata **CONTR.** sonno **2** (est.) sorveglianza **3** veglione **4** (gener.) festa.

vegliàrdo s. m. (f. -a) vecchio, anziano **CONTR.** giovane.

vegliàre A v. tr. **1** vigilare, sorvegliare, controllare, guardare **2** proteggere, difendere **3** (est.) badare a, curare, assistere, avere cura di **B** v. intr. stare sveglio, vigilare **CONTR.** dormire, poltrire.

veglióne s. m. **1** ballo, veglia, party (ingl.) **2** (gener.) festa.

veicolàre v. tr. diffondere, trasmettere.

veicolo s. m. **1** mezzo **2** [tipo di] automezzo, autovettura, automobile, bicicletta, calesse, carro, carrozza, furgone, bus, treno, motocicletta, moto, barroccio, camion, carretto, autobotte, autobus, diligenza, filobus, landau (fr.), landò, cocchio, corriera, idrovolante, jet (ingl.), pullman, vettura, truck (ingl.), aeroplano, aerobus, aereo, apparecchio, aeromobile, auto, macchina **3** (est.) mezzo, canale (fig.), tramite, via (fig.) **4** (chim.) eccipiente.

véla s. f. sing. (gener.) sport.

velàre (1) A v. tr. **1** schermare, celare, coprire, nascondere **CONTR.** scoprire **2** [il giorno, etc.] annebbiare, appannare, offuscare **CONTR.** imbiancare, illuminare **3** [il cielo] rannuvolare **4** [la voce] affievolire, affiochire **5** [la verità, gli intenti] celare, nascondere, occultare **CONTR.** dichiarare, svelare, esplicitare **B** v. rifl. coprirsi **C** v. intr. pron. [detto di tempo, etc.] offuscarsi, rannuvolarsi.

velàre (2) agg. gutturale.

velataménte avv. nascostamente, mascheratamente, copertamente, indirettamente, offuscatamente **CONTR.** espressamente, esplicitamente.

velàto part. pass.; anche agg. **1** [rif. alle calze] trasparente **2** [rif. allo sguardo]

(fig.) offuscato, appannato, annebbiato **3** [rif. a un discorso, a un modo] nebuloso (fig.), non chiaro, ambiguo **CONTR.** aperto, esplicito **4** [rif. al cielo] nebbioso, coperto **CONTR.** limpido, terso.

veleggiàre v. intr. navigare, andare a vela, fare vela.

veléno s. m. **1** tossico **2** [rif. a una pietanza] (est.) schifezza, porcheria **3** [rif. a un odore] (est.) miasma (colto) **4** [sentimento] (est.) rancore, odio, astio, rabbia, fiele (fig.) **5** [rif. a una bevanda] pozione **6** [tipo di] stricnina, cianuro, arsenico.

velenosità s. f. inv. **1** pericolosità, nocività **2** [rif. a persone] (est.) mordacità, causticità.

velenóso agg. **1** tossico, venefico, nocivo **CONTR.** innocuo **2** [rif. all'atteggiamento] (fig.) astioso, rancoroso, ostile, malevolo **CONTR.** benevolo.

velivolo s. m. [tipo di] aeromobile, apparecchio, aeroplano, aerobus, aereo, jet (ingl.).

velleità s. f. inv. **1** desiderio, ambizione, aspirazione a **2** capriccio, ghiribizzo, prurito (fig.), voglia, sghiribizzo.

vellicaménto s. m. titillamento.

vellicàre v. tr. **1** titillare, solleticare, fare il solletico a, carezzare **2** [la vanità] (est.) lusingare, stimolare.

vèllo s. m. pelo, pelame, pelliccia, mantello.

vélo s. m. **1** (est.) tulle, garza **2** (est.) schermo, sipario, cortina **3** (est.) patina, film (fig.), strato **4** [un poco di q.c.] (fig.) ombra, pizzico **5** [rif. all'aspetto esteriore] parvenza, vernice (fig.) **6** [di tristezza, etc.] (fig.) nube.

velóce agg. **1** rapido, celere, svelto **CONTR.** lento, rallentato, intempestivo **2** [rif. al passo] spedito, serrato **CONTR.** lento **3** [rif. all'ingegno] svelto, scattante, pronto **CONTR.** lento **4** [rif. a un ritmo, a un film, a una storia] mosso, movimentato, serrato (fig.).

velocemènte avv. **1** rapidamente, prontamente, presto, immediatamente, brevemente, fugacemente **CONTR.**

adagio, lentamente, piano **2** celermente, precipitosamente, speditamente, forte.

velocità s. f. inv. **1** rapidità, celerità, immediatezza, brevità **CONTR.** lentezza **2** [rif. al modo di fare] (est.) lestezza, prontezza, sveltezza **3** [rif. all'andatura] carriera, corsa.

véna s. f. **1** venatura **2** (est.) estro, fantasia **3** [un poco di q.c.] (est.) vènatura, traccia, indizio, pizzico, sfumatura **4** (raro) sangue **5** (est.) umore **6** [di acqua] polla, sorgente **7** [di oro, argento, etc.] filone.

venàle agg. **1** interessato, egoistico, avido **CONTR.** caritatevole **2** (neg.) mercenario.

venatùra s. f. **1** segno, riga **2** [un poco di q.c.] (fig.) vena, pizzico, traccia, indizio, sfumatura **3** incrinatura, crepa **4** [rif. alle foglie] (bot.) nervatura.

véndere A v. tr. **1** cedere, alienare, mettere in vendita (est.) **CONTR.** comprare, prendere, acquistare **2** [modi di] smerciare, rivendere, liquidare, svendere, offrire, piazzare, smaltire **3** [la droga, etc.] smerciare, spacciare **4** (est.) commerciare, trafficare (spreg.) **5** [i propri ideali, etc.] (est.) tradire **6** [una bugia, etc.] (est.) spacciare, presentare **7** [la propria intelligenza] (fig.) prostituire **B** v. rifl. **1** prostituirsi, fare la vita, puttaneggiare (volg.) **2** spacciarsi per, presentarsi.

vendétta s. f. **1** nemesi (lett.) **2** rivalsa, rivincita **3** (est.) rappresaglia, ripicca, ritorsione **4** castigo, punizione.

vendicàre A v. tr. ricambiare, fare pagare a, fare giustizia di **CONTR.** perdonare **B** v. rifl. farsi giustizia, rivalersi, farla pagare.

vendicatóre s. m. (f. -trice) (est.) giustiziere.

véndita s. f. **1** alienazione, trasferimento, compravendita, cessione, passaggio **2** (est.) **CONTR.** spesa, compra, acquisto **2** spaccio, commercio, smercio, diffusione **3** (est.) spaccio, negozio, bottega, rivendita.

venditóre A s. m. (f. -trice) commerciante, propagandista **CONTR.** acquirente, compratore **B** agg. che vende.

venèfico agg. 1 [rif. a una sostanza] velenoso, tossico, insalubre (est.) CONTR. innocuo, salubre 2 [rif. a una insinuazione, etc.] (est.) perfido, cattivo, velenoso (fig.).

veneràre v. tr. idolatrare, adorare, ossequiare, amare, riverire, lodare, onorare, santificare CONTR. disprezzare, spregiare, odiare, detestare.

venerazióne s. f. 1 ammirazione, stima, rispetto, ossequio (est.), considerazione, riguardo, deferenza, riverenza 2 (relig.) culto, devozione, adorazione, pietà, religione.

vènia s. f. 1 perdono, misericordia, grazia, indulgenza 2 [spec. con: chiedere] scusa.

venìre v. intr. 1 pervenire, giungere, arrivare CONTR. andare, fuggire 2 [in un luogo determinato] sopraggiungere, appressarsi a, approssimarsi a 3 [in un luogo, etc.] passare, presentarsi, comparire, capitare 4 [detto di fenomeno, di febbre, etc.] (est.) ritornare 5 [dal cuore, etc.] provenire, derivare, sgorgare (fig.) 6 [a questa conclusione] pervenire, giungere, addivenire (colto) 7 raggiungere l'orgasmo, godere (est.), eiaculare (colto), sborrare (volg.) 8 [detto di lavoro, di opera, etc.] riuscire, risultare 9 [detto di festa, di ricorrenza] ricorrere, cadere (fig.) 10 [detto di eredità, etc.] toccare, spettare 11 [in quanto al prezzo] costare, essere 12 [in mente] (fig.) frullare 13 [detto di malattia] prendersi un 14 interessare, importare 15 [ad abitare] (tosc.) ritornare, tornare.

ventàta s. f. 1 folata 2 [di sentimenti, idee, etc.] (fig.) scoppio.

vènto s. m. 1 aria 2 [tipo di] 3 (est.) peto, scoreggia (volg.), flatulenza.

NOMENCLATURA

Vento

Vento: movimento prevalentemente orizzontale delle masse d'aria.

aliseo: vento regolare e costante che spira tutto l'anno tra ciascuno dei tropici e l'equatore;

bora: vento del nord che soffia sull'alto Mare Adriatico;

borea;

brezza: vento periodico che spira tra

zone vicine con temperature diverse;

controaliseo: vento costante che spira ad alte quote atmosferiche sopra gli alisei in direzione opposta ovvero dall'Equatore ai tropici;

favonio: vento caldo di ponente;

ghibli: vento caldo, secco che soffia dall'Africa del nord verso l'Europa meridionale;

grecale: vento impetuoso di nord-est che soffia sul mediterraneo;

greco;

levante: vento che soffia sullo stretto di Gibilterra dal Mediterraneo;

libeccio: vento umido e impetuoso di sud-ovest che soffia lungo la costiera tirrenica dell'Italia;

maestrale: vento secco e freddo di nord-ovest che soffia sul Mediterraneo;

mistral: maestrale molto impetuoso che soffia sulla valle del Rodano sul Golfo del Leone e sul Mediterraneo centrale;

meltemi: vento del nord freddo e secco che soffia sull'Egeo;

monsone: vento periodico che soffia nelle regioni tropicali, soprattutto sull'Oceano Indiano;

ponente: vento che soffia sullo stretto di Gibilterra dall'Oceano Atlantico;

ponentino: vento occidentale che spira lungo le coste dell'Italia centrale;

scirocco: vento di sud-est, caldo e umido che soffia sul Mediterraneo;

tramontana: vento freddo e secco che spira dal nord;

zefiro: vento di ponente che soffia specialmente in primavera;

ventosità s. f. inv. flatulenza.

vèntre s. m. 1 addome, pancia, trippa (spreg.), buzzo (tosc.), epa (lett.) 2 (lett.) utero, grembo, seno, alveo (raro) 3 (lett.) viscere 4 [di profilo aerodinamico] intradosso.

ventùro agg. futuro, prossimo, altro CONTR. scorso, passato.

venùta s. f. arrivo, avvento (lett.).

vèra s. f. 1 fede, anello 2 [di un pozzo] ghiera, puteale (raro), parapetto.

veràce agg. vero, reale CONTR. falso, fasullo, fallace, ingannevole, imitato (est.), simulato (est.).

veracemènte avv. sinceramente, schiettamente CONTR. falsamente, ipocritamente.

veramènte avv. 1 sì, davvero, invero (lett.), realmente, effettivamente, decisamente, autenticamente 2 però, nondimeno, tuttavia.

verànda s. f. terrazza, loggia.

verbalizzàre v. tr. 1 mettere a verbale 2 esprimere a parole.

vèrbo s. m. 1 parola 2 categoria CONTR. aggettivo, sostantivo.

verbosamènte avv. prolissamente, facondamente CONTR. concisamente, laconicamente, epigraficamente (fig.).

verbosità s. f. inv. prolissità, loquacità, facondia, parlantina, lungaggine (fig.) CONTR. sinteticità, stringatezza, compendiosità, concisione, laconicità, asciuttezza, essenzialità.

verbóso agg. prolisso, facondo, loquace, ciarliero CONTR. asciutto (fig.), conciso, sintetico.

vérde (1) agg. 1 [rif. a un frutto] acerbo, immaturo 2 (est.) fresco CONTR. secco 3 [rif. a una persona] vegeto (fig.), vigoroso 4 [rif. a sentimenti] intenso 5 [rif. allo spirito] giovane, giovanile 6 [rif. a un luogo] ricco di vegetazione CONTR. brullo 7 (est.) vegetale.

vérde (2) s. m. 1 vegetazione, verzura (lett.) 2 (gener.) colore 3 (est.) ecologista, ambientalista.

verdétto s. m. sentenza, giudizio.

verdùra s. f. 1 ortaggio, erbaggio 2 vegetazione, verzura 3 [tipo di] peperone.

verecondamènte avv. pudicamente, timidamente CONTR. procacemente, sfacciatamente, sfrontatamente.

verecóndia s. f. pudore, pudicizia, modestia, vergogna (est.) CONTR. immodestia.

verecóndo agg. 1 [rif. a un gesto] pudico, casto, misurato CONTR. invereconde, impudico, scandaloso, osceno, sconcio, osé 2 [rif. all'atteggiamento] casto, discreto, riservato, vergognoso **CONTR**. osé, spudorato, disonesto, immorale, piccante, provocante **3** [*rif. a una persona*] casto, timido, modesto **CONTR**. spudorato, disonesto, immorale, provocante.

vèrga *s. f.* (*pl. -ghe*) **1** bacchetta, asta **2** [*di metallo*] barra, lingotto **3** [*regale*] scettro **4** (*mar.*) penna, antenna, picco, randa **5** (*est.*) asta, pene, fallo (*colto*), membro, cazzo (*volg.*), minchia (*merid.*), pisello (*fam.*), uccello (*volg.*).

vergàre *v. tr.* **1** manoscrivere, scrivere a mano **2** percuotere, battere, bacchettare.

vèrgine A *agg.* **1** illibato **2** integro, casto, puro **3** naturale **CONTR**. manipolato, alterato **B** *s. f.* pulcella (*lett.*), ragazza, zitella (*spreg.*).

verginità o **virginità** *s. f. inv.* **1** illibatezza, purezza, onore (*est.*) **2** [*morale*] (*est.*) integrità.

vergógna *s. f.* **1** [*rif. a uno stato d'animo*] (*est.*) turbamento, timore, soggezione, disagio, imbarazzo, impaccio **2** [*rif. all'atteggiamento*] pudore, modestia, verecondia, pudicizia **3** onta, disdoro, disonore, ignominia, infamia, smacco **CONTR**. vanto, lustro, gloria **4** [*rif. al comportamento*] indegnità, sconcezza, scandalo, indecenza, sconcio.

vergognàrsi *v. intr. pron.* **1** provare vergogna, arrossire (*est.*), confondersi **CONTR**. fregiarsi, onorarsi **2** pentirsi, mortificarsi **3** peritarsi **4** scandalizzarsi.

vergognosaménte *avv.* abiettamente, indegnamente, ignobilmente, spregevolmente, disonorevolmente, bassamente, vilmente, ignominiosamente, indecorosamente, laidamente **CONTR**. spudoratamente, sfacciatamente, impudentemente.

vergognóso *agg.* **1** turpe, orrendo, terribile, mostruoso, obbrobrioso, scandaloso, indegno, sconcio **2** [*rif. a una persona*] schivo, riservato, timido, pudico, verecondo **CONTR**. spudorato, sfacciato **3** [*rif. a un'impresa*] spudorato **CONTR**. glorioso.

vèrgola *s. f.* [*ricavata dalla seta*] (*gener.*) filo.

veridicità *s. f. inv.* verità.

verifica *s. f.* (*pl. -che*) accertamento, controllo, verificazione (*raro*), test (*est.*), ricognizione, revisione, riprova, prova, riscontro.

verificàre A *v. tr.* **1** provare, controllare, accertare, appurare, assicurarsi di, assodare, chiarire, chiarificare, constatare, riscontrare, riconsiderare, riesaminare, acclarare **2** provare, saggiare, sperimentare, testare **3** [*una macchina, un motore*] provare, collaudare **B** *v. intr. pron.* **1** avvenire, avverarsi, accadere, succedere, realizzarsi, compiersi, effettuarsi, adempiersi, occorrere, capitare, intervenire **2** darsi, operarsi.

verificàto *part. pass.; anche agg.* collaudato, provato, sperimentato.

verificazióne *s. f.* verifica, controllo, accertamento.

verità *s. f. inv.* **1** vero **CONTR**. falso, bugia, fandonia, menzogna **2** veridicità, autenticità **3** evidenza **4** (*raro*) realtà **5** [*rappresentare con*] (*est.*) fedeltà, rigore, oggettività.

veritièro *agg.* vero **CONTR**. menzognero, pretestuoso, fantasioso.

vèrme *s. m.* **1** baco (*tosc.*), lombrico, bacherozzolo (*roman.*), bacherozzo (*roman.*) **2** [*tipo di*] bruco, larva, acaride, bigatto, baco da seta, cacchione, millepiedi, echinococco, filandra, lumachino, tarma, tricosoma, tenebrione, centogambe, bombice, centopiedi, sanguisuga, mignatta **3** [*rif. a una persona*] (*est.*) miserabile, vile, vigliacco, nullità, microbo (*fig.*).

vermifugo *s. m.* (*pl. -ghi*) **1** antielmintico (*farm.*) **2** (*gener.*) farmaco.

vermiglio A *agg.* rosso, scarlatto **B** *s. m.* **1** rosso **2** (*gener.*) colore.

vernàcolo A *agg.* nativo, natio (*lett.*), paesano, dialettale **B** *s. m.* dialetto.

vernice (1) *s. f.* **1** smalto **2** (*est.*) tinta, colore, pittura (*pop.*) **3** [*tipo di*] copale **4** (*est.*) trucco, belletto **5** [*per le scarpe, etc.*] (*est.*) tintura, crema **6** (*est.*) crosta, patina, rivestimento, strato, velo **7** (*est.*) esteriorità, apparenza.

vernice (2) *s. f.* vernissage (*fr.*), prima, inaugurazione, presentazione.

verniciàre *v. tr.* pitturare, dipingere, tinteggiare, spennellare (*est.*), smaltare, laccare, inverniciare, colorare, tingere.

vernissage *s. m. inv.* inaugurazione, prima, vernice, presentazione.

vèro A *agg.* **1** certo, reale, verace, effettivo, veritiero **CONTR**. falso, finto, mendace, inattendibile, fittizio, cinematografico (*fig.*), leggendario (*fig.*) **2** veritiero, giusto, esatto, proprio **CONTR**. apparente, chimerico, fantastico, favoloso, illusorio, immaginario, errato, erroneo, fasullo **3** autentico, genuino **CONTR**. artefatto, artificiale, artificioso, contraffatto, simulato, posticcio **4** (*fig.*) intenso, sincero, profondo **CONTR**. falso, mendace, leggendario (*fig.*), illusorio, falsato **B** *s. m. sing.* **1** verità **2** realtà, natura (*est.*).

veróne *s. m.* balcone, terrazzo, terrazza, davanzale (*est.*), poggiolo (*lig.*).

verosimile *agg.* probabile, plausibile, possibile, credibile (*est.*), presumibile **CONTR**. inverosimile, assurdo, improbabile.

verosimilménte *avv.* credibilmente, plausibilmente, ragionevolmente **CONTR**. incredibilmente, improbabilmente.

versaménto *s. m.* **1** [*di denaro*] (*est.*) pagamento, esborso, deposito, rimessa **2** [*di liquidi*] spargimento, fuoriuscita.

versàre (1) A *v. tr.* **1** [*liquidi*] spargere, rovesciare, effondere (*lett.*), spandere **2** [*sangue, etc.*] buttare **3** [*una bevanda, il vino*] mescere, travasare **4** [*detto di fiume, etc.*] scaricare **5** [*il gesso, il metallo fuso*] gettare **6** [*la minestra nel piatto*] scodellare **7** [*denaro*] pagare, sborsare, corrispondere, prodigare **CONTR**. prelevare **8** [*lacrime di sangue, etc.*] piangere, stillare **B** *v. intr.* [*detto di fonte, di rubinetto, etc.*] gettare **C** *v. intr. pron.* **1** [*spec. di fiume, etc.*] (*anche fig.*) confluire, sfociare, sboccare **2** [*detto di liquidi*] rovesciarsi, spandersi, spargersi.

versàre (2) *v. intr.* [*in gravi condizioni, etc.*] essere, trovarsi.

versàtile *agg.* **1** [*rif. a una persona*] eclettico **CONTR.** rigido, fermo, tetragono **2** [*rif. a cosa*] pieghevole, girevole **CONTR.** rigido **3** [*rif. a un materiale*] flessibile, duttile **CONTR.** rigido.

verseggiàre *v. intr.* rimare, poetare, versificare.

versificàre *v. tr. e intr.* poetare, rimare, verseggiare.

versióne *s. f.* **1** traduzione **2** interpretazione, campana (*fig.*).

vèrso (1) A *s. m.* **1** lato, senso, parte **2** [*di q.c.*] orientamento **B** *prep.* **1** alla volta di, in direzione di, incontro a **2** (*temp.*) circa, poco prima **3** vicino **4** (*lett.*) rispetto a.

vèrso (2) *s. m.* **1** grido, suono, voce **2** [*tipo di*] **3** smorfia **4** [*spec. con: fare il*] imitazione **5** [*spec. con: trovare il*] modo, maniera.

INFORMAZIONE

I versi degli animali

*uccelli: cantare, trillare, fischiare, gorgheggiare, cinguettare;
corvo, gazza: gracchiare;
fringuello: chioccolare;
gallina: chiocciare;
gufo: soffiare;
merlo, tordo: zirlare;
pappagallo: garrire, parlare;
pavone: gridare, stridere;
pulcino: pigolare;
rondine: garrire;
colombo, tortora: tubare;
tacchino: gloglottare;
ape, calabrone, mosca, moscone, vespa, zanzara: ronzare;
asino, mulo: ragliare;
bue, mucca: muggire, mugghiare;
*cane: abbaiare, guaire, ringhiare, latrare, ululare, uggiolare, mugolare;
pecora, capra: belare;
cavallo: nitrire, soffiare;
cervo: bramire;
cicala: cantare, frinire, stridere;
cinghiale, maiale: grugnire, rugliare;
topo, coniglio: squittire, zirlare;
elefante: barrire;
gatto: miagolare, soffiare, fare le fusa;
iena: ululare, ridere;
leone: ruggire, soffiare;
oca: gridare;
orso: bramire, grugnire, ringhiare;
rana: gracidare, cantare;
*scimmia: gridare, urlare;
*serpente: fischiare, sibilare, soffiare;
volpe: abbaiare, guaire, guaiolare;
pipistrello: stridere.

vèrso (3) *agg.* [*rif. al pollice*] volto.

vertebràti *s. m. pl.* **1** (*gener.*) animale **2** [*tipo di*]. →animali

vertènza *s. f.* **1** questione, diverbio, lite, controversia **2** (*dir.*) causa, processo.

vèrtere *v. intr.* **1** trattare *di*, riguardare *un*, riferirsi a **2** consistere, fondarsi.

verticàle A *agg.* diritto, retto **CONTR.** diagonale **B** *s. f.* [*nell'enigmistica*] **CONTR.** orizzontale.

verticalménte *avv.* perpendicolarmente, appiombo, ortogonalmente **CONTR.** diagonalmente, di traverso, longitudinalmente, orizzontalmente.

vèrtice *s. m.* **1** sommità, cima **CONTR.** base **2** [*della carriera, etc.*] (*fig.*) apice, culmine, top (*ingl.*), apogeo, vetta, perfezione (*est.*), acme **CONTR.** inizio **3** [*politico, di affari*] (*est.*) incontro, riunione, summit **4** (*mat.*) punto, angolo.

verve *s. f. inv.* vitalità, brio, spirito, vivacità, mordente (*fig.*), personalità (*est.*) **CONTR.** apatia, abulia, torpore.

verzùra *s. f.* vegetazione, verdura, verde.

vèscia *s. f.* (*gener.*) fungo.

vescìca *s. f.* (*pl. -che*) galla, bolla.

vescovàdo *s. m.* episcopio.

vespàio *s. m.* putiferio, casino (*pop.*).

vespasiàno *s. m.* gabinetto, orinatoio, latrina, pisciatoio (*volg.*).

vèspero *s. m.* sera, imbrunire, tramonto.

vèspro *s. m.* sera, imbrunire, tramonto.

vessàre *v. tr.* tiranneggiare, tormentare, perseguitare, affliggere, opprimere, angariare, fare angherie a, maltrat-

tare, flagellare, suppliziare.

vessàto *part. pass.; anche agg.* oppresso **CONTR.** libero.

vessatoriaménte *avv.* in modo persecutorio, fiscalmente, tirannicamente.

vessatòrio *agg.* **1** [*rif. a un regime politico*] repressivo, opprimente, soffocante **CONTR.** democratico, liberale **2** (*est.*) fiscale.

vessazióne *s. f.* persecuzione, oppressione.

vessìllo *s. m.* **1** bandiera, stendardo **2** (*est.*) insegna, emblema, simbolo.

vèste *s. f.* **1** abito, vestito, spoglia (*raro*), indumento **2** [*tipo di*] costume, divisa, uniforme **3** [*di q.c.*] (*est.*) rivestimento, copertura **4** [*rif. all'aspetto esteriore*] (*est.*) forma, apparenza **5** (*est.*) autorità, diritto, titolo, mansione, funzione.

vestiàrio *s. m.* abbigliamento, corredo, guardaroba.

vestìbolo *s. m.* ingresso, anticamera, atrio, hall (*ingl.*).

vestìgia *s. f.* **1** orma, pedata **2** (*est.*) ricordo, traccia, segno **3** reperto, resto, rovina **4** reliquia.

vestìre A *v. tr.* **1** [*q.c., qc.*] coprire, ricoprire **CONTR.** svestire, denudare, spogliare, snudare **2** [*un capo di abbigliamento*] mettere, infilare, indossare, avere indosso, avere **3** abbigliare, preparare, addobbare **4** [*un prato, gli alberi*] coprire, ammantare, rivestire **B** *v. rifl.* **1** coprirsi, rivestirsi, ricoprirsi, ammantarsi **CONTR.** denudarsi, svestirsi **2** [*per una cena, etc.*] cambiarsi, prepararsi, abbigliarsi, combinarsi (*fam.*) **C** *s. m. sing.* (*est.*) abbigliamento.

vestìto A *part. pass.; anche agg.* coperto, abbigliato **CONTR.** spogliato, scoperto, nudo, denudato **B** *s. m.* **1** veste, abito, capo, spoglia (*lett.*) **2** (*est.*) mise (*fr.*), toilette (*fr.*), tenuta.

veteràno A *agg.* anziano, esperto, pratico (*est.*) giovane, inesperto **B** *s. m.* (*f. -a*) anziano, nonno (*fig.*) **CONTR.** neofita.

vèto s. m. 1 rifiuto, blocco, opposizione 2 (est.) tabù, divieto, proibizione.

vétro s. m. 1 bicchiere 2 lente 3 strass (ted.) 4 cristallo.

vetróso agg. vitreo.

vétta s. f. 1 cima, punta, sommità, cresta CONTR. base 2 [della carriera, etc.] (fig.) apice, culmine, apogeo, vertice, tetto CONTR. inizio.

vettovagliaménto s. m. approvvigionamento.

vettovàglie s. f. pl. viveri, cibo.

vettùra s. f. 1 (gener.) veicolo 2 automezzo, autoveicolo 3 [tipo di] autovettura, macchina, automobile, auto, carrozza ferroviaria, carro, carrozza, calesse, landau (fr.), landò.

vetùsto agg. 1 antico, secolare CONTR. nuovo 2 [rif. a una persona] (lett.) vecchio.

vezzeggiàre v. tr. 1 coccolare, cullare, accarezzare, carezzare 2 (est.) adulare, corteggiare, lusingare CONTR. maltrattare.

vèzzo (1) s. m. 1 abitudine, vizio 2 smanceria, moina 3 dote, attrattiva.

vèzzo (2) s. m. collana, monile, collier (fr.), girocollo.

vezzosità s. f. inv. 1 leggiadria, grazia 2 (neg.) svenevolezza.

vezzóso A agg. 1 grazioso, leggiadro, aggraziato CONTR. sobrio, serio 2 affettato, manierato, lezioso B s. m. (f. -a) vanitoso.

via (1) s. f. 1 strada 2 [tipo di] arteria, carrozzabile, viale, viottolo, vicolo, vico, viuzza, camionabile, calle, sentiero, chiasso, corso 3 (est.) passaggio, pista, varco 4 (est.) percorso, itinerario 5 (est.) direzione, rotta 6 [spec. con: intraprendere la] (est.) carriera 7 (est.) modo, mezzo, possibilità, maniera 8 (est.) modo, accorgimento, partito (fig.), tramite, veicolo (fig.), chiave (fig.) 9 ragionamento, procedimento 10 (anat.) canale, condotto.

via (2) s. m. inv. avvio, start (ingl.), partenza.

via (3) A avv. lontano, altrove, distante, fuori CONTR. dappresso, vicino B inter. fuori.

viadótto s. m. ponte.

viaggiàre v. intr. 1 girare, muoversi, spostarsi, circolare, peregrinare, percorrere un 2 (est.) esplorare 3 [per mare] navigare 4 [detto di mezzi di trasporto] (est.) marciare, procedere.

viaggiatóre s. m. (f. -trice) 1 passeggero 2 (est.) esploratore.

viàggio s. m. 1 giro 2 pellegrinaggio 3 gita, escursione, spedizione 4 (fam.) corsa, scappata 5 (est.) cammino, itinerario, percorso, strada 6 [tipo di] traversata, crociera, volo 7 tragitto 8 [rif. alla droga] trip (ingl.).

viàle s. m. (gener.) via, strada.

viandànte s. m. e f. 1 pellegrino 2 passante.

vibràre A v. tr. 1 oscillare, agitare, scuotere 2 [la spada, etc.] agitare, brandire 3 [uno schiaffo, un colpo] dare, appioppare, menare, azzeccare, assestare B v. intr. 1 palpitare, pulsare, tremolare, tremare 2 [detto di nota musicale, etc.] risuonare 3 [detto di dubbio, di qualità] trasparire, spuntare 4 [di amore] (fig.) fremere, bruciare, ardere, struggersi 5 [per la rabbia] (fig.) ribollire, schiattare, scoppiare.

vibrazióne s. f. 1 scossa, oscillazione, tremolio 2 (est.) suono.

vibrióne s. m. protozoo.

vicènda (1) s. f. fatto, episodio, avvenimento, evento, avventura, caso, peripezia, pagina (fig.), storia, vicissitudine, faccenda (pop.), esperienza.

vicènda (2) s. f. 1 alternanza 2 rotazione.

♦ **a vicenda** loc. avv. a turno, vicendevolmente, scambievolmente, mutuamente.

vicendévole agg. scambievole, reciproco, mutuo CONTR. unilaterale.

vicendevolménte avv. a vicenda, scambievolmente, mutuamente.

vicevèrsa A avv. 1 contrariamente, al contrario, al rovescio 2 contrariamen-

te, diversamente, differentemente B cong. ma al contrario, invece CONTR. appunto, infatti, altrettanto.

vicinànza s. f. 1 adiacenza, prossimità, contiguità, attiguità, circostanza di CONTR. lontananza, distanza 2 [fisica] contatto, presenza CONTR. lontananza, assenza 3 [morale] (est.) affinità con, attinenza, legame con, relazione con, somiglianza con, corrispondenza con, concordanza con, conformità, rapporto CONTR. lontananza, assenza, differenza.

vicinànze s. f. pl. paraggi, dintorni.

vicino A agg. 1 attiguo, adiacente, limitrofo, confinante, contiguo CONTR. lontano, discosto, distaccato, appartato, remoto 2 (temp.) prossimo CONTR. lontano 3 simile, somigliante, similare B avv. accanto, dappresso, appresso, accosto, dattorno, dintorno, intorno, presso, verso CONTR. lontano, distante, via C s. m. (f. -a) confinante.

vicissitùdine s. f. peripezia, traversia, guaio, disgrazia, avventura, vicenda, storia.

vico s. m. (pl. -chi) 1 vicolo, viuzza, chiasso, calle (ven.), carruggio (genov.) 2 (gener.) via (genov.), strada.

vicolo s. m. 1 viuzza, chiasso (raro) calle (ven.), vico (merid.), carruggio (genov.) 2 (gener.) via, strada.

video A s. m. 1 schermo 2 (elab.) videoterminale B agg. inv. CONTR. audio.

videogiòco s. m. (pl. -chi) (gener.) gioco.

videoterminàle s. m. video (elab.).

vidimàre v. tr. 1 bollare, vistare, timbrare 2 (bur.) autenticare.

vietàre v. tr. 1 [q.c.] proibire, impedire, opporsi a, precludere CONTR. consentire, permettere, lasciare 2 [qc. a fare q.c.] (raro) ostacolare, bloccare, inibire.

vietàto part. pass.; anche agg. proibito, illecito, illegale (est.), tabù (est.) CONTR. lecito, concesso, permesso.

vièto agg. (spreg.) inattuale, anacronistico, obsoleto, vecchio, disusato, trito

CONTR. in (*ingl.*), attuale, à la page (*fr.*).

vigènte *part. pres.; anche agg.* corrente, attuale.

vigilànte *A agg.* vigile, attento *B s. m.* e *f.* sorvegliante, guardiano, custode, sentinella, guardia.

vigilànza *s. f.* **1** sorveglianza speciale **2** controllo, sorveglianza, guardia **3** tutela, custodia, assistenza.

vigilàre *A v. tr.* **1** vegliare, sorvegliare, badare, controllare, custodire, guardare, sovrintendere a **2** [*un luogo*] piantonare, presiedere *B v. intr.* vegliare *su,* tenere gli occhi aperti.

vigile *A agg.* attento *B s. m.* e *f.* agente.

vigliaccaménte *avv.* vilmente, codardamente, paurosamente, pavidamente **CONTR.** coraggiosamente, prodemente, valorosamente, eroicamente, fieramente, gloriosamente, intrepidamente, ardimentosamente, arditamente, audacemente, bravamente, dignitosamente (*est.*).

vigliaccàta *s. f.* canagliata, stronzata (*volg.*), cattiveria, carognata.

vigliacchería *s. f.* viltà, codardia, pusillanimità, pavidità **CONTR.** coraggio, audacia, eroismo.

vigliàcco *A agg.* **1** codardo, pusillanime, vile, pauroso **CONTR.** valoroso, prode, impavido, ardito, audace, animoso **2** (*est.*) infame, abietto *B s. m.* (*f. -a*) vile, verme (*fig.*), carogna (*fig.*) **CONTR.** eroe.

vigna *s. f.* vigneto.

vignéto *s. m.* vigna.

vigógna *s. f.* **1** (*gener.*) camelide **2** (*gener.*) filato.

vigóre *s. m.* **1** [*fisico, morale*] energia, gagliardia, vigoria, robustezza, vitalità, potenza, vita (*fig.*) **CONTR.** debolezza, sfinimento, sfinitezza, spossamento, spossatezza, stanchezza, abbattimento, deperimento **2** [*rif. a una persona*] (*est.*) salute, fibra (*fig.*), tempra (*fig.*), nerbo (*fig.*), sangue (*fig.*) **CONTR.** debolezza, cagionevolezza, esilità **3** [*rif. al comportamento*] (*est.*) energia, foga, vivacità, decisio-

ne, fermezza, risolutezza, grinta **4** [*rif. a un'opera artistica*] (*est.*) espressività, incisività **5** [*rif. a una legge, etc.*] efficacia, effetto.

vigoria *s. f.* vigore, gagliardia, energia, forza, nervo (*fig.*) **CONTR.** estenuazione, debolezza.

vigorosaménte *avv.* **1** energicamente, fortemente, forte, gagliardamente **CONTR.** abulicamente, apaticamente, debolmente, languidamente **2** efficacemente, validamente.

vigoróso *agg.* **1** gagliardo, robusto, valido, vegeto, rigoglioso **CONTR.** bolso, fiacco, spossato, prostrato, affranto, cagionevole, indebolito, emaciato, gracile, debole, delicato, deperito, debilitato, floscio, fragile, malandato, cascante, consunto **2** (*est.*) energico, nervoso **CONTR.** intorpidito, languido, distrutto **3** (*fig.*) verde **CONTR.** cascante, appassito.

vile *A agg.* **1** vigliacco, codardo, pusillanime, imbelle, pavido, timido **CONTR.** valoroso, coraggioso, impavido, prode (*poet.*), eroico, agguerrito, ardito, audace **2** meschino, misero **CONTR.** animoso **3** (*est.*) spregevole, basso, infame, abietto **4** [*rif. a una condizione sociale*] basso, umile **CONTR.** dignitoso, elevato *B s. m.* e *f.* vigliacco, verme (*fig.*), miserabile.

vilipèndere *v. tr.* **1** dileggiare, schernire, insultare, sfottere (*volg.*), ingiuriare, offendere **CONTR.** deprecare, magnificare, onorare, lusingare **2** [*le istituzioni*] oltraggiare, calpestare (*fig.*).

vilipéso *part. pass.; anche agg.* umiliato, irriso, mortificato, offeso, disprezzato, spregiato **CONTR.** lodato, apprezzato.

villa *s. f.* **1** campagna, contado **2** villaggio, paese, borgo **3** (*gener.*) casa **CONTR.** tugurio.

villàggio *s. m.* borgo (*lett.*), paese, villa (*lett.*), abitato.

villanaménte *avv.* **1** volgarmente, rozzamente, incivilmente, zoticamente, cafonescaméhte, grezzamente **CONTR.** con buone maniere, educatamente, urbanamente, civilmente, cortesemente, aristocraticamente (*fig.*), contegnosamente (*est.*) **2** scortese-

mente, sfacciatamente, bruscamente.

villanàta *s. f.* villania, sgarbo, sgarberia, scortesia **CONTR.** cortesia, gentilezza.

villania *s. f.* **1** [*nel modo di fare*] scortesia, impertinenza, inciviltà, maleducazione, ruvidità, zoticaggine, cafoneria, ineducazione, scostumatezza, sgarbatezza, malacreanza **CONTR.** cortesia, civiltà, educazione, signorilità, creanza, deferenza, amabilità, compitezza, gentilezza **2** [*rif. a un gesto, a un'azione*] scortesia, impertinenza, manchevolezza, scorrettezza, sgarbo, sgarberia, villanata, affronto, offesa, torto, dispetto **CONTR.** cortesia, gentilezza.

villàno *A agg.* maleducato, incivile, offensivo, ingiurioso, rozzo, grezzo, zotico, screanzato, sgarbato, cafone, scortese, scorretto, brutale **CONTR.** urbano, cortese, educato *B s. m.* (*f. -a*) **1** contadino **2** (*est.*) cafone, bifolco, buzzurro **CONTR.** signore.

villeggiàre *v. intr.* soggiornare.

villeggiatùra *s. f.* [*rif. a un periodo*] vacanza.

villeréccio *agg.* (*pl. f. -ce*) rustico, campagnolo, contadino **CONTR.** cittadino.

villico *s. m.* (*f. -a*) contadino.

villino *s. m.* **1** cottage (*ingl.*), dacia (*russo*), chalet (*fr.*) **2** (*gener.*) casa.

vilménte *avv.* **1** vigliaccamente, codardamente, pavidamente, paurosamente **CONTR.** impavidamente, coraggiosamente **2** ignobilmente, vergognosamente, abiettamente, bassamente.

viltà *s. f. inv.* **1** codardia, pavidità, vigliacchería, pusillanimità **CONTR.** coraggio, audacia, valore, prodezza, eroismo **2** abiezione, ignobiltà, bassezza (*fig.*).

vilùppo *s. m.* **1** [*insieme disordinato di q.c.*] garbuglio, groviglio, intreccio, nodo, groppo, intrico **2** [*rif. a una situazione*] (*est.*) confusione, arruffio, imbroglio.

vincere *A v. tr.* **1** [*il nemico, etc.*] sconfiggere, superare, battere (*fig.*), piegare (*fig.*), sopraffare, debellare, sbaragliare, soggiogare, domare, sgominare, soverchiare **CONTR.** perdere 2 [*le emozioni, etc.*] frenare, dominare, reprimere, contenere, trattenere, resistere a 3 [*un premio*] (*est.*) guadagnare, meritare, ottenere 4 [*un concorrente*] sconfiggere, superare, battere (*fig.*), piegare (*fig.*), bruciare (*fig.*), avanzare (*raro*) 5 [*una vetta, etc.*] conquistare 6 [*al gioco*] sbancare 7 [*detto di ira, di demonio, etc.*] possedere (*fig.*) 8 [*le difficoltà*] superare, sormontare **B** v. intr. 1 prevalere **CONTR.** perdere, fallire 2 predominare, preponderare **C** v. rifl. dominarsi, padroneggiarsi, controllarsi, contenersi.

vincita s. f. 1 vittoria **CONTR.** perdita 2 premio 3 (*fig.*) colpo.

vincolànte part. pres.; anche agg. impegnativo, obbligante **CONTR.** libero.

vincolàre A v. tr. 1 obbligare, impegnare, legare (*fig.*), incatenare (*fig.*), costringere **CONTR.** disobbligare, esimere, esonerare, prosciogliere, sbloccare 2 [*il movimento, etc.*] impacciare, impedire, intralciare 3 [*il comportamento*] (*psicol.*) condizionare **B** v. rifl. obbligarsi, impegnarsi, legarsi (*fig.*), esporsi (*est.*) **CONTR.** svincolarsi, disobbligarsi, esimersi, esonerarsi.

vincolàto part. pass.; anche agg. obbligato, impegnato **CONTR.** autonomo, indipendente.

vincolo s. m. 1 legame, catena (*fig.*), laccio (*fig.*), nodo (*fig.*) 2 (*dir.*) soggezione, servitù 3 [*morale*] (*est.*) dovere, impegno, promessa, obbligo 4 [*tra due persone*] (*est.*) legame, relazione, rapporto 5 (*est.*) peso, palla (*fig.*), palla al piede (*pop.*) 6 condizione, imposizione.

vino s. m. (*gener.*) liquido, bevanda.

vìola (1) s. f. 1 (*gener.*) fiore 2 mammola.

vìola (2) s. m. inv. (*gener.*) colore.

violàre v. tr. 1 [*la legge, etc.*] infrangere, contravvenire a, trasgredire, eludere, non rispettare **CONTR.** osservare 2 [*cose o luoghi sacri*] manomettere, profanare **CONTR.** rispettare 3 [*i costumi, le credenze*] (*est.*) calpestare,

oltraggiare, offendere **CONTR.** rispettare 4 [*i patti, le promesse*] mancare a, derogare a, tradire, rompere (*fig.*) **CONTR.** mantenere 5 [*qc.*] violentare, stuprare.

violàto part. pass.; anche agg. 1 manomesso, toccato **CONTR.** rispettato 2 [*rif. a una legge*] infranto **CONTR.** rispettato 3 [*rif. a un tempio*] profanato **CONTR.** rispettato 4 [*rif. alla libertà, etc.*] leso **CONTR.** rispettato 5 [*rif. al nome, alla dignità*] contaminato (*fig.*), disonorato **CONTR.** rispettato.

violazióne s. f. 1 [*di un patto, etc.*] rottura, trasgressione a, contravvenzione a, infrazione 2 inosservanza, elusione (*raro*), inadempienza 3 rottura, effrazione (*bur.*), manomissione 4 [*di un luogo sacro, etc.*] (*est.*) profanazione.

violentàre v. tr. 1 fare violenza a, coartare, costringere 2 deflorare, stuprare, disonorare (*est.*), violare.

violenteménte avv. 1 veementemente, con violenza, furiosamente, impetuosamente, tempestosamente, aggressivamente **CONTR.** fiocamente, debolmente, pacificamente 2 (*fig.*) ardentemente **CONTR.** debolmente.

violènto A agg. 1 [*rif. a una persona*] aggressivo, prepotente, tirannico, litigioso, rissoso, bellicoso, fanatico **CONTR.** mite, pacifico 2 [*rif. al carattere, etc.*] irruente, intemperante, sanguigno, eccitabile, brutale **CONTR.** mite, carezzevole 3 [*rif. a un discorso, a un modo*] cruento, feroce, veemente, energico **CONTR.** mite, blando 4 [*rif. a un urto, a un rumore, a un colore*] (*fig.*) forte, carico, intenso (*est.*), travolgente **CONTR.** blando 5 [*rif. alla passione*] travolgente, cocente **CONTR.** mite, blando **B** s. m. (f. -a) aggressivo.

violènza s. f. 1 brutalità **CONTR.** dolcezza 2 [*rif. al comportamento*] veemenza, forza, irruenza, aggressività, impeto, impetuosità, furia **CONTR.** calma, gentilezza, debolezza, delicatezza, mansuetudine 3 [*l'azione*] maltrattamento, sevizia, aggressione, abuso, prepotenza, soperchieria, sopraffazione, oltraggio (*est.*), assassinio (*fig.*), coercizione, imposizione 4 coazione (*est.*), costrizione 5 [*rif. al*

vento, a una tempesta] sferza, rovina.

violétto A agg. [*rif. a colore*] viola **B** s. m. 1 (*gener.*) colore 2 turchino.

viòttolo s. m. 1 sentiero, viuzza 2 (*gener.*) via, strada.

vipera s. f. 1 (*gener.*) rettile 2 aspide.

viràre v. intr. voltare, girare.

virginità s. f. inv. V. verginità.

virgùlto s. m. 1 germoglio, pollone, butto (*dial.*) 2 [*rif. a un giovane*] (*est.*) rampollo, allievo.

virile agg. 1 maschio, maschile **CONTR.** femmineo, effeminato (*est.*) 2 (*psicol.*) maschio **CONTR.** impotente.

virilménte avv. 1 maschilmente, da uomo **CONTR.** effeminatamente, femminilmente 2 (*est.*) coraggiosamente, valorosamente.

virtù s. f. inv. 1 (*est.*) qualità, dono, dote, pregio **CONTR.** vizio, difetto 2 [*rif. a un artista*] abilità, preziosità (*lett.*), virtuosità (*lett.*) 3 [*rif. alla donna, etc.*] (*ass.*) castità, purezza, fedeltà, onestà, pazienza, lealtà 4 [*di guarire, etc.*] facoltà, forza, potenza, capacità, potere, prerogativa 5 valore 6 [*tipo di*] giustizia, temperanza.

virtuàle agg. illusorio, fittizio, inventato, possibile (*est.*).

virtuosìsmo s. m. 1 virtuosità 2 (*est.*) bravura, abilità 3 preziosismo.

virtuosità s. f. inv. abilità, virtù, preziosità, virtuosismo (*fig.*).

virtuóso A agg. 1 onesto **CONTR.** vizioso, debosciato, perverso, pervertito, libertino 2 abile, esperto, perfetto, bravo **B** s. m. (f. -a) [*in un'arte*] esperto, fuoriclasse.

visceràle agg. 1 istintivo, intimo 2 (*fig.*) radicato, inveterato **CONTR.** superficiale 3 [*rif. all'amore*] (*fig.*) profondo, intenso **CONTR.** superficiale.

viscere s. f. pl. 1 utero, grembo (*lett.*), ventre, seno (*lett.*) 2 [*della terra, etc.*] (*fig.*) cuore, interno 3 [*di un problema, etc.*] (*fig.*) nocciolo.

visceri s. m. pl. budella, interiora, frattaglia, intestini.

vischiosità *s. f. inv.* **1** adesività, viscosità, gommosità **CONTR.** fluidità **2** (*est.*) resistenza, tenacità, tenacia.

viscidaménte *avv.* subdolamente, equivocamente **CONTR.** francamente, schiettamente.

viscido *agg.* **1** mucillaginoso, gelatinoso **2** [*rif. a una persona*] (*fig.*) mellifluo, untuoso, infido, subdolo, doppio **CONTR.** franco, schietto.

viscósa *s. f.* (*gener.*) fibra.

viscosità *s. f. inv.* vischiosità **CONTR.** scorrevolezza, fluidità.

viscóso *agg.* **1** oleoso, grasso, colloso, appiccicoso **CONTR.** fluido **2** (*lett.*) tenace.

visibile *agg.* **1** (*propr.*) vedibile, apparente, percettibile **CONTR.** invisibile, impercettibile, occulto **2** (*est.*) palese, manifesto, scoperto, evidente, lampante.

visibilménte *avv.* apprezzabilmente, evidentemente, chiaramente, palesemente **CONTR.** segretamente, celatamente.

visionàrio A *s. m.* (*f. -a*) **1** sognatore, utopista, idealista **CONTR.** realista **2** illuso **B** *agg.* vaneggiante **CONTR.** assennato.

visióne *s. f.* **1** vista **2** [*spec. con: avere una*] (*est.*) immagine, concetto, concezione, idea **3** (*est.*) visuale, veduta, spettacolo, quadro (*fig.*) **4** [*rif. a cose inesistenti*] (*est.*) miraggio, chimera, allucinazione, sogno, fantasia, apparizione, fantasma, spettro.

visita *s. f.* **1** esame, controllo, ispezione, sopralluogo **2** capatina **3** (*med.*) consulto, seduta **4** (*est.*) pellegrinaggio.

visitàre *v. tr.* **1** frequentare, andare a trovare, fare una visita a, salutare, trovare **2** [*un luogo*] attraversare, perlustrare, percorrere, girare **3** (*est.*) ispezionare **4** [*detto di medico*] vedere.

viso *s. m.* **1** faccia, volto, muso (*pop.*) **2** (*est.*) cipiglio, espressione, maschera **3** (*est.*) fisionomia, lineamento **4** (*est.*) cera (*fig.*), aspetto, sembiante (*poet.*).

vista *s. f.* **1** visione **2** apparenza, sembianza (*lett.*) **3** (*est.*) sensibilità, occhio (*fig.*) **4** aspetto, sguardo **5** paesaggio, visuale, spettacolo, veduta, panorama, scena, prospetto, prospettiva **6** (*gener.*) senso **CONTR.** olfatto, gusto, tatto, udito.

vistàre *v. tr.* mettere un visto, firmare, vidimare (*bur.*), bollare.

visto *part. pass.; anche agg.* **1** ammirato, contemplato **2** vecchio, superato **CONTR.** inedito, recente.

vistosaménte *avv.* **1** notevolmente, molto, assai **CONTR.** modestamente, moderatamente **2** chiassosamente, eccentricamente, spettacolarmente.

vistosità *s. f. inv.* sfarzo, appariscenza, imponenza **CONTR.** severità, sobrietà.

vistóso *agg.* **1** appariscente, sgargiante, chiassoso, sfacciato, caricato **CONTR.** scialbo, insignificante **2** (*est.*) procace **3** (*fig.*) notevole, considerevole, ingente, bello.

visuàle A *s. f.* **1** prospettiva **2** vista, visione, veduta, panorama, prospetto **B** *agg.* visivo.

visualizzàre *v. tr.* rendere visibile, focalizzare.

vita (1) *s. f.* **1** esistenza, realtà, vivere **CONTR.** morte **2** (*fig.*) pelle, buccia, pellaccia (*pop.*) **3** (*est.*) vitalità, forza, vigore, salute **4** [*rif. a un'opera artistica*] (*est.*) espressività, incisività **5** [*rif. al tempo*] (*est.*) durata **6** [*rif. a una persona amata*] (*est.*) luce (*fig.*), passione, cuore (*fig.*), scopo **7** essere, anima, persona **8** (*est.*) comportamento, condotta **9** profilo (*fig.*), biografia **10** [*nella città, nella strada*] (*est.*) animazione, fermento, movimento **11** [*rif. ai posteri*] fama, nome **12** sorte.

vita (2) *s. f.* cintura.

vitàle *agg.* **1** (*fig.*) indispensabile, basilare, capitale **CONTR.** letale (*ass.*) **2** (*est.*) importante **3** [*rif. a una persona*] (*fig.*) giovanile, dinamico **CONTR.** bolso, moscio, piagnucoloso.

vitalità *s. f. inv.* **1** resistenza **CONTR.** debolezza **2** [*fisica, morale*] (*est.*) energia, vigore, forza **CONTR.** indolen-

za **3** [*rif. ai modi di fare*] (*fig.*) vivacità, allegria, esuberanza, brio, verve (*fr.*), vita, anima, espansività.

vitalizio A *s. m.* pensione, rendita **B** *agg.* perpetuo.

vitèllo (1) *s. m.* (*f. -a*) **1** giovenco (*lett.*) **2** (*gener.*) mammifero **3** (*biol.*) tuorlo.

vitèllo (2) *s. m.* (*biol.*) tuorlo.

viticcio *s. m.* cirro.

vitreo *agg.* **1** vetroso **2** [*rif. allo sguardo*] opaco (*fig.*), inespressivo **CONTR.** vivo, vivace **3** [*rif. all'occhio*] (*fig.*) dilatato, sbarrato.

vittima *s. f.* **1** capro espiatorio (*fam.*) **2** (*est.*) martire, perseguitato **CONTR.** carnefice, sicario, assassino, oppressore, torturatore, aguzzino, boia **3** (*est.*) offerta.

vitto *s. m.* **1** cibo, alimentazione **2** (*pop.*) pane, minestra, pagnotta **3** (*est.*) nutrizione, nutrimento, alimento, mantenimento.

vittòria *s. f.* **1** affermazione, trionfo, successo **CONTR.** sconfitta, smacco, insuccesso, disfatta **2** conquista, riuscita **3** [*al gioco*] vincita.

vittoriosaménte *avv.* trionfalmente, da vincitore.

vituperàre *v. tr.* **1** offendere, oltraggiare, ingiuriare, insultare, svillaneggiare **CONTR.** lodare, elogiare **2** biasimare, denigrare, censurare, criticare **3** disonorare, screditare.

viùzza *s. f.* **1** vicolo, vico (*merid.*) **2** [*in campagna*] viottolo, sentiero **3** (*gener.*) via, strada.

viva A *inter.* evviva, urrà **CONTR.** abbasso **B** *s. m. inv.* applauso, plauso.

vivacchiàre *v. intr.* **1** campare, vegetare (*fig.*), vivere (*impr.*) **2** arrangiarsi.

vivàce *agg.* **1** [*rif. a una persona*] brioso, brillante, allegro, gaio, fresco, esuberante, festoso, spumeggiante (*fig.*), frizzante (*fig.*), estroverso, effervescente (*fig.*), sbirro (*dial.*) **CONTR.** amorfo, addormentato, intorpidito, intontito, debole, esanime, desolato, fiacco, inerte **2** [*rif. a un di-*

scorso, a un modo] brioso, eccitato, animato, focoso **CONTR.** amorfo, piatto, svenevole **3** [*rif. all'ingegno*] brillante, svelto, agile, pronto, fervido **CONTR.** amorfo, debole, fiacco **4** (*est.*) attivo, alacre **CONTR.** debole, fiacco, inerte **5** [*rif. allo sguardo*] espressivo **CONTR.** esanime, inespressivo, vitreo **6** [*rif. a uno scritto*] movimentato, fantasioso **CONTR.** amorfo, fiacco, piatto **7** [*rif. a un discorso, a una battuta*] acuto, aperto **CONTR.** amorfo, debole, fiacco, piatto **8** [*rif. al colore*] intenso, sgargiante **CONTR.** amorfo, debole, pallido **9** [*rif. a un bambino*] (*iperb.*) tremendo, esagitato.

vivacemente *avv.* briosamente, animatamente, euforicamente, dinamicamente, calorosamente, brillantemente **CONTR.** barbosamente, pedantemente, piattamente, desolatamente.

vivacità *s. f. inv.* **1** brio, vitalità, esuberanza, verve (*fr.*), mordente (*fig.*) **2** [*fisica*] (*est.*) vigore, alacrità, solerzia, energia, dinamicità **CONTR.** sonnolenza, torpore, apatia, indolenza, opacità **3** [*intellettiva*] (*est.*) agilità, acume, brillantezza **CONTR.** stolidezza **4** [*nel modo di fare*] spigliatezza, freschezza (*fig.*), spontaneità **5** (*est.*) slancio, impeto, foga **6** [*rif. al comportamento*] (*est.*) allegria, gaiezza, esultanza, animazione, irrequietezza **CONTR.** pacatezza, grigiore, tristezza **7** [*rif. allo sguardo*] vivezza, intensità.

vivacizzare *A v. tr.* **1** animare, movimentare, vivificare **CONTR.** intristire **2** [*un racconto, etc.*] ravvivare, colorire (*fig.*) *B v. intr. pron.* [*detto di atmosfera, etc.*] animarsi, ravvivarsi, riscaldarsi **CONTR.** intristirsi.

vivagno *s. m.* cimosa.

vivaio *s. m.* semenzaio, serra.

vivanda *s. f.* **1** cibo, alimento **CONTR.** bevanda **2** pietanza, piatto.

vivente *part. pres.; anche agg.* animato, vivo **CONTR.** morto, deceduto, defunto, esanime, inanimato.

vivere *A v. intr.* **1** esistere, essere vivo, respirare **CONTR.** morire, perire, crepare **2** campare, vivacchiare **3** [*in un luogo*] essere, stare, abitare, alloggiare, dimorare, albergare **4** [*da uomo,*

etc.] comportarsi, agire, procedere **5** [*detto di ricordo, etc.*] durare, sopravvivere, resistere, continuare **6** [*con le verdure, con la carne, etc.*] (*est.*) alimentarsi *di*, nutrirsi *di B v. tr.* **1** [*la vita, gli anni*] trascorrere, passare, condurre, attraversare (*fig.*) **2** [*le sensazioni, etc.*] sperimentare, provare **3** [*il dolore, la gioia*] (*est.*) partecipare *a C s. m. sing.* vita.

viveri *s. m. pl.* **1** cibo, derrate alimentari, vettovaglie **2** (*est.*) scorta, provvista.

viveur *s. m. inv.* gaudente **CONTR.** asceta.

vivezza *s. f.* **1** [*rif. al colore, al tono*] acutezza, intensità **2** [*rif. al carattere*] vivacità.

vivibile *agg.* **1** accettabile **2** [*rif. a un luogo*] agibile **3** [*rif. a una situazione*] (*est.*) accettabile, sopportabile.

vivificare *A v. tr.* **1** rinvigorire **2** [*l'atmosfera*] (*est.*) vivacizzare, animare, ravvivare, riaccendere (*fig.*), ridestare **3** [*l'animo*] (*est.*) confortare, ricreare, ristorare *B v. intr. pron.* ravvivarsi, ridestarsi **CONTR.** spegnersi.

vivo *A agg.* **1** vivente, animato **CONTR.** morto, defunto, deceduto, estinto, inanimato, crepato (*spreg.*) **2** [*rif. al dolore*] intenso, acuto **3** [*rif. a un sentimento*] (*est.*) sentito, forte **CONTR.** debole, fiacco **4** [*rif. al ricordo, etc.*] incancellabile, acceso (*fig.*) **CONTR.** debole **5** [*rif. a un angolo*] (*est.*) aguzzo **6** [*rif. al colore*] intenso, acceso, sgargiante **CONTR.** tenue, pallido **7** [*rif. allo sguardo*] vivace **CONTR.** inespressivo, vitreo *B s. m.* [*spec. al pl.*] **CONTR.** morto.

viziare *A v. tr.* **1** [*un bambino*] coccolare, diseducare (*est.*) **CONTR.** correggere **2** [*un giovane, etc.*] (*anche fig.*) corrompere, depravare, rovinare, guastare **CONTR.** moralizzare **3** [*le prove, etc.*] falsificare, inquinare, falsare **4** [*l'aria, l'ambiente*] inquinare, contaminare, infettare **5** [*un contratto, etc.*] inficiare, invalidare, infirmare *B v. intr. pron.* fuorviarsi, corrompersi.

viziato *part. pass.; anche agg.* **1** capriccioso, incontentabile **2** [*rif. all'aria*] pesante, irrespirabile, inquinato (*est.*) **CONTR.** puro, pulito **3** [*rif. a elezioni, a*

nomine, etc.] irregolare **CONTR.** pulito.

vizio *s. m.* **1** [*del gioco, etc.*] passione **CONTR.** virtù **2** [*rif. a un ambiente, etc.*] (*est.*) dissolutezza, depravazione, abiezione, male, peccato, perversione **3** [*fisico, morale*] difetto, imperfezione, magagna (*fig.*), pecca (*pop.*), neo (*fig.*), debolezza, debole **4** (*est.*) abitudine, mania, tic, vezzo **5** [*di forma*] errore, scorrettezza, irregolarità.

viziosamente *avv.* dissolutamente, corrottamente **CONTR.** onestamente, morigeratamente.

vizioso *A agg.* perverso, degenerato, depravato, dissoluto, libertino, pervertito, sadico (*est.*) **CONTR.** virtuoso, casto, dabbene *B s. m.* (*f. -a*) depravato.

vizzo *agg.* **1** appassito, moscio, sfiorito, sciupato, avvizzito **CONTR.** rigoglioso, fresco **2** [*rif. alla pelle*] flaccido, cascante **CONTR.** fresco.

vocabolario *s. m.* **1** [*di una lingua*] dizionario **2** [*rif. a un sottoinsieme*] lessico **3** [*di voci non usuali*] glossario.

vocabolo *s. m.* parola, voce, espressione, termine, lessema (*ling.*), nome.

vocazione *s. f.* **1** inclinazione, attitudine, disposizione, tendenza, predisposizione, propensione, bernoccolo (*fig.*) **2** chiamata **3** passione, aspirazione, ideale, missione (*est.*) **4** (*dir.*) delazione dell'eredità.

voce *s. f.* **1** (*erron.*) tono, timbro **2** [*di uno strumento musicale*] (*est.*) suono **3** (*fig.*) fiato **4** (*est.*) tono, grido, richiamo **5** suono, parola, vocabolo, termine **6** [*di dizionario*] (*ling.*) lemma, esponente, articolo, entrata **7** [*in documenti*] comma **8** [*di popolo*] chiacchiera, diceria **9** reputazione, fama **10** notizia **11** [*comune*] opinione **12** [*diatesi del verbo*] (*ling.*) forma **13** [*rif. agli animali*] verso **14** [*della coscienza*] suggerimento.

vociare *A v. intr.* gridare, sbraitare, berciare, schiamazzare, latrare (*fig.*), ragliare (*fig.*), ruggire (*fig.*), starnazzare (*fig.*) *B s. m. sing.* vocio, schiamazzo.

vociferare *A v. intr.* urlare, protestare

(*est.*), discutere **B** *v. tr.* spifferare, dire, mormorare.

vocìo *s. m.* **1** parlottio, cicaleccio, chiacchierio, cicalio, schiamazzo (*est.*), vociare **2** (*gener.*) suono, rumore.

vóga *s. f.* (*pl. -ghe*) **1** (*est.*) vogatore (*sport*) **2** (*est.*) impeto, slancio **3** (*est.*) usanza, moda.

vogàre *v. intr.* remare, remeggiare (*raro*), remigare (*raro*).

vogatóre *s. m.* (*f. -trice*) (*sport*) voga.

vòglia *s. f.* **1** volontà (*lett.*) **2** desiderio, desio (*lett.*), vaghezza (*lett.*), talento (*lett.*), cupidigia (*est.*) **3** [*sessuale*] (*fig.*) pizzicore, brama, fregola, prurito (*pop.*), prurigine (*pop.*), calore **4** pizzicore, uzzolo (*tosc.*), grillo (*fig.*), capriccio **5** (*est.*) tentazione, fantasia, appetito (*fig.*), istinto, velleità **6** (*est.*) bisogno, fame (*fig.*), sete (*fig.*), smania **7** [*spec. in loc.: togliersi la*] (*pop.*) gusto, sfizio **8** [*sulla pelle*] (*est.*) macchia.

vogliosaménte *avv.* desiderosamente, bramosamente, smaniosamente **CONTR.** svogliatamente, apaticamente.

voglióso *agg.* bramoso, desideroso, avido, assetato, affamato, smanioso, vago (*lett.*) **CONTR.** indifferente, svogliato.

volant *s. m. inv.* **1** gala, falpalà (*raro*) **2** (*gener.*) guarnizione, ornamento.

volantino *s. m.* [*per propaganda, per pubblicità, etc.*] foglietto.

volàre *v. intr.* **1** librarsi nell'aria, volteggiare, svolazzare **2** andare in aereo **3** [*detto di persona, etc.*] (*est.*) sfrecciare, filare, affrettarsi, precipitarsi, correre, schizzare **4** [*dall'alto*] precipitare **5** [*detto di notizia, etc.*] diffondersi, propagarsi **6** [*detto di insetti, etc.*] (*est.*) ronzare **7** [*detto di fogli, di foglie, etc.*] spandersi, sparpagliarsi **8** [*detto di schegge, di pezzi*] schizzare.

volàta (1) *s. f.* **1** (*fig.*) volo, corsa, salto **2** [*di uccelli*] (*est.*) volo, stormo.

volàta (2) *s. f.* (*tennis*) volée.

volàtile (1) *agg.* **1** aereo, etereo **2** lieve.

volàtile (2) *s. m.* pennuto, uccello.

volatilizzàre **A** *v. tr.* evaporare **CONTR.** condensare **B** *v. intr. pron.* **1** svaporare, evaporare, vaporizzarsi **2** [*detto di sogni, speranze, etc.*] scomparire, dileguarsi, svanire, dissolversi.

volatilizzazióne *s. f.* (*chim.*) evaporazione.

volée *s. m. inv.* volata.

volenteróso o **volonteróso** *agg.* alacre, solerte, sollecito, zelante, diligente, pronto (*est.*), studioso **CONTR.** abulico, apatico, neghittoso.

volentièri *avv.* con piacere, di buon grado, di buona voglia **CONTR.** malvolentieri, controvoglia, controstomaco, forzatamente.

volére **A** *v. tr.* **1** [*una carica, onorificenza*] desiderare, ambire, aspirare *a* **CONTR.** respingere, rifiutare **2** [*una persona, un bene*] desiderare, bramare, concupire (*lett.*) **3** [*il rispetto, l'amore*] esigere, pretendere, reclamare, ridomandare **4** stabilire, comandare, disporre, ordinare, intendere **5** [*nella forma volerci*] comportare, richiedere, essere necessario **6** permettere, consentire **7** [*una bibita, un dolce*] (*est.*) piacere, gradire **8** [*detto di tradizione, di leggenda*] asserire, affermare **9** [*fare q.c.*] risolversi *a*, decidersi *a* **10** [*detto di verbo*] reggere **11** [*piovere, nevicare, etc.*] essere imminente, essere probabile, stare per **B** *s. m.* **1** volontà, piacimento **2** intento, determinazione.

volgàre *agg.* **1** (*spreg.*) scurrile, sguaiato, triviale **CONTR.** fine, aggraziato, aureo (*fig.*), elevato, esemplare **2** [*rif. a cosa*] pacchiano, dozzinale, plebeo **CONTR.** fine, elegante **3** (*est.*) sciatto, sporco **CONTR.** dignitoso **4** (*est.*) prosaico.

volgarità *s. f. inv.* **1** [*rif. all'atteggiamento*] grossolanità, zoticaggine, rozzezza, inciviltà, maleducazione **CONTR.** signorilità, squisitezza, nobiltà, raffinatezza, eleganza, distinzione, sublimità **2** banalità **CONTR.** rarità **3** [*rif. a una frase*] trivialità.

volgarizzàre *v. tr.* **1** divulgare, diffon-

dere, rendere noto, spiegare, chiarire **2** [*uno scritto, etc.*] interpretare, tradurre **3** banalizzare, elementarizzare, rendere pedestre.

volgarizzazióne *s. f.* divulgazione.

volgarménte *avv.* **1** bassamente, ignobilmente **CONTR.** squisitamente, nobilmente **2** zoticamente, cafonescamente, rozzamente, villanamente, sguaiatamente, maleducatamente, grossolanamente **3** usualmente, solitamente.

vòlgere **A** *v. tr.* **1** [*lo sguardo, il pensiero*] indirizzare, dirigere, muovere, rivolgere, piegare, puntare, ruotare, torcere, presentare **2** [*la situazione, etc.*] rigirare, capovolgere, convertire, girare, invertire **3** [*q.c. in altra lingua*] tradurre **B** *v. intr.* [*detto di strada, di fiume, etc.*] curvare, deviare, girare, piegare, svoltare, voltare **C** *v. rifl.* **1** girarsi, voltarsi, piegarsi, dirigersi **2** [*a un'attività, etc.*] dedicarsi, indirizzarsi (*fig.*), polarizzarsi *su* **D** *v. intr. pron.* **1** pendere, girare *per* **2** [*al termine, al bello, etc.*] incamminarsi, avvicinarsi, approssimarsi **3** [*detto di tempo*] voltarsi, tendere, buttare, mutare.

vòlgo *s. m.* (*pl. -ghi*) plebe, popolo **CONTR.** nobiltà, aristocrazia, borghesia, patriziato.

volièra *s. f.* gabbia, uccelliera.

volley *s. m. sing.* (*sport*) pallavolo, volley-ball (*ingl.*).

volley-ball *s. m. sing.* **1** (*sport*) pallavolo, volley (*ingl.*) **2** (*gener.*) sport.

vólo *s. m.* **1** ascesa, salita (*raro*) **2** (*est.*) salto, slancio **3** [*di uccelli*] (*est.*) stormo **4** (*est.*) salto, caduta **5** (*est.*) volata (*fig.*), corsa **6** [*di notizie*] diffusione, propalazione, divulgazione **7** (*est.*) viaggio.

volontà *s. f. inv.* **1** volere **2** [*rif. all'atteggiamento*] determinazione, costanza, fermezza (*est.*), risolutezza, impegno, puntiglio **CONTR.** svogliatezza, malavoglia, neghittosità, abulia, fannullaggine, infingardaggine **3** (*est.*) piacere, voglia **4** proposito, intenzione, proponimento, desiderio, pensiero **5** [*nello studio, etc.*] disposizione **6** (*est.*) arbitrio, capriccio.

volontariaménte *avv.* **1** appost*

deliberatamente, di proposito, volutamente **CONTR.** accidentalmente **2** coscientemente, responsabilmente **CONTR.** automaticamente, inconsapevolmente, inconsciamente, macchinalmente, meccanicamente **3** liberamente **CONTR.** coattivamente, coercitivamente, forzatamente, forzosamente.

volontàrio A agg. **1** libero, deliberato, intenzionale, facoltativo, voluto **CONTR.** involontario, automatico, inconsapevole, inconscio **2** [rif. a un aiuto, a una cura] spontaneo **CONTR.** coatto, forzato **3** (neg.) spontaneo **CONTR.** mercenario, prezzolato **B** s. m. (f. -a) [di sangue, etc.] donatore.

volteróso agg. V. volenteroso.

vólpe s. f. **1** (gener.) mammifero **2** (est.) pellaccia, imbroglione **CONTR.** allocco, bietolone.

volpino (1) agg. astuto, accorto, furbo, scaltro, perspicace **CONTR.** ingenuo.

volpino (2) s. m. (gener.) cane.

vòlta (1) s. f. **1** tempo **2** occasione, circostanza **3** turno, vece **4** svolta, giro.

vòlta (2) s. f. **1** soffitto **2** (anat.) calotta **3** arco (est.).

voltàre A v. tr. **1** [una pagina, una bistecca] girare **2** [un animale, etc.] guidare **3** [l'ordine, la situazione] invertire, rovesciare **4** [gli occhi] (est.) ruotare, torcere **5** [pagina, in senso fig.] (est.) cambiare, mutare **6** [la frittata, etc.] girare, rivoltare **B** v. intr. sterzare, curvare, svoltare, virare, volgere, deviare **C** v. rifl. girarsi, volgersi, rivoltarsi, cambiare posizione **D** v. intr. pron. [detto di tempo, etc.] mutare, mutarsi.

volteggiàre v. intr. **1** piroettare, danzare, ballare, girare, roteare, volare (fig.) **2** [detto di cavallo e cavaliere] caracollare.

voltéggio s. m. giravolta.

Ito (1) s. m. **1** viso, faccia, naso **2** (est.) fisionomia, aspetto, biante (poet.) **3** (est.) essenza, a **4** maschera, mimica, espres-

vòlto (2) agg. [rif. al pollice] verso.

voltolàre v. tr. rotolare, ruzzolare, rivolgere, rivoltare, rigirare.

volùbile agg. **1** (lett.) girevole **CONTR.** fermo, fisso **2** [rif. al tempo] (lett.) mobile **CONTR.** fermo, fisso **3** [rif. al carattere, etc.] (fig.) incostante, mutevole, instabile, influenzabile, lunatico **CONTR.** abitudinario, assiduo, costante, metodico, perseverante, tenace **4** [rif. al suono] (fig.) leggero, debole **CONTR.** costante, persistente.

volubilità s. f. inv. **1** incostanza, instabilità, variabilità, mobilità (raro) **CONTR.** costanza, fedeltà, stabilità, tenacia **2** [rif. al carattere] frivolezza, mutevolezza, leggerezza (fig.) **CONTR.** serietà.

volubilménte avv. incostantemente, instabilmente, mutevolmente **CONTR.** perseverantemente, stabilmente, immutabilmente.

volùme (1) s. m. **1** stazza, misura **2** (est.) ingombro, massa, mole, spessore, grossezza **3** [rif. al suono] intensità, tono **4** [di affari] quantità **5** (gener.) dimensione.

volùme (2) s. m. libro, tomo, opera (est.).

voluminosità s. f. inv. ingombro, grossezza, imponenza (est.) **CONTR.** tenuità.

voluminóso agg. **1** grosso, ingombrante, grande **CONTR.** piccolo, esiguo **2** [rif. a una persona] (est.) corpulento, grasso **CONTR.** piccolo, esile.

volùta s. f. spirale, spira, anello, giro.

volutaménte avv. apposta, studiatamente, di proposito, volontariamente **CONTR.** occasionalmente, per caso, fortuitamente.

volùto part. pass.; anche agg. volontario, deliberato, intenzionale **CONTR.** fortuito, casuale.

voluttuosaménte avv. sensualmente, libidinosamente, golosamente (est.) **CONTR.** freddamente.

voluttuóso agg. **1** inebriante, piacevole, incantevole **2** [rif. a un atteggiamento] sensuale, lussurioso, lascivo.

vomìre v. tr. vomitare, rimettere, rigurgitare, recere (lett.).

vomitàre v. tr. e intr. **1** rimettere, rigettare, rigurgitare, recere (raro), vomire (lett.), ributtare, rovesciare, rifiutare (est.) **CONTR.** ingerire, inghiottire, ingoiare, ingollare, ingozzare, ingozzarsi, ingurgitare **2** [sentenze, etc.] (est.) sputare, lanciare, proferire, scagliare, eruttare.

vòmito s. m. nausea, ripugnanza, schifo, disgusto, controstomaco.

voràce agg. ghiotto, edace, ingordo, goloso **CONTR.** parco, sobrio (est.), morigerato.

voraceménte avv. con voracità, avidamente, ingordamente, ghiottamente, golosamente, con cupidigia **CONTR.** sobriamente, con moderazione.

voracità s. f. inv. **1** insaziabilità **2** (est.) avidità.

voràgine s. f. baratro, abisso.

vorticàre v. intr. **1** mulinare, turbinare **2** [detto di pensieri] (fig.) mulinare, frullare, agitarsi, ronzare.

vòrtice s. m. **1** [di acqua, etc.] (est.) gorgo, mulinello **2** [di aria] mulinello, turbine, spirale **3** [di sentimenti, etc.] (fig.) turbinio, ridda, carosello.

vorticosaménte avv. turbinosamente.

votàre A v. tr. **1** designare, eleggere, scegliere, acclamare, delegare **2** [una proposta] (est.) deliberare **3** [un bilancio] approvare **B** v. intr. dare il voto a **C** v. rifl. darsi, dedicarsi, applicarsi, consacrarsi, attendere, donarsi (est.), promettersi.

votàto part. pass.; anche agg. devoto, dedicato.

votazióne s. f. **1** (est.) consultazione elettorale, referendum, plebiscito, urna (fig.) **2** voto **3** [l'effetto della] (est.) elezione.

vóto (1) s. m. **1** (relig.) offerta **2** (est.) promessa, proponimento, giuramento **3** augurio, auspicio.

vóto (2) s. m. **1** (est.) votazione, giudizio **2** (est.) suffragio.

voyeur s. m. inv. guardone.

vulneràre v. tr. ferire, offendere, danneggiare, ledere.

vùlva s. f. vagina (erron.), natura (pop.), fica (volg.), topa (volg.), passera (volg.), fessa (nap.), potta (tosc.), patata (fam.), fregna (roman.).

vuotàggine s. f. vuoto, vuotezza (raro), vacuità.

vuotàre A v. tr. 1 [un recipiente] scaricare, svuotare, pulire (est.) CONTR.

empire, ricolmare, inzeppare 2 [un locale] evacuare, sgomberare CONTR. gremire, popolare, riempire, saturare B v. intr. pron. [detto di locale, etc.] svuotarsi, sgomberarsi CONTR. riempirsi, popolarsi.

vuotézza s. f. vuoto, vuotaggine (raro), vacuità.

vuòto (1) agg. 1 privo CONTR. pieno, zeppo, colmo, carico, gonfio, gravido, ingombro, rigurgitante, saturo, sovraccarico, stipato, strapieno, traboccante 2 [rif. a un luogo] deserto, disabitato, spopolato CONTR. affollato, gre-

mito, popolato, completo 3 [rif. a un discorso, a un modo] vacuo, fatuo, frivolo, vanesio, inconsistente CONTR. pregno, eloquente 4 [rif. al posto] disponibile, vacante 5 [rif. a un tronco, a un legno] cavo 6 [rif. a un luogo chiuso] scarico, sgombro 7 [rif. all'animo, etc.] vacuo, inconsistente CONTR. ricco.

vuòto (2) s. m. 1 intercapedine, spazio, cavità, interstizio 2 [morale] (est.) mancanza, carenza 3 buco (fig.), lacuna 4 (raro) vuotezza, vuotaggine 5 nulla.

x, X

xerocopiàre *v. tr.* fotocopiare, riprodurre.

xilòsio *s. m.* (*gener.*) zucchero.

y, Y

yacht *s. m. inv.* **1** panfilo **2** (*gener.*) barca, imbarcazione.

z, Z

zafferàno s. m. 1 (bot.) croco 2 (gener.) spezie, droga.

zaffìro s. m. (gener.) pietra, gemma, minerale CONTR. diamante, rubino, smeraldo.

zàino s. m. bisaccia, sacca, sacco, borsa.

zàmpa s. f. 1 [con unghie] branca (lett.), rampa (raro) 2 [di una persona] gamba 3 [di un mobile] (fig.) piede.

zampàre v. intr. [spec. di cavalli] scalpitare, raspare.

zampàta s. f. colpo.

zampillàre v. intr. schizzare, sgorgare, fuoriuscire, scaturire, sprizzare, rampollare (colto).

zampillo s. m. spruzzo, getto, schizzo, sprazzo (raro).

zampógna s. f. cornamusa, piva (dial.), cennamella (raro).

zanzàra s. f. (gener.) insetto.

zappàre v. tr. zappettare, dissodare, vangare (erron.).

zappettàre v. tr. zappare.

zar o csar, czar, tsar s. m. sovrano, re, imperatore.

zàttera s. f. 1 [tipo di] 2 (gener.) imbarcazione, galleggiante.

zavòrra s. f. 1 peso 2 (fig.) peso, fardello, impiccio, spazzatura (spreg.).

zàzzera s. f. capigliatura, chioma, criniera (scherz.).

zécca s. f. (pl. -che) (gener.) aracnide.

zèffiro s. m. V. zefiro.

zèfiro o zèffiro s. m. 1 brezza 2 (gener.) vento.

zelànte A agg. 1 alacre, attivo, operoso, volenteroso (est.) CONTR. trascurato, negligente, svogliato, pigro, igna-

vo 2 (anche iron.) coscienzioso, diligente, sollecito, solerte, studioso B s. m. e f. coscienzioso.

zelateménte avv. 1 con zelo, diligentemente, attentamente CONTR. negligentemente, trascuratamente 2 con zelo, premurosamente.

zèlo s. m. 1 fervore, ardore, amore (poet.) CONTR. apatia, malavoglia 2 (est.) impegno, diligenza, sollecitudine, premura, cura, applicazione CONTR. negligenza 3 operosità, attivismo CONTR. pigrizia.

zéppo agg. 1 pieno, colmo, rigurgitante, stipato, pervaso CONTR. vuoto 2 [rif. alla gente] stipato, affollato, gremito.

zerbino s. m. stuoia, stoino.

zerbinòtto s. m. damerino, bellimbusto, ganimede.

zèro s. m. 1 (est.) niente 2 [rif. a una persona] (est.) nullità, incapace, scarpa (fig.), sconosciuto.

zigàno o tzigàno A s. m. (f. -a) gitano, zingaro B agg. gitano, zingaresco.

zimbèllo s. m. 1 richiamo, esca, lusinga (est.) 2 (est.) spasso, trastullo.

zìngaro s. m. (f. -a) gitano, zigano.

zìnna s. f. mammella, tetta (dial.), cioccia (dial.), poppa (tosc.), puppa (tosc.).

zinnia s. f. (gener.) fiore.

zìo s. m. (f. -a) (sett.) barba.

ziro s. m. giara, coppo, orcio.

zitèlla s. f. nubile, ragazza, signorina, vergine.

zittire A v. tr. 1 fare tacere, interrompere, fare stare zitto, ridurre al silenzio 2 [un conferenziere] (est.) fischiare B v. intr. pron. tacere, fare silenzio, smettere di parlare, chetarsi CONTR. parlare.

zizzània s. f. discordia, malum

zòccola s. f. 1 troia (volg.), pu (volg.), bagascia (genov.), mere (lett.), prostituta, sgualdrina, va (volg.), mignotta (roman.), batto (volg.), ragazza squillo, sacerdotess di Venere (euf.), mondana (euf.), baldracca (volg.), scrofa (volg.) 2 topo.

zolfanèllo s. m. fiammifero.

zòlla s. f. 1 terreno 2 [un poco di q.c.] pezzo, tocco.

zompàre v. intr. saltare.

zòna s. f. 1 striscia, lembo, fascia, cintura (fig.) 2 (est.) area, territorio, regione, plaga (lett.), parte, luogo, isola 3 (est.) settore, cerchio 4 (est.) quartiere, sestiere (colto), rione, sobborgo 5 [mineralogica] area, bacino 6 [di un medico, etc.] area, condotta, comprensorio.

zoomàre v. tr. zumare.

zoppicàre v. intr. claudicare, essere zoppo, arrancare (est.).

zoticàggine s. f. grossolanità, rozzezza, volgarità, villania, ignoranza CONTR. civiltà, cortesia, educazione, gentilezza.

zoticaménte avv. villanamente, rozzamente, maleducatamente, cafonescamente, volgarmente, grezzamente.

zòtico A agg. rozzo, villano, screanzato, grossolano, incivile, selvaggio, selvatico (lett.), incolto (est.), ignorante (est.), cafone CONTR. educato, garbato, raffinato, sofisticato, cortese, gentile, affabile B s. m. (f. -a) maleducato.

zùcca (1) s. f. (pl. -che) (est.) testa (merid.), cranio (scherz.), capoccia (fam.), crapa (pop.), capo.

zùcca (2) s. f. (pl. -che) 1 (gener.) pianta 2 cucurbita, cocuzza (merid.).

zuccàta s. f. capocciata, testata, craniata.

zùffa s. f. **1** rissa, baruffa, litigio, bisticcio, tafferuglio (est.), pestaggio (est.), scaramuccia, litigata **2** mischia, battaglia, polvere (fig.) **3** [verbale] polemica.

zufolàre v. tr. e intr. **1** fischiare, fischiettare, modulare (est.) **2** (est.) riportare, cantare (fig.).

zùfolo s. m. piffero.

zumàre v. tr. zoomare.

zùppa s. f. **1** minestra, pappa **2** [insieme disordinato] (est.) mescolanza, confusione, imbroglio, pasticcio **3** (fig.) noia, solfa, musica, menata (volg.), storia, tiritera (scherz.), canzone.

zùppo agg. intriso, impregnato, inzuppato, imbevuto, bagnato, madido (lett.) CONTR. asciutto, secco, arido, assetato.